# LE LIVRE
## DES
# MERVEILLES

CONSEIL DE PRÉSIDENCE DU GRAND JUBILÉ DE L'AN 2000

# LE LIVRE
### DES
# MERVEILLES

*sous la direction de*
*Mgr Joseph Doré, archevêque de Strasbourg*

MAME / PLON

Le Livre des Merveilles, édité par
le Conseil de présidence du Grand
Jubilé de l'An 2000, a été réalisé par
une équipe internationale de 158 spécialistes sous la responsabilité de
Mgr Joseph Doré, archevêque de
Strasbourg.

© Groupe Fleurus-Mame, Paris, 1999
ISBN : 2-7289-0896-6 (Mame)
ISBN : 2-259-19182-7 (Plon)

# UN MAGNIFICAT POUR L'ÉGLISE

O UI, DEPUIS DEUX MILLE ANS, *le Salut est en marche dans l'histoire des hommes et des femmes ! Oui, il donne un sens à notre histoire ! Réalisé une fois pour toutes en Jésus-Christ et sans cesse annoncé depuis la Pentecôte par son Église, il est à l'œuvre dans le monde.*

*Nous en avons la certitude : depuis 2000 ans, en son Église,* « le Seigneur fait pour nous des merveilles ». *C'est pour le proclamer que, sous la responsabilité du Conseil de présidence du Grand Jubilé, ce livre d'action de grâce raconte Dieu à l'œuvre dans le monde par son Église.*

*Comment rendre compte de toutes ces merveilles ? Écrire une histoire de l'Église ? Beaucoup l'ont déjà fait. Écrire une histoire du Salut ? Qui l'oserait sinon Dieu lui-même qui l'écrit avec nos vies ?*

*Pourtant, les hommes et les femmes d'aujourd'hui attendent ce témoignage, c'est pourquoi nous avons choisi de raconter une multitude de récits – conversions, gestes de charité, débats théologiques, envois en mission, martyres... — en étant convaincus que la Grâce, en parlant au cœur de chacun, en révélera le sens.*

*Cette histoire est une histoire incarnée, celle d'hommes et de femmes qui ont collaboré au dessein de Dieu : c'est pourquoi il a été choisi de la raconter, et non de l'exposer.*

*Et parce que les hommes et les femmes d'aujourd'hui sont exigeants, qu'ils attendent que l'on témoigne du vrai, il a été fait appel à des spécialistes pour collecter et raconter les faits, dans tous les domaines, toutes les périodes et tous les lieux abordés.*

*Chaque jour de l'année, comme on feuillette un almanach, on découvrira ainsi une multitude de belles et courtes histoires témoignant de la variété et de la fécondité des œuvres de la Grâce, et chacun y trouvera ses propres raisons de jubiler. De la primitive Église à nos jours, la profusion des fruits évangéliques se révèle dans toute sa diversité, des vocations les plus humbles aux plus glorieuses, en tous lieux et en tous temps, selon trois axes majeurs :*

*— L'Église annonce à l'humanité entière la Bonne Nouvelle de son Salut, qu'il s'agisse de l'histoire des missions, de celle de la théologie, de la liturgie ou de l'enseignement de l'Église.*

*— L'Église et les chrétiens œuvrent pour le bien commun et la promotion de la dignité de l'Homme, de tout homme : par leurs actions en faveur de la justice, de la paix, du progrès de l'éducation, de la culture et de la science.*

*— La Grâce rencontre la liberté humaine, à travers la vie de grands saints, mais aussi à travers la nuée de témoins qui, sans être forcément saints, ont un jour tout risqué pour suivre le Christ.*

*Notre espérance, c'est que cette multitude d'histoires, proposée à la méditation du lecteur comme les perles d'un chapelet que l'on égrène, suscite une grande prière d'action de grâce devant les merveilles que Dieu réalise dans le monde par son Église, sacrement du Salut.*

Roger cardinal Etchegaray
Président du Conseil de Présidence
du Grand Jubilé de l'An 2000

# Célébrer le mystère et les Merveilles de Dieu

La naissance de Jésus-Christ. Le gond de l'histoire.

*Selon la foi chrétienne, le temps dans son ensemble – chaque jour, chaque année et surtout la durée tout entière du monde – se structure, autour du Christ, comme une* histoire *: plus précisément comme une histoire de salut, comme l'histoire du Salut. À travers les temps, Dieu, le Seigneur, poursuit la réalisation d'un plan : établir une alliance de vie avec le monde qu'il a créé, et tout spécialement avec l'humanité qui habite ce monde. Si, selon la Bible elle-même, aucun peuple du monde n'est resté « sans témoignage » (Ac 17, 22ss) et si aucune conscience d'homme ne manque de « lumière » (Rm 1, 19-20), c'est de fait dans la séquence Peuple d'Israël – Jésus-Christ – Église qu'a culminé la manifestation de Dieu au monde, la révélation du salut de Dieu à l'humanité :* « Après avoir, à bien des reprises et de bien des manières, parlé à nos pères par les Prophètes,

Dieu, en ces temps, qui sont les derniers, nous a parlé par le Fils... »
*(He 1, 1-2)*

*S'il en va ainsi, la naissance en notre monde et dans notre histoire de Jésus, le Christ, notre Seigneur, marque évidemment pour toute l'humanité, pour le Peuple dont il est issu, et spécialement pour l'Église qu'il a fondée, un événement unique, l'événement central – ou, pour parler comme saint Irénée au IIᵉ siècle, le « gond de l'histoire ».*

## Un projet éditorial centré sur l'Église

*Ainsi l'idée nous est-elle venue d'attribuer à chacun des jours de l'année la commémoration d'un événement ou d'une figure, d'une initiative ou d'une institution en lesquelles se donne à reconnaître la trace de Jésus, la « suite » du Christ. Et cela, de sorte que les deux mille ans de christianisme se trouvent répartis sur les 365 jours de nos années (exactement : du 24 décembre au 25 décembre de l'année suivante).*

*Reconnaissons-le : un tel projet n'était pas une mince entreprise.*

*Il fallut tout d'abord sélectionner les faits et gestes, les personnes et institutions susceptibles d'être retenus, à travers les vingt siècles concernés. On fit appel à des spécialistes des différentes périodes, et leurs avis furent étudiés soigneusement par un comité éditorial qui choisit de se donner certes toutes les garanties de sérieux historique, mais sans chercher à faire un livre d'histoire scientifique, ni à vouloir en donner l'impression. Un livre d'histoires plutôt : voilà en réalité ce que nous avons voulu. Plus précisément encore : un livre de belles histoires vraies, qui rapporte des faits établis et fasse état d'informations vérifiées, mais qui suscite l'intérêt et retienne l'attention : qui parle au cœur. À chaque fois, le cadre est* brièvement tracé et la scène constituée, le dialogue ou l'action rondement menés, le personnage pertinemment évoqué avec son action et son destin. Qui le souhaitera pourra ainsi avoir chaque soir sa belle histoire ; et à chaque jour de l'année sera donnée sa joie.

Ces histoires à la fois belles et vraies sont précisément les « merveilles » qu'évoque le titre de notre livre. Merveilles accomplies parmi nous par des êtres de notre terre et de notre histoire ; mais aussi « merveilles que fit pour nous le Seigneur », s'il faut en croire le Magnificat. Merveilles humaines dans lesquelles, ne craignons pas de le dire, se révèle et s'atteste donc pour nous le Mystère même du Dieu vivant et vrai.

## Le Mystère et les merveilles de Dieu

Saint Paul évoque avec ferveur ce Mystère si longtemps resté « caché en Dieu », mais qu'au temps marqué, le Christ est venu révéler aux yeux de notre foi et à l'espérance de notre cœur : le Père veut par son Christ et en l'Esprit Saint qui l'unit à lui, associer les hommes à sa vie, les faire vivre selon l'Évangile de sa Grâce. Or, de ce Mystère, l'Épître aux Éphésiens nous invite à mesurer à la fois « la longueur, la largeur, la hauteur et la profondeur ». On pourra voir que le présent ouvrage nous donne, pour sa part, les moyens de répondre à une telle invitation !

La longueur. C'est sur toute la durée du temps chrétien que nous pouvons constater la fécondité, en des vies humaines, de leur communion au Mystère du Christ. De Paul de Tarse, Clément de Rome, Ignace d'Antioche et Irénée de Lyon à Maria Goretti, Robert Schuman, Jean XXIII et Oscar Romero, elle est longue, à travers les vingt siècles de christianisme, y compris les plus défavorisés et les moins connus, la liste de ceux qui ont transmis le flambeau jusqu'à nous, qui nous ont passé le témoin.

La largeur. *Toute la face de la terre est finalement concernée. Si en effet, à partir de la Palestine, tout a commencé par le pourtour de la Méditerranée, avec des extensions qui n'ont pas tardé vers l'Arménie et l'Éthiopie, vers la Gaule et l'Espagne, on voit bientôt les Irlandais et les Slaves évangélisés, avant que ne soient à leur tour visités l'Amérique du Sud, puis l'Extrême-Orient et l'Afrique noire, enfin l'Océanie. Est ainsi venu le temps où* « sur toute la face de la Terre a retenti leur message », *où, du levant au couchant, peut être rassemblé le peuple qui présente au* « Dieu de l'univers […], partout dans le monde », l'oblatio munda.

La hauteur. *Une chose frappe particulièrement lorsqu'on parcourt la liste de ces témoins : en chacun d'eux ne resplendit finalement rien d'autre que l'œuvre de Dieu.* Mirabilis Deus in sanctis suis : *il est très clair qu'*« en couronnant les mérites *[de tous ces élus]*, Dieu couronne en fait *[ses propres]* dons ». *Car qui d'autre a donné la force du martyre à Blandine, à Perpétue et Félicité, aux premiers siècles, comme aux évêques martyrs des prisons roumaines au XX*e *siècle ? Qui d'autre a converti Clovis, fondé Cluny et Cîteaux, assisté tant de conciles, élu tant de papes, suscité tant de témoins, aussi bien d'ailleurs parmi les petits enfants que chez les hauts dignitaires ou parmi les pauvres paysans andins ?*

La profondeur. *Encore faut-il l'ajouter : cette action de Dieu à travers toute l'histoire et sur toute la face de la terre en tant de vies semblables aux nôtres, ne* les a tellement transformées et enrichies que parce qu'elle a de fait pu les atteindre en leurs plus intimes profondeurs. Par la grâce de Dieu ont été convertis des barbares et des savants, des jouisseurs comme Augustin et des militaires comme Ignace. Par elle ont été envoyés au désert Antoine et Pacôme et menés aux sommets de la contemplation Thérèse d'Avila, Jean de la Croix et les mystiques du Grand Siècle. Par elle ont été à la fois conduits et inspirés Benoît et Grégoire le Grand, Catherine de Sienne et François d'Assise, Thérèse de l'Enfant Jésus et Jean-Marie Vianney.

Et l'on pourra voir aussi ce qui est arrivé : à des artistes comme Dante, Fra Angelico et Roublev, Monteverdi, Bach et Messiaen ; à des intellectuels comme Origène et Bède, Alcuin et Thomas d'Aquin, Newman et Lagrange ; à des scientifiques comme Laennec et Mendel, Branly et Lemaître ; à des « humanitaires » comme Ozanam, Ketteler, Mlle Gahery et Satoko Kitahara.

## POUR LA SAINTETÉ DES CHRÉTIENS

La préface des saints du Missel romain invite les croyants à prier ainsi : « Vraiment, il est juste et bon de te rendre gloire, de t'offrir notre action de grâce, toujours et en tout lieu, à toi, Père très saint, Dieu éternel et tout puissant, par le Christ, notre Seigneur. Tu ravives toujours les forces de ton Église par la foi dont témoignent les saints, et tu nous montres ainsi ton amour. Aujourd'hui nous te rendons grâce, car leur exemple nous stimule, et leur prière fraternelle nous aide à œuvrer pour que ton règne arrive. Voilà pourquoi, Seigneur, avec les anges et tous les saints, nous proclamons ta gloire. »

*Notre première attitude devant les « merveilles » que ce livre expose tout au long peut-elle être autre, en effet, que d'admirer, de nous réjouir et de rendre grâce ?*

*En notre monde où nous manquons tant de « belles histoires » (vraies !), où il est devenu si rare de (pouvoir) admirer, nous ne sommes cependant pas seulement appelés à faire mémoire des merveilles d'hier. Au spectacle renouvelé de celles-ci, nous sommes aussi invités à trouver le regard qui nous permettra de nous ouvrir à tout ce qui, aujourd'hui même et dans notre entourage le plus immédiat comme un peu partout dans le monde, s'accomplit encore comme belles actions (si peu reconnues soient-elles), se déploie comme initiatives de charité, se vit comme fidélité, se génère comme espérance.*

*Car il n'est pas vrai qu'il n'y ait plus ni désintéressement ni générosité en ce monde. Il est devenu urgent d'en finir avec les déplorations systématiques sur les malheurs de l'époque et avec le dénigrement généralisé des jeunes générations dans lequel paraissent se complaire trop de nos contemporains. Il est revenu le temps des hommes de bonne volonté.*

*En même temps qu'à découvrir celles qui peuvent déjà nous entourer, cette série de « merveilles » étalées sur vingt siècles nous invite également à inventer celles que nous pouvons produire nous-mêmes.*

*Après tout, nombre de ceux que nous pouvons reconnaître aujourd'hui comme saints et saintes de Dieu n'étaient, au départ, ni meilleurs ni pires que nous. Et pourtant, à quelle liberté incroyable ont-ils pu accéder, face à tout ce qui pouvait les retenir prisonniers de leurs habitudes ou de leurs craintes ! De quelle créativité étonnante n'ont-ils pas donné le témoignage, malgré les innombrables obstacles extérieurs et leurs propres résistances intimes !*

*Or tout est en eux le fruit de la seule grâce de Dieu, accueillie par leur seule* foi. Portée par la même grâce, la même foi est toujours capable de transporter les mêmes montagnes : celles de la médiocrité et de la méchanceté, celles de la souffrance et du malheur. La même grâce et la même foi peuvent, en nous, éveiller des disponibilités que nous croyions impossibles, susciter des générosités dont nous ne nous serions jamais crus capables, libérer des énergies dont nous n'avions pas même l'idée. Et pourquoi, soutenus par ce que l'épître aux Hébreux appelle « une telle nuée de témoins », pourquoi ne tenterions-nous pas, une petite fois, de devenir meilleurs — voire, une bonne fois, de devenir bons ?

« Pour que vous aussi vous croyiez »

Reste un point. On n'a pas ici la naïveté de croire que tout était et est parfait dans l'Église. Anticléricales ou non, la critique systématique et la facile dérision n'ont pas besoin de s'en mêler. L'histoire du christianisme le révèle et l'expérience de chaque chrétien le confirme : il est arrivé à des membres de l'Église, quelquefois même à certains de ses responsables, d'être gravement indignes ou coupablement lâches ; et donc elle n'a pas toujours été elle-même cette vraie et « pauvre servante » du Seigneur, en qui Il peut, comme en Marie, « accomplir ses merveilles ».

Mais quoi ! L'Église a beau avoir été quelquefois infidèle et se sentir parfois fatiguée, voire incertaine, elle n'en reste pas moins riche de toutes les promesses de Dieu. Celui qui est à son origine n'est pas seulement devenu son horizon, il reste chaque jour son compagnon. À elle, alors, et à chacun de ses enfants, de savoir s'en souvenir, chaque jour, tous les jours, jusqu'à la fin du monde.

Merveilleuse Église des merveilles de Dieu !

Le quatrième évangile s'achève sur ces mots de son rédacteur : « Jésus a accompli encore bien d'autres signes que ceux qui sont rapportés ici. Ceux-ci l'ont été pour que vous aussi vous croyiez, et qu'en croyant, vous viviez. » *Il est possible de transposer : en son Église, le Seigneur a accompli, en vingt siècles, bien d'autres merveilles que celles qui ont été recensées dans ce livre. Celles-ci l'ont été pour que vous viviez et qu'en vivant vous croyiez – pour que vous aussi vous croyiez aux merveilles de Dieu.*

*Monseigneur Joseph DORÉ*
*Archevêque de Strasbourg*
*membre de la Commission historique*
*et théologique du Grand Jubilé de l'An 2000*

# Décembre

Janvier

Février

Mars

Avril

Mai

Juin

Juillet

Août

Septembre

Octobre

Novembre

Décembre

# Du mariage de Joseph avec Marie

## Ou comment Dieu a tant aimé le monde qu'il lui a donné son Fils unique

**• 24 DÉC •**

De la Galilée, les Juifs pieux disaient qu'il ne peut rien sortir de bon. C'est justement dans cette province cosmopolite que, vers l'an 5 avant notre ère, Joseph, un charpentier de Nazareth, préparait la fête de son mariage avec une jeune fille nommée Marie.

Joseph était juif de la tribu de Juda et de la lignée de David. C'était un vrai fils d'Israël, par la généalogie comme par le cœur. Marie, sa promise, était une toute jeune fille qui n'avait sans doute pas quinze ans. Familière des Psaumes et des Prophètes, elle y trouvait les mots de sa pensée et l'inspiration de sa prière spontanée.

Depuis la promesse qui avait été échangée lors d'une cérémonie intime en présence de leurs deux familles, Joseph et Marie étaient considérés comme définitivement liés. Il aurait fallu une répudiation en bonne et due forme pour que Joseph pût se dégager. Toutefois les deux époux ne vivaient pas ensemble ; et l'usage voulait qu'ils ne consomment pas leur union avant que Joseph ne reçoive son épouse sous son toit, à l'issue de la fête des noces.

Cependant que les préparatifs de la fête allaient bon train, Marie remuait dans son cœur un événement qui la dépassait : depuis trois mois, elle était enceinte. Mais son âme ne s'étonnait pas de cet inaccessible mystère : toujours vierge, elle attendait un bébé ! Déjà femme, épouse et mère, elle assumait dans toutes ses conséquences son choix d'être totalement disponible aux voies de la Providence. Les réalités charnelles que Marie se préparait à vivre ne troublaient en rien la limpidité de son cœur virginal. « *Comment cela va-t-il se faire ?* ». Comme un enfant que son père tient par la main dit sa confiance émerveillée dans la vie par la litanie de ses « Pourquoi ? », Marie remettait dans la main de Dieu les mille questions que lui posait sa singulière destinée.

Sa pensée allait d'abord à Joseph. S'étant promise pour faire son bonheur, elle allait pourtant le faire souffrir de la pire des souffrances, de celle qui peut broyer le cœur. Comment supporterait-elle de lire bientôt une horrible certitude dans les yeux de celui auquel elle s'était promise pour toujours ? Qu'allait-il advenir d'elle-même ? Elle, l'innocence indéflorée, risquait d'être ravalée au rang des prostituées. Elle, la fidélité pure, allait encourir la lapidation pour adultère. Au lieu de la robe immaculée du mariage, c'est celle maculée d'opprobre qu'on allait lui faire revêtir. Personne ne comprendrait son secret, non qu'il fût inavouable, mais indicible.

Alors la nuit, comme toutes les jeunes mamans du monde, Marie posait les mains sur son ventre, jusqu'à sentir le fruit de ses entrailles blotti dans ses paumes. Et elle lui parlait, lui parlait, répétant inlassablement les paroles que l'Ange lui avait dites de la part du Seigneur : « *Ne crains rien, voici que tu concevras un fils... Le Seigneur Dieu lui donnera le trône de David, son père, et son règne n'aura pas de fin...* L'Ange me l'a annoncé et c'est fait : tu es là mon enfant. Mais comment cela a-t-il pu se faire sans que je connaisse d'homme ? *L'Esprit Saint viendra sur toi, et la puissance du Très-Haut te couvrira de son ombre...* Qui donc es-tu, mon enfant, pour avoir été conçu en moi par la seule grâce de Dieu ? *L'être saint que tu vas mettre au monde sera grand, il sera appelé Fils de Dieu...* Ô mon enfant, se peut-il que le Très-Haut se soit abaissé jusqu'à la plus pauvre de ses servantes ? *Rien n'est impossible à Dieu.* Ces paroles me suffisent. Tu es là : paix et joie dans mon cœur. Tu es là, je suis la plus heureuse entre toutes les femmes, *mon esprit exulte en Dieu mon Sauveur* : tu es là et je suis comblée. Je n'ai rien à redouter : *je suis la servante du Seigneur, qu'il m'advienne selon sa volonté.* »

Ainsi, au cœur de la nuit du monde, s'initiait entre une jeune fille et son enfant le dialogue salvifique de l'amour qui vient de Dieu et retourne à Dieu.

Un jour, ce qui devait arriver arriva : Joseph découvrit que sa promise était enceinte, certainement d'un autre puisqu'il avait respecté scrupuleusement les usages. Que répondit Marie à ses demandes d'explications ? Sans doute ses réponses furent-elles empreintes d'une telle vérité, irrésistible, que la colère de Joseph en fut désarmée.

Au lieu de la dénoncer publiquement, avec pour conséquence inéluctable la condamnation à mort, et à mort par lapidation, il se résolut à faire crédit au mystère contre toute crédibilité. Il répudierait donc Marie, mais en taisant les raisons du recours qu'il faisait à cette faculté légale qu'avaient alors les hommes de se séparer de leur femme, selon leur bon vouloir. Pourtant, l'entreprise, pour généreuse qu'elle fût, n'en demeurait pas moins hasardeuse à l'égard de Marie. Dans le cadre d'un tout petit village comme le Nazareth de l'époque, qui aurait compris que Joseph, à la veille de la cérémonie du mariage, répudiât sa femme, alors même que celle-ci ne pouvait plus cacher qu'elle portait le fruit de leur union présumée ?

Au long des nuits, dans ces moments comme suspendus hors du temps où l'on ne sait plus si l'on est encore éveillé ou déjà endormi, Joseph tentait d'échapper au tumulte de ses pensées. Il connaissait

> Joseph découvrit que sa promise était enceinte.

Marie par cœur : qu'elle ait pu sombrer dans l'adultère lui apparaissait comme absolument invraisemblable ; qu'elle lui ait menti en lui jurant n'avoir connu aucun homme ressortait du domaine de l'impossible. Pourtant, elle était bel et bien enceinte... Malgré cette preuve irréfutable, Joseph luttait pour opposer au ressac incessant du soupçon la digue ténue de sa plus intime conviction : son âme droite avait reconnu en celle de Marie une innocence d'avant le péché. Que pouvait-il faire d'autre, alors, sinon se retirer pudiquement d'une histoire qui dépassait toute capacité d'entendement ? Que pouvait-il faire d'autre, alors, que de laisser Marie partir seule accomplir son mystérieux destin ? Joseph se persuadait que la seule conduite juste consistait pour lui à s'effacer, de peur d'entacher l'incroyable transparence d'une jeune fille fécondée sans semence.

> *C'est là que, dans une étable, Marie mit au monde son fils Jésus.*

Mais qui donc est l'homme pour que Dieu fasse dépendre l'accomplissement de son éternel dessein de la générosité d'une jeune fille simple, et de la droiture d'un modeste artisan ? Qui sommes-nous pour que, de génération en génération, Dieu se repose sur nous en un septième jour dont l'aube se situe à la genèse du monde et le crépuscule à la fin des temps ?

Un matin cependant, quand Joseph se réveilla, tout son être était encore comme saisi par un de ces rêves qui font plus impression sur l'âme que la réalité la plus tangible. Un Ange lui était apparu et lui avait dit : « *Joseph, fils de David, ne crains pas de recevoir chez toi ton épouse Marie, car l'enfant qui a été engendré en elle vient de l'Esprit Saint. Au fils qu'elle enfantera, tu donneras le nom de Jésus.* »

Appelé à nommer l'enfant, Joseph sut qu'il en était indiscutablement le père ; non un père adoptif, mais un père adopté par son enfant dès sa conception dans le sein de son épouse. De ce jour, il eut la conscience certaine que le fruit improbable que portait Marie était béni, et que son mariage n'était pas détruit mais transformé par cette bénédiction.

Fort de cette unique certitude, Joseph accueillit aussitôt son épouse chez lui, sans fête ni cérémonie. Ainsi, sous le regard sans doute réprobateur des bien-pensants, *le Fils du Très-Haut* allait-il naître *fils de David* par la grâce de l'union ineffable de Joseph et de Marie.

Bientôt, Joseph et Marie durent partir pour la Judée. Joseph était en effet dans l'obligation d'aller se faire recenser à Bethléem, la ville de ses ancêtres. C'est là que, dans une étable, Marie mit au monde son fils Jésus.

Bien plus qu'une histoire vraie, cette histoire d'amour est l'histoire de la vérité. Une vérité d'abord subreptice qui ne cessera jusqu'à la fin des temps de déployer dans les cœurs sa splendeur.

Marie elle-même ne mesura pas d'emblée la portée infinie du « *oui* » qu'elle avait dit à l'engendrement du dessein de Dieu en elle. Modèle parfait de tous les croyants, elle voyait tout avec « *les yeux* de la foi », faisant confiance en tout à la Parole de Dieu. Mais elle n'en savait pas pour autant ce que serait sa vie, et encore moins ce que serait la vie de son fils. Elle n'était pas programmée pour accomplir sur terre une mission divine, tel un acteur scrupuleux qui jouerait un scénario écrit d'avance. Marie était une femme libre. Et même la seule femme totalement libérée, parce qu'indemne du péché. Marie croyait tout, espérait tout, assumait tout. Mais elle n'avait pas la science des mystères. Ainsi, *celle qui a cru à l'amour de Dieu pour nous* se demandera souvent : « Mais qui donc est mon enfant ? » L'ange Gabriel, Joseph, Élisabeth, les bergers de Bethléem, les mages, le vieillard Siméon et Jean-Baptiste l'aideront chacun selon leurs lumières à découvrir tout ce qui dans la Loi et les Prophètes concernait son fils. Mais souvent les évangiles affirment ou laissent entendre que Marie s'étonnait de ce qui arrivait ou même ne le comprenait pas.

En bonne mère qu'elle était, Marie ne

*Mais qui donc est mon enfant ?*

pouvait pas ne pas vouloir protéger son enfant contre les radicales exigences de sa mission. Ainsi lui fit-elle de vifs reproches quand, à douze ans, il se retira au Temple à Jérusalem et ne comprit-elle pas sa réponse, pourtant limpide. Ainsi alla-t-elle jusqu'à participer au véritable commando familial qui se transporta de Nazareth à Capharnaüm pour ramener Jésus, âgé de trente ans, à la raison, et à la maison.

– Mais qui donc est mon enfant ?

Marie, première d'entre tous les chrétiens et unique chrétienne native, méditait les événements de la vie de Jésus dans son cœur, rendant grâce à Dieu pour ce qu'elle comprenait, adorant ce qu'elle ne comprenait pas, et ne cessant jamais de redire le « *oui* » par lequel *le Fils du Très-Haut* naquit par elle *Fils d'homme*, premier-né d'une multitude de frères.

– Mais qui donc es-tu mon enfant ?

La réponse sera bientôt donnée :

– *Dieu a tant aimé le monde qu'il lui a donné son Fils unique.*

SOURCES : *Nouveau Testament*. I. de la Potterie, *Marie dans le mystère de la Nouvelle Alliance*, Paris, 1988.

# L'INAUGURATION DU ROYAUME DES CIEUX SUR TERRE

**• 25 DÉC •**

AU TERME D'UN RÈGNE BRILLANT QUI AVAIT COMMENCÉ TROIS BONNES DÉCENNIES PLUS TÔT, en 37 avant J.-C., le roi des Juifs Hérode I$^{er}$, dit *le Grand*, souffrait d'un mal implacable qui allait bientôt l'emporter. La question de sa succession l'obsédait, et il n'avait de cesse de déjouer intrigues et complots fomentés par ses proches. Son œuvre avait marqué son temps. N'avait-t-il pas été jusqu'à restaurer les jeux Olympiques, tombés en désuétude, pour en être nommé président à vie ?

En monarque dur et avisé, et au prix du sanglant sacrifice des sujets de son royaume, il avait fait passer la terre nationale des Juifs à la modernité. La langue et l'administration étaient devenues grecques, et nombre de villes reconstruites ou nouvelles rivalisaient de splendeur avec les cités helléniques : voies pavées de communication, portiques et aqueducs, théâtres et palais, hippodromes et cirques, et jusqu'aux amphithéâtres témoignaient d'un passage accéléré à la civilisation païenne. Les grands centres urbains accueillaient même des guildes dionysiaques et des troupes de gladiateurs.

L'Empire romain, dont Auguste était alors le maître, appréciait son indéfectible « amitié ».

Cependant, l'histoire des Juifs conservera surtout d'Hérode le Grand l'image du reconstructeur d'un temple grandiose qui à Jérusalem, la capitale ancestrale, remplissait les fonctions de sanctuaire royal.

C'est dans ce contexte historique qu'à Bethléem de Judée, Marie femme de Joseph *mit au monde son fils premier-né*. Huit jours plus tard, à l'occasion de sa circoncision, ses parents donnèrent au nouveau-né le nom de Jésus, en araméen *Yéshûâ*, ce qui signifie « Yahvé sauve ».

Après un court exil que le récit évangélique situe en Égypte, Joseph et Marie s'en revinrent vivre au cœur de la Galilée dont ils étaient originaires. Ils se fixèrent à Nazareth, modeste bourg situé à six kilomètres de la puissante et somptueuse Séphoris qu'Hérode Antipas, succédant à son père, mort en 4 avant J.-C., avait décidé de reconstruire pour en faire sa capitale. Jésus grandit non loin des travaux de son père Joseph. Témoin direct de la façon dont cet Hérode de la deuxième génération poursuivit la politique paternelle, sa jeunesse fut baignée dans la culture occidentale, gréco-romaine. Mais le cadre élargi de sa famille le retenait en deçà des limites jalouses de la communauté juive qui le nourrissait de la sève ancestrale.

On ne sait pas grand-chose des faits et gestes de Jésus enfant, sinon *qu'il grandissait en taille, en sagesse et en grâce.* Dans les salles familiales ou publiques où l'on s'assemblait à jours et moments réguliers, sa personnalité s'éveillait dans les exercices collectifs de la prière. Jésus y chantait ou récitait des psaumes. Pour rendre compte de ses talents futurs, on suppose que très tôt il manifesta un esprit des plus vifs, particulièrement dans l'étude de la loi de Moïse, des livres prophétiques et des écrits des sages. On présume aussi qu'il apprit l'art de la lecture auprès des scribes et des maîtres réputés dans les débats subtils sur la Loi. Toutefois les dires de sa famille et de ses voisins laissent plutôt entendre qu'il était connu pour n'avoir poursuivi aucune étude particulière : « *Où a-t-il appris tout cela ? D'où lui vient sa science ?* » s'exclameront plus tard les témoins directs de son enfance.

Jésus suivit les progrès de l'âge comme tous les autres enfants, et il fut élevé selon les traditions du milieu juif populaire auquel il appartenait. Fut-il un enfant prodige, un jeune surdoué ? On ne peut l'affirmer, mais il est certain que sa conduite fut parfois surprenante, comme l'atteste l'épisode où, à l'âge de douze ans et au retour d'un pèle-rinage à Jérusalem, il faussa compagnie à sa famille.

Alors qu'étreints par une angoisse grandissante ses parents le recherchaient activement, Jésus, cinq jours durant, se rendit au Temple *pour écouter les Docteurs de la Loi* – les maîtres de l'instruction religieuse en Israël – *et leur poser des questions,* comme s'il eût ressenti une soif inextinguible d'être instruit. Cependant, les lumières de la science se surprirent à être elles-mêmes éclairées, les maîtres bientôt écoutèrent l'élève et *furent stupéfiés par son intelligence et ses réponses.* Quand son père et sa mère, l'ayant retrouvé, lui firent reproche de sa fugue, eux-mêmes restèrent interdits à sa réponse : « *Je me dois d'être chez mon Père.* » Ainsi de Jésus encore enfant, le seul comportement et les seules paroles qui nous soient connus sont-ils déjà l'expression de l'autorité souveraine qui fit plus tard s'exclamer à ses interlocuteurs : « *Mais qui donc est cet homme ?* »

Quatre-vingts ans plus tard, Jean, *le disciple que Jésus aimait,* dans le prologue de son Évangile, proclame que dès sa naissance l'homme Jésus était en possession de *la plénitude de la grâce et de la vérité qu'il tient de Dieu son Père comme Fils unique.* Dans son enfance, par la croissance de ses aptitudes physiques et par l'éducation de ses facultés intellectuelles, Jésus a acquis les moyens d'exprimer cette plénitude dans son humanité, afin qu'elle fût manifestée au monde.

Parvenu à sa pleine maturité humaine,

> *Ils furent stupéfiés par son intelligence et ses réponses.*

Jésus quitta sa Galilée d'origine et l'atelier qu'il avait repris à son père, pour se retirer au désert, le désert de Juda. Bien d'autres l'y avaient précédé ; certains y vivaient en fraternités, près des rives occidentales de la mer Morte. Peut-être lui-même, auparavant, avait-il déjà séjourné chez l'une d'elles, y perfectionnant sa connaissance et son mode de lecture des textes de l'Écriture. Dans ces mêmes espaces, vers le Jourdain cette fois, il retrouva un prêcheur réputé, son cousin Jean, dit *le Baptiste*, chef d'un groupe d'ascètes. Reprenant les imprécations des grands prophètes d'Israël, celui-ci annonçait la proximité immédiate du Royaume des Cieux et insistait sur l'urgence pour tous de changer de vie, afin de préparer le chemin du Messie à venir. Jean pratiquait un baptême individuel d'un type inédit, donné comme un signe de purification des péchés à tout homme résolu à la conversion radicale par la voie de la pénitence.

Bien que Jean se défendît de baptiser Jésus, celui-ci, avec une autorité reconnue, lui ordonna de le faire, afin que le relais fût transmis entre le précurseur et celui qu'il avait pour mission d'annoncer. Alors, se fit entendre du ciel ouvert la ratification éclatante de l'accomplissement de toutes les prophéties : « *Celui-ci est mon Fils bien-aimé, en lui j'ai mis tout mon Amour.* »

Mais pour Jésus, l'expérience du désert ne s'arrêta point là. À l'exemple même de la « traversée du désert »

> *Celui-ci est mon Fils bien-aimé, en lui j'ai mis tout mon Amour.*

accomplie par les Hébreux, ses ancêtres libérés de l'esclavage en Égypte, il allait subir lui-même une série d'épreuves qui lui feraient revivre ce plus grand des tests de l'histoire. Pendant quarante jours, il devint en effet la scène pathétique d'un combat contre la somme exhaustive des forces alliées du mal, globalement mobilisées sous le nom de Satan. Entrevoyant la fin de son règne du fait qu'un homme, le premier depuis la genèse de l'humanité, éventât toutes ses séductions, le Tentateur découvrit à qui il avait affaire. Il finit par faire retraite, afin de préparer le dernier combat, à mort, dont l'enjeu sera le pouvoir sur le monde.

Après cette période de fécondes épreuves, Jésus, âgé d'environ trente ans, redevint galiléen. Il n'avait plus rien ni à acquérir ni à apprendre : il lui restait tout à révéler. Il passa les premiers temps à Nazareth et dans les environs, se détachant définitivement des tâches professionnelles qui le sollicitaient dans la proximité familiale. Et un jour il partit.

Jésus se mit alors à parcourir le pays *annonçant la Bonne Nouvelle aux pauvres, la libération aux opprimés, la lumière aux aveugles*. Devant des auditoires qui croissaient en proportion de sa réputation, il développa le thème majeur du Royaume des Cieux dont Jean le Baptiste avait merveilleusement saisi la fonction cardinale. Mais Jésus, lui, ne parlait plus d'imminence mais de présence réelle.

*« Heureux les pauvres de cœur :*
*le Royaume des cieux est à eux.*
*Heureux les doux :*
*ils conquerront la Terre.*
*Heureux les malheureux :*
*ils seront consolés.*
*Heureux les affamés de justice :*
*ils seront rassasiés.*
*Heureux ceux qui pardonnent :*
*ils seront pardonnés.*
*Heureux les cœurs purs :*
*ils verront Dieu.*
*Heureux les artisans de paix :*
*ils seront appelés fils de Dieu. »*

C'est par cette proclamation, où tout est paradoxe mais où rien ne se contredit, que Jésus ouvrit un jour un discours programme sur une hauteur de Galilée, à l'adresse d'une foule innombrable qui de toute part affluait à lui. Par une conversion plus étonnante que celle de Cana où Jésus changea l'eau en vin, la pauvreté devenait richesse, et les larmes joie. L'édification du Royaume des Cieux prônée par Jésus est tout intérieure ; pour changer le monde, elle doit d'abord avoir lieu au-dedans de l'homme, sur les ruines de tout ce qui fait son malheur : soifs de richesses, de pouvoirs et de jouissances, avec leurs corollaires obligés : vols, tromperies, injustices, violences, guerres. « *Malheureux hommes que nous sommes !* » crions-nous vers le ciel ; « *Heureux êtes-vous !* » répond Jésus. Mais, pour nous faire participer à ce bonheur promis, Jésus n'édicte pas des préceptes qu'il suffirait de suivre pour être en règle. Il vient changer les cœurs, pas la Loi.

*Il choisit douze Apôtres.*

Jésus limita d'abord ses déplacements à l'intimité géographique d'un triangle que balisent les trois bourgs, Nazareth, Naïm et Cana. Puis il se transporta vers l'est, gagnant les bords occidentaux de la mer de Galilée, ou lac de Génésareth, et fit de Capharnaüm, tout au nord, la base familière d'où il rayonnait sans répit. Le lac, dit de Tibériade après qu'Hérode Antipas eut fait de cette ville sa nouvelle capitale, l'attira volontiers. Sa traversée en barque était aisée ; on accédait ainsi aux territoires orientaux entièrement gagnés à la culture et aux mœurs païennes, où Jésus ne répugna pas à s'aventurer.

L'axe reliant Nazareth à Capharnaüm est long de quelque quarante kilomètres, la distance qu'un piéton gaillard couvre dans la journée. Cana n'est qu'à quinze kilomètres de Nazareth. C'est dans les limites de ce triangle élargi, avec son déploiement vers le lac, que Jésus appela à le suivre ceux que bientôt il choisit comme ses douze Apôtres. Ce furent jusqu'à la fin ses collaborateurs proches et attitrés, ses délégués puis ses successeurs. Au-delà des Apôtres, un groupe important de disciples, hommes et femmes, le suivait assurant notamment son intendance. Progressivement, une fraternité véritable s'organisait ; elle eut très tôt les apparences d'un nouveau mouvement au sein du peuple juif, provoquant enthousiasme et admiration chez beaucoup, irritation et hostilité chez d'autres.

Entouré ou précédé de ces fidèles,

Jésus élargit bientôt le champ de sa mission et pendant de longs mois, à partir de la Galilée, il emprunta les grands axes routiers de l'époque, d'est en ouest et inversement. Ces voies débouchaient sur les ports méditerranéens, Tyr entre autres, tout au nord, où il séjourna. Elles menaient également aux cités grecques de Syrie, de la Décapole et d'ailleurs à l'est, comme Césarée de Philippe et Gadara. La culture étrangère, gréco-romaine ou orientale, empruntait elle-même ces chemins, sur lesquels l'usage du grec était souvent requis. Jésus se déplaçait donc comme le faisaient alors hommes d'affaires et colporteurs d'idées. Il alla loin, jusqu'à trois cents kilomètres dans toutes les directions. Dans tous les lieux qu'il visitait, son enseignement pénétrait comme une puissante semence, et sa communauté, car communauté il y avait vraiment, essaimait avec bonheur.

Les nombreux miracles que Jésus accomplissait nourrissaient sa réputation comme thaumaturge aux dons polyvalents, aussi l'accueillait-on volontiers comme l'un de ces « hommes divins », magiciens itinérants ou prophètes inspirés, dont la figure n'était pas étrangère aux populations méditerranéennes et orientales d'alors. Pour autant, dès qu'ils étaient confrontés à lui, directement auditeurs de sa parole et témoins de ses œuvres, les gens perdaient toute référence à des modèles connus ou annoncés. Le Jésus réel transgressait toutes les catégories où on cherchait à le faire rentrer : qui attendait un ascète mortifié découvrait un bon vivant, compagnon *des ivrognes et des gloutons* ; qui attendait un pur découvrait *un ami des pécheurs publics et des prostituées* ; qui attendait un interprète scrupuleux de la Loi découvrait un fidèle observant qui pouvait néanmoins se comporter parfois en transgresseur scandaleux des règles les plus saintes ; qui attendait un Messie royal appelé à prendre le pouvoir et à bouter dehors l'envahisseur païen découvrait un serviteur allergique à tous les pouvoirs humains...

> *Mais qui donc est cet homme ?*

Ses adversaires, qui se recrutaient principalement parmi les autorités et les dignitaires religieux, avaient beau jeu de démontrer au peuple que cet homme ne pouvait être qu'un imposteur ou un possédé du Démon. Mais le peuple continuait à le suivre en foules chaque jour plus nombreuses. Car, disaient-ils, « *jamais homme n'a parlé comme cet homme !* »

Au vrai, ses adversaires comme ses amis ne cessaient de se demander : « *Mais qui donc est cet homme ?* » Un prophète ? Mais qui est-il donc *pour enseigner de sa propre autorité* ? Un exorciste ? Mais qui est-il donc *pour que les démons le reconnaissent et lui soient soumis* ? Un guérisseur ? Mais qui est-il donc *pour remettre les péchés* ? Un magicien ? *Mais qui est-il donc pour que même la mer et le vent lui obéissent* ?

En vérité, il émanait de Jésus quelque chose qui dépassait infiniment l'homme et qui cependant parlait à l'intime du cœur humain. Le sanctuaire le plus secret de l'âme humaine reconnaissait la voix de Jésus comme une voix familière. *« Quand nous l'écoutions nous parler sur la route, notre cœur ne brûlait-il pas en nous ? »*, se rappelaient ses disciples. *Les choses cachées depuis la fondation du monde* que Jésus révélait ne rejoignaient-elles pas, dans le plus profond de la nature humaine, et sous les sédiments du péché, cela même que, depuis l'origine du monde, le Créateur n'a cessé d'inscrire en chaque homme mortel ?

Certes, les cœurs endurcis étaient par nature réfractaires à l'enseignement de Jésus. *« Ses paroles sont dures à entendre, qui peut l'écouter ? »* s'exclamaient-ils ; mais *les cœurs d'enfant* se surprenaient à lancer ce cri : *« À qui irions-nous, Seigneur, tu as les paroles de la vie éternelle. »* Ces mots jaillissaient, et jaillissent encore deux mille ans après, d'une mystérieuse et inexplicable adhésion où librement l'homme reconnaît comme véridique la Parole qui hier l'a tiré du néant et qui aujourd'hui le fait passer de la mort à la vie. C'est la foi.

*Je crois,
Seigneur !*

*Je crois, Seigneur !* tel est le cri de l'aveugle de naissance à qui Jésus avait donné de voir. Quiconque a accompli ce passage prend conscience de la cécité profonde qui l'envahissait jusqu'alors, se découvrant comme s'il voyait tout pour la première fois. C'est alors pour lui le jour « un » de l'histoire du monde, jour inauguré et signifié par cette déclaration à portée cosmique que l'Évangile de Jean met sur les lèvres de Jésus s'adressant à ses auditeurs d'hier et d'aujourd'hui :

*« Je suis la lumière du monde. »*

SOURCES : *NOUVEAU TESTAMENT*. P.-M. Beaude, *JÉSUS DE NAZARETH*, Paris, 1983. C. Perrot, *JÉSUS ET L'HISTOIRE*, Paris, 1979.

# LE FILS DE DIEU SE RÉVÈLE
# ET MEURT SUR UNE CROIX

**· 26**
**DÉC ·**

APRÈS TROIS ANNÉES D'ACTIVITÉS FRUCTUEUSES, JÉSUS QUITTA LA GALILÉE, LA « TERRE DES NATIONS ». Il l'avait transformée en un domaine fertilisé, parsemé de « serres d'Église ».

Jésus connaissait la Judée, sa capitale, Jérusalem, avec son Temple et ses pèlerinages. Il y avait de la famille, et des amis comme Lazare qu'il ressuscitera. De Galilée, des incursions régulières l'avaient mené vers cette contrée « réservée », soumise néanmoins à l'administration directe de Rome. Deux pouvoirs s'y exerçaient en deux capitales distinctes. Le gouverneur romain, à l'époque le « préfet » Ponce Pilate, résidait à Césarée, cité païenne qu'Hérode le Grand avait bâtie sur la Méditerranée pour défier le Pirée ; il y avait là l'ensemble des services, militaires et administratifs, culturels et bien sûr ludiques. Jérusalem avec son Temple était la ville du grand prêtre et du corps sacerdotal, du Sanhédrin, l'instance juridique suprême, des études officielles des Écritures et des débats sur la Loi, des grandes et parfois houleuses affluences festives, bref le siège centralisé des rouages institués qui assuraient envers et contre tout

la bonne maintenance du système juif, ou judaïsme.

Jérusalem était la capitale nationale et religieuse des juifs de tous pays. Les conflits n'y manquaient pas, le plus souvent durement réprimés. L'équilibre des deux pouvoirs n'allait pas de soi, mais il était assuré malgré tout. Des nostalgiques de la royauté perdue, sans avoir vraiment déclaré leurs desseins, fomentaient, encore secrètement, des plans de restauration ; ils exploitaient volontiers les dissensions sociales qui divisaient douloureusement le peuple.

C'est dans ce climat malsain et dangereux que Jésus se présenta en Judée, accompagné de ses disciples et précédé d'une solide réputation de « leader » à grand succès. L'annonce de la venue du Royaume des Cieux était toujours la pointe de son enseignement. Elle n'était pas neutre ici, face aux deux autorités coexistantes. La suspicion se changea souvent en opposition voire en adversité du côté des Juifs uniquement, l'autorité romaine n'intervenant pratiquement jamais. Il faut dire que la doctrine morale que préconisait Jésus, dans le prolongement même de l'enseignement juif, tirait les leçons positives du fait que la juridiction politique de la terre nationale fût étrangère. La situation présente avait ainsi une valeur de parabole. Le message nouveau s'accommodait fort bien de la distinction des rôles : César d'un côté et Dieu de l'autre, avec leurs droits respectifs. Le message de Jésus était universaliste dans la mesure où il s'adressait à chacune des consciences, à commencer bien sûr, sans exclusive ni même privilège, par celles des ressortissants de la nation juive.

Ainsi, Jésus se présentait de fait comme le concurrent sérieux des pharisiens, influents promoteurs d'une doctrine élaborée pour le peuple juif considéré comme entité sainte et souveraine. Pour ces pharisiens, l'interprétation des Écritures, prérogative traditionnelle des prêtres de Jérusalem, devait rayonner partout, jusqu'au domicile de tout sujet de la Loi. L'acte nécessaire de sanctification devenait possible loin du Temple et loin des prêtres, chaque table familiale purifiée dans les règles ayant une fonction analogue à celle de l'autel des sacrifices. Par bien des points, la Loi nouvelle que proposait Jésus recouvrait cet idéal. Mais elle le dépassait, ouverte qu'elle était à tous les hommes, où qu'ils soient et quels qu'ils soient ; et elle l'élevait à l'infini en lui donnant pour critère, non pas des attitudes extérieures toujours suspectables d'hypocrisie, mais la capacité tout intérieure d'aimer en actes et en vérité.

Un autre facteur joua contre Jésus, c'est la confirmation et, bien plus, la qualification du crédit dont il jouissait auprès des foules. Celles-ci inclinèrent à le reconnaître comme le « Messie » d'Israël, descendant de David selon les croyances et les représentations de certains. Ce titre, Messie ou « Fils de David », fut clamé à plusieurs reprises autour de Jésus et à son propos. Cela donnait lieu à des débats parfois vigoureux, mais aussi, à proximité de grandes fêtes par exemple et non loin de Jérusalem, à des sauts collectifs d'enthousiasme.

Dans la société juive d'alors, l'attente explicite, formelle et personnalisée, du Messie était le plus souvent imprécise, hésitante et timide. Autour de Jésus, elle prit une forme résolue, pleine et dynamique. Le peuple édifié par Jésus se trouva de plus en plus gagné par l'idée et le sentiment qu'il partageait l'ensemble des vertus « messianiques ». En grec, Messie se disait alors *Khristos*, « Christ », et messianique donnera bientôt *khristianos*, « chrétien ». La foule d'hommes et de femmes, qui entouraient et acclamaient ainsi Jésus, était bien déjà la communauté « chrétienne ».

Sauf dans le secret d'un entretien particulier, Jésus évitait néanmoins de reconnaître qu'il était le Messie, ce qui signifiait trop restrictivement « Messie d'Israël ». Tant ses attitudes que ses formules, dans ses prières et plus encore dans ses impénétrables expériences mystiques, commençaient de faire percevoir que tout se jouait pour lui dans le carac-

> *Cette foule d'hommes et de femmes était bien déjà la communauté « chrétienne ».*

tère tout à fait unique de sa relation *filiale* à Dieu.

« *Notre Père* » : ainsi débute la plus belle des prières du monde qu'il apprit un jour à ses disciples. Ces deux mots affectueux ont transformé l'humanité. Que Dieu soit un Père pour tous, le peuple juif l'avait entrevu : souvent exigeant et redoutable, Dieu n'était-il pas aussi « *lent à la colère et plein d'amour* » ? Mais les fils d'Israël s'appropriaient jalousement la tendresse de Dieu ; et ils auraient craint de l'abaisser en s'adressant à lui avec la familiarité confiante de l'enfant qui sait pour l'avoir éprouvé que son père n'est qu'amour. Jésus, lui, appelle Dieu « Papa », en araméen « *Abba* ». Revendiquant d'être familier du Père au point de ne faire qu'UN avec lui, s'affirmant ainsi *le Fils unique du Père*, Jésus propose à tous les hommes de tous les temps de leur « transfuser » son sang divin, afin qu'identifiés à lui ils puissent ensemble dire à Dieu : « *Notre Père... * »

De l'accomplissement de cette prière allait naître une communauté de frères, l'assemblée des fils de Dieu reconnus tels non par leur génération humaine et leur appartenance à une race, mais parce que véritablement nés de Dieu en Jésus. Cette grâce d'une nouvelle et éternelle filiation divine pour l'homme s'adressait d'abord et de soi aux Juifs, « héritiers » de la vieille promesse faite à Abraham. Accepteraient-ils de constituer le noyau originel de ce peuple naissant, le vrai peuple de Dieu désormais, non plus le

seul Israël mais l'*ekklêsia*, l'« assemblée » sans frontières de tous les fils de Dieu ? Et reconnaîtraient-ils en Jésus de Nazareth le prophète des temps nouveaux, désigné directement par Dieu comme son Fils unique, venu dans l'histoire apporter le salut à la multitude des hommes ?

L'appel fut reçu comme un défi, le don gratuit comme une provocation. La grâce qui se présentait comme la ratification la plus authentique et la plus espérée de l'élection divine d'Israël fut comprise comme la dépossession de l'héritage acquis. Alors, la prétention de Jésus à la filiation divine apparut comme un blasphème, passible de la mort. Un jour, l'occasion se présenta pour les autorités juives de coordonner et d'exploiter le plus grand nombre possible des griefs faits à Jésus. La complexité de la situation politique fut habilement mise à profit. La haute juridiction romaine se trouva sollicitée d'intervenir contre un fauteur de troubles sur lequel ses sujets de Judée avaient enfin mis la main. Jésus fut jugé rapidement. Seul à disposer du droit de vie ou de mort, le gouverneur Pilate ne sut pas résister à la pression d'une populace manipulée par ses dirigeants ; il condamna à mort celui qu'on lui désignait ironiquement comme « *Roi des Juifs* ». À l'époque, esclaves fugitifs, soldats déserteurs, criminels non citoyens romains étaient fixés sur une croix pour y mourir lentement. Ce pilori d'une cruauté extrême était un spectacle familier même chez les Juifs. Certains de

> *De cette prière allait naître une communauté de frères.*

leurs rois y avaient soumis bien des leurs, par centaines.

Jésus se trouva alors abandonné de la plupart de ses collaborateurs et partisans, désespérés par l'échec patent. Quelques rares parmi ses proches, dont sa mère, l'accompagnèrent au lieu du supplice. Là, le Fils de Dieu en personne baptisa le monde de son sang. Cela fut reconnu et déclaré sur-le-champ, tant par l'officier romain chargé de son exécution que par le brigand agonisant à ses côtés. Sur les bords du Jourdain, après son baptême, une voix venue des Cieux avait proclamé : « *Celui-ci est mon Fils.* » Ici, dans le duo prophétique de l'étranger et du pécheur, le monde lui donnait la réplique : « *Vraiment, cet homme est le Fils de Dieu.* » Ces hommes furent les tout premiers témoins d'un sacrifice unique, le seul qui fût jamais parfait, dans un Temple sans murs, qui n'était plus dans Jérusalem.

SOURCES : *NOUVEAU TESTAMENT*. P.-M. Beaude, *JÉSUS DE NAZARETH*, Paris, 1983. C. Perrot, *JÉSUS ET L'HISTOIRE*, Paris, 1979.

# LE DERNIER MOT DE DIEU

**• 27 DÉC •** AVANT DE DONNER AU MONDE LA PREUVE INSURPASSABLE DE SON AMOUR, sa vie, Jésus avait réuni ses amis pour un dernier repas. Prenant le pain, il le leur partagea en disant : « *Ceci est mon Corps livré pour vous.* » Puis, prenant la coupe de vin, il la leur donna en disant : « *Ceci est mon Sang qui va être versé pour la multitude.* »

Que comprirent ceux qui mangèrent le pain et burent à la coupe ? Sur le moment, ils prirent ce geste et cette formule comme ils venaient, surprenants. Mais, depuis trois ans, ils ne s'étonnaient plus d'être surpris par Jésus. Pourtant, ils n'avaient pas encore tout vu : sa mort impossible, sa résurrection incroyable, sa disparition définitive en leur lançant comme ultime paradoxe : « *Je suis avec vous jusqu'à la fin des temps !* » Plus tard, ils comprendront. « *Je suis avec vous...* » : « *Ceci est mon Corps...* » Ainsi ils chanteront : « Nous célébrons ta mort Seigneur Jésus, nous proclamons ta résurrection, et nous attendons ta venue dans la gloire ! » Plus tard ils réaliseront la merveille de la foi : posséder celui qu'on aime, s'incorporer à lui, s'en nourrir, ne faire plus qu'un,

consommer l'Amour. Ils referont exactement *ceci* en mémoire de lui.

Avant le repas, ils n'avaient pas compris, non plus, pourquoi Jésus tenait tant à leur laver les pieds. Lui, le Seigneur, le futur roi d'Israël, faire le service d'un esclave ! Bientôt pourtant, leur *Roi des juifs* allait mourir du châtiment des esclaves, en *serviteur souffrant*. Plus tard, ils comprendront que la mission que Jésus leur confie ne leur donne aucun pouvoir sur les autres. Ils seront les serviteurs des serviteurs de Dieu.

Après le repas, tandis que la nuit avance, Jésus leur livre son testament sous forme d'ultimes confidences. À l'entendre, ils pensent enfin pouvoir faire les fiers d'avoir compris : « *Voilà que tu parles en clair ; à ton discours, nous croyons que tu viens du sein de Dieu.* » Mais Jésus, sans illusion, leur répond : « *Vous croyez maintenant ? Eh bien voici venir l'heure où vous allez tous fuir et m'abandonner !* » Pourtant, lui qui s'irritait de leur esprit lent et de leur cœur sans intelligence au point de s'exclamer : « *Combien de temps encore devrais-je vous supporter ?* », lui donc appelle désormais ces rudes Galiléens dans la force de l'âge « *mes petits enfants* ».

Une tendresse irrépressible jaillit tout à coup de son cœur que la lance va percer. Et puisqu'ils n'ont toujours rien compris, il leur annonce la proche venue d'un mystérieux conseiller, l'Esprit Saint, qui les conduira à la vérité tout entière.

Maintenant, ils se sont tous serrés autour de lui. Leurs carcasses n'ont compris qu'une chose, c'est que la mort rôde autour d'eux. Comme tous les hommes qui ont peur de mourir, ils sont redevenus des petits enfants terrorisés par la nuit, qui veulent qu'on laisse la lumière allumée. Jésus est leur lumière, ils se collent à lui, ils le questionnent pour qu'il ne cesse pas de parler, jusqu'à l'aube. Alors Jésus les illumine de ses paroles,

> *Aimez-vous les uns les autres comme je vous ai aimés.*

toutes de chaleur humaine et de rayonnement divin. Voici que, en quelques phrases, il résume tout son enseignement donné depuis trois ans, des confins de la Galilée au Temple de Jérusalem. Tous ses discours, toutes ses paraboles, toutes ses controverses, toutes ses questions sans réponse, toutes ses réponses à côté de la question, et même toutes ses prières, toutes ses œuvres, tous ses miracles confluent là. Toute sa vie et toute sa mort sont dites :

*Mes petits enfants,*
*Je vous donne un commandement nouveau :*

*Aimez-vous les uns les autres*
*comme je vous ai aimés.*
*À cet amour que vous aurez*
*les uns pour les autres,*
*tous reconnaîtront que vous êtes*
*mes disciples.*
*Celui qui restera fidèle à ce commandement*
*c'est celui-là seul qui m'aime ;*
*Or celui qui m'aime est aimé de mon Père,*
*et nous viendrons en lui,*
*et en lui nous ferons notre demeure.*
*Je vous dis cela pour que ma joie*
*soit en vous*
*et que votre joie soit parfaite.*
*Voici quel est mon commandement :*

> *Aimez-vous les uns les autres comme je vous ai aimés !*
> *Or, il n'y a pas de plus grande preuve d'amour*

*que de donner sa vie pour ceux qu'on aime.*
*Tout ce que le Père m'a confié, je vous l'ai*
*fait connaître ;*
*Ce que je vous commande, c'est de vous aimer*
*les uns les autres.*

Pas étonnant que les disciples aient éprouvé tant de difficultés à comprendre ; pas étonnant qu'aujourd'hui encore nous soyons aussi réfractaires à un tel enseignement ; tout Jésus, tout Dieu, tout nous-mêmes, tout tient en un seul mot, le plus usé, le plus éculé, le plus équivoque, le plus ambigu, le plus profané et le plus beau dans toutes les langues : Amour.

SOURCES : *NOUVEAU TESTAMENT*. P.-M. Beaude, *JÉSUS DE NAZARETH*, Paris, 1983. C. Perrot, *JÉSUS ET L'HISTOIRE*, Paris, 1979.

# MORT, OÙ EST TA VICTOIRE ?

**28 DÉC ·** CELA NE S'INVENTE PAS ! COMMENT QUELQUES FRUSTES GALILÉENS QUI SE TERRAIENT MORTS DE PEUR dans un local aux issues verrouillées auraient-ils eu l'idée d'inventer la résurrection de Jésus ? Trop heureux d'avoir réussi à fuir à temps pour échapper à la vindicte populaire, ces lâches patentés n'avaient qu'une idée en tête : ne pas se faire remarquer, surtout se faire oublier en attendant que l'affaire se tassât.

D'ailleurs, quand Jésus ressuscité leur apparaît, la plupart d'entre eux mettent d'abord une évidente mauvaise volonté à le reconnaître. Ils ont eu assez d'ennuis comme ça avec lui ! Et l'on ne se remet pas en trois jours d'un fol espoir déçu. Déjà de nombreux disciples sont repartis discrètement chez eux, en province. Seuls se terrent encore à Jérusalem les adjoints reconnus du criminel supplicié, ses complices notoires.

Pourtant, voici qu'à peine deux mois plus tard, les mêmes, comme un seul homme, ouvrent à tout vent les portes de leur cachette. Ils descendent sur la place, ameutent la foule, nombreuse en ce jour de fête, et lui tiennent le discours le plus hardi qui puisse être, avec une témérité dont Jésus lui-même n'a jamais fait preuve : « *Israélites, écoutez ! Ce Jésus que vous avez fait mourir en le clouant à une croix par la main des païens, Dieu l'a ressuscité : nous tous, nous en sommes témoins ! Oui, ce même Jésus que vous avez crucifié, Dieu l'a fait Seigneur et Christ !* » On ne peut imaginer annonce plus provocatrice et plus risquée ; d'ailleurs, les téméraires seront arrêtés sur-le-champ et traduits devant ces mêmes autorités du judaïsme qui ont condamné Jésus à mort. Et comme désormais ils persévéreront tous jusqu'au bout dans leur témoignage, ils finiront tous, sauf Jean, suppliciés séparément aux quatre coins du monde habité, sans avoir jamais varié dans leurs déclarations.

Cela ne s'invente pas. Un détail savoureux le montre entre mille autres. Ce même jour de la fête de la Pentecôte, comme les Apôtres commencent à haranguer la foule de Jérusalem, ils se font brocarder par les rieurs qui s'exclament : « *Ils sont pleins de vin doux !* » Alors, très sérieusement, Pierre leur répondit : « *Non, nous ne sommes pas complètement ivres comme vous le supposez, car il n'est que neuf heures du matin !* », laissant clairement entendre que, s'il était neuf heures du soir, la supposition ne serait pas dénuée de tout fondement. Et dans la continuité immédiate de cette réponse cocasse, Pierre se met à annoncer la résurrection de Jésus...

Cela ne s'invente pas. Toutes les rencontres de Jésus ressuscité nous touchent parce qu'elles nous rappellent quelque poignante expérience vécue. Marie de Magdala, qui pleure et que Jésus console ; tous les disciples réunis, qui sont terrorisés croyant voir un fantôme ; Thomas, qui refuse de croire au témoignage de ses compagnons et qui s'entend dire : « *Heureux ceux qui croiront sans avoir vu !* » ; Thomas, de nouveau qui s'exclame : « *Mon Seigneur et mon Dieu !* » ; les deux pèlerins d'Emmaüs, désespérés, qui sont rejoints en chemin et qui reconnaissent Jésus à la fraction du pain ; Pierre, Jacques, Jean, Nathanaël et encore Thomas, qui reviennent bredouilles d'une nuit de pêche, et qui découvrent qu'on leur a préparé le petit déjeuner sur la plage ; Pierre, qui se jette à l'eau quand Jean lui dit : « *C'est le Seigneur !* » ; Pierre, toujours, qui après avoir renié trois fois son Seigneur, se fâche d'être obligé de lui dire pour la troisième fois : « *Seigneur, tu sais tout, tu sais bien que je t'aime !* » ; les quelques disciples *qui doutent encore* jusqu'au moment de l'Ascension ; Paul, le persécuteur, terrassé sur la route de Damas : quel chrétien, un jour, n'a-t-il pas été Marie, Thomas,

> *Les Apôtres découvrent qu'on leur a préparé le petit déjeuner sur la plage.*

Nathanaël, Pierre, Paul, Jacques ou Jean ?

Cela ne s'invente pas. Au reste, qu'un homme soit ressuscité par Dieu, on peut y croire. Mais que Dieu soit mort, de surcroît du châtiment des pires scélérats, voilà ce qui demeure incroyable, *scandale pour les Juifs, folie pour les païens.*

Une des plus belles paraboles que Jésus ait racontées aux foules fut celle du bon Pasteur qui abandonne toutes ses brebis dans le désert et part rechercher l'une d'elles qui s'était perdue au fond de l'abîme où elle est tombée.

Au lendemain de l'exécution de Jésus, ses disciples se retrouvent seuls. Le Pasteur qui les guidait les a abandonnés. Il est parti, au pays de la mort, rejoindre ses brebis perdues. « *J'ai une multitude d'autres brebis qui ne sont plus de cet enclos, qu'il va me falloir aller conduire. C'est pour cela que mon Père m'aime, parce que j'offre ma vie pour la reprendre* », avait-il annoncé à ses disciples.

Le voilà donc parti à la recherche de ses brebis, au fin fond de la mort où elles finissent toujours, inexorablement, par se perdre. Là, *il les appelle chacune par leur nom, et il les fait sortir.* Jusqu'à la consommation des siècles, le *Fils de l'Homme* ne finira jamais de traverser cet enfer humain, pour nous en arracher. Jusqu'à son retour à la fin des temps, Jésus-Christ en personne ne reviendra plus sur terre, si ce n'est juste ce qu'il fallait pour nous garantir que « *le bon Pasteur a donné sa vie pour ses brebis, afin qu'elles aient la*

*Vie, et qu'elles l'aient à profusion* ». S'il nous abandonne en plein désert, c'est pour mieux nous retrouver plus tard, nous prendre sur ses épaules, nous monter avec lui au Ciel, à la droite de ce Père dont *la volonté est que pas un seul de ses enfants ne soit perdu*. Dieu est mort et l'empire de la mort a été vaincu.

Le Dieu qui s'est fait homme vivant, homme mort, et homme ressuscité, ne peut pas être un Dieu caché. Certes nous ne le voyons plus, mais ce n'est pas qu'il se cache, c'est que, poursuivant dans l'au-delà de la mort l'accomplissement de la volonté de son Père, il est parti libérer les hommes de l'esclavage de la mort. Pâques veut dire « passages » : jusqu'à la fin du monde, Jésus-Christ fait passer chacune de ses brebis de la mort à la Vie en Dieu. « *Personne ne va vers le Père sans passer par moi.* »

À la mort, notre vie n'est donc pas détruite, elle est transformée. La vie terrestre n'est plus une errance absurde qui vient du néant et retourne au néant, elle est le pèlerinage d'enfants désirés et aimés vers la demeure de leur Père, cette cité de Dieu où, selon sa promesse, Jésus-Christ est notre précurseur : « *C'est dans votre intérêt que je pars... Sinon*

> *Baptisez-les au nom du Père et du Fils et du Saint-Esprit.*

*vous aurais-je dit : je pars vous préparer une place dans la maison de mon Père ?* »

Pourtant, notre bon Pasteur ne nous a pas laissés seuls dans la traversée, vers notre Terre promise, de ce désert éprouvant qu'est l'existence. « *Je pars, vous ne me verrez plus, mais je ne vous laisserai pas orphelins* », avait-il annoncé avant sa mort. Incorporée à Jésus, l'humanité est désormais engagée sur les chemins qui conduisent au bonheur éternel. Sur ces chemins, les apôtres et leurs successeurs ont été institués comme guides inspirés. « *Sois le pasteur de mes brebis* » avait-il dit à Pierre ; « *Qui vous écoute m'écoute...* », avait-il affirmé aux Douze en les envoyant en mission. De cette mission, Jésus ressuscité leur avait une dernière fois tracé les objectifs et rappelé les moyens : « *Allez, de tous les peuples faites des disciples : baptisez-les au nom de Père et du Fils et du Saint-Esprit.* » Tel est le programme de résurrection qui fonde la communauté des pèlerins en marche vers leur patrie véritable. Cette communauté, l'Église, sera sur la terre le signe de l'édification du Royaume des Cieux inauguré par son fondateur. Elle sera aussi le sacrement de sa présence, *tous les jours jusqu'à la fin du monde.*

SOURCES : *NOUVEAU TESTAMENT.* P.-M. Beaude, *JÉSUS DE NAZARETH*, Paris, 1983. C. Perrot, *JÉSUS ET L'HISTOIRE*, Paris, 1979.

# LE TESTAMENT
# DE SIMON-PIERRE

## *QUAND LE PREMIER ÉVÊQUE DE ROME*
## *ENVOYAIT SA DERNIÈRE ENCYCLIQUE*

**• 29 DÉC •**

SIMON-PIERRE, APÔTRE DE JÉSUS-CHRIST, à ceux qui ont reçu par la justice de notre Dieu et Sauveur Jésus-Christ une foi d'un aussi grand prix que la nôtre, à vous grâce et paix en abondance, par la connaissance de notre Seigneur !

Ce n'est pas en inventant des fables sophistiquées que je vous ai fait connaître la puissance et l'avènement de notre Seigneur Jésus-Christ, mais en vous annonçant purement et simplement ce que j'ai vu et entendu. C'est pourquoi je veux encore vous rappeler ces faits authentiques, bien que vous les sachiez et soyez fermes dans la vérité. Je crois bon, tant que je suis de ce monde, de vous en faire un ultime rappel, sachant que notre Seigneur m'a manifesté que je suis proche de le rejoindre à la droite du Père. J'emploie donc mon zèle afin qu'après mon départ vous puissiez vous remettre ces choses en mémoire.

Voici le commencement de ma rencontre avec le Seigneur. Comme André mon frère m'avait entraîné au désert de Judée pour y écouter la parole prophétique, j'ai pris sur moi de demander à Jean le Baptiste s'il était le Messie. Il m'a répondu : « *Je ne suis pas la lumière des hommes, mais j'ai à rendre témoignage à la lumière qui vient dans le monde.* » L'intelligence en éveil, je m'en suis retourné chez moi, certain de connaître bientôt l'objet de mon attente. Un jour, donc, André, poussé par l'Esprit Saint vint me trouver et me dit : « *Nous avons trouvé le Messie !* » Je l'ai suivi et il m'a conduit à Jésus de Nazareth. Le Seigneur m'a longuement regardé, en silence. Avant de l'avoir vu, je l'aimais déjà ; sous son regard, je tressaillais d'une joie indicible. Enfin il m'a dit : « *Tu es Simon, désormais tu t'appelleras Pierre.* » Depuis ce jour, c'est de ma maison de Capharnaüm que le Seigneur a fait sa demeure. Ce sont nos enfants qu'il prenait dans ses bras en disant : « *C'est à ceux qui leur ressemblent qu'appartient le Royaume des Cieux.* »

Un jour nous étions dans la barque avec André au bord du lac de Galilée, en train de nettoyer nos filets. Vers midi, j'ai aperçu Jésus qui venait vers nous, longeant le rivage. Arrivé à notre hauteur, il est monté à bord et nous a demandé de gagner les eaux profondes.

Une fois au large, il nous a commandé de lancer les filets. S'il y a une chose que je croyais savoir, c'est qu'il est impossible de prendre quoi que ce soit avec un épervier quand le soleil est au zénith. Tous les pêcheurs savent qu'alors les poissons vont se réfugier au fond du lac pour y trouver la fraîcheur. André me regardait, attendant ma décision. Je me suis entendu dire : « *Maître, puisque c'est toi qui le demandes, je vais lancer les filets.* » Nous avons pris une telle quantité de poissons que j'ai dû héler Jacques et Jean pour qu'ils viennent nous prêter main-forte avec une autre barque. Tout à coup j'ai eu peur : qu'allait-il advenir de moi, homme de péché ? Mais le Seigneur m'a dit : « *Tu n'as rien à craindre ; désormais, ce sont des hommes que tu prendras.* » Alors, abandonnant tout, nous nous sommes mis à sa suite.

Pendant plus de deux ans, parcourant en tous sens le pays des Juifs, nous, les douze Apôtres, André, Jacques, Jean, Philippe, Barthélemy, Thomas, Matthieu, Jacques, Thaddée, Simon, Judas le traître, et moi-même, avons accompagné le Seigneur tandis qu'il répandait la semence incorruptible de la Parole de Dieu. Ce n'est rien d'autre que cette Parole dont la Bonne Nouvelle vous a été transmise. Mais ne soyez pas des auditeurs qui s'abusent eux-mêmes ! Mettez la Parole en pratique. Oui, mettez activement en pratique la loi parfaite de liberté : ainsi seulement vous trouverez le bonheur. N'oubliez pas que la convoitise engendre le péché et que le péché conduit à son terme enfante la mort. À l'exemple du Saint qui vous a appelés des ténèbres à son admirable lumière, devenez saints vous aussi dans toute votre conduite. D'un cœur pur, aimez-vous les uns les autres sans défaillance.

*Je l'ai renié trois fois de peur d'être plongé avec lui dans le baptême de sa mort.*

J'ai moi-même été témoin oculaire de la majesté divine du Seigneur quand, avec Jacques et Jean, nous étions avec lui sur la montagne sainte. Et j'ai entendu de mes oreilles la voix qui venait du Ciel lorsqu'il reçut honneur et gloire de Dieu le Père. Oui, cette voix nous l'avons bien entendue quand elle disait : « *Celui-ci est mon Fils bien-aimé, il est tout mon amour.* » Ainsi, ayant connu la puissante majesté de notre Seigneur Jésus-Christ, je vous ai transmis sa Parole divine avec fermeté : vous faites bien de la contempler comme une lampe qui brille dans un lieu obscur, jusqu'à ce que le jour commence à poindre et que l'astre du matin se lève dans vos cœurs.

J'ai encore été témoin oculaire des souffrances du Christ et mon cœur se brise en vous le disant : je l'ai renié trois fois de peur d'être plongé avec lui dans le baptême de sa mort. Aujourd'hui le Père de toute miséricorde s'apprête à me présenter la coupe que j'ai refusée hier. Avec quelle soif vais-je la boire ! Car le Christ est mort pour tous les péchés, lui le Juste pour moi le renégat.

J'ai été, en de nombreuses occasions, témoin oculaire de la gloire du Christ ressuscité. J'ai mangé avec lui, j'ai trié le poisson avec lui, j'ai reçu ses dernières instructions, et ses plus grandes promesses avant de le voir s'élever au Ciel, lui, la Pierre vivante qu'ont rejeté les bâtisseurs, mais choisie unique et précieuse auprès de Dieu. Vous-mêmes, par lui, avec lui, et en lui, vous êtes devenus des pierres vivantes pour l'édification d'un Temple spirituel.

Après que le Seigneur nous a été enlevé, je me suis levé au milieu des cent vingt frères que j'avais réunis, pour que Matthias prenne dans le ministère de l'apostolat la place qu'avait laissée Judas pour partir vers son destin.

Au glorieux jour de la Pentecôte, j'ai pris la parole devant une multitude de Juifs de Jérusalem et de la Diaspora. Traduit en justice devant le Sanhédrin, j'ai annoncé avec assurance qu'il n'est pas d'autre nom sous le ciel pour être sauvé que celui de Jésus Christ. Arrêté, jeté en prison, j'en fus délivré par l'Ange du Seigneur. Avec Jacques, j'ai dirigé la communauté de Jérusalem, accomplissant de nombreux signes et prodiges par le nom de Jésus-Christ. Des croyants de plus en plus nombreux se joignaient au Seigneur. Tous n'avaient qu'un cœur et qu'une âme. Entre eux, tout était commun. Ils vendaient tout ce qu'ils possédaient et en déposaient le prix à mes pieds afin que je le répartisse selon les besoins de chacun. Sous la conduite de l'Esprit Saint, j'ai pris l'initiative de baptiser les premiers païens, car qui étais-je moi pour faire obstacle à la volonté de Dieu ? J'ai donné raison à la sagesse de notre cher frère Paul, contre ceux qui voulaient imposer aux nouveaux disciples le joug de la Loi de Moïse. J'ai fondé l'Église du Christ qui est à Antioche en Syrie, puis celle de Corinthe, avant de gagner Rome.

Ainsi, selon l'ordre et l'exemple que le Seigneur m'a donnés, j'ai fait paître le troupeau que Dieu m'a confié. J'ai veillé sur lui de bon gré ; non pour un gain sordide, mais avec l'élan du cœur ; non pour devenir le seigneur des brebis, mais en me faisant le serviteur de tous, et en m'efforçant d'être le modèle du troupeau. Maintenant que je vais paraître devant le Chef des pasteurs, j'espère recevoir la couronne de gloire qui ne se flétrit pas.

> *J'ai fait paître le troupeau que Dieu m'a confié.*

Je pars. Bientôt vous n'aurez plus de nouvelles de moi, mais n'ayez aucune crainte, ne soyez pas troublés. Au contraire, soyez pleins d'assurance, toujours prêts à rendre compte de l'espérance qui est en vous.

Je vous ai écrit cette dernière lettre par Sylvain, en compagnie de Marc mon fils. Je voulais, une dernière fois, attester quelle est la vraie grâce de Dieu. Par elle, les plus grandes promesses m'ont été confiées, afin que vous deveniez vous aussi participants de la nature divine.

Très chers, croissez dans la grâce et la connaissance de notre Seigneur et Sauveur Jésus-Christ : à lui tout honneur et toute gloire maintenant et jusqu'au jour de l'éternité ! Amen.

Saluez-vous les uns les autres dans la charité.

SOURCES : *NOUVEAU TESTAMENT*. Eusèbe de Césarée, *HISTOIRE ECCLÉSIASTIQUE*. Clément de Rome, *LETTRE AUX CORINTHIENS*.

# ÉTIENNE

## *LE PREMIER TÉMOIGNAGE DU SANG*

**• 30 DÉC •** LE PREMIER CAILLOU A VOLÉ TOUT SEUL. LES JUIFS HURLAIENT TOUS, SE BOUCHANT LES OREILLES tandis qu'ils poussaient Étienne hors des murs de la ville. On ne saura jamais qui a commencé. Mais de toute façon, il fallait qu'il se tût, ce jeune homme au visage d'ange. Ce n'est pas parce que les disciples de ce Jésus que Pilate avait crucifié venaient de l'élire diacre qu'il devait se mêler de leur faire la morale à eux, les gardiens du Temple. Il n'avait qu'à se contenter de servir sa communauté au lieu de prêcher. Tout le peuple n'avait que ces mots à la bouche : *« La sagesse d'Étienne »*, *« Les prodiges d'Étienne »*...

Mais eux, les Juifs restés fidèles à l'ancienne Loi ne supportaient plus ce genre de zèle. Parce qu'elle allait tout de même un peu loin, la sagesse d'Étienne ! Ne venait-il pas de leur faire un discours terrible, les accusant de résister depuis toujours au Saint-Esprit ? Oui, même face à Moïse, et aux prophètes ! Et, pour couronner le tout, ce blanc-bec n'avait-il pas eu une petite phrase dévastatrice, qui ôtait soudain tout son sens à leur admirable observance de la loi : *« Tels vos pères ont été, tels vous êtes. [...] Ils ont tué ceux qui annonçaient d'avance la venue du Juste, que vous, maintenant, avez trahi et tué ; vous qui avez reçu la Loi par le ministère des anges, et ne l'avez pas observée. »* Tiens donc ! Une pierre pour Moïse, une autre pour Élie...

Étienne est tombé à genoux. Il prie. Et puis, juste avant de mourir, comme son Maître sur la Croix, il lance d'une voix forte : *« Seigneur, ne leur compte pas ce péché. »* Pourquoi a-t-il élevé la voix ? Est-ce pour que l'autre jeune homme, debout là-bas, sache que le Christ l'aime, lui aussi, malgré tout ? Mais l'autre jeune homme s'en moque bien ! Car tandis qu'il contemple distraitement la pile de vêtements que les témoins du drame ont jetée à ses pieds, Saul de Tarse tremble de colère. Quel gâchis ! Ces chrétiens sont insupportables. Lui, Saul, bon Juif, citoyen romain de surcroît, parlant grec comme Étienne, de bonne famille comme lui, rien n'aurait dû l'empêcher de s'entendre avec ce garçon ! Pourquoi fallait-il que ces gens-là prêchassent un Messie crucifié ? Pourquoi en voulaient-ils au Temple en annonçant sa destruction ? Et pourquoi se prétendaient-ils les héritiers de la promesse, tout en faisant la leçon à ceux qui la gardaient ? Saul se tait. Mais quand il entend la prière d'Étienne, qui vient se planter dans sa chair comme une écharde, il réussit à peine à réprimer un sursaut de dégoût.

Étienne est le premier des martyrs de l'Église. Le premier, brûlant d'amour pour son Maître, il a revêtu « *l'homme nouveau* » en imitant sa Passion. Comme Jésus et pour Lui, il est mort par suite de la haine de ceux qui refusent d'admettre l'impensable, la condition divine du Christ. « *Voici que je vois les Cieux ouverts et le Fils de l'homme debout à la droite de Dieu* », dit Étienne. Et les pierres de siffler.

> La « revanche » des martyrs, c'est la communion des saints.

Mais si tout martyre couronne un enseignement, l'authentifiant en quelque sorte par la signature du sang, le véritable enseignement du martyre d'Étienne est ailleurs que dans son discours, ailleurs même que dans sa vision. Le sens profond du martyre d'Étienne, c'est la vocation de Paul.

Car, entre les deux jeunes gens, le parallélisme est extraordinaire. Quand Saul de Tarse, sur le chemin de Damas, tombe à la renverse parce qu'une grande lumière l'enveloppe et que Jésus lui dit : « *Je suis celui que tu persécutes* », on croit

voir le jumeau d'Étienne éperdu devant sa propre vision. Quand, devenu Paul, l'ancien persécuteur des chrétiens se lancera dans ses voyages apostoliques, quand il fustigera à son tour les Juifs à la nuque raide, quand même aux Grecs il ne voudra plus prêcher que le Christ crucifié, et quand face aux fauteurs de divisions il ouvrira le christianisme aux dimensions du monde : « *Il n'y a plus ni Juifs, ni Grecs...* », c'est encore et toujours du message d'Étienne qu'il se fera le relais quasiment à la lettre, après en avoir été le pourfendeur attitré.

La « revanche » des martyrs, c'est la communion des saints. Non seulement la conversion, mais toute la vocation de Paul apparaît comme le fruit paradoxal de cette scène de violence dont il fut le témoin satisfait et qui sera à la source de son retournement. Le dépassement du judaïsme, l'évangélisation des Gentils, l'ardente prédication du Christ ressuscité, bref toute l'immense fécondité de Paul est à jamais inséparable de ce visage d'ange peu à peu tuméfié sous les coups sans que le regard d'Étienne, qui croise celui du jeune homme riche à quelques pas de là, cesse un seul instant de l'aimer.

SOURCES : *LES ACTES DES APÔTRES*.

# PAUL

## L'APÔTRE DES NATIONS

**• 31 DÉC •**

— ANANIE.

— OUI, QUI M'APPELLE ?

— C'est moi, Ananie. Jésus-Christ, ton Seigneur.

Dans sa petite maison de Damas, Ananie n'en croit pas ses oreilles. Pourtant, personne d'autre que lui ne se cache dans la pièce, ni dans les pièces voisines. Ainsi ce serait vraiment Jésus qui lui parlerait ?

— Ananie, tu m'écoutes ?

— Oui, Seigneur, répond l'homme un peu timidement ne sachant s'il doit craindre le courroux de son Dieu ou une farce de l'un de ses amis.

— Ananie, c'est bien moi, Jésus-Christ. N'aie pas peur, j'ai un service à te demander.

— Que puis-je pour toi, Seigneur ? Je ne suis qu'une faible créature et tu es Dieu tout puissant…

— Ananie, je veux que tu ailles chez Judas dans la rue Droite et que tu demandes à voir un dénommé Saul de Tarse. En ce moment même, il te voit en songe dans sa prière. Tu lui imposeras les mains et il recouvrera la vue.

— Mais, Seigneur, cet homme est notre ennemi ! On m'a raconté qu'il venait de Jérusalem, où il a persécuté tes fidèles et qu'il est ici à Damas pour faire de même avec les pleins pouvoirs des grands prêtres.

— *Va, car cet homme m'est un instrument de choix pour porter mon nom devant les païens, les rois et les enfants d'Israël. Moi-même en effet, je lui montrerai tout ce qu'il lui faudra souffrir pour mon nom.*

Ananie n'en croit pas ses oreilles. Pourtant, après un dernier coup d'œil incrédule dans la pièce, il se précipite en direction de la rue Droite. Arrivé chez Judas, il frappe à la porte, sans être sûr qu'il ne fait pas là une grosse erreur qui le mènera tout droit aux chaînes des grands prêtres. La porte s'ouvre et Judas apparaît dans l'entrebâillement.

— Bonjour, Judas, mène-moi à Saul de Tarse qui demeure chez toi.

Judas le conduit jusqu'à un homme aveuglé. Ananie s'approche de lui et lui impose les mains tout en disant :

— *Saul, mon frère, celui qui m'envoie c'est le Seigneur, ce Jésus qui t'est apparu sur le chemin de Damas par où tu venais ; et c'est afin que tu recouvres la vue et sois rempli de l'Esprit Saint.*

Ananie est tout surpris des paroles qu'il vient de prononcer. Son étonnement grandit encore quand il s'aperçoit que l'homme assis en face de lui vient réellement de sortir des ténèbres. Non seulement il voit, mais lui qui persécutait les chrétiens il y a peu est à genoux et rend grâce au Seigneur Jésus-Christ ! Judas, étonné comme lui, appelle sa femme afin qu'elle apporte à boire et à manger pour Saul, Ananie et lui-même.

Après avoir repris des forces, Saul raconte à ses bienfaiteurs ce qui lui est arrivé sur le chemin de Damas.

— Il y a trois jours, je venais de Jérusalem où j'avais demandé aux grands prêtres la possibilité de me rendre ici afin de traquer ceux qui comme Étienne mettaient en péril la religion juive en professant une foi nouvelle en Jésus-Christ. Muni de lettres pour les synagogues de Damas, je m'apprêtais donc, avec mes compagnons, à vous capturer et à vous ramener enchaînés à Jérusalem pour que vous soyez jugés. Mais, en approchant de la ville, je fus tout d'un coup enveloppé d'une lumière qui descendait du ciel et j'entendis une voix qui me disait : « *Saul, Saul, pourquoi me persécutes-tu ?* » Je fus tellement effrayé que je tombai à terre. Relevant la tête, je demandai qui me parlait ainsi. La voix reprit : « *Je suis Jésus que tu persécutes.* » Le Seigneur me demanda également de me rendre dans la ville où l'on me dirait ce que je devais faire. Ce sont mes compagnons de route qui m'ont mené jusqu'à chez toi, Judas, car la lumière m'avait aveuglé. Ils étaient stupéfaits car ils avaient entendu la voix mais n'avaient rien vu.

*Je fus tout d'un coup enveloppé d'une lumière qui descendait du ciel.*

— Cette histoire est merveilleuse. Le Seigneur s'est révélé à toi pour que tu deviennes son apôtre. Tu passeras quelques jours avec nous afin de te reposer et d'apprendre ce que nous savons nous-mêmes du Seigneur. Mais raconte-nous d'abord d'où tu viens.

— Je suis né à Tarse, en Cilicie, ce qui me vaut l'inestimable avantage d'être citoyen romain. Mes parents, émigrés de fraîche date et juifs d'observance stricte, appartiennent à la tribu de Benjamin. Pour les uns, je suis donc Paul ; pour les autres, Saul. Ils sont retournés vivre en Judée tandis que j'étais encore enfant. À Jérusalem, je fus initié à la lecture des Écritures et à l'intelligence de la Loi, sans devenir pour autant un maître estampillé en ces matières. J'ai également appris à fabriquer des tentes. Mon grand respect de la Loi m'a amené à fréquenter les pharisiens. J'étais tout juste adolescent quand Jésus fut crucifié. C'est le comportement d'Étienne qui m'a décidé à partir en guerre contre vous. L'importance qu'il donnait à la culture grecque et sa foi en Jésus-Christ n'étaient déjà pas pour me plaire. Mais subir en plus ses provocations à propos du Temple et de la Loi, ça, je ne pouvais le supporter ! Je l'ai vu mourir sous les pierres des nôtres ; jusqu'au bout, il a gardé cet air assuré, ce regard d'ange, et cela plus que tout m'a poussé à bout.

— Pourtant c'est toi, Paul, que le Christ a choisi pour enseigner aux juifs et aux païens ! Le Christ ressuscité t'est apparu comme auparavant à Pierre, à Jacques et aux autres. Tu es le dernier à qui le Seigneur se soit montré ainsi.

Judas et Ananie ont raison. Le Christ est apparu à Paul comme aux douze Apôtres. Comme eux, il se trouve investi des mêmes prérogatives et pouvoirs, mais aussi des mêmes missions et des mêmes devoirs que les Douze en personne. Il est donc devenu Apôtre, et expressément destiné aux païens, lui le Juif si typé. Ainsi précisée et qualifiée, sa vocation s'inscrit dans la catégorie prestigieuse des grands prophètes d'antan, à commencer par Jérémie, lui-même jadis consacré « prophète des nations ». Mais, cette fois, c'est Jésus, le Fils de Dieu, qui parle, et Paul n'est plus prophète mais Apôtre. Telle est la radicale nouveauté dont Saul, Paul désormais, a reçu instantanément la grâce lumineuse. Car, il le dira aussi, la révélation de la sagesse mystérieuse jusqu'alors « demeurée cachée » lui est venue « de Dieu par l'Esprit ». Cette sagesse a un visage et un nom : le Christ, apparu dans sa totale lumière. C'est lui, le Christ, qui a été et demeure la vraie source mais aussi le ministre unique de cette miraculeuse investiture.

À Damas, Paul prêche l'Évangile de Jésus-Christ aux juifs, qui sont étonnés et le considèrent d'emblée comme un traître. Il doit quitter furtivement la ville, caché dans un panier, descendu le long de la muraille, pour se rendre à Jérusalem, où Barnabé le présente aux Apôtres.

> *Il doit quitter la ville, caché dans un panier descendu le long de la muraille.*

Contraint de fuir à nouveau, il se réfugie en Arabie puis à Tarse, où ce même ami vient le chercher. Il le ramène à Antioche de Syrie, située dans l'actuelle Turquie. L'Église d'Antioche vient d'être fondée et cette cité sera bientôt le centre rayonnant du christianisme de culture grecque. Paul en fait le point de départ et parfois de retour de ses longs et difficiles voyages. De l'an 45 jusqu'à sa mort, il entreprend en effet trois grands périples missionnaires ; il ne cesse d'enseigner, envoyant de nombreuses lettres aux communautés qu'il fonde ou qu'il visite.

Paul entreprend son premier voyage en compagnie de Barnabé et de Jean, alias Marc l'évangéliste. Paul part d'Antioche pour aller à Chypre, à Antioche de Pisidie, à Iconium, à Lystres et à Derbé, puis il retourne à Antioche de Syrie. Là, il prend connaissance de la grave crise qu'ont provoquée les Juifs chrétiens. Ils veulent que leurs frères venus du paganisme soient soumis aux contraintes de la loi de Moïse, et donc circoncis. Le débat avec Pierre, d'abord partisan de la stricte observance de la Loi, est âpre en un premier temps. Une réunion est organisée à Jérusalem. À côté des Apôtres Jacques, Pierre et Jean, des délégués venus des communautés juives de pays de langue grecque y participent. Paul s'y montre très actif. Au nom de son expérience, il défend la voix de la souplesse. C'est le premier synode ou concile de l'histoire, tenu en 48. Un décret important et décisif y est rendu. On décide que les chrétiens non issus du judaïsme sont dispensés des obligations judaïques spécifiques, la circoncision principalement. Ils doivent seulement s'abstenir des actes d'idolâtrie et de toute immoralité incompatible avec la foi chrétienne. Ainsi se trouve réglé, moins de vingt ans après la mort de Jésus, le premier conflit interne du christianisme. De cette décision dépendait la communion dans une même Église des chrétiens circoncis et des autres, et ainsi la cohésion de la nouvelle religion. Ce choix conforte la mission de Paul chez les païens. À la faveur de la crise, l'Église a su faire un grand pas vers l'universalité : il est irréversible.

L'horizon est désormais serein pour Paul, qui se lance dans un deuxième voyage, toujours à partir d'Antioche et en compagnie de Silas. Ce périple dure de 49 à 52. L'Apôtre des nations sort alors d'Asie, quittant pour la première fois l'Orient pour gagner l'Occident des terres grecques. La « paix romaine » qu'a instaurée Auguste favorise la propagation rapide sinon fulgurante du christianisme qui possède déjà de nombreuses et solides implantations dans l'univers méditerranéen, dont Rome est le centre. Parti d'Antioche, l'infatigable missionnaire se dirige d'abord vers la Cilicie, son pays d'origine, et la Lycaonie (au sud de l'actuelle Turquie), puis vers la Phrygie et la Galatie, la Mysie et la Macédoine ; il atteint enfin la fameuse ville d'Éphèse (à l'ouest de la Turquie). Un troisième

*Ce voyage en Méditerranée est riche d'aventures, de dangers et de tourments.*

voyage est effectué peu après de 53 à 58. On y repère les séjours prolongés, ou au moins les passages en Galatie et en Phrygie, à Troas, à Éphèse et à Corinthe, en Macédoine et en Mysie, et à Milet. Le retour sur la terre des Juifs et dans sa capitale se fait par Ptolémaïs et Césarée.

Mais Paul est arrêté à Jérusalem en 58 et transféré à Césarée, où réside le gouverneur romain. Il y est retenu prisonnier de 58 à 60. En sa qualité de citoyen romain, il ose demander d'être jugé à Rome, où on le conduit, sous escorte, par la mer. Ce voyage en Méditerranée est riche d'aventures, de dangers et de tourments. Le navire fait naufrage à proximité de Malte, dont l'une des baies porte toujours le nom de Paul. Le prisonnier passe l'hiver dans l'île. Libéré à Rome, en 63, l'Apôtre voyage encore, vers l'est, et peut-être jusqu'en Espagne où il a manifesté l'intention d'aller. Au terme d'une seconde détention romaine, il est décapité, probablement en 67, lors de la terrible persécution de Néron. La basilique de Saint-Paul-hors-les-Murs s'élève sur les lieux de son martyre.

Durant ses voyages, Paul et ses compagnons les plus proches écrivirent de nombreuses lettres. Treize au moins sont conservées dans le Nouveau Testament. Chacune d'elles témoigne des recherches et des activités, des joies et des difficultés de son auteur, mais plus encore de la situation et des crises des différentes communautés dans lesquelles celui-là se rend ou projette d'aller. On y voit vivre, prospérer mais aussi lutter l'Église dans le monde méditerranéen de l'époque. La personnalité et la doctrine de l'Apôtre s'y révèlent admirablement. Paul apparaît direct et passionné, entier et exclusif dans ses évocations, ses appréciations et ses formules. Véritables hymnes, exhortations, conseils ou explications, ses lettres ne cessent de préciser le sens de l'Incarnation et de la Résurrection, du Salut et de la grâce, et restent avec les évangiles les bases de tout le travail théologique des origines à nos jours.

Fascinant et persuasif pour les uns, Paul peut paraître déroutant voire révoltant pour les autres. Mais une chose est certaine, il n'hésite pas à se livrer pour offrir à tous le témoignage d'un homme dont la vie a été totalement bouleversée par l'amour de Dieu. « *À nous donnée avant tous les siècles dans le Christ Jésus, cette grâce a été maintenant manifestée par l'apparition de notre Sauveur le Christ Jésus, qui a détruit la mort et fait resplendir la vie et l'immortalité par le moyen de l'Évangile, au service duquel j'ai été établi moi, héraut, apôtre et docteur. C'est à cause de cela que je connais cette nouvelle épreuve, mais je n'en rougis pas, car je sais en qui j'ai mis ma foi et j'ai la conviction qu'il est capable de garder mon dépôt jusqu'à ce jour-là.* » Juif cultivé, Paul découvre au fil de ses voyages la culture grecque. Les difficultés jaillies des situations nouvelles, les débats tant avec les Juifs demeurés distants de la foi chrétienne qu'avec

*Paul est le témoin douloureux du refus de cette Loi nouvelle.*

les Grecs, et bien plus les conflits internes des Églises locales nourrissent sa réflexion. C'est ainsi que sa pensée progresse et que son enseignement s'enrichit. Et sa fidélité au message de l'Évangile, que les disciples du Christ lui avaient enseigné à Damas, ne faiblit pas.

Paul envoya à l'Église de Rome, qu'il n'avait pas fondée et auprès de laquelle il avait l'intention de se rendre, un document long et dense qui représente la plus ample, la plus riche et la plus vigoureuse de ses synthèses. C'est sa fameuse *Lettre aux Romains*, écrite au cours de l'hiver 58. Elle s'imposera comme la première charte doctrinale du christianisme. La foi, proposée comme don du Christ à la totalité des hommes, en est le thème majeur. Chaque homme, sans distinction, rappelle l'Apôtre, a été doté par Dieu du moyen sûr d'y accéder. Pour une large majorité, c'est la voix intérieure qui parvient jusqu'à la conscience, la connaissance naturelle des choses de Dieu ayant la valeur d'une vraie loi. Pour la faible minorité qu'est le peuple élu, cette loi provisoire ou d'éveil résulte, elle, d'une révélation explicite et formelle de Dieu, codifiée puis transmise de génération en génération. Comme la précédente, elle doit laisser place à la Loi qu'elle avait pour rôle de préparer, celle du Christ. Celle-ci seule apporte aux hommes le salut, dans le don de la foi, avec lequel elle s'identifie désormais. Paul est le témoin douloureux du refus de cette Loi nouvelle tant de la part des Grecs que d'Israël. Lui-même appartient au groupe des nouveaux élus, au nombre encore modeste des rescapés d'une crise aux vertus fondatrices. La multitude des hommes n'en demeure pas moins appelée. La sainteté des fils d'Abraham persiste néanmoins envers et contre tout ; elle est bien celle de la souche naturelle du Christ. Certes, semble-t-il, les païens ont pris la place des élus officiels et déclarés. Et les Juifs se retrouvent face à la Vérité comme des exilés à qui la grâce du retour demeure à jamais promise et à chaque instant destinée. L'Église du Christ n'est pas aux yeux de Paul un territoire réservé que limite l'exclusion. Elle est une réserve de promesses sans prescription, une communauté d'accueil sans condition.

SOURCES : *NOUVEAU TESTAMENT*. M.-A. Hubaut, *PAUL DE TARSE*, Paris, 1997. D. Patte, *PAUL, SA FOI ET LA PUISSANCE DE L'ÉVANGILE*, Paris, 1985.

DÉCEMBRE

# JANVIER

FÉVRIER

MARS

AVRIL

MAI

JUIN

JUILLET

AOÛT

SEPTEMBRE

OCTOBRE

NOVEMBRE

DÉCEMBRE

# APÔTRES ET MARTYRS

## DES TEMPS APOSTOLIQUES
## AU CHRISTIANISME RELIGION D'ÉTAT

*Pitié mon Dieu, des hommes s'acharnent contre moi ;*

*tout le jour, ils me combattent, ils me harcèlent.*

*Le jour où j'ai peur, je prends appui sur toi.*

*Sur Dieu dont j'exalte la parole,*

*sur Dieu je prends appui ;*

*plus rien ne me fait peur ;*

*Que peuvent sur moi des êtres de chair ?*

*Mon Dieu, je tiendrai ma promesse,*

*je t'offrirai des sacrifices d'action de grâce ;*

*car tu m'as délivré de la mort*

*et tu préserves mes pieds de la chute,*

*pour que je marche à la face de Dieu*

*dans la lumière des vivants.*

Psaume 55

# L'ENQUÊTE DE LUC

## OU COMMENT UN MÉDECIN PAÏEN
## SE TRANSFORMA EN HISTORIEN DE JÉSUS

**• 2 JAN •**

LUC SUIT LA FLAMME VACILLANTE DE LA LANTERNE À TRAVERS LES ENTRELACS DES RUES DE LA VILLE. Les faibles lueurs jettent sur les murs de pisé clair les ombres incertaines de ses deux guides. Luc est étreint par une émotion puissante, il ne se sent pas encore prêt pour la rencontre. Hier, quand Jean lui a dit qu'elle l'attendait, qu'elle acceptait de le recevoir, jamais il n'aurait pu imaginer une joie plus grande. Elle, qui ne voit plus personne, dont on dit qu'elle ne parle jamais, elle, qui vit recluse dans la maison de Jean, elle, Marie, la mère du Seigneur.

« La mère du Seigneur », ces quatre mots représentent tellement pour Luc que ses pensées se bousculent dans son esprit. Elle, qui a connu le Seigneur alors qu'il n'était qu'une vie fragile qui tressaillait dans ses entrailles ; elle, qui a porté celui qui porte tout ; elle, qui a tenu dans ses bras le Salut du monde ; elle, qui a nourri de son lait celui qui allait s'offrir en nourriture à l'humanité ; elle, qui a appris les premiers mots humains à la Parole de Dieu ; elle, qui a recueilli le dernier mot du Christ en croix, du Verbe fait chair ;

elle, qui a reçu dans ses bras le cadavre de celui qui est la Vie…

Luc demande à ses guides de ralentir le pas, il ne se sent pas prêt encore. Pourtant, il a tant désiré cette rencontre, lui qui consacre sa vie à recueillir les témoignages de ceux qui l'ont vu, qui l'ont connu, ce Jésus, le Christ, le Fils de Dieu venu dans le monde.

Dès qu'il avait rencontré Paul à Troas, Luc avait été subjugué par la puissance de sa foi et la force de son enseignement. Depuis, il est devenu son compagnon dans ses pérégrinations missionnaires. À l'annonce de l'Évangile de Dieu, de plus en plus de païens comme lui entraient dans la Vie. Tous ces néophytes étaient avides d'en savoir plus sur Jésus, devenu leur Seigneur. Le témoignage des apôtres et leurs lettres n'y suffisaient plus. Des écrits commençaient à circuler, qui racontaient les grands moments de la vie du Sauveur du monde, et qui rappelaient certaines de ses paroles. De son premier séjour à Jérusalem, Luc avait ramené les nombreuses notes rédigées par l'Apôtre Matthieu, et il en faisait faire des copies. Son ami Marc lui avait remis la rédaction qu'il avait tirée des confidences de l'Apôtre Pierre. Mais lui, Luc, pensait que ces premiers textes inestimables étaient trop marqués par la culture juive pour être reçus sans explications par les chrétiens d'origine païenne. Leur forme ne leur permettait pas de toucher les hommes cultivés de culture grecque. Un autre phénomène préoccupait Luc : des gens, sans en avoir reçu mission des Apôtres, sans compétence et sans avoir fait des enquêtes sérieuses, s'autorisaient à écrire des vies de Jésus. Ces écrits apocryphes risquaient de porter un grand tort à l'annonce de la Vérité. Déjà des légendes absurdes circulaient dans les communautés chrétiennes et nourrissaient des fausses doctrines.

Fin lettré et féru d'histoire, Luc s'était inquiété de cette situation auprès de Paul. Il lui avait confié son dessein d'écrire une biographie de Jésus, suivie d'une histoire des premières communautés, en un mot de publier de vraies « Antiquités chrétiennes », sur le modèle des *Antiquités romaines* du célèbre historiographe Denys d'Halicarnasse. Paul, convaincu par ses arguments, avait encouragé Luc et lui avait donné une lettre de recommandation, afin qu'il pût mener les investigations appropriées auprès des témoins crédibles encore de ce monde. Alors Luc avait quitté Rome, laissant Paul dans sa prison, et était parti pour la Palestine.

Luc avait commencé son enquête à Nazareth. Les anciens se souvenaient de Jésus, le fils de Joseph le charpentier et de Marie. Alors qu'il avait trente ans, il avait quitté l'atelier familial. Il s'était

*C'était miracle qu'il n'ait pas été précipité au bas d'un escarpement qui surplombe la ville.*

éloigné quelque temps du village, certains disaient qu'il avait rejoint un certain Jean qu'on prétendait être son cousin et qui baptisait dans le Jourdain. Quand il était revenu, ce n'était plus le jeune homme qu'ils avaient connu, il parlait avec autorité. Il avait fait scandale à la synagogue en lisant la prophétie d'Isaïe : « *L'esprit du Seigneur est sur moi...* » Il avait osé proclamer que ce passage de l'Écriture s'accomplissait maintenant, que lui-même était cet envoyé de Dieu. Il avait été chassé, et c'était miracle qu'il n'ait pas été précipité au bas d'un escarpement qui surplombe la ville. Les anciens disaient qu'ensuite il était allé à Capharnaüm et y avait fait de nombreux miracles, encore qu'à Nazareth, on n'en eût vu aucun.

Luc était donc parti pour Capharnaüm. Là, les choses avaient été plus simples. Capharnaüm était la ville de Pierre. Luc savait que c'était là que le chef des Apôtres, André, Jacques et Jean avaient été appelés par Jésus alors qu'ils étaient pêcheurs sur le lac. Ils avaient suivi cet homme qui remplissait miraculeusement leurs filets et promettait de faire d'eux des pêcheurs d'hommes. Avec lui, ils avaient parcouru la région. Jésus enseignait et guérissait de nombreux malades. Un jour, on lui avait présenté un paralytique, et Jésus avait déclaré à l'homme : « *Tes péchés sont pardonnés.* » De nouveau, le scandale était advenu. Des pharisiens s'étaient émus : « *Seul Dieu peut pardonner les péchés !* » Et Jésus, en quelque sorte, avait relevé le défi. Pour montrer l'efficacité de sa parole, il avait ordonné à l'homme de marcher, et celui-ci aussitôt s'était levé, et avait ramassé sa civière. À partir de cet instant, le comportement de Jésus n'avait plus cessé de heurter les convenances. Il avait appelé Lévi à le suivre, un collecteur d'impôt méprisé de tous. Il avait même guéri un homme le jour du sabbat dans la synagogue. Qui était-il donc pour se prétendre le maître du sabbat ? Là encore, les pharisiens avaient récriminé, et dès lors, le discours de Jésus s'était fait plus âpre. Aux foules qui le suivaient, il prêchait un amour total, sans réticences, sans limites, qui allait jusqu'à l'amour des ennemis.

> *Qui était-il donc pour ce prétendre le maître du Sabbat ?*

Luc avait rencontré des témoins de cet amour, le serviteur d'un centurion romain qui avait été guéri sur la supplique de son maître – un païen, il l'avait souligné –, le fils d'une veuve de Naïm qui était revenu à la vie et avait été rendu à sa mère dont le chagrin avait ému Jésus, et surtout, cette femme, maintenant âgée, qui avait dû être très belle. Elle avait imploré le pardon du maître et avait répandu sur les pieds de Jésus un parfum coûteux qu'elle avait essuyé avec ses cheveux. Ce jour-là, elle avait versé sur elle-même et sa vie de péché des pleurs amers, et le pardon du Seigneur lui avait rendu sa dignité et sa vie. C'est avec des larmes de joie qu'elle avait répété à Luc les mots par lesquels Jésus l'avait relevée : « *Ta foi t'a sauvée ; va en*

*paix.* » Des témoignages comme celui-là, Luc en avait recueilli tant et tant qu'il avait dû en éliminer bon nombre dans son livre, ne conservant que ce qui mettaient le plus évidemment en lumière le Salut gratuit et universel que Jésus le Christ offre aux hommes. Il avait ainsi retenu le démoniaque géranésien dont les démons avaient péri avec un troupeau de porcs, la fille de Jaïre qui était revenue à la vie, l'aveugle de Jéricho, et le très riche Zachée, qui était trop petit pour voir le Seigneur, et chez qui Jésus s'était invité après l'avoir aperçu juché dans un arbre. Le vieux Zachée n'en revenait pas encore d'avoir été jugé digne et répétait : « *Ce jour-là, le Salut est entré dans ma maison.* » Luc a retenu encore l'histoire de ce lépreux étranger. Guéri par Jésus, il fut le seul à revenir se jeter à ses pieds pour s'entendre dire : « *Relève-toi, ta foi t'a sauvé.* »

Chaque rencontre, chaque témoignage lui avait permis d'affiner son portrait de Jésus : un homme libre devant le péché, le mal, la loi qui emprisonne les esprits et stérilise les cœurs, un homme doux et humble, débordant d'amour et de miséricorde pour les petits, les pauvres, les exclus, les estropiés de la vie, sans tenir compte ni de la race, ni de la religion, ni du sexe. C'était aussi un homme doué d'une puissance et d'une autorité inconnues, comme l'atteste cet épisode qu'on lui a raconté dix fois, celui de la tempête apaisée sur le lac. Alors que la barque des disciples tanguait et prenait l'eau, tandis que Jésus dormait, les disciples avaient pris peur, mais Jésus avait arrêté le tumulte des flots et fustigé leur manque de foi. Tous les témoignages recueillis recoupaient ceux que les Apôtres avaient laissés. Cependant, Luc avait eu plus de difficultés à reconstituer les paraboles, ces histoires que Jésus inventait pour rendre son message plus accessible. Chaque auditeur en avait compris le sens à sa manière.

> *Le Royaume de Dieu appartient à ceux qui ne savent pas compter.*

Parfois, les témoins étaient encore marqués par des paroles du Maître très dures à entendre, et pas seulement pour les pharisiens. Cet homme riche, par exemple, qui jeune homme avait demandé conseil à Jésus. Le Seigneur l'avait invité à vendre tous ses biens et à le suivre. Il avait préféré conserver ses richesses, mais, avait-il confessé à Luc, depuis ce jour, il ne trouvait plus le repos. Jésus prononçait aussi des paroles étranges que nul ne comprenait, qui échappaient à toute logique humaine. C'était celles dont les gens se souvenaient le mieux. Depuis des années, ils les retournaient dans leur tête pour en percer le sens.

Certains qui faisaient partie des disciples qui suivaient Jésus se rappelaient que les Apôtres se posaient beaucoup de questions. Ils avaient préféré Jésus à leurs métiers, à leurs épouses, à leurs enfants, que fallait-il qu'ils donnent encore ? Petit à petit, ils comprirent qu'il s'agissait de vie et de mort. Jésus annonçait une grande épreuve et, en même temps, il faisait la promesse d'un royaume, le royaume de son Père, le royaume de Dieu, un royaume qui appartient à ceux qui ne savent pas compter. C'est ce que lui avait expliqué un disciple collecteur d'impôts qui, lui, savait faire les comptes. Dans ce royaume, on paie les ouvriers qui ont travaillé une heure comme ceux qui ont peiné tout le jour, on glorifie le berger qui laisse cent brebis pour en retrouver une, le fils qui revient après avoir dilapidé l'héritage avec des filles, le semeur qui répand la semence à tous les vents, le maître du banquet qui invite tous les gueux et tous les loqueteux du pays, l'étranger qui laisse son argent pour qu'on prenne soin d'un inconnu détroussé et battu par des bandits, un royaume où les enfants, les pauvres, les pécheurs, les prostituées et les païens sont les premiers.

Luc avait noté des témoignages plus étonnants encore, comme celui de cet homme qui, encore enfant, avait suivi Jésus au milieu d'une grande foule, cinq mille hommes au moins prétendait-il. Ce jour-là, lorsque le soir était venu, Jésus avait regardé cette foule harassée et affamée, il avait été pris de pitié. Pouvait-on les renvoyer sans nourriture ? L'enfant avait entendu les proches du Maître protester : « *Renvoie la foule, qu'ils aillent dans les villages et les fermes alentour, pour trouver abri et subsistance, ici, nous sommes dans un endroit désert.* » Jésus avait rétorqué : « *Donnez-leur vous-mêmes à manger.* » Les

Apôtres avaient l'air bien ennuyés. L'enfant leur avait alors apporté discrètement les cinq pains et les deux poissons dont l'avaient muni ses parents. C'était peu, mais il n'allait tout de même pas les manger tout seul dans son coin ! Les Apôtres les avaient déposé devant Jésus qui les avaient bénis et partagés, et toute la foule avait eu à manger en abondance, au point que les restes avaient rempli plusieurs grands paniers.

En dehors de ceux qu'on nomme les Apôtres, et des autres disciples, de nombreuses femmes suivaient Jésus : Marie, Jeanne, Suzanne, et bien d'autres. Luc a même rencontré à Béthanie une certaine Marthe, qui était amie de Jésus comme sa sœur, Marie, et leur frère Lazare. Elle racontait comment le Seigneur avait ramené Lazare à la vie. Un drôle de caractère, cette Marthe, et Luc avait bien senti combien elle aimait le Seigneur. Pourtant, Jésus n'avait pas toujours été amène à son égard. Elle se souvenait qu'un jour où sa sœur Marie était tranquillement assise à ses pieds à l'écouter, elle, Marthe, préparait seule le repas, sans que Jésus ne s'en offusquât. Comme elle avait protesté, Jésus lui avait même reproché de s'agiter inutilement ; il avait pris le parti de Marie. Depuis, elle avait compris que la meilleure place était bien auprès du Seigneur, mais sur l'instant, elle avait cru qu'il avait une préférence pour Marie. Enfin, avait-elle conclu avec un brin d'humour, cela prouvait peut-être que pour le Seigneur les femmes

> *Un drôle de caractère,*
> *cette Marthe !*

n'avaient pas seulement à être de bonnes ménagères. Désormais, elle prenait le temps de s'arrêter pour écouter Dieu dans le silence de son cœur. D'ailleurs, avait-elle ajouté, Jésus lui-même montrait l'exemple : souvent, il laissait tout tomber et se retirait à l'écart pour prier son Père.

À Jérusalem, grâce au grand nombre de témoins encore présents. Luc avait vérifié les détails de ce que la communauté des croyants confessait depuis ce glorieux jour de la Pentecôte, où l'Esprit Saint promis par Jésus avait ouvert les esprits, les cœurs et les bouches : Jésus avait été crucifié et était mort, mais Dieu l'avait ressuscité. Luc avait pu décrire précisément le procès, la condamnation, l'exécution. Il avait pu suivre le chemin même qu'avait emprunté le Seigneur, du mont des Oliviers au Calvaire. Il avait le cœur serré en y repensant : la trahison de Judas (celui-là, personne ne voulait lui en parler), le reniement de Pierre, le vieil Apôtre tant aimé et si respecté, l'agonie du Seigneur, ce témoignage insoutenable de son obéissance à son Père. Il n'avait rien caché, pour être cru et « *pour que le monde croie* ». Enfin, il avait voulu bien mettre en évidence ce témoignage sur un centurion – encore un païen – qui le premier, après que le Seigneur eut expiré dans un grand cri, avait glorifié Dieu en s'exclamant : « *Vraiment, cet homme était le Fils de Dieu !* »

Le fils de Joseph d'Arimathie se souvenait mot à mot de ce que lui racontait son père, et comment celui-ci avait réclamé à Pilate le corps du Seigneur et l'avait déposé dans un tombeau taillé dans le roc au soir de ce jour terrible, tandis que les disciples et les Apôtres étaient terrés ou en fuite. Seules les femmes étaient là, avait-il tenu à préciser. Plus tard, elles avaient observé en silence, dans les larmes, la lourde pierre qu'on roulait devant le sépulcre. Enfin, elles étaient parties pour ne pas être surprises en chemin par le début du sabbat.

*Les Apôtres avaient cru que les pauvres femmes radotaient.*

Ensuite, Luc avait tenté de rendre compte de l'inconcevable, de raconter comment, au matin du premier jour de la semaine, ces mêmes femmes avaient trouvé le tombeau ouvert et vide. Il y avait Marie de Magdala, lui avait-on dit, et Jeanne, et Marie, la mère de Jacques. Elles avaient couru le dire aux Apôtres, mais ils avaient cru que les pauvres femmes radotaient. Luc avait recueilli une foule de témoignages attestant la résurrection du Seigneur. On disait que Marie de Magdala avait été la première à le voir vivant. Mais Luc avait décidé de rester sobre, tout cela resterait incompréhensible à ceux qui n'accueilleraient pas le don de la foi. C'était le sens qui comptait, pas l'accumulation des preuves. Ce jour-là, le soleil qui se levait sur le monde était celui d'un jour nouveau qui commençait, un jour qui ne connaîtrait pas de crépuscule. Aussi, Luc s'était-il décidé à ramasser sur le seul premier jour de la semaine, le jour du Seigneur, le dimanche de la résurrection qui désormais embrasse toute l'histoire du monde, les quelques témoignages qu'il avait retenus.

Dans sa rédaction, il avait choisi de bien mettre en avant le récit de deux disciples que le Seigneur ressuscité avait rejoints sur la route du village d'Emmaüs. Aucun des deux ne l'avait reconnu, mais leurs cœurs brûlaient quand il leur parlait sur la route. Quand il avait rompu le pain à l'auberge, ils avaient su que c'était le Seigneur.

Bien sûr, Luc avait raconté comment Jésus était apparu à tous ses Apôtres et avait montré la trace des clous dans ses mains et celle de la lance à son côté. Oui, cela, ils en avaient tous témoigné : c'était bien le Seigneur qu'ils avaient vu, et il était bien vivant. Ce n'était pas un fantôme, il avait même mangé un morceau de poisson sous leurs yeux. Puis, il leur avait promis de leur envoyer une force, un conseiller, l'Esprit Saint.

Il lui reste encore à écrire la deuxième partie de son livre pour raconter, à partir de l'élévation de Jésus au Ciel, l'œuvre de l'Esprit, son travail au cœur des Apôtres, et tous les actes de la première communauté des croyants. Cela, il peut d'autant plus aisément le faire que c'est déjà son histoire à lui.

Depuis qu'il est entré dans la communauté chrétienne, il a vu les croyants être un seul cœur et un seul esprit dans le Christ, il a écouté l'enseignement des

Apôtres, il a partagé avec eux le pain qui est la chair du Seigneur pour le Salut du monde, il a prié avec eux, il a connu l'hostilité des juifs qui refusent de croire que le Seigneur est le Christ, le Fils de Dieu annoncé par les prophètes, et qui ont tué Étienne pour qu'il se taise. Il a vu les païens accueillir la Bonne Nouvelle que Paul leur apportait. Oui, cette deuxième partie sera plus facile à écrire. Mais il lui faut encore finir la première, par où elle commence, c'est-à-dire par la naissance et l'enfance de Jésus. Il ne serait pas un bon historiographe s'il faisait l'impasse sur la genèse de l'histoire. Mais, sur cette période de la vie de Jésus, il ne dispose d'aucun témoignage fiable. Maintenant peut-être, il va savoir…

Luc presse le pas et rattrape ses guides. Ils sont arrivés au seuil de la maison où ils sont attendus. L'un des hommes frappe légèrement à la porte qui s'entrebâille.

– Voici Luc que Jean t'a annoncé.

Une jeune femme s'efface en silence pour le laisser entrer.

– Elle se tient dans la chambre haute, elle ne parle plus, ne s'alimente plus, elle semble ne pas nous voir, ni nous entendre. Vous êtes médecin n'est-ce pas ?

Luc acquiesce.

– Vous saurez quoi faire.

Luc en doute ; néanmoins, il suit la jeune femme jusqu'à la chambre haute. Il entre. C'est elle, elle est là, la mère du Seigneur, assise, les yeux grands ouverts,

*Ce n'était pas un fantôme, il avait même mangé un morceau de poisson sous leurs yeux.*

dans une parfaite immobilité. Une petite lampe éclaire faiblement la pièce. Il la distingue à peine, il voit seulement son regard, infiniment jeune, si beau, si pur, et devant tant de grâce, il ose à peine respirer. Il approche très lentement. Il découvre enfin ses traits ridés éclairés par une joie parfaite. Toute la lumière de la pièce semble être totalement concentrée dans son visage. En un instant, Luc comprend. Elle voit ou, plutôt, elle contemple ce que depuis si longtemps elle conserve précieusement dans son cœur. Ce qui était obscur est devenu une immense lumière. Elle est la perfection de la contemplation, au point que tout son être y est comme absorbé. Elle est tout à celui qu'elle aime depuis toujours et à jamais, et elle est le reflet parfait de cet amour donné et rendu dans un cœur à cœur absolu. Luc se sent si pesant, si maladroit devant cette miraculeuse transparence. Un sourire s'esquisse sur ce visage radieux, et une voix légère comme un souffle murmure : « C'est le plus bel enfant du monde, le plus beau des enfants des hommes. »

Nul ne sait ce que Marie dit à Luc.

À l'aube, Luc étala le lourd rouleau de parchemin et il écrivit : « *Le sixième mois, l'ange Gabriel fut envoyé par Dieu dans une ville de Galilée appelée Nazareth à une vierge fiancée à un homme du nom de Joseph de la maison de David, et le nom de la vierge était Marie.* » Et Luc ajoute d'une seule traite deux nouveaux chapitres au début de son livre, qui jusque-là commençait par la prédication de Jean-Baptiste.

Le lendemain, il reprend ses rouleaux et après avoir tout relu, il ajoute en prologue, pour tous ceux qui aiment Dieu, pour tous les « théophiles » : « *Puisque beaucoup ont entrepris de composer un récit des événements qui se sont accomplis parmi nous,*

> *C'est le plus bel enfant du monde, le plus beau des enfants des hommes.*

*tels que nous les ont transmis ceux qui dès le début en furent les témoins oculaires et serviteurs de la Parole, j'ai décidé moi aussi, après m'être informé exactement de tout depuis les origines d'en écrire pour toi l'exposé suivi, illustre Théophile, afin que tu te rendes bien compte de la solidité des enseignements que tu as reçus.* »

SOURCES : *NOUVEAU TESTAMENT*. P.-M. Beaude, *JÉSUS DE NAZARETH*, Paris, 1983. C. Perrot, *JÉSUS ET L'HISTOIRE*, Paris, 1979. I. de la Potterie, *MARIE DANS LE MYSTÈRE DE LA NOUVELLE ALLIANCE*, Paris, 1988.

# LES QUATRE ÉVANGILES
## OU L'ÉVANGILE DE LA VIE

• **3**
**JAN** •

THÉOPHILE, DISCIPLE ET SERVITEUR DE JÉSUS-CHRIST LE SAUVEUR, SEIGNEUR DU CIEL ET DE LA TERRE, à Zénon, mon jeune frère bien-aimé dans la foi, grâce et paix de la part de Dieu notre Père et du Christ Jésus notre Seigneur.

Mon frère bien-aimé, tu me demandes de t'enseigner, ainsi que mon maître Luc l'a fait pour moi autrefois, la juste doctrine et les écrits de notre Seigneur Jésus-Christ. C'est là une requête légitime et un zèle que je loue. Je ne puis cependant m'acquitter de cette tâche car celui qui a dit : « *Le ciel et la terre passeront, mais mes paroles ne passeront pas* » n'a rien écrit, sinon peut-être quelques traits tracés du doigt sur le sable, et aussitôt effacés, foulés au pied par des pharisiens dépités de voir une femme coupable d'adultère échapper au châtiment prévu par la loi. Jésus-Christ le Seigneur n'a laissé aucun écrit, et c'est là un grand mystère et une grâce infinie dont le Seigneur nous a comblés. Mais alors, diras-tu, notre foi n'est même pas fondée sur du sable, et sans doute es-tu déçu, toi qui espérais trouver une loi gravée dans la pierre. C'est que vois-tu, mon frère bien-aimé,

la loi que nous a laissée le Seigneur est une loi inscrite dans la chair, dans sa chair offerte pour le Salut du monde. C'est une loi gravée dans le cœur de ceux qui gardent et transmettent sa Parole. Le Seigneur a dit : « *Mes paroles sont Esprit et vie.* » La Parole de Dieu n'est pas une prison de mots dont les règles seraient les barreaux et les Apôtres les gardiens sacré. La Parole de Dieu, c'est le Christ lui-même, le Verbe de Dieu venu habiter parmi nous, ainsi que l'a dit Jean son disciple bien-aimé. Dans le Christ s'accomplit l'espérance des prophètes : « *Je graverai ma loi dans leur cœur et dans leur pensée.* »

Théophile pose son stylet. Il songe à Zénon, à ceux qui, comme lui, n'ont pas connu le Seigneur, qui n'ont même pas connu les saints Apôtres et qui cherchent ainsi la vérité. Déjà, la jeune Église est déchirée par les contradictions. Comment lui faire comprendre que c'est la richesse même de cette Église de reposer sur le témoignage de ceux qui ont vu, qui ont entendu et qui ont cru, que c'est là le véritable trésor dans lequel il faut puiser. Comme le témoignage humain semble fragile. Il faut qu'il réussisse à lui faire comprendre que le Seigneur Jésus n'a pas laissé une règle de vie mais sa vie même. Cela, lui, Théophile l'a reçu de Luc, qui l'avait reçu lui-même des Apôtres.

Ceux qui sont au Christ n'appliquent pas des préceptes, ils laissent le Christ vivre en eux. Paul disait : « Ce n'est plus moi qui vis, c'est le Christ qui vit en moi. » Et pour laisser le Christ vivre en soi, il faut regarder et méditer la vie du Christ, car l'enseignement du Christ, c'est sa vie. C'est pourquoi ses disciples n'ont pas écrit des règlements, mais ont tenté de montrer le Christ vivant.

*Des recueils de témoignages circulent parmi les premières communautés.*

Non, Jésus-Christ ne voulait pas édicter une nouvelle doctrine, il ne voulait pas fonder une religion nouvelle : son Église est une communauté d'hommes et de femmes qu'il libère, donc libres. Si le Fils de Dieu avait écrit, il eut fallu appliquer sa loi nouvelle à la lettre, et nous serions devenus esclaves des mots. À peine libérés de l'esclavage du péché, nous serions retournés à notre condition servile, sous le joug de préceptes contraignants. Aussi, l'Apôtre Paul, peut-il proclamer que « c'est pour que nous restions libres que le Christ nous a libérés », et l'Apôtre Jacques de préciser : « Parlez et agissez comme des gens qui doivent être jugés par une Loi de liberté. »

Parce que « la lettre tue » et que « l'Esprit vivifie », tout ce qui a été transmis de l'enseignement de Jésus l'a été, et l'est toujours, par le truchement de témoignages humains, d'une manière partielle certes, mais d'une manière incarnée et inspirée parce que vécue. « Un trésor dans des vases d'argile » disait Paul. Selon la promesse de Jésus lui-même, ce n'est pas l'Écriture appliquée à la lettre qui guide les chrétiens, c'est l'Esprit Saint qui les conduit « à la vérité tout entière ».

Quand Théophile répond au jeune Zénon, des recueils de ces témoignages circulent parmi les premières communautés. Ces mémoires ont une place privilégiée parce qu'ils racontent la vie de Jésus le Fils de Dieu fait homme, rendent compte de son enseignement, et, bien plus, rayonnent de sa présence.

Ces témoignages en train de se fixer, ce sont les évangiles. Ils ont été rédigés dans leurs formes définitives entre trente et soixante-cinq ans après la résurrection de Jésus. La tradition la plus ancienne leur reconnaît comme auteurs inspirés Matthieu, Marc, Luc et Jean. L'Église les présente définitivement regroupés dans cet ordre dès le IIᵉ siècle. Auparavant, ils ont été confrontés à de nombreux témoignages concurrents qui furent écartés, considérés comme inexacts, « apocryphes » dit-on.

Ces quatre élus, l'évêque de Carthage, Cyprien, les compare, les assimile même, aux quatre fleuves du paradis. Bien plus tôt, vers 150, le philosophe Justin les appelait « Mémoriaux » ou « Mémoires des Apôtres », évoquant ainsi les *Mémorables* de Xénophon qu'il connaissait bien. Vers 180, le grand Irénée de Lyon atteste et confirme leur choix irréversible par l'Église.

À propos de ces écrits dont il est le brillant promoteur, Irénée reprend la fameuse vision des « quatre Vivants » que l'Apocalypse de Jean emprunte au livre d'Ézéchiel. Dans ces êtres angéliques, gardiens de l'univers, il voit quatre symboles qu'il impute respectivement à chacun des évangélistes : l'ange à Matthieu, le lion à Marc, le taureau à Luc, l'aigle à Jean. Les artistes chrétiens ne manqueront pas de donner formes à ces représentations devenues depuis immortelles.

L'évangile de Matthieu est le plus long des quatre, celui qui eut le plus de prestige dans l'histoire, de loin le plus lu et le plus commenté. Son signataire figure parmi les douze Apôtres. Dans l'architecture de la Bible, il semble être au Nouveau Testament ce que le livre de la Genèse est à l'Ancien. C'est l'œuvre d'un homme de culture, scribe talentueux rodé à l'explication des Écritures et à la composition d'élégantes synthèses. Il est l'évangile de « l'Église ». Ce mot, *ekklèsia* en grec, y apparaît par deux fois tandis qu'il est absent des trois autres recueils. Évoqué à plus de cinquante reprises, le Royaume des Cieux en est l'armature essentielle. L'Église est, sur la terre, la projection visible et provisoire du Royaume. Matthieu met l'accent sur les responsables de l'Église que sont les apôtres, dont Pierre est le chef. Dans cette biographie à l'antique, Matthieu est le témoin de ce nouveau peuple de Dieu ouvert à la multitude des hommes.

L'évangile de Marc est le plus bref et le plus sobre de tous, le plus proche donc des faits et des sources. On le doit à un chrétien de la première génération, disciple de l'Apôtre Pierre dont il nota la prédication tant à Jérusalem qu'à Rome ; il fut aussi un temps le compagnon de Paul. L'axe qui va de la Galilée à Jérusalem est la colonne vertébrale de cette œuvre. La confession de Pierre en est le cœur, celle du centurion au pied de la croix ouvre l'Évangile aux nations. Entre la Galilée et Jérusalem se joue le drame décisif de l'histoire des hommes. Revêtu de la puissance divine, Jésus le Fils de Dieu y mène le combat ultime contre les forces du mal. La victoire lui est acquise ; il la partage avec l'humanité entière.

> *Entre la Galilée et Jérusalem se joue le drame décisif de l'histoire des hommes.*

L'évangile de Luc est le plus complet, le plus précis et le plus rigoureux de tous. Il est l'œuvre d'un chrétien lettré d'origine païenne, médecin originaire d'Antioche. Collaborateur de Paul qu'il accompagne dans ses voyages, il est aussi l'auteur du livre des Actes des Apôtres. Luc écrit à la manière même des historiens de l'époque. Il est sans conteste le premier historiographe chrétien, auteur de vraies « Antiquités chrétiennes » comme Denys d'Halicarnasse le fut, il y a un siècle, d'*Antiquités romaines* et comme Flavius Josèphe le sera bientôt d'*Antiquités juives*. Dans son évangile, qu'il présente comme un « récit », il suit le cours de la vie de Jésus, portant une attention particulière à ses origines et à sa naissance. Il est le seul à prolonger la narration jusqu'à l'événement de l'Ascension du Christ ressuscité. Il met particulièrement en relief la prière de Jésus. Le message de Jésus, qu'il atteste et qu'il transmet, revêt chez lui une dimension puissamment universelle. Dans les gestes et les paroles du Christ, il relève et souligne la réhabilitation des pécheurs et la réintégration des exclus.

Les évangiles de Matthieu, de Marc, et de Luc appartiennent incontestablement à une même famille. On les dispose volontiers sur trois colonnes parallèles qui font ressortir similitudes et divergences. Cette présentation s'appelle « synopse », du grec *synopsis*, « vue d'ensemble », et l'on dénomme ces trois livres « évangiles synoptiques ».

L'œuvre de Jean échappe entièrement à ce schéma. L'évangile écrit par « *l'Apôtre que Jésus aimait* » est très différent des trois autres C'est un texte très élaboré, se déployant par vagues harmonieuses et rythmées. Tout au début du IIᵉ siècle, Clément d'Alexandrie l'appelle « l'évangile spirituel ». On y proclame que la Parole faite chair vient révéler aux hommes le Dieu invisible, leur apporte de ce fait la lumière et la vie ; les forces de mort font alliance contre le Dieu fait homme, qui les écrase à tout jamais. Ce combat pour la vérité et pour la vie constitue la trame de l'œuvre. Il est aussi celui de l'homme, invité à croire en ce mystère dont il est le destinataire unique. Jean lui-même signe son texte de cette phrase qui résume admirablement son propos : « *J'écris pour que vous croyiez que Jésus, le Messie, est le Fils de Dieu, et qu'en croyant vous ayez la vie en son nom* » (20, 31).

Le mot « évangile » n'a désigné un livre, plus précisément une « vie » de Jésus comme on en écrivait dans l'Antiquité des héros nationaux ou des penseurs de grand renom, qu'au cours du IIᵉ siècle. Pour saint Paul, comme pour Irénée et pour tout chrétien encore aujourd'hui, il y a d'abord en effet « l'Évangile », avec un grand E, autrement dit le message et l'annonce du Salut apporté aux hommes par Jésus, le Fils de Dieu, et proclamés par l'Église à sa suite. Or, ce mot d'origine grecque, *évangélion*, signifie « bonne nouvelle ».

Cette Bonne Nouvelle du Christ n'est pas figée dans les textes, tout vénérables et inspirés qu'ils soient, des quatre évangiles. L'Évangile n'est pas lettre morte, il est « *Esprit et vie* ». Depuis qu'il y a deux mille ans, Jésus de Nazareth l'a proclamé par sa vie, il devance, il accompagne, il féconde tous les hommes de tous les temps. Bien mieux, chaque homme inspiré par l'Esprit Saint continue par sa vie à écrire l'histoire du Salut, d'une manière irréductiblement originale.

De même que l'existence de chaque homme apporte sa pierre vivante à la construction du Royaume de Dieu, de même chaque histoire humaine écrit

> « *J'écris pour que vous croyiez que Jésus, le Messie, est le Fils de Dieu.* »

une suite de l'Évangile, une page inédite du grand livre qui, à la fin des temps, récapitulera, pour la transfigurer, l'histoire d'amour entre Dieu et l'humanité. Dans ce Livre de Vie, il n'y a pas une lettre qui ne soit une figure particulière, griffonnée en lignes courbes et mystérieuses par la personnalité de chacun en

> *Chaque homme continue par sa vie à écrire l'histoire du Salut.*

réponse à l'inspiration de l'Esprit de Dieu. Et finalement toutes les lettres vivantes de ce livre ne composent et ne recomposent que deux mots : *Amour* et *Liberté* ; deux mots qui ne cessent d'engendrer dans l'histoire, pour les poursuivre dans l'éternité, des dialogues toujours uniques et à jamais nouveaux.

SOURCES : X.-L. Dufour et C. Perrot, « L'annonce de l'Évangile » in *INTRODUCTION À LA BIBLE*, t. III, vol. II, Paris, 1976. R. Latourelle, *L'ACCÈS À JÉSUS PAR LES ÉVANGILES, HISTOIRE ET HERMÉNEUTIQUE*, Paris, 1978. A. Paul, *LA BIBLE, HISTOIRE, TEXTES ET INTERPRÉTATIONS*, Paris, 1995.

# CLÉMENT DE ROME

## QUAND LE SUCCESSEUR DE PIERRE
## EXHORTE LA TURBULENTE CORINTHE
## À LA PAIX ET À LA CHARITÉ

**4 JAN •**

DANS LA COHUE DU PORT, LES FRÈRES DE LA COMMUNAUTÉ DE CORINTHE tentent vainement de se frayer un passage au milieu des portefaix. Ce matin de l'an 96, tout le Bassin méditerranéen semble s'être donné rendez-vous et il est bien difficile d'identifier les origines des navires, de leurs marins et de leurs passagers. Le bateau en provenance de Rome est-il déjà à quai ? Les frères sont inquiets. Il n'est pas question de faire attendre au milieu des amphores et des caques de poissons les émissaires que Clément, l'évêque de Rome, envoie à l'Église de la ville de Corinthe, la rivale d'Athènes, séparée d'elle par un bras de mer. La rumeur des graves dissensions internes qui agitent la jeune Église est allée jusqu'à Rome, et la réaction de Clément, le quatrième pape de l'histoire, ne s'est pas fait attendre. Paul, le fondateur de la communauté chrétienne de Corinthe et dont le souvenir est encore si présent, avait déjà dû régler quarante ans plus tôt de graves conflits de doctrine ; et après les cruelles persécutions de l'empereur Domitien, on aurait pu espérer qu'au moins entre frères survivants, on saurait vivre en paix. Mais Corinthe est

toujours Corinthe, et Paul reconnaîtrait bien là sa turbulente Église. Il faut avouer que cette fois, les choses sont allées très loin ; on en est même arrivé à déposer les presbytres, les chefs de la communauté ! Un exemple désastreux et un motif grave de scandale pour les autres Églises !

Tout comme Paul en son temps, Clément a donc envoyé à Corinthe des ambassadeurs chargés de rétablir l'ordre, et leur a confié une longue exhortation qui, espère-t-il, ramènera au bon sens ces Corinthiens querelleurs. Si l'évêque de Rome se fait un devoir d'intervenir pour rétablir la paix, c'est que le successeur de Pierre est conscient de son « autorité de fondation », qui le rend responsable de l'unité de toutes les Églises, *« le plus grand de tous les biens »* selon Ignace d'Antioche. L'Église de Rome ne peut qu'intercéder pour la concorde : *« Nous vous avons envoyé des hommes fidèles et sages, ils seront témoins entre nous et vous. Renvoyez-nous promptement en paix et avec grande joie nos députés : Claudius Ephebus et Vlarius Biton ainsi que Fortunatus afin qu'ils nous annoncent la paix et la concorde revenues. »*

Les émissaires romains sont enfin repérés, et conduits vers le lieu de l'assemblée où tous sont suspendus à la lecture de la précieuse lettre. Pesant mais attentif, le silence accompagne les premiers mots de la missive : « *L'Église de Dieu qui est à Rome, à l'Église de Dieu qui est à Corinthe, grâce sur vous, paix de la part de Dieu tout-puissant par Notre Seigneur Jésus-Christ.* » Bien vite, pourtant, la salutation fait place aux reproches : Clément ne saurait s'embarrasser de circonlocutions. Il entre sans plus attendre dans le vif du sujet et fustige « *une révolte inadmissible et déplacée pour les élus de Dieu, meurtrière et impie, qu'une poignée d'individus, meneurs emportés et arrogants, ont allumée* ». La « poignée d'individus » se reconnaît-elle ? Certains dans l'assemblée sont visiblement confus... Des presbytres ont été chassés, poursuit l'évêque de Rome, alors « *qu'ils emplissaient de manière irréprochable leur ministère vis-à-vis du troupeau du Christ, avec humilité, tranquillement, sans rien de vil, à qui il était rendu bon témoignage pour tous, ils ont été rejetés du ministère... Cela a fait naître un schisme qui en a perverti beaucoup et en a jeté beaucoup dans le découragement, beaucoup dans le doute, et la révolte continue !* » Si Clément, homme de sagesse et de bienveillante douceur, intervient sans hésiter dans la vie et l'organisation de la communauté de Corinthe, c'est que l'Église entière est en danger quand le scandale de la division s'affiche publiquement : « *Juifs et païens en tirent argument pour blasphémer le nom du Seigneur ! Le bruit en est venu jusqu'à nous : il est honteux d'entendre dire que la*

> La vénérable Église de Corinthe s'est soulevée contre ses chefs.

*vénérable Église de Corinthe s'est soulevée contre ses chefs.* »

Probablement d'origine juive et de tradition lévitique, pétri de culture rabbinique, Clément ponctue sa lettre de références à l'Écriture. L'unité de l'Église prend sa source dans l'histoire du Peuple de Dieu et de ses grands patriarches ; elle culmine dans le Christ, « *dans sa Passion qui nous sauve, dans sa glorieuse résurrection* ». L'Église est une parce qu'elle est l'unique Corps du Christ, elle est une parce qu'elle seule peut conduire l'humanité au salut. Cette unité « *en Christ* », « *par le Christ* », Clément la martèle. Mais il sait qu'il s'adresse aussi à une communauté de culture hellénique : il n'hésite donc pas à puiser ses exemples dans la culture païenne. « *Les grands ne peuvent exister sans les petits et les petits sans les grands, un certain mélange existe et toutes choses ont leur utilité.* » Pour éclairer son propos, il emprunte avec hardiesse des images à la tradition mythologique. Le Phénix cher à Pline l'Ancien – oiseau qui renaît de ses cendres pour revenir chaque année à la vie – devient pour lui le symbole de la résurrection du Christ.

L'attention de l'auditoire ne se relâche pas un instant. Un puissant souffle lyrique émane de la missive, tandis que la communauté de Corinthe est invitée à méditer l'exemple de la nature, l'harmonie des extrêmes, la sereine alternance des saisons : « *Le jour et la nuit poursuivent leur course... le soleil, la lune, les chœurs des astres déroulant leurs orbites dans les bornes* à eux fixées, la terre féconde fournissant ses fruits aux saisons convenables... les abîmes insondables et les lieux souterrains aux régions indescriptibles... la cavité de la mer infinie ne franchissant point les barrières dont elle fut entourée, l'océan sans rivage, et les mondes qui sont au-delà, les saisons du printemps, de l'été, de l'automne et de l'hiver se succédant en paix, les vents en leur demeure accomplissant leurs offices suivant le temps convenable, les sources intarissables créées pour la jouissance et la santé, fournissant la vie sans s'épuiser... »

Clément cite aussi en exemple la rigueur de l'administration romaine et la discipline de ses légions. Il en appelle à l'« esprit civique » des chrétiens : « *Servons en soldats avec tout le zèle possible sous les ordres irréprochables... Voyez ces soldats qui servent sous leurs chefs : avec quelle discipline, avec quelle docilité, quelle subordination ils exécutent les charges qui leur sont confiées.* » C'est une grande leçon pour la communauté divisée de Corinthe : « *Tous ne sont pas commandants en chef, ni tribuns militaires, ni centurions, ni cinquanteniers et ainsi de suite, mais chacun à son propre rang exécute les ordres prescrits par l'empereur et les chefs !* »

Dans sa prière d'action de grâces, l'évêque n'hésite pas à recommander aux fidèles de prier « *pour ceux qui nous gouvernent* », c'est-à-dire pour ceux-là mêmes qui, à l'époque, persécutent l'Église. « *Donne-leur, ô Seigneur, santé, paix, concorde, stabilité pour qu'ils exercent sans faux pas la souveraineté à eux par toi*

*Servons en soldats avec tout le zèle possible sous les ordres irréprochables.*

*donnée, car c'est Toi, ô maître céleste, Roi des siècles, qui donnes aux fils des hommes gloire, honneur et pouvoir de lieutenance sur la terre. Toi, ô Seigneur, dirige leurs conseils suivant ce qui est bien et agréable à tes yeux, afin qu'en exerçant religieusement dans la paix et la douceur le pouvoir à eux par toi donné, ils te trouvent propice...* »

Tous comprennent qu'il faut en finir avec les querelles. Pour rétablir l'unité de l'Église, il importe de vivre dans un esprit de charité et de se soumettre à ceux qui ont reçu la charge de l'unité. À quelques variantes près, Clément reprend l'hymne à la charité que Paul composait quelques décennies plus tôt pour ces mêmes Corinthiens (2 Co, 13) : « *Celui qui a la charité du Christ, qu'il pratique les commandements du Christ. Le lien de la charité de Dieu, qui peut le commenter ? La grandeur de sa beauté, qui est capable de l'exposer ? La hauteur de la charité qui nous élève est inénarrable. La charité nous attache à Dieu, elle recouvre tous les péchés. La charité se résigne à tout, supporte tout ; rien de vulgaire dans la charité, dans la charité rien d'orgueilleux ; la charité n'entraîne pas de schisme, la charité ne se révolte pas, la charité fait toutes choses dans la concorde. C'est par la charité que s'achève la perfection de tous les élus de Dieu ; sans la charité rien n'est agréable à Dieu. C'est par la charité que nous a saisis le Maître ; c'est à cause de la charité qu'il eut envers nous que Jésus-Christ Notre Seigneur donna son sang pour nous selon la volonté de Dieu et sa chair pour notre chair et son âme pour notre âme.* »

Ces mots demeurent d'une cinglante actualité et la communauté les reçoit comme si Paul lui-même les lui adressait.

Le message atteint son but. Et c'est dans l'unité et la ferveur retrouvées que l'assemblée s'associe à l'ardente prière universelle par laquelle Clément achève son exhortation : *« Rassasie les affamés, délivre nos prisonniers, relève les faibles, console les pusillanimes.*

*« Oui, Maître, fais luire sur nous ta face, pour le bien, dans la paix, pour nous protéger de la main puissante, pour nous libérer de tout péché, par ton bras étendu, et nous délivrer de ceux qui nous haïssent injustement.*

*« Donne-nous la concorde et la paix, à nous et à tous les habitants de la terre comme tu les as données à nos pères.*

*« Rends-nous soumis à ton nom, tout-puissant et très saint ainsi qu'à ceux qui nous gouvernent et nous dirigent sur la terre.*

*« Nous te rendons grâce par le grand prêtre et le protecteur de nos âmes, Jésus-Christ par qui gloire et magnificence sont à toi, maintenant, de génération en génération et dans les siècles sans fin. Amen. »*

La lettre de Clément sera dès lors méditée régulièrement par la communauté qui, chaque fois, y puisera un puissant remède à ses humeurs querelleuses. L'initiative de Clément de Rome, outre ses vertus apaisantes, constitue le précieux témoignage de la mission particulière d'unité au service de l'Église tout entière qu'assume dès le premier siècle l'évêque de Rome.

SOURCES : Clément de Rome, *ÉPÎTRE AUX CORINTHIENS*. Grégoire de Tours, *GLORIA MARTYRIUM*, 55. M. Pacaut, *HISTOIRE DE LA PAPAUTÉ. DE L'ORIGINE AU CONCILE DE TRENTE*, Paris, 1976. J. Gaudemet, *L'ÉGLISE DANS L'EMPIRE ROMAIN*, Paris, 1958.

# IGNACE D'ANTIOCHE

## *CELUI QUI PARTIT EN MISSION*

## *LES FERS AUX PIEDS*

• **5**
**JAN** •

« *JE SUIS LE FROMENT DE DIEU ; QUE JE SOIS MOULU PAR LA DENT DES BÊTES POUR DEVENIR LE PAIN BLANC DU CHRIST !* » Allez comprendre ! songent les gardes qui, à l'aube du IIᵉ siècle, conduisent Ignace, l'évêque d'Antioche, à son funeste destin. Ce n'est pourtant pas le premier chrétien qu'ils accompagnent au supplice. « On dit que celui-ci vient d'Antioche. Épuisé ? Même pas ! Depuis que nous avons pris le relais, à quelques lieues des portes de Rome, il ne cesse de prêcher ! Faut-il qu'ils soient dangereux, lui et ses compagnons, pour qu'on les ramène de si loin ! Pourtant, ils ne semblent guère violents, au contraire... » Décidément, les gardes n'y comprennent rien...

Sur la route de son martyre, Ignace ne se lamente pas. Conduit par ses persécuteurs à Rome pour être dévoré par les fauves, il exhorte, écrit, professe et convertit... Jusqu'au bout, jusqu'au cirque.

Là-bas, à Antioche, Ignace se sentait encore l'héritier de Pierre, dont il est le deuxième successeur dans la cité. Pendant quinze ans, il a accompagné les premiers pas d'une jeune et forte Église, il a organisé, administré ; il s'est efforcé d'être pasteur, aussi. « *Jésus-Christ est ressuscité, venez marcher dans les pas du Seigneur !* » Partout se répand cette proclamation, tandis que se lézardent peu à peu les fondations de l'empire. L'empereur Trajan prend peur. Les communautés de chrétiens ne cessent de grandir et de se multiplier. Les convertis, de plus en plus nombreux, s'implantent dans les principales métropoles. Même les routes des campagnes reculées se peuplent de pèlerins ou de pères venus enseigner la Bonne Nouvelle. Certes, ces communautés sont dispersées, mais ne font-elles pas preuve d'un activisme redoutable, susceptible de menacer le pouvoir central ? Bien plus, elles s'organisent. Dans chaque ville où la communauté chrétienne est importante, un évêque prend en charge les fidèles. N'y a-t-il pas là une sorte de contre-pouvoir ? Trajan décide alors de resserrer son emprise sur l'empire : or, rien de tel qu'un ennemi commun pour fédérer les citoyens.

Les armes impériales savent abattre l'ennemi qui se présente le glaive à la main ; mais comment combattre la foi ? Elles parviennent à anéantir l'envahisseur des contrées barbares qui cherche à forcer les limites de l'empire ; elles punissent le coupable d'un délit, mais comment museler la détermination ardente du croyant ? Qu'à cela ne tienne... Trajan publie un édit. Il veut faire un exemple. Abjurez ou mourez ! Si des chrétiens meurent, les indécis reculeront, les récents convertis tiédiront. Pourtant, à Antioche, Ignace et ses compagnons ne cèdent pas à l'intimidation. Autour d'eux, de nombreux fidèles font preuve d'une foi indéfectible. L'évêque et d'autres réfractaires sont arrêtés, puis condamnés à mort. Pour déjouer tout risque d'émeute, la sentence sera exécutée à Rome, au prix d'un transfert des prisonniers de plusieurs semaines jusqu'à la capitale de l'empire. Mais, loin de céder à l'accablement, Ignace profite de son passage dans les villes chrétiennes pour adresser aux évêques de véritables professions de foi sous forme de lettres.

Ignace témoigne pour tous ceux qui, en ces temps déjà troublés par les divisions théologiques, la multiplication des hérésies et les persécutions incessantes, risquent de renier leur foi. C'est pour eux qu'il a écrit : « *Tournez-vous vers votre évêque. Il ne doit y avoir qu'une seule Église, qu'une eucharistie, qu'un sanctuaire, qu'une foi, qu'un évêque. Tournez-vous vers lui ; écoutez-le ; suivez-le ; soumettez-vous à lui. Sans lui, pas de baptême, pas d'eucharistie. Ce qu'il approuve plaît aussi à Dieu.* »

Avant d'entrer dans le cirque, Ignace interpelle encore ses contemporains : « *C'est Jésus-Christ que je cherche, Lui qui est mort pour nous ; c'est Lui que je veux, Lui qui est ressuscité à cause de nous ! L'heure vient pour moi de l'enfantement. [...] Laissez-moi saisir la pure lumière.* »

Seules les huées haineuses du cirque lui imposeront silence ; ce n'est que face aux fauves qu'il se tait à jamais.

La mort d'Ignace, acceptée dans la joie, témoigne de l'espérance invincible qui l'anime. Un martyr n'est pas un sacrifié, il s'offre à Dieu pour approcher le mystère de plus près.

> *Seules les huées haineuses du cirque lui imposeront silence.*

SOURCES : Ignace d'Antioche, *LETTRE AUX ROMAINS*, IV, 1-2 ; V, 1-3. Eusèbe de Césarée, *HISTOIRE ECCLÉSIASTIQUE*, t. III, 36. P. Maraval, *LES PERSÉCUTIONS DURANT LES QUATRE PREMIERS SIÈCLES DU CHRISTIANISME*, Paris, 1992.

# POLYCARPE

## *AU NOM DU CHRIST*

### *LE VIEIL ÉVÊQUE DE SMYRNE*

### *AFFRONTE LE BÛCHER SANS FAIBLIR*

**6 JAN** EN DÉPIT DE SON ÂGE ET DU PÉRIL QUI LE MENACE, LE VIEILLARD NE TREMBLE PAS.
Il se redresse de toute sa taille et, du milieu du cirque, fait face à son accusateur. Sa voix s'élève, ferme, déterminée.

*– Cela fait quatre-vingt-six ans que je le sers, et il ne m'a fait aucun mal ! Comment pourrais-je blasphémer mon roi qui m'a sauvé ?*

Nous sommes en 155, l'homme qui s'exprime ainsi s'appelle Polycarpe, il est l'évêque de Smyrne, l'un des derniers compagnons vivant des Apôtres du Christ. Sur les gradins, la population de Smyrne épie les moindres de ses gestes. Le stade romain tout entier est suspendu à ses lèvres. Alors Quadratus, le proconsul qui siège à la grande tribune pour observer le combat des fauves, fait une dernière tentative.

*– Vieil homme ! Jure par la fortune de César, et tu auras la vie sauve !*

*– Si tu t'imagines que je vais jurer par la fortune de César, et si tu fais semblant de ne pas savoir qui je suis, écoute, je te le dis franchement : je suis chrétien ! Et si tu veux apprendre de moi la doctrine du christianisme, donne-moi un jour, et écoute-moi !*

Oui, Polycarpe peut en appeler au Christ son maître. Il sait à qui il a donné sa foi. Il sait la solidité de l'enseignement qu'il a reçu de la bouche même des Apôtres. Et ce que les Apôtres ont vu, ce qu'ils ont entendu, ils en ont porté témoignage par leur sang. Dès lors, comment lui, Polycarpe, pourrait-il faiblir ?

Le proconsul s'énerve, menace :

*– J'ai des bêtes, ici. Je te ferai livrer aux lions, si tu ne changes pas d'avis.*

*– Appelle-les ! Je ne changerai pas d'avis.*

*– Puisque tu méprises les bêtes, je te ferai brûler par le feu !*

*– Tu me menaces d'un feu qui brûle un moment puis s'éteint... car tu ignores le feu du jugement à venir !*

La joute verbale se poursuit. Brûlant d'ardeur, tout empli de l'amour de Jésus, Polycarpe ne transige pas. Pourtant, cette épreuve, il ne l'a pas cherchée. Lorsque, quelques jours plus tôt, il a entendu parler d'arrestations et de persécutions parmi les chrétiens, il s'est prudemment éloigné, trouvant refuge dans une villa des environs de Smyrne. Mais un esclave soumis à la torture l'a dénoncé, et le vieil évêque a compris que l'heure était venue. Depuis qu'en son jeune âge il a entendu Jean, l'Apôtre du Seigneur, il appartient à la Lumière. Il appartient à l'Amour. Il appartient à la Vérité. Il appartient au Christ. Polycarpe loue le Seigneur qui lui a donné tant d'années pour instruire et enseigner à son tour ceux qui lui ont été confiés, les chrétiens de l'Église de Smyrne qu'il conduit comme un père et auxquels maintenant il va donner le plus sûr des témoignages, celui du sang. Quand Quadratus agite la main, Polycarpe ne frémit pas. Il pourrait murmurer « tout est accompli » si un instant il osait se croire digne d'imiter dans sa chair le sacrifice du Seigneur. Aussitôt, un héraut court au centre du stade et crie dans trois directions : « Polycarpe s'est déclaré chrétien ! » Alors les gradins grondent de colère, et de partout fusent les cris et les accusations :

– Impie, impie ! Voilà le destructeur de nos dieux, celui qui dit de ne pas sacrifier !

– C'est lui le père des chrétiens d'Asie, lui jette-t-on comme une suprême insulte.

Polycarpe reçoit l'opprobre comme une grâce. Le Christ fut condamné comme roi des Juifs, il le sera comme père des chrétiens. Plaise au Seigneur qu'il soit celui d'une multitude !

La foule a soif de sang, « qu'on lâche les lions », mais les lions sont fatigués, ils ont déjà combattu. « Le feu ! Que Poly-carpe soit brûlé vif ! » Tout alors va très vite. Les spectateurs dévalent les gradins, se dispersent et ramassent en courant le bois nécessaire dans les ateliers du stade où sont réparés les chars, dans les chantiers alentour et dans les bains publics, dont on arrache les bancs. Le bûcher est prêt. La foule, enragée et bourdonnante, trépigne maintenant d'impatience. Polycarpe se déshabille sans trembler. Il semble prier. Les uns veulent le clouer au gros madrier qui est au centre du bûcher, les autres le lier.

– Laissez-moi ainsi... Celui qui me donne la force de supporter le feu me donnera aussi, même sans la protection de vos clous, de rester immobile sur le bûcher.

La fermeté de Polycarpe impressionne ses bourreaux. Adossé au madrier, la prière du vieil évêque monte vers Celui de qui vient toute paternité :

– *Seigneur, Dieu tout-puissant, Père de ton enfant bien-aimé et béni, Jésus-Christ, par qui nous avons reçu la connaissance de ton nom, Dieu des anges, des puissances, de toute la création, et de toute la race des justes qui vivent en ta présence, je te bénis pour m'avoir jugé digne de ce jour et de cette heure, de prendre part, au nombre de tes martyrs, au calice de ton Christ, pour la résurrection de la vie éternelle de l'âme et du corps, dans l'incorruptibilité de l'Esprit Saint. Avec eux, puissé-je être admis aujourd'hui en ta présence comme un sacrifice gras et agréable, comme tu l'avais préparé et manifesté d'avance, comme tu l'as réalisé, Dieu sans mensonge et véritable. Et c'est pourquoi pour toutes choses je te loue, je*

> La foule enragée
> et bourdonnante
> trépigne d'impatience.

*te bénis, je te glorifie, par le grand-prêtre éternel et céleste Jésus-Christ, ton enfant bien-aimé, par qui soit la gloire à toi avec lui et l'Esprit Saint, maintenant et dans les siècles à venir. Amen.*

Sur le bûcher du sacrifice qu'il n'a pas refusé, le vieil homme se fait passeur de lumière, flambeau vivant de la foi. Mais voilà que les flammes du foyer se voûtent et entourent Polycarpe, qui ne brûle pas ! Une vapeur d'encens se répand dans les airs. L'évêque martyr n'a pas cessé de prier.

> *Les chrétiens présents, cachés dans la foule, étouffent leurs pleurs.*

Comme le feu ne l'atteint pas, la foule incrédule ordonne à celui qui achève les blessés dans l'arène, le *confector*, d'exercer son office. Percé d'un coup de poignard, Polycarpe s'effondre. Son sang inonde le bûcher avec tant d'abondance que la foule en demeure interdite. Les chrétiens présents, cachés dans la foule, étouffent leurs pleurs. L'admirable prière de Polycarpe, leur père dans la foi, se grave dans leur cœur.

Telle fut la naissance de Polycarpe auprès du Christ.

SOURCES : *MARTYRE DE POLYCARPE*, trad. P. Th. Camelot, Paris, SC 10. A. Fliche, V. Martin, *HISTOIRE DU CHRISTIANISME DEPUIS LES ORIGINES JUSQU'À NOS JOURS*, t. I, Paris, 1946.

# JUSTIN DE ROME

## *UN GRAND PHILOSOPHE PAIE*
## *DE SA VIE SON AMOUR DU CHRIST*

**• 7**
**JAN •**

LE PROCÈS NE FAIT GUÈRE DE BRUIT, DANS L'EFFERVESCENCE INTELLECTUELLE DE LA ROME DU IIᵉ SIÈCLE. Encore une affaire de philosophes ! À la suite de la dénonciation du philosophe cynique Crescens, Justin, qui se dit chrétien, comparaît devant Rusticus, magistrat et philosophe lui aussi. Alors que celui-ci veut le convaincre de se soumettre aux dieux romains, le prévenu répond :

– Il n'y a rien de blâmable ni de condamnable à nous soumettre aux préceptes de notre sauveur Jésus-Christ.

– Quelles doctrines professes-tu ?

– J'ai entrepris de les apprendre toutes, mais j'ai adhéré aux doctrines véritables des chrétiens, bien qu'elles ne plaisent pas à ceux qui pensent faussement.

– Ces doctrines te plaisent donc, malheureux ! s'exclame Rusticus.

– Oui, répond Justin, car c'est une croyance juste qui me les fait suivre.

– Et quelle est cette croyance ?

– Nous croyons que le Dieu des chrétiens est unique, créateur et artisan, dès le commencement, de toute la création visible et invisible ; et nous vénérons le Seigneur Jésus-Christ, serviteur de Dieu, qui a été annoncé d'avance par les prophètes comme devant venir pour la race des hommes en messager de salut.

– Donc, tu es chrétien ?

– Oui, je le suis.

En prononçant ces mots, Justin sait certainement qu'il signe sa condamnation. Pour tous, la sentence est évidente ; de fait, le verdict tombe, sans nuances : « Que ceux qui ne sacrifieront pas aux dieux soient battus de verges et emmenés pour être décapités selon la loi. » Rusticus ne cache pas son mépris. D'un signe, il ordonne à un garde de reconduire le condamné dans sa cellule.

Justin y retrouve un compagnon d'infortune, un jeune esclave arrêté comme lui et quelques autres, soupçonnés de préférer la doctrine chrétienne au culte traditionnel de la religion romaine. Tandis que le jour s'achève, Justin et son jeune compagnon savent que l'exécution de la sentence ne tardera pas. Fasciné par cet homme d'allure noble dont toute la personne exprime, malgré les tragiques circonstances, une étrange sérénité, l'esclave le presse de questions. D'où vient-il ? Comment a-t-il acquis tant de connaissances ? D'où lui viennent cette force et cette paix rayonnantes ? Sans doute cette familiarité surprend-elle le philosophe. Le jeune homme est-il curieux ou cherche-t-il à apaiser ses craintes ?

Qu'importe, Justin parle sans réticences. Il raconte sa jeunesse à Flavia Neapolis, cité riche et prospère du cœur de la Galilée, près du puits de Jacob où enseignait Jésus. Il évoque sa famille, d'origine romaine, ses parents qui lui ont donné l'éducation d'un jeune homme riche de son temps. Très vite il se passionne pour la philosophie, en particulier la pensée grecque. Mais si la plupart de ses camarades d'études se contentent de l'enseignement classique, lui a déjà d'autres attentes : c'est une authentique soif spirituelle naissante qu'il désire satisfaire.

Justin retrace le cheminement qui l'a conduit à la foi. C'est la pensée de Platon qui lui a permis de saisir la présence de Dieu : la pensée du disciple de Socrate lui a donné d'approcher le Seigneur. L'esclave semble surpris. Comment une pensée païenne peut-elle mener à Dieu ? Justin sourit : pourquoi s'étonner d'une telle rencontre ? L'apologétique juive ne montre-t-elle pas que le meilleur de la doctrine des grands penseurs est issu du livre de Moïse ? Par ailleurs, si le Verbe divin éclaire toute l'humanité, il est bien normal que dans toutes les philosophies s'exprime un fragment de vérité dès lors qu'elles sont sincères ! Justin affirme cependant avec force que seules les paroles et les actions de Jésus-Christ conduisent à la Vérité. Puis il se tait.

*Jésus-Christ, tu l'as donc connu ?*

« Jésus-Christ, tu l'as donc connu ? » questionne le jeune homme.

Justin retient un sourire devant tant de candeur, Jésus-Christ, non, mais il a eu le bonheur de rencontrer des témoins authentiques du Christ ; il a accueilli le message de Pierre et de Paul, et reçu ainsi une parole de vie. C'est pour cela que, malgré sa formation philosophique mêlée de stoïcisme, il s'est fait baptiser vers 130. Sans doute, concède-t-il, les Grecs ont-ils eu des « intuitions pré-chrétiennes » ; mais celles-ci lui semblent moins fondées sur l'amour du prochain que sur un humanisme quelque peu matériel. Le jeune homme fronce le sourcil. Justin se reprend, ce n'est pas le lieu pour une leçon de philosophie. Justin revient à l'essentiel, sa parole s'enflamme. De cette merveilleuse découverte – la résurrection du Christ et le Salut de l'humanité –, il devait rendre compte : en Palestine, à Éphèse, où il se rendit vers 150, à Rome enfin. Installé chez un nommé Martin, près des thermes de Timothée, il a enseigné ce qu'il appelle « la philosophie du Christ ». Il y a mis toute sa foi, toute son énergie. Car les sectes de toutes sortes abondaient, avec leur cohorte de faux prophètes. Il n'était pas facile, même pour un chrétien, de se retrouver dans cette confusion de tous les repères !

« Voilà, explique Justin, où m'a conduit la recherche de la vérité. Mais je n'aurais rien découvert sans la lumière de la foi ! » Justin devient plus grave : « Rome est au carrefour du pouvoir et de la pensée : c'est là qu'il fallait défendre la vérité et mettre à bas les tentations païennes et, surtout, les hérésies. On peut aisément s'engager dans un choix qui ne correspond pas à l'authenticité du message divin, au risque de se perdre ; on peut prendre des détours, se fourvoyer sur les chemins les plus obscurs... C'est pour cela que j'ai passé ma vie à exposer le bien-fondé de ce qui est bien plus, tu le sais, qu'une nouvelle philosophie. Voilà pourquoi j'ai toujours été sévère avec les chrétiens que je rencontrais... Peut-être trop ! Mais je t'avoue que je l'étais aussi pour moi-même. La certitude que le Christ est vivant et que nous devons le suivre est tellement exigeante ! Voilà pourquoi j'ai parlé et écrit. Voilà pourquoi je suis emprisonné, tout comme toi. »

> *Voilà pourquoi j'ai parlé et écrit. Voilà pourquoi je suis emprisonné.*

Le jeune esclave ne pose plus de questions. Son silence dit toute son attention, tandis qu'un sourire intérieur illumine son visage. Homme d'exception, homme du dialogue entre Juifs, Romains et chrétiens, l'un des premiers philosophes chrétiens, Justin vient une fois encore, devant lui, de proclamer que l'essentiel n'est ni une doctrine, ni même une manière de penser, mais une personne : le Verbe incarné, crucifié en Jésus pour sauver tous les hommes, lien entre le monde et le Père.

La porte de la cellule s'ouvre. Justin sait que son heure est venue. En cette année 165, Justin meurt en glorifiant le Seigneur de l'avoir choisi pour être témoin par son martyre.

SOURCES : *PASSION DE JUSTIN ET DE SES COMPAGNONS*, recension Musurillo, *THE ACTS OF THE CHRISTIAN MARTYRS*, Oxford, 1972. J. Liébaert, *LES PÈRES DE L'ÉGLISE*, t. I, Paris, 1986. J. Daniélou, *MESSAGE ÉVANGÉLIQUE ET CULTURE HELLÉNISTIQUE AUX II^e ET III^e SIÈCLES*, Paris, 1961. P. Maraval, *LES PERSÉCUTIONS DURANT LES QUATRE PREMIERS SIÈCLES DU CHRISTIANISME*, Paris, 1992.

# BLANDINE

### *QUAND LA VIOLENCE SE BRISE*
### *SUR L'INLASSABLE RÉSISTANCE*
### *DES MARTYRS DE LYON*

**• 8**
**JAN •**

LES PORTAILS COLOSSAUX DU CIRQUE VOMISSENT SANS DISCONTINUER UNE FOULE MAUSSADE. Les milliers de Lyonnais qui assistent aux jeux, en ce mois d'août étouffant, sont de jour en jour plus déçus. Quand le tribun leur a annoncé que la communauté chrétienne, dont ils avaient tant à se plaindre, allait faire les frais des divertissements, ils se sont pourtant réjouis que la magnanimité de l'empereur leur permette de se débarrasser de ces immigrés orientaux encombrants. L'existence de cette colonie étrangère aux croyances mystérieuses était, depuis trop longtemps, une insulte à la grandeur de la ville. Ces chrétiens étaient exaspérants, avec leur ardeur au travail qui semblait reprocher au reste de la population sa frivolité, avec cette manière de ne vivre qu'entre eux qui montrait ouvertement leur mépris pour le reste du monde.

Mais les jeux sont moins palpitants que prévus. Les chrétiens résistent bien aux souffrances qu'on leur inflige et ne cessent de clamer leur foi. Et puis, la température est accablante, et le soir qui tombe n'apporte pas le moindre souffle d'air. Les pierres du cirque continuent de réverbérer la chaleur du jour qui augmente la lassitude de cette foule fatiguée d'avoir trop crié. Le soleil s'éteint dans un somptueux rougeoiement. Les yeux brûlés par une lumière éclatante pourraient y trouver un apaisement si cette pourpre incandescente ne leur rappelait pas ce sang qu'ils ont vu couler tout le jour.

Tassés dans des geôles obscures que l'épaisseur des murs protège à peine de la fournaise extérieure, les chrétiens perçoivent la rumeur de cette foule morne. Ils ont à peine la force de réfléchir, mais déjà certains pensent avec anxiété au lendemain. « Blandine tiendra-t-elle, elle est tellement plus jeune que nous autres ! » « Prions, mon frère, pour que Dieu nous donne à tous le courage nécessaire. »

Toute la journée, ils ont frémi aux clameurs lancinantes qui soulevaient la populace à chaque nouvelle péripétie du combat inégal qui se livrait dans l'arène. Groupés autour de l'évêque Pothin, ils n'ont cessé de prier pour leurs frères suppliciés. Le vieil homme, ancien disciple de Polycarpe de Smyrne, restait inébranlable et sa seule présence rassurait ceux que la perspective du martyre terrorisait. Leur prière – qui sait ? – a peut-être contribué à fortifier

Sanctus, Maturus, Attale et Blandine, qui ont survécu à l'épreuve. Mais cette nuit, l'évêque, roué de coups, est en train de s'éteindre. Devant son courage, ceux dont la peur a fait des apostats au cours de la journée se ressaisissent et confessent à nouveau leur foi. La communauté accueille dans des larmes de joie leur repentir.

Le lendemain, Blandine, Maturus, Sanctus et les autres chrétiens sont ramenés dans l'amphithéâtre. Les supplices reprennent de plus belle, et la foule exaspérée encourage les bourreaux à rivaliser de cruauté. En vain ! Les chrétiens tiennent bon. De guerre lasse, on finit par poignarder tout bonnement Maturus et Sanctus.

On attache Blandine à une croix, et les fauves sont lâchés dans l'arène. Une houle de satisfaction soulève la foule. Voilà qui va rompre l'ennui. Les fauves ont toujours sa préférence. Ils sont si imprévisibles. Or voilà qu'ils viennent se coucher aux pieds de la jeune fille, comme s'ils s'étaient entendus avec les chrétiens pour provoquer l'assistance ! Décidément, on n'a pas tort de dire que les chrétiens sont des sorciers. Sinon, comment cette frêle enfant, dont l'apparence n'a rien d'extraordinaire, aurait-elle pu transformer des bêtes féroces en animaux domestiques ? Leur regard doux ressemble à celui d'un chien qui vient quêter les faveurs de sa maîtresse. La foule hue les bourreaux, comme si elle les soupçonnait d'avoir eux-mêmes ensorcelé les lions. Et les tortionnaires de maugréer une fois de plus contre l'ingratitude des spectateurs et la dureté du métier, tout en ramenant

*Aux pieds de Blandine, les lions se sont couchés !*

rageusement dans leur cage ces fauves stupides et dociles. Blandine est rendue aux ténèbres de la prison, dans l'attente de nouveaux supplices.

Attale est réclamé à son tour. Il entre dans l'arène portant autour du cou une tablette qui mentionne son crime : « Celui-ci est Attale le chrétien. » Citoyen romain, Attale devrait toutefois bénéficier du privilège d'être décapité et non pas torturé. Mais il faut attendre les résultats de l'enquête sur son compte et on le reconduit donc dans sa geôle, avec d'autres prisonniers qui sont dans le même cas. De nouveau, tous s'exhortent mutuellement à ne pas craindre la mort.

Les jeux du cirque vont bientôt s'achever. Les apostats d'hier comparaissent devant les magistrats et le gouverneur de Lyon afin de confirmer leur serment.

– Reniez-vous toujours le Christ ?

– Non ! Il est notre Seigneur, notre roi !

C'est la stupéfaction parmi l'assemblée des magistrats et dans la foule hostile. Alexandre, médecin phrygien, notable de la ville, se tient auprès des juges. Par des gestes discrets, il encourage les chrétiens à tenir bon et à confesser leur foi. Mais la populace, excédée, l'a vu et se met à hurler :

– Alexandre encourage ces hommes et ces femmes à ne pas nier.

Aussitôt, le médecin comparaît devant le gouverneur : il n'a qu'un pas à faire.

– Et toi, es-tu chrétien ? s'emporte le puissant romain.

– Oui, je le suis, répond Alexandre.

C'en est trop pour le gouverneur, il a

soudain le sentiment d'être cerné par tous ces gens...

Le lendemain, toute la ville se presse de nouveau sur les gradins pour assister à la lente agonie de l'Église de Lyon. Attale n'a pas été reconnu citoyen romain. Sur sa chaise de fer incandescente, il crie à la multitude :

– Voyez ce que vous faites... Nous, nous ne faisons rien de mauvais !

– Dis-nous quel est le nom de ton Dieu ! hurle encore la foule.

– Dieu n'a pas de nom comme un homme, répond encore Attale.

Mais les incroyants ne comprennent pas. La mort bienfaisante emportera Attale et Alexandre vers le Dieu dont le nom est grand par tout l'univers, sans que la foule ait eu un instant de pitié.

Enfin, le dernier jour, on mène au supplice Blandine et Ponticus, un adolescent de quinze ans à côté duquel la jeune fille a presque l'air d'une adulte. Elle a d'ailleurs pour lui une attitude maternelle tant elle craint qu'il ne faiblisse. Elle sait que ses frères plus âgés étaient profondément inquiets pour elle ; elle éprouve à son tour la même appréhension à l'égard de ce garçon au visage enfantin que Dieu lui a donné pour compagnon de la dernière heure. Elle ne cesse de l'encourager à tenir bon, sans prêter attention aux hurlements de la foule qui trouve décidément cette Blandine tout à fait odieuse. Ne peut-elle donc se contenter d'avoir ôté d'un seul regard toute leur force

à des lions affamés ? La voilà qui se mêle, à présent, de donner du cœur à un garçon chétif ! À cause d'elle le spectacle va encore être raté. En vérité, elle est plus insupportable que tous ses pareils réunis.

Quand Ponticus expire sans avoir renié le Christ, Blandine éprouve une joie qu'elle n'avait pas osé demander dans ses prières les plus ardentes. La victoire sur le mal et la violence à laquelle elle assiste pour être humble n'en est pas moins éclatante. Ponticus vient de prouver, comme d'autres avant lui, que l'amour est plus fort que la mort et que la cruauté n'a jamais le dernier mot, même quand elle s'exerce sur le plus faible des êtres. Blandine se sent emplie de cette force qu'elle n'a cessé d'implorer. Elle a le sentiment qu'une lumière pénètre son âme, si vive qu'elle en est presque insoutenable. Quand le taureau furieux entre dans l'arène, en un éclair elle voit cette femme prosternée dans un cimetière, au matin de Pâques, devant un homme aux vêtements éclatants. C'est bien cette lumière qui devait briller dans les yeux et dans le cœur de Marie-Madeleine, tandis qu'elle contemplait la gloire du Ressuscité. Cette gloire que Blandine va contempler dans quelques instants, ce Ressuscité au-devant duquel elle accourt joyeusement... La foule est stupéfaite de tant d'indifférence face au gril, aux taureaux, au filet et au glaive. Mais comment pourrait-elle comprendre que déjà Blandine voit le Christ ?

SOURCES : *LETTRE AUX CHRÉTIENS D'ASIE*, attribuée à Irénée de Lyon. Eusèbe de Césarée, *HISTOIRE ECCLÉSIASTIQUE*, t. V, I, 1-63. M. Meslin, *LE CHRISTIANISME DANS L'EMPIRE ROMAIN*, Paris, 1979.

# IRÉNÉE DE LYON

## OU COMMENT L'HÉRITIER
## DE LA VRAIE TRADITION
## COMBATTIT LES FAUSSES VÉRITÉS

**• 9**
**JAN •**

*« JE POURRAIS ENCORE DÉCRIRE MON VIEUX MAÎTRE ; JE LE VOIS TOUJOURS ENTRER, s'asseoir, sortir ; je me rappelle ses sermons, surtout ce qu'il disait avoir appris de Jean et de ceux qui, comme lui, avaient connu le Seigneur. »*

C'est avec une émotion certaine qu'Irénée se souvient de son bon maître, l'évêque Polycarpe. Sur les rives du Rhône hier encore ensanglanté par la persécution, l'évêque Irénée, une fois de plus, rend grâce et s'émerveille de l'admirable continuité pastorale qui, depuis Jean, ce disciple que Jésus aimait, jusqu'à lui-même, pauvre et humble serviteur du Seigneur, trace le chemin de la fidélité au message du Christ.

Ils étaient nombreux, dans l'opulent port de Smyrne, à écouter Polycarpe raconter ses souvenirs et mille et une anecdotes sur l'Apôtre Jean, qu'il avait bien connu. Quel privilège ! Leur maître avait rencontré un homme qui avait vécu auprès du Christ ! Quelle chance, quelle grâce plutôt, oui ! Assis au milieu de la foule, sous un soleil de plomb face à la mer Égée, Irénée avait littéralement bu toutes les paroles du saint homme ; et déjà, en lui,

s'ancrait le souci de sa mission, ce devoir de fidélité au message originel dont il ne voudrait jamais se départir. *« Ces paroles, je les ai écoutées avec soin ; j'en ai conservé la mémoire, non sur un papier, mais dans mon cœur ; par la grâce de Dieu, je les ai toujours ruminées avec amour. »*

Pour l'heure, c'est le fruit de cette rumination qu'il s'efforce de consigner pour ses frères. Avec fidélité, toujours. Pour ne pas trahir ce qui a été donné, le transmettre avec rigueur, avec amour, sans relâche. Nourri de ces principes, Irénée a traversé l'horrible drame de la persécution de Marc Aurèle. Après avoir fortifié sa foi à Rome en suivant les leçons de saint Justin, il est parvenu à Lyon, où les chrétiens étaient confrontés à l'épreuve de la persécution. En 177, les jeunes communautés sont décimées, le sacrifice du martyre est pour beaucoup le seul et ultime témoignage possible... Irénée ne doit qu'à la providence d'avoir été choisi par la communauté pour transmettre une lettre au pape Éleuthère, ce qui l'a éloigné du danger. Revenu à Lyon, il y retrouve une communauté exsangue ; le vieil évêque Pothin, âgé de plus de quatre-vingt-dix ans, a, comme beaucoup, succombé au martyre. Et maintenant, lui, Irénée est choisi pour lui succéder comme évêque de Lyon !

Le nouvel évêque est un pasteur sans cesse préoccupé du salut des âmes qui lui sont confiées. Plus que jamais, le devoir de fidélité au message du Christ s'impose. Pourquoi ces multiples tentations de dérives, de déviations, d'erreurs, qui noient la vraie doctrine sous un fatras de paganisme mêlé de mystères ? Sans cesse, la propagande active et habile des adeptes de certaines sectes menace la communauté chrétienne. Car les sectes sont légion en cette fin du IIe siècle ; et cela, Irénée ne peut le supporter ! Face à ces errances, l'enracinement dans la vérité évangélique est plus que jamais nécessaire.

Sous des visages multiples, l'adversaire est aisément identifiable : la plupart de ces prétendues religions relèvent de la gnose, cette doctrine qui se pare sans vergogne du beau nom grec de « connaissance ». Une quantité de commentaires et de théories autour de cette pseudo-science menace d'égarer les chrétiens. Cette abondante littérature met en péril les fondements mêmes de l'Église ! Alors Irénée prend les armes. Mais pas n'importe lesquelles. Il est persuadé que le seul fait d'exposer toutes ces erreurs telles qu'elles sont est une excellente méthode pour les mettre à bas. « *C'est les vaincre que révéler leurs systèmes. En publiant leurs secrets et leurs mystères cachés, nous rendons inutiles les longs discours qui*

> *La propagande habile de certaines sectes menace la communauté chrétienne.*

*doivent les détruire.* » Le verbe et l'écrit : par là peut passer la vérité, par là être brisée la supercherie.

Cette gnose prétend donner une explication totale du monde et du mystère de l'existence, en se fondant sur l'opposition du mal et du bien. Pour les initiés à cette prétendue science qui se veut parfaite, le salut et la connaissance sont par nature étrangers au monde, qui est intrinsèquement mauvais. Et seuls les adeptes peuvent transmettre cette connaissance, car elle leur a été révélée et transmise dans le plus grand secret. Ils sont aussi nombreux que divers : ceux qui suivent Marcion, par exemple, croient en l'existence de deux dieux, l'un comptable et sévère – le Dieu de l'Ancien Testament –, l'autre bon et indulgent révélé par Jésus ; les ébionites, eux, nient la divinité du Christ ; les docétistes déclarent qu'en s'incarnant, le Verbe a seulement pris une apparence de chair... Tous nient la résurrection des corps. Mais il y a aussi les systèmes de Ptolémée, de Marc le Mage, de Simon le Magicien, de Markos de Lyon qui prétendent tous être en possession de traditions secrètes remontant aux Apôtres... Quelle confusion !

Irénée sait comment répondre à ces prétendues traditions. Il revoit toujours en pensée Polycarpe raconter à tous ceux qui voulaient l'entendre ce qu'il avait lui-même reçu de l'Apôtre Jean. La Vérité se vit au grand jour. C'est parce qu'elle ne cache rien qu'elle est universelle, catholique. Aux secrets, Irénée oppose alors la tradition apostolique, l'exposé de la doctrine de la première Église transmise à travers la succession ininterrompue des évêques auxquels les Apôtres ont confié les Églises locales. Irénée l'expose simplement, avec chaleur, lui qui préfère la prière et la mystique aux démonstrations ; il s'excuse même, dans la préface d'un ouvrage, de n'avoir pas l'habitude des mots ! Il les choisit pourtant fort bien, en toute clarté et franchise, dès le titre même de ses ouvrages : *Contre les hérésies* ; *Recherche et renversement de la prétendue mais fausse gnose* (plus habituellement désigné sous le nom d'*Adversus haereses*) ; *Démonstration de l'enseignement apostolique...*

> *Penser avec l'Église, croire en Elle, prier avec et pour Elle.*

Dans ses œuvres comme dans son ministère, Irénée ne se départit jamais de son rôle de pasteur. Avec beaucoup d'humilité et de pondération, il pratique l'indulgence : « *Par tous les moyens, nous tenterons de leur tendre la main et nous ne nous lasserons pas.* » Quel merveilleux exemple de douceur et de ténacité ! Irénée propose toujours de sauver son frère et se conforme à une règle simple et efficace : penser avec l'Église, croire en Elle, prier avec et pour Elle.

Convaincu que trop de science finit par abîmer la foi, Irénée pense qu'il vaudrait mieux ne rien savoir du tout, mais croire et « *persévérer dans l'amour de Dieu* », plutôt que d'être « *enflé d'orgueil parce que l'on sait, et perdre cet amour qui vivifie l'homme* ». Les hommes qu'il doit enseigner sont d'ailleurs, pour la plupart, analphabètes. Ils « *n'ont ni encre ni texte écrit, mais le salut est écrit dans leurs cœurs par l'Esprit* ». Irénée s'attache donc à parler leur langue, à les aimer tels qu'ils sont, pour leur enseigner une seule foi, dans un seul baptême. Mais il lui faut un outil d'enseignement. Car s'il a eu la chance de recueillir des témoignages directement issus de la rencontre avec le Christ, qu'en sera-t-il de tous ces nouveaux convertis ? Alors germe en son esprit l'idée d'un ouvrage qui renfermerait de très précieux témoignages sur les doctrines chrétiennes originelles, qui exposerait « *la règle de foi inaltérable* », et serait une « *espèce d'aide-mémoire sur les points capitaux de la foi* ». Jamais encore on ne l'a entrepris ; jamais sans doute n'en avait-on ressenti le besoin. Aujourd'hui, c'est, aux yeux d'Irénée, une urgence, et le titre s'impose à lui : ce sera la *Démonstration de l'enseignement apostolique*, le premier de tous les catéchismes. « *Comme dans un riche dépôt, les Apôtres ont placé dans l'Église la plénitude parfaite de la vérité : quiconque le désire n'a qu'à y puiser le breuvage de la vie.* »

Certes, Irénée peut rendre grâce pour la continuité apostolique dans laquelle il s'inscrit. Si, le premier, il formule la suprématie de l'Église de Rome, c'est parce qu'elle jouit « *d'une autorité plus puissante* », étant issue de la succession de Pierre et de sa fondation par Paul. Voilà pourquoi l'Église est seule à pouvoir décider de la validité d'une interprétation des Écritures, dans l'authenticité de la tradition transmise sans défaut.

« Artisan de la paix » : tel est le sens du nom d'Irénée. Homme de foi inlassablement occupé à ramener toutes les brebis égarées, il « *vécut son nom* », dit Eusèbe de Césarée. Il vécut surtout pour la paix de ses frères, la paix des cœurs et des esprits, dans la fidélité à la vérité de l'Évangile précieusement entretenue par la tradition naissante de l'Église.

SOURCES : Irénée de Lyon, *CONTRE LES HÉRÉSIES*. Eusèbe de Césarée, *HISTOIRE ECCLÉSIASTIQUE*, t. V, 3-25. J. Liébaert, *LES PÈRES DE L'ÉGLISE*, t. I, Iᵉʳ-IVᵉ siècles, Paris, 1986. J. Fantino, *L'HOMME, IMAGE DE DIEU CHEZ SAINT IRÉNÉE DE LYON*, Paris, 1988.

# TERTULLIEN

## *LE TRAITÉ DU BAPTÊME*

**• 10 JAN •**

DANS LE SILENCE DE LA NUIT, LA LUMIÈRE DES CIERGES SE REFLÈTE dans la transparence profonde de l'eau. La communauté chrétienne de Carthage se recueille. Parmi les chrétiens rassemblés, Tertullien prie pour ce catéchumène qui, en cette Vigile pascale, va recevoir le baptême et devenir ainsi enfant de Dieu. L'évêque s'approche du cours d'eau. Il invoque le Saint-Esprit et bénit l'onde, puis invite le catéchumène à y entrer. Il lui demande de rejeter le Malin, de quitter l'esclavage du péché et de la mort pour renaître à la vie nouvelle dans le Christ Jésus. Le visage du catéchumène est nimbé d'une douce lumière alors que la main de l'évêque se pose sur son front. L'évêque l'interroge sur sa foi en Dieu Père, Fils et Saint-Esprit. La voix forte du catéchumène proclame alors, du plus profond de son être, la foi qui l'anime : « *Credo ! Credo ! Credo !* » Chaque acclamation s'élève haut dans le ciel comme une ardente déclaration d'amour au Dieu source de vie. À chaque *Credo*, l'évêque plonge le futur baptisé dans l'eau pure. Toute l'assemblée éclate en puissants alléluias. L'évêque oint le front du nouveau chrétien de l'huile sainte qui ruisselle sur tout son corps, et le marque du signe de la croix. Enfin, il procède à l'imposition des mains pour lui conférer la grâce du sacrement de confirmation. Les diacres s'avancent et couvrent les épaules du nouveau baptisé d'un ample vêtement blanc. Tertullien est ému. La voix du célébrant psalmodie : « Oui, aujourd'hui, tu as revêtu le Christ, tu as été plongé dans sa mort et tu renais dans sa résurrection. » Tertullien sourit : ce qui vient d'être célébré là rejoint bien le cœur de sa méditation sur le baptême. Le catéchumène, plongé dans l'eau comme dans la mort, vient de renaître dans le Christ.

Alors qu'il s'éloigne, Tertullien médite une phrase de la Genèse qui ne quitte plus son esprit : « *Le souffle de Dieu planait au-dessus des eaux...* » Une fois encore, il va reprendre avec ardeur la rédaction de son traité sur le baptême, ce *De baptismo* dont il sent bien aujourd'hui toute l'importance. « *Les ténèbres étaient informes, sans l'ornement des astres, l'abîme était sombre, la terre non ébauchée, le ciel à l'état brut : seule l'eau, dès l'origine matière parfaite, féconde et simple, s'étendait transpa-*

*rente comme un trône digne de son Dieu.* » Les mots suivent les mots, l'élégance du style habille aisément la pensée et le texte se fait prière. Pour Tertullien, le baptême est un sujet d'une brûlante actualité. Ne voit-on pas, en cette fin du IIᵉ siècle, des formes nouvelles de célébration apparaî-tre, qui vont parfois jusqu'à contester l'authenticité dogmatique du baptême ? Il est urgent et nécessaire de leur répondre.

Pour Tertullien, tous les gestes, tous les rites auxquels il vient d'assister, en cette Vigile pascale, sont essentiels ; il convient de dire combien ils doivent être protégés de toute dérive, de toute falsification, parce qu'ils sont à la source même de la vie chrétienne. Ces mots et ces gestes si simples s'enracinent dans la Parole de Dieu et dans l'histoire du Salut. « *Jamais le Christ n'apparaît sans l'eau !* écrit-il. *Lui-même est baptisé dans l'eau ; invité à des noces, c'est l'eau qui inaugure les commencements de sa puissance [...] Près d'un puits il répare ses forces. Il marche sur l'eau, il la traverse volon-tiers ; il lave avec l'eau les pieds de ses disci-ples.* » Et les références se succèdent, comme autant de cautions à l'indispen-sable pratique du baptême.

En rédigeant le premier traité sur le baptême, Tertullien établit en fait la pre-mière formulation d'une théologie sacra-mentelle. Il s'agit pour lui de préciser la véritable doctrine en réfutant une secte gnostique, celle des caïnites. Il met toute son ardeur, toute la finesse et la perti-nence de ses connaissances théologiques à combattre les erreurs, afin d'éviter aux chrétiens de tomber dans les mailles du séduisant système gnostique. Les Caïni-tes croient que le Dieu de l'Ancien Tes-tament, Yahvé, est une puissance mau-vaise et inférieure, ennemie du Dieu supérieur et bon, la *Sophia*. Ils vont jusqu'à exalter les ennemis de Yahvé, notamment Caïn ! Aussi Tertullien prend-il la plume pour rappeler que, dès les origines, Dieu n'a jamais cessé de faire alliance avec son peuple et de le poursuivre de son amour. Après une ode à l'eau présente dès la Création, *Sur le baptême* développe une typologie baptis-male où les grands événements de l'Ancien Testament, repris un à un, témoignent de la valeur symbolique de l'eau et préparent la Nouvelle Alliance. Outre les eaux pri-mordiales de la Genèse, Tertullien s'appuie sur l'épisode de la libération des Hébreux lors du passage de la mer Rouge, et se réfère à l'eau qui jaillit quand Moïse y plonge le bois. Mais c'est évidemment l'action de Jean et le bap-tême de Jésus dans le Jourdain qui requièrent toute l'attention de Tertullien. Le baptême du Christ, l'admirable reconnaissance de sa filiation est l'anti-cipation du rite offert à chaque croyant. À la naissance d'Adam succède pour l'homme une seconde naissance, par le Christ, dans le baptême, sceau de la foi qui lave du péché originel. Tertullien uti-lise avec brio, dans sa défense du chris-tianisme, tous les apports culturels dont il a bénéficié.

> *Dieu n'a jamais cessé de faire alliance avec son peuple.*

Né à Carthage autour de 160 dans une famille païenne aisée, qui lui donne la meilleure éducation qu'un jeune homme de l'Empire romain puisse recevoir à l'époque, il écrit parfaitement le grec et le latin, maîtrise la rhétorique et le droit et pousse même la curiosité jusqu'à s'intéresser à la médecine et à la pharmacopée. Quant au rapport qu'il entretient avec la philosophie, il est fort complexe et, à vrai dire, ambivalent. Il est nourri de platonisme et surtout de stoïcisme quand il se convertit au christianisme à l'âge de 25 ans environ. Par la suite, selon les adversaires qu'il affronte, il se sert de la philosophie antique comme d'un repoussoir ou, au contraire, comme d'une étape préparatoire à la meilleure philosophie, celle du Christ.

*Le Carthaginois est un redoutable polémiste.*

Le Carthaginois est un redoutable polémiste, doublé d'un rigoureux moraliste ; la richesse et la précision de son vocabulaire jettent les bases du latin doctrinal et liturgique de l'Occident chrétien. Pourtant, le brillant pourfendeur d'hérésies se laissera séduire à la fin de sa vie par le montanisme, mouvement qui considère la parousie, le retour du Christ, comme imminente et qui privilégie le prophétisme au détriment de l'autorité apostolique des évêques. Tertullien a pris en horreur les faiblesses de certains membres de la hiérarchie, il veut maintenir à un tel niveau la rigueur ascétique et porte si haut le sens du martyre que même les disciples de Montan lui sembleront fades... Ainsi, celui qui a consacré un si beau traité à l'Incarnation, le *De carne Christi*, et qui a su si bien penser le sacrement du baptême, quitte l'Église à laquelle, indubitablement, il a pourtant beaucoup apporté. S'il en fallait une preuve, la reconnaissance de son autorité par saint Jérôme et saint Augustin l'apporterait, tout comme la place éminente qu'il n'a cessé d'occuper dans toute l'histoire de la pensée chrétienne.

SOURCES : Tertullien, *SUR LE BAPTÊME*. Saint Jérôme, *DE VIRIS ILLUSTRIBUS*, t. LIII. J. Daniélou, *LES ORIGINES DU CHRISTIANISME LATIN*, Paris, 1978. J.-C. Fredouille, *TERTULLIEN ET LA CONVERSION DE LA CULTURE ANTIQUE*, Paris, 1972. M. Spanneut, *TERTULLIEN ET LES PREMIERS MORALISTES AFRICAINS*, Paris, 1969.

# PERPÉTUE ET FÉLICITÉ

## *ESCLAVE ET MAÎTRE UNIS*

## *JUSQU'AU MARTYRE*

• **11
JAN** •

— JE T'EN PRIE, GRAND-PÈRE, RACONTE-MOI ENFIN COMMENT MAMAN EST MORTE.

Comme à chaque fois que cette question est abordée, la main ridée que tient l'enfant est prise d'un léger tremblement, mais cette fois la fillette n'en a cure. Il y a si longtemps qu'elle voudrait savoir. Le vieil homme semble toujours heureux de satisfaire sa curiosité insatiable. Pourquoi reste-t-il muet dès que l'on parle de Perpétue ? Sa maman, Priscilla ne l'a jamais vue, sauf sur un portrait en bois peint, dans la chambre de son grand-père. À chaque fois qu'elle contemple l'image de cette jeune femme brune aux grands yeux noirs qui lui sourit tristement, elle n'est pas peu fière d'être sa fille. Car Perpétue était ravissante ; c'est bien la seule chose que grand-père ait jamais accepté de dire à son propos. Il a ajouté, un jour, en caressant les boucles sombres de Priscilla, qu'il croyait tenir dans ses bras sa propre fille. Cette maman à qui elle ressemble tant, la fillette voudrait quand même savoir qui elle était.

Le vieil homme hésite. Il voudrait tant épargner à l'enfant ce douloureux récit, dont la moindre péripétie revient le hanter presque toutes les nuits. Mais il faudra bien finir par tout lui raconter ; autant le faire maintenant, puisqu'il sait qu'elle ne lui laissera pas de répit jusqu'à ce qu'il ait accédé à la requête qu'elle répète inlassablement depuis quelques jours.

— Écoute, ma Priscilla... Ta maman était la plus jolie de toutes les matrones de Carthage. Elle avait tant d'allure, elle était si intelligente. Très obstinée aussi ; c'est ce qui a fini par causer sa perte. À son mariage, je me suis réjoui de la vie brillante qui s'ouvrait devant elle, car une jeune femme aussi accomplie semblait mériter tout le bonheur du monde. Mais je ne savais pas, alors, qu'elle était chrétienne.

— Qu'est-ce que cela a d'étonnant ? Ne sommes-nous pas chrétiens nous aussi, grand-père ?

— À l'époque, je ne l'étais pas encore. C'est ce qui est arrivé à ta maman qui m'a conduit à me convertir. L'empereur Septime Sévère voyait les chrétiens d'un mauvais œil. Il avait l'impression qu'ils menaçaient son pouvoir, et que l'adoration qu'ils portaient à un Dieu unique les empêchait d'honorer César comme il se devait. Un jour de l'année 203, la com-

munauté de Carthage a subi une persécution, comme d'autres avant elle. Perpétue n'a rien fait pour dissimuler sa foi ;
au contraire, elle semblait n'avoir de désir
plus ardent que d'aller clamer ses convictions à la face des procurateurs. Elle a
donc été très vite menacée. Je pensais
pouvoir la protéger, car l'un des magistrats comptait parmi mes meilleurs amis.
Mais quand celui-ci lui a dit qu'elle aurait
la vie sauve si elle acceptait de faire un
sacrifice devant le buste de l'empereur,
elle est entrée dans une de ces colères
dont elle avait le secret, et qui faisaient
toujours trembler tout le monde.

– Même toi, grand-père ?
demanda la fillette d'un air
incrédule.

> *Félicité attend un bébé*
> *pour le mois suivant.*

– Même moi, Priscilla, et
je peux te dire que je n'ai jamais autant
tremblé que quand je l'ai vu se mettre en
colère ce jour-là, car je savais qu'elle était
perdue si elle provoquait un esclandre. C'est bien sûr ce qui est arrivé. Elle
a répondu à Hilarianus très lentement,
comme si elle pesait tous ses mots : « Je
refuse. Il n'y a qu'un seul Seigneur, c'est
le Christ. N'essaie pas de ruser avec
moi ! » J'ai essayé d'intervenir, mais il
était trop tard. Les magistrats s'estimaient insultés, et ils ont fait enfermer ta
maman dans la prison de Carthage. Tu
l'y as suivi, Priscilla, car tu n'avais que
quelques mois et aucun nourrisson ne
peut se passer de sa mère à cet âge-là.
Vous étiez entourées là-bas de cinq compagnons. Il y avait parmi eux une esclave
de notre maison, chrétienne elle aussi, qui
s'appelait Félicité. Elle non plus n'avait

rien voulu entendre quand on lui avait
proposé de se sauver par un simple sacrifice. Elle aimait beaucoup ta maman, et
cette amitié était réciproque. Cela m'étonnait un peu à l'époque, car je ne savais
pas encore qu'il n'y a chez les chrétiens
ni esclaves ni maîtres. Félicité attendait
un bébé pour le mois suivant, ce qui
contribua sûrement à la rapprocher de
Perpétue.

Je connais les plus menus détails de
leur vie en prison par leur geôlier. J'étais
tellement avide d'avoir des nouvelles de
ma fille que j'aurais été prêt à couvrir
d'or ce rustre pour qu'il me parle d'elle.
J'allais le voir tous les soirs,
et il me faisait un rapport
exact de ce qui se passait
dans la journée. Perpétue,
d'après lui, ne laissait jamais paraître la
moindre appréhension. Je n'avais aucune
peine à le croire. Ta maman avait toujours montré une parfaite maîtrise d'elle-
même. Ses nobles aïeux n'auraient pas
rougi d'elle.

Un jour que je regardais avec horreur
les murs noirs de cet endroit sinistre, le
garde m'a dit pour me consoler, car au
fond ce n'était pas un mauvais bougre :
« Rassurez-vous, votre fille a déclaré
aujourd'hui qu'elle se sentait ici aussi
bien que dans un palais, puisqu'elle avait
le droit d'allaiter son bébé. »

Mais j'ai su depuis, par le témoignage
de chrétiens qui en avaient réchappé, que
Perpétue avait affreusement peur de la
mort. Elle avait reçu le baptême en prison, ce qui ne l'empêchait pas de faire
des cauchemars épouvantables. Elle a

rêvé une nuit, par exemple, qu'elle se trouvait au pied d'une échelle hérissée de poignards. Le dernier barreau, certes, atteignait le ciel, mais avant d'y accéder, que de souffrances à endurer !

Devant la mine horrifiée de Priscilla, le vieil homme se mord les lèvres. Il s'était pourtant promis de ne pas aller trop loin dans ses descriptions. Il y aurait les nuits prochaines des larmes à essuyer et des visions à dissiper.

— Et puis, grand-père ? demande la fillette dans un souffle, en le voyant s'interrompre.

— Et puis... Et puis les jeux ont commencé. Félicité venait d'accoucher. Elle était tellement persuadée que le Seigneur lui permettrait de mettre son enfant au monde avant qu'il ne soit trop tard qu'elle avait refusé de demander un sursis. Pareille inconscience avait sidéré le geôlier. À l'ouverture des jeux, on a voulu forcer les prisonniers à revêtir les habits des prêtres de Saturne. Perpétue a rétorqué qu'elle ne paraîtrait pas dans un accoutrement aussi ridicule, et pour cette fois personne ne s'est avisé de lui faire entendre raison. Le tribun a accepté que les chrétiens pénètrent dans l'amphithéâtre normalement vêtus.

— Est-ce que tu étais là, grand-père ?

— Oui, Priscilla. J'aurais dû rester à la maison, bien sûr. Mais jusqu'au dernier moment, j'ai espéré pouvoir faire quelque chose. Mes illusions m'ont d'ailleurs vite quitté. À peine arrivés dans l'arène, les chrétiens ont apostrophé le procurateur,

en lui disant qu'il serait responsable devant Dieu de la mort qu'il leur infligeait. Cela a achevé d'exaspérer Hilarianus, qui a ordonné aux bourreaux de les flageller. Perpétue et ses compagnons, eux, se sont contentés de le remercier pour ces coups de fouet qui les rapprochaient de la passion du Christ. Puis on a fait entrer les bêtes. J'ai vu un vieillard du nom de Saturus, dont le geôlier m'avait dit qu'il avait baptisé ta maman, se faire tuer par un léopard.

*J'ai vu un vieillard se faire tuer par un léopard.*

Perpétue et Félicité avaient été emprisonnées dans un filet très serré et livrées à une génisse. La foule, dans un instant de clémence, a exigé qu'on les fasse sortir de l'arène, et je me suis repris à espérer. Mais elles sont réapparues quelques instants plus tard habillées de tuniques flottantes. La génisse les a chargées. Je m'étais couvert les yeux de mes deux mains, mais je n'ai pas pu m'empêcher d'écarter les doigts pour regarder la scène. Perpétue a été jetée au sol la première, mais elle s'est relevée très vite pour venir en aide à Félicité qui venait de tomber à son tour. En voyant cela, la foule a eu pitié une deuxième fois et les a fait mener à la Porte Sauve. Ce n'était qu'un nouveau sursis. Pour finir, un léopard a eu raison de Félicité, et un glaive de Perpétue...

Le vieil homme se tait. Il devine l'effet de son récit sur l'enfant. N'a-t-il pas luimême la gorge serrée au souvenir de ce sang qui était le sien et qu'il a vu couler sur le sable ? Mais il faut éviter à tout prix que la fillette s'emmure dans la tristesse. Aussi se penche-t-il vers elle pour murmurer avec douceur :

— Sais-tu, Priscilla, quand on met côte à côte les noms de Félicité et de Perpétue, on obtient quelque chose qui veut dire « bonheur éternel »...

Et l'enfant sourit à travers ses larmes.

SOURCES : *PASSION DE PERPÉTUE ET FÉLICITÉ*, suivie des *ACTES*. M. Meslin, *LE CHRISTIANISME DANS L'EMPIRE ROMAIN*, Paris, 1979. P. Maraval, *LES PERSÉCUTIONS DURANT LES QUATRE PREMIERS SIÈCLES DU CHRISTIANISME*, Paris, 1992.

# ORIGÈNE

## *L'EXALTATION DE L'ÉCRITURE*

**• 12 JAN •** LE SOLEIL INONDE ALEXANDRIE ET L'EMBOUCHURE DU NIL. Le phare construit par Ptolémée domine les splendeurs de la ville égyptienne. Mais en ce début du III⁰ siècle, la jeune et fervente Église connaît des troubles importants. Septime Sévère a suscité une nouvelle vague de persécutions contre les chrétiens. Beaucoup d'entre eux sont torturés et mis à mort.

Dans la villa familiale, le jeune Origène est fou de colère. Son père, Léonide, a été arrêté et sa mère refuse qu'il aille le rejoindre pour subir le martyre. À 17 ans, il a déjà ce caractère fougueux et entier qui ne le quittera jamais. Il a essayé inutilement de convaincre sa mère. Celle-ci, terrifiée à l'idée de perdre en un jour un époux et un fils, a caché tous ses vêtements afin de contraindre l'impétueux jeune homme à la sagesse. Ne pouvant rejoindre son père, le jeune homme décide alors de lui écrire. Il lui demande, avec insistance, d'accueillir le martyre avec paix en témoignant ainsi de son attachement au Christ plus qu'à toute autre personne. C'est son premier écrit.

Léonide est tué et les biens de sa famille sont confisqués. C'est au jeune Origène que revient la tâche de faire vivre sa mère et ses six petits frères. Origène est cultivé, il a suivi l'enseignement de Clément d'Alexandrie, le premier lettré grec chrétien, qui, à la suite de Pantène, dirige une école pour présenter la foi chrétienne aux intellectuels de la ville. À son tour il crée une école de grammaire. Mais son amour de la Bible et l'étendue de ses connaissances sont si vastes que l'évêque Démétrius lui confie bientôt également la formation des catéchumènes, les candidats au baptême.

Origène brûle d'une ferveur radicale ; il s'adonne à l'ascèse et à la prière, et se réfère incessamment à la Sainte Écriture. Certain qu'au cœur de celle-ci il pourra découvrir la volonté de Dieu, il apprend l'hébreu, voyage partout où il espère trouver des renseignements sur l'Écriture et étudie sans relâche. Il collecte les grandes traductions de la Bible et les compare pour en découvrir le sens le plus exact. C'est ainsi que naissent les Hexaples, un ouvrage où sont disposées côte à côte les six grandes traductions de la Bible connues à cette époque. C'est grâce à ce travail aujourd'hui perdu que Jérôme pourra établir la version latine de la Bible, la Vulgate. Origène commente tous les livres de l'Ancien Testament, appliquant des règles de lecture qui vont de l'explication littérale et scientifique aux commentaires allégoriques. Parmi ces derniers, sa lecture du Cantique des Cantiques est restée jusqu'à nos jours l'une des plus belles. Il y compare l'épouse à l'Église et reconnaît en Salomon la figure du Christ.

Fort de sa connaissance de la Bible, il met en place son enseignement, notamment dans son grand ouvrage de théologie dogmatique, *Sur les principes*. Il distingue trois niveaux d'interprétation : historique, mystique et morale qui correspondent respectivement à trois parties de l'homme : le corps, l'âme et l'esprit, et à trois degrés de perfection : « *Le simple sera édifié par la chair de l'Écriture [...], celui qui aura déjà progressé un peu le sera par l'âme. Quant au parfait, il sera édifié par la loi spirituelle qui contient l'ombre des biens à venir.* » Ainsi, pour Origène, « *tout a un sens spirituel mais tout n'a pas un sens littéral* ». La Parole de Dieu est pour cet exégète le noyau de tout. L'Écriture n'est ni un moyen, ni un document : c'est une présence vivante au même titre qu'un corps, c'est le sacrement de la présence de Dieu au monde.

Parallèlement, il mène une vie austère, marche pieds nus, se vêt pauvrement. Grand mystique, il veut unir son âme au Christ, à la manière d'un « *mariage spirituel* ». Toujours marqué par la mort de son père et à défaut d'avoir subi lui-même le martyre, il veut vivre une « *mort spirituelle* » dans le renoncement et la mortification. L'image mystique de la Croix et du crucifié sont pour lui le plus parfait modèle.

La vigueur de son enseignement attire chrétiens et païens que sa personnalité, son esprit et sa culture fascinent. Les filles d'Alexandrie s'intéressent, elles, à sa personne. Mais son désir de perfection est tel, qu'ayant médité les paroles de l'Évangile selon saint Matthieu (19, 12) « *il y a des eunuques qui se sont eux-mêmes rendus tels à cause du Royaume des cieux* », il décide de s'émasculer. Un geste que l'Église condamnera.

Afin de pouvoir convaincre ses interlocuteurs non chrétiens, lui, qui avait vendu toute sa bibliothèque païenne, étudie Platon et ses disciples ainsi que l'arithmétique, l'astronomie et la géométrie. Il devient l'un des plus grands érudits de son temps. Car, comme son maître Clément l'avait fait avant lui, il lui faut lutter contre la gnose, si séduisante pour la pensée de l'époque. C'est dans cet esprit qu'il réfutera les critiques d'un érudit nommé Celse, dans l'un des plus importants ouvrages apologétiques chrétien (huit tomes), le *Contre Celse*. Ainsi va-t-il ramener à la vraie foi celui qui deviendra son soutien et son ami, le riche alexandrin Ambroise. Celui-ci mettra à son service sept secrétaires qui se relaieront pour prendre en note l'ensemble de son œuvre, plus de 2 000 volumes.

Cependant, les relations avec l'évêque Démétrius se détériorent au fur et à

> *Les filles d'Alexandrie s'intéressent à sa personne.*

mesure que la renommée d'Origène grandit. Au cours d'un voyage en Palestine, les évêques lui demandent des conférences bibliques. Comme il est inconcevable qu'un laïc puisse prêcher, Démétrius se scandalise et Origène doit revenir à Alexandrie pour reprendre ses cours. Vers 230, lors d'un second voyage, les évêques l'ordonnent prêtre. Démétrius réagit alors violemment, le déclare déchu du sacerdoce et le chasse de la ville. Origène s'installe définitivement à Césarée en Palestine où il fonde à nouveau une école qui deviendra le plus brillant foyer intellectuel de la chrétienté. Les condamnations de Démétrius n'ont, en rien, amoindri sa renommée, et nombreux sont ceux qui se pressent pour l'écouter. Il leur rappelle sans cesse la nécessité de prier, leur commente la Bible, prêche et enseigne.

Car, malgré ces épreuves, Origène conserve un immense amour de l'Église. Pour lui, elle est « *le corps mystique du Christ* », la « *cité de Dieu sur terre* ». Elle est sainte car elle lave son péché dans le sang de la croix et que son abaissement l'élève vers Dieu, son époux. Le corps de l'Église doit donc rester un, chercher une cohésion qui ne sera parfaite qu'en Dieu, au terme d'un long achèvement. C'est ce corps qui, alors, embrassera la création tout entière pour chanter les louanges de Dieu. En attendant, Origène voit dans l'Écriture le lien que nous avons avec Dieu. Liée au mystère de l'incarnation, la Parole de Dieu descend jusqu'en nous,

> *La victoire ne s'obtient pas par les flèches de fer, mais par les traits des prières.*

jusqu'au dépouillement de la Croix. Cette présence de l'Écriture est celle de Dieu, de l'Église. La toucher, c'est donc « toucher la chair du Christ », celui que, le premier, il appelle « *Homme-Dieu* ».

Mais les persécutions reprennent rapidement et de nombreux chrétiens sont torturés et tués. Comme il l'avait fait dans sa jeunesse, pour son père, il écrit une *Exhortation au martyre* pour soutenir ses amis menacés. Face au déferlement de la haine, il écrit : « *La victoire ne s'obtient pas par des flèches de fer, mais par les traits des prières, et c'est la foi qui permet de triompher dans les combats.* »

Car pour Origène, la prière a une grande importance. Dans un ouvrage intitulé *Sur la Prière*, il écrit qu'elle est un don du Saint-Esprit et que c'est Lui qui prie en nous et nous guide vers la lumière divine. Il divise la prière en quatre catégories : la demande, l'adoration, la supplication et l'action de grâce. Il s'agit en fait du plus ancien traité sur la prière chrétienne. Le plus beau passage du livre est incontestablement le commentaire du « Notre Père ». Jamais personne avant lui ne s'était aventuré à commenter la prière enseignée par le Christ. L'incomparable beauté du texte révèle la ferveur mystique de son auteur.

En 250, une dernière vague de persécutions frappe toute la chrétienté. Dèce veut décapiter l'Église en éliminant ses défenseurs les plus zélés. Les évêques sont les premiers visés, mais Origène est également arrêté. En serviteur de la

Vérité, il est prêt à mourir pour elle : la parole de Dieu vaut plus que sa simple vie. Origène est torturé et endure vaillamment les chaînes, l'emprisonnement, les insultes et les souffrances. Libéré, il mourra de fatigue quelque temps plus tard, vers 254, à Tyr, épuisé mais vainqueur des ennemis de la foi.

Témoin inlassable de la Parole de Dieu dans ses écrits et ses prédications, il avait voulu l'être également par sa vie spirituelle et ses actes. Lui que sa mère avait empêché d'aller rejoindre son père au martyre à l'âge de dix-sept ans, eut la joie de vivre ce qu'il avait tant prêché.

SOURCES : Eusèbe de Césarée, *HISTOIRE ECCLÉSIASTIQUE*, t. VI, 2 ; 3-11. Pamphile de Césarée, *APOLOGIE D'ORIGÈNE*. H. de Lubac, *HISTOIRE ET ESPRIT, L'INTELLIGENCE DE L'ÉCRITURE D'APRÈS ORIGÈNE*, Paris, 1950. M. Harl, *ORIGÈNE ET LA FONCTION RÉVÉLATRICE DU VERBE INCARNÉ*, Paris, 1958. H. Crouzel, *ORIGÈNE*, Paris, 1985.

# CYPRIEN DE CARTHAGE

## *FACE AUX PERSÉCUTIONS,*
## *L'EXEMPLE DE LA FIDÉLITÉ,*
## *LE TÉMOIGNAGE DE LA CHARITÉ*

**• 13 JAN •** SUR LA ROUTE DE MAPPALA, LES CHANTS MORTUAIRES ALTERNENT AVEC LES ACTIONS DE GRÂCES. En cette tiède nuit de septembre 258, les torches qui entourent la civière sur laquelle repose Cyprien éclairent les visages des chrétiens rassemblés autour du corps de leur évêque.

Ils reviennent du Champs de Sextus. C'est là que Cyprien a été mis à mort par le glaive pour avoir refusé de sacrifier à l'Empereur. Ces dernières journées resteront gravées dans la mémoire des chrétiens de Carthage. Depuis qu'il avait été ramené d'exil, tous ici s'attendaient à apprendre l'annonce de son supplice. Son courage a été exemplaire. Devant le tribunal du proconsul Galerius Maximus, il n'a pas tremblé. Fidèle au Christ, il a refusé de sacrifier à l'Empereur.

Le proconsul n'avait plus qu'à prononcer la condamnation.

*– Tu as vécu longtemps en sacrilège, tu as réuni autour de toi beaucoup de complices de ta coupable conspiration, tu t'es fait l'ennemi des dieux à Rome et de ses coutumes sacrées ; nos pieux et très sacrés empereur Gallien et noble César Valérien n'ont pu te ramener à la pratique de leur culte. C'est pourquoi, en tant qu'auteur et que porte-étendard de crimes si graves, tu serviras d'exemple à ceux que tu as associé à ton forfait : ton sang sera la sauvegarde de l'ordre public. Nous ordonnons que Thascius Cyprianus soit mis à mort par le glaive.*

Pour les chrétiens carthaginois, Cyprien a montré le plus parfait exemple de l'attachement au Christ plus qu'à toute autre chose. Cette mort les exhorte à tenir bon dans l'Espérance, et ces dernières paroles, prononcées à l'annonce du verdict, sont pour eux le plus beau témoignage de foi.

*– Grâces à Dieu !* reçoivent les juges pour toute réponse.

Il faut dire que l'évêque de Carthage n'en est pas à sa première persécution. Et son attitude est une belle réponse aux accusations que ses détracteurs ont porté contre lui lors des massacres de 250.

Alors que Cyprien n'a pas encore fêté le premier anniversaire de son épiscopat, l'empereur Dèce décide de rassembler tous ses citoyens autour du polythéisme officiel pour parfaire l'unité de son empire. Un édit enjoint à tous de manifester publiquement leur fidélité et leur dévotion aux dieux protecteurs de l'Empire, en participant à un sacrifice. Les chrétiens qui refusent de sacrifier aux dieux romains sont pourchassés.

Durant cette année de persécution, Cyprien a préféré se retirer dans la campagne pour ne pas courir de risques inutiles. À l'abri, il continue de diriger la communauté qu'il a confiée à deux évêques et deux prêtres. Il exhorte ses frères à rester fidèles au Christ et leur demande de tenir à jour un livre des martyrs. Beaucoup de chrétiens, cependant, manquent de courage et pour ne pas être torturés acceptent de faire un acte païen. On les appela les *lapsi*. Le problème est grave et douloureux pour l'évêque car la plupart désirent ensuite réintégrer la communauté chrétienne. Cyprien leur demande de patienter jusqu'à la fin de la persécution et de faire pénitence en attendant un moment plus propice à la réconciliation.

Or, les confesseurs de la foi, ceux qui n'ont pas apostasié, s'arrogent parfois le droit de leur délivrer des absolutions au nom de leur propre martyre. Cyprien doit leur rappeler fermement que lui seul a le pouvoir d'accueillir à nouveau dans l'Église les membres égarés. Mais, n'étant pas à Carthage, sa position n'est pas simple et certains chrétiens ne se privent pas de le lui faire remarquer. Felicissimus et quatre autres prêtres s'élèvent même contre lui. Il les fait excommunier, et, comme à Rome où Novatien refuse l'élection de Corneille, un schisme voit le jour.

Il doit attendre la fin de la persécution pour régler les deux problèmes en réunissant un concile des évêques d'Afrique à Carthage. Ceux-ci approuvent sa position sur les *lapsi* et condamnent le schisme qui, contrairement à celui de Rome, s'éteint rapidement.

Outre la lettre sur les *lapsi*, Cyprien écrit un texte sur l'unité de l'Église. Il y témoigne de la place particulière dévolue à l'évêque de Rome et de l'importance de la communion du collège épiscopal sur lequel le Christ a bâti son Église. Dans le contexte de la crise schismatique, c'est également pour l'évêque de Carthage un moyen de soutenir le pape Corneille et son successeur.

Mais Cyprien n'a eu que peu de répit. L'année suivante la peste apporte son lot de misère et de mort. Et si c'est l'occasion pour l'évêque de Carthage de rédiger le *De mortalitate*, véritable traité théologique sur la mort où celle-ci est décrite comme un appel de Dieu, c'est avant tout un moment difficile où il doit appeler ses frères et ses sœurs à une grande vie de charité et à l'Espérance.

À Rome, Étienne est élu pape en 254. Le pontife et l'évêque de Carthage entretiennent d'excellentes relations jusqu'à ce que la controverse baptismale cristallise la crise. La question porte ceux et celles qui ont été baptisés dans des communautés hérétiques ou schismatiques. À quelle condition peut-on les accueillir de nouveau dans l'Église ? Pour Étienne il suffit de leur imposer les mains, le baptême étant valide. Pour

> *Un schisme était né.*

Cyprien, il n'en est pas question. N'ayant pas reçu le baptême des mains de l'Église, ils doivent être rebaptisés. En fait, cette différence de tradition existe depuis des dizaines d'années mais n'a jamais troublé les rapports entre Rome et l'Église d'Afrique.

Seulement, cette fois, Étienne s'est mis en tête de convaincre les évêques. Il utilise même le propre texte de Cyprien sur le rôle particulier de l'évêque de Rome pour rallier à sa cause certains évêques africains. Les rapports entre les deux hommes se gâtent vite. Cyprien est fou de rage. Il réécrit le *De Unitate* en omettant le passage sur le pape et réunit un concile pour faire confirmer sa position par les évêques d'Afrique. Ce qu'il obtient à l'unanimité. Les deux hommes ont acquis une renommée et une autorité équivalentes. La bataille menace d'être rude. Heureusement, Étienne est rappelé à Dieu en 257, sa mort met fin à la querelle.

Cependant, tous ceux qui aujourd'hui se dirigent vers le cimetière du procurateur Macrobe Candidien, situé près des citernes de la ville, ont l'esprit bien éloigné de ces vaines discordes. Ils conservent de Cyprien l'image d'un homme bon et tempérant. Le souvenir d'un philosophe qui a vendu toutes ses richesses pour se consacrer à son ministère. La mémoire d'un passionné de Tertullien et de l'Écriture, d'un moraliste et d'un pasteur, dont l'unique souci était de faire connaître le Christ à ceux dont il avait la charge.

Par sa vie, il leur a redit que les chrétiens doivent « *rendre la charité pour la haine* » ; « *Pour les tourments et les peines qui nous sont infligés, nous vous indiquons les voies du salut.* »

> *Cyprien est fou de rage.*

SOURCES : Cyprien, *CORRESPONDANCE* et *DE L'UNITÉ DE L'ÉGLISE CATHOLIQUE. ACTES DE CYPRIEN*, in *SAINTS ANCIENS D'AFRIQUE DU NORD*, Rome, 1979. Y. Duval, *LOCA SANCTORUM AFRICAE. LE CULTE DES MARTYRS EN AFRIQUE DU IVᵉ AU VIIᵉ SIÈCLE*, Rome, 1882. L. Duquenne, *CHRONOLOGIE DES LETTRES DE SAINT CYPRIEN. LE DOSSIER DE LA PERSÉCUTION DE DÈCE*, Bruxelles, 1972. V. Saxer, *VIE LITURGIQUE ET QUOTIDIENNE À CARTHAGE VERS LE MILIEU DU IIIᵉ SIÈCLE. LE TÉMOIGNAGE DE SAINT CYPRIEN ET DE SES CONTEMPORAINS D'AFRIQUE*, Vatican, 1969.

# TARCISIUS

## *OU L'AMOUR HÉROÏQUE*
## *DE L'EUCHARISTIE*

**• 14**
**JAN •**

TARCISIUS SE HÂTE, CE DIMANCHE, POUR SE RENDRE À LA « *DOMUS CHRISTIANA* ». Comme tous les chrétiens qui viennent de la ville ou des champs pour entendre les lectures de la Parole de Dieu, il se réjouit de participer à l'Eucharistie.

Le voilà parmi l'assemblée. La célébration commence. Selon le rite établi au IIIᵉ siècle par saint Justin, le lecteur prend la parole pour lire les mémoires des Apôtres (les évangiles). Le dimanche précédent, il avait lu un extrait des écrits des Prophètes. Tarcisius dresse l'oreille. Le jeune garçon aime bien ces récits vivants, qui lui semblent si proches de sa propre existence. La tête un peu penchée sur le côté, il sourit aux anges.

Mais voici que la voix du lecteur s'arrête. Le célébrant exhorte maintenant les assistants à s'inspirer de l'expérience de leurs pères afin de mieux vivre leur foi : « Prenez exemple et ne perdez pas courage ! » Interprétant les textes de l'Ancien Testament à la lumière de l'Évangile, le prêtre incite les fidèles à appliquer dans la vie quotidienne ces précieux enseignements. S'ils sont ardents à les suivre, ils sauront surmonter les épreuves et les doutes qui jalonnent la vie...

Tarcisius écoute, et dans son cœur monte un désir fervent : « Jésus, préserve-moi des tentations et du mal. Fais de moi ton serviteur, pour toujours. Ne me quitte pas. Je veux être fidèle, quoi qu'il puisse arriver, à ce que tu attends de moi. » La prière du jeune garçon est offrande. Portée par la communauté, elle est liée par des fils invisibles à la prière de tous. Et une douce fierté emplit le cœur du garçon : l'Église est belle, et il en fait partie !

Il appartient même à la communauté des « initiés » qui ont reçu le baptême, et à ce titre participe à l'ensemble de la liturgie eucharistique. En effet, tandis que les catéchumènes quittent la « *domus christiana* » après la liturgie de la parole, Tarcisius, très droit, contemple avec les autres baptisés l'offrande des oblats, qui ouvre cette partie de la cérémonie : des laïcs agréés par la communauté apportent sur l'autel le pain et le vin destinés au partage. Le don ne s'adresse pas uniquement aux chrétiens ; il répond aussi aux « appels de ceux qui sont dans le besoin » : les orphelins, les veuves, les prisonniers et les hôtes étrangers.

Au nom de tous, présents ou absents, le célébrant acclame maintenant le Père. Tarcisius ferme les yeux. « Amen », cette simple prière, qui exprime l'assurance de la foi, résonne dans son cœur en action de grâces. Et les mots d'allégresse qui se forment en son âme devant la consécration font écho sans le savoir à l'affirmation de saint Justin : « *Nous ne prenons pas ce pain et ce vin comme des aliments ordinaires. Mais de même que, par l'Incarnation de la Parole de Dieu, Jésus-Christ notre Sauveur a pris chair et sang pour notre salut, de même l'aliment consacré par la prière formée des paroles même du Christ, aliment qui doit nourrir notre chair et notre sang, pour les transformer, cet aliment-là est la chair et le sang de Jésus incarné.* »

Tarcisius sait que l'Eucharistie, ce grand mystère, donne sens à toute sa vie. Dimanche après dimanche, le jeune garçon vient y puiser force et lumière. Aussi, quand après la consécration vient l'anamnèse, Tarcisius s'ouvre-t-il de tout son cœur, dans la mémoire de la Cène et la fidélité à l'enseignement reçu des Apôtres, au sens de la messe qu'il est en train de vivre, sacrifice du Christ pour l'Église et le monde.

Vient le moment de la communion. Les fidèles sont disposés en demi-cercle, et Tarcisius se recueille au milieu des autres pour recevoir le corps de son Seigneur. Tout à l'heure, il le sait, le prêtre lui confiera une hostie consacrée à porter à quelque malade des environs. Cet honneur le bouleverse, car il est bien jeune.

> *Le jeune garçon, le cœur battant, s'approche du prêtre.*

« Mais, Jésus, le plus bouleversant n'est-il pas que vous vous donniez ainsi tout entier à nous ? Ce n'est pas croyable, et pourtant, c'est vrai ! » Dans son émerveillement, Tarcisius se rappelle aussi l'enseignement du célébrant, tout à l'heure : « L'Eucharistie appelle le partage des ressources, le dévouement des parents pour les enfants, l'aspiration à la foi, et l'amour du prochain, y compris de nos ennemis. On reçoit le corps du Christ non pour soi seul, mais aussi comme une promesse à tenir pour les autres ! »

C'est maintenant la fin de la messe. Le jeune garçon, visiblement ému, s'approche du prêtre qui doit lui confier l'hostie. Il écoute gravement ses recommandations : il faut faire très attention ; c'est le Corps et le Sang de Jésus, son âme et sa divinité que Tarcisius va transporter ; il y a là le plus grand des trésors ! L'enfant acquiesce. Il sait qu'il veillera sur le précieux dépôt comme sur la prunelle de ses yeux. D'ailleurs, le chemin n'est pas long. Et, avec Jésus contre son cœur, que peut-il lui arriver ? Le Christ n'est-il pas tout-puissant, n'est-il pas ressuscité d'entre les morts ? Et comme Tarcisius est heureux que Jésus l'ait choisi comme compagnon de route, se laissant conduire là où il voulait aller...

Mais voilà qu'arrive, au loin, une bande de garçons batailleurs que Tarcisius connaît bien. D'habitude, il les évite, car ces gaillards excités lui font un peu peur. Et puis, ils ne sont pas chrétiens et prennent un malin plaisir à se moquer de

Tarcisius, dont la piété ne leur a pas échappé. Le garçon tente un crochet pour ne pas croiser leur route. Mais la bande ne l'entend pas de cette oreille.

– Qu'as-tu dans la main, petit morveux ? Tu nous caches quelque chose.

Tarcisius sourit sans rien dire. S'ils pouvaient s'en aller, mon Dieu ! Mais la colère des autres redouble. On cerne le jeune garçon, on le moleste, puis on le roue de coups. Et toujours avec cette question, cette injonction soupçonneuse et méchante :

– Qu'est-ce que tu caches ? Donne-le nous !

Tarcisius se tait, serrant sa main contre sa poitrine déjà tuméfiée, et dans sa main, le Corps du Seigneur. Un coup de poing vient de lui fendre l'arcade sourcilière, et le sang coule sur sa joue. Dans sa détresse, c'est comme un trait de lumière, il se souvient : Gethsémani, la sueur de sang, puis quelques heures plus tard la couronne d'épines... « Mon Jésus, merci de m'avoir choisi pour vous aimer jusque-là... » Mais déjà il glisse à terre et, dans la mort, sa main,

> *Qu'as-tu dans la main, petit morveux ?*

recroquevillée, crispée, aussi dure que le roc, résiste à tout effort pour la desserrer. Ses assaillants s'enfuient, le laissant étendu au bord de la route.

Un peu plus tard, le prêtre quitte à son tour la « *domus christiana* » et emprunte le chemin suivi par Tarcisius. Il voit l'attroupement créé autour de l'enfant par des passants apitoyés. Très ému, il s'approche, devinant ce qui s'est passé et confiant à Dieu l'âme pure de Tarcisius. Mais une question intérieure le taraude : « Et la Sainte Hostie ? » Le prêtre se penche à son tour sur la main crispée, qui, cette fois, s'ouvre sans difficulté. Sur la paume de Tarcisius l'hostie, blanche de lumière, n'a jamais été aussi belle...

On connaît peu saint Tarcisius. Mais le pape Damase a tenu à lui rendre, par une inscription dans les catacombes de Rome, un hommage qui dit l'essentiel : « *Saint Tarcisius portait les mystères du Christ quand une main criminelle s'efforça de les profaner : il préféra se laisser massacrer plutôt que de livrer aux incroyants le Corps du Christ.* »

Sources : A. Hamman, *L'Eucharistie dans l'Antiquité chrétienne*, Paris, 1981. R. Johanny, *L'Eucharistie des premiers chrétiens*, Paris, 1976.

# LA PERSÉCUTION
# DE DIOCLÉTIEN
## *DES BOUCS ÉMISSAIRES*
## *POUR SAUVER L'EMPIRE*

**• 15 JAN •** NICOMÉDIE, 23 FÉVRIER 303. ÉTRANGES, CES AUSPICES QUI REFUSENT DE COMBLER L'ATTENTE IMPÉRIALE...

Pourquoi les entrailles des bêtes éventrées ne semblent-elles promettre qu'un avenir sombre ? Par quelle cruelle fatalité les oracles osent-ils s'opposer aux volontés de l'empereur ? Quelle force inconnue vient ainsi troubler les rites païens ? Il est vrai que, depuis quelques années, d'audacieux novateurs les mettent en cause... Sectes, religions étrangères ou nouvelles, autant de sapes creusées dans les fondements de la société et de l'empire ! Il faut mettre un terme à tout cela, retrouver l'élan des commencements, quand l'esprit civique animait chaque citoyen. Et les chrétiens sont les pires. Ils sont partout, jusqu'aux marches du trône. À n'en pas douter, si l'on n'y met bon ordre, ils prendront le pouvoir. C'est une bien grande faiblesse que de leur avoir accordé tant d'années de paix ! En Dioclétien monte peu à peu une irrépressible colère.

À partir de 287, trois ans seulement après son accession au trône impérial, Dioclétien place son règne sous la protection de Jupiter et d'Hercule. Ce sont les dieux qui confèrent leur pouvoir aux empereurs, et ceux-ci sont leurs représentants sur terre. Dioclétien est convaincu que l'unité religieuse autour du panthéon païen permettra de ressouder l'empire qui commence à se fissurer sous les coups des invasions barbares. Il ne suffit plus d'édifier des *limes* – ces enceintes fortifiées qui, tout au long des frontières, sont censées juguler les assauts des envahisseurs –, il est vain d'essayer de fédérer les peuples barbares qui s'imposent par la force dans l'empire, si celui-ci n'a plus d'unité politique, religieuse et sociale. Il faut rétablir l'unité de l'empire autour du culte païen et du respect dû à l'empereur.

Mais ces chrétiens refusent d'être des citoyens comme les autres ! Décidément, Dioclétien, vieilli et fatigué, ne les aime pas. Ils sont trop nombreux, ils résistent à sa volonté, ils ne parlent que de leur Maître Jésus-Christ. Un dieu mort sur une croix comme un vulgaire criminel. Les proches de Dioclétien sont partisans des méthodes fortes. Excédé, l'empereur se laisse convaincre. Ainsi éclate, à la fin de son règne, presque soudainement, la dernière grande persécution de l'Empire romain contre les chrétiens.

Depuis 260, les chrétiens bénéficiaient d'une période de paix religieuse, que l'on nommera plus tard la « petite paix de l'Église ». Ces quarante années paisibles succédaient à la vague de persécutions générales des années 250 et 257, interrompue en 260 par l'édit de tolérance de l'empereur Gallien, qui avait permis au christianisme de s'étendre et de s'implanter dans l'empire. Les chrétiens pouvaient célébrer leur culte, posséder des églises et des cimetières.

À Nicomédie, ville de la province orientale de Bithynie et résidence de l'empereur d'Orient Dioclétien, on a même dressé une église en face du palais. Aussi, ce 23 février 303, en compagnie du cruel Maximien, à qui était échu l'empire d'Occident, Dioclétien pouvait-il assister, en direct, à la destruction du « temple des chrétiens ». Le matin même, le préfet, des chefs militaires, des tribuns et des fonctionnaires du fisc avaient fait arracher les portes du sanctuaire pour s'emparer de « l'idole ». Profanation, pillage... Le lendemain même, la persécution était officialisée par un édit, le premier d'une série de quatre, dont la férocité grandissante allait révéler l'étendue de la haine impériale.

Le texte du premier édit est donc promulgué à Nicomédie le 24 février 303, puis envoyé à tous les gouverneurs des provinces pour divulgation et application. La première clause ordonne la destruction des églises, des livres saints et des objets de culte ; la seconde concerne les fidèles : afin d'épurer l'administration, les hauts fonctionnaires chrétiens sont privés de leur emploi et déchus de leurs charges. Le deuxième édit, au début de l'été 303, s'attaque au clergé : tous les clercs, évêques, prêtres et diacres doivent être arrêtés et emprisonnés. Le troisième, à l'automne 303, vise encore les clercs, qui se trouvent dans l'obligation de pratiquer en public un acte religieux païen ; s'il y a abjuration, c'est l'acquittement ; s'il y a refus, c'est la torture et la mort. Ces deux édits expriment la volonté délibérée de décapiter l'Église. Enfin, le quatrième et dernier édit, au début de l'année 304, reprend l'édit de persécution de 250 : tous les habitants de l'Empire romain doivent faire un acte de paganisme.

La persécution commence : perquisitions, destruction des biens d'Église, arrestation du clergé... Les clercs et les fidèles sont sommés de faire un sacrifice devant un temple ou devant la statue d'un dieu. On exige qu'ils jettent quelques brins d'encens sur le feu d'un autel ou accomplissent une libation en versant un liquide (vin ou lait) sur l'autel, et qu'ils récitent une formule de fidélité aux dieux protecteurs des empereurs et de l'Empire romain. Les chrétiens qui refusent de participer activement à ce rituel païen sont emprisonnés et torturés avec la plus grande violence, puis condamnés à la peine capitale ou aux travaux forcés dans les mines.

*Évêques, prêtres et diacres doivent être arrêtés et emprisonnés.*

« *Non, même si j'avais cent bouches, cent*

*langues et une voix de fer, je n'arriverais pas à t'exprimer toutes les formes de crimes, ni à t'énumérer tous les noms des supplices que les juges [...] infligèrent aux justes et aux innocents »* écrit le philosophe Lactance, récemment converti. Un très grand nombre d'évêques et de prêtres subissent de cruels supplices. Procope, premier des martyrs de Palestine, est arrêté à Césarée et amené au tribunal du gouverneur ; il reçoit l'ordre de sacrifier aux dieux et de faire des libations aux empereurs mais, affirmant qu'il ne connaît qu'un seul Dieu, il est condamné et aussitôt décapité. À Antioche, capitale de la province de Syrie, le jeune Romain, diacre et exorciste, originaire de Palestine, est condamné à la mort sur le bûcher pour avoir admonesté tous ceux qui acceptaient de rendre hommage aux dieux païens...

> *Certains juges n'hésitent pas à livrer des enfants au supplice.*

La violence de la persécution est inégale selon les régions de l'empire alors gouverné par une tétrarchie, collège de quatre empereurs, Dioclétien et Galère en Orient, Maximien et Constance Chlore en Occident. L'Orient est très violemment touché. Les nombreux récits d'hommes livrés aux bêtes et au feu dans les amphithéâtres témoignent de l'intensité de la répression dans les provinces administrées par Galère jusqu'en avril 311 (provinces danubiennes, Grèce et Asie Mineure). Certains juges n'hésitent pas à livrer des enfants au supplice. Quant à Dioclétien, il décrète finalement une amnistie qui vide les prisons le 1er mai 305, mais son successeur Maximin Daia reprend la persécution dans ses provinces (Syrie, Palestine et Égypte) jusqu'à sa défaite, en avril 313.

En Occident, la persécution menée par Maximien en Italie, en Afrique et en Espagne est violente, mais brève : elle s'arrête en 306. À Rome, le pape Marcellin a remis aux autorités les lieux de culte et les livres saints. En Afrique, les apostasies sont très nombreuses. En Gaule et en Bretagne, provinces gouvernées par Constance Chlore où les chrétiens sont encore très minoritaires, la persécution est limitée. Le sang n'est pas versé, car seul le premier édit est appliqué : l'empereur s'est contenté de faire démolir les églises, et il a refusé de s'attaquer aux fidèles. Sa conscience était-elle, si peu que ce soit, éclairée par les faibles lueurs de l'aube nouvelle que va faire se lever son fils, Constantin, le premier empereur chrétien ? Sous son règne, la lumière du Christ va enfin éclater au grand jour. Comment Dioclétien aurait-il pu lire un tel avenir dans les entrailles d'un bœuf éventré au pied d'une statue impériale ?

SOURCES : Lactance, *DE LA MORT DES PERSÉCUTEURS*. Eusèbe de Césarée, *HISTOIRE ECCLÉSIASTIQUE* et *MARTYRS DE PALESTINE*. P. Maraval, *LES PERSÉCUTIONS DURANT LES QUATRE PREMIERS SIÈCLES DU CHRISTIANISME*, Paris, 1992.

# GRÉGOIRE L'ILLUMINATEUR

## L'ARMÉNIE DEVIENT LA PREMIÈRE
## NATION CHRÉTIENNE

**• 16 JAN •** « *QU'ON JETTE CET HOMME À LA FOSSE*, ORDONNE TIRIDATE À SES GARDES. *Son père, le satrape Anak, ce sbire à la solde de nos ennemis, les Perses sassanides, a autrefois assassiné le mien, le roi Khosrov. Que l'on n'hésite pas à lui faire subir les pires supplices.* » Aussitôt, des gardes s'emparent de Grégoire, fraîchement arrivé à la cour arménienne, et jettent le malheureux dans les geôles du roi arsacide Tiridate III.

Tiridate ne décolère pas. Grégoire, ce fils de traître, ose venir se montrer à la cour ! Le roi fulmine et arpente d'un pas rageur le marbre de son palais. Il pense à son père assassiné, à sa famille chassée par les Perses, au déshonneur d'un long exil loin de ses terres natales. « Que les dieux accordent longue vie au César Galère qui a écrasé Narseh, ce Sassanide maudit ! Me voilà enfin maître de mon pays », songe le souverain. Depuis la paix de Nisibe de 298, en effet, Tiridate, allié de l'Empire romain – qui contrôle la petite Arménie au-dessus de la boucle de l'Euphrate – a pu enfin restaurer la dynastie arsacide sur la Grande Arménie, située à l'est du fleuve.

Tout à coup, le roi s'arrête. Il lui vient une idée fort cruelle qui fait briller une lueur mauvaise dans son regard. Ce Grégoire prétend honorer le Christ. C'est même pour cela qu'il a eu l'impudence de revenir dans son royaume. Tiridate appelle ses gardes : « Qu'on force donc ce chrétien à offrir à la déesse Anahit, dans le temple d'Erez, une couronne de feuillages ! » Grégoire est traîné jusqu'au temple et sommé de sacrifier en l'honneur de la déesse. Il refuse. Le roi ordonne alors de le reconduire dans sa fosse et de l'y maintenir, jusqu'à la mort.

Dans une lettre datée de 303, Tiridate annonce fièrement à l'empereur d'Orient Dioclétien qu'il pourchasse inlassablement les chrétiens « abhorrés ». Est-ce à cette date qu'il a enfermé Grégoire ? Les sources ne le précisent pas. Elles affirment en revanche qu'après des années de réclusion, Grégoire finit par convertir le roi arsacide qui persécutait pourtant les chrétiens avec une rare cruauté. Voici ce que raconte la légende dans la chronique d'Agathange écrite au milieu du Vᵉ siècle : « *Le roi Tiridate, ayant martyrisé une jeune religieuse romaine Hrip'simê, une abbesse du nom de Ganayé et les religieuses qui l'accom-*

*pagnaient, fut, en punition de ces crimes, transformé en sanglier. Enseigné par Grégoire, il se convertit au christianisme et fut guéri. Une fois guéri, le roi réunit son conseil et décida les nobles à détruire les idoles païennes. »*

Les sources ne sont pas plus précises. Mais il est certain que, sans que l'on sache exactement comment, Tiridate III se convertit au christianisme, sous l'influence de Grégoire. Ce dernier, appelé désormais « l'Illuminateur », fut conduit en cortège jusqu'à Césarée de Cappadoce, où il reçut le sacerdoce et la consécration épiscopale des mains de l'archevêque Léonce. Grégoire devint ainsi le premier *catholicos* – c'est-à-dire patriarche – arménien. Et c'est accompagné de sa femme et de ses enfants (à l'époque, les clercs n'étaient pas soumis au célibat) que Grégoire retourne en Arménie et baptise dans l'Euphrate le roi et sa suite. Il se consacre ensuite à l'évangélisation du pays. Tiridate n'a de cesse dès lors d'exhorter ses sujets à se faire baptiser et déclare par un édit que l'Arménie est une terre résolument chrétienne. Cet édit est très certainement antérieur à celui de Milan en 313, par lequel les deux Augustes Constantin, empereur d'Occident, et Licinius, empereur d'Orient, tolèrent le culte chrétien dans tout l'empire. L'Arménie est ainsi le premier pays à faire du christianisme la religion de son peuple.

Cette évangélisation ne va cependant pas sans difficulté. Les tenants des cultes

*Le premier pays à faire du christianisme la religion de son peuple.*

païens se défendent âprement. Pourtant, l'Arménie n'en est pas à son premier contact avec le christianisme. La tradition atteste que saint Thaddée, les apôtres Jude et Simon, et surtout saint Barthélemy avaient déjà tenté l'aventure. Dès le IIe siècle, des missionnaires, venus d'Édesse, visitent la province de Târon, en Grande Arménie méridionale, l'un des grands centres de christianisation de l'Orient. Et surtout Achtichat, la « ville des idoles », qui avait été le berceau de ces communautés arméniennes primitives, déjà ferventes.

Grégoire l'Illuminateur fait d'ailleurs d'Achtichat, dès son retour de Césarée de Cappadoce, « la Mère des Églises d'Arménie », c'est-à-dire le premier siège épiscopal. Secondé par les troupes de Tiridate, Grégoire entreprend de prêcher dans tout le pays. Sa parole est d'or. Il fonde des églises sur les ruines des temples païens, délivre des chrétiens jadis persécutés, installe des moines dans les régions désertes. Accompagné de missionnaires grecs, Grégoire fonde ainsi dix évêchés et place ses missionnaires à leur tête.

Mais, avant tout, l'Illuminateur décide de s'attacher à convertir les « k'hourm », c'est-à-dire les prêtres des idoles. Cette caste héréditaire, de culture hellénique, vivait des dons du peuple aux idoles. L'Illuminateur témoigne alors d'un très grand réalisme en leur assurant qu'en cas de conversion au « vrai Dieu », ils recevront leur subsistance des dons faits aux églises. Ce sera un succès.

Si les efforts de Grégoire portent souvent leurs fruits, il n'en demeure pas moins que les luttes avec les païens sont parfois très violentes en ce début du IVe siècle. Dès 312, les Arméniens fraîchement convertis doivent repousser les soldats de Maximin Daïa, qui veut les contraindre à renier leur foi. Tiridate qui avait décidé, comme son ami Grégoire, de se retirer loin des vanités du monde, est empoisonné. L'évêque Aristakès, fils de l'Illuminateur, et son successeur sur le siège épiscopal, est également assassiné. Pourtant, vers le milieu du siècle, le patriarche saint Nersès réussit à renforcer considérablement la puissance et le rayonnement de l'Église et réunit un synode pour épurer les mœurs, organiser les institutions ecclésiastiques, mettre en place des organismes charitables.

> *Les luttes avec les païens sont parfois très violentes.*

Par-delà les luttes et les difficultés de son histoire, l'Arménie reste fidèle à « l'illumination » de sa conversion. C'est peut-être à travers ses souffrances que l'Arménie se montrera, par le témoignage souvent rendu de l'héroïsme chrétien, le plus fidèle aux difficultés et à l'audace de sa conversion. Au milieu des vicissitudes politiques de son existence, qui la verra partagée et ballottée entre Rome, la Perse, la Turquie et la Russie, l'Arménie puisera dans son identité chrétienne, intrépidement maintenue, ses raisons de vivre et, pour certains des siens, de mourir.

SOURCES : Sozomène, *HISTOIRE ECCLÉSIASTIQUE*, II, 8. Eusèbe de Césarée, *HISTOIRE ECCLÉSIASTIQUE*, IX, VIII, 2-4. Moïse de Khorène, *HISTOIRE DE L'ARMÉNIE*, Paris, 1993. F. Tournebize, *HISTOIRE POLITIQUE ET RELIGIEUSE DE L'ARMÉNIE*, Paris, 1910.

# ANTOINE ET PACÔME

## *TROUVER DIEU AU DÉSERT*

**• 17
JAN •**

LE SOLEIL EST ROUGE, À L'EST, AU-DELÀ DES MONTA-GNES, AU-DELÀ DE L'ÉTEN-DUE PIERREUSE, au-delà peut-être de la mer. Les brumes font, sous ses premiers rayons, comme trembler la terre. Le froid est encore vif. Le vent est encore le maître du désert.

Le jeune garçon, emmitouflé dans ses vêtements, tremble.

Le vieillard à ses côtés semble insensible à la morsure du froid. Comme la veille, quand l'opaque chaleur semblait tout écra-ser, l'horizon, les bêtes et les gens, il dit : « Il faut se remettre en marche. »

Maintenant, sous la brûlure du jour, rien ne bouge dans l'étendue monta-gneuse. Rien ne frémit sur la mer. Seuls au pied des falaises de pierre, entre le désert minéral et le désert marin, le vieil-lard desséché et le jeune paysan avancent.

– Pourquoi acceptes-tu de m'emmener, père, t'éloignant ainsi de ta cellule ?

– Saurais-tu trouver seul le chemin de Haute-Égypte, ou tournerais-tu quarante ans dans le désert, comme nos pères les Hébreux ?

– Je ne saurais pas en tous cas traver-ser, comme eux, la mer à pied sec, rit l'ado-

lescent dans un éclat cristallin. Resteras-tu avec moi, père ?

– Tu le sais, mon frère. Tu es venu vers nous les anachorètes « ceux qui se mettent à l'écart », vers nous qui avons épousé l'idéal de notre père Antoine. Maintenant, ta quête de Dieu t'emmène vers Tabennèse et les disciples de Pacôme que l'on dit cénobites. Je te conduis parce que tel est ton choix, laisse-moi le mien.

– Parle-moi d'Antoine et de Pacôme, père.

Le vieil homme n'a que trop parlé déjà.

– Attendons le soir si tu le veux, frère. Le désert est silence.

L'ombre s'est allongée, et le soir est venu. Le jeune paysan écoute le vieillard raconter l'histoire de ce jeune homme, Antoine qui, en cette année 270, quittait son village d'un pas vif, Antoine que la lecture de l'Évangile a bouleversé : « *Si tu veux être parfait, va, vends tout ce que tu possèdes, donne-le aux pauvres et suis-moi.* » Antoine qui a vingt ans, dont les riches parents viennent de mourir, Antoine qui a distribué ses biens aux pauvres, pour rejoindre ce solitaire, ce fou de Dieu dont la rumeur hante le village : « Il saura bien m'apprendre à tuer en moi le vieil homme. » Le dépouillement durera quinze ans.

– Puis il est venu là où j'ai trouvé la communauté ?

– Non, il a d'abord passé cinq ans dans un tombeau, et vingt dans un fortin du désert avant de venir ici en mer Rouge.

– Et toujours seul ?

– C'était ce qu'il désirait, oui. Écoute la nuit, mon frère, écoute le silence, écoute les pierres, et tu comprendras comment le désert parlait de Dieu à Antoine.

> *Juste brûler d'amour, brûler comme le soleil nous a consumés.*

L'obscurité. Le vent. L'épuisement, la soif ; après cette journée brûlante dont les pierres gardent encore la chaleur.

– Tu as dit, père, qu'il désirait l'isolement ; pourtant beaucoup l'ont rejoint ?

– Nous voulions tous suivre Antoine au désert, affronter comme lui les forces du Mal, combattre le Démon et les passions du corps. Nous voulions tous imiter Antoine pour rencontrer Dieu.

– Je le veux moi aussi. Comment pourrions-nous tout donner en restant dans nos villages ? Comment pourrions-nous tout donner, même notre vie ?

– Nos pères dans la foi offraient leur vie au Seigneur dans le martyre, nous, nous la donnons dans le silence et la solitude du désert.

Le silence à nouveau. Le vieillard, avare de paroles, attend les questions de l'enfant.

– Vous désiriez donc la mort, père ?

– Juste brûler d'amour, brûler comme le soleil nous a consumés aujourd'hui.

– Et Antoine ?

– Tous ceux qui, comme moi, l'ont approché étaient bouleversés par son rayonnement et par son étonnante vigueur. Malgré les jeûnes et les privations, son aspect physique ne changeait pas !

– Mais il est mort !

– Voici quelques semaines, et presque centenaire [vers 356-357], après avoir exhorté les hommes, pendant toutes ses années de désert, à choisir comme lui la vie solitaire pour l'amour du Seigneur.

Le silence encore, le silence toujours. Le jeune homme écoute intensément, scrute intensément les masses sombres du massif désertique. Il comprend que pour son compagnon, la conversation a été longue. Il se tait, et son silence, il le sait, est la prière des anachorètes.

Puis, après le mutisme du sommeil, encore le silence. Silence du lever, silence de l'aube, silence de la marche, sous un soleil qui darde son feu aveuglant. Sous la conduite du vieillard, trébuchant parmi les pierres, le jeune homme s'éloigne à chaque pas des paysans solitaires qu'il avait rejoints. Il abandonne la cellule isolée qu'il avait construite, où il travaillait, méditait, priait. Il laisse derrière lui les temps de solitude, à peine ponctués de rares célébrations communes et solennelles.

Et il avance vers un autre absolu. Vers un autre désert qui lui dira Dieu sans l'écraser de solitude.

La halte, enfin. Une gorgée d'eau, quelques racines. Et toujours le silence,

silence d'une journée entière, comme si le vieil homme se reposait des conciliabules de la veille. Mais le crépuscule est le temps de la parole pour le jeune homme.

– Père, que sais-tu de Pacôme ?

– Tu en sais plus que moi, puisque tes pas te dirigent vers lui.

– Mais Pacôme n'était-il pas déjà dans le désert lorsque tu y vins ?

– Si, mon petit frère. Pacôme le Thébain avait vingt ans lorsqu'il connut le Christ ; cette année-là fut celle de sa conversion à notre foi, celle de son départ de l'armée romaine où on l'avait enrôlé, et celle des débuts de son ascétisme.

– Seul, père ?

– Oui, seul. Mais comme toi aujourd'hui, il éprouva le besoin de partager le silence et la prière avec des frères. C'est l'année où je l'ai rencontré qu'il fonda Tabennèse.

Tabennèse. La mer à l'ouest s'illumine une dernière fois, se teinte de rouge et de vert avant de devenir la masse sombre qu'ils voient tous les soirs depuis une semaine. Dans l'obscurité, le jeune anachorète a appris à voir Dieu, à écouter Dieu, à prier Dieu. Et ce soir, sa prière est toute d'espérance.

Tabennèse, village abandonné de la Haute-Égypte, où Pacôme fonda son monastère. Tabennèse, régi

> *La mer à l'ouest s'illumine.*

par les 194 articles de la règle édictée par Pacôme, où rien n'est laissé au hasard de la vie commune. Non seulement les moines y vivent en communauté, mais ils doivent tendre à l'uniformité, pratiquer une obéissance rigoureuse au Supérieur, se tenir dans la chasteté et la discrétion. Et vivre dans la pauvreté : en entrant, le moine abandonne tous ses biens et la règle prévoit qu'il peut seulement disposer de quelques vêtements ; l'habit monastique sera constitué d'une tunique sans manches, d'un capuchon, d'une cape portée sur les épaules et d'une ceinture.

– Une citadelle de vertu en plein désert, pour affronter le domaine du Démon : bâtiments, chapelle et ateliers sont entourés d'une enceinte.

Cette vie, le jeune homme sait qu'elle sera la sienne pour toujours.

– Et que t'a-t-on dit encore ?

Le jeune homme sursaute. Le vieillard qu'il voyait occupé à contempler Dieu dans le sable et les cristaux de roches lui répond. Depuis combien de temps a-t-il pensé ainsi tout haut, selon l'habitude qu'il a prise dans sa cellule érémitique ? Le souffle du désert porte sans doute la pensée.

– Je sais qu'à Tabennèse, les moines se réunissent deux fois par jour, pour la prière et les repas. Et les prières alternent avec le travail en commun.

– Ainsi, tu ne seras plus seul pour chercher Dieu, petit frère.

– Non, père. Je ne serai plus seul.

La nuit s'étend sans un bruit de bête. Dans le désert, le seul bruit de la nuit est celui du vent. Et l'anachorète a pitié du silence de son compagnon.

– Quel était ton métier, petit frère ?

– J'étais laboureur.

– Alors, tu laboureras, et logeras avec les laboureurs. Et que sais-tu encore ?

– Je sais qu'à Tabennèse, les paroles des anciens sont réunies en de vastes recueils, et que l'enseignement des maîtres spirituels est accessible même à un pauvre paysan comme moi.

– Seul le silence est parole, petit frère.

– Ces recueils sont des images et des récits saisissants, père... Et ils me feront connaître les Évangiles.

L'anachorète reprend sa mystérieuse ascèse de silence. Le jeune homme reprend le fil de ses pensées.

La nuit s'efface déjà. L'aube point. Le jeune homme, une fois encore, quête la sagesse du vieil homme.

– Mais, père, au moins à Tabennèse ne quitterai-je pas le désert...

> *Tu ne seras plus seul pour chercher Dieu, petit frère.*

– Rien d'autre ne compte que de brûler d'amour, petit frère. Rien ne compte que de brûler au désert pour brûler d'amour.

Le vieil homme prend son bâton, se lève. L'adolescent aussi ; il suit son guide entre les pierres qui, déjà, chauffent à blanc.

Comme lui, ils seront bientôt des dizaines à rejoindre Pacôme, hommes, puis femmes, dans les neufs monastères qu'il fonde en Palestine, à Chypre, en Syrie et en Asie Mineure (entre 340 et 350), en Italie et en Gaule (entre 340 et 360). Le dynamisme puissant du monachisme va innerver la chrétienté et la transformer. Mais pour ces deux hommes ceci appartient au silence de l'avenir que seul Dieu entend.

SOURCES : Athanase d'Alexandrie, *VIE ET CONDUITE DE NOTRE PÈRE SAINT ANTOINE*. L. Boyer, *LA VIE DE SAINT ANTOINE. ESSAI SUR LA SPIRITUALITÉ DU MONACHISME PRIMITIF*, Abbaye de Bellefontaine, 1977. P. Deseille, *L'ESPRIT DU MONACHISME PACÔMIEN*, Abbaye de Bellefontaine, 1968. G.-M. Oury, *LES MOINES*, Paris, 1987. D.-J. Chitty, *ET LE DÉSERT DEVINT UNE CITÉ... UNE INTRODUCTION À L'ÉTUDE DU MONACHISME ÉGYPTIEN ET PALESTINIEN DANS L'EMPIRE CHRÉTIEN*, Abbaye de Bellefontaine, 1980.

# LA BATAILLE DU PONT MILVIUS

## *OU COMMENT UN EMPEREUR ROMAIN*
## *PLAÇA SON EMPIRE SOUS LA PROTECTION*
## *DU CHRIST*

**• 18**
**JAN •**

DANS UN TEMPLE GAULOIS D'APOLLON, À GRAND, CHEZ LES LEUQUES, EN 310, Constantin, fils de l'empereur Constance Chlore, rêve. Il voit le dieu Apollon, accompagné de la Victoire, lui offrir des couronnes de laurier dont chacune lui apporte le présage de trente années de gloire.

À près de quarante ans, Constantin est un homme vigoureux. C'est un meneur d'hommes et un stratège hardi. Devant sa cour, il aime éblouir. Son ambition est démesurée, mais il a aussi un sens élevé de sa mission. S'il ne veut pas partager le pouvoir, c'est qu'il se fait de son devoir une haute idée. Mystique, il se sent dès son accession à l'empire nanti d'une sorte de protection divine.

Constantin est alors en guerre contre Maxence. L'enjeu de l'affrontement : devenir seul maître du pouvoir impérial en Occident, et manifestement Constantin croit en son étoile. Pendant l'été 312, le conflit a pris un tour aigu. Constantin est à Trèves et Maxence à Rome, où il se débat dans les difficultés fiscales et sociales. Constantin, à la tête de quarante mille soldats germains et bretons, considère que

son heure est venue. Il franchit le col du mont Genèvre, gagne Suse et fond sur Vérone. Rien ne lui résiste. Maxence s'inquiète enfin et envoie son armée au nord de Rome, pour tenir les débouchés de la Cassia et de la Flaminia, ainsi que le pont Milvius, en arrière duquel il a établi ses retranchements. La bataille sera décisive. Constantin garde toujours à l'esprit la prophétie d'Apollon. Il se persuade qu'il sera vainqueur. L'angoisse cependant l'étreint et trouble son sommeil. C'est alors qu'il fait un nouveau rêve.

Le songe l'avertit de graver sur les boucliers le signe céleste de Dieu, le signe du Christ, avant d'engager ainsi le combat. L'injonction est claire : « *Toutô nika* » – « Par ce signe tu vaincras ». Constantin fait graver le « chrisme » sur son bouclier. Le lendemain, l'armée de Maxence est défaite, et Maxence précipité dans le Tibre. Constantin est bouleversé. Il en est certain : c'est bien au Christ rédempteur qu'il doit la victoire. Et pour l'affirmer à la face des hommes, il fera reproduire le signe du Christ sur son étendard au lendemain de sa victoire.

Il n'est pas certain que le « chrisme » figure dans la main de l'empereur sur la statue colossale édifiée à Rome quelques mois plus tard. Mais déjà les monnaies de l'empire sont frappées du « chrisme », le signe de la victoire. Et sur l'arc de triomphe, Constantin fait graver une dédicace qui affirme que la protection du Dieu des chrétiens a fait de lui le maître de l'Occident.

Dès l'année suivante, les fruits de la conversion commencent à germer. En 313, en effet, Constantin s'entend avec Licinius, son *alter ego* d'Orient, pour promulguer l'édit de Milan, selon lequel chacun « *peut adorer à sa manière la divinité qui se trouve dans le ciel* ». Cet édit de tolérance, qui n'interdit pas le paganisme mais érige le christianisme au même niveau que lui dans l'État, est à l'image de l'évolution personnelle de Constantin. La conversion de l'empereur, en effet, ne se présente pas comme une rupture mais plutôt comme une affirmation qui éclipse les autres. Sans doute faut-il voir là le fruit de son intelligence aiguë des gens et des choses, en même temps que la conséquence d'une certitude de foi qui, certes, s'est imposée à lui avec force, mais qui a besoin de temps pour faire son chemin

> *Le temps de la grâce commence à Milvius.*

dans son être. On sait que Constantin ne recevra le baptême que sur son lit de mort.

Pour l'empire, en tout cas, le temps de la grâce commence à Milvius. À partir de 312, Constantin favorise l'Église. Dès 315, il adopte l'insigne chrétien dans les représentations officielles. En 325, il préside à Nicée le premier concile œcuménique. Et s'il ne fut pas lui-même indemne d'influences ariennes, ce concile qui condamna l'hérésie d'Arius reste attaché à son nom... En 330, l'empereur fera de Constantinople, ville nouvelle créée de rien, la capitale chrétienne de l'empire, reconstitué dans son unité de l'Orient à l'Occident. Et quand il meurt, en 337, ses successeurs ont beau se déchirer et le paganisme renaître pour un temps de ses cendres, rien ne sera plus jamais comme avant. Sous Théodose, la fin du IVe siècle verra la gloire chrétienne, et Constantinople deviendra la splendide et chrétienne Byzance pour plus de mille ans. Or, c'est bien l'acceptation éblouie du « signe » par Constantin, une nuit près du pont de Milvius, qui ouvre l'avenir chrétien de l'empire.

SOURCES : Eusèbe de Césarée, *VIE DE CONSTANTIN*, t. I, 27-32. Lactance, *DE LA MORT DES PERSÉCUTEURS*, 44. Zosime, *HISTOIRE NOUVELLE*, t. II, 29. « La vision païenne de Constantin (310) », in *PANÉGYRIQUES LATINS*, VII (6), 21. J. Moreau, « Sur la vision de Constantin », in *REVUE DES ÉTUDES ANCIENNES*, n° 55, 1953. A. Chastagnol, *LE BAS-EMPIRE*, Paris, 1969.

# LACTANCE

## *DE L'AMOUR DE LA SAGESSE*
## *À L'AMOUR DU CHRIST*

• **19 JAN** • DANS LE PALAIS DE CONSTANTIN, À TRÈVES, CRISPUS, LE JEUNE FILS DE L'EMPEREUR, apprend sa leçon sous l'œil attentif de son précepteur, Lactance. Un délicieux rayon de soleil illumine l'atrium. Crispus soupire, s'amuse à faire glisser ses sandales sur le marbre frais, tout en en regardant avec envie l'atrium. Pourquoi faut-il absolument que son précepteur lui fasse apprendre ces maudits passages de Cicéron ? Ne vaudrait-il pas mieux qu'il apprenne à se battre pour pouvoir écraser ses futurs ennemis, comme l'a fait son très auguste père ? D'un geste impitoyable, Crispus pourfend d'un coup de stylet la mouche qui ose venir l'importuner depuis de longues minutes. Un sourire satisfait illumine le visage du jeune vainqueur. Un rapide coup d'œil vers son maître, visiblement perdu dans ses pensées, un autre vers l'atrium…

– Jeune homme, cessez de rêvasser et reprenez la lecture de l'ouvrage de notre grand Cicéron. Vous ne sortirez pas avant de vous en être imprégné !

Crispus sursaute et coule un regard mauvais vers l'homme aux tempes grisonnantes.

– Maître, je n'en peux plus, gémit l'adolescent. Ne pouvons-nous pas finir la leçon dans l'atrium ? Et pourquoi faut-il toujours étudier Cicéron ?

– Parce que Cicéron est le maître, jeune écervelé ! Un philosophe inestimable ! Mais, rassurez-vous, bientôt nous lirons Sénèque, Épicure et Virgile.

– Encore des philosophes ! Moi, j'aurais bien aimé lire *La Guerre des Gaules* de Jules César ! riposte l'adolescent, les joues en feu, le regard déjà fixé sur ses futures conquêtes. Et puis, reprend-il, perfide, ce sont tous des philosophes qui sacrifiaient aux dieux de l'empire… N'êtes-vous pas chrétien, maître ?

– Mon jeune ami, je vois que lorsque votre père, le très auguste César, m'a confié votre éducation, il a omis de préciser que vous aviez un pois chiche dans la tête… et non sur le nez comme le grand Cicéron. C'est d'ailleurs cette verrue qui lui a valu son surnom (*cicero* signifie « pois chiche » en latin).

Crispus rougit sous l'affront et attend, penaud, la fin de la tirade de son précepteur.

– Comme votre père vous l'a expliqué, je suis chrétien. Je suis aussi maître de rhétorique. J'enseignais déjà en Afrique, avant d'avoir une chaire à Nicomédie. Ce nom vous dit quelque chose, je suppose...

– Bien sûr, maître ! C'était la ville où Dioclétien, qui régnait sur la partie orientale de l'empire, gardait mon père en otage, n'est-ce pas ?

– En effet, il pouvait ainsi s'assurer la fidélité de l'autre empereur, votre aïeul Constance Chlore. C'est là que j'ai rencontré votre père... Et puis, comme je professe le Christ, j'ai dû fuir la ville au cours de cette terrible année 303. Ainsi, j'ai tout quitté, pendant dix ans ! Mais, grâce à Dieu, votre père a remporté cette victoire éclatante sur Maxence, il y a cinq ans. Il règne ainsi sur tout l'empire d'Occident. Il m'a fait appeler auprès de lui pour m'occuper de vous... Ce que je fais avec joie car j'estime votre père et lui dois la vie sauve. Grâce à lui, mes frères dans le Christ ne sont plus menacés. Comme vous le savez, il a conclu à Milan, en 313, un accord avec Licinius, l'empereur d'Orient, pour que cessent les persécutions. Désormais, nous pouvons librement exercer notre culte et nos biens nous ont été restitués.

– On vous rend vos biens ? Mais... Ceux qui les ont achetés depuis qu'ils ont été saisis, vont-ils être dédommagés ? Ce serait injuste de leur prendre leur bien !

Lactance sourit devant tant de candeur et de passion. Visiblement, ses leçons portent leur fruit : voilà que cet enfant se soucie de justice !

– Vous avez raison de vous soucier de l'équité des lois, mon jeune ami. Ceux qui rendront spontanément ces biens seront indemnisés, les autres n'auront rien. Mais ce n'est pas cela qui importe le plus, Crispus. Nous allons enfin pouvoir témoigner ! Tous comprendront que ce que le Christ a enseigné est plus grand que ce qu'ont pu dire les grands philosophes, les plus grands savants de tous les temps...

– Même Cicéron ? Alors pourquoi l'étudier ? demande malicieusement le jeune garçon.

– C'est justement ce que je voulais vous expliquer. La vérité chrétienne, il est vrai, surpasse et achève la vérité profane. La vérité du Christ est si belle, si grande que notre raison humaine est bien trop limitée pour la comprendre. Cependant, il existe dans les écrits de nombreux philosophes des fragments de cette vérité. Tous ont compris que l'homme était un être d'exception. Si j'insiste pour que vous lisiez Cicéron, c'est parce qu'il défend l'idée de la dignité de l'homme. Savez-vous qu'il condamne très fermement l'oppression du faible par le fort ? Pourtant, il ne savait pas que le Christ dirait : « *Ce que vous faites au plus petit d'entre les miens, c'est à moi que vous le faites.* » Gardez cela à l'esprit, mon jeune ami, lorsque vous aurez le pouvoir sur des hommes, et non plus seulement sur des mouches !

> *Vous avez raison de vous soucier de l'équité des lois, mon jeune ami.*

Le jeune garçon sourit tandis que le maître s'empare des textes de Cicéron.

– La leçon est terminée pour aujourd'hui. Je crois que votre petite tête doit méditer cela avant de poursuivre la lecture... Surtout n'oubliez pas ce précepte essentiel : « *Ayez l'esprit d'équité et de bonté, et la justice que vous recherchez viendra elle-même à vous.* » Allez, filez maintenant.

SOURCES : Lactance, *LA MORT DES PERSÉCUTEURS*, 48. Eusèbe de Césarée, *HISTOIRE ECCLÉSIASTIQUE*, X, 5, 1-13. O. Seeck, *GESCHICHTE DES UNTERGANGS DER ANTIKEN WELT*, t. I, Berlin, 1920-1921.

# HÉLÈNE EN TERRE SAINTE

## *OU COMMENT LA MÈRE DE L'EMPEREUR CONSTANTIN RETROUVA LA VRAIE CROIX DU CHRIST*

• **20 JAN** •

ENFIN, LE JOUR DU DÉPART EST ARRIVÉ ! PENDANT DES SEMAINES, LES RUMEURS LES PLUS FOLLES s'étaient répandues dans la ville de Rome à propos du voyage d'Hélène en Terre sainte. Les commentaires allaient bon train et nombreux étaient ceux qui avaient voulu dissuader Hélène de partir : était-ce bien raisonnable, à près de quatre-vingts ans, d'entreprendre un si lointain voyage, qui plus est plein de périls ? Fallait-il vraiment priver son fils, l'empereur Constantin, et ses petits-fils de ses conseils et de l'affectueuse vigilance qu'elle pouvait encore leur apporter au soir de sa vie ? D'autres s'étaient étonnés et ne comprenaient pas pourquoi elle ne jouissait pas tout simplement des biens et des richesses que l'empire mettait à sa disposition depuis que son fils l'avait rappelée auprès de lui, en 306. Enfin, son titre d'Augusta et son effigie frappée sur les monnaies ne lui conféraient-ils pas un prestige remarquable, envié de tous, symbole de l'éclatante victoire de sa vie ?

Hélène, bien sûr, s'est posé toutes ces questions – et bien d'autres encore ! –, mais aujourd'hui, il n'est plus temps d'y songer. En ce début d'hiver 326, après les derniers adieux à ses proches et alors que le cortège s'ébranle dans un joyeux brouhaha, un ciel bleu et limpide vient couronner la joie profonde qui l'habite à l'idée de fouler bientôt la Terre sainte et de mettre ses pas dans ceux de son Seigneur !

D'origine modeste – son père était garçon d'écurie dans la province de Bithynie (l'actuelle Turquie) –, la jeune Hélène avait été remarquée par le tribun Constance Chlore qui l'avait épousée. Constantin était né de cette union, mais Hélène fut répudiée et Constance Chlore épousa – pour des raisons d'État – Théodora, la fille de l'Auguste Maximien. Un an après la mort de son père, en 305, Constantin, très attaché à sa mère, la rappela auprès de lui, à la cour, et mit à sa disposition le fabuleux trésor de l'État. Dès lors, Hélène, récemment convertie au christianisme, n'eut de cesse d'employer ses ressources à propager l'esprit évangélique auprès de ses contemporains. Sa haute position lui imposait – plus qu'à d'autres – l'exigence de l'humilité et de la charité. Soulager la misère des uns, écouter les doléances des autres, intervenir auprès de diplomates pour rendre plus humaines les conditions de vie des prisonniers, distribuer sans compter blé, vêtements, or, argent... telle est la tâche dont s'acquitte, avec ferveur, la pieuse Hélène.

En se rendant en Terre sainte, elle entend bien honorer et restaurer la gloire des Lieux saints. Ne leur doit-elle pas sa renaissance ? Elle a lu comme un puissant signe de la Providence son rappel à la cour, qui a coïncidé avec sa conversion chrétienne. En 327, à peine débarquée en Palestine, Hélène entreprend de mettre au jour les Lieux saints. Le Golgotha et le Saint-Sépulcre, enfouis sous le temple bâti sous Hadrien en l'honneur de Vénus, sont ainsi exhumés. On raconte qu'Hélène a enquêté parmi les chrétiens et les juifs, et que tous en ont confirmé l'emplacement. Près du tombeau, elle découvre, dans une citerne, trois croix, un écriteau et des clous. Pour Hélène, le doute n'est pas permis, il s'agit bien des instruments de la Passion du Christ. D'ailleurs, une femme malade n'a-t-elle pas recouvré la santé au contact de l'une des trois croix ? S'il fallait une preuve, la voilà.

Hélène loue alors le Seigneur avec plus de ferveur que jamais. Ses prières les plus secrètes sont exaucées ; la vraie Croix est découverte. L'église de la Résurrection peut désormais être érigée...

> *Il s'agit bien des instruments de la Passion du Christ.*

De l'un des clous, Hélène fait faire un mors destiné au cheval de son fils ; quant à l'autre, elle le fait enchâsser dans le diadème impérial. Par ce geste symbolique, Hélène place l'Empire et son fils sous la protection de Dieu.

Le séjour, de courte durée, permet cependant la construction d'importants édifices, parmi lesquels deux basiliques : l'une au sommet du mont des Oliviers, en l'honneur de l'Ascension, l'autre à Bethléem, sur la grotte de la Nativité. Hélène puise alors largement dans le trésor de l'empire pour orner d'or, d'argent et de tentures précieuses des monuments splendides destinés à recueillir les précieuses reliques. Elle peut repartir vers Rome, l'âme en paix.

Le pèlerinage d'Hélène en Terre sainte marque aussi la fin de son pèlerinage sur la terre. Juste après son retour, sa santé décline. Sans doute meurt-elle à Constantinople vers 330. Son corps est transporté à Rome. Très rapidement, le culte de sainte Hélène se répand aussi bien en Orient qu'en Occident. Le mouvement qu'elle a initié ne s'éteindra plus, après elle, des milliers de pèlerins iront, souvent en courant de grands risques, se recueillir sur les lieux même de la vie du Christ.

SOURCES : J. Maurice, SAINTE HÉLÈNE, Paris, 1930. Hunt, HOLY LAND PILGRIMAGE IN THE LATER ROMAN EMPIRE AD 312-460, Oxford, 1984. J. Chélini et H. Branthomme, LES CHEMINS DE DIEU, HISTOIRE DES PÈLERINAGES CHRÉTIENS DES ORIGINES À NOS JOURS, Paris, 1982.

# LE PREMIER CONCILE DE NICÉE
## *QUI DONC EST DIEU ?*

**• 21 JAN •**

QUAND LA NOUVELLE DE LA CONDAMNATION D'ARIUS PARVINT EN ÉGYPTE, tout un quartier d'Alexandrie, celui du port, fut consterné. Arius excommunié et mis au ban de l'Empire lors d'un concile tenu à Nicée en 325 ! Un prêtre si savant et si zélé ! Il avait étudié à Antioche, avant d'être nommé responsable de ce quartier en qualité de simple prêtre... Son enseignement avait frappé les esprits, et sa pastorale également. N'avait-il pas eu l'idée de mettre en chansons l'essentiel de son enseignement ? Des marins les chantaient en déchargeant les bateaux. Certains chrétiens, toutefois, ne partageaient pas cet enthousiasme. Ils estimaient que la doctrine d'Arius était contraire à la foi catholique. Alexandre, l'évêque d'Alexandrie, finit par le chasser de la ville. Mais Arius, réfugié à Nicomédie, la capitale, en profita pour continuer à répandre ses idées nouvelles. Le désordre grandissait. L'empereur Constantin, récemment converti, se vit obligé d'intervenir. Il décida de réunir, fait sans précédent, les évêques de tout l'empire (l'*Oikouménè*) pour mettre fin à ces errances et rétablir l'unité entre les chrétiens. Ce fut le premier concile *œcuménique*, celui de Nicée.

Pour ou contre Arius ? Les discussions vont bon train à travers tout l'Orient. Deux visions du monde viennent en fait d'entrer en conflit sur la place publique et les chrétiens se passionnent. Deux théologies s'opposent, dont l'une – celle d'Arius, l'arianisme – met en cause un point fondamental de la foi reçue des Apôtres : la nature même du Christ.

Tout le monde était bien d'accord pour reconnaître le rôle central du Christ dans la foi et dans le culte des chrétiens. Tout le monde admettait avec la même conviction qu'il n'y avait qu'un seul Dieu. Mais alors, comment reconnaître la divinité du Christ sans risquer d'adorer deux dieux ?

Arius prenait très au sérieux les hautes exigences de ceux qui défendaient la thèse du Dieu unique : l'Église, les juifs bien sûr, « monothéistes » par définition, mais aussi certains penseurs païens. Ceux-ci n'ignoraient pas qu'au-dessus de tous les dieux vénérés dans l'empire il fallait admettre, au sommet de la pyramide, un principe unique, indépassable, clef de voûte de tout l'ensemble. Pour Arius, le Dieu de la foi devait être aussi transcendant que le

« Premier Principe » des philosophes. Il fallait éviter de compromettre le vrai Dieu dans les affaires des hommes, comme le faisaient malheureusement trop de chrétiens mal formés. Il suffisait de repenser la théologie du Fils de Dieu, en le plaçant entre Dieu et toute la Création.

Au sommet de la pyramide des êtres, Arius pose donc le Dieu Unique, le seul vrai Dieu, le seul sans commencement, le seul sage, le seul bon. Ayant décidé, dans sa bonté, de faire venir à l'existence d'autres êtres que lui-même, ce Dieu s'était heurté à la distance infinie qui le sépare de tout ce qui n'est pas lui. Jamais aucune créature n'aurait pu avoir de contact avec lui, ni supporter directement « *la main nue de Dieu* ». Et voilà l'occasion de faire entrer en scène le Fils ! Selon Arius, Dieu a commencé par créer le Fils, une créature hors du commun – moins grande que Dieu, mais au-dessus des hommes – par laquelle tout sera créé. Arius fonde alors sa théologie sur l'Écriture, citant un verset du Prologue de saint Jean : « *Tout a été fait par lui (le Fils)* » (Jn 1, 3).

Arius a certes le mérite de défendre une très haute idée de Dieu. Il existe cependant dans sa théologie un point qui s'oppose manifestement à la foi traditionnelle des chrétiens. Arius confesse un Dieu qui ressemble comme un frère au Dieu tel que l'imagine la pensée humaine : un Dieu au-dessus de tout, sans égal, et qui n'existe que par lui-même. Le Dieu d'Arius est un Dieu lointain, un Dieu détaché de tout, il est Dieu *en tant que Dieu*. C'est sur ce point précis que le concile de Nicée a réagi.

Le Dieu de Nicée, en revanche, est un Dieu qui ne va pas sans le Fils, il n'est Dieu qu'*en tant que Père*. Et cela change tout ! De toujours à toujours, ayant un Fils, il est Père et donc, de toute éternité, il est un Dieu qui n'est pas seul, mais un Dieu qui aime et qui est dans la joie, comme le dit le livre des Proverbes (Pr 8, 30). Étant Père, il est un Dieu en relation, ouvert sur un Autre, et cet Autre, son Fils, il l'engendre égal en tout à lui-même, un avec lui, de même nature que lui : le Christ « *est Dieu né de Dieu, Lumière née de la Lumière, vrai Dieu né du vrai Dieu, engendré, non pas créé, de même nature que le Père et par lui tout a été fait* ».

Une difficulté de taille subsistait cependant. Si le Christ est Dieu comme le Père, les chrétiens n'adorent-ils pas deux dieux ? C'est en répondant à cette question que les pères réunis en concile à Nicée commencent à mettre en place une nouvelle notion : celle de *personne*, distinguée de celle de *nature*. Si on demande *ce que* sont le Père et le Fils, on répond : ils sont *Dieu* l'un et l'autre, et donc un seul Dieu (une unique nature concrète). Mais on peut également poser la question : *qui* sont-ils ? Et là il faut répondre : ils sont *Père* et *Fils*, et donc deux personnes. À partir de deux mots qui vont toujours ensemble, les mots *Père* et *Fils*, une découverte de grande importance a vu le jour à Nicée. Les *individus*

*Si le Christ est Dieu comme le Père, les chrétiens n'adorent-ils pas deux dieux ?*

se comptent parce qu'ils ont tous quelque chose de commun entre eux, la personne *brille* par ce qu'elle a d'unique. Elle attire l'attention sur ce qui fait de chaque homme un sujet irremplaçable. Comme tout chrétien croit que chaque personne humaine est créée à l'image des personnes divines – en particulier celle du Fils –, cette notion de personne constitue alors le fondement même de la dignité de l'homme. Depuis Nicée, petite ville située à l'est de la mer de Marmara, cette idée fera peu à peu son chemin dans le monde, sous la forme des droits de la personne humaine.

> *Cette notion de personne constitue alors le fondement même de la dignité de l'homme.*

La déclaration adoptée au concile de Nicée, le « symbole de Nicée », ne s'imposa pas du jour au lendemain. Suivit une longue période agitée de vives controverses où la tendance « arianisante » continuait à s'affirmer. Pour maintenir le point de vue d'Arius tout en acceptant le symbole de Nicée, certains esprits imaginèrent une solution inattendue. Le concile avait affirmé que le Fils était vrai Dieu : par là, il l'avait en quelque sorte rendu au Père. Mais dans ce cas, le Fils n'était plus là pour jeter un pont au-dessus de l'abîme que l'on imaginait entre le Père et les hommes. Certains chrétiens d'Égypte, puis de Cappadoce – l'actuelle Turquie – eurent alors l'idée de se tourner vers l'Esprit Saint, dont le nom figurait en troisième position dans la formule du baptême. À l'Esprit de jouer ce rôle de pont au-dessus de l'abîme ! Comme le Fils chez Arius, c'est l'Esprit Saint qui chez ces déviants sert d'intermédiaire créé, créature hors du commun à mi-chemin entre le Père et les hommes...

Mais cette variante de l'arianisme échoua elle aussi. Pour les pères de cette époque, il était évident que la vie divine qui vient du Père par le Fils est donnée dans l'Esprit Saint. Par la présence transformante de cet Esprit qui introduit dans la vie du Christ, l'homme est mis en contact avec le Père. Mais si l'Esprit n'est pas Dieu, comment pourrait-il y avoir contact ? Comment le Père pourrait-il se donner à l'homme en l'Esprit Saint ? Comment l'homme pourrait-il être fait fils et divinisé par lui ? « *S'il divinise, nul doute qu'il est Dieu* » dit saint Athanase à son propos. L'hérésie contre l'Esprit Saint fut donc condamnée elle aussi en 381, lors du deuxième concile œcuménique, Constantinople I.

Un nouveau *credo* fut composé pour compléter celui de Nicée. Le paragraphe rédigé pour l'occasion est remarquable. Il évite toute formule abstraite pour parler de l'Esprit Saint. En se référant à la vie des chrétiens, à un verset de saint Jean et à la prière de l'Église, le concile affirme simplement : « *L'Esprit Saint est Seigneur et il donne la vie, il procède du Père* (cf. Jn 15, 26), *avec le Père et le Fils il reçoit même adoration et même gloire...* »

Si l'Esprit Saint est adoré avec le Père et le Fils, non seulement, il est Dieu comme eux, mais encore il est, comme eux, une *personne*, une personne divine...

La liturgie proclame aujourd'hui le symbole de Nicée-Constantinople avec une addition : « Il procède du Père *et du Fils*. » Cette formule – le *filioque* –, apparue au IVe siècle, n'a été officiellement reconnue en Occident que beaucoup plus tard, par les conciles du Latran IV (1215) et de Florence (1439).

SOURCES : Athanase d'Alexandrie, *APOLOGIE CONTRE LES ARIENS*. Eusèbe de Césarée, *VIE DE CONSTANTIN*. Socrate, *HISTOIRE ECCLÉSIASTIQUE*, t. I, 8. I. Ortiz de Urbina, *NICÉE ET CONSTANTINOPLE*, Paris, 1963. P.-Th. Camelot et P. Maraval, *LES CONCILES ŒCUMÉNIQUES*, t. I, Paris, 1988. E. Boularand, *L'HÉRÉSIE D'ARIUS ET LA « FOI » DE NICÉE*, Paris, 1972.

# LA BASILIQUE
# SAINT-PIERRE DE ROME
### *TU ES PIERRE ET SUR CETTE PIERRE,*
### *JE BÂTIRAI MON ÉGLISE*

**• 22 JAN •**

EN L'AN 330, À ROME. SUR LA COLLINE VATICANE, LES TRAVAUX VONT BON TRAIN. Et pourtant ! L'entreprise n'est guère facile. Il y a bien sûr les immenses difficultés de terrassement, puisque l'empereur Constantin a décidé, contre toute logique, d'entailler la colline pour faire construire sa basilique. Mais ce n'est pas ce qui attire les foules et qui suscite leur colère. On va détruire la nécropole qui couvre la colline, on va violer les tombes de leurs ancêtres ! Une foule nombreuse s'agglutine autour des ouvriers et du maître de chantier. Les curieux se bousculent. Les questions fusent :

— Et nos morts, alors ? Vous êtes en train de les déterrer ? Sacrilège ! Qui va les honorer, maintenant que leurs tombes sont détruites ?

— Creuser ici, c'est une violation de sépulture. C'est contraire à la loi !

— C'est vrai, renchérit un troisième. Le droit l'affirme : en cas de destruction des sépultures, des précautions sont exigées et Constantin lui-même est très sévère à cet égard. Et voilà qu'il fait le contraire de ce qu'il dit !

Un chrétien se manifeste timidement :

— Et l'Apôtre Pierre ? Est-ce vrai qu'il repose ici ?

— Mais bien sûr, c'est évident ! s'exclame un autre, enthousiaste. Pourquoi l'empereur aurait-il choisi ce site, ordonné des travaux si considérables pour édifier un tel monument, à mi-pente sur la colline ?

La foule païenne s'enflamme :

— C'est insensé ! L'empereur fait les quatre volontés des chrétiens ! Pourquoi a-t-il ordonné la construction de cette basilique, à l'endroit même où reposent nos morts !

Un chrétien sourit :

— *Pierre, tu es Pierre, et sur cette pierre, je bâtirai mon Église.* Construire une église ici, c'est la volonté du Christ, pas celle de l'empereur, ni même des chrétiens !

En cette année 330, Constantin a décidé, envers et contre tout, d'honorer la mémoire du premier Apôtre. À cette époque, l'exemple de Pierre reste bien vivant dans les esprits et son martyre est incontestablement l'un des ciments de la communauté chrétienne. Pourquoi avoir choisi cet emplacement, pourquoi ces travaux gigantesques pour édifier le sanctuaire ? Constantin s'est montré inflexible. Ce sera sur la colline vaticane, au-dessus du lieu où la tradition fait reposer le corps de Pierre et nulle part ailleurs.

Le maître du chantier ne sait plus où donner de la tête. Cette foule de badauds furieux empêche ses ouvriers de travailler. Il pourrait leur répondre que Constantin, l'empereur tout puissant, vient juste d'accorder la liberté de culte aux chrétiens, que sa décision de construction est dans la droite ligne de sa politique religieuse. Mais devant toute cette agitation, il ne sait plus que faire.

À côté du maître de chantier embarrassé, un ouvrier chrétien sourit. Il sait, lui, que la tombe de l'Apôtre Pierre est bien là, sous leurs pieds. Enfin, il n'en est pas tout à fait sûr... Cette tombe, personne ne sait réellement si elle est là ! Mais, lui, il le croit. Car, dans la famille de cet homme, la mémoire de Pierre est présente depuis plusieurs générations et il a toujours entendu dire que, même au temps des pires persécutions, les chrétiens sont venus se recueillir là et ont protégé sa tombe.

– Et cette église, demande un passant, à quoi va-t-elle ressembler ?

– Pour ça, je peux vous répondre, s'écrit le maître de chantier. C'est mon domaine ! La basilique aura cinq nefs. Elle sera longue d'au moins 370 pieds (123 mètres) et large de 197 pieds (65 mètres). Le transept fera presque 273 pieds (90 mètres) !

– Et la tombe de Pierre, où sera-t-elle ?

– Elle reste là où elle est ! Elle ne bouge pas. Elle sera au centre. C'est le pivot de tout l'édifice ! On va lui construire un abri en marbre, dans lequel on fera une ouverture qui regardera vers l'Orient. En entrant dans la basilique, il faut que chacun se sente littéralement attiré par le monument de Pierre.

– Mais pourquoi une telle ampleur dans les dimensions ?

– On attend une foule immense de pèlerins. Il faudra bien les accueillir ! Constantin veut que la tombe de Pierre soit un monument royal, digne de sa mission et de son martyre. Il faut que cette basilique devienne un grand sanctuaire public, offert à la dévotion de tous les Romains.

Un noble patriarche romain intervient :

– Vous ne me ferez jamais croire tout cela ! Je vais vous dire, moi, pourquoi Constantin entreprend ces travaux démesurés : c'est pour lui-même ! L'ambition le dévore !

– Peut-être, rétorque un autre, mais voilà un acte tout à l'honneur de l'Église et de la foi.

– Pierre et Rome... murmure l'ouvrier chrétien. C'est cela l'Église du Christ...

> *Et la tombe de Pierre, où sera-t-elle ?*

Sources : *Actes du XIᵉ Congrès international d'archéologie chrétienne à Lyon, Vienne, Grenoble, Genève et Aoste* (21-28 septembre 1986), Cité du Vatican-Rome, 1989. B.-M. Apolloni-Ghetti, H. Brandenburg, *Roms frühchristliche Basiliken des 4. Jahrhunderts*, Munich, 1979. L. Duchesne, *Histoire ancienne de l'Église*, t. II et III, Paris, 1910-1924.

# EUSÈBE DE CÉSARÉE
## *L'ART DU COMPROMIS POUR INVENTER*
### *LA PAIX*

**23 JAN** •

— ARIUS EST ICI, À CÉSARÉE ! LA RUMEUR SE RÉPAND COMME UNE TRAÎNÉE DE POUDRE parmi les chrétiens.

— Et il paraît qu'Eusèbe l'a reçu.

— Cet hérétique ? Chez notre évêque ?

— Si Eusèbe le reçoit, c'est qu'il n'est pas si hérétique que cela.

Eh bien, si, Arius, prêtre et brillant prédicateur d'Alexandrie est bel et bien hérétique, le concile d'Alexandrie qui s'est réuni en 314 l'a fort justement condamné et excommunié. Il faut dire qu'Arius et ses partisans bouleversent les dogmes. À force de vouloir sauvegarder l'originalité et les privilèges du Père au sein de la Trinité, ils proclament la non-divinité du Fils.

Pourtant, Eusèbe lui ouvre sa porte. Les raisons de ce geste ? Les devoirs de l'amitié d'abord, ceux de l'hospitalité ensuite. Logique de la charité fraternelle, ouverture intellectuelle à la diversité des doctrines, pour Eusèbe l'accueil du proscrit va de soi.

Il est vrai aussi qu'Eusèbe a souffert en son temps de rumeurs peu flatteuses. Il ne l'a pas oublié. Lorsque la grande persécution de Dioclétien éclata en 303, beaucoup de chrétiens furent arrêtés, certains subirent la torture et la mort. S'il fut incarcéré en Égypte pendant cette période, sa captivité fut brève et assez douce. Relative immunité qui étonna ses adversaires. Le soupçon était injuste. Pourtant, Eusèbe en gardait encore un goût amer dans la bouche. Et malgré lui, les arguments de sa défense revenaient. S'il s'était compromis, aurait-il été choisi comme évêque par les chrétiens de Césarée, qui l'avaient bien connu pendant les années tragiques ? Il avait d'ailleurs flétri en termes énergiques les défections auxquelles il avait assisté. Et n'endura-t-il pas un véritable calvaire, quand son maître tant aimé, Pamphile, illustre phénicien d'une érudition étonnante, et prêtre comme lui, fut arrêté en 307 ? Il rédigea même avec Pamphile qui était en prison, les cinq premiers livres de *l'Apologie pour Origène*, qu'il dut achever seul quand son maître et ami mourut décapité en 309.

Sans doute est-ce un peu pour cela qu'Eusèbe reçoit Arius. Au fond, Eusèbe n'aime pas les jugements, les anathèmes. Il aime la paix, la conciliation, il préfère comprendre, expliquer, discuter plutôt que condamner. D'une famille de condition modeste, il a reçu sa première éducation religieuse durant « la petite paix de l'Église », époque de tolérance instaurée par l'édit de Gallien mettant fin, en 260, à la persécution de Valérien. Le nombre des chrétiens s'accroît alors dans toutes les catégories sociales de l'empire, et les structures ecclésiales se confondent de plus en plus avec celles de la société civile, tandis que le rôle des évêques va grandissant. Agapius, évêque de Césarée, modèle de vertu pour son peuple, conduit Eusèbe jusqu'à la prêtrise. Il est attiré par la philologie et l'exégèse sacrées. C'est à ce moment qu'il rencontre Pamphile. Il l'assiste notamment dans la réorganisation de la bibliothèque de Césarée, fondée par Origène, et dans une activité essentielle : la fixation du texte biblique.

Ses studieuses recherches l'amènent à voyager, à Antioche, à Jérusalem, avec plus ou moins de difficultés en raison des circonstances. Au moment des jours sombres de la persécution de Dioclétien, en dépit du danger, Eusèbe continue cependant ses études à Tyr, en Thébaïde. Témoin des pires atrocités, il accuse la violente propagande antichrétienne déchaînée par des philosophes, comme Porphyre, et par de hauts fonctionnaires, comme Hiéroclès, le gouverneur de Bithynie. Il dénonce les diverses expressions de la renaissance du paganisme : la philosophie, la gnose, l'hermétisme, le néo-platonisme. Il rédige nombre d'œuvres apologétiques, il rivalise avec les érudits païens par son style et la rigueur de ses arguments.

> *Il accuse la violente propagande antichrétienne déchaînée par des philosophes.*

En 311, les édits de persécution sont suspendus en Orient, avant que la victoire de l'empereur Constantin au pont Milvius n'accorde au christianisme une reconnaissance légale. Dans la force de l'âge, Eusèbe devient le successeur de son maître Agapius au siège épiscopal de Césarée.

L'urgence fait du nouvel évêque le premier véritable historien de l'Église ; connaître, présenter et réfuter les doctrines erronées le conduit à une prudence d'analyse, à une distance et à un esprit d'ouverture qui ne le quitteront plus. Savant mais pasteur, Eusèbe de Césarée étend sa sagesse au-delà des limites de son diocèse, et ne cesse jamais d'approfondir ses recherches, en mémoire de ses amis sacrifiés. Il rédige alors ses plus grandes œuvres historiques : la *Vie de Pamphile*, *Les Martyrs de Palestine*... Dans la *Chronique*, incomparable chronologie d'événements bibliques et historiques, il présente la succession des anciens peuples, des plus mythiques à ceux qu'il a côtoyés... Mais c'est l'*Histoire ecclésiastique* qui assure sa réputation. Il y montre que l'aboutissement de l'histoire universelle sera le triomphe du christianisme. L'édit de Milan, de 313, qui reconnaît aux chrétiens le droit de pratiquer leur culte, le conforte dans son analyse. Une ère de conciliation commence, du moins Eusèbe l'espère-t-il.

C'est dans cet esprit-là qu'il accueille Arius. Hélas, sa position sera mal comprise et interprétée comme une caution donnée aux déviations d'Arius. Et cette incompréhension va lui coûter cher. À son tour, il est frappé d'excommunication, avec toutefois une possibilité de « résipiscence » : l'évêque est trop précieux pour être perdu par l'Église en pleine croissance. Lors du concile de Nicée en 325, par lequel Constantin proclame sa volonté de mettre un terme définitif à la crise arienne, Eusèbe se trouve dans le clan des modérés, plus soucieux de l'unité de l'Église que de précision dogmatique. L'excommunié présente donc son credo devant les membres du concile, afin de se justifier de l'accusation portée contre lui. Il tente de trouver les termes d'une conciliation, mais doit cependant céder devant Athanase, l'intransigeant évêque d'Alexandrie : le Christ est proclamé « vrai Dieu issu du vrai Dieu », consubstantiel (*homoousios*) à son Père. Par déférence, le concile prend pour base la profession de foi proposée par Eusèbe, mais ajoute à ce texte un peu trop accommodant des arguments d'une netteté péremptoire. Aussi l'excommunication d'Eusèbe n'est-elle levée que de justesse.

Eusèbe aura joué un rôle assez secondaire dans le concile, mais le concile va jouer un rôle important dans sa vie, en le faisant rentrer dans le sein de l'Église, et en lui permettant d'être présenté à l'empereur, qui conçoit immédiatement une grande estime pour ses capacités d'orateur et de savant. De 325 à 330, il s'efforce, avec Eusèbe de Nicomédie, de ramener les partisans les plus extrémistes de Nicée à

une position plus modérée. En 326, il obtient, au cours de l'une de ces joutes dans lesquelles il excelle, la déposition d'Asklépas de Gaza, l'un des responsables de sa propre excommunication... Cependant, les procès de tendance se multiplient au rythme des accusations mutuelles : les débats christologiques ne font pourtant alors que commencer... Pour être juste du point de vue doctrinal, Nicée n'en a pas moins des conséquences redoutables du point de vue pastoral et Eusèbe le modéré, Eusèbe le pragmatique, Eusèbe l'historien s'en désole, qui croit qu'un bon accord vaut mieux qu'une guerre meurtrière et qui souffre de voir l'Église se déchirer alors même que le souvenir des persécutions païennes est si proche et la paix si récente.

Eusèbe prend une place importante à la cour impériale : il est choisi pour prononcer à Tyr, en 336, le discours anniversaire des trente ans du règne de Constantin, puis, à Jérusalem, la dédicace de l'Église Notre-Dame. L'empereur reste pour lui un modèle. Sa *Vita Constantini* est une œuvre contradictoire et hagiographique, qui mêle vérité et légende. Elle donne, non sans un certain parti pris de flatterie envers Constantin, le portrait idéal du souverain, dont il fait le guide du peuple chrétien. Nouveau Moïse, nouveau David, l'empereur est la manifestation visible du Christ sur Terre. On pourrait croire Eusèbe fin politique, il est avant tout pasteur. Soutenir le premier empereur chrétien, c'est d'abord assurer

> *À son tour, il est frappé d'excommunication.*

la paix à des communautés chrétiennes qui ont su mourir pour leur foi et qui vont devoir apprendre à vivre avec elle. Pour Eusèbe, seul l'empereur peut ramener la paix et l'ordre, en qualité « d'évêque du dehors ». Le pouvoir impérial devient une image terrestre de la monarchie divine ; et Eusèbe de Césarée jette les bases de la future théorie politique de l'Empire byzantin...

SOURCES : Eusèbe de Césarée, *HISTOIRE ECCLÉSIASTIQUE*, *APOLOGIE D'ORIGÈNE*, et *PRÉPARATION ÉVANGÉLIQUE*. X. Loriot et D. Nony, *LA CRISE DE L'EMPIRE ROMAIN 235-285*, Paris, 1997.

# ATHANASE D'ALEXANDRIE

*ÉTERNEL EXILÉ, LA VÉRITÉ EST SA PATRIE*

• **24**
**JAN** •

NOËL 335. PEU À PEU, LES FLOCONS SE FONT PLUS DENSES, ET LES RANGS DÉ-CHARNÉS DES VIGNES DE MOSELLE virent du triste brun foncé à un blanc de plus en plus éclatant. La neige ! Comme un enfant, à près de quarante ans, Athanase, en relevant serré le col de son manteau, découvre la neige ; sa première neige ! Que de vicissitudes, pour en arriver là ! À travers les polémiques et les conflits doctrinaux, le service de Dieu a fait de lui un voyageur, et l'exil l'a conduit jusqu'ici, « au bout du monde », dans cette illustre cité de Trèves tout empreinte encore de son passé impérial et romain. Mais tellement loin des douceurs méditer-ranéennes d'Alexandrie... Là-bas le retient un attachement profond, de ceux qui se tissent dans les années de jeunesse et de formation, celles où il a découvert les arca-nes d'une Église secouée par les désordres de sa propre jeunesse. Diacre et simple secrétaire de l'évêque d'Alexandrie, Atha-nase a pu assister au premier concile de Nicée, en 325 ; là se sont ancrées à jamais ses positions doctrinales : ni l'empereur tout-puissant, ni les évêques traditionalis-tes, majoritaires en Syrie et en Palestine,

n'ont le droit d'interpréter à leur guise les décisions de l'assemblée œcuménique. Il ne se départira jamais de ces convictions, et dès ses débuts précoces dans l'épisco-pat, quand, pas même âgé de trente ans, il succède en 328 à l'évêque Alexandre sur le trône de la grande métropole voisine du Nil, il n'a de cesse de les répandre. Mais à quel prix !

Dès ce moment, sa vie mêle indissolu-blement exils et œuvres littéraires. Il étonne par le style inhabituel de ses pre-mières lettres pastorales. Ses *Lettres festa-les* renouvellent profondément le style des circulaires annuelles par lesquelles les évêques alexandrins annonçaient les dates du Carême et de Pâques, et il s'adresse au bon peuple de son diocèse comme si tous les fidèles étaient empor-tés par la ferveur du mouvement monas-tique, alors en pleine efflorescence en Égypte. À travers ses lettres, Athanase témoigne du renouveau spirituel des jeu-nes communautés chrétiennes du début de l'ère constantinienne. Après le temps des persécutions, l'Église, placée désor-mais sous le patronage impérial, voit se développer le premier essor monastique à travers les fondations d'Antoine et surtout de Pacôme. Athanase soutient cet élan ascétique et mystique.

Mais écrire ne lui suffit pas : sitôt évêque, il entreprend des tournées annuelles de plusieurs mois, qui le conduisent à des centaines de kilomètres d'Alexandrie, dans les oasis et les vallées solitaires où prient les ermites. Car il sait bien que là, dans les replis du désert, se forgent des formes nouvelles de la vie ecclésiale dont le corps tout entier doit bénéficier. Du coup, son discours pastoral se met à vibrer du silence des contemplatifs, de leur ardeur pour le recueillement et la prière intense, et de leur désir de l'au-delà. Certes, ce style inhabituel contraste avec l'ambiance survoltée par les pressions partisanes et les remous politiques qui agitent la capitale égyptienne. Le clergé local est toujours divisé par le schisme rigoriste de Mélétios, depuis la persécution de Dioclétien, en 302-311. De plus, après le concile de Nicée, une coalition d'évêques s'est renforcée contre le siège d'Alexandrie. Athanase est devenu l'homme à abattre pour réduire la suprématie de l'Église alexandrine aux yeux du protecteur impérial... Attaqué sur deux fronts, lâché par l'administration de Constantin, Athanase se retrouve soudain déposé de son siège, en 335, par un synode tenu à Tyr – l'actuelle Gaza –, et banni dans les froides brumes de Trèves. Premier exil. De novembre 335 à juin 337, en résidence surveillée auprès de la garnison de Trèves, Athanase met donc à profit ses loisirs forcés pour composer un merveilleux essai *Sur l'Incarnation du Verbe de Dieu*. Il y explique que toute la connaissance chrétienne de Dieu naît et mûrit à partir d'une contemplation des récits évangéliques.

De retour à Alexandrie après le décès de Constantin, il y retrouve bientôt l'agitation et les querelles ; moins de deux ans plus tard, c'est dans un climat d'émeute qu'il est à nouveau expulsé. L'administration impériale s'appuyait sur la majorité des évêques d'Orient, conservateurs peu enclins à accepter les innovations du concile de Nicée et hostiles au siège d'Alexandrie, pour assurer tant bien que mal la paix religieuse. Mais Athanase ne cesse de dénoncer en eux l'influence des ariens, contre lesquels le concile a proclamé l'absolue divinité du Fils de Dieu. Jusqu'à Pâques, il se terre dans la ville, puis réussit à s'embarquer sur un bateau, en trompant la surveillance policière du port d'Alexandrie. Il gagne Rome, où l'évêque Jules Ier et son synode lui font bon accueil. Deuxième exil. Après Rome, le voici à Milan, puis à Trèves encore, et dans les Balkans, où un concile impérial, tenu en 343 à Sardique – la moderne Sofia –, le blanchit de toutes les accusations portées contre lui. D'avril 339 à octobre 346, ce second exil fait de lui un homme plus que jamais attaché à la défense du concile nicéen, comme en témoignent ses *Discours contre les ariens*. Par étapes, son retour le conduit à tra-

> *Il réussit à s'embarquer sur un bateau, en trompant la surveillance policière du port d'Alexandrie.*

vers les pays du Danube, la Grèce, le Bosphore, la Syrie et la Palestine ; et lorsque son cortège, long de plusieurs kilomètres, se présente devant la porte orientale d'Alexandrie, il est acclamé par toute la population, chrétiens, païens et juifs confondus, comme l'enfant du pays devenu légende vivante. Tous louent en lui l'homme de paix au milieu des controverses les plus violentes, et le pasteur désireux de ne plus jamais quitter son pays.

*[ En octobre – quatrième exil. ]*

Mais tous se trompent : le pouvoir, à nouveau, fait de lui un fugitif. Traqué par la police et l'armée, Athanase n'a que le temps de s'enfuir au désert alors que, dans des circonstances particulièrement dramatiques, la troupe vient d'installer de force un remplaçant sur son siège... Désormais abandonné de toutes les autorités civiles et ecclésiastiques, rejeté par un Empire constantinien sur lequel il ne parvient à avoir aucune prise, il atteint sa pleine stature spirituelle parmi les moines qui protègent sa clandestinité. Ils lui inspirent la célèbre *Vie d'Antoine*, ce grand « *père de tous les moines* » mort en 356 à l'âge de 105 ans, et il rédige aussi une série de *Lettres à Sérapion sur la divinité de l'Esprit*, qui annoncent déjà le second concile œcuménique de Constantinople, en 381, où la divinité consubstantielle du Saint-Esprit sera proclamée en même temps que celle du Père et du Fils, complétant ainsi le dogme de Nicée. À sa manière humble, centrée sur l'Écriture sainte, Athanase, une fois encore, infléchit de façon décisive la doctrine ecclésiastique.

Enfin rentré dans sa ville en février 362, il n'a que le temps d'organiser un synode d'union et de paix entre évêques pro-nicéens, le premier du genre, avant de se retrouver, en octobre – quatrième exil –, banni une fois de plus par l'empereur Julien. Ce restaurateur idéaliste du paganisme cultivé, poursuivant son rêve sur le trône impérial, ne pouvait en effet tolérer la popularité de l'archevêque, dont le succès pastoral auprès des nobles dames alexandrines contrecarrait trop ses propres ambitions... Athanase se réfugie donc en Thébaïde jusqu'à l'automne 364. Quelques mois plus tard, au début de mai 365, l'empereur pro-arien Valens prend le risque de bannir une fois encore le saint évêque, mais sa popularité est telle que ce cinquième exil n'est ni long ni lointain : pour dix mois, le vétéran indomptable de la lutte contre l'arianisme se contente de séjourner chez des amis, aux alentours d'Alexandrie. Valens, soucieux de gagner l'opinion publique à son projet d'une grande offensive contre les Goths – il y laissera sa vie –, annule rapidement le bannissement du trop populaire Athanase, dès le 1er février 366. Dès lors, les luttes s'apaisent à Alexandrie ; elles se poursuivent bien loin, à Rome, où le pape Damase réunit un concile important à l'été 371, ou encore en Cappadoce, où une nouvelle génération de grands évêques, dont Grégoire de Nysse, Grégoire de Naziance et Basile de Césarée, crée les conditions favorables à la tenue du concile de Constantinople, en 381.

Sur son lit de mort, en mai 373, Athanase peut se dire qu'il n'a pas dérogé à sa ligne de conduite : à travers les tumultes des ambitions politiques et cléricales de son temps, dans cette furie qui dura le temps de la tragique dynastie constantinienne, il avait créé une nouvelle vision théologique du mystère divin, une vision centrée sur l'incarnation de Dieu. Même lorsque toutes les forces du pouvoir, y compris celles de l'appareil ecclésiastique, semblaient se tourner contre lui, l'auteur qui chanta les trésors spirituels du Livre des Psaumes « *tel un paradis* » dans son exquise *Lettre à Marcellin* demeura toujours nourri des Écritures, fidèle et inventif, dans une audacieuse créativité.

SOURCES : Athanase d'Alexandrie, *APOLOGIE CONTRE LES ARIENS*, 35, *APOLOGIE POUR SA FUITE* et *LETTRES À SÉRAPION*. C. Kannengiesser, *LE VERBE DE DIEU SELON ATHANASE D'ALEXANDRIE*, Paris, 1990.

# La conversion du roi Ezanas

## *Ou comment deux enfants semèrent l'Évangile sur la terre d'Éthiopie*

<br>

**• 25 JAN •**

Tout semble calme dans le port d'Adoulis. Un navire vient de jeter l'ancre. À son bord, le philosophe Méropius de Tyr revient d'un voyage d'exploration en Inde, accompagné de ses deux élèves, Frumentius et Édésius, deux jeunes enfants de sa parenté. Méropius est soulagé de faire escale sur la côte éthiopienne avant de reprendre son périple. Il pourra certainement ravitailler en eau et en nourriture son équipage, épuisé par de longues semaines de navigation.

Méropius et ses compagnons s'apprêtent à mettre pied à terre pour demander aux sujets du roi d'Axoum les vivres nécessaires à leur voyage. Mais tout à coup, les passagers sont pris de panique ; les Barbares, loin de les accueillir, se précipitent sur eux, les armes à la main, et les massacrent. Le navire est pillé, l'équipage exterminé. Un silence terrible plane sur le pont du bateau fantôme jonché de cadavres. C'est alors que deux jeunes garçons, tremblants de peur, sortent de leur cachette et courent se réfugier à terre.

Frumentius et Édésius restent de longues heures cachés sous un arbre. Quand la nuit commence à tomber, pour briser le silence qui les entoure, ils récitent les dernières leçons qu'ils ont apprises. Et c'est ainsi que les Barbares les trouvent. Ils les conduisent à la cour du roi d'Axoum dans l'intention de les vendre comme esclaves.

Le souverain comprend que les connaissances des deux jeunes romains peuvent lui être utiles. Frumentius, le plus âgé, est sage et perspicace. Il lit et écrit le grec, la langue officielle de l'Empire romain qui est aussi la langue écrite employée à Axoum. Frumentius devient alors secrétaire du roi, tenant les comptes et les archives du royaume, tandis que son jeune frère Édésius est nommé échanson du roi. Leurs compétences sont vite appréciées par la famille royale et les deux jeunes prisonniers sont bien traités.

Mais la mort du souverain vient assombrir le ciel abyssin. Avant de mourir, le roi d'Axoum a désigné son épouse comme régente du royaume, en attendant que son tout jeune fils, Ezanas, soit en âge de régner. Il a aussi rendu la liberté à ses deux fidèles serviteurs, Frumentius et Édésius. Les deux frères peuvent désormais rentrer dans l'empire. Pourtant, ils ne partent pas. La reine, en effet, connaissant leur fidélité et leurs qualités, les supplie de l'aider à gouverner son royaume et à protéger son fils. Elle les charge de l'éducation et de la formation du futur roi, Ezanas, et de son frère Sazanas.

Frumentius et Édésius s'acquittent de leur tâche avec loyauté et conscience. Les deux jeunes Romains sont chrétiens : ils ont reçu oralement la tradition chrétienne avant de partir en voyage avec leur oncle. Tout naturellement, ils racontent à leurs élèves royaux la vie du Christ et celle des apôtres. Ezanas, futur souverain axoumite, apprend ainsi la vérité sur le Dieu unique, le Dieu créateur, sur les mystères du Christ et de sa résurrection, sur l'action de l'Esprit Saint qui parle au cœur de tout homme. Il apprend à vivre chrétiennement et à prier.

*Frumentius partage le pouvoir avec la reine.*

Pendant ce temps, Frumentius, qui partage le pouvoir avec la reine, peut mettre en place une politique religieuse favorable aux chrétiens. Il se renseigne sur la situation des chrétiens dans le pays dont il assure le gouvernement. Constatant les liens commerciaux entre l'Abyssinie et le monde romain, il octroie des facilités aux marchands chrétiens dans leurs activités économiques et les autorise à établir des lieux de culte, en leur donnant des terrains pour la construction d'églises. De petites communautés chrétiennes s'organisent alors dans les villes du royaume d'Axoum. Les premières conversions permettent l'expansion rapide de la nouvelle religion.

Grâce à la protection de Frumentius, la liberté de pratiquer la religion chrétienne – la religion de l'empire, une religion d'étrangers ! – est accordée. Le christianisme s'introduit pour la première fois en Éthiopie.

Le futur roi est bientôt en âge de prendre lui-même en charge son royaume. La tâche de Frumentius et d'Édésius est achevée, ils peuvent regagner l'Empire romain. Édésius rentre à Tyr, retrouve ses parents et est ordonné prêtre ; plus tard, il rencontre Rufin d'Aquilée. C'est lui qui rapportera les épisodes de la première christianisation d'Axoum dans son *Histoire ecclésiastique*. Frumentius, lui, gagne Alexandrie en Égypte. Il raconte toute son histoire à l'évêque Athanase et lui demande d'envoyer à Axoum un homme digne d'être évêque pour conduire ce nouveau peuple chrétien. Athanase considère que seul Frumentius est susceptible de remplir cette mission, le sacre aussitôt évêque et l'envoie diriger l'Église d'Abyssinie, entre 328 et 356. Commence alors la seconde œuvre missionnaire de Frumentius dans le royaume d'Axoum, nouvelle terre chrétienne.

Les monnaies du royaume sont frappées de la croix du Christ. Le christianisme se développe à Axoum, dans une fidélité parfaite à la foi nicéenne. À tel point que l'empereur romain Constance II, disciple de l'arianisme, tente de faire renvoyer Frumentius pour le remplacer par un évêque arien en écrivant personnellement à Ezanas ! Comment cette missive a-t-elle été reçue ? Les chroniques sont muettes sur ce point.

Mais une chose est certaine : avec Frumentius, une nouvelle Église est née sur les bords de la mer Rouge, et dans les siècles qui suivirent, une nouvelle nation chrétienne se développa en Éthiopie. La conversion d'Ezanas en fut le germe, et même si le royaume ne s'est converti officiellement au christianisme qu'au VIᵉ siècle, la flamme de la foi était dès lors présente. Elle fut portée par deux enfants esclaves qui, dans des circonstances extraordinaires, ont converti un roi et jeté la semence du christianisme en terre éthiopienne. Les siècles suivants ont montré combien la moisson fut abondante.

SOURCES : Rufin d'Aquilée, *HISTOIRE ECCLÉSIASTIQUE*, t. I, 9-10.

# BASILE DE CÉSARÉE

## DES MARMITES POUR LES PAUVRES OU L'INVENTION DE LA SOUPE POPULAIRE

• **26 JAN** •

MODESTUS S'ÉTRANGLE DE RAGE : « PERSONNE JUS-QU'ICI N'A OSÉ ME PARLER DE CETTE FAÇON ! »

– Sans doute n'as-tu jamais rencontré d'évêque ! ironise Basile. Entre le préfet Modestus, l'émissaire particulier de l'empereur Valens, et Basile, l'évêque de Césarée, l'échange est particulièrement rude. Il faut dire que Basile, qui a déjà affronté l'empereur lui-même, ne va pas courber l'échine devant un vulgaire fonctionnaire. Dans l'épreuve de force qui l'oppose à l'empereur, arien convaincu, Basile ne cède pas un pouce. La doctrine du prêtre Arius a été condamnée sans appel par le concile de Nicée, ses tenants ont été déclarés hérétiques. Les colères de l'empereur ou de ses sbires n'y pourront rien changer ni aujourd'hui, ni jamais. Basile n'a qu'un Credo, celui que Nicée a proclamé. Et, au nom de cette foi, Basile est prêt, s'il le faut, à donner sa vie. À bout d'arguments, Modestus se retire, jurant qu'il reviendra et qu'alors le fer parlera. Il se trompe. La farouche résistance de Basile a ébranlé l'empereur lui-même. Et tandis que les persécutions se déchaînent un peu partout, la Cappadoce est épar-gnée. Le métropolitain de Césarée conser-vera le libre gouvernement de son Église durant les neuf années de son épiscopat, et ses évêques suffragants ne seront pas inquiétés.

Cette fermeté dans la foi et cette liberté face aux grands sont sans doute à l'origine de l'extraordinaire rayonnement de l'imposante figure de Basile. Celui que l'Église appela très tôt « Basile le Grand », son frère Grégoire de Nysse et son ami de toujours Grégoire de Naziance sont les trois grands Cappadociens qui marquè-rent l'Église d'Orient par la justesse de leur théologie. Pourtant Basile, cet aristo-crate issu d'une grande famille chrétienne, pétri de culture classique et qui goûta dans sa jeunesse aux vanités du monde, n'est pas seulement l'ardent défenseur et le bril-lant débatteur face auquel la puissance impériale vient de se briser. C'est aussi un pasteur attentif, épris de justice, et dont l'ardente charité ne peut pas souffrir le malheur des humbles.

Vers 330, quand naît Basile, Césarée est une ville opulente et cultivée. Ses théâtres, ses thermes, ses fêtes bercent son enfance et celle de son frère Grégoire. Comme il est d'usage pour les jeunes gens de l'aristocratie, leur famille les envoie étudier à Constantinople puis à Athènes. Là, Basile se lie d'une amitié indéfectible avec Grégoire de Nazianze, dont il partage la passion pour les lettres et les jeux de l'esprit. Cette amitié n'ira pas sans orages, car leurs tempéraments sont très différents. Dans l'éloge funèbre de Basile que prononcera Grégoire en 379, la chaleur de l'amitié, la qualité du lien qui les a uni, la communion dans le combat de la foi s'expriment sans fard.

Sa formation achevée, Basile regagne Césarée bien décidé à jouir de son statut, de son savoir et de ses biens. C'est compter sans sa sœur aînée, Macrine, dont la ferveur n'a d'égale que la réputation de sainteté. Elle l'exhorte, en mémoire de leur grand-père martyr du Christ, au mépris des vanités du monde. Basile reçoit l'admonestation fraternelle comme un don de la Grâce. Son baptême est une nouvelle naissance. Il vend tous ses biens et se retire dans la solitude monastique, d'abord en Syrie et en Palestine, puis sur les bords de l'Oronte, où son ami Grégoire le rejoint parfois. Dans le silence et la prière, il rédige une Règle empreinte de charité et de lumière qui deviendra, et demeure encore aujourd'hui, la Règle de tout le monachisme oriental.

En 362, l'évêque Dianios qui l'avait baptisé, l'appelle à ses côtés. Basile, ordonné prêtre, quitte à regret la quiétude de sa retraite et se retrouve plongé dans un monde déchiré, défiguré, dans lequel le luxe insolent des riches offense l'extrême pauvreté du peuple. Les propriétaires terriens exploitent honteusement les paysans, et quand les conditions climatiques s'en mêlent, la vie quotidienne prend des allures de tragédie. Basile ne peut admettre cette situation qui blesse la conscience humaine et déshonore une société chrétienne. Alors il prêche. Il prêche avec passion, avec violence, les paroles mêmes du Christ : « *Ce que vous aurez fait au plus petit d'entre les miens, c'est à moi que vous l'aurez fait.* »

Inventif, intrépide, indifférent au jugement des puissants et des riches, il pèse de tout le poids de son autorité pour qu'en matière de justice et de partage le fléau de la balance s'incline vers les pauvres et les petits. Durant l'hiver 368-369, la famine s'abat sur la Cappadoce, Basile joint le geste à la parole et se fait le serviteur des pauvres.

Bouleversé par le drame d'un père obligé de vendre l'un de ses enfants comme esclave pour atténuer la misère des siens, il décide d'agir. Grégoire de Nazianze, dans son *Éloge funèbre*, raconte : « *Il rassemble au même endroit les victimes de la famine – il y en avait même qui respiraient à peine – hommes, femmes, petits enfants, vieillards, tous les âges dignes de pitié ; il fait une collecte de vivres de toute espèce, de tout ce qui constitue un secours contre la faim ; il fait disposer des marmites pleines de purée de légumes et de cette conserve salée qu'on trouve chez nous et dont les pauvres se nourrissent.* » Fidèle au Christ serviteur qui, ceint d'un linge, lave les pieds de ses disciples, Basile nourrit les affa-

> *La vie quotidienne prend des allures de tragédie.*

més, soigne les malades et réconforte les mourants.

Cet épisode restera à jamais gravé dans sa mémoire. Lorsqu'en 370, l'évêque Eusèbe meurt, Basile, malgré sa santé fragile, minée par les privations, est élu, à quarante ans, au siège épiscopal de Césarée de Cappadoce. Sa première tâche est de batailler contre l'hérésie arienne. Il exhorte les jeunes gens épris de culture hellénique à « *suivre l'exemple des abeilles qui butinent le miel et laissent le poison* ». Pour lutter contre cette hérésie il faut joindre à l'autorité du gouverneur celle du théologien. Les trois cents lettres que Basile a laissées révèlent un pasteur plein de réalisme, mais dont la fermeté doctrinale ne se dément jamais.

Pour autant, la lutte contre l'hérésie ne détourne pas Basile de l'exercice de la charité. Les *Homélies* de l'évêque de Césarée ne sont pas tendres, il épingle sans pitié les travers d'une société ivre de jouissance égoïste. « *Des milliers de chars, pour traîner les bagages et les personnes, couverts d'airain et d'argent. Une multitude de chevaux pur-sang dont on tient la noble généalogie – comme chez les hommes ! Les uns promènent nos grands seigneurs par la ville, d'autres sont gardés pour la chasse, les derniers sont dressés pour les longs parcours [...] Nuées d'esclaves pour soutenir tant d'éclat.* » Et ses conclusions sont claires : « *À l'affamé appartient le pain que tu gardes. À l'homme nu, le manteau que recèlent tes coffres. Au va-nu-pieds, la chaussure qui pourrit chez toi. Au miséreux, l'argent que tu*

*tiens enfoui. Ainsi opprimes-tu autant de gens que tu en pouvais aider.* »

Alors, l'évêque fait un rêve et l'homme d'action qu'il n'avait jamais cessé d'être le réalise. À un ou deux milles de Césarée, il construit une ville nouvelle. Le peuple l'appelle « Basiliade », parce que Basile en est l'âme. Bâtie autour d'une maison de prières, la ville comprend tout à la fois des habitations pour les prêtres et pour les magistrats, des abris pour les étrangers et les hôtes de passage, un hospice de vieillards, un hôpital – dont un quartier est réservé aux maladies contagieuses – et des logements pour les employés et les ouvriers. Et comme en 369, Basile remplit les marmites !

L'idée d'un tel « *cellier de la pitié* », selon l'expression de Grégoire de Naziance, Basile l'a partagée avec Eustathe de Sébaste, qui avait été son ami pendant les années qu'il avait passées au monastère. Eustathe fit un hospice, mais la Basiliade, par son organisation et la multiplicité des services qu'elle assure, dépasse de beaucoup l'œuvre d'Eustathe. Dès 362, l'empereur Julien, qui désire pourtant restaurer le culte païen, reconnaît que les chrétiens pratiquent de la façon la plus remarquable une assistance charitable, quasiment inexistante parmi les païens. Il a d'ailleurs l'ambition de réformer le clergé païen en ce sens.

Inventeur de la « soupe populaire », fondateur de l'un des premiers hôpitaux, évêque courageux, Basile fut aussi l'un des plus grands théologiens de son

> *À l'affamé appartient le pain que tu gardes.*

temps. Le concile de 381, deux ans après sa mort, mit un terme à la crise arienne. C'était là le couronnement de beaucoup de ses efforts. Ce fut la signature de la vérité apposée sur une vie toute de droiture et de charité.

SOURCES : Grégoire de Naziance, *DISCOURS* 42-43. S. Giet, *LES IDÉES ET L'ACTION SOCIALES DE SAINT BASILE*, Paris, 1941. D. Amand, *L'ASCÈSE MONASTIQUE DE SAINT BASILE, ESSAI HISTORIQUE*, Maredsous, 1949. Y. Cortonne, *UN TÉMOIN DU IVᵉ SIÈCLE ORIENTAL, SAINT BASILE ET SON TEMPS D'APRÈS SA CORRESPONDANCE*, Paris, 1973. B. Sesboüé, *SAINT BASILE ET LA TRINITÉ*, Paris, 1998.

# MARTIN DE TOURS

## *OU COMMENT UN ANCIEN LÉGIONNAIRE*
## *ÉVANGÉLISA LES CAMPAGNES DE GAULE*

**• 27 JAN •**

IL GÈLE À PIERRE FENDRE DANS LES RUES D'AMIENS, EN CETTE NUIT D'HIVER 334. Emmitouflé dans son chaud manteau de laine, la tête rentrée dans les épaules pour moins sentir la morsure du froid, un jeune légionnaire de dix-neuf ans hâte le pas de son cheval. À voir la fumée qui s'échappe des cheminées de la ville, il devine qu'il est le seul à s'être attardé au dehors, et que les Amiénois sont tous blottis autour de leurs foyers. Martin a grand-hâte d'atteindre la caserne où il sait qu'une soupe chaude l'attend, et où il sera enfin à l'abri de cette bise âpre contre laquelle il se raidit sur sa selle.

Au détour d'une ruelle, un pauvre hère en guenilles gémit, transi de froid. Martin, malgré son désir de rentrer au plus vite, arrête son cheval. Il scrute l'obscurité pour apercevoir les traits du miséreux, mais ne parvient qu'à lire un regard qui semble porter toute la détresse du monde. Le jeune homme est saisi de pitié. Tout à l'heure, quand il humera avec délice le fumet appétissant de sa soupe en tendant les mains vers un bon feu, ce vieillard sera toujours là. La seule pensée qu'un être humain passe toute la nuit dehors par ce

froid intolérable le fait frissonner. Sans presque y réfléchir ; il ôte les agrafes de son manteau, saisit son glaive, et déchire en deux l'épaisse étoffe rouge pour en offrir la moitié à cet homme que Dieu a placé sur sa route.

Cette nuit-là, Martin se dresse sur son lit en sursaut. Son voisin de dortoir grogne, mécontent d'avoir été tiré de son sommeil, car les instants de repos sont rares à la légion. Le jeune homme bredouille une excuse et s'étend de nouveau sous sa couverture, les yeux grands ouverts. Comment pourrait-il se rendormir après ce rêve ? Le Christ lui est apparu sous les traits du mendiant qu'il a croisé la veille à demi mort de froid, et lui a dit : « *Toi, Martin, qui n'es encore que catéchumène, tu m'as couvert de ton manteau.* » Jusqu'à l'aube, le jeune homme reste absorbé dans ses pensées, indifférent aux ronflements de ses compagnons qui d'habitude ont le don de l'exaspérer. Au matin, quand on sonne le réveil, sa décision est prise : il consacrera sa vie au Christ. Il sait qu'il n'est encore qu'au début du chemin. S'il a appris depuis l'âge de dix ans les rudiments de l'Évangile auprès de prêtres de Pannonie (l'actuelle Hongrie), s'il s'est intéressé très tôt à la foi chrétienne, il n'a pas encore reçu le baptême. Fils d'un officier païen, Martin est contraint par la loi romaine d'embrasser lui aussi la carrière militaire. Aussi le jeune homme s'est-il engagé pour vingt ans dans l'armée ; il ne peut songer à consacrer sa vie à Dieu avant d'avoir accompli son temps.

C'est donc seulement à quarante ans qu'il réalise ce rêve conçu par une nuit glaciale. Sitôt après avoir quitté l'uniforme, il part en voyage à Milan. Revenu en Gaule, il est sollicité par Hilaire, évêque de Poitiers, qui voudrait l'ordonner diacre. Peine perdue. Martin explique humblement à Hilaire qu'il n'a pas quitté l'armée pour rentrer dans le monde, fût-il ecclésiastique, et que sa décision de devenir ermite est irrévocable.

Il s'installe donc à quelque deux lieues de Poitiers pour y vivre en ascète. Des compagnons le rejoignent, et ils fondent ensemble le monastère de Ligugé. Le bruit se répand vite que l'ancien soldat opère des miracles, et de partout des malades viennent le voir. Son rayonnement est tel que les chrétiens de Tours envoient un messager lui demander d'être leur évêque. Pareille requête, venant d'une communauté nombreuse et bien organisée, aurait de quoi flatter Martin. Malheureusement pour les Tourangeaux, il n'a qu'un désir, celui de rester seul pour mieux servir Dieu dans le silence.

Pourtant, les Tourangeaux ne renon-

> *Ils veulent Martin pour évêque et n'hésitent pas à lui tendre un piège.*

cent pas à leur idée. Ils veulent cet ermite pour évêque, ils l'auront. Ils ont tôt fait d'imaginer un piège auquel ils savent que Martin ne résistera pas. Un homme vient l'implorer de guérir sa femme malade. Cette supplication n'a rien d'extraordinaire, et Martin lui emboîte le pas jusqu'à Tours sans méfiance. Dès l'instant où il franchit les portes de la ville, il a le sentiment qu'il se passe quelque chose d'étrange. Les rues sont désertes, et les rares passants qu'il y voit semblent se hâter vers la grand-place. Ils doublent Martin et son compagnon en leur jetant des regards étrangement espiègles.

– Est-ce donc jour de fête, l'ami ? demande l'ermite interloqué.

– Je vis en reclus depuis que ma femme est malade, et ne suis pas au courant de ce qui se passe dans Tours, répond l'homme avec candeur.

En débouchant sur la grand-place, Martin comprend trop tard qu'il est victime d'un guet-apens. Toute la ville est rassemblée là, et l'ermite se rend vite compte que c'est lui qu'on attendait. À sa vue, la foule laisse éclater sa joie : « Vive Martin ! Notre nouvel évêque est enfin dans nos murs ! » Martin ne peut guère opposer à cette liesse populaire que de faibles protestations peu convaincantes, et le son de sa voix est couvert par les cris d'allégresse des Tourangeaux. « Voyez, il a accepté ! Nous savions qu'il ne refuserait pas ! » Dans ces conditions, l'ermite n'a plus qu'à s'incliner. On le place sans tarder sur le siège épiscopal. Seuls quelques évêques venus pour la consécration ne partagent qu'à demi la joie générale : « Notre nouveau confrère est sûrement remarquable, mais le moins qu'on puisse dire est qu'il est pauvrement vêtu. Regardez ses cheveux en bataille ! Son allure ne sied guère à la dignité épiscopale. Il faudra lui faire comprendre qu'il ne peut plus désormais jouer au va-nu-pieds. »

Ces excellents évêques devront vite se rendre à l'évidence. Martin est toujours prêt à écouter avec humilité les conseils de ses frères ; il y a cependant des leçons qu'il semble incapable de retenir. Refusant la belle demeure épiscopale qu'on lui propose, il commence par habiter une cellule accolée à la cathédrale. Mais cette place centrale est encore trop animée pour répondre à sa soif de solitude, car de nombreux visiteurs viennent à toute heure troubler ses méditations.

Un matin, plus las que d'ordinaire de ce va-et-vient continuel autour de lui, il décide d'aller marcher seul dans la campagne alentour, et découvre au hasard de cette promenade un lieu qui n'a rien à envier à la solitude du désert. Il est protégé d'un côté par une colline escarpée et de l'autre par un méandre de la Loire. Comme il serait bon de s'installer ici ! Martin constate avec ravissement que le sentier qui l'a mené jusqu'à cette retraite est d'une étroitesse décourageante. Nulle foule nombreuse ne pourra plus venir lui jouer des tours pen-

*Il parcourt son diocèse armé de la pioche du démolisseur.*

dables. L'évêque de Tours n'est pas homme à tergiverser sans fin. Il se construit sur-le-champ une cabane de branchages. Ses disciples ne tardent pas à le rejoindre, et s'installent dans des grottes pour vivre auprès de lui. C'est ainsi que naît le monastère de Marmoutier, où vivent dans une pauvreté absolue quelque quatre-vingt-dix moines issus pour la plupart de la noblesse.

Martin se donne désormais pour tâche d'évangéliser les campagnes et de lutter contre le paganisme. « *Abolir le culte païen et ses survivances, détruire les temples et les statues, prêcher contre l'erreur des cultes traditionnels* », tels sont ses mots d'ordre. L'ancien officier n'y va pas de main morte. Il fait de grandes tournées dans son diocèse, et même parfois au-delà, armé de la pioche du démolisseur. On commente sans fin dans les villages ses passages dévastateurs.

– Je l'ai vu, de mes yeux, vu, mettre le feu à un sanctuaire païen. Comme les flammes menaçaient la maison la plus proche, il a grimpé sur le toit, lui, un évêque ! Et il a repoussé le feu vers le temple.

– Et moi, je l'ai vu, comme je vous vois, se faire houspiller par tout un village au moment où il arrivait pour détruire son temple. Il n'a pas insisté ; mais en fait, il a prié trois jours pour avoir l'aide de Dieu. Et une voisine m'a dit : moi, je n'y étais plus qu'au bout du troisième jour deux anges, des vrais, sont revenus avec lui. Ils avaient des boucliers et des lances, alors, pensez-vous, le combat était inégal, et ce sont cette fois les villageois qui n'ont pas insisté.

Rien n'arrête Martin. À ses disciples, il répète inlassablement : « *Il faut faire éclater la puissance du vrai Dieu face aux dieux païens.* » Ses descentes dans les hauts lieux du paganisme ne suffisent pas, il le sait, à convertir les foules. Mais sa simplicité, sa pauvreté et la profondeur de ses paroles ne cessent de parler aux gens qu'il rencontre de la puissance du vrai Dieu. Aussi voit-il le paganisme reculer partout. Pour consolider l'œuvre que ses disciples et lui-même accomplissent dans les villages, il place à la tête de chaque nouvelle communauté chrétienne un moine de Marmoutier. Il ne se doute pas qu'il invente ce faisant un système qui traversera les siècles, et qui s'appelle la paroisse...

Martin mourra à quatre-vingts ans, épuisé par son activité incessante au service de Dieu et de l'Église gauloise naissante. À ceux qui, groupés autour de son lit de mort, le supplient de rester encore parmi eux, il murmurera dans un sourire ces derniers mots : « *Je ne refuse pas de travailler encore, si Dieu le veut.* »

SOURCES : Sulpice Sévère, *DIALOGUES*, III, 11-13 et *VIE DE SAINT MARTIN*. L. Pietri, *LA VILLE DE TOURS DU IVᵉ AU VIᵉ SIÈCLE, NAISSANCE D'UNE CITÉ CHRÉTIENNE*, Rome, 1983. E. Griffe, *LA GAULE CHRÉTIENNE À L'ÉPOQUE ROMAINE*, Paris, 1964-1965.

# JEAN CHRYSOSTOME
## *OU COMMENT IL FALLUT ENLEVER*
## *UN PRÉDICATEUR POUR DONNER*
## *UN PATRIARCHE À CONSTANTINOPLE*

• **28**
**JAN** •

UN BEAU JOUR DE L'ANNÉE 397, UN SIMPLE PRÉDICATEUR D'ANTIOCHE, TRÈS APPRÉCIÉ DES FIDÈLES et, pour cette raison, surnommé Chrysostome – c'est-à-dire « Bouche d'Or » –, se rend à l'endroit indiqué par la convocation que lui a adressée un très haut fonctionnaire de la ville. Près de la petite chapelle dédiée aux martyrs située aux portes de la cité, il est brusquement entouré d'inconnus qui se jettent sur lui et l'enlèvent dans un chariot bâché en lui tenant des propos incohérents.

Le patriarche de Constantinople, le vieil évêque Nectaire, vient de mourir. Les évêques sont déjà en train de se rassembler pour procéder à l'élection de son successeur. De puissants intérêts sont en jeu, les ambitions personnelles s'affrontent, les intrigues se nouent.

Jean, à qui ses « ravisseurs » ont dit qu'il est attendu à Constantinople, sans autres précisions, s'imagine que l'on a besoin d'un « conseiller » pour les élections. C'est peut-être son ouvrage *Sur le sacerdoce* qui lui vaut cet honneur. Scandalisé par certaines élections dont il a été témoin dans sa jeunesse, le prédicateur

avait en effet écrit : « *Viens en esprit aux solennités publiques où se font les élections ecclésiastiques. Tous les individus qui s'y rendent sont des accusateurs qui chargent les candidats. On se partage en factions ; divisés entre eux, les prêtres ne sont pas non plus en accord avec leur chef : chacun veut voir élu son candidat. D'où vient ce désaccord ? C'est que l'on ne considère point ce qui devrait constituer l'unique objet de la délibération, à savoir, les qualités de l'âme. On prend en compte de tout autres motifs. On donne sa voix à l'un, parce qu'il est d'une naissance illustre ; à l'autre parce qu'il a la fortune et qu'il pourra se passer des revenus de l'Église ; à un troisième, parce qu'il est un ami ou un parent ; pour celui-là parce qu'il sait flatter. Personne ne jettera les yeux sur un candidat digne, possédant les vertus et les talents nécessaires... »*

Pendant ce temps, les chevaux galopent ; on brûle les étapes autant qu'on le peut, mais il y a loin d'Antioche à Constantinople et Jean Chrysostome a tout loisir de méditer et d'implorer le Seigneur de lui accorder toute la sagesse qui lui sera nécessaire.

À Constantinople, Jean découvre que tous les évêques de l'Empire byzantin se sont déplacés ; le climat d'intrigue est pire que ce qu'il avait supposé. Chacun est prêt à augmenter les chances de son favori par les procédés les plus répréhensibles. Quant au très intriguant et redoutable évêque d'Alexandrie, Théophile, il pousse l'un de ses candidats, une sorte d'homme de paille, afin de diriger lui-même l'Église de Constantinople par personne interposée !

Horrifié par les mœurs déliquescentes de cette assemblée épiscopale, l'empereur a imaginé de faire venir l'humble prédicateur à Constantinople afin de le proposer comme « candidat ». Si Chrysostome n'a pas d'amis pour l'appuyer, il n'a pas non plus d'ennemis. Sa foi, ses convictions sincères, ses paroles pondérées, son absence d'orgueil et de prétentions désarment l'assemblée qui, dans un sursaut de dignité, approuve la proposition impériale. Voici Jean élu, et c'est l'ambitieux Théophile lui-même qui se trouve chargé de consacrer le petit prêtre d'Antioche « *Premier évêque d'Orient, chef spirituel de Constantinople et prédicateur officiel à la cour impériale* » !

Dès sa nomination, Jean prend en charge ses nouveaux devoirs avec une énergie farouche qui surprend son entourage. C'est d'abord la réforme évangélique du train de vie épiscopal : l'évêque doit donner l'exemple, dit-il, car tout un monde de dignitaires vivant dans le luxe et la paresse, de prêtres aux fonctions imprécises et même douteuses, de diaconesses peu recueillies, de moines ambulants et plus ou moins dissipés, gravite autour du palais

> *L'évêque était devenu un cabaretier.*

épiscopal. Sa réforme est impitoyable : les marbres et les ors du palais sont vendus, les dépenses fastueuses, les réceptions ruineuses sont prohibées. L'évêque était devenu un cabaretier qui passait son temps à vérifier les comptes des victuailles et les banquets qui « *aboutissaient au pillage du trésor sacré* ». Voilà ce que déplore Jean Chrysostome ! Il décide de prendre lui-même ses repas en véritable ascète. Il recevra uniquement les évêques de passage et seulement dans le cas d'extrême nécessité. Les économies réalisées sont offertes à l'hôpital de la ville.

La réforme va aussi toucher le clergé auquel il impose de revenir à une vie plus évangélique. Par ses lettres pastorales, et ses visites, Jean s'efforcera de faire disparaître luxure, intempérance, usure ; il écrira et fera diffuser de grandes épîtres affectueuses, mais fermes, contre, par exemple, « *les cohabitations suspectes* » entre clercs et vierges consacrées... Les moines s'entendent rappeler leur vocation monastique et sont fermement invités à reprendre le chemin de leur monastère.

Jean Chrysostome se soucie de toutes les âmes qui lui sont confiées. Vivre à Byzance et résister au péché n'est pas aisé, les spectacles immoraux étant légion, surtout à l'hippodrome ou dans les thermes de la ville, « *l'école de la débauche* » ! La prédication de Jean se fait ardente. Elle vise le luxe des nantis et leur dureté de cœur. Jean vitupère contre les coquetteries des femmes qui engloutissent des fortunes pour leur beauté éphémère, alors que les pauvres meurent de faim... Et pour animer la Foi et la Charité de ce peuple qu'il aime tant, Jean ne se lasse jamais de prêcher, d'instruire et d'expliquer :

*« Je suis intraitable. Je veux garder toutes mes brebis. Les riches sont mes enfants et les pauvres sont mes enfants. S'il y en a un qui se perd, je me considère comme perdu. J'imite ainsi le bon pasteur qui délaisse quatre-vingt-dix-neuf brebis pour chercher celle qui est perdue... Tout nous est commun à vous et à moi, baptême, table sainte, Royaume. Parmi vous, beaucoup sont mes enfants, et jusqu'à mon dernier souffle, je serai tourmenté par la crainte de les voir périr. Méditez ces pensées et donnez-moi votre main, afin que vous soyez ma gloire et que je sois la vôtre au jour de Notre Seigneur Jésus-Christ. »*

La réforme liturgique s'inscrit dans la droite ligne de cette volonté de réforme évangélique : la liturgie, pour Jean Chrysostome, est en effet une source d'approfondissement du sens de la foi et de l'Église. Jean multiplie les processions aux flambeaux, remet en valeur les offices de la nuit qui ont été abandonnés progressivement : *« Ouvre donc un atelier spirituel pour y façonner ton âme. Cette âme vieillie par le péché, plonge-la dans le creuset de la confession. Frappe à bras déployés, c'est-à-dire ne lui ménage pas les reproches, attise le feu de l'Esprit, la prière nocturne enlève la rouille du péché... »*

Pour cette œuvre de réforme radicale, Jean peut heureusement s'appuyer sur quelques-uns de ses clercs, spécialement sur son archidiacre Sérapion, fidèle entre les fidèles, sur un groupe de diaconesses et leur supérieure, Olympia, sur quelques hauts fonctionnaires et surtout sur son peuple qui, sans toujours se convertir, l'admire, le soutient et l'aime profondément.

Hélas ! Jean Chrysostome ne rencontre pas que des louanges ! Il a dérangé bien des habitudes, démasqué bien des imposteurs, tari de nombreuses sources de bénéfices frauduleux ! Il s'est donc fait beaucoup d'ennemis, et le premier d'entre eux est Théophile, l'évêque d'Alexandrie qui, depuis l'élection de Jean, ne cesse de lui tendre des pièges, de l'épier, de susciter des querelles afin de le discréditer, au point que Jean se voit contraint à l'exil...

> L'Impératrice elle-même n'est pas épargnée.

Heureusement, le peuple lui reste fidèle. C'est lui qui exige le retour de son archevêque, et le reçoit triomphalement dans sa cathédrale. Jean, malgré l'amertume qu'il ressent, trouve dans son humilité naturelle, dans la méditation et la prière, la force d'endurer ses peines et de poursuivre inlassablement sa mission. Il continue à admonester les puissants. L'impératrice elle-même n'est pas épargnée par les homélies cinglantes de l'évêque contre le luxe et le manque de charité... *« Que dire de ces femmes qui commandent des vases, en argent, réservés au plus vil usage ! Vous les coupables, vous ne rougissez pas d'un tel excès alors que le Christ a faim ? Si vous persistez dans cette erreur je ne le tolérerai pas et je vous interdirai l'entrée de cette église. Je vous ordonne donc de vous défaire de ces parures, de ces vases et d'en donner le prix aux pauvres ! Quoi, tant de pauvres assiègent l'Église et celle-ci, dont de si nombreux enfants sont riches, se voit incapable de les secourir ? L'un est repu, tandis que l'autre meurt de faim... Quelle folie et quelle férocité ! »*

Les ennemis de Jean Chrysostome fomentent de nouveau un complot qui cette fois aboutit à la déposition et à l'exil de l'archevêque. Les « johannites », des fidèles de Jean Chrysostome à Constantinople, sont impitoyablement persécutés. La marche forcée, épuisante, imposée par une escorte de soldats, aura vite raison des forces vacillantes de l'évêque. Jean meurt en 407, son corps est déposé dans une chapelle perdue aux confins des monts du Caucase. Sa dernière parole constitue une action de grâces adressée au Seigneur pour sa vie tout entière : *« Gloire à Dieu pour toutes choses, Amen ! »*

SOURCES : Jean Chrysostome, *HOMÉLIES.* Palladius, *DIALOGUE SUR LA VIE DE JEAN CHRYSOSTOME.* Sozomène, *HISTOIRE ECCLÉSIASTIQUE*, VIII, 2-28. Théodoret de Cyr, *HISTOIRE ECCLÉSIASTIQUE*, V, 27-36. A. Dupleix, « Jean Chrysostome. Un évêque social face à l'Empire », in *RECHERCHES ET TRADITION. MÉLANGES PATRISTIQUES OFFERTS À H. CROUZEL*, Paris, 1992.

# DAMASE

*OU COMMENT UN GRAND PAPE RÉFORMATEUR*

*COMMENÇA SON RÈGNE DANS LE SANG*

**• 29 JAN •**

« À L'ATTAQUE ! » AIDÉ PAR LA POLICE ROMAINE VENUE EN RENFORT, Damase donne l'assaut. Plus rien n'arrête les hommes. Les cochers du cirque et les fossoyeurs des catacombes sont eux aussi de la partie. Ils se jettent sur les partisans d'Ursin, moins puissants. Tous les coups sont permis... Les hommes bataillent au corps à corps. Ursin, dont la vie est menacée, doit se réfugier dans la basilique Sainte-Marie-Majeure. Sur les marches, gisent des cadavres éventrés, la gorge tranchée. Partout, dans la ville, s'élèvent des cris de terreur et de douleur. Aux fenêtres, les femmes attendent, muettes, la fin de cette folie meurtrière. Dans les rues avoisinantes, c'est un bain de sang.

En ce mois d'octobre 366, Rome est plongée dans la terreur. Deux factions ennemies s'affrontent : les damasiens qui soutiennent le diacre Damase et les ursiniens, qui veulent imposer Ursin comme chef de l'Église romaine. Car Rome a élu deux évêques, Damase et Ursin... pour un seul trône ! Les damasiens sont prêts à aller jusqu'au bout pour défendre « leur évêque ». Depuis des semaines, ils s'organisent en secret, élaborent des plans et se préparent au pire. Ces hommes, dont l'intrépidité n'a d'égale que le courage, ont prévenu leurs épouses : s'il faut payer de leur vie la lutte pour l'avènement de Damase, ils n'hésiteront pas à le faire. Les deux partis engagent alors une bataille sanglante et sans merci.

Damase est vainqueur. Mais le bilan est lourd : cent soixante morts ! Un massacre que les partisans d'Ursin n'oublieront jamais. Damase devra d'ailleurs compter avec leur opposition farouche, tout au long de son pontificat.

Né vers 305 à Rome, dans une famille chrétienne d'origine espagnole, Damase est plus célèbre qu'Ursin. Populaire chez les chrétiens comme chez les païens, il a des amis dans tous les milieux. En 366, il a plus de soixante ans. Ses tempes grisonnantes ajoutent à son charme, et les matrones de la haute société romaine raffolent de sa compagnie. Ambitieux, aimant le faste et les mondanités, il est devenu leur confident et directeur de conscience. Enfin, en ce mois d'octobre 366, honneur suprême, il monte sur le siège apostolique romain. Mais si Damase parvient à la tête de l'Église romaine par le scandale et le sang, il offre, à partir de 372, une tout autre image à ses fidèles et à la postérité : celle d'un très grand pape – c'est en effet à partir de la seconde moitié du IVᵉ siècle que l'évêque de Rome prend le titre de pape.

C'est lui qui organise l'ordre ecclésiastique : les prêtres dirigent les églises de la Ville sainte où, chaque jour, ils célèbrent la messe devant une foule de fidèles recueillis. Occasionnellement, ils assistent l'évêque dans les grandes basiliques romaines. Les diacres et les sous-diacres veillent, quant à eux, à l'organisation du culte et à l'assistance des veuves, des orphelins – nombreux en cette époque troublée –, des vieillards et des voyageurs. Les lecteurs lisent les Écritures et chantent les psaumes pendant la

> *L'évêque de Rome prend le titre de pape.*

messe. Les fossoyeurs s'occupent des enterrements et creusent les sépultures. Enfin, Damase crée les *defensores ecclesiae,* les défenseurs de l'Église, avocats au service de l'évêque, chargés de défendre les intérêts de l'Église face au pouvoir civil.

Damase organise aussi le cycle liturgique, en fixant méticuleusement le canon de la messe romaine – lequel sera conservé comme tel pendant des siècles : lectures et commentaires des textes de l'Ancien Testament, des Actes des Apôtres et de l'Évangile ; psaumes et prières ; sermon ; et enfin, célébration eucharistique. La célébration de la messe y gagne en solennité, avec un mobilier liturgique abondant, dans des églises richement décorées. Damase joue également un rôle pastoral de premier plan,

se souciant avec sincérité de la dévotion des fidèles. Il organise l'année liturgique autour des fêtes de Pâques, de la Pentecôte, de Noël, de l'Épiphanie et du dimanche, proclamé « jour du Seigneur » depuis le règne de l'empereur romain Constantin.

Damase est non seulement un organisateur, mais également un adversaire farouche du désordre et des errements hérétiques, notamment l'arianisme, cette hérésie qui nie la consubstantialité du Fils avec le Père. Condamnée au concile de Nicée en 325, elle avait rebondi du lointain Orient jusqu'en Occident. En 372, Damase réunit un nouveau concile, à Rome – deux autres suivront, en 377 et 382 – pour condamner une fois de plus l'arianisme et proclamer de surcroît la primauté du siège romain. Pour cet homme intransigeant en matière de dogme, seul l'évêque de Rome, en tant que successeur et héritier de l'Apôtre Pierre, détient une autorité souveraine. « *Le rôle du pape est universel* », se répète Damase en se promenant, solitaire, dans l'un des jardins luxuriants de sa cité natale.

Cet intellectuel est aussi un homme qui a les pieds sur terre. Il veut le bien « matériel » de son Église. Grâce à ses relations dans la haute société romaine, à son habileté et à son charme, il obtient par dons et par legs de nombreux biens pour l'Église qui possède, à l'aube du Vᵉ siècle, un riche patrimoine foncier. Pourtant, Damase ne s'arrête pas là. Autrefois ambitieux pour lui-même, il l'est aujourd'hui pour l'Église romaine. Il lance la construction de plusieurs lieux de recueillement, chapelles modestes ou vastes basiliques. Certains historiens lui attribuent aussi l'édification des églises Sainte-Anastasie du Palatin et San Lorenzo in Damaso.

Étonnamment, cet homme devenu évêque dans le sang est aussi poète. Damase s'intéresse de près au culte des martyrs, dont il fait aménager les tombes, en dehors de Rome, près des catacombes. Alors que la vieillesse l'oblige au repos, il profite de ces heures calmes et paisibles pour composer les inscriptions qui figurent aujourd'hui sur les tombeaux. Les fidèles du monde entier, venus en pèlerinage à Rome, peuvent encore les lire.

Malgré son âge avancé, Damase poursuit son œuvre. Sa foi profonde lui fait oublier les maux liés à la vieillesse et rend sereine l'approche de sa mort. En 382, c'est lui qui charge Jérôme de la révision des traductions latines de la Bible. L'élaboration de la Vulgate est une entreprise longue et laborieuse, qui se poursuit après la mort de Damase, en 384.

À cette date, l'Église de Rome a un nouveau visage, celui que Damase a modelé durant les dix-huit années de son pontificat. Damase a en effet été le premier des grands papes réformateurs qui ont marqué l'histoire de l'Église.

SOURCES : Ch. Pietri, *ROMA CRISTIANA*, Rome, 1993. L.-A. Delastre, *SAINT DAMASE I<sup>er</sup>*, Paris, 1965.

# AMBROISE

## *ÉVÊQUE MALGRÉ LUI*

• **30**
**JAN** •

*« AMBROISE ÉVÊQUE ! »* LE CRI D'UN ENFANT S'ÉLÈVE AU-DESSUS DU BROUHAHA GÉNÉRAL. Une voix, deux voix viennent soutenir celle de l'enfant. Et bientôt c'est toute la foule des chrétiens de Milan, rassemblés pour élire un nouvel évêque après la mort du vieil Auxence, qui scande le nom d'Ambroise, le gouverneur de la province venu se joindre à l'assemblée pour tenter de calmer les esprits échauffés.

Nous sommes en 374, l'été s'achève mais les passions sont à vif. Dans cette foule survoltée, deux factions s'affrontent : les catholiques et les partisans du défunt Auxence, dernier évêque arien d'Italie. En effet, l'élection du successeur d'Auxence aura des conséquences considérables : en cette seconde moitié du IVᵉ siècle, l'évêque est devenu l'un des personnages les plus importants de la cité. L'enjeu est d'autant plus considérable que Milan est l'une des capitales de l'empire, la ville où réside l'empereur lorsqu'il séjourne au nord de l'Italie avec sa cour.

Ambroise, le gouverneur de la ville est apprécié des Milanais pour ses compétences, mais aussi pour son humanité : il a toujours refusé de soumettre les accusés à la question, cette torture qui fait alors partie de la procédure judiciaire. Ambroise est un aristocrate qui a le don de se faire aimer du peuple. Encore jeune – il n'a pas trente-cinq ans –, n'appartenant à aucune des factions qui s'affrontent, tout porte à croire que cet excellent gouverneur ferait un bon évêque, accepté par tous.

*« Ambroise évêque ! Ambroise évêque ! »*, scande la foule. Ambroise est stupéfait, et, pour tout dire, franchement embarrassé. Il ne souhaite nullement cette charge à laquelle il n'est pas préparé. Il voudrait suivre les traces de son père, disparu trop tôt, qui exerçait l'une des plus hautes charges de l'État : comme préfet du prétoire des Gaules, il administrait près d'un tiers de l'empire. C'est pour cela qu'Ambroise s'est initié à l'éloquence et à la philosophie en étudiant Cicéron, tandis que la lecture de Virgile perfectionnait son style et sa sensibilité. C'est pour cela qu'il a quitté Rome pour la capitale de l'Illyrie, Sirmium, afin d'y faire ses débuts d'avocat.

*« Ambroise ! Ambroise ! »* Les cris redoublent sur la place publique. Ambroise ne sait plus que faire. « Ce n'est pas possible, se rassure le jeune

gouverneur. Je ne suis même pas baptisé ! » Ses souvenirs se brouillent. Son enfance à Rome, la prise de voile de sa sœur Marcelline, leurs prières à la maison. « Certes, songe Ambroise, je crois et suis prêt à tout pour notre Seigneur Jésus-Christ ! Mais je ne suis pas encore digne de recevoir le baptême ! »

Toutes les réticences d'Ambroise sont vite balayées. En cette fin d'été 374, les chrétiens de Milan veulent faire de lui leur évêque. Et c'est aussi la volonté toute-puissante de l'empereur chrétien, Valentinien I$^{er}$, ravi de voir l'un de ses hauts fonctionnaires, dont il a apprécié la compétence et la loyauté, appelé à d'importantes fonctions dans l'Église. Ambroise s'incline donc devant l'appel du peuple de Milan ; il accueille la volonté de Dieu. Il reçoit le baptême, et il est ordonné évêque le 7 décembre 374.

Le nouvel évêque Ambroise prend sa nouvelle charge à cœur. Certes, il travaille, organise, avec le dévouement d'un grand serviteur, mais Ambroise est plus qu'un excellent haut fonctionnaire. Il ne sert ni des valeurs, ni un État, ni même l'Église : il est le serviteur du Christ. Appelé à expliquer chaque dimanche la Bible à son peuple, il étudie les meilleurs exégètes, notamment Philon d'Alexandrie, un Juif du I$^{er}$ siècle, qui avait interprété le Pentateuque à partir des philosophes grecs. C'est auprès de lui qu'Augustin trouvera la réponse à sa longue quête de vérité. Si les sermons d'Ambroise sont aujourd'hui presque

*Je ne suis même pas baptisé !*

tous perdus, leur substance est passée dans ses œuvres écrites. On y découvre un évêque chaleureux, profondément humain, très éloigné des préjugés de son temps. Ses traités destinés aux religieuses montrent qu'Ambroise était loin de partager les vues misogynes que l'on trouve chez certains Pères de l'Église.

Soucieux de protéger les plus faibles, il dénonce avec vigueur l'extension indéfinie des grands domaines aux dépens des petits paysans endettés. Homme d'action, Ambroise donne lui-même l'exemple en organisant le secours aux indigents. L'évêque est prêt à tout pour protéger ceux qu'il sent menacés. Il n'hésite donc pas à vendre les vases sacrés pour racheter aux Barbares les prisonniers, ce qui fait scandale... Mais qu'importe, songe Ambroise ! Tel est, à ses yeux, l'essentiel, le travail quotidien du pasteur vivant avec et pour son peuple, au mépris des convenances.

Ambroise n'est pas seulement un évêque préoccupé du sort des plus démunis. Il est avant tout un pasteur, et c'est en pasteur qu'il combat – au péril de sa vie – pour éteindre les derniers foyers de l'arianisme et lutte contre le polythéisme romain encore vivace. L'empereur, même chrétien, en reste le grand pontife, nommant les prêtres et subventionnant les sacrifices. Dès le début de son épiscopat, Ambroise, devenu le conseiller religieux du jeune empereur Gratien, use de son influence pour achever la victoire de l'orthodoxie nicéenne en Occident. Hélas ! Gratien disparaît prématurément en 383, en luttant contre un usurpateur. Les sénateurs païens croient l'heure de la revanche venue. Leur porte-parole, Symmaque, écrit un noble et émouvant discours qui demande le rétablissement des privilèges du culte ancestral. Ambroise ne se démonte pas et réplique par un mémoire où les arguments de Symmaque sont réfutés point par point.

Mais Ambroise n'est pas au bout de ses peines ! Après la victoire sur les païens, il faut affronter les hérétiques ariens. Le successeur de Gratien, Valentinien II, n'est encore qu'un enfant sous la tutelle de sa mère, Justine. Arienne convaincue, celle-ci essaie de perdre Ambroise en le sommant de lui remettre l'une de ses basiliques : s'il livre une église à l'hérésie, il se discrédite ; s'il refuse, il se rend coupable de rébellion, crime passible de mort. Inflexible, Ambroise refuse. Pendant la semaine sainte de 386, la cour envoie l'armée occuper l'une des basiliques de la ville et s'apprête à châtier le coupable. Grave erreur politique ! C'est une véritable émeute qui commence. Les petites gens, les riches commerçants, tous les Milanais prennent parti pour leur évêque. La cour doit céder.

Ambroise poursuit inlassablement son œuvre pastorale. Même s'il doit se heurter à l'empereur lui-même ! Pendant l'été

> Il soumet l'empereur à la pénitence publique.

390, Théodose fait lâcher les soldats sur la foule de Thessalonique pour réprimer une émeute et venger la mort du commandant de l'armée d'Illyrie. Un véritable massacre. Ambroise, évêque de la résidence impériale, est pressé d'intervenir. Il ose alors une mesure qu'aucun chef de l'Église n'avait encore prise contre un empereur : il le soumet à la pénitence publique, appliquée alors au commun des pécheurs ! L'empereur retrouve du même coup sa vraie place, non pas au-dessus ou au-delà des fidèles, mais au milieu d'eux. Il fallait une personnalité comme celle d'Ambroise pour oser ainsi affronter l'empereur.

Tout au long de sa vie, Ambroise lutte avec toute son énergie contre ceux qui déforment outrageusement les traits du Christ ou nient sa divinité. Au cœur de ce combat, il y a l'amour infini que l'évêque porte au Rédempteur. « *Le Christ est tout pour nous : si tu es blessé, il est le médecin ; si tu es brûlant de fièvre, il est la fontaine ; si tu es opprimé, il est la justice ; si tu as besoin de secours, il est la force ; si tu crains la mort, il est la vie ; si tu désires le ciel, il est le chemin ; si tu fuis les ténèbres, il est la lumière ; si tu as faim, il est la nourriture.* »

Saint Ambroise meurt le 4 avril 397, la veille de Pâques. La vision du Christ souriant qu'il avait eue quelques jours plus tôt devenait sa réalité pour l'éternité.

SOURCES : Ambroise de Milan, *EPISTULARUM LIBRI*. Paulin de Milan, *VIE DE SAINT AMBROISE*. H. Savon, *AMBROISE DE MILAN (340-397)*, Paris, 1997.

# THÉODOSE

## *ET LE CHRISTIANISME DEVINT*
## *RELIGION D'ÉTAT*

**• 31 JAN •** LA COLÈRE, TOUJOURS... QU'IL EST DIFFICILE DE DEMEURER À CHAQUE INSTANT UN EMPEREUR TRÈS chrétien ! Mais quoi ! peut-on exercer le pouvoir en faisant l'économie de toute violence ? Il a beau jeu, Ambroise, le saint évêque, de clamer ses reproches... L'assassinat sauvage de Buthéric, un grand serviteur de l'Empire, un Goth irréprochable à qui a été confiée la responsabilité de toute l'armée d'Illyricum, doit-il rester impuni ? Faut-il tolérer qu'une ville soit mise à feu et à sang pour une sordide affaire de mœurs entre un conducteur de char et un échanson ? C'est le pouvoir impérial lui-même qui est bafoué par cette insurrection.

Encore tout à sa colère, Théodose signe l'ordre d'intervenir et le fait transmettre en urgence au commandant des forces cantonnées à Thessalonique : répression radicale, restauration brutale du pouvoir et de l'ordre. Mais à peine les émissaires sont-ils partis que le remords succède à la colère. Et si Ambroise avait raison... Depuis si longtemps, il est de bon conseil ; sa vigilance aux côtés de l'empereur ne garantit-elle pas, justement, le respect du message

chrétien au cœur même de la pratique du pouvoir ? Trop tard. Le contre-ordre ne parviendra pas à temps pour annuler les représailles impériales... Elles sont terribles, aveugles et d'une cruauté rare. Le sang est ajouté au sang : plusieurs milliers de victimes, coupables ou non, autochtones ou étrangères, rassemblées sans discernement dans l'amphithéâtre et tuées sauvagement ! Qu'il est loin, l'exercice chrétien du pouvoir... Jamais Théodose ne parviendra à effacer le souvenir atroce du massacre qu'il a ordonné.

D'origine espagnole, issu d'une famille très chrétienne, militaire de carrière, Théodose a pourtant montré dès son avènement, le 19 janvier 379, qu'il se faisait une très haute idée de ses devoirs d'empereur et de chrétien. Il a refusé de prendre le titre de *Pontifex Maximus* – Grand Pontife –, porté pourtant par tous les empereurs depuis Auguste, en 12 avant notre ère. Ce titre religieux, lié au paganisme romain, consacrait l'empereur comme le chef de la religion traditionnelle de Rome. Rapidement, Théodose gouverne l'Empire avec le souci constant d'affermir l'Église et de mettre l'autorité impériale au service de la religion. Si, depuis

364, les empereurs pratiquent une politique de tolérance et n'interviennent pas dans les affaires religieuses, avec Théodose, les choses changent. Toute son action suit cette ligne de conduite : il faut appuyer la politique sur la religion chrétienne. Ainsi prend-il position dans les querelles de l'Église, toujours divisée sur la question de l'hérésie arienne, qui redresse la tête en Orient et un moment même en Occident : il défend et impose l'orthodoxie nicéenne et lutte contre les survivances païennes.

C'est justement à Thessalonique, le 27 février 380, que l'un de ses premiers actes décisifs, apporte, par un édit, une définition du catholicisme : « *Tous nos peuples doivent se rallier à la foi transmise aux Romains par l'Apôtre Pierre, à celle que professent le pontife Damase et l'évêque Pierre d'Alexandrie, c'est-à-dire reconnaître la Sainte Trinité du Père, du Fils et du Saint-Esprit. Ceux-là seuls qui l'observent ont droit au titre de chrétiens catholiques. Les autres sont hérétiques et frappés d'infamie, leurs lieux de réunion n'ont pas droit au nom d'Églises. Dieu se vengera d'eux, puis nous aussi.* »

L'édit impose donc aux chrétiens l'orthodoxie nicéenne comme foi officielle de l'Empire romain et s'engage dans la persécution des hérétiques, frappés d'infamie et exclus de la société civile ; l'hérésie devient un crime sacrilège. La législation considérable qui accompagne cet édit montre la volonté de lutte contre toutes les déviations :

> Il faut appuyer la politique sur la religion chrétienne.

interdiction de toute vie cultuelle, confiscation des églises et des livres, expulsion des prêtres hérétiques, interdiction de toute propagande, interdiction d'ordonner évêques et clercs ariens, exclusion des hérétiques de l'administration et de l'armée, et incapacité juridique assortie de l'impossibilité de tester, d'hériter et de signer des contrats. Ainsi l'évêque arien de Constantinople est-il expulsé sur ordre de l'empereur.

Grâce à l'aide du pouvoir temporel, l'Église retrouve son unité et la formule de foi de Nicée est définitivement adoptée en Orient. En outre, Théodose reconnaît l'autorité universelle du Pape, évêque de Rome. C'est encore pour imposer la foi de Nicée à l'Église orientale que Théodose réunit à Constantinople, le 10 janvier 381, un concile proclamant que « *le règne du Christ n'aura pas de fin* », et qu'il y a unité consubstantielle des trois personnes de la Trinité. Père, Fils et Saint-Esprit sont reconnus comme « *une seule divinité, puissance et substance* ». L'année suivante, en 382, à Constantinople, un nouveau concile confirmera une seconde fois les formules proclamées précédemment.

Théodose parvient donc à écarter la menace arienne de l'Empire romain ; il lui faut désormais combattre le paganisme qui conserve encore une position officielle. Aussi, à partir de l'année 382, prend-il de nouvelles mesures destinées à interdire les cultes païens : interdiction de consulter les entrailles des animaux pour connaître l'avenir et peine de mort contre les contrevenants, arrêt des subventions de l'État aux cérémonies païennes, suppression des traitements des prêtres, confiscations des revenus des temples, suppression des exemptions fiscales accordées aux prêtres et suppression du privilège des prêtres et des temples de recevoir des legs. Seule l'Église bénéficie désormais des faveurs et des privilèges de l'État.

> C'est la victoire du christianisme, proclamé religion d'État.

À Rome, en 382, l'autel et la statue de la Victoire sont retirés du Sénat ; selon un usage séculaire, les sénateurs, en entrant dans la curie, avant une réunion, avaient coutume de jeter de l'encens sur cet autel en hommage à la divinité. Jusqu'en 394, sans succès, de grands sénateurs païens vont tenter d'influencer l'empereur pour l'amener à revenir sur cette décision, véritable mise à mort de la tradition païenne dans la ville de Rome. À partir de 391, les lois vont se succéder pour interdire les sacrifices, la fréquentation des temples et le culte des idoles, et fixer de lourdes amendes contre les fonctionnaires qui toléreraient encore ces pratiques, aussi bien à Rome qu'en Égypte ou à Constantinople. Le domaine privé n'est pas épargné : il est désormais interdit de faire des sacrifices domestiques, d'allumer du feu devant un autel familial, d'offrir des fleurs, du vin, de l'encens aux divinités protectrices de la maison, de dédier un autel aux dieux. Les autorités municipales et provinciales font appliquer ces mesures avec une grande rigueur. C'est la victoire du christianisme, proclamé religion d'État.

Partout l'État mène alors une lutte active contre les païens. Un grand nombre de temples sont détruits. En 391, le célèbre temple d'Alexandrie, le Sérapeum, consacré au grand dieu gréco-alexandrin Sérapis, est fermé, puis détruit par l'armée, et par une foule en liesse, menée par l'évêque Théophile. En Égypte, également, des moines détruisent les temples dans la campagne. En Gaule, saint Martin de Tours sillonne son diocèse pour attaquer, par le pic et la hache, les édifices païens. La célébration des jeux dans les amphithéâtres, les théâtres ou les cirques est contrôlée afin d'écarter de ces distractions tout soupçon de paganisme ; en 394, la célébration des jeux Olympiques est arrêtée. Le zèle purificateur n'épargne rien ni personne.

Pourquoi donc faut-il que le massacre de Thessalonique vienne gâcher le rêve d'un empire pacifié et chrétien, gouverné avec mesure et sagesse, préfiguration du Royaume de Dieu. Les reproches d'Ambroise sont durs et sévères. L'affaire ébranle une amitié profonde, mais l'évêque ne peut se taire. « *Mais David, pourtant ; David lui-même, roi, prophète mais aussi adultère et homicide, n'a-t-il pas retrouvé sa place dans l'histoire du salut ? N'a-t-il pas été pardonné ?* » Cette référence au roi psalmiste est comme un recours de la part de Théodose qui ne supporte plus la longue pénitence qui lui a été imposée. Huit mois déjà qu'il est contraint de se tenir loin des assemblées de prière, loin des sacrements. Le désespoir habite les salles du palais impérial. Mais que faire ? La sentence d'Ambroise est juste, et le recours au roi David reste vain...

L'empereur est à bout. Il ne voit plus qu'une seule issue : affronter publiquement la colère d'Ambroise, reconnaître humblement sa faute et demander sincèrement pardon. Alors que l'entrée de l'église lui est toujours refusée, il vient dans une salle proche du sanctuaire s'agenouiller devant celui qui l'a condamné. Il confesse son désespoir et son remords ; il proclame son repentir et implore le pardon. Ferme, Ambroise redit la gravité de la faute, mais se laisse toucher par la sincérité de la pénitence publique de Théodose. Un empereur à genoux devant l'évêque ! La pénitence est enfin levée. Pour la première fois, un souverain s'abaissait devant l'Église : le geste confortait la christianisation de l'Empire. La construction de la Cité de Dieu, chère à saint Augustin, y trouvait ses fondations.

> *Un empereur à genoux devant l'évêque !*

SOURCES : Théodoret de Cyr, *HISTOIRE ECCLÉSIASTIQUE*. Ambroise de Milan, *LETTRES*. Hydace, *CHRONIQUE*. Orose, *COMMONITORIUM DE ERRORE PRISCILLIANISTARUM*. « La naissance du christianisme », in *L'HISTOIRE*, n° 227, déc. 1998. C. Pietri, *ROMA CRISTIANA*, Rome, 1976.

Décembre

Janvier

**Février**

Mars

Avril

Mai

Juin

Juillet

Août

Septembre

Octobre

Novembre

Décembre

# BARBARES ET ÉVANGÉLISATEURS

## *DE LA CHUTE DE L'EMPIRE ROMAIN*

## *À L'AUBE DE LA RENAISSANCE CAROLINGIENNE*

*Acclamez Dieu, toute la terre ;*

*fêtez la gloire de son nom,*

*glorifiez-le en célébrant sa louange.*

*Dites à Dieu : « Que tes actions sont redoutables !*

*En présence de ta force, tes ennemis s'inclinent.*

*Toute la terre se prosterne devant toi,*

*Elle chante pour toi, elle chante pour ton nom. »*

*De là, cette joie qu'il nous donne.*

*Il règne à jamais par sa puissance.*

*Ses yeux observent les nations :*

*que les rebelles courbent la tête !*

Psaume 65

# AUGUSTIN D'HIPPONE

## *UN INTELLECTUEL FOUDROYÉ*

### *PAR LA GRÂCE*

**2 FÉV** • UNE TOILE ADMIRABLE DE CARPACCIO, DANS L'ÉGLISE SAN GIORGIO DEI SCHIAVONI À VENISE, montre un jeune évêque dans son cabinet de travail, assis à sa table, couverte de manuscrits. Il a la plume à la main, suspendue un instant, et son regard semble chercher l'inspiration, tourné vers la fenêtre qui éclaire la pièce. Regardons-le, penché sur l'écritoire : « *Je te cherchais en dehors de moi, et je ne trouvais pas le Dieu de mon cœur, et j'étais arrivé "au profond de la mer"* » (Ps 68) *et je désespérais de découvrir le Vrai. J'étais dans la région lointaine, où rien ne Te ressemble...* » Une larme chaude coule sur la joue de cet étonnant évêque africain qui, en racontant les errances de son passé, est en train de produire la première autobiographie de l'histoire littéraire d'Occident, œuvre géniale s'il en est. La scène se passe en 397, l'évêque n'est autre qu'Augustin d'Hippone, qui écrit ses célèbres *Confessions*, une vie racontée à la fois à Dieu et aux hommes : trois années de travail d'écriture et de relecture de son existence.

Revenons au tableau de Carpaccio : supposons qu'il vient de raconter ses jeunes années, sa naissance en 354 à Thagaste, petite bourgade de la province romaine de Numidie proconsulaire (les confins algéro-tunisiens d'aujourd'hui). Une enfance heureuse dans ce pays de douces montagnes couvertes alors de blé, de vignes, de vergers et d'oliveraies. Le père ? Patricius, petit fonctionnaire païen et peu agréable en ménage ; la mère ? Monique, personnalité attachante, et même envahissante, chrétienne ardente – quasi confite en dévotion. Et lui, Augustin, gamin brillant, dont l'intelligence stupéfie l'entourage : la famille s'est donc saignée aux quatre veines pour lui offrir des études dans la petite ville voisine de Madaure, toute fière de son illustre compatriote, le poète philosophe Apulée. Augustin ne s'appesantit pas sur ses souvenirs de collégien. À l'évidence, il a appris sérieusement à lire et à écrire cette langue latine dans laquelle il aimera tant parler et prêcher durant toute sa vie. En revanche, l'écrivain s'attarde sur les années estudiantines dans la capitale africaine : « *Je vins à Carthage, partout autour de moi crépitait la chaudière des honteuses amours : je n'aimais pas encore et j'aimais à aimer.* »

La plume d'Augustin fait une nouvelle

pause : faudra-t-il tout raconter ? Il y a tant à dire : la découverte passionnée des joies de l'amour, du théâtre, et celle, bouleversante pour ce jeune intellectuel assoiffé, de Cicéron : « *Je lus l'Hortensius, et ce livre changea mes sentiments, orienta vers toi, Seigneur, mes désirs : c'est l'immortalité de la Sagesse que je me mis à convoiter...* » Las, le premier contact du jeune Augustin avec l'Écriture sainte est une catastrophe : l'orgueilleux rhéteur en herbe lit le mauvais latin de la traduction biblique africaine et rejette tout ce fatras... Du reste, il vient de trouver en échange la meilleure des fausses pistes d'alors, dans laquelle il s'engage à corps perdu : la puissante secte des manichéens, qui enseignait à ses adeptes l'existence du bien et du mal, en lutte permanente, à l'échelle cosmique et à l'échelle humaine. Voilà notre Augustin, pourtant si perspicace, lié pour des années à des marchands de vérité de quatre sous.

L'écrivain évoque la douleur – les larmes abondantes – de Monique, qui sent bien que l'âme de son grand fils, si doué soit-il, est en danger. Mais Augustin n'en a cure. Il poursuit sa carrière, exceptionnellement brillante : le voici professeur de rhétorique dans sa ville natale, puis à Carthage, où il mène joyeuse vie, avec une concubine dont un fils, Adéodat, lui est né depuis 372. Augustin est entouré d'amis. Toute sa vie, il aura le culte d'une amitié largement partagée, et dont il faut bien dire qu'il est le centre naturel. Or, voici qu'il perd un ami très cher. Les

*Confessions* contiennent des pages sensibles, bouleversées : « *Mes yeux le cherchaient partout, et toutes choses m'étaient odieuses, parce que vidées de lui. J'étais devenu pour moi-même une immense énigme, j'interrogeais mon âme : "Pourquoi es-tu triste ?" et elle ne savait rien me répondre...* »

> *J'étais devenu pour moi-même une immense énigme.*

La jeunesse l'emportait cependant, et la vie reprenait son cours – sa course plutôt : voici Augustin sur le rivage, laissant une mère inquiète et en pleurs, passant la mer vers Rome, capitale mythique, où ses amis manichéens lui ont promis leur soutien pour sa carrière. De fait, en quelques semaines, Augustin est à Milan, la capitale impériale d'alors, où il obtient la chaire de rhétorique. Tous les espoirs sont permis : ce jeune professeur africain, très coté, paraît à la cour, envisage peut-être une carrière politique ?

Mais Dieu a d'autres projets. Dans la ville, l'évêque Ambroise – un ancien préfet de la ville, homme de pouvoir et d'immense culture – veille à l'orthodoxie de la foi catholique, face aux menées de l'impératrice-mère, convaincue par l'hérésie arienne. Monique – qui s'est précipitée en Italie ! – voudrait tant que son fils rencontre l'évêque Ambroise, le seul homme au monde capable, par son intelligence et sa vie spirituelle, de présenter à Augustin le message évangélique de manière à emporter son adhésion. Or à cette époque, Augustin, déçu par les réponses ineptes de l'évêque manichéen Faustus, dont on lui avait promis monts et merveilles, s'est détaché progressivement de la secte. Ses mœurs du moment et le souci de sa carrière ne contentent pas son ardente soif spirituelle. Même son métier de rhéteur, qui l'a tant passionné, lui paraît vain, langage creux : « *Je vendais du vent...* » se souvient-il. Va-t-il sombrer dans la mélancolie ? Au cours de l'été 386, le beau parleur professionnel a une extinction de voix. Une parole s'éteint, une autre s'éveille. La parole d'Ambroise, qu'il rencontre enfin, lui apparaît alors salutaire, et commence, sans qu'il s'en doute d'abord, à transformer son cœur. Cet été-là, dans un jardin à Milan, où il s'est retiré avec quelques amis, une lecture des épîtres de saint Paul lui ouvre pour toujours le chemin de la Grâce : la conversion est foudroyante, Augustin change de vie, abandonne ses mœurs relâchées et son ambitieuse carrière ; en un instant, il offre tout à Dieu. Ambroise baptise Augustin dans la nuit de Pâques 387. Vie nouvelle, heureuse !

En 397, relisant sa vie, l'évêque biographe mesure, à dix ans de distance de son baptême, le chemin parcouru depuis lors : il a d'abord fondé une communauté d'amis chrétiens à Thagaste, dans la propriété héritée de son père. Elle fait d'Augustin l'un des premiers moines d'Occident. On y prie, on y mène une vie commune de joyeuse austérité, et on y réfléchit : Augustin est resté un intellectuel, il écrit des traités de morale, de philosophie. Mais en 391, sa vie change de nouveau, il a été ordonné prêtre, à Hippone, et en 395, il devient évêque titulaire de la ville. À partir de là,

*Je vendais du vent.*

l'écrivain, le spirituel, l'homme intérieur est sans cesse bousculé par ce qu'il appelle le *fardeau épiscopal* – il faut prêcher longuement, administrer, rendre la justice, participer à la vie et aux querelles de l'épiscopat africain.

Lorsqu'il commence à écrire ses *Confessions*, en 397, Augustin ne sait pas qu'il va lui falloir assumer, pendant 33 ans encore, la lourde charge épiscopale, dans des circonstances rendues difficiles, et presque toujours douloureuses, par les vicissitudes du temps. L'Église d'Afrique est en effet abîmée par un schisme entre catholiques et donatistes qui, dans un excès de rigueur, affirment que les sacrements reçus des mains d'un prêtre renégat ne sont pas valides. À Hippone même, comme partout en Afrique, il y a deux églises, une pour chaque parti, et Augustin se lamente : « *La robe sans couture du Christ est déchirée...* » Jusqu'à sa mort, Augustin tentera de convaincre, de réduire le schisme, d'apaiser les cœurs, et son rôle auprès de l'évêque Aurélien, à la fameuse conférence de Carthage de 411, sera capital. La controverse, de toute façon, accompagne toute la vie de l'évêque : quand ce ne sont pas les donatistes, ce sont les pélagiens, qui mesurent mal l'équilibre de la grâce et de la liberté humaine ; Augustin doit encore réfuter, écrire et correspondre. On se demande comment il fait ! En trente ans, au milieu de toutes ses activités et d'un soin vraiment paternel de ses ouailles, il écrit des centaines de lettres, de traités – parfois volumineux – et de sermons sur l'Écriture. Passionné de la parole de Dieu, Augustin y puise une intelligence de la foi qui va faire de lui, incontestablement et pour longtemps, le théologien le plus considérable de l'histoire chrétienne. Sur maints sujets, « neufs » à son époque en Occident – l'Église, la grâce, la Trinité, etc. – il réfléchit et imagine des solutions hardies, souvent géniales, toujours empreintes de charité et pleines d'égards pour la réalité humaine.

En 410, Rome tombe sous les coups d'Alaric, et l'évêque d'Hippone voit affluer en Afrique du Nord les nobles romains réfugiés. Pour leur expliquer et pour comprendre lui-même ce traumatisme extraordinaire que représente pour le monde entier la chute de Rome, Augustin met en chantier un énorme ouvrage, la *Cité de Dieu,* qui doit montrer à ses contemporains que cités et civilisations sont mortelles, et qu'il vaut mieux construire la Jérusalem future,

> *Pèlerin gémissant d'ineffables soupirs.*

même si ici-bas Jérusalem et Babylone ont une existence encore mêlée.

Il faudrait un autre tableau, pour terminer : pendant l'été 430, l'évêque Augustin, enfiévré sur son lit, dans une chambre où il a fait graver sur les murs les psaumes de la pénitence. Augustin, épuisé, a 76 ans, et il meurt dans sa ville épiscopale assiégée depuis trois mois par les Vandales de Genséric. L'Afrique romaine tombe, elle aussi, aux mains des Barbares. Dans cette atmosphère de fin d'un monde, Augustin laisse une œuvre immense, qui a depuis longtemps passé les frontières de l'Afrique. La bibliothèque de l'évêque peut brûler dans le sac de la ville, ses écrits sont déjà copiés partout en Gaule ou en Italie. Pour lui, il a terminé son pèlerinage. On l'entend murmurer : « *J'entre dans ma chambre et te chante l'amour, pèlerin gémissant d'ineffables soupirs, le cœur tendu là-haut, au souvenir de Jérusalem, ma patrie, ma mère... »*

SOURCES : Saint Augustin, *CONFESSIONS.* Van der Meer, *SAINT AUGUSTIN, PASTEUR D'ÂMES,* Paris 1955. *LES LETTRES DE SAINT AUGUSTIN DÉCOUVERTES PAR J. DIVJAK,* colloque de septembre 1982, Paris, 1983. H. Marrou, *SAINT AUGUSTIN ET L'AUGUSTINISME,* Paris, 1955. F.-A. Trapé, *SAINT AUGUSTIN, L'HOMME, LE PASTEUR, LE MYSTIQUE,* Paris, 1988.

# HONORAT

## *QUAND LÉRINS S'ALLUME AU SOLEIL*
## *DE LA CHARITÉ*

**• 3**
**FÉV •**

LES RONCES LA RECOU-
VRENT, LES SERPENTS VENI-
MEUX S'EN DONNENT À CŒUR
JOIE, les gens du pays en
parlent avec épouvante, et il n'y a même
pas d'eau potable ! Pourtant, quand Honorat, campé devant sa grotte en haut des
monts de l'Estérel, accroche du regard, une
fois de plus, la plus petite des îles qui
émerge des flots, l'évidence le frappe en un
trait de lumière : la solitude en Dieu qu'il
désire tant est là, au milieu des vagues, sur
ces rivages vibrants de soleil.

Nous sommes en l'an 400 et Honorat a
pour seul compagnon un saint vieillard,
Capraise. Moins de trente ans plus tard,
l'île de Lérins, peuplée de moines, gorgée
d'eau douce, débarrassée de ses aspics et
fleurant bon les herbes de Provence est
une halte tellement prisée des navigateurs
que si d'aventure un vent impétueux leur
fait manquer l'escale, ils s'en affligent
comme de la pire des tempêtes, parce
qu'ils sont sûrs qu'au monastère, Honorat
les attend, même s'il ne les a encore jamais
vus. Que s'est-il donc passé ?

Pour le savoir, il faut écouter la voix
d'Hilaire, le plus proche ami d'Honorat,
qui vient de lui succéder comme évêque

d'Arles. Avec une émotion contenue, en ce
premier anniversaire de la mort d'Honorat, Hilaire retrace la vie de son prédécesseur, et dans son discours la délicatesse et
la pudeur le disputent à l'enthousiasme : il
l'a tant aimé, tant admiré ! Il n'est pas le
seul. La disparition d'Honorat, en 430, a
bouleversé la vieille cité où réside le préfet
du prétoire des Gaules. Non qu'Honorat
en ait été longtemps l'évêque : deux ans à
peine ! Mais en Arles, on sait bien pourquoi on est allé chercher le célèbre moine
sur son île : il avait tant d'amour à donner,
il fallait bien que la ville en profite aussi
un peu !

Hilaire parle. Et de son récit surgit un
jeune homme, issu d'une riche famille des
Gaules, converti à vingt ans, qui vend tous
ses biens, les donne aux pauvres, part sur
les côtes de Méditerranée avec le vieillard
Capraise et son frère Venance, hélas vite
disparu, se fait ermite dans les montagnes
de Provence et trouve enfin son bonheur
en établissant à Lérins un monastère où
l'ascétisme, nourri aux sources de la
Grèce, se met à fondre peu à peu au soleil
de la charité.

La voix d'Hilaire d'Arles s'enroue. Avec
une infinie délicatesse, il évoque l'intimité

d'Honorat avec Dieu, son désir d'un martyre qui ne lui fut jamais demandé, mais qui hanta ses songes et donna à sa vie spirituelle une profondeur sans pareille. Et surtout Hilaire explique pourquoi et comment Lérins fut vraiment, avec le Christ et pour lui, le « camp de Dieu » qu'Honorat rêvait d'établir.

Honorat est un pêcheur d'hommes. Quand il établit la règle du monastère de Lérins, il suit simplement les coutumes ascétiques de ses devanciers. Mais quand il s'adresse à ses moines, il est pour eux l'image même de la tendresse paternelle, débordant de compréhension, de compassion, « *employant tous ses soins à cultiver les âmes de tous comme s'il s'agissait de son propre cœur* ». L'époque est rude, et parmi ceux qui affluent à Lérins les Barbares sont légion. Mais, s'émerveille Hilaire, grâce au ministère d'Honorat, « *des fauves sont changés en hommes* » ! Car pour les moines comme pour les étrangers de passage, Honorat vit « *les bras tendus et les mains ouvertes, conviant tous les hommes à se jeter dans ses bras, autant dire dans l'amour du Christ* ». D'une intuition venue de Dieu, il connaît chacun au plus intime de lui-même et fait siennes, de tout cœur, les peines et les joies de tous ceux qui l'approchent.

Dans l'histoire des lieux de solitude et de prière, Lérins brille d'une lumière très douce. Sans doute « *le sourire innombrable des vagues marines* », la transparence du ciel méditerranéen et la poésie propre aux îles y sont-ils pour quelque chose. Mais rien de tout cela n'aurait de sens si Lérins n'avait pas été, d'abord, l'île de miséricorde. L'abbaye ne fut pas seulement une des premières fondations monastiques en Gaule, abritant une célèbre école de théologie et de philosophie. Aux V$^e$ et VI$^e$ siècles sa réputation de sainteté et de science est si remarquable qu'on vient de partout lui demander des évêques. Lérins devient très vite « *une pépinière de saints et de savants, issus de toutes les nations* » : saint Loup de Troyes, saint Eucher de Lyon, saint Véran de Vence, saint Césaire d'Arles et bien d'autres encore témoigneront de la grande fécondité de l'abbaye...

L'histoire de Lérins est toute baignée d'amitié chrétienne. Non seulement parce que la fondation du monastère et le profil de son premier abbé nous sont connus par le récit, noble et beau, d'un ami d'exception, mais aussi parce qu'en ce début du V$^e$ siècle, quand l'Empire romain s'épuise à lutter contre les invasions barbares, quand l'Église affronte les erreurs de l'arianisme ou le donatisme... l'île de Lérins apparaît comme un havre de paix où l'on peut dire des chrétiens : « *Voyez comme ils s'aiment !* »

> *Des fauves sont changés en hommes.*

SOURCES : Hilaire d'Arles, *VIE DE SAINT HONORAT*. H. Moris, *L'ABBAYE DE LÉRINS. HISTOIRE ET MONUMENTS*, Paris, 1909. L. Cristiani, *AUX ORIGINES DE LÉRINS : SAINT HONORAT, SAINT HILAIRE D'ARLES, SAINT EUCHER DE LYON*, Paris, 1947. G.-M. Oury, *LES MOINES*, Paris, 1987.

# JÉRÔME

## *Le chien de garde*
## *de la Parole de Dieu*

**• 4**
**FÉV •**

« *ÂNES BIPÈDES !* » SUR CES MOTS, JÉRÔME TOURNE LES TALONS ET LAISSE PLANTÉS LÀ TOUS CES PRÉTENTIEUX de la haute société romaine, tous ces clercs figés dans leurs habitudes, qui n'ont de cesse de s'acharner contre lui et contre sa traduction latine de la Bible.

Jérôme préfère avoir pour seul décor et compagnons ses livres, ses manuscrits et ses notes, ses milliers de notes accumulées, soigneusement copiées depuis tant d'années. Il travaille sans discontinuer. « *Incomparable en toutes sciences* » ; « *Tout entier dans les livres et ne se reposant ni jour ni nuit* », dira de lui Sulpice Sévère. La vie de Jérôme, ce passionné de culture, s'organise autour de l'ascèse et du travail intellectuel.

Jérôme est fascinant. À plus d'un titre, il est paradoxal : à la fois irascible et excessivement sensible, austère et passionné, il est tantôt vaniteux, tantôt acerbe et truculent. Ce savant – que seules les femmes comprenaient vraiment – est souvent émouvant. Passionné, il encense ses amis, avant de se brouiller avec eux ! Son ami Rufin – qui l'accuse de citer « *à chaque page* » Horace ou

Virgile – finit par l'exaspérer : Jérôme se fâche... et quand on lui annonce, quelques temps plus tard, la mort de son ancien ami, il lâche ses mots terribles : « *Son cadavre nous empestera longtemps encore !* »

Jérôme, au carrefour des cultures, se veut le garant de l'orthodoxie romaine. Il se compare lui-même à « *un chien de garde* », tant son acharnement et son sens du combat sont au service de l'Église. Alors, même si ses prises de positions parfois injustes, ses colères et son caractère réellement épouvantable le rendent peu sympathique, Dieu fait feu de tout bois et sait façonner la belle intelligence de Jérôme au service de son Église.

Jérôme a toujours joint le goût des débats intellectuels à l'amour des lettres. De Stridon en Dalmatie – l'actuelle Croatie – où il est né en 347-348 et où il sera baptisé, à l'âge de 16 ans, de Milan à Rome, villes où il poursuivra ses études, Jérôme n'a de cesse d'enrichir sa pensée et ses connaissances. Grammaire, rhétorique, philosophie, la soif de Jérôme est inextinguible. Les classiques latins, notamment Cicéron et Virgile, forgent son esprit.

Mais un jour, le jeune chrétien fait un rêve étrange dans lequel il est confronté au Juge suprême qui l'accuse de « *n'être pas chrétien mais cicéronien* ». Il en reste saisi. « Il est temps de s'occuper des choses de Dieu ! » pense Jérôme qui commence à voyager pour répondre à cet appel. Il se rend en Gaule, puis à Trèves, à Aquilée – où il rencontre Rufin –, à Antioche, d'où il gagne le désert de Chalcis alors peuplé de moines. Il n'est pas facile pour un caractère aussi entier de se réformer. Jérôme hésite toujours. Comme les lettres antiques sont belles à ses yeux et l'écriture des prophètes « *rude et négligée* » !

Pourtant Jérôme décide d'apprendre l'hébreu, sous la conduite d'un Juif lettré. Les mots lui paraissent « *gutturaux et haletants* ». Il traduit en latin l'œuvre d'Eusèbe, en la remaniant. Le silence du désert semble l'apaiser. A-t-il trouvé le chemin de la sérénité ? Ce serait oublier ses sautes d'humeur ! Jérôme, vite lassé par « *ces moines crasseux, ignares et querelleurs* », lâche tout et repart à Antioche. Paulin, évêque de la ville, l'ordonne prêtre, mais Jérôme veut rester libre de ses mouvements et reprend la route. Vers 380, il consulte les gigantesques bibliothèques de Constantinople et côtoie Grégoire de Naziance qui l'initie à Origène. Totalement subjugué, Jérôme le surnomme « *le Maître de l'Église, depuis l'âge apostolique* ». Va-t-il s'attacher à ce maître ? Comme souvent avec Jérôme, la fascination ne dure pas ! Deux ans plus tard, il quitte Constantinople et accompagne Paulin à

*Ces moines crasseux, ignares et querelleurs.*

Rome pour un concile ordonné par le pape Damase. Rencontre décisive entre les ambitions intellectuelles d'un très grand pape et l'intelligence, l'ardeur du bourreau de travail qu'est Jérôme. Le Pape, fin lettré et poète à ses heures, l'estime au point de le prendre pour secrétaire. Reçu par l'aristocratie romaine, Jérôme devient le guide spirituel et intellectuel de nombreuses dames de la haute société : Paula, Marcella ; pour elles et pour le souverain pontife, il multiplie les exposés sur l'exégèse et l'ascèse, fustige les mœurs corrompues, traduit Origène et Didyme.

Commence alors une aventure qui durera plus de vingt ans. Damase lui confie la révision des traductions latines des Évangiles et des Psaumes, puis de la totalité de la Bible. Il veut un texte qui fasse autorité. Un travail d'une ambition folle, à la mesure des connaissances et du caractère de Jérôme. Jérôme est en effet l'un des rares hommes de son temps à posséder une parfaite connaissance de l'hébreu, du grec et du latin.

Notre savant se met à l'ouvrage. Il s'appuie d'abord sur le texte mis en ordre par Origène sous le nom d'Hexaples. Il se fonde tout particulièrement sur la traduction grecque : la Septante, c'est-à-dire celle des soixante-dix traducteurs (en fait, ils sont soixante-douze) qui ont traduit en grec les livres bibliques, écrits en hébreu. À la mort de Damase, en 384, Jérôme quitte à nouveau Rome et se fixe à Bethléem, mais il n'abandonne pas sa monumentale entreprise. Il trouve le temps, malgré ses travaux, de fonder trois monastères de femmes, avec la fortune de Paula, et un monastère d'hommes. Au cours de ses nombreux voyages, il a constitué une énorme bibliothèque qui lui permet de mener à bien l'ambitieux projet. Vers 391, Jérôme décide de se concentrer sur le texte original hébreu ou araméen pour en donner sa propre traduction latine de la Bible. Cette version est appelée *juxta hebraica veritatem* et, bien que les contemporains de Jérôme restent fidèles aux vieilles traductions – ce qui n'est pas sans exaspérer le bouillonnant érudit –, la traduction de Jérôme, qui prendra le nom de Vulgate, finira par s'imposer universellement à la fin du VIII⁰ siècle.

Jérôme dit de lui-même qu'il est « *à la fois rhéteur, philosophe, dialecticien* ». Cette science fait de lui le fondateur de l'exégèse scientifique. Son élégance littéraire est incontestable ; à sa langue, un chef-d'œuvre de clarté classique, rien ne manque en subtilité, en force, en vigueur, et ce malgré les critiques d'Augustin qui lui reproche d'avoir trop peu respecté les textes de la tradition !

Toujours attentif à l'expression de la vérité, Jérôme écrit « *avoir mis tout en œuvre pour faire des ennemis de l'Église ses propres ennemis* » ; conscient de l'urgence d'établir un texte de référence, il répond au besoin de fédérer les chrétiens autour d'une seule Bible. Après une vie d'intenses prières et d'actes de contrition accomplis en expiation des péchés, qu'un caractère plus que tranché l'amenait bien malgré lui à commettre, après trente années d'inlassables recherches, Jérôme, devenu impotent et aveugle, est rappelé par le Seigneur le 30 septembre 420.

Le 8 avril 1546, un décret du concile de Trente proclame que la « *vieille édition de la Vulgate* [celle de Jérôme] *est approuvée par l'Église par le long usage de tant de siècles, [qu'elle] doit être reconnue pour authentique dans les leçons publiques, les prédications et les explications...* » Dès 1456, Gutenberg l'imprime, et en 1528, Érasme l'édite. En 1590, le pape Sixte Quint ordonne une édition définitive, révisée deux ans plus tard par Clément VIII. Cette Vulgate « sixto-clémentine » est celle de nos Bibles latines. Dix siècles de succès : qui peut rivaliser avec Jérôme traducteur !

Outre la Vulgate, Jérôme a écrit cent dix-sept lettres et de nombreux commentaires de la Bible. Il a aussi rédigé une histoire des hommes illustres, parmi lesquels il n'a pas hésité à se compter...

> *Faire des ennemis de l'Église ses propres ennemis.*

SOURCES : Saint Jérôme, *CORRESPONDANCE* et *APOLOGIE CONTRE RUFIN*. J. Steinmann, *SAINT JÉRÔME*, Paris, 1958. M. Testard, *SAINT JÉRÔME. L'APÔTRE SAVANT ET PAUVRE DU PATRIARCAT ROMAIN*, Paris, 1969. M. Spanneut, *LES PÈRES DE L'ÉGLISE*, Paris, 1990.

# MÉLANIE ET PINIEN

## *Ou comment deux jeunes Romains découvrent qu'il n'est pas si facile de devenir pauvre*

— JE T'AFFRANCHIRAI, TOI, ET LES AUTRES ! VOUS SEREZ LIBRES ! plaide Mélanie, jeune patricienne romaine.

— Et s'il nous plaît de rester vos esclaves ! Et si nous refusons d'avoir un autre maître ? s'exclame un vieil esclave.

Chose étrange, la surprenante proposition de la jeune femme ne rencontre aucun succès. Car les esclaves de Mélanie, la jeune Romaine, et de Pinien, son mari, ne peuvent envisager l'impensable. Mélanie et Pinien ont décidé de vendre toutes les propriétés qui leur appartiennent. Et leurs esclaves, s'ils ont tremblé un moment à l'idée d'être vendus à des maîtres plus sévères, restent en définitive convaincus que leurs maîtres ne pourront commettre une telle folie. Le Sénat veillera à calmer les ardeurs de ces jeunes écervelés.

Mélanie et Pinien ont pourtant reçu tout ce dont un couple de citoyens romains peut rêver, en ce début de Vᵉ siècle. La fortune – un patrimoine dispersé aux quatre coins de l'Empire, à vrai dire l'un des plus grands –, une heureuse naissance – ils appartiennent à l'ordre sénatorial – et une douceur, une heureuse inclination de caractère qui placent leur union sous les meilleurs auspices. Ils sont chrétiens mais n'ont pas, comme leurs frères en religion quelques siècles plus tôt, à risquer le martyre pour leur foi. Leur religion est celle de l'Empire. Tout porte à croire qu'ils auraient pu mener une existence heureuse, être à la fois de bons citoyens romains, en se pliant aux exigences de leur rang, et d'honnêtes chrétiens. Ils sont d'ailleurs unanimement reconnus comme de bons maîtres, justes et doux. Quel besoin ont-ils de commettre une telle absurdité ?

« *Va, vends tout ce que tu as, et suis-moi !* » dit le Christ au jeune homme riche. Et celui-ci s'en alla, triste, car il avait de grands biens. Mélanie et Pinien ont résolu, eux, de suivre le Christ. Folie aux yeux de l'Empire – même chrétien –, sagesse pour ces deux jeunes gens qui décident de répondre à l'appel. Ils ne seront pas chrétiens à moitié. Leur ardeur inquiète évidemment ceux qui les entourent. Leurs idées ne sont-elles pas une toquade généreuse comme en connaît la jeunesse ? Leur famille, leurs amis sont bien décidés à les protéger d'une telle folie.

En 410, au moment où Pinien accepte la voie que Mélanie lui présente, il n'est pas facile pour des Romains fortunés de quitter la richesse opulente pour épouser Dame Pauvreté. Plus encore que l'incompréhension de ses proches, le jeune couple sait qu'il devra affronter la loi du Sénat. En effet, les biens des membres des familles sénatoriales appartiennent aussi à l'Empire romain. Les grands propriétaires membres de l'ordre sénatorial ont des obligations qui s'enracinent dans la vie de la cité. Ils doivent entretenir l'éclat et le renom de leur famille, et justifier leur appartenance au premier ordre de l'Empire. Ils ne peuvent disposer de leurs biens en totale liberté : il leur faut notamment organiser fêtes et jeux, qui font partie intégrante de la tradition impériale.

Dans ce contexte, les propriétés de Mélanie et de Pinien sont une prison dorée. Esclaves de leurs propriétés, de leurs biens fonciers, ils n'ont guère de liberté de mouvement, ils se doivent à l'administration de leurs biens. Mais Mélanie et Pinien sont décidés à suivre le Christ qui libère. Ils le feront malgré les interdictions posées par les législateurs et le droit romain. Un aspect juridique en particulier ne facilite pas la vente des biens : selon le droit romain, tout contrat passé avec des gens de moins de vingt-cinq ans est susceptible d'être révoqué. Pinien le sait bien. Il ne trouvera pas facilement d'acheteurs, d'autant plus que le Sénat sanctionne d'un veto énergique cette folle audace de jeunesse.

Alors Mélanie, avec l'accord de

> *Le Sénat sanctionne d'un veto énergique cette folle audace de jeunesse.*

Pinien, décide de passer outre la décision du Sénat et de demander l'appui de la femme de l'empereur, la reine Serena, chrétienne elle aussi. Emportant, comme il est d'usage, de nombreux cadeaux pour la reine, les hauts fonctionnaires du palais, les eunuques et autres courtisans, la jeune femme part plaider sa cause. Chargée de riches cadeaux, de soieries magnifiques, de brocards somptueux, c'est vêtue d'une sévère et sombre tunique qu'elle se présente à l'impératrice, entourée d'une foule bourdonnante de courtisans. Elle expose toutes les difficultés qu'elle et son mari rencontrent pour vendre leurs biens et demande à l'impératrice l'autorisation de consacrer toute sa fortune au soin et à l'assistance des plus pauvres.

À la stupéfaction générale, la demande de Mélanie est acceptée. « *Voyez cette femme qui, quatre mois plus tôt, resplendissait dans la gloire du monde, la voici ! À cause du Christ, elle vieillit dans la sagesse et méprise tous les délices !* », s'exclame Serena. L'impératrice fait rédiger les ordres de ventes et envoie des courriers sur toutes les routes de l'Empire. En affranchissant Mélanie et Pinien des vieilles pratiques foncières de leur ordre, elle défie la décision sénatoriale, marquant ainsi son autorité de reine. Les magistrats, les gouverneurs – membres du Sénat – sont fermement sollicités par l'impératrice pour organiser la vente des biens à laquelle ils avaient opposé leur veto.

Et, au fur et à mesure que les jours

passent, l'or et l'argent affluent. Il vient aussi des billets à terme, car tous les acquéreurs ne peuvent payer tout de suite de si riches et opulentes propriétés. Il faut maintenant organiser la distribution des biens. Pour cela, Mélanie et Pinien ont recours aux conseils d'hommes d'expérience et de sainteté qui, au sein des communautés chrétiennes, se consacrent aux plus démunis.

Mélanie et Pinien connaîtront, comme tous ceux qui ont décidé de tout quitter pour suivre le Christ, un moment de grande angoisse et de tentation. N'est-ce pas folie de tout donner ? Puis, au fil du temps, ils se rendront compte que leur folie, réelle aux yeux des hommes, est de celles qui changent le monde. Sans le savoir, Mélanie et Pinien ont fait partie de ces premiers fous qui se sont engagés sur la voie de la pauvreté radicale, par amour de Dieu et pour le bien des hommes.

> *N'est-ce pas folie de tout donner ?*

SOURCES : *VIE DE SAINTE MÉLANIE*, trad. Gorce, SC 90. G. Goyau, *SAINTE MÉLANIE*, Paris, 1925.

# SIMÉON LE STYLITE

*L'HOMME QUI VÉCUT TRENTE ANS*

*ENTRE TERRE ET CIEL*

**· 6**
**FÉV ·**

SYRIE, EN L'AN 451. LA CHA-
LEUR DU SOLEIL COMMENCE
À SE FAIRE MOINS PESANTE.
Siméon, du haut de sa
colonne, se prépare à accueillir les pèlerins
venus de tous côtés pour le voir et l'entendre. Ce sont des Arabes, des Perses, des
Arméniens, des Ibères, des Espagnols, des
Bretons, des Gaulois... Avec beaucoup
d'affabilité, Siméon s'enquiert des conditions du voyage qui les a conduits près de
lui, en Syrie, et des préoccupations qui les
habitent ; tout à l'heure il leur parlera de
Dieu. Découvrant parmi les Gaulois des
habitants de la lointaine Lutèce, il
demande des nouvelles de Geneviève,
l'humble jeune fille de Nanterre, qui, par
son courage, a réconforté les habitants de
sa région, et arrêté les Huns conduits par
le féroce Attila. C'est en frère aîné qu'il
suit, de loin en loin, les actions de celle
qu'il voit entrer dans la voie de la sainteté.
Les Gaulois recevront donc un message
d'encouragement qu'ils devront transmettre à la jeune fille.

Chaque jour, ils sont des dizaines à
venir voir de leurs yeux cet ermite qui
s'impose les souffrances les plus extrêmes
pour la gloire de Dieu, qui, certains jours,
se prosterne jusqu'à mille fois pour l'honorer, et obtient de Lui des miracles. « Toi
qui viens d'arriver, sais-tu que Siméon a
fait marcher un paralytique ? Il lui a dit :
"Crois-tu en Jésus-Christ ? Oui ? Eh
bien ! Lève-toi et marche !" Et le paralytique s'est levé du grabat où il gisait, s'est
dressé et a marché ! Il sait guérir beaucoup d'autres maux et même chasser les
démons ! De tous côtés, on vient lui
demander conseil ! Il veut que les pèlerins
se détournent du péché, recherchent la
vertu et servent Dieu. » Les murmures des
voyageurs se taisent lorsque la maigre silhouette de Siméon se dresse au sommet
de la colonne. L'homme a la peau dessé-
chée par le soleil et le vent. Sa fragilité
n'est qu'apparente. Il a le regard brûlant
et le verbe puissant. Il n'a plus d'âge, mais
il parle à la foule, captive l'attention, attendrit les cœurs les plus durs, convainc les
chrétiens dont la foi est tiède et convertit
même les incroyants. Sa vie n'est-elle pas,
à elle seule, la meilleure des démonstrations de l'existence de Dieu ? Comment
pourrait-il vivre en haut de cette colonne
d'au moins trente coudées, si Dieu ne lui
en avait pas inspiré l'idée et ne lui donnait

pas, jour après jour, la force de supporter les pires tourments ?

C'est dans son enfance que Siméon a découvert Dieu. Tout jeune baptisé, il est allé à l'église avec ses parents et a entendu l'Évangile des Béatitudes. Il a interrogé le prêtre : « *Que faut-il faire pour entrer dans le royaume de Dieu ?* » « *Se faire moine et prier !* », a répondu l'homme de Dieu. Peu de temps après, il eut un songe. Il creusait des fondations... Quelqu'un à côté de lui lui disait : « *Creuse encore ! Creuse plus profond ! Quand tu auras bien creusé, alors tu pourras bâtir !* »

Siméon entra au monastère de Teleda dès que ses parents le lui permirent. Désireux de plaire à Dieu, il s'imposait, déjà à cette époque, des sacrifices plus contraignants que ceux de ses frères en religion. Quand eux jeûnaient trois jours, lui se privait de nourriture pendant toute une semaine ! Il eut même l'idée de lier, autour de son torse, une corde faite de fibres de palmier tressées. En s'imposant ces souffrances, il pensait partager celles que Jésus-Christ avait supportées pour lui. L'un des moines s'aperçut que du sang avait traversé la robe de Siméon et avertit le père supérieur du monastère. Celui-ci craignit que cette soif d'absolu ne se répandît au sein du monastère et ne mît en danger la santé de ceux dont il avait la charge : il pria donc Siméon de quitter la communauté. Le jeune homme se réfugia dans une citerne vide, creusée dans le sol. Mais cinq jours plus tard, le supérieur, qui craignait d'avoir manqué de charité, fit cher-cher Siméon et l'accepta de nouveau auprès de lui.

Siméon demeura dans ce monastère pendant dix ans, toujours en se livrant à de singulières privations. Lorsqu'il quitta Teleda, il se rendit à Tellamisos à quelque distance d'Antioche. C'était le commencement du carême. Siméon demanda au frère Bassos qui l'accompagnait de l'emmurer dans une cellule pour quarante jours, sans aucune nourriture. Le frère refusa : « *Mets alors dix pains et une cruche d'eau. Si vraiment mon corps réclame un peu de nourriture, j'aurai de quoi manger.* » Le carême achevé, Bassos très inquiet ouvrit le réduit et trouva Siméon allongé sur le sol et dans un piètre état. La cruche et les pains n'avaient pas été touchés. Il ranima Siméon au moyen d'un peu d'eau fraîche, puis lui donna l'Eucharistie.

Par la suite, Siméon renouvela vingt-huit fois cet exploit et trouva que l'exercice devenait de moins en moins difficile.

Après avoir passé trois ans dans sa cellule à Tellamisos, Siméon choisit un enclos circulaire et s'y fit attacher par une chaîne liée à l'une de ses chevilles à une extrémité et à une très grosse pierre à l'autre. Mais l'évêque d'Antioche, qui passait par là, fit remarquer à Siméon que la chaîne était inutile là où la volonté pouvait suffire. Siméon demanda donc qu'un forgeron vînt couper la chaîne. On découvrit alors, sous le morceau de fourrure destiné à protéger la peau de Siméon des coupures, une colonie d'insectes que l'er-

> *Le jeune homme se réfugia dans une citerne vide.*

mite n'avait pas chassés pour ajouter aux souffrances qu'il s'imposait.

Peu après cette aventure, Siméon décida de vivre en haut d'une colonne. Étrange choix ! Si Siméon fut plus tard imité par d'autres stylites, comme on les appelle, il ne semble pas avoir eu de précurseur !

Il faut dire que sa réputation de sainteté s'était répandue ! La foule curieuse venait nombreuse l'examiner quand il se trouvait dans son enclos. Les visiteurs le suppliaient d'accomplir des miracles, l'approchaient, le touchaient, essayaient de lui dérober un morceau de sa tunique ou de son vêtement. Siméon avait donc gagné les hauteurs afin de pouvoir continuer à méditer et à prier. Et puis, monter sur une colonne n'est-ce pas se libérer un peu plus des biens terrestres et des tentations ? N'était-ce pas se rapprocher du ciel, demeure de Dieu, que de se tenir droit sur la colonne. Debout ! Toujours debout ! Plus haut ! Toujours plus haut ! Pour atteindre par le sacrifice le bien céleste ! Pour se rapprocher de Dieu !

On dit que Siméon vécut trente-sept ans sur sa colonne, à peine soutenu par la maigre nourriture et le peu d'eau que hissaient jusqu'à lui de fidèles disciples, mais porté par la brûlante nécessité de

> *Debout !*
> *Toujours debout !*
> *Plus haut !*
> *Toujours plus haut !*

prêcher sans relâche la parole de l'Évangile aux pèlerins qui se pressaient autour de lui. Et ceux-ci disaient : « La vie que mène Siméon n'est pas humaine ! Voici un prodige ! Dieu est à ses côtés ! Oui ! Dieu existe ! Prions-le ! »

Ainsi, fiché en terre comme un étendard, dressé comme un phare, Siméon ralliait sans cesse de nouvelles âmes pour les enrôler dans les troupes célestes. Il avait creusé le sol profondément et bâti le plus haut possible pour la gloire de Dieu !

Siméon mourut en 459. Une foule innombrable de fidèles se réunit autour de sa colonne en brûlant des parfums, des cierges et des flambeaux. Les évêques de la région accoururent avec... une armée pour protéger le corps. Et l'on transporta Siméon en grande pompe à Antioche où il fut inhumé. Bientôt la basilique monumentale de Qalat-Seman, « le château de Siméon », fut édifiée autour de la colonne et devint un haut lieu de pèlerinage pour plusieurs siècles.

Aujourd'hui, le pèlerin qui déambule dans les ruines de la basilique, à la tombée du jour, peut imaginer Siméon sur sa colonne et l'entendre lui lancer : « *L'homme ne vit pas seulement de pain, mais de toute parole qui sort de la bouche de Dieu.* »

SOURCES : Théodoret de Cyr, *HISTOIRE DES MOINES DE SYRIE*, t. XXVI. H. Lietzmann, *VITA SIMEONIS AUCTORE ANTONIO*, Leipzig, 1908. H. Delehaye, *LES SAINTS STYLITES*, Bruxelles, 1923. I. Pena, P. Castellana, et R. Fernandez, *LES STYLITES SYRIENS*, Milan, 1975.

# PAULUS OROSIUS

## UN OPTIMISTE FACE AUX BARBARES

**• 7**
**FÉV •**

LA VILLE QUI SE PRENAIT POUR LE CENTRE DE L'UNIVERS S'EST MISE À DOUTER DE SON ÉTERNITÉ. Elle s'étonne de vivre encore et de voir la canaille des bas-fonds et les riches fonctionnaires poursuivre leur inlassable œuvre de corruption. En 410, avec le sac d'Alaric, Rome a reçu le coup de grâce ; elle ressent douloureusement la fin d'un millénaire de batailles glorieuses, de constructions et de culture, la fin aussi d'une civilisation pragmatique et procédurière. Même le jeune sang chrétien qui avait jailli dans les veines du vieil Empire semble s'être figé un instant.

Du fond de sa retraite de Bethléem, saint Jérôme pleure le sort de Rome : « *Nous sommes au crépuscule du siècle.* » Chaque chrétien avec lui redoute que la voix de l'Église ne s'éteigne dans la catastrophe, et que le monde, privé d'espérance, ne soit livré désormais à la fureur des envahisseurs barbares qui, depuis deux siècles, déferlent sur l'Empire au son des cavalcades guerrières. Et les gens pourtant continuent à respirer, à vivre et à croire, jouissant d'un mystérieux sursis.

Les païens eux aussi contemplent Rome désolée. Dans leur désarroi, ils rendent le christianisme coupable de leurs malheurs : « Tous les maux, disent-ils, sont venus avec l'époque chrétienne... Avant que cette doctrine ne soit prêchée de par le monde, le genre humain ne subissait pas tant de malheurs ! »

À ces bruyantes accusations des gentils contre les chrétiens, saint Augustin répondit en écrivant l'immense traité d'apologétique chrétienne intitulé *La Cité de Dieu*. C'est justement l'un de ses disciples, le Galicien Paulus Orosius, qui rendit à l'Église traumatisée un souffle d'espérance. Lors de l'arrivée des « Barbares » dans sa région, ce prêtre de Galice fut personnellement soumis à la menace de leurs violences. Persécuté avec acharnement, il se vit dans l'obligation de s'exiler en Afrique pour y trouver refuge auprès de son maître Augustin. Sa fuite même fut semée d'embûches : lorsqu'il prit la mer, son embarcation fut attaquée avec des pierres et des javelots, et il ne dut son salut qu'à une épaisse brume qui vint envelopper le navire. En dépit de ces épreuves, pourtant, Orosius ne perdit pas courage et garda intacte une vision profondément positive de son époque. Son *Histoire contre les païens*, œuvre pénétrée d'un optimisme radical, affirme contre l'opinion de tous que la Providence saura se jouer des malheurs présents.

La première erreur qu'Orosius s'efforça de dissiper fut le lieu commun – alors très répandu – qui voulait que le passé eût été idyllique. S'adressant à ses compatriotes ibériques, il leur rappela le temps de la conquête de la Péninsule par les Romains : « *Que l'Hispanie donne son opinion, elle qui pendant deux cents ans a partout abreuvé les champs de bataille du sang de ses fils.* » Et il ajoutait : « *Si quelqu'un prétend que les Romains furent des envahisseurs plus supportables pour nos ancêtres que les Goths pour nous, qu'il entende et comprenne que ce que l'on pense par ici est tout le contraire.* »

En outre, ces Barbares, après une période de ravages et de violences, avaient « *transformé leurs glaives en charrues, et traitaient les Romains qui étaient restés comme des alliés et des amis, de sorte qu'on rencontrait beaucoup de Romains qui préféraient vivre sous leur domination pauvrement mais librement plutôt que de supporter l'angoisse des tributs à payer sous la domination impériale* ». Mais la raison principale de l'optimisme d'Orosius était le fait que les invasions barbares avaient ouvert les portes de l'Église à un flot inépuisable de populations.

Ce qui, pour beaucoup, apparaissait comme une tragédie pouvait être considéré à la lumière de la foi comme une occasion providentielle : « *Quand bien même ce serait pour cette seule raison que les Barbares ont pu pénétrer en territoire romain, pour que tant en Orient qu'en Occident l'Église de Jésus-Christ se remplisse de Huns, de Souabes, de Vandales, de Burgondes et de divers et innombrables peuples croyants, nous devrions louer et exalter la miséricorde de Dieu, puisque – fût-ce au prix de notre ruine – tant de nations seraient ainsi parvenues à la connaissance de la vérité, alors qu'elles n'auraient pu y aboutir par aucune autre voie.* »

Paulus Orosius fut un optimiste parce qu'il eut foi en la Providence, et cette foi lui avait fait comprendre que l'Évangile doit être annoncé à temps et à contre-temps, aux amis et aux ennemis. La vision d'Orose se révéla exacte, l'Europe devint chrétienne, puis l'Évangile franchit les mers, porté par tous ceux qui suivirent le dernier commandement du Christ : « *De toutes les nations, faites des disciples.* »

> *Les invasions barbares avaient ouvert les portes de l'Église à un flot inépuisable de populations.*

SOURCES : Orose, *HISTOIRE CONTRE LES PAÏENS*, livres I-VII. E. Demougeot, *LA FORMATION DE L'EUROPE ET LES INVASIONS BARBARES*, Paris, 1969-1979. A. Lippold, *ROM UND DIE BARBAREN IN DER BEURTEILUNG DES OROSIUS*, Erlangen, 1952. E. Molland, « L'Antiquité chrétienne a-t-elle eu un programme et des méthodes missionnaires ? », in *MISCELLANEA HISTORIAE ECCLESIASTICAE*, t. III, Louvain, 1970.

# LE CONCILE D'ÉPHÈSE

## MARIE, MÈRE DE DIEU

**8 FÉV**

ÉPHÈSE, VILLE PRESTIGIEUSE D'ASIE MINEURE, EST L'UNE DES SEPT VILLES QUE CITE L'APOCALYPSE. Paul y avait enseigné, et la légende disait que l'évangéliste Jean ainsi que la Vierge Marie y avaient fini leurs jours. Au début du Vᵉ siècle une grande église y était dédiée à cette dernière. C'est dans cette église que le 22 juin Marie fut proclamée « Mère de Dieu » (*Theotokos*), par le troisième concile œcuménique.

Le concile avait été convoqué par l'empereur Théodose II à la demande de Nestorius, le patriarche de Constantinople. Celui-ci, formé à Antioche, avait scandalisé ses fidèles, puis ceux d'Alexandrie et de Rome en refusant d'appeler Marie « Mère de Dieu ». Le scandale avait éclaté le 25 décembre 428 au cours de la messe. Nestorius avait commencé un sermon fleuri sur la Providence, la chute de l'homme et la grandeur de l'Incarnation, pour entrer brusquement dans le vif d'un sujet brûlant : « *Qu'ils ouvrent bien l'oreille ceux qui, chez nous, comme nous l'avons appris depuis peu, se posent sans arrêt les uns aux autres la question : "Marie est-elle Mère de Dieu ou bien mère de l'homme ? – Mais*

*Dieu a-t-il une mère ? Irréprochable serait donc le païen qui introduit des mères chez les dieux ? Non, mon cher, Marie n'a pas engendré la divinité, la créature n'a pas engendré celui qui est incréé. La créature n'a pas engendré le créateur, mais elle a engendré l'homme, instrument de la divinité. L'Esprit Saint lui a construit un temple afin qu'il y habite. Il n'est pas mort, le Dieu incarné, mais il a ressuscité celui en qui il s'est incarné.* » Le lendemain, des placards étaient affichés à la porte de l'église pour dénoncer les blasphèmes de Nestorius, mis en parallèle avec des citations de Paul de Samosate, un hérétique notoire du IIIᵉ siècle. L'affaire fit grand bruit. Nestorius en appela à Rome, qui ne réagit pas. Mais le patriarche d'Alexandrie, Cyrille écrivit deux lettres à Nestorius et rassembla tout un dossier qu'il envoya à Rome, en prenant le soin de le traduire. C'est lui qui reçut une réponse du pape Célestin. Celui-ci ordonna à Nestorius de condamner par écrit « *sa perfide nouveauté* » et chargea Cyrille de transmettre le message. Ce dernier convoqua un synode à Alexandrie, condamna Nestorius, et lui envoya une troisième lettre qu'il accompagna d'un résumé en douze points sous la forme de douze anathématismes que Nestorius devrait signer...

C'est dans ces conditions que Cyrille et Nestorius se retrouvent à Éphèse pour le jour de la Pentecôte 431. Manquent cependant à l'appel les légats romains, et les Orientaux (Syrie), amis de Nestorius. Après plusieurs jours d'attente, Cyrille décide brusquement de commencer le concile sans plus attendre. Le comte Candidien, représentant de l'empereur, proteste, mais Cyrille passe outre et réunit les cent cinquante évêques présents. Nestorius refuse par trois fois de se présenter. Il est condamné le jour même. Trois jours après, les Orientaux arrivent à leur tour et condamnent Cyrille. Ni l'arrivée des légats du Pape, ni les interventions de l'empereur, ni les innombrables tractations entre Éphèse et Constantinople ne réussissent à réconcilier Cyrille et les Orientaux, qui refusent surtout les douze anathématismes ajoutés par Cyrille contre Nestorius. Il faut se résoudre à l'évidence : le concile se termine par un schisme. Il ne sera surmonté que deux ans plus tard, avec la signature de l'Acte d'Union de 433 entre Cyrille et Jean d'Antioche.

Le concile d'Éphèse a ceci de particulier qu'il n'a rédigé aucune formule de foi. Il est tout entier placé sous le signe de Nicée. Après la lecture de la profession de foi nicéenne, deux documents sont lus devant l'assemblée : la lettre de Cyrille à Nestorius et la réponse de Nestorius à cette lettre. La première est jugée conforme à la foi de Nicée. Elle contient la reconnaissance de Marie comme Mère de Dieu, et c'est par ce biais que le titre marial a été défini.

> *Cyrille décide de commencer le concile sans plus attendre.*

Il est remarquable que Nestorius lui aussi invoque le symbole de Nicée. Mais la manière dont il l'interprète est évidemment toute différente. Deux courants théologiques s'affrontent ici. Le premier, qui penche pour Nestorius, est celui des antiochiens, les « Orientaux ». Leur principale préoccupation est de combattre un certain Apollinaire qui avait été condamné plusieurs fois parce que, selon lui, Jésus n'avait pas d'âme spirituelle, car sa place était tenue par le Verbe Fils de Dieu. En réaction contre cette hérésie, Nestorius insiste sur le fait que Jésus est un homme complet, au sens plein du mot. Mais il faut dire alors comment cet homme se situe par rapport au Fils de Dieu. Nestorius répond que le Fils de Dieu a assumé le Jésus né de Marie. Il habite en lui comme dans son temple (allusion à Jn 2, 19). Il y a ainsi deux sujets dans le Christ, l'homme et le Fils de Dieu. Le mot Christ désigne tantôt l'un tantôt l'autre, ou encore les deux, selon les circonstances...

Nestorius adhère à cette théologie parce qu'il est très préoccupé de défendre la grandeur du Fils de Dieu contre tout ce qui serait indigne de lui. Le Fils habite en l'homme, mais se distingue de lui. « *Il ne faut pas dire, écrit Nestorius, que Dieu a été enfanté et allaité par la Vierge, il ne faut pas parler d'un Dieu de deux ou de trois mois. Autre est le fils qui a souffert la passion, et autre le Dieu Verbe.* » Marie a enfanté l'homme Jésus, mais non le Fils de Dieu. Elle est « *mère de l'homme* » et non pas « *Mère de Dieu* ». Nestorius défend la transcendance de Dieu, mais il la comprend de façon trop humaine.

Le deuxième courant est représenté par Cyrille d'Alexandrie. Il est clair que celui-ci n'a pas la naïveté de penser que Marie a communiqué au Fils de Dieu sa nature divine. Elle ne l'a pas engendré en tant que Fils de Dieu. Mais Cyrille n'en maintient pas moins le titre de « Mère de Dieu ». Il s'appuie pour cela sur deux considérations. Il a bien vu que toute l'œuvre de salut s'enracine dans la réalité d'homme. C'est en tant qu'homme que Jésus naît, grandit, souffre et meurt avant de ressusciter. Mais cette réalité (la nature humaine concrète de l'homme appelé Jésus), il se trouve que le Fils de Dieu l'a faite intimement sienne. Il se l'est appropriée au sens fort du mot. Cyrille exprime cela dans une expression qui aura un immense succès par la suite, en disant que le Fils de Dieu a uni à lui-même « *selon son hypostase* » la réalité humaine reçue de Marie. Il l'a unie à lui-même dans sa réalité de Fils de Dieu. Dès lors, tout ce qui arrive à l'homme Jésus est à mettre au compte du Fils de Dieu. Parce que le corps de Jésus lui appartient personnellement, quand ce corps naît, meurt, ou ressuscite, c'est le Fils de Dieu lui-même qui vit tout cela, non pas dans sa réalité de Fils de Dieu, mais dans sa réalité d'homme, pour autant que celle-ci fait désormais partie intégrante de ce qu'il est.

Cyrille a réagi avec une vigueur contre Nestorius parce qu'il a bien compris qu'une dimension essentielle du mystère chrétien était ici en cause. Comme dans le cas de l'arianisme, c'est l'idée d'un Dieu distant, ne se mêlant en rien à la vie des hommes, qui risquait de se glisser dans la foi des chrétiens, celle d'un Dieu qui existerait quelque part sans aucun lien avec les hommes. Or là est la révélation admirable : parce que tel a été, depuis toujours, le bon plaisir du Père, Dieu ne va pas sans l'homme. Or, c'est dans le Christ, reconnu désormais Dieu à part entière, au même titre que le Père, que ce mystère apparaît le plus clairement. Dans un dialogue fictif avec un opposant, Cyrille envisage la question suivante : « *Mais qui donc est réellement Jésus-Christ ? L'homme né de la Vierge, ou le Verbe né de Dieu ?* » Et Cyrille de répondre : « *Il est périlleux et coupable de couper en deux et de mettre chacun à part l'homme et le Verbe. L'économie ne l'admet pas et l'Écriture inspirée clame que le Christ est un. Je dis, moi, que ni le Verbe de Dieu sans humanité, ni le temple enfanté d'une femme pour autant qu'il n'est pas uni au Verbe, ne doivent être appelés Jésus-Christ.* »

C'est au nom de cette unité que se justifie le caractère bienfaisant et salutaire de l'eucharistie, ou encore, le culte rendu au Christ dans son humanité. « *Nous n'adorons pas une créature, oh certes non !*

> *Un Dieu distant, ne se mêlant en rien à la vie des hommes.*

*C'est là l'erreur des païens et des ariens. C'est le Seigneur de la création fait chair, le Verbe de Dieu, que nous adorons. Bien que, considérée en elle-même, sa chair fasse partie des créatures, elle est cependant devenue le corps de Dieu. Ainsi nous n'adorons pas ce corps particulier considéré en lui-même en le séparant du Verbe, et pas davantage quand nous voulons adorer le Verbe, nous ne l'éloignons de la chair. Mais, sachant que "le Verbe s'est fait chair", nous le reconnaissons Dieu, même quand il s'est fait chair. Qui serait assez insensé pour dire au Seigneur : "Éloigne-toi de ton corps pour que je t'adore"* ? » écrit Athanase d'Alexandrie.

Finalement, c'est toute la dignité de l'homme, appelé par pure grâce à être le partenaire de Dieu, qui est en cause ici. Les gnostiques, qui méprisaient le corps, enseignaient que le Christ n'avait rien pris de Marie, mais qu'il était passé à travers elle « *comme de l'eau à travers un tuyau* ». Tel n'est pas le cas de Cyrille. Ce que Dieu aurait (peut-être) pu faire à lui seul, il a choisi de le faire par une femme, Marie. Elle reçoit ainsi la grande dignité de devenir la Mère de Dieu. L'Église le comprendra. C'est à partir du concile d'Éphèse que le culte de Marie, déjà présent ici et là, a pris son essor. Le concile d'Éphèse, dédié à la gloire du Fils, rejaillit ainsi sur toute l'humanité, en rehaussant tout particulièrement la dignité de la femme.

SOURCES : Nestorius, *Le livre d'Héraclide de Damas. Éphèse et Chalcédoine, textes, dossiers et documents*, à partir des collections *Vaticana* et *Atheniensis*. P.-Th. Camelot et P. Maraval, *Les Conciles œcuméniques*, Paris, 1988. H.-M. Diepen, « Les douze anathématismes au concile d'Éphèse et jusqu'en 519 », in *Revue thomiste*, n° 55, 1955.

# SAINT PATRICK EN IRLANDE

## *OU COMMENT ENSEIGNER LA TRINITÉ*

### *UN TRÈFLE À LA MAIN*

**9 FÉV**

DEPUIS LA PROUE DU NAVIRE QUI L'EMMÈNE, AVEC SES COMPAGNONS, vers la *terra incognita*, Patrick observe la côte verte de l'Irlande, émeraude subtilement mouchetée de tourbières, de lacs et de rivières féeriques. En cette année 432, il va porter l'Évangile sur la terre des druides, et il sait que la mission dont Dieu l'a investi ne sera pas simple.

Alors que la côte irlandaise se dessine plus précisément, Patrick sent monter en lui une vague de souvenirs douloureux. Cette terre verdoyante, il la connaît bien : il défendait le domaine familial, en Bretagne romaine, quand il fut pris par les Irlandais, et emmené en captivité durant six longues années. Il était alors âgé d'à peine seize ans.

Lors de sa vingt-troisième année, un songe divin lui ordonna de s'évader et de gagner la côte orientale, où un navire devait le ramener sur la terre de ses ancêtres. Miraculeusement rentré chez lui après une longue marche de vingt-huit jours à travers une région déserte de la Bretagne, il fut accueilli avec chaleur par sa famille. Une nouvelle vision nocturne lui enjoignit pourtant de retourner en Irlande pour y diffuser la religion chrétienne. « *La voix des Irlandais* » le rappelait vers cette terre où, pendant ses longues années de captivité, il avait affermi sa foi.

Patrick comprit l'appel de Dieu, et choisit de parfaire sa formation en se préparant au diaconat et à la prêtrise. Il ne semble pas avoir reçu un enseignement religieux poussé, mais il est l'héritier de la romanisation et il a subi l'influence des grands foyers intellectuels de la Gaule : Tours, Auxerre, Lérins... Il aurait connu Germain d'Auxerre, qui l'aurait sacré évêque et chargé de poursuivre l'évangélisation de l'Irlande.

La tâche sera difficile, songe Patrick. Malgré les efforts des précédents missionnaires, l'île ignore encore tout, ou presque, de l'Incarnation du Sauveur. Il y a juste un an, Palladius, un diacre, a déjà débarqué sur la côte sud, envoyé par le pape Célestin Ier, pour commencer l'évangélisation. Patrick ne sait pas si Palladius a réussi sa mission... Quoi qu'il en soit, il n'a pas l'intention de se contenter de suivre les pas de son prédécesseur. Patrick, lui, veut évangéliser l'Irlande par sa face cachée, le nord et l'ouest.

L'unité culturelle de l'Irlande reste fondée sur la vénération de la terre, des sources et des arbres, sur le culte de la fertilité. Mais Patrick a confiance : l'Esprit Saint saura souffler sur les vallées et les lacs irlandais ; il saura toucher le cœur des Gaëls. Pour être l'instrument de Dieu, il lui faudra toutefois déployer des trésors de diplomatie, car l'île est depuis longtemps déchirée par des guerres intestines. Les Gaëls ont, de longue date, imposé une stratification sociale immuable, fondée sur le respect de la notion de clan. C'est un à un qu'il lui faudra les convertir !

Alors qu'il voit approcher la fin de son périple, Patrick médite en silence. Comment annoncer la Bonne Nouvelle à ces centaines d'âmes belliqueuses, disséminées dans des collines et des vallées qui s'étendent à perte de vue ? L'Irlande, qui a noué des contacts commerciaux avec la Gaule et la Bretagne, n'a pas connu la colonisation romaine. Il n'y a pas de villes comme celles de l'empire où des foyers chrétiens pourraient aisément se développer ; il n'y a même pas de voies de communication ! Patrick, les prêtres et leurs compagnons débarquent sur l'île, peu avant Pâques.

Le soir de la vigile pascale, l'évêque Patrick et ses compagnons campent sur la colline de Slane qui surplombe la vallée de la Boyne, face à la colline de Tara où Loegaire doit présider à une cérémonie païenne, la fête de Beltaine. Patrick brave l'interdit et illumine la plaine de

> *Patrick brave l'interdit et illumine la plaine de Brega.*

Brega, afin de célébrer la fête chrétienne avant que la fête païenne ne commence. Pour convertir les Irlandais, Patrick le sait bien, il lui faudra s'opposer aux druides et devenir aux yeux de tous « *le Druide de Dieu* ».

Très vite Patrick doit lutter contre la puissance et la magie des dieux celtes. On raconte que, lors d'un duel épique, le chrétien Benignus, disciple de Patrick, serait sorti indemne d'une cabane en flammes ; le manteau de druide, dont il s'était vêtu, aurait été consumé. Son adversaire païen, vêtu, lui, du manteau de Patrick aurait péri ; mais le manteau de Patrick serait miraculeusement resté intact ! Pour tous, la foi a sauvé le chrétien des flammes. Le roi Loegaire, impressionné, se convertit, ainsi que nombre de ses sujets.

Patrick connaît bien la société irlandaise. Il sait que pour convertir une tribu, il faut d'abord toucher le cœur de son chef. Il choisit de s'adresser directement aux rois et aux juristes (les *Brehons*) et leur distribue des richesses en n'hésitant pas à recourir à son héritage personnel. Malgré les druides, il réussit à convaincre plusieurs rois, et, progressivement, il convertit avec eux une grande partie de l'île.

Cependant, l'évangélisation se révèle parfois risquée. Au cours d'un raid, le chef breton Coroticus, pourtant converti au christianisme, fait massacrer plusieurs chrétiens récemment baptisés, et en réduit d'autres en esclavage. Patrick, sans faillir, lui adresse une lettre cinglante et l'excommunie avec ses troupes.

Patrick sait toutefois faire alterner rigueur et souplesse, tout au long de son évangélisation. Ainsi, il s'adapte aux mœurs irlandaises, attachées au culte de la nature, pour exposer la doctrine chrétienne. Il fait par exemple la catéchèse à partir des trois folioles du trèfle (*shamrock*) pour expliquer le mystère de la Trinité : un seul Dieu en trois personnes. Son ingénieux outil pédagogique deviendra le symbole de l'Irlande !

Il a aussi l'intuition de structures d'évangélisation adaptées à la grande dispersion géographique des nouveaux convertis. Les moines assumeront dans la société irlandaise la fonction dévolue ordinairement aux prêtres. Les villes conserveront la hiérarchie épiscopale, mais les campagnes verront se développer le monachisme, plus apte à transférer les traditions celtiques dans le monde chrétien, car plus proche des humbles...

> *Il fait la catéchèse à partir des trois folioles du trèfle.*

À mesure que les clans se convertissent, il propose une spiritualité fondée sur le renoncement et sur les vertus proprement monacales, comme l'ascèse. En relation avec l'abbaye de Lérins, le monachisme irlandais sera riche et fécond, très au fait des débats et des réflexions qui marquent l'essor monastique en Occident.

Le nom et la légende de saint Patrick restent, depuis le VIᵉ siècle, et jusqu'à nos jours, entourés d'une vénération inaltérable. L'évangélisation de l'Irlande laisse profondément son empreinte dans une société qui pratique, encore aujourd'hui, des pèlerinages sur ses lieux de prières ou de pénitence, telle la colline baptisée *Croagh Padraigh*.

Mort en 461, saint Patrick a contribué à faire d'une île païenne une île sainte qui, un siècle plus tard, enverra à son tour des moines missionnaires sur le continent, afin de rétablir l'orthodoxie de la foi et de seconder Rome dans son action évangélisatrice...

SOURCES : Saint Patrick, *CONFESSION* et *LETTRE À COROTICUS*. O. Loyer, *LES CHRÉTIENTÉS CELTIQUES*, Paris, 1965. L. Biehler, *FOUR LATIN LIVES OF SAINT PATRICK*, Dublin, 1971. D.-N. Dunville, *SAINT PATRICK*, Londres, 1993.

# LE CONCILE DE CHALCÉDOINE
## JÉSUS-CHRIST, VRAI HOMME, VRAI DIEU

**• 10**
**FÉV •**

« L'EMPEREUR EST MORT, L'EMPEREUR EST MORT ! » LE PAPE LÉON REGARDE LE JEUNE CLERC ESSOUFFLÉ qui vient d'entrer précipitamment dans la salle d'audience. À sa mine, il jurerait qu'il n'a fait aucune pause depuis la résidence de Théodose II à Constantinople.

– Servez à boire à ce jeune homme, qu'il reprenne son souffle et nous narre la mort de l'empereur.

Plusieurs ecclésiastiques et amis du pape se sont approchés pour entendre le récit du messager.

– C'était il y a quelques jours, le 28 juillet 450, l'empereur a fait une chute de cheval et en est mort, laissant sa succession à sa sœur Pulchérie.

– Voilà, Marcus, une nouvelle qui pourrait bien faire enfin avancer notre problème avec Eutychès. Pour l'instant, commençons par remplir notre devoir d'homme de Dieu et le devoir de l'Église vis-à-vis de l'empire. Allons prier, mes fils, allons recommander l'âme de ce bien faible empereur à la miséricorde divine.

Quelques jours plus tard, Léon réunit dans son palais du Latran quelques amis et conseillers.

– Mes chers fils, je vous ai réunis pour vous parler de la grave hérésie d'Eutychès. Vous savez comme moi le danger que le monophysisme fait encourir à notre sainte Église. Tant que Théodose II vivait, nous étions impuissants. Eutychès était l'oracle de l'eunuque Chrysaphe, le favori de l'empereur. Mais la mort de celui-ci a mis sur le trône sa sœur qui vient d'épouser notre ami le général Marcien qu'elle a fait nommer empereur. Cela semble nous offrir la possibilité de sortir l'Église et les chrétiens de Constantinople de l'hérésie. Je me propose donc de demander à l'empereur de réunir un nouveau concile pour rétablir la vraie foi. Voici le texte de la lettre que vous, Marcus et Paul, lui apporterez. Mais je voudrais d'abord avoir votre avis sur son contenu.

Léon déroule la missive qu'il a rédigée pour l'empereur et en fait la lecture.

« À notre très auguste fils, Marcien, empereur,

« Nous Léon, souverain pontife par la grâce de Dieu, saluons notre fils bien-aimé dans le Christ et le nouvel empereur à qui nous souhaitons que Dieu donne justice et charité dans les devoirs qui sont les siens.

« C'est avec pleine confiance que nous

soumettons à l'empereur la triste querelle qui secoue l'Église dans la province du Bosphore. Il n'est pas sans savoir que, depuis plusieurs années, un moine de Constantinople, Eutychès, professe de fausses vérités, mettant ainsi en péril la foi des chrétiens qui le suivent. Ce moine peu savant a tellement peur de l'hérésie de Nestorius qu'il se met lui-même en dehors de la foi.

« Cette querelle a pour sujet pas moins que la personne même de Notre Seigneur et Maître Jésus-Christ. Nestorius tendait à dissocier l'homme Jésus du Fils de Dieu. Eutychès, lui, par opposition, prétend que l'homme Jésus est telle-ment uni au Christ qu'il se dissout en lui comme une goutte d'eau dans l'océan. En fait, il pro-fesse sans la comprendre une phrase du défunt Cyrille d'Alexandrie qui disait que, dans le Christ, *"il n'y a plus qu'une unique nature"*, d'où le nom que nous donnons à son hérésie : monophysisme. Mais Cyrille parlait de « *l'unique nature incarnée du Verbe de Dieu* » au sens d'une unique « personne ». Une seule personne mais deux natures, la nature divine et la nature humaine. Les positions de Nesto-rius comme d'Eutychès en viennent tou-tes deux, chacune à sa manière, à nier l'humanité de Jésus-Christ.

« Or, comme j'ai pris la peine de l'écrire à Flavien, patriarche de Constan-tinople, *"pour payer la dette de notre condi-tion, la nature invulnérable s'est unie à la nature capable de souffrir. Ainsi, comme il* fallait pour nous guérir *"un seul et même médiateur entre Dieu et les hommes, l'homme Jésus-Christ"* [1 Tm 2, 5] *put, d'une part, mourir et, de l'autre, ne pas mourir. C'est donc avec la nature parfaite et totale d'un homme véritable que Dieu est né, totalement dans sa nature, totalement dans la nôtre."*

« Devant une erreur si grave, l'empe-reur comprendra sans peine que nous n'ayons d'autre préoccupation que celle de rétablir la vraie foi catholique dans l'ensemble de l'Empire. C'est à ce sujet que nous sollicitons son auguste sagesse que l'Esprit de Dieu ne saurait laisser dans les ténèbres.

« En effet, alors qu'un concile présidé par Fla-vien, le patriarche de Constantinople, avait déposé et excommunié Eutychès l'hérétique, les faveurs de hauts person-nages à son égard lui permirent de trom-per l'empereur Théodose II. Celui-ci cassa la sentence et convoqua un concile à Éphèse sous la présidence du patriar-che d'Alexandrie Dioscore. C'était le 8 août 449, jour de sinistre mémoire. Il ne s'agissait pas d'une sainte assemblée mais d'un simulacre de concile que l'his-toire ne pourra retenir que sous le nom de "brigandage d'Éphèse". Nos propres légats ne furent pas admis et la lettre que nous avions fait parvenir à Flavien et que nous avons citée tout à l'heure n'y fut même pas lue. Dans une atmosphère houleuse, on réhabilita Eutychès et on déposa Flavien qui mourut, peu de jours après, des mauvais traitements qu'il avait

> *Il s'agissait d'un simulacre de concile, le « brigandage d'Éphèse ».*

subis. Il va sans dire que notre autorité suprême considéra et continue de considérer comme nul et non avenu ce prétendu concile.

« C'est pourquoi nous demandons avec insistance à l'empereur de convoquer un nouveau concile en Occident, où les évêques réunis pourront établir avec le concours de l'Esprit Saint ce qu'il faut croire concernant Notre Seigneur Jésus le Christ. »

Léon se tait et regarde ses quelques amis rassemblés. Tous approuvent le contenu du courrier et espèrent que l'empereur mettra enfin un terme à cette hérésie qui se propage dangereusement en dehors du Bosphore. Après quelques remarques, conseils et recommandations, les deux messagers du souverain pontife quittent la ville pour se rendre chez l'empereur.

Quelques mois plus tard, la réponse de Marcien arrive au palais du Latran. L'empereur accepte de convoquer un concile mais refuse qu'il ait lieu en Occident. Il se tiendra en octobre 451 à quelques kilomètres de sa ville de Constantinople, à Chalcédoine, sur l'autre rive du Bosphore. Il est clair que l'empereur désire contrôler les débats. Autour du souverain pontife, les légats et leur suite se préparent. La consigne est claire : pas d'autre définition de foi que celle de Léon contenue dans le *Tome à Flavien*. La caravane s'ébranle sous la bénédiction pontificale de Léon.

Le 8 octobre 451, le concile tant attendu s'ouvre à Chalcédoine. Près de cinq cents évêques sont présents et représentent les trois grandes traditions théologiques : les cyrilliens d'Alexandrie, conduits par Dioscore ; les Occidentaux, représentés par la délégation pontificale ; et la tradition antiochienne, représentée par Théodoret de Cyr qui avait été déposé lors du faux concile d'Éphèse. Les tensions sont vives entre Alexandrins et Antiochiens, l'arrivée de Théodoret provoque sifflements et huées. Mais les commissaires impériaux imposent l'ordre et rappellent que le concile est réuni pour définir et rédiger ce qui doit être cru quant aux natures divine et humaine de Jésus-Christ. Les discussions s'enlisent pourtant rapidement, chaque courant théologique voulant imposer son propre texte. Les légats pontificaux, quant à eux, campent sur la position de Léon et refusent une autre formulation que celle du *Tome à Flavien*. L'empereur lui-même veut sa définition. Une première formulation, rédigée en privé dans les appartements d'Anatole, le nouveau patriarche de Constantinople, est lue et refusée lors d'une séance le 22 octobre 451. Les commissaires impériaux finissent par s'impatienter devant la mauvaise volonté évidente des uns et des autres et posent la question d'une manière plus tranchée. « *Dioscore a dit : j'accepte de dire : de deux natures, mais je n'accepte pas deux natures. Le très saint archevêque Léon a dit : deux natures dans le Christ, unies sans confusion ni changement*

> L'arrivée de Théodoret provoque sifflements et huées.

ni *division, en un seul Fils unique notre Sauveur. Lequel voulez-vous suivre ? Le très saint Léon ou Dioscore ?* » Les évêques s'écrient tous : « *Nous croyons comme Léon ! Ses adversaires sont des eutychiens ! L'exposé de Léon est orthodoxe !* » Léon triomphe donc, la vraie foi est reconnue par l'assemblée des évêques réunis à Chalcédoine par l'empereur. Une commission d'experts se retire dans l'oratoire de Sainte-Euphémie pour mettre au point le nouveau document.

> *Il est un seul et même Fils unique, Dieu Verbe, Seigneur Jésus-Christ.*

Le 25 octobre, devant le concile réuni, l'un des commissaires impériaux se lève et lit les actes enfin rédigés. La profession de foi commence par la lecture des Symboles de Nicée et de Constantinople. Puis vient la définition.

« *À la suite des saints Pères, nous enseignons donc tous unanimement à confesser un seul et même Fils, notre Seigneur Jésus-Christ, le même parfait en divinité et parfait en humanité, le même vraiment Dieu et vraiment homme, composé d'une âme raisonnable et d'un corps, consubstantiel au Père selon la divinité, consubstantiel à nous selon l'humanité, "en tout semblable à nous sauf le péché"* [He 4, 15]. *Avant les siècles engendré du Père selon la divinité, et, né en ces derniers jours, né pour nous et pour notre salut, de Marie, la Vierge mère de Dieu, selon l'humanité. Un seul et même Christ Seigneur, Fils unique, que nous devons reconnaître en deux natures, sans confusion, sans changement, sans division, sans séparation. La différence des natures n'est nullement supprimée par leur union, mais plutôt les propriétés de chacune sont sau-*

*vegardées et réunies en une seule personne ou hypostase. Il n'est ni partagé ni divisé en deux personnes, mais il est un seul et même Fils unique, Dieu Verbe, Seigneur Jésus-Christ, comme autrefois les prophètes nous l'ont enseigné de lui, comme lui-même Jésus-Christ nous l'a enseigné, comme le Symbole des pères nous l'a fait connaître.*

*« Ces points ayant été déterminés avec une précision et un soin des plus extrêmes, le saint concile œcuménique a défini qu'une autre foi ne pouvait être proposée, écrite, composée, pensée ou enseignée aux autres par qui que ce soit. »*

Au palais du Latran, à Rome, Léon écoute avec bonheur ses légats lui rapporter les péripéties du concile et la victoire de la théologie romaine. Quelques points pourtant fâchent le souverain pontife. Contre l'avis de ses légats, le concile a accordé à l'évêché de Constantinople les mêmes prérogatives qu'à celui de Rome, prélevant des diocèses du patriarcat d'Antioche pour consolider celui de la nouvelle capitale de l'empire. Les décisions maladroites prises à l'égard de Dioscore, le patriarche d'Alexandrie, inquiètent également Léon. En effet, les cyrilliens, effondrés par la déposition de leur chef de file, feront sécession pour former l'actuelle Église copte, perpétuant l'hérésie monophysite.

Pourtant, le pape et ses conseillers ont la conviction que le concile de Chalcédoine aura fait progresser le rôle de l'évêque de Rome. Pour la première fois, c'est à l'initiative d'un pape que l'on a convoqué un concile œcuménique et c'est sa position qui a été retenue pour définir la foi. C'est également la première fois qu'un souverain pontife refuse officiellement de reconnaître la validité de ce qui se prétendait un concile, le fameux brigandage d'Éphèse de 449, à ne pas confondre avec le concile d'Éphèse de 431. Le rôle du pape, garant de l'unité et de la fidélité de la foi de l'Église, a été décisif dans le cadre de l'hérésie monophysite d'Eutychès.

SOURCES : H. Denzinger, « Texte de la formule de foi », in *SYMBOLES ET DÉFINITIONS DE LA FOI CATHOLIQUE*, Paris, 1997. *ACTES DU CONCILE DE CHALCÉDOINE*, traduction française par A.-J Festugière, Genève, 1983. A. Grillmeier et H. Bacht, *DAS KONZIL VON CHALKEDON*, 3 vol., Würzburg ,1951-1954. A. de Halleux, « La définition christologique à Chalcédoine », in *REVUE THÉOLOGIQUE DE LOUVAIN*, n° 7, 1976.

# LÉON LE GRAND

## *LE PAPE QUI ARRÊTA ATTILA*

## *AUX PORTES DE ROME*

**• 11 FÉV •** ROME. 452. DEPUIS PLUS DE SOIXANTE-DIX ANS, LES HUNS PROGRESSENT INEXORABLEMENT et forcent les populations qu'ils rencontrent sur leur route à émigrer ou à se soumettre. Attila, à leur tête depuis 434, s'est fixé pour but la conquête du monde. Des récits terrifiants d'incendies, de pillages et de massacres parviennent de Gaule, d'Espagne ou d'Afrique où s'abattent des hordes de rescapés ayant tout perdu qui à leur tour pillent et tuent. Les routes sont envahies de cortèges pitoyables de réfugiés qui fuient les envahisseurs et de bandes désorganisées, prêtes à tout. Partout sévissent la guerre, la misère et le crime. La famine ravage des régions entières et entraîne dans son sillage maladie et désespoir.

La rumeur gronde, la horde avance. Malgré la récente victoire de l'armée romaine aux champs Catalauniques, Attila, sûr de lui et de ses hommes, continue sa marche vers la ville éternelle. La terreur et le désespoir règnent... La situation se présente mal pour Rome. La ville tremble. On envisage le pire. La terreur se propage, telle une épidémie.

– Alaric ! Attila va piller la ville comme Alaric, marmonne un vieillard, prophétique.

Les cris, le sang, la peur qui noue le ventre ! Rome est perdue...

– Qu'allons-nous devenir ? se lamente une autre. Depuis que Carthage est tombée aux mains des Vandales, il y aura bientôt treize ans, les marchands ont de plus en plus de mal à s'approvisionner en blé. Si Attila pille le peu qui nous reste, nous sommes condamnés à mort !

– Que voulez-vous que Rome fasse ? L'empereur, l'armée sont incapables de nous défendre ! Il faut fuir ! s'exclame un marchand terrorisé.

Un vent de panique souffle sur Rome. Il faut organiser la défense. Et vite ! Si la ville ne peut éviter l'affrontement, ses seuls remparts sont le faible empereur Valentinien III, le haut dignitaire Aetius et quelques légions affaiblies. Pressé par l'armée et le Sénat, par une population angoissée, Valentinien III décide donc, après maintes tergiversations, de jouer la carte diplomatique... Qui osera affronter « l'empereur des Huns » ? Des sénateurs ? Aetius ? Valentinien ?

– Le Pape, lui, serait reçu, déclare le plus illustre des sénateurs, Gennadius

Avienus. Lui seul à la force d'âme et la détermination susceptibles d'arrêter ces Barbares. Lui seul peut empêcher le massacre de nos malheureuses légions ! Souvenez-vous des sièges précédents que Rome a subis : c'est lui qui a organisé notre ravitaillement ! Le peuple a confiance en lui. C'est à lui de rencontrer Attila, avant qu'il ne soit trop tard.

Désormais, c'est sur Léon le Grand que reposent tous les espoirs. Le Pape envoie un plénipotentiaire négocier les préparatifs de l'ambassade qui doit décider de l'avenir de Rome.

La rencontre aura lieu sur le champ Ambulée, où se trouve l'un des gués du Mincio, affluent du Pô qui traverse le lac de Garde et arrose Mantoue. Attila est alors véritablement aux portes de Rome.

4 juillet 452. À l'heure où le soleil approche du zénith, les ambassadeurs romains s'avancent vers leur destin. On trouve, à l'avant du cortège, le très riche notable Avienus, le préfet Trigetius, le secrétaire Prosper d'Aquitaine... et, enfin, à leur tête, majestueux, le Pape. Accompagnés de dix légionnaires sans armes en tenue d'apparat, dix diacres, tout de blanc vêtus, portent l'étendard pontifical et le crucifix d'argent.

Stupéfaction des Barbares. Ainsi escorté de moines, de prêtres en chasuble, d'évêques vêtus d'or, Léon, si richement paré, si digne, est incontestablement l'envoyé de Dieu.

À la stupéfaction des uns répond la surprise des autres. En effet, les diplomates

> *Dix diacres, tout de blanc vêtus, portent l'étendard pontifical et le crucifix d'argent.*

romains sont aimablement accueillis et conduits sous une tente somptueuse ! Se peut-il que ce Barbare que l'on dit sanguinaire leur accorde, par courtoisie, le temps de se reposer avant le repas vespéral où le sort de Rome doit se jouer ?

En fin d'après-midi, les ambassadeurs prennent place autour de la table d'Attila. Ce dernier, vêtu à la romaine, se montre magnanime et accepte de partager la présidence du repas. Avec ses généraux Onégèse et Edécon, il s'installe face aux Romains. Les mets sont délicats, les vins choisis. On s'entretient de choses et d'autres, du temps, de la chaleur accablante, de la fréquence des orages, de la calamité des épidémies. Le Pape décrit l'Asie Mineure... L'empereur raconte l'Asie lointaine. Attila est profondément impressionné par l'éloquence, l'apparat et la majesté du pape Léon. Cet échange tout de courtoisie laisse les Romains interloqués. C'est pourtant bien le Pape qui vient solliciter la clémence d'Attila et cherche à sauver Rome !

Attila et le pontife se rencontrent une dernière fois le 6 juillet, sans témoins. Que se disent-ils ? Nul ne le sait. Mais les Huns quittent l'Italie le 8 juillet, contre un tribut raisonnable, et renoncent à toute tentative de pénétration en Gaule et en Italie, à condition de pouvoir circuler sans être agressés. Que s'est-il passé pour qu'Attila renonce ainsi à l'Italie, à la Gaule, et surtout à Rome ? L'empereur des Huns a certes été impressionné par le pape Léon et a pu se sentir honoré de négocier en position de supériorité avec un homme de si haute renommée, mais de là à lui obéir... Léon n'est que le représentant d'un Dieu dont Attila nie l'existence.

Il faut dire aussi qu'une épidémie, favorisée par l'accablante chaleur estivale, paralyse une partie de l'armée hunnique, déjà affaiblie par les excès liés aux pillages et les pertes dues aux incessantes campagnes livrées depuis 447. La rumeur selon laquelle le Dieu des chrétiens inflige aux païens sa divine colère s'ils osent s'aventurer au-delà de Rome, la Ville sacrée, se répand chez les Huns. Par ailleurs, les Romains cachent ou détruisent les ressources.

Attila ne peut de toute façon rester longtemps loin de ses terres d'origine, au bord de la Volga. Il a peur de Marcien, l'empereur d'Orient, qui s'apprête à dévaster les terres hunniques en franchissant le Danube et peut barrer la retraite aux Huns s'ils se lancent dans une longue campagne en Italie... Il s'inquiète de la stabilité de son empire, notamment en Asie. Il est lui-même gravement malade, sait sa fin prochaine, et craint pour la survie de son empire, que de trop nombreux héritiers vont bientôt revendiquer. Faut-il se battre pour étendre l'Empire, quand il est déjà si difficile de le conserver dans son intégrité ? Sans doute pour le Hun est-il temps de trouver une solution diplomatique qui lui permette de se replier en sauvant la face. Léon le Grand ne fut sans doute pas dupe des circonstances qui lui valurent de passer pour le sauveur de Rome. Au lendemain de l'événement, il eut la victoire modeste : « *Remercions Dieu qui nous a sauvés d'un si grand danger.* » Mais, depuis ce jour, une merveilleuse légende s'est répandue dans tout le monde chrétien. Le peintre Raphaël immortalisera l'intervention du ciel qui avait sauvé Rome : Attila, entouré de ses fidèles, écoute le prélat en majesté dont l'autorité est renforcée par l'apparition, derrière lui, de saint Pierre et saint Paul, menaçant le conquérant d'une mort rapide s'il rejette la proposition de leur successeur. De fait, Attila mourut en 453. Son empire ne lui survécut pas, partagé entre ses fils avant de devenir poussière, et cette piètre fin acheva d'embellir la tradition.

Il reste que Léon fut vraiment un très grand pape qui su donner des raisons d'espérer aux Romains traumatisés par les terribles événements qu'ils vivaient. Dès lors, tandis que les empereurs fantoches se succèdent sur le trône jusqu'à l'abolition de l'Empire romain, en 476, c'est le pape qui devient le rempart de la ville. Si Rome reste la « Ville éternelle », ce n'est plus alors pour des raisons militaires ou politiques. Rome, sous la protection de Pierre et de son successeur, est devenue le centre de la chrétienté.

SOURCES : Cassiodore, *VARIAE*. M. Bouvier-Ajam, *ATTILA LE FLÉAU DE DIEU*, Paris, 1982. P. Howarth, *ATTILA, KING OF THE HUNS, THE MAN AND THE MYTH*, Londres, 1994. E. Thomson, *THE HUNS*, Londres, 1996.

# GENEVIÈVE

## CELLE QUI SAUVA PARIS

• **12 FÉV** •

GENEVIÈVE SE SOUVIENT. ELLE ENJOLIVE SANS DOUTE UN PEU, C'ÉTAIT IL Y A TELLEMENT LONGTEMPS, et maintenant, elle est si vieille, si fatiguée, qui pourrait lui reprocher de se faire des souvenirs plus vifs et plus émouvants que la réalité ne fut ? Après tout, les faits sont là, qui font d'elle une sorte de légende vivante.

En 429, à Nanterre, la communauté chrétienne accueille deux personnages très importants. Leurs vêtements étincellent de pourpre et d'or. Ce sont les évêques Germain d'Auxerre et Loup de Troyes. Ils font halte avant de poursuivre leur périple vers la Grande-Bretagne pour combattre les hérétiques disciples de Pélage qui nient le péché originel et la force de rédemption du baptême.

Geneviève, qui n'a guère que dix ans, est une petite fille blonde intimidée que rien ne distingue au milieu de tout ce beau monde. C'est pourtant là que l'évêque Germain la remarque. Tout d'un coup, elle sent son regard se poser longuement sur elle, il a abandonné la conversation et s'est tourné vers l'un de ses interlocuteurs pour lui demander qui elle est. « C'est Geneviève », lui a-t-on répondu, la fille de Sevo-

nius et de Geroncia, de riches aristocrates gallo-romains.

Germain demande alors qu'on la lui amène.

Geneviève s'approche. Les membres de la communauté s'écartent, formant un cercle autour d'elle. Elle a un peu peur, tout le monde la regarde, se demandant ce que l'évêque peut bien lui vouloir.

– Geneviève, veux-tu être consacrée au Christ, comme une épouse et garder ton corps immaculé et intact ?

Dire qu'elle fut surprise est un faible mot, c'était comme si l'évêque avait lu dans ses pensées.

– Père, tu vas au-devant de mes désirs.

– Alors aie confiance ma fille, conduis-toi avec fermeté. Ce que tu crois en ton cœur et proclames avec ta bouche, prouve-le par tes œuvres.

Plus tard, certains rapportèrent que l'évêque, interrogé sur son étrange attitude, confia que cette petite fille lui avait semblé toute remplie de la grâce du Seigneur.

Geneviève prend ces paroles très au sérieux, elle les a même répétées à sa mère un jour que celle-ci lui interdisait de participer à une fête religieuse. Oui, dès cet instant, elle veut « être une épouse du Christ, pour un jour être trouvée digne de porter ses parures et son habit ». Le Christ, son Seigneur, c'est bien à lui qu'elle veut appartenir, à lui qui sait si bien combler son âme. À vingt ans, son désir est enfin exaucé. En l'absence de l'évêque de Paris, c'est l'évêque de Bourges, Villicius, qui la consacre à Dieu et lui remet le voile des vierges.

Cinq ans plus tard, à la mort de ses parents, Geneviève rejoint sa marraine à Paris. Là, elle revoit Germain d'Auxerre qui lui impose les mains, invoque l'Esprit Saint et lui donne l'Eucharistie. Dès cet instant, Geneviève se consacre au service de la charité pour la communauté.

Germain d'Auxerre, oui, cet homme-là aussi a beaucoup compté dans sa vie, pourtant son nom est rarement prononcé quand on raconte son histoire. Geneviève soupire, maintenant, elle a plus de quatre-vingts ans et ses forces l'abandonnent lentement. Elle a dû renoncer depuis longtemps au jeûne trop radical qu'elle s'imposait. Elle a ajouté à son régime du poisson et du lait dans lequel elle trempe son pain d'orge.

Encore une fois Geneviève se tourne vers son passé, deux événements continuent de la marquer, deux événements et deux noms, Attila et saint Denis.

Elle a une trentaine d'années quand le Barbare et sa horde sauvage traversent la région. Venus des bords du Danube, ils franchissent le Rhin puis se dirigent vers le sud en pillant tout sur leur passage. Trêves, Metz et Reims sont ravagées. Apprenant la nouvelle de leur approche, Paris s'affole. Les grandes familles veulent fuir, emportant leurs richesses avec elles.

*Attila ne passera pas.*

Geneviève, avec calme, leur demande de rester dans la ville, les assurant qu'Attila ne passerait pas par là. Son père ayant eu des charges importantes dans l'armée, elle a pu obtenir des informations de l'état-major d'Aetius, le généralissime romain cantonné à Valence, et sait que les Huns désirent battre les Wisigoths d'Aquitaine à Orléans.

Mais les Parisiens alarmés ne veulent pas entendre raison. Les membres de la Curie municipale l'accusent même d'être une fausse prophétesse et l'auraient lapidée si l'archidiacre d'Auxerre, en souvenir de la protection que Germain avait accordée à la jeune femme, n'était pas venu à son secours. Geneviève se souvient qu'il lui a fait porter des eulogies, pains bénis non consacrés, et que devant cette marque d'estime, la colère des Parisiens était retombée. Avec des femmes de la ville, elle a veillé et jeûné, et les Huns ne sont pas passés par Paris. Elle y a gagné autorité et prestige, et s'est empressée d'en user pour obtenir des plus riches de quoi secourir les déshérités.

Saint Denis, lui, c'est l'homme de sa vie, après le Christ. Elle est passionnée par ce saint martyr, décapité vers 250 au *Vicus catulliacus*, sur la route qui de Paris bifurque vers Rouen et Senlis. Elle veut qu'à cet endroit s'élève une basilique et l'obtient. Comme diaconesse, elle réussit à convaincre les prêtres qui acceptent même de la financer sur leurs biens et ceux de l'Église. Grâce à son poste de curiale, hérité de son père, elle trouve la chaux nécessaire et requiert, par corvée publique de la population, les moellons indispensables à l'appareillage du bâtiment. Une modeste basilique de vingt mètres de long sur huit mètres de large est donc élevée en l'honneur de saint Denis. Les cierges y brûlent, jour et nuit en signe d'espérance.

Mais aujourd'hui, ce qui rend Geneviève heureuse c'est la décision de Clovis. Il a choisi Paris pour capitale. Le fils de Childéric a épousé une princesse catholique : Clotilde, la fille du roi des Burgondes. Et, reconnaissant au Dieu de sa femme qui lui a fait remporter la bataille contre les Alamans, il s'est fait baptiser à Reims. Pour Geneviève, c'est un ultime bonheur que de voir un roi catholique choisir sa ville.

> *Clovis choisit Paris pour capitale.*

Car elle aime Paris et Paris le lui rend bien. Durant le long blocus que les Francs font subir à la ville, Geneviève organise des ravitaillements. Un jour où les Parisiens souffraient plus que de coutume à cause d'une mauvaise récolte, elle réquisitionne une flottille de onze bateaux avec des rameurs de bonne volonté, dirigés par le prêtre Bessus. Pour les encourager, celui-ci leur fait chanter des psaumes en cadence. Après avoir manqué de chavirer plusieurs fois, les navires réussissent à rejoindre Arcis-sur-Aube et à regagner Paris chargés de blé. Geneviève fait vendre le grain à ceux qui ont la possibilité de le payer et fait

cuire dans les fours publics des pains qu'elle distribue aux plus démunis. Le service de Dieu et celui de l'État convergeaient dans la charité qu'elle déployait envers son peuple.

Après cela, les Parisiens ne cessèrent de colporter légendes et miracles : les flambeaux se rallumaient sur son passage ; l'ampoule d'huile sainte, qui lui servait à oindre les malades et les possédés, ne se désemplissait jamais (ils en feraient après sa mort un objet de vénération), elle avait le pouvoir de guérir et d'éloigner le démon...

Sa renommée s'étendit au pays entier. Les populations de Laon et de Meaux l'accueillirent avec la solennité réservée habituellement à un haut fonctionnaire de l'empire. Sa réputation atteignit même l'Orient d'où Siméon le Stylite, qui vivait depuis des années en haut d'une colonne non loin d'Antioche, lui fit porter son salut par des marchands et lui demanda de se souvenir de lui dans ses prières.

Quand Geneviève mourut, le 3 janvier 502, elle fut ensevelie dans la basilique des Saints-Apôtres, construite par Clovis. En 511, Clotilde y fit déposer la dépouille de son mari. Avec Clovis et Geneviève, la fille de Paris et le fils des Francs, commence une nouvelle histoire, où la Gaule cessa d'être romaine, refusa d'être barbare et fut baptisée France.

SOURCES : *VITA GENOVEFAE*. Grégoire de Tours, *HISTORIARUM LIBRI*, t. II, 38. J. Schmidt, *SAINTE GENEVIÈVE : LA FIN DE LA GAULE ROMAINE*, Paris, 1997. J. Dubois et L. Beaumont-Maillet, *SAINTE GENEVIÈVE DE PARIS*, Paris, 1985.

# AUCTORITAS ET POTESTAS

## QUAND LE PAPE RAPPELLE LES PRINCES

### À L'HUMILITÉ

**• 13 FÉV •**

EUPHÈME EST-IL SINCÈRE ? LE PAPE GÉLASE Iᵉʳ N'EN EST PAS CERTAIN. De toute façon, là n'est pas la question... La communion ne saurait être rétablie de cette manière avec le nouveau patriarche de Constantinople, même s'il déclare admettre, contrairement à son prédécesseur Acace, le concile de Chalcédoine. Les intrigues d'Acace ont bouleversé tout l'Orient ; il a prétendu s'élever au-dessus des sièges patriarcaux d'Antioche et d'Alexandrie ! Il a même circonvenu les légats du pape Félix II, le prédécesseur de Gélase ! Et pour tout cela, il a été excommunié... Aujourd'hui, Acace est mort. Euphème, son successeur, tente de renouer avec Rome ; mais il prétend garder le nom d'Acace dans les registres officiels – les diptyques –, comme si l'excommunication n'était pas un fait accompli ! Félix II avait déjà exigé d'Euphème la suppression de ce nom. Et, aujourd'hui, c'est à lui, Gélase, à peine élu en 492 au siège de Pierre, qu'Euphème prétend arracher – par ruse ? – cette réhabilitation subreptice d'Acace, en faisant appel à la « condescendance » du Pape...

« Condescendre » ? Gélase se raidit. Il sait qu'il ne cédera pas, parce qu'il ne doit pas céder. Austère, rigoureux, homme de prière et de jeûne, Gélase Iᵉʳ semble avoir pris très vite la mesure de la situation religieuse et politique troublée dans laquelle sont plongés l'Église et l'Empire en cette fin du Vᵉ siècle. L'Empire romain d'Occident tombe en ruine de toutes parts, et les chefs barbares s'en partagent les dépouilles : la lutte qui oppose Odoacre et Théodoric vient de se conclure, en 492 précisément, par la victoire du second et l'exécution du premier. L'avenir est sombre. En Orient, l'empereur Anastase Iᵉʳ a accédé au pouvoir dans le contexte chaotique des différentes crises et hérésies, et l'Occident lui-même n'en est pas exempt. Avec les agissements d'Acace, tant en matière doctrinale que par sa prétention de faire du siège de Constantinople l'égal de celui de Rome, de graves dissensions sont apparues, et le schisme est latent. Il ne s'agit donc pas aujourd'hui de « condescendre » !

La réponse du pape Gélase au patriarche de Constantinople Euphème est cassante, ironique, définitive. Aussi l'empereur Anastase se juge-t-il indirectement offensé ; il soutient le patriarche de

Constantinople, et l'on assiste alors à une série d'escarmouches diplomatiques entre le Pape et l'Empereur. Gélase a bien conscience toutefois qu'elles peuvent, à terme, devenir dangereuses. S'est-il montré trop dur ? Pas assez explicite ? Il est indispensable de clarifier les choses. En 494, afin d'expliquer à l'empereur Anastase pourquoi il maintient ses exigences, Gélase lui adresse une missive qui, par son importance et ses conséquences, dépassera de très loin les circonstances et le contexte qui l'ont suscitée.

*« Il est deux choses, auguste empereur, par lesquelles le monde est gouverné d'une manière souveraine : l'autorité sacrée des pontifes et la puissance royale. Et la charge des pontifes est d'autant plus pesante qu'au jugement de Dieu ils devront rendre compte des rois eux-mêmes. Vous savez, fils très clément, que, quoique vous présidiez au genre humain par votre dignité, vous êtes néanmoins soumis aux ministres des choses sacrées ; vous attendez d'eux les causes de votre salut ; et, en ce qui concerne la réception et la dispensation des célestes mystères, vous savez que votre devoir est l'obéissance plutôt que le commandement. Vous savez que, pour ces choses, vous dépendez de leur jugement, bien loin de vouloir les assujettir à votre volonté. Car, si en ce qui regarde l'ordre et l'administration publique, les pontifes de la religion, reconnaissant que l'empire vous a été confié par une disposition d'en haut, obéissent à vos lois, avec quel empressement ne devez-vous pas obéir à ceux qui sont établis pour dispenser les sacrés mystères ? »*

Ainsi est posée, quasi définitivement, la fameuse distinction entre l'*auctoritas* –

l'autorité sacrée des pontifes – et la *potestas* – la puissance royale. Cependant, sous la densité des phrases, une continuité s'affirme d'abord : en définissant ainsi les rapports entre l'Église et l'État, Gélase s'inscrit dans la lignée d'illustres prédécesseurs, tels Ambroise de Milan ou le pape Léon Ier. Mais la lettre de Gélase a aussi pour but de démêler l'écheveau d'une situation complexe. C'est pourquoi le Pape pèse subtilement les termes. Pour qu'Anastase négocie, le rôle de l'empereur ne saurait apparaître diminué ; par ailleurs, le caractère supérieur du pouvoir de l'Église doit être affirmé sans ambages – supériorité que l'Église ne tient pas de circonstances particulières mais de son être même –, sous peine d'ouvrir la voie aux pires empiétements de l'empereur d'Orient – *basileus* et *iereus* – sur les droits de l'Église...

C'est cette tension qui donne à la lettre du Pape sa richesse et sa profondeur uniques. C'est elle aussi qui nourrira, au fil des siècles, des polémiques parfois passionnées sur son interprétation. Le pontife s'adresse à l'empereur à l'intérieur de la cité chrétienne ; l'*auctoritas* et la *potestas* y sont naturellement ordonnées, l'une et l'autre, et tendent au même but : servir la volonté divine. Dans ce cadre, Gélase établit à la fois une distinction claire et une hiérarchie des pouvoirs. Une distinction, d'abord : en matière de foi, l'empereur a pour mission d'apprendre, non d'enseigner. Sa garantie temporelle en ce domaine ne vaut donc que ce que vaut son obéissance. À l'inverse, en

> Le Pape pèse subtilement les termes.

matière d'ordre et d'administration publique, l'Église s'incline devant le pouvoir du prince en y reconnaissant un *beneficium*, un don de Dieu dont le prince a pour tâche de faire le meilleur usage. Cette distinction claire n'exclut pas, toutefois, l'idée d'un lien hiérarchique : la phrase de Gélase sur « *la charge des pontifes* » a fait à cet égard couler beaucoup d'encre. On peut y voir simplement l'affirmation de la responsabilité spirituelle du prêtre face à la personne des princes ; mais s'il s'agit de rendre compte devant Dieu de leur politique, la phrase suggère bien une hiérarchie des pouvoirs. De fait, rapprochée d'autres écrits de Gélase, la lettre à Anastase a généralement été comprise dans le sens d'une subordination du pouvoir temporel à la puissance spirituelle et singulièrement, à *l'auctoritas* de l'évêque de Rome. Car dans cette même lettre, comme dans l'un de ses traités, le Pape souligne par ailleurs la compétence ultime du siège de Pierre face aux conciles et aux Églises régionales.

Gélase est ainsi un précurseur en matière de primauté pontificale. Son affirmation d'indépendance vis-à-vis de l'empereur n'est pas dictée par le seul souci de distinguer les ordres. Elle repose avant tout sur la volonté de faire comprendre que le dernier mot de toute *potestas*, qui

*L'empereur a pour mission d'apprendre, non d'enseigner.*

revient à Dieu, revient naturellement de fait, sur la terre des hommes, à l'*auctoritas* de l'Église que Dieu lui-même a instituée. La *potestas* doit être la mise en œuvre, dans son ordre et avec l'autonomie de ses moyens propres, d'une inspiration qui existe au-delà du pouvoir des princes et que ce pouvoir n'enferme pas.

Le retentissement de cette lettre sera considérable. Pendant des siècles, le passage essentiel de cette lettre, repris par les collections canoniques, inspirera l'attitude des papes romains à l'égard de l'autorité civile. Dans l'Occident médiéval, elle donnera naissance à la théorie « *des deux glaives* », qui met l'accent sur la distinction du spirituel et du temporel. Dans l'Orient byzantin, *auctoritas* et *potestas* entendront au contraire s'unir étroitement dans la « symphonie des pouvoirs ».

Mais l'application n'en sera facile ni à l'Ouest ni à l'Est, les conflits de compétence en Occident faisant pendant à une certaine confusion des rôles en Orient. Toutefois, dans l'un et l'autre cas, l'idée que le pouvoir du prince est un don de Dieu, dont Dieu seul reste juge en dernier ressort, dessinera pour longtemps les contours politiques et civilisateurs de l'Europe chrétienne.

SOURCE : Gélase I$^{er}$, *LETTRE À L'EMPEREUR ANASTASE I$^{er}$*. A. Roux, *LE PAPE SAINT GÉLASE I$^{er}$*, Paris, 1880. J.-L. Nelson, « Gelasius I's Doctrine of Responsibility : a Note », in *JOURNAL OF THEOLOGICAL STUDIES*, 1967.

# LE BAPTÊME DE CLOVIS
## ON N'ÉCHAPPE PAS SI FACILEMENT À DIEU

**• 14 FÉV •**

SI LES CHOSES CONTINUENT À CE TRAIN, DANS QUELQUES HEURES, C'EN SERA FINI DES SALIENS et avec eux de ce Clovis, qu'on appelait l'*Astucieux* et qui caracole encore sur son cheval au milieu de sa petite troupe fatiguée. Ces féroces Alamans, qui ont déjà culbuté les défenses des Francs Rhénans à Tolbiac, près de Cologne, vont maintenant écraser l'armée des Francs Saliens venue de Tournai se porter à leur secours. Les bougres, ils savent y faire pour mettre en pièces les Francs. Là, pourtant, les fantassins de Clovis ont fait du bon travail. Ils ont arrêté la première charge avec leurs épées qu'ils font tournoyer devant eux – mais les Alamans reviennent et les Francs sont empêtrés dans les cadavres de leurs victimes et, massacrés, piétinés, ils mêlent leur sang à la poussière. Clovis observe, spectateur impuissant. Que faire encore ? Les soldats lui manquent et le cœur aussi. C'est bien la peine d'être le descendant d'un dieu marin, le Quinautore lui-même, si c'est pour finir à terre sous les sabots d'un cheval. Acculé, il cherche un acte qui lui rendra la victoire : « Vrai, Clotilde me l'avait bien dit que ce Wotan et cette Freyja ne valaient rien – je m'en doutais un peu –, mais maintenant ? Eh bien ! Dieu de Clotilde, j'en fais le serment : si tu me donnes la victoire, je recevrai le baptême. »

Clovis rassemble une poignée des siens. Ceux-là se feront tuer plutôt que de fuir. Hache de jet ou javeline à la main, ils avancent. Les Alamans sont surpris un instant de voir les quelques derniers fantassins francs se détacher de leurs morts pour se diriger vers leur armée redoutable ; ils se ressaisissent vite et se réjouissent – ce sera un carnage –, ils se disputent en riant la gloire de porter le coup final à ces désespérés, de mener la charge ultime et triomphale contre les malheureux. Déjà les Francs ont attaqué. Ils ont lancé leurs haches effilées qui ont clairsemé les premiers rangs des Alamans. Les javelots filent et, épée au poing, ils courent sur l'ennemi soudain désemparé, dont le roi tombe dans la mêlée. L'armée disloquée, sans chef, cède à la panique et se disperse dans la débâcle. Les fuyards deviennent autant de victimes et les Francs, réorganisés par le succès, traquent les survivants. Après cette victoire inattendue, Clovis se retrouve seul, seul devant son serment.

On n'échappe pas si facilement à Dieu. Déjà, les évêques francs ont rondement mené leur affaire en lui faisant épouser cette belle Clotilde. Elle est la nièce du roi burgonde, Gondebaud. Surtout, elle est catholique dans un pays majoritairement arien. Les évêques francs ont en elle une alliée sûre auprès du roi. Elle n'a évidemment pas convaincu son mari, qui d'ailleurs lui-même respecte l'épiscopat depuis longtemps, mais par elle la Parole de Dieu a fait son chemin dans son cœur, et c'est déjà bien. C'est même suffisant pour que Clovis en fasse un serment. Il a vaincu, il lui faut maintenant honorer sa promesse.

> *Un roi qui se soumet à un Dieu mort comme un esclave, n'est-ce pas un roi qui se démet ?*

Mais ce n'est pas si simple ; s'il choisit le Dieu de Clotilde, Clovis ne risque-t-il pas de perdre sa royauté, non plus par une défaite, mais à cause de la réprobation de son peuple et surtout de son armée qui sont restés païens. Son premier fils est mort juste après que Clotilde l'eut fait baptiser. Si le Dieu des chrétiens n'est pas méchant, est-il faible ? Un roi qui se soumet à un Dieu mort comme un esclave, n'est-ce pas un roi qui se démet ? Tant qu'à se convertir, ne vaudrait-il pas mieux choisir la doctrine arienne qui renvoie Dieu dans un ciel lointain et fait du roi **son** principal intendant sur terre, presque son descendant ?

En revenant de Tolbiac, Clovis a tiré de sa retraite un ermite, Vaast, qui parle comme lui le vieil allemand, pour qu'il le guide dans sa progression spirituelle ; mais son enseignement ne suffit pas, et Clotilde lui fait rencontrer en secret l'évêque de Reims, Remi, pour discuter théologie et politique. Clovis hésite toujours. Sur le conseil de Geneviève, la prophétesse protectrice de Paris, il se rend à Tours qu'il a conquise, sur la tombe de saint Martin. Le culte de ce saint a transformé la ville en un grand centre spirituel où les foules se rassemblent pour sa fête, le 11 novembre. Clovis y arrive en ces jours. C'est la deuxième révélation, sa véritable conversion.

Une cohue de pèlerins se presse dans le sanctuaire. Toute la misère de son royaume est là, au grand complet – et les guérisons succèdent aux guérisons, les délivrances aux délivrances, les miracles aux miracles. Clovis voit tomber sur la tombe de Martin, avec les béquilles des estropiés et les sébiles des aveugles, ses dernières résistances. Le Tout-Puissant l'a conquis : la force de Dieu, ce ne sont pas des armées victorieuses, c'est sa miséricorde. Clovis demande le baptême, qu'il reçoit à Noël – probablement en 499 – à Reims, avec trois mille guerriers de sa garde personnelle.

Le défi de Tolbiac, trois ans plus tôt, était encore le geste d'un païen qui provoque ses dieux. Le retournement de Tours est le signe d'un chrétien qui reçoit avec reconnaissance le don de Dieu et qui se laisse transformer par lui.

La conversion de Clovis ne porte pas de fruits politiques immédiats : les défaites continuent et les catholiques burgondes ou wisigoths ne se rallient pas à lui. Il faut attendre la victoire de 507 à Vouillé où, allié avec les Burgondes, il écrase le Wisigoth Alaric II et conquiert le royaume wisigoth de Toulouse, pour que son baptême prenne tout son poids politique. De retour d'Aquitaine où il a triomphé, Clovis passe par Tours rendre grâce. Il reçoit là les titres de consul et de patrice que lui envoie l'empereur romain d'Orient, Anastase. Clovis est fait dépositaire de l'héritage de Rome qu'il avait revendiqué jusqu'ici en concurrence avec les Burgondes et les Goths. Il a désormais la tâche de maintenir ce dépôt dans sa double dimension spirituelle et temporelle.

Clovis fut-il un roi chrétien ? Il y tendit. Pendant sa campagne d'Aquitaine, il donne l'ordre d'épargner les populations, de ne vivre ni sur le pillage ni sur les réquisitions, de libérer les prisonniers à la demande des évêques. Son souci de réconciliation des peuples est constant. On doit aussi à Clovis une œuvre importante de législateur avec la loi salique, le Bréviaire d'Alaric et le concile d'Orléans qui se réunit à sa demande en 511, juste avant sa mort. Il s'agit toujours de pacifier les mœurs, d'unifier les peuples gallo-romain et franc, de favoriser la christianisation, et de lutter contre les pratiques germaniques fondées sur la force et la violence pour leur substituer l'ordre équitable de la loi. Mais la rupture avec les traditions barbares se fait dans le sang, et Clovis fait massacrer à la même époque toute sa parentèle. En effet, forts de la coutume germanique, tous ses oncles, neveux et cousins païens pouvaient prétendre à sa succession et menacer ainsi son œuvre politique. Clovis voulait réserver son nouveau royaume à sa seule descendance.

Clovis est mort trop tôt pour avoir pu faire du royaume franc le véritable héritier de Rome sur le plan politique comme sur le plan religieux. Ses fils divisèrent le royaume et perpétuèrent les mœurs germaniques, et il fallut plusieurs siècles avant que Clotaire II ne refît l'unité du pays et que la christianisation ne gagnât tout le peuple. Mais s'il a seulement initié ce vaste mouvement historique, Clovis est pour les générations qui l'ont suivi un modèle et une référence, un grand roi dont l'œuvre fait autorité. Son baptême a engagé l'avenir, et les rois francs cessent avec lui d'être des rois païens. Ainsi la conversion d'un homme peut-elle modifier la face d'un peuple et laisser dans l'histoire une trace d'espérance et de grande lumière.

> *Son baptême a engagé l'avenir.*

SOURCES : Grégoire de Tours, *HISTORIARUM LIBRI*, t. II, 31. Avit de Vienne, *LETTRES*. M. Rouche, *CLOVIS*, Paris, 1996.

# BENOÎT DE NURSIE

## *LA RÈGLE D'OR OU*
## *LA PASSION DE L'ÉQUILIBRE*

**• 15 FÉV •** LÀ-HAUT, SUR LA MONTAGNE, L'IDÉAL QU'IL POURSUIT DEPUIS SI LONGTEMPS VA ENFIN PRENDRE FORME ! Benoît se retourne sur le chemin et contemple ses compagnons qui gravissent comme lui, en hâte, les pentes du mont Cassin. Cette vie monastique pleine et entière, pratiquée sous un chef unique, dans un seul et vaste monastère qui se suffirait à lui-même, matériellement et spirituellement, en a-t-il assez rêvé ! Non que l'expérience lui en manque tout à fait. Le jeune homme se remémore avec émotion les années de Subiaco, où le moine Romain l'a initié aux principes de la vie monastique. Certes, à Subiaco, Benoît a d'abord connu, dans une grotte, le désert d'une vie d'ermite ; mais très tôt la Providence lui a envoyé des disciples, et il s'est alors inspiré des principes de l'Égyptien saint Pacôme pour faire vivre ses moines. Divisée en douze groupes abrités chacun dans un petit monastère régi par un système mi-érémitique, mi-cénobitique, la communauté rayonnait, au point de s'attirer la malveillance des jaloux. En tout cas Benoît, qui connaît bien la spiritualité des moines d'Orient, en a suivi consciencieusement les préceptes.

Toutefois, la sévérité des exercices monastiques orientaux l'a laissé sur sa faim. Né en Ombrie vers 480, dans une famille chrétienne appartenant à la haute bourgeoisie, il a certes abandonné ses études de rhétorique et de droit à Rome pour se jeter dans la solitude en Dieu. Mais l'absolu de sa vocation n'a pas fait pour autant de lui un extrémiste de l'ascèse.

Et, tandis qu'il gravit aujourd'hui les pentes du mont Cassin, l'évidence lui saute aux yeux : cet équilibre qui est au fond de son tempérament, mais qui reflète aussi toute une vision du monde, ce n'est pas dans le mode de vie prôné par ses maîtres orientaux qu'il le trouvera. Il faut innover. Les attaques malveillantes d'un prêtre voisin de Subiaco, en forçant la communauté de Benoît à s'éloigner, ont agi comme un révélateur : ces moines-là sont appelés à vivre autre chose, autrement.

Les voilà arrivés à la cime du mont. En cette année 529, il s'y trouve encore un temple dédié à Apollon, vestige du paganisme antique. On commence par briser l'idole, puis Benoît dresse deux oratoires, l'un dédié à saint Martin, le grand évangélisateur de l'Occident, l'autre à saint Jean-Baptiste, le modèle des solitaires. Dans l'ancienne citadelle, on entreprend ensuite de bâtir le monastère.

Mais surtout, Benoît bâtit la *Règle*. Il la rédige en 534, s'inspirant pour une part d'une règle antérieure, restée anonyme et connue sous le nom de « Règle du Maître ». Mais la profonde sagesse qui émane de la règle bénédictine est bien celle de Benoît ! La robustesse, le réalisme, le sens des proportions de sa *Règle* ont fait dire de lui qu'il était le dernier des Romains. Mais Benoît est aussi et d'abord le disciple ardent de Jésus, et il est fils de cette civilisation de la Paternité que le christianisme inaugure. C'est ce qui donne à sa *Règle*, chef-d'œuvre d'harmonie entre le spirituel et le temporel, une fécondité civilisatrice unique.

La règle de Benoît est douce. Non que son auteur encourage la faiblesse ! Mais il ne la stigmatise pas. Son ascèse se fonde sur la pureté des intentions, et non sur la difficulté des actes accomplis. La *Règle* prône avant toute chose l'obéissance, l'humilité, la piété, le silence, la pauvreté, mais réprouve les actes de mortification surérogatoires et l'extrême sévérité de l'ascétisme corporel oriental. Saint Benoît accorde largement à ses disciples le sommeil – pas d'office de nuit – le vêtement et la nourriture ; il permet même de boire un peu de vin. Il insiste aussi sur la brièveté de l'office divin : ce que les moines récitaient auparavant en un jour s'étend sur la semaine. Les « petites heures » sont réduites à trois psaumes très courts. Les vêpres n'en comptent que quatre au lieu de douze. Quant à la prière, elle est intérieure, courte, mais fervente, et ne se superpose pas au travail, qui tient toute sa place. « *Ora et labora* » : le mot le plus significatif de cette formule si célèbre est sans doute le *et*, qui unit intimement l'élan d'amour vers Dieu et la mise en valeur de la Création.

Par rapport au monde antique, c'est une révolution ! Car la dignité que la règle bénédictine reconnaît au travail, ce n'est pas seulement celle du travail intellectuel dans le prolongement de la *lectio divina*, mais bien celle du travail manuel. Ce dernier, qui était affaire d'esclaves, devient l'apanage des fils de Dieu ! De ce retournement spirituel et social, le Moyen Âge chrétien tirera un élan civilisateur décisif.

À cette intuition de génie s'en ajoute une autre, qui touche à l'exercice de l'autorité. L'abbé selon Benoît n'est plus en effet le héraut d'une volonté arbitraire, fût-elle excellente. Le supérieur est lui-même soumis à un code de lois permanentes, et, s'il gouverne comme un père, cette paternité prend sa source dans le respect de la loi et le sens de la justice, jointe à une immense capacité de pardon. Là encore, le rayonnement civilisateur de l'idée bénédictine va se juger à ses fruits. À partir du VII<sup>e</sup> siècle, et sous les Carolingiens, la règle de Benoît s'étend à toute l'Europe. Beaucoup plus tard, certains historiens y verront un modèle pour les institutions qui ont pris corps à la période médiévale.

> *L'obéissance,*
> *l'humilité,*
> *la piété,*
> *le silence,*
> *la pauvreté.*

Mais évidemment, la *Règle* est d'abord l'expression de cet « *art de plaire à Dieu* » qui oriente toute la vie des moines, et elle est tout entière brûlante de charité fraternelle. Par exemple, matin et soir, à laudes et à vêpres, le père abbé chante au nom de tous le *Pater* de la réconciliation, afin que les petitesses, les heurts et les fautes qui pourraient briser l'unité de la communauté trouvent dans la prière commune et le pardon leur immédiate réparation.

Avec la mise en pratique de la *Règle*, l'influence du Mont-Cassin et la réputation de sainteté de Benoît s'étendent alentour. Benoît s'emploie à soulager la souffrance des hommes en ces temps troublés par les guerres. La misère sévit, la famine succède à la peste, quand ce n'est pas l'inverse. L'aura du saint attire des vocations. Ses disciples créent un monastère dans la petite ville voisine de Terracine. Sa sœur Scholastique fonde un monastère de femmes près du sien. Il réforme finalement Subiaco, et meurt probablement vers 547, laissant un héritage inestimable à l'ensemble de la communauté monastique. La *Règle* ne connut cependant son plein épanouissement qu'à partir du VIIᵉ siècle, après les invasions lombardes qui dévastèrent dans leur furie le monastère du Mont-Cassin. Benoît d'Aniane, à la fin du VIIIᵉ siècle, la répandit dans toute l'Europe.

> La Règle est d'abord l'expression de cet « art de plaire à Dieu ».

L'immense mérite de Benoît est d'avoir trouvé, à travers son propre itinéraire et ses expériences personnelles, la sagesse d'une règle monastique universelle qui permette aux hommes de mettre en pratique les grands principes du christianisme. En écrivant, à sa manière, ce petit traité des grandes vertus chrétiennes, Benoît ne s'adresse pas à des héros, mais à de simples hommes. En cela il donne une grande leçon d'humilité. Son esprit réformateur fut tel que l'on a pu écrire : « *Considérée seulement au point de vue philosophique, la Règle de saint Benoît est peut-être le plus grand fait historique du Moyen Âge.* »

Mais il n'y a pas que le point de vue philosophique ! L'intelligence du réel, dont témoigne la haute figure de Benoît, et la qualité de sa règle ont eu pour résultat une extraordinaire fécondité de l'Ordre. On ne compte plus les évêques et les saints qui en sont issus. Et les multiples branches de l'arbre bénédictin n'ont cessé, au cours des siècles, de faire progresser l'Europe chrétienne. En déclarant saint Benoît « patron de l'Europe », en 1964, le pape Paul VI a solennellement reconnu cette dette de l'Église et de la société. Dette envers « l'homme de Dieu », bien sûr, mais aussi, et inséparablement, envers cette règle d'or qui, à travers l'humilité quotidienne de la vie monastique, a fait germer des mondes.

SOURCES : *RÈGLE DE SAINT BENOÎT*. Saint Grégoire le Grand, *DIALOGUES*, livre II, et *VIE DE SAINT BENOÎT*. G.-M. Oury, *LES MOINES*, Paris, 1987. C.-J. Nesmy, *SAINT BENOÎT ET LA VIE MONASTIQUE*, Paris, 1959.

# LE MARTYRE DE SIGISMOND
## OU LA BELLE HISTOIRE DE LA CONVERSION DES BURGONDES

**• 16 FÉV •**

VOICI LES FAITS TELS QUE LA TRADITION LES RAPPORTE. Une nuit de 527, en pleine campagne de Beauce, un groupe de moines se presse autour d'un puits. Ils ont parcouru un long chemin pour se rendre dans cette plaine monotone où rien ne leur rappelle les pentes escarpées des Alpes, ni leur monastère de Saint-Maurice d'Agaune en Valais. S'aidant de cordages et de gaffes, des hommes fouillent la vase du puits. On remonte enfin quatre corps : ceux d'un homme, d'une femme et de deux jeunes garçons ; quatre corps cependant intacts, sans marque ni blessure, sans même cette boursouflure ignoble qui déforme le visage des noyés.

Les moines éprouvent plus de joie que d'étonnement devant un pareil prodige. Ils l'attendaient. Ils sont venus sur l'ordre de leur abbé, Vénérand, à qui un ange est apparu : le messager céleste annonçait la présence de quatre corps saints dans un puits de Beauce, sur lequel brille depuis trois ans, chaque nuit, une lueur miraculeuse. Les moines de Saint-Maurice identifient sans peine, tant les corps ont gardé leur fraîcheur, Sigismond, roi burgonde, son épouse et leurs deux fils, Gisclaad et

Gondebaud, disparus trois ans auparavant.

L'émotion serre la gorge des moines. Sigismond est bien plus qu'un roi pour eux. À vrai dire, c'est un peu leur père puisqu'il fut le fondateur de leur abbaye. Un saint, pensent-ils en regardant le visage du roi martyr. Dès son plus jeune âge, il aimait se recueillir à Agaune devant les reliques de saint Maurice martyr et de ses compagnons. La foi profonde qu'on devinait chez lui, dans sa prière instante, dans ses jeûnes et ses veilles, ne manquait pas d'étonner son entourage. Une foi fidèle à celle de Nicée, contrairement à celle de son père, Gondebaud. Ce dernier ne s'était en effet jamais résolu à abandonner l'hérésie arienne. Mais la cour burgonde n'était pas totalement hostile aux catholiques, malgré la prédominance du parti arien. Gondebaud acceptait donc sans trop d'animosité de voir ses fils, Sigismond et Godomar, ainsi que sa nièce Clotilde, ardents catholiques, vivre leur foi.

Très vite Sigismond seconda son père. Après avoir reçu la bénédiction de l'évêque saint Avit, il prit la tête d'une féroce armée burgonde et, allié au roi Clovis, remporta une victoire à Vouillé contre les

Wisigoths d'Alaric II. Ce n'est pas sans terreur que Toulouse vit, peu de temps après, déferler sur elle les Burgondes et les Francs, ces géants aux longues chevelures blondes maintenues par de lourds peignes à poignées bombées, au cou épais orné de colliers à breloques, férocement armés d'arcs, de flèches et de lances décorées. Comment contenir ces guerriers braillards, qui puaient l'oignon et lissaient leurs cheveux avec du beurre rance ?

Pendant ce temps, le frère de Sigismond, Godomar, prenait Narbonne. Sigismond reçut le titre de patrice que lui avait promis l'empereur d'Orient Anastase pour sa vaillance. Après la mort de son père Gondebaud, il obtint aussi celui de *magister militum Galliae*, à la grande irritation de Théodoric, chef arien des puissants Ostrogoths, qui dominaient alors Rome et la plus grande partie de l'Italie.

« Un valeureux guerrier », songent les moines regroupés autour du corps de Sigismond. Mais avant tout un grand roi chrétien. En 515, en effet, Sigismond, avait fondé leur monastère de Saint-Maurice d'Agaune, aux confins de son royaume et de l'Italie. À aucun moment sa piété ne fut prise en défaut. Il ne manquait jamais, dès que le gouvernement lui en laissait le loisir, de faire le voyage jusqu'à Saint-Maurice. Les moines se souviennent de ses arrivées, qui mettaient leur communauté en joie. Un jour, alors qu'il priait devant les reliques du martyr, un peu fatigué par les jeûnes qu'il s'imposait, un ange lui révéla dans une vision qu'il allait bientôt rejoindre le chœur céleste des saints. La surprise fut si forte qu'il crut déraisonner. Il demanda aussitôt conseil aux évêques de son entourage pour savoir s'il pensait sainement, s'il n'était pas en train de sombrer dans la folie. On le rassura avec tact. Mais, tout défenseur du catholicisme qu'il était, il ne vit pas quel acte pourrait lui valoir une pareille grâce. Au sommet de sa gloire, l'idée du martyre ne l'effleurait même pas... Il redoubla de ferveur dans ses prières. Un souvenir le troublait sans cesse, pourtant. Il pensait à son père qui, un jour, avait demandé à saint Avit de lui interpréter la prophétie d'Isaïe sur le peuple que Dieu frappe pour le sauver.

Cette prophétie qui avait impressionné le vieux roi à la tête dure ne tarda pas à s'accomplir dans le destin du jeune prince burgonde. La mort de Gondebaud, en 516, fut suivie deux ans plus tard de celle de l'empereur d'Orient Anastase, qui avait toujours été favorable à l'alliance avec les Burgondes contre les Ostrogoths ariens. Mais Justin, partisan convaincu de l'entente avec l'Ostrogoth Théodoric, succéda à l'empereur. Menacé au sud, Sigismond l'était également du côté franc, où les quatre fils de Clovis, avides comme des loups, n'attendaient qu'une occasion pour se jeter sur son royaume.

Le désastre approchait à grands pas pour les Burgondes. En effet, dès le premier affrontement, Sigismond et son

> *Ces guerriers braillards, qui puaient l'oignon et lissaient leurs cheveux avec du beurre rance.*

frère Godomar durent battre en retraite. Leur armée fut défaite. Qu'il était loin le temps où ces grands guerriers terrassaient leurs adversaires d'un seul revers de bras ! L'heure était à l'effroi... Sigismond, désemparé, eut juste le temps d'échapper au massacre et de se réfugier tout près d'Agaune, dans un ermitage de montagne, à Verrosaz. Godomar, de son côté, gagnait au grand galop le sud du royaume burgonde. Ces Burgondes, qui autrefois acclamaient leur chef, promirent alors, pour mettre fin au carnage des Francs et sauver leur tête, de livrer leur chef. Qui aurait pu prédire un tel retournement ?

Quand Sigismond l'apprit, il comprit que son seul espoir était de passer les jours qui lui restaient à vivre le plus religieusement possible, à proximité du monastère qu'il avait fondé. Comme les moines, il se rasa la tête, renonçant ainsi symboliquement à la puissance temporelle que les peuples germaniques attribuaient à la chevelure de leurs chefs. Mais un Burgonde, Trapsta, fit œuvre de traître et livra, sans scrupule aucun, son roi aux Francs. Trahi par l'un des siens, Sigismond fut arraché à cette existence

> *Comme les moines,*
> *il se rasa la tête.*

monastique qui convenait si bien à son caractère et à ses aspirations.

Les fils de Clovis emmenèrent Sigismond et sa famille en captivité jusqu'en Beauce. Par hypocrisie suprême, pour ne pas avoir sur les mains le sang d'un homme juste, dont ils s'étaient emparés par traîtrise, ils le firent jeter avec sa femme et ses deux fils au fond d'un puits... C'était en 524. La nuit même du supplice, une lueur miraculeuse apparaissait sur le lieu du martyre. Celle-là même qui, trois ans plus tard, conduisit les moines vers le corps du fondateur de leur abbaye.

En silence, avec un respect mêlé de joie grave, les moines chargèrent les corps de Sigismond et de sa famille sur des chariots. Au chant des Psaumes, ils retournèrent, lentement, en direction du Valais, vers leur monastère bien-aimé.

Les Francs eurent vite raison de ce qui restait du royaume burgonde. Mais Sigismond, guerrier vaincu, sera l'instrument d'une autre victoire. La vénération qui entoure déjà les saintes reliques du roi défunt et de sa famille précipitera la conversion des guerriers ariens à la foi catholique.

SOURCES : Avit de Vienne, « Lettre 8 », in ŒUVRES, MGH. AA VI, 2.

# LE VIVARIUM

## *OU COMMENT CASSIODORE CONSTRUISIT*
## *UN PARADIS DE LA PENSÉE AU CŒUR*
## *D'UNE CIVILISATION EN RUINE*

**• 17**
**FÉV •**

CASSIODORE EST AU PARA-DIS. IL VIENT DE RÉALISER SON RÊVE, concilier sa soif de savoir et son goût de la prière dans ses domaines de Bruttium, au cœur de sa Calabre natale. À plus de soixante-dix ans, ce vieillard vigoureux, ancien diplomate et grand argentier de l'Empire ostrogoth pendant plus de quarante ans, vient de mettre la dernière main à la gigantesque bibliothèque aménagée à grands frais dans le monastère qu'il a fondé, son *Vivarium*.

En cette année 552, sous le soleil de cette Italie du sud sauvage et lumineuse, le savoir trouve-t-il son royaume ? En tout cas le pédagogue juge que la douceur de cet environnement est propice à l'étude. Clémence du climat, mer poissonneuse, rivières enchanteresses, sources bienfaisantes qui irriguent une terre fertile et généreuse. Loin des troubles de la vie politique, sous l'arbousier qui ombre l'entrée de sa studieuse retraite, Cassiodore est saisi d'une sainte allégresse. Il a soixante-dix ans et considère que désormais son temps est compté et qu'il lui faut dans les plus brefs délais se mettre à l'ouvrage, éclairer l'esprit de ses semblables pour les

amener à la lumière divine. Que de chemin parcouru depuis un demi-siècle, depuis ses premières charges officielles jusqu'à cette retraite tant espérée !

Cassiodore l'incorruptible naît à Squillace dans les Abruzzes, vers 480, au sein d'une famille dont les vertus guerrières et diplomatiques sont célèbres. Son grand-père avait chassé les Vandales de Sicile, et reçu le titre d'Illustre ; son père, tribun et ministre de Valentinien III, conduisit l'ambassade du pape Léon le Grand qui obtint la paix avec Attila. Cassiodore ne faillit pas à cette impressionnante réputation. Savant et fin lettré, il a suivi le cursus d'enseignement habituel des jeunes gens de sa condition. Inventif, il a mis au point une horloge perfectionnée et une lampe perpétuelle sans alimentation.

Au tournant du V$^e$ et du VI$^e$ siècle, Cassiodore a vu l'autorité religieuse prendre le relais du pouvoir politique dans un empire affaibli par les invasions germaniques et hunniques. En 493, l'Ostrogoth Théodoric conquiert l'Italie et place aux commandes de l'État un certain nombre de membres issus de l'ancienne aristocratie sénatoriale, tel le précieux Cassiodore qu'il admirait : « *Vous méritez qu'on vous recherche avec empressement après que vous avez mis notre règne dans une si haute réputation, et que vous lui avez procuré tant d'éloge et tant de gloire [...] Vous avez orné la cour par l'intégrité de votre conscience, vous avez procuré aux peuples un profond repos [...] Vous avez acquis dans le monde une estime d'autant plus haute que vous ne vous êtes jamais vendu, quelque prix qu'on vous ait offert. »*

> « *Dieu sait lire entre les lignes. Ne crains pas pour ton âme.* »

De par son rang, son éloquence et sa vertu, il n'est pas étonnant que le jeune érudit ait été appelé à occuper les plus hautes fonctions de l'Empire. Tour à tour, sous quatre règnes différents, il fut questeur, consul, gouverneur de la Lucanie, *magister officiorum* et préfet du prétoire. Malgré la lourde charge de ses attributions, Cassiodore ne cessa jamais de s'adonner à l'étude et à l'interprétation des textes. Disciple de saint Augustin, il rédige un *Traité de l'âme* ; historien érudit, il écrit l'*Histoire des Goths* en douze volumes.

Aucune science, de l'histoire à la philosophie, de la géométrie à l'astronomie, de l'anatomie à l'arithmétique, ne rebute cet esprit avide de connaissances. Notes, manuscrits, textes anciens... tout y passe ! Infatigable, Cassiodore annote, déchiffre, compare tout le savoir accumulé depuis des siècles. Rien ne l'arrête !

Il est désormais temps pour cet esprit éclairé de diffuser son savoir. Déjà, en 535-536, il avait, de concert avec le pape Agapit, tenté de fonder une université chrétienne à Rome ; laquelle, hélas, ne résista pas aux vicissitudes de la guerre ostrogothique. Il voulait apporter au christianisme, dont il pratiquait les vertus, la science des lettrés afin d'approfondir la connaissance et l'étude des textes sacrés. C'est dans cette perspective qu'il met enfin en application son grand dessein d'une école biblique destinée à enrichir le savoir des moines.

Le lieu où il choisit de s'installer et qu'il nomme *Vivarium*, les eaux vives, est un petit éden. Un promontoire qui domine la mer, planté de vergers et de potagers, traversé de petits cours d'eau extrêmement poissonneux, et dont une partie est aménagée en viviers. Pour cet érudit, la science n'est pas l'ennemie de la foi. Au contraire, elle l'éclaire. Aussi se plonge-t-il sans retenue dans les textes antiques pour y trouver de nouvelles sources, de nouveaux points d'ancrage à la foi chrétienne. Quand un moine rétif à la culture gréco-latine vient le consulter, il lui répond : « *Dieu sait lire entre les lignes. Ne crains pas pour ton âme.* » Ainsi, vaste champ de toutes les cultures, tels ces « *enclos neptuniens que nous avons créés* [...] *où les files de poissons qui jouent en libre captivité, emplissent l'esprit de plaisir et d'admiration ; [courant] avec avidité au-devant de la main des hommes et [réclamant] leur nourriture avant de devenir eux-mêmes aliments.* »

Le *Vivarium* est un endroit paisible et fécond tant pour la prière que pour l'étude. Le domaine est divisé en deux. La partie cénobite, le *Vivarium*, comprend une grande bibliothèque, une église dédiée à saint Grégoire, des parties communes ainsi que les cellules attribuées aux religieux. Plus en amont de l'enceinte monacale, Cassiodore fait bâtir un ermitage, *Castellum*, pour les anachorètes. « *Ces lieux sont à l'écart et présentent l'aspect d'un désert, étant compris dans une enceinte antique. Aussi vous conviendra-t-il, quand vous serez exercés et tout à fait éprouvés d'y élire domicile, si toutefois vous vous êtes préparés dans votre cœur à cette ascension* », écrit Cassiodore. Cassiodore n'impose pas, il suggère. Et plutôt que de rédiger une règle – après tout, il n'est pas moine –, il écrit deux ouvrages majeurs : *Commentaires sur les Psaumes*, sorte d'introduction à la théologie et à l'Écriture sainte, et *Institutions*, savant traité des sept arts libéraux qui deviendra – une fois encore – une référence dans l'enseignement universitaire durant tout le Moyen Âge.

*Il travaille sans relâche. Nuit et jour.*

Cassiodore, lui, habite à l'écart des moines et possède une bibliothèque personnelle enrichie d'ouvrages précieux. Là, il travaille sans relâche. Nuit et jour.

La prière, l'étude – prépondérante –, qui comprend la copie des textes saints et la traduction des manuscrits, ainsi que les travaux de la terre, ponctuent la vie du monastère selon la tradition du Mont-Cassin.

Mais le *Vivarium* n'est pas seulement un éden spirituel et culturel. « *Nous avons fait construire des bains destinés aux corps malades, où coulent, comme il convient, des eaux de sources limpides que l'on reconnaît comme très agréables, à la fois pour boire et pour s'y baigner.* » Aussi Cassiodore met-il un point d'honneur à enseigner la médecine à ses élèves, afin que ceux-ci puissent répondre aux besoins des nombreux malades qui viennent les consulter.

Quand il meurt, peu après 575, à l'âge de quatre-vingt-treize ans, Cassiodore laisse l'œuvre d'un grand théologien, d'un fin lettré et d'un amoureux des livres, sacrés et profanes.

Le monastère ne survivra pas longtemps à la mort de l'exégète, mais les manuscrits et une partie des livres compilés dans son monastère échapperont à la dispersion et seront, plus tard, rapatriés dans la bibliothèque du Latran à Rome.

Cassiodore a ainsi œuvré pour la transmission de la culture antique, au moment où Rome et son empire étaient plongés dans les ténèbres.

SOURCES : Cassiodore, *VARIAE* et *INSTITUTIONES*. « Le site du monastère de Cassiodore », in *MÉLANGES D'ARCHÉOLOGIE ET D'HISTOIRE*, LV, 1938. P. Riché, *ÉDUCATION ET CULTURE DANS L'OCCIDENT BARBARE VIᵉ-VIIIᵉ SIÈCLES*, Paris, 1995.

# COLOMBAN LE VIEUX
## *QUAND LA « COLOMBE DE L'ÉGLISE »*
### *SE POSE SUR L'ÉCOSSE*

**• 18 FÉV •**

COLOMBAN CHANTE LA BEAUTÉ SAUVAGE ET LA DOUCEUR CACHÉE DE SON IRLANDE NATALE.

*« Tout y est délicieux,*
*    mais délicieuse surtout*
*Est la mer salée, où volent*
*    et crient les goélands,*
*Quand je vogue de loin vers la rive de Derry,*
*Tout y est en paix, tout y est délice,*
*Oui un délice ! »*

Tandis qu'il vogue vers l'Écosse, la nostalgie l'étreint. En cette année 563, il a quarante-deux ans et, derrière lui, un lourd passé. Nature passionnée et entière, tempérament emporté, il a mené une existence guerrière et sanglante à laquelle il veut mettre fin par la pénitence. C'est ainsi qu'il a promis, pour expier ses fautes, d'évangéliser l'Écosse.

Colomban voit le jour en 521 à Gartan, petit village d'Ulster dominant un lac, au cœur des vertes collines de Donegal. C'est dans ce paysage luxuriant, piqué d'une bruyère rose et blanche, que l'enfant reçoit en cadeau de Dieu la beauté, l'intelligence et une foi trempée dans le granit irlandais. Ce petit garçon à l'air angélique aime déjà passer de longues heures à parcourir la lande, inspiré par sa beauté divine. Cette terre de bruyère sauvage devient vite son champ de prières. Un sang impétueux coule pourtant dans ses veines, celui d'une famille princière gaélique évangélisée par saint Patrick qui conquit l'Eire moins d'un siècle plus tôt. Or, en ce pays sauvage, les rois sont guerriers et les moines soldats. Dans cette société clanique, chaque fief – et parfois chaque diocèse, puisque les abbés sont communément choisis parmi les membres de la famille royale – brigue le pouvoir. Bon sang ne saurait donc mentir et, dès son plus jeune âge, Colomban allie à une foi sans faille un caractère plus qu'emporté.

C'est de son tuteur, le prêtre Cruitnechan, qu'il tient le sobriquet quelque peu étrange de Columcille (« colombe de l'Église »), qu'il gardera jusqu'à sa mort. S'il a les ailes de la colombe, il a aussi le tempérament d'un aigle. Ordonné prêtre à vingt ans, il part fonder son premier monastère en 545 à Derry, en Ulster. Religieux aux semelles de vent, son désir est de porter l'Évangile aux quatre coins de son pays. Il n'a qu'une obsession : fonder. Les couvents jaillissent sous ses pas : trente-sept en dix-sept ans ! Jusqu'en 562, il établit des monastères, dont ceux de Durrow et le très fameux Kells qui devint au IX$^e$ siècle le principal monastère des columbites.

Mais les turbulences ont déjà commencé. C'est son amour immodéré des manuscrits et de leur étude qui provoque le premier esclandre et donne à sa vie de prêtre un tour inédit. Colomban s'oppose en effet vivement au roi Diarmait, son cousin, qui le condamne à mort pour avoir subtilisé les précieux manuscrits de l'abbé Finnian. Et notre moine de lui déclarer la guerre ! Laquelle est loin d'être une guerre sainte. Colomban s'évade de prison, soulève une armée et, à la suite d'un combat meurtrier, écrase Diarmait. Le sang a coulé. La victoire de Colomban a un goût bien amer. Rongé par les remords, il se met en pénitence. Il est même excommunié. C'est alors que l'Église promet de lever l'excommunication à condition que Colomban convertisse autant de païens qu'il a fait tuer de chrétiens ! L'âme du moine fougueux est touchée. C'est ainsi qu'en 563, il quitte sa chère Irlande sans esprit de retour, tendu vers l'accomplissement de la pénitence. Excellent orateur, il sait qu'il convaincra. Brûlant d'évangéliser, il comprend qu'il est fait pour la conquête des âmes, et que la sienne propre ne doit pas faire exception...

Douze moines, douze apôtres épris comme Colomban d'aventures messianiques, s'engagent à le suivre. Le plus proche pays païen, à quelques heures de navigation, est la Calédonie. Ils y abordent. Le paysage que découvrent les moines n'est

*Sa vie ressemble à un ouragan.*

pas riant. Il se décline en un dégradé de gris, du ciel à la mer, jusqu'à l'herbe rase couchée par les vents. Sa côte est découpée à la serpe, ses falaises abruptes. Une fine bruine, incessante, brouille les cieux. Les hommes qui habitent cette terre inhospitalière ont un caractère rude, eux aussi. Là, Scots et Pictes se partagent le territoire. Si les Pictes du Nord sont des païens avérés, ceux du Sud ainsi que les Scots pratiquent un christianisme teinté d'un paganisme vivace.

Aux confins du territoire des Pictes et des Scots se trouve l'île d'Iona, une contrée pierreuse et austère battue par des vents glacés. C'est là que s'installent en 563 Colomban et ses missionnaires pour fonder leur premier monastère. C'est de celui-ci, construit en bois et en joncs, qu'ils se lancent à la conquête spirituelle de la région. Ils convertissent d'abord le roi des Scots de Calédonie, Connell. Peu à peu, grâce à leurs prédications et à l'implantation des monastères, le désert stérile d'Iona devient le terreau de la chrétienté occidentale. Les rois d'Écosse y seront désormais enterrés.

Colomban communique sa foi aux plus réfractaires : il convertit ainsi le roi Brude et de nombreux Pictes, malgré la farouche opposition des druides. Sous son impulsion, les fondations de monastères et les conversions se multiplient en Écosse.

Mais le vieil homme s'épuise à la tâche. Il est à bout de force. La « colombe de l'Église » meurt en 597, à l'âge de soixante-seize ans. L'Écosse le vénère aujourd'hui comme son saint patron. À juste titre.

Même si Colomban fut un homme paradoxal que rien, sinon sa fougue spirituelle, ne prédisposait à la sainteté. Même s'il eut l'art de se faire des ennemis et ne provoqua pas moins de trois guerres durant sa longue vie ! Car là où le péché avait abondé, la grâce surabonda. Et c'est bien à Colomban, guerrier, moine, évangélisateur et fondateur infatigable que l'Écosse doit sa christianisation.

SOURCES : Adamnan, *VITA COLOMBAE*, Oxford, 1894. Bède le Vénérable, *HISTORIA ECCLESIASTICA GENTIS ANGLORUM*. I. Gobry, *LES MOINES EN OCCIDENT*, t. II, Paris, 1985. Dom L. Gougaud, *LES SAINTS IRLANDAIS HORS D'IRLANDE*, Louvain, 1936. P. Riché, *ÉDUCATION ET CULTURE DANS L'OCCIDENT BARBARE VI*-VIII*ᵉ SIÈCLES*, Paris, 1995.

# L'ABJURATION DE RECCARÈDE
## QUAND L'ESPAGNE DEVIENT CHRÉTIENNE

**19 FÉV**

« *QU'ON JETTE SUR ELLE DU FUMIER ET DIVERSES ORDURES !* » ORDONNE AMALARIC. « Il n'y a d'autre doctrine que celle d'Arius ! » La violence de la colère semble l'ultime argument du jeune roi des Wisigoths. Le châtiment se doit d'être exemplaire. Le haut rang de la victime donne plus de poids encore au geste du roi : l'humiliation publique de sa propre épouse, pourtant issue de l'une des plus hautes lignées franques. Clotilde, fille de Clovis, n'a commis d'autre crime que de s'être rendue à l'église... Et comme si l'ignominie de la peine ne suffisait pas, Amalaric, dans un emportement cruel, frappe la reine avec une telle violence que Clotilde pourra faire porter à son frère Childebert un mouchoir teint de son sang...

S'il témoigne de la violence des mœurs que l'on dira plus tard « barbares », l'événement par lequel Amalaric entend forcer sa pieuse épouse à renoncer à la foi chrétienne et à embrasser les croyances ariennes révèle surtout à quel point, sur la terre ibérique, les querelles religieuses ébranlent le pouvoir en place. Nous sommes en Espagne dans les années 530, et le pouvoir est wisigothique et arien.

Cinquante ans plus tard, le 13 avril 587, au cœur de ce même royaume wisigoth, la cathédrale de Tolède est consacrée au catholicisme avec toute la pompe qui convient à un événement de cette ampleur. Deux ans plus tard, cette même cathédrale, majestueusement drapée de pourpre et d'or, accueille la fine fleur du clergé hispanique, cinq archevêques et soixante-deux évêques, lors d'un concile qui voit s'affronter une dernière fois dans un débat contradictoire évêques ariens et prélats catholiques. Les faibles défenses des derniers tenants de l'hérésie arienne sont rapidement balayées par les arguments des catholiques. L'arianisme subit là l'une de ses plus cuisantes défaites. Le concile enregistre alors solennellement l'abjuration d'au moins huit évêques ariens et surtout celle du roi Reccarède qui est, de fait, à l'origine de ce spectaculaire revirement religieux. Le catholicisme est immédiatement déclaré religion officielle.

L'événement a un retentissement extraordinaire. Le soir même de la clôture du concile, Léandre, l'évêque de Séville, informe par écrit le Pape de la nouvelle.

Tout à sa joie, le pontife ne tarde pas à répondre : « *Mes paroles sont impuissantes à exprimer la joie que j'ai d'apprendre que notre commun fils Reccarède, très glorieux roi, est converti à la foi catholique avec une parfaite dévotion. Vos lettres, qui me rapportent sa conduite, me font aimer celui que je ne connais pas.* » Reccarède écrit lui-même au Pape une lettre à laquelle il joint, en hommage au Saint-Père, un calice très précieux. Quant à Léandre, il reçoit du Pape le *pallium*, cette simple bande de laine blanche brodée de croix noires qu'il portera désormais et qui attestera aux yeux de tous le lien étroit qui unit l'Église d'Espagne à celle de Rome.

L'abjuration solennelle de Reccarède, si elle scelle le destin catholique de l'Espagne, n'est pourtant ni fortuite, ni brutale. De nombreux facteurs y ont concouru qui, pour certains, ressortent des circonstances politiques, et pour d'autres, d'actes de résistance spirituelle ou de conversions sincères. Dans la conversion de Reccarède les deux motifs s'entrelacent si étroitement qu'il est impossible d'invoquer une raison plus qu'une autre.

Quand Reccarède monte sur le trône en 586, son royaume d'Hispania se trouve dans une véritable impasse politique et religieuse. Herménégilde, le frère de Reccarède, converti au catholicisme par son épouse, a été assassiné dans des circonstances si troubles que certains n'hésitèrent pas à accuser Léovigilde, son propre père ! Lequel sur son lit de mort, « *s'est converti contre toute attente à la foi catholique* » et a pleuré sept jours durant « *sur les iniquités qu'il avait commises contre Dieu* ».

La politique religieuse de Léovigilde avait déjà connu de grandes variations au cours de son règne : campagnes de persécutions et périodes de paix s'étaient succédé.

Il faut dire que le royaume wisigoth voisine alors avec deux puissances catholiques : les Suèves au nord-ouest et les Byzantins, qui occupent une partie du sud de la péninsule depuis la reconquête de l'empereur Justinien.

Le roi est pris entre deux impératifs difficiles à concilier : sauver l'arianisme au risque de voir les catholiques de son royaume passer à l'adversaire, byzantin ou franc, ou sauver l'unité du royaume aux dépens des croyances ariennes dans lesquelles s'enracine pour une large part l'identité wisigothique.

Si l'on considère de surcroît que les évêques catholiques exercent d'importantes fonctions civiles et remédient aux dysfonctionnements administratifs du royaume, et que, dans le royaume wisigothique lui-même, les conversions au catholicisme se multiplient, on mesure combien la tâche qui attend le jeune Reccarède est loin d'être simple.

Le nouveau souverain trouvera-t-il une issue ? Léandre de Séville, que Léovigilde lui a recommandé avant de mourir, va jouer là un rôle décisif et conduire le jeune souverain à entamer un processus prudent de réconciliation Au début de

> *Sauver l'arianisme ou sauver l'unité du royaume.*

l'an 587, Reccarède abjure l'arianisme et se convertit, en privé, au catholicisme. Deux ans plus tard seulement, il proclame officiellement son abjuration. Simple opportunisme politique ou conversion sincère ? Si l'intérêt politique de sa conversion apparaît évident, sa décision est aussi l'aboutissement d'une réflexion et d'une expérience intime. Sur cette voie difficile, Reccarède a été guidé par les exemples de son père et de son frère, que les catholiques honorent déjà comme un saint.

En dépit de quelques révoltes, ultimes crispations de l'hérésie déclinante, savamment orchestrées par Goswinthe, la veuve de Léovigilde, demeurée farouchement attachée à l'arianisme, cette conversion permet au souverain de construire une Espagne cimentée par une seule et même foi. Reccarède encourage l'abandon des vêtements et des coutumes gothiques, améliore le système administratif. L'exercice du pouvoir public, délégué à la noblesse, est surveillé par les évêques afin d'éviter les pratiques injustes ou non chrétiennes. La dénonciation des impôts abusifs et de l'infanticide figure parmi les priorités de ces pasteurs. Le roi collabore étroitement avec Léandre de Séville jusqu'à la mort de ce dernier, en 599 ; deux années plus tard, le grand souverain s'éteint à son tour. À l'aube du VIIe siècle, après un règne marqué par une lente mais sûre évolution vers un christianisme authentique incarné jusqu'au cœur du pouvoir, Reccarède laisse une Espagne unie où cohabitent des peuples aux origines multiples, animés par une même foi.

> *Une Espagne cimentée par une seule et même foi.*

SOURCES : *ACTES DU IIIe CONCILE DE TOLÈDE*. Grégoire le Grand, *DIALOGUES* III, 31. Reccarède, *LETTRES*. J. Vilella Mazana, « Gregorio Magno e Hispania », in *GREGORIO MAGNO E IL SUO TEMPO*, Rome, 1990.

# MASONA DE MERIDA
## L'ÉVÊQUE SERVITEUR DES PAUVRES

**• 20 FÉV •**

NI L'ÂGE NI LA POMPE QUI SIED À L'OUVERTURE D'UN CONCILE ne parviennent à altérer l'émotion qui étreint le cœur du vieux prélat. Tant d'années déjà ! Tant d'efforts aussi, qui, par la grâce de Dieu et malgré les charges et les honneurs, lui ont permis, à lui, Masona, de demeurer serviteur. Serviteur des plus pauvres. C'est de cela qu'il souhaite que l'on se souvienne, lui qui ne s'est jamais départi de son sourire, alors même qu'il rencontrait les plus démunis à travers les quartiers et les chantiers de la ville. Les chantiers : au service de la charité, il a été un bâtisseur. Aujourd'hui, en l'an 589, il préside en tant que doyen des métropolites d'Hispanie ce IIIᵉ concile de Tolède qui va voir la réception des Wisigoths dans l'Église catholique : il ne peut que rendre grâce pour une œuvre qui culmine avec la conversion officielle de son peuple – les Goths – à la religion catholique.

Pour l'évêque Masona, pas de doute : le dessein de Dieu a élu sa ville, où il n'a été que l'instrument d'une providence agissante. Tant de choses se passent là, dans le foisonnement d'une cité cosmopolite, riche, diverse et tolérante ! Au fil de sa vie, il a vu l'horizon urbain se transformer. Lui-même y a contribué, en soixante ans d'épiscopat... Dès le siècle précédent, *Emerita Augusta* – Mérida – avait été une grande ville de l'Hispanie. Alors que l'Empire romain avait déjà disparu, la cité, capitale de la province de Lusitanie, conservait une importance et un prestige qui remontaient à une période déjà très lointaine. Ne s'était-elle pas transformée, sous le règne de l'empereur Auguste, en l'une des plus belles cités de l'Occident, grâce à la construction d'une série d'édifices civils et religieux de très grande ampleur : un théâtre, un amphithéâtre, des temples, des thermes, un hippodrome, sans oublier le superbe pont enjambant la rivière Guadiana ? Au IVᵉ siècle, la liberté de culte étant désormais accordée aux chrétiens, elle s'était en outre enrichie de plusieurs grandes églises, telles les basiliques de la Sainte-Jérusalem et celle qui fut consacrée à sainte Eulalie, martyre de treize ans dont Aurelius Prudentius, poète des martyrs espagnols, chanta la mort tragique dans son *Peristephanon*.

Mérida, outre son importance en tant que centre urbain, se caractérise par un rôle stratégique considérable pour tout pouvoir politique désireux d'imposer son autorité sur la moitié méridionale de la péninsule Ibérique. C'est pour cette raison que lorsque Eurique, à l'époque de l'apogée du royaume wisigoth de Toulouse, voulut étendre sa domination sur l'Espagne voisine, il n'hésita pas à envoyer un fort contingent de soldats goths pour qu'ils constituent la garnison de la lointaine Merida. La ville, résidence de prestigieuses familles sénatoriales hispano-romaines, vit alors s'installer sur son territoire nombre de puissants personnages issus de l'aristocratie militaire wisigothe, de religion arienne, avec leurs suites et leurs clientèles. Et c'était merveille que la cohabitation paisible d'Hispaniques et de Germains, en dépit des différences religieuses. Que de fois Masona en a rendu grâce, en passant devant l'inscription de l'an 483 qui rappelle que le duc Salla, commandant militaire goth, a fait restaurer le célèbre pont romain sur la demande de l'évêque catholique, le métropolite Zénon !

Dans ce carrefour de races et de cultures cohabitent donc des Romains et des Goths, des Hébreux et des Syriens – de nombreux Orientaux sont établis à Merida pour des raisons commerciales –, des catholiques et des ariens, des juifs et des païens. Au cours des décennies centrales du VIe siècle, l'Église s'est enrichie extraordinairement, au point de devenir la mieux dotée de toute la péninsule Ibé-

*C'était merveille que la cohabitation paisible d'Hispaniques et de Germains.*

rique. C'est ainsi qu'elle a reçu en héritage l'énorme patrimoine d'un couple de l'aristocratie hispano-romaine de la région, profondément reconnaissant à l'un des prédécesseurs de Masona sur le siège épiscopal, l'évêque Paulus, ancien médecin grec, d'avoir réalisé une difficile opération chirurgicale qui a sauvé la femme d'une mort certaine.

Sans aucun doute, cette situation florissante de l'Église de Merida a aidé Masona lorsqu'il a accédé au siège épiscopal ; et il attribue à ces circonstances plus que favorables une bonne part des qualités que, très vite, on lui a reconnues. De plus, Masona n'a cessé de professer sans compromis la foi de Nicée à une époque où le royaume wisigoth espagnol reste officiellement de religion arienne. Dans les *Vies des Pères de Merida*, il sera honoré en ces termes : « *Plus bienheureux que le bienheureux, plus saint que le saint, plus pieux que le pieux, meilleur que le bon...* » Il aurait rougi de tant d'éloges. Pourtant, l'ouvrage ne fera que le montrer dans la vérité de son comportement : il accueillait tous les visiteurs avec allégresse, et son action bienfaisante se caractérisait autant par la bonne humeur que par la charité. Il ne faisait pas de distinction entre catholiques et ariens, juifs et païens. L'une de ses occupations préférées était la distribution de vivres aux nécessiteux, dont il se chargeait lui-même ; et lorsqu'un pauvre lui tendait une écuelle trop petite, on dit qu'il la prenait dans ses mains, la cassait et donnait au malheureux une écuelle plus grande et remplie de nourriture.

Mais sa fierté n'est pas là. En ce jour d'importance, il aurait aimé que le diacre Redemptus soit à ses côtés, comme tous ceux qui l'ont secondé pour inscrire la charité dans des structures durables et efficaces. C'est ainsi qu'a été fondé un grand hôpital, unique dans toute l'Espagne wisigothe, magnifiquement doté par les rentes provenant de nombreux biens fonciers et immobiliers appartenant à l'évêché de Merida et par plus de la moitié des présents et des dons en argent que reçoit l'archevêché. Une équipe nombreuse de médecins et d'infirmiers ont non seulement pour tâche de soigner les patients, mais aussi de parcourir les rues de la ville pour prendre en charge toutes les personnes malades et les transporter jusqu'à l'établissement. Et c'est avec une joie profonde qu'il voit y affluer sans aucune discrimination hommes libres ou esclaves, chrétiens ou juifs, pour peu qu'ils soient réellement dans le besoin.

Le fidèle Redemptus a pris, à la demande de Masona, la direction d'un très original établissement de crédit dont le but est de sauver les personnes aux ressources modestes qui risquent de tomber aux mains des usuriers. Cet institut, qui a son siège à la basilique Sainte-Eulalie, accorde des prêts, sans autre garantie que la promesse écrite de rembourser l'argent prêté ; dans la pratique, ces dettes sont le plus souvent effacées...

Oui, au milieu de tous les prélats d'Hispanie processionnant sous les murs de Tolède, Masona peut rendre grâce. Son épiscopat a bien été un véritable âge d'or pour l'Église et pour sa ville de Merida. Même les « serfs de l'Église » ont pu profiter du bien-être général : le jour de Pâques, ils sont accueillis dans la basilique Sainte-Eulalie, revêtus de tuniques de soie, et Masona se rappelle avoir affranchi nombre d'entre eux. Pareils souvenirs effacent les difficultés et les drames ; il en oublie presque la persécution qu'il a connue en raison de sa foi, lorsque le roi arien Léovigilde l'a envoyé pendant trois ans en déportation ; ou encore la conspiration des ariens de sa ville, à la suite de laquelle il a bien failli être assassiné... Oui, pour Masona, ce qui compte vraiment c'est qu'à Merida la charité l'a toujours emporté.

> *Inscrire la charité dans des structures durables et efficaces.*

Sources : *Vie des pères de Merida* (VIᵉ siècle). *Histoire médiévale de la péninsule Ibérique*, Paris, 1993. M.-H. Quet, *La Mosaïque cosmologique de Merida*, Paris, 1981. L. Clare et J.-C. Chevalier, *Le Moyen Âge espagnol*, Paris, 1972.

# AUGUSTIN DE CANTORBÉRY
## *L'ÉVANGILE OUTRE-MANCHE*

**• 21 FÉV •** S'ILS NE SONT PAS TRÈS NOMBREUX, UNE QUARANTAINE DE PERSONNES TOUT AU PLUS, leur entrée n'en est pas moins remarquée... Des fenêtres, quelques curieux se penchent pour assister à ce défilé. Puis, comme on veut « voir ça de plus près », on descend, discrètement.

« Qui sont ces gens ? » chuchote-t-on de porte en porte. Intrigué, on accourt de toutes les rues, attentif à chaque geste de l'un ou de l'autre des membres de ce majestueux cortège. La foule envahit les places. À chaque détour de rue, on attend, on guette. Maintenant, toute la ville suit ces hommes qui marchent dignement.

Dans un silence respectueux, la foule écoute s'élever le chant des moines.

En cette année 597, Augustin et ses compagnons romains viennent d'entrer en procession dans la ville de Cantorbéry, dans le sud-est de la Bretagne. Ils portent une croix et une image du Christ, et chantent à l'unisson ces versets du psaume :

*« Que Dieu nous prenne en pitié*
*et nous bénisse !*
*Qu'il fasse briller sa face parmi nous,*
*pour que, sur la terre,*
*on connaisse ton chemin,*

*et parmi tous les païens, ton salut,*
*Que les peuples te rendent grâce, Dieu !*
*Que les peuples te rendent grâce,*
*tous ensemble ! »*

La procession est simple mais solennelle. Elle marque la fin d'un voyage de plus d'un an, qui a vu le découragement ou la peur saisir tour à tour les uns et les autres ; les moines expriment ainsi leur joie d'atteindre enfin ce pays où le Seigneur les appelle. Leur émotion est grande, empreinte d'humilité et à la mesure du défi que représente la mission que leur a confiée le pape Grégoire le Grand : évangéliser le pays des Angles et des Saxons.

Dès leur arrivée dans le Kent, au sud-est de la Bretagne, les moines ont reçu un accueil courtois mais prudent du puissant roi des lieux, Ethelbert. Ce roi est païen mais sa femme Bertha – fille de Caribert, le roi Franc de Paris – est chrétienne. Lors de son mariage, Ethelbert s'est engagé à laisser sa femme pratiquer librement sa religion, aidée en cela par son évêque Liuthard. S'il montre une prudente réserve, Ethelbert va néanmoins permettre à l'Église de Rome de s'enraciner dans l'île. Ethelbert autorise l'installation des moines dans la capitale de son royaume, Cantorbéry. Il leur donne la jouissance d'un bâtiment, vestige de l'occupation romaine, qui devient l'église Saint-Martin, leur assure des moyens de subsistance et les autorise à prêcher librement.

Dans un premier temps, la principale préoccupation d'Augustin est d'organiser la vie monastique de sa communauté. Les moines vivent selon la règle de saint Benoît : prières, jeûnes, étude et partage des biens. Ils prêchent la parole de Dieu inlassablement, attentifs à mettre leurs actes en conformité avec l'Évangile. Comme de nombreux païens, le roi est touché par la foi de ces hommes doux et purs. Moins d'un an après l'arrivée des moines romains, Ethelbert demande le baptême. Puis il accorde aux missionnaires un espace plus important, qui permet à Augustin de fonder le monastère bénédictin Saints-Pierre-et-Paul.

Si Augustin bénéficie de l'appui précieux d'Ethelbert pour annoncer l'Évangile dans le sud-est du pays, la réalité est bien différente dans le nord et l'ouest de l'île. Les Bretons, en partie christianisés au IIIe siècle, sont repliés sur leurs particularismes et n'ont guère de contacts avec l'Église de Rome. Augustin, nanti de l'autorité que lui confère son titre d'évêque et de primat d'Angleterre, tente de faire reconnaître sa juridiction en se ralliant le clergé breton.

Il convoque les évêques des royaumes bretons dans un lieu nommé « le chêne d'Augustin » et prononce ce discours resté

> *Le roi est touché par la foi de ces hommes doux et purs.*

célèbre : « *Travaillons ensemble à l'annonce de l'Évangile de Jésus-Christ et préservons l'unité catholique. Au nom de cette unité, nous vous demandons d'abandonner vos traditions pour célébrer Pâques à la date convenable du calendrier romain, et d'administrer le baptême selon le rite romain.* »

L'auditoire ne semble guère enthousiaste à l'idée de se rallier à Augustin. Les Bretons refusent de le considérer comme leur archevêque. Devant l'échec de ce synode, Augustin décide alors de laisser coexister ces deux Églises. Placé dans l'impossibilité de se faire aider par le clergé local, il ne peut compter que sur ses propres ressources.

Soucieux de mettre en place l'organisation de l'Église anglaise telle que l'a pensée le pape Grégoire, Augustin entretient de nombreux échanges épistolaires avec le Saint-Siège, et lui fait part des difficultés qu'il rencontre. Rompant avec la pratique itinérante du clergé breton, Grégoire entend organiser l'Église anglaise à partir de diocèses. Le Pape est conscient que la mission d'Augustin a besoin d'un second souffle ; aussi lui envoie-t-il un autre groupe de moines romains, dont les plus connus sont Mellitus, Justus et Paullin. Ceux-ci apportent, avec le *pallium* – signe distinctif de l'archevêque – destiné à Augustin, des vêtements et de la vaisselle sacrée, des reliques des saints Apôtres et martyrs, des manuscrits. Grégoire autorise Augustin à consacrer évêques Mellitus et Justus, ce qu'il fait en 604, seul, puisqu'il ne peut constituer le corps de trois évêques nécessaire à une ordination irréprochable du point de vue canonique. Mellitus a en charge la province des Saxons de l'Est, dont la métropole est Londres, tandis que Justus se voit attribuer la province située à l'ouest de Cantorbéry ; Rochester en est la métropole. Établis à faible distance les uns des autres, les évêques peuvent ainsi se rassembler facilement. Une fois encore, Ethelbert contribue à enraciner la foi en Angleterre : il construit l'église Saint-Paul à Londres et l'église Saint-André à Rochester.

Augustin meurt le 26 mai 604 et est enterré à l'abbatiale Saint-Pierre-et-Saint-Paul de Cantorbéry. Il laisse une Église anglaise fortement liée à la personnalité du roi Ethelbert : c'est dans les régions directement soumises à l'autorité d'Ethelbert qu'Augustin et ses compagnons ont pu s'implanter. À la mort d'Ethelbert, en 616, les évêques de Londres et d'York seront contraints de se replier à Cantorbéry. Les détails de l'évangélisation

> *Il construit l'église Saint-Paul à Londres.*

de cette terre fortement marquée par les rites et les pratiques païens sont mal connus, reste cependant la magnifique lettre de Grégoire à Mellitus, sorte de *vademecum* de la mission : « *Il ne faut pas du tout détruire les temples, seulement les idoles : ayez de l'eau bénite, aspergez les temples, construisez-y des autels, mettez-y des reliques. Si ces temples sont bien bâtis, on peut en effet les faire passer du culte des démons au culte du vrai Dieu.* »

Les fondations ont été solidement posées : Laurent succède à Augustin et la famille royale de Kent est le témoin de la vitalité de l'Église anglaise dans les années qui suivent. Dès la deuxième génération, onze femmes et filles de rois sont devenues moniales et ont été inscrites au catalogue des saints.

Le monachisme anglo-saxon puisa toute sa sève dans la règle bénédictine, qui fit de l'Église d'Angleterre une Église unie, forte et étroitement liée à celle du continent. Les moines anglais, à leur tour, entreprendront un peu plus tard l'évangélisation des pays germaniques.

SOURCES : Bède le Vénérable, *HISTORIA ECCLESIASTICA GENTIS ANGLORUM*. H. Mayr-Harting, *THE COMING OF CHRISTIANITY TO ANGLO-SAXON ENGLAND*, Londres, 1972. I. Gobry, *LES MOINES EN OCCIDENT*, t. III, *DE SAINT COLOMBAN À SAINT BONIFACE*, Paris, 1983.

# COLOMBAN LE JEUNE
## *LA FIERTÉ OMBRAGEUSE*
## *D'UN MOINE IRLANDAIS*
## *QUI VOULAIT CORRIGER SON SIÈCLE*

**• 22 FÉV •**

POURQUOI TEMPORISER, SE LAISSER ALLER AU COMPROMIS ? L'ATTITUDE DU JEUNE PRINCE EST INADMISSIBLE, et pour être prince, il n'en est pas moins coupable ! Colomban n'a pas pour habitude de mâcher ses mots, fût-ce devant la reine... Ne voit-elle pas les mœurs de Thierry, son fils ? Sont-elles dignes d'un prince chrétien ? Et il faudrait accorder le baptême à ses bâtards ? Conversion, conversion ! Le moine fougueux manie l'exhortation comme d'autres l'épée... Mais ici, au palais ? Le caractère ombrageux de la reine Brunehaut entend la réprimande comme un affront. Décidément, ce moine celte, pour cultivé qu'il soit, est bien impudent ! Que n'est-il resté dans ses brumes d'Irlande ! Est-ce bien à lui de faire la morale au fils de la reine ? La décision ne tarde pas à tomber : c'est l'exil. Un voyage de plus pour Colomban, emmené sous bonne escorte jusqu'à Nantes pour être embarqué vers son pays d'origine. Mais on ne mate pas si facilement un tel caractère... À peine parvenu au port de Loire, le moine échappe à ses gardes ! Sans aucun doute, sa tâche sur le continent n'est pas terminée...

Cette tâche, il l'a commencée dès qu'il a débarqué d'Irlande, où il était né vers 540, sans doute au sein de l'aristocratie. Mais pourquoi s'en alla-t-il en mission en Gaule avec douze compagnons, après avoir été formé au monastère irlandais de Bangor ? Il est vrai que l'on voit mal une aussi forte personnalité rester trop longtemps au même endroit... Son indépendance d'esprit et de ton, durant toutes ces années en terre étrangère, donnent même à penser qu'il avait pris seul cette initiative... Ses méthodes de travail, en tout cas, sont directement inspirées de celles de saint Patrick. Quand il débarque en Gaule, en 591, et qu'il atteint, après quelques péripéties, le royaume de Bourgogne, c'est pour chercher aussitôt la protection des puissants. Non que les considérations politiques l'intéressent ! Mais en bon disciple du grand évangélisateur, il sait que la faveur des princes est un soutien utile au zèle apostolique. Si le roi dit, souvent le peuple suit. Et cela apparaît d'autant plus important qu'il s'agit de relever, dans le domaine religieux, le véritable champ de ruines que les invasions barbares ont laissé sur le continent.

La médiocrité spirituelle est partout,

mais le chaos politique et humain incite aux enthousiasmes neufs. Pourquoi ne pas s'appuyer sur le pouvoir temporel pour réussir la mission ? Pas question pour autant de se soumettre aux lois « du monde » ! L'ombrageuse fierté du moine irlandais épouse parfaitement les exigences de l'Évangile : la mission peut s'appuyer sur les rois, mais en aucun cas les épargner ! Colomban mettra même un point d'honneur à redresser les défaillances morales des puissants, Brunehaut en fera les frais ! Pourtant, beaucoup d'autres grands l'écoutent humblement, impressionnés sans doute par la volonté, la ténacité de ce fondateur ; car partout où il passe fleurissent les monastères, ici de moines, là de moniales.

Ainsi, en Bourgogne, son zèle fait merveille. Il y fonde les trois monastères d'Annegray, de Luxeuil et de Fontaine, et multiplie les vocations auprès des laïcs qu'il exhorte à une vie chrétienne plus exigeante. Il convertit notamment des femmes, séduites par sa discipline monastique. Oh ! bien sûr, ses rapports avec l'Église locale ne sont pas toujours faciles ; les incompréhensions culturelles sont autant d'obstacles, surtout quand le missionnaire manque par trop de souplesse ! Avec chaque évêque pris individuellement, Colomban s'entend fort bien ; mais face à l'ensemble de l'épiscopat, sa liberté de ton et son obstination à ne pas démordre de la supériorité des coutumes irlandaises sont évidemment source de difficultés. Faut-il vraiment se battre sur les dates de

la célébration pascale ou sur la forme de la tonsure ? En revanche, la conception, nouvelle pour la Gaule, d'une large autonomie des monastères par rapport aux évêques ouvre des perspectives que les siècles consacreront.

> *La mission peut s'appuyer sur les rois, mais en aucun cas les épargner !*

Tout Colomban est dans ce mélange d'intransigeance têtue et d'esprit pionnier. Dans les monastères colombaniens, l'austérité est la règle, et l'on ne badine pas avec la discipline. La prière personnelle ou collective, les travaux manuels, la mortification, la méditation de l'Écriture et l'étude, *delectatio litterarum*, le tout dans une obéissance rigoureuse au père abbé, rythment comme partout ailleurs la vie du moine. Mais le souci de perfection et l'imagination de Colomban introduisent de fécondes innovations. Son *Pénitentiel*, par exemple – recueil des punitions adaptées aux divers péchés publics ou privés – se fonde sur un sens de la progression spirituelle et de la réconciliation, qui fera école dans les monastères anglo-saxons et nourrira les réflexions de toute l'Église sur le sacrement de pénitence. Avec lui, la pénitence publique et unique alors en vigueur, dans laquelle seul l'évêque pouvait prononcer la réconciliation, va peu à peu faire place à la pénitence secrète et réitérée, comme la pratiquaient les moines.

Colomban a-t-il conscience de l'évolution qu'il apporte à l'Église ? Sait-il que ses exhortations incessantes, qui ne laissent personne indifférent, contribuent au progrès spirituel de son temps ? En s'échappant de Nantes, il sait en tout cas que sa tâche est loin d'être terminée... Voyageur impénitent, il traverse tout le nord de ce qui deviendra la France, et s'en va réveiller les consciences de la Neustrie à l'Austrasie, des bords du Rhin jusqu'aux lacs de Zurich et de Constance, prêchant l'ascétisme du même mouvement qui lui fait fonder maints couvents. Il laisse au passage l'un de ses compagnons, saint Gall, se séparer de lui pour fonder la célèbre abbaye qui porte son nom, et achève sa course en Italie, dans la vallée de l'Apennin ligure où il fonde le monastère de Bobbio. C'est là qu'il s'éteint, le 23 novembre 615.

Fin lettré, mais avant tout athlète de

> *En s'échappant de Nantes, il sait que sa tâche est loin d'être terminée.*

Dieu, grand initiateur des migrations monastiques et apostoliques sur le continent européen, Colomban le Jeune personnifie ainsi avec force l'apport du monachisme irlandais à la cause de l'Église : fougue et rudesse du témoignage, intelligence des moyens, passion du but. N'évoque-t-on pas « l'haleine de saint Colomban » pour désigner ce souffle puissant qui réveille les énergies et pousse sans ménagement les âmes vers le ciel ? Fils de l'Irlande jusqu'au fond de l'âme, épris de missions, intransigeant et âpre comme sa terre, Colomban, avec fermeté et sans peut-être y mettre toujours les formes, *corrigea* son siècle, dans tous les sens du terme...

SOURCES : Colomban le Jeune, *LETTRES, SERMONS, REGULA MONACHORUM, REGULA COENOBIALIS* et *PENITENTIEL*. Jonas, « *Vita Colombani*. Chronique de Frédégaire », in *HISTOIRE DES FRANCS*, Paris, 1861. Dom L. Gougaud, *LES SAINTS IRLANDAIS HORS D'IRLANDE*, Louvain, 1936. I. Gobry, *LES MOINES EN OCCIDENT*, t. III, *DE SAINT COLOMBAN À SAINT BONIFACE*, Paris, 1983.

# ISIDORE DE SÉVILLE
## *L'INSTITUTEUR D'OCCIDENT*

**• 23 FÉV •**

ISIDORE EST UN ENFANT TER-RIBLE. NI LES REMONTRAN-CES, NI MÊME LE MARTINET NE RÉUSSISSENT à dompter ce caractère farouche et indépendant. Ses maîtres se désespèrent. Et ce matin, sans que la punition ait été plus sévère qu'à l'accoutumée, voilà qu'il a disparu. Isidore respire le vent nouveau de la liberté, découvre les beautés cachées de la torride plaine andalouse. Après plusieurs jours d'errance, exténué et assoiffé, il s'arrête près d'un puits pour s'y désaltérer. Pourquoi son regard s'attarde-t-il au détail de la pierre de ce puits, au demeurant tout à fait banale ? Le cœur de la pierre de la margelle est creusé par la corde de descente du seau.

*— Comment une pierre si dure peut-elle se trouver entamée par de simples brins de chanvre ?* demande-t-il, l'air pensif, à une paysanne venue puiser de l'eau.

*— Tout simple,* lui répond-elle, *malgré sa faiblesse, la corde, plusieurs fois remplacée, a fini, à la longue, par user la pierre.*

« *Ainsi,* pense le jeune Isidore, *malgré mon esprit rebelle et volage, l'étude finira bien, en moi, par creuser son sillon.* » Dès ce jour, Isidore accepte de se plier aux rigueurs de l'étude.

Mais qui est Isidore ? Né vers 570, il est le benjamin des quatre enfants – qui seront tous canonisés – de Séverien et Théodora, nobles hispano-romains alors établis à Carthagène, port méditerranéen de Murcie, province de l'Espagne méridionale. Au lendemain de la reconquête de Carthagène par l'empereur byzantin Justinien – qui reprend ainsi une partie de l'Espagne aux Wisigoths, ariens venus de Gaule –, la famille d'Isidore se réfugie à Séville. La capitale andalouse arrosée par le Guadalquivir, est située au cœur de la province la plus romanisée de toutes les Espagnes.

À la mort précoce de ses deux parents, Isidore n'a que cinq ans. L'orphelin est confié à son frère aîné, Léandre, fin lettré et évêque de Séville depuis 576 et à sa sœur, l'abbesse Florentine. « *Je l'aime comme un véritable fils* », écrit Léandre à propos du garçonnet qu'il élève cependant dans la plus grande sévérité. C'est ainsi qu'Isidore entre, dès sa plus tendre enfance, au monastère où il se passionne pour les études malgré son esprit rebelle. Il passe des journées entières à dévorer les œuvres d'Augustin, initié par son mentor, le fidèle Léandre. Les bibliothèques du monastère et de l'évêché n'ont plus de secret pour le jeune érudit, qui devient rapidement un bibliophile reconnu.

Léandre, en cette époque troublée où le soin des âmes est négligé par manque d'engagement pastoral, est considéré comme le véritable guide de l'Église d'Espagne. Il s'engage dans la conversion au catholicisme des souverains ariens, mais les Wisigoths, eux, n'y sont pas encore prêts. Léandre vient de convertir Herménégild, le fils du roi arien Léovigilde. Furieux, ce dernier décide de persécuter les catholiques. Le conflit religieux dégénère en une guerre civile qui dure deux ans et aboutit au siège de Séville, en 585. Le 13 avril de cette année sanglante, Léovigilde fait sauvagement assassiner son fils, Herménégild, qui refuse d'abjurer le catholicisme. L'atrocité de ce crime ouvre les yeux du jeune Isidore : il est grand temps que la division religieuse de l'Espagne prenne fin. C'est chose faite quand le nouveau roi, Reccarède, se convertit officiellement au catholicisme lors du IIIe concile de Tolède en 589. Malgré la grave crise politique qui s'ouvre à la mort de Reccarède en 601, et qui ne se terminera qu'avec l'accession au trône de Sisebuth, dix ans plus tard, l'adhésion de l'Espagne au catholicisme est acquise.

À la mort de Léandre, en 600, Isidore lui succède. Il a trente ans et, enfin, il peut voler de ses propres ailes. Car s'il a toujours voué une admiration sans limites à son frère aîné, Isidore a également souffert de son autorité. Quand il s'installe sur le trône épiscopal, se doute-t-il qu'il va l'occuper, sans interruption, pendant près de quarante ans ? Cette question ne l'effleure même pas. Son esprit est ailleurs : en effet, le peuple wisigoth vient de se convertir au catholicisme. Rien ne peut rendre plus heureux le nouvel évêque de Séville, qui, depuis longtemps déjà, est favorable à une fusion de la force gothique et de l'Espagne romaine.

Soucieux de préserver l'héritage de son frère et de poursuivre son œuvre, Isidore devient conseiller de plusieurs souverains, en particulier Sisebuth (612-621), le roi poète auquel il dédie l'œuvre de sa vie, *Étymologies sur l'origine de certaines choses*. Car Isidore est un intellectuel. Écrivain prolixe, c'est l'auteur médiéval le plus lu et le plus copié jusqu'à la fin du Moyen Âge. Il a laissé plus de mille manuscrits sur les sujets les plus divers : la nature, les nombres, le savoir antique, l'histoire des Goths, la Bible, les offices ecclésiastiques, la vie chrétienne, la pauvreté, la linguistique... bref, il écrit sur tout. Avec un objectif : préserver et transmettre la culture antique. Celui à qui l'on doit un véritable « style isidorien », « une renaissance isidorienne » qui mêle habilement le profane et le sacré, a joué un rôle essentiel dans la formation intellectuelle de l'Occident.

> *L'adhésion de l'Espagne au catholicisme est acquise.*

Si Isidore est un grand intellectuel – on l'a surnommé « l'instituteur d'Occident » – il est aussi un très grand évêque, qui contribue largement à la constitution d'un clergé espagnol unifié. La pastorale et la formation du clergé sont des soucis presque obsessionnels pour le pieux évêque. Il tient de nombreux synodes provinciaux pour débattre des questions disciplinaires et doctrinales. Ainsi, dans un ouvrage sur les *Offices ecclésiastiques*, il décrit les moyens d'une pastorale adaptée aux diverses catégories de chrétiens ; surtout, il rappelle à chaque ecclésiastique sa place et son devoir. Pour Isidore, l'humilité chrétienne est la vertu majeure du bon pasteur. Il choisit de s'adresser à tous, depuis l'humble chrétien jusqu'aux plus hauts dignitaires de l'Église, afin que l'ensemble de la société soit touché par la parole de Dieu. Il invite les chrétiens à manifester leur foi par l'action. Sensible aux misères de son temps, il rédige une véritable « théologie de la pauvreté ». C'est son intérêt pour les plus démunis, alors qu'il est lui-même au sommet de sa gloire, qui fait de lui l'un des plus grands évêques de son époque.

En 633, Isidore a soixante-trois ans lorsqu'un messager, dépêché spécialement de Rome, vient lui annoncer qu'il a été désigné pour présider le IVe concile de Tolède dans l'église Sainte-Léocardie. L'évêque de Séville laisse échapper un cri de joie. Il va pouvoir réaliser ce qu'il attend depuis si longtemps : rédiger le canon qui établit la règle de l'élection royale, unifier la liturgie hispanique et rendre au clergé le goût de l'étude. L'union entre le Trône et l'Autel va enfin pouvoir être scellée. Pour l'évêque aux cheveux blancs, mais dont le regard brille encore, les rois doivent être au service de l'Église. Il en est convaincu. « *Ils doivent gouverner avec douceur et justice, en demandant conseil aux évêques* », se plaît-il à répéter. Il va même plus loin : les évêques peuvent pousser un souverain tyrannique à abdiquer. Sa conception de la monarchie est totalement nouvelle : c'est l'évêque seul qui peut construire le temple de Dieu, et non un roi aux mains souillées de sang.

Comme Grégoire le Grand, Isidore aurait voulu se faire moine pour se consacrer à l'étude et à la vie contemplative. En écrivant la *Regula monachorum*, règle destinée au monastère d'Honoriacense, qui invite les moines à rompre avec le monde, il montre son vif intérêt pour cette quête d'absolu. L'évêque meurt à Séville le 4 avril 636, et en ce doux printemps andaloux, c'est toute l'Espagne qui pleure « le dernier Père de l'Église occidentale ».

> *L'évêque de Séville laisse échapper un cri de joie.*

SOURCES : *CONCILIOS VISIGOTICOS E HISPANO-ROMANOS*, Madrid, 1963. « *Epistolae visigoticae* », in *MISCELLANEA VISIGOTICA*, Séville, 1972. S. Teuillet, *DES GOTHS À LA NATION GOTHIQUE*, Paris, 1984. J. Fontaine et C. Pellistrandi (éd.), *L'EUROPE HÉRITIÈRE DE L'ESPAGNE WISIGOTHIQUE*, Colloque international du CNRS, Madrid, 1992. Z. Garcia Villada, *HISTORIA ECCLESIASTICA DE ESPANA*, t. II, 2, Madrid, 1933.

# GRÉGOIRE LE GRAND

## QUAND LE PAPE SE FAIT

### « SERVITEUR DES SERVITEURS DU CHRIST »

• **24 FÉV** •

ROME, 589. UNE PEUR PRO-FONDE, VISCÉRALE PLANE SUR LA VILLE ÉTERNELLE comme une malédiction. Irraisonnée sans doute, mais justifiée par tellement de drames ! La vie à Rome n'est plus que résistance, combat contre la peur, les périls ou la maladie. Pour l'heure, l'eau est l'ennemie. Elle est partout, sur les places, dans les rues, dans les caves et les souterrains d'où dégorgent des boues saumâtres et fétides. Rome a pris un visage d'horreur et de désespérance. Le flot irréductible du Tibre envahit tout ; le fleuve ravage la cité, sème la désolation, apporte la mort. Que va-t-il advenir de la métropole prestigieuse, la capitale de l'Occident chrétien ? Il y a longtemps déjà que les signes effrayants se succèdent, repoussant sans cesse l'espoir de voir se construire, sur les ruines du monde antique, la nouvelle Cité de Dieu... Ultime mise à l'épreuve de l'espérance chrétienne, après tant d'années difficiles. En fait, l'Italie ne s'est jamais vraiment relevée de la mort du grand empereur d'Orient Justinien, il y a pourtant plus de trente ans. Déjà exsangue après tant d'années de guerre, elle a subi en 568 l'invasion des Lombards atti-

rés par les richesses de la péninsule. Non contents d'en avoir conquis le Nord, ils ont déferlé sur le Centre et le Sud, ne laissant à l'Empire que Rome, Ravenne et les régions côtières. Combien de dévastations, de persécutions religieuses et d'asservissement des populations ont accompagné cette invasion ! Même les appels à l'aide des souverains pontifes aux empereurs de Byzance sont restés le plus souvent lettre morte...

Et voici qu'après les inondations et leurs dramatiques conséquences, c'est maintenant la peste qui décime la population romaine ! Personne n'est épargné : alors que commence la nouvelle année, le pape lui-même, Pélage II, est emporté par cette malédiction. L'Église va-t-elle s'effondrer ? Le peuple et le clergé se ressaisissent pourtant, et, comme portés par une même vague d'espoir, s'accordent sur un nom, le seul qui puisse en de telles circonstances assurer la continuité apostolique. Le souhaite-t-il ? La question ne lui est même pas posée...

Le moine Grégoire est surpris lorsque la foule scande son nom aux portes de son monastère du Monte Caelio. On le veut pour pape ! Nulle charge n'est sans doute

234

plus éloignée de ce qu'il souhaite, mais la pression ecclésiale et populaire est telle qu'il n'a pas le choix... Pourtant, il ne parvient pas à s'y résigner ; cette charge ne peut être pour lui, plus à l'aise dans l'oraison et la rédaction de pieux ouvrages, comme en témoigne cette admirable réflexion sur l'ascétisme et la morale qu'est son *Commentaire sur Job*...

Que faire ? En référer à l'empereur ? Si l'on en croit Grégoire de Tours, c'est ce qu'il décide. Solidement argumentée, la missive est vite rédigée, puis confiée à un messager de toute confiance. Las ! le préfet de Rome fait intercepter le courrier et le remplace par un compte rendu tout aussi argumenté du vœu unanime émis par le peuple ! L'empereur ne peut que ratifier ce choix. Traîné de force à Saint-Pierre alors qu'il tente de s'échapper, Grégoire est élu au siège pontifical, en 590. Il devient ainsi le premier moine à s'asseoir sur le trône de saint Pierre.

Pour le moins, la désolation de Grégoire d'être appelé à cette charge dépasse la pure formule rhétorique, et c'est sans optimisme qu'il la reçoit : « *Voici que tout indigne et malade que je suis, j'ai reçu ce vieux navire tout brisé, qui fait eaux de toutes parts ; et dans la grosse tempête qui le secoue chaque jour, ses planches pourries ont des craquements de naufrage.* » Mais Grégoire est un homme de Dieu et un homme de devoir. La Providence a voulu qu'il quitte la solitude pour être plongé dans les vicissitudes du temps ? Il l'accepte,

> *Traîné de force à Saint-Pierre, Grégoire est élu au siège pontifical.*

par amour de Dieu et de son Église. Il décrète alors, avec l'humilité des plus grands saints, qu'il sera « *le serviteur des serviteurs du Christ* ». Et, en effet, tout le pontificat de Grégoire sera au service de Dieu, de l'Église et des hommes. Grégoire avait défini deux voies différentes pour rejoindre le Christ et parvenir au Salut : la voie contemplative et la voie active. Arraché à la première qu'il avait choisie, il met en œuvre et définit lui-même le programme de la seconde : « *Donner du pain à l'affamé* [...], *instruire l'ignorant* [...], *remettre l'égaré sur la bonne voie, rappeler au chemin de l'humilité un frère qui s'enorgueillit, prendre soin d'un malade, diffuser à chacun ce qui lui est utile et pourvoir à la subsistance de ceux dont il a la charge.* »

L'action du nouveau pontife apparaît multiple, et placée sous le signe de l'urgence. En ces temps troublés où Rome est menacée, il importe d'abord de fonder la puissance de la papauté sur de solides bases matérielles. Aussi accorde-t-il une grande attention à la gestion du patrimoine de l'Église, constitué alors d'anciens domaines publics, notamment en Sicile, en Italie péninsulaire et en Gaule. Il ne s'agit pas pour Grégoire de développer les biens temporels et les assises de l'Église pour sa seule puissance, mais de mettre cette richesse au service des plus pauvres et en particulier des esclaves (pendant tout son pontificat, leur rachat sera pour Grégoire un souci constant). Il jette les bases d'une administration pontificale – le courrier, la comptabilité –, car il faut que la maison soit bien tenue pour pouvoir bien servir. Il mène parallèlement de grandes réformes pour corriger les abus du clergé, comme la simonie, ce honteux commerce des charges ecclésiastiques. Dès 591, dans _Le Livre de la règle pastorale_, il rappelle aux évêques la haute mission dont ils sont investis. Dans la pratique, non seulement en Italie « suburbicaire » – où les évêques dépendent directement de lui –, mais encore dans le reste de l'Italie, en Espagne et en Gaule, ses interventions en font un véritable « patriarche d'Occident ». Il confie des charges d'inspection à des _defensores_ investis de larges pouvoirs, qui sont ses yeux et ses oreilles.

Tout au long de son pontificat, Grégoire demeure attaché au légalisme à l'égard des États et particulièrement de l'empire. Il obéit à l'empereur, mais n'hésite pas à refuser d'accorder à l'évêque de Constantinople, la « Nouvelle Rome », le titre de patriarche œcuménique. Grégoire déplore également l'incapacité des gouverneurs de Ravenne – les exarques – à défendre la ville de Rome. Il va même jusqu'à signer personnellement une trêve avec les Lombards d'Agilulf, en 593, s'attirant les foudres de l'exarque Romanus et de l'empereur Maurice. Se substituant à l'autorité politique défaillante, il dirige lui-même la défense de la ville et prend en main son administration ! La famine fait souvent rage tout au long de son pontificat. Grégoire se rappelle alors sa promesse : « _Je serai serviteur._ » Et c'est bien en serviteur des plus faibles qu'il organise lui-même des distributions de vivres pour soulager les affamés. Son souci constant pour la ville dont il est l'évêque ne l'empêche pas de prêter la plus grande attention aux églises lointaines – Séville, Arles, Lyon – auxquelles il écrit, arbitrant divers conflits. En 595, il entreprend d'organiser la mission auprès des Angles. Aucun domaine n'aura échappé à ce pasteur exigeant.

« _Durant presque deux ans, j'ai été confiné dans mon lit, si accablé de souffrance que même les jours de fête je peux à peine me lever trois heures pour célébrer la messe. Je suis journellement au bord de la mort et journellement j'en suis éloigné._ » Teintée d'amertume, cette belle phrase est écrite par Grégoire en l'an 600, tandis que la santé du pontife ne cesse de décliner. Sa double souffrance, physique et mystique, cette familiarité permanente avec la mort, explique ses préoccupations eschatologiques. L'Enfer lui apparaît avec un réalisme terrifiant, semblable aux bouches béantes des cratères du Vulcano ! Cependant, à ces descriptions terribles, qui anticipent presque les visions de la _Divine Comédie_ de Dante, Grégoire oppose la béatitude spirituelle qui attend les saints. Quand à l'immense foule des défunts, Grégoire en est certain, les prières et les sacrifices eucharistiques permettent d'abréger leur souffrance dans _l'ignis purgatorius_ – le feu qui purifie – qui deviendra le Purgatoire.

> _Il faut que la maison soit bien tenue pour pouvoir bien servir._

Alors que passe le siècle, que l'Antiquité s'éteint et que pointe l'aube du Moyen Âge, la mort se rapproche à grands pas de Grégoire. Lorsqu'il s'éteint, en 604, un anonyme compose une belle et juste épitaphe : « *Réjouis-toi de ces triomphes qui te valent le titre de consul de Dieu.* » Cela compense-t-il l'éloignement de la vie monastique ? Alors que tout son être recherchait la solitude du cloître, il lui a été imposé de vivre dans le monde. Mais Grégoire, que l'on allait bien vite appeler « le Grand », sut par une vie de prière et d'humilité, une vie monacale, une vie de service, faire revenir l'espérance dans Rome dévastée.

SOURCES : *LIBER PONTIFICALIS*. Grégoire le Grand, *DIALOGUES*. J. Fontaine (dir.), *GRÉGOIRE LE GRAND*, Paris, 1987.

# La fête de la Croix glorieuse

## *Ou comment la sainte croix revint triomphalement à Jérusalem*

**• 25 FÉV •** Tout autour de Jérusalem, en ce jour funeste de l'an 614, les grands monastères chrétiens sont en feu. Et partout, par le fer et le sang, les Perses sèment la terreur dans la ville assiégée. Cela fait trois jours que les massacres n'ont pas cessé ! Enfin, Schahrbaraz, le général en chef, décrète une trêve. Mais c'est pour emmener en captivité des milliers d'habitants de la ville, citoyens chrétiens de l'Empire romain. Et il y a pire encore : la Croix, la sainte Croix de Jésus-Christ, vient de partir avec le butin des assaillants ! Devant cette ultime épreuve, le courage des captifs va-t-il vaciller ?

Non, car Zacharie, le « bon pasteur », est avec eux, tandis qu'ils gravissent les pentes du mont des Oliviers avant de prendre la route de Jéricho. Et même si le patriarche de Jérusalem a les yeux embués de larmes, cela ne brouille pas sa perception surnaturelle de l'événement. Il comprend, lui, que si la Croix les accompagne, c'est parce que la Passion du Seigneur n'est jamais loin quand il est question de racheter les fautes de ses enfants. L'Empire romain chrétien n'a-t-il pas péché ? Ne faut-il pas voir dans la situa-tion présente un châtiment – comme ceux que Dieu, dans l'Ancien Testament, réservait au peuple élu – pour l'assassinat de l'empereur Maurice et de ses enfants innocents, en novembre 602 ? Khosrau II, le roi des Perses, s'est posé en vengeur de celui qui l'avait accueilli et restauré sur son trône, et c'est sous ce prétexte qu'il a entrepris la conquête de l'Empire romain, dont fait partie Jérusalem...

Zacharie n'entre pas dans tous ces détails historiques quand il exhorte ses compagnons au courage. La foule des captifs qui l'écoute en pleurant au mont des Oliviers les connaît aussi bien que lui. Le bon pasteur se contente d'encourager ses fils à vivre loyalement l'épreuve en souvenir de la Passion. Et à se préparer à aimer toujours plus le Seigneur, qui les attend pour une éternité de joie.

Zacharie ne connaît pas l'avenir. Il ne sait pas qu'à Ctésiphon, sur la rive est du Tigre, où sont emmenés les captifs, la Croix du Christ va être, une fois de plus, signe de contradiction. L'Empire perse est païen, les mages adeptes de Zoroastre sont influents partout. Mais à la cour vivent aussi des chrétiens, tel Yazdin, un haut dignitaire qui a la confiance du roi. Parmi ses attributions figure la charge de recevoir le butin pris sur les pays conquis. Alors, quand il voit arriver les caisses qui contiennent le bois de la Croix, les vases nombreux et tous les objets conservés dans le trésor, il fait célébrer une fête solennelle et demande au roi la permission de garder un morceau de la Croix ! Quant au roi lui-même, il tiendra à faire conserver précieusement la relique.

Est-ce à dire que la Perse pourrait se convertir ? D'aucuns le pensent, en ces temps troublés où règne une atmosphère de fin du monde. L'Empire romain, de son côté, est en proie aux hérésies, nestorienne et monophysite, qui n'épargnent pas non plus, d'ailleurs, les chrétiens de Perse. L'exil de la Croix serait-il le signe de grands changements dans l'Histoire ?

> *Les Perses leur demandent de piétiner la Croix sous peine de mort.*

Les captifs de Ctésiphon l'ignorent. Mais ils savent que le Bois de leur salut mérite que l'on meure pour lui. Quand, à leur arrivée dans la ville, les Perses les enferment dans un grand enclos et leur demandent de piétiner la Croix sous peine de mort, la majeure partie du peuple préfère le martyre au parjure... Leur cœur ne change pas.

Pendant seize ans la sainte Croix va demeurer à Ctésiphon. Entre-temps, l'affrontement des deux empires a changé de sens. Dès 624, Héraclius, le nouvel empereur d'Orient, lance une contre-offensive généralisée. En 626, les Avars et les Perses assiègent Constantinople. Le peuple se tourne vers la Vierge Marie, la *Theotokos* des Blachernes. Constantino-

ple ne sera pas prise. Et voilà qu'Héraclius, homme profondément pieux et politique habile, réussit à négocier avec le général Schahrbaraz le retour aux frontières de 591 et la restitution des bois de la Croix ! Les troupes perses évacuent sans effusion de sang l'Égypte, la Syrie et la Palestine. Il est vrai que des troubles graves ont éclaté au sommet de l'Empire perse, et que Schahrbaraz compte sur Héraclius pour l'aider à réaliser ses propres ambitions...

Il reste que le retour d'Héraclius vainqueur, avec à ses côtés, la Croix délivrée, change en sa faveur le signe de l'empire. Le voilà qui porte à nouveau sans faiblir le flambeau de la chrétienté ! Nous sommes en 630 et tout donne à croire qu'un nouvel âge commence dans l'histoire de la Création. En une marche triomphale, Héraclius gagne d'abord Constantinople, puis fait route vers Jérusalem, pour y rétablir la Croix du Seigneur. L'impératrice Martine, la cour et l'armée l'accompagnent. Dès qu'ils sont en vue de la ville, la population, les moines et Modeste, le successeur de Zacharie, sortent à leur rencontre pour les accueillir.

C'est alors l'instant si émouvant de la Reposition de la Croix. La relique est présentée scellée, comme si elle était restée inviolée. Mise en scène destinée à donner à l'événement toute la solennité requise ? Calcul politique de l'empereur chrétien censé être appelé par le Seigneur à restaurer l'ordre premier des choses ? Les divers récits de l'événement autorisent ces interprétations. Mais ne faut-il pas y voir simplement l'essentiel : le Bois authentique de la Croix est là sous les yeux des fidèles. Et aujourd'hui la Croix est en gloire, et l'on procède à son élévation...

Ainsi naquit dans l'Église, le 21 mars, la fête de la Croix glorieuse. Tout semblait alors annoncer le rétablissement de l'Empire chrétien dans la plénitude de ses dimensions, avec tout son prestige et son influence, par-delà les ravages des hérésies. Ce fut une illusion puisque, à

> *Le Bois authentique de la Croix.*

peine huit années plus tôt, s'était ouverte l'ère de l'hégire. Les cavaliers d'Allah partaient à la conquête du monde. Et dès l'an 637, Jérusalem tombait aux mains des Arabes. « Es-tu venu rétablir le royaume en Israël ? », questionnaient déjà les disciples de Jésus, qui nourrissaient l'illusion de voir le triomphe temporel de la royauté du Christ. La Croix du Christ ne garantit aucun empire terrestre, mais demeure à jamais, pour les chrétiens, signe de salut et d'unité, promesse d'un royaume qui n'est pas de ce monde.

SOURCES : *CHRONIQUE DE THÉOPHANE*. Nicéphore, *BREVARIUM*. B. Flusin, *ANASTASE LE PERSE ET L'HISTOIRE DE LA PALESTINE AU DÉBUT DU VII° SIÈCLE*, t. II.

# MARTIN Iᵉʳ
# MAXIME LE CONFESSEUR

*OU COMMENT UN PAPE ET UN MOINE*

*FINIRENT LEURS JOURS EN EXIL*

**• 26 FÉV •** QUATRE NOUVELLES ANNÉES D'EXIL VIENNENT DE S'ÉCOULER, dans la rigueur et les privations. Le moine Maxime a quatre-vingt-deux ans, et ce n'est plus l'âge des luttes. Pourtant, quatre ans après ce jour d'avril 658, où le patriarche de Constantinople a essayé de lui arracher un ultime compromis, la foi et la volonté de Maxime le Confesseur n'ont pas bougé d'un iota. Face à l'hérésie monothélite, contre laquelle il a mobilisé, pendant tant d'années, toutes les ressources de son esprit et de son cœur, son âme combat toujours. Et, du fond de sa cellule, il répète à mi-voix, pour se donner du courage, la fière réponse qu'il fit au patriarche en 658 : « *Le Dieu de l'univers, en proclamant Pierre bienheureux pour l'avoir confessé convenablement (Mt 16, 18), a montré que l'Église catholique, c'est la droite et salutaire confession de lui-même.* »

Quelle confession ? Celle d'un Christ *à la fois* vrai Dieu et vrai homme. C'est-à-dire un Christ en qui les deux natures ne s'opposent pas, mais existent l'une et l'autre pleinement. Cela, les premiers conciles œcuméniques l'ont affirmé clairement. Mais depuis les définitions de Nicée-Constantinople, d'autres questions ont surgi, dont celle de la volonté – *thélos* en grec – propre au Christ. Y a-t-il en lui deux volontés ou une seule ? S'il n'y en a qu'une – ce que soutiennent les « monothélites » –, le pas est vite franchi qui mène au monophysisme, c'est-à-dire à l'affirmation d'une nature unique, en l'occurrence la nature divine. Or, c'est tout le sens de la Rédemption qui est en jeu. Pour que la Passion et la mort du Christ sauvent le monde du péché et de la mort, il y faut la volonté libre du nouvel Adam, accordée à la volonté divine du Fils, mais non absorbée par elle.

Voilà pourquoi, quand on vient chercher Maxime dans sa cellule, il ne tremble pas. Un synode monothélite vient de le condamner à la flagellation. Mais le Christ n'a-t-il pas, de sa volonté humaine libre, accepté le calice ? Maxime le Confesseur le boira aussi, à la suite de son Maître. On lui arrache la langue, on lui coupe la main droite. Déporté au pays des Lazes avec deux fidèles compagnons, il est séparé d'eux le 18 juin 662 et interné dans la forteresse de Schémaris, proche du pays des Alains.

Il a tenu. Mais après tout, Maxime le

sait, le pape Martin I^er a tenu, lui aussi, et pour les mêmes raisons, avant de mourir en exil le 16 septembre 655, recru de souffrances et d'avanies. Alors le vieux moine se souvient. Son admiration pour le Pape martyr ne cesse de nourrir sa vaillance, tandis que défilent une fois de plus dans son esprit fatigué les images de leur arrestation commune à Rome, au mois de juin 653...

« *Aiuto, aiuto* », on enlève le Pape ! Cette nuit-là, du 15 au 16 juin 653, une troupe pénètre à Saint-Pierre de Rome et s'empare, *manu militari*, de Martin I^er qui gît sur son lit. Malade, le vieil homme résiste à peine. Il exhorte ses assaillants à la raison, puis leur oppose la force du silence. Face à la foule agglutinée au-dehors qui proteste, les hommes de main usent de leurs armes pour se frayer un passage et emmènent leur otage à Constantinople. Quelques mois plus tard, le 20 décembre 653, le procès du pape Martin I^er s'ouvre, et son martyre commence : condamné pour haute trahison, dégradé de ses ornements pontificaux, il est exposé sur son grabat au froid hivernal et aux huées d'une foule hostile avant de rejoindre la cellule des condamnés à mort.

Pourquoi donc un tel châtiment ? Maxime le Confesseur secoue la tête, tentant une fois de plus de remonter le cours du temps. L'accession au pontificat du diacre Martin, ancien apocrisiaire de Constantinople, à un âge avancé, avait eu lieu dans un climat de vives tensions entre Rome

> « *Aiuto, aiuto* »,
> *on enlève le Pape !*

et Constantinople. Depuis plus de trente ans, les papes s'opposaient avec vigueur aux tentatives répétées du pouvoir temporel de réformer la définition de la foi chrétienne afin de se rallier les populations chrétiennes monophysites de l'Orient. Les doctrines hérétiques fleurissaient. Le prédécesseur de Martin, Théodore, avait dû faire acte d'autorité et excommunier les patriarches de Constantinople Pyrrhus et Paul. À sa mort, le 13 mai 649, le fossé s'était irrémédiablement creusé entre Rome et Constantinople. L'Empire, après avoir perdu l'Égypte au profit des Arabes, se battait désormais pour conserver sa mainmise sur l'Afrique. Dans ce contexte houleux, Martin avait été élu pape par la noblesse romaine le 5 juillet 649, sans que cette élection fasse l'objet d'une demande de ratification auprès du représentant impérial en Italie, l'exarque de Ravenne.

À ce stade de ses pensées, Maxime le Confesseur soupire : la suite, il la connaît mieux que personne, et encore aujourd'hui, malgré toutes les souffrances qui en ont découlé, il en est intimement fier.

Quatre mois après son élection, Martin I^er avait convoqué, dans la basilique du Latran, un grand synode réunissant cent cinq évêques du ressort métropolitain de Rome, mais aussi un certain nombre de Grecs. Moine théologien célèbre, Maxime figurait parmi ces derniers. C'est à son initiative que le synode avait non seulement condamné le monothélisme, mais aussi l'édit du nouvel empereur Constant II, le *Typos*, qui empêchait tout débat sur la nature du Christ.

Par prudence, on n'avait toutefois formulé aucune critique à l'encontre de l'empereur. On lui avait même adressé, dans un souci d'apaisement, une traduction grecque des Actes du synode. Mais ces gestes d'accommodement n'avaient pas eu, sur Constant II, l'effet escompté. Hors de lui, l'empereur avait ordonné à l'exarque de Ravenne de s'emparer de la personne du pape – qu'il ne reconnaissait pas comme tel – et d'imposer par la force la signature du *Typos* à tous les évêques présents au Latran. L'exarque, un certain Olympius, n'avait pas osé exécuter cet ordre. Au contraire, il avait profité de l'occasion pour s'auto-proclamer empereur et tenté de détacher l'Italie du reste de l'empire. Peut-être le Pape n'avait-il rien fait pour l'en empêcher ? En tout cas, il est peu probable qu'Olympius eût songé à faire alliance avec l'envahisseur musulman... Les projets de l'exarque ambitieux, de toute façon, avaient pris fin avec sa mort brutale en 652.

Une courte accalmie s'ensuivit. Mais une fois le péril musulman repoussé, Constant II avait nommé un nouvel exarque, Théodore Calliopas. C'est lui qui s'était présenté à Rome, cette fameuse nuit de juin 653, à la tête de son armée, pour arrêter Martin. Le procès de Martin Iᵉʳ s'était ouvert trois mois plus tard.

En se souvenant des charges retenues contre le Pape, Maxime ne peut réprimer

> *Le verdict ne faisait plus aucun doute : c'était la condamnation à mort.*

un sourire triste : leurs adversaires avaient bien manœuvré ! On reprochait à Martin le soutien accordé au traître Olympius, qui le rendait passible du délit de haute trahison à l'égard de l'État. La question religieuse était laissée volontairement à l'arrière-plan. Le Pape, tentant d'amener les débats sur le *Typos*, avait été vertement rabroué par ses juges. Dès lors, le verdict ne faisait plus l'ombre d'un doute : c'était la condamnation à mort.

Grâce à l'intervention du patriarche Paul, la sentence avait été commuée en peine de détention. Cependant, dans sa geôle, le pape Martin Iᵉʳ n'avait pas renoncé à confesser la Vérité. Il avait écrit en grec un mémoire, dédié à un certain Théodore, afin d'exposer son point de vue. Ce plaidoyer contre la cour de Constantinople avait fini par tomber entre les mains de l'empereur. Représentant un trop grand danger pour le parti monothélite au pouvoir, Martin avait finalement été exilé.

L'indomptable pontife avait terminé ses jours dans la lointaine Crimée, à Cherson. Un sort similaire attendait maintenant le vieux moine. À tout le moins, s'agissant du théologien qu'il était, on n'avait pu éviter de donner à son procès toute sa portée théologique. Penseur oriental, que ses origines et ses contacts reliaient à la Palestine, à l'Afrique et à Rome davantage qu'à Constantinople, mais aussi homme de synthèse qui avait su faire passer l'hellénisme chrétien au crible d'une orthodoxie rigoureuse, Maxime le Confesseur avait témoigné d'une trop haute et constante passion à l'égard de la doctrine, et consacré trop d'ouvrages à combattre le monothélisme, pour que la confession de foi ne fût pas au cœur de son procès...

En 680, dix-huit ans après sa mort en exil – le samedi 13 août 662 – le III⁰ concile œcuménique de Constantinople réhabilita sa personne et canonisa la doctrine sur les deux volontés dans le Christ, pour laquelle il avait donné sa vie. Maxime et Martin furent dès lors honorés comme martyrs jusqu'en Orient. On attribue d'ailleurs à Martin de nombreux miracles, et ses reliques furent transférées à Rome dans l'église de Saint-Martin-aux-Monts.

> *Maxime et Martin furent dès lors honorés comme martyrs jusqu'en Orient.*

Le pape Martin I$^{er}$ et Maxime le Confesseur ont tous deux, à une époque troublée de la pensée, cherché et trouvé dans la joie du mystère le chemin d'une intelligence supérieure de la foi – celle que donne, à ceux qui l'aiment en vérité, le Fils du Dieu vivant.

SOURCES : *VIE DE SAINT MAXIME*, *Patrologiae cursus completus*, series graeca, n° 90, col. 67-110. H. Urs von Balthasar, *KOSMISCHE LITURGIE, DAS WELTBILT MAXIMUS DES BEKENNERS*, Einsiedeln, 1941. J.-M. Guarrigues, *MAXIME LE CONFESSEUR. LA CHARITÉ AVENIR DIVIN DE L'HOMME*, Paris, 1976. A. Riou, *LE MONDE ET L'ÉGLISE SELON MAXIME LE CONFESSEUR*, Paris, 1973.

# WILLIBRORD

## *UN MISSIONNAIRE À LA TÊTE DURE*
## *POUR ÉVANGÉLISER LES FRISONS*

**27 FÉV •** LES PAYSAGES DE L'EMBOU-
CHURE DU RHIN NE SONT
PAS SI DIFFÉRENTS DE CEUX
QU'ILS ONT CONNUS. Et plus
que le dépaysement ou la surprise de
découvrir une contrée nouvelle, c'est la
fatigue du voyage qui incite Willibrord et
ses douze compagnons à s'arrêter avant de
poursuivre leur route en remontant le
fleuve jusqu'à Dorestadt. Bien accueillis
– ce qui est plutôt rare dans ces années
690-695 –, ils demeurent là quelque temps
pour reprendre des forces. Là commence
vraiment leur mission dans cette terre fri-
sonne où le christianisme semble appelé à
se développer.

Willibrord, le missionnaire anglo-saxon
qui conduit le groupe des douze moines
n'aime guère l'improvisation. Il a toujours
veillé à organiser méthodiquement ses missions, afin d'asseoir solidement ses diverses
fondations, monastères ou églises. Il a de
plus toujours su amadouer les puissants
tout en gardant une totale indépendance, et
ces jours-ci, il s'apprête à rencontrer Pépin
de Herstal, le maire du palais d'Austrasie –
autant dire le maître de la Gaule du Nord-
Est depuis que les roitelets mérovingiens
ont perdu toute influence. Une fois encore,
il faut se concilier le pouvoir pour prêcher
sans être menacé.

La mission en Frise s'annonce sous les
meilleurs auspices. Au sud, l'évangélisation connaît un certain succès. Les populations acceptent volontiers le Dieu des
chrétiens. Mais les missions ne parviennent toujours pas à pénétrer en Frise
orientale. Les victoires de Pépin sur le duc
des Frisons améliorent toutefois considérablement la situation des missionnaires.
Lors d'une assemblée générale du peuple
franc, l'idée de former une nouvelle province ecclésiastique en Frise voit le jour.
Pépin envoie donc Willibrord à Rome
pour qu'il soit ordonné évêque et reçoive
le *pallium*. La cérémonie a lieu en la basilique de Sainte-Cécile, le lundi 22 novembre 695.

Après un court séjour à Rome, Willibrord revient parmi les siens avec le titre
d'archevêque des Frisons. Il installe le
siège du nouvel archevêché à Utrecht,
dans l'ancienne forteresse romaine de
Wiltaburg. À côté des vestiges de l'antique église Saint-Martin, Willibrord
édifie sa cathédrale, dédiée au Saint-
Sauveur, et un monastère, comme à Cantorbéry, sa terre d'origine.

Willibrord a l'âme d'un fondateur. Dès 699, il souhaite dépasser les limites de son diocèse et veut convertir les païens de la Frise orientale. Il rencontre le duc Radbod, qui le reçoit avec courtoisie et semble disposé à se convertir ; mais lorsqu'il apprend que ses ancêtres, païens, resteront en enfer et qu'il sera à jamais séparé d'eux après sa mort, il y renonce... Willibrord s'avance alors jusqu'au Danemark où sa rencontre avec le roi Ongend n'est pas plus fructueuse. Ces échecs et les dures conditions de son retour vont-ils le décourager ? C'est bien mal connaître Willibrord !

Sur le chemin du retour, la tempête se déchaîne dans le delta de l'Elbe. Les pluies diluviennes, les vagues impétueuses mettent l'expédition en péril : il devient urgent d'accoster... même en terre inconnue ! Les îles sont heureusement nombreuses, et celle de Fositeland accueille Willibrord et ses compagnons. Encore une nouvelle terre de mission ! Dans l'île, la population s'interdit de chasser les animaux et vénère une source d'eau chaude... Radicalisant ses méthodes, Willibrord baptise de force trois hommes, et ose tuer des animaux pour préparer un repas ! Un tel sacrilège est aussitôt rapporté à Radbod, qui fait immédiatement emprisonner le groupe des missionnaires. Durant trois jours, on consulte les oracles : ils restent obstinément favorables aux condamnés, qui sont donc relâchés. La crainte de représailles de la part de Pépin aurait-elle une influence ? C'est possible ! Fort

*Et Willibrord reçoit un coup d'épée à la tête.*

de ce succès, Willibrord s'en tient à cette nouvelle méthode, le missionnaire devient soldat. Sur l'île de Walcheren, il brise une idole pourtant soigneusement gardée. Les gardiens ripostent et Willibrord reçoit un coup d'épée à la tête. Ses compagnons n'ont que le temps de l'emporter. Heureusement, le futur saint a la tête dure.

Mais cette dernière mésaventure calme ses ardeurs et l'archevêque rentre dans son diocèse. Durant l'hiver 703-704, il reçoit Boniface, jeune moine anglo-saxon venu l'aider dans sa mission. Avec sa jeune recrue, il descend le Rhin pour recueillir un don de terres du duc de Thuringe ; puis regagne Echternach – dans l'actuel Luxembourg – où il avait fondé un monastère. Va-t-il enfin connaître la paix ? C'est sans compter sur le belliqueux Radbod qui envahit les territoires méridionaux de la Frise. Les églises sont détruites avec rage. Willibrord voit son œuvre d'évangélisation entièrement ruinée. Mais Charles Martel, le fils naturel de Pépin, rallie à sa cause des Bavarois et des Thuringiens et inflige à Radbod une grave défaite, le 21 mars 717. L'année suivante, Radbod meurt. Willibrord retourne à Utrecht. Là, il bénéficie de la reconnaissance de Charles Martel, dont il a d'ailleurs baptisé le fils, le futur Pépin le Bref.

Un tel soutien n'est pas superflu : il y a tant à reconstruire ! Boniface, dont il espérait faire son successeur, l'a quitté, et il se retrouve seul face à cette immense tâche. Il sacre alors des évêques, libres de leurs mouvements, libres de poursuivre son œuvre missionnaire. Malgré son âge, Willibrord ne relâche pas ses propres efforts. En 728, en Alsace, il signe l'acte de fondation de l'abbaye de Murbach ; il est alors âgé de soixante-dix ans, et demeurera encore une dizaine d'années, jusqu'à sa mort, à la tête de la mission qu'il a conduite avec autant d'habileté que de fermeté.

Dans la crypte de l'abbatiale d'Echternach, la vénération de ses reliques témoigne de la reconnaissance de son œuvre et de la sainteté de sa vie. Moine, guerrier, missionnaire, Willibrord aura été toute sa vie un soldat du Christ que rien n'aura découragé, ni les échecs, ni les difficultés. En hommage à ce missionnaire opiniâtre, même quand il fallait tout recommencer, une célèbre procession dansante – trois pas en avant, deux pas en arrière – attire tous les mardis de la Pentecôte, dans la ville d'Echternach, une foule de pèlerins venus fêter saint Willibrord.

SOURCES : Alcuin, *VITA WILLIBRODI*. G. Kiesel et J. Schröder, *WILLIBRORD APOSTEL DER NIEDERLAND*, Luxembourg, 1989.

# BONIFACE

*QUAND UN MOINE ÉVANGÉLISE*

*LA GERMANIE AVEC LA BIBLE*

*COMME SEUL BOUCLIER*

**• 28**
**FÉV •**

JUIN 754. C'EST UNE CLAIRE MATINÉE DE PRINTEMPS ; UN VENT FRAIS POUSSE UNE FLOTTILLE qui transporte une cinquantaine de prêtres et de clercs sur la rivière Borne, entrelacs de cours d'eau et de canaux, les emmenant vers Dokkum, en pays païen, à l'extrémité septentrionale de la province actuelle de Frise en Allemagne. À leur tête Boniface, l'archevêque missionnaire de la vaste Germanie, un vieillard de presque quatre-vingts ans. À bord, quelques victuailles – la mission sera longue – et des livres – **Boniface ne se sépare jamais des siens.** Bientôt les missionnaires mettent pied à terre et installent le campement. Boniface se retire dans sa tente pour se reposer. Son corps est fourbu mais son cœur est empli de joie. Il a donné rendez-vous en ce lieu à un groupe de catéchumènes qu'il a promis de confirmer après les avoir baptisés. Il les attend et se prépare le cœur léger à cet acte d'amour qui l'emplit d'espérance comme aux premiers jours de son apostolat. Boniface est surtout heureux de retrouver ses anciennes amours : lui qui dans sa jeunesse s'était montré un infatigable missionnaire avait dû renoncer aux

missions pour se consacrer à l'organisation des nouveaux diocèses de Germanie. Dans le silence de la tente, Boniface savoure sa joie d'être reparti en mission, peut-être pour la dernière fois, et se souvient...

Il pense surtout à ceux qui l'ont éveillé à la Parole de Dieu, alors qu'il était un enfant du nom de Wynfrid et qu'il vivait dans le Wessex. Il pense à ses parents, bien sûr, des chrétiens toujours prêts à accueillir les prédicateurs de passage qui battaient les campagnes pour annoncer la Bonne Nouvelle. Il repense avec tendresse à ces hommes de Dieu qui le prenaient sur **leurs genoux pour lui parler du Christ, de la Vierge Marie et des richesses de l'Évan**gile. C'est certainement à travers eux que Dieu éveilla dans son cœur d'enfant le désir de devenir moine. Dès l'âge de sept ans, il demandait à son père de l'envoyer au monastère le plus proche ! Malgré son étonnement et ses réticences – il était si jeune ! – son père accepta. Il confia alors l'enfant à Wolfhard, le pieux abbé du monastère d'Exeter. Celui-ci consulta longuement sa communauté, étonné d'une vocation aussi précoce et volontaire. Et Wynfrid fut accepté comme postulant. Le vieil archevêque ne peut oublier sa toute première communauté, ces moines qui lui enseignaient les Saintes Écritures, la poésie et la grammaire. Il songe, non sans fierté, qu'il était un élève pieux, studieux et curieux. Tellement curieux qu'il demanda alors à son abbé l'autorisation de se rendre à l'abbaye de Nursling, dans le diocèse de Winchester, pour y poursuivre sa formation. Boniface se souvient avec joie de ces années heureuses d'études et de prières. Quel bonheur quand ses frères l'élevèrent à la dignité du sacerdoce ! Boniface brûlait pourtant déjà d'un feu nouveau : celui de porter l'Évangile aux peuples qui l'ignoraient.

*Passe la mer et viens à notre secours !*

Boniface ferme les yeux un instant : il lui semble entendre de nouveau les païens de Frise l'appeler, comme le Macédonien appelait saint Paul : « *Passe la mer et viens à notre secours !* » Fort de cette conviction, il avait demandé à son abbé l'autorisation de se rendre en Frise. C'était en 716. Comment aurait-il pu oublier ses frères moines de Nursling, qui pleuraient en lui faisant leurs adieux, l'assurant de leurs prières ? Toute la communauté avait préparé des provisions pour son voyage.

Et ce voyage tant attendu, en compagnie de trois frères, la traversée de la mer, l'arrivée à Duurstede, le grand port frison ! Au moment où il foulait le sol de la Frise, la révolte païenne grondait. Profitant de la mort de Pépin d'Herstal, Radbod, le duc des Frisons, attisait la colère de son peuple, déjà exaspéré par la domination franque. En peu de temps, le fruit des conquêtes de Pépin et des labeurs apostoliques de Willibrord, le

célèbre missionnaire de la Frise, semblât réduit à néant. Le vieil évêque Willibrord était alors retiré dans son monastère d'Echternach, loin du tumulte. C'est donc Boniface qui se rendit à Utrecht pour obtenir un entretien avec Radbod, le prince frison. Les arguments de Boniface n'avaient pas été très convainquants. Le moment de la conversion de la Frise n'était pas encore venu. Boniface était alors retourné dans son abbaye tandis qu'en Frise Charles Martel faisait parler les armes.

Le cœur du vieux Boniface se serre en pensant aux mois qui suivirent son retour en Angleterre, à la mort de son abbé, à ses frères qui lui demandaient de prendre la tête de la communauté. Comme il fut difficile de refuser cet honneur et cette lourde responsabilité ! Mais Boniface se sentait appelé à d'autres tâches... Muni d'une lettre de recommandation de son évêque, Daniel de Winchester, Boniface quitta une nouvelle fois son havre de paix pour rencontrer le pape Grégoire II. Ce fut le point de départ d'un lien indéfectible entre l'audacieux missionnaire et la papauté... Grégoire II lui donna le nom de Boniface, en souvenir d'un martyr romain, et le chargea de l'évangélisation des païens de Germanie.

C'était en 719. Boniface croit sentir encore le soleil de cette belle journée de mai où, suivant la volonté du Pape, il partit vers la Thuringe. Cette région n'était pas à proprement parler une terre païenne, mais le christianisme s'y répandait lentement. Le paganisme restait latent, et, dans l'esprit de beaucoup, le Christ n'était qu'une divinité supérieure à d'autres. Boniface eut à lutter contre l'ignorance des prêtres, qui avaient pour la plupart pris femme et conservaient des coutumes païennes même lorsqu'ils conféraient les sacrements. Boniface se souvient de ce prêtre qui baptisait sans interroger le catéchumène sur sa foi, après avoir immolé en l'honneur de Jupiter !

Puis il partit pour la Frise rejoindre Willibrord qui avait repris son activité missionnaire après la mort de Radbod. Willibrord... Le nom du vieil évêque d'Utrecht évoque pour Boniface tant de souvenirs. Il fut son assistant pendant trois ans. Willibrord voulait le garder auprès de lui, lui proposant même de le sacrer évêque. Mais Boniface refusa. Il poursuivit inlassablement ses missions... En Hesse, tout d'abord, où il trouva en 722 une population importante, vive, saine mais ignorant tout du Christ. Ce peuple souffrait terriblement de la domination franque et des raids des Saxons. Boniface s'installa auprès d'eux et se mit à leur service. Quelle joie de voir les cœurs s'ouvrir et d'administrer les premiers baptêmes !

Ce succès amena Grégoire II à élever l'apôtre au rang d'évêque, avec la mission de poursuivre sans faillir l'évangélisation de la Germanie. Ce qu'il fit avec la même fougue, la même fidélité à Rome sous trois papes successifs. Il courait de Hesse en Thuringe, de Thuringe en Bavière, baptisant, luttant contre le retour des coutumes païennes et l'ignorance du clergé. Boniface était alors un missionnaire infatigable. Lorsque le nouveau pape Grégoire III lui demanda de renoncer à ses missions et l'éleva au rang d'archevêque pour qu'il formât des évêques et constituât des évêchés en Germanie, Boniface accepta immédiatement. Il lui fut pourtant difficile de renoncer à ce qui lui tenait le plus à cœur ! Il fut d'abord envoyé en Bavière, où il organisa le pays en quatre diocèses, puis il dirigea ses pas vers l'Allemagne centrale qu'il constitua en trois évêchés.

Boniface y repense avec fierté, même s'il a toujours préféré évangéliser plutôt qu'organiser ou réformer !

> *Le Christ n'était qu'une divinité supérieure à d'autres.*

Il dut pourtant consacrer des années entières à cette tâche essentielle. À partir de 742, il s'attaquait à la réforme de l'Église franque qui subissait les vicissitudes de la décadence de la royauté mérovingienne. La complaisance de certains prélats soumettait l'Église au roi et à ses représentants. Les biens de l'Église étaient spoliés, la discipline ecclésiastique et les règles monastiques bafouées. Cette réorganisation du clergé rencontra quelques oppositions aussi bien du côté politique que religieux.

Les yeux rieurs, Boniface songe à quelques religieux, habitués à leur confort, qui n'étaient pas pressés de retrouver la paillasse. La tâche fut rude ! Elle dura cinq ans.

Boniface attrape sa Bible, sort de sa tente pour faire quelques pas et prier en un coin retiré. Il se sent fatigué soudainement. Il n'a vraiment plus l'ardeur de sa jeunesse. Il pense qu'il ira bientôt se retirer définitivement à Fulda, le monastère qu'il a fondé dix ans auparavant et qu'il aime tant. Oui, il serait heureux qu'on y enterre sa dépouille mortelle. Pour l'heure, il doit encore trouver la force d'achever la dernière mission qu'on lui a confiée : convertir les Frisons de l'est de Zuiderzee. Et, bientôt, baptiser les catéchumènes à qui il a donné rendez-vous.

Tout à coup, un vent de panique souffle sur le campement. Une horde de guerriers surgit au milieu des missionnaires et frappe ceux qui essaient désespérément de protéger l'archevêque. Boniface se précipite pour s'interposer et tenter de protéger les siens, levant sa Bible, faible bouclier, au-dessus de sa tête. C'est ainsi que Boniface, armé de sa foi, mourut martyr, transpercé par le glaive ennemi. Aux abbesses de ses trois couvents de femmes il avait écrit : « *Priez le Dieu miséricordieux pour qu'il me confirme par son Esprit souverain, lui qui a voulu que je fusse appelé, afin que, quand viendra le loup, je ne prenne pas la fuite comme un mercenaire, mais qu'à l'exemple du bon pasteur, je défende les brebis et leurs agneaux.* »

> *Boniface se précipite, levant sa Bible, faible bouclier, au-dessus de sa tête.*

SOURCES : *S. BONIFATII ET LULLI EPISTOLAE*, Berlin, 1966. G. Kurth, *SAINT BONIFACE*, Paris, 1902. C. Dawson, *LA RELIGION ET LA FORMATION DE LA CIVILISATION OCCIDENTALE*, Paris, 1953.

# Bède le Vénérable

## *Ou comment un moine qui ne quitta jamais son monastère transforma la pensée de son temps*

**• 29 FÉV •** Dans la petite cellule du monastère de Jarrow, dans l'actuelle Angleterre, le maître et le scribe poursuivent leur travail. Le vieux moine dicte, inlassablement. Ses dernières forces l'abandonnent mais il ne lâchera pas prise. Il tient absolument à terminer sa traduction de l'Évangile selon saint Jean. Le dernier chapitre est presque achevé. À la neuvième heure du jour, en cette veille de l'Ascension, le 24 mai 735, éreintés, les deux moines s'interrompent. À la demande du maître, le secrétaire pose la plume et va réunir la communauté. Il aide le vieux maître vacillant à rejoindre les frères. Le vieux moine lègue tous ses biens, fort maigres en vérité : quelques poivrons, des serviettes de table et un peu d'encens. Il parle à chacun des frères, les supplie tous d'offrir des messes et de prier pour son âme. Devant la faiblesse du vieux moine tant aimé dont la mort est si proche, les yeux des frères se remplissent de larmes tandis qu'il prononce ses mots d'adieu : « *Il est temps maintenant que je retourne chez Celui qui m'a fait, qui m'a créé, qui m'a façonné de rien. J'ai eu une longue vie et le Juge miséricordieux a bien organisé ma vie. L'heure de ma délivrance approche et mon âme a hâte de contempler le Christ mon Roi dans sa splendeur.* » L'heure de la délivrance approche en effet, et le dernier chapitre n'est pas achevé. Le maître et le scribe reprennent donc leur travail. Quelques heures plus tard, son secrétaire l'avertit qu'il ne lui reste plus qu'une phrase à traduire. Le maître s'en acquitte. « *La tâche est achevée* », constate le secrétaire, en posant la plume tout heureux. Le vieux maître est épuisé. Il contemple un instant son compagnon, il n'a plus la force de parler. « *Tu as dit la vérité*, finit-il par lâcher dans un souffle, *c'est terminé. Prends ma tête dans tes mains, car je veux être face à face avec le lieu saint où j'ai toujours prié, afin que du lieu où je suis, je puisse invoquer mon Père.* » Et c'est ainsi que sur le sol de sa cellule, après avoir chanté le *Gloria Patri et Filio et Spiritu Sancto*, le maître rendit son dernier souffle et « *passa dans le royaume des Cieux* ».

Celui qui vient de rendre son âme à Dieu, dans la quiétude d'une cellule dépouillée, fut certainement l'homme le plus savant de son temps et l'un des auteurs les plus lus au Moyen Âge. Saint

Bède le Vénérable – puisque tel était son nom – était un moine discret et érudit, voué corps et âme à l'étude passionnée des Écritures et de l'histoire. Saint Boniface l'appelait fort justement « *la bougie de l'Église* ». Car si Bède n'est pas parti en mission pour porter la lumière du Christ aux païens – il ne s'est jamais éloigné de plus de soixante kilomètres de son monastère –, il a, par-delà la clôture, rayonné sur son temps – le sombre VIIIᵉ siècle – avec une telle force qu'il est devenu docteur de l'Église, le seul docteur de l'Église anglais.

Bède naquit en 673 près du monastère de Jarrow, où il passa sa vie. Il y fut moine, diacre, puis prêtre. Dans le dernier chapitre de son *Histoire ecclésiastique du peuple anglais*, écrite quatre années avant sa mort et qui lui valut plus tard le surnom de « *père de l'histoire d'Angleterre* », Bède raconte avec une grande humilité l'histoire de sa vocation de « *serviteur du Christ* ». Il n'a que sept ans lorsque ses parents confient le soin de son éducation aux moines de Jarrow. Les grands abbés Benoît Biscop, fondateur du monastère, et Ceolfrid sont ses professeurs. « *J'ai passé toute ma vie*, écrit-il, *dans ce monastère, me donnant entièrement à l'étude des Écritures. En plus de l'observance de la discipline monastique et de la charge quotidienne du chant à l'église, je me suis toujours beaucoup réjoui en apprenant, enseignant ou écrivant.* » Quelle modestie dans ce témoignage ! Pourtant, c'est bien grâce à Bède le Vénérable que le monastère de Jarrow

*J'ai passé toute ma vie à l'étude des Écritures.*

devint le foyer d'études le plus important de l'Occident dans la première moitié du VIIIᵉ siècle. Bède y rédigea en effet près de quarante ouvrages, dont la plupart sont devenus des références, qu'il s'agisse de commentaires exégétiques sur les différents livres de la Bible, d'hagiographies – des vies de saints –, de traités de grammaire ou d'ouvrages scientifiques et historiques.

Toute la vie de Bède le Vénérable a été marquée par l'extrême simplicité de son caractère. Bède prétendait par exemple avoir pris « *de brèves notes sur les Écritures, tirées des travaux des vénérables Pères de l'Église, ou en conformité avec leur sens et interprétation* ». Ces « *brèves notes* » furent en réalité des commentaires majeurs de longs passages de l'Ancien et du Nouveau Testament, comprenant sept livres sur *Le Cantique des cantiques*, six sur l'*Évangile de Luc*, deux sur les *Actes des Apôtres*, et trois sur l'*Apocalypse*. Ce legs exégétique fut d'ailleurs reçu et utilisé avec reconnaissance par les théologiens du Moyen Âge, notamment saint Thomas d'Aquin. Et dès le IXᵉ siècle, la qualité du travail de Bède sur les livres sacrés lui valut l'épithète de « Vénérable ». L'Église entendait ainsi manifester le respect qu'elle vouait à l'exigence intellectuelle, à la rigueur et au discernement qui concouraient à la très grande fiabilité de ses ouvrages.

Bède a toujours cherché à comprendre les mystères de la création divine – ceux qui résident dans les paroles des hommes, dans leurs actions, et dans la nature même des choses. En ce sens, Bède est profondément catholique : il allie la portée universelle du raisonnement à l'adhésion totale de la foi. À l'inverse de tous les gnostiques et manichéens, qui méprisent l'espace et le temps, la foi de Bède dans la Parole faite chair augmente son intérêt naturel pour les questions historiques. L'histoire a un sens. Elle doit se lire avant et après l'Incarnation. C'est pourquoi, dans son *Histoire ecclésiastique de peuple anglais* – première histoire du peuple anglais –, il date chaque événement à partir de « *la date de l'Incarnation* ». Cet ouvrage sera le plus célèbre de ses travaux. Il manifeste un souci d'objectivité peu commun pour l'époque : à l'instar des meilleurs travaux universitaires ultérieurs, Bède cite et distingue ses sources. Au IX^e siècle, Alfred le Grand traduit l'ouvrage en anglo-saxon pour fortifier la culture chrétienne de son royaume, et, au XVI^e siècle, l'apologiste catholique Thomas Stapleton s'en servira pour défendre la foi catholique contre les attaques des réformateurs protestants.

Les ouvrages scientifiques de Bède sont tout aussi remarquables. En s'appuyant comme toujours sur les maîtres du passé – Pline l'Ancien et saint Isidore de Séville dans ce cas précis –, dans son traité *De natura rerum*, il s'applique à décrire le monde et ses éléments, le firmament et les étoiles, la course et la magnitude du soleil, la nature et la position de la lune, les vents et les comètes, le tonnerre et les éclairs. La foi en Dieu, le créateur du ciel et de la terre, est le moteur de son raisonnement.

> *La foi en Dieu est le moteur de son raisonnement.*

Mais Bède ne fut pas seulement un remarquable exégète, un excellent grammairien et un scientifique plus qu'honorable. La clôture ne le rendit pas sourd aux attentes de son Église et aux besoins de ses contemporains. Si Bède ne quitta pas son monastère, il participa néanmoins à la réforme de l'Église d'Angleterre. Lorsque Egbert, fils du roi de Northumbrie, devint archevêque d'York, Bède lui envoya une lettre afin de l'informer du besoin urgent de réformer son archevêché. Les diocèses trop vastes pour que l'évêque les visite, le nombre insuffisant des paroisses, les prêtres qui ignorent le latin et ne prêchent plus, les aristocrates qui occupent des monastères sans avoir la vocation, les évêques indignes... Bède énumère tout ce qui est si néfaste au peuple chrétien. Lui-même participe à la réforme en donnant aux prêtres qui ignoraient le latin la traduction en langue anglaise du *Credo* et du *Pater*.

Bède le Vénérable fut aussi l'un des nombreux moines bénédictins qui refusèrent de suivre la méthode d'éducation antique, extrêmement sévère : on considérait alors que pour brider les instincts mauvais des enfants la plus grande sévérité était de mise. Bède, lui, regarde les enfants avec la tendresse d'un père et, commentant le proverbe de Salomon

– « *La folie est attachée au cœur de l'enfant* » –, il explique que le terme « enfant » ne signifie pas « jeune enfant » mais n'importe quel « esprit jeune » car, dit-il, « *nous connaissons de nombreux enfants adonnés à la sagesse* ». C'est en observant avec bienveillance les petits enfants confiés au monastère que Bède définit quatre qualités essentielles de l'enfant : « *Il ne persévère pas dans la colère, il n'est pas rancunier, il dit ce qu'il pense, il ne se délecte pas de la beauté des femmes.* » La définition de ces qualités peut faire sourire, certes, mais elle montre qu'une nouvelle conception éducative se faisait jour dans les monastères. Dans de nombreux monastères, on commence alors à regarder le petit enfant non comme un être à demi sauvage, soumis à de mauvais instincts qu'il faut corriger, mais comme un être fragile, qu'il faut entourer de soins et dont il importe surtout de respecter la personnalité naissante.

> *Il ne se délecte pas de la beauté des femmes.*

Quelle œuvre magistrale que celle de cet homme qui ne quitta pour ainsi dire jamais le village où il était né ! Que de changements dans le monde de la pensée apportés par ce moine au cœur modeste, qui mourut sans honneur sur le sol d'une cellule monastique ! Bède aurait probablement souri devant tant d'éloges et les aurait remises à son Créateur, tant la perception de la profonde unité du mystère de Dieu et de sa création marquait sa vision du monde.

SOURCES : Bède le Vénérable, *OPERA HISTORICA*. H.-E. Loyn, « Bede », in *THEOLOGISCHE REALENZYKLOPÄDIE*, t. V, Berlin-New-York, 1980. J. Campbell, *THE ANGLO-SAXONS*, Oxford, 1982.

DÉCEMBRE

JANVIER

FÉVRIER

## MARS

AVRIL

MAI

JUIN

JUILLET

AOÛT

SEPTEMBRE

OCTOBRE

NOVEMBRE

DÉCEMBRE

# EMPEREURS ET MOINES
## DE CHARLEMAGNE À SAINT BERNARD

*Seigneur, mon rocher, c'est toi que j'appelle :*

*ne reste pas sans me répondre.*

*Béni soit le Seigneur*

*qui entend la voix de ma prière.*

*Le Seigneur est ma force et mon rempart,*

*à lui mon cœur fait confiance :*

*Il m'a guéri, ma chair a refleuri,*

*mes chants lui rendent grâce.*

*Le Seigneur est la force de son peuple,*

*le refuge et le salut de son messie.*

*Sauve ton peuple, bénis ton héritage,*

*veille sur lui, porte-le toujours.*

Psaume 27

# LE SACRE DE PÉPIN LE BREF

## UNE COURONNE POUR LE ROI,
## DES ÉTATS POUR LE PAPE

**• 2 MAR •**

LES BOURRASQUES DE VENT, LA PLUIE, LES RIVIÈRES EN CRUE que franchissent des ponts incertains n'arrêtent pas le convoi qui, en ce jour de novembre 753, traverse le val d'Aoste couvert de neige et de glace. Les voyageurs avancent tant bien que mal, tantôt montés sur des mules ou des mulets au pied réputé sûr, tantôt soulevés au moyen de sièges munis de brancards, parfois à dos d'hommes. Entouré de gardes armés, suivi d'une troupe de serviteurs, d'une file de chariots cahotants alourdis par une multitude de coffres, le pape Étienne II affronte avec courage les intempéries. Le but de son voyage : le monastère Saint-Maurice d'Agaune, où l'attend Pépin dit « le Bref », roi des Francs.

Mais lorsque le Pape arrive, harassé, au monastère, une vive déception l'attend : Pépin n'est pas au rendez-vous ! Seuls l'abbé Fulrad de Saint-Denis et le duc Rothard sont là pour l'accueillir au nom du roi. Étienne II n'a pourtant pas enduré cette épuisante traversée de l'Italie et des Alpes pour abandonner si près du but ! Menacé par les Lombards, il lui faut obtenir l'aide du puissant roi des Francs. Deux ans auparavant, en 751, le nouveau roi des Lombards Aistulf a pris Ravenne, la capitale de l'Exarchat byzantin. Et maintenant, c'est Rome qu'il convoite pour réaliser l'unité de l'Italie à son profit ! Le protecteur naturel de la papauté, l'empereur de Byzance, Constantin V, est loin dans son palais de Constantinople et cerné par d'autres difficultés bien plus pressantes. Que va devenir la quasi-indépendance qu'ont obtenue les papes à Rome et dans le Latium, face au roi lombard plus présent et plus proche que l'empereur de Constantinople ? Que vont devenir le vaste patrimoine foncier italien – les « Terres de saint Pierre » – et le « duché » byzantin de Rome que la papauté contrôle ?

Comme son prédécesseur Zacharie – mort l'année précédente sans avoir pu écarter la menace qui pesait sur ses terres –, le pape Étienne II a besoin de l'aide armée du puissant Pépin. Et maintenant on le fait attendre !

Les délégués du roi, Fulrad et le duc Rothard se montrent toutefois très respectueux et pleins d'attentions envers Étienne II, qu'ils conduisent sous bonne escorte à Ponthion, lieu de la résidence royale, non loin de Reims, où ils parviennent le 6 janvier *754*. Pépin a pris le soin d'envoyer son propre fils Charles – le futur Charlemagne – à la rencontre du Pape. Et voilà que lui-même, averti de l'arrivée du cortège, se précipite aux pieds du Saint-Père et se prosterne longuement ! Aussitôt, tous ceux qui l'accompagnent font de même. Puis, après avoir reçu la bénédiction du pontife, Pépin se relève et marche comme un simple écuyer aux côtés du Pape, tenant le cheval d'Étienne II par la bride.

*Pépin se précipite aux pieds du Saint-Père.*

Pépin invite Étienne II à se rendre à l'abbaye de Saint-Denis pour se reposer de son long voyage et y passer l'hiver. Pépin, lui aussi, a besoin du soutien du Pape. En dépit du sacre de *751*, l'autorité royale de celui qui a écarté le dernier descendant mérovingien, Childéric III, est contestée. Certains prétendent – comme Boniface – que le sacre n'est pas valide puisque l'ordination des évêques qui ont sacré le roi était elle-même invalide. Un nouveau sacre, cette fois conféré par le Pape, confirmerait ce que la force des armes ne suffit plus à imposer.

Hélas ! Lorsque le Pape arrive à l'abbaye de Saint-Denis, il tombe gravement malade. On le croit même perdu. Il gît sous les voûtes humides dans une cellule glacée qu'un brasero réchauffe à peine. À la lumière des chandelles sans cesse renouvelées, les moines se relaient auprès de lui, et, agenouillés, récitent leurs oraisons à voix basse. Le roi Pépin vient lui-même rendre visite au Saint-Père puis envoie à son chevet les meilleurs de ses médecins. On prépare force bouillons et tisanes... Enfin, le printemps revient et le Pape recouvre la santé... miracle que les moines attribuent à l'intervention des saints protecteurs de l'abbaye, dont saint Denis lui-même.

Pépin et le Pape sont dès lors dans les meilleures dispositions pour négocier. Le Pape commence par célébrer la fête de Pâques, qui, en cette année *754*, tombait le 14 avril, à Quierzy-sur-Oise devant Pépin, toute sa famille, les dignitaires du royaume et le clergé. Puis vient le temps des négociations. Le Pape demande clairement à Pépin de le délivrer des pressions du roi lombard, de lui faire restituer l'Exarchat de Ravenne et une grande partie de l'Italie, s'appuyant sur une « Donation » qu'aurait faite dans le passé l'empereur de Constantinople, Constantin, au pape Sylvestre I$^{er}$. Très habilement, Pépin fait valoir au Pape que les Francs seraient plus forts pour agir s'ils étaient débarrassés de certains troubles intérieurs... Il suffirait, pour cela, que soit réglée cette histoire de sacre qui perturbe le royaume. Qu'à cela ne tienne ! Étienne II sacre une nouvelle fois Pépin, le 28 juillet *754*, dans la basilique Saint-Denis, avec la plus grande solennité. Il oint des huiles saintes le roi et ses deux fils, Charles et Carloman, ainsi que la reine Bertrade, dite Berthe aux grands pieds. Et le Saint-Père fait « *défense à tous, sous peine d'interdit et d'excommunication, de choisir un roi issu d'un autre sang que celui de ces princes que la divine piété avait exaltés* ».

Quelle victoire pour Pépin ! Les grands dignitaires et les fidèles assemblés se réjouissent du sacre et, à l'issue de la cérémonie, font grande fête au Pape et à sa suite. Les oriflammes claquent dans le vent. Les acclamations répondent aux sonneries des trompettes, au martèlement des tambours. Le peuple tout entier est en liesse.

Il reste à Pépin le devoir de répondre à la demande du Pape. Le roi fait alors, en présence des évêques et de la cour assemblés à Quierzy-sur-Oise, la promesse solennelle de délivrer les territoires indûment occupés par les Lombards et de les restituer au Pape, au seul bénéfice pour les Francs d'être soutenus par les prières de l'Église.

D'abord désireux de ménager ses troupes, Pépin envoie une ambassade auprès du roi des Lombards dans l'espoir de régler pacifiquement le conflit. Sans succès. Il faut prendre les armes ! Au printemps 755, la puissante armée franque se met en mouvement, franchit les Alpes au col du Mont-Cenis, bouscule les avant-gardes lombardes et pousse jusqu'à la capitale ennemie, Pavie. Et l'incroyable se produit ! Le féroce Aistulf se contente d'une molle résistance et signe un traité de paix ! Heureux de terminer si rapidement cette opération, Pépin regagne son royaume sans méfiance. Mais, à peine rentré à Rome, le Pape ne tarde pas à prévenir Pépin de la tragique fourberie du roi Lombard : non seulement Aistulf se refuse à toute restitution de terres, mais

*Il faut prendre les armes !*

voici qu'il attaque Rome à nouveau, en ce début de l'année 756, bien décidé à s'emparer de la Ville sainte ! Pour être fidèle à sa promesse, Pépin doit se résoudre à prendre, pour la seconde fois, le chemin de l'Italie au cours des premiers mois de l'année 756. Le roi des Francs est encore victorieux. Mais cette fois, il n'est pas question d'être dupé ! Le roi lombard devra payer une lourde indemnité de guerre, donner des otages et ajouter le port de Comacchio à la liste des territoires à libérer.

Mais voici que des envoyés de l'empereur de Constantinople parviennent auprès de Pépin et exigent de lui qu'il rende certains des territoires reconquis que l'empereur byzantin considère comme siens. Pépin les éconduit en leur répondant qu'il ne peut enlever ce qui a été donné à Saint-Pierre lui-même. Selon le *Liber Pontificalis*, il aurait alors dressé un acte portant « *donation perpétuelle à Saint-Pierre, à la Sainte Église Romaine et à tous les pontifes qui viendraient à occuper le Siège apostolique, de toutes les villes et territoires que le roi lombard s'était engagé à rendre* ». Cet acte aurait été conservé pendant longtemps dans les archives de l'Église romaine.

Un représentant personnel du roi des Francs, l'abbé de Saint-Denis, Fulrad, est chargé de veiller sur place à l'exécution du traité. Il prend possession de près de vingt-deux villes de l'Exarchat (Ravenne) et de la Pentapole (Cesena, Rimini...), d'Ombrie (Gubbio) et de Sabine (Narni). Il va ensuite déposer sur le tombeau du prince des Apôtres les clés des villes livrées et le fameux acte de donation.

Pépin peut enfin rentrer en Francie l'esprit au repos. La mort d'Aistulf, survenue en décembre 756, va d'ailleurs permettre au Pape d'augmenter encore ses possessions. En soutenant le prétendant au trône lombard, Didier, contre l'un de ses compétiteurs, Étienne II arrache quelques nouvelles concessions aussi importantes que la ville de Bologne en Émilie et celle d'Ancône au sud-est de la Pentapole. Le patrimoine de Saint-Pierre achève ainsi de prendre sa configuration avec le duché de Rome, l'Exarchat et la Romagne au nord-est de l'Italie. L'ancienne voie romaine allant de Rome à Ravenne sera le trait d'union essentiel de cet ensemble.

> *Telle fut la naissance des États pontificaux.*

Telle fut la naissance des États pontificaux. Cette incontestable avancée dans l'histoire de l'Église n'allait pas sans poser de problèmes. Comment d'abord allait réagir Byzance, propriétaire en droit de ces régions italiennes ? Pour se justifier, les papes durent à maintes reprises s'appuyer sur la Donation – réelle ou prétendue telle – faite dans les temps anciens à Sylvestre I<sup>er</sup> par l'empereur Constantin et que le pape Étienne II avait déjà évoquée devant Pépin. Quelles relations la papauté allait-elle entretenir avec son nouveau « protecteur », le roi franc ? Ce dernier n'allait-il pas être tenté d'intervenir directement dans les affaires de l'Église romaine ? Plus généralement, la papauté devenue puissance politique ne risquait-elle pas de s'engluer dans les affaires « du siècle », au détriment de ses préoccupations religieuses ?

Mais, en dépit de tous ces problèmes, l'Église put, grâce à la création des « États pontificaux », bénéficier de l'indépendance matérielle nécessaire à son développement. Et elle fut ainsi en mesure d'exercer son autorité envers les princes, les plus belliqueux de ses fidèles.

SOURCES : *CODEX CAROLINUS*, MGH Epistolae I. *CONTINUATEUR DE FRÉDÉGAIRE*, pars 4, Patrologie latine 71. *VITA STEPHANI, LIBER PONTIFICALIS*, t. I. L. Duchesne, *LES PREMIERS TEMPS DE L'ÉTAT PONTIFICAL*, Paris, 1911. L. Sallet, « La lecture d'un texte et la critique contemporaine. Les prétendues promesses de Quierzy (754) et de Rome (774) dans le *Liber pontificalis* », in *BULLETIN DE LITTÉRATURE ECCLÉSIASTIQUE*, 1941. G. Arnaldi, *LE ORIGINE DELLO STRATO DELLA CHIESA*, Turin, 1987.

# LES MOINES MÉDECINS

## QUAND LE SOIN DES ÂMES
## S'ACCOMPAGNE DU SOIN DES CORPS

•  **3**
**MAR** •

DANS LA MAISONNÉE, LES GÉMISSEMENTS DU CHEF DE FAMILLE NE S'APAISENT TOUJOURS PAS. Voici des heures que la fièvre le maintient dans cet état délirant, entrecoupé de halètements. Mais la petite foule des voisins, elle, se tait brusquement. Et s'écarte, le frère Paul entre.

Le moine examine l'assemblée qu'il traverse, puis, plus longuement, la famille du malade et s'approche de la couche où l'homme gémit. Qu'attendent-ils de lui, tous ceux-là ? Une simple tisane ? Un exorcisme ? Le moine le sait : les forêts impénétrables de l'Europe centrale, en ce VIIIᵉ siècle, sont encore peuplées d'elfes, de trolls, de démons, d'êtres monstrueux... Il sait bien que son art rencontre souvent la croyance immédiate dans le surnaturel. Combien de fois a-t-il dû chasser les démons dans les villages ? Faudra-t-il cette fois encore transporter le malade dans l'église, lui chuchoter à l'oreille des passages de l'Évangile, pour que, s'il existe, l'esprit mauvais se manifeste en saisissant le malheureux d'une violente agitation ?

Non. La sage-femme du village qui, au chevet du fiévreux, veille à contenir les discussions et les allées et venues trop nombreuses, s'est levée. Elle attendait, elle aussi, l'arrivée du moine médecin. Elle l'emmène dans un coin de la maison, évoque les décoctions, l'eau qui bout. Elle qui assiste les villageois, de la naissance à la maladie, des accidents à la mort, jouit d'une place à part. C'est sans doute la raison pour laquelle, sans réticence, le moine partage le travail avec elle. Quelques villageoises, qui ont des réminiscences de l'ancienne médecine populaire germanique, mettent aussi la main à la pâte. Comment le moine pourrait-il d'ailleurs le leur reprocher, quand son savoir n'est guère plus étoffé ? Amalgame de recettes antiques et germaines, sa médecine se nourrit d'abord d'une expérience séculaire, transmise de génération en génération par voie orale. C'est bien peu, et ce n'est guère scientifique. Mais au moins sait-on pouvoir compter sur lui, et sur ses frères qui ont formé leur petite communauté ici, dans l'une de ces clairières que les hommes disputent aux forêts tentaculaires du nord du continent européen.

Car, dans l'Occident ravagé par trois siècles de destructions barbares, seuls les moines soignent encore. La médecine des laïcs a succombé à la mise à sac de la civilisation latine. Dans les villages aux portes desquels les petites communautés ont bâti, avec des outils de fortune, leur couvent, et, en son sein, le dispensaire, il ne reste que Paul et ses frères, fidèles à la règle de saint Benoît.

Va-t-on transporter cet homme à l'infirmerie où moines et laïcs sont soignés ensemble ? L'état du malade semble le justifier, et le permettre... À défaut de réelles compétences scientifiques, il y trouvera une véritable attention. Depuis plus de deux siècles, l'intuition principale des moines qui, comme lui, s'occupent de soulager les corps, a été d'inscrire la médecine dans l'ordre de la *caritas*, de la charité. Et frère Paul, comme ses confrères partout dans l'Europe du Nord, pratique cette charité selon laquelle, comme le dira saint Bernard, « *la mesure de l'amour est d'aimer sans mesure* ».

La décision est prise : le fiévreux doit et peut aller au dispensaire. Pendant que les hommes du voisinage organisent son transport, frère Paul s'approche d'une marmite où bouillonne une décoction de racines et d'herbes cueillies dans la forêt. Il sourit en reconnaissant quelques-unes de celles qu'il fait pousser, au sein d'un carré réservé du jardin conventuel ; quelques-unes de celles dont il étudie les vertus curatives, sédatives ou maléfiques. Sans le savoir, et indépendamment des traditions hippocratiques ou galéniques, lui et les moines médecins, partout en Europe, jettent par ce biais les bases de la phytothérapie.

> *L'intuition des moines a été d'inscrire la médecine dans l'ordre de la charité.*

Parmi tous ces anonymes, l'histoire a retenu l'auteur du célèbre *Hortulus* (Le Jardinet), de Walafrid Strabon (vers 809-849), abbé de Reichenau, sur le lac de Constance, qui chante les plantes médicinales de son jardin en quatre cent quarante-quatre hexamètres. Trois siècles plus tard, Hildegarde de Bingen procédera de même. Pour l'heure, Frère Paul pare au plus pressé. Le travail qu'achève en ce siècle un frère moine anglais Bède le Vénérable (673-735), qui rédige la somme scientifique la plus originale de son temps, le *De natura rerum*, ne parviendra pas jusqu'à lui. Il ne peut guère imaginer que, malgré leurs limites, les moines médecins et lui-même, par leur travail, leurs découvertes obscures, permettront un jour l'apparition de la médecine occidentale scolastique.

Mais si le moine n'a pas ces intuitions, la vue des plantes fait naître en lui une pensée que les angoisses de son art avait dissipée, depuis son entrée dans la chaumière. Le passage de frère Ruffin au couvent du village, sa conversation de la veille, ce que lui a rapporté le bénédictin, lui reviennent à l'esprit, comme autant de raisons d'espérer.

Certes, l'Europe des moines médecins et des couvents ne connaît plus que des bribes du savoir antique. Elle ignore tout des traités d'Hippocrate, de Galien, de Celse ou d'Oribase. Certes, l'Occident est plongé depuis plus de trois siècles dans une véritable nuit intellectuelle. Dans toute l'histoire, on ne trouve nulle part trace d'une régression scientifique plus importante qu'à cette époque. Mais Ruffin le voyageur a confirmé au frère Paul que, partout, sous l'influence bienveillante des abbés, les rencontres s'organisent entre les thérapeutes de village et les copistes des monastères les plus réputés. Ruffin le lettré a évoqué ces moines, qui, à l'abri des murs des monastères, recopient les grands classiques de la médecine, les œuvres d'Hippocrate, de Galien. Partout, avec les moyens du bord, ils soignent et expérimentent de nouveaux remèdes. De ce formidable élan naissent déjà les premières sommes médicales... composées par les moines ! Bien sûr, elles n'atteignent pas encore le niveau des grandes synthèses antiques, comme les corpus hippocratique et galénique. Mais un dynamisme est né.

> *Partout les moines,*
> *avec les moyens du bord,*
> *soignent.*

Ruffin et Paul le savent : l'insécurité des voyages entrave la liberté de circulation dans cette Europe couverte de monastères, mais cette force de diffusion des connaissances et des progrès finira bien, à terme, par bouleverser la vie des dispensaires sur tout le continent, jusqu'à celui de cette clairière. Perdu dans son rêve, le thérapeute obscur s'imagine alors, colportant d'un village à l'autre, à travers les forêts, les potions et les recettes, mais aussi les savoirs venus de l'Antiquité.

Comment pourrait-il penser, frère Paul, que ce destin rêvé, un homme l'incarnera au tournant du millénaire ? Constantin l'Africain – vers 1020-1087 –, médecin ambulant, marchand de drogues, lecteur insatiable, grand connaisseur de l'Orient. Il passera les dix dernières années de sa vie comme moine au Mont-Cassin, où il traduira un grand nombre de textes médicaux arabes fondamentaux, dont la somme de Ali Ibn al-Abbas. Pour ce faire, il créera le vocabulaire médical latin. Et la médecine des moines, nourrie du savoir oriental, pourra dès lors accoucher de sa plus grande réussite scientifique, la création, à la fin du XIe siècle, des premières universités, qui seront aussi des facultés de Médecine. Que l'on songe à celle de Montpellier !

Pour l'heure, dans la clairière, l'homme geint, porté par deux villageois. On approche du dispensaire. Frère Paul suit le petit groupe. Et si Ruffin le voyageur avait raison... Et si, sans qu'ils le sachent, leur tâche obscure préparait de grands bouleversements...

SOURCES : J. Dubois, *LES ORDRES MONASTIQUES*, Paris, 1985. J. Berlioz, *MOINES ET RELIGIEUX AU MOYEN ÂGE*, Paris, 1994. M. Pacaut, *LES ORDRES MONASTIQUES ET RELIGIEUX AU MOYEN ÂGE*, Paris, 1993. L. Moulin, *LA VIE QUOTIDIENNE DES RELIGIEUX AU MOYEN ÂGE : Xe-XVe SIÈCLE*, Paris, 1987.

# LE DEUXIÈME CONCILE
# DE NICÉE

*RENDRE À L'IMAGE CE QUI EST À L'IMAGE*

*ET À DIEU CE QUI EST À DIEU*

**• 4**
**MAR •**

« NOUS AVONS GAGNÉ ! NOUS AVONS GAGNÉ ! » DE L'INDESCRIPTIBLE VACARME JAILLISSENT ces cris de victoire, lancés non pas tant par les soldats de la garde impériale, qui viennent d'envahir l'église, que par certains des évêques qui y sont rassemblés. Sans doute la chaleur de ce mois d'août 786 peut-elle échauffer les esprits ; mais c'est bien un coup monté qui, à cet instant, transforme en opération armée ce qui devait être un débat – virulent, certes – de docteurs et de clercs. Ni la présence de l'empereur Constantin VI et de l'impératrice Irène, ni celle des légats du pape Hadrien ne parviennent à calmer le jeu. Fidèles au souvenir du grand iconoclaste qu'a été l'empereur Constantin V, armés de gourdins et de couteaux, les gardes dispersent les participants et imposent, par la force, le rejet du culte des images. Les iconoclastes peuvent bien crier victoire : la confusion rend vain tout débat et la procédure conciliaire est caduque. Par cette action, les patients efforts de compromis voulus par l'impératrice s'écroulent et, au-delà de l'affront, le couple impérial connaît un échec cuisant, politique autant que spirituel.

Il faut pourtant bien sortir de la querelle ; mais les puissants et les sages eux-mêmes semblent ne plus pouvoir trancher, décider, dire le vrai, entre ces fidèles fervents agenouillés au pied des icônes et ceux qui, dans la fougue purificatrice de leur zèle, détruisent tout ce qui, de près ou de loin, ressemble à la représentation de Dieu, de ses anges ou de ses saints.

Aujourd'hui encore, un an après le scandaleux coup de force qui a fait trembler les murs de l'église des Saints-Apôtres – le sanctuaire que les empereurs de Byzance ont choisi pour abriter leur sépulture ! –, le choix demeure difficile. Impossible, presque, tant la doctrine semble floue, voilée sous une multitude d'usages et de pratiques contradictoires. Quelle position tenir, défendre ou même imposer ? Que faire, devant tant de manifestations reconnues par beaucoup comme miraculeuses et divines ? Devant tant de prières exaucées, de guérisons, de victoires obtenues ? Qui peut nier les nombreux témoignages venus, depuis plus de deux siècles, soutenir la thèse des « adorateurs d'images », les iconodoules ? Idolâtrie coupable, ou juste et sainte vénération ? Pour Euthyme de Sardes, qui participe au nouveau concile réuni en cette lumineuse fin de septembre 787, concile dont les sessions se succèdent à un rythme soutenu, le débat n'est pas moins confus que les querelles renouvelées dont l'écho résonne encore en lui...

Pourtant, ce n'est pas tant la violence des querelles qui revient à l'esprit du pieux évêque, que la succession déjà longue des faits qui, pour lui, prennent valeur de témoignages. Non, décidément, il ne peut être insensible à la vigueur de cette dévotion qui pousse certains fidèles, depuis déjà deux siècles, à pratiquer devant les saintes images la proskynèse, le salut du corps incliné jusqu'au sol habituellement réservé à l'empereur. Il n'ignore pas non plus l'apparition, à cette même époque, des images acheiropoïètes, ces images « non faites de main d'homme » que certains n'hésitent pas à attribuer à Dieu lui-même. Ainsi a-t-il entendu parler du Mandylion d'Édesse, l'une des plus fameuses images du Christ imprimée sur un linge qui aurait, dit-on, sauvé la ville d'un assaut perse, en 544. Était-ce en raison de ce précédent que, lors du premier siège de Constantinople par les Avars et les Perses, en 626, le patriarche avait fait peindre des icônes de la Vierge – protectrice attitrée de la capitale byzantine – et du Christ sur les portes de la ville ? En 717, dans Constantinople assiégée par les Arabes, on n'avait pas hésité à promener l'image de la Vierge et la relique de la vraie Croix ?

Oui, vraiment, il se sent proche de ces simples gens du peuple qui ne doutent pas des pouvoirs effectifs de l'image sainte. Pour eux, elle est capable de guérir – et parfois, compassion merveilleuse, de pleurer. Certes, il se refuse à les suivre quand ils choisissent l'une d'entre elles comme marraine de leur enfant... C'est bien dans de telles dérives que s'enracinent les excès, et c'est bien le rôle de l'Église de les dénoncer avant qu'ils ne se confondent avec le culte des idoles si clairement condamné dans l'Ancien Testament. Sans aucun doute, la vérité et la sagesse résident dans le compromis, et la voie choisie par l'impératrice est la bonne. Elle est beaucoup plus nuancée que celle des grands empereurs militaires, Léon III et son fils Constantin V, qui n'avaient fait qu'exacerber les positions en croyant résoudre la crise par la contrainte. Lorsqu'ils s'étaient interrogés sur les raisons pour lesquelles l'Empire chrétien des Romains, nouveau peuple élu, avait subi de tels échecs face à l'Islam, ils avaient conclu que Dieu punissait ses fidèles, coupables d'idolâtrie. En conséquence, Constantin V avait, en 754, réuni un concile à Hiéreia, où l'Église, unanime, avait interdit le culte des images, condamnant entre autres le si savant Jean Damascène, défenseur le plus fameux de ce culte, mort peu de temps auparavant à Jérusalem ! Rien n'était pourtant résolu : Constantin V dut faire face à une opposition politique et religieuse qu'il ne surmonta, par malheur, que par des violences. Triste temps où l'un de ses généraux fit

> *Le patriarche avait fait peindre des icônes de la Vierge et du Christ sur les portes de la ville.*

transformer des monastères en casernes et contraignit des moines au mariage, sous peine d'être aveuglés...

Oui, décidément, pense Euthyme, trop de violences et d'exactions s'étaient substituées à la réflexion indispensable sur un tel sujet ; et il avait fallu que la politique s'en mêle... Pourtant, le veuvage de l'impératrice, en l'émancipant de la tutelle de son beau-père Constantin V, lui permit d'envisager un compromis. Gouvernant l'empire au nom de son fils Constantin VI à partir de 780, elle n'avait plus qu'à contrôler l'influence – grande, il est vrai, en temps de régence – des patriarches. Grâce à Dieu, l'iconoclaste Paul, saisi par le doute sur le bien-fondé de ses choix et inquiet de l'isolement de Constantinople vis-à-vis de Rome, avait choisi de se retirer, espérant un concile pour résoudre le conflit. Et c'est sans nul doute fort bien inspirée que la régente lui choisit pour successeur Taraise, laïc de bonne famille, chancelier du palais. Que d'étonnements, quand on vit ce dernier franchir rapidement tous les échelons ecclésiastiques pour être couronné patriarche le jour de Noël 784 ! Avec raison, Irène avait discerné en lui l'homme capable de contrôler une Église en proie à des oppositions radicales. De fait, il parvint à concilier le retour à un culte bien défini des images, dont il rejeta les excès antérieurs, tout en réduisant le rôle des moines iconodoules. Il sut en même temps trouver un accord avec la hiérarchie séculière, largement établie par Constantin V, et donc attachée à l'icono-

> *Triste temps où l'un de ses généraux fit transformer des monastères en casernes.*

clasme. Pourquoi fallait-il que tout cela ait été détruit dans le funeste coup de force de l'année précédente ?

Aujourd'hui, parmi ses pères, Euthyme s'en remet à la prière. Il va bientôt falloir conclure, et il a confiance en la paix qui règne dans les murs de Nicée ; ceux-là même qui, en 325, avaient abrité le premier concile œcuménique, celui où s'était forgée l'alliance de l'Empire et de l'Église et où avait été confirmée l'unité de celle-ci. Quel symbole aujourd'hui ! Irène y est-elle sensible ? Décidant un nouveau concile pour ne pas rester sur l'échec qui avait bafoué l'autorité impériale, elle n'a rien laissé au hasard. Les soldats rebelles sont au loin, alors que des contingents fidèles sont cantonnés dans la capitale. Reste que les évêques iconoclastes sont encore nombreux...

Après quelques sessions, Euthyme ne doute pas que les habiles mesures inspirées par l'impératrice ne servent la sagesse des décisions finales. Des négociations préalables ont garanti aux prélats compromis dans les luttes passées le maintien à leur poste ; bouleversant la tradition, de nombreux moines iconodoules, venus en majorité des grands monastères de Constantinople ou de Bithynie, ont été invités ; enfin, pour assurer au concile son caractère œcuménique, des envoyés du Pape sont présents, ainsi que deux clercs palestiniens censés représenter les sièges orientaux sous domination musulmane. Mais quelle tension, dès la première session du concile ! On y lit la déclaration préliminaire impériale, qui ouvre les débats et invite à la liberté de parole et à l'union de l'Église. Neuf évêques, choisis d'avance, reconnaissent leurs erreurs antérieures et sont réconciliés avec l'Église. Lors de la deuxième session, la lettre du Pape, qui rappelle la doctrine pontificale inspirée de Grégoire le Grand, est lue et approuvée par un vote. Lors de la troisième session, et au soulagement visible de beaucoup, le dernier récalcitrant, Grégoire de Néo-Césarée, qui a participé à Hiéreia, cède, et le patriarche put constater l'unité retrouvée de l'Église.

> Le patriarche put constater l'unité retrouvée de l'Église.

Les quatre sessions suivantes sont consacrées à la définition de la doctrine en matière d'images. Pour mieux s'opposer à l'*horos* de Hiéreia (texte final d'un concile qui en résume les éléments de doctrine), les pères reprennent la même méthode : ils tentent de placer Nicée II dans une tradition scripturaire et patristique, qu'ils complètent par des exemples tirés des si savoureuses *Vies de saints* et des récits de miracles d'icônes. Ils s'efforcent, à l'inverse, de prouver que l'*horos* de Hiéreia a été inspiré par les juifs, les musulmans et les païens. C'est alors que, délivré de ses doutes, Euthyme de Sardes propose un décret dogmatique où il exprime sa foi en l'intercession de la Vierge, des saints et des reliques : « *En outre, nous baisons le signe de la sainte et vivifiante croix et les reliques des saints, les saintes et vénérables icônes aussi nous les acceptons, les baisons et les embrassons conformément à la tradi*tion *de la sainte et universelle Église de Dieu.* »

À la septième séance, l'*horos* de Nicée est lu, les hérétiques anathématisés et les iconodoules les plus notoires, le patriarche Germain, Grégoire de Chypre et Jean Damascène, acclamés. On insiste sur la légitimité d'une représentation du Christ depuis son incarnation, puisqu'Il a été vu autant qu'entendu. On revient à Constantinople, sous les pourpres et les ors du palais de la Magnaure, pour la dernière session, le 23 octobre ; on y lit à nouveau l'*horos*, que l'impératrice Irène signe, et les empereurs sont acclamés, conformément à la tradition. Le concile, où Euthyme a été l'un des évêques parmi les plus actifs, est achevé, et l'unité et la paix de l'Église sont rétablies.

La querelle des images est-elle vraiment terminée ? Le pape Hadrien, favorable à un culte modéré des images, tarde à accepter Nicée II, car l'Église franque, sous l'impulsion des Carolingiens, s'y oppose. Et il faut beaucoup de temps pour que, en Occident, on parlât de ce concile comme du VIIe concile œcuménique. Quant à Byzance, des empereurs iconodoules y connaissent un règne malheureux : Irène est renversée, Nicéphore Ier puis son gendre tombent face aux Bulgares, et tous ces désastres sont interprétés comme un désaveu divin, permettant aux iconoclastes de relever la tête. Mais de ce deuxième iconoclasme sort une véritable doctrine de l'image, formulée par le patriarche Nicéphore et par Théodore Stoudite : on vénère dans l'image non l'objet, mais son prototype ; une image doit avoir une relation avec ce prototype ; on inscrit donc désormais sur l'image le nom du Christ, de la Vierge ou du saint représenté, mais l'image et son prototype ne sont pas de la même substance, contrairement à ce qu'affirmaient les iconodoules extrêmistes au terme d'un raisonnement subtil.

Sur ces bases et sans qu'il soit besoin de réunir un concile, le 11 mars 843, le patriarche Méthode rétablissait définitivement le culte des images.

SOURCES : P. Camelot, P. Maraval, *LES CONCILES ŒCUMÉNIQUES*, t. I, Paris, 1988. F.-D. Boespflug *et alii*, *NICÉE II*, Paris, 1988.

# ALCUIN

## *L'INVENTION DE L'ÉCOLE*

## *AU PALAIS DE CHARLEMAGNE*

• **5**
**MAR** •

PARME, 781. UN HOMME DANS LA FORCE DE L'ÂGE VIENT DE FRANCHIR LES PORTES DE LA VILLE. Son périple, qui le mène de la lointaine Angleterre jusqu'à Rome, où il doit demander le *pallium* pour l'archevêque d'York, touche à sa fin. La nouvelle de l'arrivée du diacre Alcuin circule très vite. Né en Northumbrie vers 730, il a reçu à l'école cathédrale d'York l'enseignement du savant Aelbert, élève de Bède le Vénérable, et s'est initié aux écrits des Pères et des docteurs, autant qu'à ceux des savants antiques. Afin de parachever sa formation, Aelbert le fait voyager dans les grandes écoles épiscopales et monastiques d'Angleterre, où il observe le savoir-faire des moines irlandais qui travaillent dans les *scriptoria*, ateliers d'où sortent de remarquables manuscrits enluminés... Diacre depuis 766, il succède à son maître comme écolâtre et participe à l'apogée de l'école d'York.

Sans tarder, le roi Charles, futur empereur, demande à le voir et lui déclare :

« Nous voulons accorder la géographie de la culture à celle du pouvoir en introduisant des rudiments de vie intellectuelle dans la totalité de l'espace franc. Nous avons pour cela besoin d'écoles efficaces, et surtout de maîtres. Or, terre des saints et des apôtres, votre île est devenue le pays des savants ; de plus, elle a suscité, par le truchement de moines comme saint Boniface, un renouveau des écoles et des bibliothèques en Occident. C'est pourquoi la contribution d'hommes tels que vous est indispensable à la renaissance intellectuelle et spirituelle de notre peuple ».

Le diacre, séduit par la proposition, lui répond que, « en effet, l'étude et la connaissance correspondent à des exigences de l'Écriture sainte ; ceux qui veulent plaire à Dieu en vivant honnêtement lui plairont également en parlant correctement. Il ne suffit plus au clergé de savoir prier, encore faut-il qu'il puisse prêcher et instruire. Il appartient donc à vous, Charles, de par votre soutien, de faire d'un peuple barbare une société civilisée et unie par le christianisme ».

Dès 786, Alcuin s'installe à la cour franque, il y acquiert un rôle politique important : conseiller privilégié de Charles, il participe aux débats concernant les questions religieuses, ainsi qu'à la rédaction de capitulaires... Farouche partisan de la tolérance, il s'indignera de la conversion forcée des Saxons : « *Le Christ*, écrit Alcuin, *n'avait pas ordonné : allez, baptisez, mais allez, enseignez et baptisez.* »

Afin de réaliser son rêve, Charles s'entoure d'hommes cultivés qui doivent l'instruire et former ainsi « l'Académie du Palais ». Ses membres portent des surnoms choisis conformément à la tradition anglo-saxonne : si Charles porte le surnom de David, Alcuin est Horace, le poète, l'érudit, le rhétoricien... Maître admiré, il professe au palais devant un public de choix. Il présente nombre de ses écrits à valeur pédagogique, tel un traité sur la dialectique composé comme un dialogue entre Charles et lui-même. Il enseigne également les sciences et applique ses talents à l'Académie en la faisant participer à de nombreux jeux littéraires. Formidable instrument de diffusion de la culture rénovée, cette Académie se compare vite à celle de Rome et d'Athènes, surtout après la mise en place du palais d'Aix-la-Chapelle. « *Une Athènes plus belle que l'ancienne, car ennoblie par l'enseignement du Christ* », écrit Alcuin à Charles en 799.

Alcuin fait de la *schola palatina* un foyer culturel destiné à produire des œuvres inédites pour l'édification des générations futures, et une école où les jeunes gens apprennent les arts libéraux. Il réussit à doter le palais d'une bibliothèque riche en œuvres sacrées et profanes, « *fleurs aux parfums de paradis* ».

L'école du palais s'adresse d'abord à de jeunes aristocrates destinés à des fonctions importantes, notamment aux charges épiscopales. C'est le prolongement de la tradition franque des *nutriti*, qui faisait assurer la formation des jeunes au palais du roi et à ses frais. Les *pueri palatini* apprennent, de fait, à lire et à rédiger les chartes, à chanter, à compter ; ils assistent avec intérêt aux débats que le prince et ses amis tiennent dans leurs moments de loisir ; mais il n'y a pas de programme d'enseignement défini : il s'agit davantage de rencontres avec les maîtres. La *Discussion entre Pépin et le professeur Albinus* nous renseigne sur la conception interactive de l'enseignement défendue par Alcuin : la grammaire, sujet rébarbatif, est animée par un échange verbal entre un Franc et un Saxon.

Alcuin est plus qu'un auteur, plus qu'un savant : un maître. Qu'on en juge par la diversité de ses actions et ses champs de réflexions : il travaille intensément à l'amélioration de la langue latine et transmet ainsi l'héritage de Bède le Vénérable en composant une série de traités clairs et lisibles ; il met au point le sacramentaire et le lectionnaire dédiés à l'Église franque, et réécrit de nombreuses œuvres hagiographiques, dont les *Vies* de saint Martin ; il favorise la réforme de l'écriture et s'inspire des sources antiques, ainsi que des sources récentes ; il renforce l'étude des arts libéraux ; il révise et corrige le texte de la Bible entre 797

> *Une Athènes plus belle que l'ancienne, car ennoblie par l'enseignement du Christ.*

et 800 et propose une introduction aux deux Testaments, puis il aborde une étude choisie et complète de quelques livres, de préférence la Genèse et les Psaumes, saint Matthieu et saint Paul ; il ouvre l'aristocratie à la réflexion mystique en offrant au comte Guy un véritable manuel de vie chrétienne, le *De virtutibus et vitiis liber*, et rédige enfin un traité *Sur la structure de l'âme*.

En 796, Alcuin, presque septuagénaire, exprime l'intention de se retirer : « Charles, dit l'humble diacre à l'empereur, nous avons, dans l'école du palais, donné naissance à un milieu cultivé et appelé à de hautes fonctions dans tout l'empire. Par mes recommandations prodiguées dans l'*Admonitio generalis*, chaque monastère, chaque cathédrale doit avoir son école où moines et clercs apprennent la culture religieuse et acquièrent les moyens de la comprendre et de la diffuser. Pour populariser l'instruction, une école gratuite est établie près de l'église de nombreux villages ; ainsi, l'enseignement ne s'adresse-t-il plus obligatoirement aux ecclésias-

> *Chaque cathédrale doit avoir son école.*

tiques, mais également aux laïcs. De nouveaux maîtres, tels Théodulfe à Orléans ou Leidrade à Lyon, peuvent maintenant assurer la pérennité de mon enseignement. Je pense, par conséquent, qu'il est désormais temps de laisser le soin à d'autres de continuer la renaissance carolingienne. »

Charles le persuade cependant de rester dans la mouvance royale en lui confiant l'abbaye Saint-Martin de Tours. Alcuin ne tarde pas à y établir une école fort renommée. Parmi ses disciples se trouve ainsi Raban Maur, futur fondateur de l'illustre abbaye de Fulda. Alcuin n'en reste pas moins, jusqu'à sa mort, en 804, en contact avec l'école du palais.

À la génération suivante, un véritable réseau de foyers d'enseignement et de bibliothèques s'étend sur la totalité du monde carolingien. Même si l'école du palais décline sous Louis le Pieux, elle reste la base du puissant renouveau de la culture religieuse et morale de l'empire au IXᵉ siècle. Le rêve de Charlemagne est devenu réalité.

SOURCES : Alcuin, *THE BISHOPS KINGS AND SAINTS OF YORK*, éd. P. Godman, Oxford, 1982. Y. Bernard, M. Kaplan *et alii*, *DICTIONNAIRE DES BIOGRAPHIES*, t. II, Paris, 1993. J. Paul, *HISTOIRE INTELLECTUELLE DE L'OCCIDENT MÉDIÉVAL*, Paris, 1998. P. Riché, *ÉCOLES ET ENSEIGNEMENT DANS LE HAUT MOYEN ÂGE*, Paris, 1979.

# LE CONCILE DE FRANCFORT

## *QUAND CHARLEMAGNE SE VOIT EN NOUVEAU CONSTANTIN*

**• 6**
**MAR •**

LA FOULE DES BADAUDS SE PRESSE À L'ENTOUR DU PALAIS IMPÉRIAL ; il faut dire que la cité de Francfort, forte de ses marchands et de ses artisans qui font affluer jusqu'aux rives du Main des voyageurs venus parfois de fort loin, a beau vouloir se hisser au rang de capitale européenne, il est rare qu'on y jouisse, comme ce matin de l'été 794, du spectacle d'une assemblée si bigarrée. On murmure que les prélats de la terre entière sont là, et l'on peut reconnaître en effet les évêques Théophilacte et Étienne, représentants du pape Hadrien, puis Paulin, évêque d'Aquilée, Pierre, archevêque de Milan, et les moines Smaragde, Raban Maur, Ingeila, Aimo et Alcuin. En tout, plus de trois cents clercs et légats qui se pressent dans un chatoiement de pourpre, de mitres et de chasubles brodées qui étincellent au soleil. C'est que le roi Charles – que la postérité appellera Charlemagne, *Carolus Magnus*, « Charles le Grand » – les a tous convoqués pour une affaire de la plus haute importance, un concile qui doit condamner définitivement l'hérésie adoptianiste qui se répand en Espagne. Celle-ci est née à la suite d'une discus-

sion entre l'archevêque de Tolède, Élipand, et Félix, évêque d'Urgell, cité de la « Marche d'Espagne » occupée par Charles et rattachée à la province ecclésiastique de Narbonne. Élipand avait demandé s'il fallait regarder le Christ en tant qu'homme comme le véritable Fils de Dieu, ou simplement comme un fils adoptif. Trop vite, sûrement, Félix avait déclaré, que, sous le rapport de son humanité, le Christ n'était que le fils adoptif. Prisonnier de sa thèse, il avait ensuite cherché avec obstination à défendre cette erreur dans ses écrits. Quant à Élipand, ayant souscrit à cette interprétation, il l'avait répandue jusque dans les Asturies et les Pyrénées, malgré une vive et rapide opposition de nombreux ecclésiastiques.

Le pape Hadrien lui-même, informé de la situation dès 785, avait adressé sans succès une lettre énergique aux évêques espagnols. Il avait alors signalé au roi Charles les progrès rapides de l'hérésie dans la chrétienté. Deux conciles s'étaient réunis, l'un à Narbonne, en 788, l'autre à Ratisbonne, en 792. Alcuin, le conseiller ecclésiastique de Charlemagne, avait rendu compte de ce dernier en ces termes :

« *Dans cette assemblée composée des évêques venus des diverses parties du royaume chrétien, Félix a pu exposer la défense de cette doctrine, elle a été examinée et frappée d'un éternel anathème.* » On ne pouvait être plus clair, et cependant, l'hérésie se répandait toujours. Voilà pourquoi Charles avait finalement convoqué tous les responsables de l'Église en un concile solennel qu'il présiderait lui-même.

*Pour Charles l'affaire ne fait pas de doute, Francfort sera son Nicée.*

Il est vrai que Charles prend très au sérieux son rôle de *Rex* et *Sacerdos*, roi et prêtre. Il n'hésite d'ailleurs pas à se comparer au roi Josias de l'Ancien Testament. Il lui faut ramener le royaume dont il a la charge au vrai culte. Il n'est pas encore empereur d'Occident, mais son ambition éclate au grand jour. La demeure qu'il se fait construire à Aix, où il s'est installé, ne semble-t-elle pas vouloir rivaliser avec celle de l'empereur byzantin ?

Alors, pour affirmer sa prétention à la pourpre impériale, quoi de plus efficace que de présider, tel un nouveau Constantin, un grand concile arbitrant un point majeur de la foi ? Pour Charles, l'affaire ne fait pas de doute, Francfort sera son Nicée.

Pour ce faire, il n'a négligé aucun détail. La grande salle du palais impérial a été entièrement tendue de riches étoffes, d'innombrables torches ont été ajoutées dans les escaliers et les couloirs où résonnent déjà les pas des pères conciliaires. Prêtres, diacres et clercs s'installent en cercle autour des évêques,

Charles peut faire son entrée. Somptueusement drapé dans une toge à l'antique, il porte au cou une lourde chaîne au bout de laquelle pend une grande croix rehaussée de pierreries. Le front ceint de la couronne royale, levant haut le menton, la main posée sur la garde de son glaive d'apparat, il pénètre dans la grande salle du palais, s'avance vers le trône et déclare solennellement le concile ouvert.

Les débats sur l'adoptianisme, dont l'issue ne fait pourtant aucun doute, s'enlisent dans des détours de procédures tâtillonnes. Il faut dire que les pères ne sont guère pressés, le roi les traite avec magnificence, la chère est délicate et abondante, l'hiver encore loin, qui rendrait les voyages de retour périlleux et pénibles. Charles, lui, est impatient ; il compte bien que, la question de l'hérésie tranchée, les pères engageront la réforme et la réorganisation de l'Église dont il a pour sa part déjà fixé les grandes lignes, aidé en cela par son fidèle Alcuin.

Charles a tort de s'inquiéter. Les pères condamnent l'adoptianisme et décident que les Italiens, avec Paulin, rédigeront un traité qu'ils soumettront aux autres évêques afin de donner une réponse définitive aux Espagnols. On y joint les explications sur l'adoptianisme, rédigées en forme d'exhortation que le pape Hadrien avait confié au concile. Tous ces documents seront envoyés en Espagne, accompagnés d'un vibrant appel à la réconciliation avec l'Église, que le roi rédigera lui-même, et d'une fort belle profession de foi, inspirée par celle de Nicée. Dès lors, les Pères, satisfaits de la formule, acceptent bien volontiers de fixer les grands traits de la réforme dont le roi a rêvé.

Et l'on peut dire que les Pères « mettent les bouchées doubles » ; aucun aspect de la vie religieuse n'échappe à leur zèle réformateur. On placera à la tête des provinces ecclésiastiques des évêques métropolitains, dotés du *pallium* envoyé par Rome, dont l'autorité s'exercera sur leurs évêques suffragants, qui eux-mêmes en useront sur les prêtres, les abbés et les abbesses. Par souci de clarification et pour éviter une mainmise politique de certains laïcs sur la hiérarchie, l'ordination canonique et l'obligation de résidence des évêques, des abbés et des abbesses seront exigées. Les moines et les clercs gyrovagues – qui demandent l'aumône en errant sur les routes – seront contraints de suivre la règle de saint Benoît, redécouverte en Italie par Benoît d'Aniane. Les occupations temporelles et judiciaires seront prohibées à tout ecclésiastique, pour qui seront recommandés l'obéissance, la stabilité, la chasteté et le rejet de la simonie – le commerce des sacrements et des actes religieux. En outre, le concile rappelle à tous les obligations de prière, de lecture et de prédication de la parole de Dieu. Et peu importe la langue, le latin, le germanique ou le slave, dans laquelle on s'exprime pour louer Dieu ou pour faire connaître son message.

> *Les fidèles devront payer la dîme.*

Afin que le clergé puisse disposer de revenus suffisants pour permettre l'accomplissement régulier de ses tâches, les fidèles devront payer la dîme, c'est-à-dire un dixième de leurs revenus, répartis par l'évêque en trois parts : une pour la construction et l'entretien des bâtiments, une autre pour les distributions d'aumônes, de nourriture et de vêtements aux pauvres, enfin, la dernière, pour l'entretien des prêtres.

Le clergé, par sa conduite, ses paroles et son enseignement, devra être un modèle vivant de l'Évangile proposé aux fidèles laïcs. Un prêtre ne pourra être ordonné qu'à partir de trente ans, et le voile des vierges ne sera donné aux jeunes femmes qu'après vingt-cinq ans. Le concile insiste alors beaucoup sur l'exercice de l'hospitalité envers les malades, les pauvres et les pèlerins, et sur la condamnation de l'avarice et de la convoitise sous toutes ses formes. Ce souhait d'établir une société de justice et de paix est marqué par l'introduction, lors de la messe dominicale, après l'Eucharistie, du baiser de paix pour tous.

Enfin, le problème de l'éducation religieuse est soulevé. Pour lutter contre les hérésies, on se préoccupera chez les fidèles de la connaissance et de la compréhension du Notre Père et, plus spécialement, du mystère de la Trinité contenu dans le Credo. Cependant, l'un des obstacles majeurs restant l'illettrisme, le roi s'engage à aider le clergé à lancer un programme de construction d'églises et de monastères, dont l'organisation spatiale, rappelant les Lieux saints de Jérusalem ou le mystère de la Trinité, et le riche décor historié, auront valeur pédagogique. Un intérêt tout particulier sera donc porté aux décors peints sur les murs, inspirés de la Bible ou des Vies des saints. Les édifices seront un lieu de catéchèse privilégié.

Le concile de Francfort a-t-il suffi à faire de Charles un « nouveau Constantin » ? Ce n'est pas certain. Ce qui l'est, en revanche, c'est que le successeur d'Adrien Ier, le pape Léon III, n'hésitera pas à relever en sa faveur le titre d'empereur d'Occident et à le couronner à Rome à la Noël de l'an 800.

Les grands axes de la réforme religieuse engagée à Francfort posèrent les bases de ce que l'histoire appellera la « renaissance carolingienne ».

SOURCES : *DEUXIÈME CANON DU CONCILE DE FRANCFORT*, Mansi XII, 909. D. P.-Th. Camelot et P. Maraval, *LES CONCILES ŒCUMÉNIQUES*, t. I, Paris, 1988. F. Brunholzl, *HISTOIRE DE LA LITTÉRATURE LATINE DU MOYEN ÂGE*, t. I, *DE CASSIODORE À LA FIN DE LA RENAISSANCE CAROLINGIENNE*, Turnhout, 1990-1991.

encore une lecture déjà fastidieuse. Sans parler de toutes les variantes régionales qui altèrent davantage les graphies anciennes ! La nouvelle écriture élaborée à Corbie, en revanche, est gracieuse, parfaitement régulière, avec ses pleins et ses déliés si fermes, incroyablement lisible et agréable à l'œil. Et, en outre, si facile à tracer !

Son succès d'ailleurs ne s'est pas fait attendre : quand Charlemagne a demandé la révision des livres sacrés, tous les *scriptoria* francs ont adopté la nouvelle calligraphie. Une fièvre intellectuelle s'est alors emparée du monde franc. Les ateliers monastiques ont redonné aux textes fondateurs une nouvelle jeunesse, tandis qu'une nouvelle génération d'écrivains prenait le relais des auteurs antiques et patristiques, compilant leurs sentences, commentant l'héritage immortel dont ils avaient la garde. Jean lui-même a pu parcourir à Corbie les manuscrits originaux des œuvres de Paschase Radbert, notamment ses commentaires des *Lamentations de Jérémie* et de l'*Évangile de Matthieu* – preuve irréfutable du renouveau de l'étude de l'Écriture sainte –, ses récits hagiographiques et sa *Vie de Wala,* si critique à l'encontre des mœurs de la cour et de la politique royale.

Jean en est certain : la minuscule caroline, en permettant au lecteur d'entrer facilement en contact avec un texte, sera l'instrument le plus durable et le plus efficace de la connaissance.

Ce moine raisonne bien. La minuscule caroline est en effet appelée à un destin universel. Lorsque les humanistes de la Renaissance italienne voulurent exhumer les textes d'auteurs antiques, ils purent non seulement bénéficier des manuscrits précieusement préservés par les moines pendant tout le Moyen Âge, mais aussi doter leurs éditions d'une présentation digne de leur passion. C'est dans la minuscule caroline qu'ils trouvèrent le pur modèle de l'écriture latine : cette graphie, due au génie de la renaissance carolingienne, devint le « caractère romain », présent dans toutes les imprimeries du monde, choisi pour transcrire et réformer toutes les langues de la terre. Corbie, dotée en son temps du titre prestigieux de nouvelle Rome, a ainsi étendu l'empire de son écriture par-delà les océans.

> *Cette graphie, due au génie de la renaissance carolingienne, devint le « caractère romain ».*

SOURCES : G. Garrigou, *NAISSANCE ET SPLENDEUR DU MANUSCRIT MONASTIQUE DU VII' AU XII' SIÈCLE*, Paris, 1994. K. Brookfield, *L'ÉCRITURE ET LE LIVRE*, Paris, 1993. M. Smeyers, *TYPOLOGIE DES SOURCES DU MOYEN ÂGE OCCIDENTAL*, t. VIII « La miniature », Paris, 1974.

# SAINT JACQUES
## *QUAND LA CHRÉTIENTÉ*
## *MARCHE VERS COMPOSTELLE*

**8 MAR.** SANTIAGO DE COMPOS-TELLA, EN L'AN 808. Visiblement très ému, Théodomire, évêque d'Iria Flavia, s'agenouille à même la terre et se penche pour voir de plus près et toucher à deux mains le tombeau de marbre de l'Apôtre Jacques. On a du mal à contenir la foule, tant la nouvelle s'est répandue rapidement. En creusant le « champ éclairé », dit-on, par une « étoile » très brillante – d'où le nom *campus stellae*, compostelle –, on vient de retrouver les reliques de celui que l'on reconnaît déjà comme l'évangélisateur de l'Espagne et le saint patron du pays. Le roi Alphonse II d'Oviedo accourt et promulgue aussitôt un diplôme royal pour attester l'authenticité des reliques : « *En effet, les restes du bienheureux apôtre [Jacques], à savoir son corps très saint, ont été révélés à notre époque. Après avoir entendu cela, nous sommes accourus avec une grande dévotion et supplication, accompagné des Grands de notre palais, pour adorer et vénérer un si précieux trésor.* » Dès l'année 840, l'évêque Théodomire obtient de Rome le déplacement de l'évêché d'Iria Flavia à Compostelle. Santiago (San Jago : Saint Jacques) de Compostela devient ainsi l'objet immédiat d'un culte au développement très rapide, qui sera, dès les siècles suivants, le pèlerinage d'Occident le plus important après Rome où sont vénérés les saints apôtres Pierre et Paul.

Ce tombeau est-il vraiment celui de saint Jacques ? *A priori*, on peut penser que non puisque les Actes des Apôtres situent le martyre de saint Jacques (dit « le Majeur », et frère de l'évangéliste Jean) à Jérusalem durant la persécution d'Hérode Agrippa, en l'année 44. Mais ce corps – qui d'ailleurs n'a jamais été l'objet d'un culte à Jérusalem – a peut-être été transporté en Espagne. C'est justement ce qu'un moine de Saint-Germain-des-Prés, Usuard, mort en 877, explique dans un martyrologe qu'il rédige à son retour d'Espagne. Il atteste l'existence d'un pèlerinage à saint Jacques : « *Ses ossements très sacrés transférés de Jérusalem en Espagne et placés à l'extrémité de ce pays sont vénérés par ces peuples avec une extraordinaire dévotion.* » Et l'affluence est telle que, cinquante ans après la découverte, Alphonse III y fait construire une église plus belle et plus grande que celle que son prédécesseur avait édifiée.

Et pourtant, la controverse existe.

Certains reprochent l'existence de documents tardifs et faussés, sur le modèle de la lettre d'un certain pape Léon qui raconte aux « *rois des Francs, des Vandales, des Goths et des Romains* » la mort de Jacques, puis la translation de son corps jusqu'en Galice, « *la main de Dieu dirigeant le navire* ». Ses disciples doivent même tuer un dragon qui se trouvait dans une montagne, afin de pouvoir enterrer la précieuse relique. Et la lettre conclut : « *Vous tous, Chrétiens, allez offrir des prières à Dieu, puisqu'il est certain qu'est enterré là, en paix, le corps de l'apôtre saint Jacques.* »

Dans l'Espagne chrétienne, le culte rendu à ce saint prend rapidement une connotation particulière. En effet, dès la fin du VIIIᵉ siècle – donc avant la découverte de la tombe –, le roi Maurégat, dans un hymne composé en l'honneur du saint, l'appelle « *notre défenseur et patron secourable* ». Par la suite, il demeure constamment le patron de la royauté espagnole : il est, par excellence, le saint qui intercède auprès de Dieu pour le salut du roi et le succès de ses entreprises temporelles, en particulier de la guerre. Or, saint Jacques est aussi le patron de l'Hispania, cette Espagne wisigothique qui fut détruite par les musulmans en 711 et que les rois d'Oviedo, puis de Léon, tentent de reconstituer. Le même hymne de la fin du VIIIᵉ siècle en faisait le Maître de l'Espagne. Après la découverte de la tombe, Alphonse II reprend cette idée : « *Nous l'avons adoré avec des larmes et de*

> « *Nous l'avons adoré avec des larmes et de nombreuses prières, comme patron et seigneur de toute l'Espagne.* »

*nombreuses prières, comme patron et seigneur de toute l'Espagne.* » Aussi, devient-il logiquement le saint patron de la Reconquête que les chrétiens mènent contre les musulmans. La première mention d'une intervention directe pour la victoire date de 1064 : après un pèlerinage de trois jours sur la tombe du saint, le roi Ferdinand Iᵉʳ parvient à prendre la ville de Coïmbre grâce à l'intercession du *Chevalier du Christ*, bientôt qualifié de *Matamoros* (tueur de Maures). D'après la suite du récit, le saint en personne aurait même annoncé, la veille, la victoire à un pèlerin grec qui était de passage.

Alors, comment faire la part de la légende et de l'histoire ? L'étude critique des textes et la réflexion à partir des quelques minces certitudes archéologiques sont les seuls supports dont dispose l'historien qui entreprend de décrire la genèse de ce culte. Le temps où l'on cherchait à prouver scientifiquement l'authenticité des reliques de saint Jacques, au besoin en analysant les ossements retrouvés, est révolu. Néanmoins, en l'état actuel des recherches, plusieurs données paraissent certaines : le lien entre saint Jacques et l'Espagne est antérieur à la découverte de sa tombe, car ce saint est présenté comme l'évangélisateur de l'Espagne à partir du VIᵉ siècle. Cette croyance est attestée dans de nombreux textes espagnols ou même anglais ; elle perdure durant des siècles, en dépit de multiples oppositions. Et, si saint

Jacques est l'apôtre de l'Espagne, il est logique, selon la tradition, que sa tombe soit localisée dans le pays de sa prédication, à l'instar de celle des autres apôtres.

Autre certitude : le bâtiment retrouvé dans le sous-sol de l'abside de l'actuelle cathédrale date bien du IIIᵉ ou IVᵉ siècle. Il contenait une fosse (pour les ossements d'un saint ?) et peut-être un autel. Dans ses environs, de nombreuses tombes ont été installées du Vᵉ au VIIᵉ siècle. Il s'agit donc peut-être d'un édifice religieux voué à un martyr chrétien, qui a attiré l'inhumation *ad sanctum*, du corps du saint.

En 1959, la deuxième grande campagne de fouilles archéologiques, commencée en 1946 dans la cathédrale de Santiago de Compostela, s'achève sur un succès. Les chercheurs découvrent la tombe de l'évêque Théodomire, enterré à Compostelle en 847, près de l'endroit où la tradition localise les reliques de saint Jacques. Pour une bonne partie des historiens espagnols, il s'agit d'une preuve supplémentaire en faveur de l'authenticité des reliques de l'apôtre.

Invention ? Véritable découverte ? La question de l'authenticité n'est pas celle qui habite l'esprit du pèlerin qui, muni d'un bâton, d'une besace et d'un large chapeau, part sur les routes de Saint-Jacques-de-Compostelle. Quand les Galiciens découvrent la tombe, au début du IXᵉ siècle, ils croient avoir découvert la sépulture de saint Jacques. Et de cette certitude va naître un extraordinaire élan de dévotion, un formidable appel à la pénitence et à la prière. Ainsi, dès le milieu du Xᵉ siècle, l'évêque du Puy et l'archevêque de Reims n'hésitent-ils pas à franchir les Pyrénées pour aller se recueillir sur la tombe apostolique. Au début du XIᵉ siècle, Guillaume II d'Aquitaine se rend à Saint-Jacques-de-Compostelle quand les conditions ne lui permettent pas d'effectuer son pèlerinage annuel à Rome. Jusqu'à la fin du Moyen Âge, ils seront des milliers à marcher vers Saint-Jacques, pour expier leurs péchés et supplier le saint d'intercéder pour eux. Ils seront des milliers à reposer leur corps fourbu dans les différents gîtes qui fleurissent sur les chemins de Saint-Jacques et à prier dans les églises.

> *Ils seront des milliers à marcher vers Saint-Jacques.*

Et quand aujourd'hui, Compostelle connaît un attrait renouvelé, quand des milliers de pèlerins du monde entier empruntent chaque année les chemins de Saint-Jacques, leur foi ne s'appuie pas sur les preuves, les recherches, les différents colloques qui partagent les spécialistes, elle se fonde sur la foi des milliers de croyants qui les ont précédés au long des siècles et qui ont confié à l'Apôtre leur prière et leur repentir. À Saint-Jacques, la seule vérité est celle de la foi en marche.

SOURCES : *CONCORDIA DE ANTEALTARES. GUIDA DEL PEREGRINO MEDIEVAL (codex Calixtinus, livre V),* Sahagun, 1990. J. Guerra Campos, *EXPLORATIONES ARQUEOLOGICAS EN TORNO AL SEPULCRO DEL APOSTOL SANTIAGO,* 1982.

# HINCMAR

## *UN GRAND LÉGISTE*
## *AU SERVICE DE L'ÉGLISE*

**9 MAR.** SUR LES CHEMINS DU DIO-
CÈSE DE REIMS, HINCMAR
SE HÂTE. Il a tant de paroisses à visiter ! Heureusement
que le jeune évêque, à peine élu en 845 au
siège qui avait été celui d'Ebbon, a eu
l'idée de demander à tous ses doyens de
faire une enquête préliminaire à sa visite
pastorale. Et les questions sont précises :
*« Dans quel domaine ou en l'honneur de quel
saint le prêtre a-t-il été installé ? [...] Combien de livres possède-t-il, les connaît-il exactement par cœur ? [...] Le prêtre prend-il soin
de visiter lui-même ses malades ? [...] A-t-il
une école tenue par un clerc ? [...] Comment
est couverte l'église, est-elle voûtée ? Les
colombes ou d'autres oiseaux n'y font-ils pas
leur nid ? »*

Monseigneur de Reims a le goût du
concret. Il a aussi le sens du devoir de
chacun. Ses questions concernent aussi
bien la moralité des prêtres que la liturgie
des sacrements, dans la ligne des statuts
diocésains qui sont élaborés chaque année
à Reims, comme dans la plupart des diocèses, sous les Carolingiens. Cette effervescence des institutions de l'Église, en ce
milieu du IXᵉ siècle, n'est d'ailleurs pas
pour déplaire à Hincmar. Homme de gouvernement et canoniste ardent tout à la
fois, le jeune évêque de Reims – quarante
ans à peine lors de son élection – a la
passion du droit.

En 844, Charles le Chauve, roi de Francie, a dû intervenir en différents diocèses
pour que l'évêque et sa suite, lors de leurs
visites pastorales, limitent leurs demandes
de redevances, en nature ou en argent. On
imagine qu'Hincmar, arpentant la campagne, fronce les sourcils à cette évocation :
ce n'est pas là son style ! S'il est une chose
qui lui tient à cœur, c'est bien la gratuité
du service rendu. D'ailleurs, de la noblesse
de sa charge et du bien de l'Église, Hincmar possède une conception très haute. La
doit-il à ses origines aristocratiques, aux
longues années passées à Saint-Denis
comme étudiant puis simple moine avant
d'être projeté, par l'élection au siège de
Reims, dans les tourments du siècle ? Ou
tout simplement à son caractère ? Entier,
fidèle, inquiet du bien, soucieux de se
situer dans la droite ligne des acquis intellectuels et spirituels de l'Église, mais aussi
ombrageux, autoritaire, volontiers cas-
sant, Hincmar de Reims domine son siècle
de sa personnalité puissante. Il n'eut pas
que des amis, et la postérité eut souvent

aussi la dent dure à son égard, à commencer par les historiens du XIX^e siècle qui l'ont même accusé de falsifications dans la rédaction de ses ouvrages théologiques et historiques. La critique moderne a fait justice de tout cela. Hincmar est honnête, foncièrement, mais il irrite parce qu'il n'a pas toujours la manière. « *Le prêtre Hincmar est toujours très supérieur à l'homme Hincmar* », a-t-on pu écrire de lui. Le prêtre, en tout cas, a rendu des services éminents à la civilisation, alors à la frontière de deux mondes.

Hincmar est un évêque pour temps de crise. En 843, le partage de Verdun consacre la disparition de l'empire de Charlemagne. Le prêtre Hincmar soutient sans hésiter Charles le Chauve. Devenu évêque, et conscient de l'importance stratégique du diocèse de Reims, Hincmar ne lui retirera jamais ce soutien. Ainsi en 858, il prend la tête de la résistance de l'épiscopat à l'invasion de Louis le Germanique, obligeant celui-ci à se retirer. Indirectement, aussi, le rôle actif que joua Hincmar lors du divorce de Lothaire II, contribuant à priver le roi adultère de descendance légitime, pesa en faveur de Charles le Chauve et des siens. Pourtant, si l'autorité politique d'Hincmar et son influence furent prépondérantes dans l'évolution du royaume, l'archevêque de Reims ne mélangea jamais les rôles. Il n'avait rien d'un « cardinal-ministre », et s'il eut un grand ascendant sur les princes, son but n'était autre que de servir au mieux les intérêts spirituels. Il y a chez Hincmar

> *Il n'avait rien d'un « cardinal-ministre ».*

une intuition très sûre de la distinction **du spirituel et du temporel, et en ce sens** il fut profondément novateur.

La clé de son comportement tient à un respect inné et cohérent de toutes les lois, « la divine, la canonique et la royale ». Homme de gouvernement, Hincmar s'attache à défendre et à illustrer les droits de l'évêque métropolitain qu'il est, face aux velléités d'indépendance – voire d'insoumission – de ses évêques suffragants : Rothade de Soissons et plus tard son propre neveu, Hincmar de Laon. Et quand le pape Nicolas I^er entend rendre à ce sujet un arbitrage qui heurte les prérogatives de l'archevêque de Reims, ce dernier, d'une plume fiévreuse, défend bec et ongles son droit. Gallican avant la lettre ? En tout cas soucieux de ses prérogatives.

C'est dans la controverse théologique que l'intraitable prélat donna toute la mesure de ses dons de dialecticien et de polémiste au service du juste. Avec quelle vigueur il s'oppose aux théories du moine Gottschalk sur la double prédestination, préside deux conciles à Quierzy (en 849 et 853), participe aux débats de l'époque sur l'Eucharistie et déclenche une procédure canonique contre Jean Scot dit l'Érigène, soupçonné de nier la présence réelle ! Un seul but pour Hincmar : affirmer le droit de la doctrine juste contre l'hérésie destructrice, sauver la confiance justifiée des hommes dans leur destin d'éternité.

À Reims la cathédrale s'élève. C'est Ebbon, le prédécesseur d'Hincmar, qui en avait entrepris l'édification avant d'être déposé. Hincmar achève la construction de l'édifice, avec l'autel principal à l'ouest à l'exemple de Saint-Pierre du Vatican. Administrant son diocèse avec soin, il ne cesse de défendre, à l'échelle de l'Église entière, la référence à un droit public tiré de l'Écriture, des conciles, des principes reçus, plutôt que de la seule autorité personnelle du pontife romain. Faut-il voir en lui un pionnier de l'idée de collégialité ? Sans doute plutôt, et conjointement, un prophète inlassable de la communion ecclésiale, et le serviteur passionné de la notion de contrat.

Dans les dernières années de sa vie, pourtant, la déception le guette. La renaissance carolingienne a jeté ses ulti-

> *Le sacre de Clovis, le miracle de la Sainte Ampoule, le Testament de saint Remi.*

mes feux. La violence, tel un voile noir, recouvre peu à peu l'Occident. Siècle de fer et de sang, le Xe siècle se profile à l'horizon. Âgé, souffrant de rhumatismes, Hincmar garde la plume agile. Mais le sentiment de l'échec le gagne. Il n'a plus prise sur le temps.

Va-t-il renoncer ? Ce serait mal le connaître. La *Vita Remigii – Vie de saint Remi –* date de cette dernière période. Le sacre de Clovis, le miracle de la Sainte Ampoule, le Testament de saint Remi – bref, la mise en forme d'une tradition qui illuminera la France pendant neuf siècles, c'est à l'indomptable prélat que nous la devons. Dernier hommage de Monseigneur de Reims à la ville et au diocèse qu'au cœur des tempêtes il avait tant aimés.

SOURCES : Hincmar de Reims, « Lettres », in *EPISTOLAE AEVI KAROLINI*, t. VI, 1939 et « Poèmes », in *POETAE LATINI AEVI KAROLINI*, t. III, 1, 1896. Flodoard, *HISTOIRE DE REIMS. LES ANNALES DE SAINT BERTIN. DE ORDINE PALATII*. R. Desportes, *HISTOIRE DE REIMS*, Toulouse, 1983. J. Devisse, *HINCMAR, ARCHEVÊQUE DE REIMS, 845-882*, Genève, 1975.

# LE DIVORCE DE LOTHAIRE II

## OU COMMENT LE PAPE EN DÉFENDANT LE MARIAGE PRIT LE PARTI DU FAIBLE CONTRE LE FORT

**• 10 MAR •**

EN L'AN 855, LE JEUNE LOTHAIRE II, QUI VIENT D'ACCÉDER AU TRÔNE DE LOTHARINGIE, épouse Theutberge, fille du comte Boson. Sans enthousiasme. Encore adolescent, il a vécu quelque temps en concubinage avec Waldrade, jeune fille de modeste extraction, et il ne l'a pas oubliée. S'il n'était pas roi, sans doute est-ce Waldrade qu'il aurait épousée, et sans doute est-ce pour cela aussi qu'il prend Theutberge en aversion, deux ans après leur mariage. D'autant plus que Theutberge est stérile, alors que Waldrade lui a déjà donné un enfant. Lothaire ne décolère pas. Tandis que son ancienne maîtresse, dès 857, s'affiche à la cour, le roi cherche un prétexte pour faire casser son mariage.

Des prétextes, il n'y en a pas légion. Il en existe un seul avec lequel l'Église ne transige pas : l'inceste. L'incestueux n'est pas digne de l'institution du mariage, et la découverte de la faute entraînerait l'annulation de l'union. Or, les amis bien intentionnés ne manquent pas à la cour, et Theutberge est affligée d'un frère, Hubert, dont les vices et l'ignominie sont connus de tous. On accuse donc la reine d'avoir eu avec lui, dans son adolescence, des relations incestueuses et contre nature. Lothaire II semble toutefois hésiter à faire reconnaître cet empêchement par l'autorité ecclésiastique, et il se contente d'expédier sa femme dans un monastère.

858. Les grands du royaume contraignent Lothaire à reprendre son épouse. Une ordalie a eu lieu, et le champion de Theutberge est sorti victorieux de l'épreuve de l'eau bouillante. Le jugement de Dieu est sans appel, la reine est innocente et doit revenir auprès de son royal époux. Las ! la malheureuse vit dans ce palais comme dans une prison. Les pressions morales se multiplient pour lui faire avouer sa faute. Et pour couronner le tout, Gunther, l'archevêque de Cologne, au mépris de tous ses devoirs, se prête à l'odieuse comédie qu'imagine Lothaire : Theutberge avouera sa faute en confession, et l'on en tirera parti ! De guerre lasse, la malheureuse reine, qui craint sans doute pour sa vie, se prête au jeu.

860. L'épiscopat lorrain entre en scène. Réuni à Aix-la-Chapelle sous la houlette de l'archevêque de Cologne et de Theutgaud, archevêque de Trèves, il prend acte de l'aveu de culpabilité de Theutberge et

engage le roi à cesser toute relation conjugale avec son épouse, qui est autorisée à prendre le voile. On se concerte pour savoir s'il faut aller jusqu'à prononcer la nullité du mariage. Hincmar, le savant archevêque de Reims, a certes été sollicité, mais il n'est pas venu. La réunion flotte un peu. Mais voilà que fort opportunément, la reine avoue publiquement son indignité et remet une confession écrite de son crime, avec de grandes protestations de sincérité. Voilà qui soulage fort opportunément la conscience des évêques qui confirment aussitôt la sentence.

860, toujours. Theutberge s'enfuit du couvent où elle était recluse et se réfugie dans le royaume de Charles le Chauve. Dès avant la réunion d'Aix-la-Chapelle, elle en avait appelé au Siège de Rome, désavouant par avance toute confession qui pourrait lui être extorquée par la violence. Elle réitère son appel. Le pape Nicolas Ier, dès ce moment, prend l'affaire très à cœur. Il ne doute pas de l'innocence de la reine, et il n'aura de cesse, désormais, de démasquer le mensonge et de sauver le principe de l'indissolubilité du mariage. Au même moment, l'archevêque de Reims, Hincmar, répond, mais à sa manière : là où l'épiscopat courtisan espérait de bonnes justifications canoniques à ses positions de complaisance, Hincmar produit, en réponse à 23 interrogations et 7 questions, un texte un peu touffu mais implacable, qui met le doigt sur toutes les invraisemblances de l'affaire, il exige un vrai procès avec témoins et preuves et expose avec fermeté

*La reine est à nouveau déclarée coupable.*

et panache la doctrine chrétienne du mariage. Le *De divortio Lotharii* fera date.

Lothaire a peur, il sent qu'il faut aller vite. En 862, un « concile » fantoche, réuni à Aix-la-Chapelle par Gunther, autorise le roi à contracter un nouveau mariage, et l'archevêque de Cologne marie aussitôt Lothaire et Waldrade, couronnant celle-ci, par la même occasion, reine de Lotharingie. Or, le pape Nicolas Ier, entre-temps, avait décidé de réunir à Metz l'épiscopat de toute la Gaule et de la Germanie, afin de juger sérieusement de l'affaire, devant ses légats et en présence du roi.

Le concile de Metz s'ouvre bien en 863, mais rien ne se passe comme prévu. Lothaire a torpillé l'envoi des convocations, seul l'épiscopat lorrain est présent ; on passe sous silence les lettres du Pape ; les légats, achetés, se taisent, et la conclusion va de soi : la reine est à nouveau déclarée coupable et le mariage de Lothaire avec Waldrade proclamé valide. Un argument, jusque-là inédit, fait son apparition : la liaison de jeunesse de Lothaire avec Waldrade aurait été un vrai mariage ! C'est donc l'union légale avec Theutberge qui est illégitime. Bel hommage indirect à l'indissolubilité du mariage, de la part de ceux qui la combattent pourtant avec acharnement...

Gunther et Theutgaud, les deux prélats, croient avoir la situation en main puisque, ainsi qu'ils l'ont promis aux légats du Pape, ils se rendent à Rome quelques mois plus tard. C'était compter sans le courage et les qualités de gouvernement de Nicolas I$^{er}$. À peine arrivés, ils sont convoqués au Latran et se trouvent face à une grande assemblée réunie en secret par le Pape. Les décisions de Metz sont cassées, les deux archevêques sont déposés et excommuniés. Gunther et Theutgaud se révoltent, cherchent des renforts, font appel à Louis II et à ses troupes, qui assiègent Rome. La fermeté de Nicolas I$^{er}$ et son sens du geste – réfugié à Saint-Pierre en pleine tourmente, il y affirme la primauté du Siège apostolique – auront raison des insurgés.

865. À Douzy, près de Sedan, Arsène, légat du pape, organise une rencontre entre Lothaire et Theutberge en présence des évêques lorrains, de deux prélats de France et de quelques grands du royaume. Ces derniers jurent sur l'Évangile, au nom de Lothaire, qu'il va reprendre sa légitime épouse au palais en la garantissant contre toute atteinte. On se sépare sur une apparente conciliation. Mais l'ancienne maîtresse n'a pas renoncé. Elle fausse compagnie au légat qui l'emmène à Rome, et va retrouver Lothaire.

866. Nicolas I$^{er}$ excommunie Waldrade. Cette fois encore, Theutberge, à bout de résistance, cède. Elle décide d'aller elle-même à Rome demander l'annulation de son mariage et écrit au pape une lettre, de toute évidence dictée par Lothaire, affirmant que la liaison ancienne de Lothaire et Waldrade était bien un vrai mariage. Le pape n'est pas dupe. Défendant la faible

contre le fort, et ce malgré elle, Nicolas I$^{er}$ gourmande la jeune femme, lui défend de venir à Rome si Waldrade n'y vient pas avec elle, et ne lui permet de prendre le voile – ce qu'elle demande – que si Lothaire fait aussi, de son côté, profession de chasteté. Il va même plus loin : si Theutberge venait à mourir, Lothaire pourrait évidemment se remarier, mais pas avec Waldrade, car l'adultère affiché depuis si longtemps empêcherait l'Église de bénir une telle union. Sur ce point, Nicolas I$^{er}$ est encore plus sévère qu'Hincmar.

Nous sommes en 867. Dans quelques mois, le Pape va mourir, non sans avoir adressé aux protagonistes de l'affaire trois ultimes lettres, affirmant le droit souverain de l'Église en matière matrimoniale, et l'autorité suprême qui revient, en ce domaine, au Siège apostolique.

L'affaire approche de sa conclusion, inattendue. En 869, le nouveau pape, Adrien II, accepte de recevoir Theutberge à Rome et de rencontrer Lothaire, à sa demande, au Mont-Cassin. Il renvoie ce dernier au jugement de Dieu : célébrant la messe, le Pape appelle le roi à prendre part à la communion s'il a obtempéré aux ordres de Nicolas I$^{er}$ et s'est abstenu de tout rapport avec Waldrade depuis son excommunication. Dans le cas contraire, il s'expose au jugement divin. Lothaire n'ose pas reculer ; il communie. Adrien repart pour Rome. Lothaire le suit, toujours soucieux d'arracher au Pape l'annulation

*Le pape n'est pas dupe.*

de son mariage. Mais Adrien veut reprendre l'instruction de l'affaire, et un nouveau concile est prévu pour l'année suivante. Il sera inutile. À peine Lothaire a-t-il quitté Rome, au plus fort de l'été, que les fièvres paludéennes attaquent son escorte. Le roi lui-même est atteint et succombe quelques jours plus tard. Pour beaucoup l'affaire est claire, Dieu a jugé.

Cette triste affaire frappa fortement les esprits du temps. En la personne du pape, l'Église s'affirme assez forte pour réprimer chez les princes ce qu'elle ne permet pas aux simples fidèles. Grâce à l'action conjuguée de deux personnalités d'exception, Nicolas Ier et Hincmar de Reims, le sens chrétien du mariage se trouve affirmé avec une précision et une force que les siècles suivants ne discutèrent pas. Le caractère indissoluble de l'union indépendamment de sa fécondité (à la différence des conceptions païennes) ; la mise en valeur des devoirs mutuels des époux ; la volonté de défendre le faible contre le fort en ne prononçant l'annulation que dans deux cas précis (l'inceste et l'existence d'un mariage antérieur légitime) ; la condamnation rigoureuse de l'adultère ; le fait d'admettre la séparation de corps dans certains cas précis, sans que pour autant le mariage soit cassé, sont autant d'affirmations dont la justesse et la justice feront jurisprudence, témoignant, dans une question qui touche chacun au plus intime de sa vie, du rôle civilisateur de l'Église.

SOURCES : Saint Bertin, *ANNALES*. Hincmar de Reims, *DE DIVORTIO LOTHARII REGIS ET REGINA THETBERGAE*. Nicolas Ier, *EPISTOLAE DE REBUS FRANCIAE, PRAECIPUE DE DIVORTIO LOTHARII REGIS*. Réginon, abbé de Prüm, *CHRONIQUE*. J. Chélini, « Morale conjugale et condition de la femme mariée au IXe siècle », in *L'AUBE DU MOYEN ÂGE. NAISSANCE DE LA CHRÉTIENTÉ OCCIDENTALE (750-900)*, Paris, 1991. Articles « Mariage » et « Le mariage à l'époque carolingienne », in *DICTIONNAIRE DE THÉOLOGIE CATHOLIQUE*, t. IX, Paris, 1929. R. Le Jan, *FAMILLE ET POUVOIR DANS LE MONDE FRANC (VIIe-X[e] SIÈCLE)*, Paris, 1995.

# NICOLAS I<sup>er</sup>

## *POUR L'HONNEUR DU PAPE*

**• 11 MAR •**

ROME, 864. TANDIS QUE LES EAUX GLACÉES DU TIBRE ROULENT SOUS SA BARQUE, le successeur de Pierre implore le Seigneur. Les troupes de l'empereur Louis II sont dans la ville, et Louis II lui-même est là, faisant escorte à Gunther de Cologne et Theutgaud de Trèves, les deux archevêques félons qui ont brandi contre le Pape l'étendard de la révolte. Une sérieuse échauffourée vient d'avoir lieu : alors que Nicolas I<sup>er</sup> était au Latran, les impériaux ont attaqué devant Saint-Pierre une procession qu'il avait demandée ; il y a eu des profanations ; les clercs sont en déroute.

Nicolas I<sup>er</sup> a couru au Tibre et, en dépit des conseils de prudence, se fait conduire en barque jusqu'à Saint-Pierre, l'asile sacré. Il y passera deux jours et deux nuits dans le jeûne et la prière. Des pourparlers s'engagent entre le Pape et l'Empereur, au terme desquels Louis II se retire avec ses troupes, et donne l'ordre aux deux archevêques de rentrer en Lotharingie. La colère des prélats révoltés ne connaît alors plus de bornes. Dans un *factum* adressé à tout l'épiscopat local, et auquel ils font une large publicité dans le reste du monde chrétien, ils tentent de raconter à leur manière leur différend avec le Pape à propos du divorce de Lothaire II. Nicolas I<sup>er</sup> les a excommuniés ? Qu'à cela ne tienne, c'est lui qu'il faut exclure de la communion de l'Église !

Mais leur tentative fait long feu. Le geste du Pape, en appelant en quelque sorte à saint Pierre pour une confirmation solennelle de son autorité légitime, a beaucoup impressionné. Un à un, les prélats qui avaient assisté au concile de Metz, réuni l'année précédente à l'initiative de Nicolas I<sup>er</sup> et détourné de son but par les deux archevêques lorrains pour aboutir à la cassation du mariage de Lothaire, font leur soumission à Nicolas I<sup>er</sup>. La triste affaire matrimoniale qui secoue l'Occident n'est certes pas encore close, mais la primauté du siège de Pierre vient d'être réaffirmée avec l'éclat du courage, la certitude du bon droit, et la foi qui déplace les armées.

Nicolas I<sup>er</sup>, pape et saint, est tout entier dans ce geste. « *Depuis saint Grégoire le Grand, on ne trouve aucun pape de cette taille* », a-t-on écrit de lui. Son pontificat, pourtant, dure à peine dix ans. Mais ce sont dix années pleines et riches, où cristallisent, en cette seconde moitié du IX<sup>e</sup> siècle, plusieurs des grandes questions qui touchent au gouvernement de l'Église. Trois affaires de première importance sollicitent l'attention du Pape durant ces dix ans : la question d'Orient avec l'élection de Photius au patriarcat de Constantinople, la définition des rapports du Siège apostolique avec les grands dignitaires ecclésiastiques et, bien entendu, le divorce de Lothaire II. Et comme ces affaires se chevauchent dans le temps en mettant en jeu des intérêts, voire des susceptibilités, considérables, Nicolas I<sup>er</sup> ne connaîtra guère de répit. Jusqu'à ce mois d'octobre 867 où le Pape, déjà bien malade, profite apparemment d'un léger mieux pour redoubler d'activité, écrivant lettre sur lettre aux différents protagonistes... Il mourra quelques jours plus tard, le 13 novembre, après avoir, selon le *Liber Pontificalis*, « *tenu victorieusement le Siège apostolique, en athlète de Dieu, en vrai catholique, en vrai prince* ».

Nicolas I<sup>er</sup> a beaucoup écrit, et même si ses lettres, à compter de 863, sont souvent rédigées par Anastase, abbé de Sainte-Marie-du-Transtévère, elles reflètent fidèlement la pensée de cet homme aux idées parfois carrées, mais qui a de son rôle une conception cohérente et ambitieuse. Renouant avec la vision du Siège apostolique, qui prévalait au temps de Charlemagne, non sans l'enrichir de sa marque propre, Nicolas I<sup>er</sup> conçoit l'autorité du Siège romain comme celle

*Faire régner la justice, la paix et l'unité dans l'Église.*

d'une « monarchie pastorale », qui a pour mandat impératif de faire régner la justice, la paix et l'unité dans l'Église, et qui, si on la sollicite dans les affaires temporelles, ne doit pas craindre d'y jouer le rôle d'arbitre conforme à son état.

Et le Pape accorde les actes à la parole. En Orient, le patriarche de Constantinople, Ignace, a été déposé par l'empereur Michel et remplacé par Photius, un laïc qui a reçu tous les ordres en six jours ! Les partisans d'Ignace s'agitent, et Photius lui-même est soucieux d'obtenir de Rome la reconnaissance de son élection. Nicolas I<sup>er</sup> envoie donc des légats à Constantinople pour prendre la mesure de la situation. Chapitrés par l'empereur, les légats outrepassent leur rôle et s'associent aux mesures de rigueur contre Ignace. Nicolas I<sup>er</sup>, tout en blâmant ses nonces, continue toutefois d'instruire l'affaire et exige, au cours d'un synode romain, en 863, que Photius cède son siège à Ignace. Puis il envoie Anastase exposer à l'empereur la doctrine pontificale sur le gouvernement de l'Église universelle...

Le climat aurait pu s'apaiser si la question bulgare n'était alors venue se greffer sur le différend. Récemment évangélisée, après le baptême du khan Boris, en 866, la Bulgarie demande des missionnaires à Constantinople. Or, ils tardent à venir. Boris se tourne alors vers Rome, qui s'empresse. Mais ni l'empereur d'Orient ni Photius, qui n'a pas renoncé à ses prétentions, ne voient d'un bon œil la mission latine. On en vient au conflit ouvert, où se mêlent griefs théologiques et différences de coutumes entre Orient et Occident. Photius a alors l'audace, en 867, de convoquer un « concile » qui porte contre le Pape une sentence d'excommunication ! Nicolas Ier rétorque que « *le premier siège ne peut être jugé par personne* ». La déposition de Photius par une révolution de palais, d'une part, et la mort de Nicolas Ier, d'autre part, mettront momentanément fin à ce que les historiens considèrent comme le premier acte du schisme d'Orient.

Car Nicolas Ier ne transige pas avec la distinction des pouvoirs. Comme il le rappelle dans sa grande lettre doctrinale de 865, la primauté de l'Église romaine lui vient, *en Pierre*, du Seigneur lui-même. Hincmar, l'archevêque de Reims, applaudit sans réticence à la fermeté du Pape face à Constantinople, comme il a soutenu sans équivoque la position de Nicolas Ier défendant l'indissolubilité du mariage dans l'affaire du divorce de Lothaire II. Dans l'un et l'autre cas, l'union de pensée de ces deux hommes d'exception est très révélatrice. On sait que Nicolas Ier eut des rapports difficiles avec Hincmar, qui admettait mal que le pape pût arbitrer ses démêlés internes avec ses subordonnés. Mais Hincmar est trop intimement théologien pour se tromper sur le bien de l'Église. S'il reconnaît, en ces circonstances, la primauté de Pierre ainsi que son autorité suprême en matière juridique et morale, c'est bien que l'essentiel est en jeu.

Dans la question des droits du Saint-Siège à trancher des conflits entre les archevêques métropolitains et leurs évêques suffragants, l'essentiel n'était-il pas en jeu aussi, d'une autre manière ? Hincmar lassera la patience du pontife en refusant d'en convenir, mais il fera amende honorable quelques mois avant la mort de Nicolas Ier. D'autres prélats, qui n'avaient ni l'honnêteté ni la hauteur de vue de l'archevêque de Reims, se cabreront jusqu'au bout, comme Jean, l'archevêque de Ravenne, despote impénitent, ou bien encore les fameux archevêques de Cologne et de Trèves rencontrés plus haut. Mais face à chacun d'eux, Nicolas Ier l'emporte. Comme s'il y avait, dans la cohérence du message de primauté et d'unité de ce Pape, affirmé sur tous les terrains, une force irrésistible.

> *La primauté de l'Église romaine lui vient, en Pierre, du Seigneur lui-même.*

SOURCES : Saint Bertin, *ANNALES. LIBER PONTIFICALIS*. Nicolas Ier, *LETTRES*. Réginon, abbé de Prüm, *CHRONIQUE*. E. Amman, « L'époque carolingienne », in *HISTOIRE DE L'ÉGLISE DEPUIS LES ORIGINES JUSQU'À NOS JOURS*, t. VI, A. Fliche et V. Martin (dir.), Paris, 1937. Y. Congar, *L'ECCLÉSIOLOGIE DU HAUT MOYEN ÂGE*, Paris, 1968. P. Levillain (dir.), *DICTIONNAIRE HISTORIQUE DE LA PAPAUTÉ*, Paris, 1994.

# CYRILLE ET MÉTHODE
## UN ALPHABET POUR L'ÉVANGILE

**• 12 MAR •** MÉTHODE SE PROMÈNE DANS LES JARDINS DÉSERTS DU MONASTÈRE ENDORMI. Le jour se lève à peine. Il regarde la campagne environnante, encore plongée dans l'hiver. Ce mois de février 869 est loin d'être clément, il a même neigé, ici, aux environs de Rome. Mais il est habitué aux rudes climats des pays slaves. S'il fait froid, c'est dans son cœur... Son frère cadet, Cyrille, qu'il a suivi depuis tant d'années, est mort la veille. Dans quelques jours, il sera enterré dans l'église Saint-Clément de Rome. « Ce seront des funérailles dignes d'un saint », se dit Méthode pour alléger sa douleur. Au-dessus de son tombeau sera bientôt peinte une majestueuse fresque représentant Cyrille à genoux devant le Christ. Méthode verra-t-il l'œuvre d'art achevée ou sera-t-il déjà reparti sur les chemins de la mission ?

Tout à ses pensées, il n'a pas vu que le jour était maintenant complètement levé. Il n'a pas entendu non plus un vieux moine s'approcher de lui. Les yeux emplis d'admiration, le frère italien prend la parole.

– C'est un véritable saint qui vient de mourir. Je me souviens du visage rayonnant de Constantin quand il reçut l'habit monacal et prit le nom de Cyrille ! Pour moi maintenant, il est Cyrille et je suis sûr que désormais tout le monde ne l'appellera plus que par ce nom !

Méthode, heureux de trouver une âme à qui confier sa peine, lui répond en l'engageant à marcher à ses côtés :

– Il m'est difficile de m'habituer à ce nom. Pour moi, Cyrille sera toujours Constantin. Je le revois encore, quand il avait sept ans, parler du rêve qu'il avait fait. Il se voyait épouser Sophia, la Sagesse. Les études lui étaient faciles. Il était le meilleur en grammaire et en philosophie. Mais il a préféré mettre tout son art et son intelligence au service de l'Église. Depuis notre plus jeune âge, nous nous entendions à merveille ! Ensuite, notre amitié fraternelle est devenue une vocation commune et, ensemble, nous avons travaillé au règne de Dieu.

– Dites, Méthode, l'avez-vous suivi partout ?

– Oh oui, quelle distance avons-nous parcouru sur les routes d'Europe ! Cyrille – vous voyez, je m'efforce de l'appeler ainsi – est venu me chercher au monastère du mont Olympe. Et nous sommes partis, tous les deux, pour cette grande mission chez les Khazars. Car même si je suis son aîné, je me suis mis à son service et je l'ai suivi fidèlement tout au long de son sacerdoce.

Au nom de Khazars, le frère a levé les sourcils en signe d'interrogation. Méthode, malgré le chagrin qui l'afflige, l'a remarqué. Il explique patiemment :

– C'est vers 860 que l'empereur byzantin Michel III nous a confié la mission d'aller prêcher la foi chrétienne à ce peuple turc tartare qui avait embrassé le judaïsme. Cyrille, grâce à son savoir inégalable, arrivait à soutenir pendant des heures des discussions philosophiques sur la Bible avec les Khazars. Il parvenait toujours à démontrer aux juifs ou aux musulmans assis autour de la table que seule la religion chrétienne enseigne la Vérité. Pendant ce temps, moi, je priais pour la conversion des Khazars.

– N'est-ce pas dans ces contrées lointaines que vous avez retrouvé miraculeusement les reliques de saint Clément, pape et martyr du premier siècle ? demande le moine en s'engageant dans une longue allée de cyprès au feuillage vert sombre. Il repousse avec délicatesse une branche pour faciliter le passage de Méthode.

– Oui, répond ce dernier. On disait que saint Clément reposait toujours en mer Noire, dans une île engloutie depuis longtemps. À plusieurs, prêtres et hommes de foi, nous sommes partis en bateau à la recherche du lieu exact. Or, en pleine mer, nous avons senti tout à coup une forte odeur d'huile et d'encens et les reliques sont apparues !

– Cela a été une vraie fête lorsque vous les avez rapportées au pape Adrien II ! Je m'en souviens, c'était il y a deux ans. On a immédiatement dédié une église à saint Clément et ses reliques y ont été déposées dans la plus grande vénération. Oui, il est juste que Cyrille soit enseveli dans la basilique Saint-Clément !

Le souvenir des funérailles prochaines de Cyrille replonge Méthode dans ses tristes pensées. Comment oublier ce frère qui fut son guide et son ami pendant toutes ces années ? Mais le moine, enthousiasmé par les paroles de Méthode, veut en savoir davantage sur Cyrille, que tout le monde vénère déjà comme un saint.

*En pleine mer, on sentit d'un coup une forte odeur d'huile et d'encens.*

– Méthode, s'il vous plaît, racontez-moi ce qui s'est passé ensuite, demande-t-il, alors qu'ils longent maintenant le mur du monastère et aperçoivent les paysans qui se dirigent, en chantant, vers leurs champs.

– Eh bien, poursuit Méthode, Cyrille reçut, en 862, un nouvel ordre de mission de l'empereur Michel III. Ce dernier avait vu arriver à Constantinople une étrange délégation venue des pays des Moraves. Leur prince, Rastislav, lui lança cet appel : « Nous, slaves, sommes des gens simples et nous n'avons personne pour nous expliquer la foi des chrétiens et l'Écriture. Envoie-nous un homme capable de nous enseigner toute la vérité. »

– Et l'empereur a tout de suite pensé à Cyrille... !

– Oui, il lui a même dit : « Aucun autre que toi ne peut le faire. Emmène ton frère Méthode. Car vous êtes tous deux nés à Salonique et tous les Saloniciens connaissent le slave. » Notre père était grec, mais notre mère parlait le slave, explique Méthode. Cyrille, cependant, s'est vite aperçu que les lettres grecques ou romaines étaient insuffisantes pour reproduire tous les sons de cette langue particulière. Or, il était convaincu que la foi s'appuie sur l'œuvre écrite. Il a donc inventé un alphabet particulier, grâce auquel nous avons traduit une bonne partie de la Bible et des textes liturgiques. La mission en Moravie, qui a duré deux ans, fut couronnée de succès ! Puis le Pape nous a demandé de rentrer à Rome.

La neige commence à tomber, doucement, sur le monastère. Les deux promeneurs, émerveillés, regardent un instant tournoyer les flocons étoilés dans le ciel immaculé. Puis, cherchant un abri, ils se dirigent vers le parloir, vide à cette heure de la journée.

– Oui nous avons été invités à revenir à Rome, explique Méthode en s'asseyant avec son compagnon sur un banc en bois. Mais nous avons poursuivi notre mission de conversion sur le chemin du retour. Ainsi, de Moravie en Italie, après notre passage, nombre d'hommes et de femmes se convertirent. De même, l'alphabet slave se répandit très vite, notamment en Pannonie. En remerciement

*Cyrille a inventé un alphabet particulier.*

de nos services, nous avons simplement demandé aux princes Rastislav de Moravie et Kocel de Pannonie la libération de prisonniers étrangers. Au total, plus de mille personnes ont ainsi recouvré la liberté !

– Mais, objecte le vieux moine, la traduction des textes sacrés en slavon n'a pas fait l'unanimité au sein de l'Église, n'est-ce pas ? Certains affirment que, puisque l'inscription au-dessus de la croix du Christ était écrite en hébreu, en grec et en latin, ces trois langues sont les seules permises pour louer Dieu.

– Vous auriez entendu comme Cyrille confondait ses accusateurs ! À partir de l'Évangile, il démontrait l'incohérence de leurs propos. « *La pluie envoyée par Dieu ne tombe-t-elle également sur tout le monde ? Et le soleil ? Et l'air ? Dieu ne réserve pas ses bienfaits à quelques hommes seulement. Tous ont droit à entendre la Parole de Dieu dans leur propre langue.* » Voilà, cher frère, les propos que tenait Cyrille face à ses adversaires, s'enthousiasme Méthode qui oublie de parler de son propre rôle, non moins important, dans la mission. Heureusement, continue-t-il, notre bon pape Adrien II approuve sans réserve la traduction en slavon des textes liturgiques. N'a-t-il pas ordonné les premiers prêtres slaves ? N'a-t-il pas béni lui-même les livres slavons qui sont maintenant utilisés pour célébrer la sainte liturgie ? Je me souviens de l'accueil triomphant que Cyrille, tous les Slaves et moi-même avons reçu en arrivant à

Rome. Adrien II, portant un cierge, était venu à notre rencontre...

Méthode s'arrête soudain de parler, plongé dans ses souvenirs. Le moine devine qu'il veut être seul et se retire sans bruit. Abîmé dans ses pensées, Méthode poursuit en lui-même : « Et puis Cyrille est tombé malade. J'ai continué à le servir avec dévotion. Chaque jour, il m'encourageait à continuer notre œuvre. Juste avant sa mort, il a murmuré ces paroles : "Nous étions tous les deux attachés au même joug, traçant le même sillon. Je tombe sur le champ, sans avoir terminé ma journée. Mais toi, n'abandonne pas ton enseignement !" Je me souviendrai de ces mots jusqu'à la fin de mes jours. »

Alors, seul sous la neige, Méthode retourne prier près de la dépouille de son frère.

Méthode rejoignit Cyrille seize ans plus tard. Comme son jeune frère l'avait souhaité, il continua d'être l'apôtre des Slaves malgré les attaques de ses détracteurs. Des siècles plus tard, l'action de Cyrille et Méthode est encore visible. L'alphabet cyrillique, dénommé ainsi en mémoire de son inventeur, est toujours d'actualité. Le pape Jean-Paul II a déclaré, le 31 décembre 1980, saint Cyrille et saint Méthode copatrons de l'Europe avec saint Benoît.

SOURCES : F. Dvornik, LES LÉGENDES DE CONSTANTIN ET DE MÉTHODE VUES DE BYZANCE, Prague, 1933 et HISTOIRE DES SLAVES, HISTOIRE ET CIVILISATION DE L'ANTIQUITÉ AU DÉBUT DE L'ÉPOQUE CONTEMPORAINE, Paris, 1970. J.-P. Arrignon, LES ÉGLISES SLAVES, Paris, 1991. L. Léger, CYRILLE ET MÉTHODE, ÉTUDE HISTORIQUE SUR LA CONVERSION DES SLAVES AU CHRISTIANISME, Paris, 1968. J. Vodopinec, SAINTS CYRILLE ET MÉTHODE, PATRONS DE L'EUROPE, Paris, 1986.

# JEAN VIII ET LE COMMERCE DES ESCLAVES

## *L'HOMME N'EST PAS À VENDRE*

**• 13 MAR •**

— ALORS, MON GARÇON, QU'AS-TU RETENU DE NOTRE LEÇON D'HIER ? Saurais-tu m'exposer la situation en Orient, par exemple ?

— Eh bien... à dire vrai, maître Philippe, je... je m'embrouille encore un peu.

Dans le patio ombragé, en cette fin d'été sarde encore brûlant, l'homme déjà mûr regarde son jeune élève avec indulgence. Il est bien difficile de faire comprendre à ce fils de prince la complexité des choses de la politique et de l'Église.

Philippe le précepteur rappelle à son élève, encore une fois – la pédagogie n'est-elle pas d'abord affaire de répétition ? –, les grands événements récents qui, en ce mois de septembre 873, annoncent à n'en pas douter une période de grands périls.

À Constantinople, le patriarche Photius, condamné par le VIIIe concile œcuménique, vient de rentrer en grâce auprès de l'empereur d'Orient Basile le Macédonien. Rome doit-elle reconnaître Photius ? Doit-elle maintenir sa condamnation, au risque de s'attirer les foudres de l'empereur ? Dieu sait si Rome n'a pas besoin de nouveaux ennemis. La rivalité de Charles le Chauve et de Louis le Germanique, en Occident, exige du pape Jean VIII une attention de tous les instants.

— Et les Sarrasins, maître Philippe ? Mon père a dit hier soir quelque chose que je n'ai pas compris. Qu'il lui faudrait armer ses hommes.

— C'est le principal souci de notre pape Jean VIII, Antoine. Le principal...

Les Sarrasins... Ces Arabes musulmans multiplient les incursions dans toute l'Italie du Sud. Rome commence à se sentir gravement menacée.

Les Sarrasins... Un nom qui fait trembler les princes, et que Philippe connaît bien. Un nom qui le renvoie à la période la plus terrible de son existence.

— Écoute, Antoine. Tu sais qui sont les Sarrasins.

— Mais oui ! Ce sont des barbares et... et mon père dit que ce sont des infidèles.

Connaissances bien sommaires, en vérité, et qu'il faut étoffer :

— Sais-tu que j'ai connu de près ces infidèles ?

Le précepteur mesure dans les yeux de l'enfant qu'il ne serait pas plus mystérieux ni terrible s'il revenait du Royaume des morts. Et vraiment, c'est le cas. Le royaume des morts.

– Ils m'ont enlevé dans la campagne de Naples où je vivais. Avec mon épouse et nos enfants.

Le maître raconte le terrible pillage. Le meurtre des enfants. Puis le voyage. Les coups, le bateau, la mort qui fait son ouvrage, et la réduction du lettré à des tâches serviles. Les tractations dans des langues orientales inconnues entre geôliers et marchands venus de Grèce, de Phénicie. Le voyage enchaîné vers les côtes de Sardaigne. Les nouvelles tractations dans la langue familière.

– Lorsque le prince, ton père, m'a acheté, je n'étais plus qu'une bête... Je n'étais plus rien.

Le maître a saisi le mouvement de recul de l'enfant.

– Acheté ! Mais alors tu es son...

– Je suis son secrétaire, mon garçon, et ton précepteur. Depuis que ton père m'a attaché à sa maison et m'a affranchi.

Philippe sait qu'il a eu de la chance, la chance de savoir lire. Bénis soient les moines qui l'ont recueilli alors qu'il n'était encore qu'un enfant et qui l'ont initié. Cela lui vaut d'être libre au lieu de peiner comme une bête de somme pour un riche propriétaire terrien, comme tant de ses malheureux compagnons.

– Et... ta femme, maître Philippe.

– Quelque part sûrement, au service d'un prince ou d'un riche Italien. Ou morte.

– Mais comment peux-tu ne pas savoir. Tu ne l'aimais donc pas ?

– Mon garçon, je l'aimais plus que je t'aime toi, plus que ma propre vie.

> *Je l'aimais plus que ma propre vie.*

– Les maudits Sarrasins... Mon père va les mettre en pièces, il libérera ta femme. Et tous les chrétiens.

Un rictus sévère déforme le visage du précepteur.

– Antoine, il ne suffit pas de condamner ces Sarrasins qui vendent des esclaves. Encore faut-il empêcher que des chrétiens n'achètent d'autres chrétiens ! Laisse-moi te raconter pourquoi ton père m'a fait mander hier, lors de notre leçon.

Et Philippe raconte la missive « *Unum est* », arrivée la veille au soir. Celle d'un pape courageux qui sermonne les princes. « Il aura pourtant besoin d'eux pour résister aux Sarrasins, mais aujourd'hui il les tance, mon garçon. » Le précepteur pèse ses mots lorsqu'il parle du prince. Mais comment pourrait-il ne pas jubiler, lui l'affranchi ? La veille, en lisant à son maître le courrier pontifical, a-t-il même essayé de dissimuler sa joie intense ? Car la lettre de Jean VIII est ferme et sans appel : « *Il est une chose pour laquelle nous devons paternellement vous admonester ; si vous ne la corrigez pas, vous encourrez un grand péché, et par elle ce ne sont pas les gains que vous accroîtrez, comme vous l'espérez, mais plutôt les dommages. [...] Beaucoup qui ont été enlevés captifs par les païens sont [...] vendus dans vos régions et, après avoir été achetés par vos compatriotes, ils sont gardés sous le joug de l'esclavage ; alors qu'il est avéré qu'il est pieux et saint, comme il convient pour des chrétiens, que lorsqu'ils ont été achetés des Grecs, vos compatriotes les renvoient libres pour l'amour du Christ, et qu'ils reçoivent leur récompense non pas des hommes, mais de notre Seigneur Jésus-Christ lui-même. C'est pourquoi nous vous exhortons et nous vous commandons [...] de les laisser aller libres pour le salut de votre âme. »*

Le prince, à ces mots, a brutalement cogné du poing sur la table, puis est sorti, en proie à une colère... princière. De cela, Philippe ne dit mot.

— Mais comment mon père pourrait-il faire sans esclaves ?

— Notre vieux pape affirme que le commerce des chrétiens est péché. Il devra donc choisir...

L'affranchi se tait. Il mesure parfaitement les risques qu'a pris le nouveau pape. Dans sa politique, il devine les lignes de souplesse. Que Photius, en Orient, accorde quelques concessions et il sera reconnu (ce sera fait lors d'un concile en 879-880). Que Louis le Germanique vienne à mourir, lui qui est sans héritier, et Jean VIII invitera Charles le Chauve à venir ceindre à Rome la couronne impériale (le sacre aura lieu en 875). Le Pape prépare déjà les compromis qui lui permettront de reprendre la lutte contre les Sarrasins. Et pourtant, il n'a pas hésité, cette fois, à courroucer les princes. Philippe relit cette lettre dont il ne se lasse pas. Le commerce des chrétiens est enfin interdit.

> *Le prince a brutalement cogné du poing sur la table.*

SOURCES : Jean VIII, *LETTRE « UNUM EST » AUX PRINCES DE SARDAIGNE*. P. Levillain, *DICTIONNAIRE HISTORIQUE DE LA PAPAUTÉ*, Paris, 1994.

# LA FONDATION DE CLUNY

## *LA RENAISSANCE DE LA RÈGLE*
## *DE SAINT BENOÎT BOULEVERSE*
## *LE PAYSAGE MÉDIÉVAL*

**• 14 MAR •**

L'ENFANT NAQUIT UN HIVER, AU PLUS ÉPAIS DE LA NUIT DU IX<sup>e</sup> SIÈCLE : le fulgurant espoir d'une résurrection de l'empire s'était éteint ; les envahisseurs déferlaient de toute part, descendant les rivières dans leurs barques à fond plat et à tête de dragon, fonçant au détour des bois sur les pauvres hères qui survivaient à grand-peine sur leur glèbe. Le petit garçon s'appelait Bernon et il avait soif de la lumière qui ne passe pas. Tellement soif qu'il réussit, en fondant Cluny, à illuminer pour des siècles le visage de l'Occident.

Il n'y réussit pas tout de suite ! Bernon commença par marcher de nuit en nuit. Autun, déchu de sa splendeur romaine, reculé, dépeuplé, l'accueillit un temps entre ses monts chevelus. Les hivers ne semblaient jamais s'y terminer. Ensuite, il y eut Gigny au flanc du Jura et de ses bois obscurs. Il y eut Baume... Une combe austère entre deux nuits de forêts. Enfin, vers l'aube du X<sup>e</sup> siècle, une lueur.

Elle venait d'un terroir de douceur. Le comte Guillaume avait quitté son Aquitaine où se mariaient soleil et océan, l'occident méridional du royaume et ses vignes riantes, pour rejoindre sa seigneurie de Mâcon, à la limite des pays de la neige et de la descente vers la mer bleue.

La rencontre de Bernon et de Guillaume, en l'an 910, conduisit à des hauteurs spirituelles dont le comte s'était exilé depuis belle lurette. Le gaillard avait beaucoup à se faire pardonner. Son inquiétude pour son salut croisa le désir du moine : trouver un lambeau de terre où fonder enfin un havre de paix. Construire une abbaye où la règle donnée par saint Benoît, voici déjà près d'un demi-millénaire, recevrait une nouvelle vie. Règle bénédictine de rigueur, de douceur et de dépouillement. Règle aussi d'équilibre, entre prière, travaux des mains et ouverture aux trésors de la pensée par la lecture des anciens textes et par l'écriture.

*Cluniacum*... Le pavillon de chasse de Guillaume, sur les bords de la rivière Grosne – en fait, une villa romaine délabrée depuis des siècles –, ses murs humides, son antique mosaïque défigurée, mais aussi sa chapelle de pierres grossières, son courtil, ses dépendances de bois, voilà ce que pouvait offrir le comte repentant. Et voilà qui convenait bien au saint moine assoiffé de présence de Dieu dans la tranquillité. Le royaume de

France, torturé de toute part, s'arrêtait à quelques lieues de là. Le fantôme d'empire des Germains, trop étendu et disparate, venait mourir aux bords de la Saône. Là pourrait enfin s'établir un moutier exemplaire et libre, hors des empiétements des princes et des évêques.

Le sacrifice de Guillaume, ce n'était pas rien ! En se séparant de son domaine, il renonçait à sa chère meute, à ses bois et à leur gibier. Il consentit à soustraire Cluny de toute juridiction temporelle, la plaçant sous l'invocation directe des deux grands pionniers, les saints Pierre et Paul. Il dessina lui-même les armoiries du futur domaine : l'épée fatale à Paul et les deux clefs de Pierre. Et, se souvenant des pauvres et des voyageurs envers lesquels il n'avait pas toujours été tendre, il spécifia que miséricorde et place à table leur seraient toujours réservées.

Bernon bénit Guillaume, confia sa future abbaye à la seule protection du pape – moyennant dix sous d'or payables tous les cinq ans à Rome – et, suivi de douze compagnons venus de Baume, se mit au travail dans la « vallée noire ». À l'écart de tout, malgré l'existence d'une vieille voie romaine oubliée, le manteau sombre des bois rappelait au moine les nuits d'où il venait. Mais cette fois, le jour allait poindre !

On défricha. La chapelle était exiguë. À peine si les douze servants pouvaient s'y blottir entre la nudité des blocs incertains. La forêt aidant, on para au plus pressé. Les hommes se firent bûcherons aux heures prescrites pour le travail manuel. La vallée commença de s'éclaircir d'autant.

Comme la tâche paraissait lente et les années fugaces ! Huit ans après sa donation, le comte Guillaume partit pour l'au-delà. Bernon l'avait assisté, lui apportant un éclair de paix au cœur de l'agitation du monde. Puis, il retrouva sa vallée, moins noire déjà, et résolut de gratter la proche colline. Elle offrait force calcaire solide et plat dont on empilerait des lits obliques en arête de poisson. Les rares échappées vers le ciel s'élargiraient plus tard. Vers la lumière...

La lumière, c'est dans les cœurs qu'elle s'installait. Une sérénité rayonnait de l'embryon d'abbaye, gagnait les villages. Jamais la règle de saint Benoît de Nursie n'avait été observée avec une telle fidélité. Bernon, cependant, sentait un gouffre se creuser en lui entre l'immensité de la tâche et la précarité de son entreprise. Une lueur pointait, certes. Grandirait-elle ? Les gelées et les famines mordaient les corps. Les hommes vieillissaient vite. Bernon s'en remettait au Maître de toutes choses et ramenait sans cesse ses compagnons à l'essentiel.

Un soir d'hiver, le vent du nord s'engouffra dans le val de Grosne. Les grands chênes des monts du levant, les broussailles épineuses des collines du couchant semblaient vouloir se rejoindre et submerger le frêle héritage. Bernon se dressa, appela ses compagnons à ne chercher qu'au-dessus d'eux,

> *Il renonçait à sa chère meute, à ses bois et à leur gibier.*

droit comme un fût, la paix divine – avec l'immense charité, donnée à tous, ruisselant des deux bras étendus de la croix. La tempête faiblit.

Le lendemain, 13 janvier 927, les douze moines trouvèrent le corps de Bernon déjà froid, étendu dans sa minuscule cellule, les yeux grands ouverts. Comme il avait désigné Odon pour lui succéder, celui-ci, quoique épouvanté par la tâche et s'en jugeant indigne, commença par fermer sur-le-champ les yeux de l'abbé. Et les douze l'enterrèrent, à même la terre de Bourgogne.

Mais ils ne pouvaient se douter de la

*L'immense charité, donnée à tous, ruisselant des deux bras étendus de la croix.*

destinée qui attendait l'humble monastère fondé par Bernon dix-sept ans plus tôt. De Cluny allaient rayonner deux siècles ininterrompus de sainteté. Ils culmineraient au zénith des sept clochers d'une église joyau, longue de six cents pieds, la plus grande de la chrétienté. On appellerait bientôt Cluny la seconde Rome, avec ses centaines de filles et plus de dix mille moines répandus dans tout l'Occident chrétien.

Autour du dernier clocher et des prestigieux vestiges hantés par les foules pensives, il semble parfois que passe une ombre : celle, tout de noir vêtue, de Bernon le fondateur, le pionnier.

SOURCES : *RECUEIL DES CHARTES DE L'ABBAYE DE CLUNY*. Pierre le Vénérable, *LE LIVRE DES MERVEILLES*. M. Pacaut, *L'ORDRE DE CLUNY*, Paris, 1986. M. Aubert, *CATHÉDRALES ET ABBATIALES ROMANES DE FRANCE*, Paris, 1965. K.-J. Conant, *CLUNY. LES ÉGLISES ET LA MAISON DU CHEF D'ORDRE*, Cambridge, 1968. G.-M. Oury, *LES MOINES*, Paris, 1987.

# L'ÉVANGÉLISATION DE LA POLOGNE

## *MIESZKO OU UN DRÔLE DE CATÉCHUMÈNE*

**• 15 MAR •**

LE PRINCE MIESZKO DE POLOGNE ÉTAIT CONSTERNÉ : POURQUOI LE TOUT-PUISSANT NE TUAIT-IL PAS LE diable, puisque ce dernier lui causait tant d'ennuis ? Le Tout-Puissant n'était-il pas de toute façon plus fort que lui ? Quant à la Trinité, une telle intimité et un tel accord entre les trois « chefs » célestes dépassait son entendement ! Lui, Mieszko, s'il était le Père, il aurait crevé les yeux du Fils et fait tuer le Saint-Esprit par ruse, car il ne doit y avoir qu'un seul maître pour qu'un peuple marche droit ! Le prince aimait beaucoup Jésus. Oui, mais, précisément... la seule idée du crucifiement lui arrachait des grincements de dents. Ce n'est certainement pas lui qui aurait laissé faire les Juifs perfides ! Il serrait son épée.

Pour instruire ce catéchumène, à l'ingénuité toute barbare, il fallait au prêtre de Jésus une patience d'ange. D'autant que, lorsque les objections « théologiques » du prince s'apaisaient, c'était la peur de l'inconnu qui prenait le relais.

Lors de son mariage, en 965, avec la princesse chrétienne Dobrawa, fille du prince Boleslav Ier de Bohême, le prince Mieszko, qui n'était pas encore baptisé, avait accepté de bonne grâce un double cérémonial, qui faisait place au rituel chrétien à côté des rites païens. Mais cette fois, il fallait choisir : Dobrawa elle-même le pressait d'accomplir sa promesse et de renoncer à Belzébuth. Or, pour un prince chrétien, rejeter les idoles allait de pair avec le devoir de les détruire. En cette seconde moitié du Xe siècle, la Pologne tribale et païenne se sentait à l'aise au milieu des idoles slaves. Comment allaient réagir les Polanes ? À Gniezno, dans la vieille capitale, les habitants, déjà troublés par son mariage, le menaçaient d'une insurrection générale contre « les dieux étrangers », ces envahisseurs. Et puis il y avait l'Empire germanique, le puissant voisin, chrétien certes, mais dont l'appétit de conquêtes était fort inquiétant... Svarogitse, le dieu familier des Polanes, n'était-il pas finalement plus rassurant ? Un pas en avant, un pas en arrière. Mieszko hésitait !

Pour bien comprendre les sentiments et les arguments qui se disputaient le cœur du jeune prince, il faut remonter un peu aux sources. Mieszko, rejeton de la dynastie des Piast, grandit dans le « *grod* » fortifié de son père, le prince Ziemomysl. Fort beau garçon, exercé très tôt à la guerre, Mieszko perd son père en 960. C'est alors à lui de réfréner les ambitions des margraves germaniques, de porter secours aux tribus sœurs de la Lusace, de chasser les Tchèques de la Silésie du Sud, de fortifier les liens avec les Vislanes de Cracovie... bref, de continuer la politique unificatrice de ses prédécesseurs, peut-être autour d'un seul dieu...

Son regard se tourne alors vers Prague. Le prince Boleslav Iᵉʳ est chrétien. En épousant sa fille Dobrawa et en devenant chrétien comme elle, Mieszko ne renforcera-t-il pas sa position face à l'Empire germanique, dont l'aide serait par ailleurs bien utile pour l'emporter sur les Slaves baltes ? Le calcul est intelligent, et Dobrawa entre très vite dans le jeu, d'autant qu'elle n'est pas insensible au charme viril de ce guerrier entreprenant. Mais aujourd'hui elle est vraiment déçue : le mariage a finalement précédé le baptême, et le prince tarde à honorer sa promesse. La princesse insiste, non sans avoir recours, si l'on en croit certaines chroniques de l'époque, à un petit chantage affectif...

Mieszko, en fait, n'hésitera pas très longtemps. Et son catéchuménat, pour être parfois laborieux, n'en sera pas moins mené avec sincérité et application. Le 14 avril 966, après avoir achevé sa préparation auprès de l'évêque Michel, Mieszko accède au baptême. Il reçoit le nom de « Dago » – peut-être une forme polane de Dagobert. Après les baptêmes de la Bulgarie et de la Bohême au siècle précédent, c'est le baptême de Mieszko et des Polanes qui ouvre la série des grandes conversions dans l'est de l'Europe, au Xᵉ siècle. Ce qui frappe d'abord, dans cet événement, en dépit de l'émouvante cérémonie qui fait de Mieszko et de plusieurs voïvodes polanes des chrétiens tout neufs, c'est le contraste entre l'humilité de ce commencement et l'ampleur de ses conséquences. Le prince Mieszko n'a vraiment rien d'un saint ! Pourtant, à partir de ce geste, c'est bien l'heure de Dieu qui commence pour la Pologne.

Dès la fin de l'année 967, Mieszko demande au Saint-Siège des évangélisateurs pour son pays. Dans un souci d'indépendance politique, il ne souhaite pas qu'ils soient issus de l'empire d'Otton. Il semble que ce souci ait été compris. L'évêque Jordan, peut-être irlandais, peut-être lorrain, mais certainement pas germanique, fait merveille autour de Poznan. L'évêché est directement rattaché au Saint-Siège. Les missions se déploient. Mieszko, à qui son épouse Dobrawa a donné un fils, Boleslas le Vaillant, suit les progrès de l'évangélisation avec un intérêt sincère, et une ouverture d'esprit qui lui vient peut-être de ses anciens tâtonnements : « *Il usait seulement de persuasion,* disent ses contemporains, *et laissait la plus grande tolérance à l'égard des anciennes croyances.* » Il reste que son exemple rayonne. Désormais, les chroniqueurs traitent l'État de Mieszko comme un pilier pleinement légitime de l'Europe chrétienne.

Rien n'est simple, pourtant ! Car l'archevêché de Magdebourg multiplie

> *L'heure de Dieu commence pour la Pologne.*

les démarches et les chicanes auprès du pape Jean XIII et de l'empereur Otton pour soumettre l'Église polane. Mieszko passe son temps à défendre l'autonomie de la jeune Église. En 977, Dobrawa meurt. L'épouse intelligente et ardente avait été un grand soutien pour les premiers pas de Mieszko dans le christianisme. Le souverain contracte toutefois un second mariage, trois ans plus tard, avec la fille d'un margrave de la marche du Nord, et se lance dans de nombreuses expéditions guerrières. Avec Otton I<sup>er</sup>, puis Otton II, les rapports oscillent entre allégeance partielle et méfiance constante. Et quand l'évêque Jordan meurt à son tour, en 984, c'est un rude coup pour Mieszko. On notera qu'il prend la précaution de faire venir, pour le remplacer, un évêque issu de la métropole de Mayence, et non de Magdebourg, afin d'éviter le rattachement des terres polonaises à la province ecclésiastique du puissant État voisin.

> *Il fait don de son État au Saint-Siège.*

Est-ce à ce moment-là que le prince mûrit le projet étrange et beau qui scellera le destin religieux de la Pologne ? On ne sait. En tout cas, vers 990, peu avant sa mort, Mieszko fait établir un document officiel, le « *Dagome judex* », par lequel, en son nom propre et en celui de son épouse et de ses enfants, il fait don de son État au Saint-Siège. Cet État ne ressemble plus à celui des origines : il commence à la mer Baltique, sa frontière suit la Prusse du Nord et va de la Ruthénie jusqu'à Cracovie et de Cracovie jusqu'au fleuve Oder, pour longer ensuite ce fleuve et aboutir à la ville de Gniezno.

Ce don de la Pologne à Saint-Pierre portera très vite des fruits de grâce. Mieszko meurt en 992. En cette période de troubles politiques, son fils, Boleslas le Vaillant, lui succède. Il est fidèle à la foi de son père. Profondément impressionné par l'évêque Adalbert de Prague, il soutient son départ pour la Prusse qu'il faut évangéliser. Le martyre d'Adalbert, en 997, le touche au point de racheter le corps et de le faire enterrer à Gniezno. La canonisation d'Adalbert par Sylvestre II en 999, l'envoi d'un proche collaborateur d'Adalbert comme évêque de la Pologne, et la création d'une province ecclésiastique polonaise autonome sont autant d'événements dont l'enchaînement providentiel s'enracine dans le geste fondateur de Mieszko.

Certes, il y aura des retours en arrière, des réactions païennes, des déchirements. Mais, dès le tournant de l'an mil, la Pologne voit se dessiner les traits essentiels de son caractère, autour d'une fidélité très « romaine » à une Église dont elle tient son unité et les bases de sa civilisation.

SOURCES : Thietmar de Merseburg, *CHRONICON*. David, *LES SOURCES DE L'HISTOIRE DE LA POLOGNE*, Paris, 1934. *MONUMENTA POLONIAE HISTORICA*, 1864 puis à partir de 1946. J. Kloczowski (dir.), *HISTOIRE RELIGIEUSE DE LA POLOGNE*, Paris, 1987. Z. Sulowski, « Le baptême de la Pologne », in *MILLÉNAIRE DU CATHOLICISME EN POLOGNE*, 1969.

# ADALBERT DE PRAGUE

## *COMMENT UN ÉVÊQUE*

## *QUI VOULAIT ÊTRE MOINE*

## *DEVINT MISSIONNAIRE ET FINIT MARTYR*

**• 16 MAR •** DIETMAR, L'ÉVÊQUE DE PRA-GUE, EST TRÈS MALADE ; IL SAIT QU'IL VA MOURIR. À son chevet, Adalbert, un jeune prêtre à l'allure aristocratique et au visage grave, ne cache pas son émotion. En cette nuit du mois de janvier 982, Adalbert est le témoin d'un combat spirituel. N'entend-il pas son évêque se reprocher amèrement d'avoir été un mauvais pasteur et d'avoir succombé à toutes les vanités du monde ? Le regard que Dietmar porte sur sa vie est sans complaisance. C'est celui d'un mourant qui se repent avant de paraître devant Dieu. La crainte surnaturelle qui habite le prélat et l'accent de sincérité de ses propos sont tels qu'Adalbert en ressent un choc profond. La même nuit, revêtu d'un cilice, la tête couverte de cendres, il fait le tour des églises, distribue aux pauvres tout ce qu'il a sur lui et se recommande à Dieu. À cet instant, Adalbert a compris qu'il n'était pas « du monde » – qu'il n'en serait jamais. À peine a-t-il fait cette découverte qu'on vient le chercher ! Puisque le siège épiscopal est devenu vacant, c'est à lui que l'assemblée des grands, sous la direction du duc Boleslav le Pieux, confie la responsabilité du

grand évêché de Bohême. Six mois plus tard, Adalbert est sacré évêque par l'archevêque de Mayence. Il reçoit la crosse et la mitre. Mais il sait sans doute déjà au fond de son cœur que c'est la Croix qu'il va porter, avec le Christ, sur les chemins du monde. Autour de lui le paganisme demeure vivace, y compris parmi les chrétiens, et Adalbert est de la trempe de ceux qui ne transigent pas.

Descendant de l'une des plus illustres familles tchèques, rivale de la dynastie régnante des Premyslides, Adalbert est né à Libice, en Bohême, vers 956. Sa naissance aristocratique lui vaudra l'amitié spontanée des princes ; mais la position politique de sa famille compliquera sa tâche apostolique, lui apportant des inimitiés et des incompréhensions dont son âme limpide et mystique n'avait nul besoin...

Tout jeune encore, Adalbert est envoyé étudier à l'école cathédrale de Magdebourg. C'est d'ailleurs l'archevêque de la ville, Adalbert, qui lui a donné son nom au moment de sa confirmation. Mais en 981, à la mort de l'évêque qui le protégeait, Adalbert revient dans son pays. Et c'est auprès de Dietmar, l'évêque de Prague, dans cette terrible nuit d'agonie, que sa vocation lui est révélée : être aux yeux du monde, à l'image du Christ son maître, tout à la fois un signe de contradiction et d'unité.

À peine sacré évêque, il arrive à Prague sur un pauvre cheval harnaché à la diable, et entre dans la ville pieds nus. Le voilà qui admoneste ses fidèles, qui se souciaient comme d'une guigne de la monogamie et de la fidélité conjugale, refusaient de jeûner, travaillaient les jours de fête, et même, comme le prince en personne, tiraient de gros profits du commerce des esclaves ! Le ton des reproches est si vif que la malveillance et l'hostilité à son égard s'installent en quelques mois. Adalbert n'y tient plus, il abandonne son siège, se réfugie à Rome, songe à se rendre en pèlerinage au Saint-Sépulcre, puis se dirige avec un ou deux compagnons vers le Mont-Cassin. Mais ce n'est pas là, semble-t-il, que Dieu l'attend. Sur le conseil de Nil Sorsky, l'anachorète grec, Adalbert se rend alors au monastère des Saints-Boniface-et-Alexis sur le mont Aventin, à Rome. Après avoir reçu l'accord du pape et du conseil des cardinaux, l'abbé Léon admet Adalbert dans sa communauté. Il y reste deux ans.

On imagine aisément Adalbert, brûlant d'amour pour le Christ, profondément attiré par la contemplation, tourné naturellement vers l'ascèse, tout à la joie de mener cette vie monastique abritée des tracas du monde. Mais est-ce bien là que Dieu l'appelle ? Le 23 août 992, Folkold, l'évêque suffragant de Meissen, qui avait pris aussi en charge le siège de Prague,

*Adalbert abandonne son siège et se réfugie à Rome.*

vacant depuis le départ d'Adalbert, vient à mourir. Cette fois, on a vraiment besoin qu'Adalbert revienne. L'archevêque de Mayence le réclame, un synode est réuni, le pape lui-même se rend aux arguments de l'archevêque, et Adalbert est contraint de quitter l'Aventin pour rentrer à Prague. Il se donne alors de tout son cœur à son activité pastorale, fondant une communauté bénédictine à Brevnov, construisant des églises, négociant sur la dîme avec le prince et nouant aussi des relations avec la cour hongroise en entreprenant une tâche missionnaire dans ce pays.

Pourtant Adalbert n'a pas changé : son amour du Christ est tranchant comme la lame, il ne badine pas avec les exigences de l'Évangile. Il dérange les grands de Bohême qui ne l'entendent pas de cette oreille. Un incident tragique va à nouveau bouleverser la situation de l'évêque. L'épouse d'un noble illustre, prise en flagrant délit d'adultère, est poursuivie par la vindicte des parents de son mari trompé. Risquant la mort, elle cherche du secours auprès de l'évêque. Adalbert la prend en pitié et la cache dans l'église Saint-Georges du Hradcany, mais ses persécuteurs parviennent à la retrouver et adressent à l'évêque les pires menaces, sans parvenir à le faire céder. Fous de rage, ils violent alors l'asile sacré et décapitent devant l'autel la malheureuse femme. La situation d'Adalbert devient intenable. N'arrivant pas à obtenir la permission de quitter son siège épiscopal, il repart clandestinement, au début de l'année 995, vers l'Aventin.

C'est cette même année, d'ailleurs, qu'au milieu des troubles politiques son château familial de Libice sera mis à feu, la population dispersée ou réduite en esclavage, et quatre de ses frères tués avec leur famille.

Sur le moment, Adalbert bénéficie une fois de plus de la compréhension des moines, et de l'indulgence du pape. Il y a quelque chose de poignant à voir cet être d'exception, tout donné au Seigneur, se heurter ainsi à l'incompréhension du monde, alors qu'il désire tant vouer sa vie à la contemplation. Mais un évêque peut-il abandonner son siège ? L'archevêque de Mayence, Willigis, qui a sacré Adalbert, revient à la charge. De passage à Rome en mai 996 dans le cortège du jeune empereur Otton III, Willigis réussit à persuader le synode de renvoyer Adalbert à Prague : *« Que l'homme de Dieu, qu'il le veuille ou non, s'y rende sinon il encourra l'anathème. »* À Dieu ne plaise ! Adalbert obéit aussitôt, demandant seulement au pape de pouvoir transformer son retour en activité missionnaire chez les païens, s'il s'avérait impossible d'agir à Prague.

Adalbert a vu juste. Inquiets des réactions qu'il pourrait avoir devant les exactions commises contre sa famille et dont ils n'ont pas la moindre envie de se repentir, les Praguois opposent au retour de l'évêque un refus brutal et définitif. Reste la mission.

À Rome, puis à Mayence, Adalbert s'est lié avec le jeune empereur Otton III d'une amitié profonde, que partage aussi Gerbert d'Aurillac, le futur pape Sylvestre II. Otton rêve d'un empire chrétien réuni sous son sceptre, et tous les projets de mission chez les peuples voisins reçoivent de sa part un accueil enthousiaste. Par ailleurs, Boleslas le Vaillant, roi de Pologne, est favorable à une mission auprès du peuple balte des Pruthènes, à l'est de la Vistule et au nord de la province polonaise de Mazovie.

Nanti de tous ces soutiens, et après un pèlerinage sur les tombes des grands saints de l'Occident, Adalbert part pour Gdansk, où il prêche et baptise, puis prend la mer avec deux compagnons, et un guerrier qui, après les avoir déposés sur une petite île, repart avec le bateau. Les missionnaires ont à peine touché terre qu'un groupe de Pruthènes les menace. Dès le lendemain, après les avoir assaillis de questions, les Pruthènes laissent tomber le verdict : ou bien les missionnaires s'en vont, avec leur loi inconnue, ou bien ils seront décapités. Cinq jours durant, Adalbert et ses compagnons tiennent bon. Et puis, le 23 avril 997, les missionnaires décident d'abandonner. Ils célèbrent la messe et s'accordent un peu de repos avant de reprendre la route. Pendant leur sommeil, huit Pruthènes en armes les assaillent. Adalbert, percé de lances, succombe à ses blessures. Il est décapité et sa tête est empalée. Ses deux compagnons d'abord emmenés en captivité, réussissent à s'échapper et regagnent Rome où ils font le récit de leur tragique périple.

*Les Pragois opposent au retour de l'évêque un refus brutal et définitif.*

Le martyre de l'évêque a un retentissement extraordinaire. Le premier à réagir est Boleslas le Vaillant, qui envoie aussitôt une ambassade racheter le corps pour le faire enterrer à Gniezno. Mais c'est toute la chrétienté occidentale qui est profondément bouleversée par le sacrifice de ce personnage au rayonnement si pur, et auquel les jeunes provinces ecclésiastiques d'Europe centrale se sentaient tellement redevables. Dès 999, le pape Sylvestre II canonise Adalbert. Et son culte, en Pologne, dans l'empire d'Otton, en Hongrie et chez les Tchèques eux-mêmes, se développe.

> *Toute la chrétienté occidentale est profondément bouleversée.*

Jusqu'à sa mort, l'existence d'Adalbert fut jalonnée d'échecs. Les humiliations, les déceptions n'auront pas manqué à l'évêque. Et pourtant, comment évoquer la Pologne, la Hongrie, la Bohême elle-même et l'empire d'Otton autour de l'an mille sans voir partout surgir, avec l'écho d'une ferveur partagée par tant d'illustres contemporains, le nom et le culte d'Adalbert ? Comme si l'échec apparent n'était là – à l'image de celui du Christ – que pour mieux rehausser l'éclat de la seule vraie victoire, celle qui n'est pas de ce monde, mais qui en change le cours.

SOURCES : *DEUX VIES DE SAINT ADALBERT*, Monumenta Poloniae Historica, series nova, t. I. A.-P. Vlasto, *THE ENTRY OF THE SLAVS INTO CHRISTENDOM. AN INTRODUCTION TO THE MEDIEVAL HISTORY OF THE SLAVS*, Cambridge, 1970. A. Gieysztor, « Sanctus et gloriosissimus martyr Christi Adalbertus : un État et une Église missionnaire aux alentours de l'an mille », in *SETTIMANE DI STUDIO DEL CENTRO ITALIANO DI STUDI SULL'ALTO MEDIO EVO*, Spolète, 1967. F. Graus, « St. Adalbert und St. Wenzel. Zur Funktion der Mittelalterlichen Heiligenverehrung in Böhmen », in *EUROPA SLAVICA-EUROPA ORIENTALIS*, Berlin, 1980.

# LE BAPTÊME DE LA RUSSIE

## OU COMMENT LE PRINCE VLADIMIR
## FIT SON MARCHÉ PARMI LES RELIGIONS

**• 17 MAR •**

« *POUR LES RUSSES*, DIT VLA-DIMIR, *BOIRE EST UNE JOIE ; NOUS NE POUVONS VIVRE SANS CELA.* » Les mahométans, venus de Bulgarie en 986 proposer au prince de Kiev d'adopter la religion musulmane, doivent se le tenir pour dit : en dépit des promesses sensuelles pour l'au-delà – qui plaisent fort à Vladimir, attaché à ses cinq femmes et à ses huit cents concubines – la loi de Mahomet ne deviendra pas celle de la « Rus' » de Kiev. Ensuite, tour à tour, des envoyés de l'empire d'Otton venus plaider pour Rome, et des juifs Khazars, développent leurs arguments. Puis vient un Grec, philosophe dépêché par Byzance, qui ne craint pas, pour convaincre le prince, de remonter à la création du monde. Sa parole est éblouissante, mais...

Mais le prince de Kiev ne veut pas s'en laisser conter. Le plus sûr est d'envoyer des observateurs dans les différents pays. Alors le prince Vladimir, les boyards et les anciens choisissent dix hommes bons et sensés et leur donnent pour mission d'aller voir les rites et les cultes, d'étudier la foi de chaque peuple et d'en rendre compte à leur souverain. Les envoyés de Vladimir s'acquittent de leur tâche, et leur jugement est sans appel : chez les Bulgares mahométans, qui se tiennent mal dans leurs mosquées, « *il n'y a pas de joie, mais une grande tristesse et puanteur* ». Chez les Allemands, les envoyés de Vladimir ont vu beaucoup d'offices religieux, mais même en cherchant bien ils n'ont « *rien vu de beau* ». Alors ils se sont rendus chez les Grecs, à Constantinople. Et là... Là, l'enthousiasme des dix sages ne connaît pas de bornes : « *Nous ne savions plus si nous étions au ciel ou sur la terre. Car il n'y a pas sur la terre un tel spectacle ni une telle beauté, et nous sommes incapables de l'exprimer. Mais nous savons seulement que c'est là que Dieu demeure avec les hommes et leur culte dépasse celui de tous les pays. Non, nous ne pouvons oublier cette beauté ; car tout homme qui goûte quelque chose de doux ne supporte plus ensuite l'amertume. Ainsi nous ne pouvons plus rester ici.* » À moins d'être baptisés à leur tour !

Les sages furent convainquants, puisque la célèbre « Enquête de Vladimir » relatée dans la *Chronique des temps passés*, et sans doute rédigée un siècle et demi après l'événement par un moine du monastère des Grottes, semble aboutir directement à la décision du prince de recevoir le baptême. De fait, le prince Vladimir devient chrétien en 988, et les Kiéviens reçoivent collectivement le baptême, dans les eaux du Dniepr, quelques mois après lui.

Les choses, en réalité, sont un peu plus complexes, mais l'on retiendra de cette scène savoureuse l'amour de la beauté qui semble aux yeux des Russes l'argument suprême. Le christianisme hérité de Byzance aura toujours intimement partie liée en Russie avec la beauté liturgique, même si la rusticité des Varègues au temps de la « Rus' » de Kiev ne leur permettait guère encore de déployer ses fastes.

Ces Varègues, en effet, qui sont-ils ? Et qui est Vladimir ? « Varègue » est la forme slave du mot « Viking ». À la fois marchands et guerriers, les Varègues s'installent au IXe siècle dans la partie européenne de la Russie, à Novgorod puis à Kiev. Ils cherchent ensuite à s'étendre en contrôlant peu à peu la steppe à l'est. Tour à tour Oleg, premier souverain indépendant des Varègues, puis Igor et Sviatoslav tentent d'établir un empire. Sviatoslav réussit une belle expansion, mais à sa mort, en 972, la majeure partie de l'empire est perdue. Vers 981 Vladimir, son fils, reprend la progression vers l'ouest aux dépens des Polonais, des Lituaniens et des Finnois.

Les Slaves évoluent alors au milieu d'un paganisme très vivace. Au siècle précédent, la Bulgarie s'est en grande partie convertie au christianisme, et la mission des saints Cyrille et Méthode en Europe centrale a connu quelques ramifications dans la Rus' de Kiev. Mais les divinités du panthéon slave – Péroun, dieu du tonnerre, en tête – ont grande prise sur la vie des diverses peuplades. Vladimir a songé à unifier les tribus dans le cadre du paganisme. Il y a renoncé. Or il a plusieurs raisons de songer à devenir chrétien, et à entraîner son peuple avec lui dans la foi. D'abord sa grand-mère, Olga, régente de Kiev au milieu du Xe siècle, s'est rendue à Constantinople pour y recevoir le baptême. Certes, la princesse Olga a hésité entre Rome et Byzance, et à sa mort il s'est produit, chez les Varègues, une réaction païenne. Il reste que sa conversion était sincère, et que Vladimir en a eu des échos. Mais il faut bien avouer que la première raison du baptême du prince de Kiev est sans doute politique.

En 986, en effet, éclate une guerre civile dans l'Empire byzantin. L'empereur Basile II doit faire face en Crimée à un usurpateur habile et puissant, Bardas Phocas, dont il ne parviendra pas à se débarrasser sans une aide extérieure. Byzance et Kiev entretiennent de bons rapports. À l'appel de Basile II est donc conclu à Kiev, en 987, un traité par lequel Vladimir promet à l'empereur une aide militaire contre Bardas Phocas. Mais en échange il demande Anne en mariage, une princesse byzantine « née dans la pourpre ».

> *Il demande en mariage une princesse byzantine « née dans la pourpre ».*

Soit. Mais l'empereur y met une condition : que le prince de Kiev reçoive le baptême. Et c'est ainsi que Vladimir voit converger vers sa personne un ensemble de signes qui tous le poussent dans la même direction. Alors, le 6 janvier 988, jour de l'Épiphanie, il reçoit le baptême. Quelques mois plus tard, les Kiéviens, par une grande immersion collective dans les eaux du Dniepr, embrasseront à leur tour la religion du Christ. La même année, une troupe russe est envoyée en Crimée, à Kherson, pour assiéger la ville qui avait pris le parti de Bardas Phocas. C'est l'épilogue du coup de main militaire donné par Kiev à l'empereur byzantin. Kherson étant prise, de nombreux objets liturgiques et des prêtres furent ramenés en Russie pour collaborer à la tâche d'évangélisation. Parmi eux, se trouvaient plusieurs Bulgares.

Pendant ce temps Vladimir, près des chutes du Dniepr, attendait sa fiancée. Il dut patienter plusieurs mois. Anne était assez effrayée à l'idée d'épouser ce barbare, même si on lui assurait que Vladimir avait renvoyé, pour elle, ses femmes et ses concubines. Mais elle joua courageusement le jeu et il semble bien que le prince, à ses côtés, racheta par sa générosité ses nombreuses fautes. C'est en tout cas sous le règne de Vladimir et dans la droite ligne de son baptême et de son mariage que le christianisme s'implante en Russie, et d'abord par la construction d'églises, notamment en pierre. En 996, Vladimir

> *Le prince racheta par sa générosité ses nombreuses fautes.*

érige à Kiev l'église de la Mère de Dieu, dite « de la Dîme », car le dixième des revenus princiers lui est attribué. Chapelle palatine ou cathédrale, la destination exacte de l'église reste incertaine, et sans doute fut-elle les deux. La nouvelle chrétienté dépendait juridiquement du patriarcat de Constantinople, et la *Chronique* se fait l'écho de la création assez rapide d'évêchés en Russie kiévienne. On ne sait si les évêchés de Belgorod, Novgorod et Tchernigov furent tous trois fondés sous le règne de Vladimir, mais il est certain que Novgorod devint très vite un centre religieux. La cathédrale Sainte-Sophie y fut construite en 1045, donc bien après la mort de Vladimir, mais grâce aux efforts d'évangélisation qu'il y avait initiés.

Vladimir est très vite secondé par deux prélats grecs, Théophylacte durant les premières années, puis Jean I$^{er}$. Le prince de Kiev a le dessein d'ouvrir les Russes à la culture byzantine. Il devra toutefois déchanter. Les Kiéviens se sentent davantage d'affinités avec le vieux slave, importé des pays convertis avant la Russie. Et, de fait, c'est autour du slavon que se construira leur identité religieuse : sous le règne du fils de Vladimir, Iaroslav le Sage, on voit éclore une culture slave chrétienne originale. Finalement, la conversion de la Russie consacre l'existence, aux confins orientaux de la chrétienté, d'un nouvel État indépendant, tant vis-à-vis de l'Empire germanique que de l'Empire byzantin.

En mille ans d'existence, l'Église orthodoxe russe connaîtra tantôt la puissance et la gloire, tantôt les affres d'une répression féroce. La foi chrétienne s'implantera lentement, le paganisme ne cessant de resurgir au sein de l'aristocratie varègue, puis chez les Barbares qui, peu à peu, s'agrègent à l'empire.

Vladimir n'a jamais été officiellement canonisé par l'église romaine, faute notamment de miracles dus à son intercession. Il fut reconnu comme saint par l'Église russe à la fin du XIIIe siècle, mais son culte mit du temps à se répandre, ses mérites étant davantage glorifiés comme un événement politique, national et ecclésiastique que proprement spirituel. Et pourtant ce prince, bon vivant, querelleur, séduisant et pourvu d'un tel éclat qu'on lui donna le surnom de « Beau Soleil », fut par sa conversion l'instrument du destin spirituel de la Russie. Il meurt en 1015. Sous le règne de son fils Iaroslav le Sage les monastères éclosent, de nouvelles églises sont construites, les évêchés s'implantent. Historiquement, le titre de gloire de Vladimir, celui qui a fait passer son nom à la postérité, ce ne sont pas les conquêtes de ses armées, mais la conquête des âmes que sa conversion a permise – à commencer par la sienne.

> *On lui donna le surnom de « Beau soleil ».*

SOURCES : *CHRONIQUE DES TEMPS PASSÉS*, *in* R. Marichal, *PREMIERS CHRÉTIENS DE RUSSIE*, Paris, 1966. Extraits d'écrits hagiographiques *in* M. Laran et J. Saussay, *LA RUSSIE ANCIENNE IXe-XVIII[e] SIÈCLE*, Paris, 1975. V. Vodoff, *NAISSANCE DE LA CHRÉTIENTÉ RUSSE*, Paris, 1988. T. Kondratieva, *LA RUSSIE ANCIENNE*, Paris, 1996.

# ÉTIENNE DE HONGRIE

## *OU COMMENT ON DEVIENT SAINT*

## *DE PÈRE EN FILS*

• **18**
**MAR** •

HONGRIE, 24 DÉCEMBRE DE L'AN MILLE. À LA COUR D'ESZTERGOM SE DÉPLOIE L'APPARAT DES GRANDS jours. Dans quelques instants le prince Étienne, qui a succédé en 997 à son père Géza à la tête du peuple hongrois, va recevoir la couronne royale. Les lettrés de la cour se souviennent, en cette Vigile de Noël d'une autre vigile qui, en l'an 800, avait vu le couronnement de Charlemagne. Étienne est attiré depuis longtemps par l'exemple et le cérémonial des Carolingiens. Son âme ardente y voit le signe du lien étroit qui relie la fonction politique suprême aux droits sacrés de Dieu sur chaque peuple de la terre. C'est pourquoi, soutenu par le jeune empereur germanique Otton III, Étienne a eu à cœur de solliciter du pape Sylvestre II sa bénédiction pour cette cérémonie et toutes les conséquences qu'elle implique. Son couronnement est une onction.

Le chroniqueur Hartvig, qui écrit bien après l'événement, raconte qu'Étienne avait envoyé l'abbé Astric, ami très cher et disciple de l'évêque Adalbert, auprès de Sylvestre II à Rome au moment même où le prince polonais Boleslas le Vaillant adressait un ambassadeur au Pape pour lui demander une couronne royale. Le Pape, qui avait donc fait préparer une belle couronne pour le prince polonais, aurait été averti en songe de la remettre aux envoyés qui arriveraient le lendemain à Rome... lesquels n'étaient autres que ceux d'Étienne ! C'est donc à eux que Sylvestre II aurait remis cette couronne, accompagnée d'une bulle pontificale accordant au futur roi le titre de majesté apostolique.

Rien ne permet d'étayer ce récit. En revanche, le soutien de Sylvestre II ne fait pas de doute, et les chroniques soulignent que le prince Étienne « *ayant reçu des lettres apostoliques de bénédiction, en présence et aux acclamations des évêques, du clergé et du peuple, fut proclamé roi, oint de l'huile sainte et couronné du diadème* ». Son épouse Gisèle, cousine de l'empereur Otton, fut également proclamée reine ce jour-là.

Si ce couronnement a tant frappé les imaginations, si la piété populaire se plaît à appeler « couronne de saint Étienne » le magnifique joyau – sans doute exécuté à Constantinople à la fin du XIe siècle et actuellement conservé au Musée national de Hongrie à Budapest –, c'est parce que le prince ainsi consacré n'était pas un prince ordinaire. Étienne avait déjà, bien avant l'an mille, manifesté de façon éclatante les qualités et les inclinations qui allaient faire de lui un saint.

Quand il naquit à Esztergom, vers 969, Étienne ne portait pas encore ce nom. Fils du prince Géza et de la princesse chrétienne Sarolta – qui mourut peu après sa naissance –, l'enfant se prénomme Vajk. Son père n'est pas encore baptisé. C'est après avoir épousé en secondes noces Adélaïde, fille du roi polonais Mieszko I$^{er}$ – lui-même converti – que Géza accepte la venue de missionnaires slaves dans son pays, et fait la connaissance d'Adalbert de Prague. Il faut dire que les Hongrois reviennent de loin. Certes, leurs premiers contacts avec le christianisme remontent au milieu du premier millénaire, mais, durant plusieurs siècles, les invasions turques ont laminé les bases chrétiennes. Et les Magyars, qui ont terrorisé l'Europe de la fin du IX$^e$ siècle à la moitié du X$^e$, font figure de descendants des Huns dans l'esprit des contemporains ! Vajk est un nom magyar. La famille de Géza et Géza lui-même sont en train de rompre avec leur passé barbare, mais il leur faut tout de même un peu de temps.

Il en faut d'autant plus que la « rivalité » missionnaire entre Byzance et Rome – cette dernière étant représentée le plus souvent par des missionnaires venus de l'empire d'Otton – ne facilite pas le choix... Géza, pourtant, accomplit

*Le jeune Vajk reçoit le nom du premier martyr, Étienne.*

son chemin personnel, se fait baptiser et accepte, peu de temps après, que son fils à son tour devienne chrétien. En 985, à Esztergom, le jeune Vajk peut être baptisé par Adalbert en personne, et reçoit le nom du premier martyr, Étienne. La grâce du baptême tombe sur un terrain riche et pur. Ce sont d'ailleurs la piété et la gravité d'Étienne qui conduiront le duc de Bavière Henri et sa sœur Gerberge, abbesse de Gandersheim, à juger le jeune prince hongrois digne de prétendre à la main de la princesse Gisèle, fille d'Henri. Gisèle est issue d'une culture déjà façonnée par le christianisme, mais l'âme d'Étienne est si transparente à la grâce que celle-ci supplée d'un coup d'aile le poids des années.

Quand, en 997, Étienne succède à son père Géza qui vient de mourir, il doit faire face à de graves troubles politiques. Il en sort victorieux, et son premier geste sera d'en remercier le Seigneur en fondant le monastère de Pannonhalma (Mont-Saint-Martin), à la tête duquel il place Astric, l'ami de saint Adalbert. La même année, Adalbert est martyrisé en Prusse. Étienne élève alors en son honneur une église à Esztergom. Et comme il éprouve à l'égard de la Vierge Marie une dévotion toute particulière, il fonde dans sa résidence de Szekesfehervar une église dédiée à la Vierge dans laquelle il veut voir l'imitation d'Aix-la-Chapelle...

On comprend, dans ces conditions, qu'à peine couronné, le roi Étienne songe d'abord à l'Église. Chargé par le

Pape, en vertu d'un privilège spécial, de l'organiser dans son pays, Étienne se lance aussitôt dans une œuvre impressionnante. Il crée dix évêchés, dont deux archevêchés à Esztergom et à Kalocsa, c'est-à-dire dans les centres du pouvoir royal. Il insiste sur l'obligation de construire des églises, chaque groupe de dix villages étant tenu, par ordonnance royale, d'en édifier une. Mais ce n'est pas tout : à l'actif du règne d'Étienne, il faut encore citer la fondation de huit abbayes bénédictines et de deux basiliennes de rite grec. Sa largeur de vue et ses qualités de cœur conduiront enfin le roi à une initiative inédite : la création de quatre hospices pour les pèlerins se rendant à Constantinople, Jérusalem, Ravenne et Rome.

Profondément empreint du sentiment de l'universalité de l'Église, Étienne entretient avec Odilon, l'abbé de Cluny, une correspondance suivie. Il se plie avec reconnaissance aux conseils des compagnons d'Adalbert, le moine Anastase et Gérard – Gellert – de Venise. Il veille aussi à l'organisation d'écoles que fréquentent les fils d'aristocrates et qui seront des pépinières de vocations. À son propre fils Imre, Étienne donne des instructions chrétiennes qui rappellent les « Miroirs » du monde carolingien, ces traités d'éducation et de vie chrétiennes que les pères laissaient à leurs fils, les maîtres à leurs élèves. Et quand il légifère, Étienne n'oublie ni son baptême ni

> *Il crée quatre hospices pour les pèlerins se rendant à Constantinople, Jérusalem, Ravenne et Rome.*

le sens de son couronnement : le grand Décret qu'il édicte en 56 lois octroie à l'Église de nombreux privilèges. Enfin, comme le Polonais Boleslav le Vaillant, le roi de Hongrie, soucieux de l'indépendance de l'Église hongroise vis-à-vis de l'empire, placera celle-ci sous l'autorité directe du Saint-Siège et sous la protection de saint Adalbert. La cathédrale d'Esztergom, consacrée en 1010, aura d'ailleurs Adalbert pour patron.

Étienne de Hongrie conçoit le rôle de l'Église à la lumière de ce qu'il vit lui-même, dans le silence et la fécondité de la confiance en Dieu. Le roi a coutume de passer ses nuits en prière, et ses familiers rapportèrent des phénomènes de lévitation. Étienne eut souvent aussi des visions et des prémonitions. Mais ce qui a le plus frappé les contemporains, parce que le culte marial était alors peu développé, est sa dévotion à la Vierge : Étienne fit célébrer le « jour de la maîtresse » le 15 août, et l'implora avec succès contre les troupes de l'empereur Conrad II quand elles menacèrent la Hongrie. Et le jour où le roi mourut, en 1038, fut précisément un 15 août...

La mort d'Étienne sera suivie d'une période d'anarchie. Mais parallèlement les miracles se succèdent autour de son tombeau, où l'on entend « *une mélodie angélique* » et où se répand « *une odeur suave* ». Le 15 août 1083, le roi Ladislas, en accord avec le pape Grégoire VII, décidera « d'élever » les restes d'Étienne. La canonisation est décrétée. Le culte de saint Étienne passa rapidement en Allemagne, notamment en Bavière, pays natal de sa femme. Quand, plusieurs siècles plus tard, Budapest fut reprise aux Turcs, en novembre 1686, le pape Innocent XI étendit le culte de saint Étienne de Hongrie à l'Église universelle. Sa fête fut alors transférée du 15 août au 2 septembre. Mais le rayonnement d'Étienne reste lié pour toujours au cœur de Marie qui, par lui, entoura les origines de la Hongrie d'une sollicitude toute maternelle.

SOURCES : G. Györffy, *KING SAINT STEPHEN OF HUNGARY*, 1994, et *LA CHRISTIANISATION DE LA HONGRIE*, Harvard Ukrainian Studies, XII/XIII, Cambridge, 1990. P. Riché, « Étienne de Hongrie », in *HISTOIRE DE LA SAINTETÉ CHRÉTIENNE*, t. V, Paris, 1986. « Structures ecclésiastiques de la Hongrie médiévale », in *MISCELLANEA HISTORIAE ECCLESIASTICAE*, t. V, Louvain, 1974.

# ODILON DE CLUNY

## *PRIER POUR LES MORTS DANS L'ATTENTE*
## *DE LA RÉSURRECTION*

• **19**
**MAR** •

EN PLEINE AUVERGNE, LE VÉNÉRABLE BOURG DE BRIOUDE, NICHÉ SUR SA TERRASSE DE GRÈS ROUGE, se prépare à recevoir le passage d'un hôte illustre. En ce jour de l'année 990, Mayeul, quatrième abbé de Cluny, ascétique, indomptable malgré son grand âge, va y faire halte avant de gagner le sanctuaire du Puy, consacré à la Mère de Dieu.

À la collégiale Saint-Julien de Brioude, Mayeul est attendu par un jeune chanoine, Odilon de Mercœur, déjà dignitaire de Notre-Dame du Puy, impatient de connaître celui dont la sainteté et l'autorité s'imposent en Occident depuis tant d'années. L'entretien des deux hommes de Dieu est pour l'un et l'autre une révélation, et leur rencontre sera décisive. Pour leur destin personnel sans doute. Pour l'Église et la chrétienté d'Europe, sûrement. Avant que le soleil ne se couche, Odilon saura que désormais son chemin le mènera à l'abbaye de Cluny.

Odilon est sans doute né 28 ans plus tôt, sur la « motte » ancestrale de Mercœur bâtie par son grand-père Ithier après que Charlemagne l'eut fait baron d'Auvergne. Mais de la butte ne subsistent que lande battue par les tempêtes et les sombres bois de résineux. Une autre tradition place le berceau d'Odilon dans le village de Saint-Cirgues où son père Géraud le Grand vint s'établir près de la plaisante boucle de l'Allier, dite la *Volte*, aujourd'hui *Lavoûte-Chilhac* dont le microclimat méditerranéen favorisait la culture de vignes et de figuiers.

L'enfant, troisième d'une famille de onze, est chétif. Affecté d'une paralysie partielle, il fut, pendant un voyage de ses parents, confié à des domestiques qui, pour vaquer à leurs tâches, le laissèrent un matin étendu sur une litière à la porte de l'église. Odilon parvint en rampant à entrer dans le sanctuaire et à se traîner jusqu'à l'autel de la Vierge. S'agrippant à la nappe d'autel, il réussit vaille que vaille à se dresser ! Miraculeusement guéri, il se mit debout et sortit, le dos bien droit, de la maison du Seigneur... Les lignes qui allaient guider sa vie se trouvaient dès lors tracées : service de Dieu, dévotion à Marie, humilité dans la conscience de sa faiblesse physique, le tout galvanisé par une volonté sans faille.

Le jeune Odilon, dédié à Dieu dès l'enfance par ses parents, développa sa piété et acquit sa formation, aussi bien profane que religieuse, au chapitre de Saint-Julien de Brioude. Il ne lui manquait que l'éclair d'une vocation sans appel. Et elle lui fut donnée par son dialogue avec l'abbé Mayeul. Nouveau moine clunisien, admis au noviciat en 990 dans l'abbaye des bords de la Grosne, revêtu de la tunique monastique et du scapulaire noir, Odilon s'adonna aussitôt aux plus humbles travaux : balayage, allumage des lampes...

Toutefois, Mayeul nourrissait de plus hautes ambitions pour cette personnalité exceptionnelle. Au bout d'un an, le jeune moine prononça ses vœux et reçut la bénédiction de sa « coule bénédictine ». Ascension fulgurante : encore un an, et, dès 992, Mayeul décida de faire d'Odilon son coadjuteur. Celui-ci ne s'exécuta qu'à contrecœur. Mais en 993, sentant ses forces le quitter après quarante années d'abbatiat, le vieil abbé le désigna comme son successeur, puis le proclama solennellement abbé de Cluny. La « charte d'élection » approuvée par tous les pères et les frères fut contresignée par Otton III de Germanie et Henri, duc de Bourgogne.

Pourtant, dès le décès de Mayeul en 994, l'humilité d'Odilon l'emporta : il se démit. Unanimement, les moines de Cluny demandèrent au roi de France d'user de son influence. Il s'agissait du même Hugues Capet en faveur de qui l'entremise de Mayeul avait assuré, sept ans plus tôt, la transmission sans heurt du pouvoir royal. Au cours d'une deuxième élection, Odilon fut massivement réélu. Il avait trente-deux ans.

Alors s'amorça la courbe d'une éblouissante destinée, au long d'un abbatiat qui devait durer cinquante-cinq ans dans une période charnière autour de l'an mille. L'Église était alors gouvernée par un autre Français de la vieille Auvergne, ami d'Odilon de Mercœur, le pape Sylvestre II, né Gerbert d'Aurillac, « *l'homme le plus savant de son temps* ». L'abbaye de Cluny avait alors derrière elle près d'un siècle de sainteté depuis sa fondation, en 910, et gouvernait trente-sept maisons, monastères ou prieurés. Elle en comptera soixante-cinq quand Odilon, mort à Souvigny à l'instar de Mayeul, rejoindra son vieux maître dans la splendeur divine le 1er janvier 1049.

Entre-temps, malgré tous ses maux, quelle vie brûlée d'un feu intérieur ! Quel rayonnement pour le règne de Dieu au cœur d'une société rude ! Que d'arbitrages entre les grands de ce monde ou les plus modestes nobliaux ! Que de constructions, à commencer par l'abbaye mère elle-même où Odilon « *laissa de pierre ce qu'il avait trouvé de bois* » et édifia l'église de Cluny II au grand clocher quadrangulaire, dont l'église de Chapaize donne aujourd'hui le témoignage !

Les voyages d'Odilon se font dans tous les azimuts, comme ses fondations, comme ses efforts pour l'expansion de l'amour de Dieu. Pas de route où ne s'aventure l'abbé de noir vêtu, maigre, intrépide, domptant ses tourments.

> *Odilon fut massivement réélu. Il avait trente-deux ans.*

Dans le jeu politique, Cluny émerge alors comme un pivot. En terre française, mais à deux pas de la Saône qui délimite le Royaume et l'Empire, ce pivot, soustrait aux rivalités des princes temporels, ne dépend que de saint Pierre et de saint Paul – et sur cette terre, du pape, vicaire du Christ. D'où une autorité que put exercer l'abbé de Cluny tant à l'ouest qu'au centre de l'Europe. En France, il conseilla le deuxième roi capétien, Robert I<sup>er</sup>, et assista au sacre du troisième, Henri I<sup>er</sup>. En Allemagne, en Italie, il arbitra les différends entre papes et empereurs. Auparavant, en 1014, Henri II de Germanie lui avait fait don de sa couronne impériale.

Ce joyau connut un sort singulier, dicté par l'ardente piété d'Odilon pour les pauvres. Au cours du terrible hiver 1032-1033 où « *le sol ne dégela pas d'octobre à avril* » et où les loups hurlaient jusqu'aux portes des chaumières, une famine ravagea la Bourgogne. Alors Odilon n'hésita pas à vendre la resplendissante couronne ainsi que l'or des vases sacrés afin d'acheter du grain pour les affamés.

Sa charité était aussi grande envers les trépassés qu'envers les vivants. D'où l'apport majeur d'Odilon à la spiritualité chrétienne : la commémoration des fidèles défunts fixée au 2 novembre. La cause du salut des âmes hantait en effet Odilon de Mercœur depuis sa studieuse jeunesse à Brioude. On dit qu'il répétait jour et nuit la citation de l'Écriture : « *C'est une sainte et salutaire pensée de prier pour les morts afin qu'ils soient délivrés de leurs péchés.* »

> *La cause du salut des âmes hantait Odilon de Mercœur.*

L'Église n'avait jamais négligé ces prières, mais sans leur donner une date fixe et générale. Un office des morts se célébrait le 17 décembre à l'abbaye de Fulda, le lundi de Pentecôte ailleurs, le 26 janvier selon un autre calendrier... En 998, à la veille du deuxième millénaire, Odilon, cinquième abbé de Cluny depuis quatre ans, marque donc le début de son abbatiat en ordonnant que dans l'après-midi de la Toussaint on « *sonne toutes les cloches* » et que l'on célèbre une série d'offices pour les trépassés jusqu'au lendemain 2 novembre.

La fête solennelle des Morts était née. Elle ne tarda pas à se distinguer de la Toussaint en se déplaçant au deuxième jour du mois. Vers 1030, Odilon étendit cette célébration à tout l'ordre de Cluny. L'Église l'adopta ensuite pour l'ensemble de la chrétienté occidentale.

La décision d'Odilon fut-elle influencée par une légende que relate son biographe Jotsald ? Un ermite retiré dans une île de la Méditerranée aurait eu la vision des souffrances endurées par les âmes du purgatoire et par celles que les démons cherchaient à retenir captives. Ces derniers se plaignaient des prières des moines qui leur arrachaient nombre de leurs proies. L'ermite avait décrit ses visions avec force détails à un pèlerin de retour de Jérusalem, qui en fit le récit à l'abbé de Cluny.

Il est probable que celui-ci, en entendant ces effrayantes fioritures, fit la part de l'imagination de l'ermite. Mais peut-être l'anecdote renforça-t-elle en son âme un propos mûri de longue date par la compassion de son cœur comme par la soif du règne de Dieu, en ce monde et au-delà de ce monde. La croyance au Purgatoire, étape d'expiation des fautes et fruit du jugement personnel de chaque âme, avait grandi dans l'Occident chrétien. En l'appuyant de tout son ascendant et du prestige de l'abbaye modèle de son temps, Odilon, à deux reprises, au début puis à l'apogée de son abbatiat, attirait l'attention des fidèles sur ce temps de pénitence. La commé-moration solennelle des morts leur rappelait que le purgatoire est un pont entre le monde des pécheurs et l'éternelle béatitude.

> *Le purgatoire est un pont entre le monde des pécheurs et l'éternelle béatitude.*

Scandé par les volées de cloches, dont vibrait la haute tour, l'échange des prières elles-mêmes devenait à son tour un pont jeté entre chaque vivant et la foule des défunts dans l'attente de la Résurrection. Comment mieux illustrer le dogme de l'universelle communion des saints ? Des saints au nombre desquels Odilon fut proclamé par l'Église dès l'an 1063, quatorze ans après son entrée dans la plénitude de Dieu.

SOURCES : J. Hourlier, *SAINT ODILON, ABBÉ DE CLUNY*, Louvain, 1964. D. Iogna-Prat, « Les morts dans la comptabilité céleste des Clunisiens de l'an mille », in *RELIGION ET CULTURE*, t. III, 1977. J.-M. Mayeur, Ch. et L. Pietri, A. Vauchez, M. Venard, *HISTOIRE DU CHRISTIANISME*, t. IV, *ÉVÊQUES, MOINES ET EMPE-REURS*, Paris, 1993.

# ADÉLAÏDE

## *UNE FEMME D'ÉTAT*

• **20 MAR** • SURPRIS, FRÈRE GUILLAUME LÈVE LA TÊTE ET REGARDE PAR LA FENÊTRE de sa cellule. Il est tôt encore, mais le soleil s'apprête à disparaître derrière les sapins. C'est son heure préférée, celle où le monde s'endort sous son épais manteau de neige, dans un silence que rien ne trouble plus. À l'abbaye de Seltz, on réserve toujours cette heure bénie à la prière solitaire. Et voilà que soudain la cloche se met à sonner à toute volée. Pourquoi cet appel joyeux ? Frère Guillaume n'a pourtant pas perdu le compte des jours : on n'est que le 16 décembre 999. Dans un peu plus d'une semaine, comme chaque année, le timbre argentin de la cloche annoncera Noël. Quelques jours après, une autre volée, exceptionnelle celle-là, rappellera aux hommes qu'il convient d'avoir le cœur en fête pour entrer dans le deuxième millénaire de l'histoire du Salut. Mais aujourd'hui, il faut vraiment qu'une heureuse nouvelle soit parvenue à Seltz pour qu'une sonnerie aussi gaie trouble le recueillement vespéral du monastère.

Frère Guillaume sort de sa cellule. Un air glacial l'accueille au-dehors, et il traverse la cour à la hâte, autant pour se réchauffer que pour satisfaire plus vite sa curiosité. En arrivant devant le frère qui sonne la cloche, il s'arrête stupéfait. Le visage du vieux moine ne reflète guère l'allégresse de cet appel inattendu. On dirait que cette allégresse lui fend le cœur : ses yeux ont la couleur de son nez rougi par le froid. « C'est la fin, dit le sonneur. Mais elle dit que son départ vers Dieu est une occasion de réjouissances. » Frère Guillaume comprend enfin, et se dirige lentement vers la cellule austère où Adélaïde, reine d'Italie, reine d'Allemagne et impératrice du Saint Empire romain germanique, a choisi de finir ses jours.

Un à un, les moines entourent le lit de la mourante. Le crépuscule a déjà envahi la pièce, mais le dernier rayon du soleil la traverse encore et éclaire d'une pâle lumière le visage serein d'Adélaïde. « Mes frères, je vous demande humblement pardon d'avoir interrompu vos oraisons silencieuses. Mais j'aimerais partir en chantant les psaumes avec vous. »

Les moines restent indécis, interloqués par l'atmosphère de fête qui règne dans la chambre. La vieille impératrice a toujours eu le don de les surprendre. « Par quel psaume commencerons-nous, Altesse ? » bredouille l'un d'eux. Adélaïde le regarde d'un air espiègle. « Par celui où il est dit : *Pour beaucoup, je fus comme un prodige ; tu as été mon secours et ma force.* » L'esprit de répartie de l'impératrice, qui a si souvent fait la joie du monastère, ne la quitte pas au seuil de la mort. Mais l'heure est trop grave pour que les moines aient envie de rire. Ils ouvent les riches psautiers que l'abbaye doit à la libéralité d'Adélaïde. Les pierres précieuses qui ornent leurs couvertures proviennent pour la plupart des propres écrins de la reine. Celle-ci estime qu'aucun livre n'est trop beau pour contenir la parole de Dieu, et les bijoux somptueux dont elle se parait naguère lui semblent bien plus utiles depuis qu'ils recouvrent ces ouvrages admirablement peints.

Les moines se mettent à chanter, et la voix d'Adélaïde se joint à la leur. Elle connaît ces psaumes par cœur, et a l'impression qu'ils portent vers Dieu la voix de sa propre prière. « *Tous les rois de la terre te rendent grâce quand ils entendent les paroles de ta bouche.* » Par sa naissance illustre et par ses deux mariages, Adélaïde a été du nombre de ces rois. Son père, Rodolphe II, régnait sur la Bourgogne, et sa mère lui avait donné le sang noble des ducs de Souabe. En épousant Lothaire à seize ans, elle était devenue reine d'Italie. Quant à son second mari, Otton I$^{er}$, il avait été le plus grand des rois terrestres. Ne portait-il pas la couronne de ce vaste Empire romain germa-

> *Les pierres précieuses provenaient des propres écrins de la reine.*

nique qu'on honorait de l'adjectif « saint » ?

Adélaïde avait ainsi côtoyé tous les grands de ce monde. Elle était douée d'une rare intelligence. Née sur les bords du lac Léman, élevée en Arles et à Pavie, elle avait reçu en héritage la richesse de plusieurs cultures, et séduisait par son esprit raffiné les cours brillantes dans lesquelles elle vivait. Elle s'était aussi liée d'amitié avec les plus éminents hommes d'Église, Gerbert d'Aurillac, qui devait devenir le pape Sylvestre II, ou encore Odilon, l'abbé de Cluny, pour qui elle éprouvait une telle admiration qu'elle avait fait de Seltz une abbaye clunisienne.

« *Tu gouvernes les peuples avec droiture* » : voilà un verset dont Adélaïde n'avait cessé de s'inspirer. Car elle ne s'était pas contentée de rehausser par son intelligence et ses vertus l'éclat du règne de ses époux : elle avait aussi dû gouverner seule. À la mort de Lothaire, elle avait pris les rênes du royaume d'Italie ; beaucoup plus tard, elle avait exercé par deux fois la régence du Saint Empire. Adélaïde était une femme de tête, mais aussi une femme de cœur, et ses sujets n'avaient jamais eu à se plaindre d'elle. Tout en tenant le pays d'une main de maître, elle s'était constamment efforcée de fonder son pouvoir sur la justice et la paix. Jamais ce principe ne lui avait paru aussi important que quand elle avait dirigé l'Empire en attendant que son petit-fils Otton III ait l'âge de monter sur le trône, car elle voulait que l'enfant qui la regardait régner, et sur lequel elle plaçait tous ses espoirs, puisse un jour prendre son règne pour modèle. Elle désirait ardemment qu'il s'illustrât par toutes les vertus d'un prince chrétien. Elle avait achevé elle-même son éducation, lui répétant inlassablement qu'un souverain, entre autres devoirs, avait celui de protéger la culture et de favoriser les arts.

« *Seigneur, je n'ai pas le cœur fier ni le regard ambitieux...* » La reine avait médité le Magnificat, et savait que les puissants ne restent sur leur trône que par la grâce de Dieu et la simplicité de leur cœur. Aussi ne tirait-elle aucun orgueil des dons qu'elle avait reçus en abondance. Cette femme au caractère bien trempé, dont il ne faisait pas bon contester les décisions quand elle commandait en souveraine, se tenait devant le Seigneur « *comme un petit enfant contre sa mère* ». Elle se souvenait du geste d'humilité qu'elle avait eu envers son ami Odilon, et qui l'avait étonné, lui qui pourtant était habitué de longue date à ses manières souvent inattendues. C'était la dernière fois qu'elle l'avait revu, juste avant de quitter le monde pour s'installer définitivement à Seltz. Elle avait baisé les vêtements grossiers de l'abbé et avait imploré ses prières. Il avait eu l'air bouleversé que l'impératrice vînt à lui comme une suppliante. C'est qu'Adélaïde avait un sens aigu de la hiérarchie : elle était servante des serviteurs de Dieu.

La nuit est tombée ; les moines continuent de chanter, et l'impératrice de revoir sa vie à la lumière des psaumes. « *Toi qui m'as fait voir tant de maux et de détresses...* » Son existence mouvementée n'a rien à envier à celle du psalmiste. En Italie, détrônée par Bérenger, mise au cachot, rouée de coups, humiliée, elle avait fait l'apprentissage de la souffrance physique, à laquelle son éducation princière ne l'avait guère préparée. Puis elle avait connu l'évasion et une difficile arrivée en terre étrangère. Ces circonstances lui avaient donné un courage qui forçait le respect et l'admiration des hommes, et qui lui avait servi dans d'autres épreuves, la mort de son second mari, la brouille momentanée avec son fils Otton II qui l'avait contrainte à prendre la route de l'exil, ou encore les intrigues de son ambitieuse belle-fille Théophano. Sa bru avait un jour dressé le poing contre elle en proférant une menace : « *Si dans un an je vis encore, votre empire ne sera pas plus large que ma main !* » Pauvre Théophano ! Elle était morte dans l'année, et certains avaient vu là le châtiment que Dieu réserve à l'impie des psaumes.

« *Il délivrera le pauvre qui appelle et le malheureux sans recours...* » La reine qui avait présidé au destin d'un empire n'avait jamais été indifférente à celui des mendiants qui vivaient à la porte de son palais. La charité envers les petits faisait partie des devoirs les plus sacrés d'un souverain chrétien, et personne ne s'étonnait de ses largesses envers les miséreux. Mais plus d'un chevalier de sa suite avait été fort vexé en l'entendant déclarer que les indigents

> *Mise au cachot, rouée de coups, humiliée.*

étaient ses « *chevaliers spirituels* ». Ces nobles gens savaient que les pauvres étaient aussi fils de Dieu, mais tout de même, de là à les considérer comme leurs pairs ! Adélaïde s'était amusée sans malice de leur déplaisir évident. Déconcerter son entourage était l'un des seuls divertissements qu'elle pouvait s'offrir ; aussi s'y livrait-elle souvent.

> *Les indigents étaient ses « chevaliers spirituels ».*

Au fil des psaumes, les moines voient l'impératrice s'éteindre doucement, plus heureuse dans cette humble cellule ornée d'un crucifix que dans aucune des magnifiques salles de son ancien palais.

Cette abbaye alsacienne est la dernière qu'elle a fondée, et la plus chère à son cœur. Les monastères étaient à ses yeux des foyers de paix, de prière, et de culture aussi, au milieu d'un monde rude qui subissait sans cesse les assauts de la barbarie et de la haine. Ainsi est-elle comblée de mourir entourée de ces moines, dont la prière semble la porter. Et c'est au milieu de cette nuit glaciale que l'impératrice s'endort le cœur en fête, en devançant joyeusement le jour : « *Éveille-toi, ma gloire ! Éveillez-vous, harpe, cithare, que j'éveille l'aurore !* »

SOURCES : Odilon de Cluny, *EPITAPHIUM ADELHEIDE*. H. Paulhart, *DIE LEBENSBESCHREIBUNG DER KAISERIN ADELHEID VON ABT ODILO VON CLUNY*, Graz-Cologne, 1962. R. Folz, *LA NAISSANCE DU SAINT-EMPIRE*, Paris, 1967.

# SYLVESTRE II

## *LE PAPE DE L'AN MIL*

• **21**
**MAR** •

UN PETIT BERGER GARDE LES TROUPEAUX DE SON PÈRE ET CONTEMPLE LES ASTRES. Cette scène, représentée sur l'un des bas-reliefs de la statue sculptée par David d'Angers et inaugurée à Aurillac en 1851, pourrait évoquer la figure d'un poète qui rêve aux étoiles. Mais c'est d'un tout autre rêve dont il s'agit : celui de l'imagination populaire fascinée par l'étonnante trajectoire de Gerbert d'Aurillac, petit paysan élevé à l'abbaye clunisienne de Saint-Géraud au cœur de l'Auvergne médiévale, et qui fut l'un des astronomes les plus prestigieux de son temps avant de devenir le pape de l'an mil sous le nom de Sylvestre II.

Tout commence quand un duc d'Espagne, Borell, de passage à Aurillac, remarque l'intelligence du jeune moine et l'emmène en Catalogne pour le mettre en contact avec l'évêque Hatton et quelques autres savants, imprégnés de la culture scientifique, reprise des grandes œuvres de l'Antiquité, de l'Espagne musulmane et de son Église mozarabe. Le jeune Gerbert se passionne pour les mathématiques, apprend l'astronomie et part pour Rome avec ses mentors. Le Pape admire sa science et le présente à l'empereur Otton I$^{er}$, qui l'emmène à sa cour. Mais Gerbert a soif de connaissances nouvelles et veut apprendre la dialectique. Or, celle-ci s'enseigne à Reims, où l'archidiacre Géranne fait merveille. Gerbert s'y rend. Il ne tarde pas à dépasser son maître, si bien que l'archevêque Adalbéron le nomme écolâtre et que les disciples affluent à l'école de Reims. La renommée de Gerbert passe le Rhin et suscite ainsi la jalousie d'Othric, son rival à l'école cathédrale de Magdebourg. Cela donnera au jeune savant l'occasion, à Ravenne, d'une brillante joute philosophique avec Othric, devant la cour d'Otton II. Ébloui, ce dernier offre à Gerbert l'abbaye de Bobbio et sa splendide bibliothèque. Dès 983, toutefois, Gerbert retourne à Reims auprès d'Adalbéron. Commence alors une période d'intrigues politiques.

Adalbéron, à la différence de ses prédécesseurs au siège de Reims, n'est pas un soutien pour les Carolingiens. Sa sympathie va conjointement aux Robertiens et à la dynastie allemande des Otton, et Gerbert est son auxiliaire le plus actif. Au concile de Senlis, en 987, Adalbéron fait donner la couronne de France à Hugues

Capet, et le sacre à Reims. Aussi, quand l'archevêque meurt deux ans plus tard, Gerbert s'attend-il à ce que la reconnaissance d'Hugues Capet lui assure la succession. Mais le roi préfère mettre sur le siège de Reims un bâtard du roi Lothaire, Arnoul, afin de tenter de se concilier ses adversaires. Mauvais choix : Arnoul le trahit vite, et Reims est prise par les Carolingiens. Hugues Capet demande alors au Pape une sentence de déposition contre Arnoul, mais celle-ci tarde à venir. Le roi finit par convoquer à Saint-Basle un concile des prélats français. Arnoul avoue sa trahison, mais comme le Pape a entre-temps été saisi de l'affaire, on ne veut pas statuer sur la peine, et la jurisprudence selon laquelle les « causes majeures » sont réservées au Saint-Siège est alors invoquée. Cette disposition est toutefois violemment combattue par au moins un évêque, celui d'Orléans, sous l'inspiration de Gerbert d'Aurillac, très présent à ses côtés. Il faut dire que le Xe siècle qui s'achève, cet âge « de fer et de sang » n'a pas épargné le Saint-Siège qui a connu de nombreux scandales, et l'orateur les rappelle sans pitié, pour conclure sans ambages : *« Doit-on l'obéissance à qui se déshonore ? »* La pente du raisonnement est dangereuse, mais elle l'emporte. L'archevêque Arnoul est déposé, et le lendemain le concile élit Gerbert.

Sans doute ce dernier n'a-t-il pas recherché cet honneur, mais finalement il l'accepte. Il s'ensuit une période troublée, où le pape Jean XV n'admet pas le fait accompli, et où les conciles se succèdent pour tenter de régler l'affaire. Gerbert, qui persiste dans ses positions « gallicanes », agit toutefois avec dignité et modération. Finalement, suspendu par le légat du pape, il s'incline et accepte momentanément de ne plus célébrer la messe. Cependant, sa situation devient difficilement tenable et il finit par quitter Reims en 996 pour rejoindre en Italie le jeune roi Otton III.

Cette même année, le pape Jean XV et le roi Hugues Capet meurent. En 998, Gerbert devient archevêque de Ravenne, par la volonté d'Otton III et avec le consentement du nouveau pape, Grégoire V. C'est le début d'une étonnante transformation personnelle. À Ravenne, Gerbert, qui se passionne pour la réforme ecclésiastique, seconde le Pape avec autorité dans diverses causes épiscopales, et prend – non sans éclat – l'exact contre-pied de ses anciennes positions « gallicanes » lors du concile de Saint-Basle !

Mais le plus étonnant est encore à venir... En 999, Grégoire V meurt à son tour, et, toujours sous la protection d'Otton III, Gerbert devient le pape de l'an mil et premier pape français. Le petit berger d'Aurillac devient Sylvestre II, pasteur de la chrétienté. Lui qui n'avait pas hésité à batailler dans maints conciles pour l'autonomie des Églises locales contre l'autorité pontificale... est lui-même élu pape et entreprend de défendre, avec justesse et conviction, le rôle du Saint-Siège ! Il faut voir alors avec

> *Le petit berger d'Aurillac devient Sylvestre II.*

quel sens très sûr des prérogatives du Saint-Siège, il remet de l'ordre dans les diocèses d'Allemagne et de France ! L'épisode le plus savoureux est à cet égard l'autorisation donnée à Arnoul, son rival de toujours au siège de Reims, de reprendre toutes ses fonctions, *« puisque la sentence du concile de Saint-Basle n'avait pas été approuvée par le Saint-Siège »*. Élégance ? Conversion du cœur et du regard ? La lettre de Sylvestre II à Arnoul est un chef-d'œuvre de diplomatie ironique, mais la cohérence qui s'y exprime ne manque ni de noblesse ni de justesse.

Considéré comme le plus grand savant de son temps, dévoré de curiosité pour les sciences, homme politique non dénué d'ambition, Gerbert aura pourtant été, toute sa vie, un vrai serviteur de l'Église.

Il faut dire qu'au moment où Gerbert d'Aurillac devient Sylvestre II, tout concourt à donner au nouveau pape un sens aigu de la beauté de sa mission. Le martyre de l'évêque Adalbert de Prague, qu'il a connu et aimé, remonte à deux ans à peine, et l'un des premiers actes du « Pape de l'an mil » sera de le canoniser. Et puis il y a l'amitié qui lie le pontife au jeune Otton III. En effet, si ce dernier a mis Gerbert sur le trône pontifical, c'est Gerbert qui remplit, auprès de l'empereur, le rôle du maître. Otton rêve de reconstituer la chrétienté du temps de Charlemagne, et il croit que l'empire qu'il gouverne n'est pas seulement germanique, mais qu'il a aussi vocation à devenir puissance universelle et, pour

tout dire, « Cité de Dieu ». Or, cette conception des choses, c'est Gerbert qui l'a soufflée à son jeune disciple ! Ainsi, le Pape n'aura-t-il de cesse d'aider Otton à épurer sa vision politique trop étroitement germanique pour servir d'abord l'Église. C'est encore sous l'influence de Sylvestre II, et grâce à l'aide d'Otton, que la Hongrie et la Pologne, tout récemment christianisées, acquerront une véritable autonomie.

Gerbert a laissé 220 lettres, couvrant seize années de sa vie, qui reflètent à merveille son époque. Elles le montrent partagé entre le désir d'agir dans le domaine religieux et politique et celui d'étudier. *« La divinité a comblé les hommes en leur donnant la foi et en ne leur refusant pas la science »*, écrit-il dans sa lettre 196. Les bulles qu'il édicta, ses œuvres philosophiques et scientifiques et le témoignage de ses contemporains, comme celui du moine Richer de Saint-Rémy, achèvent de tracer un portrait vraisemblable de l'homme qui inventa un orgue à vapeur, imagina un dispositif permettant de lire l'heure la nuit par l'observation des astres, et marqua les esprits au point qu'on l'appela le « pape magicien ».

On lui reprocha d'avoir, entre la raison et la foi, fait la part trop belle à la raison. Mais ce qui est vrai de Gerbert d'Aurillac l'est bien moins de Sylvestre II. Et l'on retiendra qu'au tournant de l'an mil, cette personnalité d'exception a su réunir entre les mains d'un pape, non sans paradoxe mais avec panache, l'autorité morale et juridique du Saint-Siège et

*On l'appela le pape magicien.*

le prestige du génie scientifique. Sylvestre II meurt en 1003. En quatre brèves années de pontificat, le pape auvergnat, premier pape français, aura su redonner lustre et autorité au trône de Saint-Pierre. La lumière qu'il fit briller au cœur de la nuit médiévale annonce la réforme et le renouveau de l'Église et de la chrétienté que Léon IX engagera un demi-siècle plus tard.

SOURCES : Richer de Saint-Rémy, *HISTOIRE DE FRANCE (888-995)*. O. Guyotjeannin et E. Poulle, *AUTOUR DE GERBERT D'AURILLAC : LE PAPE DE L'AN MIL*, album de documents, Paris, 1996. N. Charbonnel et J.-E. Iung, *GERBERT L'EUROPÉEN : ACTES DU COLLOQUE D'AURILLAC, 4-7 JUIN 1996*, Aurillac, 1997.

# OLAF DE NORVÈGE

## *S'IL EST UN SAINT, QU'IL LE PROUVE !*

• **22 MAR** •
Sur le parvis de l'église de Maerin, un barde, Thorarin Loftunga, futur grand poète de la nation, chante les louanges d'Olaf et exhorte le peuple à se convertir à la foi chrétienne. Une, puis deux personnes s'avancent.

– Dieu ne saurait s'exprimer à la pointe de l'épée ! Votre Olaf a beau sillonner les côtes de Scandinavie sur son drakkar à la proue ornée d'une tête de roi, il n'a rien d'un bon chrétien, il n'est qu'un maître de guerre ! s'indigne l'un des badauds.

Thorarin Loftunga, nullement désemparé, répond :

– Vous avez tort de parler ainsi du descendant d'Harald à la belle chevelure, celui qui unifia les premiers peuples de Norvège. Son ancêtre lui est apparu en songe et lui a dit de reprendre le combat pour la christianisation de notre pays. Païens du Nord, vous le désignez comme une brute alors que sa force est justement l'expression de la fermeté de sa foi.

La foule s'amasse peu à peu.

– Vous ne voyez que votre avantage parce que Olaf favorise les affaires des marchands du Sud, grommelle l'un.

Un autre plus vif :

– Brûlons les églises dont il veut recouvrir notre pays ! Repoussons ses attaques sanglantes ! Il mutile, pend, décapite et il veut nous convertir ?

Thorarin reprend, toujours sûr de lui :

– À Nidaros, il nous a convaincus. Ne pensez-vous pas que ses victoires, ses ordalies sont des messages concrets du Dieu qu'il défend ? Nous avons foi en lui et en notre Seigneur.

Le dialogue s'envenime. Les cris et protestations fusent de toutes parts.

– Si, pour être baptisés, nous devons célébrer le culte en latin, si nous ne pouvons plus brûler nos morts, nous ne sommes pas d'accord, lance une femme.

Un homme menace Thorarin de son bâton :

– Nous refusons d'être considérés comme des hors-la-loi sous prétexte que nous mangeons de la viande de cheval. Laissez-nous nos dieux, Odin, Thor, qui se contentent de nos sacrifices et de nos offrandes.

Le barde s'emporte :

– Vous êtes stupides avec vos offrandes ! Lorsque Olaf a brisé lui-même la statue de Thor, la belle statue d'or et d'argent, vous avez bien vu que vous nourrissiez les souris et les serpents ! Non, décidément, il faut en finir avec le divorce, le concubinage, l'esclavage et toutes nos pratiques païennes !

La place est bientôt noire de monde. On se bouscule pour être aux premières loges.

– Voilà comme cet Olaf se manifeste ! Tout en lui n'est que calcul et ruse ! Il ridiculise nos dieux, ruine nos provisions et incendie nos villages ! Nous refusons cette duperie, nous refusons de choisir entre le baptême et la mort, clame-t-on à droite.

– Nous préférons nous ranger du côté des Danois. Vive Knud le Grand, roi du Danemark ! Lui est un grand prince chrétien, il est du Nord et vaut mieux que votre tyran. Qu'ils aillent au diable, comme tu dis, Olaf et ses missionnaires étrangers ! rugit-on à gauche.

Thorarin rétorque, sentencieux :

– Vous perdez la tête ! Vous voulez trahir notre pays ? Oubliez-vous le songe d'Olaf ? Il doit accomplir sa destinée et poursuivre la christianisation de la Norvège entreprise par le roi Haakon. C'est un envoyé de Dieu, il fera des miracles.

– S'il est un saint, qu'il le prouve ! répond la foule excédée.

En 1016, après la victoire de Nesjar qui l'imposa comme roi de Norvège, Olaf Haraldsson, fraîchement baptisé à Rouen l'année précédente, est loin de faire l'unanimité entre le nord et le sud du pays. En effet, il vient de décider de reprendre la tâche toujours entreprise en vain par ses ancêtres : christianiser son pays. Un songe

*Vous avez bien vu que vous nourrissiez les souris et les serpents !*

au cours duquel son parent Olaf Tryggvesson lui est apparu et l'a inspiré par ces paroles : « *Tu es le descendant d'Harald à la belle chevelure, qui unifia les premiers peuples de Norvège. J'ai moi-même revendiqué notre héritage, le trône de Norvège, jusqu'à ce que les Danois nous envahissent et livrent à nouveau notre terre au paganisme. Romps l'exil auquel ta famille fut contrainte et reprends mon combat, cette quête que le roi Haakon engagea jadis : la christianisation de la Norvège.* »

Mais c'est au prix de sa vie que le roi Haakon avait payé en 961 sa tentative de conversion auprès d'une population qui n'était pas prête à accepter le christianisme. Olaf Tryggvesson avait envoyé les premiers missionnaires, mais les Danois l'avaient fait échouer. Quant à Olaf Haraldsson, exilé en Angleterre par les Danois depuis sa naissance en 995, il avait commencé de parfaire son éducation religieuse et avait recruté pour cette aventure des missionnaires chrétiens, anglais et germaniques. Il s'installa ensuite dans les sites païens du Sud, comme Nidaros et imposa le respect par la force. L'art de la guerre et une foi toute neuve lui permirent assez vite d'être reconnu comme roi, avec le soutien des princes du Sud.

Toutefois, *la faide*, sorte de vendetta locale, est bien installée entre les deux parties du pays : si la violence des luttes armées s'atténue peu à peu, les querelles acharnées vont bon train. Les clercs errants chargés de diffuser la Bonne Nouvelle se heurtent fréquemment à des païens déchaînés qui, le sabre à la main, s'entêtent à soutenir les envahisseurs danois.

Faute de miracle, Olaf – ce vrai Viking à la maturité spirituelle tardive mais réelle –, ne pouvant à nouveau éviter les armes, est tué à la bataille de Stiklestad contre Knud le Grand, roi du Danemark, qui annexe la Norvège sans lui avoir laissé le temps de triompher du paganisme.

> *Les pèlerins viennent implorer son aide à genoux devant son tombeau.*

C'est à partir de ce moment que le Seigneur choisit de se manifester. Malgré le couronnement de Knud le Grand, la Norvège est profondément impressionnée par la mort héroïque d'Olaf (qui lui confère l'habit de martyr), par sa détermination et son courage. Thorarin Loftunga commence alors à chanter la mort d'un roi libéré de ses péchés. Les pèlerins viennent de plus en plus nombreux implorer son aide à genoux devant son tombeau de Nidaros, les récits épiques se multiplient et contribuent à diffuser l'image d'un saint homme. En effet, Olaf guérissait les sourds, rendait la vue aux aveugles, il avait vu le Christ en personne. Le pape Jean XIX le canonise dès l'année suivante. Peu à peu, le nombre d'opposants à la dynastie danoise s'accroît et se rassemble autour du culte de saint Olaf, si bien qu'en 1035, toute la Norvège se réunit derrière Magnus, fils pourtant illégitime d'Olaf. Il poursuit l'œuvre de son père, reprend la lutte contre les Danois et revêt la Norvège d'un épais manteau d'églises, sonnant ainsi le glas du paganisme.

Si Olaf Haraldsson, saint patron de la Norvège, n'a pas rempli la mission de ses ancêtres de son vivant, son fils Magnus, quelque vingt ans plus tard, aura réussi à mener à bien cette tâche. Et les Norvégiens n'hésitèrent pas à reconnaître Olaf Tryggvesson comme leur père dans la foi.

SOURCES : *La Saga d'Olaf Tryggvesson*. S. Sturlusson, *La Saga de saint Olaf*. L. Musset, *Nordica et Normannica*, société des études nordiques, 1997. J. Chélini, *Histoire religieuse de l'Occident médiéval*, Paris, 1997.

# LA TRÊVE DE DIEU
## *QUAND L'ÉGLISE IMPOSE LA PAIX*
## *POUR L'HONNEUR DE DIEU*

**• 23 MAR •**

DANS LA CAMPAGNE DE TULUGES, AU CŒUR DU COMTÉ DE ROUSSILLON, ils sont tous là et l'enthousiasme le dispute à la fierté. Sous l'égide de Guifred, archevêque de Narbonne, le concile de paix réuni en ce jour de 1041 vient d'ajouter officiellement aux dispositions générales de la Paix de Dieu celles de la Trêve, qui s'imposent spécifiquement aux chrétiens. Et à tous les chrétiens, quelle que soit leur condition, car le Seigneur n'en connaît qu'une, celle d'enfant de Dieu ! La Trêve de Dieu s'impose donc à Béranger, évêque de Gironne, au seigneur Raymond, évêque d'Elne, au comte de Roussillon, au seigneur Raymond, comte de Cerdagne, comme au seigneur Gauzbert, comte de Castelnau et à tant d'autres encore, nobles bien connus de la contrée, qui sont venus devant les reliques des saints se mêler aux manants accourus en foule, pour prêter le serment de paix. Les « canons » adoptés à Tuluges feront date.

Le siècle précédent n'avait pas été avare d'atrocités. Après la fin des Carolingiens, le pouvoir royal, encore faible en ce début du XIᵉ siècle, ne parvenait pas à faire régner la tranquillité et l'ordre dans le royaume. Les guerres privées faisaient rage, aucune autorité supérieure n'était capable de maîtriser les effets des mœurs violentes de la féodalité. Le désarroi, l'anarchie régnaient sans partage. L'Église, chargée d'annoncer le salut promis à tout homme, d'avertir du Jugement dernier et de rappeler les exigences de Dieu à l'égard des hommes, semblait impuissante à raisonner ses enfants.

Mais un jour, en Aquitaine, germa une idée qui allait se révéler précieuse pour promouvoir la paix. Celle-ci essaima en Arles puis en Bourgogne, gagna peu à peu toute la Gaule et le pape Nicolas II, en 1059, l'étendit à l'ensemble de la chrétienté. Cette idée s'enracine dans le discours de Jésus après la Cène : « *Je vous laisse ma paix, je vous donne ma paix.* » Il est alors plus qu'urgent de manifester les dispositions de la Providence sur terre et dans le ciel et de retrouver cet ordre établi par Dieu que viennent déshonorer les luttes incessantes des puissants, qui font régner contre le faible la loi du fort.

Il manque une force publique pour faire respecter cet ordre ? Il y a en tout cas, après Dieu, une force plus forte que les forts eux-mêmes : c'est *tout le monde*. L'Église a donc l'idée de faire appel à tous, grands et petits du royaume, sans tenir compte de leur différence de condition, ou plutôt en s'appuyant sur elle. Et c'est ainsi que commencent les « conciles de paix », assemblées non pas purement ecclésiastiques, comme le mot concile pourrait le suggérer, mais regroupant les autorités religieuses et les grands féodaux devant un grand concours de peuple, afin de prendre des engagements solennels en présence de Dieu et des saints.

La main sur les reliques, les chevaliers prêtaient, dans chaque province, un serment à l'image de celui qu'établit l'évêque de Beauvais, Garin, en 1023-1025. Ils juraient d'abord de ne pas envahir d'église, de ne pas attaquer clercs ou moines « *s'ils ne portent pas les armes du monde* ». Ils prenaient l'engagement de ne saisir « *ni le bœuf, la vache, le porc, le mouton, l'agneau, la chèvre, l'âne, le fagot qu'il porte, la jument et son poulain non dressé* », ni le paysan ou la paysanne eux-mêmes. Ils promettaient de respecter les vignes et les moulins, de ne pas incendier de maisons, de ne pas soutenir le voleur, mais de protéger l'homme de bien, de n'attaquer ni le marchand ni le pèlerin...

La Paix de Dieu accordait ainsi à certaines catégories de personnes et à leurs biens une protection permanente contre la guerre. Par elle, les seigneurs temporels acceptaient d'abandonner une partie de leurs droits.

> *La main sur les reliques, les chevaliers prêtaient un serment.*

La Paix de Dieu instaurait un privilège en faveur de ceux qui n'avaient pas le droit de porter les armes. Et pour produire ses effets, elle en appelait à la conscience de chacun puisque les sanctions – excommunication, présentation devant le pape pour mandement apostolique, refus par l'Église de l'ensevelissement religieux – étaient essentiellement d'ordre spirituel. Les effets furent étonnants. Si certains prélats s'opposèrent momentanément à la Paix de Dieu – comme l'évêque Gérard Ier de Cambrai, au nom de la distinction du temporel et du spirituel – l'immense succès rencontré au cours du siècle par ces assemblées populaires eut pour conséquence la formation d'un véritable « consensus » social fondé sur une idée nouvelle de la justice. Au début des années 1040, les dispositions de la Paix de Dieu ont déjà modifié en profondeur l'état d'esprit du royaume.

C'est alors que s'ajoute officiellement, en 1041, l'institution de la Trêve de Dieu, déjà apparue dans les exigences de plusieurs conciles de paix, et notamment à Tuluges quelques années auparavant, mais qui connaît à ce moment-là sa codification précise. La Trêve de Dieu s'adresse spécifiquement aux chrétiens, car verser le sang de son frère chrétien, c'est comme « *verser le sang de Jésus-Christ* ». Elle a d'abord pour objet de donner tout leur sens aux périodes liturgiques, qui ne sauraient être défigurées par des comportements sans rapport avec les exigences évangéliques. C'est ainsi qu'en souvenir de ce qui advint dans la Grande Semaine de la Passion et de la Résurrection du Seigneur, il faut s'abstenir, dans les semaines ordinaires, de tout acte de guerre du mercredi au coucher du soleil au lundi suivant à son lever. La Trêve de Dieu s'applique aussi de l'Avent à l'octave de l'Épiphanie, et du dimanche de Septuagésime à l'octave de la Pentecôte — et toujours pour l'honneur de Dieu. De telles exigences rendaient les campagnes guerrières fort difficiles à mener à bien, et comportaient donc un effet dissuasif important.

L'Église d'alors ne condamne pas fermement toutes les guerres. Il lui semble en effet que certains conflits, notamment en ces temps où le tombeau du Christ est aux mains des infidèles, peuvent être justes. En outre, partir en guerre pour protéger les faibles n'a rien d'une guerre impie. En revanche, la guerre comme obstacle aux volontés du Seigneur est fermement condamnée. Et la volonté du Seigneur, dans les temps sacrés de la liturgie, c'est d'abord et avant tout que l'on se prépare, âme et corps, pour le royaume de Dieu.

La Trêve de Dieu eut ses propagandistes fervents, comme Raimbault, archevêque d'Arles, et surtout Odilon, abbé de Cluny, qui inspira en ce sens une très belle lettre des évêques et du clergé de France au clergé italien. Dépôt volontaire des armes à des moments déterminés, la Trêve allait devenir au cours du siècle un des moyens les plus populaires de maîtriser les dissensions et les guerres privées. Elle fut un pont jeté entre les objectifs du mouvement de paix originel et l'émergence d'institutions publiques destinées à faire régner l'ordre et la justice.

L'un des fruits de la Paix de Dieu et de la Trêve de Dieu fut en effet, au XIIe et surtout au XIIIe siècle, l'avènement de la « paix du roi ». Celle-ci se substitua aux institutions de l'Église, non sans y ajouter les sanctions temporelles qui sont l'apanage du bras séculier. L'efficacité pratique de la « paix du roi » ne saurait pour autant faire oublier ni qu'elle est fille, historiquement, de la « paix de Dieu », ni que l'Église eut, la première, l'idée de proposer, pour endiguer la violence, une formule pleine de sagesse pratique et de réalisme. Saint Louis, deux siècles après l'institution de la Trêve de Dieu, se souviendra de cette sagesse-là pour exercer son pouvoir sous le regard du Seigneur.

> *De telles exigences rendaient les campagnes guerrières fort difficiles à mener.*

Sources : E. Sémichon, *La Paix et la Trêve de Dieu*, Paris, 1857. R. Bonnaud-Delamare, « Fondement des institutions de paix au XIe siècle », in *Mélanges d'histoire du Moyen Âge*, 1951. G. Duby, *Hommes et structures du Moyen Âge*, Paris, 1973. T. Head et R. Landes, *Essays on the Peace of God : The Church and the People in the eleventh Century*, Université de Waterloo, Ontario, 1987.

# LA CONDAMNATION
# DE BÉRENGER DE TOURS
## *LA RÉAFFIRMATION*
## *DE LA PRÉSENCE RÉELLE*

**• 24**
**MAR •**

EN CET AN DE GRÂCE 1076, UN VIEILLARD, NÉ AVEC LE MILLÉNAIRE, gravit à grand-peine les ruelles pentues menant à l'antique oppidum des Pictones. Poitiers se fait bruissante de farouches murmures, quelques cris menaçants éclatent même sur son passage : la foule amassée voudrait-elle lyncher le vieil homme qui vacille un peu plus sous chaque invective ? Accourus des chantiers, bien avancés déjà, de Notre-Dame-la-Grande et de Saint-Hilaire, les bâtisseurs sont les plus virulents. Devant ces hommes à la foi simple qui s'échinent à édifier des cathédrales, autant « d'églises-écrins » destinées à sertir le vrai corps du Christ, unanimement vénéré, le voici, le scandaleux hérésiarque qui, le premier, osa commettre l'insigne folie de nier la présence réelle du Christ dans l'Eucharistie. Il passe, dégradé, défait par tous ces regards emplis de haineuse réprobation, et se dirige vers le concile réuni en ce jour pour statuer sur son sort. Il porte un nom trop fameux : Bérenger de Tours.

Son destin, dont l'épisode poitevin marque l'un des douloureux paroxysmes, a connu un tournant majeur : pour Bérenger, en effet, il y a l'avant et l'après 1048 ! À près de trente ans, cet élève du grand Fulbert de Chartres connut le bonheur de diriger l'école Saint-Martin de Tours. Grammaire, éloquence, dialectique, arts libéraux, exégèse, voire médecine, pas un domaine où l'écolâtre n'excellât ! Son rayonnement lui valut des élèves nombreux, parfois promis à une glorieuse destinée, tel Bruno, le fondateur des Chartreux... En 1040, il reçut la charge d'archidiacre et de trésorier de la cathédrale d'Angers.

Mais à Tours, sa ville natale, l'écueil de 1048 attend le brillant ecclésiastique. Convié à un colloque sur la doctrine eucharistique, il y soutient que la consécration ne change pas le pain et le vin en corps et en sang du Christ. Selon lui, la « transsubstantiation » — mot inventé d'ailleurs bien plus tard — est aberrante : en fin dialecticien (mais la dialectique est-elle « soluble » dans la théologie ? Telle est la grande question intellectuelle de ce temps...), il argumente le point de vue « symboliste » selon lequel, puisque le pain et le vin sont dits « signes » chez les Pères, en tant que « signes », ils ne peuvent par définition être identiques au terme auquel ils sont relatifs, à savoir le corps du Christ. Stupeur ! L'un des prestigieux intervenants, Hugues, évêque de Langres, est le premier à mettre Bérenger en garde. Il l'enjoint de tenir compte de « l'ampleur de la puissance divine qui dépasse nos sens ».

La querelle est amorcée. Entre en scène Lanfranc, le prieur de l'abbaye du Bec ; ce « phare » doctrinal condamne Bérenger, qui lui fait parvenir une missive justificative. Impitoyable, Lanfranc la divulgue lors du synode romain de 1050. Son effet scandaleux incite le pape Léon IX à déclarer Bérenger hérétique ! Il confirmera cette infamie pendant le concile de Verceil, auquel l'infortuné n'assistera pas, piégé et retenu captif par un gentilhomme du roi... Ce n'est qu'en 1058 que Bérenger signe à Rome, à l'occasion du concile du Latran, sa première rétractation ainsi formulée par le cardinal Humbert : « *Moi Bérenger, je reconnais la foi vraie et apostolique, j'anathématise toute hérésie, en particulier celle dont j'ai été accusé jusqu'ici : elle ose affirmer que le pain et le vin qui sont posés sur l'autel après la consécration sont seulement un sacrement et non le vrai corps et le vrai sang de notre Seigneur Jésus-Christ, et qu'ils ne peuvent pas être tenus ou brisés par les mains des prêtres ou broyés par les dents des fidèles de façon sensible, sinon dans le seul sacrement. Or je suis en accord avec la sainte Église romaine et avec le Siège apostolique, et je professe de bouche et de cœur qu'au sujet du sacrement de la table du Seigneur, je tiens cette foi que le seigneur et*

> **Bérenger signe à Rome sa première rétractation.**

*vénérable pape Nicolas et ce saint concile, par l'autorité évangélique et apostolique a transmise pour être tenue et m'a confirmée : à savoir que le pain et le vin qui sont posés sur l'autel après la consécration ne sont pas seulement un sacrement, mais également le vrai corps et le vrai sang de notre Seigneur Jésus-Christ, et qu'ils sont touchés et brisés par les mains des prêtres et broyés par les dents des fidèles de façon sensible, non pas seulement dans le sacrement, mais en vérité ; je le jure par la Trinité sainte et consubstantielle, et par les très saints Évangiles du Christ... »*

« *Touchés, brisés par les mains, broyés par les dents* », quel saisissant réalisme au cœur du sacré !

À son retour à Angers, Bérenger, humilié et abandonné, se démet de ses fonctions. C'est un homme seul que Lanfranc, encore lui, achève de blesser en publiant un ouvrage de condamnation de ses idées, le *Liber de Corpore*.

Piqué au vif, l'ex-écolâtre réplique rapidement dans le *De sacra coena*, qu'il émaille d'attaques frénétiques contre Rome, où il nie à nouveau la « transsubstantiation ». Cet entêtement embrase la colère des fidèles : il n'y a pas lieu de s'étonner de la véhémence des gens de Poitiers, en 1076. En s'attaquant à la présence réelle, Bérenger en effet ne pouvait qu'insulter gravement la foi du peuple médiéval en ce qu'elle vénérait au plus haut point, le Saint-Sacrement. De plus, il lui portait une insupportable atteinte en osant toucher aux Saints Évangiles, particulièrement à la parole christique « *Ceci est mon Corps* » – et « non pas le *signe* de mon Corps » selon le pertinent distinguo de saint Cyrille. En ouvrant une faille dans l'ordre sacral, il menaçait aussi l'ordre social. Deux visions s'affrontent. D'un côté, avec Bérenger, une véritable insurrection de la raison, qui s'empare du mystère pour le rendre raisonnable, s'arrogeant le droit de limiter la puissance divine. De l'autre, avec le peuple, une dévotion eucharistique simple, entière et ardente, dans l'esprit de l'hymne *Pange Lingua* qu'écrira merveilleusement saint Thomas d'Aquin : « *Si la raison défaille ici, la foi seule suffit pour rassurer le cœur pur.* »

« *Plus haut, plus haut !* »

L'« affaire » Bérenger ayant d'ailleurs exacerbé cette piété eucharistique, on dut introduire dans la liturgie l'élévation des espèces juste après la consécration. On vit même – peut-on les imaginer ? – les fidèles, excessivement enthousiastes, clamer qu'elles fussent portées « *plus haut, plus haut !* » Paradoxe apparent, cette adoration les retenait de communier, car ils n'osaient approcher le Saint-Sacrement. C'est pourquoi le concile du Latran, en 1215, institua l'obligation d'une communion sacramentelle – liée au sacrement de pénitence pour recevoir dignement le corps du Christ – au moins une fois l'an.

Convoqué de nouveau à un synode en 1079, le vieil hérétique se remit en route pour Rome. Là, il accepta une formule, dans laquelle est consignée la première définition de la transsubstantiation, le terme de « substance » y faisant son apparition. C'est donc en partie la controverse suscitée par Bérenger de Tours qui fit progresser l'explicitation du dogme eucharistique. Des outils de pensée plus acérés se constituèrent, dont, à sa décharge, Bérenger n'avait point disposé.

Secoué quarante ans durant par la houle de l'adversité, épuisé par le tourbillon incessant des synodes et des conciles (jusqu'en 1086), par le cycle des condamnations et des rétractations, Bérenger de Tours vint s'accoster au silence du cloître de Saint-Cosme, y rasséréner son âme troublée, et s'y préparer à la mort qui l'apaisa enfin, en 1088.

SOURCES : O. Capitani, *STUDI SU BERENGARIO DI TOURS*, Lecce, 1966. J. de Montclos, *LANFRANC ET BÉRENGER. LA CONTROVERSE EUCHARISTIQUE AU XIᵉ SIÈCLE*, Louvain, 1971.

# Bruno de Cologne

## *La solitude des cimes*
## *pour rencontrer Dieu*

**• 25 MAR •**

24 JUIN 1084, SUR LES HAU-TEURS DE GRENOBLE, DANS LA CHALEUR HÉSITANTE DE CE DÉBUT D'ÉTÉ, les contours de la cité s'estompent. Bientôt, elle ne sera plus qu'un lointain repère, une tache sombre prise entre les bras du fleuve qui serpentent dans la vallée. Une petite troupe gravit les sentiers ombragés, derrière des mules qui, de leurs sabots, font claquer le calcaire bleu des contreforts alpins déserts. On ne s'aventure guère dans ces séracs crevassés, ces vides et ces gouffres infestés de bêtes et de broussailles.

Là, en tête, deux hommes se détachent du groupe. Hugues, le jeune évêque de Grenoble, conduit Bruno et ses compagnons dans un lieu désert du massif de la Grande-Chartreuse. Pris tous deux dans le feu de leur conversation, ils dépassent parfois les animaux bâtés. Comme tous les fous de Dieu de ce début de millénaire, ils s'enflamment. Leurs mots ne suffisent plus à traduire ce qui les saisit. Tâtonnant comme des aveugles, se répétant comme des bègues, ils parlent des merveilles de l'amour de Dieu. Ils les disent avec la fougue de compagnons réchappés d'une aventure.

Hugues n'est pas soucieux : il connaît cette route par cœur et plus encore, par le cœur. À ses côtés, Bruno, dont la hardiesse du pas ferait croire qu'il est encore jeune, se laisse conduire.

Hugues ne se lasse pas d'entendre Bruno conter l'histoire du petit jardin d'Adan. Bruno ne consent jamais à évoquer ce jour où, avec ses amis, il s'est senti appelé par Dieu, sans s'être au préalable retourné vers ses six compagnons pour leur sourire avec des yeux d'enfant.

« C'était un soir, recommence Bruno pour la dixième fois. Nous nous trouvions ensemble, Raoul, Foulcoie et moi, dans le petit jardin attenant à la maison d'Adan. » Tout en parlant, Bruno garde les yeux baissés, attentifs à ses pas. Sa voix douce n'est distraite par rien. « Nous avions parlé des attraits trompeurs de ce siècle, des richesses, des fausses grandeurs et des merveilles de la gloire éternelle. Soudain, l'Esprit nous a saisis ! Oui, Hugues, nous étions brûlants ! Enivrés d'Amour et de Bonté ! Alors nous avons fait vœu de tout quitter ! De nous mettre en marche, pour trouver ces biens qui ne passent pas et en vivre. Nous avons décidé de tout quitter, pour recevoir l'habit... »

Bruno s'arrête, tourne son visage creusé vers le jeune Hugues, dont les yeux brillent d'émotion. Comme chaque fois qu'il raconte cette histoire, ils restent tous deux silencieux quelques secondes. Bruno pose une main délicate sur l'épaule de son compagnon, puis, sur le ton de la confidence : « Et toi, Hugues, raconte-moi encore... »

Fraternel, Bruno approche son visage tout près de celui d'Hugues. Il sait que le jeune évêque ne peut évoquer comment l'Esprit s'est emparé de lui, sans pleurer. Oh, il a bien cherché à cacher ses larmes un temps, mais à quoi bon, puisque Bruno l'a reçu sans le juger, accueillant tout dès le premier instant, ses merveilleuses paroles comme ses larmes, pour exulter avec lui dans le silence. Oui ! Le désir des deux hommes est bien le même : vivre dans la paix d'un lieu désert, pour louer Dieu.

Tout en grimpant vers les sommets, pour atteindre la hauteur promise – celle que Bruno se languit de trouver, celle dont Hugues a été le messager –, Hugues prend la parole : « J'avais travaillé la journée entière à dicter des lettres et à préparer la prédication. Pour trouver le réconfort que tu sais, je me souvenais, dans l'action de grâces, de ces moments passés à la Chaise-Dieu, en compagnie de tant d'hommes saints. Avec les frères de mon service, je récitais psaumes et complies, puis m'endormais, non sans me lamenter de l'ignorance des pieuses observances que nous voyions encore parmi nos proches. Mais, plongeant dans la nuit, le sommeil m'emporta en ses mystères et je vis ! Soudain, là, devant moi, s'ouvrit le désert au pays de Chartreuse ! Il me semblait que les montagnes se fendaient, telles des mers dressées, et, au milieu, je vis le passage étroit dissimulé dans les rocs ! Là, je reconnus la mince vallée qui monte à l'assaut des pics du Som. Puis, lentement, dans une lumière d'aube, des étoiles s'approchèrent. Elles suivirent les crêtes, longèrent les ravins, sortirent des forêts et gagnèrent le ciel, pour s'y fixer ensemble, au bout du passage... » La gorge nouée, Hugues fait un geste d'impatience, avant de reprendre :

« Et... se tenir au-dessus d'une maison dressée à la gloire de Dieu ! »

À ses côtés, Bruno, rejoint par ses six compagnons, attend les derniers mots. Le jeune évêque les souffle dans les larmes : « Les étoiles... il y en avait sept. »

Pas un bruit, c'est à peine si l'on perçoit le froissement des pas sur le sol jonché d'épines. Tout autour d'eux se dresse la forêt haute et simple. Bruno a tiré le capuchon de sa chape courte. Il ne peut plus parler. Si on le lui demandait, il bredouillerait quelque chose comme « Bonté ! Bonté ! » et le reste serait indistinct.

Le soleil est haut. Quelques rayons traversent la résille des sapins ; ils éclaboussent, un bref instant, les bliauds, les chausses basses, les coiffes de toile et les pelissons de laine que tous portent sans affectation. Même la lumière est silencieuse.

Les deux frères religieux, qui sont au service d'Hugues et l'ont accompagné jusqu'ici, s'arrêtent devant un amas rocheux et sortent d'un cartouche une carte tracée sur

> Là, devant moi, s'ouvrit le désert au pays de Chartreuse !

vélin au poinçon de l'évêché. Il faut gravir la côte moussue à droite, monter encore, se tenir à couvert sous les hautes frondaisons, pour engager la troupe dans le passage dont Hugues est absolument sûr. Bruno sourit, doucement ; aux côtés du jeune évêque, il reprend la marche. Progressivement, succède à l'opacité muette de la forêt la densité verte de la lumière : les voici dans une clairière ceinturée par des roches vertigineuses couvertes de branches d'un vert jeune, presque transparent au soleil. Hugues fait signe d'avancer. Les mules font claquer leurs sabots joyeux sur la fraîche pelouse et les coffres dansent. Bruno se retourne. Dans le ciel vide de toute nuance, pas même la flèche d'une église ; ce ne sont que sommets solitaires dans la nuée, gorges secrètes gardées vierges dans la pierre. Il tremble malgré la douceur d'un air si pur. Le sentiment enivrant d'une immense protection manque de l'étourdir. « *Bonitas... O Bonitas !* » Il se cache le visage.

En tête du cortège, on s'est enfoncé dans la forêt à l'endroit le plus dense. Il faut sortir les dagues et les gourdins pour crever l'enchevêtrement, rouler les pierres, déchirer les rideaux de lianes que

*« Bonitas... O Bonitas ! »*
*Il se cache le visage.*

maintiennent des troncs abattus par les avalanches. Au faîte, une voûte s'est formée, hermétique à toute lumière. Les hommes vont. Ils avancent lentement, difficilement. Les pieds dans les ronces, Hugues se retourne vers Bruno et l'interroge, d'un regard inquiet, puis il s'efface volontairement devant Bruno qui passe devant lui, sans hésiter. Il faut entrer davantage, et maintenant, c'est Bruno qui guide la besogne. On fend, on taille. Et soudain, tout contre avec un abrupt de falaise mis à jour, on jette les dagues. D'une main, Bruno enlève sa petite chape. Son visage a la clarté de la cire. Il lève la tête. Au-dessus d'eux, d'un bleu de vague, le ciel apparaît comme l'unique issue de ce cachot. Bruno se tourne vers ses six compagnons : « C'est ici que nous nous installons. »

Ainsi fut fondé le premier ermitage de contemplatifs, entièrement donnés à Dieu, dans la solitude et le silence. Au cœur du massif de Chartreuse, là où les sept étoiles vues en songe par saint Hugues allaient conduire Bruno et ses six compagnons, naissait l'ordre des Chartreux. Sur le troisième millénaire, ses étoiles projettent toujours la même lumière.

SOURCES : Saint Bruno, *LETTRE À RAOUL LE VERD* et *LETTRE À LA COMMUNAUTÉ DE CHARTREUSE*. *CHRONIQUE DES PREMIERS CHARTREUX*. A. Ravier, *SAINT BRUNO, LE PREMIER DES ERMITES DE CHARTREUSE*, Paris, 1967. Dom M. Laporte, *LETTRES DES PREMIERS CHARTREUX*, Paris, 1962.

# LA LIBÉRATION DE TOLÈDE

## « *NOUS REFERONS*

## *CHRÉTIENNE L'ESPAGNE* »

**• 26 MAR •**

TOLÈDE, 25 MAI 1085. L'AGITATION EST À SON COMBLE, ET UNE EFFERVESCENCE EXTRAORDINAIRE règne sur la ville. Alphonse VI, roi de Castille et de León, vient de pénétrer avec toute son armée dans cette prestigieuse cité, ancienne capitale du royaume wisigoth tombée aux mains des musulmans 374 ans plus tôt. Le 6 mai, à la suite de longues années de siège, la ville avait enfin capitulé. L'étau des chrétiens s'était peu à peu refermé sur elle, les forteresses du royaume étaient tombées les unes après les autres, ses campagnes avaient été dévastées et les habitants de Tolède n'attendant plus aucun secours s'étaient rendus.

Les soldats clament leur joie, en ce jour de printemps où le soleil pavoise haut dans le ciel comme pour célébrer leur victoire. Encore une ville arrachée aux musulmans qui règnent alors sur la péninsule Ibérique. Et quelle ville ! La plus grande jamais conquise, la plus farouche. Musulmans, juifs et mozarabes, tous avaient résisté jusqu'à leurs dernières forces. Mais c'était peine perdue devant la vaillance des armées chrétiennes de Castille, de celles de Bourgogne, d'Aquitaine, de Norman-die, venues faire claquer au vent leurs vifs étendards à côté des couleurs d'Alphonse de Castille. En ce jour béni, les chrétiens louent le Christ qui leur a donné cette éclatante victoire.

Jamais Alphonse VI n'a autant mérité le titre d'« *empereur de toute l'Espagne* », lui qui a réussi à forcer la frontière d'al-Andalus et à reconquérir la vieille capitale wisigothique, siège ancestral du pouvoir hispanique. Qu'on se souvienne qu'il y a déjà plus de trois cents ans que plus de la moitié de l'Espagne est musulmane, depuis l'anéantissement du dernier roi wisigoth en avril 711, à Tolède, par le général berbère Tarik.

Mais, dès les premières décennies du XIe siècle, un bouleversement radical s'était opéré dans le rapport des différentes forces politiques en Espagne. Le puissant califat de Cordoue disparaissait au milieu des révoltes, destructions et pillages, et se fractionnait en une multitude de principautés indépendantes et rivales – les « *taïfas* » – sans cesse dressées les unes contre les autres : Séville, Valence, ou encore Grenade. Ainsi divisées, aucune de ces principautés ne constituait plus une menace réelle pour les principautés chrétiennes du Nord, qui n'hésitaient pas à monnayer chèrement leur aide à l'un ou l'autre parti. Les rois chrétiens en avaient donc profité et s'étaient fait verser des tributs qui ruinaient les princes musulmans.

Ces rois jouissaient, à cette époque, de la rapidité de l'essor urbain, du développement de l'activité sur le chemin de Compostelle, qui était redevenu une grande voie de pèlerinage et de communication, de l'arrivée de nombreux étrangers, du renouveau des activités monastiques né de l'influence grandissante de Cluny, et enfin du réveil d'une économie d'échanges.

Il suffisait alors qu'un pouvoir politique suffisamment assuré fût en mesure d'exploiter cette vitalité renouvelée et le rapport de force se révélerait écrasant en faveur du plus important des royaumes chrétiens. L'Espagne chrétienne avait maintenant grand besoin d'un homme puissant qui ne reculerait devant rien pour repousser les musulmans, d'un homme capable de soulever les foules et de lever des armées, d'un homme qui, sous le sceau de la chrétienté, réunirait enfin toutes les provinces, d'un homme qui jouirait d'un haut prestige, d'une renommée incomparable !

Alphonse VI fut l'homme de la situation. Ce fils de Ferdinand I$^{er}$, fort de la prospérité de son royaume, et fermement décidé à combattre l'islam, se lança avec acharnement dans une politique active de reconquête territoriale. Cependant, du fait de la division des principautés

*Alphonse VI fut l'homme de la situation.*

chrétiennes, la tâche n'était pas aisée. Le Castillan comprit que, pour pouvoir mener à bien sa mission, il devait d'abord réunir les chrétiens et le peuple espagnol autour d'un objectif commun.

La prise de Tolède, capitale de l'ancien royaume wisigothique, fut cet élément fédérateur. Pour les chrétiens, cette ville joue un rôle emblématique. Une vingtaine d'années auparavant, des souverains avaient obtenu de l'émir de Séville qu'il restitue les restes du grand saint wisigoth Isidore afin qu'ils soient transférés à León, leur capitale. Fort d'un statut prestigieux, Alphonse VI pouvait légitimement prétendre à en être l'héritier.

Parallèlement à la restauration politique, la prise de Tolède marque le début de la restauration religieuse.

La parole donnée aux musulmans au moment de la prise de la ville par Alphonse VI – l'« empereur des deux religions » – garantissait, outre la vie et les biens des musulmans, l'intégrité de la grande mosquée de Tolède. Mais Bernard de Sauvetat, moine de Cluny que le pape Urbain II avait fait primat, c'est-à-dire chef de l'Église d'Espagne, veut par un geste décisif faire table rase du passé et, appuyé par la reine Constance de Bourgogne, il passe outre la promesse d'Alphonse et fait occuper la mosquée par des guerriers chrétiens qui lui livrent le bâtiment, érigent des autels et font suspendre au minaret des cloches pour appeler les fidèles à la prière. Cette église, consacrée sous le nom de Sainte-

Marie, devient le siège métropolitain de l'Espagne chrétienne.

Quelques années plus tard, sous le règne de l'archevêque Raymond, Tolède devient un grand centre de traduction de l'arabe au latin, et met ainsi à la portée de l'Occident le savoir perdu de la Grèce, précieusement conservé par les lettrés musulmans. On redécouvre alors des œuvres de philosophie, de mathématiques, d'astronomie, de médecine, qui joueront un rôle décisif dans le renouveau philosophique et scientifique européen des XIIᵉ et XIIIᵉ siècles.

La prise de Tolède coïncide avec la mort de Grégoire VII et le début des croisades. Désormais, c'est l'esprit de croisade qui cimente l'unité de l'Espagne chrétienne. Quand les Almoravides débarquent d'Afrique du Nord en 1086 pour porter secours à leurs frères musulmans en difficulté, la guerre entre chrétiens du Nord et musulmans du Sud s'insère dans le cadre plus vaste de la lutte de la chrétienté contre l'islam.

La Reconquista sera longue. La prise de Grenade par les Rois Catholiques en 1492 – seulement – achève vraiment le reflux de l'islam espagnol et marque la fin de l'existence politique de l'islam en Europe du sud. C'est vers d'autres horizons et d'autres conquêtes que va désormais se tourner l'Espagne, avec la découverte du Nouveau Monde.

SOURCES : J. Calmette, *La Formation de l'unité espagnole*, Paris, 1946. D. W. Lomax, *The Reconquest of Spain*, Londres-New York, 1978. Garcia-Villoslada, *Historia de la Iglesia en Espana*, Madrid, 1979-1982.

# SAINT NICOLAS

## OU L'EXTRAORDINAIRE VOYAGE
## DES MARINS DE BARI

**• 27 MAR •**

ILS SONT TOUS LÀ, AFFAIRÉS AUTOUR DE TROIS NAVIRES. SOUS LE BEAU SOLEIL de ce printemps 1087 qui fait étinceler la mer Adriatique, c'est l'agitation dans le port de Bari. On s'interpelle, on charge les navires de blé.

– Paolo, tu sais ce que je viens d'apprendre d'un marin en provenance de Venise ? Les Vénitiens, ils veulent arriver avant nous !

– Non ! vite, dépêchons-nous. C'est à nous d'y aller !

Mais où vont-ils ? Ils partent pour Myre, en Asie Mineure, de l'autre côté de la mer. Leur but ? Aller chercher la dépouille de Nicolas, l'ancien évêque de Myre, décédé il y a plus de 700 ans. Pourquoi ? Nicolas a toujours été considéré comme le patron des marins : on dit qu'il avait le pouvoir d'apaiser les mers déchaînées. On dit aussi que saint Nicolas, à l'un de ses retours de Rome, passant par Bari, avait prédit que son corps y reposerait un jour.

Depuis que les musulmans, en 1036, ont envahi Myre, agir est devenu urgent. Bien sûr d'autres marins, d'autres chrétiens, ont essayé d'arracher les ossements aux musulmans. Sans succès. Mais les marins de Bari, forts de la prédiction de Nicolas, sont persuadés qu'ils réussiront. Ils partent sur des navires chargés de blé pour faire croire qu'ils vont à Antioche. La traversée est longue... très longue. Enfin, les voilà à Myre. Ils sont arrivés avant les Vénitiens !

Devant les moines médusés qui gardent le tombeau de Nicolas sur les ruines du monastère de Sainte-Sion, ils font sauter les scellés et enveloppent les précieux ossements dans la soie qu'ils ont apportée. Ils ont pris soin auparavant de recueillir la myrrhe dans des ampoules. Depuis sa mort, en effet, le corps de saint Nicolas distille une myrrhe parfumée. Nos marins ont toujours entendu dire qu'elle a le pouvoir de guérir les yeux et la gorge. Ils prennent donc grand soin de la manne de saint Nicolas.

Rapidement, ils repartent pour Bari. Il ne faut pas qu'ils soient pris par les musulmans ! Le 9 mai 1087, ils sont de retour. Tout le port les acclame. Ce sont eux, les petits marins de Bari, qui ont réussi là où leurs pères avaient échoué. La prophétie de Nicolas s'est accomplie.

Paolo, Mario et tous les autres sont fiers

de remettre à l'archevêque Urson les précieuses reliques. Ils le sont davantage encore lorsque Urbain II en personne vient bénir, quelque temps plus tard, le sanctuaire marin où ont été déposés les ossements.

Saint Nicolas se met alors à répandre ses bienfaits sur la ville. On a en effet ouvert l'autel dans lequel a été placé le corps du saint homme pour récupérer la précieuse myrrhe.

Aussitôt des choses surprenantes se produisent : les malades qui s'inclinent devant l'autel sont guéris, les aveugles recouvrent la vue... Les pèlerins affluent de toute l'Italie, puis de plus en plus loin. Des pèlerins célèbres, des rois, l'empereur viennent de toute part s'agenouiller dans le sanctuaire.

On raconte même que Pierre l'Ermite demanda à saint Nicolas de protéger la première croisade.

Depuis cette date, Bari n'a cessé d'attirer les pèlerins qui viennent prier ce saint patron des fiancés, des marins, des écoliers... si populaire dans toute la chrétienté.

> *Les pèlerins affluent de toute l'Italie.*

SOURCE : J.-M. Mayeur, Ch. et L. Pietri, A. Vauchez, M. Venard, *Histoire du christianisme*, t. V, Paris, 1993.

# Pétronille de Chemillé

## *Ou comment une mère abbesse dirigea*

## *une abbaye d'hommes*

**• 28 MAR •** GUILLAUME S'ÉPONGE LE FRONT. LE PAYSAN L'AVAIT POURTANT PRÉVENU.

« Fontevraud, ce n'est guère qu'à deux lieues, mais, c'est que ça monte, et puis, parfois, le sentier se perd. Les broussailles, c'est leur royaume ici, et si personne ne les arrache, ça repousse pire que chiendent. »

C'est qu'il sait de quoi il parle, lui qui défend à grand-peine son maigre lopin de terre coincé entre la Loire vagabonde, qui vient régulièrement engloutir ses efforts, et les épines sournoises qui rongent lentement ses cultures. Guillaume l'a remercié en souriant intérieurement. Ce ne sont pas quelques buissons qui vont l'effrayer, lui qui a été l'un des premiers, dès 1095, à aller retrouver Robert d'Arbrissel à la Roë, sa solitude de la forêt de Craon. Il a tellement défriché, que le simple souvenir lui en brûle encore les paumes. Certes, il était plus jeune qu'aujourd'hui, et fort, et passionné ; il fallait l'être d'ailleurs pour rejoindre ce fou de Robert. Fuir le monde, choisir d'être pauvre pour l'amour de Jésus-Christ, Robert n'avait que ce credo, et il l'aurait prêché aux arbres et aux pierres plutôt que de se taire. L'évêque de Rennes avait bien essayé de le ramener à plus de mesure : il ne voyait dans les compagnons de Robert qu'une bande de vagabonds aux intentions douteuses qui, en même temps qu'ils abattaient les arbres, risquaient fort de saper son autorité.

Robert s'était soumis, il avait admis de se fixer, lui et *ses pauvres de Jésus-Christ*. Il était parti s'installer à Fontevraud, au sud-ouest de Saumur, loin de l'évêque de Rennes et de ses foudres. Guillaume, lui, avait fait un autre choix, il avait préféré prêcher de village en village, de monastère en monastère, en appelant comme Robert à une véritable pauvreté de cœur et d'esprit. C'était en 1100, il y a presque vingt ans. Et aujourd'hui, Guillaume se réjouit à l'idée de revoir Robert qu'il aime comme un ami, comme un frère, comme un père.

Allez, en route. Il arrache rageusement une dernière ronce accrochée à sa tunique, saisit son bâton ; Fontevraud devrait être bientôt en vue. En effet, à peine a-t-il fait quelques pas que la forêt devient plus clairsemée et s'ouvre à la lumière de la petite vallée de Véron. Vraiment, Robert a bien travaillé depuis l'époque de la fondation, quand ses lettres décrivaient les premières huttes de fortune, l'humble oratoire, les premières terres arrachées à la forêt. Maintenant, la vallée se déploie, verte et paisible, les champs et les cultures alternent harmonieusement. Au bord du Véron, les bâtiments se détachent, le Grand-Moûtier réservé aux vierges et aux veuves, Saint-Lazare pour les lépreuses, Saint-Benoît pour les infirmes, la Madeleine pour les pécheresses repentantes... Quant aux frères prêtres, aux chanoines et aux laïcs, ils disposent des couvents de Saint-Jean-de-l'Habit. Car, à Fontevraud, hommes et femmes, religieux et moniales séparés par une clôture, constituent ensemble une unique communauté. C'est le premier monastère double.

Dans l'esprit de son fondateur, Fontevraud revit l'âge d'or de l'Église primitive. Les femmes se consacrent à la prière, les prêtres célèbrent les messes, d'autres se soumettent au travail pour assurer le nécessaire de la communauté. Ils jardinent, cultivent le sol, font un peu d'élevage. Et si Guillaume en croit ce qu'il voit et ce qu'on lui a dit, Fontevraud est bien devenue une véritable cité monastique.

Les moniales observent la pureté de la règle de saint Benoît, et les religieux celle de saint Augustin. Tous vivent dans un esprit de pénitence et de charité pour se rapprocher des souffrances du Christ : abstinence perpétuelle de viande et silence absolu, vœux de pauvreté et de chasteté.

Guillaume presse le pas. Bientôt, il

> *Il veut voir l'abbé.*

pourra féliciter Robert, ensemble, ils pourront louer Dieu. Guillaume lève les yeux, la construction de l'église de Grand-Moûtier est presque achevée. Il compte bien que Robert lui-même lui fera l'honneur de la visite. C'est avec impatience qu'il frappe au guichet de l'hostellerie. Au frère qui l'interroge, il se présente. Il veut voir l'abbé.

– L'abbé, Messire ? L'homme a l'air surpris. Vous voulez dire le prieur ?

– Mais non l'ami, c'est ton abbé que je veux voir, Robert d'Arbrissel !

– C'est qu'il n'est plus là, Messire, voilà déjà un an qu'il nous a quittés.

Guillaume accuse le coup. Robert, mort, et il l'ignorait.

– Rassurez-vous, Messire, il n'est pas mort, il est seulement reparti prêcher sur les routes.

De soulagement, Guillaume éclate d'un grand rire, et avec une familiarité qui consterne le frère, il s'exclame :

– Le vieux fou, à son âge, repartir sur les routes, il est incorrigible ! Allez, mon frère, il ne sera pas dit que je serai venu pour rien, va avertir ton nouvel abbé qu'un vieil ami de Robert souhaite lui parler : il me donnera des nouvelles de l'abbaye, et aussi de ce vieil insensé !

De nouveau, le frère balbutie :

– C'est que nous n'avons point d'abbé, Messire.

– Point d'abbé, que me contes-tu là ? Robert a beau être extravagant, il ne serait pas parti sans laisser sa communauté entre de bonnes mains.

— C'est ce qu'il a fait, Messire, il l'a laissée aux mains de Pétronille de Chemillé, c'est elle notre abbesse, maintenant.

Le frère peut apprécier l'effet de cette nouvelle sur Guillaume, qui en a perdu sa gouaille et reste sans voix un long moment avant de reprendre :

— Une femme, une femme à la tête d'un monastère d'hommes...

— Et de femmes, Messire, intervient le frère qui aime la précision.

— Eh bien, puisque telle est la volonté de Robert, telle était sans doute la volonté de Dieu. Fais donc prévenir ton abbesse qu'un ami de Robert d'Arbrissel sollicite d'elle la grâce d'un entretien.

De l'abbesse Pétronille, Guillaume obtint tout le détail de la stupéfiante décision de Robert d'Arbrissel. C'est bien à elle qu'il a confié sa fondation, et la charge de maintenir la spiritualité de pauvreté et de charité qui anime Fontevraud. Il lui a soumis les frères et les sœurs de la communauté comme jadis le Christ à l'agonie soumit les Apôtres à la Vierge... Un prieur a été désigné pour veiller sur le monastère des hommes et l'assister dans sa tâche. La sollicitude du comte d'Anjou et du pieux évêque Pierre de Poitiers, à laquelle s'ajoute la protection pontificale qui avait exempté Fontevraud, et met l'abbaye à l'abri des menaces que le clergé régulier peut faire peser sur elle, permettent à l'abbesse de continuer l'œuvre du fondateur. Robert a d'ailleurs pris la précaution de faire entériner l'élection de Pétronille par le pape.

Et c'est ainsi que Pétronille de Chemillé est devenue abbesse de Fontevraud. Jusqu'en 1790, conformément au désir de Robert d'Arbrissel, l'abbaye demeura mixte. Hommes et femmes restèrent groupés sous l'autorité d'une abbesse, toujours de haute naissance, dont plusieurs princesses de sang royal.

> *Il lui avait soumis les frères et les sœurs de la communauté.*

SOURCES : J. Dalarun, *L'IMPOSSIBLE SAINTETÉ. LA VIE RETROUVÉE DE ROBERT D'ARBRISSEL (1045-1116), FONDATEUR DE FONTEVRAUD*, Paris, 1985. J.-M. Bienvenu, *L'ÉTONNANT FONDATEUR DE FONTEVRAUD, ROBERT D'ARBRISSEL*, Paris, 1981. A. Vauchez, *HISTOIRE DES SAINTS ET DE LA SAINTETÉ CHRÉTIENNE*, t. VI, Paris, 1986. M. Pacaut, *LES ORDRES MONASTIQUES ET RELIGIEUX AU MOYEN ÂGE*, Paris, 1993.

# BERNARD DE CLAIRVAUX
## *LA FONDATION DE L'ORDRE CISTERCIEN*

**• 29 MAR •**

ENFIN, GUILLAUME TIENT SON MANUSCRIT. L'ABBÉ DU MONASTÈRE DE SAINT-THIERRY, près de Reims, contemple l'ouvrage qu'il attend depuis des mois. En parcourant une première fois cette *Apologie à Guillaume de Saint-Thierry*, il sait immédiatement que ce texte va bouleverser la vie monastique. En fait, en demandant à Bernard de Clairvaux de prendre parti dans les querelles entre monastères, il n'en attendait pas moins et connaissant la personnalité de ce diable d'homme, il avait la conviction qu'il ne pouvait en être autrement.

L'abbé champenois caresse les parchemins, contemple la graphie épurée, l'harmonie des lettrines et des caractères, l'absence totale d'enluminures... Il sourit. Dans l'apparence même de ces pages, il reconnaît le style et l'esprit de Bernard. Depuis dix ans, depuis toujours, il lutte contre le luxe et l'ostentation dans les monastères. Des manuscrits à l'architecture, des ornements à la statuaire, il demande aux moines d'imiter la simplicité du Christ. Il appelle à la pratique stricte de l'observance bénédictine, condamne la richesse des mets et des mœurs et affronte

sans faiblir les moines de Cluny et tous les abbés qui ont renoncé à la pauvreté évangélique. À l'opulence des abbés bénédictins et de nombreux prélats qui se comportent souvent en princes de ce monde, Bernard répond par la rigueur et la sobriété de l'idéal cistercien. Prêchant un retour aux valeurs de l'Évangile, il n'a de cesse de fustiger le manque de charité des princes comme des bourgeois, des nobles dames aussi bien que des paysans.

Diable d'homme, ce Bernard, mais surtout homme de Dieu ! La première fois que Guillaume a entendu parler de lui, c'était à propos de son arrivée, en avril 1112, aux portes de l'abbaye de Cîteaux. Accompagné d'une trentaine de compagnons, parmi lesquels plusieurs de ses frères et de ses cousins, Bernard avait décidé de rejoindre cette communauté que l'on disait désireuse de vivre une réforme, mais dont la volonté commençait à faiblir. La stricte observance, le respect absolu de la règle de saint Benoît, voilà la réforme à laquelle Bernard croyait. Il voulait retrouver le modèle de vie imaginé par saint Benoît quelque sept siècles plus tôt : équilibre entre prière et travail, *ora et labora*, recherche de la pauvreté. En trois ans, c'est cela qu'il réussira, avec ses amis, à imposer à l'abbaye.

Avant même d'avoir entendu la fin de cette singulière aventure, Guillaume avait eu envie de connaître ce Bernard dont il se sentait si proche. Lorsqu'il l'avait rencontré, Bernard était un homme usé par les atteintes d'une fièvre aiguë. Son état était tel qu'il s'était vu contraint de quitter pendant plus d'un an la nouvelle abbaye qu'il venait de fonder, en 1115, à tout juste 25 ans. Clairvaux, son abbaye, que Guillaume de Champeaux lui-même était venu bénir. C'est avec émotion que Bernard avait parlé de l'exigence qu'il proposait à ses moines. Il avait aussi avoué que sa maladie l'avait mieux instruit des difficultés que certains frères éprouvaient. Guillaume, qui pendant son séjour avait partagé la vie de ces nouveaux bénédictins vêtus tout de blanc, avait noté en effet la grande austérité des mœurs. Une figure pourtant contrastait par son invisible et douce présence, celle de la Vierge Marie. Pour tous ici, elle était celle à l'exemple de qui ils apprenaient à répondre aux avances de Dieu. Un modèle de foi qui intercédait pour obtenir aux hommes la miséricorde divine. Guillaume s'en était ouvert à Bernard, et celui-ci avait comparé la Vierge à un aqueduc permettant que s'écoule le flot de la grâce rédemptrice.

En fait, il avait aimé cette vie rude, la nécessité d'être loin des villes et des villages afin de ne pas être tenté par les affaires du siècle, ce désir de rejeter les revenus tirés de la possession du sol, comme la dîme, le souci d'une hygiène de vie qui prohibait la consommation de viande et de beurre, l'austérité des paillasses sur lesquelles ils dormaient, l'effort physique qu'ils fournissaient en travaillant de leurs mains avec les frères convers qui, sans être consacrés, participaient aux offices et s'engageaient à la pauvreté et à la chasteté... La voilà la radicalité de la réforme de Bernard, celle que l'abbé de Clairvaux porte à son point de perfection littéraire et spirituelle dans cette *Apologie* que Guillaume caresse d'une main distraite : un retour radical à la prière et à la pauvreté, un retour radical à l'idéal de l'Évangile.

*Pour l'abbé rémois l'avenir est cistercien.*

Guillaume imagine sans peine la rapidité avec laquelle ce manuscrit circulera et les controverses qu'il va provoquer. Il sait que les moines noirs de Cluny réagiront vivement en défendant un état monastique qui s'attache à humaniser la règle de saint Benoît. Bernard, lui, continuera d'exiger sa pratique littérale et la rigoureuse ascèse qui y est liée. Mais pour l'abbé rémois l'avenir est cistercien. La vie monastique proposée par Bernard attirera davantage que celle de Cluny, la réforme des monastères est inévitable. L'avenir lui donnera raison et il aidera l'avenir. Fin lettré, il mettra sa plume au service de la réforme cistercienne en dressant quelques chroniques de la vie de Bernard de Clairvaux. Bien sûr, il enjolivera la réalité. Il accentuera l'état de délabrement de Cîteaux avant l'arrivée de Bernard pour mieux montrer l'impact de son passage. Mais la cause est bonne ! Alors...

Contemplant la nuit de la fenêtre de sa cellule, l'abbé de Saint-Thierry interroge l'avenir. Il est loin d'imaginer que le moine rencontré en ce lieu sauvage, en ces forêts que défrichent les cisterciens, le réformateur enraciné dans la vie monacale et qui prône la séparation d'avec les illusions et les richesses du monde, sera également le Bernard qui n'aura de cesse d'intervenir sur toutes les routes et dans toutes les controverses de son temps.

Inattendu Bernard, qui donnera, en 1128, une règle de vie aux Templiers, l'ordre de chevalerie que Hugues de Payns crée cette même année et dont tous les autres ordres de chevalerie s'inspireront. Incontournable Bernard, qui va sillonner toutes les capitales d'Europe pour imposer le pape Innocent II contre son concurrent, Anaclet II, élus tous deux en 1130 : suggérant au capétien Louis VI de l'accueillir au concile d'Étampes, incitant Henri Ier d'Angleterre et Lothaire, roi de Germanie, à le reconnaître, installant lui-même ce pape à Rome en 1131. Implacable Bernard, qui interviendra face aux hérésies, prenant part au concile de Sens, en 1140, contre Abélard, ou prévenant le péril cathare en 1145 par sa prédication en terre de Languedoc. Bernard, homme de son temps, va, loin de Clairvaux, consacrer son énergie à la deuxième croisade, prêchée à Vézelay, le 31 mars 1146, puis en Bourgogne, en Flandre, en Lorraine. Que celle-ci se soit terminée par un désastre dont on lui reproche d'avoir été l'artisan ne refroidira pas son ardeur, puisqu'il s'apprêtera à prendre la tête d'une nouvelle expédition sur les Lieux saints, en 1150, et qu'il en sera seulement empêché par la mort de Suger, son initiateur. Bernard est encore en avance sur son temps lorsque, appelé en Allemagne où une persécution terrible frappe les juifs, à la suite de propos inconsidérés d'un moine cistercien, il ramène le calme en prônant le plus grand respect du peuple juif et en rappelant « *qu'à la fin des temps Israël sera sauvé* ».

Dans sa rêverie, Guillaume de Saint-Thierry ne devine pas cette autre image de Bernard. Mais ce qu'il pressent, c'est le phénoménal essor que prendra la pensée qu'il est en train de développer. Car, depuis que Bernard est arrivé à Cîteaux, les fondations d'abbayes se succèdent : La Ferté en 1113, Pontigny en 1114, Clairvaux et Morimond en 1115.

Les « filles de Cîteaux » grandissent et l'expansion cistercienne ne se dément pas. En regardant les étoiles dans le ciel, l'abbé de Saint-Thierry pense à la descendance de Bernard...

Et lorsque le rédacteur de l'*Apologie*, que Guillaume attendait si impatiemment, s'éteindra le 20 août 1153, il aura suscité une véritable renaissance de la vie monastique avec plus de 350 maisons cisterciennes, en France, en Rhénanie, aux Pays-Bas, en Angleterre. À la fin du siè-

> *Les filles de Cîteaux grandissent.*

cle, Cîteaux contrôlera 525 abbayes et essaimera bien au-delà de l'influence clunisienne, notamment dans les pays des marches (Espagne, Pologne, Scandinavie). Tout cela quelques décennies après qu'une troupe d'une trentaine d'hommes, frères, amis, cousins, se fut présentée aux portes de l'abbaye...

SOURCES : Saint Bernard, *SERMONS SUR LE CANTIQUE DES CANTIQUES*. E. Vacandard, *VIE DE SAINT BERNARD, ABBÉ DE CLAIRVAUX*, Paris, 1902. J. Leclercq, *SAINT BERNARD ET L'ESPRIT CISTERCIEN*, Paris, 1980. M.-M. Davy, *BERNARD DE CLAIRVAUX*, Paris, 1990. L.-J. Lekai, *LES MOINES BLANCS*, Paris, 1957.

# LA LIBÉRATION DE JÉRUSALEM
## OU COMMENT LES LIEUX SAINTS FURENT
### RENDUS À LA DÉVOTION DES CHRÉTIENS

**• 30**
**MAR •**

DEPUIS UN REPLI DES COLLINES, ILS SONT DIX MILLE à voir, dans l'aube, jaillir les tours blanches de Jérusalem.

*« J'ai été dans la joie quand on m'a dit :*
*"Allons à la maison du Seigneur !"*
*Voilà que mes pieds s'arrêtent à tes portes,*
*Jérusalem ! »*

Le Moyen Âge connaissait Jérusalem pour avoir beaucoup chanté la ville où Jésus-Christ était mort et ressuscité, la ville où le salut s'était manifesté. Plus qu'un territoire, la Ville sainte était un signe de la Grâce, le signe de la miséricorde de Dieu. Depuis sainte Hélène, les pèlerinages en Terre sainte s'étaient multipliés et, au XIᵉ siècle, ils étaient devenus un grand moyen de pénitence et le témoignage d'une conversion profonde. Le pèlerin partait après avoir restitué ses biens mal acquis et distribué de larges aumônes. Il devenait pauvre pour tout recevoir de Dieu, et son chemin était celui d'une longue purification. Les épreuves de la route, les brigands des Balkans, les persécutions des musulmans, les maladies et l'épuisement seraient autant de mortifications, autant d'occasions de se conformer au Christ en revivant sa montée vers le Golgotha et sa Passion. Un tel voyage exigeait un abandon complet à la Providence. Une foi confiante et forte lançait ainsi chaque année sur les routes d'Europe et d'Asie Mineure des amoureux de Dieu qui venaient chercher la trace de ses pas, le souvenir de son Visage.

L'expansion turque, au détriment de l'Empire byzantin pendant tout le XIᵉ siècle, rendait ces pèlerinages de plus en plus périlleux. L'empereur byzantin lui-même, Alexis Comnène, demanda en 1095 au pape Urbain II des mercenaires pour contenir les Turcs seldjoukides qui rongeaient son royaume et avaient pris Jérusalem aux Fatimides égyptiens. Mais une idée plus vaste mûrit dans le cœur d'Urbain II : il veut faire cesser les luttes internes à la chrétienté grâce à un acte de piété qui les dépasse. S'il envoie la belliqueuse noblesse d'Europe combattre les musulmans, celle-ci cessera de s'entre-tuer. Urbain II lance son appel lors du concile de Clermont, le 27 novembre 1095. Après avoir exposé la menace turque sur l'Empire byzantin, il demande aux chrétiens de se porter au secours de leurs frères et d'abandonner leurs guerres privées pour une guerre commune et juste. Le concile promet le pardon des péchés, la protection des biens et le moratoire des dettes à ceux qui partiront dans un esprit de dévotion. Ils porteront la croix comme signe distinctif : les pèlerins de Jérusalem seront désormais appelés les Croisés.

Cet appel rejoint en son cœur la piété médiévale qui se nourrissait de l'Écriture : *« Vous vous êtes approchés de la montagne de Sion et de la cité du Dieu vivant, la Jérusalem céleste, et du chœur de myriades d'anges, et de l'assemblée des premiers-nés qui sont inscrits dans les cieux, et d'un juge qui est le Dieu de tous, et des esprits des justes qui sont parvenus à la perfection, et du médiateur de la nouvelle alliance, Jésus, et du sang de l'aspersion qui parle plus haut que celui d'Abel. »* (He 12, 22-24)

Si la parole de l'Apôtre doit garder son sens et sa symbolique, il faut que la Jérusalem terrestre soit l'image de la Jérusalem d'en haut ; il faut donc que le culte chrétien y soit restauré. L'exhortation d'Urbain II a un retentissement immense, sans doute inattendu, à travers l'Europe.

Une première croisade populaire se met en route dès l'année suivante, conduite par Pierre l'Ermite ; mais cette troupe indisciplinée multiplie les exactions sur son passage et avance sans prudence. Décimée en Hongrie, elle est exterminée par les Turcs au-delà du Bosphore. Parties plus tard, quatre armées régulières, principalement françaises, se réunissent à Constantinople au début de 1097. Ils sont cent mille, che-

*Ils sont cent mille, chevaliers, fantassins, femmes, enfants, prêtres, moines.*

valiers, fantassins, femmes, enfants, prêtres, moines, tous harassés par le long périple. À leur tête, Godefroy de Bouillon et son frère Baudouin, Robert Courteheuse, duc de Normandie, Bohémond de Tarente et son neveu Tancrède, Raymond de Saint-Gilles, comte de Toulouse, et Adhémar de Monteil, l'évêque du Puy, que le pape a nommé son légat pour l'expédition. Ils avancent désormais à travers l'Anatolie – l'actuelle Turquie –, prennent Nicée pour le compte de l'empereur et atteignent la Syrie. Là, Bohémond se réserve Antioche et Baudouin s'établit à Édesse. Les chefs francs semblent ne pas vouloir aller plus loin que ces conquêtes, mais le peuple qui les a suivis n'a pas achevé son pèlerinage, la ferveur et la faim le pressent. Dix mille croisés repartent au début de 1099 pour Jérusalem.

Depuis l'appel d'Alexis Comnène en 1095, la situation en Asie Mineure a évolué. Le grand sultan seldjoukide est mort en 1092, et sa construction politique a commencé de se fissurer ; des généraux font sécession ici ou là. Profitant de cette faiblesse et de l'élan donné par les croisés, l'empereur reconquiert le tiers de l'Anatolie. Jérusalem retombe en 1098 aux mains des Fatimides égyptiens. C'est dans ce contexte d'un islam déchiré de l'intérieur que la croisade progresse et n'est pas écrasée.

En cette aube du mardi 7 juin 1099, ils sont ainsi dix mille à découvrir Jérusalem et à rendre grâce à Dieu de les avoir conduits saufs jusqu'à sa cité sainte qu'il a établie pour être la mère des peuples.

*« Grand est le Seigneur,*
*et très digne de louange,*
*dans la cité de notre Dieu !*
*Sa montagne sainte s'élève gracieuse,*
*joie de toute la terre...*
*Faites le tour de Sion*
*et suivez-en l'enceinte,*
*comptez ses tours, examinez ses remparts,*
*passez par ses bastions,*
*pour pouvoir raconter*
*à la génération future*
*que tel est le Dieu qui est notre Dieu*
*toujours et à jamais. »*

Ils sont dix mille, épuisés, qui s'établissent autour de la ville dans la poussière. Les chevaliers tirent des chevaux rares et étiques. Tous mangent peu, boivent moins encore. Autour de Jérusalem et de Constantinople, les Turcs ont brûlé les terres et empoisonné les eaux. La fontaine de Siloé ne suffit pas pour une telle armée ; il faut parcourir six milles pour abreuver les montures et aller jusqu'au Jourdain pour remplir les outres destinées aux hommes. Mais l'aridité n'arrêtera pas ceux qui sont venus depuis la France à pied. Les croisés s'apprêtent à prendre Jérusalem. Elle s'est retranchée derrière ses hautes murailles et a expulsé de son sein les quelques chrétiens qui y vivaient et qui auraient pu la livrer. Qu'at-elle à craindre de cette petite armée de survivants à peine capable de l'assiéger ? Robert de Normandie tient le secteur nord, le comte Robert de Flandre le nord-ouest, Godefroy de Bouillon et Tancrède l'ouest, et Raymond de Saint-Gilles, le mont Sion au sud. À l'est, la vallée du Cédron interdit toute attaque. Tout cela est si pauvre !

> *Les Turcs ont partout brûlé les terres et empoisonné les eaux.*

Le 13 juin, un premier assaut échoue, faute d'échelles suffisantes pour escalader les remparts. La mer apporte alors aux croisés le secours providentiel de marins génois débarqués à Jaffa, qui leur prêtent leur savoir-faire pour bâtir des machines de guerre et surtout des *« châteaux de bois »*. Ces tours roulantes élèveront les assaillants au niveau des murailles de la ville. Des prouesses d'ingéniosité permettent aux chrétiens de rassembler le bois nécessaire à ces constructions, dans une région où il n'en pousse pas.

Après des jeûnes, des prières et des processions, les croisés reprennent l'assaut dans la nuit du 13 au 14 juillet. Ce n'est que le 15 au matin, après une journée de vains mais terribles combats, que Godefroy de Bouillon, tout au nord de Jérusalem, approche son château de bois assez près de la muraille pour lancer une passerelle. Le rempart est investi, une porte est ouverte, et, de proche en proche, la ville cède.

La journée qui suit est celle d'un grand massacre que les chroniqueurs ont exagéré en donnant un nombre de victimes supérieur à la population de la ville, mais qui n'en choqua pas moins les esprits aussi bien des musulmans que de nombreux chrétiens. On sait que beaucoup d'habitants se sont échappés et que les croisés en ont laissé partir d'autres contre rançons. Les derniers combattants musulmans s'étaient retranchés sur l'esplanade de l'ancien temple de Salomon. La réduction de cette dernière résistance a été sanglante et a laissé l'impression d'un carnage gratuit. L'horreur de cette tuerie a terni l'image de cette première croisade.

Il faudra attendre quelques années avant que le royaume latin de Jérusalem ne donne à la Ville sainte le visage de paix qui est sa vocation.

Jérusalem conquise, les croisés chantent le *Te Deum* dans l'église de la Résurrection. Leur marche avait été ponctuée de signes de la Providence. À Antioche, l'année précédente, la découverte de la lance qui avait percé le côté du Christ en croix avait rendu courage aux armées chrétiennes qui repoussaient une contre-attaque à un contre dix. Maintenant, ils trouvent à Jérusalem un fragment de la Croix et arrêtent l'armée égyptienne montée reprendre la ville. Les croisés mettent en déroute les musulmans à Ascalon et reviennent chargés d'un butin

*Les croisés chantent le* Te Deum *dans l'église de la Résurrection.*

immense. Jérusalem leur est comme donnée une deuxième fois par ce miracle. Car tout est grâce pour ces pèlerins venus se convertir sur les lieux de la résurrection de Jésus-Christ.

Ayant atteint le terme de leur pèlerinage et accompli leur vœu, beaucoup reprennent la route, au point de mettre en péril la nouvelle conquête. Pour les croisés, la démarche spirituelle l'emporte sur la fondation temporelle. Ils ont cru, ils ont vu, ils peuvent s'en retourner. Seul un petit nombre de Francs reste pour constituer, autour de Godefroy de Bouillon puis de Baudouin, le royaume latin de Jérusalem.

La prise de Jérusalem est le signe de la ferveur et de la piété des populations chrétiennes d'Europe, plus que d'un rapport de forces entre l'Orient et l'Occident. La Terre sainte sera rendue aux Orientaux un siècle plus tard, mais la dévotion chrétienne y aura laissé sa marque, le souvenir d'un mouvement de foi immense qui triompha de tout, et d'un royaume qui fut grand parce qu'il tenta d'être digne de sa capitale, Jérusalem.

Sources : Manassès, « Lettre à l'évêque d'Arras », in *Les Actes de la province de Reims*. R. Alphandéry et A. Dupront, *La Chrétienté et l'idée de croisade. Les premières croisades*, Paris, 1954. R. Grousset, *L'Épopée des croisades*, Paris, 1939. E. Perroy, *La Croisade et les États latins d'Orient de 1095 à 1203*, Paris, 1951.

# LES GRANGES DE CÎTEAUX

## LES MOINES

### QUI DÉFRICHÈRENT L'EUROPE

• **31 MAR** •

– HÉ, REGARDE-LES DONC, CES MOINILLONS ! LES VOILÀ QUI METTENT BIEN DU CŒUR À L'OUVRAGE !

– Eh bien, fais-en autant, le père. Il se pourrait bien qu'il pleuve avant que nous ayons tout ramassé.

Le paysan, la tunique remontée entre les jambes et coincée dans la ceinture, hoche la tête à la remarque de sa femme. Au loin, dans les champs, des dizaines de silhouettes s'activent sur les terres de l'abbaye.

– C'est que nous n'avons que nos fils, nous, et point tous ces convers...

– Raison de plus pour se remettre à l'ouvrage. Crache dans tes mains et activons. Il faut finir avant la nuit...

Le soir, les foins sont rentrés. La pluie s'est effectivement abattue sur les champs et sur la forêt d'Ermenonville, une pluie violente de fin d'août. Dans la maison, on soupe d'un brouet clairet, bouillie de céréales, et de pain gris.

Jacques, le fils cadet, dit en s'essuyant la bouche :

– Père, j'ai attendu la fin des moissons pour t'en parler...

– Si tu veux me parler du fermage, garde ta langue, mon fils. Je sais bien qu'il sera difficile cette année encore de le payer.

– Non le père, c'est au sujet des convers...

– Eh bien quoi, tu sais le moyen de les faire travailler à notre compte, peut-être ?

– Nenni, nenni. Mais, le père, j'en serai moi aussi dès l'hiver.

Le vieux paysan soupire. Voilà que l'abbaye lui prend son fils qui est si pieux et si travailleur. Il se reprend et dit seulement :

– Si le bon Dieu le veut...

L'hiver 1210 est rude. Il faut pourtant s'acquitter des dîmes et des fermages auprès d'une lointaine abbaye, dont on ignore jusqu'au nom, mais qui détient les terres. De temps en temps, Jacques, le fils devenu convers à l'abbaye toute proche de Chaalis, revient souper à la maison.

– Alors, mon moinillon. Comment vont vos travaux ?

– On défriche, on défriche...

– Au moins travaillez-vous. Ce n'est pas comme nos « moines à nous », qui se contentent de percevoir la dîme et les fermages.

– Leur règle clunisienne les y autorise

le père. Mais la règle cistercienne l'interdit à nos profès.

— Je n'entends rien à cela, tu le sais, Jacques. Et comment vont les granges ?

— Et pourquoi ne viendrais-tu pas y voir, le père ? Les plus éloignées ne sont guère qu'à quelques lieues d'ici. Et celle des céréales, tu la vois de notre champ...

Sitôt dit, sitôt fait ; le lendemain, de bonne heure, ils prennent le chemin qui mène aux granges de l'abbaye de Chaalis.

— Regarde donc, le père. Ici, lorsque notre sanctuaire fut fondé en 1136, ce n'était que friches et bois éparpillés.

— Et que ferez-vous de tout ce blé, si la moisson est bonne comme elle promet. Il y a là de quoi nourrir plus que tous les profès et tous les convers de Chaalis ?

Jacques sourit : il a eu la même réaction à la découverte des seize « granges » de l'abbaye, réparties dans un rayon de plus d'une centaine de kilomètres autour de l'abbaye. Il a été stupéfait en découvrant la vigueur des échanges avec les cités. Voilà trente ans que les moines de Chaalis exploitent rationnellement et spécialisent les différents terroirs qu'ils ont rassemblés, en déplaçant parfois quelques communautés paysannes ; voilà plusieurs dizaines d'années qu'ils travaillent à insérer leur activité dans les grands courants marchands. Ainsi, depuis Ermenonville, ils commercent parfois jusqu'en Italie.

*Sais-tu que certaines de nos abbayes ont jusqu'à 15 000 moutons ?*

— C'est que les villes réclament, le père. Elles grandissent et se nourrissent. Nous les approvisionnons en blé et en céréales, et ainsi faisons-nous aussi pour nos cel-liers. Ces granges vouées à la vigne sont établies près des rivières afin d'écouler le vin vers les places commerciales [Paris, Senlis, Lagny]. La viande et le beurre, que produisent les élevages, ne sont pas destinés aux moines, la règle cistercienne en réprouve la consommation. Nous les vendons donc, et utilisons pour nos propres besoins la laine, et la peau des moutons pour nos parchemins. Sais-tu que dans le royaume d'Angleterre, certaines de nos abbayes ont jusqu'à 15 000 têtes de moutons ?

— Éleveurs, brasseurs, sauniers, meuniers, dis-tu. Que voilà donc d'étranges moines.

— Père, tu le sais, nous autres convers ne sommes point moines.

— Et que font vos profès pendant que vous œuvrez ? Je n'en vois aucun dans ton champ... Ils sont comme nos moines, à prier en attendant le fruit de votre travail ?

— Je te l'ai dit, nous ne suivons pas la règle de Cluny. Nos profès travaillent aussi dans les terres proches de l'abbaye, même si nous, les convers, sommes seuls à exploiter les granges les plus éloignées. Nous prions l'office avec eux quand nous nous retrouvons le dimanche à l'abbaye.

Autour de la table du souper, toute la famille est suspendue aux lèvres du père. Il raconte les granges, les celliers, les charrois, les bateaux... Jacques sourit à ce récit, émaillé de « moinillons » et de comparaisons avec « nos moines à nous ». Puis le convers reprend la parole :

– Mais il reste encore beaucoup à faire, et notre abbé n'en a jamais fini.

– Et que vous faut-il encore imaginer ? Seize granges ne vous suffisent-elles pas ?

– Eh bien, la mère, c'est qu'ailleurs encore, les abbayes s'activent. On construit des routes et des moulins, on exploite les mines, les briqueteries. Et Clairvaux, l'abbaye de Bernard, a même ses hauts fourneaux...

– Qu'allez-vous faire de nos campagnes, Grand Dieu, Jacques !

*Des routes,*
*des moulins,*
*des mines,*
*des briqueteries.*

– Hé, ma mère, nous les agrandissons ! Ne t'ai-je pas dit que nous défrichons encore. Et on dit que dans le Midi, nos moines créent même des bastides, des nouveaux villages. Et que nos frères des Flandres gagnent sur la mer pour cultiver la terre...

Cette fois, à l'évocation des polders, la bonne femme secoue la tête. Qu'on s'installe en des endroits déserts et qu'on y fasse des champs, soit. Qu'on défriche une forêt, soit. Mais défricher la mer...

SOURCES : J.-B. Mahn, *L'Ordre cistercien et son gouvernement, des origines au milieu du XIII<sup>e</sup> siècle (1095-1265)*, Paris, 1945. C. Higounet, *La Grange de Vaulerent. Structure et exploitation d'un terroir cistercien de la plaine de France*, Paris, 1965. G.-M. Oury, *Les Moines*, Paris, 1987.

DÉCEMBRE

JANVIER

FÉVRIER

MARS

AVRIL

MAI

JUIN

JUILLET

AOÛT

SEPTEMBRE

OCTOBRE

NOVEMBRE

DÉCEMBRE

# CROISÉS ET UNIVERSITAIRES
## DE LA PREMIÈRE CROISADE
## AU GRAND SCHISME D'OCCIDENT

*Dieu, donne au roi tes pouvoirs,*

*à ce fils de roi ta justice.*

*Qu'il gouverne ton peuple avec justice,*

*qu'il fasse droit aux malheureux !*

*Montagnes, portez au peuple la paix,*

*collines, portez-lui la justice !*

*Qu'il fasse droit aux malheureux de son peuple,*

*qu'il sauve les pauvres gens, qu'il écrase l'oppresseur !*

*Béni soit le Seigneur, le Dieu d'Israël,*

*lui seul fait des merveilles !*

*Béni soit à jamais son nom glorieux,*

*toute la terre soit remplie de sa gloire !*

*Amen ! Amen !*

Psaume 71

# LE CHANT GRÉGORIEN

## *QUAND L'OCCIDENT CHANTE*
## *D'UN SEUL CŒUR*

**2 AVR**

*« QUE MA PRIÈRE S'ÉLÈVE DEVANT TOI SEIGNEUR, COMME L'ENCENS ; ET MES MAINS COMME L'OFFRANDE DU SOIR. »* La voix du psalmiste s'élève grave et majestueuse sous les voûtes sombres de la lourde église abbatiale. La lumière vacillante du jour qui s'achève parvient à peine jusqu'aux stalles de bois où la petite communauté monastique vient de prendre place. Transpercés par l'humidité glaciale qui monte le long des épais murs de pierre, les moines ne peuvent se retenir de resserrer autour d'eux les plis de l'épaisse coule de laine qu'ils ont jetée sur leur longue robe de bure sombre avant de pénétrer dans le sanctuaire. À l'instant où les moines prennent leur respiration pour répondre au soliste, la vapeur blanche de leur souffle s'échappe dans l'air froid comme un encens de givre.

*« Seigneur, je t'appelle : accours vers moi ! Écoute mon appel quand je crie vers toi. »* La supplication s'enfle des trente voix unies dans la même mélodie, les syllabes latines se détachent une à une. À la même heure, accompagnant les dernières lueurs du jour, partout dans l'Occident chrétien, cette prière s'élève vers Dieu, jaillissant du cœur des milliers de moines et de moniales. De Cantorbéry à Rome, du Mont-Saint-Michel à Salzbourg, les mêmes mots, le même rythme lent et puissant ouvrent les âmes à la supplication.

Demain, dans toutes les églises, les basiliques, les cathédrales, le peuple des fidèles retrouvera dans la liturgie dominicale cette mélodie profonde, ce chant qu'on appelle grégorien.

Nous sommes en Occident, à l'aube du XIIᵉ siècle, et le Grégorien s'est, depuis longtemps déjà, imposé comme l'unique forme du chant liturgique. Cette musique, qui dominera pendant près de sept siècles, du VIIIᵉ au XVᵉ, et même au-delà, n'est pourtant pas la musique originelle de la liturgie chrétienne. Dans les premiers temps du christianisme, en effet, les nouveaux convertis de Palestine n'avaient nullement rompu avec les synagogues locales, et les liturgies chrétiennes en furent très influencées. Longtemps, les gestes, les rites, les chants, la ferveur même conservent les inflexions et la couleur des mélopées ou des danses hébraïques. Entre les cantiques, la Parole tient une grande place, avec la lecture de l'Évangile et le chant des Psaumes qui, d'âge en âge, de communautés en communautés, demeurent au cœur de la prière chrétienne. Cette trame liturgique traversera les siècles sans quasiment subir de changement. La musique, elle, va se modifier en fonction des cultures, des modes et des époques.

Dans les premiers siècles, les communautés chrétiennes essaiment autour du Bassin méditerranéen. En ces temps d'échanges et de brassage, la diversité, pour ne pas dire la liberté, est la règle : ici l'on chante en grec, là en latin, plus loin en araméen, la langue même que parlaient Jésus et ses apôtres. En fait, à partir d'une croyance commune en Jésus-Christ, les rites propres à chaque Église se développent dans une large autonomie, et se distinguent de plus en plus les uns des autres. En l'absence de textes directeurs, l'improvisation des prières est « la loi générale de la liturgie », tandis que les chants, seulement guidés par les mots sur une musique non écrite, s'imprègnent des traditions régionales. Sur le territoire de l'ancienne Gaule, par exemple, les clercs des églises provençales psalmodient en latin mais l'assemblée répond en grec ; en Espagne, le rite mozarabe se constitue. Résistant aux directives de Rome, il demeurera toujours en usage. Mais partout les influences orientales, celles des origines, demeurent très fortes.

Du point de vue musical, cette variété représente à l'évidence une remarquable richesse. Mais la chrétienté s'étend, les hérésies se développent : il faut lutter pour transmettre fidèlement le message du Christ. L'expression de la foi peut-elle prendre, sans risquer d'en être altérée, des formes si diverses ? C'est la question que se pose le pape Grégoire le Grand, à qui l'on attribue – à tort – la création du chant qui porte son nom. Peu de temps après son accession au trône pontifical, en 590, dans un souci d'unité et de cohérence, il va tenter de codifier les chants de la liturgie chrétienne d'Occident.

Grégoire s'est toujours passionné pour la musique, composant lui-même maintes mélodies destinées au culte. Séjournant à Byzance, il a pu assister aux offices de l'église Sainte-Sophie, et apprécier à sa juste valeur la remarquable organisation de la maîtrise, fort renommée. C'est à son retour d'Orient, justement, qu'il entreprend un immense travail de récapitulation et de révision afin de constituer un corpus de mélodies liturgiques pour toutes les fêtes de l'année ecclésiastique. Épris de simplicité, il cherche à éviter les chants dont les floraisons lui paraissent trop sensuelles et apporte dans ce choix l'esprit latin de l'ordre et de la mesure. Il privilégie le répertoire de l'église de Milan, conservé depuis ses origines – la fin du IVe siècle – dans la tradition initiée par saint Ambroise. Le chant dit « ambrosien » cohabite encore à l'époque avec le « bénéventain » du sud de l'Italie, le « romain » ou le « milanais », mais aussi avec « l'hispanique » ou le « gallican » ; autant de traditions que Grégoire va faire plus ou moins disparaître en constituant le premier ouvrage de chants dits « grégoriens » : l'antiphonaire romain.

La recension et la mise en ordre grégo-

L'esprit latin de l'ordre et de la mesure.

rienne des chants liturgiques marquent en fait une étape, un pas important dans l'histoire de la musique sacrée.

De nouvelles célébrations apparaissent, pour lesquelles le répertoire s'enrichit. L'exécution elle-même se modifie : une *schola*, formée des meilleurs chanteurs et de leurs élèves, remplace le soliste à qui, jusque-là, étaient dévolus certains chants.

Entre l'époque du pape Grégoire et celle du sacre du roi des Francs à Saint-Denis, en 754, la transmission très partielle de ce patrimoine en a altéré le contenu. Au lendemain du sacre de Pépin le Bref, le chant dit « grégorien » n'a plus beaucoup à voir avec les hymnes des premiers chrétiens encore tout imprégnées des origines. Dans le domaine liturgique, le divorce est consommé entre l'Occident et l'Orient qui, lui, demeure plus fidèle à ses sources.

Dans le foisonnement culturel de la renaissance carolingienne, les clercs musiciens deviennent des experts qui théorisent leur pratique ; les compositions s'en ressentent et deviennent peu à peu plus complexes, plus ornées.

Pourtant, si l'on ouvre un manuscrit grégorien du IX<sup>e</sup> siècle, on y observe seulement des signes musicaux inutilisables. La portée, qui sert de repère pour la hauteur des notes, n'existe pas encore, et les indications sont insuffisantes pour qui ne connait pas par cœur le déroulement mélodique du chant. On ne peut que s'émerveiller en pensant qu'un tel réper-

*L'interprétation ne peut se passer de transmission orale.*

toire, si vaste et si varié, ne s'est transmis qu'oralement pendant plusieurs siècles.

Qui de nous ignore l'importance du rythme d'une phrase lorsque l'on veut la retenir ? Les premiers écrits grégoriens n'indiquent rien d'autre que des valeurs rythmiques, qui ne sont que des aide-mémoire sous-tendant le texte su par cœur, pour un chant dont les inflexions très libres sont encore proches de la déclamation. Et jusqu'à ce que la notation soit réellement établie, le chantre n'utilisera le livre qu'avant la célébration, pour se remettre la mélodie en mémoire.

Bientôt, le chant « romain », dit « grégorien », sera fixé par l'écriture : les neumes – petits signes notant les inflexions de la mélodie – apparaissent au-dessus du texte, avant que des lignes horizontales, ancêtres de la portée, permettent d'indiquer les intervalles mélodiques. Reste que l'interprétation, elle, échappe à toute fixation : elle ne peut se passer de la transmission orale, support d'une évolution constante.

L'interprétation... voilà bien le plus grand mystère du chant grégorien. D'autant que pendant plusieurs siècles – de la Renaissance au XIX<sup>e</sup> siècle –, le chant grégorien disparut quasiment... Aujourd'hui, les querelles d'école vont bon train à ce sujet, et l'imposant travail de « restauration » mis en œuvre par l'abbaye de Solesmes est lui-même parfois contesté. Le grégorien, qui depuis Vatican II n'a plus la première place dans la liturgie, quoique le concile en ait rappelé toute la valeur, n'est plus, bien souvent, qu'une musique « spirituelle » parmi d'autres, une curiosité historique ou esthétique.

Pour retrouver la sonorité de ce chant quand il n'était rien d'autre que l'expression de la foi, il faut sans doute se tourner vers l'Orient de ses origines. Là-bas, de l'autre côté de la Méditerranée, que ce soit au Liban, dans le sud de la Turquie, au nord de l'Irak, en Égypte ou en Syrie, les églises des Chaldéens, des Arméniens, des Syriaques, des Coptes, des Maronites retentissent encore de chants transmis sans rupture depuis les origines. Dans leur densité, leur intensité, la rudesse de leur forme, parfois, ils chantent, à travers le temps et l'espace, l'universalité du message chrétien.

SOURCES : P. Bernard, *DU CHANT ROMAIN AU CHANT GRÉGORIEN, IVᵉ-XIIIᵉ SIÈCLE*, Paris, 1996. Dom D. Saulnier, *LE CHANT GRÉGORIEN*, abbaye de Fontevraud, 1996.

# L'ordre des Hospitaliers de Saint-Jean-de-Jérusalem

## *Quand les chevaliers se font moines, et les moines infirmiers*

**3 AVR**

Premier janvier 1523. Un ultime et douloureux regard, lancé des remparts, sur la cité de Rhodes, et Villiers de l'Isle-Adam abandonne son palais, celui des grands maîtres de l'ordre des Chevaliers de Saint-Jean depuis plus de deux siècles ! Il a fallu, après six mois de siège, se résoudre à capituler, et désormais il faut quitter l'île... En descendant vers le port, le grand maître parcourt tristement du regard les façades des « auberges » – une par nation – dans lesquelles ont demeuré tant de chevaliers ! L'auberge de Provence d'abord, sur sa gauche ; en face, l'auberge de la Langue d'Espagne ; un peu plus loin, la plus vaste et la plus belle, l'auberge de la Langue de France – une inscription, au-dessus de la porte, rappelle l'œuvre de son prédécesseur, Émery d'Amboise – ; puis les auberges des Langues d'Italie, d'Auvergne, d'Angleterre, d'Allemagne. Sept demeures pour les sept « Langues » de la chrétienté occidentale. Tous les chevaliers se sont battus vaillamment ; mais que faire contre des Turcs presque cent fois plus nombreux ? Villiers de l'Isle-Adam passe la Porte de la Marine et s'embarque avec les 180 chevaliers survivants pour continuer vers l'ouest cette prodigieuse aventure de charité, de guerre aussi, commencée vers 1050 sur un terrain vague de Jérusalem...

Se dire, en effet, que tout cela est parti, au cœur du XIᵉ siècle, de l'initiative de quelques marchands italiens, originaires d'Amalfi, assez habiles pour avoir obtenu des califes, dans la ville sainte, la concession d'un terrain proche de la maison de Zacharie, le père de saint Jean Baptiste ! Par la fondation d'un monastère, et d'un hospice surtout, ils donnent naissance à l'ordre de Saint-Jean-de-Jérusalem, dont le but originel est purement religieux : il s'agit de porter assistance aux pèlerins qui bravent les dangers de la route pour se rendre en Terre sainte.

Délivrer le tombeau du Christ... telle fut la mission assignée à la première croisade, prêchée par Urbain II. « Jérusalem ! Jérusalem ! » Extraordinaire joie criée dans la chaleur de l'été 1099, lorsque Godefroy de Bouillon et ses Francs investissent la ville. Jérusalem délivrée ! À cette nouvelle, les pèlerins affluent, sans cesse plus nombreux, épuisés, malades souvent... Dans leur hospice, toujours plein, les frères hospitaliers s'activent sans répit ; ils s'efforcent d'endiguer ce flot de souffrances, accueillent, réconfortent, soignent, sans distinction de classe, de fortune ou de race. Ils appliquent ainsi la grande règle de l'ordre des Hospitaliers de Saint-Jean-de-Jérusalem : « *Quand un malade viendra, qu'il soit porté au lit, et là, tout comme s'il était le Seigneur reçu, donnez ce que la maison peut fournir de mieux.* »

De nombreux chevaliers s'engagent dans la communauté, dont l'activité va croissant, et qui reçoit dons et privilèges en remerciement des soins prodigués aux croisés blessés. Conscient de son bienfondé, le pape Pascal II reconnaît l'Ordre en 1112, et le place sous la protection directe du Saint-Siège. Il approuve ses statuts édictés par le grand maître Roger du Puy, centrés sur « *le service des pauvres et la défense de l'Église catholique* », et qui insistent sur la chasteté, l'obéissance et l'obligation de ne rien posséder en propre. Ainsi renforcé, assis sur des bases plus solides, l'Ordre essaime dans toute la Palestine. Nombre de maisons hospitalières sont fondées. Un pèlerin grec, en 1180, a même dénombré plus de mille lits dans le grand hôpital de Saint-Jean-Baptiste !

Mais voici que le moine va se faire soldat, « soldat du Christ » ! Comment expliquer cette vocation nouvelle des Hospitaliers devenus Chevaliers ? Après l'établissement du royaume latin de Jérusalem, le temps, la nostalgie, la désillusion parfois ou tout simplement le besoin de retrouver leur famille poussent

*Le moine va se faire soldat.*

de nombreux croisés à rentrer chez eux. De ce fait, la protection des pèlerins et la défense de la Terre sainte ne sont plus assurées. Les Hospitaliers, qui recrutaient abondamment parmi les membres de la noblesse chevaleresque, prennent alors en charge la défense des Lieux saints et de ceux qui viennent en pèlerinage. Très vite, il faut faire parler les armes pour repousser les agressions arabes, ottomanes et même mongoles. Ils édifient d'imposantes forteresses, tel le fameux « Krak des Chevaliers », le plus impressionnant nid d'aigle qui soit... Mais ils n'oublient pas leur vocation première : ils s'emploient à« racheter les prisonniers et à soigner les malades. Saladin, profondément impressionné par leur bravoure, alliée à la charité et à la piété, leur permet de rester à Jérusalem pour y accomplir leur fonction de moines soignants. La Terre sainte, toutefois, devient intenable : malgré une résistance héroïque, les Chevaliers de Saint-Jean sont contraints, en 1291, de se retirer de Saint-Jean-d'Acre.

Ils se réfugient à Chypre d'abord, puis à Rhodes, où ils s'installent en 1308. Une superbe cité gothique est édifiée, qui abrite les trois classes de l'Ordre – chevaliers militaires, frères servants, chapelains –, réparties en sept groupes nationaux ou « Langues ». Une flotte importante s'organise, les échanges commerciaux s'intensifient, la résistance à l'emprise turque se fait victorieuse, l'ampleur des donations, accrue d'une bonne part des biens des Templiers, dissous en 1312, permet à l'ordre de couvrir l'Europe de maisons hospitalières dites Commanderies, destinées à abriter les pèlerins pauvres et à soigner les malades des environs.

Les Chevaliers de Saint-Jean sont alors dépositaires du savoir médical le plus avancé. Nul doute que leur contact avec la civilisation arabe leur a beaucoup appris ! En matière d'asepsie, ils prennent des mesures novatrices : bain à l'accueil des malades, lits individuels, changements fréquents de draps, chambres d'isolement pour les plus atteints, mesures de quarantaine contre les épidémies... Ces moines soldats, par ailleurs, ont acquis sur le terrain une bonne pratique de la chirurgie de campagne. Chaque maison comporte en outre un herboriste et une pharmacopée de première valeur.

> *La chute de Malte porte un coup terrible à l'Ordre.*

En 1523, quand le grand maître Villiers de l'Isle-Adam doit quitter Rhodes et fuir les Turcs, il se réfugie encore dans une île, concédée en 1530 à l'ordre par Charles Quint, à Malte ! Position stratégique incomparable au centre du Bassin méditerranéen, cette situation va favoriser le rayonnement des Chevaliers. Ils font construire de vastes hôpitaux, et Malte devient rapidement le phare médical du monde alors connu. On y crée, au XVIII<sup>e</sup> siècle, une véritable école de médecine. De considérables moyens financiers, il est vrai, favorisent ces entreprises.

La chute de Malte, conquise par Bonaparte en 1798, porte un coup terrible à l'ordre. Cependant, même amoindri et appauvri, il demeure. Désormais, l'ordre souverain militaire et hospitalier dit de Rhodes et de Malte, perpétue l'idéal de charité inventé au cœur du Moyen Âge. Il fonde des hôpitaux, s'engage lors des guerres en créant des hôpitaux auxiliaires – 800 000 soldats y furent soignés lors de la Première Guerre mondiale –, des services d'ambulance, de même que l'Institut de médecine missionnaire. L'ordre poursuit sans relâche ses missions caritatives dans le monde entier.

Par-delà les siècles, le chevalier de Malte est resté fidèle à son engagement, qui en fait le « *Serviteur de Messieurs les Malades* ».

SOURCES : A. de Wismes, *Les Chevaliers de Malte*, Paris 1998. C. Petiet, *L'Ordre de Malte face aux Turcs*, Hérault, 1997. G. Perny, *Nouvelles recherches sur la fondation de l'ordre des Hospitaliers de Saint-Jean-de-Jérusalem*, Bentzinger, 1999. C. de Guilbert, *Sur l'état et les statuts de l'ordre de Saint-Jean-de-Jérusalem*, Lacour, 1999.

# L'ABBAYE DE SAINT-VICTOR

## *MÈRE DE L'UNIVERSITÉ DE PARIS*

**• 4**
**AVR •**

EN DESCENDANT DU SOMMET DE LA MONTAGNE SAINTE-GENEVIÈVE, il fallait s'engager dans d'étroits chemins de terre, entre deux clos de vignes. Derrière, l'antique abbaye Sainte-Geneviève dominait la colline ; plus bas, au pied du vieux « palais des Thermes », où l'on serrait les récoltes et le vin, les marécages empêchaient de longer la Seine, il fallait alors prendre vers l'est, et gagner lentement les bosquets qui ombragent le cours sinueux de la petite rivière de Bièvre jusqu'à l'eau verdâtre du fleuve vers l'île de la Cité.

Au-dessus de la rive, à quelques pas des « Arènes », se trouvait une chapelle, associée à une nécropole mérovingienne, qui portait le nom de Saint-Victor. Il y avait longtemps que l'on ne savait plus à quel saint était dédié ce lieu de culte, en ruine depuis l'invasion normande. Ce saint Victor avait-il été évêque de Paris au IVᵉ siècle ou du Mans au siècle suivant ? Cette chapelle avait-elle jadis abrité une recluse, la pieuse Basilla ? Peu importe, ce petit lieu de culte, à l'écart de la ville, était un ermitage idéal pour qui voulait mener une vie au désert, sans perdre contact avec la cité épiscopale.

C'est dans cette chapelle qu'en 1108, Guillaume de Champeaux, archidiacre de Paris, décida de se retirer pour prendre l'habit de chanoine régulier, et continuer l'enseignement qu'il dispensait auparavant dans l'île de la Cité. Cet homme, né en 1070 à Champeaux, près de Melun, s'adonnait à la grammaire, à la dialectique, à la rhétorique, à la philosophie et à la théologie. Ses débats houleux avec son élève Pierre Abélard sont restés célèbres.

En 1113, Guillaume devint évêque de Châlons et obtint du roi Louis VI un diplôme qui fonda la nouvelle abbaye Saint-Victor et la dota de nombreux biens au sud de Paris, en Gâtinais et en Orléanais. À Paris, en revanche, Saint-Victor ne possédait que la petite parcelle attenante à l'antique nécropole, c'est-à-dire presque rien en regard des riches patrimoines dont jouissaient les abbayes voisines de Sainte-Geneviève et de Saint-Germain-des-Prés.

Cette nouvelle abbaye demeura fidèle à l'esprit de son fondateur, homme de grande culture, épris de tous les savoirs, pédagogue et enseignant, et devint une école monastique qui n'hésitait pas à rivaliser avec l'école épiscopale ou cathédrale qui occupait le parvis de Notre-Dame.

Après la mort de Guillaume de Champeaux en 1121, les chanoines durent donc élire un nouvel abbé : ils choisirent Gilduin, l'un des leurs.

Hugues de Saint-Victor, qui deviendrait bientôt la plus grande figure du rayonnement intellectuel de l'ordre victorin, arriva l'année suivante. Son oncle, ancien archidiacre de Halberstadt, en Saxe, se montra très généreux envers la nouvelle fondation. En effet, c'est grâce à lui que commença la reconstruction de la chapelle et des bâtiments conventuels. Il était temps, car les rapides réparations engagées par Guillaume assuraient à peine le couvert et bien mal le clos. C'est encore lui qui, alors qu'il était de passage à Marseille en compagnie de son neveu, obtint des reliques du martyr saint Victor et les ramena à Paris. Désormais, le vocable de l'abbaye fut fixé : elle s'appellerait abbaye de Saint-Victor et l'on saurait à quel saint se vouer.

Aussitôt, les chanoines s'empressèrent de réformer les chapitres et abbayes de fondations anciennes, tombés en décadence.

Cependant, à Paris, cette volonté réformatrice souleva de nombreux conflits. Le plus dramatique se solda par l'assassinat du prieur de Saint-Victor : Thomas. Le 30 août 1133, alors que Thomas revenait de Chelles – antique abbaye de moniales –, des gens en armes attaquèrent le convoi à Gournay-sur-Marne. Les agresseurs n'étaient autres que les neveux de l'archidiacre de Paris, Étienne de Garlande. La mort de Thomas eut un écho considérable. Saint Bernard en personne réclama justice au pape contre les meurtriers. L'émotion, suscitée par ce malheur, augmenta les donations et l'élan réformateur, si bien qu'en 1155, à la mort de l'abbé Gilduin, Saint-Victor était à la tête d'une puissante fédération d'abbayes, qui s'étendait dans tout le nord de la France et même au-delà des frontières du Royaume !

Même la puissante abbaye de Sainte-Geneviève, voisine et rivale de Saint-Victor, fut réformée sur ordre de Suger à la suite d'une rixe entre les chanoines de Sainte-Geneviève et les serviteurs du pape Eugène III, en visite à Paris, et entra elle aussi dans l'ordre victorin.

Ainsi, en un demi-siècle, ce qui n'était au départ qu'une pauvre petite abbaye est devenue un grand centre culturel et spirituel où les maîtres les plus prestigieux viennent enseigner ! Qu'on en juge par les noms des grands théologiens, exégètes, philosophes mystiques et poètes qui s'y sont succédé et qui ont contribué à son rayonnement... Au premier rang desquels, maître Hugues, à qui la postérité décerna le titre si envié de nouvel Augustin. Son œuvre considérable témoigne d'une curiosité et d'une rigueur d'esprit exemplaires. « *Apprends tout*, écrit-il, *et tu verras ensuite que rien n'est superflu.* » C'est en théologie que maître Hugues donna toute la mesure de son génie, en recherchant dans l'Ancien Testament les signes

> *Même la puissante abbaye de Sainte-Geneviève entre dans l'ordre victorin.*

cachés qui annoncent la Rédemption de l'humanité.

À sa suite viennent l'abbé Achard, qui laissa une somme sur la Trinité et des sermons emprunts d'une grande finesse théologique ; le prieur Richard, auteur fécond ; André, futur abbé de Saint-Jacques de Wigmore, spécialiste du commentaire exégétique et grand connaisseur de l'hébreu ; Adam de Saint-Victor, connu pour ses poèmes liturgiques ; Godefroy de Saint-Victor, auteur du *Fons philosophiae* et du *Microcosmus*...

On n'en finirait pas d'énumérer toutes les gloires de la célèbre abbaye. La liste s'allongea encore avec les nombreux maîtres qu'elle forma et qui enseignèrent dans ce qui allait devenir l'université de Paris. Pierre Lombard, dont les *Sentences* allaient constituer la base de l'apprentissage de la théologie pour plusieurs siècles, commença son séjour parisien dans l'abbaye. Pierre le Mangeur, appelé ainsi à cause de son avidité à tout apprendre, et dont la fameuse *Historia scolastica* devait tant à André de Saint-Victor, termina son existence comme chanoine victorin. Robert de Melun, grand représentant de la scolastique naissante, séjourna, lui aussi dans l'abbaye...

Pendant tout le XIIᵉ siècle, l'abbaye de Saint-Victor a préparé le terreau sur lequel grandit la vocation universitaire du Quartier latin, et si Saint-Victor est quasi oubliée aujourd'hui, c'est que l'ombre portée de sa fille légitime, l'université de Paris, cache à nos yeux la petite flamme du savoir et de la pensée qu'entretinrent Saint-Victor et Sainte-Geneviève pendant près d'un siècle.

SOURCES : F. Bonnard, *HISTOIRE DE L'ABBAYE ROYALE ET DE L'ORDRE DES CHANOINES RÉGULIERS DE SAINT-VICTOR DE PARIS (1130-1500)*, Paris, 1904. J. Chatillon, « La culture de l'école de Saint-Victor au XIIᵉ siècle », in *ENTRETIENS SUR LA RENAISSANCE DU XIIᵉ SIÈCLE. DÉCADES DU CENTRE CULTUREL INTERNATIONAL DE CERISY-LA-SALLE*, Paris, 1968.

# NORBERT DE XANTEN

## « *JE T'AI FAIT JEUNE ET BEAU,*
## *TU DEVRAIS ME SERVIR* »

**5 AVR** • UN JOUR DE PRINTEMPS DE L'AN DE GRÂCE 1115, DANS LA FORÊT DE FREDEN, au cœur de la verte Rhénanie, un beau seigneur richement vêtu, chevauche sa monture. Norbert, né en 1080, cousin de l'empereur Henri IV d'Allemagne, mène sa carrière de chanoine d'un aussi grand train que son cheval : il vient de passer de la cour de l'archevêque de Cologne à la chapelle impériale. À lui bientôt une belle charge politique ou une mitre d'évêque, c'est certain. En attendant, il va voir sa cousine, abbesse d'un chapitre noble, au bord de la Werkel. Il se pourrait même qu'il aille la courtiser, car tout chanoine qu'il soit, il n'est pas prêtre, et d'ailleurs, le haut clergé de son temps n'y regarde pas de bien près sur ce sujet. Norbert de Xanten aime la vie, qui l'a largement servi. Et voici que là, au cœur de l'après-midi, tout à coup, la lumière change : un orage terrible éclate, qui noie la forêt et le jette à bas de son cheval. La foudre ouvre un gouffre sous ses pas, et il entend, à travers les éclairs qui fendent le ciel noir : « *Norbert, pourquoi me persécutes-tu ? Je t'ai fait jeune et beau, tu devrais me servir...* » La voix divine – Norbert n'en

doute pas un instant – le met brusquement devant la vanité de sa vie, mondaine, frivole, vouée à la stérilité.

Désormais Norbert, le cœur saisi, est plongé dans la méditation, le silence, l'ascèse. Comme tous les nouveaux convertis, il en fait beaucoup, presque trop : il démissionne de la chapelle impériale, et on le voit, pauvrement vêtu, jeûner et prier dans la petite chapelle du Fürstenberg, non loin de Xanten. Ordonné prêtre, il se met à prêcher la conversion au sein même du chapitre de la collégiale qui l'a presque vu naître. Les chanoines de Xanten, confortablement installés dans leurs privilèges, le prennent pour un illuminé. Au concile de Fritzlar, en 1118, on le montre du doigt : un prêtre habillé comme un mendiant, qui joue au moine, allez donc ! Alors Norbert désavoué, incompris, quitte pour toujours la vallée du Rhin. Nul n'est prophète en son pays...

Le voilà sur les routes de France. Lui, le beau cavalier, il marche désormais à pied, comme un simple pèlerin. Il a rendu sa charge de chanoine, vendu et distribué tous ses biens. *Suivre nu le Christ nu*, disent les réformateurs de l'Église du temps. Il se met en route vers Saint-Gilles-du-

Gard, un pèlerinage connu, étape importante sur la route de Compostelle – dont la renommée atteint alors son apogée. À Saint-Gilles, il rencontre le pape Gélase II, à qui il demande la permission de prêcher l'Évangile par les routes et les chemins : la prédication était à l'époque une charge épiscopale, Norbert a un peu d'avance sur son temps – et tout juste cent ans sur saint Dominique et ses « frères prêcheurs ». Gélase voudrait bien le garder près de lui, mais Norbert ne veut pas perdre à nouveau son âme dans une cour, fût-elle pontificale. Il obtient finalement la permission de prêcher, et le voici qui repart sur les chemins, remontant dans la France du Nord, dont il connaît mieux la langue, au cœur de l'hiver enneigé, pieds nus, le cœur en feu. Mais quel avenir a cette destinée étonnante, et comment des disciples pourraient-ils se joindre à cet ascète itinérant, qui maltraite son corps au point de tomber gravement malade, à Valenciennes, cette année-là ? La famille de Norbert, ses amis interviennent : il faudrait l'installer quelque part, lui faire fonder une communauté, puisqu'il veut vivre l'idéal apostolique. À la tête de cette conspiration amicale, l'évêque Barthélemy de Laon, passionné des ordres nouveaux (il accueille Cisterciens et Templiers, notamment, dans son diocèse) propose au fou de Dieu de s'installer chez lui. Après une longue quête, Norbert trouve son lieu, dans la forêt de Voas (aujourd'hui Saint-Gobain), en un lieu nommé Prémontré. Au milieu des bois hantés par les loups, près d'une petite chapelle dédiée à saint Jean Baptiste, Norbert défriche, prie Dieu, et enrôle des serviteurs de l'Évangile. Très vite, des compagnons le rejoignent. À Pâques 1120, la communauté compte déjà une quinzaine de membres.

À Noël 1121, les frères font la première profession religieuse de l'histoire de cette nouvelle communauté : l'ordre de Prémontré est né. Norbert, n'a pas voulu s'entourer de moines, mais de « chanoines réguliers ». Leur règle est celle de saint Augustin. Comme tous les chanoines, ils vont consacrer le meilleur de leur temps à la louange divine, au chœur. La vie des premiers frères de Prémontré est toute de silence, de pénitence joyeuse et généreuse, comme à Cîteaux ou à la Chartreuse. Norbert a vêtu ses frères de blanc, parce qu'il les veut resplendissant comme les anges qui annoncent la Résurrection, le matin de Pâques, au tombeau et que la laine écrue (non teinte) est signe de pauvreté. Norbert, qui continue ses voyages, recrute des frères partout : sa parole enflammée propose à la jeunesse du temps une expérience radicale d'amour de Dieu et de vie commune exigeante. Une autre caractéristique – héritée des chanoines, elle aussi – est la dimension apostolique de la communauté. Les « Prémontrés » ne sont pas cloîtrés comme des moines, ils sont des clercs au service de toute l'Église ; bientôt, on les verra partout

> *Le voici au cœur de l'hiver enneigé, pieds nus, le cœur en feu.*

tenir les hôpitaux, les écoles, desservir les paroisses. Cet ordre nouveau connaît rapidement un succès extraordinaire. La blanche cohorte de Prémontré grandit en nombre, s'affermit. Partout, elle essaime : deux, quatre, dix fondations – en Allemagne, en Flandre – puis des dizaines. Répartis par « circaries » (par provinces), des monastères d'hommes et de femmes sont fondés dans toute l'Europe. À la fin du siècle, l'ordre de Prémontré comptera quelque 600 maisons en Occident, dont une centaine sur le territoire de l'actuelle France : un développement considérable, comparable à celui des Cisterciens.

*La blanche cohorte de Prémontré grandit en nombre, s'affermit.*

Mais Norbert, en cours de route, doit cesser de veiller de près au développement de son ordre, car en 1126, il est élu archevêque de Magdebourg, en Saxe. Il quitte Prémontré et laisse son ami Hugues de Fosses gouverner l'ordre naissant. Voilà de façon étonnante le seigneur allemand – qu'il était autrefois – rattrapé par sa propre histoire : il devient un grand personnage de l'empire, et il offre les dix dernières années de sa vie au service de ce grand diocèse oriental, aux marches de la chrétienté de l'époque. Non sans difficulté, cet amoureux de l'Église continue son œuvre de réforme du clergé dans son nouveau diocèse. Conseiller intime de l'empereur Lothaire III de Saxe, il est aussi accaparé par les affaires de l'État, et notamment, aux côtés de saint Bernard, pour défendre la cause du pape Innocent II contre l'antipape Anaclet. C'est en revenant de Rome qu'il meurt, vieilli prématurément, épuisé par l'ascèse et les labeurs, le 6 juin 1134.

Malgré les aléas de l'histoire, notamment la Révolution française qui les a décimés en France, les fils de saint Norbert sont encore fidèles au charisme de leur fondateur, huit siècles après sa mort. Les chanoines prémontrés – en France et partout dans le monde – sont curés de paroisses, aumôniers d'hôpitaux, de lycées, de prisons, ils encadrent les mouvements d'Église, la jeunesse, et les hôtelleries de leurs monastères sont souvent pleines, témoignant de la soif spirituelle des contemporains. Le grand feu allumé par l'Esprit en saint Norbert, au tournant du XIIᵉ siècle, paraît toujours nouveau, si nouveau.

SOURCES : G.-G. Meersseman, « Eremetismo e predicazione itinerante dei secoli XI e XII », in *L'EREMETISMO IN OCCIDENTE NEI SECOLI XI-XIIᵉ*, Milan, 1965. K. Elm, *NORBERT VON XANTEN*, Berlin, 1985.

# LES MOINES D'OCCIDENT
## *L'INVENTION DE L'UNITÉ EUROPÉENNE*

**6 AVR**

« ON EST ARRIVÉ ! J'AI VU LA FLÈCHE ! » LE JEUNE GARÇON S'ARRÊTE, ÉBLOUI. Derrière lui, ses compagnons se bousculent, gênés dans leur marche, cherchant désespérément à voir pardessus les épaules des uns et des autres.

« Laissez passer ! Allons ! » En cette veille de la Pentecôte, un convoi à cheval portant des gens d'armes et des princes fait place et descend la colline dans un nuage de poussière vers le point de mire : l'abbaye de Cluny.

– Va mon garçon, va, tu vois nous allons nous faire écraser ! Je ne voudrais pas mourir sans avoir vu de près cette merveille, ni sans avoir touché les saintes reliques que nos frères ont recueillies ici.

– Mais je n'ai jamais rien vu d'aussi grand ! s'exclame le jeune garçon. Soixante-trois mètres de haut, vous vous rendez compte ?

– Grandiose, je dois le dire, pourtant j'en ai vu des monastères et des églises dans le Nord !

– Deux... quatre tours ! compte le jeune frère, enthousiaste.

– Frère Jean, au lieu de babiller, aide donc notre père à descendre le chemin.

Les sandales du vieux prieur glissent en effet sur cette piste ravinée par le passage incessant des pèlerins. Une foule interminable s'écoule de toutes les entrées du cirque de verdure. Frère Jean, le vieux prieur et les moines qui se bousculent viennent d'un petit couvent des Flandres. Eux aussi ont fait le chemin pour se recueillir sur les saintes reliques. Frère Jean regarde avec inquiétude la fragile silhouette du prieur qui tente de se frayer un chemin vers l'immense abbatiale. La chaleur est étouffante et la procession n'avance pas. Malgré la taille gigantesque des nefs, les pèlerins ont du mal à pénétrer dans l'église. Le jeune garçon saute en l'air pour mieux voir :

– Ceux qui sont entrés pour toucher les reliques ne peuvent pas sortir !

– Frère Jean, ne m'écrasez pas les pieds ! Avancez !

– Les reliques sont trop loin, je n'y arriverai jamais ! soupire le vieux prieur.

– Je vais vous porter, père, montez sur mes épaules ! propose Jean, compatissant.

– Tu es bon, mon petit, mais je ne pourrais bouger ni pied ni patte !

Le jeune garçon joue des coudes au milieu des hommes et des femmes qui se pressent dans le déambulatoire. Il y a surtout beaucoup de moines et de prêtres avec leur escorte. La foule des pèlerins est impressionnante. Les moines doivent tenir haut les reliques pour ne pas les renverser.

Parmi les pèlerins, figurent bien sûr nombre de frères clunisiens. En cette année 1134, les clunisiens possèdent plus de 2 000 maisons. Cluny compte alors plus de 10 000 moines. À l'hôtellerie, frère Jean et ses compagnons rencontrent d'ailleurs des moines venus de Charlieu, sur les bords de la Loire. Mais ce qui ne laisse pas de l'émerveiller, c'est la grande diversité d'origine de tous les pèlerins. Certains sont des cisterciens affiliés à Cîteaux, d'autres viennent du monastère de Gorre en Haute-Lorraine ou encore de Glastonbury en Angleterre.

Après cette journée harassante, les langues se délient. Frère Jean écoute avec attention les discussions de ses aînés, qui racontent en latin leurs diverses péripéties et parlent de leur abbaye. Le jeune garçon semble très impressionné par la fougue d'un moine cistercien.

– On ne peut servir Dieu et l'argent ! Bernard de Clairvaux avait raison de critiquer l'excès d'ornements dans les églises. Ici il y en a beaucoup trop !

– Il est pourtant bien beau, ce grand Christ peint dans le chœur. On le voit depuis le narthex. Même les gentils et les catéchumènes peuvent l'apercevoir ! objecte le vieux prieur.

– Il pourrait être plus modeste ! lance un autre cistercien.

*Il est pourtant bien beau ce grand Christ peint dans le chœur.*

Frère Jean, lui, se tait. Fatigué par le voyage, il a du mal à suivre les conversations. Il commence d'ailleurs à peine à comprendre le latin. Il se tourne alors vers son protecteur, le vieux prieur de l'abbaye, et lui demande tout bas :

– Et Cîteaux, est-ce aussi grand qu'ici ?

– Quand nous retournerons en Flandres, nous y passerons, chuchote le prieur. Tu pourras t'en faire une idée. Cluny, Cîteaux... la Bourgogne est une véritable pépinière pour l'Église ! Sais-tu que les cisterciens ont essaimé en 500 fondations ? Tu as sans doute déjà entendu parler de Clairvaux, de La Ferté, de Pontigny ou de Morimond, n'est-ce pas ?

Frère Jean acquiesce. Il lui tarde de dormir, ses paupières sont lourdes de sommeil. Mais un moine cistercien se penche vers lui :

– Il faudrait que tu viennes voir l'une de nos abbayes. Nous ne sommes pas comme vous autres clunisiens. Nous vivons plus retirés, nos abbayes sont plus sobres. Nous bâtissons plus de granges que de *scriptorium* ! Nous plantons des vignes et essayons d'améliorer les semences. Si tu passes un jour à Chorin, chez nous en Allemagne, tu verras nos bâtiments !

Le garçon a la tête emplie de ce qu'il entend. Que de monastères dans toute l'Europe, que de richesses, que de vocations différentes ! Son père l'a confié aux clunisiens pour qu'il apprenne à écrire et à compter, mais maintenant il se demande si les cisterciens ne répondent pas mieux à ses aspirations, lui qui a toujours aimé travailler la terre.

Le vieux prieur s'en rend compte. Il sait dans sa sagesse que la jeunesse a besoin de temps avant de choisir. Aussi, lorsque le jeune garçon lui demandera ce qui les sépare des moines de Cîteaux, le vieux prieur répondra avec beaucoup de gravité et de respect pour ses frères cisterciens :

> C'est la
> Christianas –
> la chrétienté.

– Les moines de Cîteaux accordent une grande importance à chacun, dans la marche vers le Christ. Pauvres et riches, serfs et comtes, ceux qui lisent et ceux qui taillent les tonneaux, ceux que la vie a abandonnés et ceux qui discutent parce qu'ils cherchent la vérité, tous ceux-là servent à travers nos contrées à ensemencer une force vive... Et nous en avons tous besoin. Voilà ce que pensent les cisterciens qui sont très efficaces... Et c'est aussi ce que je pense mon garçon. Dors maintenant, n'oublie pas tout ce que tu as vu et entendu.

Quand le garçon se retourne vers le mur, le prieur prie pour que d'autres frères s'occupent, comme lui, de garçons pour les enseigner, en faire des hommes de paix soucieux du droit, prêt à servir le Christ. Il loue son Créateur d'avoir inspiré des esprits aussi lumineux que ceux de Benoît de Nursie, d'Odilon, d'Hugues de Cluny et des âmes aussi déterminées que celle de Bernard de Clairvaux.

Pour l'heure, son jeune novice s'est endormi. Le vieux prieur pense avec joie que toute l'Europe se couvre de monastères de la Scandinavie à la péninsule Ibérique. *Christianitas !* s'exclame en son cœur le vieil homme. C'est la *Christianitas* – la chrétienté – forgée par un seul baptême et une même foi qui dessine le visage du continent, qui lui donne ses idéaux de justice et de paix, qui entraîne ses peuples dans un même élan spirituel.

En cette veille de Pentecôte, le prieur se réjouit de penser que c'est le Christ qui unit tous ces hommes, toutes ces cultures si différentes, à travers l'immense réseau des monastères qui confère au continent une unité exceptionnelle, abolissant les frontières et les distances. Demain, il demandera à l'Esprit de toucher le cœur des hommes pour que cette unité soit longtemps préservée.

SOURCES : G.-M. Oury, LES MOINES, Paris, 1987. L.-J. Lekai, LES MOINES BLANCS, Paris, 1957. M. Pacaut, L'ORDRE DE CLUNY, Paris, 1986.

# CONQUES

## *L'ART ROMAN OU L'ÉVANGILE*

### *TAILLÉ DANS LA PIERRE*

**7 AVR**

LA TRAVERSÉE DE L'AUBRAC A ÉTÉ DURE, PLUS QUE DURE, MÊME, HARASSANTE. Les marchands que Gautier et Aymeri avaient rencontrés devant Notre-Dame du Puy les avaient bien prévenus : « Vous voilà à béer d'admiration devant les six coupoles de la cathédrale, à fixer les statues du portail comme si elles allaient descendre de leur piédestal pour vous parler. Mais vous n'êtes qu'au début du chemin de Saint-Jacques ! Rien que pour aller jusqu'à Sainte-Foy, vous ne savez pas ce qui vous attend : le plateau de l'Aubrac en a déjà découragé bien d'autres ! »

Gautier et Aymeri s'étaient demandés comment ces beaux parleurs savaient qu'ils avaient entrepris le pèlerinage de Compostelle. Mais leur besace, leur grand chapeau de feutre, leurs lourdes chaussures, le solide bourdon qu'ils tiennent à la main aussi bien pour assurer leur marche que pour éloigner les chiens, renseignaient suffisamment leurs interlocuteurs. Aymeri avait répondu fièrement : « Pas question de découragement, nous avons fait vœu de pèlerinage et, jusqu'à notre arrivée à Saint-Jacques, nous sommes les marcheurs de Dieu, à son service et sous sa protection ! »

N'empêche ! Les marchands ne leur ont pas conté de sornettes. Dans les monts désertiques de l'Aubrac, ils ont été bien loin de parcourir les neuf ou dix lieues qu'ils espéraient faire à la journée. Ils ont failli, à deux reprises, dégringoler dans un ravin, ont échappé de justesse à une bande de faux pèlerins qui n'étaient que de vils pillards, se sont perdus dans le brouillard. Ils ont manqué se tordre les pieds sur d'impraticables sentiers tout juste bons pour les chèvres. Un soir, ils ont cru entendre le hurlement des loups et se sont relayés pour ne pas sombrer ensemble dans le sommeil. Ils sont arrivés pratiquement au bout de leur réserve d'eau, sans parler de la faim qui leur tenaillait le ventre. Puis est venu le moment où ils ne se sont plus privés de maugréer contre la malencontreuse idée qui les avait jetés sur la route. Pour dire vrai, ils étaient près de céder au découragement le plus noir.

Heureusement, il y a eu l'accueil réconfortant de Notre-Dame-des-Pauvres, cet hospice tout nouvellement créé au point le plus élevé de l'Aubrac, leur a dit le frère portier, pour remédier à la détresse des voyageurs épuisés. La cloche qui sonne continuellement à l'intention des égarés les a appelés vers ce havre de paix.

– Nous avons quand même de la chance de vivre au XII<sup>e</sup> siècle, a fini par dire Gautier, au siècle dernier sans cloche et sans hospice, que serait-il advenu de nous ?

– Dieu y aurait pourvu d'une autre manière, a répondu le frère. Mais aujourd'hui il nous a chargés de vous aider.

Nourris, lavés, pansés, les deux pèlerins se sont sentis tout ragaillardis par l'accueil chaleureux des frères hospitaliers. L'un d'entre eux leur a récité l'inscription gravée sur le métal de la cloche :

*Deo jubila* (« Jubile pour Dieu »)
*Clero canta* (« Chante avec les clercs »)
*Daemones fuga* (« Chasse les démons »)
*Errantes revoca* (« Rappelle les égarés »).

« C'est bien ce que la cloche a fait pour nous ! » a commenté Aymeri, tout réjoui. Après quoi ils ont eu une bonne nuit de sommeil, pour repartir pleins de forces nouvelles.

Et maintenant les voilà en vue de Sainte-Foy de Conques. Le réconfort procuré par la halte à Notre-Dame-des-Pauvres est déjà loin, leurs pieds sont de nouveau endoloris, leurs ampoules se sont rouvertes, et la montée vers Sainte-Foy est rude. Mais quand, au détour d'un virage, ils aperçoivent le village accroché sur sa pente rocailleuse, quand, un peu plus loin, leur apparaît la massive abbatiale, leur fatigue s'envole comme par miracle. « Est-ce que je rêve, murmure Aymeri, ou est-ce qu'il y a de la musique dans l'air ? » Plus ils

> *C'est bien ce que la cloche a fait pour nous !*

grimpent à travers un dédale de petites rues aux pavés irréguliers, plus se font précises les paroles de la « *Chanson de sainte Foy* », cette fillette d'Agen qui, à douze ans, en pleine persécution de Dioclétien, refusa d'adorer les idoles malgré les objurgations du préfet Dacien et subit la décapitation. Les couplets parviennent par bribes à leurs oreilles et ils trouvent qu'elle n'avait pas froid aux yeux, cette petite Foy qui, d'après la « *Chanson* », traita les envoyés de Dacien de « *fols* » et de « *vieilles noix* » avant d'être emmenée devant le préfet. Quand les deux pèlerins arrivent enfin sur le parvis de l'abbatiale, ils le trouvent envahi par une foule en liesse qui reprend après les ménestrels les paroles de la chanson. Dacien vient de demander : « *Quel Seigneur veux-tu servir ?* » et les ménestrels chantent avec entrain la réponse de Foy :

« *C'est notre Seigneur,*
*C'est Lui que j'aime.*
*Il me guérit. Sans mentir,*
*C'est avec Lui que je veux rire*
*et me réjouir.* »

Après leur éprouvante journée de marche, Aymeri et Gautier sont un peu étourdis par toute cette agitation et distraits par les prouesses des jongleurs qui rythment les paroles du chant. Mais ils sont saisis par la beauté impressionnante du portail, avec son tympan dominé par cet immense Christ de pierre qui, la main droite levée vers le ciel, la main gauche tournée vers la terre, semble déverser sur eux un trop-plein d'amour. Ils ne comprennent pas encore bien ce que signifient tous ces anges et toute cette foule de personnages sculptés qui entourent le Seigneur ; on leur dit que c'est le Jugement dernier ; alors ils distinguent les trompettes des anges, tout en haut, et d'horribles démons, en bas à droite, c'est-à-dire sur le côté gauche du Christ, le côté des réprouvés. « Mais regarde, dit Gautier, des anges les repoussent le plus à droite possible et finalement il y a beaucoup plus de place pour le ciel que pour l'enfer sur ce tympan. Demain, il faudra qu'on nous l'explique. »

Ils entrent. Ils sont émerveillés par la hauteur des voûtes, portées par de puissants piliers. Ils ressentent une grande impression de paix. Ils avancent tout doucement vers la croisée du transept, découvrent qu'il est immense, presque aussi grand que la nef. Ils déambulent silencieusement dans un espace qui tourne autour des grilles de l'autel et dessert sept chapelles où des reliques sont offertes à leur dévotion. C'est vraiment une grande église, qui peut contenir un nombre impressionnant de pèlerins, et les moines bâtisseurs de Conques ont encore accru sa capacité en ajoutant des tribunes au-dessus des nefs latérales. En achevant le tour du chœur vers le côté nord du transept, Gautier et Aymeri tombent en arrêt devant le groupe sculpté de l'Annonciation, à huit mètres du sol, bien visible cependant. L'ange Gabriel et Marie se détachent entre de fines colonnes, l'ange fléchissant respectueusement le genou devant celle à qui il

*Tout un peuple sculpté sur les chapiteaux.*

vient demander d'être la mère du Sauveur, et Marie, les yeux baissés, exprimant de la main droite son acceptation tandis que sa main gauche fait discrètement passer à une petite servante la quenouille qu'elle filait. Leur recueillement intense laisse deviner toute l'importance de l'événement.

En levant les yeux et en promenant leurs regards autour d'eux, les deux pèlerins découvrent tout un peuple sculpté sur les chapiteaux de l'abbatiale. Mais ils n'ont plus envie de regarder maintenant, le groupe de l'Annonciation leur a rappelé qu'ils étaient venus ici prier le Seigneur. Ils s'agenouillent tout près du chœur entouré de grilles – des grilles qui ont été forgées, dit-on, avec les entraves des prisonniers libérés par sainte Foy, et qui isolent les moines de la foule des pèlerins. Les voici, justement, ces moines, qui entrent les uns après les autres pour la célébration d'un office liturgique. Bientôt s'élève la calme musique du chant grégorien, amplifiée par la résonance des voûtes, et les pèlerins se laissent prendre par la grande houle de prière qui fait monter leur cœur vers Dieu.

Le lendemain, ils sont pris en charge par un moine qui leur raconte comment les reliques de sainte Foy ont été transférées à Conques au IXᵉ siècle. Il leur fait admirer son reliquaire orné d'or et de pierres précieuses, leur parle des miracles de la sainte et conclut en leur disant qu'elle porte bien son nom puisque « *la foi est capable de transporter des montagnes* ». Puis il les conduit, avec beaucoup d'autres pèlerins, devant le grand livre d'images qu'est le tympan, sculpté d'inscriptions à déchiffrer, de personnages à contempler, et il entreprend de le leur expliquer.

C'est un monde à lui tout seul, ce tympan ; il y a près de cent cinquante personnages convoqués au Jugement dernier, et les commentaires du moine ont été longs ; Gautier et Aymeri n'ont pas tout retenu. Mais il leur semble qu'ils ont compris l'essentiel. Le personnage le plus important, c'est le grand Christ du centre, qui est le Juge, mais qui est d'abord le Sauveur. D'ailleurs, avant de porter le nom de Sainte-Foy, l'abbatiale était dédiée au « Saint-Sauveur ». Au-dessus de lui, des anges présentent la croix par laquelle il a vaincu la mort. À sa droite se trouvent les élus, à sa gauche les réprouvés. « *Venez, les bénis de mon Père, possédez le royaume préparé pour vous* », est-il écrit (en latin), d'un côté et, de l'autre, « *Éloignez-vous de moi, maudits* », selon les paroles du chapitre 25 de l'Évangile selon saint Matthieu, celui où Jésus donne le critère du Jugement : « *Ce que vous avez fait au plus petit d'entre mes frères, c'est à moi que vous l'avez fait.* » Sur le tympan sont représentés le ciel, où Abraham tient des élus sur ses genoux, et l'enfer, où trône Satan, les pieds appuyés sur un homme que ses mauvaises actions ont jeté en son pou-

*Le grand livre d'images qu'est le tympan.*

voir. En enfer les hommes sont punis par où ils ont péché, et les moines bâtisseurs n'ont pas hésité à y représenter les grands de ce monde, le seigneur brutal, le roi félon, et même un de leurs abbés qui avait dilapidé les biens de l'Église. Mais Satan n'aurait aucun pouvoir si ces pécheurs ne lui avaient donné prise sur eux, et il suffit d'un acte de foi pour lui échapper. Au milieu du tympan, sous les pieds du Sauveur et sous la balance où sont pesés les actes humains, un ange arrache à l'enfer un condamné dont le corps était déjà à moitié pris. Il faut dire qu'à la droite du Christ, tous les saints du ciel intercèdent pour les hommes, à commencer par Marie, suivie de saint Pierre, de l'empereur Charlemagne que les moines ont placé là avec deux abbés de Conques, Dadon et Bégon, de saint Jérôme, de saint Jacques... et de beaucoup d'autres. Sainte Foy est bien entendu représentée en bonne place, prosternée devant la main de Dieu qui se tend vers elle.

Le moine conclut en insistant sur deux des inscriptions du tympan : « *Pécheurs, si vous ne changez pas vos mœurs, un jugement dur vous attend* » et « *Les chastes, les pacifiques, les doux, les amis de la piété sont emplis de joie et de sécurité, ne craignant rien* ».

---

SOURCES : P. Séguret, *CONQUES, L'ART, L'HISTOIRE, LE SACRÉ*, 1997. M. Renoue et R. Dengreville, *CONQUES MOYENÂGEUSE, MYSTIQUE, CONTEMPORAINE*, 1997. *SAINT-JACQUES-DE-COMPOSTELLE, PUISSANCES DU PÈLERINAGE*, sous la direction d'A. Dupront, 1985.

# HILDEGARDE DE BINGEN

## QUAND UNE FEMME ILLUMINE

## UN SIÈCLE OBSCUR

**8 AVR**

*« JE VIS UNE TRÈS GRANDE SPLENDEUR DANS LAQUELLE UNE VOIX SE FIT ENTENDRE DU CIEL, me disant : "O homme fragile, cendre de cendre, pourriture de pourriture, dis et écris ce que tu vois et entends. Cela non à ta manière, ni à la manière d'un autre homme, mais selon la volonté de Celui qui sait, voit et dispose toute chose dans le secret de ses mystères." »*

Ainsi s'ouvre le *Scivias*, (« Connais les voies »). Son auteur ? Hildegarde de Bingen, une abbesse de quarante-trois ans jusque-là inconnue !

Commencé en 1141 et achevé dix ans plus tard, ce chef-d'œuvre de la littérature chrétienne expose les visions d'Hildegarde. La puissante intériorité et la passion spirituelle qui l'animent en font l'un des plus grands livres mystiques de tous les temps. C'est un cœur habitué à discerner en tout la présence du Créateur qui se livre au fil des pages.

Pareille visionnaire devait fatalement alerter les autorités ecclésiastiques. Que penser de cette abbesse, dont personne n'a jamais entendu parler, et qui prétend recevoir régulièrement des visions divines ? Est-ce une folle ? Un imposteur ?

Une hérétique ? Une enquête minutieuse est menée, qui plaide en sa faveur, Hildegarde est lavée de tout soupçon par le pape Eugène III. Celui-ci lit même, lors du synode de Trèves qui se tient en 1147, des fragments du *Scivias*. La profondeur des visions, la somptuosité de la langue, la variété et la puissance des images suscitent une adhésion unanime. Eugène III écrit à l'abbesse pour la conforter dans sa vocation de visionnaire. Hildegarde peut maintenant s'enraciner dans son Dieu comme dans un socle d'airain.

Cette étonnante familiarité avec le monde divin s'est manifestée très tôt. Dès son plus jeune âge, Hildegarde n'est pas une enfant comme les autres. Repliée sur elle-même, elle ne joue pas avec ses camarades, passe le plus clair de son temps à l'église et... a des visions !

Cette petite fille étrange a vu le jour en 1098 dans une famille noble du Palatinat, vaste domaine situé sur la rive gauche du Rhin. Ses parents découvrent vite que Dieu a posé sa main sur leur dernière enfant. Toute sa vie, Hildegarde sera habitée et visitée par Dieu. Un jour – elle a alors cinq ans –, elle s'écrie devant sa nourrice : « *Vois donc le joli petit* veau qui est dans cette vache. Il est blanc, avec des taches au front, aux pieds et au dos. » À sa naissance, le veau est exactement conforme à cette description ! Elle confiera plus tard :

« Dans la troisième année de mon âge, j'ai vu une telle lumière que mon âme en a été ébranlée, mais à cause de mon enfance, je n'ai rien pu en dire [...]. Jusqu'à ma quinzième année, j'ai vu beaucoup de choses [...] et comme je voyais que cela n'arrivait à personne d'autre, j'ai caché autant que je l'ai pu la vision que j'avais dans mon âme. »

Mais si Hildegarde sait que son destin est exceptionnel, elle n'en souffre pas moins de l'incompréhension, de la crainte et de la jalousie de ses proches qui s'écartent d'elle. Elle sent les murs de la solitude se refermer autour d'elle. De plus, elle aura toute sa vie à surmonter les tourments d'une santé plus que délicate et de malaise persistant.

> « J'ai vu une telle lumière que mon âme en a été ébranlée. »

Alors qu'elle vient d'avoir huit ans, ses parents la confient à une jeune femme de noble naissance, Jetta de Spanheim, qui mène une vie de recluse dans le monastère de Disibodenberg. Hildegarde trouve enfin une oreille amie, auprès de qui elle peut s'ouvrir de ses visions secrètes. Six ans plus tard, elle prend le voile. C'est là, dans ce monastère, que la moniale commence son *Scivias*. Lorsque Jetta meurt en 1136, Hildegarde est élue abbesse. Elle a alors trente-huit ans.

Cinq ans plus tard, Hildegarde a cette vision, qui ouvre l'ouvrage. Son existence va en être bouleversée. Désormais, l'essentiel de la vie de l'abbesse consistera à recevoir et à transmettre ce que lui dit « la lumière vivante ».

Cependant, Hildegarde ne souhaite pas se consacrer uniquement à l'écriture. Depuis longtemps, un projet lui tient à cœur : fonder un nouveau monastère. Des obstacles divers l'ont maintes fois empêchée de réaliser ce souhait. Un matin de l'année 1148, alors qu'elle vient de renoncer à son projet, une soudaine crise de paralysie la cloue au lit. L'abbesse reconnaît immédiatement le signe de la volonté de Dieu. Elle a, en effet, remarqué qu'elle tombait malade chaque fois que sa propre volonté ne suivait pas fidèlement celle de Dieu. Animée d'une énergie nouvelle, Hildegarde reçoit enfin l'autorisation de fonder son monastère et recouvre la santé. Elle va avoir cinquante ans.

Une nuit d'été, alors qu'elle se promène sous les étoiles scintillantes qui illuminent les murs austères de Disibodenberg, l'emplacement de la nouvelle fondation, le Rupertsberg, lui apparaît. De cette colline boisée de conifères, située au confluent du Rhin et de la Nahe, les religieuses pourront contempler les tours et le mur d'enceinte de la vieille ville de Bingen qu'Hildegarde va faire entrer dans l'Histoire.

Le synode de Trèves, qui a reconnu la source inspirée de ses visions, est à peine achevé que déjà le nom d'Hildegarde fait le tour de l'Europe. Elle devient la conscience religieuse de la chrétienté de son temps. Sa santé demeure fragile. Elle n'hésite cependant pas à recevoir à Rupertsberg quantité de visiteurs, pauvres ou riches, anonymes ou illustres. Elle écrit à tous les grands d'Europe, aux empereurs, aux rois, aux cardinaux, aux évêques, aux abbés... au souverain pontife lui-même. Sa franchise est tout d'une pièce. Ne se permet-elle pas de tancer sévèrement l'empereur Frédéric Ier Barberousse, dont les démêlés avec le Saint-Siège occupent une grande partie du règne. Quand en 1168, Frédéric fait élire un troisième antipape, Calixte III, Hildegarde ose lui écrire :

*« Celui qui est parle ainsi : "J'écrase moi-même l'indocilité de ceux qui me tiennent tête. Malheur, malheur aux agissements malfaisants de ces êtres sacrilèges qui me méprisent !" Entends cela, roi, si tu veux vivre ! Sinon mon épée te transpercera. »*

Frédéric, impressionné par sa témérité, n'ordonne pas de représailles contre l'abbesse. Et quand ses troupes mettent à sac les chapitres de Mayence, de Bingen et des villes rhénanes restées fidèles au pape, le monastère de Rupertsberg est épargné.

Mais Hildegarde est bientôt vaincue par les infirmités : elle ne rédige plus, mais dicte. Elle revient sur le *Scivias* et compose son chef-d'œuvre musical, l'*Ordo virtutum*, mystérieux chant médiéval qui décrit la procession des vertus et leur lutte contre Satan. La puissance créatrice et la curiosité universelle d'Hildegarde atteignent ici leur apogée. Son œuvre

> *« Entends cela, roi, si tu veux vivre ! Sinon mon épée te transpercera. »*

musicale, que l'on redécouvre aujourd'hui, est également d'une grande profondeur spirituelle. En avance sur son temps dans ce domaine-là aussi – n'est-elle pas en outre la seule femme musicienne de son époque ? –, elle met en musique ses propres poèmes. Ainsi, ce passage d'un hymne admirable à la Vierge Marie :

*« Je vous salue, ô la plus verte des branches*
*Qui est venue avec les saints*
*Comme un coup de vent.*
*Quand le temps advint*
*Pour vos branches de fleurir*
*Vous fûtes vraiment exaltée,*
*Car la chaleur du soleil*
*Répandit autour de vous*
*Un baume parfumé. »*

Hildegarde dicte encore et encore... de toute son âme. Elle laisse derrière elle de nombreux chefs-d'œuvre spirituels, tels le *Livre des mérites de la vie* et le *Livre des œuvres divines*, une volumineuse correspondance et une œuvre scientifique, marquée par un profond intérêt pour la nature. L'abbesse poursuit un double but : contempler la splendeur de Dieu à l'œuvre dans la nature, et dégager l'utilité ou la nocivité de toute chose pour l'homme. Cette perspective théologique, qui témoigne du tempérament profondément religieux d'Hildegarde, n'occulte pas une visée scientifique sans cesse présente, même si elle nous paraît aujourd'hui largement dépassée. Autre originalité de cette femme hors du commun : sa connaissance des plantes médicinales.

Hildegarde les cultive avec amour dans un recoin du jardin monastique. Elle connaît l'action thérapeutique de chacune d'entre elles. Sa pharmacopée suscite encore aujourd'hui des débats passionnés.

Même au soir de sa vie, sa générosité et son caractère indomptable s'expriment encore. À force d'entêtement, elle fait enterrer chrétiennement un homme excommunié qui, à l'instant de sa mort, s'est repenti, a confessé ses péchés et a reçu les derniers sacrements.

Au printemps 1179, de magnifiques chants de louange s'élèvent du monastère de Rupertsberg. L'abbesse s'est endormie pour toujours mais les religieuses, ses fidèles compagnes, savent qu'elle n'est pas seule : Celui qui l'a guidée toute sa vie l'accueille maintenant à ses côtés.

SOURCES : M. Schrader, *HILDEGARD VON BINGEN, FESTSCHRIFT FÜR TODESTAG DER HEILIGEN*, Mayence, 1979. S. Gouguenheim, « La place de la femme dans la création et dans la société chez Hildegarde de Bingen », in *RMab*, 1991. R. Pernoud, *HILDEGARDE DE BINGEN*, Paris, 1994.

# PIERRE LE VÉNÉRABLE

## *OU COMMENT LE CORAN*

### *FUT TRADUIT EN LATIN*

**9**

**AVR**

« *JE VOUS ABORDE NON PAS, COMME LE FONT SOUVENT LES NÔTRES, AVEC DES ARMES, mais avec des paroles ; je vous attaque, non pas par la force, mais par des arguments ; je vous viens en aide, non pas dans la haine, mais dans l'amour.* » C'est par ces mots que Pierre le Vénérable, abbé de Cluny, se propose d'amener les Sarrasins à la vraie foi. Alors que les chrétiens, à travers tout l'Occident, prennent les armes pour partir en croisade contre les musulmans, cet homme de paix et de dialogue, personnage influent de la chrétienté, comprend et ose affirmer que « *le premier devoir d'un missionnaire est de comprendre et de persuader* ».

Pourtant, à l'origine de cette initiative, il n'y a pas tant le désir de dialogue avec les musulmans que la volonté de protéger l'intégrité de la foi chrétienne. C'est au cours d'un voyage en Espagne, dans les années 1141-1142, que Pierre le Vénérable découvre à quel point l'influence de la culture arabe sur les clercs chrétiens peut dénaturer le message du Christ jusqu'alors si fidèlement transmis. Il comprend la nécessité d'expliquer à ces clercs ce qu'est réellement la doctrine musulmane pour la

distinguer clairement de la Vérité. Mais pour réfuter la doctrine musulmane, encore faut-il la connaître ! Et comment la connaître si son fondement même – le Coran – est incompréhensible ? Il faut donc de toute urgence faire traduire le Coran en latin pour savoir précisément quelles erreurs combattre.

Pierre le Vénérable, fin lettré, est aussi un meneur d'hommes ! Il décide immédiatement de gagner Tolède. C'est là qu'il pourra trouver les hommes dont il a besoin. Car les traductions venues de cette ville, capitale de la Castille et zone de contact privilégié entre la chrétienté et le monde musulman, s'imposent de loin par leur quantité et leur variété. Ce sont elles qui permettent alors à l'Occident de découvrir ou de redécouvrir un grand nombre de textes fondamentaux grecs ou arabes, jusque-là inaccessibles aux Latins. De véritables officines de traductions sont créées, dans lesquelles travaillent de nombreux chrétiens mozarabes, ces chrétiens d'Espagne qui ont conservé leur religion sous la domination musulmane, mais qui ont adopté la langue et les coutumes arabes. Pierre le Vénérable constitue ainsi une équipe de traducteurs choisis parmi les savants les plus éminents de l'époque. Robert de Chester, Hermann de Carinthie et Pierre de Tolède entreprennent ainsi, de 1141 à 1143, de traduire le Coran, d'abord en langue vulgaire, puis en latin.

Si Tolède est réputée pour ses écoles de traduction, l'ordre de Cluny l'est tout autant pour le réseau de ses monastères. Or, Pierre le Vénérable est abbé de Cluny. La traduction du Coran se diffuse alors très rapidement et, dès 1150, les chrétiens latins ont dans les mains une source d'information de premier ordre sur la religion des Maures, rapidement exploitée à Paris et à Oxford, les capitales de la scolastique.

> *L'étude du Coran permit de mieux connaître et comprendre les fondements de l'Islam.*

L'objectif de l'entreprise était de réfuter les croyances des adversaires du christianisme, en ce temps de la *Reconquista*. Et l'étude du Coran permit effectivement de mieux connaître et comprendre les fondements de l'Islam, et de rejeter les légendes et les déformations mythiques qui l'entouraient. Ainsi l'Occident comprit que les Sarrasins ne prenaient pas le fondateur de leur religion pour un dieu, mais qu'ils le vénéraient comme un homme juste, messager de la loi divine, qui lui avait été transmise par l'intermédiaire de l'ange Gabriel. On comprit aussi que l'Islam était une nouvelle forme de négation de l'Incarnation et de la divinité du Christ, puisque les musulmans ne croyaient pas que le Christ était le Messie. Le Coran avait récupéré une partie de la tradition biblique en la déformant plus ou moins.

Fort de ce nouveau moyen de défendre la Vérité, Pierre le Vénérable offrit sa traduction à saint Bernard en le priant de s'en servir comme d'une arme pacifique. L'abbé de Cluny, et ceux qui utilisèrent son œuvre, eurent le mérite, au cœur d'un siècle sanglant, de proposer qu'une arme de paix fût associée au fer pour la défense de la chrétienté.

SOURCES : Pierre le Vénérable, « *Adversum haaeresim sive sectam saracenorum* », in *PATROLOGIAE CURSUS COMPLETUS, SERIES LATINA*, Paris, 1844-1864. Pierre le Vénérable, cité par J. Le Goff dans *LES INTELLECTUELS AU MOYEN ÂGE*, Paris, 1957.

# THOMAS BECKET

## *L'AMITIÉ ASSASSINÉE*

**• 10 AVR •**

HIVER 1170. LES PORTES DU PALAIS ÉPISCOPAL DE CANTORBÉRY NE SONT PAS VERROUILLÉES. Le ciel brumeux commence déjà à s'assombrir. Quiétude frileuse, quatre jours après Noël. L'archevêque Thomas Becket, retiré dans sa chambre, traite des affaires courantes avec ses clercs. Il savoure le bonheur, après six ans d'exil, d'avoir retrouvé sa cité. Mais pour combien de temps ? Henri II Plantagenêt ne lui laissera certainement pas le loisir d'exercer en paix sa mission de pasteur. Thomas sait que son conflit avec le roi est insoluble.

L'archevêque connaît bien le souverain et ses emportements, ses accès de rage durant lesquels il perd toute retenue. Le sang bouillonnant des Plantagenêt coule dans ses veines, celui de son aïeul, Foulques Nerra, qui dut partir trois fois en pèlerinage pour la Terre sainte, afin d'expier des crimes d'une violence inouïe.

Henri est un prince puissant. De sa mère, Mathilde, petite-fille de Guillaume le Conquérant, il a reçu le royaume d'Angleterre et le duché de Normandie ; de son père, Geoffroy V le Bel, l'Anjou, la Touraine et le Maine ; de sa femme, Alié-nor d'Aquitaine, le sud-ouest des Pyrénées à la Loire. Ces possessions gigantesques, d'une seule pièce sur le continent, mais si dissemblables en réalité, Henri les tient dans sa main avec une rare énergie. Il peut faire trembler le petit roi de France, Louis VII, dont il est néanmoins le vassal.

Henri a besoin de tout dominer, y compris l'Église d'Angleterre. Il a cru conclure une bonne affaire en plaçant sur le siège de Cantorbéry une de ses créatures, Thomas Becket, avec qui il a tissé dans une époque plus heureuse les liens de la plus fraternelle amitié. « *Comme deux enfants* », disait-on d'eux, lorsqu'ils chevauchaient côte à côte ou qu'ils partaient pour d'épuisantes parties de chasse. Leurs natures si différentes se complétaient à merveille. Henri, ardent, emporté, obstiné, excessif en tout, mais d'une énergie inlassable, l'esprit pénétrant, habile à saisir une situation embrouillée ; Thomas, de douze ans son aîné, plus réservé, plein de générosité et d'un charme réputé irrésistible, fidèle comme nul autre en amitié. Thomas avait toutes les qualités du diplomate et du ministre. Henri le comprit très vite et l'éleva bientôt à la dignité de chancelier d'Angleterre. Tout s'était gâté plus tard, lorsque Henri se mit en tête de le faire élire archevêque de Cantorbéry, c'est-à-dire la plus haute dignité de l'Église d'Angleterre, celle de primat. Il faut croire que le roi méditait ce projet depuis longtemps, dès le début peut-être. Il savait que Thomas avait fait quelques études de droit canonique à Bologne. Le savoir juridique et l'amitié de son chancelier ne l'aideraient-ils pas à réduire l'opposition latente des évêques devant les empiétements du pouvoir royal ? Henri voulait s'imposer comme la dernière instance de la justice ecclésiastique, supprimer l'appel en cour de Rome, interdire aux prélats d'excommunier tout officier du roi et les empêcher de quitter l'île sans son consentement. Les bulles, les mandements et les sanctions canoniques ne pourraient plus être promulgués sans son autorisation. Bref, Henri aspirait à dominer l'Église d'Angleterre sans concession à l'autorité du pape. Les légats pontificaux n'auraient plus conservé le moindre pouvoir. Tout cela était contraire au droit canonique. Or, qui mieux que Thomas, tout dévoué au roi et aimé comme un fils par Thibaud du Bec, l'archevêque de Cantorbéry, pouvait servir pareil projet ?

Thomas voudrait que la nuit chasse ces pensées douloureuses. Dans la tranquillité de sa chambre, il s'attache à redresser la situation de son diocèse, sur lequel il n'a pu veiller pendant tant d'années d'exil. Mais ses pensées roulent malgré lui sur le drame de sa vie. À la

*« Je sais en Angleterre trois pauvres prêtres plus dignes de devenir archevêque que moi. »*

mort de Thibaud du Bec en 1161, Thomas n'avait plus l'espoir d'échapper à la fatalité qui le ferait succéder au pieux prélat. *« Je sais en Angleterre trois pauvres prêtres plus dignes de devenir archevêque que moi »*, avait-il alors répondu au prieur de Leicester qui lui prédisait cette éclatante promotion. *« Je connais bien le roi. Si j'étais élevé à cette dignité, il me faudrait soit perdre sa confiance, soit négliger le service de Dieu, mon Seigneur, ce que je ne ferai pas. »* Thomas fut élu.

Quand le nouvel archevêque décida d'abandonner la totalité de ses charges laïques, Henri ne broncha pas. Mais, dès lors, l'amitié des deux hommes commença à s'user, insensiblement, en des querelles d'apparence anodine. Une question de juridiction pour le procès d'un clerc criminel, le recouvrement par Thomas de terres dont les prédécesseurs d'Henri avaient spolié l'Église de Cantorbéry, le rejet d'un accommodement contraire au droit canonique entre les justices royale et ecclésiale, le refus de Thomas de verser un impôt injuste et abusif sur les biens de l'Église, les plaintes répétées du jeune archevêque auprès du pape Alexandre III, toutes ces affaires avaient fini par irriter le roi. Peu à peu, le rêve d'Henri Plantagenêt d'une domination indivise sur l'Angleterre, assurée par un seul et même serviteur fidèle, à la fois chancelier et primat, s'était évanoui, laissant place à un antagonisme sourd, avivé par la blessure d'une amitié jadis ardente.

Puis vint la confrontation tant redoutée, la déchirure irréparable. En 1164, le roi convoqua la cour à Clarendon. Thomas dut s'y rendre, comme tous les membres les plus éminents du clergé. Il n'y retrouva pas que des amis. Beaucoup de barons lui gardaient rancune d'avoir, du temps qu'il était chancelier, restauré à leurs dépens l'autorité royale. Plusieurs évêques, ambitieux ou conciliants, étaient loin de partager ses vues sans concession sur l'indépendance de l'Église. Le roi enjoignit aux évêques de prêter serment aux *coutumes des ancêtres*. Était-ce là seulement une soumission de pure forme pour satisfaire l'amour-propre du roi ? C'est ce que l'entourage de Thomas lui affirma, effrayé par la colère furieuse qu'il sentait monter chez le roi. L'archevêque, pressé de toute part, à bout de nerfs et de résistance, céda. À l'instant même, un clerc entra, porteur du texte d'une charte, connue sous le nom de *Constitutions de Clarendon*. Le rêve du roi y était étalé par écrit, en seize articles interminables : plus d'appel possible en cour de Rome, les évêques réduits au bon vouloir du roi, impossibilité de quitter l'île sans son consentement, la juridiction royale primant sur toute autre... En un mot, la reddition complète de l'Église d'Angleterre. Thomas Becket rétracta son serment : jamais il n'accepterait pareille infamie. Ce retour sur lui-même fut perçu comme une félonie. Pour tous les fidèles du roi, il était devenu le traître.

Thomas décida alors de rompre.

Enfreignant les *Constitutions*, il s'embarqua pour la France et gagna Sens, où le pape, Alexandre III, chassé de Rome par la présence d'un antipape, créature de l'empereur Frédéric Barberousse, avait trouvé refuge. Au terme d'un voyage de cauchemar, l'archevêque de Cantorbéry se présenta devant le Pape. Ce dernier aurait préféré que Thomas laissât plus de place à la conciliation. La situation d'Alexandre III était déjà bien inconfortable, il ne craignait rien tant qu'un schisme de l'Église d'Angleterre ; il fallait ménager le Plantagenêt. Mais le Pape, fin juriste formé à Bologne, ne put résister à la sincérité et à la rigueur de Thomas quand celui-ci réfuta un à un les articles des *Constitutions de Clarendon*. Il le fit légat d'Angleterre. Thomas attendit, espéra la réconciliation : en vain. Il était prêt à faire des concessions, pourvu que le roi lui laissât apposer la clause « *sauf l'honneur de Dieu* ». Henri II Plantagenêt refusa. Il voulait bien la paix, mais la sienne et sans concession. Thomas fut contraint à six longues années d'exil en France...

L'après-midi s'achève. Thomas songe aux devoirs de sa charge, à son diocèse qu'il a pris le risque de regagner un mois auparavant. Tout à coup, un fracas de bottes et de voix traverse les murs de la chambre. Quatre soudards poussent les portes du palais épiscopal comme des furieux. Ils veulent voir l'archevêque. Quatre hommes en armes, crottés par la boue des chemins, quatre envoyés du roi Henri. On s'efforce d'être

> *Pour tous les fidèles du roi, il était devenu le traître.*

conciliant et de les accueillir dans le calme. Mais les chevaliers repoussent avec hauteur l'hospitalité qui leur est offerte, et fouillent toutes les pièces. Soudain, tous les quatre font irruption dans la chambre du prélat : Guillaume de Tracy, Renaud Fils-Ours, Hugues de Moreville et Richard le Breton. Leur brutalité n'est pas jouée, ils sont fous furieux. Ils exigent que l'archevêque lève l'excommunication qu'il a portée à Vézelay contre plusieurs barons et celle dont il a frappé à Clairvaux, l'année précédente, les évêques de Londres et de Salisbury, qui en appelaient au pape pour dénoncer la conduite du primat. Thomas s'explique clairement : à ce moment-là, il était légat pontifical, il agissait en accord avec le pape Alexandre. Désormais, Thomas n'a plus la charge de légat, et le pape seul peut relever les coupables de la condamnation que Thomas a prononcée au nom du Saint-Père. Et l'on n'absout pas ceux qui ne veulent pas faire réparation pour leur faute. Il n'est pas revenu à Cantorbéry pour cela. Les quatre hommes sortent, l'agonissant d'injures.

Thomas est calme, il s'attendait à ce genre de scène. Plus tard, les barons reviennent frapper aux portes du palais, verrouillées cette fois. Mais voilà l'heure des vêpres. Il faut veiller aux petites choses comme aux grandes. L'archevêque ne peut manquer d'y assister. La procession se met en marche derrière la croix primatiale. À la cathédrale, les moines se

*Une voix hurle sous les voûtes : « Où est le traître ? Où est l'archevêque ? »*

félicitent de revoir le prélat. Après l'irruption des quatre soudards, la rumeur le disait déjà mort.

Que la porte reste ouverte, c'est l'ordre de l'archevêque, l'église est le refuge de tous, on ne peut s'y enfermer comme dans une forteresse. Thomas gravit les marches du chœur. Une voix hurle sous les voûtes : « Où est le traître, le traître à son roi ? Où est l'archevêque ! » C'est Renaud Fils-Ours, suivi de ses trois comparses. Traître ! Le mot fait rougir Thomas. Que le cœur ne lui manque pas sous l'injure. Il se retourne, descend les marches, va au-devant des chevaliers : « *Vous cherchez l'archevêque, me voici.* » Il est prêt à mourir, il s'y est préparé toute la journée. Qu'on épargne seulement les siens, qu'on les laisse partir sains et saufs. Tous se sont d'ailleurs réfugiés dans les recoins obscurs de la cathédrale, ou derrière les autels, sauf le jeune Édouard Grim, qui demeure obstinément à son côté.

Mais Thomas consomme déjà son martyre. Renaud Fils-Ours le frappe de toute sa force, sur la tête. Il blesse en même temps Édouard Grim au bras. Guillaume de Tracy porte un second coup sur le crâne de l'archevêque. Les quatre soudards, de toute leur rage accumulée, terrorisés aussi par l'atrocité de leur crime, frappent, frappent sans relâche sur la tête et transpercent la longue chape brodée d'or, jusqu'à ce que le corps murmurant s'affaisse. Hugues de

Moreville, dans un dernier élan, crève le front de l'archevêque.

Les assassins sont partis. Ils sont occupés à piller le palais. La cathédrale s'est vidée. Seul un jeune moine au bras blessé, les yeux vides, est agenouillé devant une longue chape dorée, couchée en travers de la nef. L'épais tissu s'irise lentement de parements pourpres, au contact du sang qui dégoutte entre les pavés. La nuit est tombée dans un silence d'effroi. Chacun tremble pour lui-même, derrière sa porte close.

Au petit matin, les pauvres envers lesquels Thomas s'était toujours montré généreux se pressent les premiers autour du corps de l'évêque martyr et commencent à invoquer le nouveau saint.

SOURCES : E. Walberg, *LA TRADITION HAGIOGRAPHIQUE DE SAINT THOMAS BECKET AVANT LA FIN DU XII<sup>e</sup> SIÈCLE : ÉTUDES CRITIQUES*, Slatkine, 1975. F. Barlow, *THE ENGLISH CHURCH, 1066-1154*, Londres-New York, 1979. R. Foreville, *THOMAS BECKET. ACTES DU COLLOQUE INTERNATIONAL DE SÉDIÈRES (19-24 AOÛT 1973)*, Paris, 1975. P. Aubé, *THOMAS BECKET*, Paris, 1988.

# LA LICENTIA DOCENDI

## *QUAND LE PAPE DÉCIDE QUE LE DROIT D'ENSEIGNER N'EST PAS À VENDRE*

**11 AVR**

« *TOI QUI SIÈGES AU-DESSUS DES CHÉRUBINS...* » La voix lointaine du prédicateur ne réchauffe guère les deux jeunes clercs qui battent le pavé de l'église pour tromper le froid glacial. Ils écoutent sans beaucoup d'attention ce prêche de l'Épiphanie. Cela risque de durer longtemps, surtout que Pierre le Mangeur n'est pas du genre à expédier son sermon.

Le plus jeune des deux clercs, Henri, grelotte sous sa chape de laine râpée :

– Hugues ! je vais geler avant la fin.

– Tu m'étonnes, vêtu comme tu l'es !

– Je ne dispose pas, moi, d'une copieuse prébende versée par un chapitre opulent, rétorque Henri avec une pointe d'amertume. La bourse que m'a fait envoyer mon père à la Saint-Martin a tout juste suffi à payer six mois d'avance à ma logeuse. Tout ça pour un recoin puant et sans feu ! C'est à peine si elle me fait l'aumône, dans ses bons jours, d'un vieux morceau de lard. Ah ! qu'il est plaisant d'être venu étudier à Paris.

– Tu es si sérieux, ironise Hugues. Les étudiants des arts libéraux sont de vrais chérubins, c'est bien connu... On les voit s'exercer jusqu'à la nuit à la grammaire, la rhétorique et la dialectique, relire sans relâche Donat et Priscien, les auteurs antiques, les *Topiques* d'Aristote. Je suis persuadé qu'un écolier assidu comme toi pousse le scrupule jusqu'à ne rien négliger non plus des disciplines du *quadrivium*, l'arithmétique, la géométrie, la musique et l'astronomie...

Henri trouve le propos un peu acide. Il sait bien que ses condisciples ont une vilaine réputation. Passe encore que certains aient des histoires avec des femmes, mais les rixes, les beuveries, le jeu et les farces de mauvais goût qui échauffent les oreilles du prévôt de Paris et des chanoines de Notre-Dame... Mieux vaut changer de sujet.

– J'espère bien finir les arts cette année. C'est la discipline du décret qui m'intéresse et je compte bien me spécialiser dans le droit canon. Je pense quitter le parvis de Notre-Dame et m'installer dans la seigneurie de Sainte-Geneviève. Avec un canoniste aussi réputé que Étienne d'Orléans comme abbé, son école de décret doit être la meilleure de Paris ; peut-être même n'aurais-je pas besoin de me perfectionner à Bologne.

Je crois d'ailleurs qu'en m'appliquant à devenir un bon canoniste, je tiens le meilleur moyen pour décrocher une situation convenable ou même une riche prébende. Peut-être deviendrais-je un jour chanoine... ou évêque ? Mon père a gardé d'assez bonnes relations dans mon diocèse d'origine.

– Ne rêve pas trop, mon garçon, ne calcule pas trop non plus. N'oublie pas que tu dois chercher à édifier les âmes, et non à obtenir des revenus confortables ou des honneurs. Fais plutôt comme moi de la théologie ; c'est le plus sûr moyen d'obliger son prochain et d'obtenir son salut.

Trop pris par leur conversation, les deux amis n'ont pas vu s'approcher un de leurs maîtres :

– Vous m'empêchez depuis tout à l'heure d'entendre ce magnifique sermon. Alors écoutez-moi bien tous les deux et vous surtout, jeune homme, qui semblez si préoccupé d'argent. Vous êtes trop jeunes pour vous en souvenir, mais lorsque je suis devenu maître, le pape Alexandre n'avait pas encore interdit la pratique qui obligeait celui qui désirait enseigner à verser une redevance au chancelier pour obtenir la *licentia docendi*. Vous ne vous rendez pas compte de votre chance : les sommes que les chanceliers réclamaient pour délivrer cette fameuse licence n'étaient certainement pas à la portée de votre bourse, mon pauvre ami. Vous devriez vous réjouir de ce principe énoncé par le pape qui veut que l'on ne puisse refuser le droit d'enseigner à quiconque a les compétences pour le faire. Ainsi, désormais, avez-vous d'excellents maîtres, les meilleurs même, car c'est leur compétence et non leur fortune qui leur permet d'enseigner.

Cette admonestation laisse Henri honteux de ses rêves de carrière.

– Maintenant, soyez gentils d'écouter la fin du sermon. D'ailleurs, c'est à vous, jeunes gens, que ces paroles s'adressent.

Les deux étudiants, passablement mortifiés, écoutent enfin le prédicateur :

– *Vous n'êtes pas venus jusqu'ici, me semble-t-il, pour vous amuser, vous gorger de plaisirs ni vous laisser aller, mais bien pour éveiller votre esprit et vous appliquer à l'étude dans le travail et la peine. La récompense du travail, c'est en ce monde l'illumination du cœur et dans la vie future la glorification du corps et de l'âme. Que le Seigneur vous dispense cette gloire, lorsqu'il viendra juger les vivants et les morts, et passer le monde par le feu du Jugement dernier.*

> *Cette fameuse licence d'enseignement n'était certainement pas à portée de votre bourse.*

SOURCES : M. Pacaut, *ALEXANDRE III*, Paris, 1956. G. Post, « Alexander III, the "licendia docendi" and the Rise of Universities », in *ANNIVERSARY ESSAYS IN MEDIEVAL HISTORY*, Boston, New York, 1929. P. Riché, *ÉCOLES ET ENSEIGNEMENT DANS LE HAUT MOYEN ÂGE*, Paris, 1989.

# LES MARONITES

## *CEUX QUI NE SAVAIENT PAS*
## *QU'ILS ÉTAIENT HÉRÉTIQUES*

**• 12 AVR •**

EN 1182, LES MARONITES REJOIGNENT L'ÉGLISE DE ROME. Ils n'avaient pourtant jamais eu l'impression d'en être séparés. Pour comprendre cette incroyable situation, c'est plus de cinq siècles en arrière qu'il faut remonter.

Constantinople, 629. Dans le grand palais impérial, Héraclius médite. Il a beau avoir renversé, en 611, cette brute épaisse de Photas qui régnait d'une main de fer sur tout l'empire d'Orient, avoir combattu les Perses avec acharnement pendant plus de six ans et entrepris une vaste réforme de l'administration, l'unité de son empire est toujours menacée. Bien sûr, les murailles terrestres et littorales qui protègent admirablement la ville lui ont permis de repousser les Avars en 626 et protégeront longtemps encore Constantinople des attaques extérieures. Mais le péril ne vient pas seulement des Perses ou des Arabes, songe Héraclius en s'approchant de la fenêtre. Contemplant au loin les majestueuses tours des murailles fortifiées, il pense qu'elles ne lui seront d'aucune utilité pour résoudre le problème qui hante ses nuits agitées.

— Ce sont les luttes intestines qui vont finir par détruire l'empire ! Ces jacobites, ces coptes, ces melkites, ces chalcédoniens me vrillent les nerfs. Comment calmer toutes ces communautés religieuses qui campent sur leurs positions depuis deux siècles ? s'interroge l'empereur d'Orient.

Son inquiétude est bien compréhensible. Depuis que le concile de Chalcédoine en 451 a affirmé la double nature du Christ – pleinement homme et pleinement Dieu –, les communautés chrétiennes de l'empire d'Orient se déchirent entre celles qui adhèrent à ce qu'affirme l'Église – les melkites et les chalcédoniens – et les partisans du monophysisme – les jacobites et les coptes qui ne voient qu'une seule nature, divine, dans le Christ.

« Il faudrait tourner la difficulté, trouver une manière de compromis, soupire l'empereur. Que ces affaires sont compliquées ! Si l'on convient que le Christ a deux natures, humaine et divine, sans doute peut-on dire qu'il n'a qu'une seule volonté, la volonté divine ? Mais bien sûr ! Voilà qui va calmer les esprits. »

Et c'est ainsi qu'une nouvelle hérésie vit le jour...

De 629 à 633, Héraclius diffusa sa nouvelle théorie qui fut adoptée par nombre de monophysites de Syrie, d'Arménie et d'Égypte. Quant à ceux qui croyaient – comme l'Église l'affirmait – à la double nature du Christ, ils furent eux aussi tentés par cette doctrine séduisante et beaucoup y adhérèrent. Ce fut notamment le cas des chrétiens maronites.

Les maronites vivaient dans les environs d'Apamée en Syrie, sur les rives escarpées du fleuve Oronte. Ces petites tribus rurales, mi-sédentaires, mi-nomades croyaient fermement à la double nature du Christ, mais avaient toujours voulu rester à l'écart des controverses doctrinales qui déchiraient la région. Regroupées autour du monastère fondé par un certain Maron au IVᵉ siècle, elles menaient une vie paisible et presque monastique. Leur seul luxe résidait sans doute dans leur goût prononcé pour les beaux tissages rayés de laine souple teints aux chaleureuses couleurs de la terre et du ciel libanais, dont ils aimaient se parer. Ils appréciaient d'ailleurs leur nouvel empereur qui avait choisi comme eux la voie d'une certaine sagesse. Ils suivirent donc Héraclius.

La paix revint enfin dans l'empire d'Orient. Mais Héraclius n'eut guère le temps d'en jouir. L'islam, à peine vieux de soixante-dix ans, étendit son pouvoir sur le Croissant Fertile. En 637, Jérusalem était prise. Les maronites, qui avaient commencé à descendre vers les vertes plaines de la Syrie, furent contraints de se replier dans la montagne libanaise. Coupée de l'empire par les invasions, la petite communauté continua de vivre, repliée sur

elle-même, cette vie pleine de simplicité et de fidélité à la foi de ses pères.

Hélas ce petit paradis ne peut échapper au vent de l'histoire. En 750, les Abbassides détrône les Omeyyades et s'installe à Bagdad. Ils ne se montrent pas vraiment souples envers les chrétiens et persécutent ces pauvres maronites qui auraient tant souhaité vivre en paix. Les incursions brutales de troupes plus ou moins régulières à la solde des califes successifs viennent trop souvent troubler la tranquillité des villages et des campements. Pendant trois siècles et demi, la crainte devient leur pain quotidien, et pourtant, chrétiens ils sont, chrétiens ils demeurent. Ni le temps ni les armes ne les arracheront à leur foi. C'est alors que les croisés francs, pressés de délivrer Jérusalem, envahissent à leur tour le Liban. Les maronites se réjouissent. N'est-ce pas leur salut qu'apportent ces chevaliers bardés de fer ? C'est donc dans les meilleures dispositions qu'ils accourent à la rencontre des Francs. Quelle n'est pas leur surprise, voire leur stupeur, quand les croisés les traitent d'hérétiques ! Les pauvres maronites n'y entendent plus rien. N'ont-ils pas montré jusqu'au témoignage du sang qu'ils étaient chrétiens ? N'ont-ils pas été persécutés par les Abbassides en tant que tels ?

Les maronites apprennent, sidérés, qu'un concile s'est tenu à Constantinople en 680, alors qu'ils vivaient repliés dans leur montagne, et a condamné la thèse d'Héraclius ! Bien évidemment, ils n'en avaient jamais entendu parler – c'est du

> *Ce petit paradis ne peut échapper au vent de l'histoire.*

moins ce qu'ils prétendirent – et croyaient sincèrement suivre la juste doctrine de l'Église.

Mais les croisés ne l'entendirent pas ainsi et persistèrent à traiter les maronites d'hérétiques, soutenant qu'ils connaissaient parfaitement la condamnation de 680. N'est-ce pas afin de rompre avec l'Église qu'ils ont élu leur propre patriarche à Antioche ? Les maronites protestent, affirment leur bonne foi, expliquant qu'ils croyaient le siège vacant...

De négociations en vexations – au point que certains maronites préférèrent s'allier aux musulmans au moment des victoires de Saladin –, à petits pas, l'union fut enfin scellée en 1182, c'est-à-dire un siècle après l'arrivée des croisés. Les maronites se placèrent sous la juridiction de Rome et promirent « *d'accomplir et d'observer avec la plus grande vénération les traditions de l'Église romaine* ». Leur patriarche sera d'ailleurs présent au grand concile de Latran IV.

Désormais, les maronites seront les précieux médiateurs entre Rome et les nombreuses communautés chrétiennes d'Orient. Ils garderont leurs rites, si farouchement défendus, et leur légendaire sérénité. Rome put à juste titre se réjouir de l'union avec ces chrétiens demeurés fidèles – sinon dans la lettre, du moins dans l'esprit – qui auront toujours à cœur de confirmer leur attachement à l'Église catholique universelle.

SOURCES : Guillaume de Tyr, CHRONIQUE. J. Saade, LA PENSÉE MARONITE : ORIGINE ET ÉVOLUTION ET SON RÔLE ENTRE ORIENT ET OCCIDENT, 1985. L. Wehbe, L'ÉGLISE MARONITE, 1995.

# RICHARD CŒUR DE LION ET SALADIN

## *OU COMMENT DEUX ESPRITS CHEVALERESQUES S'ACCORDÈRENT EN FAVEUR DES PÈLERINS DE TERRE SAINTE*

• **13 AVR** • SOUS SA GRANDE TENTE DE CAMPAGNE, RICHARD CŒUR DE LION RÉFLÉCHIT. Malik-al-Adil, le frère du grand Saladin, lui est décidément sympathique. En ce mois d'octobre 1191, le chef des croisés et le guerrier de l'islam ne cessent d'échanger, par messagers interposés, propositions et contre-propositions en vue d'une paix acceptable. Du côté des croisés, Richard, roi d'Angleterre, est maître du jeu depuis que le roi de France, Philippe Auguste, malade, a dû quitter la terre d'Orient au mois d'août précédent. Quant à Malik-al-Adil, en frère intelligent et discipliné du sultan, il aide ce dernier à gagner du temps en entretenant avec l'ennemi ces conversations pacifiques.

Richard songe aux termes de ces pourparlers, et il s'étonne lui-même. Aurait-il seulement imaginé, lors de son départ en 1190 pour cette troisième croisade entreprise deux ans plus tôt par l'Occident, qu'il pourrait un jour, sans déchoir à ses propres yeux, employer ce ton avec le frère du vainqueur de Hattin ? Pourtant, c'est bien à l'adresse de Saladin que Richard, par l'intermédiaire de Malik, affirme : « *Les musulmans aussi bien que les*

*chrétiens sont décimés par la guerre, et, de plus, le pays est ruiné et dépeuplé. Chacun a fait son devoir et désormais rien ne nous divise, sauf la question du territoire de Jérusalem et de la vraie Croix. Jérusalem est notre sanctuaire et, dussions-nous périr jusqu'au dernier, nous ne l'abandonnerons pas. Quant au territoire, qu'on nous rende ce qui est de ce côté-ci du Jourdain. À l'égard de la Croix, c'est un morceau de bois qui a aussi peu de valeur pour vous qu'il est précieux à nos yeux... »*

Richard a encore en mémoire la réponse de Saladin. Aux yeux du sultan, Jérusalem n'est pas moins sainte pour les musulmans que pour les chrétiens : « *C'est le lieu où notre prophète est parti pour son ascension nocturne, le lieu où se rassemblent les anges.* » Et Saladin d'ajouter qu'il n'oserait même pas mettre en discussion devant les musulmans l'idée de rendre la ville. Quant à la Palestine... les droits de propriété des musulmans ne sont-ils pas bien antérieurs à ceux des croisés ?

On n'avance guère. Et pourtant Richard Cœur de Lion, comme beaucoup de croisés, a reconnu en Saladin un être d'exception, à l'esprit chevaleresque et à l'âme haute, auprès de qui une idée généreuse, pour peu qu'elle ait du panache, a toutes ses chances sur le tapis des négociations. Or, en ce 20 octobre 1191, seul sous sa tente de campagne, dans l'attente du messager de Malik, le roi Richard vient d'avoir une telle idée. En y songeant, une fébrilité s'empare de son être, et les mots de son rêve s'enchaînent dans son esprit avec une hâte précise et heureuse. Richard aime l'audace, et il vit sa vie comme un roman.

> Et pourtant le mariage n'eut pas lieu...

L'idée de Richard est, tout simplement, de donner en mariage à Malik-al-Adil sa propre sœur, Jeanne, veuve du roi de Sicile. Le chef des croisés offrirait à sa sœur la part de la côte palestinienne qu'il vient de reconquérir. De son côté, Saladin céderait sa part à son frère. Le couple tout neuf régnerait conjointement sur la Syrie maritime. Et pour Jérusalem... l'idée est encore plus belle : la reine Jeanne s'y établirait aux côtés de son époux musulman, avec la possibilité d'y être entourée de représentants du clergé chrétien. La ville resterait aux mains de l'islam, mais les chrétiens « *auraient des prêtres à eux dans le Saint-Sépulcre et pourraient s'y rendre en pèlerinage, mais sans armes* ».

Malik approuve l'idée. Et Saladin lui-même, quand le projet lui est soumis, l'accepte publiquement. Ni l'un ni l'autre ne s'offusquent de l'audace pacificatrice et de la capacité de compréhension mutuelle que supposait une telle proposition. Et pourtant le mariage n'a pas lieu... La reine Jeanne, troublée dans sa conscience à l'idée d'épouser un musul-man, fait échouer le projet. Non sans que Richard ait lancé une ultime proposition : « *Que Malik lève la difficulté en se faisant chrétien !* » Saladin, cette fois, ne donna pas son accord. Cet échec ne décourage pas les deux parties et, l'année suivante, en 1192, Richard Cœur de Lion et Saladin trouvent quand même les bases d'un accord.

Que de changement depuis 1187, date à laquelle Saladin avait proclamé la guerre sainte – le *djihad*, en réponse aux exactions d'un baron franc pillard, Renaud de Châtillon, dont l'attitude irresponsable avait fini par mettre le feu aux poudres. Saladin dominait alors l'Égypte et toute la Syrie musulmane, ainsi que le haut Irak. Les croisés voyaient avec inquiétude sa progression, d'autant qu'ils s'épuisaient à cette date en luttes intestines – féodales et cléricales autant que militaires. L'année 1187 avait été funeste pour les croisés. Guy de Lusignan, nouveau roi de Jérusalem, était un chef de guerre plutôt hésitant. Il ne put empêcher l'ennemi d'amener l'armée franque sur une position difficile à défendre, la colline de Hattin, près de Tibériade. Ce fut le désastre. La victoire de Saladin fut complète et les massacres, les décapitations de chrétiens se succé-dèrent. Le sultan poursuivit son avance, conquit la Palestine et prit Jérusalem après douze jours de siège. Puis il s'empara, en une année, d'une cinquan-taine de forteresses, sans réussir toute-fois à forcer la résistance de Tyr. C'est du reste à Tyr qu'arrivèrent les renforts chrétiens de la troisième croisade, prêchée dès l'année suivante.

La prise de Jérusalem et la perte de la Palestine eurent en Occident un retentissement terrible. On incrimina les péchés des chrétiens, et des forces importantes se rassemblèrent à l'appel de la papauté, l'empereur germanique Frédéric Barberousse participait à l'expédition aux côtés du roi de France Philippe Auguste et du roi d'Angleterre Richard Cœur de Lion. L'armée de Frédéric était la mieux organisée, mais son chef mourut en 1190, et ses soldats se dispersèrent. Philippe et Richard arrivèrent par mer devant Saint-Jean-d'Acre. Les croisés reprirent la ville en 1191. C'est alors que Philippe Auguste, malade, regagna la France, et que Richard Cœur de Lion, prouesse après prouesse, reconquit toute la côte jusqu'à l'Égypte. Mais le chef des croisés et le sultan virent tous deux leurs forces s'épuiser. Et c'est ainsi que commencèrent les pourparlers entre Malik et Richard...

Le 2 septembre 1192, un accord est enfin conclu : le royaume latin, qui continuera de porter le nom de « royaume de Jérusalem », garde une bande côtière de Tyr à Jaffa ; Saladin conserve le reste de la Palestine ; les contractants garantissent une liberté de circulation réciproque aux chrétiens et aux musulmans ; les pèlerins chrétiens auront libre accès à Jérusalem.

> *Le 2 septembre 1192, un accord est enfin conclu.*

Cela n'aurait pas été possible sans la personnalité hors du commun de Saladin. Passionné, profondément pieux, capable de dureté mais aussi de générosité, adversaire chevaleresque, il eut auprès des croisés un prestige immédiat et les combattants de la troisième croisade répandirent de lui une image restée légendaire. Le rapprochement culturel et moral entre chrétiens et musulmans se poursuivit après la mort de Saladin, en 1193, et ce jusqu'à la fin du royaume franc de Jérusalem. Un réel esprit d'apaisement religieux se manifestait : en 1229, Frédéric II n'alla-t-il pas jusqu'à négocier, avec le sultan al-Kamil, la restitution bénévole de Jérusalem à la chrétienté ? À cette date, cela faisait déjà bien des années que les pèlerins chrétiens désarmés, en vertu de l'accord de 1192, pouvaient librement aller prier sur le tombeau du Seigneur.

SOURCES : G. Peyronnet, *L'Islam et la civilisation islamique VII<sup>e</sup>-XIII<sup>e</sup> siècle*, Paris, 1992. J. Richard, « Hattin : les conquêtes de Saladin », in *Les Collections de l'Histoire*, n° 4. R. Grousset, *Histoire des croisades*, t. III, Paris, 1936. H. Platelle, *Les Croisades*, Paris, 1994.

# JEAN DE MATHA

## *CELUI QUI RACHETAIT LES CAPTIFS*

**• 14 AVR •** L'HOMME A LE REGARD FIXE, LES YEUX CREUSÉS, DES HAILLONS COUVRENT SON CORPS MEURTRI, ENCHAÎNÉ. Le prisonnier lève les yeux et regarde Jean, qui vacille de pitié. Le jeune garçon a quinze ans et passe son temps dans le port de Marseille, où il peut observer tout à loisir le honteux trafic d'hommes qui s'y déroule. Ceux que l'on capture, ceux que l'on échange, ceux que l'on vend. Le spectacle des navires chrétiens pillés par les pirates barbaresques, les traitements subis par les prisonniers musulmans et chrétiens éveillent en lui une profonde pitié pour ces captifs.

Quelques années plus tard, vers 1190, il monte à Paris étudier la théologie. À cette époque, la France est le pays des croisades, Paris le centre intellectuel chrétien de l'Europe, la capitale de la chrétienté où les prédicateurs et les théologiens les plus illustres s'affrontent. Le jeune Provençal étudie avec ardeur et fièvre, et son zèle n'échappe pas à ses camarades qui se moquent de son sérieux. Mais rien ne détourne Jean de sa route. Il veut devenir prêtre. C'est une volonté que les risées de ses compagnons ne peuvent ébranler.

Reçu docteur en théologie, fraîchement ordonné, Jean s'apprête à célébrer sa première messe. Dans l'église parisienne, deux hommes au visage grave font face à l'autel. L'évêque de Paris, Maurice de Sully, et l'abbé de Saint-Victor accompagnent leur jeune protégé. Ils savent son désir de servir Dieu. Depuis que le jeune homme est venu à Paris, n'a-t-il pas manifesté une piété et une ferveur religieuse admirables ?

Dans la sacristie, Jean se prépare. Un peu anxieux, le regard brillant, il supplie Dieu dans le fond de son cœur de lui montrer le chemin qui est le sien. Il ne sait dans quel ordre entrer et cette incertitude le rend insatisfait, fébrile. Une image cependant le hante : le captif enchaîné sur le port de Marseille.

Or, voici qu'au cours de la célébration, Jean lève les yeux vers le Christ et voit soudain un ange vêtu de blanc, portant sur la poitrine une croix rouge et bleue, qui croise les mains sur deux prisonniers « *enchaînés par les tibias, l'un noir et difforme et l'autre blanc et pâle* », comme s'il allait les échanger. Sa voie est tracée : il sera le racheteur des chrétiens, prisonniers des Sarrasins ! Cette vision est pour lui un appel à la charité chrétienne et un symbole de la mission dévolue à l'Église, appelée à servir l'homme sans distinction de race ni de religion. Seul compte le souci de rétablir chaque captif dans sa dignité. De quelle manière ? Par le rachat ou l'échange.

À la suite de cette vision (qui aurait eu lieu vers 1193), Jean de Matha demande conseil à ses deux protecteurs. L'évêque de Paris et l'abbé de Saint-Victor l'encouragent à partir pour Rome afin de soumettre au pape Innocent III sa vision et sa volonté de fonder un nouvel ordre.

La tradition raconte qu'avant de partir pour l'Italie, Jean de Matha se recueillit dans une pieuse solitude. Dans une forêt située dans le diocèse de Meaux, il rencontra un ermite du nom de Félix avec qui il vécut trois ans en compagnie de quelques compagnons. En 1194, la première communauté s'installa à Cerfroid où Jean rédigea les premiers principes de la Règle. De temps en temps, il retournait à Paris consulter l'évêque de Paris et l'abbé de Saint-Victor. Il profitait également de ces séjours pour trouver de nouvelles recrues dans le milieu universitaire. La communauté s'agrandit (deux nouvelles maisons s'ouvrent à Bourg-la-Reine et à Planels).

Un jour, les deux ermites, Jean et Félix, voient le cerf blanc qu'ils avaient apprivoisé, surgir d'un buisson en portant sur sa tête la même croix rouge et bleue que celle qui ornait la poitrine de l'ange apparu à Jean. C'est un signe ; ils partent immédiatement pour Rome.

Début 1198, les deux hommes arrivent dans la ville romaine. Dans les couloirs du palais pontifical, leur projet est très commenté :

« Il paraît que ce Jean a l'intention de fonder un nouvel ordre ?

– Encore un !

– Celui-ci sera consacré au rachat des captifs. Et quand on connaît les tourments que vivent nos pauvres croisés réduits à l'esclavage par les Infidèles, on ne peut que se réjouir d'une si belle idée.

– Mais le Pape, qu'en dit-il ?

– Hum... Eh bien, l'accueil aurait été très froid. Le Saint-Père aurait même traité les lettres de recommandation qui venaient de Paris de « radotages » !

– Et alors ? qu'a fait Jean ?

– Il est reparti avec son compagnon, un certain Félix. Imaginez leur consternation et leur désappointement !

– Et pourtant c'était une bien bonne et belle idée que la leur !

– C'est ce qu'a dû finalement penser notre bon père Innocent III, puisqu'il les a rappelés à lui. Ils étaient déjà à Florence

– On dit que c'est un ange qui l'aurait averti...

– On dit aussi que pendant qu'il célébrait la messe, notre Saint-Père a vu un ange vêtu de blanc, portant une croix rouge et bleue. C'est pour cela qu'il a donné l'habit blanc au nouvel ordre.

– Alors, ça y est ! L'Église a un nouveau rameau à son arbre ?

– En fait, il faut d'abord que Jean retourne à Paris auprès de ses maîtres Maurice de Sully et l'abbé de Saint-

*Sa voie est tracée : il sera le racheteur des chrétiens.*

Victor, pour qu'ils l'aident à rédiger sa Règle. Mais l'approbation du Pape suffit. L'ordre de la Sainte-Trinité pour le rachat des captifs vient de naître !

De retour à Paris, Jean s'attelle à la rédaction de sa Règle. Les ressources de l'ordre seront divisées en trois tiers : une part pour le rachat des captifs, une part pour les pauvres et la dernière pour la communauté. Les trois vœux traditionnels (obéissance, pauvreté et chasteté) seront exigés. Chacun sera l'égal de tous dans la charité fraternelle et travaillera pour le bien de la communauté. La prière commune sera partagée avec les pauvres et les malades. Les frères soigneront, mais surtout accueilleront, recueilleront et proposeront l'exemple d'une vie spirituelle tournée vers le service des pauvres. Que ce soit le captif racheté, le pèlerin harassé ou bien le vieillard abandonné, tous seront confessés le premier jour de leur arrivée.

*Notre Saint-Père a vu un ange vêtu de blanc, portant une croix rouge et bleue.*

Jean de Matha soumet son projet et la Règle au jugement du Pape : le rachat des captifs concerne tous les chrétiens et dépasse le cadre du diocèse et même du Royaume. En outre, le caractère pacifique de l'œuvre exige une certaine indépendance vis-à-vis des pouvoirs locaux et donc la tutelle formelle de l'Église romaine. Dès le 16 mai 1198, le pape place les trois maisons sous la protection du Saint-Siège et reconnaît la vocation de l'Ordre : racheter les prisonniers chrétiens détenus par les Sarrasins et vivre selon le modèle monastique dans la fidélité au Christ. Le 17 décembre 1198, la bulle *Operante divini dispositionis* approuve définitivement l'ordre de la Sainte-Trinité pour le rachat des captifs. Aussitôt après, les premiers « redempteurs » s'acheminent vers le Maroc. Une lettre du pape les introduit auprès du souverain arabe : « *Voilà des hommes divinement inspirés qui viennent racheter les chrétiens captifs détenus dans votre empire, soit à prix d'argent, soit par échange avec ceux de votre pays que les chrétiens détiennent.* »

À partir de 1200, les missions à l'étranger se multiplient. Encouragés par Innocent III, qui porte un vif intérêt aux croisades, les rédempteurs partent dans les pays méditerranéens (Espagne, Maroc...). La quatrième croisade (1202-1204) permet à l'Ordre de s'implanter au Proche-Orient (Saint-Jean-d'Acre, Beyrouth, Jaffa et Césarée de Palestine).

En France, l'Ordre se répand très vite : en 1209, on dénombre plus d'une vingtaine de maisons qui tiennent lieu d'hospices. Quant à Jean, il se fixe à Rome, où il fonde un hôpital pour les pauvres, les pèlerins et les malades. Il y meurt le 17 décembre 1213.

Jean de Matha est canonisé en 1666 par le pape Alexandre VII.

SOURCES : L. Huyghes-Despointes, *JE BRISERAI VOS CHAÎNES : AVEC LES CAPTIFS, JEAN DE MATHA ET SES DISCIPLES*, Paris, 1995. R. Grimaldi-Hierholtz, *L'ORDRE DES TRINITAIRES*, Paris, 1994.

# FRANÇOIS D'ASSISE

## *OU COMMENT UN JEUNE*
## *HOMME DE BONNE FAMILLE DEVINT*
## *LA HONTE DE SON PÈRE*
## *ET LA GLOIRE DE L'ÉGLISE*

**• 15 AVR •** PRINTEMPS DE L'AN 1206. L'AIR EST DOUX. DES HIRONDELLES STRIENT L'AZUR.

La rumeur dévale la colline d'Assise plus vite qu'une balle de son. Elle court les ruelles. Les commentaires des commères vont bon train dans les échoppes.

– Le Signor Bernardone, le drapier, vous ne savez pas ce qu'il a fait ?... Il a assigné son propre fils en jugement !

– Le mignon petit François, avec son visage pâle et ses grands yeux noirs ?

– Eh, vous parlez d'un numéro, celui-là ! Un fêtard ! Pendant des années, ce noceur et sa bande de bons à rien nous ont réveillés chaque nuit en chantant sous nos fenêtres. Il donne des cheveux blancs à sa mère, la bonne Dame Pica, votre « mignon petit François ».

– Oui, mais plus pour les mêmes raisons. Il a bien changé...

– L'année qu'il a passée dans les geôles de Pérouse, après la défaite de Collestrada, lui aurait-elle mis du plomb dans la cervelle ?

– Ou elle lui a enlevé le peu de raison qu'il avait ! Il se promène maintenant déguisé en mendiant. On dirait un épouvantail en vadrouille !

– Et vous savez la meilleure ? Oh, c'est horrible, dégoûtant, (le groupe de commères se resserre pour recueillir la confidence qui promet d'être aussi juteuse qu'un fruit mûr). Je ne sais pas si j'ose...

– Si, si, parlez, vite !

– On dit que... il aurait embrassé un lépreux !

– Nooon, oooh !

– Oui, un lépreux, croisé sur le chemin de san Lazaro. Il serait descendu de cheval et l'aurait embrassé... sur la bouche.

– Ah ! Mais, c'est répugnant... Il était donc ivre ?

– Non, il ne boit plus. Il l'aurait embrassé et lui aurait donné sa bourse. Depuis, il visite les lépreux chaque semaine. Et il rentre en chantant.

– Ça, pour chanter, il chante bien, le pastoureau. Je l'écoute souvent en longeant l'église Saint-Damien, vous savez, cette ruine qu'il a décidé de rebâtir...

– Oui, il paraît que le crucifix de Saint-Damien lui aurait parlé : « *Répare ma maison qui tombe en ruine* » !

– Ha ha ! si les crucifix lui causent à

vingt-cinq ans, il mourra en se prenant pour le Christ en croix !

Elles s'esclaffent, les commères ; elles ignorent pourtant qu'elles viennent de prophétiser. François mourra vingt ans plus tard, le 3 octobre 1226, les stigmates de la passion de Jésus-Christ inscrits dans sa chair.

— Mais pourquoi son père veut-il donc l'assigner en justice ? demande Sylvia, la poissonnière.

— Pour financer la reconstruction de Saint-Damien, Francesco est allé faucher le meilleur drap au magasin paternel. Il a enfourché le plus beau cheval et il est allé vendre l'étoffe et la monture au marché de Foligno !

— Non !

— Si, comme je vous le dis.

Elles sont maintenant une dizaine dans l'échoppe de la poissonnière, insensibles aux relents des rascasses.

— Le Signor, furieux, a pris le mors aux dents. Avec quelques amis, il a galopé jusqu'à Saint-Damien. Ils ont eu beau fouiller l'église, ils n'ont rien trouvé, ni le garçon, ni l'argent. Le filou s'était caché dans une grotte voisine. Il y est resté un mois en mangeant des racines...

— Jusqu'à ce soir de mars, souvenez-vous, où un jeune mendiant pénètre sur la place de notre église Saint-Rufin, en haillons. Des garnements lui lancent des pierres en criant « *piazzo, piazzo* », « le fou, le fou ». Des jeunes attablés aux tavernes le raillent. La maison de Bernardone n'est pas loin. La rumeur de

> *Si les crucifix lui causent à vingt-cinq ans, il mourra en se prenant pour le Christ en croix !*

l'esclandre alerte le drapier. Il jette un œil par la fenêtre. Que voit-il ? Ce gueux qu'on moque, cet échalas décharné au regard fiévreux, couvert de boue, un filet de sang à la bouche, qui répète au milieu des quolibets : « *Soyez bénis, vous qui vous moquez, soyez bénis...* », c'est son fils ! Enragé, il se rue vers lui, l'attrape par le collet, le ramène à la maison et l'enferme dans sa cave.

— Un mois de cachot ! poursuit une autre. Rien n'y fait : privations, rossées, supplications, le Francesco demeure inflexible. Il ne veut pas rendre l'argent. Là-dessus, sa pauvre mère profite d'une absence de son mari et le libère... Fou furieux, Bernardone assigne son fils en justice.

— Moi, je le comprends un peu, le Signor – Dieu sait pourtant qu'il n'est pas sympathique. Son fils fugue, embrasse les lépreux, soutient entendre des voix célestes, refuse de reprendre le commerce paternel, pille son magasin pour reconstruire des ruines, et vit comme un mendiant en se faisant traiter de fou ! Ça fait beaucoup pour un seul homme !

— Les consuls ont fait convoquer François l'autre jour par le crieur public, mais il a refusé de comparaître : « *Je ne relève pas de la justice des hommes, j'ai donné ma vie à Dieu. Seul Dieu peut me juger.* »

— Oh, quelle audace ! Mais pour qui se prend-il ?

— Attendez, ce n'est pas fini... C'est donc l'évêque qui va rendre justice, et qui va trancher entre le père et le fils !

– Quand ça, Dame Sylvia ?

– Ce matin même, devant l'évêché !

– Il ne faut surtout pas manquer ça, pressons-nous, courons vite !

Dame Sylvia couvre son étal précipitamment. L'essaim de commères se dirige dans un bourdonnement de conciliabules vers la grande place Sainte-Marie-Majeure.

La foule s'agglutine déjà, colorée, bavarde, devant le palais épiscopal. Un soleil clair frappe les pierres blanches. Chacun observe les protagonistes campés sous le dais dans des postures dignes du peintre Giotto. À droite, le père Bernardone, rougeaud, ventripotent dans ses habits amples et soyeux.

« *C'est la fausse sagesse du monde : faites profit, amassez, jouissez* », susurre une hirondelle en pépiant dans le ciel.

À gauche, un jeune homme mince et pâle dans des chausses trouées, une bourse à la main.

« *C'est la folie du christianisme*, chante l'hirondelle, voletant au-dessus des têtes : *détachez-vous des appâts du monde.* »

Au milieu du père et du fils, un homme grand, sec, impassible, est assis sur un trône. Monsignore Guido, l'évêque d'Assise. Le prélat se lève, arrête les bavardages d'un geste de la main. Il prend la parole d'une voix grave et ample :

– Signor Bernardone, quel est le motif de cette assignation ?

Le *signor* grogne, rouge de colère, humilié de voir ainsi son linge sale étalé en public.

– Non seulement il me ruine, mais il me fait honte (Bernardone n'ose pas dire « mon fils ». Il le montre du doigt, sans le regarder). Seigneur évêque, qu'il me rende mon bien ! Expulse ce fils indigne qui croit entendre des messages du ciel et qui me ruine !

– N'as-tu aucune compassion envers le fruit de ta propre chair ? demande l'évêque.

– Non, s'il poursuit dans cette voie insensée, rugit Bernardone. Je lui épargne le reniement s'il renonce à ces projets fous, s'il revient à la maison et reprend les affaires avec moi, docilement, comme un vrai fils et un bon chrétien !

L'évêque se tourne vers le garçon :

– Que réponds-tu, François, à cette proposition de ton père à qui tu dois soumission et respect ?

– Soumission et respect, mais point obéissance, seigneur évêque. Je suis un homme libre, et Dieu est mon seul maître. C'est à Lui seul que je dois obéir.

– François, il n'est point d'obéissance sans justice, reprend l'évêque. Tu ne pourras suivre le chemin auquel Dieu t'appelle que si tu règles tes dettes ici-bas en toute équité. Veux-tu rendre à ton père le bien que tu lui as emprunté sans son accord ?

On entend une hirondelle voler. Plus personne ne bouge ni ne respire.

Soudain, François rompt la pose. Il s'approche de son père et lui tend la bourse qu'il tient en main. Celui-ci la happe d'un geste vif, les yeux baissés.

> *Je suis un homme libre, et Dieu est mon seul maître.*

François le fixe avec déchirement. Bernardone semble soudain très vieux. Il accroche le regard de son enfant. Les gens se haussent sur la pointe des pieds, essayant de déchiffrer l'échange silencieux.

« Allez, reviens, mon petit, on oublie tout, on efface tout », implore le regard du père.

*François fait alors glisser sa tunique. Il est nu.*

« Je ne peux pas papa, répondent les yeux du fils, tendres et douloureux. Je ne peux pas. Ma voie est à l'opposé de ce que tu souhaites pour moi. Ne sois pas un obstacle à la volonté de Dieu, je t'en prie ! »

« Reste avec nous, tu seras riche, je te lègue tout, nous vieillirons ensemble », supplie le père, désespéré.

« Adieu, papa », murmure silencieusement François, en baissant les yeux pour protéger sa décision.

Le garçon se redresse soudain, quitte l'ombre du dais, pénètre dans l'arène de soleil, et lance à l'évêque.

– Oui, je vais tout lui rendre, Monseigneur, et vous tous, soyez-en témoins. Tout, je vais tout rendre à mon père, exceptée la vie que je tiens de Dieu.

François retire d'un geste vif son manteau boueux et le lance aux pieds de son père, interloqué. Puis il délace son surcot lacéré, quitte ses chausses trouées, jette ses hardes. Le père suffoque. La foule applaudit, ponctue chaque envoi d'un magistral « olé », qui doit résonner jusqu'en Espagne.

Le fils prodigue interrompt les vivats. Il montre Bernardone :

– Écoutez-moi bien, vous tous, s'écrie-t-il. Jusqu'ici, j'ai appelé cet homme mon père...

Sa voix s'étrangle soudain à ce mot. Il ferme les yeux un instant, comme s'il demandait à Dieu la force de poursuivre cet épuisant bras de fer.

– Cet homme veut me renier ? À sa guise. Il n'est plus mon père. Je lui rends tout ce qui lui appartient. Nous sommes quittes. Me voici nu comme au jour de ma naissance, prêt à commencer une nouvelle vie. Désormais, je n'ai qu'un seul père : « *Notre Père qui est aux Cieux...* »

La foule est muette. François fait alors glisser sa tunique. Il est nu. Le soleil d'avril frappe son corps laiteux. Le seul tissu qui protège sa pudeur est un cilice de crin, une ceinture de pénitence.

Bernardone, blanc comme un suaire, demeure figé. Derrière lui, Dame Pica, la mère de François, pleure en silence, soutenue par l'une de ses cousines. Elle a compris. Elle sait qu'il ne reviendra pas et qu'un autre amour, dévorant, le happe pour toujours et le consume.

L'évêque s'adresse à François sans avoir besoin d'élever la voix. Ses paroles résonnent contre les façades :

– Tu veux suivre nu le Christ nu ? Tu choisis une voie rude, mon fils. Ne l'emprunte pas seul, ou tu t'égareras dans les ravines de l'orgueil. Garde l'humilité du fils de l'Église que tu as choisi d'être aux yeux de tous.

Monsignore Guido descend du trône.

– Mon enfant...

À l'ébahissement général, il ôte lui aussi son manteau. Il en couvre François. Puis il ouvre les bras et serre contre lui ce corps tremblant.

Pressent-il que ce jeune homme bouleversera la vie de l'Église et du monde ? Peut-être murmure-t-il :

> *Tu veux suivre nu le Christ nu ?*

« C'est l'Église qui te prend sur son cœur. Elle sera ta mère puisque tu n'as plus de père », mais l'histoire ne le dit pas.

Le jardinier de l'évêché apporte une vieille souquenille. L'évêque aide le jeune homme à s'en revêtir.

La foule se disperse, lentement, en silence. Sur la grand-place, il n'y a plus que Bernardone, prostré, les yeux fixés à terre, une bourse à la main, un tas de hardes à ses pieds, écrasé de honte et de chagrin.

Assise vient d'assister à la naissance de saint François.

SOURCES : T. Desbonnets, *SAINT FRANÇOIS D'ASSISE, ÉCRITS*, Paris, 1981. T. Desbonnets et D. Vorreux, *SAINT FRANÇOIS D'ASSISE, DOCUMENTS*, Paris, 1968. S. da Campagnola, *FRANCESCO D'ASSISI NEI SUOI SCRITTI E NELLE SUE BIOGRAPHIE DEI SECOLI XIII-XIV*, Assise, 1977. R. Manselli, *S. FRANCESCO D'ASSISI*, Rome, 1980.

# DOMINIQUE

## *LA PAROLE AUX PIEDS NUS*

**• 16 AVR •** AN DE L'INCARNATION 1203, LANGUEDOC. DIÈGUE, ÉVÊQUE DE LA VILLE castillane d'Osma, traverse le sud de la France pour gagner le Danemark, où il doit accomplir une mission diplomatique pour le roi de Castille, Alphonse VIII. Il est accompagné d'un ami fidèle, Dominique, sous-prieur du chapitre de la cathédrale d'Osma, alors âgé de trente et un ans. En traversant le comté de Toulouse, les deux hommes découvrent, au hasard des confidences de clercs ou de fidèles, l'hérésie cathare, une crise qu'ils ne connaissaient jusque-là que de réputation. Cette nouvelle hérésie, ramenée d'Orient par des commerçants ou des pèlerins dans les années 1140, modifie profondément la foi chrétienne, malgré son attachement et sa fidélité, au moins apparente, à l'Évangile et à son esprit de pauvreté.

Un soir qu'ils font étape dans la ville de Toulouse, Dominique rencontre pour la première fois un adepte de cette hérésie. C'est son propre hôte. Sans doute l'a-t-il reconnu à quelque parole de ressentiment contre l'Église – la Babylone de l'Apocalypse aux yeux des cathares – ou bien à quelque réticence à l'égard du baptême ou

de l'Eucharistie, ou encore à un mot de mépris envers le signe de croix. Dominique ne peut demeurer muet : toute la nuit, oubliant la fatigue du voyage et la route qu'il lui faudra reprendre, il presse son hôte de questions, le forçant à rendre compte de sa foi. L'homme croit en l'opposition radicale de l'âme et du corps, soutient l'existence de deux dieux, un bon qui règne sur les âmes et un mauvais qui règne sur les corps, et pense trouver son salut en rejetant le monde. Dominique comprend que ce rejet du corps et du monde peut aller jusqu'au refus d'avoir des enfants ! Avec amour, il persuade son hôte, réfutant une à une ses croyances, lui montrant ainsi les inconséquences et les confusions de la doctrine cathare. Lorsque le jour paraît, Dominique l'a ramené dans le sein de l'Église. Joyeux, il reprend sa route à travers l'Europe, tout animé par ce premier succès apostolique loin de chez lui ! Sans le savoir, il a fait le premier pas vers l'œuvre de sa vie : ramener les égarés dans le cœur de l'Église par la seule force de l'intelligence et de la prédication.

Rien pourtant ne semblait le prédestiner à s'engager sur cette voie. Certes, depuis sa plus tendre enfance, Dominique travaille pour Dieu. Consacré à la cléricature, il quitte sa famille, dès l'âge de sept ans, pour étudier. De tempérament solitaire, il montre alors un goût pour l'étude et la prière, ainsi qu'une attention particulière aux misères de son prochain. Lors d'une longue famine, il vend tout ce qu'il possède, même les livres sur lesquels il a travaillé et qu'il a annotés. Il institue grâce à cela une maison d'aumônes où les affamés viennent chaque jour aux distributions. En 1196, il devient chanoine de la cathédrale d'Osma. Jusqu'à ce printemps de 1203, tout portait à croire qu'il resterait un tranquille chanoine, priant et étudiant dans la plus grande paix, à l'ombre de la cathédrale d'Osma.

Dominique entreprend trois autres voyages à travers l'Europe avec son évêque. Un monde tout nouveau s'ouvre devant lui. Il avait jusqu'alors exploré les profondeurs de l'Évangile et de la vie intérieure. Il découvre le visage humain et concret de l'Église. Visage de grandeur, avec ses sanctuaires multiples, ses puissants évêchés, ses ordres religieux universels, le pape et ses cardinaux, veillant sur toute la chrétienté ! Mais aussi visage de faiblesse, avec des zones d'anarchie, des églises ruinées et des crises religieuses, issues de l'insuffisance des clercs, de la violence des laïcs, de l'ignorance et de l'erreur ! Dominique, bouleversé par ce qu'il découvre, voudrait se consacrer, avec Diègue, à l'évangélisation des régions encore païennes. Mais un nouveau pas-

sage dans le midi de la France lui révèle le véritable ministère qui l'attend.

En août 1206, Dominique et Diègue rencontrent à Montpellier les légats cisterciens, chargés par le pape Innocent III de prêcher contre les hérétiques. Découragés par l'absence de résultats, ils s'apprêtent à tout abandonner. Dominique et Diègue sont choqués par le luxe et l'apparat de ces serviteurs de l'Église, qui contrastent avec la simplicité et l'ascétisme des cathares. Persuadés que le mode de vie doit être en accord avec le message prêché, ils décident de rester en Languedoc et de ramener les habitants de la région à la foi commune, par une prédication « *à l'image de celle du Bon Maître* », dans l'humilité et la pauvreté. Ils abandonnent ainsi leur projet de mission et d'évangélisation des Cumans, peuplades païennes d'Europe centrale. Dieu leur confie une mission plus proche : la reconquête intérieure de l'Église !

Les voici donc lancés sur les routes du midi de la France pour prêcher ! Spectacle étrange et admirable ! Refusant de recourir à l'autorité, Dominique et Diègue ne comptent que sur la force de persuasion de la Vérité pour donner du poids à leur parole. Ils n'hésitent pas à « *s'en aller dans un habit de mépris pour s'adresser à des gens qu'on méprise, en imitant le Christ pauvre* ». Mendiant leur pain, ils vont pieds nus, avec pour seuls bagages les livres indispensables à la prière et aux disputes publiques qu'ils engagent avec les cathares. Leur attitude bouleverse les

> *Ils sont choqués par le luxe et l'apparat de ces serviteurs de l'Église.*

populations. Dominique embrasse avec joie et pour toujours la prédication itinérante dans la mendicité. Pour elle, il abandonne son pays natal, l'Espagne.

En 1207, une trentaine de religieux cisterciens, à pieds, arrivent en renfort. Ceux-là sont prêts à aborder l'hérésie par les seules armes de la parole et de la pauvreté. Une vaste entreprise de prédication est lancée et chacun est chargé d'une partie du territoire. Dominique se voit confier la région frontière des diocèses de Carcassonne et de Toulouse, principaux foyers du catharisme. Il s'installe à Prouille, au pied de Fanjeaux, et mène une prédication intense pendant tout le printemps et l'été. En septembre, hélas ! Diègue, parti à Osma pour y obtenir des subsides et des renforts, meurt. L'inspirateur du mouvement évangélique dans l'Église laisse Dominique seul pour mener à bien sa tâche. L'avenir est sombre : Raoul de Fondfroide, cistercien, légat du Pape, est mort en juillet de la même année. Pierre de Castelnaudary est assassiné en janvier 1208. Les prédicateurs cisterciens quittent un à un la région, découragés. La situation dans le Languedoc est telle que le pape Innocent III lance, en 1209, une croisade contre « les Albigeois », autre nom donné aux cathares. En trois ans, jusqu'en 1212, autour de Simon de Montfort, la croisade reconquiert par les armes les différents comtés du Midi.

Dans cette atmosphère de violence, Dominique continue seul sa prédication. Un petit groupe de moniales de Prouille,

*Les prédicateurs cisterciens quittent un à un la région.*

que son évêque lui a confié avant de partir pour l'Espagne, prie pour lui. Quelques-unes d'entre elles sont des cathares converties. De 1207 à 1209, Dominique fait alterner le soin de ces moniales et l'apostolat itinérant. Prouille est son port d'attache, et il rayonne vers Castelnaudary, Pamiers et surtout Carcassonne. Puis la croisade déferle et Dominique est engagé par l'évêque de Toulouse, le cistercien Foulques, à venir prêcher dans sa ville jusqu'en 1211. Il poursuit ensuite son action dans la région en se mettant sans compter au service des différents évêques de la province de Narbonnaise. *« Il se donnait avec tant d'ardeur à la prédication qu'il voulait annoncer la parole de Dieu jour et nuit, dans les églises et les maisons, par les champs et sur les chemins, bref partout, ne voulant parler que de Dieu »*, écrit son contemporain Guillaume Peyre. Peu à peu, les vertus de Dominique lui attirent de nombreux compagnons.

Dominique songe alors à constituer à Fanjeaux une communauté de frères qui s'en iraient, dans la pauvreté évangélique, porter la parole de Dieu à travers tout le diocèse. Il a eu le temps de réfléchir depuis ses débuts dans le Lauragais. Il ne veut plus d'un groupe de prédicateurs occasionnels, mais une prédication permanente. Il faut un ordre religieux. C'est finalement à Toulouse que son idée prend forme. Après de nombreuses démarches auprès des évêques et de la papauté, Dominique reçoit, en avril 1215, le vœu d'obéissance des premiers frères de sa communauté. Celle-ci obtient l'approbation définitive de la papauté en 1217. L'ordre des Frères prêcheurs est né. Les frères sont des « mendiants », voués à la pauvreté, personnelle et communautaire. Cette communauté régulière dans laquelle les frères doivent se former et étudier est aussi le lieu où les Prêcheurs viendront se reposer et se soigner pour mieux repartir sur les routes.

> *Les frères sont des « mendiants » voués à la pauvreté.*

En 1221, lorsque Dominique meurt, son ordre compte déjà plusieurs centaines de frères, souvent venus des milieux intellectuels, vingt-cinq couvents et cinq provinces. Soutenu par la papauté, l'ordre des Frères prêcheurs atteint une dimension universelle et est appelé à un bel avenir. Dominique a eu surtout l'inspiration de ne pas cantonner ses frères au ministère originel contre les Albigeois, mais de les envoyer deux par deux évangéliser le monde et la chrétienté. Auxiliaires des évêques, ils mettent leurs prédications à leur service. Les couvents de « dominicains » ne cessent alors de se multiplier.

Ainsi, depuis sa ville d'Osma, Dominique a-t-il parcouru un long chemin qui l'a fait participer pleinement au renouveau de l'Église du XIIIᵉ siècle. Alliant science et pauvreté, il a œuvré à la reconquête de la chrétienté. Il fut canonisé rapidement après sa mort, par Grégoire IX, le 3 juillet 1234.

SOURCES : G. Bedouelle, o.p., *DOMINIQUE OU LA GRÂCE DE LA PAROLE*, Paris, 1982. *SAINT DOMINIQUE*, textes et légendes de M. H. Vicaire, o.p., Paris, 1957. *SAINT DOMINIQUE ET SES FRÈRES, ÉVANGILE OU CROISADE ?*, textes du XIIIᵉ siècle présentés et annotés par M. H. Vicaire, o.p., Paris, 1967. M. H. Vicaire, o.p., *HISTOIRE DE SAINT DOMINIQUE*, [2 tomes], Paris, 1982.

# L'UNIVERSITÉ DE PARIS
## *OU COMMENT UN CHAHUT ÉTUDIANT*
## *INVENTA LA LIBERTÉ UNIVERSITAIRE*

**• 17 AVR •**

LES JOYEUX JEUNES GENS QUI LÈVENT LE COUDE ET TRINQUENT BRUYAMMENT au fond de cette taverne parisienne enfumée, jurant pire que charretier, sont bien des clercs, et doctes de surcroît. Pour la plupart, ils ont déjà passé de nombreuses années à étudier, d'ailleurs, ils ponctuent gravement leurs propos débraillés de savantes citations latines empruntées aux classiques. Ne devraient-ils pas craindre quelque descente musclée du prévôt de Paris et de ses gens d'armes ? Point du tout, en cet heureux soir de 1215, ce qu'ils fêtent dans les libations et les vociférations, c'est leur liberté. Et cette liberté, c'est le pape lui-même qui vient de la leur donner par son légat Robert de Courçon. Cette reconnaissance pontificale de ce qui va devenir l'université de Paris n'a pas bien entendu pour but de permettre à une bande d'« escholiers » (on les appellera bientôt étudiants) de faire ripaille en toute impunité. Mais les faits sont là, ni l'évêque, ni le chancelier, ni le prévôt de Paris, ni même le roi n'auront plus loisir d'intervenir dans la vie de l'université et de ses membres. Il reste qu'à l'origine de toute cette affaire, il y a bien

un chahut étudiant qui a mal tourné. En 1200, un affrontement sanglant, une bavure de la prévôté fait cinq morts, parmi lesquels des étudiants. L'une des victimes est Henri de Jauche, que Philippe de Souabe, allié du roi de France Philippe Auguste, a proposé comme candidat le trois mars de la même année au siège épiscopal de Liège.

Le prévôt Thomas, arrêté sur ordre du roi, passe en jugement. Parmi les opposants au prévôt, les étudiants sont les plus virulents. Les circonstances de cette sanglante affaire ne sont pas exactement connues, mais cette rixe montre que la violence n'était pas rare à Paris, particulièrement dans le milieu étudiant. On ne comptait plus les échauffourées et autres manifestations déplorables ou choquantes liées à la présence des écoles dans l'île de la Cité et sur la rive gauche de la Seine.

Pourquoi cette affaire – il y en eut tant d'autres – mériterait-elle une attention particulière ? En quoi la fondation de la prestigieuse université de Paris y est-elle liée ? Le Moyen Âge n'ignorait pas la violence, loin s'en faut, et dans le milieu des écoles pas moins qu'ailleurs. Ce qui est nouveau, à l'occasion de ce scandale, c'est la réaction des gens des écoles, le mécontentement général des maîtres et des étudiants, qui révèle la conscience d'une vaste communauté soudée. Depuis une trentaine d'années, cette conscience s'était formée à partir des ensembles disparates de l'enseignement parisien.

On comptait à Paris, à la fin du XIIᵉ siècle, trois sortes d'écoles. L'école épiscopale occupait le parvis de Notre-Dame et les ponts de la Seine : on y entendait des disputes, exercice où deux protagonistes choisis parmi les étudiants opposaient leurs arguments sur un sujet donné ; les lointains prédécesseurs des bouquinistes vendaient leurs livres ; la qualité de l'enseignement théologique y était renommée, et c'est le chancelier, haut dignitaire du chapitre Notre-Dame qui surveillait l'enseignement et la bibliothèque du chapitre, dirigeait l'atelier d'écriture et délivrait aux nouveaux maîtres l'autorisation d'enseigner, la fameuse *licentia docendi*. Venait ensuite un bon nombre d'écoles dites monastiques : les plus célèbres étaient Saint-Victor et Sainte-Geneviève. Cette dernière, qui accueillait sous sa juridiction un nombre croissant d'étudiants, était fort réputée – elle avait eu à son actif de grands maîtres comme Abélard et des élèves brillants tel Jean de Salisbury – aussi réclamait-elle le droit de délivrer sa propre *licentia docendi*. Enfin, on comptait une multitude « d'écoles privées », que tout maître pouvait ouvrir sur autorisation du chancelier. La notion de communauté « universitaire » était

*Les plus célèbres étaient Saint-Victor et Sainte-Geneviève.*

donc familière à Philippe Auguste, comme à ses contemporains.

À la suite de l'incident de 1200, pour éviter de nouveaux heurts, le roi accorda un privilège : désormais, le prévôt de Paris devait faire serment de ne pas enfreindre les nouvelles libertés judiciaires des maîtres et des étudiants. Le roi leur assurait la protection spéciale de la justice royale contre tous ceux qui attenteraient à leurs personnes ou à leurs biens. S'ils étaient eux-mêmes incriminés, la sentence appartiendrait aux tribunaux ecclésiastiques.

Ce privilège royal, qu'on a coutume de considérer comme l'acte de naissance de l'université de Paris, n'était que le premier pas. Il y en eut d'autres par la suite, tout aussi décisifs. En effet, les tribunaux ecclésiastiques locaux, c'est-à-dire l'évêque, le chancelier et le chapitre de Notre-Dame, n'étaient guère plus bienveillants que les officiers royaux. Il faut reconnaître que les étudiants avaient souvent le don d'exaspérer la population parisienne. La jeunesse n'est pas toujours sage. Dans le même temps, les maîtres de l'université naissante rédigeaient ses premiers statuts (vers 1208) ; en 1215, le légat Robert de Courçon en donnait de nouveaux, qui permettaient aux étudiants et à leurs maîtres d'organiser eux-mêmes leur vie et leurs études sans que quiconque puisse intervenir contre eux, hormis le pape qui leur accordait sa protection. Plusieurs dispositions régissaient aussi la vie collective de l'université : la vêture, l'assistance obligatoire aux obsèques des maîtres et des étudiants, la limitation des occasions de fêtes et de banquets. On s'occupa même des difficultés de logement pour les étudiants et du manque de locaux pour l'enseignement.

Or, une quinzaine d'années seulement après le privilège royal de 1200, l'université faisait déjà bonne figure. La durée obligatoire des études était fixée exactement : six ans pour les arts, c'est-à-dire la grammaire, la rhétorique et la dialectique, la géométrie, la musique et l'astronomie ; huit ans pour la théologie. On pouvait aussi apprendre la médecine et le droit, mais après 1219, seul le droit canonique était admis à Paris. Pour le droit civil, il fallait aller à Bologne. Les méthodes pédagogiques surprendraient aujourd'hui : les « lectures », qui soutenaient l'enseignement des maîtres ; la dispute qui permettait aux étudiants d'exercer leurs connaissances ; les sermons, véritables cours de théologie.

En 1219, l'évêque se vit retirer le droit de fulminer des excommunications contre les membres de l'université : celle-ci devint peu à peu une véritable institution internationale, dépendant directement de Rome et délivrée de la malveillance des juridictions locales. Autonomie subtile, défendue par le pape, mais pas jusqu'à l'indépendance absolue. En 1221, quand l'Université voulut se doter d'un sceau, symbole de pouvoir, Honorius III exprima son refus et fit briser le sceau. La réaction fut épouvantable : le légat romain de Saint-Ange essuya une émeute. Maîtres et étudiants prirent d'assaut son hôtel et il ne dut la vie qu'à l'intervention des sergents royaux. Les coupables furent excommuniés et finirent par se soumettre.

*Maîtres et étudiants prirent d'assaut son hôtel.*

Ces réformes devaient aboutir à la bulle *Parens scientiarum* du pape Grégoire IX en 1231.

Parler de l'éclosion de l'université de Paris, c'est suivre sur plus d'un siècle les remous d'un monde nouveau, bruissant d'émeutes et de conflits, de disputes savantes et de luttes doctrinales, fleuron de la chrétienté enfanté par le génie créateur du XIIᵉ siècle et qui s'épanouit pendant tout le XIIIᵉ siècle.

SOURCES : S. Guennée, *BIBLIOGRAPHIE DES UNIVERSITÉS FRANÇAISES, DES ORIGINES À LA RÉVOLUTION*, Paris, 1978. H. Hansenohr et J. Longère, *CULTURE ET TRAVAIL INTELLECTUEL DANS L'OCCIDENT MÉDIÉVAL*, Paris, 1981. S. d'Irsay, *HISTOIRE DES UNIVERSITÉS FRANÇAISES ET ÉTRANGÈRES DES ORIGINES À NOS JOURS*, Paris, 1933-1935. J. Le Goff, *LES INTELLECTUELS AU MOYEN ÂGE*, Paris, 1985. A. Tuilier, « La fondation de la Sorbonne, les querelles universitaires et la politique du temps », in *MÉLANGES DE LA BIBLIOTHÈQUE DE LA SORBONNE*, Paris, 1982.

# LE QUATRIÈME CONCILE DU LATRAN

## DES SACREMENTS POUR LA CHRÉTIENTÉ

**• 18 AVR •**

LE 11 NOVEMBRE 1215, LA BASILIQUE DU LATRAN, IMMENSE VAISSEAU HÉRITÉ de l'Antiquité chrétienne, était comble. On raconte même que plusieurs prélats moururent étouffés par la cohue. L'assemblée comptait plus de quatre cents évêques venus de toutes les frontières de la chrétienté, depuis l'Irlande jusqu'à l'Arménie, l'Espagne et la Suède, quelque huit cents abbés et prieurs de tous les ordres religieux connus, les délégués des chapitres de cathédrales ou de collégiales, les représentants des pouvoirs laïques, du roi de Sicile, le futur empereur Frédéric II, de l'empereur latin de Constantinople, des rois de France, d'Angleterre, de Hongrie, de Jérusalem, de Chypre... Plus près du trône, d'où le pape Innocent III dominait la foule, se trouvaient les patriarches de Jérusalem et de Constantinople, les cardinaux romains, les primats et les archevêques. Assemblée immense et bigarrée : mitres, crosses épiscopales et abbatiales, chapes brodées, tuniques chamarrées, marquant la dignité et l'origine de chacun. À peine remarquait-on dans la foule la tenue provocante du fastueux évêque de Liège, Hugues, qui manifestait sa qualité de comte par une tunique écarlate et un chapeau vert.

Le Pape ouvrit cette première session du concile de Latran IV par un discours affirmant la nécessité de réforme dans l'Église, et l'urgence d'une croisade pour délivrer les Lieux saints. L'Église n'était-elle pas menacée de toutes parts ? Depuis plus de trente ans, Jérusalem, conquise de haute lutte en 1099, était retombée aux mains des Sarrasins. En Germanie, l'empereur Otton IV de Brunswick reprenait l'offensive contre l'autorité pontificale. Fidèle successeur de Frédéric Barberousse, il plaçait sous sa coupe les villes italiennes. En Languedoc et ailleurs, l'hérésie cathare menaçait les fondements de la société chrétienne. En Italie même, en Lombardie, des prédicateurs prônant une pauvreté exaltée et rejetant la hiérarchie de l'Église répandaient des doctrines erronées. Ce n'était pourtant pas faute d'avoir tenté de les ramener dans le sein de l'Église. Mais Innocent III comprenait fort bien d'où venait cette exigence de pauvreté évangélique. Il ne fallait pas seulement condamner, endiguer les plus exaltés, il fallait avant tout combattre la cause du scandale et faire cesser le spectacle désolant de ces clercs qui vendaient les sacrements, acquéraient des charges ecclésiastiques à prix d'argent ou par des combinaisons malhonnêtes. La pratique chrétienne elle-même devait être précisée et redevenir aux yeux de tous l'expression fervente de la vie spirituelle.

Et le travail commença. On parla en effet de la Terre sainte, puis de l'affaire cathare. Le 20 novembre, on abordait, lors de la seconde session, la question de l'empire : la compétition entre Otton de Brunswick, excommunié, et le jeune Frédéric, pupille du pape. On revint aussi sur la situation de l'Angleterre, qui, sous la conduite de l'archevêque de Cantorbéry, Étienne Langton, se révoltait contre le roi Jean sans Terre. Mais c'est lors de la troisième et dernière session, le 30 novembre, que l'on discuta des points de doctrine et de discipline ecclésiastique élaborés pendant les séances préparatoires : condamnation de la doctrine de Joachim de Flore, autorité des prélats sur les clercs inférieurs, punition des clercs indisciplinés, questions de juridiction canonique... On renouvela l'interdiction du cumul des bénéfices. La création de nouveaux ordres religieux, hors des règles et constitutions déjà approuvées, n'était plus permise. Heureusement, le cardinal Hugolin devait obtenir sur ce dernier point une dispense pour Dominique et François d'Assise. Mais nombreux furent les canons réglant des aspects apparemment anodins ou culturels : garde sous clef des espèces eucharistiques, interdiction de laisser du mobilier

[ **« Faire ses Pâques. »** ]

profane dans les églises, réglementation du vêtement des clercs.

Reste le fameux canon XXI : *Omnis utriusque sexus...* « *Tout fidèle de l'un et l'autre sexe, à partir de l'âge de raison, confessera personnellement et fidèlement tous ses péchés au moins une fois l'an à son curé, et s'appliquera, dans la mesure de ses forces, d'accomplir la pénitence qui lui sera imposée, recevant avec respect au moins à Pâques le sacrement de l'Eucharistie...* »

« Faire ses Pâques », cette expression est passée dans le langage courant. La pratique de la confession avait été sujette à de nombreuses variations au long de l'histoire. Pouvait-on se confesser directement à Dieu ? Un diacre ou un laïc pouvaient-ils être désignés pour entendre l'aveu des péchés et absoudre le pénitent ? Que confesser, selon quelle périodicité ?

Plusieurs solutions avaient été avancées depuis l'Antiquité. Un concile provincial du IX<sup>e</sup> siècle permettait à un diacre de confesser. De même, jusqu'au début du XIII<sup>e</sup> siècle, beaucoup d'abbesses, cisterciennes en particulier, recommandaient, lors de la direction spirituelle dispensée à leurs moniales, la confession fréquente. N'avait-on pas encore l'exemple d'un duc de Souabe, qui, au tout début du XI<sup>e</sup> siècle, se sentant mourir et étant privé de prêtre, s'était confessé à ses soldats ?

Le recours de plus en plus exclusif au prêtre s'était établi dans la pratique. Les théologiens du XII<sup>e</sup> siècle en fournirent, après maintes controverses, la justification théorique. Le nœud de la question était de déterminer la nature du pouvoir sacramentel des prêtres dans l'exercice de la confession. Un débat opposait d'une part l'école de Pierre Abélard et Pierre Lombard, qui soutenait que le vrai repentir réconciliait instantanément le pécheur avec Dieu, et d'autre part, Hugues de Saint-Victor, pour qui seule la puissance sacerdotale était en mesure de le faire. La thèse de ce dernier fut nuancée par Richard de Saint-Victor, et, à sa suite, Alain de Lille, Prévôtin de Crémone, Étienne Langton : en effet, la contrition du cœur est le lieu où Dieu délivre le pénitent du poids de ses fautes, mais à condition qu'elle comporte le ferme propos de confesser au plus tôt ses péchés à un prêtre et de se plier à la réparation imposée.

Que doit-on confesser au prêtre ? Dans les pénitentiels irlandais de l'époque de saint Colomban, on trouvait, juxtaposée aux crimes les plus graves, la mention de fautes plus légères. On savait cependant distinguer depuis l'Antiquité chrétienne les péchés mortels de ceux dits véniels : la confession devait surtout se concentrer sur les premiers, sans pour autant exclure les seconds. La liste des sept péchés capitaux, établie par Grégoire le Grand sous la forme que nous connaissons encore aujourd'hui, permettait au pénitent d'établir la nature de ses fautes et au confesseur de l'interroger sans recourir à une description choquante de tous les vices.

On admit aussi que les péchés qui

*Que doit-on confesser au prêtre ?*

n'avaient pas entraîné un scandale public pouvaient être confessés secrètement au prêtre. Avec la généralisation de cette pratique s'imposa bientôt l'obligation de secret absolu du confesseur sur les aveux qui lui sont faits. C'est une disposition sur laquelle le canon XXI insiste fortement : « *Si quelqu'un osait révéler un péché qui lui a été découvert au tribunal de la pénitence, nous décrétons non seulement qu'il doit être déposé du ministère sacerdotal, mais encore qu'il soit voué, à perpétuité, à faire pénitence dans un monastère de stricte observance.* »

La question de la fréquence de la confession varia selon l'époque et le statut du pénitent. La règle de saint Colomban exigeait des religieux plusieurs confessions par jour, notamment une qui devait obligatoirement précéder la communion : évidemment, le canon XXI, qui ne s'adresse pas seulement aux moines ou aux clercs, n'imposait pas une telle fréquence. Il en a gardé cependant un point important : la communion doit être préparée par une confession. C'est pourquoi le concile Latran IV enjoint dans la même phrase de se confesser au moins une fois l'an, et de recevoir le sacrement de l'Eucharistie à Pâques. D'ailleurs, la confession préparatoire à la communion pascale était déjà en usage en Gaule aux environs de l'an 800, d'après les recommandations de Théodulphe, le très savant évêque d'Orléans.

Le canon XXI du concile Latran IV, en l'espace de quelques lignes, conclut sans en avoir l'air plusieurs siècles de réflexion. Alors que certains décrets de ce concile, sur les cathares, la croisade ou les ordres religieux nous semblent appartenir au passé, la pratique de la confession que Latran IV fixa définitivement dans l'histoire est parvenue inchangée jusqu'à nos jours.

SOURCES : *CANONS DU CONCILE DE LATRAN IV*. R. Foreville, *LATRAN I, II, III ET LATRAN IV*, Paris, 1965. A. Luchaire, *INNOCENT III. LE CONCILE DE LATRAN ET LA RÉFORME DE L'ÉGLISE*, Paris, 1908. N. Bériou, « Autour de Latran IV (1215) : la naissance de la confession moderne et sa diffusion » in *PRATIQUES DE LA CONFESSION*, Paris, 1983.

# LOUIS IX

## *QUAND LA SAINTETÉ S'ASSOIT*
## *SUR LE TRÔNE DE FRANCE*

**19 AVR** •

AN DE GRÂCE 1239. LE ROI LOUIS AVANCE, PIEDS NUS, entouré d'une foule de plus en plus importante qui clame sa joie et son émerveillement. Le voici tout proche de la porte de Sens. Depuis Villeneuve-l'Archevêque, il marche ainsi, sans couronne, en pèlerin, en pénitent, comme un pauvre. L'aîné de ses frères, sa mère, la reine Blanche de Castille, et de nombreux chevaliers, pieds et tête nus également, suivent le pèlerin.

Louis IX, roi de France au visage d'ange comme n'en rayonne nul autre dans tout le royaume, n'est aujourd'hui que le serviteur du roi céleste. Et, en ce jour, tous les cœurs, tous les esprits de ceux qui forment procession et cortège sont tournés vers ce que Louis porte avec son frère : la sainte couronne d'épines.

Le roi Louis a réussi à acquérir cette précieuse relique auprès de l'empereur latin de Constantinople, Baudouin II, qui manquait alors cruellement d'argent. Les tractations du roi et de sa mère faillirent pourtant bien échouer, car la république de Venise avait négocié la couronne en gage d'un prêt. Louis l'obtint au prix fort et consentit à ce qu'elle fût exposée à la cathédrale Saint-Marc de Venise avant que son précieux bien ne fut rapporté en France. Puis il commença son pèlerinage.

Ses pieds sont brûlants. Mais qu'est-ce que cette douleur comparée à celle endurée par le Christ couronné d'épines, lors de sa montée du Golgotha vers la Croix sous les coups et les huées ? Tout au long du chemin, le roi chargé du reliquaire prie pour son peuple et médite.

Les cloches sonnent tandis que la procession traverse la ville de Sens et s'achève à la lueur des torches à la cathédrale Saint-Étienne où la couronne repose pour la nuit. La relique mettra ensuite une semaine, par voie d'eau, pour arriver à Vincennes puis à Paris, et être déposée dans la chapelle Saint-Nicolas, chapelle privée du roi. Pour abriter la couronne, une grande part de la vraie croix et de l'Éponge que Baudouin II lui cédera par la suite, Louis fera construire dans ce même palais la Sainte-Chapelle, reliquaire fastueux qui sera consacré le 26 avril 1248, peu de temps avant son départ pour la croisade.

En 1244, en effet, le roi Louis, souffrant d'une maladie tenue pour mortelle, fait vœu de se croiser s'il guérit. Il survit et reçoit la croix des mains de l'évêque de Paris. Sa mère, son entourage, et même l'évêque tentent bien de le faire renoncer à son vœu : était-il vraiment en pleine possession de ses moyens lorsqu'il le prononça ? Le roi arrache alors la croix cousue sur son vêtement et la tend à l'évêque de Paris. Puis il lui demande de la lui rendre, puisqu'il est désormais sain de corps et d'esprit. Et il commence les préparatifs.

En août 1248, le roi, accompagné de deux de ses frères, d'environ 25 000 hommes et 8 000 chevaux, embarque à Aigues-Mortes pour l'Égypte. Sa femme tant aimée, Marguerite de Provence, épousée alors qu'il n'avait que vingt ans, part également. Il laisse la régence à sa mère, Blanche de Castille. La croisade est un échec. Si Damiette est prise rapidement, la marche sur Le Caire s'arrête à Mansourah, en février 1250, où le roi Louis est fait prisonnier pendant que son armée est décimée par la maladie (dysenterie, scorbut, typhus...). Louis risque la torture et la mort en refusant de prononcer toute parole contraire à la foi chrétienne. Les musulmans exigent pour le roi et ses chevaliers une lourde rançon. En attendant le paiement, ils demandent aux croisés de choisir entre la libération du souverain et celles de ses chevaliers. Le roi choisit, contre le conseil des siens, de rester prisonnier. Un mois plus tard, la reine Marguerite parvient à réunir la somme demandée et paie la rançon. Le roi est libre. Mais Louis ne rentre pas tout de suite en France : il veut obtenir la libération complète de tous les captifs et fortifier les positions acquises. Il agit ainsi contre l'avis de la majorité de son entourage. Seul Joinville, sénéchal de Champagne, son conseiller et confident, approuve sa décision. Il ne rentre en France qu'en 1253 après avoir appris tardivement la mort de sa mère, survenue en novembre 1252.

*Le roi choisit de rester prisonnier.*

Le règne de Louis IX prend alors un tour différent. Jusqu'à son premier départ en croisade, il avait été un roi très chrétien, pieux, fondant des abbayes, assidu aux offices, donnant de larges aumônes, soignant les lépreux... Un roi qui aimait la paix mais n'hésitait pas à se servir de la force pour l'obtenir, sans jamais pour autant abuser de la victoire. Le roi de France devint par là même un arbitre pour la chrétienté latine. À son retour de croisade, dont il interprète l'échec comme la sanction de ses péchés et de ceux de son peuple, il décide de faire pénitence pour mieux se préparer à une nouvelle croisade. Renonçant à tous les fastes, il multiplie les marques d'austérité et les jeûnes. Le roi dit tous les offices des heures canoniales, entend deux messes chaque jour – voire trois – et se confesse chaque semaine. Certains iront même jusqu'à dire qu'il voulut renoncer à la couronne pour devenir moine, et que seuls ses confesseurs réussissent à l'en dissuader.

Il veut réformer son royaume : plus de rigueur morale, plus de justice, un souci encore plus grand des pauvres. Il prend des ordonnances contre le blasphème, la prostitution, le duel judiciaire. Il réforme le corps des baillis et des sénéchaux. Avant de partir en croisade, en 1247, il avait envoyé des enquêteurs, des frères mendiants, deux par deux, dans toutes les régions du royaume pour recueillir les doléances du peuple à l'encontre des sénéchaux et des baillis investis du pouvoir royal. Cette enquête sans précédent, destinée à rendre justice au peuple, devint le fondement de cette réforme. Son action législative contribue à renforcer le pouvoir monarchique central en affaiblissant les féodalités, en étendant son contrôle. Il ne s'agit nullement pour Louis IX d'une simple question de pouvoir temporel. Tout habité qu'il est par la conviction d'être le serviteur de la royauté de Dieu, il cherche avant tout à écarter de ses sujets l'injustice et l'arbitraire. Ses décisions politiques en matière de traités de paix ou d'arbitrages, notamment dans ses négociations de paix avec l'Angleterre, sont aussi marquées par cette conviction. Il préfère ainsi renoncer pour partie au droit du vainqueur afin de préserver l'avenir de la paix.

Si Louis n'a pas renoncé à reconquérir Jérusalem, il souhaite maintenant convertir un prince de l'Islam. En effet, sous l'influence des frères mendiants, une nouvelle conception des croisades se fait jour : il ne s'agit plus de chasser les infidèles mais de les convertir. En 1267, il fait de nouveau vœu de croisade et fixe le départ à l'année 1270. Le fidèle Joinville refuse cependant de se croiser : il ne croit pas au succès de l'entreprise et va même jusqu'à penser que partir au lieu de rester pour protéger « ses gens » serait pécher. Louis embarque pourtant le

> En 1267, il fait de nouveau vœu de croisade.

2 juillet 1270 à Aigues-Mortes et débarque, après une escale en Sardaigne, le 18 juillet près de Tunis avec une armée de quelque 15 000 hommes. Il prend Carthage. Mais le typhus décime à nouveau l'armée chrétienne. Son fils Tristan, âgé de 20 ans, meurt le 3 août. Le roi lui-même tombe malade et meurt le 25 août à 3 heures de l'après-midi après une longue et douloureuse agonie. Les ossements du souverain, ramenés en France par son fils Philippe le Hardi, sont ensevelis, en 1271, en l'abbatiale de Saint-Denis après un service à Notre-Dame de Paris. Tout au long du trajet, plusieurs miracles se produisent. Le tombeau devient immédiatement un lieu de pèlerinage où de nombreux miracles sont constatés.

Le procès en canonisation se prépare dès 1272 à la demande de Grégoire X. Il sera rapide si l'on tient compte du fait que dix papes se succéderont de 1270 à 1297, année où le roi fut canonisé par Boniface VIII. Lors de l'ouverture du procès en canonisation, en 1282, trois cent trente témoignages furent recueillis et une soixantaine de miracles furent retenus. Si les actes du procès sont perdus, _L'Histoire de Saint Louis_ écrite par Joinville, achevée en 1309, reprend probablement son témoignage de 1282. Dans ce récit, le roi Louis apparaît comme un prud'homme, investi de nombreuses qualités : courage, loyauté, rigueur morale, sens de la justice... Un homme profondément attachant, très humain, plein d'humour, riant beaucoup, mais au caractère vif, tranché, enclin à la colère.

Reste l'image de Saint Louis rendant justice sous un chêne, et celle d'un roi portant la couronne d'épines, qui désirait être sur terre l'image du Christ et unir en lui, comme dans une icône vivante, l'image du roi chrétien et l'image du Christ-Roi. Le roi chercha tout au long de son règne à faire de la politique l'expression de la justice, et suivit sans cesse la voie du meilleur possible dans son gouvernement. L'homme rechercha la voie de la sainteté dans une vie d'époux fidèle et de pieux laïc.

SOURCES : J. de Joinville, *VIE DE SAINT LOUIS*. Saint Louis, *ENSEIGNEMENTS AU PRINCE PHILIPPE*. J. Le Goff, *SAINT LOUIS*, Paris, 1996. D.-M. Bell, *L'IDÉAL ÉTHIQUE DE LA ROYAUTÉ EN FRANCE AU MOYEN ÂGE D'APRÈS LES MORALISTES DU TEMPS*, Genève, 1972. Y. Congar, « L'Église et l'État sous le règne de Saint Louis » in *SEPTIÈME CENTENAIRE DE LA MORT DE SAINT LOUIS. ACTES DES COLLOQUES DE ROYAUMONT ET DE PARIS (21-27 MAI 1970)*, Paris, 1976.

# CHARTRES

## *L'ART GOTHIQUE*

### *OU LES CATHÉDRALES DE LUMIÈRE*

**• 20 AVR •** — PAS DE TRAVAIL AUJOUR-D'HUI, MON GARÇON, C'EST JOUR DE FÊTE, et je vais t'emmener à la cathédrale voir le vitrail du Bon Samaritain qui vient tout juste d'être posé. Et nous n'en sommes pas peu fiers, nous les cordonniers de Chartres ! À nous seuls, nous donnons trois verrières à Notre-Dame.

Aubin, le nouvel apprenti de maître Guillaume, cordonnier-savetier de son état, dresse l'oreille. Il n'est arrivé dans la ville que depuis le début de la semaine, une ville qu'il découvre toute bruissante d'activités diverses au hasard des courses qu'on l'envoie faire. Il a hâte d'aller admirer cette cathédrale qui, depuis des années, lui a-t-on dit, a transformé le cœur de la ville en un immense chantier.

— Trois verrières ?, s'émerveille-t-il.

— Trois, et parmi les plus belles. Nous donnons aussi le vitrail de l'Assomption et celui de saint Étienne. Tous les artisans et boutiquiers de Chartres se cotisent pour offrir les vitraux, chaque confrérie veut être dignement représentée dans la cathédrale, et nous avons fait un gros effort. Heureusement que beaucoup de marchands et surtout de pèlerins traversent la ville : leurs chaussures en mauvais état nous fournissent du travail. Car les vitraux coûtent très cher, tu t'en doutes bien !

Maître Guillaume et son apprenti déambulent maintenant au long des rues. Tout en marchant, le cordonnier raconte à Aubin l'histoire de la cathédrale, l'incendie qui l'a ravagée en 1194, et les campagnes de reconstruction qui ont suivi. La nouvelle cathédrale, lui explique-t-il, a bénéficié des techniques d'architecture récemment expérimentées à Saint-Denis, sous l'impulsion de l'abbé Suger, puis à Sens, à Laon, à Notre-Dame de Paris, à Bourges. L'invention des arcs-boutants, par exemple, qui neutralisent les poussées divergentes de la nef, a permis d'élever des murs plus hauts, de réduire la surface des parois, d'agrandir les ouvertures. Maintenant, chaque fois que l'on construit une nouvelle cathédrale, son ossature de pierre devient plus légère, au bénéfice des vitraux qui laissent davantage pénétrer la lumière.

Le cordonnier a l'air de s'intéresser beaucoup à ces nouvelles techniques de construction, et Aubin l'écoute de toutes ses oreilles. Mais les voici arrivés devant Notre-Dame de Chartres. La façade ouest s'offre à leurs yeux dans sa splendeur, avec son portail royal et sa flèche élancée qui fait l'admiration d'Aubin. Une flèche de quarante-trois mètres, lui précise maître Guillaume, qui jaillit d'une tour haute de soixante mètres.

— Regarde comment l'œil passe insensiblement de la tour rectangulaire à la flèche orthogonale. C'est du beau travail, et pour moi c'est la plus belle flèche du monde ! Elle a été construite au siècle dernier, avant l'incendie. Le portail royal lui aussi a résisté à l'incendie. Mais les trois grandes verrières au-dessus du portail, la grande rose et la galerie des rois sont très récentes, et je connais bien plusieurs de leurs bâtisseurs.

Aubin regarde le portail, les statues-colonnes des ancêtres du Christ qui encadrent les trois portes, puis leurs tympans sculptés qui représentent, au centre le Christ en gloire, à droite sa Mère au-dessus des scènes qui entourent la naissance de l'enfant-Dieu, à gauche son Ascension au ciel.

— N'oublie pas de regarder aussi les cordons de sculptures qui les surmontent. Tu vois, lui dit malicieusement le cordonnier, au-dessus des scènes de l'enfance de Jésus, il y a les savants, les érudits, qui ont bien besoin qu'on leur remette de temps en temps les pieds sur terre, et au-dessus de l'Ascension il y a les paysans, qui ont bien besoin qu'on leur fasse de temps en temps relever le nez pour regarder le ciel !

— Ce n'est pas mal vu, rit Aubin.

Le cordonnier l'attire maintenant à l'intérieur de la cathédrale, tant il a envie de lui faire admirer « son » vitrail. Dehors, le soleil est magnifique, et leurs yeux commencent par être aveuglés. Mais ils s'habituent tout doucement à la pénombre colorée et, lentement, c'est comme si un nouvel univers leur apparaissait, un univers de silence, de prière et de paix. La nef, très haute, reçoit une lumière transfigurée par son passage à travers les vitraux. C'est une lumière chargée d'invisible, qui semble relier les hommes au monde du divin. Aubin, impressionné, se rappelle un psaume qu'il a entendu commenter lors d'une prédication du dimanche : « *Le Seigneur est ma lumière et mon salut : de qui aurais-je peur ?* »

— Viens, lui dit maître Guillaume, qui l'emmène sur la droite, dans le bas-côté sud, vers la troisième fenêtre en partant du fond. Notre vitrail est facile à repérer, il est au niveau du labyrinthe, ce grand cercle tracé sur le sol à l'intention des pèlerins.

Aubin se laisse emmener et il voit tout de suite, au bas du vitrail, juste à bonne hauteur pour les yeux, les trois scènes qui présentent les donateurs : il n'y a pas de doute, ce sont bien les cordonniers chartrains ; les voici, à gauche découpant leur cuir sur un établi, au centre confectionnant des chausses, à droite offrant la maquette de leur vitrail. Quant au vitrail lui-même, il est tout bonnement splendide, avec son décor à dominante bleue et ce découpage en médaillons, qui des-

> *C'est une lumière chargée d'invisible, qui semble relier les hommes au monde du divin.*

sine trois grandes fleurs à quatre pétales et à cœur rouge.

– C'est une mosaïque de verres colorés dans la masse, précise maître Guillaume, ensuite ils ont été découpés au fer rouge et réunis dans un réseau de plomb, avant d'être montés sur une armature de fer.

– Et les grands yeux des visages, comment ont-ils été faits ? demande Aubin.

*Ce vitrail c'est un véritable sermon en images.*

– Avec une peinture brune fixée par une dernière cuisson du verre.

Aubin recule pour mieux contempler l'ensemble.

– C'est la parabole du Bon Samaritain ?

– Oui, mais aussi beaucoup plus. À Chartres, nous avons des théologiens très réputés, une école qui attire beaucoup d'étudiants étrangers. C'est grâce à leur aide que les peintres-verriers ont conçu ce vitrail. J'aurais du mal à te le raconter, mais ils nous l'ont expliqué, et c'est un véritable sermon en images. En gros, il compare l'homme à un pèlerin sur terre qui a été blessé par le péché, et le Christ au Bon Samaritain qui est venu sauver le blessé.

– C'est exactement cela, dit un clerc qui les écoutait depuis un moment. Regardez les trois cœurs rouges des fleurs. Celui qui est au centre du vitrail, c'est l'homme dans toute sa beauté, Adam tel qu'il a été créé par Dieu. Celui du bas, c'est l'approche du danger, la venue des bandits qui vont attaquer le voyageur de la parabole. Celui du haut, c'est Dieu venant à la rencontre de l'homme, c'est-à-dire à notre rencontre.

– Tout est mélangé, alors, l'histoire du blessé, l'histoire d'Adam, notre histoire ? interroge Aubin.

– Oui et non. C'est plus facile quand on regarde les scènes les unes après les autres, explique le clerc. Le vitrail se lit de bas en haut. Juste au-dessus des cordonniers donateurs, voici le Christ, assis sur un banc, face à deux hommes qu'une inscription désigne comme des « pharisiens ». Ils lui ont posé la question : « *Maître, que dois-je faire pour avoir la vie éternelle ?* » À quoi Jésus a répondu : « *Tu aimeras le Seigneur ton Dieu de tout ton cœur, de toute ton âme, de toute ta force et de tout ton esprit ; et ton prochain comme toi-même.* » Comme ils ont demandé qui était leur prochain, Jésus raconte : « *Un homme descendait de Jérusalem à Jéricho...* » Cet homme, le voici un peu plus haut à gauche, c'est un « pèlerin », indique l'inscription, il quitte Jérusalem, mais regardez, les brigands l'attaquent, le rouent de coups, et maintenant il est seul, étendu à demi nu, les yeux suppliants. De chaque côté de lui, on trouve un prêtre et un lévite, mais le malheureux n'a aucun secours à attendre de leur part.

Dans le médaillon du dessus, poursuit le clerc, arrive, comme venant de l'extérieur du vitrail, le Samaritain qui panse la tête du blessé. Vous le voyez ?

– Oui, dit Aubin, je trouve qu'il ressemble au Christ.

– Tu as tout à fait raison, le peintre lui

a donné le visage du Christ, et il l'a fait volontairement. Ensuite, le Samaritain charge le blessé sur sa monture et le conduit chez l'aubergiste. Au-dessus encore, le voici penché presque maternellement sur l'homme, s'assurant avant de le quitter qu'il ne manquera de rien. C'est lui qui s'est montré le prochain du blessé.

Nous arrivons maintenant au centre du vitrail, qui chante la création de l'homme par Dieu. Vous allez penser que c'est un autre sujet ? Pas du tout, c'est le commentaire de la parabole qui a été fait par nos théologiens. Adam et Ève, créés à l'image de Dieu avec beaucoup de tendresse (regardez sa main sous le menton d'Adam, puis sa main sur le

> *Dieu sort de sa maison pour venir à leur rencontre.*

visage d'Ève) commencent mal leur pèlerinage sur la terre, puisqu'ils cèdent à la tentation du fruit défendu. Vous les voyez qui essaient de se cacher, puis, plus haut, qui sont chassés du jardin. Mais Dieu, qui a le visage du Christ, sort de sa maison pour venir à leur rencontre. Caïn a beau tuer Abel (comme vous le voyez en haut à droite), Dieu vient à la rencontre de l'homme. L'image ultime du vitrail, la plus haute, le montre assis sur l'arc-en-ciel de l'Alliance, les bras grands ouverts pour nous accueillir. C'est lui, notre Bon Samaritain. Voilà ce que proclame le vitrail.

– Et il le proclame magnifiquement, conclut maître Guillaume, manifestement ravi de l'intervention du clerc.

SOURCES : A. Trintignac, *DÉCOUVRIR NOTRE-DAME DE CHARTRES*, Paris, 1988. J. Villette, *GUIDE DES VITRAUX DE CHARTRES*, 1987. C. Manhes et J.-P. Deremble, *LE VITRAIL DU BON SAMARITAIN, CHARTRES, SENS, BOURGES*, Paris, 1986.

# GUILLAUME DE RUBROUCK

## OU L'EXTRAORDINAIRE AVENTURE
### D'UN FRANCISCAIN CHEZ LES MONGOLS

**• 21 AVR •** L'IMMENSE ET ROBUSTE FRANCISCAIN ALLUME LA BOUGIE, INSTALLE LA PLUME et les encres sur l'écritoire, puis retourne à la fenêtre, pour regarder le soir tomber sur Nicosie. L'action lui manque. Derrière la porte de sa cellule, il entend des pas. Serait-ce le provincial qui le fait épier, pour s'assurer qu'il va se mettre au travail ? Pour ce voyageur infatigable, c'est une étrange impression que d'être ainsi contraint à l'inactivité sur l'île de Chypre, en cette année 1255. En effet, après avoir accompagné Louis IX en Terre sainte, il est parti comme ambassadeur du roi de France auprès du grand khan de Mongolie, dans le mystérieux royaume des steppes... Et maintenant, son provincial prétend l'obliger à écrire son rapport...

Puisqu'il le faut, Guillaume de Rubrouck va l'écrire, cette lettre au roi de France. Et elle sera longue. Mais que dire ? Par où commencer ? Il faudrait parler de cette civilisation mongole, de tout ce qui fait mystère en Europe : le chamanisme, la réincarnation, ce bouddhisme qu'il discerne encore mal ; la médecine chinoise et sa doctrine du pouls ; l'écriture du Céleste Empire. Mais pour débuter, foin d'ethnologie... Faudrait-il alors faire le linguiste et commencer par la parenté des langues slaves ? Ou le géographe peut-être et entamer ses écrits par la contradiction, en révélant que la Caspienne n'est pas un golfe de l'océan, mais une mer fermée ? Ou encore le zoologue et évoquer l'onagre, cet hybride d'âne et de cheval ? À moins qu'il ne se fasse historien en identifiant au Cathay le pays de Sérès ? Bon, il y mettra tout cela, c'est entendu. Mais sa lettre au roi devra d'abord, et surtout, être le récit de son aventure. Un *Voyage dans l'Empire mongol*.

N'est-il pas parti là-bas en explorateur, habité des craintes que suscitait en Europe l'empire fondé par le terrible Gengis Khan ? Cette puissance politique phénoménale qui s'était emparée de la majeure partie de l'Asie et de l'Europe orientale, et créait dans le monde une situation encore inconnue.

Résumer vingt-quatre mois de tribulations, et seize milles kilomètres parcourus, n'est pas chose aisée. Il faudrait commencer par brosser le tableau des incertitudes du départ. Le bruit avait couru, voici ce qui semble désormais une éternité, qu'un potentat oriental chrétien, le prêtre Jean, s'était levé en Orient, au pays des mages, ou plus loin encore, prenait l'islam à revers – on était en pleine croisade – et allait le mener à sa perte.

Les nouvelles se succédaient. En 1220, tout l'Iran était submergé et détruit. L'inquiétude montait... L'attaque de l'Europe. Les royaumes du Caucase qui sombrent. La défaite des Russes à la Kalka en 1238, lors d'une première vague d'invasion puis sous les coups d'une seconde, la chute de Moscou et de Vladimir en 1238, puis celle de Kiev en 1240. Et les hordes mongoles se jettent sur la Pologne, la Hongrie, anéantissent l'armée allemande à Liebnitz, franchissent les eaux de l'Adriatique (1241-1242).

C'est alors, songe Guillaume, qu'avait germé le désir d'aller voir. Les récits de la masse incroyable des réfugiés, misérables, terrorisés, qui refluait vers l'Occident, avaient des accents de fin du monde, remplis qu'ils étaient de peuples de Gog et de Magog sortis du Tartare, le fleuve infernal de l'Antiquité, d'« *êtres qui n'ont rien d'humain, qui ressemblent à des bêtes* ». Guillaume se souvient s'être alors interrogé : « Qui sont-ils ? Que veulent-ils ? » Dans l'Orient chrétien, des voix s'élevaient en leur faveur. Les Arméniens et les chevaliers francs les défendaient.

Alors, bien sûr, Guillaume décida d'aller rencontrer ces prétendus « *monstres* » qui déportent, certes, et soumettent

les Latins à de rudes traitements, mais qui, disent aussi les premiers explorateurs, se font si facilement baptiser. Car, il l'avouera dans son récit, lorsque Guillaume quitte les Flandres pour proposer à Louis IX d'aller faire ambassade, il n'est pas le premier. Il y a déjà eu trois ou quatre missions envoyées par le pape en 1245, menées par des franciscains et des dominicains, avec l'ordre d'aller au plus près, d'atteindre le camp des premiers chefs et de revenir au plus vite. Parmi eux, Simon Quentin puis Jean de Plan de Carpin, qui ont été entraînés par les événements et ont pénétré profondément dans le cœur de l'Asie. Il y a eu les lettres des khans, qu'ils ont rapportées, et les premières informations crédibles ; les premiers ambassadeurs dépêchés par les Mongols eux-mêmes en 1248.

N'empêche, Guillaume est tout de même parti vers l'inconnu, et plus loin qu'aucun d'eux. Il ne rappellera pas au roi comment il a réussi à lui forcer la main. Comment ce qui se murmure depuis si longtemps à son propos : « insubordination », « indépendance d'esprit », « désobéissance », « ironie » avaient rendu méfiant le souverain qui le connaissait pourtant bien. Comment son roi avait refusé de le nommer officiellement ambassadeur, pour mieux le récuser si les choses tournaient mal. Comment il s'était finalement résolu à le laisser partir comme missionnaire, et, en sous-main, comme agent de renseignements. Il soulignera plutôt ce qui l'animait, lui, au

> *Guillaume décida d'aller rencontrer ces soi-disant « monstres ».*

moment du départ : son idéal de franciscain, son désir de réconforter tous ces déportés, dont il avait ouï les malheurs, notamment ces peuples germaniques cantonnés sur le Talas et qu'il n'a pas pu voir. Il insistera aussi sur sa volonté de servir Dieu et son roi.

Dans le soir qui tombe sur Nicosie, Guillaume tergiverse. Il se verse un peu de ce vin français qu'il aime et qui lui a tant manqué pendant deux ans. « Pour mieux réfléchir », sourit-il. Puis, il retourne à son écritoire. Il va commencer simplement par le début de son périple. Comment il a gagné Constantinople...

Ensuite, l'aventure. La veille du printemps de 1253, il s'embarque pour la Crimée où il touche terre le 21 mai. Il ne pense pas aller très loin, seulement jusqu'à un chef mongol, Sartak, pour lequel le roi lui a remis une lettre et dont le camp est situé quelque part entre Don et Volga. Six mois plus tard, il se retrouve en Mongolie, en présence du grand khan Mongka.

S'ensuivent les tribulations, la traversée de l'Asie centrale, d'abord pieds nus jusqu'à ce que ses orteils gèlent ; parfois en chariot traîné par des bœufs ; souvent à cheval. Il se souvient de l'avertissement de son guide : il serait abandonné s'il ne pouvait pas supporter le voyage. Mais partout il est accueilli et reçoit un traitement digne d'un ambassadeur, alors même – cela fera certainement sourire son roi – qu'il ne cesse de protester qu'il n'en est pas un. Et cette question sans cesse posée : « Qu'êtes-vous donc venu faire là ? »

Il reste six mois dans la capitale de l'empire à Karakorum, faisant bon gré mal gré un peu de diplomatie ; et aussi, autant qu'il le peut, de l'apostolat. Il faudra raconter la médiocrité affligeante de son interprète, grogne-t-il. Narrer les rencontres improbables avec des compatriotes, un orfèvre parisien, maître Guillaume Buchier et son fils, les nestoriens, avec lesquels il s'est si mal entendu, et les Hongrois, les Géorgiens, les Arméniens, les Russes, en compagnie desquels il a célébré cette fête de Pâques si particulière.

Et les hymnes et les psaumes qu'il a chantés à tue-tête, en latin, pour être sûr que les Mongols ne les comprennent pas, et qu'il choisissait parmi les plus provocateurs ! « *Les ennemis du Seigneur, je les hais d'une haine parfaite.* » Un nouveau sourire. S'il raconte cela, sa réputation d'irrévérence ne risque pas de s'éteindre de sitôt. Mieux vaut insister sur la controverse religieuse organisée en son honneur par le souverain suprême, et qui l'a mis aux prises avec des nestoriens, des musulmans, et des « tuines » – ces bouddhistes ou taoïstes. Force sera d'admettre qu'il ne s'est pas si mal tiré d'affaire.

La nuit est définitivement tombée sur Nicosie. Guillaume songe à la dernière année passée à rejoindre cette ville chypriote après que Mongka l'eut renvoyé ; à ses résistances, il n'était plus très sûr de vouloir retrouver cet « autre monde »,

> « *Mais qu'êtes-vous donc venu faire là ?* »

malgré sa nostalgie des Flandres. Il pense au message que le souverain lui a confié pour le roi de France, à leur dernière rencontre, et à ses paroles : « *Seigneur, puisqu'il vous plaît* [...] *je m'en irai et je porterai les lettres* [...] *mais je voudrais faire une demande à votre magnificence : Qu'il me soit permis de revenir chez vous...* »

Guillaume reprend du vin, trempe sa plume. Au fond, il sait qu'il ne retournera pas dans les steppes. Au moins espère-t-il, une fois son rapport achevé, pouvoir revenir en France et y rencontrer le roi pour tout lui conter de vive voix. Il ignore encore qu'il lui faudra attendre deux longues années pour, une dernière fois, reparaître devant Louis IX. Il ne sait pas non plus, bien évidemment, que son récit va constituer une source irremplaçable de renseignements sur l'Empire mongol, sur son histoire, ses mœurs, sa géographie et que, jusqu'à l'aube du XXI<sup>e</sup> siècle, les meilleurs spécialistes de la question le prendront comme référence tant ses précisions sont exemplaires et son style remarquable.

SOURCES : Guillaume de Rubrouck, *VOYAGE DANS L'EMPIRE MONGOL*. D. Sinor, « Le Mongol vu par l'Occident », in *1274 ANNÉE CHARNIÈRE. MUTATIONS ET CONTINUITÉS*, Paris, 1977, J.-P. Roux, *LES EXPLORATEURS DU MOYEN ÂGE*, Paris, 1990.

# THOMAS D'AQUIN
## *UNE CATHÉDRALE DE MOTS*
## *À LA GLOIRE DE DIEU*

**22 AVR** « *QU'EST-CE QUE DIEU ?* » LE JOUR OÙ IL ENTEND LE PETIT OBLAT QUI LE SUIT à travers les dédales du grand monastère du mont Cassin lui poser cette question, le vieux moine se retourne vers lui en souriant. Ce petit Thomas, confié au monastère par l'ambitieux comte Landolphe d'Aquin, qui voyait déjà son benjamin abbé de ce monastère si disputé et par l'empereur et par le pape, que deviendra-t-il ? Son appétit mystique cadre bien mal avec les projets politiques de son père...

Thomas reste au monastère cinq ou six ans, puis ses parents l'en éloignent car la paix y est encore une fois troublée par la convoitise des puissants. Ils l'envoient à Naples, où il commence son cursus universitaire, en étudiant les arts du langage. En ce temps-là, la théologie est la reine des sciences, et l'on doit avoir parcouru toutes les disciplines avant de scruter le mystère de Dieu ! Naples est alors un centre de traduction de la philosophie gréco-arabe dans la chrétienté. Thomas découvre ainsi Aristote auprès de ses premiers traducteurs, avant que les interprètes latins ne l'aient surchargé. Quelle surprise sans doute pour le jeune homme, habitué par la spiritualité monastique à considérer l'univers comme un pur signe de la beauté incompréhensible de Dieu, de découvrir avec le philosophe païen que le monde a une consistance en lui-même ! Les choses s'enchaînent les unes aux autres selon les lois données par Dieu, qu'Il n'enfreint lui-même que par miracle, et que l'intelligence peut connaître pour bâtir une véritable science de la réalité. Déjà, il entrevoit sa mission future, mettre en lumière l'harmonie qui existe entre ces deux manières de regarder le monde... Mais sa question d'enfance demeure : « *Qu'est-ce que Dieu ?* »

Elle résonne très fort dans son cœur quand il entend prêcher et voit mendier deux religieux tout de blanc vêtus qui intriguent les habitants de Naples. Pour répondre à sa question, il lui faudra les suivre ; tout quitter et partir avec eux à la suite du Christ. Il reçoit sans tarder l'habit des dominicains. Ainsi Thomas d'Aquin ne sera-t-il jamais le puissant père-abbé du Mont-Cassin, dont ses parents ont rêvé, mais frère Thomas de l'ordre des Prêcheurs de la province de Rome ! Il rejoint ces « mendiants » qui ne sont ni des moines ni des curés et qui servent avec zèle la papauté réformatrice, transformant ainsi la société féodale.

Sa famille réagit : sa mère le fait capturer par son frère Renaud à la tête d'une petite troupe de soldats de l'empereur. On veut lui arracher son habit, il résiste ; on le tient au secret dans les châteaux familiaux, il patiente ; on introduit une courtisane dans sa chambre, fermement il la chasse ! Il profite de sa retraite forcée pour continuer ses lectures ; mieux : il convainc sa sœur Marotta de se faire religieuse. Au bout d'un an, de guerre lasse, sa famille le rend à ses frères dominicains... « *Qu'est-ce que Dieu ?* » Thomas a désormais une première réponse : Il est Celui qu'on aime plus que tout, plus même que ceux qu'on aime le plus. « *Il vaut mieux obéir au Père des esprits pour que nous vivions, qu'aux générateurs de notre chair.* »

Ses supérieurs l'engagent dans la voie universitaire. Fin 1245, il est à Paris, où selon les papes d'alors, « *se cuit le pain de la chrétienté* ». À cette époque, la vérité passionne les foules : c'est le temps des débats publics. Dans le sud-ouest de la France, devant les populations rassemblées, théologiens catholiques et savants hérétiques s'affrontent. L'universitaire a une position prestigieuse : c'est ainsi que Thomas a ses entrées au palais royal, jusqu'à la table de Saint Louis. Sous la direction de maître Albert le Grand, dominicain, le plus grand savant de son époque, il continue sa formation. Albert lui communique sa passion de la docu-

> *Thomas a ses entrées jusqu'à la table de Saint Louis.*

mentation. Il devient son assistant et va fonder avec lui un centre d'études à Cologne, où il y restera quatre ans. C'est alors que Thomas entame sa course de géant : en 1252, à 27 ans seulement, il est choisi par Jean le Teutonique, Maître de l'ordre des Frères prêcheurs, pour enseigner à Paris. Rapidement il devient docteur et maître en théologie. Il commence alors son œuvre, colossale.

« *Qu'est-ce que Dieu ?* » Dieu est d'abord Celui pour lequel Thomas a tout quitté... Or, en ces années-là, la révolte gronde chez les universitaires contre ces nouveaux venus que sont les dominicains et les franciscains. Beaucoup accusent les Mendiants d'être un danger pour la religion et l'ordre public. Thomas doit lutter pour défendre le mode de vie qu'il a choisi contre vents et marées, dans sa jeunesse. L'ironie sarcastique de ses écrits polémiques montre que ce pacifique et ce distrait fut également un lutteur.

Dieu est aussi Celui que le dominicain cherche dans sa vie quotidienne, en Le contemplant pour en parler aux autres. Il dort le moins possible, s'il veut répondre à la question qui le brûle le travail est énorme ! Il est à l'office de nuit avant tous ses frères. Levé de bonne heure, il célèbre une messe chaque matin, en entend une seconde, puis il monte travailler dans sa cellule, assisté par plusieurs secrétaires à qui il dicte ses œuvres, ou qui préparent l'édition en cours. Il passe ensuite sa matinée à enseigner l'Écriture Sainte, en répondant aux questions des étudiants. Il ne mange sans doute qu'une fois par jour. L'après-midi, il préside des sortes de forum que l'on appelait des questions disputées. Vers Noël et vers Pâques, elles étaient plus longues et plus solennelles : le maître devait résoudre des difficultés inattendues soulevées par les étudiants. Enfin, il prêche régulièrement, en latin pour les universitaires, à qui il se plaît à redire qu'une pieuse petite vieille en sait plus sur Dieu qu'un savant orgueilleux.

Aucune prétention dans tout ce travail, mais une double humilité. Celle de la prière : on voit souvent le Maître prier, les bras en croix, pour demander la vérité à son Maître. Celle de l'étude : Thomas sait que pour répondre à sa question d'enfance, il a besoin de ceux qui l'ont précédé dans la quête de Dieu. Il part donc à la recherche des trésors de la tradition chrétienne, retenant par cœur les textes des Pères de l'Église, souvent inconnus à son époque, qu'il peut lire dans les parchemins des monastères où il s'arrête au cours de ses voyages. Par son soin constant à réunir la meilleure documentation possible, Thomas fonde l'exigence scientifique qui marque la théologie latine.

Ce savant est aussi un artiste : un jour, le pape Urbain IV lui commande un texte d'office pour la fête du Saint-Sacrement. Thomas jubile : le mystère de l'eucharistie le passionne. Depuis longtemps, il polit et affine la métaphysique pour permettre à la raison humaine de pénétrer ce miracle de Dieu,

présent en place du pain et du vin entre les mains du prêtre. *Pange lingua*, *Tantum ergo*, *Lauda Sion* : Thomas est l'auteur de ces vers de bronze qui ont traversé les siècles avec les processions de l'Église.

« *Qu'est-ce que Dieu ?* »

Les années passent, l'enquête avance. Labeur immense ! Entre 1268 et 1274, année de sa mort, Thomas compose son chef-d'œuvre, la *Somme théologique*. La foi chrétienne est alors tellement universelle que l'existence de Dieu semble évidente. En réfléchissant sur la création, Thomas est le premier à comprendre pourquoi il est possible de ne pas croire : en créant, Dieu ne fait pas un spectacle de marionnettes animées de l'extérieur ; il pose ses créatures avec une existence bien à elles. Elles sont même si consistantes que l'esprit peut s'y arrêter sans discerner leur Créateur à travers elles. Pour aider ses frères, Thomas trace alors des « voies » vers Dieu pour l'intelligence humaine.

« *Je suis qui je suis* », révèle Dieu à Moïse. « Vérité sublime ! » écrit Thomas, car « Celui qui est » fait aussi être toutes choses. Ouvert par l'intelligence à tout ce qui est, l'homme est ainsi par nature désireux de connaître Dieu, et c'est là le secret de son bonheur. Humble et audacieux, le théologien va jusqu'au bout des possibilités humaines de dire Dieu. *Quantum potes, tantum aude* : ose, dans l'exacte mesure où tu peux ! L'amour cherche à connaître et l'intelligence rend présent Celui que l'on aime :

> *Une pieuse petite vieille en sait plus sur Dieu qu'un savant orgueilleux.*

la foi secrète une mystique de l'intelligence !

À la porte de sa cellule, observons Thomas au travail : enthousiasme et ratures. Il dicte parfois plusieurs œuvres différentes à plusieurs secrétaires en même temps ! Soudain, il prend lui-même la plume et couvre le parchemin d'une écriture emportée, impatiente, presque illisible : exprime-t-il alors une lumière que Dieu répand dans son cœur ? Ou bien cherche-t-il à voir, en écrivant ? Voir puis dire, dire pour voir : « *Qu'est-ce que Dieu ?* »

La vie intellectuelle aussi est un lieu de sainteté. Thomas vit ce qu'il enseigne : l'homme est créé à l'image de Dieu et Dieu demande à l'homme de faire son métier d'homme, qui est de Lui ressembler ! Si l'homme comprend que son bonheur est en Dieu, ses actes et ses sentiments les plus ordinaires sont inspirés par Dieu lui-même connu et aimé.

Mais quelle peine Thomas prend-il à scruter le Mystère, pour découvrir que, coupé de Dieu par le péché, par ses propres forces, l'homme sait de Lui surtout ce qu'Il n'est pas ! Or, Dieu lui-même a parlé, en son Fils ! Les soirs de Carême, quand on chante « *Pas d'autre secours, nul autre Sauveur que Toi, Seigneur* », Thomas pleure : en Jésus, cet Homme aux prises avec la mort, il adore la parole absolue, l'unique chemin de l'homme vers Dieu.

Un jour, le crucifié lui dit :

– Tu as bien parlé de moi, Thomas, que veux-tu pour récompense ?

– Rien d'autre que Toi, Seigneur !, répond-il.

Jésus le prend au mot. Peu de temps après, en décembre 1273, frère Raynald, son secrétaire, préparant comme chaque matin les stylets, le parchemin, l'écritoire, reste plongé dans ses pensées : « Que doit être Dieu, pour passionner autant frère Thomas ? »

Thomas entre : « Raynald, je ne peux plus. » Comme s'il n'entendait pas, le secrétaire taille sa plume en soupirant. « Raynald, ce que j'ai écrit est négligeable à côté de ce que j'ai vu et qui m'a été révélé ! » La plume est désormais inutile : l'aile même de Dieu allait le soulever ; la *Somme* restera inachevée, en signe du passage de Celui qu'elle fait si bien connaître !

Thomas meurt sur la route du concile de Lyon en 1274, l'*Adoro Te devote* sur les lèvres et au fond du cœur les millions de chrétiens qui puiseront dans son œuvre plus d'amour pour Dieu. Canonisé en 1323, il est déclaré docteur de l'Église en 1567. Depuis 1369, son corps repose dans l'extraordinaire église des jacobins, à Toulouse : ses frères dominicains le portent en procession lors d'une messe solennelle, tous les 28 janvier, jour où il est fêté par l'Église universelle.

SOURCES : Thomas d'Aquin, ŒUVRES. M.-D. Chenu, SAINT THOMAS D'AQUIN ET LA THÉOLOGIE, Paris, 1959. E.-H. Weber, LA CONTROVERSE DE 1270 À L'UNIVERSITÉ DE PARIS ET SON RETENTISSEMENT SUR LA PENSÉE DE SAINT THOMAS D'AQUIN, Paris, 1970.

# YVES DE TRÉGUIER

## *LA SAINTE JUSTICE*

### *AU SERVICE DES PAUVRES*

**• 23 AVR •** DANS LES ANNÉES 1290, EN BRETAGNE, UNE QUERELLE ENVENIME LES RELATIONS entre Raoul Portier et son beau-père, Geoffroy de l'Isle. Le sujet ? Des parcelles de terre que chacun revendique. La querelle, faute d'accord, tourne au procès. Yves, recteur de la paroisse de Trédrez, connaît bien Raoul Portier. Cette situation le désole.

Un jour, avant de célébrer la messe, il croise les deux protagonistes. Il les exhorte à la réconciliation « *Laissez-moi,* leur dit-il, *arranger ce différend à l'amiable.* » Mais Raoul et Goeffroy sont inflexibles. « *Nous ne voulons d'autre paix que celle que nous donneront le droit et la justice.* » Serein, Yves leur répond qu'il va célébrer la messe et demander à Dieu de leur apporter la paix. Et voilà qu'après l'office, Raoul et Geoffroy attendent Yves et que leurs dispositions sont tout autres ! Ils laissent au recteur le soin de résoudre leur différend. Ce qu'Yves, en fin connaisseur du droit, réussit aussitôt.

Des affaires comme celles-là, Yves, médiateur zélé, en plaidera des milliers, empêchant ainsi des procès aléatoires et coûteux. Car, avant de devenir prêtre, après des études de droit poussées, il a été official, c'est-à-dire juge au tribunal ecclésiastique. Un official reconnu pour sa probité, toujours prêt à défendre les humbles, méritant ainsi pleinement son surnom d'« avocat des pauvres ». Ne disait-on pas de lui : « *Saint Yves était Breton, avocat mais pas larron, chose étonnante pour le peuple.* »

Natif de Tréguier, de noble lignée, Yves Helory de Kermartin, d'un naturel plein de gaîté et de patience, qualités qu'on lui reconnaîtra de tout temps, s'est très tôt consacré aux études. En 1267, il part étudier le droit à la célèbre université de Paris sous la direction de professeurs éminents, notamment Thomas d'Aquin. Il est très studieux, et l'on dit même que ses livres lui servaient d'oreiller ! Yves n'hésite déjà pas à se sacrifier pour les pauvres, laissant par exemple son lit à des miséreux pour dormir à même le sol. Plus tard, à la mort de ses parents, il construira avec son héritage un grand bâtiment où il accueillera les pauvres des alentours.

Tous ses compagnons de jeunesse témoignent que l'étudiant pratiquait déjà l'abstinence totale de viande, la chasteté et le jeûne périodique. Les quinze dernières années de sa vie, cette frugalité deviendra offrande totale de son corps : portant un cilice, habillé d'une robe de bure grossière, chaussé de simples sandales, Yves donnera tous ses revenus aux pauvres qu'il héberge.

Mort en 1303, canonisé trente ans plus tard, saint Yves, patron des juristes du monde entier, est le modèle accompli des grands saints du Moyen Âge : « *Un homme de vie bonne et de mœurs honnêtes.* » Peut-on imaginer définition plus simple et plus belle de la sainteté ?

SOURCES : *LETTRES DE SAINT YVES*. J.-C. Cassard, *SAINT YVES DE TRÉGUIER*, Paris, 1992. C. Falc'hun, *SAINT YVES*, Paris, 1980.

# L'INVENTION DE LA FÊTE-DIEU
## *L'ADORATION DU SAINT-SACREMENT*

**• 24 AVR •**

LORSQUE JULIENNE, RELIGIEUSE AU MONT CORNILLON DANS LE DIOCÈSE DE LIÈGE, eut pour la première fois, en 1208, la vision d'un disque resplendissant comme le soleil, elle était loin de se douter du sens et des conséquences de cette vision pour la vie de l'Église. Julienne était une âme simple, peu portée à se croire l'instrument de la Providence ou appelée à une grande mission. Ce n'est qu'au bout de deux années d'instantes prières qu'elle comprit : une fête manquait au cycle liturgique, celle qui aurait pour objet la sainte Eucharistie. Certes, depuis de longs siècles, on fêtait l'Eucharistie le Jeudi saint, lors de l'anniversaire de son institution. Mais était-ce suffisant ? Face aux hérésies qui niaient la présence réelle du Christ dans les Saintes Espèces, n'était-il pas nécessaire d'instaurer une fête qui célébrerait avec éclat le grand mystère de la présence réelle ? Ces questions graves, Julienne n'était pas à même d'y répondre personnellement, et il s'écoula encore vingt ans avant qu'elle ne se décidât à parler de sa vision à Jean de Lausanne, chanoine de Saint-Martin à Liège, lequel consulta à ce sujet plusieurs personnalités, dont le provincial des dominicains, Hugues de Saint-Cher, et le chancelier de l'université de Paris.

Julienne s'était ouverte aussi de sa vision à une amie très proche, Ève, une recluse qui menait une vie de sainteté à Saint-Martin. Les deux femmes se mirent en quête d'un religieux susceptible de composer un office destiné à la célébration de la fête, et choisirent le jeune frère Jean de Cornillon. Toutefois, le projet ne faisait que lentement son chemin auprès des autorités ecclésiales. En 1240, Robert de Torote est élu évêque de Liège, et il ne semble pas avoir été, dans un premier temps, enclin à donner suite à cette idée.

Tout change à partir du moment où Jacques de Troyes devient, en 1241, archidiacre de Campine. Comme son ami Jacques Guyard, évêque de Cambrai, il fait la connaissance de Julienne et d'Ève, et retire de ses contacts avec les deux femmes la conviction qu'il y a bien là un appel de la Providence. Liés d'amitié avec Robert de Torote, les deux Jacques intercèdent auprès de lui.

En 1246, l'évêque de Liège y consent et établit la fête dans son diocèse. En 1251, Hugues de Saint-Cher, devenu entre-temps cardinal et chargé d'une légation en Allemagne, célèbre avec éclat la nouvelle fête dans la collégiale Saint-Martin de Liège. En 1252, il ordonne par décret que celle-ci soit célébrée annuellement, le jeudi après l'octave de la Pentecôte, dans toute l'étendue de sa légation. Celle-ci couvrait de vastes régions : Germanie, Dacie, Bohême, Pologne, Moravie et d'autres pays limitrophes.

Pourtant, quand Julienne meurt, en 1258, la « Fête-Dieu » n'est pas vraiment entrée dans les habitudes des fidèles. Et certains clercs s'y opposent. Ils ne comprennent pas bien la nécessité de cette nouvelle fête puisqu'il existe déjà la solennité du Jeudi saint.

Or, en 1262, Jacques de Troyes devient pape et prend le nom d'Urbain IV. Le nouveau pape n'a pas oublié ses souvenirs liégeois et la fête du Saint-Sacrement lui tient à cœur. Par la bulle *Transiturus*, en 1264, il l'institue à l'échelle de toute la chrétienté. Pour la première fois, un pape imposait d'autorité une fête nouvelle à toute l'Église d'Occident : aussi l'appelat-on longtemps « *Nova solemnitas* » la nouvelle fête. La bulle *Transiturus* comportait par ailleurs une autre innovation de taille : à la place de l'office ancien, composé par le frère Jean de Cornillon, c'est une œuvre de Thomas d'Aquin, le magnifique *Pangue lingua*, qui fut adjointe au décret pontifical.

C'est Thomas encore qui donne la messe *Cibavit*, l'office *Sacerdos* et tout l'office romain du « *Corpus Christi* ». Thomas centre la célébration sur le mystère du Christ, Dieu et homme parfait, tout entier contenu dans le sacrement, à tel point qu'il ne dit pas : recevoir le corps ou le sang du Christ, mais bien « *recevoir le Christ* ».

La « *Nova solemnitas* » ou fête du Saint-Sacrement – ou « Fête-Dieu » – mettra encore quelques années à s'implanter partout, la mort prématurée d'Urbain IV après la promulgation du décret ayant momentanément freiné son application. Mais la lenteur des débuts sera vite compensée. La nouvelle fête suscite un immense mouvement de ferveur populaire. Dès le XIVe siècle, la procession de la Fête-Dieu devient obligatoire dans chaque paroisse, et tous les clercs, toutes les familles religieuses, toutes les confréries de laïques sont tenus d'y participer. Le climat de liesse qui accompagne les processions se veut bien une sorte d'anticipation de la Jérusalem céleste, dans la droite ligne de la joie exprimée par saint Thomas dans l'hymne célèbre de l'office du Saint-Sacrement, le *Lauda Sion* :

*Lauda, Sion, salvatorem*
*Lauda Ducem et Pastorem*
*In hymnis et canticis*

SOURCES : Thomas d'Aquin, *HYMNE LAUDA SION DE L'OFFICE DU SAINT-SACREMENT*. C. Lambot, « La Bulle d'Urbain IV à Ève de Saint-Martin sur l'institution de la Fête-Dieu », in *REVUE BÉNÉDICTINE DE CRITIQUE, D'HISTOIRE ET DE LITTÉRATURE RELIGIEUSES*, 1969. C. Lambot et I. Fransen, *L'OFFICE DE LA FÊTE-DIEU PRIMITIVE*, Maredsous, 1946.

# LE CONCLAVE DE VITERBE

## OU COMMENT LE FROID ET LA FAIM DEVIENNENT LES INSTRUMENTS DE L'ESPRIT SAINT LORS DE L'ÉLECTION DU PAPE GRÉGOIRE X

**• 25 AVR •**

VITERBE, JUIN 1270. DANS LES PETITES CABANES DE FORTUNE qu'ils ont construites eux-mêmes pour se protéger des intempéries, les cardinaux tremblent de fatigue et de faim. Au loin, ils croient entendre, comme une rumeur montant de la ville, les plaintes des Viterbois, lassés de ces cardinaux incapables, en ces temps troublés, d'élire le successeur de Pierre. Clément IV est mort le 29 novembre 1268 et, depuis deux ans déjà, les assemblées se succèdent sans qu'aucun pape soit élu.

Les Viterbois ne cachent pas leur mécontentement devant ces élections manquées et ce va-et-vient incessant de cardinaux. Il n'est pas bon pour la chrétienté que le siège de Pierre demeure trop longtemps vacant. L'attente impatiente cède alors le pas à l'indignation. Et c'est à ce moment-là que les autorités civiles, en un geste théâtral, prennent une terrible décision... Le capitaine du peuple de Viterbe, Ranier Gatti, enferme par la force les cardinaux dans le palais épiscopal, et, pour hâter la décision, fait démolir le toit ! Rien n'y fait. Les autorités civiles accentuent alors la pression... et menacent

d'affamer les indécis qui ont trouvé du bois pour construire des abris de fortune. On finit par réduire leur nourriture au pain et à l'eau.

Épuisés, les cardinaux cherchent à sortir de cette situation douloureuse. On n'avait pas connu d'élection aussi tourmentée depuis celle du pape Célestin IV – successeur de Grégoire IX –, en 1241, pour laquelle le sénateur romain Matteo Orsini avait été contraint d'enfermer les cardinaux, déchirés par le conflit entre la papauté et l'empereur Frédéric II. C'est encore un conflit entre la papauté et une dynastie princière, celle de la maison d'Anjou, qui divise les cardinaux. Il faut dire que Gui Foulques – Clément IV, le précédent pape – avait un peu rapidement suivi les élans de son cœur français en décidant de s'allier avec Charles d'Anjou pour exclure d'Italie la dynastie des Hohenstaufen. Il voyait d'un mauvais œil le bâtard de Frédéric II, Manfred Hohenstaufen, convoiter Rome. Mais lorsque Manfred fut vaincu et tué à Bénévent en 1266 par Charles d'Anjou, Clément comprit – un peu tard – que la maison d'Anjou pouvait elle aussi menacer l'indépendance du Saint-Siège. Il fut contraint de s'installer à Viterbe, résidence papale rivalisant avec Rome, et il y mourut en 1268.

En ce mois de juin 1270, les cardinaux sont divisés entre ceux qui approuvent l'alliance avec la maison d'Anjou et ceux qui la réprouvent, préférant s'allier avec les Hohenstaufen. Le temps presse : ce mois de juin n'est pas clément... Pour faire avancer les choses, les cardinaux décident de confier le choix du futur pape à une commission de six membres. On pèse le pour, le contre, on avance un nom, un autre, avant de se mettre d'accord pour élire... un absent ! Tebaldo Visconti, archidiacre de Liège, est élu le 1er septembre 1271, près de 3 ans après la mort du pape Clément !

Le nouveau pape, en croisade avec le futur Édouard Ier d'Angleterre, apprend son élection alors qu'il est à Acre, en Palestine. La divine providence fit que cet absent désigné d'office fut un digne successeur de Pierre. Tebaldo Visconti, qui choisit de prendre le nom de Grégoire X, est un intellectuel. Il a étudié à Paris près des plus grands théologiens de son temps, notamment Thomas d'Aquin qui est alors en pleine rédaction de sa *Somme théologique*. L'intelligence du nouveau souverain pontife fait de lui un conciliateur. À peine arrivé à Viterbe, le 10 février 1272,

*Au pain et à l'eau.*

Grégoire se rend à Rome où ses deux prédécesseurs n'étaient jamais allés. Après avoir été ordonné prêtre, il y est sacré le 27 mars.

Le souvenir de Viterbe et de ses interminables hésitations fait prendre à Grégoire la décision d'une réforme. Le 16 juillet 1274, le IIe concile de Lyon, par la célèbre constitution *Ubi periculum*, ordonne, pour empêcher une vacance prolongée du Saint-Siège, que les cardinaux soient réunis au plus tard dix jours après la mort du pape, au lieu même de son décès, et qu'ils demeurent ensemble, sans contact avec le monde extérieur, jusqu'à l'élection. Si celle-ci n'est pas obtenue dans les deux jours qui suivent la réunion du conclave, les cardinaux ne reçoivent plus que deux repas par jour puis ; au bout de cinq jours, ils sont au pain et à l'eau.

Ce fut la surprenante origine du conclave... Depuis ce jour, avant que les portes de la chapelle Sixtine ne soient scellées, un prince de la maison du pape crie solennellement « *Extra omnes !* », c'est-à-dire : « Tout le monde dehors ! » Tout le monde, sauf, bien sûr, les cardinaux qui, comme leurs prédécesseurs de Viterbe, vont camper là et ne ressortiront que lorsque le pape sera élu.

SOURCES : Grégoire X, *UBI PERICULUM*. Bernard de Gui, *VITA GREGORII X*. E. Petrucci, « Il problema della vacanza papale e la costituzione *Ubi periculum* di Gregorio X », in *VII CENTENARIO DEL 1° CONCLAVE (1268-1271)*, Viterbe, 1975.

# RABBAN ÇAUMA

### L'EXTRAORDINAIRE ÉPOPÉE

### D'UN MOINE MONGOL

### À TRAVERS LE MONDE

**• 26**
**AVR •**

LORSQUE LE GARDE FAIT SIGNE À RABBAN ÇAUMA D'AVANCER VERS LE TRÔNE de Pierre, et qu'il passe entre la double rangée d'évêques, le cœur lui bat un peu. Le petit homme marche à pas lents vers le représentant de l'Église catholique revêtu d'une chape rouge, et s'incline plusieurs fois. Il s'agenouille et baise les pierres précieuses de ses mules, se relève, baise sa bague et se retire à reculons, les mains croisées sur la poitrine. Le pape Nicolas IV, ancien général des franciscains récemment élu par le conclave après la mort d'Honorius IV en cette année 1287, s'attendrit devant cette révérence qui lui semble si sincère. Tous les légats n'ont pas, loin s'en faut, cet enthousiasme à son égard... Celui-ci vient de Khanbaliq – la ville du khan, l'actuelle Pékin –, au fin fond de l'Asie. Le regard bienveillant du pontife se pose sur le visage impassible de l'ambassadeur.

Pour l'heure, l'homme garde les yeux baissés. Maintenant, son cœur bat si follement que monseigneur le pape, comme il se plaît à le nommer, doit l'entendre. Quelle joie de se trouver à Rome, après avoir été nommé ambassadeur l'année précédente, par le vieux khan Arghun.

Rabban Çauma a encore du mal à y croire. Lui qui n'a été jusqu'à ses trente ans qu'un petit moine nestorien sans histoire, ermite dans une grotte au-dessus de Khanbaliq, se trouve aujourd'hui devant le Pape. Comment aurait-il pu penser qu'il traverserait toute l'Asie et l'Europe pour aller jusqu'à Bagdad, Rome et Paris ? Comment aurait-il pu imaginer qu'il vivrait ce qui avait toutes les apparences d'un conte de fée ?

Un jour – sûrement en 1274 ou 1275 –, il fut rejoint par un autre moine de ses amis, Markus, son cadet de peu ou de beaucoup. Ce dernier lui insuffla le désir ardent de se rendre en Terre sainte. Les deux hommes voulurent partir. Oh ! Ce n'était pas un fait très singulier de courir le monde, du Pacifique à la Méditerranée. Des centaines de personnes le faisaient – sans compter les soldats – et allaient de Mongolie en Iran, de Russie en Chine parcourant ainsi tout l'Empire mongol... Ce n'en était pas moins une grande décision à prendre ; c'était s'exposer à de grands risques. On voulut les retenir. On leur fit remarquer qu'il n'était pas sage d'aller làbas. On leur disait : « Ne savez-vous pas comme c'est loin ? Vous ignorez les difficultés du chemin. » Ils répondaient :

« Nous avons renoncé au monde. La fatigue ne nous fait pas peur. La crainte ne nous trouble pas. » On finit par leur donner ce qui était nécessaire au voyage, et ils partirent. Ils cheminèrent longtemps sur les pistes de l'Asie centrale, furent retenus pendant six mois par des troubles à Khotan – situé sans doute dans l'actuel Ouzbékistan –, et furent sur le point de mourir de soif dans un désert aride, aux eaux amères.

Ils arrivèrent enfin à Babylone – l'actuelle Bagdad – que les Mongols occupaient depuis 1258. Ils apprirent que les musulmans étaient toujours maîtres de Jérusalem. Quelle déception ! Les Mongols étaient d'ailleurs en guerre contre eux, il leur était impossible de se rendre dans la ville sainte. Comme ils étaient « mongols » – du moins les traitait-on comme tels –, ils furent reçus à bras ouverts par les autorités politiques ; comme ils étaient chrétiens, les monastères nestoriens et le patriarche, que l'on nommait catholicos, les fêtèrent. C'est alors que commença pour eux le conte de fées. Markus fut nommé métropolite de l'Église de Chine, puis, alors qu'il allait repartir vers son siège chinois, le catholicos de Bagdad mourut. Et c'est lui, Markus, qui fut élu en 1281 pour le remplacer sous le nom de Mar Yahballaha III. Il s'empressa de sacrer évêque Rabban Çauma, son fidèle compagnon. Les deux hommes eurent dès lors leur entrée à la cour d'Arkhun, khan de Bagdad. Ce dernier apprécia Rabban Çauma au point de le nommer ambassadeur en Occident.

Avec une compagnie d'hommes honorables choisis parmi les prêtres et les diacres, Rabban Çauma, moine et modeste évêque, reprit son voyage vers Constantinople où il visita, émerveillé, la basilique Sainte-Sophie. Sous la coupole bleue et or, il retrouva la voûte étoilée de sa steppe lointaine. Ensuite la délégation franchit le détroit de Messine dominé par le Stromboli. Après Naples, les envoyés d'Arkhun arrivèrent à Rome où ils se trouvèrent bien interdits : le pape Honorius IV venait de mourir. Impossible d'être reçu par quiconque. À qui confier ses lettres de créances ? Rabban Çauma décida alors de se rendre en France. Il y fut reçu en grande pompe par le roi Philippe le Bel, qui lui fit les honneurs de sa table, lui fit visiter la Sainte-Chapelle et la ville, où Rabban Çauma fut impressionné par l'intense vie intellectuelle des collèges, de l'université peuplée de milliers d'« escholiers ». Partout, l'évêque oriental répétait : « *Sachez qu'aujourd'hui beaucoup de Mongols sont chrétiens. Il y a parmi eux des enfants de rois et de reines qui ont été baptisés et qui confessent le Christ.* » Ses interlocuteurs avaient, semble-t-il, beaucoup de peine à le concevoir.

C'est à ce moment que Jérôme d'Ascoli fut élu par le conclave et prit le nom de Nicolas IV. Rabban Çauma put enfin mener à bien sa mission. Le voilà donc tout intimidé devant le Pape. On approche de la Fête des Palmes qui célèbre l'entrée

> *Ils furent sur le point de mourir de soif dans un désert aride, aux eaux amères.*

triomphale de Jésus à Jérusalem, et le Pape dit au petit homme : « *Il faut que tu passes la fête avec nous. Tu verras nos usages.* »

Tout le visage de Rabban Çauma se plisse de joie. Il salue, les mains croisées sur sa modeste veste de peau. Rabban Çauma est le représentant d'une Église depuis longtemps séparée de Rome. Les nestoriens, ses coreligionnaires, n'apprécient pas beaucoup la Ville éternelle. Les rares missionnaires arrivés avec des marchands se voient interdits de prêche, on les dénonce même parfois comme espions ! Mais devant la courtoise invitation du Pape, Rabban comprend tout à coup qu'il doit y avoir, qu'il existe même, au-delà des divergences, une foi unique.

Il s'exclame : « *Puisses-tu régner, Monseigneur le pape, sur toute l'Église, jusqu'aux extrémités de la terre !* »

Quelques jours plus tard, Rabban Çauma ose dire à monseigneur le pape : « *Je voudrais dire la messe devant vous, pour que vous voyiez notre coutume.* »

Le Pape accepte volontiers et quand on annonce qu'un envoyé des Mongols célébrera la messe, les curieux viennent en foule pour le voir. Ils se réjouissent alors et disent : « *La langue est différente, mais le rite est le même !* »

Le jour de la Fête des Palmes, l'évêque

> « *Je voudrais dire la messe devant vous, pour que vous voyiez notre coutume.* »

oriental, qui vient de confesser ses péchés, reçoit le premier la communion des mains mêmes du Saint-Père. Le cœur de Rabban fond de joie. L'évêque oriental a toutes les raisons de se réjouir. En quelques jours, à l'occasion d'une ambassade qui n'avait aucun objet religieux, l'union de l'Église que l'on appelait chaldéenne a été conclue avec l'Église romaine. L'année suivante, en 1288, Jean de Monte Corvino sera mandaté par le Pape pour rencontrer les catholicos nestoriens, qui confirmeront cette union en faisant de lui l'évêque de Pékin.

Hélas ! Les chrétiens d'Orient ne resteront pas toujours unis à Rome. Mais on comprend, en lisant les notes de voyage de Rabban Çauma, l'étonnante unité de la chrétienté médiévale. En effet, avant de partir, en avril 1288, Rabban Çauma avait confié à son secrétaire tout le transport que lui avait causé cet honneur : « *Écris combien nous avons eu raison d'entreprendre ce voyage qui m'a mené à Rome. Comme je suis heureux d'avoir été l'instrument d'une rencontre entre nos deux Églises.* »

Ces notes furent utilisées par le rédacteur de la vie de Mar Yahballaha III, sans doute un Géorgien qui écrivait en syriaque. C'est grâce à lui qu'elles sont parvenues jusqu'à nous.

SOURCES : Histoire de Mar Yahballaha III, patriarche de nestoriens (1281-1317) et du moine Rabban Çauma, ambassadeur du roi Arghun en Occident (1287). J.-P. Roux, *HISTOIRE DE L'EMPIRE MONGOL*, Paris, 1993. J. Richard, « La mission en Occident de Rabban Çauma et l'union des Églises », in *XII<sup>e</sup> CONVEGNO VOLTA ORIENTE E OCCIDENTE NEL MEDIO EVO*, Rome, 1957.

# LE DÉCRET DE GRATIEN
## OU COMMENT LE DROIT CANON DEVINT
## LA MATRICE DU DROIT EUROPÉEN

**27 AVR**

LE JEUNE HOMME ATTACHE SON CHEVAL, ET SAISIT SON LÉGER BAGAGE, il gravit l'escalier en toute hâte et pénètre dans la bibliothèque. Le clerc qui somnole à l'entrée lève un regard réprobateur sur le jeune homme encore haletant, dont la fougue trouble le calme et la sérénité des lieux dont il est le fidèle gardien. Nicolas tente une explication dans son meilleur latin, mais ses propos ne semblent guère convaincants. Le clerc, qui mêle de jargon bolonais et de latin ses moindres réponses, ne veut rien entendre. Nicolas a beau brandir sous son nez le mot d'introduction qu'a bien voulu lui confier son maître parisien, un condisciple du célèbre juriste breton Yves Helory de Kermartin, rien ne semble pouvoir impressionner ce clerc borné. Au bout d'un long moment, il paraît avoir compris. À grand renfort de gestes, il intime à Nicolas l'ordre d'attendre et s'éloigne d'un pas traînant. Les minutes paraissent des heures au jeune homme pressé qui vient de franchir les Alpes pour trouver à l'université de Bologne les meilleurs maîtres du droit canon. Un silence long comme l'éternité est retombé sur la sombre bibliothèque. C'est certain, ce maudit clerc l'a

oublié. Nicolas esquisse un pas prudent vers les longues tables de bois sur lesquelles sont disposés les énormes ouvrages offerts à la consultation. Personne à l'horizon, Nicolas risque encore quelques pas, quand tout à coup, il ne peut retenir un geste d'avidité presque brutale, en découvrant un lourd manuscrit. Le voilà qui tient en mains la *Concorde des canons discordants*. Nicolas en est tout étourdi. Non qu'il fût besoin de chevaucher depuis Paris pour pouvoir lire ces lignes. En cette année 1290, de nombreuses bibliothèques disposent de copies de l'ouvrage. Le travail rédigé, voilà plus d'un siècle par le moine Gratien, s'est répandu dans toute l'Europe. Sans revêtir aucun caractère ni autorité officiels, il est cependant enseigné partout par les plus grands juristes, en Italie, en France, en Espagne, dans toutes les grandes universités médiévales. Mais en quelle ville venir étudier la science juridique, sinon ici à Bologne qui en est le centre intellectuel ? Et par quoi commencer, en arrivant ici, sinon par venir tenir en mains, avec ferveur, cette somme qui a radicalement transformé la teneur des études juridiques ? En voyant ce manuscrit, posé là, bien tranquillement dans ces lieux, Nicolas est parcouru par une onde d'intense bonheur, pour un peu, il en pleurerait. Le jeune homme feuillette le manuscrit, en saisit quelques lignes au fil des pages. Puis sa vue se brouille. Et, épuisé, il s'évanouit de fatigue.

– Eh, grand Dieu, quelle fougue ! Ne pouvais-tu attendre demain pour entreprendre l'étude ?

L'homme qui parle ainsi, amusé, est un jeune maître bolonais. Voici quelques mois seulement qu'il détient la *licentia docendi* qui l'autorise à enseigner le droit à la faculté. Alerté par le bibliothécaire, il a fait allonger le jeune homme dans l'un des logements destinés aux étudiants.

– Et d'abord, dis-moi comment on te nomme, d'où viens-tu ? Pourquoi a-t-il fallu que tu viennes si promptement lire l'œuvre de Gratien ?

– Mon nom est Nicolas, et j'arrive de Paris...

– De Paris ? Et tu n'as pas voulu t'accorder ne serait-ce qu'une heure de repos !

Le dialogue s'ébauche. D'abord, ce sont les explications embrouillées et enthousiastes du jeune homme. Comment Nicolas aurait-il pu être à Bologne, sans tenter de pénétrer dans cette prestigieuse bibliothèque ? Quant à l'ouvrage de Gratien, Nicolas s'enflamme, c'est l'ardeur de sa jeune vie d'apprenti juriste. L'Italien sourit devant tant de juvénile passion.

Nicolas reçoit ce sourire comme une offense faite à l'œuvre qu'il vénère. Le maître – Antonio – ne comprend-il pas que

> *Gratien,*
> *c'est la passion*
> *de sa jeune vie*
> *d'apprenti juriste.*

cette œuvre construit le droit moderne européen, sur le terrain du droit romano-canonique, celui du vieux legs du droit et des institutions romaines, surtout impériales, et celui du droit propre de l'Église ?

– Gratien a voulu non seulement compiler, d'une façon chronologique, les lois de toutes sortes, mais il les fait concorder entre elles. Et il élabore ainsi un ensemble d'une grande cohérence et d'une grande unité juridique, s'exalte Nicolas.

– Et c'est un bachelier parisien qui voudrait m'apprendre cela ! Si tu crois que j'ignore l'œuvre de notre inspirateur, quel jugement portes-tu sur les maîtres qui vont t'instruire, mon ami !

Alors s'instaure entre les deux hommes une docte et savante conversation, où Antonio le Bolonais retrace, en une vaste fresque, l'histoire du droit avant et après Gratien, interrompu par les questions du bachelier avide de précisions.

– Dès ses origines, tu le sais, l'Église a eu ses propres lois tirées de la Sainte Écriture et de la Tradition.

– Les écrits des Pères de l'Église...

– Oui... Saint Ambroise, saint Augustin, saint Jérôme, saint Grégoire le Grand... À quoi se sont ajoutées, peu à peu, les règles édictées des papes, les décrétales, et les décisions des conciles...

– Les canons ?

– Voilà un savant bachelier ! Mais si tu m'interromps sans cesse, je ne pourrai achever. Ces règles juridiques, donc, ont été très tôt compilées par des juristes de l'Église, qui se sont inspirés de l'exemple du droit romain et des grands textes des empereurs Théodose et Justinien. Ce corpus de textes est devenu, entre le Vᵉ et le XIᵉ siècle, très important face à une législation laïque en déclin...

– C'est le rôle de la grande réforme de Grégoire VIII.

– Tu brûles les étapes. Je te parlais de ce qui avait précédé... Mais venons-en à Grégoire VIII, puisque tu le souhaites. En mettant l'accent sur l'unité de l'Église, sa réforme agit aussi dans le domaine du droit et entraîne, par réaction, un très net changement dans la vie juridique en général. Le droit canonique devient un modèle pour le droit laïc, et c'est à partir de lui que s'élabore progressivement une véritable renaissance de la science juridique en Europe...

– Grâce aussi à Gratien.

*Le droit canonique devient un modèle pour le droit laïc.*

– Eh oui, nous y voilà. Grâce à Gratien, et à tous ceux dont il s'est inspiré : les grands canonistes et théologiens antérieurs, comme Isidore de Séville et surtout Yves de Chartres, et puis les philosophes de son temps, Pierre Abélard...

– Notre Abélard ?

– Oui, votre Abélard.

– Holà ! Quel rapport peut-il y avoir entre la science juridique et la théologie d'Abélard ?

– La méthode. Pierre Abélard est, tu le sais, l'inventeur d'une méthode permettant la comparaison des textes selon leur sens, favorable ou contraire, pour traiter une question. Eh bien, c'est cette méthode qui est par exemple appliquée dans la question 5 de la cause XXIII relative à la peine de mort. On y trouve 45 règles que l'auteur regroupe en deux camps : celles qui posent le principe du respect de la vie et celles qui dérogent à cette règle et légitiment les exceptions à l'interdiction de la peine de mort. C'est ce système de pensée qui permet de comparer les thèses et d'aboutir à une conclusion raisonnée et juste.

– Quand je te disais, maître, que Gratien a été un génie de notre science...

– L'ai-je contesté, jeune homme ? Mais n'oublie pas qu'il ne fut pas le seul. Nos papes juristes, Alexandre III, Innocent III, Honorius III, Grégoire IX, Innocent IV, par leurs législations et la constitution des recueils des textes législatifs qu'ils ont ordonnées, ont permis le travail et le commentaire des plus savants juristes espagnols, italiens...

– Et français.

– Oui, même français, mon ami.

– Mais, maître, ces papes servaient leurs intérêts en faisant cela.

– Certes, mais en achevant de former, à partir du droit et de la doctrine canoniques, un droit complémentaire du droit civil romain, ils ont créé une seconde branche au *ius commune*.

– Le droit commun ?

– C'est cela. Je vois que mon bachelier est un fin latiniste... Et aujourd'hui, comme tu le sais, tous les juristes étudient l'un et l'autre droit, même s'ils servent comme tu l'as dit parfois des intérêts, et même des intérêts rivaux : ceux des rois et des empereurs, pour le droit romain, ceux de l'Église et de la papauté pour le droit canonique...

– Puis-je poser encore une question ?

– Je t'écoute, jeune bachelier.

– En quoi le droit canonique est-il si important, pour nous autres juristes, que tu puisses dire qu'il constitue une branche du droit commun ? N'est-il pas plutôt l'affaire des théologiens ?

– Que voilà une étrange question... Tu viens ici, jusqu'à Bologne, et tu te jettes sur la *Concorde* au point de t'en évanouir, sans même savoir ce que représente le droit canonique pour notre *ius commune* ? Étrange petit Français, décidément.

– Réponds, maître, au lieu de te moquer.

– Ne sais-tu pas que les juristes de l'Église occupent une place centrale dans la formation et la formulation des grands principes du droit...

La conversation continue, jusqu'au soir, de remarques ironiques en savantes démonstrations. On évoque la conception du droit canonique que saint Augustin et Isidore de Séville ont rappelée, selon laquelle le titulaire du pouvoir ne peut faire la loi que dans le respect de la justice. On rappelle l'idée empruntée à Aristote et incluse dans le droit canonique par saint Thomas et les juristes du XIIIᵉ siècle : la société politique quelle que soit sa forme, est faite pour le bien commun des hommes, ce qui prive le tyran de toute légitimité... Et si Antonio tente de démontrer à l'étudiant parisien l'importance de certains principes, qu'il pressent, comment pourrait-il deviner l'avenir de certains héritages du droit canonique ? Comment imaginer que la conception de la dignité du pouvoir énoncée par celui-ci (les princes, les rois, les chefs peuvent mourir, la dignité de la fonction ne meurt pas) sera le point de départ de la théorie de la pérennité de la souveraineté du pouvoir politique. Comment saurait-il que, dans le domaine du droit privé et pénal du XXᵉ siècle, les droits du mariage, la formation de la personnalité juridique, la conception de la faute, la fonction de la peine découleront en droite ligne de ce droit canonique associé au droit romain ? De même que le principe de la présomption d'innocence, règle incessamment rappelée par l'Église ? Il est trop tôt, en cette fin de XIIIᵉ siècle, alors que le droit canonique achève de se structurer, pour en deviner l'héritage. Mais lorsque chaque nation élaborera progressivement sa propre législation, la base canonique demeurera, toujours identifiable, aussi bien dans la construction de l'État que dans la question de la personne juridique et de ses droits modernes fondamentaux.

Une telle promesse d'avenir méritait bien que l'on s'enthousiasmât, n'est-ce pas, Nicolas ?

SOURCES : J. Gaudemet, *DROIT DE L'ÉGLISE ET VIE SOCIALE AU MOYEN ÂGE*, Variorum, 1989. G. Le Bras, *L'ÂGE CLASSIQUE : 1140-1378 SOURCES ET THÉORIE DU DROIT*, Sirey, 1965. J. M. Carbasse, *INTRODUCTION HISTORIQUE AU DROIT*, Paris, 1998.

# La Divine Comédie de Dante

## *Ou à quoi rêvent les jeunes gens*

**• 28 AVR •**

À QUOI RÊVE DONC LE JEUNE ALIGHIERI ?

« Allons dis-le-nous, ne sommes-nous pas tes amis ? Pour qui ces longs soupirs, ces regards éperdus ? C'est que tu n'es guère drôle. Viens donc boire avec nous cet excellent vin de Toscane. Nous avons vingt ans et Florence est la plus belle ville du monde. »

Mais rien ne semble pouvoir distraire le jeune Dante Alighieri. Il regarde mais ne voit pas, boit mais ne rit pas. Pour ses compagnons, les symptômes sont éloquents, le diagnostic sans équivoque, Dante est amoureux. Reste à savoir quelle demoiselle occupe si fort ses pensées. On le presse de questions. Qui est-elle, est-elle noble, riche, belle ? La discrétion n'est pas la principale qualité des jeunes gens. Pour rien au monde Dante ne voudrait livrer l'objet de ses plus chères pensées à la curiosité importune de ses bruyants compagnons. Il invente une jeune fille charmante, timide, farouche. Peut-être s'est-il déjà trop découvert ? Il brouille les pistes, et en invente une seconde franche, rieuse, ardente. Il raconte des rendez-vous, des rencontres secrètes...

Quand pour la première fois Béatrice Portinari l'a ébloui, il avait neuf ans, elle, un an de moins. Mais cette passion d'enfance ne l'a jamais quitté. Il l'a vu grandir en âge et en grâces mais toujours aussi pure, chaste et inaccessible. À treize ans, lorsqu'il perd sa mère, il fait de Béatrice sa protectrice et sa bienfaitrice. Face à l'indifférence de son père, à sa nouvelle femme et à ses enfants peu aimables, elle est son réconfort permanent. À dix-huit ans, elle lui a adressé un « très doux salut » et depuis, celle qu'il nomme la *gentilissima* hante ses pensées et ses rêves.

Mais il en a trop dit à ses camarades. Ses histoires inventées ont circulé dans les palais florentins et sont arrivées jusqu'aux oreilles de sa tendre passion. Béatrice, choquée par ces aventures, ne veut plus même le saluer. Il est dorénavant privé de son unique joie, « *la très noble vertu* » du sourire de sa bien aimée. Seul l'amour absolu qu'il lui porte va désormais le faire vivre et, s'il rêvait encore de partager avec l'intéressée cet amour platonique, la mort de Béatrice, en 1290, à l'âge de vingt-quatre ans, le plonge dans un abîme de désespérance.

Pour oublier, Dante va étudier les philosophes et les poètes anciens : Homère,

Platon, Virgile ; des scolastiques : Thomas d'Aquin, Bonaventure ou Albert le Grand. Il entre en politique et devient l'un des six prieurs de la ville. Mais son appartenance au camp des Blancs, celui des aristocrates, lors d'une des nombreuses crises politiques de la cité conduisit Dante à connaître la souffrance d'un bannissement à vie de sa ville natale, le 27 janvier 1302.

À nouveau, Dante éprouve ce profond sentiment d'abandon qui avait assombri sa jeunesse. Pour faire taire sa peine, il écrit un ouvrage philosophique ou un poème profane. Mais, parmi ses muses, une figure idéale tient la main du poète et le conduit doucement sur le chemin de ce qui sera son œuvre maîtresse : *La Divine Comédie*. Béatrice est toujours là, c'est elle qui mène l'auteur vers le Paradis.

Dante se lance donc dans une œuvre gigantesque qui, terminée, comprendra cent chants et plus de quatorze mille vers. Avec la même ardeur que ses contemporains qui bâtissent des cathédrales, il veut écrire une œuvre à la gloire de Dieu où l'homme s'élève de la complexité et de la contingence du monde à la parfaite unité et à la lumière divine. Ses vers magnifiques se remplissent des plus belles figures et métaphores employées par les philosophes antiques et les théologiens de la scolastique contemporaine.

Perdu sur le chemin de la vie, au cœur des tentations et du péché, il cherche une voie salvatrice. C'est le poète latin Virgile,

revenu du Royaume des ombres, qui va le guider dans ce voyage entrepris en l'an 1300, d'abord dans les enfers puis dans le purgatoire. Parcourant les neuf cercles de l'Enfer, au centre duquel se trouve Lucifer, il y découvre les supplices que valent aux damnés les péchés qu'ils ont commis : gourmandise, colère, fraude ou trahison... Il y rencontre des personnages illustres qui ont cédé à la passion : Francesca de Rimini, Ulysse ou encore Hugolin. Dans le Purgatoire, neuf régions constituent une montagne située aux antipodes de Jérusalem. Là encore, il rencontre de nombreuses figures de l'histoire : Caton d'Utique, Hugues Capet... et bien d'autres pécheurs qui expient leurs fautes dans la pénitence.

Ce n'est qu'après avoir vu ces tableaux terrifiants que Dante parvient au Paradis, royaume de la Béatitude, où Virgile s'efface pour laisser Béatrice guider le poète. C'est pour Dante une immense joie que de retrouver celle qu'il a tant aimée et cru jamais ne revoir.

> Béatrice est toujours là, c'est elle qui mène l'auteur vers le Paradis.

> « *Lorsque je vis Béatrice tournée dessus la gauche, les yeux dans le soleil, comme jamais aigle ne le fixa...* »

Béatrice, qui ne daignait même plus lui adresser un regard, était aujourd'hui là, à ses côtés, fixant le but tant recherché auquel elle allait le mener. Avec elle, il avance dans le Paradis et rencontre François, Dominique, Damien, Benoît, Pierre et beaucoup d'autres saints.

De ce voyage initiatique, Dante tire la conclusion que Dieu est perfection et amour et qu'il s'est révélé pour sauver l'humanité, afin que Lucifer, qui guette ses proies, ne puisse la faire chuter. Les hommes, exposés à la tentation et au péché, doivent se garder des entreprises du démon.

Mais c'est avant tout une grande leçon d'espérance que Dante veut adresser à ses lecteurs. Dans ce monde qui l'a lui-même fait souffrir, où se trament perfidies et trahisons, où se commettent violences et crimes de toutes sortes, où la passion obscurcit la raison, où l'existence enfin paraît privée de sens, l'homme peut trouver réconfort et sauvegarde grâce à une âme pure qui le conduira vers l'amour du Créateur et la béatitude éternelle. Béatrice symbolise cette pureté. Dans la douleur ou le désespoir, voilà que brille à nouveau la lumière de l'amour divin « *qui mène le soleil et toutes les étoiles* », accorde le pardon au pécheur à la condition qu'il conserve en son cœur foi en l'amour de Dieu.

Sources : Dante Alighieri, *La Divine Comédie*. L. Lallement, *Dante, maître spirituel*, Paris, 1993. M. Mangolini, *Dante et la quête de l'âme*, Paris, 1999. R. Dragonetti, *Dante, pèlerin de la Sainte Face*, 1968.

# GUILLAUME DE MACHAULT

## OU L'INVENTION

### DE LA PREMIÈRE MESSE CHANTÉE

**• 29
AVR •**

LE VIEIL HOMME EST MORT SUR LE CHAMP DE BATAILLE. Un homme qui, une fois de plus, et pour la dernière fois, a traversé la mêlée dans le fracas des armes, le poids des cuirasses et les coups à l'emporte-pièce. Un vieil homme aveugle que ses écuyers ont guidé pendant la lutte, puisque ses yeux ne voyaient plus l'ennemi. Et qui a succombé sous les coups de l'Anglais, à Crécy, en ce jour tragique pour la chevalerie française.

Et le secrétaire du vieux roi aveugle, l'homme qui a suivi pendant vingt-cinq ans Jean de Luxembourg, roi de Bohême, à quoi pense-t-il en ce soir de 1346 ? Compose-t-il quelque vers à la mémoire du mort ? A-t-il en tête un motif musical, pour accompagner le récit de ce quart de siècle ? Il y a tant à raconter : les fatigues et les hasards des guerres, les voyages auxquels se plaisait l'humeur de son maître. Les traversées de l'Europe en tous sens, où l'on couvrait quatre-vingts kilomètres par jour en galopant, où l'on gagnait Prague et la Lituanie afin de protéger les sujets polonais de Jean, les jours où l'on goûtait, à Paris, les plaisirs de la Cour du roi de France, où l'on combattait en Allemagne, où l'on visitait les rois et le pape.

Guillaume de Machault, le secrétaire fidèle du roi de Bohême est le mieux à même de transfigurer par son art cette épopée. Car si Guillaume, homme d'action, connaît la vie des cours et les chevauchées échevelées, il sait aussi exprimer les joies et les contraintes de l'existence de ses contemporains. Musicien et poète de génie, il est l'incarnation vivante de ce que l'on appellera l'« *Ars nova* ».

Ce Champenois, né vers 1300, sait presque tout faire. Poète et musicien, il ne met en musique que ses propres vers. Et en ce soir où l'art militaire de la chevalerie, incarnation par excellence du Moyen Âge, a sombré sous les traits des archers anglais, l'homme qui par son talent rénove des arts plus courtois est désormais seul et sans attaches.

L'époque change, songe-t-il. La chevalerie s'éteint. Désormais, la bourgeoisie, cette société marchande, voire mercantile, peut afficher ostensiblement sa supériorité. Le continent entretient dans la fébrilité ses échanges commerciaux avec ceux dont les marchands ont conquis les territoires. La foi des croisades disparaît –

était-elle trop naïve ? –, l'esprit de satire l'a étouffée. L'Église même doit faire face à des guerres intestines sans précédent : depuis 1307, le pape Clément V a abandonné Rome, il est en Avignon. Quelques années plus tôt, en France, le roi Philippe le Bel a réduit au silence l'ordre des Templiers, ébranlant un peu plus l'édifice.

Ces changements auxquels Guillaume assiste, dans les cours et sur les champs de bataille, il les mesure encore davantage dans son art. Il sait que, désormais, le musicien cesse de juger l'élaboration de son art d'une manière abstraite et purement théorique, qu'il suit maintenant ce que lui dicte sa sensibilité. Un art nouveau éclot, plus proche de l'expression vitale de l'humanité. C'est ce que la sculpture gothique flamboyante exprime en s'éloignant des représentations romanes : on passe du règne de l'imaginaire médiéval au réalisme idéalisé de l'avant-Renaissance.

Dorénavant, les musiciens s'éloignent de la rigidité du chant grégorien et introduisent la souplesse dans les œuvres profanes. Leur art se développe en dehors de l'Église. Le motet s'impose. Le secrétaire du roi de Bohême manie à la perfection cette superposition de plusieurs mélodies différentes, dont la principale peut cependant demeurer liturgique. Dans certaines églises, il a entendu des chants où se superposent deux ou trois voix qui chantent un texte différent en langue vulgaire sur le chant religieux en latin. Dans bien des cas, il est vrai, des paroles galantes viennent se greffer au texte liturgique...

> *Des paroles galantes viennent se greffer au texte liturgique...*

Au point que dès 1322, de sa ville d'Avignon, le pape Jean XXII dicte des directives pour mettre un terme à la déviance des musiciens d'église, décidément trop influencés par leurs confrères du monde profane. Les griefs du pape ne concernent pas seulement l'usage de la langue profane au côté du latin, mais également l'abus de notes courtes et rapides ainsi que la fragmentation des mélodies.

Curieuse époque... Dans sa mélancolie, dans la tristesse de la défaite, Guillaume de Machault se dit qu'il est un peu comme le vieux roi, chevalier d'autrefois égaré dans la bataille moderne, dont il n'a pas endossé tous les traits. Si, depuis longtemps déjà, il a su chanter l'amour courtois et les petites joies qui jalonnent l'existence, il n'entretient pas l'esprit grivois. Surtout, il se refuse à délaisser les mélodies du bas Moyen Âge, préférant les rénover dans ses compositions pour voix seule. Dans le silence qui suit la bataille, il songe à toutes ces pièces qu'il a ciselées ainsi qu'un ouvrage d'orfèvrerie, rejetant les anciennes formules rythmiques, traitant les parties solistes avec une grande liberté.

Le refus des outrances de la modernité, auquel Guillaume songe en des circonstances si exceptionnelles, va féconder son œuvre pendant encore trente ans, jusqu'à sa mort au printemps 1377. La maîtrise de son art éclipsera tous ses contemporains. Et il posera les fondations d'un nouveau type de composition. Même si ses quarante ballades, ses vingt rondeaux, ses vingt-trois motets comme ses chansons passeront à la postérité, Guillaume de Machault sera surtout le premier musicien à composer une messe polyphonique, c'est-à-dire à plusieurs voix.

Dès la fin du XIII<sup>e</sup> siècle, on écrit des *Credo*, des *Sanctus*, des *Kyrie*. Mais personne n'a encore eu l'idée d'en réunir les diverses parties selon un plan d'ensemble. Grâce à Guillaume de Machault, et à sa composition dite « *Notre-Dame* », la messe devient un genre musical. Certes, elle n'est pas encore dominée par un réel principe unitaire, mais l'on devine un court motif mélodique qui circule à travers les différentes parties de l'œuvre. Comme en ce soir de mélancolie de 1346, à Crécy, où il s'interrogeait sur les changements de son temps, Machault se refuse à rejeter en bloc le passé musical ou liturgique. Retrouvant à l'égard du texte liturgique un respect depuis longtemps hors de saison, il simplifie la technique mise au point dans les motets, qui mêlaient le profane et le religieux. Jamais dans cette messe, la mélodie grégorienne – la teneur – qui sert de référence, n'est vraiment défigurée. Malgré la fragmentation de son rythme dans le *Kyrie*, elle reste reconnaissable. Dans les autres morceaux, il est plus

*La messe devient un genre musical.*

prudent encore, il évite de couper le thème grégorien et n'en modifie ni le rythme ni la courbe mélodique.

Mais la « *Messe Notre-Dame* » n'en est pas moins profondément moderne. Parce qu'elle est le premier exemple d'un nouveau genre, parce qu'elle possède déjà les caractéristiques des chefs-d'œuvre de l'art vocal du XVI<sup>e</sup> siècle. Désormais, et même si ce ne fut jamais l'intention explicite de Guillaume de Machault, le divorce entre chant grégorien pur et œuvre polyphonique, c'est-à-dire chantée à plusieurs voix, est consommé. Cette dernière forme de musique vocale obtiendra le suffrage des fidèles en raison de sa relative facilité d'exécution. À l'église, l'assemblée ne doit-elle pas exprimer sa foi ?

Le génie du secrétaire, poète et compositeur, auteur d'une seule messe, est d'avoir suscité la création de la plus grande partie de l'œuvre religieuse des XV<sup>e</sup> et XVI<sup>e</sup> siècles en France, en Italie et en Flandre. Dans la vie de l'homme d'action, du poète courtois, de l'auteur respectueux de liturgie, c'est le Moyen Âge qui perdure. Dans le traitement des voix, c'est déjà la Renaissance qui se profile.

SOURCES : Simon Tunstede, *DE QUATUOR PRINCIPALIBUS MUSICAE. LIVRE DU VEOIR DIT*, 1362-1365 (comprenant la correspondance entre G. de Machaut et Péronne d'Armentières, ainsi que des pièces lyriques et près de dix mille vers).

# JEAN DE MEULAN

## *LA FONDATION DU PREMIER HÔPITAL*

## *POUR ENFANTS*

• **30 AVR** •

« *DES JEUNES FEMMES ONT ÉTÉ ENLEVÉES ET VIOLÉES, D'AUTRES SOUILLÉES DE L'INFA-MIE DES LUPANARS* ; en ce temps *d'hiver, plusieurs malheureux ont été transis de froid... Beaucoup d'autres, respirant encore, cherchaient quelque secours autour d'eux parmi ces morts et n'en trouvant pas mouraient aussi...* » En cette année 1363, l'évêque de Paris, Jean de Meulan, s'insurge. Il est bien beau d'accueillir les pèlerins, les pauvres, les lépreux, les vieillards, les infirmes, les malades. Mais les enfants ? les femmes ? Pourtant, rappelle l'évêque de Paris, « *c'est un devoir plus sacré dans les hôpitaux et plus nécessaire de procurer un toit aux femmes qu'aux hommes, aux enfants qu'aux anciens* ». Certes, il existe bien des foyers d'accueil pour les orphelins. Ils ont déjà accueilli quelques centaines d'enfants et les ont ainsi sauvés de la mort et de la déchéance. Mais ils sont tenus par quelques personnes charitables qui les soignent et les élèvent à leurs frais. Ces bienfaiteurs ne peuvent suffire à la tâche.

Ému par la situation des orphelins, Jean de Meulan décide donc de fonder en 1363 l'hôpital du Saint-Esprit, maison des-tinée à secourir les femmes et les enfants abandonnés. C'est le premier hôpital dont la mission principale est le secours des enfants.

La fondation de l'hôpital du Saint-Esprit n'est qu'un exemple parmi une lon-gue série de fondations hospitalières. Dès ses origines, l'assistance aux pauvres et aux malades est revendiquée par l'Église comme une fonction fondamentale. D'ail-leurs, il s'agit moins d'assistance que de charité. Cela va au-delà de la bienfaisance ou de la philanthropie. L'accueil du pau-vre, du malade, du faible est un devoir pour tout chrétien. Le caractère religieux de la fonction hospitalière est évident même si parfois la fondation résulte d'une initiative laïque. Car les laïcs appartien-nent au peuple chrétien et coopèrent au salut commun. Chaque chrétien doit s'engager à aider son prochain, que ce soit en fondant un hôpital, en lui léguant ses biens, en se mettant à son service.

L'Église institutionnalise très rapide-ment son action hospitalière en multipliant les fondations et en créant les ordres hos-pitaliers. Les deux plus connus sont les Hospitaliers de Saint-Jean-de-Jérusalem, voués à l'accueil des pèlerins de Terre sainte et l'ordre du Saint-Esprit, dont l'influence est considérable dans l'organisation des hôpitaux. Né à la fin du XII siècle à Montpellier à l'initiative d'un nommé Guy, il se développe très vite dans le reste de la France après l'approbation du pape Innocent III. Il s'adresse aux pèlerins, aux croisés, aux pauvres, aux malades. Mais aussi et surtout aux femmes enceintes et aux enfants. Avec celle de Saint-Jean, la règle du Saint-Esprit est le modèle le plus couramment copié dans les hôpitaux. L'ordre accueille non seulement les délaissés, mais part aussi à leur recherche. L'exercice de l'hospitalité est considéré comme un quatrième vœu.

Des miséreux pour remplir les maisons hospitalières, des frères et sœurs pour les accueillir. Voilà les acteurs de ce dialogue de la charité chrétienne.

Né d'initiatives privées ou religieuses, organisé par l'évêque ou par un ordre monastique, géré par l'autorité séculière

> *Tous sont les représentants du Christ.*

ou ecclésiastique, l'hôpital est le lieu par excellence des « œuvres de miséricorde ». Et dans ces hôpitaux, on ne soigne pas seulement le corps mais tout l'être humain. La guérison physique n'est pas le but ultime, elle n'est que le signe de la guérison définitive du péché, du Salut promis à tous. La souffrance assumée est une occasion de progrès spirituel.

Que ce soit pour soigner les hommes d'Église de passage, les pèlerins en route pour la Terre sainte, les pauvres ou les malades, les Frères hospitaliers ont pour vocation d'être serviteurs. Le rapport que l'Église entretient avec la pauvreté et la maladie est spirituel : tous sont les représentants du Christ, figure d'une souffrance rédemptrice. « *Ce que vous avez fait au plus petit... c'est à moi que vous l'avez fait.* » dit le Christ. Hôpital, hospice, refuge, foyer, mouroir, orphelinat... Pour l'Église, il s'agit toujours d'ouvrir la porte pour accueillir le Christ lui-même.

SOURCES : M. Mollat du Jourdin, *HISTOIRE DES HÔPITAUX EN FRANCE*, Paris, 1982. R. Vial, *HISTOIRE DES HÔPITAUX DE PARIS*, Paris, 1999. J. Imbert, *HISTOIRE DES HÔPITAUX FRANÇAIS*, Paris, 1947.

Décembre

Janvier

Février

Mars

Avril

**Mai**

Juin

Juillet

Août

Septembre

Octobre

Novembre

Décembre

# Papes et humanistes
## De la grande peste au concile de Trente

> *Ô Seigneur, notre Dieu,*
>
> *Qu'il est grand ton nom*
>
> *par toute la terre !*
>
> *À voir ton ciel, ouvrage de tes doigts,*
>
> *la lune et les étoiles que tu fixas,*
>
> *qu'est-ce que l'homme pour que tu penses à lui,*
>
> *le fils d'un homme, que tu en prennes souci ?*
>
> *Tu l'as voulu un peu moindre qu'un dieu,*
>
> *le couronnant de gloire et d'honneur ;*
>
> *tu l'établis sur les œuvres de tes mains,*
>
> *tu mets toute chose à ses pieds.*
>
> *Ô Seigneur, notre Dieu,*
>
> *Qu'il est grand ton nom*
>
> *par toute la terre !*

Psaume 8

# CATHERINE DE SIENNE
## POUR QUE ROME RETROUVE SON PAPE

**• 2 MAI •**

LA PETITE CHAMBRE OBS-CURE DE LA MAISON NATALE DE CATHERINE, à Sienne, n'a guère changé. Un rai de lumière toscane se glisse par la fenêtre de laquelle elle distribuait les aumônes, éclaire quelques objets qui rappellent son histoire : un degré de pierre – son oreiller –, une lanterne de fer qui la guidait la nuit vers les malades, un fragment de son bâton à pomme de bois, bon compagnon de son voyage en France, une petite fiole d'arômes, qu'elle inhalait au chevet des mourants frappés par la peste. Humblement posé là, dans la petite armoire de son « cachot » mystique, ce flacon est le symbole muet de cette époque terrible pendant laquelle Catherine vint au monde.

L'année de sa naissance, le 25 mars 1347, un vaisseau génois embarque sur les rives de la mer Noire une passagère clandestine qui va semer la maladie et la mort. C'est la Grande Peste, qui s'attaque à l'Italie et à toute l'Europe, après avoir décimé l'Asie. Elle avance sournoisement, de village en village, de ville en ville, laissant derrière elle malheur et désolation. Plus du tiers de la population y succombe. Mais elle n'est pas la seule à ravager l'Europe

en ce sombre XIVᵉ siècle ; la guerre fait rage, et les cités italiennes ne cessent de s'entre-tuer, comme Sienne et Florence, dont la rivalité ancestrale réveille les haines les plus sanglantes. Même l'Église n'est pas épargnée : « Rome n'est plus à Rome », la papauté s'étant exilée en Avignon en 1309, et les chrétiens ne sont plus en Terre sainte, d'où ils ont été chassés en 1291.

Triste époque pour naître ! Cela ne décourage pourtant pas un teinturier de Sienne, Jacopo Benincasa, et son épouse Lapa Piagenti de donner naissance à un... vingt-huitième enfant... La petite dernière, prénommée Catherine, naît le dimanche des Rameaux de l'an 1347, dans le quartier de Fonte Branda, où sont groupés les cordonniers. La paroisse des Benincasa est celle de Saint-Dominique. Très tôt, Catherine est fascinée par les frères prêcheurs qui vont et viennent dans la paroisse, vêtus de noir et de blanc. Elle veut leur ressembler, se déguiser en homme même, pour pouvoir elle aussi entrer au couvent.

À cinq ans, elle voit, du haut de l'église Saint-Dominique, le Christ lui apparaître et la bénir. Deux ans plus tard, elle fait vœu de virginité. Ses parents et sa sœur

Bonaventura s'étonnent de son manque de féminité. Pour ne pas les blesser, elle soigne sa toilette – écart qu'elle se reprochera toute sa vie et dont même son directeur de conscience ne parviendra pas à la consoler ! Catherine refuse le mariage. À quinze ans, elle est admise, à sa grande joie, comme tertiaire dominicaine chez les Sœurs de la pénitence. La voici donc consacrée mais vivant dans le monde, vouée à la charité, à l'aumône et à la prière. Cette étrange silhouette noire qui arpente les rues de Sienne suscite des interrogations : « Quelle est cette étrange jeune fille ? », se demandent les Siennois, qui la nomment « *mantellata* » à cause du manteau noir des tertiaires dominicaines qu'elle porte sur ses frêles épaules, un manteau de veuve, un manteau de vieille pour une adolescente de quinze ans !

Personne ne sait encore que cette petite femme mène depuis l'enfance une vie étonnante : ses jours et ses nuits, dans l'austérité de sa chambre, ne sont que prières et extases... Catherine s'entretient avec Jésus, avec la Vierge, « *comme vous avec moi, comme moi avec vous* », dit-elle. Elle parle aux saints, ils lui répondent. Éperdue d'amour, elle épouse mystiquement le Christ : « *Je suis l'épouse de Dieu, en virginité.* » Son âme ardente crie sans cesse : « *Amore, amore !* » Ce feu mystique qui l'habite l'entoure d'une aura surnaturelle. « *De nature elle n'était pas des belles* », dit son confesseur et témoin Raymond de Capoue, mais Catherine rayonnait, irradiait du feu de

> « *Je veux, Seigneur, que tu aies tout, et ton ennemi, rien.* »

la sainteté... « *Ma nature est de feu* », reconnaît-elle. Elle en oublie de manger et de dormir, tout absorbée qu'elle est par son amour pour le Christ : « *Je veux, Seigneur, que tu aies tout, et ton ennemi, rien.* »

Catherine ne vit plus que pour servir le Christ – en servant ses frères qui souffrent, elle le sert, Lui. À l'hôpital de la Scala, elle approche sans peur les malades atteints de la peste. Elle soigne les corps, console les cœurs et travaille au salut des âmes. Comme celle du jeune Niccolo di Toldo, scandaleusement condamné par les tyrans de Sienne à avoir la tête tranchée, et qui hurle à l'injustice. Lors de la veillée funèbre, Catherine entra dans la cellule du condamné, prit sa tête sur ses genoux, la caressa, puis, doucement, entraina Niccolo dans sa prière ; toute la nuit, elle le tint contre elle, et, au matin, au lieu du supplice, le jeune homme, dit-elle, « *est enfin venu comme un agneau tranquille ; et me voyant, il a souri. Je lui dis tout bas : "Va, mon doux fils, tu vas être aux noces éternelles." Il se plaça lui-même avec douceur. Je lui ai mis le cou à nu ; et, penché sur lui, je lui rappelais le sang de l'Agneau. Ses lèvres ne répétaient que "Jésus, Jésus ! Catherine." Je fermais les yeux et dis : "Je veux." Et j'ai reçu sa tête entre mes mains.* » En extase, la sainte vit alors l'âme de Niccolo entrer dans le cœur de Jésus.

On pourrait croire Catherine à l'abri de la méchanceté des hommes, mais il n'en est rien. Elle subit l'injure ou la calomnie. Certains, au sein même de son ordre, la prennent pour folle, au point qu'elle doit comparaître devant le chapitre général des dominicains afin d'écarter tout soupçon. Catherine ne s'en effraie pas. Mystique, passionnée de vie éternelle, elle voudrait quitter « *le rêve obscur de cette vie* », et rejoindre l'Époux : « *Je ne puis m'entretenir avec des créatures mortelles, car je sens mon Sauveur me tirer à lui.* »

Pourtant Catherine prêche, inlassablement. La sainte parle, parle toujours et encore, il faut qu'elle parle ! « *Tant qu'elle trouvait quelqu'un pour l'écouter, elle ne pouvait consentir à se taire* », écrit Maconi, l'un de ses secrétaires. Et les âmes affluent, aimantées par la sainteté dont la religieuse parle avec tant d'amour. Moines, clercs, laïcs de Fonte Brada – qui voient en elle « *l'organe du Saint-Esprit* » –, l'assistent dans sa mission. C'est avec vingt-trois d'entre eux – sa « *belle brigade* », comme elle la nomme – qu'elle se rendra, avec son bâton à pomme de bois, en Avignon où elle arrive le 18 juin 1376.

Car Catherine est aussi entrée en politique, et farouchement ! C'est pour cela que cette petite femme de vingt-neuf ans, cette grande mystique, quitte sa cellule, sa rue et sa cité, pour partir à l'assaut de ce pauvre monde. À la demande des Florentins, excommuniés pour s'être révoltés contre les légats français du pape, elle va intercéder auprès de Grégoire XI, le pape lui-même... Les clercs de la luxueuse cour d'Avignon, si prompts à se moquer, doivent ravaler leurs railleries. La volonté de la sainte – « *je veux,*

> **Grégoire XI promet de revenir à Rome.**

*moi, je dis que je veux !* » – est inébranlable : pour réunifier l'Église, Catherine n'exige rien moins qu'une croisade et le retour du pape à Rome ! Elle ira jusqu'au bout pour affranchir le successeur de Pierre de la tutelle du roi de France et de l'université de Paris, de « *la captivité de Babylone* ». Devant une telle énergie, Grégoire XI promet de revenir à Rome. Mission accomplie : Catherine va-t-elle rentrer à Sienne ? Pas encore... Elle guette le pape sur la route – elle va même l'attendre à Gênes ! – afin d'être bien certaine que les cardinaux ne lui feront pas rebrousser chemin...

Peu avant ces missions, « l'épouse mystique du Christ » avait reçu les stigmates. En 1378, elle est comblée d'une nouvelle grâce : comme Hildegarde de Bingen avant elle, Catherine reçoit des révélations sur les mystères de la Divinité, de la Providence, de l'Amour et de la Miséricorde. Comme une enfant, la jeune femme questionne le Père et écoute ses réponses. Et elle, l'illettrée, la petite dernière d'un teinturier, dicte à trois secrétaires qui se relaient des merveilles mystiques et théologiques ! Ce sera le *Dialogue*, (« *mon livre* », disait-elle), l'un des ouvrages qui est aux origines de la formation de la langue italienne.

Du côté de Rome, bien triste nouvelle ! Grégoire XI est mort, Urbain VI lui a succédé. Des cardinaux français, excédés par son attitude à leur égard, ont presque immédiatement élu un antipape, Clément VII : c'est le grand schisme d'Occident. Catherine s'installe alors à Rome, et exhorte Urbain VI à y demeurer lui aussi. En avril 1379, l'expédition menée contre Rome par les armées de Clément VII échoue. Les « clémentistes » se réfugient en Avignon. C'est une grande victoire pour Catherine.

Catherine, la « *mantellata* », la petite tertiaire dominicaine, est alors devenue une femme très écoutée des princes de son temps : elle dicte une abondante correspondance aux souverains de l'Europe, et ne cesse de les exhorter à mener une politique conforme à la foi.

« *Ô Dieu Éternel reçois le sacrifice de ma vie en faveur du Corps mystique de la Sainte Église. Je n'ai rien d'autre à donner que ce que tu m'as donné.* » C'est en prononçant cette prière, aimante jusqu'au bout, que la sainte siennoise meurt le 29 avril 1380.

Canonisée en 1461, sainte Catherine de Sienne est proclamée patronne de l'Italie en 1939, et déclarée docteur de l'Église en 1970.

SOURCES : Catherine de Sienne, *CORRESPONDANCE* et *DIALOGUE DE LA DIVINE PROVIDENCE*. L. Zanini, « Bibliografia analitica di S. Catherina da Siena », in *MISCELLANEA DEL CENTRO DI STUDI MEDIEVALI*, Milan, 1956-1958. Colloque international *CATHERINE DE SIENNE, LA PRÉSENCE ET L'ACTION*, Monastère du Barroux, 7-9 juin 1980.

# LE GRAND SCHISME
# D'OCCIDENT
## *DEUX PAPES POUR UNE TIARE*

**• 3 MAI •** – VOUS N'ÊTES QU'UNE BANDE DE VOLEURS ! N'AVEZ-VOUS PAS HONTE de vivre dans un tel luxe et une telle opulence ? Je vous poursuivrai ! lance rageusement Urbain VI à ses cardinaux. Et le pape de marmonner, de s'emporter contre tout : l'argent, la fiscalité...

Urbain VI n'en est pas à ses premières extravagances et invectives. En effet, sous couleur de défendre les prérogatives de l'Église romaine, il s'est déjà montré d'une rare incorrection à l'égard de l'empereur d'Allemagne Charles IV et du roi d'Angleterre Richard II. Face à une telle violence et à un comportement aussi étrange, les cardinaux n'ont d'autre choix que de s'enfuir prestement, sous divers prétextes, et de se réfugier à Naples.

Sur la route qui les mène de Rome à Naples, ils se demandent encore comment ils ont pu, le 8 avril 1378, élire comme pape ce Barthélemy Prignano, archevêque de Bari, devenu Urbain VI. Absent du conclave en raison d'une négociation délicate avec la ville de Florence, le cardinal Jean de la Grange avait jugé sévèrement un tel choix.

Et les cardinaux se souviennent... Ils étaient seize à entrer en conclave au Vatican, le soir du 7 avril 1378. Grégoire XI était mort, un an après son retour d'Avignon – où il avait d'ailleurs laissé six cardinaux pour assurer le fonctionnement des services. Sur les seize cardinaux du conclave, quatre seulement étaient italiens. Et la population romaine avait grondé sur leur passage, réclamant l'élection d'un pape romain ou au moins italien : si le nouvel élu était français, le risque était grand en effet de le voir repartir en Avignon, et de priver ainsi Rome non seulement de son évêque, mais aussi des revenus de la cour pontificale et des pèlerins.

Le lendemain, 8 avril, le tocsin avait sonné. Les cardinaux, dans la précipitation, avaient élu un Napolitain, Prignano, dont le nom avait déjà été lancé comme solution de compromis. Cependant, il fallait aller chercher l'élu et avoir son accord. Mais la foule déchaînée envahissait déjà le conclave... et demandait instamment à voir le nouveau pape. Menaces, bousculades, empoignades, quelques cardinaux réussirent néanmoins à s'échapper. Ceux qui n'avaient pu en faire autant avaient présenté le cardinal romain Tebaldeschi comme le nouvel élu, en attendant que l'on prévienne Prignano. On avait hissé le vieillard sur un trône, on l'avait revêtu du manteau papal et le peuple était venu lui baiser les pieds. Une scène lamentable !

Oui, maintenant, pour les cardinaux, tout était clair. Ils avaient élu Prignano dans la peur... par peur de la population romaine, et donc l'élection était nulle. L'Esprit Saint n'avait pu inspirer le choix d'un tel homme dont le comportement déraisonnable prouvait d'ailleurs bien la méprise.

À présent, en cette fin du mois de juin, les fugitifs ont trouvé un abri sûr dans le royaume de Naples. Douze cardinaux sont réunis dans la ville d'Anagni : Aigre-feuille, Cros, Flandrin, Robert de Genève, Lagier, La Grange, Pedro de Luna, Malesset, Montalais, Noellet, du Puy, Sortenac et Vergne. Ils se rassemblent dans la chambre de Robert de Genève, qui est souffrant. Ils ouvrent un missel. Sur l'Évangile, les cardinaux présents au conclave du 8 avril jurent qu'ils n'ont élu Prignano que par peur de la mort. Le 9 août, dans la cathédrale d'Anagni, on lit solennellement l'acte de déposition d'Urbain VI. Prignano n'est plus qu'un intrus, un apostat... voire l'Antéchrist !

Les cardinaux italiens les rejoignent : Orsini, Corsini et Borsano. Seul le vieux cardinal Tebaldeschi reste à Rome... pour y mourir au début de septembre. Urbain VI est maintenant seul.

Dès le 15 septembre, les cardinaux se trouvent tous réunis à Fondi, sous la protection de Jeanne, reine de Naples.

*Prignano n'est plus qu'un intrus, un apostat... voire l'Antéchrist !*

Celle-ci aurait eu toutes les raisons d'être ravie du choix de Prignano, un ami, qui n'aurait pu que favoriser son royaume. L'élection d'Urbain VI avait été très bien accueillie à Naples. Mais la reine se laisse convaincre par le témoignage de tous les cardinaux, en particulier celui des Italiens : tous unanimement lui déclarent que l'élection est invalide. Jeanne écrira plus tard : « *Nous prîmes le conseil de maîtres en théologie fameux, de docteurs en droit civil et canonique, et d'autres experts dans les autres disciplines ; nous eûmes surtout des informations véridiques de nos Révérends Pères Nosseigneurs les cardinaux, consignées dans leurs lettres et écrits, de leur main propre et sous leur sceau, sans qu'aucun membre du Sacré Collège fût d'avis différent.* »

Abandonné de tous, Urbain VI nomme vingt-neuf nouveaux cardinaux, dont vingt Italiens. Les cardinaux rebelles de Fondi franchissent alors le dernier pas. Ils entrent en conclave. Le 20 septembre 1378, à l'unanimité – sauf les trois cardinaux italiens qui s'abstiennent de voter –, ils élisent Robert de Genève qui prend le nom de Clément VII. Le 31 octobre 1378, Clément VII est couronné en présence d'un envoyé extraordinaire de la reine Jeanne et de nombreux Napolitains.

Ce n'est pas la première fois que deux papes se disputent le siège de Pierre, mais – fait inouï dans l'histoire de l'Église ! – c'est sensiblement le même collège de cardinaux qui a élu les deux papes rivaux. Même s'ils s'abstiennent, les trois cardinaux italiens – dont l'un n'avait d'ailleurs pas voté pour Prignano – se rallient à Clément VII.

Au lendemain du couronnement d'Urbain VI, les cardinaux avaient écrit à leurs six collègues d'Avignon qu'ils avaient élu Prignano « *librement et unanimement* ». Ils reviennent sur les termes de leur lettre relatant l'élection « libre » d'Urbain VI, en affirmant que cette expression signifiait seulement que leur courrier était surveillé.

> *Ils reviennent sur les termes de leur lettre.*

Bouleversée par le schisme, Catherine de Sienne leur écrit : « *Vous qui nous avez donné la vérité, vous voulez maintenant savourer le mensonge... Vous avez prouvé la régularité de l'élection d'Urbain par la solennité du couronnement, le respect que vous avez témoigné au pape, les grâces que vous lui avez demandées... Vous êtes des menteurs et des idolâtres !* »

Vincent Ferrier, au contraire, se prononce en faveur de Clément VII. Pour lui, seuls les cardinaux du conclave de Rome, puis de Fondi, peuvent connaître la vérité. Accepter leur témoignage relève de la foi en l'Église. Comme l'apôtre Pierre, ils ont pu avoir peur. Ils sont fragiles et pécheurs comme tout homme. Mais leur déclaration lève toute hésitation. À eux seuls, il appartient d'élire le pape et aussi de corriger l'élection. Là où est le vrai collège apostolique, là se trouve le vrai pape.

Ni le concile de Pise de 1409, ni celui de Constance en 1417 ne trancheront en faveur de la légitimité de l'un ou de l'autre. C'est finalement en se prononçant sur un troisième choix que le différend sera levé.

Le schisme n'aurait été que temporaire si Urbain VI n'avait pas finalement trouvé des appuis ou si Clément VII n'avait réussi à se faire reconnaître d'aucun pays. Or la chrétienté occidentale se partagea entre les deux obédiences de façon à peu près égale. Urbain VI conserve les États pontificaux et rallie Florence et Pérouse. Charles IV et l'ensemble de l'Allemagne lui restent fidèles, de même que la Hongrie, la Pologne et la Scandinavie. L'Angleterre adopte la même position, commandée par son hostilité à la France. Elle est imitée par la Flandre, liée économiquement à l'Angleterre.

Mais Clément VII représente une extraordinaire force politique du fait de ses alliances familiales avec toutes les grandes familles d'Europe. Il est, de plus, affable, courtois et généreux, et la liberté de son élection est vérifiable. Sa légitimité est donc reconnue par la France et ses alliées, l'Écosse, la Savoie, et même par les ducs de Luxembourg, de Lorraine et d'Autriche. Après avoir longtemps hésité, la Navarre, l'Aragon et la Castille choisissent aussi Clément VII. Le Portugal tergiverse, rejoint son camp, puis finit par se fixer dans celui d'Urbain à partir de 1385.

Pendant près de quarante ans, la chrétienté occidentale se trouve déchirée. Les abus de la papauté paraissent d'autant plus insupportables qu'il y a deux papes rivaux. Comme l'écrivit le chancelier Gerson, la chrétienté était comme « *un vieillard délirant en proie à toutes sortes de fantaisies, de songes et d'illusions* ».

Si cette crise déstabilise la chrétienté et met en relief ses divisions, elle a cependant pour conséquence de révéler la nécessité d'aboutir à une réforme. Le concile de Constance d'abord, puis celui de Trente sont des réponses à ce schisme que le peuple chrétien d'Occident vécut comme une abominable catastrophe. Parmi les réponses, il y eut aussi celle de Luther et elle ne réussit pas à s'exprimer au sein d'une Église unie.

SOURCES : *LETTRES SECRÈTES ET CURIALES*, Paris, 1930-1970. *GENÈSE ET DÉBUTS DU GRAND SCHISME D'OCCIDENT*, colloque tenu en Avignon du 25 au 28 septembre 1978. J. Chélini, *L'ÉGLISE AU TEMPS DES SCHISMES 1294-1449*, Paris, 1982. P. Levillain, *DICTIONNAIRE HISTORIQUE DE LA PAPAUTÉ*, Paris, 1993.

# FLORENT RADEWIJNS

## *LA DEVOTIO MODERNA*

## *OU LE CŒUR À CŒUR AVEC DIEU*

**• 4**
**MAI •**

CE 17 OCTOBRE 1387, C'EST FÊTE SUR LES TERRES DE WINDESHEIM. Beaucoup sont venus de la ville voisine de Deventer pour célébrer la création d'un nouveau monastère. Sous le soleil d'automne, dans un épais nuage d'encens, au son des cloches étincelantes, la procession s'ébranle en direction de l'église à peine achevée. L'évêque d'Utrecht est venu en personne consacrer la nouvelle abbatiale. À pas lents, il bénit la foule massée autour des six frères qui, tout à l'heure, prononceront devant lui leur profession religieuse. Et ils sont nombreux ceux qui sont venus soutenir les nouveaux chanoines, car tous, ici, connaissent le fondateur de l'abbaye, Florent Radewijns, le prêtre des Frères et des Sœurs de la vie commune.

Dans le cortège, à la suite de ses frères, Florent semble particulièrement ému. Comme souvent, il retrace par la pensée le chemin parcouru depuis trois ans. Jamais il n'aurait pensé qu'il deviendrait un jour un fondateur d'ordre. Et pourtant, il avait bien dû faire face à l'héritage spirituel que le diacre Gérard Groote, son maître, lui avait laissé dans sa bonne ville de Deventer. Il croise les regards de ce peuple venu assis-

ter à la cérémonie. Beaucoup d'entre eux étaient également là, trois ans plutôt, pour l'enterrement de leur diacre.

En avançant lentement vers l'église abbatiale, Florent se remémore cette journée de l'année 1384. Son émotion était forte, celle du peuple également. Car c'est grâce à lui qu'il est là aujourd'hui. Ce jour-là, Deventer avait perdu une grande figure de son histoire. Un homme humble et doux, excellent prêcheur de surcroît.

Beaucoup se souviennent encore des sermons de Gérard Groote, si simples et pourtant rayonnants de l'amour de Dieu. Ses prédications n'étaient ni sombres ni inquiétantes, comme souvent à cette époque de troubles et de famines. En cette fin de XIVe siècle, en effet, les Pays-Bas comme le reste de l'Europe pansaient les plaies de la grande peste et des guerres. La mort était omniprésente. Au milieu des discours apocalyptiques, les sermons de Groote soufflaient une brise apaisante, un vent de fraîcheur. Le prédicateur impressionnait les fidèles en les incitant simplement à mener une vie sereine et constamment fervente. Voilà la « *devotio moderna* », disait-il en citant l'un de ses maîtres, Jean Ruysbroeck, chanoine régulier de Bruxelles, qui avait fondé une communauté dans la forêt de Soigne, et dont il parlait toujours avec beaucoup d'émotion. Il l'appelait l'Admirable. Plusieurs de ses phrases reviennent à Florent : « *L'homme devotus est un homme intérieur* » ; « *La vie dévote est une vie ou l'amour de Dieu et celui des hommes sont toujours joints.* »

Un curieux homme en fait. Après de longues études, il s'était converti, avait abandonné sa maison à des femmes pauvres qui souhaitaient servir Dieu et s'était retiré chez les Chartreux. Il n'y était pas resté et était revenu à Deventer avec l'idée de rénover l'Église. Son discours était si véhément que l'évêque d'Utrecht, à l'époque, avait fini par lui interdire de prêcher en public. Florent sourit car aujourd'hui Son Excellence est là pour bénir l'un de ses projets...

À Deventer, il avait organisé la vie des femmes qui logeaient dans sa demeure et regroupé autour de lui des laïcs et des clercs qui souhaitaient vivre une vie commune et spirituelle. Il s'était également occupé des jeunes écoliers de la ville auxquels il faisait copier des livres et qu'il logeait dans ses maisons. L'ordre des Frères et Sœurs de la vie commune était sur le point de naître. La sérénité spirituelle et l'intériorité de ces nouveaux dévots marquaient leur comportement extérieur. Modestes et posés, leurs visages souriants dévoilaient l'affection et la charité qu'ils avaient pour tous. La ville même semblait transformée.

Le peuple de Deventer ne s'était pas trompé. Celui qu'il avait pleuré était sans aucun doute l'initiateur du mouvement dévot en Flandres. Un courant qui, en faisant l'éloge de l'humble travail, en suggérant des maximes pratiques et en mettant l'accent sur la vie intérieure, avait permis à tous de s'approprier l'Évangile et d'accéder à une vie spirituelle.

Florent le ressent d'avantage aujourd'hui, au bout de trois ans. Lui aussi a été converti par Gérard Groote à cette « *devotio moderna* ». Groote l'avait envoyé recevoir les ordres à Worms pour devenir l'aumônier de ces nouveaux cercles de jour en jour plus présents dans la ville. Il était né à Leerdam vers 1350 dans un milieu assez prospère et avait obtenu une maîtrise ès arts en 1378 à l'université de Prague. Rentré aux Pays-Bas, il reçut une prébende à l'Église collégiale de Saint-Pierre à Utrecht et l'échangea contre une autre à Deventer. Dès lors, Florent poursuit l'œuvre de son ami et achève de structurer les Frères et Sœurs de la vie commune. Il crée les chanoines de Windesheim pour recevoir ceux d'entre eux qui désirent vivre une vie religieuse plus classique.

*L'évêque d'Utrecht avait fini par lui interdire de prêcher en public.*

Alors que la procession s'apprête à entrer dans l'église, Florent songe avec fierté que ces Frères de la vie commune sont aujourd'hui bien implantés dans la ville. Ils rassemblent des prêtres, et des laïcs qui ne prêtent pas de vœux solennels. Ils ont tous choisi de vivre en communauté pour leur sanctification personnelle, et pour nouer avec le Christ un dialogue d'amour, un cœur à cœur ininterrompu.

La joie de cette intimité avec le Christ, ils brûlent de la faire découvrir à leurs contemporains. C'est pour cela qu'ils prennent grand soin de guider les étudiants de Deventer, en les logeant chez les dévots de la ville et en subvenant aux besoins des plus pauvres. Ils les invitent à découvrir cette prière intérieure, ce doux commerce d'amitié avec Dieu qui marquera à jamais la spiritualité chrétienne.

Très vite les Frères de la vie commune ont diffusé à bas prix des ouvrages de piété pour permettre à tous de découvrir cette vie de prière personnelle. Cette activité deviendra une tradition et les chanoines et les frères copieront ainsi des maximes et des extraits des pères spirituels, puis des ouvrages spirituels. De cette activité naîtra d'ailleurs, mais Florent bien sûr ne peut même pas en rêver, l'un des plus grands ouvrages de spiritualité : la célèbre *Imitation de Jésus Christ* copiée puis imprimée à de nombreux exemplaires et attribuée à l'un des chanoines de Windesheim, Thomas a Kempis.

Aujourd'hui, Florent est loin de se douter de la postérité de l'œuvre qu'il met en place. Il est déjà bien étonné d'être parvenu à obtenir l'accord de l'Église pour son couvent. Car, en effet, tous ne les aiment pas, ses frères. On leur reproche de substituer des vœux temporaires aux engagements perpétuels, de lire l'Écriture dans la langue vulgaire et de mettre laïcs et clercs à égalité. Mais c'est justement cette attention à ce que tous puissent se convertir pour suivre le Christ qui a séduit Florent et l'a poussé à s'engager dans cette aventure. La qualité de leur spiritualité et leur érudition, ses frères et sœurs la veulent au service de tous.

Alors que la procession entre dans l'Église abbatiale et se dirige vers l'autel que Son Excellence va consacrer, Florent soupire en pensant à toutes ces querelles et se rappelle une phrase de l'un des frères qui résume si bien l'idée qu'ils se font de la vie chrétienne : « *À quoi bon les disputes théologiques sur la Trinité si l'humilité te manque et si tu déplais à la Trinité ? Non, les paroles savantes ne rendent pas saint et juste, mais une vie vertueuse rend agréable à Dieu.* »

SOURCES : G. Epinay-Burgard, *GÉRARD GROOTE (1340-1384) ET LES DÉBUTS DE LA DÉVOTION MODERNE*, Wiesbaden, 1970. K. Elm, « Die Bruderschaft vom gemeinsamen Leben. Eine geistliche Lebensform zwischen Kloster und Welt, Mittelalter und Neuzeit », in *GERT GROOTE EN MODERNE DEVOTIE*, Anvers, 1985. P. Debongnie, « Dévotion moderne », in *DICTIONNAIRE DE SPIRITUALITÉ*, t. III, Paris, 1957.

# COLETTE BOYLET

*EMMURÉE VOLONTAIRE*

**• 5 MAI •** EMMURÉE VOLONTAIRE-MENT DANS UNE PETITE LOGE ADOSSÉE À L'ÉGLISE SAINT-ÉTIENNE DE CORBIE, cette jeune recluse de vingt-cinq ans bénéficiait d'une notoriété qui commençait à se répandre aux alentours. Colette Boylet, encore laïque, s'adonnait à la prière silencieuse et à toutes sortes de mortifications.

Passée, sans préparation aucune, de la vie du siècle à l'enfermement absolu, Colette était sans cesse chargée par la Cité de prier pour les habitants afin que les calamités les épargnent, pour le rétablissement de la concorde et de la paix en ces temps troublés de la guerre de Cent Ans. Quant à elle, elle se croyait mandatée par Dieu pour dire leur fait aux grands de ce monde et pour combattre l'œuvre destructrice du mal dans la société.

Folle à lier ou touchée par la Grâce ? Grande illuminée ou ultime réponse pour les pauvres pécheurs pour qui elle offrait ses pénitences ? Colette ne laissait personne indifférent, elle qui déclarait qu'elle s'était laissée emmurer « *afin d'embrasser ardemment cette voie toute raide et solitaire* ». Cette femme aux deux visages pouvait, par son regard envoûtant, susciter aussi bien une confiance et une empathie immédiate qu'une répulsion et une terreur totale chez ceux qui la voyaient. Venant de tous horizons et de tous milieux, de Blanche de Genève, sœur du pape Clément VII, aux femmes qui avaient subi des couches difficiles et qui lui tendaient leurs petits enfants pour qu'elle les touche, humbles et puissants la consultaient. Beaucoup la disaient sainte, d'aucuns se méfiaient. N'était-elle pas un peu sorcière pour connaître si bien le secret des cœurs ?

C'est précisément cet aspect double qui attira l'attention de certains aristocrates bien placés, dont le frère franciscain Henry de la Baume. Cette contemplative sans culture présentait les signes d'un progrès spirituel fulgurant. Cette âme simple qui s'élançait vers Dieu, cette foi trempée dans de l'acier, ferait de Colette, si elle était guidée, un être d'élite. Henry de la Baume parvint à obtenir pour Colette une audience auprès du pape Benoît XIII, qui résidait en Avignon, afin d'autoriser la fin de son reclusage. Henry désirait créer un ordre franciscain qui s'engagerait à une observance plus stricte de la pauvreté voulue par saint François d'Assise et à sa suite par sainte Claire. Colette Boylet, qui n'avait vécu qu'en recluse, saurait-elle faire partager ses exigences spirituelles à une communauté ? Henry n'en doute pas mais il lui faut vaincre les réticences et les tiédeurs.

Il attendra quatre années pour qu'enfin, à force de négociations et de démarches, on pût obtenir la remise du monastère de Besançon dont la communauté se trouvait réduite à deux membres. C'est donc là qu'à partir de 1410, Colette put donner toute la mesure de sa foi. Sa faculté d'adaptation fut remarquable et sa puissance de travail impressionnante. Jusqu'à sa mort en 1447, la communauté de Besançon essaime en dix-sept fondations de clarisses réformées. Le temps de reclusage doublé de ces années d'incertitude quant à l'avenir, ont permis à Colette de discerner sa véritable vocation : silence, prière, attente l'ont lentement préparée à sa vie de moniale, l'épreuve, les obstacles ont formé une femme à la volonté farouche.

Cependant, jusqu'à la fin, Colette pré-

*Riches ou indigents, tous font appel à elle.*

sente deux visages : celui de l'intransigeance et celui de la compassion. Absolument inflexible, voire intransigeante pour ce qu'elle pense être sa mission, elle restaure fermement l'observance de la pauvreté dans de petits monastères, loin des cours princières, et sait refuser les trop grandes générosités financières qui pourraient affadir la vocation des moniales. Reprenant ainsi l'œuvre de Claire d'Assise, elle met l'accent sur une grande austérité physique et morale et s'oppose constamment au mode de vie de son temps, qu'elle juge bien trop confortable. Toute de tendresse et de charité, elle communie aux souffrances des pauvres gens, accueille ceux qui s'appuient sur sa prière. Riches ou indigents, tous font appel à elle et croient, sans l'ombre d'un doute, que le Dieu des miséricordes écoute son humble servante.

Recluse puis fondatrice et réformatrice, Colette de Corbie n'a jamais douté que la prière ardente abattait tous les murs. Sa vénération sera confirmée par Rome en 1740. Elle sera canonisée en 1807, n'étant plus connue dès lors que sous le nom de sainte Colette.

SOURCES : Henry de la Baume, *VIE DE SAINTE COLETTE*. S. Roisin, « *COLETTE DE CORBIE* », in *DICTIONNAIRE D'HISTOIRE ET DE GÉOGRAPHIE ÉCCLESIASTIQUE*, t. XIII, Paris, 1954. M.-E. Lopez, « Colette de Corbie », in A. Vauchez, *HISTOIRE DES SAINTS ET DE LA SAINTETÉ CHRÉTIENNE*, Paris, 1987. H. Lippens, « Henry de la Baume, coopérateur de sainte Colette. Recherches sur sa vie et publication de ses statuts inédits », in *SACRIS ERUDIRI*, t. I, 1948.

# VINCENT FERRIER

## *LE SAINT DE LA NOUVELLE PENTECÔTE*

**6 MAI** • DANS LA FOULE, DENSE, MASSÉE DEVANT L'ÉGLISE, UN CLERC FINIT PAR S'ÉNERVER :

— Mais cessez de rire, un sermon c'est sérieux !

— Laisse, l'ami ! Vincent n'est pas un triste saint et, s'il fait rire le peuple, c'est pour mieux l'enseigner.

Le clerc se retourne vers son étrange contradicteur. Dans la Bretagne où ils se trouvent en ce printemps 1419, l'accent de l'homme et la nature de ses propos l'intriguent.

— Qu'en sais-tu ? Qui es-tu pour savoir ce que veut Vincent ? demande le clerc.

— Je le connais, je sais ce que ressentent partout les gens qui viennent l'écouter. Depuis que son périple a commencé, il y a quinze ans, je marche à sa suite. J'étais infirme, vois-tu...

Devant la chapelle de Bretagne s'engage alors un long dialogue entre le clerc et l'étranger, deux hommes venus écouter Vincent Ferrier, un dominicain catalan, né à Valence plus de soixante ans plus tôt, en 1349. Un dominicain qui prêche depuis des heures, trois au moins, ou peut-être plus encore...

— Je suis de ces Vaudois que Vincent a convertis en premier, quand il partit d'Avignon. J'étais boiteux quand je l'ai rencontré, il m'a rendu ma jambe. Depuis que je marche, eh bien, je marche à sa suite...

— Que sais-tu de cet homme ?

— Rien de plus que ce que j'ai appris au cours de la route. Vincent a traversé l'Europe et, partout, il prêche pour la fin de ce monde-ci et la naissance d'un nouveau monde vraiment chrétien.

L'étranger poursuit son récit. Il raconte comment Vincent, dominicain à dix-sept ans, fut, après ses études à Valence et Toulouse, professeur de logique au couvent de Lérida, puis titulaire de la chaire de théologie attachée à la cathédrale de Valence. Comment, lors du grand schisme d'Occident de 1378, il prit parti, comme nombre d'Espagnols, en faveur de la papauté d'Avignon à tel point qu'il devint confesseur et conseiller de l'un des pontifes, Benoît XIII.

— En 1398, il eut une vision de saint François d'Assise et de saint Dominique qui l'incitèrent à se faire prédicateur. C'est alors qu'il est parti d'Avignon. Et c'est un peu plus tard qu'il m'a guéri et nous a convertis.

— Nous ? Vous êtes donc un groupe...

– Oui, Vincent a convaincu nombre d'anciens albigeois et d'hérétiques vaudois, dont nous étions.

Le clerc marque un mouvement de recul. Il considère d'un œil méfiant cet ancien hérétique. Pour converti qu'il soit, ne garde-t-il pas quelque croyance déviante ?

– Mais connais-tu, mon frère, son *Traité de la vie spirituelle* ?

> *Il considère d'un œil méfiant cet ancien hérétique.*

L'étranger sourit à la question du Breton :

– Eh ! je ne suis pas savant comme tu peux l'être, et je ne sais pas lire ! Mais ne t'en fais pas, j'en connais si bien les idées, depuis quinze ans que je suis Vincent, que j'en pourrais dire par cœur la substance. Et, puisque c'est ce qui te soucie, sache que lorsque Vincent m'a converti, je n'ai rien gardé de mes anciennes croyances.

Le clerc, confus d'être ainsi percé à jour, lui demande :

– Étais-tu en Italie lorsqu'il le rédigea ?

– Oui, nous y étions quelques-uns, dans cette année 1405, puis en Espagne en 1410, et depuis quatre ans en France, de la Normandie à ta Bretagne.

Depuis trente ans le « mestre » Vincent va d'une ville à l'autre, d'un pays à l'autre, à travers toute l'Europe, monté sur un simple ânon, hiver comme été, la belle robe blanche des dominicains pendant au ras du sol et couvrant ses pieds nus. Comme Jésus, il est suivi par une foule immense de pauvres, de femmes, d'enfants, de clercs, de paysans, de théologiens, de ducs et de duchesses mêlés. Pour l'écouter, des villages entiers marchent des heures, des villes s'attroupent. Quand, descendu de sa monture, il s'avance vers une tribune improvisée, un épais silence se fait « comme celui d'une mer qui soudainement avalerait le grondement de ses propres vagues ». Son discours est « chaud, substantiel, convaincant et doux ». Il sait faire pleurer la foule, ou la faire rire aux éclats. Les bien-pensants le traite de « prédicateur bouffon et même indécent ». C'est qu'il les connaît bien ses auditeurs, avec leur rouerie et leurs travers qu'il leur rappelle avec humour. Sur le fond, ses sermons sont des vulgarisations passionnées de la *Somme théologique* de saint Thomas d'Aquin, à partir de laquelle il formule un ambitieux projet de restauration sociale, par un sursaut spirituel de toute la société.

À Salamanque, à Rome, à Constance, à Vannes et partout ailleurs, Vincent ne prêche que dans sa langue natale, la *lengua limosina*, proche du catalan. Mais chacun de ses auditeurs l'entend dans sa langue usuelle, du dialecte breton, au latin pour les clercs. Ce miracle permanent est avéré par des sources dignes de foi. Chacun de ses auditeurs l'entend aussi dans toute la richesse de sa propre culture.

Comme lors de la première Pentecôte, cette effusion linguistique et culturelle a pour effet la conversion de milliers de juifs à la Nouvelle Alliance. « *Ô juifs*, dit-il, *ouvrez les yeux et ne restez pas aveugles en face de la vérité des Écritures. Écoutez David disant du Christ : "Qui regarde vers lui sera illuminé."* » En vingt ans, Vincent amènera au baptême un nombre considérable de juifs. Si parfois il pousse trop loin le zèle apostolique en contraignant les communautés juives à assister à ses sermons, il lutte toujours avec la dernière énergie contre les conversions forcées, dans lesquelles il voit « une forme d'oppression tyrannique ». Il s'élève avec véhémence contre les persécutions antisémites : « *Ce que vous faites contre les juifs, vous le faites contre Dieu !* » Souvent, il reprend les communautés chrétiennes accusées de mépriser les juifs convertis : « *Il y a beaucoup de chrétiens qui ne se sentent pas heureux quand un juif se convertit. Cela ne peut être, parce que le Christ fut juif et la Vierge Marie juive avant d'être chrétienne.* »

— Tu l'as entendu, toi-même, demander de venir suivre la messe en entier, plutôt que de n'entrer que pour regarder l'Hostie de loin ! Et tu l'as entendu dans ta langue, n'est-ce pas ?

— Certes, fait le clerc intrigué.

— Sais-tu que partout, les gens l'entendent ainsi, chacun dans leur langue ?

L'étranger, désormais, se tait. Que resterait-il à évoquer : les guérisons par dizaines retenues lors du procès de canonisation ? les six mille sermons prononcés durant toutes ces années, et dont il a entendu la plupart ? les conversions radicales après son passage (bien plus tard, on parlera à son propos de nouvelle évangélisation) ?

Le clerc breton se tait lui aussi. Il est pris par les paroles de feu du dominicain. Il sera l'un des derniers à avoir cette chance. Saint Vincent Ferrier aura prêché jusqu'à sa mort, à Vannes, le 5 avril 1419.

SOURCES : F. Elias de Tajeda, *LAS DOCTRINAS POLITICAS EN LA CATALUÑA MEDIOEVAL*, Barcelone, 1950. B. Montagnes, *PROPHÉTISME ET ESCHATOLOGIE DANS LA PRÉDICATION DE SAINT VINCENT FERRIER*, Toulouse, 1992. É. Delaruelle, *L'ANTÉCHRIST CHEZ SAINT VINCENT FERRIER*, Turin, 1975. P. Niederlander, *LES MIRACLES CHEZ SAINT VINCENT FERRIER*, Srasbourg, 1986. G. Remíro, *LAS CRONISTAS HISPANO-JUDIOS*, Grenade, 1929. J. Dumont, « Saint Vincent Ferrier », in *SEDES SAPIENTAE*, n° 69, 1997.

# LE CONCILE DE CONSTANCE

## *IL SUFFIT D'UN SEUL PAPE*

**• 7 MAI •** LE PAPE A DISPARU... LE BRUIT QUI COURT AU MATIN DU 21 MARS 1415 déclenche un véritable affolement parmi les participants du concile de Constance. Ils n'ont guère envie de rire, et pourtant, avec un peu d'humour, ils pourraient demander : « Lequel ? » En effet, le souci de l'époque, c'est bien l'encombrement du trône de Pierre. Depuis 1378, deux papes se disputent le siège pontifical, et pour ajouter à la confusion, un nouveau pape désigné pour départager les deux autres n'a pas réussi à s'imposer, et ils sont maintenant trois à s'accrocher à des lambeaux de légitimité. La vérité se précise peu à peu. Jean XXIII a quitté Constance dans la nuit, déguisé en palefrenier, vêtu d'un habit de drap gris. Il portait une arbalète au côté. Il s'est enfui à Schaffhouse avec la complicité et sous la protection du duc Frédéric d'Autriche. Le ridicule de la situation n'arrache toujours pas un sourire aux pères conciliaires, aux clercs, aux théologiens, aux princes qui s'entassent depuis près d'un an dans la petite ville, au contraire. Cette fuite provoque la consternation, puis les esprits s'enflamment, et beaucoup craignent que le pape ne déclare la dissolution du concile. C'est pourtant Jean XXIII qui, à l'initiative de l'empereur Sigismond, a accepté de le convoquer le 9 décembre 1413. Il est vrai qu'il ne pouvait guère s'y dérober.

Ce concile devait œuvrer pour la réforme de l'Église. Mais tout d'abord, il fallait résoudre ce qui, pour les pères du concile, était le problème des trois papes et, pour Jean XXIII, celui des deux autres papes.

Depuis la rupture de 1378, entre Urbain VI et Clément VII, le schisme semble devoir se poursuivre indéfiniment, puisque la mort de l'un des papes n'a pas réussi à y mettre un terme. Clément a déjà eu un successeur, Urbain II. Quant au troisième larron, Alexandre V, qui devait mettre tout le monde d'accord, il a été remplacé immédiatement après sa mort par le « courageux » Jean XXIII, qui vient de quitter Constance de si piteuse manière. Bref, c'est un véritable casse-tête, et, pendant ce temps, l'Église n'est plus gouvernée, et les populations chrétiennes qui affrontent en même temps l'horreur de la Grande Peste vivent tout cela comme des événements précurseurs de catastrophes plus épouvantables encore. Pourtant, tous les moyens ont été employés pour tenter de mettre fin au schisme : le recours à la force, le ralliement des cardinaux partisans d'un pape à l'autre camp à la mort de leur champion, l'abdication simultanée des deux papes, un accord négocié entre les deux rivaux... Tout a échoué. Reste le concile, seule instance susceptible de représenter un recours.

Réunis à Pise en 1409, des cardinaux des deux partis ont déposé leurs deux papes, Grégoire XII et Benoît XIII comme schismatiques et hérétiques notoires et ils ont élu Pierre Philargès qui a pris le nom d'Alexandre V.

Mais les deux autres papes ont refusé de se soumettre. Grégoire XII s'est réfugié à Gaëte, sous la protection du roi de Naples. Puis il a trouvé un abri à Rimini, sous la sauvegarde de Malatesta. Quant à Benoît XIII, il conserve le soutien de l'Aragon, de la Castille, des comtés de Foix et d'Armagnac, ainsi que la fidélité de Chypre et de l'Écosse. Mais le concile de Pise n'a fait qu'aggraver le schisme. Trois têtes pour une tiare !

Jean XXIII, le successeur d'Alexandre V, l'élu de Pise, a fait son entrée à Constance le 28 octobre 1414, persuadé de sa légitimité. Il attend du concile la confirmation de la déposition de ses deux rivaux.

Cependant, depuis le mois de février 1415, il a accumulé les revers. La majorité des évêques présents, surtout italiens, a beau lui être favorable, les théologiens plus nombreux que les évêques veulent voter par « nation », en se fondant sur le modèle de représentation en vigueur à la faculté des arts de Paris. L'assemblée se répartit donc en quatre nations : Italie, France, Allemagne et Angleterre. Chacune se réunira à part et communiquera ses résolutions aux autres. Voilà la majorité sur laquelle comptait Jean XXIII qui fond comme neige au soleil.

Et comme si cela ne suffisait pas à son malheur, le cardinal Pierre d'Ailly, qui s'impose par sa compétence, plaide pour la démission des trois papes. Jean XXIII constate amèrement qu'il n'est pas plus considéré que les deux papes déposés à Pise, d'autant plus que Grégoire XII a proposé sa propre démission si les deux autres papes abdiquent également.

Devant les velléités de résistance de Jean XXIII, Pierre d'Ailly dénonce son ambition et le scandale de sa conduite déshonnête. Le pape apprend qu'une liste d'accusations circule contre lui. Il prend peur et promet son abdication. Puis, craignant pour ses jours, il décide de fausser compagnie au concile.

On craignait cette fuite depuis plusieurs jours et la garde était renforcée aux portes de la ville, et pourtant, cela n'a pas suffi. Dans la confusion générale, des cardinaux prennent aussi le chemin de Schaffhouse. Pour ramener le pape, ou partir avec lui ? Nul ne le sait.

Et Jean XXIII s'éloigne encore. De Schaffhouse, il gagne Laufenbourg. Le concile se sent de plus en plus menacé de dissolution. Le chancelier Gerson soutient que, dans le cas présent, le concile général

*Trois têtes pour une tiare.*

est l'institution maîtresse de l'Église hiérarchique et que « *tout homme, même de condition papale, est tenu de l'écouter et de lui obéir* ». Et le samedi de Pâques, 6 avril, dans la cinquième session, le concile se proclame supérieur au pape « *en tout ce qui concerne la foi, l'extirpation du présent schisme et la réforme de l'Église de Dieu en son chef et en ses membres* ». Le Rubicon est franchi, le concile à bout d'arguments s'est déclaré souverain.

Pour plus de sûreté, l'empereur Sigismond décide cependant de tout mettre en œuvre pour ramener Jean XXIII à Constance, car le pape gagne à présent Fribourg puis se dirige vers Brisach pour franchir le Rhin et passer en Bourgogne, puis en France. Des lettres adressées par le pape à l'Université de Paris parviennent à Constance. Jean XXIII y attaque Sigismond et projette de transférer le concile. Le pape va tout faire échouer, son abdication est nécessaire.

Fort heureusement, le duc d'Autriche l'abandonne et se soumet au concile. Tombé aux mains de Sigismond, Jean XXIII est suspendu de ses fonctions. On instruit son procès. Le mercredi 29 mai 1415, l'évêque d'Arras lit le décret : Jean XXIII est déposé comme « *indigne, inutile et nuisible* ». Un orfèvre brise publiquement le sceau pontifical. Il n'y a plus de Jean XXIII... cela fait déjà un pape en moins.

Cinq semaines plus tard, le 4 juillet 1415, le concile connaît une nouvelle grande victoire : il reçoit la nouvelle de l'abdication du pape Grégoire XII, toujours réfugié à Rimini, et les cardinaux qui lui étaient restés fidèles rejoignent le concile. Il n'y avait pas un nuage dans le ciel. Le *Te Deum* éclate et toutes les cloches de Constance sonnent dans l'allégresse ; moins deux papes.

> *Un orfèvre brise publiquement le sceau pontifical.*

Il ne reste plus que Benoît XIII. Sigismond se flatte d'obtenir sa démission. Avec une délégation d'évêques, il part le rencontrer à Nice, le poursuit jusqu'à Narbonne, et le trouve finalement à Perpignan. Mais, resté seul pontife, l'Aragonais Pedro de Luna attend du monarque qu'il reconnaisse ses droits et il rétorque à Sigismond : « *Vous prétendez que ni moi ni mon adversaire ne sommes papes. Ah bien ! en ce cas, il n'y en a qu'un qui soit cardinal, et c'est moi, par suite c'est à moi seul qu'il appartient d'élire un pape...* » En effet, le vieux Pedro de Luna se trouve être le seul cardinal rescapé de l'élection de 1378, en conséquence, il est le seul cardinal valide, tous les autres ayant été désignés par des papes illégitimes. Cet argument juridique, pour exact qu'il soit, ne convainc personne, mais rien ne réussit à faire plier le vieillard irréductible, et le cardinal finit ses jours, réfugié dans la forteresse de Peñiscola où il se croira jusqu'au bout le seul chef légitime de la chrétienté. Le 26 juillet 1417, il est déposé comme « *fauteur et nourricier d'un schisme invétéré, hérétique, endurci et incorrigible* ». C'en est bel et bien fini du schisme !

Mais voici qu'un nouveau conflit éclate, cette fois entre le concile et l'empereur. Quel est l'ordre de priorité : la réforme ou l'élection d'un pape ? Sigismond veut faire passer d'abord la réforme. Les cardinaux au contraire, Pierre d'Ailly en tête, redoutent de rester plus longtemps « *un corps sans tête* » et craignent une réforme menée au pas de charge par un empereur sûr de sa force.

Une à une, les « nations » se rallient au point de vue des cardinaux et Sigismond doit s'incliner. Mais pour ne pas reporter la réforme aux calendes grecques, une nouvelle session solennelle, le 9 octobre 1417, décrète la périodicité des conciles. Après le présent concile de Constance, un autre aura lieu cinq ans plus tard, puis à nouveau au bout de sept ans, et ensuite de dix ans en dix ans.

À présent on peut élire le pape. Réserver l'élection aux seuls cardinaux était devenu impensable. Pierre d'Ailly propose un conclave où les nations auront leur part, tout en préservant la régularité

*Cette fois c'en est fini du schisme !*

de l'élection. On finit par s'entendre sur un corps électoral composé des vingt-trois cardinaux présents, auxquels on joint six députés de chacune des cinq nations. L'élu doit rassembler non seulement les deux tiers des voix des cardinaux, mais encore les deux tiers des voix des délégués de chaque nation. Ainsi l'élection sera-t-elle incontestable, et l'élu représentera toute la catholicité.

Les cinquante-trois électeurs entrent en conclave le 8 novembre 1417, dans la Maison des marchands aménagée à cet effet. Le jeudi 11, le cardinal Ottone Colonna est élu à la quasi-unanimité. Il prend le nom du saint du jour : Martin V. Une foule énorme se porte vers la Maison. L'empereur pénètre dans le conclave et il est admis, un des tout premiers, au baisement de pied. Les cloches de Constance sonnent à toute volée. L'Église retrouve un unique chef, incontesté.

SOURCES : P. Glorieux, LE CONCILE DE CONSTANCE AU JOUR LE JOUR, Paris, 1964. J. Gill, CONSTANCE ET BÂLE-FLORENCE, Paris, 1965. P. Christophe et F. Frost, LES CONCILES ŒCUMÉNIQUES, LE SECOND MILLÉNAIRE, Paris, 1988.

# LA TRINITÉ D'ANDREI ROUBLEV
## *L'ICÔNE DU CŒUR DE DIEU*

**• 8 MAI •** LE GRAND PRINCE N'AVAIT PAS COUTUME D'EXPRIMER SA SATISFACTION autrement que par un visage impassible. Un homme de son rang ne pouvait se permettre de manifester ouvertement ses sentiments comme un vulgaire moujik. Depuis le début de cette année 1425, où il pressentait que son règne touchait à sa fin et que la terre de Russie aurait bientôt un autre seigneur, sa froideur avait même quelque chose de glacial. Mais, tandis qu'il déambulait lentement dans la toute nouvelle église du couvent de la Trinité-Saint-Serge à Zagorsk, les gens de sa suite ne s'y trompaient pas : ce jour-là, leur maître était content. Le « bien » laconique qu'il murmurait parfois en s'arrêtant devant une icône valait largement les louanges les plus vives. Il faut dire qu'Andrei Roublev, qui était en train d'exécuter la décoration de l'église, était un artiste que le prince appréciait plus qu'il n'aurait jamais daigné le dire. Et en écoutant Nikone, le supérieur du couvent, commenter les merveilles dont les murs du sanctuaire commençaient à s'orner, il se disait que le moine atteignait là le sommet de son art.

Son escorte s'était tue en entrant dans l'église, impressionnée par l'atmosphère sacrée qui y régnait. Une veilleuse brûlait devant chaque icône pour indiquer la présence du Très-Haut en ce lieu de prière ; l'éclat de ces flammes faisait sortir de la pénombre tantôt le visage du Christ, tantôt celui de la Vierge, et leur regard profond semblait chercher celui de ces hommes qui les contemplaient en passant. Certains s'étaient mis à échanger à voix basse des opinions sur la splendeur de ces images sacrées, quand soudain un geste péremptoire du grand prince mit fin à leurs chuchotements. Il s'était figé devant le maître-autel, saisi à la vue de l'icône qui le surmontait.

– Le chef-d'œuvre de l'église, Altesse, lui dit Nikone, il représente la sainte Trinité à laquelle est dédié notre couvent.

Le prince n'était pas un grand mystique. C'était plutôt un homme d'action ; il n'avait jamais vraiment pris le temps de se laisser pénétrer par la présence silencieuse qu'une image sacrée donne à contempler. Pourtant, en ce moment, il avait l'impression que l'icône voulait lui parler de ce mystère de la Trinité qui dépasse tout entendement humain. Et le prince, habituellement si impatient quand on s'adressait à lui, se mit à écouter de toute son âme ce qu'elle avait à lui dire.

– Les trois personnes... Pourquoi ont-elles des ailes ? demanda-t-il à Nikone.

– Elles évoquent les trois messagers de qui Abraham reçut la promesse que sa femme Sarah lui donnerait un fils. Les Pères de l'Église voyaient en ces anges mystérieux une révélation de la Trinité que les hommes de l'Ancien Testament ne pouvaient pressentir que confusément, eux qui n'avaient pas encore connu la venue du Sauveur.

Le grand prince se tut quelques instants, absorbé dans une profonde méditation, fasciné par les couleurs vives et douces à la fois qui rayonnaient devant lui. Le bleu intense, le brun sombre des

> *La scène entière semblait baigner dans une lumière éternelle.*

robes des anges se détachaient sur l'or pâle du fond. La scène entière semblait baigner dans une lumière éternelle et paisible qui reposait les yeux fatigués du vieux seigneur.

– D'où vient l'impression d'unité que donne cette icône ? demanda-t-il d'un ton sec, pour dissimuler son émotion.

– Voyez, Altesse, les trois anges ont des vêtements et des positions différentes, et pourtant ils se ressemblent beaucoup. On lit sur leurs traits une paix sans ombre. Leurs sceptres identiques indiquent leur égalité parfaite. Regardez aussi le mouvement circulaire qui les enveloppe. L'ange central est tourné vers celui qui est à sa droite, et entraîne avec lui l'arbre et le rocher qui prennent la direction de son regard, comme pour montrer que notre

monde ne pourrait vivre s'il se détournait de la face de Dieu. L'ange qui reçoit ce regard a la tête inclinée en signe de profond accord. Au-dessus du nimbe qui entoure son visage, vous voyez une maison qui peut être la cabane d'Abraham, mais qui représente aussi notre Église, voulue par la sainte Trinité pour rassembler les hommes sur la terre. Cet ange ne rend pas son regard au premier, mais le transmet à celui qui est sur notre droite, dont repart le mouvement qui fait le tour de la table. C'est donc un véritable cercle qui les unit.

– Cette coupe posée sur la table... Expliquez-la moi, ordonna le prince.

– Il est dit dans l'Apocalypse, Altesse, « Heureux les invités au banquet des noces de l'Agneau. » Nous avons ici une représentation de ce festin éternel réservé à ceux qui s'en sont montrés dignes, et qui peuvent après leur mort contempler à tout jamais la divine Trinité face à face, comme Roublev nous donne d'en contempler l'image sur cet autel.

Le grand prince se plongea à nouveau dans ses pensées. Il était profondément étonné par quelque chose qu'il ne parvenait pas à définir. Au bout de quelques instants, il comprit enfin la cause de cet étonnement :

– C'est étrange... J'ai la sensation d'être attiré vers cette table, comme si j'étais invité à venir m'asseoir à côté des anges pour prendre part moi aussi au festin.

– C'est normal, Altesse. Voyez les

lignes du tableau ; celles des sièges par exemple. Elles convergent toutes vers vous, comme si d'une certaine façon vous étiez le centre de la scène, comme si l'on vous attendait pour le repas.

– Normal... Vous exagérez, père, rétorqua le prince d'un ton bourru. Peut-être pour vous qui êtes moine. Moi, je ne trouve rien de normal à être invité à la table de la sainte Trinité. Comment Andrei Roublev a-t-il pu pressentir ce mystère ? Comprend-t-il donc les secrets de Dieu ?

– C'est un homme de prière, Altesse. Seule la prière permet à l'âme d'atteindre l'invisible, répondit Nikone.

Le grand prince hocha la tête. Puis il s'éloigna à regret de cette table où régnait un amour vécu en plénitude et qui ne passerait jamais.

– À contempler cette œuvre, on en oublierait presque le péché et la discorde, grommela-t-il en partant.

Quand ces mots furent rapportés à Roublev, il eut un sourire triste. Le chemin qui l'avait mené de son monastère d'Andronikov jusqu'à cette représentation de l'amour trinitaire était un chemin de croix. Le péché... Non, en vérité, il ne pouvait l'oublier. En peignant cette scène d'où la blessure du mal semblait effacée, il était encore hanté par le souvenir de la journée de 1408 où les Tatares avaient déferlé sur la ville de Vladimir. Leurs visages grimaçants et avides n'avaient rien à voir avec ceux qu'il était en train de donner aux trois anges assis au festin.

> *Roublev*
> *avait décidé d'offrir*
> *son silence à Dieu.*

Les habitants s'étaient réfugiés dans la cathédrale, dont les portes avaient rapidement cédé sous les coups de bélier. Les assaillants s'étaient alors livrés au massacre et au pillage ; et Roublev, dans la mêlée, avait tué un homme. Après le carnage, dans les ruines désolées du sanctuaire où la neige s'était mise à tomber, ce geste s'était gravé dans sa mémoire pour ne plus le quitter. Toute illusion sur l'innocence du cœur de l'homme l'avait abandonné. À quoi bon peindre, puisque le péché donnait figure humaine à la cruauté avec bien plus de force que le pinceau n'en possédait quand il s'agissait de donner figure humaine à l'amour ? Roublev avait alors décidé d'offrir son silence à Dieu. Il avait dispersé son atelier et était retourné à Andronikov, pour y finir ses jours en vivant entre l'espérance du pardon divin et le poids de son remords.

Quant à la discorde... L'aveu terrible de frère Cyrille résonnait douloureusement dans son cœur tandis que prenait forme sur le bois la représentation des trois personnes unies et éternellement bienheureuses. *« Si tu savais comme je t'ai haï, Andrei... Ma jalousie envers ton talent n'avait d'égal que ma rage de me savoir si piètre artiste à côté de toi. Dieu t'avait comblé de ses dons ; qu'avais-tu fait pour mériter un tel bienfait ? Je me suis réjoui quand j'ai appris que tu ne peignais plus. Mais le Très-Haut m'a donné la grâce du repentir, et maintenant je viens moi-même t'adjurer de sortir de ton silence. Pourquoi as-tu renvoyé les messagers dépêchés par Nikone pour te demander de décorer l'église de la Trinité ? Veux-tu donc emporter ton don dans la tombe ? Ne sais-tu pas que c'est un péché capital de refuser l'étincelle divine ? »*

Cyrille, moine comme lui, l'avait détesté en l'appelant son frère, et Andrei Roublev restait blessé par cette violence incompréhensible qui habite le cœur des hommes. Aussi son travail avait-il été une ardente prière pour qu'ils reçoivent la paix. Il s'était remis à peindre en demandant à Dieu la foi et la simplicité, ces qualités qui rendent une œuvre sacrée. Et s'il avait pu représenter cet amour inouï qui avait frappé un grand prince pourtant difficile à émouvoir, c'est parce qu'il s'était répété sans cesse les mots de l'Apôtre qu'il voulait graver dans l'âme de ceux qui viendraient prier devant son icône : « *Si je n'ai pas la charité, je ne suis rien... Seule la charité ne passera jamais.* »

Sources : D. Rousseau, *L'Icône, splendeur de Ton visage*, Paris, 1982. J.-L. Marion, *La Croisée du visible*, t. III, « Le prototype et l'image », Paris, 1991. Père V. Ivanov, *Le Grand Livre des icônes russes*, Paris-Tournai, 1987.

# LE PROCÈS DE JEANNE D'ARC
## *QUARANTE-QUATRE THÉOLOGIENS*
### *CONTRE UNE BERGÈRE*

**• 9 MAI •**

CETTE NUIT DU 29 AU 30 MAI 1431, JEANNE EST ENFERRÉE DANS SA CELLULE du château de Bouvreuil, à Rouen. Deux soldats anglais sont à la porte. N'a-t-elle pas tenté plusieurs fois de s'échapper, du château de Beaulieu près de Noyon, puis de sa geôle de Beaurevoir ? On le lui a reproché, mais n'est-ce pas le seul droit que possède un prisonnier ? D'ailleurs de quoi ne l'a-t-on pas accusée depuis le 21 février, premier jour de l'interrogatoire ? Elle a tout subi, les rigueurs d'une cellule, les vexations des soldats qui l'insultaient, les interrogatoires interminables, le feu roulant de questions destinées à la faire se contredire, à la confondre. Jeanne revoit le tribunal. Ils sont quarante-quatre contre elle, tous bacheliers, licenciés en théologie, membres du tribunal ecclésiastique, ou représentants de l'Inquisition. Il y a là Monseigneur l'évêque de Beauvais, Pierre Cauchon, Jean Beaupère et maître Jean de La Fontaine. Ils ont été les plus durs. Ils disent qu'ils représentent l'Église, mais elle, la petite paysanne de Lorraine, elle sait bien dans le fond de son cœur qu'ils représentent les intérêts de l'Angleterre.

Ses voix le lui ont dit. D'ailleurs, si c'est l'Église qui la juge, pourquoi est-elle retenue prisonnière dans une forteresse anglaise ? Et pourquoi n'est-elle pas gardée par des femmes, comme c'est l'usage ? Et pourquoi n'a-t-elle pas d'avocat ? Oui, tout cela ressemble fort à un procès politique conduit par les Anglais pour prendre leur revanche sur ce jeune chef de guerre de dix-sept ans qui leur a infligé tant de revers. L'affaire était bien engagée pour eux. Le traité de Troyes signé en 1420 entre Henry d'Angleterre et Charles VI le roi fou, avec la complicité d'Isabeau de Bavière sa femme, leur offrait le trône de France. Déjà ils tenaient Rouen, Paris, Gien ; en octobre 1428, ils étaient aux portes d'Orléans, ville capitale sur la route de leurs possessions en Guyenne. Que s'est-il passé ? Une jeune fille s'est mise en tête de conduire à Reims le dauphin Charles afin de l'y faire sacrer. Elle a surgi devant l'ennemi, à la tête d'une armée non pas tel le robuste Bertrand du Guesclin, mais frêle, brandissant un étendard représentant d'un côté Dieu sur une nuée, entouré de deux anges, et de l'autre les noms de Jésus et Marie sur fond de fleurs de lys. C'est elle qui a délivré Orléans, le 8 mai

1429, et Jargeau, Beaugency et Patay, puis Troyes et Châlons. Jeanne ne s'est jamais étonnée de ces prodiges. Elle rendait grâce à Dieu et écoutait ses voix.

Ses voix ? Oui c'est ainsi qu'elle nomme saint Michel, l'archange qui a empêché les Anglais de prendre le mont qui lui est consacré, et sainte Catherine et sainte Marguerite. Ils lui sont apparus plusieurs fois dans le jardin de son père, Jacques d'Arc, quand elle avait treize ans, lui demandant de venir en France, d'aller trouver le dauphin à Chinon. Les saints lui ont annoncé qu'elle délivrerait Orléans. Et cela est survenu. Ils lui ont aussi dit qu'avant sept ans, les Anglais perdraient tout en France. N'était-ce pas la réalisation de la prophétie annonçant que le royaume perdu par une femme (Isabeau) serait sauvé par une autre, une vierge de Lorraine ? Jamais les voix de Jeanne ne l'ont abandonnée. Elles l'ont guidée de Vaucouleurs à Chinon où, en février 1429, conformément à ce qu'elles avaient promis, la petite Jeanne fut reçue par le gentil dauphin en présence de trois cents chevaliers. Ce jour-là elle lui révéla que, contre toute logique humaine, il serait sacré à Reims, comme tous les rois depuis Clovis. Et elle a vu le jeune prince désemparé reprendre courage. Il a demandé que l'on lui fasse une armure, l'a nommée à la tête de ses armées, et a ordonné à ses soldats, à la Hire, au duc d'Alençon, à Xaintrailles, au rude sire de Rais d'obéir à cette jeune fille que l'on nomme la Pucelle. Et les villes

*« M'est avis que c'est tout un et même chose, de Dieu et de l'Église. »*

s'ouvrirent devant elle, les habitants se précipitaient au-devant du dauphin. C'en allait être fini de la grande pitié du royaume. Jusqu'à ce jour de mai 1430, où, après un échec devant Paris, elle fut faite prisonnière à Compiègne.

Depuis, elle fait face, crânement, convaincue de l'aide de Dieu, armée seulement de sa bonne foi, comme hier de son étendard aux armes divines. À la théologie et aux arguties de ses juges, elle oppose son bon sens et ce qu'elle a appris à l'église de son village. Oui pour elle, cette Église dont se recommandent ces messieurs de l'université et qu'ils agitent comme une menace, cette Église, c'est d'abord l'édifice où elle voudrait se rendre plus souvent afin *« d'entendre messe »*. L'évêque de Beauvais lui a bien expliqué qu'il y a l'Église militante (le pape et les évêques) et l'Église triomphante (Dieu et les saints) mais elle n'entend rien à ces distinguos de clercs : *« M'est avis que c'est tout un et même chose, de Dieu et de l'Église. »* Le soir, dans sa cellule, ses voix reviennent. Elle les interroge, celles-ci l'enseignent. Et le lendemain, à l'audience, elle répond sans se couper, se tire habilement des questions insidieuses, des griffes de ce juge qui lui demande si saint Michel était nu : *« Pensez-vous que Dieu n'ait pas de quoi le vêtir ? »* Ils veulent tout savoir, si les saintes ont des cheveux, si sainte Marguerite parle le langage d'Angleterre. Réponse : *« Comment parlerait-elle anglais puisqu'elle n'est pas du parti des Anglais ? »* Quand elle ne comprend pas la question, Jeanne répond simplement : « *Je n'en sais rien.* » Quand elle soupçonne un piège qui mettrait en péril Dieu et ses saints, elle dit : « *Passez outre.* » Et sa candeur, parfois ironique, irrite les juges.

Que lui arrive-t-il ? Tantôt, on lui reproche de blasphémer, tantôt de porter l'habit d'homme, cet habit que les habitants de Vaucouleurs lui ont offert pour entreprendre sa croisade contre l'Anglais. Elle s'est déjà soumise à un tribunal, à Poitiers, à la demande du gentil dauphin. Déjà des juges l'ont interrogée sur ses voix, et sur sa virginité. Elle leur a répondu et les a convaincus. Cette fois, on lui fait de surcroît grief d'être une sorcière. Les Anglais n'ont-ils pas dit que la prise d'Orléans relevait de sortilèges ? Alors l'évêque Cauchon lui a demandé : « *Qu'avez vous fait de votre mandragore ?* » Elle a répondu : « *Je n'ai point de mandragore et oncques n'en eus. J'ai ouï-dire que c'est chose périlleuse et mauvaise à garder.* »

Le Christ lui-même a subi un procès injuste, et il ne s'y est pas soustrait. Alors quand le poids des questions est trop lourd, quand elle retrouve sa cellule froide et la grossièreté des soldats qui la menacent, elle offre ses souffrances à Dieu, victime lui aussi des mêmes avanies.

Jeanne n'en peut plus. Elle est déjà tombée malade, d'épuisement, de peur, de désespoir, d'empoisonnement, qui sait ? Les Anglais l'ont soignée, en lui dépêchant le propre médecin de la duchesse de Bedford : dans leur intérêt, il faut que le procès aille à sa fin et

*On lui fait aussi grief d'être une sorcière.*

qu'elle soit condamnée pour déconsidérer le roi de France. À cette occasion, on a tenté de profiter de sa faiblesse pour obtenir sa soumission à cette « Église militante » dont parlent les juges. En vain : elle est soumise à Dieu, c'est-à-dire à l'Église éternelle et non à celle de messires Cauchon et Beaupère. D'ailleurs, plus le procès avance et plus Jeanne sent que Mgr l'évêque de Beauvais n'agit pas en prêtre. Ce n'est pas un disciple du Christ qui l'interroge mais un dignitaire au service d'une puissance militaire, hostile au roi de France. La preuve ? Quand monseigneur lui demande de réciter un *Pater* et un *Ave Maria* pour contrôler son instruction, elle lui répond : « *Volontiers pourvu que vous m'entendiez en confession* », et ce trait remplit de rage l'évêque, parce qu'il lui remet à l'esprit son état sacerdotal. S'il l'entend en confession, il ne pourra plus la faire condamner. Et peut-il se soustraire à cette requête ? Alors il change de sujet : « *Receviez-vous les sacrements en habits d'homme ?* » ou encore : « *Croyez-vous que vous n'êtes pas soumise à l'Église de Dieu qui est sur la terre ?* » Elle répond : « *Messire Dieu premier servi* », comme elle l'a si souvent entendu de la bouche de prédicateurs de sa paroisse. Quand on lui demande de se soumettre au pape elle y consent sans tergiverser : « *Menez-moi vers lui et je lui répondrai.* » Elle voudrait comparaître devant le Vicaire du Christ, à Rome, ne serait-ce que pour quitter Rouen et échapper à sa sinistre suite de soldats et de juges.

Au terme de ces semaines d'interrogatoire, au début devant un public, ensuite à huis clos – contre toute légalité – une seule accusation tient encore. Ses juges s'y accrochent comme des naufragés : les habits d'homme. Elle n'en démord pas : jamais Dieu ne lui a dit qu'il était contraire à Sa loi de les porter pour Son service : « *Cet habit ne change pas mon âme et le porter n'est pas contre l'Église.* » Mais monseigneur de Beauvais dit que la Bible condamne ceux qui travestissent leur sexe. Elle refuse d'en changer. Ne serait-ce que pour se protéger de ses gardiens...

Cette nuit du 29 mai, Jeanne est lasse, comme jamais. Elle se rappelle la journée du 24, quand, confrontée à une mise en scène macabre dans le cimetière de Saint-Ouen, devant un échafaud, elle a encore tenu tête à Guillaume Erard, l'ami de Cauchon. Et puis, par fatigue ou par peur, Dieu seul le sait, elle a cédé, signé d'un rond, non sans sourire mystérieusement, reconnaissant « *avoir feint mensongèrement avoir eu révélations et apparitions de par Dieu* », avoir blasphémé, porté « *habit dissolu, difforme et déshonnête contre la décence de nature* ». Elle a déclaré « *abjurer, détester, renier et du tout renoncer et se séparer de ses crimes et erreurs* ».

A-t-elle cru aux promesses de l'évêque de la transférer dans un lieu où elle aurait été gardée par des femmes ? Peut-être. Hélas, à l'issue de son abjuration, Pierre Cauchon a déclaré : « *Menez-la où vous l'avez prise* », c'est-à-dire à Bouvreuil. Alors poussée à bout, elle a repris son habit d'homme. Elle a encore tenté de se

justifier : « *Je l'ai pris parce que c'était plus licite et convenable d'avoir habit d'homme puisque je suis avec des hommes, que d'avoir habit de femme.* » La voilà relapse, encourant la peine de feu.

Demain aux lueurs de l'aube, deux dominicains, Martin Ladvenu et Jean Toutmouillé viendront lui signifier sa condamnation. Elle va être conduite sur la place du Vieux-Marché où a été dressé un bûcher. Elle aura repris courage et songera à son Seigneur lui aussi conduit à travers la ville, vers le lieu de son supplice. Alors elle demandera une croix pour lui ressembler le plus possible. Un Anglais lui en confectionnera une qu'elle placera sur son cœur. Elle en demandera une seconde qu'elle puisse contempler pendant son agonie. On apportera devant elle la croix de procession de l'église Saint-Sauveur. Le feu sera allumé. Elle n'aura qu'un cri pendant son agonie : « *Jésus !* » Dans son martyre, au milieu des flammes, elle connaîtra le triomphe des disciples du Christ.

Jeanne a été réhabilitée en 1456 à Rouen, et fut l'objet d'un culte à travers les siècles, jusqu'en 1920, où elle est canonisée par Benoît XV, après que la France aura subi une épreuve comparable à la guerre de Cent Ans : dans les tranchées de la Grande Guerre, les prêtres et les soldats invoquaient Jeanne d'Arc, et son nom réconciliait les hommes qui donnaient leur vie par amour de la France et ceux qui risquaient la leur pour demeurer auprès de leurs frères qui mouraient sous le feu et la mitraille. Au

*Elle a cédé.*

491

cœur de l'atrocité, ils étaient les témoins de l'amour et de la miséricorde de Dieu. Et pas plus qu'elle ne s'était dérobée à son roi, la petite Lorraine ne leur manqua. Elle est aujourd'hui l'une des saintes patronnes de la France.

SOURCES : G. et A. Duby, *LE PROCÈS DE JEANNE D'ARC*, Paris, 1973. Ph. Contamine, *JEANNE D'ARC, UNE ÉPOQUE, UN RAYONNEMENT*, Actes de colloque d'histoire médiévale, Paris, 1982. R. Berthier, *JEANNE D'ARC, SA MISSION, SES VICTOIRES, SA PASSION*, Paris, 1985. R. Pernoud, *JEANNE D'ARC*, Paris, 1997. J. Guitton, *LE GÉNIE DE JEANNE D'ARC*, Paris, 1998.

# FRA ANGELICO

## *PEINDRE LE BONHEUR DE CROIRE*

• **10 MAI** • FRA ANGELICO ? OUI, C'EST VRAI QUE LE COUVENT SAN MARCO ENTIER RESPIRE SA PRÉSENCE. Mais je l'ai très peu connu, tu sais, nous ne nous sommes jamais trouvés ensemble dans la même communauté. Quand je suis arrivé à San Marco – j'étais alors un tout jeune novice, comme toi aujourd'hui – il était reparti pour Rome. Ensuite il est revenu à Florence, mais pas à San Marco : il avait été nommé prieur du couvent San Domenico de Fiesole. Il a assumé cette charge de 1450 à 1452, je pense. Après quoi il est retourné à Rome, et c'est là qu'il est mort, le 18 février 1455. Finalement il ne sera pas resté très longtemps à San Marco : je ne sais même pas s'il y résidait déjà quand il a commencé sa décoration picturale, en 1438, l'année où le couvent nous a été donné. Ce que je sais, c'est qu'il s'y est consacré pratiquement sans interruption pendant sept ou huit ans, et qu'il l'a profondément marqué de son empreinte.

Si Angelico était son vrai nom ? Non, bien sûr. On voit bien qu'il n'y a pas longtemps que tu es entré dans l'ordre de notre saint père Dominique, sinon tu le saurais.

On l'a appelé ainsi parce qu'on trouvait qu'il peignait comme un ange. Tu vois, nous avons un « Docteur Angélique », saint Thomas d'Aquin, qui a réalisé une synthèse géniale entre l'intelligence et la foi, et nous avons un « Frère Angélique », qui en a réalisé une tout aussi géniale entre la recherche de la beauté et la foi : chacun à sa manière a suivi et développé l'intuition de notre fondateur, qui voulait prêcher l'Évangile dans son siècle comme les Apôtres l'avaient prêché dans le leur.

Avant d'entrer dans l'Ordre, notre « Frère Angélique » s'appelait Guido di Piero. Piero, c'était le nom de son père, qui vivait dans le Mugello, au nord-est de Florence, une région que tu connais peut-être. Guido a dû naître vers 1400, et quitter sa campagne assez tôt pour apprendre son métier de peintre dans un atelier de Florence. En 1417 il s'est inscrit comme peintre dans la Compagnie de Saint-Nicolas, près de l'église du Carmine, sur la recommandation de l'enlumineur Battista di Biagio Sanguigni. Et puis il a travaillé, à la fois comme miniaturiste et comme peintre de retables ou de fresques.

Un peu plus tard, dans les années 1420,

il a décidé d'embrasser la vie religieuse. Il a choisi notre famille dominicaine, qu'il connaissait bien par ses contacts avec nos frères de Florence, et a passé son année de noviciat au couvent San Domenico de Fiesole, tu sais, ce petit couvent à flanc de colline d'où l'on a une si jolie vue sur Florence et sur l'Arno. Mais ce n'était pas pour la vue que Guido l'avait choisi. C'était à cause de la rigueur avec laquelle la règle était observée dans ce couvent, réformé par un fondateur très actif dans la vie ecclésiale de l'époque. Et c'est là qu'il a pris l'habit, sous le nom de frère Jean : Fra Giovanni. Dans les documents il est souvent appelé ainsi : Fra Giovanni da Fiesole.

> *« Riez, mes bien-aimés puisque vous vous êtes évadés de la prison du diable ! »*

Tu trouves étonnant qu'il ait continué à peindre après être entré dans l'Ordre ? Naturellement, il a arrêté de le faire pendant son noviciat. Mais ensuite... Réfléchis un peu. Est-ce que tu crois que sa peinture, ce n'est pas la plus belle et la plus convaincante prédication de l'Évangile de Notre Seigneur Jésus-Christ qui puisse exister ? Notre vocation, telle qu'elle a été définie par notre grand saint Dominique, c'est justement de témoigner de l'Évangile en le prêchant, en l'enseignant, en le vivant... et, pour Fra Angelico, en le peignant.

Mais tu ne m'écoutes qu'à moitié, on dirait. Pourquoi cette longue mine ? Je sais bien, tu regrettes de ne pouvoir participer au Jubilé du frère Étienne, que tous les autres frères sont allés fêter à Santa Maria Novella. Que veux-tu, il faut bien assurer une présence dans le couvent et voilà, nous sommes restés tous les deux, le plus âgé et le plus jeune. Mais cela ne vaut pas la peine de perdre le sourire pour autant. J'ai bien envie de te rappeler ce que disait le bienheureux Jourdain de Saxe, un général de l'Ordre qui a vécu au XIIIᵉ siècle : *« Riez, mes bien-aimés, vous avez bien sujet de rire et de vous délecter dans la joie, puisque vous vous êtes évadés de la prison du diable ! »*

Cela ne suffit pas à te dérider ? Alors écoute, j'ai une idée. Nous aussi, nous allons transformer cette journée en jour de fête. Nous allons admirer ensemble les fresques que Fra Angelico a peintes pour le couvent : non seulement celles que tu connais déjà, au rez-de-chaussée et à l'étage dans le corridor, mais tu vas aussi découvrir celles des cellules des frères. Et comme son œuvre tout entière est un grand *Magnificat*, je parie que cela va te faire retrouver le sourire. Bon, je vois à ta figure que c'est une bonne idée !

Nous n'allons pas rester bien longtemps dans le cloître, tu le parcours assez souvent et tu m'as dit un jour à quel point tu aimais son atmosphère de paix, mais arrêtons-nous quand même devant cette fresque qui accueille les visiteurs à l'entrée du couvent, *Saint Dominique adorant le Christ crucifié.* Dominique, agenouillé au pied de la croix qu'il enserre des deux mains, les yeux pleins d'amour, regarde son Sauveur dont le visage aux yeux baissés s'incline vers lui. Tu vois, on peut dire que toutes les fresques de San Marco ont leur source ici. À l'exemple de saint Paul, c'est « Jésus et Jésus crucifié » que Fra Angelico prêche dans toute son œuvre. Et à San Marco plus encore qu'ailleurs, parce que là, il peint pour ses frères dominicains et qu'il va à l'essentiel.

Quand il fait des retables pour les églises de Florence ou d'ailleurs, à la demande de riches mécènes qui considèrent que rien n'est trop beau pour la maison de Dieu, il use largement des ors et des couleurs lumineuses, et ses peintures exaltent le bonheur de croire. Elles aident ainsi les fidèles à se tourner vers Dieu. Mais à San Marco il ne s'est plus servi d'or ni de couleurs dispendieuses, cela aurait été contraire à notre vœu de pauvreté et nos frères n'en avaient nul besoin. Ses couleurs sont devenues plus austères, toutes en délicates harmonies, ses personnages sont plus intériorisés, leur contemplation porte directement à la prière. Tu le vois dans cette salle du chapitre où nous nous trouvons maintenant et où il a représenté cette immense *Crucifixion* entourée non seulement des personnages qui y ont réellement assisté mais d'une foule de saints de toutes les époques qui s'unissent profondément à la passion du Christ.

> *Il ne s'est plus servi d'or ni de couleurs dispendieuses.*

Tu le verras plus encore peut-être dans les cellules des frères que nous allons découvrir au premier étage. Au débouché de l'escalier, nous arrivons juste devant la grande *Annonciation* du corridor, celle devant laquelle nous récitons un *Ave Maria* à chacun de nos passages. Une fresque d'une telle beauté, dans sa simplicité, qu'on n'a plus envie de dire grand-chose, sinon qu'elle nous fait entrer dans le mystérieux échange qui conduit à l'acceptation de Marie.

Et maintenant nous allons de silence en silence, car les cellules sont des lieux de repos, de méditation et de prière, et les peintures de l'Angelico sont si belles que les mots sont tout à fait impuissants à les décrire. Il faut les regarder doucement, longuement, se laisser pénétrer par leur message, en se rappelant que le frère ne se mettait jamais à peindre sans avoir fait oraison et qu'elles sont nourries de sa prière.

Voici le *Noli me tangere*, le « Ne me touche pas » du Ressuscité à Marie-Madeleine dans le jardin printanier de la Présence divine. Voici la *Déploration du Christ*. Voici la sublime *Annonciation* de la troisième cellule, si dépouillée qu'elle n'est plus que tendresse et ferveur. Voici la *Nativité*. Voici la *Transfiguration* qui donne un avant-goût du ciel. Voici le *Christ bafoué* par des mains qui soufflettent, une bouche qui crache, un bâton qui enfonce la couronne d'épines sans que les corps des bourreaux eux-mêmes soient représentés. Voici le *Christ ressuscité et les saintes Femmes devant le tombeau vide*. Voici le lumineux *Couronnement de la Vierge*. Et voici chaque fois ou presque, dans un coin de la peinture, un ou plusieurs dominicains en prière qui méditent la scène représentée...

C'est comme si le ciel était descendu jusqu'à toi, dis-tu ? Eh bien, c'est un peu moi aussi ce que je ressens, et c'est un don très précieux que nous fait aujourd'hui notre « Frère Angélique ».

SOURCES : A. Hertz et Nils-Loose, _FRA ANGELICO_, Paris, 1984. S. Orlandi, _BEATO ANGELICO_, Florence, 1964. A. Berne-Joffroy et U. Baldini, _TOUT L'ŒUVRE PEINT DE FRA ANGELICO_, Paris, 1990. M. Feuillet, _FRA ANGELICO, LE MAÎTRE DE L'ANNONCIATION_, Paris, 1994. P. Morachiello, _FRA ANGELICO, LES FRESQUES DE SAN MARCO_, Paris, 1996.

# LE CONCILE DE FLORENCE
## QUE LES CIEUX SE RÉJOUISSENT !

**• 11 MAI •** DANS LA CATHÉDRALE SAINT-GEORGES DE FERRARE, CHRÉTIENS D'ORIENT ET CHRÉTIENS D'OCCIDENT sont côte à côte. Spectacle unique, inimaginable quelques années auparavant. D'un côté, une foule ordonnée où le blanc domine : c'est la délégation latine menée par le pape Eugène IV, reconnaissable à son manteau somptueux et sa mitre précieuse. Derrière lui se tiennent les cardinaux, les archevêques, les évêques et les abbés. Si l'on s'amuse à compter les mitres blanches qui se dressent dans l'église, on peut dénombrer environ cent cinquante pères conciliaires.

Du côté opposé, il y a les Grecs, les Orientaux, ceux qui viennent de Constantinople, la mythique Byzance, pour l'heure gravement menacée par les Turcs. Devant la délégation trône l'empereur byzantin, Jean VIII. Il est vêtu d'une longue robe pourpre et coiffé d'un haut chapeau orné d'un magnifique bijou. À côté de lui le trône est vide, car le patriarche de Constantinople, Joseph II, est souffrant et n'a pu se déplacer ce jour-là. Derrière l'empereur se tiennent les représentants des patriarches orientaux et ceux des

prélats grecs, ainsi qu'une foule d'archevêques, prêtres, moines, laïcs de la noblesse, sans compter les deux archevêques arméniens. Tout ce monde est habillé selon les coutumes orientales. Les robes noires, les capes bleues striées de rouge et de blanc, les médaillons richement émaillés, les chapeaux cylindriques recouverts d'un voile qui retombe sur les épaules offrent une image inattendue des archevêques. À côté d'eux, les moines grecs ont plutôt piètre allure dans leur robe grise dont on devine l'étoffe grossière. Enfin, il y a les hauts fonctionnaires orientaux qui portent de longues robes chatoyantes, tenues par de larges ceintures de mousseline, et de hauts chapeaux gris ou rouges.

Cette foule bigarrée, qui s'apprête à ouvrir l'un des conciles œcuméniques les plus importants de l'histoire de l'Église, reflète les différences qui semblent irréductibles entre Orientaux et Latins : différence de rite, de spiritualité, de culture, de sensibilité religieuse. La cathédrale de Ferrare devient pour un temps un tableau vivant, coloré et charnel de la chrétienté médiévale, au seuil de la Renaissance. Pour un temps seulement, car la peste menace les prélats qui doivent se replier loin de l'épidémie. C'est Florence qui les accueille.

En février 1439, les Florentins assistent, émerveillés, à l'arrivée de la délégation orientale. Jamais ils n'ont vu autant de couleurs et d'ors traverser leur ville.

Si la variété des costumes, des coiffes et des couleurs est à l'image des divergences religieuses, elle révèle aussi l'extraordinaire richesse de l'Église chrétienne. Malgré les oppositions, les rancunes anciennes, les incompréhensions mutuelles et les préjugés, tous ont le désir sincère de mettre fin au schisme qui sépare l'Église d'Orient et l'Église romaine. Bien sûr, la situation de l'empereur Jean VIII n'est pas simple. Il a besoin d'un secours militaire pour repousser les Turcs et une réconciliation avec l'Église latine devrait l'aider à l'obtenir. Mais cette circonstance politique ne doit pas occulter le réel travail du concile qui a permis à l'Église de se retrouver unie autour d'une foi commune. Dans ces temps de division, où pape et antipape s'affrontent trop souvent, où les hérésies se multiplient et où l'unité apparaît souvent chimérique, le concile de Florence est un formidable effort de conciliation et de réconciliation œcuménique.

L'Occident vient de mettre un terme, quelque trente années auparavant, au grand schisme qui la déchirait, l'heure de la paix a peut-être sonné. Quatre questions sont examinées : la procession du Saint-Esprit, la reconnaissance du Purgatoire, la légitimité des deux espèces de pains dans l'Eucharistie, la primauté romaine.

> *Il a besoin d'une aide militaire pour contrer les Turcs.*

Le premier affrontement est plutôt à l'avantage de l'Église romaine. Le concile réussit même à unir les Grecs et les Latins. Ces derniers défendaient la formulation du *Filioque* (le Saint-Esprit procède et du Père et du Fils) tandis que les Grecs disaient : « *le Saint-Esprit procède du Père par le Fils* ». Au terme de débats théologiques pertinents et profonds, l'Église orientale reconnaît la validité de la formule latine, compte tenu de la précision apportée à Florence : si l'Esprit Saint procède du Père et du Fils, il procède « de l'un et de l'autre *comme d'un seul principe* » (*tamquam ab uno principio*). Chacun admet que si les paroles diffèrent, le sens reste le même.

Deuxième enjeu : la question du Purgatoire. Elle est également traitée en faveur de l'Église romaine. Il faut dire que les Grecs qui s'y opposaient ne proposaient guère d'autre solution. Ainsi est reconnue l'existence d'un état intermédiaire de purification pour ceux qui meurent dans l'amour de Dieu, mais pécheurs.

Troisième combat : l'usage de la double espèce de pain eucharistique. Ici le débat est également constructif puisque les deux Églises se mettent d'accord sur l'égale légitimité du pain azyme (pour les Latins) et du pain fermenté (pour les Grecs).

La dernière question suscite beaucoup plus de controverses. La primauté du pape sur l'Église de Constantinople et toutes les autres Églises orientales n'est pas toujours facile à admettre pour ceux qui s'estiment « orthodoxes ». Chacun étant persuadé d'avoir raison, le débat aurait pu s'enliser. Mais il faut croire que tous avaient à cœur de retrouver une unité religieuse qui manquait depuis trop longtemps. Il fallait un seul chef, un seul guide, qui serait l'arbitre et le juge suprême en cas de litige. Finalement, les membres du concile arrivèrent à un compromis : le souverain pontife était reconnu comme « *le successeur du bienheureux Pierre, prince des apôtres, le véritable vicaire de tous les chrétiens du Christ, la tête de toute l'Église, le père et le docteur de tous les chrétiens* ». On lui reconnaît la juridiction universelle. Mais les patriarches orientaux conservent tous leurs privilèges. En fait, le concile de Florence consacre surtout la suprématie pontificale. En définitive, la victoire revient au pape, mais cette victoire il la remporte surtout sur ses adversaires occidentaux qui, depuis le concile de Constance, mettaient en cause l'autorité du Saint-Siège au profit d'une autorité des conciles.

La réconciliation est totale puisqu'elle rassemble également autour de Rome les Arméniens, les coptes, les maronites et les chaldéens.

*La réconciliation est totale.*

Le 6 avril 1439, la bulle d'union *Laetentur Caeli*, « que les cieux se réjouissent », scelle la réconciliation entre les Grecs et les Latins. Elle est immédiatement rendue publique en Orient comme en Occident. Autant l'Occident se réjouit, autant en Orient il fallut vite déchanter : de retour chez eux, les dignitaires orientaux revinrent sur leurs signatures sous la pression de la foule qui s'opposait au rapprochement avec l'Occident. Quelques années plus tard, en 1453, Constantinople tombait aux mains des Turcs. Les Latins non plus n'honorèrent pas leurs engagements et laissèrent leurs frères d'Orient seuls devant l'ennemi. Ce dernier met à la tête du patriarcat un anti-unioniste, Gennade II. Le concile de Florence reste lettre morte. Jusqu'à aujourd'hui...

Si le concile a échoué, ce fut essentiellement pour des raisons politiques. Le travail de réconciliation, lui, n'a pas été vain. Il pose la première pierre d'un dialogue entre chrétiens fondé sur le respect. La reconnaissance mutuelle de la double espèce de pain eucharistique est, de ce point de vue, un modèle. Elle pose un principe fondamental : l'unité de la foi n'exige nullement l'identité des rites liturgiques.

SOURCES : *BULLE « LAETENTUR CAELI ». CONCILIORUM ŒCUMENICORUM DECRETA*, Fribourg-Rome, 1962. P. Christophe et F. Frost, *LES CONCILES ŒCUMÉNIQUES*, t. II, Paris, 1988. M. Viller, « La question de l'union des églises entre Grecs et Latins depuis le Concile de Lyon jusqu'à celui de Florence, 1274-1438 », in *REVUE D'HISTOIRE ECCLÉSIASTIQUE*, t. XVII et XVIII, 1921-1922.

# DE L'ÉLECTION DES ABBÉS, DES PAPES ET DES ÉVÊQUES
## *OU COMMENT L'ÉGLISE INVENTE LA DÉMOCRATIE ÉLECTORALE*

**• 12 MAI •**

« NOTRE PÈRE EST MORT ! NOTRE PÈRE EST MORT ! » En cette triste matinée du 3 février 1446, l'abbaye cistercienne de Bonneval est en grande effervescence. Dom Jean Robert, le père abbé, vient de s'endormir dans la paix de Dieu. Les moines présents dans l'abbaye se réunissent dans la grande salle du chapitre et décident que l'élection d'un nouvel abbé aura lieu le 15 du même mois. Cela laissera aux absents le temps de revenir au monastère... En attendant, les discussions vont bon train. Certains veulent choisir le prieur Deodat Fresald, d'autres préfèrent le cellerier Pierre Rigald... Il est grand temps de désigner des scrutateurs, d'élire le nouvel abbé afin que la paix, la sérénité et le silence reprennent leurs droits.

Le 15 février, les frères se rassemblent dans la salle du chapitre pour désigner trois scrutateurs. Le choix de la communauté se porte sur trois de ses aînés, trois frères pleins de zèle pour le monastère, qui prêtent aussitôt serment sur les Évangiles et promettent de remplir avec honnêteté et fidélité cette importante fonction. Les trois scrutateurs se placent alors dans le cloître, à l'entrée de la salle du chapitre, pour que tous puissent les voir. Et l'élection commence. Un à un, les moines viennent chuchoter à l'oreille de chaque scrutateur le nom du candidat de leur choix. Ce n'est pas bien long... Il n'y a que vingt-cinq frères à l'abbaye de Bonneval. Tout le monde retourne alors s'asseoir et les scrutateurs annoncent qu'ils ont mis par écrit le nom du nouvel abbé. Toutefois, avant de proclamer solennellement son nom, on procède à une vérification du nombre des électeurs et de leurs mérites. Ainsi, peut-on constater que l'abbé a été élu à la fois par le plus grand nombre – à la majorité – et aussi par les plus instruits et les plus méritants des moines.

Le prieur prend alors la parole : « *Au nom du Père et du Fils et du Saint-Esprit, moi, Deodat Fresald, prieur du couvent de Bonneval, en mon nom et au nom de tous ceux qui ont droit de vote dans cette élection et selon les pouvoirs qui m'ont été donnés par tout le chapitre, ayant invoqué l'Esprit Saint, je nomme Dom Pierre Rigald comme abbé et pasteur. Tous et un nous approuvons cette élection ainsi accomplie solennellement.* » En ce 15 février 1446, l'élu accepte sa nouvelle charge et la communauté chante un *Te Deum* dans l'église abbatiale. Enfin, devant des témoins laïcs et un notaire, le procès-verbal de l'élection est rédigé : toute la communauté unanime – même ceux qui n'ont pas voté pour Pierre Rigald – ratifie ce choix.

Pour les moines cisterciens de Bonneval, cette élection fait partie de la vie communautaire et ils savent bien que, dans tous les monastères de la chrétienté, les moines procèdent de la même manière. L'élection de Pierre Rigald à la tête de l'abbaye de Bonneval s'inscrit en effet dans la longue pratique électorale de l'Église. Ce qui semble si ordinaire aux moines de Bonneval est l'un des fondements de la pensée politique des siècles à venir et se trouve aux origines de la démocratie.

En effet, si les régimes politiques grecs et les juristes de Rome ont joué un rôle essentiel dans l'élaboration de la pensée politique et des principes démocratiques, ce sont surtout les juristes de l'Église qui dès les XIIe et XIIIe siècles, en s'appuyant sur cet héritage, ont suscité des réflexions nouvelles sur la place de ceux qui sont gouvernés, le pouvoir qu'ils détiennent, la manière dont ils participent au gouvernement et sur les règles électorales elles-mêmes.

L'Église a longtemps été la seule institution où l'on a pratiqué des élections libres et régulières. Ce fut le cas dans les conciles, ce fut aussi vrai pour le choix des papes, des évêques et des supérieurs des monastères. Bien avant l'apparition des mouvements urbains médiévaux, qui revendiqueront une participation du peuple à la gestion de la ville, bien avant la constitution de communautés d'habitants, qui entendront librement organiser leur vie sociale et économique, l'Église a respecté le principe de la consultation des fidèles et la collégialité, alors que la vie politique était marquée par la violence, les rapports de force et la transmission héréditaire de l'autorité.

Pendant des siècles, les clercs seuls se sont montrés capables de poser les principes de ces règles électorales et de les justifier. À ce titre, ils ont souvent été les conseillers politiques écoutés des rois et des empereurs. Par ailleurs, leurs conceptions théologiques et juridiques, fortement influencées par le souci de maintenir l'unité de la foi et de l'Église ont souvent été précieuses. Cette conception de l'unité était bien plus forte que tout ce que les juristes et théoriciens politiques avaient pu imaginer auparavant pour assurer la cohésion du corps social : car l'unité visible de l'Église est signe de l'unité du Corps du Christ. À ce titre, elle est essentielle. Pour servir cette unité, l'Église utilise d'abord la notion d'*unanimitas* (unanimité). Les Pères de l'Église et les premières règles juridiques (canons de conciles, règles monastiques) insistent sur la place fondamentale que joue cette unanimité dans les décisions. Ainsi, entre le VIe et le XIIe siècles, la plupart des élections se font à l'unanimité : élection des papes, des évêques et des abbés de monastères. Toutefois, cette unanimité ne

> *La pratique électorale de l'Église se trouve aux origines de la démocratie.*

résulte pas seulement de la simple addition des voix. Il faut aussi que ceux qui sont les plus sages, les plus instruits, les plus saints approuvent cette élection. Cela permet de corriger ce que la passion ou l'ignorance auraient décidé.

C'est à la fin du XIIe siècle qu'apparaît, dans les communautés monastiques, un principe démocratique essentiel : « *Ce qui concerne tout le monde doit être approuvé par tous.* » Cette maxime héritée du droit romain de Justinien (en 531) était employée dans les affaires privées, et non dans les décisions publiques et politiques. Elle découle aussi de la philosophie d'Aristote selon laquelle le peuple et l'autorité doivent coopérer, particulièrement dans le domaine de la législation et de l'administration. Ces idées et ces dispositions sont à l'origine du développement du principe de représentation dans la vie ecclésiastique et politique. C'est pourquoi l'influence de cette maxime va bien au-delà du gouvernement de l'Église : c'est tout le corps politique de l'Occident médiéval qui sera touché. Petit à petit, il voudra s'administrer lui-même, désigner ses représentants, sa justice, sa police.

Des règles électorales précises figurent très tôt dans les grandes lois de l'Église. C'est le cas du décret de Gratien, par exemple, vers 1140, ou encore des dispositions du troisième concile de Latran en 1179 concernant l'élection du pape. Les votes sont secrets, à la majorité des deux tiers des voix. Toutes sortes de règles sont édictées pour assurer la régularité des élections. Elles sont destinées à empêcher les pressions ; elles entraînent par exemple la nullité en cas de tractations. Au XVe siècle, ce système majoritaire est devenu la norme pour toutes les élections épiscopales et pontificales.

Les modalités électorales monastiques sont encore plus fécondes, plus visibles aussi que partout ailleurs. Les questions techniques y ont fait l'objet de soins encore plus particuliers, aussi bien dans le domaine de la liberté des élections que dans celui de l'élaboration d'un véritable droit électoral.

La question de la liberté est simple. Les moines ont toujours voulu désigner librement leurs supérieurs. Depuis le Ve siècle, les grandes règles de saint Césaire d'Arles, de saint Honorat, et de saint Benoît affirment très nettement le principe de l'élection de l'abbé par la communauté. Or, justement, saint Benoît est un homme pratique. Il sait qu'il peut y avoir des pressions très fortes de la part des notables locaux, des seigneurs, des grands propriétaires et même des rois et des empereurs. L'existence de ces intérêts divergents, parfois conflictuels, l'amène à élaborer le chapitre LXIV de la règle bénédictine : il contient des principes qui domineront toute la vie électorale de l'Église et influenceront profondément le droit électoral laïc ultérieur. L'élection résulte d'une combinaison de votes : à l'unanimité, à la majorité absolue, ou enfin par une minorité particulièrement

> « *Ce qui concerne tout le monde doit être approuvé par tous.* »

avisée. Au-delà de ces techniques, une idée fondamentale demeure : la sagesse et la crainte de Dieu doivent être les véritables guides du vote. Les compromis, les alliances peuvent être nécessaires, mais il doit toujours y avoir des délibérations sur le mode de l'élection, le choix des scrutateurs, le recueil des voix et leur publication. Il s'agit là de règles démocratiques essentielles.

Les ordres mendiants ajouteront, au XIII<sup>e</sup> siècle, des usages particuliers et très perfectionnés, qui sont à l'origine des techniques électorales modernes. L'élection se déroule en plusieurs étapes, soigneusement réglementées : on peut réellement parler d'opérations électorales. L'élection fait l'objet d'un compte rendu public.

> *Des règles démocratiques essentielles.*

C'est en 1563, lors du concile de Trente, qu'est définitivement instaurée la règle du vote individuel secret, déjà en vigueur depuis le XV<sup>e</sup> siècle. Chaque électeur doit inscrire son vote sur une feuille de papier, la « *schedula* ».

Dans la longue histoire des procédures électorales, l'Église a ainsi été un acteur décisif. Bien sûr, cette histoire a aussi subi des influences laïques et surtout l'épreuve des faits ; les événements ont souvent obligé à préciser tel ou tel point, pratique ou théorique, mais la part de l'Église dans l'élaboration du droit électoral, et par conséquent de la démocratie, doit aussi être mesurée à l'aune des modèles qu'elle a propagés par son autorité et surtout par une ancienne, très longue et très scrupuleuse pratique.

SOURCES : F. Rapp, *L'ÉGLISE ET LA VIE RELIGIEUSE EN OCCIDENT À LA FIN DU MOYEN ÂGE*, Paris, 1971. J. Decarreaux, *LES MOINES ET LA CIVILISATION EN OCCIDENT*, Paris, 1962-1981. P. Cousin, *PRÉCIS D'HISTOIRE MONASTIQUE*, Paris, 1956.

# LA BIBLIOTHÈQUE VATICANE

## *L'HUMANISME S'ASSOIT SUR LE TRÔNE DE SAINT PIERRE*

**• 13 MAI •** DEBOUT PRÈS DE L'UNIQUE FENÊTRE, NICOLAS V LAISSE UN SOURIRE ERRER SUR SES LÈVRES tandis qu'il caresse, d'une main rêveuse, le manuscrit rouge, soigneusement relié de velours. C'est celui de l'un de ces auteurs grecs qu'il aime tant. Son regard parcourt les armoires de cette bibliothèque où tout le savoir du monde, déjà, semble s'être donné rendez-vous. Plusieurs volumes particulièrement précieux, munis de quatre fermoirs en émail artistement ciselés et gravés, retiennent un instant son attention, et les souvenirs assaillent son esprit : tant d'efforts pour les obtenir, et tant de joie ensuite !... La salle est plongée dans le silence, mais au loin l'on entend la rumeur de la ville. En cet an de grâce 1450, le Jubilé attire à Rome une foule de pèlerins. L'argent afflue dans les coffres du Vatican. Nicolas V sait bien comment mettre cette manne au service de l'Église et des hommes. Ce pape humaniste, en qui brille le meilleur esprit de Florence, est un passionné de livres. La prospérité des caisses du Vatican est pour lui un signe de la Providence : il va enfin pouvoir donner à son goût et à ses dons de bibliophile un objectif digne de l'Église

qu'il sert au plus haut niveau, en faisant de Rome le centre intellectuel de la chrétienté.

Allons, le temps presse. Nicolas V repose l'ouvrage et gagne à grandes enjambées la porte de la bibliothèque : il a des ordres à donner. Demain, des émissaires secrets vont partir pour l'Orient, afin de recueillir des manuscrits précieux. Le pape ne sait pas encore que, dans trois ans à peine, quand les Turcs auront pris Constantinople et que les trésors de Byzance seront dispersés au vent de l'histoire, sa quête passionnée rendra à l'Église un inestimable service en sauvant de l'oubli ou de la destruction les plus grandes œuvres de l'intelligence grecque. Mais Nicolas V sait déjà que pour permettre à Rome de rayonner sur les esprits, pour faire entrer l'Église par la grande porte dans le dynamisme éblouissant de la Renaissance, il lui faut vouer à l'amour des livres toutes les ressources de son imagination, toute l'ouverture de son esprit... et un nombre respectable d'écus d'or.

Il y est prêt. Avant de devenir Nicolas V, Thomas Parentucelli a en effet passé sa jeunesse à s'initier aux arts libéraux, et il n'est pas un philosophe, un historien, un poète, un cosmographe ni, bien sûr, un théologien de quelque renom qui conservent quelque secret pour lui. Le droit civil, le droit canon, la médecine même l'intéressent. Avec lui, l'Humanisme s'est assis sur la chaire de saint Pierre. Mais on n'est pas humaniste tout seul. Voilà pourquoi Nicolas V, dès 1450, fait rechercher et copier fiévreusement les manuscrits grecs, puis les distribue aux lettrés qui affluent à Rome et se disputent sa faveur. Georges de Trébizonde, Théodore Gaza, Grégoire de Citta di Castello s'occupent d'Aristote ; Thucydide et Hérodote sont traduits par Valla, Diodore par Pogge, Appien par Decembri, etc. La Grèce devient ainsi accessible à tous ceux qui connaissent la langue latine, c'est-à-dire à tous ceux qui ont étudié.

Dans les armoires viennent se ranger les trésors de la science divine et de la science humaine, intimement rapprochés par l'immense culture d'un grand chrétien. La Bibliothèque vaticane est née. Pour le nombre et la qualité des volumes, seule la bibliothèque des Visconti, au château de Pavie, peut alors lui être comparée. En 1426, les Visconti possédaient neuf cent quatre-vingt-huit ouvrages, alors que la bibliothèque de Nicolas V atteignit sous son pontificat mille cent quarante volumes, dont trois cent trente et un manuscrits grecs. Mais si l'ouverture d'esprit et la curiosité intellectuelle du pape sont remarquables, si la fine fleur de ce qui constitue le « patrimoine commun de l'humanité » trouve naturellement sa

*La bibliothèque de Nicolas V atteignit mille cent quarante volumes.*

place dans les rayonnages du Vatican, les ouvrages profanes comme les romans de chevalerie, les traités de jeux, d'astrologie ou de médecine en sont à peu près bannis. Le pape a une haute idée de ce qui convient au chef de l'Église !

Une véritable académie se forme autour de Nicolas V. L'humaniste érudit Giovanni Tortelli reçoit le titre et la fonction de premier bibliothécaire, et tout ce que Florence compte de lettrés de renom émigre à Rome, où l'on traduit les auteurs sacrés avec autant de passion que les classiques de l'Antiquité. Des œuvres originales naissent aussi à l'instigation du pape, qui fait par exemple rechercher des documents sur la vie et les actes des saints et inspire à Timothée Maffei, prieur des chanoines réguliers de Fiesole, un traité « *contre la sainte ignorance* », destiné à réfuter l'opinion que les lettres sont incompatibles avec la piété. Car enfin, si tel était le cas, Nicolas V aurait-il pris la responsabilité de réunir tant de merveilleux manuscrits « *pour l'usage commun de la cour de Rome et des savants de tout pays* », comme le stipule la bulle de création de la Bibliothèque ? Le pape a bien le sentiment de faire œuvre pie, et pas seulement en donnant à la théologie la place d'honneur qu'il sait lui réserver.

C'est avec l'un des successeurs de Nicolas V, Francesco della Rovere devenu pape sous le nom de Sixte IV, que la Bibliothèque prend les dimensions matérielles qui conviennent à sa dignité, avec trois ou quatre salles – au lieu d'une seule – affectées à ses collections. On a dit de Sixte IV qu'il avait « fondé une seconde fois » la Bibliothèque vaticane. Il fut en tout cas un continuateur plein de magnificence et d'esprit. Pavés en mosaïque de verre et de marbre, peintures murales, fenêtres à vitraux peints sur lesquels étincelait le chêne, blason des della Rovere, portes en marqueterie, boiseries et bancs finement travaillés, rehaussés de couleurs et de dorures... Tout cela, aujourd'hui disparu, témoignait du respect dont Sixte IV tint à entourer la renaissance de la Bibliothèque après une brève éclipse.

> Le savoir
> et la foi ne sont
> pas faits pour
> se contredire,
> mais pour
> s'épouser.

Sixte IV plaça à la tête de la bibliothèque l'un des grands humanistes de son temps, Bartelomeo Platina, et lui donna comme auxiliaires deux savants de mérite, qui eurent le titre de gardiens ou « custodes ». Ils étaient logés à côté du dépôt précieux dont ils avaient la garde. Comme Nicolas V, Sixte IV achète, fait copier et traduire. L'orientation de cette bibliothèque, toutefois, est avant tout ecclésiastique : l'Écriture, les Pères de l'Église, les canonistes et les théologiens en forment la plus grosse part. Aux yeux du pontife, en effet, la bibliothèque est faite avant tout « *pour l'honneur de l'Église militante, et pour l'accroissement de la foi* ».

Cette tâche de haute culture ne devait jamais, au cours des siècles, connaître d'interruption. Et le prêt se pratiqua si largement que la Bibliothèque vaticane fut longtemps le centre littéraire le plus actif d'Europe ! Quand vint l'imprimerie quelques années plus tard, les éditeurs puisèrent abondamment dans les richesses accumulées par la Bibliothèque pour propager le savoir. À l'origine de ce prodigieux essor, il y a un pape amoureux des livres, convaincu que le plus haut savoir et la foi ne sont pas faits pour se contredire, mais pour s'épouser.

SOURCES : *BULLE DE CRÉATION DE LA BIBLIOTHÈQUE*. J. Bignami-Odier, *LA BIBLIOTHÈQUE VATICANE DE SIXTE IV À PIE XI*, Citta del Vaticano, 1973. E. Müntz et P. Fabre, *LA BIBLIOTHÈQUE DU VATICAN AU XVᵉ SIÈCLE D'APRÈS DES DOCUMENTS INÉDITS*, Paris, 1887. L. Duval-Arnould, « Bibliothèque Apostolique Vaticane », in *DICTIONNAIRE HISTORIQUE DE LA PAPAUTÉ*, Paris, 1994.

# NICOLAS ROLIN

## *QUAND LES HOSPICES DE BEAUNE*
## *ÉTAIENT UN HÔPITAL*

• **14**
**MAI** •

– EH, MA SŒUR, DE L'EAU, JE TE PRIE.

L'homme qui a hélé ainsi la religieuse est à l'autre bout de l'immense salle des « Pôvres », dans le dernier des lits calés contre les murs. Des lits, il y en a quinze de chaque côté, qui, dans la nuit, sont autant de silhouettes fantomatiques. Ces cloisons, ces rideaux blancs qui tremblent... La religieuse prend son courage à deux mains. C'est sa première veille. Sa consœur a été appelée à l'infirmerie. Dans l'obscurité, à la seule lueur de la chandelle, le broc d'eau à la main, elle passe en revue les trente couches, et s'approche de son premier malade.

– Voilà, mon frère...

– Tiens... Une nouvelle, ma foi. Bienvenue dans notre Hôtel-Dieu, ma sœur.

Il s'interrompt, boit, la regarde :

– Quoiqu'à la vérité tu n'y sembles point très à l'aise.

– C'est que c'est ma première veille, et tout m'impressionne : cette salle immense, ces rideaux... Et puis je n'ai encore jamais servi les malades.

– Eh bien, il faudra t'y faire, ma sœur. Pour moi, je me trouve bien ici. Et maintenant, je vais dormir.

La jeune religieuse parcourt en sens inverse le chemin vers son tabouret de veille, dans l'odeur de camphre, d'encens, d'herbes aromatiques. Quand elle s'est étonnée de ces parfums, on lui a expliqué que les médecins employaient ce moyen pour empêcher les épidémies de se répandre dans l'air vicié. Les mauvaises odeurs, signes de putréfaction, véhiculent la peste, la grippe, la rougeole. On lutte contre elles avec ces parfums, et en protégeant la salle des impuretés extérieures, en renouvelant lentement le grand volume d'air.

– J'aurais pourtant préféré que cette salle fût moins grande, marmonne-t-elle.

Le silence est total, seulement troublé parfois par le délire d'un malade fiévreux.

Le lendemain, 19 janvier 1461, après la messe de huit heures, à laquelle tous les malades assistent depuis leurs lits (la chapelle est dans le prolongement de leur salle), la nouvelle se répand, de lit en lit, et dans toutes les ailes de l'Hôtel-Dieu de Beaune : Nicolas Rolin, son fondateur, est mort hier à Autun.

On commente la nouvelle, tandis que le malade qui l'avait sollicitée nuitamment reçoit les soins de la jeune religieuse. Elle panse les plaies. Le pied, la jambe et le flanc de l'homme, un compagnon charpentier, ont été écrasés, explique-t-il, par la chute d'une poutre.

– C'était sur un chantier bien moins grand que celui qu'avait commandité notre défunt chancelier. Quelle dérision que de me trouver ici, sous ce plafond que j'ai édifié de mes mains, par la faute d'une simple poutre dans une petite demeure...

La sœur suit son geste du regard et lève la tête vers le berceau de bois lambrissé de la voûte, rythmé d'entraits jaillis de la gueule d'animaux fantastiques.

– Ainsi, mon frère, tu as connu le chancelier lors du chantier ?

La religieuse comprend que le malade, autant que de soins, a besoin d'une oreille. Elle s'assied près de la couche. Et le charpentier commence son récit, celui des neuf années de travaux qui ont rythmé la vie de nombre d'habitants de la ville de Beaune, depuis que, le 4 août de 1443, un dimanche, le chancelier de Philippe le Bon, duc de Bourgogne, a publié son acte solennel : « *Moi, Nicolas Rolin, chevalier, citoyen d'Autun, seigneur d'Authume et chancelier de Bourgogne, [...] dans l'intérêt de mon salut, désireux d'échanger contre des biens célestes les biens temporels [...] je fonde et dote irrévocablement en la ville de Beaune un hôpital pour les pauvres malades, avec une chapelle, en l'honneur de Dieu et de sa glorieuse Mère.* » Il a fallu, ainsi, détourner et assécher la rivière, afin de construire une voûte au-dessus de son lit et édifier les deux ailes, dont le malade a monté la

> *La religieuse comprend que le malade a besoin d'une oreille.*

charpente. L'aile nord, qui regroupe les logis de la communauté et des salles de service, a été particulièrement soignée, selon des procédés architecturaux et décoratifs originaux. La façade est parcourue de galeries, surplombée d'une somptueuse toiture rythmée de lucarnes et ornée de tuiles vernissées assemblées en motifs géométriques (elles seront décorées plus tard pour former les motifs polychromes qui seront le symbole de l'hospice).

– Le chancelier a poussé l'originalité jusqu'à faire recouvrir d'ardoises le pan de toiture qui longe la rue.

– C'est bien toi qui les as assemblées, cela se voit à la façon dont tu en parles.

– (Rires) Mais non, ma sœur, cela, c'était la tâche des couvreurs. Moi, je m'occupais de charpente, et accomplissais les travaux d'acheminement.

– Je n'y entends rien. L'acheminement de quoi, mon frère ?

– Mais de la pierre des carrières de Rochetain, des Coucherias, ou du fer de Bèze et de Chalon-sur-Saône...

– Quelle dépense pour bâtir cet édifice. Quelle générosité que celle de notre défunt maître...

– Eh, ma sœur, il fallait bien qu'il rachète son salut, après avoir fait tant de pauvres !

– Pourquoi dis-tu cela, mon frère ? N'es-tu pas ici logé, nourri, soigné aux frais de l'hôpital, comme il l'a voulu ? Ne sais-tu pas que dehors, les pauvres reçoivent quotidiennement du pain blanc, sous une voûte que le chancelier a fait édifier pour qu'ils s'y puissent reposer ? Ignores-tu qu'il a doté notre Hôtel-Dieu de mille livres de rente annuelle pour subvenir à ses besoins ?

– Tu n'es point bourguignonne, ma sœur, et je le vois. On dit ici que Nicolas Rolin n'a jamais refusé aucune occasion d'accroître son immense richesse.

Le charpentier connaît par cœur les sarcasmes et les jalousies qu'engendre l'histoire de Nicolas Rolin, avocat, nommé maître des requêtes par le duc de Bourgogne, Jean sans Peur, puis chancelier (une sorte de Premier ministre et de ministre des Affaires étrangères) par son successeur Philippe le Bon en 1422. Grâce à la générosité de son protecteur, il est devenu l'un des plus gros propriétaires fonciers de l'époque, il a sacrifié des fortunes à son amour des manuscrits, des arts, comme en témoigne ce retable de Rogier Van der Weyden que malades et visiteurs peuvent admirer les jours de fête en l'Hôtel-Dieu. C'est aussi grâce à son statut qu'il a pu édifier et rendre viable cet hospice, achevé en 1452. Pour cela, il a été exempté des impôts du duc et des redevances de l'Église, et a reçu l'autorisation de prélever tout le bois nécessaire à la construction dans les forêts ducales. Apprenant la mort du chancelier, le futur Louis XI ne dira-t-il pas : « *Rolin a tellement dépouillé les pauvres qu'il leur doit bien cela* » ?

– D'ailleurs, toi qui vantes la générosité de cet homme, ne sais-tu pas que tes premières consœurs eurent à souffrir de conflits avec lui ?

– Tu parles sans doute du renvoi de notre maîtresse Alardine Gasquière, voici deux ans ?

– Tout juste. Rolin a précisé dès sa fondation qu'il nomme et révoque, selon son bon vouloir, la maîtresse des sœurs hospitalières, comme l'intendant, les prêtres et les confesseurs de son hôpital. Et il ne s'est pas privé d'user de cette prérogative.

– Mais ce que tu ignores, mon frère, c'est que sœur Alardine privilégiait la rigueur monastique au détriment des soins apportés aux malades.

C'est au tour de la jeune religieuse d'expliquer au charpentier, tandis qu'il mange, les raisons des « Statuts de l'Hôtel-Dieu » de 1459, ce règlement approuvé par Pie II, véritable acte de naissance de la communauté des sœurs hospitalières de Beaune. Et de lui raconter comment Rolin, par ces vingt-huit règles, a voulu éviter la création d'un nouvel ordre, ou qu'une vie trop dure et stricte n'ébranle les santés et ne détourne les vocations.

> *Le chancelier a doté l'Hôtel-Dieu de mille livres de rente annuelle.*

– C'est pourquoi, mon frère, il a renvoyé sœur Alardine, sept ans après sa venue de Valenciennes.

Elle ajoute que le souci qui animait le chancelier, celui de donner la priorité aux malades, l'a amené à limiter les temps de prière, ou à prôner l'absence de profession solennelle : les exigences de leur tâche, pour qu'elles soient vécues charitablement, ne peuvent l'être par la contrainte. Les sœurs « peuvent sortir si elles s'ennuient de servir les pauvres ».

– (Rires) Ainsi donc, si tu te lasses de ma conversation, tu pourras t'en aller de notre Hôtel-Dieu !

– Eh bien, plut à Dieu que tous les malades soient aussi ennuyeux que toi, mon frère.

– Puisque tu sembles prendre à notre discussion autant de plaisir que moi, veux-tu savoir ce que l'on dit de la succession de l'hôpital ? Et du conflit qui risque d'opposer le cardinal Jean, fils du deuxième mariage de Rolin, et sa troisième épouse Guigone, avec qui il a vécu cinquante ans, pour l'héritage de notre Hôtel-Dieu ?

Le malade et la religieuse s'entretiennent de cette querelle qui s'annonce. Ils ne savent pas que le conflit en question

> *Donner*
> *la priorité*
> *aux malades.*

durera neuf années avant d'être finalement tranché en faveur de l'épouse, et qu'il sera marqué par quelques innovations, notamment celle qui consiste à faire élire la maîtresse par les sœurs elles-mêmes. Plus encore, comment la religieuse devinerait-elle que les statuts du fondateur seront respectés, pendant cinq siècles, jusqu'à ce que la communauté se constitue en congrégation, en 1939 ? Que l'institution des Hospices continue d'accueillir malades, hospitalisés et convalescents dans différentes structures, même si elles ont déménagé de l'Hôtel-Dieu ? Et comment le charpentier pourrait-il imaginer que les bâtiments et les intérieurs qu'il a contribués à édifier, scrupuleusement conservés, sont arpentés chaque année par quelque quatre cent mille visiteurs ?

SOURCES : R. de Narbonne, *L'HÔTEL-DIEU, 1443 : UN TÉMOIN UNIQUE DE L'ARCHITECTURE CIVILE DU MOYEN ÂGE*, Paris, 1989, et *LES HOSPICES DE BEAUNE*, Paris, 1990.

# L'ESSOR DE L'IMPRIMERIE

## *OU COMMENT LA SAINTETÉ*

## *VINT PAR LES LIVRES*

**• 15 MAI •**

— EN ES-TU SÛR, MAÎTRE FRANÇOIS ?

— Ça oui... Celui-là, que tu vois à l'extrême gauche, ne détient que je sache prébende qu'en ce chapitre. Mais pour ce qui est des autres...

La messe se termine en la cathédrale de Strasbourg. Mais deux hommes, au milieu de la nef, sont plus occupés à soupeser les capacités financières de chacun des chanoines de la cathédrale qu'à achever leurs dévotions. Et le bilan de l'estimation est, à leurs yeux, des plus encourageants.

— Te rends-tu compte de ce que j'affirme, maître Thomas ? Si nous arrivions ne serait-ce qu'à en approcher et à en convaincre cinq ou six...

— Notre affaire serait faite, oui da.

Étrange conversation. Les deux fidèles qui se donnent du « maître » et font leurs comptes tout bas réfrènent mal leur enthousiasme et, dans les rangs qui les entourent, on se retourne en maugréant. Ce ne sont pourtant ni des sculpteurs, ni des vendeurs de soierie ou d'orfèvrerie, toutes pièces dont l'Église de cette fin du XVe siècle fait grande consommation. Non, ce sont simplement les deux chefs d'ateliers, qui ont installé leurs imprimeries res-

pectives quelques années seulement après que Gütenberg en a achevé l'invention, et ont enfin découvert le moyen de rendre rentable leur commerce.

Plus tard, dans l'atelier de maître Thomas, le plus jeune des deux veut encore être convaincu. Il attend que son collègue lui précise les choses. On sort le vin, le pain et des verres. On repousse les feuilles imprimées jetées pêle-mêle qui encombrent la lourde table de bois. Ce sont les rebuts, les feuilles que les bavures ont gâchées – « L'encre était mal étalée sur la forme », diagnostique maître François –, et celles dont l'alignement de caractère ne convient pas.

— Regarde, François, le *a* s'est déformé sous la pression de la platine. Tout est à jeter...

— Je vois bien, oui. Mais revenons à notre affaire.

— Combien de diocèses pourrions-nous atteindre, avec ces bons chanoines que tu m'as si brillamment énumérés ?

— Mon Dieu, au moins six. Et peut-être davantage. Une dizaine, si tous sont convaincus. Encore faudrait-il que tes ouvriers fassent un ouvrage plus correct que celui-là. Tu sais combien ce genre de clients est attaché à la *res papirea*. Pour les convaincre...

Et maître François commence à expliquer son idée. Les diocèses comptent des milliers de prêtres séculiers et des centaines de religieux. Et partout la hiérarchie est préoccupée par l'inaptitude des gens d'Église à s'acquitter de leur tâche. Depuis le grand schisme de 1378, depuis les conciles de Constance et de Bâle qui ont péniblement dénoué la crise, les autorités sont convaincues qu'il est indispensable de former les clercs. Certes, les universités accueillent de plus en plus de monde, mais la grande majorité des étudiants ne fréquentent que la faculté des arts.

— Et tu sais qu'elle ne vaut surtout que pour ses enseignements philosophiques. Pas de théologie... Alors, que reste-t-il comme choix à nos chanoines et évêques ? Les livres ! C'est-à-dire, nos livres !

— Ou ceux des copistes professionnels. Tu sais, maître François, que jamais nous n'égalerons la beauté de leur travail.

— Ni l'accumulation de leurs fautes de copie. Enea Silvio, avant que d'être pape, signalait déjà en 1454 dans une lettre au cardinal Carjaval la vente à la foire de Francfort de la Bible à quarante-deux lignes...

— La première de Mayence ?

— Oui da. Maître Gunther, qui a son atelier là-bas, a vu la lettre. Il m'a dit qu'elle vantait l'« écriture nette et correcte, nulle part fautive, lisible sans lunettes ».

*Une écriture nette et correcte, nulle part fautive, lisible sans lunettes.*

— Cela suppose que les premières épreuves soient correctement corrigées.

— Qu'est-ce qui empêche que nous fassions ce qu'il faut pour cela ?

Maître Thomas est encore réticent, tant il a de mal à croire à une si bonne affaire.

— Cette lettre, c'était il y a plus de quarante ans, me dis-tu. Et pourtant, que je sache, depuis nous n'avons pas reçu de commandes de nos évêques.

— Parce que nous sommes des benêts, maître Thomas.

Le vieux chef d'atelier énumère les occasions qu'ils auraient pu saisir : entre 1478 et 1489, un imprimeur a travaillé successivement pour les évêques de Bamberg, de Ratisbonne, de Freising et d'Augsbourg ; un autre, entre 1480 et 1495, pour ceux d'Albi, de Lyon, de Vienne et d'Uzès ; un autre encore a été engagé en 1489 par les moines de Monserrat qui lui ont commandé plus de six mille volumes. « Imagines-tu ? Six mille ! »

Ces chiffres ont de quoi faire rêver les imprimeurs. Ils savent que, face à la beauté des ouvrages copiés, leur principal argument est de proposer des tirages importants, donc peu coûteux. Mais les ouvriers, pour excellents qu'ils soient, ne sont pas des marchands. Et, à Strasbourg comme partout, ils doivent trouver une rentabilité rapidement, sinon...

— Que faut-il faire, selon toi ?

— Des tirages massifs, maître Thomas. Notre main-d'œuvre coûte cher.

– Oui da. Mais que faire ?

– Si nous tirons le même livre à des centaines d'exemplaires, pour la même dépense, chaque livre vaudra bien moins cher. Proposons des livres à bas prix à nos chanoines, et ils « revendront » l'idée à leur diocèse.

– Tu crois vraiment qu'ils ont ce pouvoir, maître François ? Chaque prêtre fera bien ce qu'il voudra.

– Et moi, j'ai ouï dire que dans de nombreux diocèses, les autorités ecclésiastiques obligent les clercs à acheter les ouvrages, lorsqu'elles n'en prennent pas en charge, elles-mêmes, la vente. Elles menacent même de peines pécuniaires ceux qui tardent à le faire.

L'argument est décisif. Maître Thomas se prend à rêver, et l'autre sent qu'il lui faut s'engouffrer dans la brèche s'il veut emporter son adhésion.

– Jusque-là, comment pouvait-on obliger un curé à acquérir un ouvrage dont le prix était supérieur à son revenu annuel ? Mais dès lors que les livres imprimés sont bon marché, les statuts synodaux peuvent fixer la liste des livres que tout curé doit posséder s'il veut être en règle...

Les deux chefs d'atelier strasbourgeois se servent un nouveau verre de vin. Ils viennent de toper, ils vont s'associer pour entreprendre une démarche auprès des chanoines, et se répartir les tirages. Ils en sont déjà à évoquer le catalogue de ce qu'ils imprimeront, si tout va bien. Aux livres liturgiques, missels, bréviai-

*Proposons des livres à bas prix à nos chanoines.*

res, psautiers, rituels, s'ajoutent ceux dont un prêtre a besoin pour s'acquitter de son ministère, des recueils de sermons et des manuels de confesseurs, et pour servir en quelque sorte d'aide-mémoire, le *Manuel des curés*. La Bible, bien sûr, déjà éditée près d'une centaine de fois (et traduite, avant la version de Luther, quinze fois en allemand, onze en italien, une en français). Les dictionnaires qui en facilitent la consultation, le *Catholicon* et le *Mammotrectus*. Les grands auteurs scolastiques, de saint Thomas à saint Bonaventure, et les Pères (on compte déjà en Europe cent quatre-vingts éditions de saint Augustin et quatre-vingts de saint Jérôme), pour les universitaires...

– Il paraît, maître François, que les livres de piété se vendent comme petits pains auprès du clergé, et même chez les laïcs.

– Oui, je l'ai ouï dire.

– Nous commencerons par les classiques, l'*Imitation de Jésus-Christ*, la *Légende dorée*.

Le vin fait son œuvre chez le jeune chef d'atelier :

– Et puis il y a les livres d'heures. Il paraît qu'en Allemagne, on s'arrache des recueils des lectures des dimanches et fêtes.

– Eh, maître Thomas, tu t'emballes à présent ! Quand tout à l'heure, tu ne voulais pas entendre parler d'un simple missel...

Brusquement, la griserie de maître

Thomas retombe. Et c'est l'œil sombre qu'il poursuit :

– C'est que je crains aussi que nos chanoines ne s'intéressent de trop près à ce que j'imprime. Tu sais qu'on parle de censure.

– Eh bien, avec ce que nos bons ecclésiastiques vont nous rapporter, tu pourras imprimer tout ce que tu voudras.

– Oui, si l'on m'en laisse le loisir. M'est avis qu'ils ne verront pas d'un bon œil certains ouvrages de littérateurs ou d'humanistes...

– Nous verrons bien alors s'ils ont le pouvoir de les censurer. Et en attendant, ils vont nous faire vivre, maître Thomas.

Les deux hommes trinquent. Ils ont bien raison de se réjouir. La censure viendra effectivement mettre des limites à leur activité, mais elle sera timide dans son application, du moins au début,

> *Tu sais
> qu'on parle
> de censure*

n'empêchant pas par exemple que les quatre mille exemplaires de *l'Appel à la Noblesse* de Luther soient écoulés en cinq jours. Quant aux prévisions économiques de maître François, elles se révéleront exactes. Quoiqu'un peu... pessimistes. Le chapitre des chanoines de Strasbourg, grâce aux prébendes que beaucoup détenaient ailleurs, permettra aux imprimeurs strasbourgeois de fournir en livres liturgiques pas moins de quatorze diocèses. En 1500, le catalogue que les deux hommes évoquent représentera même un peu moins de la moitié de tout ce qui sera sorti des presses, entre sept et neuf millions de volumes. Masse formidable d'imprimés qui assurera l'opulence des éditeurs, et permettra aux ateliers de Strasbourg et de l'Europe entière de résoudre, petit à petit, les problèmes techniques qui se posaient encore à l'aube du XVIᵉ siècle.

SOURCES : L. Febvre et M.-H. Martin, *L'APPARITION DU LIVRE*, Paris, 1957. R. Chartier, « Les pratiques de l'écrit », in P. Ariès et G. Duby, *HISTOIRE DE LA VIE PRIVÉE*, t. III : DE LA RENAISSANCE AUX LUMIÈRES, Paris, 1986. J.-F. Gilmont, *LA RÉFORME ET LE LIVRE. L'EUROPE DE L'IMPRIMÉ (1517-1570)*, Paris, 1990.

# L'ANGÉLUS

## *LA PRIÈRE DES TRAVAUX ET DES JOURS*

• **16 MAI** •

LA VIE DU CHAMP ET DES LABOURS SE CONCENTRE DANS LEUR SILENCE. Il est midi sous le soleil de la campagne où ils peinent, et soudain, au milieu des sillons, les voilà immobiles. Ils prient. Dressés tous deux au premier plan du paysage, tandis que se détache au loin, jailli du centre du village comme un appel, le clocher auquel ils répondent. Elle a courbé la tête et joint les mains et il y a, dans la ligne grave et pure de son attitude, comme un souvenir de Madone. Il lui fait face et lui aussi, simplement, il se recueille. « *L'ange du Seigneur annonça à Marie...* » La cloche vient de tinter trois fois. La salutation a commencé, et le rappel de cette annonce à la Vierge qui changea un jour le cours de l'histoire des hommes donne soudain un prix mystérieux à leur labeur...

Si l'*Angélus* de Millet est si célèbre, c'est sans doute parce que le grand peintre de la vie rustique a su traduire dans son tableau la profondeur de la foi et du sentiment populaires qui s'attachent à ce rite. À la date du tableau (1858), il y a déjà deux siècles que matin, midi et soir, dans tout l'Occident chrétien, les cloches des bourgs et des cités « sonnent » l'appel à la prière commune des fidèles, sur les lieux même de leur ouvrage, en union avec ce mystère de l'Annonciation qui contient déjà en germe tous les mystères à venir. Le tintement de l'Angélus ne ressemble à nul autre, et de Saintes à Cologne, de Cantorbéry à Madrid, on le reconnaîtrait entre mille. Certes, la sonnerie à la volée qui conclut l'oraison finale peut évoquer l'ancien couvre-feu médiéval. Mais les tintements groupés – trois fois trois – qui laissent aux fidèles, dans les intervalles, le temps de réciter les trois *Ave*, ceux-là n'appartiennent qu'à l'ange du Seigneur.

La coutume de l'Angélus s'enracine en fait très loin dans le temps de l'Église. On sait que le « Je vous salue Marie », issu du récit de l'Annonciation et de la Visitation dans saint Luc, fut dès les premiers siècles du christianisme une invocation coutumière. À la fin du VIIᵉ siècle le pape Serge Iᵉʳ inséra la seconde partie de l'invocation : « *Sainte Marie, priez pour nous...* » dans les Litanies des saints. Et c'est vers les XIIIᵉ et XIVᵉ siècles que cette invocation fut définitivement liée à la salutation angélique.

Mais entre-temps l'*Ave Maria* s'était largement répandu dans l'Occident chrétien comme prière privée. Aux XIIᵉ et XIIIᵉ siècles, la récitation quotidienne de trois *Ave Maria* est entrée dans les habitudes. Saint Antoine de Padoue recommande vivement cette pratique. En 1269, saint Bonaventure fait tinter la cloche des monastères après complies pour appeler religieux et fidèles d'alentour à réciter les trois *Ave*. L'Angélus du soir est né. En 1318, le pape Jean XXII, originaire de Cahors, en approuve la pratique observée dans le diocèse de Saintes, l'introduit en Avignon et donne des indulgences aux fidèles qui, entendant la cloche, réciteront les trois invocations à genoux. En 1344, c'est le concile de Sens qui en recommande la pratique dans son treizième canon.

Progressivement, le « pieux exercice » prend son rythme. Dès le XIVᵉ siècle, en Angleterre, l'Angélus du soir se double d'un Angélus du matin. À Pavie en 1330, en France en 1368 au concile de Lavaur, dans le Tarn, la prière du matin se met en place, mais son contenu est un peu différent : cinq *Pater* en l'honneur des cinq plaies du Christ ; sept *Ave* au nom des sept douleurs de Marie. Le XIVᵉ siècle met l'accent sur le lien entre la Vierge et la passion du Christ, ce lien qui est au cœur du message de salut de l'Angélus...

Puis vient s'ajouter l'Angélus du milieu du jour, attesté en Bohême, à Mayence et à Cologne au début du XVᵉ siècle. Il est d'abord limité au ven-

dredi, et ne concerne que la dévotion à la passion du Christ. Mais il s'étend vite. En 1456, face au danger turc, le pape Calixte III lance une croisade de prières et demande que les cloches sonnent trois fois par jour pour la récitation des invocations. La victoire de Belgrade, cette même année, sauve momentanément la chrétienté, mais les Turcs restent redoutables, et la prière ne faiblit pas. En 1472, le roi de France Louis XI prescrit à tout son royaume la pratique de l'Angélus de midi, avec la paix comme intention de prière. Sixte IV, pape d'une grande piété mariale, en étendra l'usage.

Le triple Angélus, matin, midi et soir, avec la triple sonnerie, se répand désormais un peu partout en Occident. Et le pape Alexandre VI Borgia – qui fut bien loin d'être un saint ! – confirme sans hésiter, en 1500, les dispositions de Calixte III. Toutefois, c'est au cours du XVIᵉ siècle que se fixe et se généralise la forme de l'Angélus telle que nous la connaissons aujourd'hui, et telle que Jean-Paul II, chaque dimanche et chaque jour de fête, tient à le réciter, à Rome ou ailleurs : le rappel des trois étapes de l'Annonciation, conclues à chaque fois par l'*Ave Maria* ; la prière pour demander à Marie d'être digne des promesses de Jésus-Christ ; et l'oraison finale : « *Répands, Seigneur, ta grâce en nos cœurs, afin qu'ayant connu par la voix de l'Ange l'incarnation de Jésus-Christ ton Fils, nous arrivions par sa passion et sa croix à la gloire de la résurrection.* »

> *Les fidèles réciteront les trois invocations à genoux.*

Dans le langage populaire, « sonner l'Angélus » désigne d'abord l'appel sonore, et cette désignation tend à prendre le pas sur la prière elle-même. Pour une part l'intuition est juste : même électrifiées comme elles le sont aujourd'hui, les cloches demeurent consacrées et donc leur tintement, qui est présence et appel, est déjà aussi par lui-même prière. Mais toute la tradition de l'Église invite à ne point en rester à cet appel sonore, pour en venir à la réponse : murmurer à son tour les paroles de l'ange, en cessant toute activité pendant quelques minutes pour communier par l'esprit et le cœur, avec et par la Vierge Marie, au mystère d'Amour qui donne son sens au monde. Car en rythmant la vie, partout où on l'entend encore, sur le *tempo* du ciel, l'Angélus sacralise le temps des hommes et rend infiniment précieuse la plus humble des activités, parce qu'en la replaçant sous le regard de Dieu, il lui donne son sens d'éternité.

SOURCES : Dom U. Berlière, « Angélus » in *DICTIONNAIRE DE THÉOLOGIE CATHOLIQUE*, Paris, 1903. Abbé J. Bricout, « *Angélus* », in *DICTIONNAIRE PRATIQUE DES CONNAISSANCES RELIGIEUSES*, Paris, 1925. M. Vloberg, « *Notes sur l'Angélus* », in *SANCTUAIRES ET PÈLERINAGES*, n° 7, mars 1957. J. Fournée, *HISTOIRE DE L'ANGÉLUS. LE MESSAGE DE L'ANGE À MARIE*, Paris, 1991.

# LES MONTS-DE-PIÉTÉ

## QUAND L'ÉGLISE DEVIENT

## LA BANQUE DES PAUVRES

**• 17 MAI •** À LA FAÇON RAGEUSE DONT BERNARDIN EST EN TRAIN DE MANIER LA BÊCHE, le frère qui vient à lui pour l'avertir que l'heure du repas approche devine sans peine qu'il est inutile d'insister et se retire à pas de velours. Bernardin ne l'a même pas entendu, tant le tourbillon des pensées qui agitent son esprit étouffe tous les bruits étrangers à ses préoccupations. Et les mottes de terre volent sans relâche autour du moine furieux. On dirait à le voir qu'il essaie de creuser le sol assez profondément pour pouvoir soulever une montagne entière.

Entre deux ahanements, Bernardin grommelle soudain entre ses dents : « Perdre notre âme ! Nous sommes en train de perdre notre âme ! De ma vie je n'ai entendu pareille calomnie. S'ils n'étaient pas mes frères dans le Christ, Seigneur, je les... » Et un coup de bêche plus vigoureux encore vient terminer de façon éloquente la phrase interrompue.

« Comment osent-ils se permettre ? Eux, qui sont plus proches de nous peut-être qu'aucun autre ordre monastique, eux dont le saint fondateur n'est pas moins admirable que le nôtre... » Le franciscain qui maugrée ainsi pense aux moines vêtus de noir et de blanc qui passent leur vie à sillonner les routes pour prêcher, en mendiant leur pain auprès des braves gens qu'ils croisent. En vérité, rien ne semblait destiné à créer un désaccord entre les Frères de saint Dominique et ceux de saint François.

De colère, Bernardin parle tout seul. Il martèle par bribes les arguments qu'il n'a cessé d'employer pour convaincre chaque interlocuteur à qui il a eu affaire au cours de cette semaine éprouvante. Le moine en bure brune s'est fait l'ardent défenseur d'un système nouveau qui attise des passions contraires. Il songe avec un brin d'amusement qu'à quelques lieues de là, peut-être, dans un couvent dominicain, l'un de ses adversaires est en train de bêcher la terre tout aussi furieusement que lui pour passer sa colère sur un champ. Cette pensée le ferait rire s'il n'était pas aussi mécontent. Les monts-de-piété auront peut-être, entre autres mérites, celui de favoriser le travail de la terre !

Bernardin, quant à lui, est fermement convaincu qu'ils ont bien d'autres avantages. Mais c'est une opinion que les dominicains combattent de toutes leurs forces, et qui a suscité des dissensions au sein même de l'ordre franciscain qui en est pourtant l'initiateur. Et l'éloquence stupéfiante de Bernardin, cette habileté à convaincre qui est devenue légendaire dans la province florentine, n'a pas suffi à rallier tous les esprits à cette cause. Ce matin, un dominicain lui a jeté au visage la terrible calomnie qu'il ressasse en creusant la terre. La stupeur a privé Bernardin de son esprit de repartie habituel, et il s'est contenté de foudroyer son adversaire du regard. Ce soir, les réponses affluent enfin, mais il est trop tard pour confondre l'ennemi et Bernardin en est réduit à les grommeler pour lui-même.

Des usuriers ! On les accuse d'être de vils usuriers. Comme si des frères de saint François pouvaient trahir si grossièrement tout l'héritage de leur fondateur, l'amour chevaleresque qu'il porte à « Dame Pauvreté », son respect envers les plus humbles des miséreux, sa simplicité immense, sa volonté de vivre dans le plus grand dénuement possible. Mais parce qu'ils se sont avisés de créer un système qui permettrait aux pauvres gens d'emprunter quelque argent pour se tirer d'affaire dans certaines situations, on les compare maintenant aux banquiers malhonnêtes qui guettent tels des oiseaux de proie la ruine de leurs clients. C'est là une tache infâme sur l'habit franciscain.

« 5 % ! Seigneur, 5 % d'intérêt, et l'on fait de nous des charognards ! » Ce chiffre dérisoire revient sans cesse dans l'esprit de Bernardin, où il s'inscrit en lettres de feu

*« 5 % ! Seigneur, 5 % d'intérêt, et l'on fait de nous des charognards ! »*

à côté des 40 % que demandent les vrais usuriers à leurs malheureux clients. Pour les dominicains acharnés contre les monts-de-piété, c'est encore 5 % de trop. Mais en quel langage pourrait-on leur faire admettre ce que le prédicateur franciscain ne cesse de leur rétorquer, cette triste réalité selon laquelle toute organisation a besoin d'un minimum d'argent pour fonctionner correctement ? Les administrateurs des monts travaillent gratuitement pour l'amour de Dieu et des pauvres, mais il faut bien embaucher des receveurs et des caissiers, ainsi que des contrôleurs qui vérifient la bonne tenue des registres. Et ces gens-là, dont les compétences sont absolument indispensables, n'entendent pas se dévouer corps et âme aux pauvres. Il faut donc bien les payer. Et avec quel argent, sinon celui que rapportent ces misérables intérêts ? Un ordre mendiant n'a par définition aucun capital. C'est un argument que les dominicains pourraient tout de même comprendre, eux qui n'ont pas un sou vaillant !

On insinue que les franciscains volent les pauvres. Ah, bien ! La main du moine se crispe de toute sa force sur le manche de la bêche. C'est pourtant tout le contraire. Devant la lèpre de l'usure qui ronge toute l'Italie, Bernardin est convaincu qu'il faut prôner une institution honnête qui fasse crédit aux miséreux. Car il est des situations où toutes les paroles réconfortantes du monde ne remplacent pas de bonnes espèces sonnantes et trébuchantes. Celles-ci sont parfois le seul moyen de sauver un homme de la déchéance. Comment peut-on être aveugle au point de ne pas le reconnaître ?

Les dominicains avec qui Bernardin s'est livré cette semaine à de spectaculaires joutes oratoires ont tenté de le mettre en tort par une savante rhétorique. « Frère, à qui appartient le temps ? » lui avaient-ils demandé. Bernardin a négligé de répondre à une question aussi évidente, tout en se demandant où ses adversaires voulaient en venir. Devant son silence glacial, l'un d'eux a continué : « Bien. Puisque vous êtes d'accord pour dire que le temps appartient à Dieu, vous nous permettrez de nous étonner de vous voir vendre quelque chose qui n'est pas à vous. »

Les frères de saint Dominique s'indignaient du fait que, comme tout établissement de prêt, un mont-de-piété fonctionne selon le principe du temps qui s'écoule. Si le débiteur n'a pas remboursé son emprunt un an après l'avoir contracté, son gage devient la propriété du banquier, qui n'a rien fait pour acquérir ce bien. « C'est le travail, frère, qui est la seule source licite de richesse ! » s'est écrié l'un d'eux. Bernardin a pris un ton faussement humble pour le remercier de cette leçon donnée à un

> *Frère, à qui appartient le temps ?*

moine dont tous connaissaient la paresse. L'assemblée a ri de cette repartie. Mais le franciscain est las de ces attaques virulentes qui semblent n'avoir d'autre but que de bafouer son ordre. Aussi est-il bien aise que les encouragements chaleureux de l'évêque de Lucques soient venus à point pour imposer silence à ses adversaires. Il paraît même...

Bernardin interrompt ses coups de bêche furieux, et regarde d'un air songeur le vaste monticule de terre qui s'élève autour du trou béant qu'il a creusé sans but. Il n'ose achever sa pensée, tant la nouvelle lui semble inespérée, mais elle le remplit de joie malgré tout : il paraît même que le pape s'est montré vivement intéressé lorsqu'on lui a parlé des monts-de-piété. L'avenir va se charger de confirmer cette nouvelle que Bernardin médite avec un demi-sourire, le menton appuyé sur le manche de sa bêche, et qui a fait subitement tomber sa colère. Léon X approuvera en 1515 l'invention controversée des franciscains, les lavant ainsi de toute accusation de vénalité et d'usure. Les Monts de Piété, qui permettent aux plus humbles d'avoir accès à un prêt dans des conditions honnêtes, sont considérés comme une œuvre de charité.

SOURCES : M. Mollat, *Les Pauvres au Moyen Âge*, Paris, 1978. *Le Mouvement confraternel au Moyen Âge : France, Italie, Suisse.* Actes du colloque de Lausanne de 1985. T. Halay, *Le Mont-de-Piété des origines à nos jours*, Paris, 1994. E. Deschodt, *Histoire du mont-de-piété*, Paris, 1993.

# L'IMITATION DE JÉSUS-CHRIST

## À LA RECHERCHE D'UN AUTEUR PERDU

**• 18 MAI •**

— ANTOINE, RÉVEILLE-TOI. RÉVEILLE-TOI, VITE, POUR L'AMOUR DE DIEU !

— Le maître des novices est mort ! Le maître des novices est mort !

Le jeune homme bondit hors de sa couche. Dans un tumulte de volière, alors que le glas confirme la nouvelle à la ronde, tous les novices se précipitent dans les couloirs, et Antoine, dernier entré au noviciat du monastère de Mont-Sainte-Agnès, cherche vainement un visage ami auquel se raccrocher.

Dans le déambulatoire, à l'est de l'église du monastère, un groupe s'est formé. Quelqu'un rompt enfin le silence : « C'est ici que frère Thomas sera enterré. Le prieur en a décidé ainsi. » Puis de nouveau, chacun se tait et semble rentrer en soi-même pour une prière muette. Antoine, lui, essaie de maîtriser sa stupeur.

N'était-il pas, lui, le Flamand de Bruges, venu jusqu'ici, à Utrecht, pour grandir en noviciat sous la houlette de l'homme qui vient de mourir ? Cet homme-là, il l'a cherché longtemps, depuis que, à quinze ans, il a découvert un petit ouvrage, *De imitatione Christi*, l'*Imitation de Jésus-Christ*, quatre traités spirituels en vérité,

qui l'ont profondément bouleversé et dont la particularité est qu'aucun nom d'auteur n'y figurait.

Antoine, à la lecture de ces textes, avait immédiatement été frappé par leur propos radical, dès le premier chapitre de la première partie : « *"Celui qui me suit ne marche pas dans les ténèbres" (Jean 8,12). Ce sont là les paroles de Jésus-Christ, paroles par lesquelles il nous exhorte à imiter Sa vie et Sa conduite. Si nous voulons trouver la véritable lumière et ne pas tomber dans l'aveuglement des passions. Que notre principale étude soit donc de méditer la vie de Jésus-Christ.* » C'est en effet tout le propos du traité que d'inviter chacun à se conformer au Christ. Et le jeune homme avait décidé, sitôt le manuscrit reposé, de retrouver l'homme qui avait écrit ces lignes, pour mieux le comprendre et en apprécier la valeur.

C'est de cette quête dont il se souvient en cette matinée triste et froide de 1471. C'est cette recherche qui l'a conduit ici, jusqu'à Thomas a Kempis. Ce qu'il ignore bien sûr, c'est que sa quête personnelle rejoint celle que mèneront, bien plus tard et pendant plusieurs siècles, historiens et religieux. Dès le début du

XVIIᵉ siècle, beaucoup revendiqueront, pour leur pays ou leur ordre, la paternité du recueil. En France, on citera Jean Gerson. L'Italie proposera un abbé bénédictin de Verceil. Dans le reste de l'Europe, on évoquera un chanoine régulier de Mont-Sainte-Agnès aux Pays-Bas, Thomas a Kempis. Jusqu'en 1921, où un nouveau candidat sera proposé, Gérard Groote.

[ *Une sorte de « chasse au trésor ».* ]

Mais évidemment, dans la Flandre de cette seconde moitié du XVᵉ siècle, Antoine le lettré ne dispose pas de la liste des prétendants, ni des éléments d'une querelle qui n'a pas encore cours.

Dans le déambulatoire endeuillé, il se souvient des étapes de cette sorte de « chasse au trésor ». Comment il a appris, auprès d'un bénédictin de passage dans sa ville de Bruges, que l'homme avait vu des manuscrits de l'*Imitation*, datés de 1424 et 1427. Si ces manuscrits étaient parmi les premières copies, ce qui semblait être le cas, il se pouvait que leur auteur fût encore vivant. Cette découverte l'avait alors rempli d'espoir. Sa recherche l'avait ensuite mené à Gand. Un imprimeur lui avait confirmé que certains des ouvrages signalés dans le recueil dataient de 1382, 1387 et 1411. La fourchette de rédaction de l'ouvrage se situait donc entre 1411 et 1424. Il se souvient que, dès cet instant, il avait eu la certitude que l'auteur de cette *Imitation* était vivant et que, s'il le retrouvait, il pourrait recueillir de sa bouche même son enseignement.

Un curé de Bruges, plus latiniste que lui, et moins influencé par sa langue natale, lui affirma que le texte comportait des « hollandismes ». Sur la foi de cet indice, Antoine écuma toutes les villes du nord de l'Europe. Il retrouva à Windesheim un prêtre septuagénaire qui lui affirma qu'une version datant du début de ce siècle (en réalité de 1428) désignait très clairement un chanoine de cette ville. Enfin, voici trois ans, l'éditeur d'Utrecht lui confirma que l'*Imitation* avait été écrite par Thomas a Kempis. Un manuscrit de 1464 le nommait précisément. Et cet homme, ce Thomas, était le maître des novices du Mont-Sainte-Agnès, ici même à Utrecht.

Enfin, il touchait au but, sa recherche prenait fin, et voilà comment elle était récompensée ! Antoine enrage, deux années de quête obstinée et il n'aura côtoyé le vieux Thomas que quelques mois à peine. Encore celui-ci était-il le plus souvent reclus dans la bibliothèque, recopiant inlassablement les manuscrits des autres. S'il compte bien, c'est à peine s'il aura bénéficié de son accompagnement quelques semaines, quelques jours ? Et pourtant, quelle spiritualité ! Tout ce que l'*Imitation* annonçait se déployait somptueusement : une préférence pour l'ascèse pratique, un renoncement au monde, un effort constant pour atteindre la pureté du cœur. Antoine remâche sa déception.

Il se remémore les éléments de la vie de Thomas Hemerken, le moine originaire de Kempis, qu'il a pu rassembler depuis son arrivée à Utrecht, sa naissance en 1379, l'enseignement reçu chez les Frères de la vie commune, son entrée ici même, en 1399, au prestigieux monastère de Mont-Sainte-Agnès, où son frère aîné était déjà prieur. L'habit de novice, celui qu'Antoine a endossé à son tour, Thomas l'avait reçu soixante-cinq ans plus tôt. Les vœux solennels de Thomas en 1407, son ordination en 1413. Et, en 1425, sa nomination comme sous-prieur et maître des novices.

Mais comment se satisfaire de ces dates ? Antoine écoute un copiste, livide, expliquer combien Thomas était un conseiller fort prisé, et sans doute le plus grand représentant de cette « dévotion moderne », comme on appelle ce mouvement d'observance religieuse qui s'est développé aux Pays-Bas. Antoine écoute aussi les novices qui, en groupes bavards mais graves, rappellent ses enseignements : l'importance de la discipline du monastère, et particulièrement le silence, la prière, le travail manuel. La recherche de la perfection évangélique, et le choix d'une vie fondée sur l'obéissance, la tempérance, la chasteté et l'amour de Dieu.

Antoine se tait. Il se récite les lignes de l'*Imitation* qu'il connaît par cœur. Le credo de Thomas, il le fera sien : « *Le Christ est le modèle de vie du chrétien.* » Le Christ est le frère aîné qui nous précède dans la souffrance. Il est l'Ami bien-aimé dont l'amitié dépasse toute amitié humaine. Au clocher de l'église, juste au-dessus du déambulatoire, le glas résonne une dernière fois. Antoine a perdu un maître, mais il sait déjà que l'ouvrage du vieil homme l'accompagnera toute sa vie.

> « *Le Christ est le modèle de vie du chrétien.* »

SOURCES : Thomas a Kempis, *IMITATION DE JÉSUS-CHRIST*. A. Ampe, *L'IMITATION DE JÉSUS-CHRIST ET SON AUTEUR*, Rome, 1973. A. Ampe, *THOMAS VON KEMPEN. BEITRÄGE ZUM 500. TODESJAHR, 1471-1971*, Kempen, 1971. *THOMAS A KEMPIS ET LA DÉVOTION MODERNE*, Bibliothèque royale Albert Ier, Bruxelles, 1971.

# DE LA DÉCOUVERTE
# DE L'AMÉRIQUE

*ET POURQUOI LA REINE ISABELLE
LA CATHOLIQUE FIT ENCHAÎNER
CHRISTOPHE COLOMB*

• **19
MAI** •

LA TEMPÊTE FAIT RAGE SUR L'ATLANTIQUE, et l'océan bat de ses lames impétueuses les rives de l'île de Madère. Juché sur un promontoire, Christophe Colomb lance aux éléments en furie le défi de son regard conquérant, porté témérairement jusqu'à l'infini de l'Ouest encore vierge. Parmi tous les intrépides marins qui, en cette fin de XVᵉ siècle, se préparent à ouvrir la route occidentale des Indes, il s'est juré d'être le premier, dût-il se jeter dans la gueule écumante du fauve déchaîné qui, devant lui, fait la démonstration de sa puissance et n'a jamais, jusqu'ici, relâché ses proies.

Mais voici que de la nuée des embruns surgit un navire en perdition. Mât cassé, voiles déchirées, c'est un miracle s'il vogue encore. Réapparaissant comme un revenant de l'enfer après que chaque déferlante l'eut englouti, l'esquif blessé se sait condamné mais veut mourir au port.

De cette lutte inégale, Christophe Colomb connaît déjà l'issue, mais pour le chrétien qu'il est, il n'est pas de cause désespérée. Uni aux infortunés par la fraternité des gens de mer, il couvre la voix de l'ouragan des accents du *Salve Regina*, priant l'Étoile de la mer d'arracher ses malheureux frères à l'abîme, soit pour leur donner de poursuivre encore leur périple terrestre, soit pour les conduire au havre du Paradis.

Cependant le navire est drossé sur les récifs dont les crocs entaillent à mort ses flancs. Christophe Colomb se précipite sur la plage, face au naufrage. Là, au milieu des épaves, il recueille dans ses bras le capitaine agonisant. Dans son délire, avant de rendre son âme à Celui qui sauve tout homme et apaise toute tempête, le valeureux marin ne parle que des Indes, des Indes ! tendant son index vers le couchant, jusqu'à épuisement de ses dernières forces.

Sur le défunt, Christophe Colomb trouve un portefeuille de cuir renfermant un journal de bord et une carte marine à peine délavée par les eaux. L'homme se révèle être Alfonso Sanchez, natif de Huelva en Andalousie, un aventurier des mers jouissant à l'époque d'une certaine renommée. Mais voici que Christophe Colomb déplie la carte et tombe de saisissement : c'est l'itinéraire qui mène en Asie par l'Atlantique ! Alfonso Sanchez a réussi la traversée que tout le monde estimait impossible avec les moyens techniques de l'époque. Comment a-t-il pu franchir les 11 000 milles marins qui séparent l'Europe de l'Asie par la route de l'Ouest ? Et revenir ? Après une longue et minutieuse étude de la carte, Christophe Colomb découvre qu'une terre y figure, au bout de l'océan Atlantique, à seulement 2 500 milles des côtes européennes. Il existe donc une terre asiatique inconnue à portée de navire.

*Un pourcentage de dix pour cent sur toutes les transactions qui en seraient issues.*

Ainsi se déroula probablement l'initiation de Christophe Colomb. Même si les détails de cet épisode ne sont que conjectures, les faits essentiels en sont aujourd'hui considérés comme établis.

Fort de son secret, Christophe Colomb met une indomptable énergie à obtenir de la reine Isabelle la Catholique que le royaume de Castille finance et patronne une expédition. L'accord longtemps différé par l'âpreté au gain de Colomb est finalement scellé, prévoyant pour le découvreur la vice-royauté sur les terres nouvelles, et un pourcentage de dix pour cent sur toutes les transactions qui en seraient issues.

Ne cessant de mettre ses pas dans ceux d'Alfonso Sanchez, c'est à Huelva que Christophe Colomb monte l'expédition. Là, il retrouve les franciscains du couvent de la Rabida qui l'avaient accueilli en 1485, à son arrivée en Espagne. Sous leur influence, Christophe Colomb développe la mystique, teintée de millénarisme, qui sous-tendra toute son épopée.

Il sera le « messie » qui inaugurera sur les terres nouvelles le troisième et ultime âge de l'humanité, celui de l'Esprit Saint.

Enfin, le 3 août 1492, avec deux caravelles et une grosse *nao*, servies par 87 hommes, Christophe Colomb quitte la *ria* de Huelva et pousse vers l'ouest, via les Canaries où il fera escale pour renouveler ses vivres. Par la route des alizés, avec une sûreté étonnante, il atteindra les îles Lucayes, au nord de Cuba, dans la nuit du 11 au 12 octobre. De là, il gagnera Cuba, puis Haïti, avant de regagner l'Espagne par la route des Açores, ramenant avec lui sept Indiens, des perroquets et un peu d'or.

Un an plus tard, le 25 septembre 1493, Colomb repart vers les *Indes nouvelles* à la tête d'une expédition royale d'ampleur considérable pour l'époque : 17 navires portant 1 500 hommes, dont un délégué apostolique et deux missionnaires franciscains. Car dans les *Instructions* données par Isabelle la Catholique à Colomb, figure en premier lieu l'invitation à convertir les Indiens et l'obligation de « *bien les traiter, avec beaucoup d'amour* (amorosamente), *de telle manière que s'établisse avec eux une communication dans la plus grande cordialité.* »

Tandis que le tout nouveau vice-roi vogue vers ses terres, son âme est le champ d'un violent combat entre les deux puissances qui l'habitent. D'un côté l'élan de la mission eschatologique dont il est plus que jamais persuadé d'être investi, de l'autre la soif inextinguible de pouvoir et d'or qui l'anime depuis toujours. La Providence qui l'avait déjà si bien enrôlé dans ses desseins avait tout disposé pour que le bien triomphât : ce n'était pas d'oppression dont les indigènes des Indes nouvelles avaient soif, mais de libération ; et dans le dénuement extrême où ils avaient été trouvés, il n'y avait rien à leur prendre et tout à leur donner. Car dans les îles découvertes, les Indiens *Taïnos* étaient des sauvages primitifs qui vivaient dans la misère la plus noire. Réduits à ne se nourrir que de végétaux glanés, ils étaient d'une extrême fragilité physique et intellectuelle, parce que sous-alimentés depuis des générations.

Si Christophe Colomb était tombé sur l'Eldorado de ses rêves, il eût pu concilier les forces antagonistes de sa conscience : enrichir les indigènes de la richesse qui ne passe pas, tout en faisant fructifier à son profit leurs richesses qui passent. Mais, en l'occurrence, il fallait d'abord leur rendre leur dignité d'hommes avant qu'ils ne fussent aptes à recevoir la dignité de chrétiens. La multiplication des pains devait là encore précéder l'Eucharistie. Ainsi, plus grandes sont les bénédictions de la Providence, plus exigeante est la radicalité des choix qu'elles imposent. Comblé de grâces, Christophe Colomb ne pouvait que choisir d'être un autre Jésus, ou un autre Judas. La cupidité l'emporta, et Christophe Colomb ne trouvant d'autre moyen de s'enrichir se

> *Être un autre Jésus ou un autre Judas.*

résolut à vendre ceux que Dieu lui avait donné mission de servir.

Dès 1495, Christophe Colomb envoie d'Amérique un premier bateau rempli d'esclaves indiens qu'il fait vendre en Europe. Isabelle la Catholique apprend la chose et donne l'ordre de réunir les malheureux et d'affréter un bateau pour les ramener chez eux. De retour en Espagne un an plus tard, Colomb est fermement admonesté par la reine. Il s'en tire en faisant étalage de la mystique religieuse, de façade désormais, qu'il donne à sa seigneurie sur les Indes nouvelles. Et il repart en juin 1497, renforcé dans ses pouvoirs.

Cependant, les bateaux d'esclaves continuent d'affluer en Europe et, dans les îles mêmes, la servitude est généralisée. Avertie par le visiteur apostolique rentré en Espagne, et par les lettres des franciscains demeurés sur place, Isabelle la Catholique décrète la peine de mort, aussi bien pour ceux qui font le trafic d'esclaves, que pour ceux qui l'ont fait et ne prennent pas toutes les dispositions pour ramener les Indiens chez eux. Et bientôt la reine envoie en Amérique un héros de la *Reconquista*, le commandeur de l'ordre militaire de Santiago, François de Bobadilla, avec les pleins pouvoirs d'enquête. Effaré par la situation qu'il constate sur place, il fait arrêter Christophe Colomb et le renvoie enchaîné en Espagne. Colomb comparaîtra en octobre 1500 devant la reine. Sauvé par la force de sa plaidoirie et par son prestige de découvreur, il échappe au châtiment suprême. Il n'en est pas moins destitué de tous ses pouvoirs.

Voilà donc Isabelle la Catholique directement investie de la colonisation et de l'évangélisation de l'Amérique, dont on sait maintenant qu'elle est un continent nouveau et dont on entrevoit l'immensité et la pluralité. Avant tout, elle donne force de loi à une nouvelle *Instruction* assurant « *à tout moment et en toutes circonstances* » la protection des Indiens. Cette véritable déclaration des Droits de l'homme affirme avec force que tous les habitants des terres nouvelles découvertes ou à découvrir sont des hommes libres, sujets protégés de la couronne de Castille. Isabelle y ajoute que « *les Indiens doivent être informés de notre sainte foi* [...] *avec beaucoup d'amour, sans exercer sur eux la moindre contrainte* ». Dès lors, à partir de 1501, Isabelle commencera à mettre en œuvre un vaste pro-gramme destiné à assurer la protection, l'éducation et l'évangélisation de ses pro-tégés du Nouveau Monde.

Hélas, dès 1504, celle qui avait dit « *ma vie s'écoule dans la main de Dieu comme l'eau d'une rivière dans son lit* » rejoint l'estuaire auquel elle aspirait de toute son âme, allant se fondre dans l'océan infini des célestes béatitudes.

Après la mort d'Isabelle, pendant vingt ans, l'Espagne allait être livrée à une grave instabilité politique, instabilité dont profitèrent nombre des *conquistadores* pour imposer impunément aux Indiens les effets de leur cruelle rapacité. Ce ne sera qu'à partir de 1524, quand Charles Quint aura réussi à asseoir son pouvoir, et institué le Conseil des Indes, que progressive-ment les Indiens retrouveront protection royale, recouvreront leurs droits. Alors, librement, ils se convertiront au Christ, Seigneur de tout l'univers.

> *Il fait arrêter Christophe Colomb et le renvoie enchaîné en Espagne.*

Sources : T. de Azcona, *Isabel la Catolica, estudio critico*, Madrid, 1964. R. Konetzke, *Documents pour l'histoire de l'Amérique hispanique*, Madrid, 1953. J. Dumont, *Isabelle la Catholique*, Paris, 1995. P. Borges, *Mission et civilisation en Amérique*, Madrid, 1987. J. Perez, *Isabelle et Ferdinand*, Paris, 1988.

# LA BASILIQUE SAINT-PIERRE

## JETER AU-DESSUS DU TOMBEAU

## DE SAINT PIERRE

## LA COUPOLE DU PANTHÉON

**• 20 MAI •**

EN 1450, LA PREMIÈRE BASI-LIQUE SAINT-PIERRE EST UNE VIEILLE DAME encore très digne pour son âge : elle a plus de onze cents ans. C'est un formidable témoin des siècles passés. Construite vers 330 par l'empereur Constantin sur la colline Vaticane, elle peut encore témoigner de toute une histoire. Les fastes de sa jeunesse ne durèrent pas très longtemps, il fallut rapidement affronter incendies et pillages : les Goths d'Alaric en 410, les Sarrasins en 846 et bien d'autres encore. Au long de tous ces siècles, elle a servi d'écrin à la sépulture de Pierre et a vu défiler tant de fidèles venus se recueillir sur la tombe de l'Apôtre : il y eut bien sûr l'empereur Charlemagne pour son couronnement, le 25 décembre 800, mais aussi de grands saints comme Benoît, Bernard, François, ainsi que l'immense foule des humbles pèlerins.

Malgré ce riche passé, on s'inquiète pour sa santé. Les nombreux travaux de consolidation ne suffisent plus à assurer la sécurité des fidèles : la basilique menace ruine, il devient urgent de penser à sa retraite et de lui trouver une remplaçante. Nous sommes à l'aube de la Renaissance et Nicolas V veut une basilique au goût du jour. Il confie donc la réalisation des plans à un architecte florentin, Rossellino. La mort du souverain pontife interrompt le projet qui est oublié pour quelque temps.

En 1499, l'entreprenant Jules II convoque Bramante, le grand architecte de l'époque, et lui confie le chantier. Bramante fait le projet d'un édifice au plan en croix grecque (avec les quatre branches égales) couronné par une coupole. En homme de la Renaissance, Bramante admire l'Antiquité romaine. Son rêve est « *de jeter dans les airs, au-dessus du tombeau de saint Pierre, la coupole du Panthéon* ». On commence à démolir l'ancienne basilique tout en gardant suffisamment d'espace pour assurer le culte et, le 18 avril 1506, on pose solennellement la première pierre de la nouvelle basilique.

Jules II meurt en 1513 et Bramante, l'année suivante. La construction de la basilique continue, mais l'impulsion que les deux hommes avaient donnée manque cruellement. Les architectes se succèdent et remettent régulièrement le plan en question. Le chantier piétine. Il continue pourtant à coûter beaucoup d'argent et les papes cherchent partout en Europe des moyens pour financer ces travaux colossaux : on va même jusqu'à vendre des indulgences ! Luther et ceux que l'on appelera les « protestants » crient au scandale. La basilique de Pierre, qui devait être un signe d'unité, devient symbole de la division de l'Église !

En 1547, alors que l'Église commence à se réformer, le pape Paul III, lassé de toutes ces hésitations dans la construction, confie les travaux au seul artiste capable de relever un tel défi : Michel-Ange. À soixante-douze ans, l'artiste consacre à ce chantier toute son énergie. Considérant que c'est sa façon de rendre gloire à Dieu et d'honorer saint Pierre, Michel-Ange refuse tout salaire pour ce travail titanesque. Il revient au plan de Bramante en le simplifiant : la croix grecque doit se confondre le plus possible avec le cercle, forme parfaite, forme divine. Il expose son projet au pape : « *En entrant dans la basilique, les fidèles seront directement pris par la coupole, aspirés par cet espace source de lumière, elle élèvera leurs regards.* » Michel-Ange ne veut pas de décor, ni de fioritures ; tout se joue pour lui dans les lignes de l'architecture : des volumes, des rythmes, quelques niches qui font jouer l'ombre et la lumière. Le génial sculpteur modèle l'espace de la basilique.

En 1564, à la mort de Michel-Ange, le tambour (la base de la coupole) est construit. Ses successeurs, Giacomo della Porta et Domenico Fontana, achèvent la coupole en lui donnant plus d'élan encore que dans le projet initial, en s'inspirant sans doute d'un dessin de Michel-Ange lui-même.

L'histoire de la construction de la nouvelle basilique n'est pas pour autant terminée. Après les importantes manifestations du Jubilé de 1600, le pape Paul V veut agrandir l'édifice et l'adapter aux grandes cérémonies en lui ajoutant une nef. Un nouvel architecte, Carlo Maderno, intervient alors : il fait détruire les derniers vestiges de la basilique de Constantin, prolonge l'immense vaisseau et lui ajoute la façade que nous connaissons aujourd'hui.

Le 18 novembre 1626, le pape Urbain VIII peut consacrer la nouvelle basilique Saint-Pierre enfin achevée après cent vingt années de travaux. Mais déjà les mentalités ont évolué. Pour les hommes de l'époque baroque, l'art de Michel-Ange paraît bien austère : il faut donner plus de vie, plus de couleur au grand édifice ! Il reste encore deux grands chantiers à réaliser, celui de la décoration et celui de la place Saint-Pierre dont l'arc de colonnade, comme deux bras ouverts, sera le somptueux écrin de la basilique : à lui seul, Bernin, le plus grand artiste du XVIIe siècle, les réalisera l'un et l'autre ; mais cela, c'est une autre histoire...

SOURCES : Albertini, *les Merveilles de la Nouvelle Rome*. J. Maury et R. Percheron, *Itinéraires romains*, Paris, 1958. J. Delumeau, *Rome au XVIe siècle*, Paris, 1957-1959. C. G. Paluzzi, *La basilica di San Pietro*, Bologne, 1975.

# Des « douze apôtres » du Mexique

## Et comment ils semèrent l'Évangile dans le cœur des Indiens

**• 21 MAI •** APRÈS UNE ÉPROUVANTE TRAVERSÉE DE L'ATLANTIQUE, LA CARAVELLE ABORDE LES CÔTES DU MEXIQUE et jette l'ancre à Veracruz. Nous sommes en 1524, cinq ans après la découverte de l'Amérique centrale. Hernán Cortés, gouverneur du Mexique, a dépêché une importante ambassade pour accueillir à leur débarquement les personnalités attendues : douze religieux franciscains dirigés par le provincial de Saint-Gabriel, l'éminent frère Martin de Valencia. L'immense tâche d'évangéliser les nouvelles terres à conquérir leur est dévolue, à la demande expresse faite par Cortés à Charles Quint.

Première surprise, les hommes qui posent à terre leurs pieds nus ne sont vêtus que d'un méchant froc rapiécé, maintenu à la taille par une vulgaire corde. Et voici que, renvoyant les montures et l'escorte mises à leur disposition, ils s'élancent pieds nus pour entreprendre par d'horribles sentiers les deux cents kilomètres qui les séparent de Mexico. Quand les Indiens les voyaient survenir, couverts de poussière et mendiant leur nourriture, ils s'interrogeaient : « *Quels hommes sont-ils donc, si pauvres ?* » Et ils ne cessaient de répéter

sur le passage des religieux : « *Motolinia ! motolinia !* » L'un des frères, Toribio de Benavente, s'enquiert de la signification de ce terme. Il veut dire « pauvre », lui répond-on. Alors frère Toribio s'exclame : « Eh bien ! je n'aurai plus d'autre nom pour toute ma vie ! » Et désormais il ne se nommera ni ne signera autrement que « frère *Motolinia* ».

Averti de leur imminente arrivée, Cortés sort de Mexico à leur rencontre en grand apparat, accompagné de ses lieutenants et des princes les plus illustres de la nation aztèque. Et, quand au détour d'un chemin, il les aperçoit, le grand capitaine descend de cheval, court vers eux, et « *mettant genoux à terre tour à tour devant chacun des douze, il leur baise les mains avec grande effusion* ».

Les « douze apôtres » s'en vont bientôt à Huejotzingo, l'une des quatre villes étoiles de la constellation aztèque, siège principal des Chevaliers-Aigles et des Chevaliers-Jaguars de l'aristocratie religieuse précolombienne. Aussitôt ils y élèvent une église cependant que par la seule force de leur dénuement, ils réalisent une profonde mutation sociale. En effet, les nobles aztèques opprimaient alors scandaleusement les paysans, dont les plus heureux étaient spoliés, les autres exterminés. Les religieux franciscains exigent et obtiennent que les nobles partagent leurs terres et leurs biens avec les paysans en une redistribution équitable, de telle manière que les nobles demeurent aisés et que les paysans sortent de la misère. Cette révolution toute pacifique fut scellée lors d'une grande manifestation populaire de réconciliation, pendant laquelle les nobles confessèrent leurs crimes et les paysans accordèrent un pardon général.

*Une société-jungle qui ignore la moindre compassion pour les malades et les faibles.*

Ainsi, de ville en ville, les douze apôtres s'en furent-ils transmettre par l'exemple de leurs vertus évangéliques le ferment chrétien qui, semé dans les cœurs, allait bouleverser presque instantanément les structures sociales. Les faits sont éloquents : à peine arrivés dans une ville, les religieux franciscains entreprenaient sur le champ la construction d'une église et d'un hôpital. Pour eux comme pour leur divin Maître, guérison spirituelle et guérison temporelle sont inséparables. Et c'est un miracle que, faisant irruption dans une société impitoyable qui non seulement ignore la moindre compassion pour les malades et les faibles, mais encore les élimine odieusement, ils soient parvenus, par les seules armes de leur faiblesse, à faire des faibles les seigneurs premiers servis.

Voici qu'en 1525 le roi des puissants Tarasques, Caltzontzi, vient de son lointain Michoacan jusqu'à Mexico faire obédience à Cortés. Évangélisé par les douze franciscains, il se fait baptiser sous le nom de Francisco. De retour dans son royaume, il emmène avec lui quelques frères, dont Martin de la Coruña, afin d'y prêcher la foi chrétienne. Le voyage dure neuf jours : le roi s'avance sur un riche palanquin porté à dos d'homme, tandis que les frères suivent pieds nus, un bâton en forme de croix à la main, sans plus d'ornement que leur froc. À Tintzuntzan, capitale du royaume, l'accueil qui leur est réservé donne lieu à une fête inoubliable qui n'est pas sans reproduire la grâce de celle des Rameaux. Avertis de l'arrivée des « pauvres de Dieu », les Indiens ont tendu des voûtes de verdure au-dessus des rues dont le sol a été tapissé de nymphéas et d'une infinité de fleurs tropicales. Les frères s'avancent donc au milieu de la multitude en liesse, prodiguant leurs bénédictions de tous côtés, sous une nouvelle pluie de fleurs, tandis que *« les mères présentent leurs enfants afin qu'ils reçoivent protection d'être simplement touchés »*.

Dans les jours suivants, les Indiens réunissent toutes leurs idoles sur la grand-place, et frère Martin organise une procession jusqu'au lac voisin de Patzcuaro afin de les y noyer. Puis l'on se met à la construction du couvent des franciscains, *« misérable hutte de berger de l'Évangile »* faite de briques séchées au soleil et couverte d'un toit de chaume, aux cellules dépouillées, décorées seulement d'un crucifix. Après le couvent, on construit l'église, l'hôpital et l'école. Les travaux terminés, on organise une nouvelle fête, qui culmine avec la consécration solennelle de l'église.

C'est à partir de ce premier établissement que les frères entreprirent l'évangélisation en profondeur du Michoacan. Ainsi frère Juan de San Miguel s'enfonce-t-il, toujours pieds nus et mendiant sa nourriture, dans la sierra Madre jusqu'aux neiges éternelles du Tancitaro, à travers des étendues hostiles peuplées de pumas et de jaguars. Puis il redescend conquérir au Christ les plaines suffocantes de la *Terre chaude.*

Partout, il réussit ce miracle de faire passer les peuplades indiennes de leur misérable et cruelle civilisation néolithique, à une vie sociale fraternelle et évoluée. Partout, il fonde villages et cités. Ainsi, à l'emplacement de ce qui est devenu Uruapan (aujourd'hui ville de deux cent mille habitants), frère Juan crée-t-il d'abord un gros village. Après les travaux de défrichage, il implante les infrastructures, notamment l'eau courante, pour satisfaire, tant aux nécessités ménagères qu'à celles de l'irrigation. Puis, il attribue à chaque Indien un terrain suffisamment grand pour y construire une maison et exploiter un potager, afin de subvenir aux besoins alimentaires de sa famille. Tout autour du village, il fait aménager de vastes plantations d'arbres fruitiers : bananiers,

orangers, mameys, chicozapotes, etc. Enfin, il suscite la création par les Indiens eux-mêmes, des structures politiques de la cité, des conseils de quartier à la mairie, en passant par les agents de l'ordre. Sur la grand'place se dressent l'église, l'hôpital et l'école. Dans cette école, tous les enfants indiens, pauvres ou riches, plébéiens ou aristocrates, reçoivent la même éducation : lecture, écriture, calcul, savoir-vivre, enseignement professionnel, musique, catéchisme. L'enseignement est toujours prodigué dans les langues indiennes.

Partout ailleurs au Mexique, les franciscains, mais aussi les dominicains et les augustins, font de même. Ainsi frère Motolinia qui s'était consacré à l'évangélisation des Taxcaltèques fonde-t-il *ex nihilo* Puebla, la troisième ville du Mexique actuel. Il faut bientôt reconstruire des écoles toujours plus grandes, afin que nul enfant ne soit privé d'enseignement. Frère Motolinia écrit en 1540 : « *Il y a tant d'Indiens à enseigner que dans les écoles il y a 300, 400, 600, et jusqu'à 1 000 élèves.* » La plupart des écoles développent un enseignement professionnel, technique ou agricole, qui se poursuit en cours du soir pour les adultes. Des troupes théâtrales, constituées d'acteurs professionnels, sont créées pour lesquelles un riche répertoire indo-espagnol est élaboré ; dès 1539, frère Motolinia organise chaque dimanche à Tlaxcala la représentation d'un « mystère », dans lequel tous les indigènes sont figurants. Certaines

> *Dans cette école, tous les enfants reçoivent la même éducation.*

écoles créent des imprimeries intégrées, d'autres forment de remarquables ensembles de musique, avec de bons compositeurs de musique polyphonique que jouent les orchestres de leurs camarades. D'autres écoles enfin se spécialisent dans les beaux-arts, peinture, sculpture, ferronnerie, et constituent le vivier des artistes qui sont à l'origine de l'admirable floraison de l'art indochrétien.

Ce lumineux mouvement artistique – dont on peut encore aujourd'hui admirer plus de deux mille monuments au Mexique – n'eut d'équivalent que le déploiement de l'ordre ogival, en Europe au XIIIe siècle. Fusionnel, aussi authentiquement indien que chrétien, sur une base architecturale hispanique, cet art exubérant d'allégresse constitue la démonstration incontestable du cœur nouveau et de l'esprit nouveau qui changèrent en joie créative la sauvagerie sinistre de la civilisation aztèque.

Cependant, la première épopée de l'évangélisation du Mexique ne fut pas sans revers ni cuisantes déconvenues. Dès 1529, frère Motolinia s'oppose durement à la municipalité espagnole de Mexico, qui spolie et exploite sans vergogne les Indiens. Il saisit la première *audiencia*, haute cour qui assure le gouvernement suprême du Mexique. Celle-ci, présidée par le conquistador Nuño de Guzman, se déshonore en prenant, contre toute justice, le parti des colons. Frère Motolinia entre en résistance avec la complicité de Cortés, tandis qu'au

> *Frère Motolinia entre en résistance avec la complicité de Cortés.*

Guatemala actuel, le dominicain Bartolomé de Las Casas ne va pas hésiter à interdire l'intrusion de tout colon espagnol et à créer un petit État totalement dédié aux Indiens, la *Verapaz* (la Vraie Paix). En 1570, trente ans après sa création, et vingt-cinq ans après le retour en Espagne de Las Casas, cet État devenu province comptait toujours moins de cinquante résidents espagnols. Malheureusement, les Indiens, restés païens, en avaient profité pour attaquer les villages et massacrer les néophytes chrétiens. De nouveau, il fallut faire appel aux *conquistadores* pour les protéger.

Mais voici qu'en 1532, l'abominable Nuño de Guzman pénètre au Michoacan et y sème la terreur, pillant, violant, tuant. Il fait torturer et brûler vif le roi chrétien tarasque, Francisco Caltzonzi, en l'inculpant de sacrifices humains, à seule fin de s'approprier les bijoux de sa couronne et les vingt-cinq jeunes et ravissantes femmes qu'il avait conservées, selon l'usage polygamique toléré par les religieux. Ces exactions provoquent la révolte du peuple tarasque, et le rejet momentané du christianisme assimilé à l'odieux envahisseur. Frère Martin, abandonnant sa mission, se précipite à Mexico pour supplier son protecteur, Cortés, d'intervenir pour mettre fin au scandale. Inutilement, car en tant que président de l'*audiencia*, Nuño de Guzman disposait de tous les pouvoirs de justice. Frère Martin, frère Motolinia et le chef des « douze apôtres », Martin de

Valencia, écrivent alors au roi d'Espagne, Charles Quint, une pathétique lettre de protestation, le suppliant de mettre un terme aux crimes des colons sans foi ni loi, qui s'embarquent pour le Nouveau Monde afin d'y faire fortune le plus rapidement possible, à n'importe quel prix humain. Alerté déjà par Cortés lui-même et par Las Casas, Charles Quint met immédiatement en place une nouvelle *audiencia* dont il donne la présidence au sage évêque de Saint-Domingue, Ramírez de Fuenleal, et à laquelle il confie des pouvoirs régaliens. Parmi ses membres, il nomme aussi comme *oidor* (juge) un laïc, Vasco de Quiroga, qui deviendra en 1538 le saint évêque du Michoacan que les Indiens vénèrent encore aujourd'hui.

Aussitôt constituée, la nouvelle *audiencia* lance un mandat d'arrêt contre Nuño de Guzman, mais, le conquistador n'en a cure et continue de semer la terreur et la désolation, jusqu'à ce que des troupes fidèles l'appréhendent et le traduisent, enchaîné, devant la haute cour. Dépossédé de tous ses biens, qui sont distribués aux Indiens, il est renvoyé prisonnier en Espagne pour y être soumis à la rigueur royale. Tous les *conquistadores* fautifs seront traduits devant l'*audiencia* qui mène enquête sur enquête, en transportant ses membres dans toutes les provinces. Ainsi par exemple, Delgadillo et Matienzo subiront-ils le même sort que Nuño de Guzman, pour avoir de concert commis « *pas moins de cent vingt-cinq crimes*

*Le conquistador continue de semer la terreur et la désolation.*

*et scélératesses* ». Le grand Cortés, lui-même, n'échappera pas au procès, mais il s'en tirera avec quelques remontrances, sa « rectitude sans tache » étant finalement reconnue après une enquête approfondie. Ce procès décrit tout ce que Cortés, que le grand humaniste Cervantes de Salazar appelle « *le nouveau saint Paul* », a fait en faveur des Indiens.

Certes, Cortés était d'abord un rude guerrier, doublé d'un aventurier avide de pouvoir et peu scrupuleux sur le choix des moyens. Mais il était aussi, un grand chrétien qui, notamment sous l'influence de son ami, frère *Motolinia*, n'a cessé d'amender ses penchants prédateurs. Au début de la conquête, s'alliant à plusieurs peuples indiens opprimés par les Aztèques, tels les Cempoaltèques puis les Tlaxcaltèques, mais révulsé par les sacrifices humains et le cannibalisme généralisé qu'il découvre (au cours de certaines fêtes, plus de vingt mille jeunes gens pouvaient être sacrifiés et mangés), Cortés fut selon les circonstances magnanime ou impitoyable à l'égard des Indiens. Puis, les sacrifices et le cannibalisme éradiqués et son pouvoir établi, il organise dès 1524 une « junte » composée de dix-neuf religieux, cinq prêtres séculiers et cinq laïcs, qu'il dote de pouvoir réels et charge expressément de veiller à la protection des Indiens. C'est lui qui fonde à Mexico, pour les Indiens, le premier hôpital du Nouveau Monde. C'est lui qui par la suite ne cessera de se porter en justice au nom des Indiens de son marquisat mexicain, pour que leur soient rendus les terres et les biens spoliés par les colons espagnols. C'est lui qui fait restituer aux Indiens, avec d'importants dommages et intérêts, les terres du village de Coyoacan, qu'il avait expropriées pour y établir un hôpital. C'est lui, enfin, qui précise expressément dans son testament de 1547 que les terres des Indiens de son marquisat del Valle d'Oaxaca ne lui appartiennent pas, afin de conjurer toute tentation pour ses héritiers de se les approprier.

*19 religieux, 5 prêtres séculiers et 5 laïcs chargés de la protection des Indiens.*

Pendant qu'en 1531, l'*audiencia* met en place les bases de ses justes rigueurs, frère Valencia, frère Coruña, et frère Motolinia, écœurés par la dévastation de leurs missions, persuadent Cortés d'aller évangéliser la Chine en traversant l'océan Pacifique. Cortés accède à leur demande et organise l'expédition, se transportant lui-même à Tehuantepec sur la côte, pour en surveiller les préparatifs. Après divers avatars, à la faveur desquels l'actuelle province de Colima est évangélisée, les « apôtres » s'embarquent en 1534, avec Cortés lui-même, comme amiral de la flottille, pour un inaugural et périlleux périple. Après d'éprouvantes tribulations, l'expédition est drossée par une tempête sur la côte, plus au nord, effectuant bien malgré elle, la première découverte de la Californie. Ramenés comme Jonas, au peuple que Dieu leur destinait, les explorateurs involontaires reviennent à Mexico. En 1536, un chapitre franciscain est organisé, où les « apôtres », renforcés par de nouveaux arrivants d'Espagne, font le constat que les criminels et les spoliateurs ont été châtiés, et que la protection des Indiens est désormais garantie. Ils décident donc, que les conditions sont de nouveau réunies pour se consacrer à l'évangélisation en profondeur du Mexique. Ainsi, frère Martin retourne-t-il aussitôt vers son cher Michoacan, d'où il passe vers 1541 en Nouvelle Galice, plus au nord. À frère Motolinia, le chapitre confie le soin de mener une vaste enquête ethnographique, sur les cultures indigènes. Son *Histoire des Indiens*, constitue la source de toutes nos connaissances sur les civilisations de l'ancien Empire aztèque.

En 1555, son enquête terminée, frère Motolinia écrit une lettre à Charles Quint, dans laquelle il lui rend grâce de ce que ses « *chers Indiens* » vivent désormais une situation « *qui se compare favorablement à celle des paysans de la Métropole* ». Quelle différence de fond et de forme, avec sa lettre pathétique de 1530 ! Il se plaît aussi à souligner, les moyens de défense gratuits et immédiatement efficaces dont disposent ceux qui ont été victimes d'injustices. Enfin, il met gravement en cause les outrances des accusations collectives que Las Casas continue de porter contre la conquête alors que, retourné définitivement en Espagne depuis dix ans déjà, celui-ci ignore l'évolution de la situation sur place.

Sous la protection de la justice royale, « *l'heure de Dieu a sonné sur le Nouveau Monde* », selon la belle formule des apôtres franciscains. À l'appel de cette heure de Dieu, les Indiens répondent par une adhésion de cœur, massive et passionnée. En témoigne, l'embarras des religieux débordés par les foules qui affluent des villages les plus reculés pour réclamer le baptême : « *Les Indiens ne cessent de nous harceler de leurs supplications, larmes et insistances pour n'être pas privés d'un si grand bien, protestant que pour venir recevoir le baptême, ils ont marché pendant de longues journées, fait de grands sacrifices et affronté de grands périls* », racontent les franciscains. Si les Indiens protestent ainsi, c'est que les religieux refusent d'administrer le baptême sans un catéchuménat préparatoire. Mais souvent, à la surprise des religieux, les postulants ont une naïve mais solide connaissance de l'Évangile, catéchisés qu'ils ont été par les élèves des écoles fondées par les religieux dans les villages. Le frère lai, Pierre de Gand, relate ce fait dans une lettre adressée au roi Philippe II, en 1558 : « *Les jeunes Indiens s'exercent à la prédication, et toute la semaine ils étudient ce qu'ils doivent prêcher et enseigner le dimanche dans les villages.* » Quand « *les Indiens se présentent en masses compactes, réclamant à grand cri le baptême* », les religieux sont contraints d'assouplir les règles du catéchuménat. Dans un entretien particulier chaque postulant est soumis au contrôle de ses connaissances des vérités essentielles de la foi, puis une prédication générale est faite ; enfin, « un à un », les Indiens sont baptisés. Les cérémonies duraient des journées entières, de l'aube au crépuscule, à tel point que « *les prêtres ne pouvaient souvent plus lever la cruche avec laquelle ils baptisaient, tant ils avaient le bras fatigué* », témoignent les lettres des franciscains de l'époque.

Loin de s'évaporer aussitôt que répandue, l'eau de ces baptêmes fut source d'une pratique chrétienne tout aussi massive et passionnée que l'élan qui l'avait fait couler. Innombrables et concordants, sont les témoignages où l'on voit, dans mille détails savoureux et émouvants, jour après jour, village après village, province après province, les Indiens maintenir vive l'eau inaugurale de leur Nouvelle Alliance. Et ce, du Mexique jusqu'aux contrées les plus reculées du continent sud-américain, comme l'attestent par exemple les lettres des premiers missionnaires jésuites, au fin fond des Andes péruviennes : « *Les Indiens se réunissent les dimanches et les fêtes, de si bon cœur que dans les fermes des vallées, il ne reste pas d'Indiens qui ne viennent nous importuner pour que nous les enseignions. Même les caciques se joignent aux enfants pour apprendre le catéchisme. Les Indiens l'apprécient tant, que toute la matinée les vieux l'apprennent par cœur quatre par quatre ou six par six.* » Et quand le général de l'ordre envoie le père Plaza en tournée d'inspection « aux Indes », celui-ci dans son rapport de 1576 décrit ce qu'il a vu :

« *L'heure de Dieu a sonné sur le Nouveau Monde* »

« *Aux sermons, les Indiens accourent avec une telle ferveur et un tel concours qu'on en est saisi d'admiration. Tous les dimanches après le repas, ils vont entendre l'enseignement qui est prêché à l'église principale. Puis, lorsque ce sermon est terminé, ils se précipitent en courant sur la grand-place pour y entendre l'un des nôtres. Ce nouveau sermon terminé, ils viennent à notre église pour y apprendre le catéchisme. Celui-ci leur est enseigné, dans un long développement par questions et réponses.* » Et le père Plaza d'ajouter : « *Tous, hommes comme femmes, l'apprennent avec grande facilité et rapidité, en raison de la passion qu'ils y mettent.* » Cette passion pour l'Évangile, le peuple tlaxcaltèque la démontrera au Mexique, de nouveau, quand pour accomplir le testament de son « apôtre » frère Motolinia, mort en 1569, il se fera lui-même apôtre, allant par familles entières, à cent lieues de chez lui, évangéliser les sanguinaires Chichimèques du nord du Mexique, en

> « *Aux sermons, les Indiens accourent avec une telle ferveur et un tel concours qu'on en est saisi d'admiration.* »

une migration apostolique unique dans l'histoire de l'Église.

Ainsi, malgré les limites et les péchés qui font le terreau humain, la semence répandue par les « douze apôtres » fleurit en une étonnante civilisation indo-chrétienne, miroir des vertus évangéliques de douceur, d'humilité et de pauvreté en esprit. Au long des siècles, cette exemplaire communauté allait incarner les Béatitudes, ces promesses de bonheur au cœur même du drame de la condition humaine, jusqu'à la dernière, celle qui proclame heureux ceux qui sont persécutés à cause du Seigneur. Quand, au XXᵉ siècle, le peuple indochrétien sera opprimé à cause de sa foi par le totalitarisme libéral et athée, il ne refusera pas d'offrir en rançon de son âme la seule richesse dont il disposait : la vie de ses milliers d'enfants qui furent sacrifiés sous le beau nom de *cristeros*.

Sources : Frère Toribio de Benavente, *Memoriales o libro de las cosas de Nueva España*, Mexico, 1971. J. Miranda, *El trabajo social en la primitiva iglesia mexicana*, Séville, 1964. *El convento franciscano de Tlaxcala*, Tlxacala, 1967. E. Ruiz, *Michoacan*, Morelia, 1975. J. de Mendieta, *Historia eclesiástica indiana*, Mexico, 1966. Esteban Palomera, *Hermano Diego Valadés OFM*, Mexico, 1962. *Missionalia hispanica*, Madrid, 1946. *Bulletin des archives générales de la nation*, Mexico. J. Dumont, *L'heure de Dieu sur le Nouveau Monde*, Paris, 1991. *Cahiers du monde hispanique et luso-brésilien*, Toulouse. Constantino Reyes Valerio, *Arte indiocristiano*, Mexico, 1978. Sivio Zavala, *De encomiendas y propriedad territorial*, Mexico, 1940. Henry Hawks, *Relation*, Londres, 1572. A. Losada, *Las Casas*, Madrid, 1970. R. Menendez Pidal, *El padre Las Casas*, Madrid, 1963. J. Gurria Lacroix, *Trabajo sobre historia mexicana*, Mexico, 1964. A. Castro, *La realidad histórica de España*, Mexico, 1973. *Códice franciscano*, Mexico, 1892. *Cronica de la orden de San Agustín en la Nueva España*, Mexico, 1624.

# LES QUARANTE HEURES
## PRIER POUR LA PAIX

• 22
MAI •

LE SPECTACLE EST INCROYA-BLE. DEVANT L'ÉGLISE, EN CETTE PENTECÔTE DE 1598, les Milanais s'embrassent ! Hommes et femmes, vieillards et enfants, nobles et vilains, tous se demandent mutuellement pardon pour les injures qu'ils ont pu échanger et les griefs qui les ont dressés les uns contre les autres. Tous promettent d'œuvrer pour que la paix règne dans la ville.

Tout a commencé quelques dizaines d'heures plus tôt, lorsque les cloches des églises ont sonné à toute volée. Alors, le peuple s'est mis à genoux. Toute la ville s'est mise à réciter cinq *Pater* et cinq *Ave*, en l'honneur des cinq plaies du Christ. Puis, les processions se sont ébranlées. À la lueur des cierges, le peuple et les nobles ont suivi l'hostie consacrée. Certains vont pieds nus, d'autres sont vêtus comme des pénitents. Tous se sont arrê-tés pour entendre la messe finale offerte en ardente supplication pour la fin des guerres, une messe entièrement consa-crée à une seule demande : que vienne enfin la paix dans le cœur des hommes.

« *Ite, missa est !* » Le capucin Mattia Bellintani a prononcé les dernières paro-les. Les hommes, les femmes, les enfants s'éparpillent. Ils ont prié pendant deux jours, ils ont suivi et adoré le Saint-Sacrement. Ils peuvent rentrer chez eux, l'adoration des Quarante Heures est achevée. Maintenant, ils l'ont promis, ils feront tout, jour après jour, pour que la paix du Christ règne sur chaque instant de leur vie.

Cela fait maintenant, plus de soixante-dix ans que la capitale de la Lombardie célèbre les Quarante Heures durant le *triduum* pascal, pour les fêtes de la Pen-tecôte, de l'Ascension et de Noël. À l'ori-gine, il s'agissait de revenir à la coutume chrétienne du jeûne et de l'abstinence prolongés – quarante heures – durant les derniers jours de la semaine sainte, entre le vendredi saint et le matin du dimanche de Pâques. Mais c'est Antonio Bellotti qui eut l'idée, en 1527, d'exposer le Saint-Sacrement, pendant la même durée, afin de prier pour la cessation des guerres. À sa suite, devant les dangers d'une guerre imminente et de la peste, un dominicain espagnol exhorta les fidè-les à la pénitence, à la prière, à la prati-que des sacrements, et instaura les pro-cessions du Saint-Sacrement.

Cette dévotion serait restée un particularisme milanais si les capucins ne l'avaient répandue à travers l'Italie, lors de leurs prédications de Carême. Les Quarante Heures deviennent alors une dévotion très importante. Les grands saints de la Réforme catholique en sont les plus fervents artisans. À son arrivée à Milan, Charles Borromée insiste sur l'importance des Quarante Heures. Lui-même avait suivi la procession, adoré le Saint-Sacrement et embrassé son voisin, en signe de paix. Il institue la dévotion dans chaque paroisse de son diocèse en 1570. À Rome, les Quarante Heures sont introduites par Philippe Néri, qui fixe le premier dimanche de chaque mois et les premiers jours de la semaine sainte pour la pratique de cette dévotion.

*Un temps privilégié pour pardonner et se faire pardonner.*

Les formes de la piété et de la pénitence populaire se font diverses, parfois exubérantes. Les Jésuites ont alors l'intuition formidable de développer cette dévotion pour lutter contre les coutumes païennes : ils font notamment coïncider les Quarante Heures – processions, représentation de théâtre sacré, adoration du Saint-Sacrement – et le carnaval, afin de substituer la piété des unes aux extravagances de l'autre. Les Quarante Heures se répandent ainsi dans toute l'Europe à partir de la fin du XVIe siècle.

À Milan, en 1598, les Quarante Heures ont déjà beaucoup évolué. Il ne s'agit plus seulement d'une prière intérieure et silencieuse. La présence d'un prédicateur est devenue nécessaire pour guider spirituellement les fidèles venus adorer le Saint-Sacrement. Le prédicateur insiste alors, à partir d'une méditation sur la passion du Christ, sur la nécessité de faire pénitence, de regretter sincèrement ses péchés et de chercher à les réparer. Et ceci de façon très concrète. Les Quarante Heures deviennent alors un temps privilégié pour pardonner, se faire pardonner et recevoir le sacrement de réconciliation.

Par cette belle journée de printemps 1598, les pénitents et le prédicateur milanais qui rentrent chez eux, le cœur en paix, ignorent que leurs prières vont porter des fruits pendant de longs siècles. Cette dévotion va en effet demeurer sous une forme pratiquement inchangée jusqu'au début du XIXe siècle. L'adoration des Quarante Heures s'est perpétuée sous des formes multiples. L'une des plus étonnantes, l'adoration perpétuelle du Saint-Sacrement, au Sacré-Cœur de Montmartre, à Paris, dure depuis plus de cent ans.

SOURCES : G. Manzi, *DELLA PUBBLICA ESPOSIZIONE DEL VENERABILE E DELLA ORAZIONE DETTA DELLE QUARANTORE*, Bologne, 1795. « La Piu antica adorazione delle 40 ore nell'Orbe cattolico », in *SEIZIÈME CONGRÈS EUCHARISTIQUE INTERNATIONAL*, Rome, 1908. *L'ORAZIONE DELLE QUARANTORE E I TEMPI DI CALAMITA E DI GUERRA*, Rome, 1919.

# Notre-Dame de Guadalupe

## Quand la Vierge vint
## au Nouveau Monde

**• 23 MAI •**

« QUELLE AGITATION DANS LES COULOIRS ! » INTRIGUÉ PAR TOUT CE BRUIT, Juan de Zumarraga, l'évêque de Mexico sort de son bureau. Le 9 décembre 1531, dans les couloirs de la résidence épiscopale, le désordre bat son plein. Un Indien d'une cinquantaine d'années, de condition très modeste, demande à rencontrer l'évêque. Le personnel hésite à le mettre à la porte. Tout le monde regarde cet étrange visiteur avec des yeux ronds. L'homme parle si vivement, dans sa langue maternelle, le nahuatl, que l'évêque accepte de le recevoir. Pourquoi donc cet Indien lui demande-t-il un entretien avec autant d'insistance ? On recherche un interprète. Le visiteur attend dans l'antichambre. Intimidé, il pénètre enfin dans le bureau de l'ecclésiastique.

– Pourquoi désirez-vous me rencontrer si expressément ? lui demande l'évêque sur un ton paternel

– Je m'appelle Juan Diego et je suis chrétien, répond-il dans un souffle.

Le modeste paysan raconte calmement et très précisément ce qui lui est arrivé, le jour même, alors qu'il se rendait au couvent franciscain le plus proche pour entendre la messe.

– Je marchais au pied de la petite colline de Tepeyac. Et puis, tout à coup, j'ai entendu un drôle de bruit. Il venait d'en haut... C'était comme un chant d'oiseaux, très mélodieux. Je me suis arrêté de marcher. J'ai fermé les yeux. J'entendais une voix m'appeler tout doucement : « *Juantzin, Juan Diegotz...* » C'est comme ça qu'on m'appelait quand j'étais petit. J'étais tellement surpris que j'ai grimpé à toute vitesse sur la colline. Quand je suis arrivé en haut, je n'en croyais pas mes yeux. Je n'avais jamais vu ça de ma vie. Une jeune dame, toute brillante de lumière était là, juste devant moi. Elle portait une longue robe, éclatante comme le soleil. La lumière était si grande que les pierres et les rochers de la colline étincelaient, comme des pierres précieuses. Des arcs-en-ciel inondaient le ciel et la terre de couleurs vives. Je n'osais plus bouger. Mais la jeune dame m'a vite rassuré. Elle me parlait avec beaucoup de douceur. Elle disait : « *Sache et tiens pour certain, mon fils, le plus petit, que je suis la parfaite et toujours Vierge Marie, Mère du Vrai Dieu, de Celui par qui tout vit, le créateur des hommes, le maître du voisinage immédiat et le Seigneur du Ciel et de la Terre.* » Puis elle m'a demandé ceci : « *Je désire très ardemment, et c'est ma volonté, qu'en cet endroit on me construise mon petit teocalli, ma* Maison de Dieu. »

L'évêque touché par ce récit reste prudent. Il remercie l'Indien de sa confiance et lui demande de rentrer chez lui : il réfléchira tranquillement à toute cette affaire. Juan Diego ne semble pas surpris par la réaction de l'ecclésiastique. Résigné, il quitte tranquillement la résidence épiscopale.

Le lendemain matin, le dimanche 10 décembre 1531, on prévient l'évêque que l'Indien est revenu et demande à le voir. Juan de Zumarraga fait prévenir immédiatement l'interprète et reçoit Juan Diego. Celui-ci lui explique qu'il est retourné sur la colline la veille, après avoir quitté la résidence épiscopale. La jeune femme l'attendait.

– Je lui ai dit qu'elle ferait mieux de demander à une autre personne d'aller voir l'évêque, un riche ou une personne très influente, continue l'Indien. Moi, je ne suis qu'un paysan, le plus pauvre de mon village ! Personne n'a jamais fait attention à moi. Je vois bien que vous ne croyez rien de tout ce que je suis en train de vous raconter... Mais vous ne savez pas ce qu'elle m'a répondu, avec un merveilleux sourire ? Elle m'a dit : « *C'est à toi, le plus petit de mes fils, de me servir et de transmettre ma demande.* »

Juan Diego se tait. Il attend la réponse

> « *C'est à toi, le plus petit de mes fils, de me servir et de transmettre ma demande.* »

de l'évêque. Celui-ci le questionne longuement sur cette jeune dame, sur ses gestes, ses paroles. Il écoute avec attention l'Indien qui répond calmement à chaque question. Juan de Zumarraga est convaincu que Juan Diego est parfaitement sain d'esprit. Ses propos sont cohérents. Bien qu'il soit très intimidé, son attitude est sereine. Ce qu'il raconte ne comporte rien qui ne soit pas conforme à la doctrine chrétienne. Se pourrait-il alors que ce petit paysan ait vraiment vu la Mère de Dieu ? A-t-il pu être manipulé ? Par mesure de prudence, l'évêque demande à Juan Diego un signe qui prouverait la véracité de ses propos. L'Indien repart donc, sans manifester la moindre impatience. Comment un évêque pourrait-il le croire, lui, Juan Diego, le dernier de son village ?

Persévérant, l'Indien retourne chaque jour sur la colline. Il scrute les branchages. Il épie chaque bruit, chaque murmure du vent dans les feuilles. Il a mal aux yeux à force de regarder le soleil. Pendant deux jours, la jeune femme ne vient pas. Le mardi, le 12 décembre 1531, elle lui apparaît pour la dernière fois. Juan Diego lui explique que l'évêque attend un signe pour le croire et construire l'église. La Vierge lui demande alors de monter au plus haut de la colline et d'y cueillir des fleurs. C'est l'hiver. Juan Diego s'attend à trouver des chardons et tout au plus quelques résineux au milieu des rochers. Mais il obéit et escalade la colline. Quelle n'est pas sa surprise en arrivant au sommet : une myriade de fleurs, toutes plus belles les unes que les autres recouvrent, comme un tapis, le sol gelé de la colline. Aussitôt, il en cueille une brassée et la serre sur son cœur, dans son manteau. Pour la troisième fois, Juan Diego demande à rencontrer l'évêque de Mexico. Plus personne ne le fait attendre. Quand il entre dans le bureau de Juan de Zumarraga, il se contente d'ouvrir son manteau pour lui montrer les fleurs. « Des fleurs en plein hiver, l'évêque n'a jamais vu cela », se dit-il. Le bouquet tombe... Mais l'évêque jette à peine un regard sur les fleurs qui jonchent le sol. Sous ses yeux, une image apparaît comme une peinture sur le tissu blanc du manteau. C'est un dessin d'une extrême finesse. Le visage de la Vierge, car c'est bien celui de la Mère de Dieu, l'évêque en est convaincu, est d'une merveilleuse beauté. Un sourire maternel d'une très grande douceur l'illumine. Elle se tient les mains jointes, la tête légèrement penchée sur la droite, couverte d'un voile constellé d'étoiles d'or qui tombe jusqu'à ses pieds. Soutenue par un ange aux ailes à demi déployées, elle éclipse le soleil au point que ses rayons semblent jaillir de son corps.

Juan de Zumarraga est bouleversé

*Sous les yeux de l'évêque, une image apparaît.*

par cette image dont l'origine est, à n'en pas douter, miraculeuse. Il demande aussitôt à Juan Diego de le mener sur la colline du Tepayac. Il est maintenant certain que la Vierge Marie est apparue en ce lieu. Le jour même, il ordonne qu'une chapelle y soit construite pour répondre à la demande de celle qu'il nomme Notre-Dame de Tepeyac.

Mais ce n'est pas ainsi qu'il convient d'appeler celle qui est apparue en ces lieux. Le même jour, la Vierge est aussi apparue à Juan Bernardino, l'oncle de Juan Diego. Atteint d'une grave maladie, il fut aussitôt guéri par celle qui lui demanda qu'on l'honore sous le vocable de Notre-Dame de Guadalupe. À ce moment-là, Juan Bernardino ignore qu'en Espagne, dans la région de l'Estrémadure, la Vierge est vénérée sous ce nom depuis deux siècles. L'évêque, lui, ne l'ignore pas, et il y voit un signe supplémentaire de la véracité des apparitions.

À partir de ce jour, les Mexicains se convertirent en grand nombre. Et c'est ainsi que Notre-Dame de Guadalupe est honorée depuis cinq siècles par des millions de Mexicains, puis d'Américains, qui viennent se recueillir dans le sanctuaire et lui confier leurs prières.

SOURCES : Fidel de Jesús Chauvet, O.F.M., *EL CUTO GUADALUPEÑO*, Mexico, 1978. R. Ricard, *LA CONQUÊTE SPIRITUELLE DU MEXIQUE*, Paris, 1933. Y. Chiron, *ENQUÊTE SUR LES APPARITIONS DE LA VIERGE*, Paris, 1995.

# IGNACE DE LOYOLA

## LA FONDATION
## DE LA COMPAGNIE DE JÉSUS

**• 24 MAI •** L'ACTIVITÉ SUR LE PORT DE VENISE EST ANORMALEMENT CALME. Presque tous les navires amarrés aux quais semblaient profondément endormis comme pris d'une mystérieuse léthargie. Au milieu des marchandises déposées çà et là, Ignace de Loyola et Diego Laynez se faufilaient interrogeant les marins presque désœuvrés. Descendus une dernière fois de la ville de Vicence en quête d'un bateau en partance pour l'Orient, ils ont systématiquement visité et interrogé les capitaines des navires à quai, ainsi qu'ils l'ont fait toute la semaine. Mais, décidément, en cet automne de l'an de grâce 1537, les refus systématiques ne leur laissent aucun espoir. La guerre qui a éclaté entre Venise et le Grand Turc rend impossible le départ tant désiré en Terre sainte.

Revenus à Vicence, Ignace et Laynez retrouvent leurs compagnons enfin rassemblés. En effet, ces derniers mois, ils se sont dispersés dans différentes villes du territoire de Venise dans l'attente d'un hypothétique départ pour la Terre sainte. Mais ce soir-là tous sont présents, soudés par la solide amitié forgée au cours de leurs études à Paris : Ignace du Pays bas-

que, François Xavier de Navarre, Pierre Favre de Savoie, Diego Laynez de Castille ainsi qu'Alphonse Salmeron et Nicolas Bobadilla, Simon Rodriguez du Portugal, Claude Jaÿ lui aussi de Savoie, Paschase Broët de Picardie et enfin Jean Codure de Provence.

– Alors ? demanda Simon Rodriguez

– Mes amis, je crois que notre projet d'aller à Jérusalem a vécu. Le risque est trop grand, personne ne veut entreprendre un tel voyage.

Tout en parlant Laynez allume les bougies sur la table et son visage penché vers la flamme laissait voir sa déception.

Après un temps de silence Pierre Favre prend la parole :

– Revenons à notre promesse d'il y a trois ans.

Ignace sort un parchemin soigneusement conservé dans sa Bible et lit : « *Et en outre je promets d'aller à Jérusalem et d'y rester afin de dépenser ma vie pour le salut des âmes. Toutefois si au bout d'un an aucune embarcation ne nous prend à Venise, je fais vœu de me présenter au Vicaire du Christ, le Pape, pour qu'il m'emploie là où il jugera que ce sera davantage à la gloire de Dieu et plus utile aux âmes.* »

Tous ont dans l'oreille ces paroles prononcées solennellement à Paris, le 15 août 1534 en la chapelle Notre-Dame-des-Sept-Douleurs à Montmartre. En regardant la flamme de la bougie posée devant lui, Pierre Favre se souvient de cette belle journée, de leur joie de monter à Montmartre autour d'Ignace à qui ils devaient tant. Alors que leurs études de théologie allaient s'achever, ces amis avaient décidé de faire ensemble vœux de chasteté et de pauvreté. Ils étaient remplis d'un immense désir d'annoncer le Christ. Ils avaient mûri dans la prière et par l'échange cette promesse qu'Ignace vient de relire et qui maintenant encore les garde unis. Pierre était alors le seul prêtre du groupe. Il avait allumé les cierges de l'autel et célébré l'Eucharistie puis, alors qu'il leur présentait le Corps du Christ, chacun avait prononcé ses vœux avant de communier. Depuis lors ils renouvelaient la même cérémonie chaque année le 15 août.

Le vacillement de la flamme arrache Pierre Favre à ses souvenirs, tandis qu'Alphonse Salmeron, le plus jeune du groupe, soupire : « Abandonner Jérusalem. » Sa profonde consternation n'a d'égale que sa voix à demi éteinte.

Laynez réagit :

— Bon, eh bien prenons acte de la situation ! Pour moi il y a là un signe clair de la volonté de Dieu que nous cherchons...

— Mais enfin, interrompt Bobadilla,

aller à Rome, tu te rends compte ! Qu'allons nous devenir là-bas ?

— Écoute Nicolas, tu as vécu comme nous tous ici présents les *Exercices spirituels* à Paris. Maître Ignace et Pierre Favre nous ont conduits sur le chemin de la contemplation du Christ pauvre. L'Évangile n'est-il pas une invitation à nous abandonner totalement au Seigneur ? Dieu nous dépossède de notre rêve, et alors ? N'est-ce pas qu'Il attend de nous autre chose ? Suivre le Christ pauvre, s'offrir à notre Seigneur, voilà qui prend un sens auquel nous ne nous attendions pas !

*Les Exercices*, à ces mots François Xavier lui aussi se souvient... Ce jour de 1533 où Ignace, alors qu'ils vivaient dans la même chambre d'étudiant, lui lança : « Alors hidalgo, tu veux courir, tu veux la compétition, tu veux les honneurs ? Laisse-moi te guider vers le Christ Jésus : n'est-il pas le seul Maître et Seigneur qu'il convienne de servir ? » Il lui fallut du temps pour se rendre. Mais l'appel avait porté et depuis, l'expérience spirituelle des *Exercices* l'a confirmé dans son désir de placer sa vie avec le Christ sous l'étendard de la Croix. Que n'a-t-il pas appris sur lui-même, en apprenant tant sur Dieu !

Laynez poursuit :

— Regardez cette bougie déjà épuisée depuis le début de notre réunion. Il faut la changer — et de fait il la remplace par une bougie neuve. Peu importe le moyen, seule la lumière a de l'importance !

> « *Dieu nous dépossède de notre rêve, et alors ?* »

François Xavier prend la suite :

– Écoutez-moi, compagnons, je vais vous dire ce qui va nous arriver à Rome. Notre disponibilité entraînera notre dispersion. Le Saint-Père sait mieux qu'aucun autre où il faut nous envoyer en ce monde. La chrétienté est déchirée par les guerres, la Terre sainte n'est pas accessible librement, les Indes sont à explorer... Il ne manque pas de lieux où servir la mission ! Maintenant regardez le chemin parcouru depuis notre vœu de Montmartre jusqu'à ce jour. Déjà nous nous sommes dispersés dans la vigne du Seigneur au service de la foi, vivant dans la pauvreté, prêchant la Parole, confessant, secourant les malades et les petits, instruisant les enfants, œuvrant pour la justice et la réconciliation. Il n'est pas d'autres œuvres auxquelles nous n'aspirions tous. Mais pour moi une chose est sûre : je ne veux pas être seul ! Surtout après avoir goûté combien le fait d'être ensemble, d'être unis par nos vœux et notre amitié décuple en moi les forces apostoliques.

Mais alors que faut-il que nous disions lorsque l'on nous demande qui nous sommes ? Ici dans la région on nous appelle déjà les « prêtres réformés ». Certains disent de nous que nous sommes des prêtres pauvres et instruits. N'est-ce pas là un signe de Notre Seigneur ? N'attend-Il pas de nous que nous restions unis malgré la dispersion ? Je suis même d'avis de compléter nos vœux de pauvreté et de chasteté par le vœu d'obéissance à l'un d'entre nous...

> *Nous pourrions donner un nom à notre Compagnie...*

– Voyons, François, réalises-tu ce que tu dis ? interrompit encore Bobadilla. Tu veux que nous fondions un nouvel ordre religieux ?

– En tout cas pour l'instant nous pourrions au moins donner un nom à notre Compagnie...

– La Compagnie de Jésus !, lance quelqu'un comme dans un élan impossible à retenir.

Tous approuvent avec enthousiasme.

Il se fait tard, déjà les étoiles du ciel pâlissent, mais cette nuit elles ne guideront aucun navire vers Jérusalem. Ignace, qui avait longuement écouté, prend alors la parole :

– Mes amis, il paraît manifeste que le projet dont nous rêvons s'éloigne. Mais cette grâce qui nous a rassemblés à Paris, continue de nous animer. Maintenons la décision que nous avons prise. En allant à Rome notre désir nous entraînera peut-être plus loin que Jérusalem ! Compte tenu des besoins urgents de l'Église, je propose de commencer par nous répartir dans les principales villes universitaires d'Italie du Nord : Padoue, Bologne, Ferrare et Sienne. Pendant ce temps Laynez, Favre et moi-même irons à Rome pour offrir au pape, au nom du groupe, notre désir de servir le Christ et son Église. Ce qui a été enlevé de notre rêve, nous sera sûrement accordé d'une autre manière, à nous, ou à ceux qui dans l'avenir seront appelés à prendre notre chemin à la suite du Christ.

Retirons-nous pour ce soir, et prions le Seigneur. Les mois à venir seront décisifs pour notre petite « Compagnie de Jésus », puisqu'il n'est pas d'autre nom sous lequel nous voulons servir Dieu. Il me vient cette parole du Seigneur : « *Nul n'aura laissé maison, frères, sœurs, mère, père, enfants, ou champs, à cause de moi et de l'Évangile, qui ne reçoive le centuple dès à présent et dans le monde à venir la vie éternelle.* »

– « le centuple dès à présent, *avec des persécutions* », corrige Jean Codure.

– Oui, des persécutions ! confirme Ignace de Loyola d'un air songeur.

En cette nuit d'octobre 1537, on souffle les bougies, mais à l'aube du troisième millénaire, la lumière de leur aventure à la suite du Christ dans l'Église ne s'est pas éteinte. *Serviteurs de la mission du Christ* dans le monde, les jésuites désirent plus que jamais annoncer l'Évangile, servir la foi et promouvoir la justice qu'elle suppose. Quant à son avenir, comme en cette nuit de 1537, la Compagnie s'en remet au bon vouloir de son Seigneur.

SOURCES : Ignace de Loyola, *ÉCRITS*, et *MÉMORIAL DU BIENHEUREUX PIERRE FAVRE*. J. Brodrick, *SAINT IGNACE DE LOYOLA. LES ANNÉES DU PÈLERIN*, Paris, 1956. A. Guillermou, *SAINT IGNACE DE LOYOLA ET LA COMPAGNIE DE JÉSUS*, Paris, 1960. H. Rahner, *IGNATIUS VON LOYOLA ALS MENSCH UND THEOLOG*, Fribourg-en-Brisgau, 1964. L. Cognet, « La spiritualité moderne », in *HISTOIRE DE LA SPIRITUALITÉ CHRÉTIENNE*, t. III, Paris, 1966.

# THOMAS MORE

## *QUAND LE CHANCELIER D'ANGLETERRE*
## *PERD LA TÊTE*

**• 25 MAI •** SIX JUILLET 1535. UNE BRUME LÉGÈRE, DE CETTE GAZE DONT AIME À SE VOILER L'AUBE D'ÉTÉ, s'effiloche, imperceptiblement, promesse d'une journée radieuse. Londres s'est alanguie, il fait chaud déjà. Devant la Tour de Londres, une foule de badauds se presse. Dans quelques instants, un homme sera exécuté. Six jours plus tôt, il a été condamné à être pendu et écartelé pour haute trahison. Mais Henri VIII veut montrer à tous sa royale clémence : l'accusé sera décapité.

L'homme paraît. Il est pâle, il sort de prison. Il a eu, pendant plus d'un an, les honneurs de la Tour de Londres. Son visage émacié, marqué par la fatigue et les privations, reste impassible alors qu'il énonce, d'une voix égale : « *Je fus fidèle serviteur du Roi, mais je demeure avant tout celui de Dieu.* » Le bourreau pensait devoir soutenir le malheureux, l'aider à monter les marches. Leurs jambes les trahissent tous, même les plus téméraires. Mais il n'en est rien. Le condamné récite le *Miserere*, monte sereinement à l'échafaud et se tourne vers son bourreau, que tant de calme impressionne. Il l'embrasse et le raisonne : « *Allons, courage, mon ami ! Fai-*

*tes votre ouvrage !* » Et devant la foule médusée, le condamné prend le bandeau, se couvre les yeux et pose la tête sur le billot. Un éclair d'acier, et la tête de Thomas More roule aux pieds du bourreau.

Les yeux fixés sur l'échiquier, Henri VIII se laisse gagner par de sombres pensées. Il devrait se réjouir. N'est-ce pas lui qui a ordonné que l'on enferme puis que l'on exécute son ancien ami et conseiller ? Mais le roi, écœuré, renverse les pièces d'un geste rageur. Thomas More était l'un de ses plus proches conseillers, pour tout dire son protégé. Sa mort tragique laisse au souverain une désagréable sensation de déjà vu. Il fut un temps où un autre roi d'Angleterre, un Henri deuxième du nom, avait fait assassiner l'un de ses amis, un autre Thomas, pour des raisons similaires.

Henri VIII ferme les yeux un instant. Il revoit Thomas More, en habit de gloire, tout de vair et de velours vêtu, portant le grand collier à la rose d'or des « *speaker* » de la Chambre des communes, poser pour le célèbre portraitiste Holbein le Jeune. Le tableau... Henri s'en souvient. C'était en 1527. Le regard de

Thomas, intense, semblait fixer un point lointain, comme s'il était déjà insensible aux ambitions des hommes. Et pourtant, quelle carrière s'ouvrait à lui ! Henri VIII enrage. Quel gâchis ! À vingt-six ans, en 1504, Thomas était déjà membre du Parlement. Peu de temps après son accession au trône, en 1509, Henri lui avait confié de nombreuses missions. Puis il l'avait nommé maître des requêtes, en 1518, *speaker* de la Chambre des communes, en 1523, et, en 1529, chancelier du royaume ! Ne lui avait-il pas tout donné ? Le roi ne comprend pas. Non, vraiment, il ne comprend pas...

Henri VIII retourne à la table de jeu, ramasse distraitement une pièce de l'échiquier. Un fou... Un rictus déforme les traits du souverain. C'est bien cela. Thomas n'avait jamais su raison garder. Et pourtant, quel esprit brillant ! Thomas était incontestablement l'un des plus grands humanistes de son temps. Le grand Érasme le comptait parmi ses amis. Henri avait toujours apprécié ses vers, ou encore ses épigrammes latines. Le regard du roi parcourt les rayons de la bibliothèque. Il sourit amèrement. Il pense à leur entente passée, quand le talentueux chancelier écrivait ses ouvrages contre les thèses de Luther. Thomas était brillant. Pourquoi fallait-il qu'il s'obstinât à suivre Rome, en dépit de tout bon sens ? Même s'il était un fils soumis de l'Église, Henri VIII était roi avant tout. Pouvait-il laisser son royaume sans héritier, quand

> *Un rictus déforme les traits du souverain.*

son épouse Catherine d'Aragon semblait incapable de lui donner un fils ? Il fallait divorcer. Rome s'y opposait fermement. Thomas More soutenait le pape. Le roi, inspiré par Thomas Cranmer, crut trouver une issue en plaçant l'Église d'Angleterre sous son autorité. Le 15 mai 1532, le Parlement et les évêques anglais se soumettaient à cette prise de pouvoir. Mais Thomas, lui, ne voulut pas accepter. Dès le 16 mai, il démissionnait de son poste de chancelier.

Thomas Cranmer, devenu archevêque de Canterbury, déclara invalide le mariage du roi avec Catherine d'Aragon, le 23 mai 1533. Anne Boleyn fut sacrée reine d'Angleterre. L'Acte de suprématie, voté en 1534, fit du roi d'Angleterre le « chef suprême de l'Église d'Angleterre » tandis que l'Acte de trahison, adopté à la même époque, faisait des opposants aux décisions royales des traîtres passibles de mort. Les deux principaux opposants à la politique royale de rupture avec Rome, le cardinal Fisher et l'ancien chancelier More, en furent les deux premières victimes.

Le 23 mars 1534, convoqué au palais de Lambeth, Thomas More fut sommé de prêter serment au roi. Il refusa. Le 17 avril, il fut conduit à la Tour de Londres. Ce même mois, pour les mêmes motifs, le cardinal Fisher fut emprisonné lui aussi. Le 30 avril 1535, des émissaires du roi demandèrent à Thomas More de se prononcer sur l'Acte de suprématie. Thomas répondit qu'il ne s'occupait plus des choses de ce monde. Interrogé à nouveau le 3 juin, puis le 14, il refusa de répondre aux questions précises qui lui étaient posées. Finalement, le 1er juillet, Thomas était jugé par un tribunal spécial qui le condamnait à mort pour haute trahison.

En ce jour funeste, Henri VIII se dit qu'il n'a fait que son royal devoir. Quel est donc ce sentiment étrange, douloureux, qui l'étreint à la nouvelle de la mort de l'ancien chancelier ? Serait-ce le dernier soubresaut d'une conscience que le roi cherche à étouffer ?

Érasme, quant à lui, est à Bâle quand parvient la nouvelle de l'exécution de son ami Thomas. Assis dans sa bibliothèque, il caresse d'un air songeur l'exemplaire de l'*Utopia*, l'ouvrage que Thomas More a publié en 1516. Un chef-d'œuvre, songe l'humaniste. La description d'une société idéale, où l'État assumerait la fonction exclusive de réaliser le bien commun, où l'esprit d'équité des dirigeants maintiendrait la cohésion du corps social, où la société et l'Église seraient régies par les lois naturelles. Érasme s'étonne encore : comment Thomas, si mêlé à la politique de son temps, avait-il pu concevoir pareil rêve ? Il est vrai qu'il avait toujours manifesté un esprit fantasque et indépendant. De là à

*Comment Thomas a-t-il pu concevoir pareil rêve ?*

témoigner d'une fidélité sans faille à Rome au point de donner sa vie, Érasme ne l'aurait jamais imaginé. Parcourant l'ouvrage de son ami, il commence à comprendre. Certes, Thomas est mort pour avoir refusé que l'Angleterre soumette le pouvoir spirituel au pouvoir temporel. Mais Érasme sait que, par sa mort, Thomas n'a pas seulement défendu l'Église. Il a aussi payé de son sang une très haute conception de l'État qu'il refuse de voir soumis aux caprices d'un souverain. Il a surtout offert sa vie en clamant que la politique est conciliable avec les impératifs de la conscience. Respect de l'autorité spirituelle, dignité du pouvoir temporel, inviolabilité de la conscience... Ces principes que Thomas avait inscrits dans son œuvre, il les a incarnés par son martyre.

Érasme se dirige lentement vers sa table de travail. Il s'assied, prend la plume et écrit. « *Le supplice de More fut un sujet d'universels regrets pour ceux mêmes qui avaient été en opposition avec l'ancien ministre ; tant ce grand homme était aux yeux de tous doué de candeur et de sagesse ; tant il y avait en lui de bienveillance et de bonté.* »

Thomas More a été canonisé en 1935, en même temps que John Fisher et de nombreux martyrs anglais.

SOURCES : Thomas More, *DIALOGUE CONCERNING HERESIES* et *UTOPIE*. J. Lecler, *HISTOIRE DE LA TOLÉRANCE*, t. I, Paris, 1955. G. Lapouge, *UTOPIE ET CIVILISATIONS*, Paris, 1978. A.-G. Dickens, *THE ENGLISH REFORMATION*, 1964. G.-R. Elton, « Thomas More and the Opposition to Henry VIII », in *BULLETIN OF THE INSTITUTE OF HISTORICAL RESEARCH*, 1968.

# SUBLIMIS DEUS
## PAUL III INTERDIT L'ESCLAVAGE
### DANS LE NOUVEAU MONDE

**• 26 MAI •** QUEL ENTHOUSIASME ! DE TOUTE ÉVIDENCE, L'ÉQUIPÉE QUE LE PÈRE BERNARDINO DE MINAYA vient d'accomplir au Nicaragua a enchanté le dominicain Julian Garcés, évêque de Tlaxcala en Nouvelle-Espagne... Les accents triomphants de sa lettre ne trompent pas. Et le pape Paul III, dans la solitude de son bureau, ne peut détacher ses yeux de ce message reçu du Nouveau Monde. Est-ce parce qu'en cette année 1535, alors qu'il n'est pape que depuis un an, de nombreux soucis l'assaillent et qu'il lui est bien agréable de s'y soustraire un instant pour partager l'allégresse d'un succès missionnaire ? Peut-être. Mais il y a, dans cette missive venue des Indes occidentales, beaucoup plus que le simple compte rendu d'une mission réussie. Sous les mots se dessine, éclatante, la vérité que Paul III pressentait avec force parce qu'elle est inscrite dans la logique même de la foi : les Indiens ne sont pas des êtres humains inférieurs, ils sont capables de recevoir la foi catholique ; mieux, ils la désirent.

Plus tard, à Rome, le père Minaya le rappellera lui-même au pape de vive voix : lors de sa mission, les Indiens se pressaient en foule pour entendre parler du Christ. Sur la route de Mexico au Nicaragua, ce ne fut qu'une procession triomphale. Non seulement beaucoup d'idoles furent détruites et de nombreuses églises fondées, mais de très nombreux Indiens qui n'avaient jamais vu de missionnaires auparavant se faisaient baptiser, recevant l'envoyé du Seigneur avec des guirlandes de fleurs, lui offrant nourriture et boisson et rendant grâce à Dieu, à son départ, avec les mots mêmes qu'ils venaient d'apprendre : « *Benedictus qui venit in nomine Domini.* »

Comment rester insensible à un signe aussi clair ? Face à l'opinion de certains colonisateurs du Nouveau Monde, selon laquelle il est juste de réduire les Indiens en esclavage sous prétexte de l'incapacité de leur nature, le pape comprend qu'il est temps de confirmer avec force les positions prises par la couronne espagnole. Et cela d'autant plus qu'un autre signe est venu, du roi d'Espagne lui-même : en 1530, renouvelant l'interdiction d'Isabelle la Catholique, Charles Quint a promulgué un édit interdisant de réduire les Indiens en esclavage et de les priver de leurs biens.

Le 29 mai 1537, le pape adresse au cardinal Jean de Tavera, archevêque de Tolède, la lettre *Pastorale officium*, qui approuve l'édit espagnol et va même, au nom de l'Église, beaucoup plus loin, puisqu'elle menace d'excommunication les contrevenants. Apparemment Paul III n'a pas été informé du fait que Charles Quint a abrogé partiellement, en 1534, son édit de 1530... Le mécontentement du gouvernement espagnol, et les pressions qu'il exerce alors conduiront le pape à retirer par une nouvelle lettre, le 19 juin 1538, sa menace d'excommunication. Il reste que l'essentiel, entretemps, aura été dit. En effet, quelques jours à peine après *Pastorale officium*, deux textes sont venus préciser la pensée du pape : une nouvelle lettre à l'archevêque de Tolède, le 2 juin 1537, qui, cette fois, est adressée à tous les chrétiens, *Veritas ipsa*. Et, presque dans les mêmes termes, le 9 juin, la bulle *Sublimis Deus*.

Si la bulle *Sublimis Deus* est restée célèbre, si l'on a souvent daté, à tort, du 9 juin 1537 le début des efforts de l'Église contre l'esclavage dans le Nouveau Monde, cela tient sans doute à la qualité du lien établi dans ce texte entre l'affirmation intrépide de l'espérance chrétienne et le jugement sans appel qui en résulte. Car le pape inaugure son propos par un acte de confiance dans la toute-puissance d'Amour de Dieu : Il a créé l'homme assez sage pour atteindre l'inaccessible ; et donc, puisque le bonheur de tout homme ne se peut trouver qu'à tra-

> « Les Indiens ne doivent être en aucun cas privés de leur liberté. »

vers la foi en Notre Seigneur Jésus-Christ, tout homme doit être mis en mesure de recevoir cette foi. Oui, même les Indiens ! Puisque le Christ, qui est la Vérité, a dit : « *Allez et enseignez toutes les nations !* », « *Il a [...] confirmé que tous, sans exceptions, sont capables de recevoir les doctrines de la foi.* »

Fort de cette certitude et de cette confiance, Paul III use alors d'un langage très direct : c'est « *l'Ennemi de la race humaine* » qui a inspiré à « *ses satellites* » l'idée que « *Les Indiens de l'ouest et du sud et tous les autres peuples dont Nous avons eu connaissance récente devraient être traités comme des brutes imbéciles, créées pour notre service, prétendant d'autre part qu'ils sont incapables de recevoir la foi catholique* ». Conforté dans la foi et l'espérance par les témoignages venus à lui du Nouveau Monde, le pape l'affirme sans ambages : « *Les Indiens sont de vrais hommes et [...] ils sont non seulement capables de comprendre la foi catholique, mais aussi, d'après nos informations, désireux de la recevoir.* »

La suite coule de source : « *Que lesdits Indiens et les autres peuples découverts plus tard par les chrétiens ne doivent être en aucun cas privés de leur liberté ou de la jouissance de leur propriété, même s'ils sont en dehors de la foi de Jésus-Christ ; et qu'ils peuvent et doivent librement et légitimement jouir de leur liberté et de leur propriété et qu'ils ne doivent en aucun cas être réduits en esclavage.* » Quant à la conclusion, elle souligne une fois de plus le lien entre les exigences temporelles et la cohérence spirituelle de la mission : « *Lesdits Indiens et les autres peuples devront être convertis à la foi de Jésus-Christ par la prédication de la Parole de Dieu et par l'exemple d'une vie sainte.* » Encore une fois, Paul III confirme Isabelle la Catholique, comme le soulignera Jean-Paul II en 1992 : « *La reine Isabelle avait désiré sincèrement que ses fils, les Indiens – comme elle les appelait – soient reconnus et traités comme des êtres humains avec la dignité d'enfants de Dieu, et comme des hommes libres, à l'égard des autres citoyens de ses royaumes.* »

Il fallait cette singulière audace de la foi pour soutenir un tel texte, alors même que certains catholiques s'autorisaient précisément de leur mission pour soumettre, sans trop d'états d'âme et d'ailleurs souvent de bonne foi, les populations du Nouveau Monde... Cette intuition devait, toutefois, se révéler très tôt féconde. La célèbre controverse de Valladolid, en 1550, lui devra beaucoup. Et même si le texte de Paul III reste évasif sur la question des autres peuples récemment découverts – et n'aborde donc pas expressément la question de la traite et de l'esclavage des Noirs –, même s'il n'évoque pas la question traditionnelle de la légitimité de l'esclavage pour les prisonniers d'une guerre considérée

> « Les Indiens devront être convertis par l'exemple d'une vie sainte. »

comme juste – et donc ne s'y oppose pas –, la cohérence spirituelle et humaine de la bulle pontificale est telle qu'elle servira de référence dans ces domaines-là aussi.

Quant au sens même de la mission, il sera éclairé de pape en pape jusqu'aux attendus de la fondation de la *Congregatio de propaganda fide* en 1622... Avec Paul III, une fois de plus, le successeur de Pierre manifeste avec éclat une liberté et une indépendance de jugement et de pensée que seule la Grâce divine pouvait lui inspirer : membre d'une famille ambitieuse et puissante, fort libertin de mœurs durant la première partie de sa vie, amateur d'art et de luxe et pratiquant sans vergogne un népotisme prononcé, Alexandre Farnèse en devenant Paul III n'oublie certes pas son amour de la Renaissance. Mais ses actes sont désormais, et d'abord, ceux du gardien de l'essentiel : avant la confirmation de la Compagnie de Jésus en 1540 et la convocation du concile de Trente en 1545, c'est la bulle *Sublimis Deus* qui ouvre les grands actes de son pontificat. C'est-à-dire la confirmation de l'éminente dignité de tous les humbles, au-delà comme en deçà des mers.

Sources : J. Meyer, *Les Européens et les autres*, Paris, 1975. A. Quenum, *Les églises chrétiennes et la traite atlantique du XVᵉ au XIXᵉ*, Paris, 1993. L. Hanke, « Pope Paul III and the americans indians », in *Harvard theological review*, Harvard, 1937. J.-F. Maxwell, *Slavery and the catholic church*, Barry Rose, 1975. P. Levillain, « Paul III », in *Dictionnaire historique de la papauté*, Paris, 1994.

# VASCO DE QUIROGA
## *OU COMMENT UN LAÏC FAIT ÉVÊQUE*
## *RÉINVENTA L'ÂGE D'OR DE L'ÉGLISE PRIMITIVE*

• **27 MAI** •

CETTE FOIS-CI, C'EST AVEC SON ARMÉE que le *conquistador* revient prendre possession du village-hospitalité, après déjà trois échecs. Face à lui, en grande tenue pontificale, armé de sa crosse et juché majestueusement sur un âne, un saint évêque barre le chemin. Sourire goguenard des soudards devant cet ostentatoire déploiement de faiblesse.

– Écarte-toi, cette terre m'appartient par cédule royale !, hurle le *conquistador*.

– Vous ne passerez pas ! Cette terre appartient à Dieu, et il l'a confiée aux Indiens chichimèques et tarasques !, lui répond l'évêque.

– Saisissez-vous de lui, tenez-le à l'écart, et sus au village !, ordonne le chef à ses hommes qui aussitôt se mettent à avancer.

Mais voici que du couvert une pluie de flèches indiennes tombe aux pieds des chevaux ; l'instant d'après, une autre se déverse sur l'arrière de la troupe, interdisant toute retraite. L'embuscade est si parfaitement montée que le *conquistador* se rend sans qu'une seule goutte de sang ait coulé. Désarmé, il est contraint de faire demi-tour. Cette fois, il ne reviendra pas.

Cet intrépide et astucieux évêque n'est autre que Vasco de Quiroga que les Indiens vénèrent encore. Arrivé au Mexique en 1531 comme juge de la seconde *Audiencia*, cour de justice chargée de mettre un terme aux excès des *conquistadores*, le laïc qu'il est donne aussitôt toute sa vie à la protection et à la promotion des Indiens. Son cœur est ainsi bouleversé de voir dans Mexico « *une multitude d'enfants indiens noyés par leurs parents dans les fossés de drainage, et d'innombrables autres enfants abandonnés qui hantent les rues cherchant à se nourrir de détritus dont ne veulent pas les porcs et les chiens* ». Dès l'année de son arrivée, il fonde sur des terres qu'il a achetées de ses deniers à deux lieues de Mexico le premier des villages-hospitalités qui vont faire sa gloire à jamais. À ce premier village où il habite lui-même dans une petite maison, Vasco donne le nom d'« Hospitalité-de-la-Sainte-Foi ».

Ce village, qui deviendra une vraie ville, est d'abord organisé autour d'un « hospice du berceau », où sont recueillis et soignés les nourrissons indiens abandonnés ou en danger de mort. Comme le fera saint Vincent de Paul, Vasco va les chercher lui-même dans les rues et dans les bois où leurs mères les abandonnent selon leurs coutumes. Mais bientôt des familles indiennes viennent s'y installer. On construit alors des maisons de plus en plus nombreuses, et un hôpital, qui bénéfice des services d'un médecin, d'un pharmacien et d'un chirurgien. Puis s'élève une église, entourée d'un cimetière, où l'on ensevelit les morts, qui jusqu'alors étaient livrés aux animaux charognards. Deux écoles sont construites, l'une pour les enfants, l'autre pour les adultes. Enfin, les terres environnantes sont achetées afin de les cultiver et de faire paître le bétail. L'ensemble des frais d'établissement et de fonctionnement est supporté par Vasco sur ses revenus de juge, au point, diront les témoins, qu'il en est réduit à ne pouvoir manger qu'un jour sur deux.

> *L'ensemble des frais sera supporté par Vasco sur ses revenus.*

Bientôt, en 1534, Vasco fonde une nouvelle hospitalité à Guayameo, au bord du lac de Patzcuaro. Ses fondations compteront chacune jusqu'à douze mille âmes, devenant, une fois la protection royale assurée, de véritables républiques chrétiennes autonomes. L'organisation de ces républiques s'inspire explicitement de la société chrétienne idéale qu'a rêvée un autre laïc catholique, le chancelier d'Angleterre Thomas More. Vasco ne se sépare jamais du livre de Thomas More paru en 1516, *Utopie*. « *La renaissance de l'Église de l'Âge d'or,* écrit-il au roi d'Espagne, *ne laisse pas d'être prophétisée comme devant être opérée par Dieu dans notre déjà sénescente Église. Dans Thomas More, auteur de ce bon état de république, il me parait que ce fut par révélation du Saint-Esprit qu'est promu l'ordre qu'il conviendrait d'instaurer en ce Nouveau Monde.* »

Les *Ordonnances*, rédigées par Vasco pour servir de règle et de constitution à ses hospitalités, reflètent bien sa volonté d'organiser la vie sociale dans le cadre d'une « *primitive, nouvelle et renaissante Église au Nouveau Monde* ». Afin de satisfaire aux besoins de tous, et d'empêcher qu'il y ait des pauvres, les Indiens doivent travailler six heures par jour, sauf le vendredi et le dimanche qui sont donnés. Cependant, « *le travail ne doit pas être une pénible nécessité, mais une prière* ». La communauté et l'égalité dans les biens sont la règle absolue, « *comme c'était le cas dans la primitive Église* ». Cette nouvelle société ne doit pas être fermée sur elle-même, mais toujours ouverte. « *Tous les habitants de Sainte-Foi doivent être appelés "hospitaliers", car c'est dans ce ministère qu'ils sont constitués en témoins de la charité.* » Une auberge gratuite reçoit les voyageurs de passage. Les maisons doivent être vastes et entourées d'un jardin permettant « *la récréation et les cultures domestiques* ». Le « gouvernement » est élu pour trois ou six ans, les « conseillers » pour un an. Les décisions, toujours prises en assemblée, ne sont exécutoires qu'après trois jours de réflexion.

Toute la vie sociale dans les hospitalités est rythmée par les pratiques religieuses communautaires : en semaine, chant des Heures le matin, l'après-midi et avant le coucher ; jeûne et pratiques de pénitence, le vendredi ; messe, enseignement et processions, le dimanche. Aux grandes fêtes, sept fois par an, toute la communauté se réunit pour un immense banquet de fraternité chrétienne, l'*agape*.

En 1536, sur décision personnelle de Charles Quint et pour la plus grande joie du Mexique unanime, le laïc Vasco de Quiroga âgé de plus de soixante ans est fait évêque de la province du Michoacan. Après avoir reçu les ordres mineurs et le sacerdoce, il est consacré en 1538. Ce qu'il avait fait avec ses hospitalités, il va le réaliser au niveau d'une région entière, fondant cent cinquante nouveaux villages-hospitalités.

Au mois de mars 1565, alors que âgé de plus de quatre-vingt-dix ans il effectue à dos de mule la visite pastorale de son diocèse, « *le Seigneur le prit au paradis d'Uruapan* ». Vasco laisse pour tout héritage matériel quatre chaises, dix assiettes en terre cuite, deux soutanes élimées, quelques chemises de toile et ses livres. Mais la chrétienté utopique et bien réelle qu'il a promue et organisée lui survivra longtemps, jusqu'à la fin du XVIII$^e$ siècle dans sa réalité sociale et politique, perpétuellement dans le cœur des Indiens.

SOURCES : S. Zavala, *VASCO DE QUIROGA*, Mexico, 1965. *DON VASCO DE QUIROGA*, Mexico, 1986. J.-B. Warren, *VASCO DE QUIROGA*, Morelia, 1977. J. Dumont, *L'HEURE DE DIEU SUR LE NOUVEAU MONDE*, Paris, 1991.

# FRANÇOIS XAVIER
## L'ÉVANGILE ÉCLAIRE
## L'EMPIRE DU SOLEIL LEVANT

• **28 MAI** •

DEUX ANS DÉJÀ, QU'ANJIRÔ, JEUNE SAMOURAÏ JAPONAIS, ERRAIT À LA RECHERCHE DU FAMEUX maître François. Des marchands portugais, de ceux qui les premiers avaient abordé au pays du Soleil levant, lui avaient indiqué ce sage. Saisi par le portrait que ces navigateurs avaient dressé, Anjirô avait aussitôt compris que ce maître pourrait l'aider. Depuis le meurtre qu'il avait commis au Japon, Anjirô se tourmentait et ne trouvait aucun homme à qui parler. Mais où rejoindre maître François ?

À Malacca, comptoir portugais de Malaisie, Anjirô l'avait manqué de peu. François Xavier venait à nouveau de s'embarquer pour les Moluques, ces îles lointaines d'Indonésie. Éreinté par ces recherches vaines, Anjirô s'était résolu à rentrer à Kagoshima, son port natal.

Pendant ce temps, François Xavier, infatigable, poursuivait sa route. Maintenant sur les îles Moluques, il baptisait, prêchait, confessait, visitait les malades. Ainsi vivait-il depuis ce jour d'avril 1541 où, impatient, il s'était embarqué à bord du Santiago, affrété par le roi Jean III du Portugal. François Xavier n'avait pas

attendu d'atteindre les Indes orientales pour commencer à « *aider les âmes* », comme le disait son ami Ignace de Loyola. Sur le bateau qui le menait de Lisbonne aux Indes, dans les cales où s'entassaient de petites gens, il ne s'était pas ménagé. Ces pauvres gestes, il les ferait des milliers de fois : donner une gorgée d'eau, soutenir un malade, éponger un front. Les mêmes mots simples, il ne cesserait de les répéter : « *Jésus-Christ mon Dieu et mon Seigneur, fort de votre divine miséricorde, j'espère que je parviendrai un jour à la gloire et à la félicité pour lesquelles vous m'avez créé. Je vous aime, mon Dieu, plus que tout et de tout mon cœur.* »

Au milieu des tempêtes de l'Atlantique, sur l'île de Mozambique, à Melisinde, à Goa, aux confins du Kérala, aux côtés des pêcheurs de perles, à Ceylan, à Madras au pied de la tombe de saint Thomas, en Malaisie, dans les archipels de l'Indonésie, auprès des ambassadeurs du roi du Portugal, des grands capitaines, assumant alors pleinement sa charge de nonce apostolique, auprès des malades parmi lesquels il choisit d'habiter, auprès des parias, et de tous ces abandonnés aux visages si sauvages que

François Xavier sera sûr d'y reconnaître la puissance du démon. Partout, avec tous, tout entier.

Qui d'autre que l'Esprit du Christ eût pu le guider si loin du castel navarrais de Xavier où il vit le jour le 7 avril 1506 ? Il avait appris à Paris à discerner et à reconnaître la volonté de Dieu, au contact d'Ignace de Loyola, avec qui il partageait une chambre d'étudiant en compagnie de Pierre Favre. François Xavier ne manqua pas de se mettre à l'écoute du vent de l'Esprit qui lui faisait espérer recueillir tant de fruits de ses périlleuses expéditions. Mais cette disponibilité à la grâce n'allait pas sans l'expérience de la pauvreté la plus extrême. Pauvreté des âmes rencontrées dans ces terres inconnues, mais plus encore pauvreté personnelle profondément éprouvée. « *Tout ce qui serait nécessaire à la tâche d'annoncer la foi de Jésus-Christ nous fait défaut.* » Cette pauvreté le brûle. Il puise là la force de remuer ciel et terre pour annoncer l'Évangile. « *Bien souvent, l'idée me prend d'aller aux lieux où, chez vous, on étudie, pour y crier comme un homme qui a perdu le jugement, et surtout à l'université de Paris ; je dirais à la Sorbonne à ceux qui ont plus de science que de volonté pour se préparer à en tirer du fruit : "Que d'âmes sont empêchées d'aller à la gloire et vont en enfer par la négligence de ceux-là !"* »

À la mesure de ce dépouillement infini, l'urgence apostolique habitait son cœur. Chaque rencontre est l'occasion d'annoncer l'Évangile, et parfois non sans humour. « *Loué soit Notre Seigneur qui a bien voulu me faire cette si grande grâce : quoique naviguant à travers le domaine des poissons, j'ai trouvé à qui manifester sa Parole et à qui administrer le sacrement de la confession, qui n'est pas moins nécessaire sur la mer que sur la terre.* »

Louer Dieu et servir, voilà quel est son pain quotidien, dans l'esprit de la toute récente Compagnie de Jésus. Quel étrange destin qui le fait voguer aux confins du monde connu, avant même d'avoir appris la confirmation de la Compagnie de Jésus par le pape Paul III en 1540 ! Toute sa vie François Xavier a maintenu d'intenses liens avec les membres de la Compagnie de Jésus, ceux de l'Europe, comme ceux venus à sa suite. Éloigné, il reste proche, gardant sur son cœur les signatures de ses premiers compagnons. À Ignace, il adresse cette requête : « *Écrivez-moi bien au long des nouvelles de tous les pères de notre groupe venu de Paris.* » Il n'est pas de mission dont il ne rende compte par courrier. Et quelle aventure pour ses lettres ! Combien furent perdues dans des naufrages ? Aventure encore pour celui qui les aborde aujourd'hui. Ces lettres témoignent du Royaume nouveau.

Aventures, périls, notre jeune japonais, Anjirô, n'a pas fini d'en vivre avec ce maître François qu'il désire tant connaître. Déçu de ne l'avoir pas rencontré, Anjirô retourne au Japon. « Grâce à Dieu », une tempête le fait échouer sur les côtes de la Chine. De nouveaux marchands l'informent du

> *Combien furent perdues dans des naufrages ?*

retour de François Xavier à Malacca. Ah ! cette fois, enfin, il le retrouvera. Il en a la ferme assurance. Et Anjirô met le cap vers la Malaisie. Les fatigues ne comptent plus, ni les milles parcourus. Arrivé au port de Malacca, perdant toute retenue, il court à travers les rues, s'enquiert auprès de tous du lieu où rejoindre celui qu'il poursuit depuis si longtemps. « *Nous découvrîmes le père François dans l'Église Notre-Dame-de-la-Montagne où il célébrait un mariage. Je tombai complètement sous le charme et lui donnai un long récit de ma vie. Il m'embrassa et parut si enchanté de me voir qu'il était évident que Dieu lui-même avait arrangé notre rencontre. Je le pensais plus encore cha-que fois que je le contem-plais, et rien qu'à le regar-der, j'éprouvais une joie extrême.* »

L'enthousiasme est réciproque et cette rencontre finit de décider François Xavier à partir pour le Japon. « *Si tous les Japonais sont aussi curieux de savoir que l'est Anjirô, ce sont, me semble-t-il, les gens les plus curieux d'esprit de tous les pays qu'on a découverts.* » À peine un an plus tard, François Xavier accoste à Kagoshima, en compagnie d'Anjirô, désormais baptisé Paul de Sainte Foi.

Les espoirs de François Xavier pour les îles du Japon sont immenses. Mais les difficultés se révèlent toutes nouvel-les. Il est certainement le premier Euro-péen à pénétrer si avant dans le Japon, à rencontrer l'empereur dans ses palais de Miyako. La rencontre avec les îles du

*Ce sont les gens les plus curieux d'esprit de tous les pays que l'on a découverts.*

Levant est difficile, malgré tous les efforts pour traduire et adapter le caté-chisme rédigé pour l'Inde. L'œuvre de François Xavier continua au Japon, il eut de nombreux successeurs. L'expul-sion de tous les étrangers moins de cent ans plus tard mit un terme à cette pre-mière évangélisation.

Mais rien n'arrête François Xavier. Il fait ses adieux à son ami Paul, resté auprès de la communauté chrétienne de Kagoshima, en compagnie des jésuites désormais présents à Hirado et à Yama-guchi. Revenu à Goa, en Inde, François Xavier se dépense à réorganiser les éta-blissements de la Com-pagnie, à donner de nou-velles instructions. Son cœur brûle déjà d'un autre projet, d'une cour-se plus lointaine encore que toutes celles entreprises jusqu'alors. Des prisonniers portugais croupissent dans les geôles de Canton. La Chine ! Cette fois, il faut entrer secrètement, par n'importe quel moyen. « *Je me rends sur ces rivages au large de Canton, privé de tout secours humain, mais dans l'espoir qu'un Maure ou un païen me conduira sur la terre ferme de Chine.* » Prêt à s'y rendre à pied par l'Inde ou le Siam, François n'attein-dra jamais Canton. Il meurt sur l'île de Sancian, à dix kilomètres des rivages de Chine, le 3 décembre 1552.

Rome. Six mois plus tard, Ignace écrit à François Xavier. Assis à son bureau où chaque jour depuis qu'il a été choisi comme préposé général, il adresse à ses compagnons de nombreuses lettres. Lui, le pèlerin, il marche ainsi aux côtés des siens, dans la charité, cherchant en toutes choses la volonté de Dieu. Il n'apprendra la mort de François Xavier que dans deux ans, le temps pour un courrier de franchir l'espace traversé dans une vie d'apôtre. « *Nous avons appris que Dieu notre Seigneur a, par votre ministère, ouvert la porte à la prédication de son Évangile et à la conversion des païens au Japon et en Chine. Nous en sommes grandement consolés en sa divine Majesté. Nous espérons qu'il sera connu et glorifié chaque jour parmi des nations qui accroîtront son troupeau dans le temps et dans l'espace avec la faveur divine.* »

Canonisé en 1622 en même temps que son maître et ami Ignace de Loyola, François Xavier est, avec la petite Thérèse, patron des Missions. Avec lui, le Christ fut partout, tout entier, pour tous.

SOURCES : François Xavier, *CORRESPONDANCE, 1535-1552*, Paris, 1987. X. Léon-Dufour, *SAINT FRANÇOIS XAVIER. ITINÉRAIRE MYSTIQUE DE L'APÔTRE*, Christus, n° 86.

# JÉRÔME DE LOAISA

## ET COMMENT LES CONQUISTADORES
## FURENT TENUS DE RESTITUER
## LEURS BIENS AUX INDIENS

**• 29 MAI •**

LE 13 MAI 1541, LIMA, DEPUIS PEU CAPITALE DU PÉROU, est faite siège épiscopal par le pape Paul III, sur proposition de Charles Quint. Le même jour, le pape nomme Jérôme de Loaisa premier évêque de la ville, et lui confie le pastorat de ce qui deviendra bientôt le plus grand archidiocèse de l'histoire. Son territoire s'étendra en effet sur toute l'Amérique du Sud hispanique et une partie de l'Amérique centrale : du Nicaragua à la Terre de Feu. Commencée il y a juste dix ans, la conquête de ce continent est loin d'être terminée. Des expéditions capitales viennent d'être lancées ou vont l'être : au Chili où Santiago est fondée en 1541, le long du cours de l'Amazone en 1542, et vers l'Argentine en 1543.

Quand le 23 août 1543 Jérôme de Loaisa entre dans Lima, l'Amérique du Sud est à feu et à sang. Le soulèvement de Manco Capac II à peine maté en 1536, grâce aux peuples indiens qui refusent le retour de l'oppression inca, les *conquistadores* se livrent avec leurs bandes armées à de meurtrières luttes fratricides. Almagro est assassiné en 1538, Pizarre en 1541. En 1543 cependant, la paix semble acquise quand le fils d'Almagro est vaincu et exécuté sur l'ordre du délégué de Charles Quint, le juge Vaca de Castro.

Mais dès 1544, s'installent à Lima une *audiencia* (cour suprême) et un vice-roi chargés d'imposer les *Lois nouvelles pour le gouvernement des Indes* promulguées en faveur des Indiens par Charles Quint, sous l'influence directe de Las Casas. Ces lois prévoyaient notamment le désarmement des *conquistadores*, les conquêtes étant abandonnées et remplacées par des « découvertes » organisées par des juges et des religieux. Elles prévoyaient aussi la suppression des *encomiendas*, ces concessions royales qui permettaient aux *conquistadores*, une fois la conquête faite, de s'établir sur des circonscriptions administratives dans les territoires indiens, avec le droit d'y lever l'impôt. En contrepartie, les titulaires d'*encomiendas* devaient assurer les principales missions d'ordre public : défense du territoire, protection des personnes et des biens, entretien des routes et des chemins, recrutement et traitement des missionnaires, éducation des Indiens, développement économique.

Ces *Lois nouvelles* allaient remettre le

feu aux poudres. En effet, leur application allait être vécue comme une injustice insupportable par tous les *conquistadores* qui se voyaient privés du fruit de leur sueur et de leur sang, au moment même où ils allaient enfin pouvoir le cueillir. Les plus durement touchés étaient ceux, nombreux, qui ne s'étaient pas livrés au pillage : n'ayant amassé aucun butin, ils se retrouvaient ruinés à des milliers de kilomètres de leur mère patrie. Tout au plus, les *Lois nouvelles* prévoyaient-elles en leur faveur une allocation de pure subsistance. Or, les dépenses de la conquête avaient été engagées par les *conquistadores* et leurs familles sur leurs propres biens et à leurs propres risques, sans que le Trésor royal y eût investi un centime. Le système de l'*encomienda* constituait un moyen de remboursement des frais engagés. Et aussi un moyen de paiement des soldes ou des pensions d'invalidité qui n'avaient jamais été versées aux soldats pour, souvent, de longues années d'un service fort périlleux.

Alors qu'au Mexique les *Lois nouvelles* furent appliquées avec grand discernement et équité – on chercha à purger de ses abus le système de l'*encomienda* non à le supprimer –, au Pérou le vice-roi et l'*audiencia* entreprirent de les imposer à la lettre, avec la plus extrême rigueur. Avec l'énergie du désespoir, les *conquistadores* se révoltèrent massivement, Gonzalo, le frère du grand Pizarre, à leur tête. Il s'ensuivit une guerre civile sans

> *Avec l'énergie du désespoir, les conquistadores se révoltèrent.*

merci, que s'employa impitoyablement à gagner le vice-roi fraîchement débarqué.

Au cœur même de ces affrontements fratricides, Jérôme de Loaisa se trouve placé devant un inextricable cas de conscience : sa mission d'évêque implique-t-il qu'il doive se jeter dans la mêlée pour tenter de ramener la paix civile, au risque de se salir les mains ? Ou bien doit-il conserver les mains pures, au risque de ne pas avoir de mains ? C'est Charles Quint qui le tirera de ce dilemme en le nommant son représentant personnel en tant que *Protecteur des Indiens*. Ce titre était assorti des pouvoirs de justice et de police les plus étendus, afin qu'il pût être honoré dans les faits. Voyant les Indiens pris entre deux feux, Jérôme estima que le rétablissement de la légalité était un préalable indispensable à l'accomplissement de son mandat. Dès lors il se fit *defensor civitatis*, à l'instar de ses saints prédécesseurs au temps des barbares.

Préoccupé d'exploiter toutes les chances de réconciliation, il commence par s'opposer fermement aux exécutions des titulaires d'*encomienda* ordonnées par le vice-roi. Dans le même élan, il se jette sur les sentiers escarpés des Andes pour aller parlementer avec Gonzalo Pizarre retranché dans son nid d'aigle à Cuzco. C'est miracle qu'il soit sorti vivant des péripéties de ce périple de trois cents kilomètres. Là, au nom de Dieu et au nom du roi, il supplie les rebelles de déposer les armes. En vain. La guerre reprend donc, inexpiable. Le vice-roi Blasco Nuñez Vela montre une telle cruauté dans la répression qu'il finira par être emprisonné par *l'audiencia* elle-même. Ayant réussi à s'évader et à quitter Lima avec ses troupes, il est rattrapé, défait et exécuté par l'armée de Gonzalo Pizarre en 1546.

Le nouveau vice-roi, Pedro de La Gasca, est un prêtre. Homme pondéré et efficace, on ne le désignera plus bientôt que sous le nom de *Pacificador*. Jérôme de Loaisa s'engage totalement à son côté, devenant même « le maître de la situation » selon un témoin de l'époque. Il sera aussi ferme quand la légalité est en jeu que généreux pour instaurer la paix. D'une main, il met en œuvre l'interdiction des nouvelles concessions d'*encomiendas* ; de l'autre il se garde bien de supprimer les *encomiendas* existantes, se contentant, après enquête *encomienda* par *encomienda*, d'en assainir le fonctionnement afin qu'y soit garanti le traitement juste et digne des Indiens. Seules sont supprimées par Jérôme les *encomiendas* dont les titulaires peuvent être convaincus d'une attitude ignominieuse à l'égard des Indiens. Dans la conduite de ces affaires Jérôme aura à faire face à des résistances pugnaces, et maintes fois on lèvera l'épée contre lui. On le soupçonnera d'être un traître, coupable d'avoir des amis dans tous les camps. On l'accusera de détournements de fonds et de spéculation foncière.

Pasteur de tous les belligérants, mais

> *Jérôme aura à faire face à des résistances pugnaces.*

ostensiblement à la tête des troupes légalistes, Jérôme mania aussi bien la force des armes que les armes du cœur. Envers et contre tous, il tenta de restaurer puis de sauvegarder le bien commun, par le fer quand il le fallait, par la mansuétude le temps venu. Avec lui, la justice n'est jamais unilatérale. Dans le même temps où il arme son bras contre les conquistadores, il supplie inlassablement (avec succès en 1546) Charles Quint de révoquer les dispositions les plus évidemment injustes des *Lois nouvelles*. Et on le voit sans cesse secourir les victimes des troubles, au point d'engloutir toute sa fortune dans les aumônes et d'envisager « *pour rembourser ses dettes, de se retirer dans un couvent, en fuyant l'apparat et les dépenses de la dignité épiscopale* ». Dans une lettre à Charles Quint, le vice-roi détaille l'aide que, sans compter, Jérôme a distribuée à tous les belligérants comme aux Indiens, et il précise que ses dettes s'élèvent à douze mille pesos d'or, somme considérable. Et, quand après une guerre longtemps incertaine, l'armée de Gonzalo Pizarre est battue à Xaquixaguana en 1548, Jérôme exige que l'exemplarité nécessaire de la peine se limite à l'exécution du frère du grand Pizarre lui-même et de neuf de ses lieutenants. Tous les autres rebelles seront amnistiés et dotés avec générosité.

Mais c'est en faveur des Indiens, ses protégés, que Jérôme portera à leur comble ses exigences de charité dans la justice. Un rapport du *Protecteur des*

*Indiens*, adressé en 1539 à Charles Quint, donne une idée de ce que fut le travail harassant de Jérôme : « *J'ai tenu à visiter personnellement dans cette ville de Cuzco toutes les maisons de chrétiens où il y a des Indiens, et toutes les fermes, écuries et cuisines dans le même cas, pour m'assurer que les chrétiens enseignent les Indiens dans la foi, chaque soir comme cela doit se faire. S'ils les soignent quand ils sont malades et ne les laissent pas mourir. S'ils leur donnent l'entretien et toutes choses utiles, et ne les abandonnent pas misérables et enfermés. Tout cela comme Votre Majesté m'en a chargé. J'ai tenu, comme* Protecteur, *à défendre les Indiens dans leur liberté quand ils venaient me demander secours, les arrachant des mains de la police et de la justice, lorsqu'elles entreprenaient de leur enlever leur liberté. J'ai visité ou fait visiter dans les ports tous les navires entrant ou sortant, pour voir s'ils transportaient des Indiens captifs...* »

Malgré ses exceptionnelles qualités humaines et chrétiennes, Jérôme manquera parfois de discernement. De la mort du vice-roi en 1552, à l'arrivée de son successeur en 1556, Jérôme croit devoir prendre en charge le pouvoir vacant. Certes son prestige personnel et la gravité de la situation le désignaient entre tous pour recueillir le temporel orphelin, et c'est unanimement qu'on le pressa d'accepter ce tutorat. Mais Jérôme aurait dû sentir qu'il était temps pour lui de rendre à César ce qui est à César.

Soucieux d'assurer la paix par le par-

> « *J'ai tenu à visiter personnellement toutes les maisons de chrétiens où il y a des Indiens.* »

don et la réconciliation, Jérôme avait fait royalement indemniser les *conquistadores* rebelles. Il n'avait pas vu que cette générosité allait provoquer la révolte des « petits Blancs », les pauvres colons ruinés par la guerre civile. Au désespoir de voir les fauteurs de trouble nantis, tandis qu'eux-mêmes étaient réduits à la misère, ces « petits Blancs » s'organisèrent en armée et mirent les campagnes au pillage. Jérôme, contraint de rétablir l'ordre, dut prendre en personne le commandement de l'armée royale. En 1554 il gagne ce qui fut une sale guerre. Le chef des révoltés, Hernández Girón, est décapité et sa tête clouée au pilori à Lima. Jérôme saura, là aussi, se montrer généreux envers les survivants. Et quand deux ans plus tard arrivera le marquis de Cañete, nouveau vice-roi, ce sera pour régner sur un pays définitivement pacifié.

Ayant réintégré sa mission d'archevêque, Jérôme va consacrer ses derniers vingt ans d'épiscopat à la réconciliation de l'Amérique avec ses *conquistadores*, devant Dieu et devant les hommes. Pour bien comprendre la force et la portée de l'action de Jérôme, il convient de se représenter la foi ardente qui habitait tous ses contemporains, y compris les pires scélérats. Les blessures, les maladies, la torture, la ruine, toutes les souffrances et la mort leur semblaient beaucoup moins redoutables qu'elles ne nous le paraissent aujourd'hui. C'étaient pour eux des contrariétés inhérentes à la vie, auxquelles nul ne pouvait prétendre échapper bien longtemps. En fait, les Espagnols du XVIᵉ siècle ne craignaient vraiment qu'une chose : la seconde mort en enfer. Cette mort éternelle, ils étaient prêts à tout pour l'éviter, à eux-mêmes comme aux autres. Et le seul moyen d'être certain d'y échapper était de recevoir l'absolution sacramentelle, si possible une dernière fois avant de mourir.

Sachant bien cela, Jérôme de Loaisa promulgua des *Instructions pour les confesseurs* qu'il définit explicitement comme une « concorde ». Afin que cette « concorde », qui aura force de loi sur toute l'Amérique hispanique, eût de surcroît l'adhésion de tous, il la fit

*« Un règlement sévère mais juste. »*

adopter et signer, le 11 mars 1560, par les provinciaux de tous les ordres religieux alors actifs. Or les *Instructions* interdisaient aux confesseurs de donner l'absolution, même à l'article de la mort, à quiconque, espagnol ou cacique indien, aurait causé du tort à un Indien, sans l'avoir réparé. Étaient au même titre, obligés à réparation tous les ayants droit du conquistador : femme, héritiers, marchands d'armes, etc. Voici résumées les principales dispositions de ce « règlement sévère mais juste ».

*Sous peine de refus de l'absolution :*

1 – *Sont tenus à restituer la valeur des entiers dommages qu'ils ont causés personnellement les* conquistadores *qui n'ont pas respecté les ordres du roi, ou ne se sont pas informés de ces ordres pour savoir si la guerre était juste ou non.*

2 – *Les* conquistadores *sont tenus à restituer* in solidum *les dommages causés dans les dites expéditions par les autres participants.*

3 – *Ceux qui ont cru de bonne foi que la guerre contre les Indiens était juste parce que ceux-ci étaient idolâtres, qu'ils mangeaient de la chair humaine et faisaient des sacrifices humains ne sont tenus de restituer que leur part personnelle dans les pillages de la conquête.*

4 – *Si les personnes à qui restituer ont disparu, une composition peut intervenir à l'appréciation de l'évêque ou à défaut du confesseur, par le versement de dommages et intérêts au peuple indien concerné.*

5 – [*En cas de guerre juste*] *les restitutions doivent se trouver réduites de ce que le conquistador a employé à se sustenter pendant la conquête, et limitées à ses capacités.*

7 – *Les fils et héritiers des* conquistadores *soumis à restitution sont tenus à restituer tout ce qu'ils héritèrent d'eux.*

8 – *La femme du conquistador soumis à restitution, si elle a fait des dépenses superflues au-delà de ce qui convenait à sa personne, est tenue à restituer la valeur de ces dépenses superflues, à l'appréciation d'un homme sage et craignant Dieu.*

9 – *Ladite femme, si elle a su le caractère illicite des biens de son mari, ou s'en est doutée, ou ne s'en est pas informée, devra restituer la moitié des fruits produits par ces biens.*

12 – *Les marchands qui vendirent aux* conquistadores *soumis à restitution des marchandises que ceux-ci consommèrent, sont*

soumis eux-mêmes à restitution pour tout le prix qu'ils en reçurent.

14 – *Les marchands qui, en temps de guerre injuste, ou dans le doute si la guerre était injuste ou non, vendirent des armes pour cette guerre, sont obligés à restituer in solidum avec ceux qui utilisèrent ces armes.*

15 – *Les membres des maisons des personnes soumises à restitution devront restituer ce qu'ils en reçurent. De même pour les contremaîtres de ceux des titulaires d'encomienda qui ne respectent pas leurs obligations à l'égard des Indiens, ou prélèvent un impôt injuste.*

16 – *Lesdits contremaîtres sont tenus à restituer également tout produit d'exaction ou de pression ; sauf si les maîtres les restituent eux-mêmes.*

17 – *Les titulaires d'encomienda, s'ils remplissent leurs obligations d'administration et d'évangélisation, peuvent recevoir un honnête impôt pour leur sustentation.*

18 – *Le montant de cet impôt doit être mesuré, non seulement à ce qui est légal, mais à la conscience du titulaire comme homme bon et craignant Dieu. Si les Indiens sont si pauvres qu'ils ne peuvent donner ce que stipule le barème, le titulaire ne peut recevoir l'impôt avec bonne conscience. Seul doit être exigé des Indiens ce qu'ils peuvent donner en maintenant normalement leurs cultures et leurs élevages et en sustentant leurs maisons, femmes et enfants, sans souffrir la pauvreté.*

21 – *Parce que le titulaire d'encomienda doit faire corps avec la république chrétienne dont il a la responsabilité, la maintenir en paix et en justice afin que les Indiens adoptent de saines coutumes et rejoignent l'Église, il ne*

> Diego de Agüero restitue 7 000 pesos au peuple indien.

pourra déduire qu'une part très modérée de l'impôt pour l'honnête sustentation de sa personne et de sa maison.

24 – *De toutes exactions commises contre les Indiens, y compris par leurs caciques comme on sait que beaucoup le font, le titulaire d'encomienda doit mettre beaucoup de diligence à procurer le remède par voie de justice, de manière que les Indiens pauvres sentent que le titulaire d'encomienda est proche d'eux.*

25 – *Si quelque conquistador a brûlé les récoltes des Indiens lors d'opérations de force, il doit restituer ce qu'elles valaient au moment où il les a brûlées. Mais s'il a pris aux Indiens des brebis ou quoi que ce soit qui se multiplie, il doit restituer, outre les brebis, toutes les naissances et post-naissances.*

26 – *Enfin, si quelqu'un a volé une chose de prix à un conquistador tenu à restitution, il doit la rendre à celui-ci s'il est certain que celui-ci la restituera aux Indiens comme il lui en a été fait obligation. Sinon, il doit la rendre directement aux Indiens. Et s'il n'est pas possible de savoir qui furent exactement les Indiens spoliés, il doit la remettre au bénéfice du peuple ayant subi le dommage.*

Devenues normatives, les *Instructions pour les confesseurs* eurent un effet fulminant. Déjà purgée de ses ignominies par la justice des *audiencias*, la conquête allait être définitivement purifiée par les irrésistibles exigences de la charité. Mis devant le cas d'hypothéquer leur salut éternel, les *conquistadores* et les caciques indiens restituent avec scrupule, et souvent largesse, les dommages causés aux Indiens par faits de guerre, de pillage, de spoliation, ou par simple abus de droit. Dès le 23 mars 1560, douze jours seulement après la promulgation des *Instructions*, Diego de Agüero, très puissant porte-parole des titulaires d'*encomienda* du Pérou, restitue au nom de son père conquistador et « *pour le bien de son âme* », 4 000 pesos au peuple indien. Puis, en son nom propre, il fait don de 3 000 pesos « *de bon or* » aux Indiens de l'*encomienda* dont il est titulaire. Le même jour, Jeronimo de Silva restitue 1 500 pesos aux Indiens de son *encomienda* de Mama. Alvaro del Castillo Temino restitue aux Indiens de son *encomienda* de Cajas « *plus de 100 têtes de bétail* ». Gomez de Solis restitue 2 510 pesos aux Indiens de son *encomienda* de Huamachuco ; il y ajoute libéralement « *2 taureaux, 100 vaches et 1 000 moutons mérinos* ». Le mouvement est lancé et gagnera toutes les « Indes occidentales », contribuant à expliquer l'ultérieure fraternité hispano-indienne, manifestée jusqu'à la fin de la domination espagnole, et le respect confiant pour l'Église dont les Indiens ont témoigné jusqu'à nous. Les archives ne laissent place à aucun doute sur le fait que les restitutions furent massives et générales. Pour avoir une idée exacte de l'ampleur du mouvement, il faut savoir qu'alors le salaire annuel d'un ouvrier indien n'était que de 15 pesos environ. Voici quelques autres exemples de restitutions, à tous les échelons des responsabilités évoquées par les *Instructions*.

Le 7 octobre 1560, le modeste soldat Diego Pizarro de Olmos, restitue 300 pesos aux Indiens de Pasado en Équateur, et encore 300 pesos aux Indiens de Cupe au Pérou, « *pour les dommages qu'il leur a causés pendant la guerre* ». La même année, le capitaine Lorenzo de Aldana, dont la fortune était l'une des plus considérables de tout le Pérou, lègue tous ses biens aux Indiens de la vallée de Lima « *en dédommagement de ce qu'il leur a pris lors de la rébellion de Gonzalo Pizarre* ». En 1562, la veuve de conquistador Maria de Solier restitue 240 brebis aux Indiens d'Arequipa. En 1569, le cacique indien Garcia « *pour la sécurité de sa conscience* », restitue aux Indiens de la vallée de Nazca « *une vigne qu'il avait fait planter pour lui en prestation indue* ». La même année le cacique indien de Huancayo restitue au titulaire de son *encomienda* la part qu'il a détournée du tribut recouvré par lui. En 1571, Francisco de Chaves lègue tous ses biens aux Indiens de son *encomienda* de Condesuyo. En 1571, Rodrigo Niño, un de ceux qui avaient levé l'épée contre Jérôme de Loaisa, restitue 3 600 pesos au peuple indien. Et voici Diego Nieto de Gaete, qui, en tant que beau-frère du *conquistador* Valdivia, restitue pas moins de 27 000 pesos d'or. Et encore le quatrième gouverneur du Chili, Pedro de Villagra, suivi d'autres principaux titulaires d'*encomendia*, qui institue les Indiens ses légataires universels...

*Diego Nieto de Gaete ne restitue pas moins de 27 000 pesos d'or.*

Rassasié de labeur, Jérôme de Loaisa réunit et préside en 1567 le deuxième concile de Lima. Ce concile, entièrement consacré aux Indiens, définit et recommande une initiative qui va donner un nouveau visage à l'évangélisation américaine : la création des « réductions », c'est-à-dire le regroupement des Indiens en petites républiques chrétiennes.

Dès 1549, Jérôme avait consacré quarante mille pesos des restitutions, quatre fois plus qu'il n'avait consacré à bâtir sa cathédrale, pour élever à Lima un grand hôpital réservé aux Indiens. Abandonnant le palais épiscopal, il s'y installe en 1565, « *dans un réduit, sur le dernier lit* », au milieu de ses Indiens affligés, comme le plus pauvre des leurs. Dans ses dernières années, perclus d'infirmités, il servait leurs repas. C'est dans cet hôpital Santa Ana qu'il rendit son âme à Dieu en 1575. Et c'est là que le très puissant et révérendissime père en Dieu archevêque de Lima fut enterré, « *afin d'avoir au jour de la résurrection pour témoins les pauvres qu'il avait servis et protégés* ».

Ayant reçu de César ce qui était à César, Jérôme de Loaisa le lui rendit bien ; cependant qu'il fit rendre aux Indiens ce qui était aux Indiens, et à Dieu le témoignage d'une foi agissante, parfois même téméraire.

SOURCES : B. Lopetegui, *MISSIONALIA HISPANICA*, n° 6, Madrid, 1945. G. Lohmann Villena, *ANUARIO DE ESTUDIOS AMERICANOS*, t. 23, Séville, 1966. J. Eyzaguirre, *FISONOMÍA HISTÓRICA DE CHILE*, Santiago, 1983. *L'ANNÉE DOMINICAINE*, 1902. G. Lohmann Villena, *EL CORREGIDOR DE INDIOS EN EL PERÚ DE LOS AUSTRIAS*, Madrid, 1957. E. D. Dussel, *DESINTEGRACIÓN DE LA CRISTIANDAD COLONIAL Y LIBERACIÓN*, Salamanque, 1978. J. Dumont, *L'HEURE DE DIEU SUR LE NOUVEAU MONDE*, Paris, 1991.

# LE CONCILE DE TRENTE

## L'ÉGLISE, UNE, SAINTE, CATHOLIQUE

## ET APOSTOLIQUE

• **30 MAI** • À TRENTE, PETITE VILLE ALPINE POSÉE SUR LA ROUTE ENTRE L'EMPIRE GERMANIQUE ET L'ITALIE, le 13 décembre 1545, trente-quatre ecclésiastiques, presque tous Italiens, sont réunis. Complot, retrouvailles d'amis... Non, en cette journée, c'est bien un concile qui s'ouvre. On est loin des foules qui fréquentèrent les conciles de l'Antiquité chrétienne et du Moyen Âge. Même si au cours de la longue histoire du concile de Trente, le nombre de participants put exceptionnellement s'élever jusqu'à trois cents, l'assemblée en imposait peu au monde chrétien, et Calvin pouvait se moquer : « *Si c'était seulement un concile provincial, ils devraient avoir honte de se trouver si peu.* »

La faible participation ne fut pas le seul handicap de ce concile. Sa durée le fit comparer à la guerre de Troie. Dès 1518, Luther avait demandé un concile et toute l'Allemagne lui avait fait écho. La papauté n'accepta de le convoquer qu'en 1535, et il ne s'ouvrit qu'en 1545. Après cette longue préhistoire, le déroulement du concile fut tout sauf rapide et harmonieux. En 1547, les prélats réunis à Trente décidèrent de quitter cette ville incommode pour Bologne, mais Charles Quint, furieux de ce transfert, paralysa le fonctionnement du concile de Bologne, qui s'éteignit à petit feu. En 1551, le pape Jules III, récemment élu, convoqua à nouveau le concile à Trente. Mais l'assemblée se dispersa au bout d'un an devant la reprise de la guerre en Allemagne. Il fallut attendre une troisième convocation en 1562 pour voir le concile se clore, non sans difficultés, le 4 décembre 1563, soit dix-huit ans après son ouverture, et quarante-cinq ans après l'appel de Luther.

Pourquoi un tel retard quand l'Église connaît l'une des crises les plus graves de son histoire ? Certes, l'interminable conflit entre la France et la maison d'Autriche rend bien difficile la réunion pacifique d'un concile. Mais la papauté a aussi ses responsabilités. Elle garde une très grande méfiance envers l'institution conciliaire qui, à Constance, au siècle précédent, avait prétendu la mettre sous tutelle. Même quand Paul III, Jules III ou Pie IV sauront vaincre leurs préventions, ils tiendront à conserver un contrôle étroit sur l'assemblée. Une plaisanterie circule dès 1546 à Trente et sera répétée jusqu'en 1563 : « *Aux conciles précédents, l'Esprit*

*Saint venait du ciel ; à celui-ci, il vient par la poste depuis Rome.* » Ce contrôle pontifical, souvent tatillon, des travaux conciliaires provoque des lenteurs et des retards, le mécontentement des prélats non italiens et, plus grave encore, le refus absolu des protestants de reconnaître une quelconque légitimité au concile. Quand en 1551 quelques délégués protestants allemands se rendent à Trente, contraints et forcés par Charles Quint, ils se contentent de déclarer que le pape et les pères conciliaires, premiers accusés, ne peuvent être à la fois juges et parties, et récusent donc l'autorité du concile.

Or, le concile avait été convoqué avant tout pour résoudre la crise religieuse. Mais les pères conciliaires ont leur propre opinion sur le sujet : pas question de dialoguer avec des chrétiens qui se séparent de Rome, ce sont des hérétiques. La plupart des décrets conciliaires ont la forme d'une condamnation : « Si quelqu'un ose dire..., qu'il soit anathème ! » La phrase qui clôt le concile est d'ailleurs un retentissant « *Anathème à tous les hérétiques !* » lancé par le cardinal de Lorraine. Dans les débats conciliaires, il suffit qu'une proposition vienne d'un réformateur pour qu'elle soit condamnée sans plus de discussions. Certains pères demandent bien qu'on prenne garde de ne pas censurer saint Paul ou saint Augustin en croyant censurer Luther, mais ils ne sont guère écoutés. Sur le plan théologique, le concile de Trente est avant tout une réponse à la

> *Comment l'homme peut-il devenir juste aux yeux de Dieu ?*

Réforme, un concile de Contre-Réforme, comme on l'en loua ou blâma dans les siècles suivants.

Au cœur de l'expérience spirituelle de Luther et de la Réforme se trouve la question du salut : comment l'homme, misérable pécheur, peut-il espérer devenir juste aux yeux de Dieu ? Pour Luther, il est vain de compter sur ses propres forces et le chrétien doit s'abandonner à la seule confiance en la miséricorde de Dieu et aux mérites de la passion du Christ. Tel est le sens du salut par la foi seule. Le concile, s'il voulait répondre à Luther, devait donc expliquer sa conception du salut, et plus exactement de la justification. Le thème était particulièrement difficile : si les écoles théologiques médiévales avaient chacune développé leurs propres conceptions, jamais le magistère de l'Église n'avait tranché. Les débats au concile furent donc houleux et il ne fut pas rare d'entendre injures, huées, anathèmes. Deux évêques en vinrent même aux mains en se traitant d'ignorant et de coquin et la belle barbe épiscopale du premier fut victime de la rage du second.

Et pourtant, ni les fréquentes et longues interruptions du concile, ni les divisions n'empêchèrent l'assemblée d'accomplir une œuvre doctrinale cohérente qui embrassait tous les aspects du salut humain. Le concile se chargea d'abord de définir la Révélation divine, socle indispensable à toute réflexion théologique. Elle puise à deux sources indissociables, l'Écriture et la Tradition, ou plutôt les traditions que le concile sauve contre le *Sola Scriptura* (l'Écriture seule) de la Réforme. Cette Révélation nous apprend que l'homme a été corrompu par le péché originel, mais que par les mérites du Christ acquis par le baptême, il peut se racheter. Seule subsiste une tendance à commettre le mal, mais non plus le mal lui-même. Cette vision optimiste de l'homme insiste sur sa liberté et sa responsabilité : si Dieu seul est l'auteur de toute justice, il appartient à l'homme d'accueillir ou non la grâce et de progresser par la suite dans la justice divine, par la pratique des bonnes œuvres et la fréquentation des sacrements. Le concile étudie ces sacrements les uns après les autres, insistant sur l'Eucharistie. Le Christ y est réellement et entièrement présent, se substituant au pain et au vin par un processus de « transsubstantiation ». Cette affirmation ferme du dogme eucharistique ferme la porte à tout compromis avec les principaux courants de la Réforme et l'Eucharistie, sacrement de l'unité par excellence, devient pour longtemps la principale raison de la discorde. Intransigeance des pères, diront certains, force de la vérité, diront les autres.

Le concile ne devait pas seulement répondre aux réformateurs, mais satisfaire les aspirations à une réforme des abus, bien plus vieilles que Luther. Les pères le firent en suivant deux principes simples et complémentaires : rétablir la dignité du clergé, restaurer le pouvoir épiscopal. Ces deux principes avaient pour but ultime d'affirmer la vocation avant tout pastorale de l'ensemble du corps ecclésiastique. Il fallait en finir avec les prêtres qui ne prêchaient pas, et les évêques qui ne connaissaient de leur diocèse que le montant de leurs revenus. La restauration du pouvoir épiscopal fut certes freinée par Rome, qui craignait de trouver là un concurrent à l'autorité pontificale. Mais sur bien des points, le concile obtint satisfaction et les exemptions au pouvoir de l'évêque dans son diocèse furent considérablement réduites. Mais si l'évêque obtient ou récupère des moyens de contrôler son diocèse, on lui rappelle aussi ses devoirs : il doit résider – ce qui exclut le cumul des évêchés, si fréquent à l'époque –, prêcher et faire prêcher, visiter son diocèse, consulter son clergé par des synodes diocésains annuels. Sur le modèle de l'évêque, le clergé doit être exemplaire. Sa formation est prévue dans des séminaires. Le décret conciliaire est très ambitieux et ne sera réalisé que tardivement et au prix de biens des aménagements, mais l'impulsion est donnée. Le prêtre doit surtout bien se distinguer du laïc, par sa tenue, son sérieux, son autorité. Cette distinction sociale est le signe de celle qui existe entre le sacré et le profane, l'Église et le monde. Cet état d'esprit marque le catholicisme pour plusieurs siècles.

Le concile de Trente a donc une importance sans commune mesure avec son déroulement laborieux et sa faible

*Une vision optimiste de l'homme.*

fréquentation. Mais si les décrets du concile sont appliqués et permettent le renouveau de l'Église catholique, c'est parce que la papauté s'est mise à la tête de la réforme tridentine, qu'on devrait plus justement nommer réforme romaine. Les papes respectent et font respecter les décisions du concile, quitte à en modifier imperceptiblement le sens : plus que le pouvoir épiscopal, c'est l'administration centrale romaine qui veille à l'application des réformes. Cette direction permet à la Réforme catholique d'embrasser des aspects oubliés par le concile : la mission, l'art, la pastorale des laïcs. Une véritable civilisation catholique, qui s'épanouit dans l'art et la culture baroques, naît de cette alliance entre les décrets conciliaires et l'action romaine. L'Église change : plus digne, mais aussi plus cléricale ; plus austère, mais toujours capable de mobiliser les sens au service de la foi ; plus homogène, mais plus centralisée. Après Trente, le catholicisme assaini retrouve des bases stables, au point que pendant trois siècles, le besoin d'un nouveau concile ne se fera plus sentir. À partir de cette charte cohérente, l'Église voit se lever une multitude de saints et de saintes animés d'une foi brûlante, pénétrée d'élans missionnaires, ardents, généreux, réformateurs. Si l'on doit juger l'arbre à ses fruits, c'est bien l'Esprit Saint qui soufflait sur Trente.

> *Une multitude de saints et de saintes brûlant de foi, ardents, généreux, réformateurs.*

SOURCES : Pallavicino P. Sforza, *ISTORIA DEL CONCILIO DI TRENTO*, Rome, 1664. C. Giuliani, *TRENTO AL TEMPO DEL CONCILIO*, Trente, 1884. M. Ferrandis et M. Bordonau, *EL CONCILIO DE TRENTO*, Valladolid, 1928. H. Jedin, *LE CONCILE DE TRENTE*, Tournai, 1965. A. Duval, *DES SACREMENTS AU CONCILE DE TRENTE*, Paris, 1985.

# LA CONTROVERSE
# DE VALLADOLID
## *L'INVENTION*
### *DU DROIT D'INGÉRENCE HUMANITAIRE*

**• 31 MAI •** EN CETTE ANNÉE 1550, CHARLES QUINT NE SAIT VRAIMENT PLUS QUOI FAIRE. Pourtant, il est le monarque le plus puissant du monde. On dit que le soleil ne se couche jamais sur son empire. Roi d'Espagne, il est par décision du Saint-Siège le responsable de la conquête et de l'évangélisation de l'Amérique. L'Amérique, voilà justement l'objet de son désarroi.

Dès son arrivée au trône espagnol, en 1518, il a été submergé de lettres en provenance du Nouveau Monde. Toutes relatent l'extraordinaire engouement des indigènes pour la civilisation et la foi chrétiennes ; toutes dénoncent la brutalité et la rapacité de certains *conquistadores*. Charles Quint a entrepris d'y remédier en créant les *Audiencias*, des cours de justice chargées de la protection des Indiens, cours qui disposent de tous les pouvoirs d'enquêtes et de répression. Il a tenu à nommer personnellement, comme enquêteurs et juges, des hommes sûrs, jouissant de la meilleure réputation de rectitude morale et de sainteté de vie. Mais voilà qu'à son retour d'Amérique, le dominicain Minaya obtient du pape Paul III la promulgation de la bulle *Sublimus Deus* qui interdit l'esclavage sur les terres que la papauté elle-même a confiées à l'Espagne. Bien que la bulle rejoigne ses efforts constants, Charles ressent cet acte d'autorité comme un désaveu et même comme un signe de défiance. Même après que le pape eut compris sa maladresse et « cassé, réprouvé et annulé avec colère » la bulle, l'empereur, profondément meurtri, incline de plus en plus à abandonner son autorité civile sur l'Amérique.

Charles Quint consulte alors le plus grand théologien moraliste de l'époque, le dominicain Vitoria : l'Espagne peut-elle, sans déchirement de conscience, abandonner la conquête ? Ou bien doit-elle la poursuivre et alors dans quelles conditions ? Vitoria expose alors dans ses *Leçons* quatre motifs pour lesquels la présence espagnole en Amérique n'est pas fondée : *la donation pontificale* (le pape ne peut pas donner le pouvoir temporel qui ne lui appartient pas) ; *la conversion des Indiens* (elle ne justifie en rien la guerre et l'occupation des terres, il ne peut y avoir de conversion que libre) ; *les coutumes et mœurs des Indiens* (les peuples indien et espagnol sont membres égaux de la communauté internationale, l'Europe n'a pas à imposer sa civilisation) ; *l'idolâtrie des Indiens* (si les Indiens ne veulent pas abandonner pacifiquement leurs idoles, il n'est pas licite de les y contraindre). Vitoria ajoute même cette considération sévère pour le roi : « *S'il était permis de châtier les Indiens pour les injures qu'ils font à Dieu, à plus forte raison devraient être châtiés les princes chrétiens qui, souvent, pèchent plus gravement que les infidèles eux-mêmes.* »

Mais Vitoria énonce aussi sept motifs fondés à la présence espagnole en Amérique. Voici les principaux : *le droit à la communication et au commerce internationaux* (dans certaines limites, la terre appartient à toute l'humanité, et les hommes de toutes cultures doivent pouvoir communiquer et échanger entre eux) ; *le droit d'évangéliser* (il s'agit uniquement de l'annonce pacifique de l'Évangile, et non de la conversion forcée) ; *le droit de protéger les convertis* (si les convertis sont gravement persécutés et qu'ils représentent la majorité du peuple, il est licite de faire la guerre au prince persécuteur pour le déposer) ; *la répression des crimes contre l'humanité* (il est licite d'intervenir par la force pour défendre les innocents menacés d'une mort injuste) ; et enfin *les appels à l'aide des peuples* (le droit d'ingérence devient un devoir quand les peuples appellent au secours).

Après l'affaire de la bulle *Sublimus Deus*, Charles Quint prend très mal le refus de Vitoria d'accorder une quelconque valeur à la donation papale. Il n'est pas certain qu'il apprécie les digressions du théologien sur la conduite des princes chrétiens… Bien que lui-même soit irréprochable, il ne le consultera plus. Il va alors prendre comme conseiller exclusif pour les affaires américaines un autre dominicain, Bartolomé de Las Casas. Ce fougueux défenseur des Indiens revient opportunément du Mexique. Sur ses recommandations, Charles promulgue en 1542 les *Lois nouvelles pour les Indes occidentales*. C'est un désastre. Toute l'Amérique se soulève contre ces lois, en une vraie révolution qui manque de peu d'aboutir à l'indépendance des colonies.

> *Chaque jour le roi est abreuvé de lettres désespérées.*

Pendant trois ans, Charles Quint tente d'imposer les *Lois nouvelles* par des moyens de coercition impitoyables. Las Casas, de son côté, est consacré évêque du Chiapas, au Mexique, afin d'appliquer lui-même les lois qui lui sont si redevables. Arrivé en mars 1545, il doit quitter l'Amérique définitivement moins d'un an plus tard, rejeté par les religieux mexicains.

Charles Quint est contraint de se rendre à l'évidence : l'application de ces lois, généreuses dans l'absolu, se révèle une catastrophe dans la réalité et provoque infiniment plus d'injustices qu'elles ne prétendent en supprimer. Chaque jour le roi est abreuvé de lettres de ceux qui ont donné la preuve la plus incontestable de leur amour pour les Indiens. Les « douze apôtres » du Mexique, Motolinia en tête,

Vasco de Quiroga, Jérome de Loaisa et tant d'autres le supplient de casser ses lois. Ce qu'il finira par faire, pour partie.

Charles Quint a trop de scrupules pour que ses responsabilités de roi ne lui paraissent pas une charge écrasante. Ce chrétien fervent sait qu'il aura à rendre compte de ses décisions devant Dieu. Il a déjà formé dans son cœur la résolution d'abdiquer pour se retirer dans la prière au monastère de Yuste. Mais, auparavant, il veut être certain d'avoir fait son devoir. En Amérique, il ne sait justement plus quoi faire. Depuis son retour, Las Casas, lui, tient des discours plus radicaux que jamais ; les apôtres d'outre-Atlantique, Vasco et Jérôme, lui prêchent au contraire la modération et l'équilibre. En cette année 1550, Charles décide donc l'arrêt de toutes les conquêtes et ordonne la tenue d'une controverse (un véritable procès contradictoire) qui *« traite de la manière dont doivent se faire les conquêtes dans le Nouveau Monde, pour qu'elles se fassent avec justice et en sécurité de conscience ».*

Quatorze juges sont choisis parmi les personnalités les plus incontestables du temps : dix laïcs spécialistes de l'Amérique et quatre religieux, dont les dominicains Melchor Cano et Domingo de Soto, lumières de l'université de Salamanque. Le président est un évêque. L'avocat que choisit Charles pour plaider l'abandon est évidemment le « Seigneur évêque » Las Casas. Son adversaire, en faveur des conquêtes, sera Ginès de Sepulveda, un

brillant théologien, confesseur et historiographe de Charles Quint, mais auquel les amis de Las Casas ont imposé le silence sur la question américaine, faisant interdire ses ouvrages en Espagne... De nombreux éléments autorisent à penser que le roi espère une réconciliation entre ces deux hommes qu'il estime, réconciliation qui permettrait de définir une position médiane.

Les débats, qui ont lieu à Valladolid, durent deux mois, en deux cessions. Leur ampleur rend présomptueux de vouloir les résumer. À l'évidence, l'aura de Las Casas, qui pourtant bénéficie d'un préjugé favorable, souffre de la confrontation. Son tempérament de polémiste le pousse trop souvent à des exagérations absurdes et de longues digressions qui indisposent les juges. Sepulveda, calme, pondéré, « scientifique », documents à l'appui, défend avec moins de brio mais plus d'efficacité sa thèse de l'obligation morale de poursuivre les conquêtes. Las Casas et Sepulveda finissent pourtant par nuancer fortement leurs positions respectives. Si la réconciliation des hommes souhaitée par Charles Quint ne se produit pas, celle des idées a lieu et les juges peuvent définir la position médiane tant espérée, sans désavouer l'idéalisme de l'un ou le réalisme de l'autre.

*Charles décide l'arrêt de toutes les conquêtes.*

En fait, les conclusions de cette controverse sont assez largement conformes à celles que Vitoria a données onze ans plus tôt dans ses *Leçons*. La seule différence d'importance est que la Controverse reconnait la valeur de la donation pontificale des terres américaines à l'Espagne. Mais finalement, l'argument qui a été le plus discuté, et qui a emporté la conviction des juges, est celui du droit d'ingérence humanitaire.

L'horreur des sacrifices humains et de l'anthropophagie rituelle pratiquée notamment par les Aztèques et les Mayas criait vers le ciel en faveur d'une intervention. D'abominables sacrifices humains, d'initiative publique ou privée, avaient lieu chaque mois pour les motifs les plus variés. Il y avait les sacrifices des enfants au dieu de la pluie. On leur arrachait le cœur encore palpitant. Si les enfants pleuraient, il allait pleuvoir. Il y avait les sacrifices de milliers d'adolescents pour les grandes fêtes. On les mangeait ensuite au cours de « joyeux banquets ». Ces jeunes victimes étaient élevées spécialement dans des enclos de madriers, comme on engraisse les animaux pour l'abattoir. Il y avait les sacrifices des prisonniers, qui donnaient lieu à des raffinements d'une cruauté insoutenable. On les droguait et on les faisait griller vivants sur des lits de braise afin de s'en repaître. Selon la fête, ou le rite, les malheureux sacrifiés devaient provenir soit du peuple lui-même, soit d'autres peuples réduits en esclavage, soit encore des prisonniers des incessantes guerres ethniques qui n'avaient d'autre justification que le rapt de chair humaine. Le sacrifice monstrueux de ces enfants, de ces adolescents, de ces peuples soumis, de ces prison-

*On mangeait les enfants au cours de « joyeux banquets ».*

niers, autorisait non seulement un droit d'ingérence, mais en faisait un devoir moral absolu. Une telle barbarie justifiait à elle seule une intervention armée et l'établissement d'un protectorat, le temps que, par l'éducation, les mœurs et les penchants qui y conduisent soient réformés. D'ailleurs cette intervention était appelée par les peuples qui dans leur grande majorité accueillaient les Espagnols comme des libérateurs. Cortés, lui-même, n'avait-il pas été accueilli ainsi lorsqu'il avait conquis le Mexique tout entier à la tête de six cents hommes ?

De plus, à partir du moment où, pour faire cesser un crime contre l'humanité, l'établissement d'un protectorat se révèle nécessaire, il devient possible d'apporter aux peuples du Nouveau Monde les bienfaits de la civilisation. Les sociétés amérindiennes ne connaissent aucune des institutions qui protègent les faibles, aident les pauvres, soignent les malades ; aucunes des institutions éducatives qui permettent la transmission du savoir et les progrès de la société ; aucune des techniques et des organisations agricoles et industrielles qui permettent d'assurer à toute la population un niveau de vie décent. Les Indiens ignorent l'écriture, la roue, le fer, la culture intensive, la fumure, le droit, la justice et ses tribunaux, les services publics. Au nom de quoi refuser de tels bénéfices aux peuples indiens ? À partir du moment où l'établissement d'un protectorat est nécessaire, les juges de la Controverse jugent licite que les Espagnols imposent un État de droit sans lequel aucune œuvre de civilisation n'est concevable. Enfin, ils jugent acceptable que les Espagnols tirent eux-mêmes un profit de leur investissement au Nouveau Monde, profit qui devait venir non de rapines et de pillages, mais d'une participation juste et raisonnable aux fruits du développement économique.

Tels furent les arguments développés lors de la controverse de Valladolid, et qui en firent le premier grand débat des droits de l'homme. Charles Quint, ayant obtenu « la sécurité de conscience », qu'il recherchait, autorisa la reprise des conquêtes, tout en promulguant une législation et des réglementations sévères pour les purger de leurs abus.

SOURCES : Alexandre VI, *BULLE INTER CETERA*. Adrien VI, *BULLE OMNIMODA*. Paul III, *BREVE PASTORALE OFFICIUM*, *BULLE SUBLIMIS DEUS*, et *BREVE NON INDECENS VIDETUR*. Bartolomé de Las Casas, *HISTOIRE DES INDES*, *APOLOGIE*, et *HISTOIRE APOLOGÉTIQUE*. Dr Ginès de Sépulveda, *APOLOGIE*. Cervantès de Salazar, *ŒUVRES*. Francisco de Vitoria, *DES INDES*. J.-P. de Tuleda, « Signification historique de la vie et des écrits du père Las Casas », étude préliminaire à l'*HISTOIRE DES INDES*, Madrid, 1957. A. Losada, « L'Apologie de Las Casas », in *ÉTUDES SUR FRÈRE BARTOLOMÉ DE LAS CASAS*, Séville, 1974. E. Dussel, *HISTORIA GENERAL DE LA IGLESIA EN AMERICA LATINA*, Salamanque, 1983. J. Dumont, *LA VRAIE CONTROVERSE DE VALLADOLID*, *PREMIER DÉBAT DES DROITS DE L'HOMME*, Paris, 1995. M. Bataillon et A. Saint-Lu, *LE PÈRE LAS CASAS ET LA DÉFENSE DES INDIENS*, Barcelone, 1976. S. Zavala, *LA DÉFENSE DES DROITS DE L'HOMME EN AMÉRIQUE LATINE, XVIᵉ-XVIIIᵉ SIÈCLES*, Mexico, 1982.

DÉCEMBRE

JANVIER

FÉVRIER

MARS

AVRIL

MAI

# JUIN

JUILLET

AOÛT

SEPTEMBRE

OCTOBRE

NOVEMBRE

DÉCEMBRE

# SAINTS ET ROIS
## DES GUERRES DE RELIGION
## À SAINT VINCENT DE PAUL

*Au Seigneur, le monde et sa richesse,*
*la terre et tous ses habitants !*
*C'est lui qui l'a fondée sur les mers*
*et la garde inébranlable sur les flots.*
*Portes, levez vos frontons,*
*élevez-vous, portes éternelles :*
*qu'il entre, le roi de gloire !*
*Qui est ce roi de gloire ?*
*C'est le Seigneur, le fort, le vaillant,*
*le Seigneur, le vaillant des combats.*
*Qui donc est ce roi de gloire ?*
*C'est le Seigneur, Dieu de l'univers ;*
*c'est lui, le roi de gloire.*

Psaume 23

# THÉRÈSE D'AVILA

## COMMENT LA GRANDE RÉFORMATRICE DU CARMEL LAISSA D'ABORD LE SEIGNEUR BÂTIR UNE DEMEURE EN SON CŒUR

**2 JUI**

24 AOÛT 1562. SUR LES MURAILLES D'AVILA ET SUR LE HAUT PLATEAU DE VIEILLE CASTILLE, un jour d'été va se lever. Il sera sans doute torride comme le sont tous les jours à cette époque de l'année. Mais, pour l'heure, l'aube apporte le répit de quelques heures de fraîcheur et les nombreux couvents de la ville s'éveillent à la vie quotidienne. Les notes graves ou aiguës de leurs clochers se mêlent en un concert familier. Pourtant, une oreille attentive pourrait percevoir le timbre aigrelet d'une cloche inconnue. Il vient du sud-est de la ville, hors les murs. Modeste en vérité.

Saint-Joseph d'Avila, le premier carmel réformé, vient de naître. Dans toute la ville, les langues vont bon train. Et d'abord au monastère de l'Incarnation. « Elle a osé ! Mais alors, elle s'est mise en état de rébellion ! Oh ! soyez certaines qu'elle recevra bientôt le châtiment qu'elle mérite ! » Dans les salons, les rues, sur les places, les commentaires ne sont pas tendres. « Vous ne savez pas ce qu'elle a encore fait ? Il ne lui suffisait pas de se singulariser par ces extases et toutes ces extravagances. Elle se pose en fondatrice, maintenant ! »

« Elle », c'est Teresa de Ahumada. Elle a quarante-sept ans et, depuis l'âge de vingt ans, elle est moniale au Carmel de l'Incarnation. Voici plusieurs années déjà qu'elle défraye la chronique du petit monde pieux d'Avila. Les uns – peu nombreux – voient en elle une sainte ou presque. Les autres, pour la plupart sceptiques, la voueraient volontiers aux bûchers de l'Inquisition. En tout cas, en Avila, lorsqu'il est question de religion, il n'est pas nécessaire de préciser : quand on dit « elle », tout le monde sait qu'il s'agit de Teresa de Ahumada.

La tempête suscitée par la fondation de Saint-Joseph d'Avila va durer quelques mois. Thérèse s'en tirera avec les honneurs de la guerre. Devant le provincial qui l'a mandée, elle accueillera humblement la réprimande qu'il lui adresse, mais elle n'aura pas de peine à se justifier. Quand les supérieurs lui ont demandé de cesser de travailler à cette fondation, elle a obtempéré. Mais sa compagne et amie, dona Guiomar de Ulloa, veuve et laïque, n'était pas soumise à l'autorité du provincial, et c'est elle qui a obtenu le bref de fondation pour un couvent placé, du reste, sous la juridiction de l'évêque et non de l'Ordre. Et quand la municipalité engagera une procédure pour supprimer ce couvent, perçu par les autres comme une menace, un jeune dominicain de talent, le père Domingo Banez, en prendra la défense et son éloquence obtiendra gain de cause. Quelques mois plus tard, Thérèse recevra elle-même la permission de quitter l'Incarnation pour Saint-Joseph. Dès lors, les gens d'Avila s'occuperont d'autre chose ! Jusqu'au moment où, cinq ans plus tard et cette fois sur l'ordre du père général, Thérèse entrera dans la grande aventure des fondations. Celle-ci ne prendra fin qu'à sa mort et fera d'elle la « *madre fundadora* », la mère fondatrice, d'une nouvelle famille religieuse, mais aussi la « mère des spirituels », comme l'atteste le titre inscrit sur le socle de sa statue à Saint-Pierre de Rome. Le 24 août 1562 est donc une date essentielle et pour le carmel réformé et pour sa fondatrice.

Ce qui est déjà vrai au regard des hommes l'est plus encore si l'on s'efforce de retrouver dans l'itinéraire de Thérèse de Jésus le cheminement de la Grâce. La fondation de Saint-Joseph d'Avila est à la fois le fruit de toute une évolution intérieure et le point de départ d'une aventure.

Thérèse n'est pas devenue fondatrice par caprice ou par hasard. Elle est entrée au carmel pour répondre à l'élan intérieur qui l'anime depuis toujours. Fillette, elle déclarait déjà : « *Je veux voir Dieu* » et, pour y parvenir plus vite, elle

[ *Je veux voir Dieu.* ]

avait voulu quitter furtivement la maison paternelle dans l'intention de se faire couper la tête au pays des Maures, c'est dire son impatience. Cette recherche, elle l'a poursuivie pendant une vingtaine d'années au monastère de l'Incarnation : avec des hauts et des bas, des infidélités pour lesquelles elle se montrera plus tard sévère, des tâtonnements et des erreurs, mais, en même temps, et surtout après la mort de son père en 1543, une constance que rien ne pourra altérer.

C'est à partir de 1554 – elle approche alors de la quarantaine – que le Seigneur vient à la rencontre de ses efforts. Il prend en main les rênes de sa vie. Dès lors, elle ne lui refusera plus rien, du moins de propos délibéré. Commence alors pour Thérèse une grande aventure. Purement spirituelle d'abord. Les faveurs divines lui sont prodiguées à profusion et de manière spectaculaire : grâces d'oraison accompagnées d'extases, d'illuminations, et de ces extraordinaires élans d'amour qui trouvent leur paroxysme dans la grâce de la transverbération, que le Bernin a immortalisée dans sa sculpture, à sa manière baroque et théâtrale. Le Christ ressuscité devient son compagnon de route. Il l'instruit, la réconforte, et parfois la réprimande. Si ces grâces ont pour effet de susciter des commentaires souvent acides, elles donnent à Thérèse la conscience de l'étendue de sa misère et, corrélativement, lui font apprécier à sa juste valeur le salut qui lui est procuré. Elles éveillent aussi dans son cœur le désir de répondre, selon ses moyens, aux faveurs qui lui sont faites. Et c'est ainsi que naît le projet d'une communauté où l'on vivrait la règle primitive du Carmel dans toute sa radicalité, c'est-à-dire un véritable cœur à cœur avec Dieu, nourri par le silence, l'obéissance et la prière.

Ce dessein, inspiré d'en haut, Thérèse va le passer au crible du discernement et de l'obéissance. Elle consulte des théologiens sûrs. Et si elle n'agit pas toujours avec l'accord de ses supérieurs, elle ne transgresse du moins jamais leurs ordres, subtile nuance qui donna lieu à quelques empoignades sévères. Thérèse a beau avoir le cœur habité par son Seigneur, elle n'oublie pas d'avoir de la repartie. Le projet ayant pris corps, elle va l'enrichir et le nuancer. Elle s'intéresse au sort réservé aux Indiens d'Amérique, perçoit l'urgence de les évangéliser... Du coup, elle mesure la dimension apostolique de son œuvre et le rôle de la prière des carmélites pour « *les capitaines* [de la mission] *que sont les prédicateurs et les théologiens* ». Enfin, le père général, Jean-Baptiste Rossi, enthousiasmé par ce qu'il voit dans la communauté nouvelle, lui intime l'ordre de fonder, en Castille, « *autant de couvents qu'elle a de cheveux sur la tête* ». Investie de cette mission, Thérèse, de 1567 à sa mort, deviendra « *la dame errante de Dieu* ».

Cette activité, loin d'entraver son aventure intérieure, va lui faire franchir un nouveau cap. Non sans douleur du reste. Semblable en cela à saint Paul, elle

> *Fonder « autant de couvents qu'elle a de cheveux sur la tête ».*

va longtemps se sentir tiraillée, écartelée entre les tâches qui lui incombent et le désir de rejoindre son Seigneur par-delà la mort, pour poursuivre en permanence et sans obstacle le dialogue d'amour qu'Il entretient avec elle. Cependant, cette tension diminuera. Marie-Madeleine, au jardin de la Résurrection, s'entendait dire : « *Ne me retiens pas, mais va dire à mes frères...* » Thérèse, qui voit dans la sainte un modèle, comprend que le sommet de l'union ne consiste pas en une jouissance prolongée de la présence du Seigneur, mais dans la coopération de chaque instant à son œuvre de salut. Cet apaisement progressif trouvera son terme le 18 novembre 1572, jour où elle entendra le Seigneur lui dire : « *Personne ne pourra jamais te séparer de moi. Désormais tu seras mon épouse. Mon honneur est le tien, ton bonheur est le mien.* » Ou encore, comme elle l'écrira plus tard : « *Occupe-toi de mes affaires et je m'occuperai des tiennes.* » Dès lors, pendant les dix années qui lui reste à vivre, elle donne la mesure de son génie. Jésus et Thérèse travaillent de concert, les fruits de cette œuvre commune sont marqués par l'Esprit de Jésus et la personnalité de Thérèse.

C'est dans le cadre de cet itinéraire spirituel et apostolique que vont mûrir les œuvres littéraires qu'elle a laissées ainsi que la doctrine qu'elles contiennent. Car Thérèse, docteur de l'Église, n'a rien d'autre à transmettre que « *ce qui lui est arrivé* ». Le récit de sa « Vie » avait déjà connu une première rédaction peu avant la fondation du 24 août 1562. L'inquisiteur Soto venant à passer par Avila, Thérèse s'était spontanément adressée à lui. Après l'avoir rassurée, celui-ci lui avait conseillé de rédiger un compte rendu général de son itinéraire spirituel. Thérèse se mit à l'œuvre. C'est la seconde version, postérieure à 1562, que nous possédons, qui comprend le récit de la fondation de Saint-Joseph ainsi que la description des grâces abondantes et passablement voyantes qui sont octroyées à la carmélite à cette époque. Le *Chemin de Perfection* voit le jour dans ces mêmes années, « *les plus tranquilles de ma vie* », dit-elle, où elle réside parmi ses sœurs de Saint-Joseph. Le couvent était très pauvre, les livres fort chers et, pour beaucoup, mis à l'index par l'Inquisition, du moins dans leur version espagnole.

> *La réforme gagnera l'ensemble de l'ordre.*

Pressée par ses sœurs, Thérèse consigne dans cet ouvrage les conseils précieux qu'elle leur a dispensés sur la vie d'oraison. Son chef-d'œuvre, en tout cas la meilleure présentation d'ensemble de sa doctrine, le *Château intérieur*, ne sera lui-même qu'une reprise sous une forme plus dialectique du récit de sa *Vie*.

En 1580, deux ans avant sa mort, hommage est enfin rendu à l'œuvre de Thérèse par le pape Grégoire XII qui approuve la réforme du Carmel. La réforme gagnera l'ensemble de l'ordre, y compris la branche masculine grâce aux efforts de Jean de la Croix, qui fut le directeur spirituel du carmel d'Avila et que Thérèse avait gagné à la cause de la réforme. En 1970, Thérèse fut la première femme proclamée docteur de l'Église par le pape Paul VI.

SOURCES : Thérèse d'Avila, *ŒUVRES COMPLÈTES*. M. Auclair, *LA VIE DE SAINTE THÉRÈSE D'AVILA*, Paris, 1950. L. Cognet, *LA SPIRITUALITÉ MODERNE*, *HISTOIRE DE LA SPIRITUALITÉ CHRÉTIENNE*, Paris, 1966. M. Andres, « La religiosidad de los privilegiados : Santa Teresa y el erasmismo » ; T. Egido, « Presenciade la religiosidad popular en Santa Teresa » ; J. Garcia Oro, « La vida monastica femenina en la Espana de Santa Teresa », in *CONGRESO INTERNACIONAL TERESIANO*, Madrid, 1976. E. Llamas Martinez, *SANTA TERESA DE JESUS Y LA INQUISICION ESPANOLA*, Madrid, 1972.

# CHARLES BORROMÉE
## *LA PAUVRETÉ EN CHAPEAU ROUGE*

**3 JUI** À VINGT ET UN ANS, CHARLES BORROMÉE EST DÉJÀ CARDINAL. Tout est allé très vite. Deux mois seulement après son arrivé à Rome, en janvier 1560, il est nommé par son oncle, le pape Pie IV, protonotaire apostolique, secrétaire général, membre de plusieurs congrégations, administrateur de l'archevêché de Milan, et maintenant cardinal... Troisième enfant d'une riche et noble famille de Milan, apparenté par sa mère aux Médicis, Charles Borromée a reçu la tonsure à l'âge de huit ans, à douze ans le bénéfice d'une abbaye, puis le diaconat. En 1559, il a obtenu à Pavie son doctorat de droit civil et canonique. Les revenus de ses différentes charges sont très importants. Il est un homme riche et puissant, aimant la musique et la chasse. Il a cent cinquante domestiques et vingt palefreniers portant livrée de velours noir, des chevaux et des carrosses... Dans son palais somptueux, il vit en prince de l'Église, accumule objets d'art, tapisseries et mobilier, donne des banquets, des fêtes, organise des chasses au gros gibier. Il en fait profiter sa famille et organise le mariage de ses frères et sœurs. Mais, malgré cette vie mondaine, ses mœurs demeurent vertueuses.

Tout cela, à l'époque, n'a rien de surprenant. C'est une pratique courante que de donner l'habit clérical aux cadets de famille, et il arrive souvent que plusieurs bénéfices soient attribués à une même personne. Il est plus rare, en revanche, que le népotisme donne des charges à un homme intègre et efficace.

Or, Charles possède une énorme capacité de travail et d'organisation. Il seconde le pape Pie IV et prépare la reprise des travaux du concile de Trente. Il suivra, depuis Rome, les travaux du concile qui se dérouleront du 18 janvier 1562 au 4 décembre 1563. Le secrétaire d'État est un puissant personnage et tous ceux qui ont des requêtes à présenter au pape cherchent à se le concilier. Chaque jour, le Pape reçoit son neveu et son secrétaire privé, Tolomeo Gallio : ils tiennent conseil pendant deux ou trois heures. Charles conjugue alors vie mondaine et travail, il s'y ajoute aussi une vie intellectuelle intense. Il prend l'initiative de réunions que l'on appelle les *Noctes Vaticanae*, les nuits du Vatican. Quatre fois par semaine, profitant du calme de la nuit, l'académie des nuits vaticanes rassemble autour de Charles, dans ses appartements du Vatican, une quinzaine d'académiciens humanistes ou poètes... Ces divertissements intellectuels donnent à Charles l'occasion d'exercer son éloquence.

En 1562, son frère aîné, Frédéric, meurt subitement d'une forte fièvre. Il n'a pas d'enfants. Puisque Charles n'est que diacre, sa famille souhaite alors qu'une dispense du pape lui permette de se marier et de tenir le rôle de chef de famille. Peut-être Pie IV lui-même le désire-t-il ? Quoi qu'il en soit, Charles refuse et décide de devenir prêtre. Pour s'y préparer, il suit une retraite avec un jésuite, le père Ribera. En juillet 1563, il devient prêtre, célèbre sa première messe le 15 août. Il est sacré évêque le 7 décembre de la même année.

La pratique des *Exercices spirituels* d'Ignace de Loyola, la messe quotidienne et la méditation changent profondément sa vie, qui devient austère. Il s'applique à mettre en œuvre les principes du concile de Trente, à Rome, puis à Milan, dont il est nommé archevêque, le 2 mai 1564. Charles, qui veut respecter les directives du concile de Trente relatives à la résidence des évêques dans leur diocèse, souhaite s'installer à Milan. Mais le pape Pie IV le retient à Rome. Il a besoin de ce collaborateur pour mettre en œuvre les directives générales du concile. Il crée

*Depuis quatre-vingts ans, aucun évêque n'a habité le diocèse.*

à cette fin des commissions permanentes, chargées de suivre les réformes. En deux ans, aux côtés du pape, Charles fournit un travail considérable : avec les jésuites, il fonde des séminaires à Rome et à Milan, il veille à l'observance des rites dans les cérémonies liturgiques, entreprend de renouveler la musique liturgique, révise le bréviaire, traduit la Bible. Il compose également un missel qui sera achevé sous Pie V, le catéchisme du concile de Trente (publié en 1566), la révision de l'Index, l'édition des Pères de l'Église, puis il s'attelle à la réforme du Sacré Collège... Il fonde également des œuvres de charité.

Ne pouvant résider dans son diocèse, il nomme comme vicaire général à Milan un prêtre en qui il a toute confiance : Nicolas Ormaneto. Celui-ci entreprend les premières réformes (création d'un séminaire, rétablissement de la clôture dans les monastères) et convoque un premier concile provincial. Il faut dire que l'archidiocèse de Milan est très étendu : quinze provinces ecclésiastiques s'étendent au-delà du Milanais jusqu'à la Vénétie et aux trois vallées suisses du canton du Tessin. Depuis quatre-vingts ans, aucun évêque n'a habité le diocèse. Charles obtient du pape l'autorisation de se rendre à Milan avant et pendant le concile, en septembre 1565. Il rentre précipitamment à Rome, la nuit du 8 au 9 décembre 1565, pour assister son oncle mourant.

Après un long conclave, le pape Pie V est élu le 7 janvier 1566. Charles obtient alors l'autorisation de résider à Milan, conformément aux directives du concile de Trente. Il vend les biens qu'il possède à Rome et arrive discrètement à Milan. Il veille avec rigueur à l'organisation matérielle et spirituelle de sa maison et banni tout luxe. C'est une vie monacale qu'il désire. Il conserve pour lui-même deux minuscules pièces sous les combles : une petite chambre et un humble oratoire. La liste des tableaux qui sont aux murs révèle la prédilection de Charles pour la contemplation de la passion du Christ : le Christ portant la croix, le Christ en prière au jardin des Oliviers, la crucifixion, le Christ couronné d'épines et bafoué, la Nativité, et un portrait de Thomas More. À partir de 1571, il ne prend plus qu'un repas par jour, frugal : du pain et des légumes.

De 1566 à 1584, il entreprend de réformer et de visiter son diocèse, malgré son étendue et le mauvais état des routes. Ses visites pastorales lui permettent de mesurer le progrès des réformes entreprises et de stimuler le clergé. La réunion des conciles provinciaux et des synodes diocésains permet de faire partager à tous l'urgence de la réforme. Six conciles provinciaux seront réunis en vingt ans et leurs décisions regroupées dans les *Acta Ecclesiae Mediolanensis*.

Tout cela ne va pas sans difficultés. Certains ordres religieux n'apprécient guère ses initiatives. Le 26 octobre 1569,

> *La balle ne touche pas Charles qui, sans même frémir, achève sa prière.*

tandis que Charles est en prière dans la chapelle de l'archevêché, un coup d'arquebuse, tiré à bout portant, perce son surplis et sa soutane. La balle ne touche pas Charles qui, sans même frémir, achève sa prière. Le coupable, un certain Farina, fait partie de l'ordre des Humiliés qui, révoltés contre les réformes, ont voulu se venger. Charles essaie en vain d'éviter que l'on poursuive les coupables. Le pape Pie V supprimera néanmoins l'ordre des Humiliés en 1571. D'autres conflits, notamment avec les chanoines de la Scala qui refusent obstinément le droit de visite à l'archevêque, seront également résolus à l'avantage de Charles, toujours soutenu par le pape.

Même le gouverneur espagnol voit croître avec suspicion l'influence de l'archevêque. Le pape et le roi d'Espagne, Philippe II, doivent intervenir et donner raison à Charles.

En juillet 1576, la peste est à Venise et à Mantoue. Le 11 août, elle est à Milan. Beaucoup de notables s'enfuient. Charles exhorte tous les religieux, prêtres et religieuses, à demeurer dans la ville et à partager cette terrible épreuve avec le peuple de Milan. Il puise largement dans sa cassette personnelle pour subvenir aux besoins des indigents. Il nourrit ainsi pendant six mois des milliers de personnes. Pour faire face aux rigueurs de l'hiver, il fait décrocher rideaux et tentures de son palais afin de confectionner vêtements et couvertures. Il visite malades et mourants. Il ne néglige pas non plus les secours spirituels. Il s'afflige de constater la lâcheté d'une grande partie de son clergé et rappelle fermement chacun à son devoir tout en louant l'extrême dévouement des ordres religieux. Il prend un soin paternel des survivants, des nouveau-nés orphelins... Il lutte par tous les moyens humains contre l'épidémie, mais il met son espérance dans la prière et la pénitence. Cette peste restera dans la mémoire de Milan sous le nom de « Peste de saint Charles » rappelant ainsi son dévouement et son immense charité.

Charles continue sans relâche son œuvre de réforme ; il lutte contre le désordre des mœurs lors du carnaval, les pratiques de sorcellerie dans le Tessin. Il fonde les oblats de saint Ambroise, congrégation de prêtres diocésains qui vivent en communauté, auxquels il confie, en 1578, la direction des séminaires. Puis, il crée une congrégation d'oblats laïcs chargés des œuvres charitables. Il

> *Il lutte contre le désordre des mœurs et le carnaval.*

inaugure orphelinats et hospices et organise de nombreuses soupes populaires... Il met en œuvre des pèlerinages, des prières publiques. Lui-même ira trois fois, pieds nus, à Turin pour vénérer le Saint-Suaire.

Il meurt, épuisé, à quarante-six ans, dans la nuit du 2 au 3 novembre 1584, au retour de son dernier pèlerinage à Turin. Il est canonisé le 1er novembre 1610. Dès sa mort, la ferveur populaire des Milanais s'exprime au travers des milliers d'ex-voto qui sont déposés sur sa tombe. La *Vie de Charles Borromée*, écrite par le père Bascapé, est immédiatement diffusée : François de Sales demandera que l'on lui lise l'ouvrage à table, Monsieur Olier et Vincent de Paul s'en inspireront pour organiser les séminaires français. Maints évêques se réclameront de son œuvre pour implanter la réforme tridentine.

Prince de l'Église, Charles Borromée choisit, dans la pauvreté et la prière, d'être le pasteur et le serviteur de tous, à l'imitation du Christ.

SOURCES : « Lettre de Charles de Borromée » (6 juin 1563) citée par A. Duval, in DES SACREMENTS AU CONCILE DE TRENTE, Paris, 1985. L. Tacchella, SAN CARLO BORROMEO ED IL CARD. AGOSTINO VALIER (CARTEGGIO), Vérone, 1972. R. Mols, « Saint Charles Borromée, pionnier de la pastorale moderne », in NOUVELLE REVUE THÉOLOGIQUE, n° 79, 1957. A. Deroo, SAINT CHARLES BORROMÉE, CARDINAL RÉFORMATEUR DE LA PASTORALE (1536-1584), Paris, 1963.

# PHILIPPE NÉRI

## *QUAND LA SAINTETÉ A DE L'HUMOUR*

**4**
**JUI** •

QUATRE HEURES VIENNENT DE SONNER À L'ÉGLISE SAINT-AGNÈS. La sieste se termine. La place Navonne se remplit doucement. Peu à peu, les quartiers de la Ville éternelle s'animent. Les bouquetières et les marchandes de fruits interpellent les gentilshommes et les ecclésiastiques. Un carrosse tente de se frayer un passage. La *bella dona* qu'il conduit adresse un petit signe à un jeune homme qui en rêvera toute la nuit. Les enfants jouent et crient.

Philippe, lui aussi, a décidé de sortir. À peine la chaleur tombée, il marche à l'ombre des immeubles, empruntant les ruelles étroites qui ont réussi à conserver un peu de fraîcheur. Il pense à tout, à rien, à Dieu. Il a vingt-cinq ans et a tout quitté pour venir à Rome et servir Dieu. Perdu dans ses rêveries, il ne remarque pas toujours les enfants qui le saluent, les femmes qui l'interpellent. Car, en peu de temps, Philippe s'est déjà taillé une solide réputation. Son rire franc et sa charité exemplaire commencent à faire parler de lui dans toute la ville.

Philippe sursaute : un chat qui se chauffait au soleil vient de filer entre ses jambes

en miaulant. Il a dû lui marcher dessus. Pauvre bête, pense-t-il. C'est à peine s'il n'allait pas s'en excuser auprès du Seigneur, quand un homme vêtu de sombre attire son attention au bout de la ruelle. Pas de doute, il s'agit bien de Ignace de Loyola. Il le reconnaît malgré le contre-jour. Et pas moyen de fuir, se dit-il en riant. Il le sait, le jeune hidalgo va encore lui demander s'il a lu ses *Exercices spirituels*. Et, bien évidemment, il ne l'a pas fait. Ce n'est pas qu'il s'en moque mais...

– Philippe, comme je suis heureux de te voir !

– Et moi donc !

– As-tu eu le temps de me lire ? Qu'en as-tu pensé ?

Philippe rougit, bafouille et tente encore une fois de trouver une excuse décente.

– Oh, tu sais, Ignace, je suis tellement pris en ce moment que je n'ai vraiment pas eu le temps. Mais, dès ce soir, je te le promets, je m'y mets.

Philippe n'a rien contre ce pauvre Ignace de Loyola, mais il est clair que toutes ces catégories pour prier ou pour convertir les gens l'ennuient. La foi n'est pas une bataille, et il ne se sent pas l'âme d'un général. Être naturel, voilà son credo. Évidemment, mieux vaut avoir un naturel joyeux qu'une mine d'enterrement, se dit-il en riant. Pourtant, à voir la déception d'Ignace, il se sent tout penaud. Je pourrais faire un effort, se dit-il. Il apprécie cet homme et son projet que le pape Paul III vient d'approuver avec enthousiasme. Plus tard, il lui enverra beaucoup de jeunes gens, à tel point qu'Ignace l'appellera « *la cloche de la Compagnie* ». Mais lui, non, ce n'est vraiment pas sa voie.

Après avoir salué Ignace, qui a bien du mal à cacher son agacement, Philippe se dirige vers l'église San Girolamo della Carità, tenue par la confrérie de la Charité. Il y rejoint son ami, le prêtre Persiano Rosa, et la douzaine de laïcs avec qui il se réunit chaque dimanche et aux grandes fêtes pour assister aux offices, communier et parler. L'idée même de les retrouver, de répondre à leurs questions, de partager leurs joies et leurs peines a déjà fait oublier Ignace à Philippe, et du même coup sa bonne résolution de lire les *Exercices* le soir même ! Ces rencontres avec le père Rosa sont toujours un grand moment de joie pour Philippe. Peut-être devrait-on agrandir ce cercle ? Créer une confrérie ?

Les années ont passé. Il y a six ans, le 23 mai 1551, Philippe a été ordonné prêtre à San Tomaso in Parione. En 1548, le petit groupe de laïcs est effectivement devenu une confrérie et le cardinal vicaire Archinto, qui les connaît bien,

> *Mieux vaut avoir un naturel joyeux qu'une mine d'enterrement.*

leur a demandé de joindre à leurs exercices de piété personnelle une œuvre de charité : l'accueil des pèlerins. Mais cette activité n'a réduit en rien la vie de prière du petit groupe. De San Girolamo, ils sont passés à San Salvatore in Monte où ils ont instauré la pratique des Quarante Heures au début de chaque mois.

Philippe a pris une chambre à San Girolamo. Le matin, il reçoit dans son confessionnal qui ne désemplit pas ses habitués et ceux qu'il a interpellés, la veille, dans la rue. Des jeunes gens, notamment, auxquels il prête une grande attention et qu'il n'hésite pas à recruter jusque dans les lieux de plaisirs qu'ils fréquentent. Sa façon directe de s'adresser à eux les provoque et les pousse à venir à lui. Et quand, par hasard, il relève la tête, il est capable de héler un badaud qui ne fait que passer dans la nef et de lui adresser des mots si justes que celui-ci en éprouve le besoin de se confesser sur-le-champ.

Car, depuis cette journée de 1544 où, dans les catacombes de la ville, il a reçu l'Esprit de Dieu, il lui semble avoir du feu à la place du cœur. Combien de fois, pestant contre ceux qui lui enviaient ses extases, a-t-il fait ce reproche au Seigneur : « *Assez Seigneur ! Retiens ta grâce, car aucun mortel ne peut supporter tant de joie.* » C'est cet amour brûlant qu'il communique directement à tous ceux qui l'approchent. Alors, pas besoin de longs discours, un mot parfois suffit... Les flammes de l'Esprit travaillent pour lui.

Ses sermons ne sont pas des œuvres de rhétorique comme le sont ceux de la plupart des prédicateurs de son époque. C'est par des phrases simples que l'on touche les gens, pauvres ou riches. Quand il aura créé l'Oratoire, il veillera à ce que ses prêtres n'éprouvent aucun orgueil quant à l'élégance de leur prédication. Seul compte le naturel, leur répétera-t-il. À l'un d'eux qu'il trouvait trop fier de l'homélie qu'il venait de prononcer, il la fera répéter sept fois afin de l'en dégoûter.

Aujourd'hui, il est devenu le centre d'une aventure dont, peu à peu, les contours se clarifient. De l'après-midi à la nuit tombée, il est entouré d'un groupe toujours plus nombreux. Beaucoup de très jeunes gens, parfois même des enfants. Car les enfants aiment Philippe et celui-ci le leur rend bien. Peut-être est-ce parce qu'il a toujours gardé un cœur d'enfant. Philippe aime rire, jouer et plaisanter avec eux. Beaucoup sont abandonnés, livrés à eux-mêmes. Philippe les recueille, ils dorment sur les bancs de l'église, presque sur les cénotaphes des nobles familles romaines. Il est pour eux à la fois une mère, un frère, un père aussi, qui tente de donner quelques règles de vie à cette joyeuse bande. Discussion, promenade, prière, chants et musique, lecture de l'Évangile... Philippe commente les textes, écoute, invite au service de Dieu tous ceux qu'il rencontre, anime des prières... Des musiciens et des poètes se joignent au groupe, comme

> *Il est pour eux une mère, un frère, un père.*

Bernardi, Palestrina, Manni ou Baronnio. Parmi les jeunes qu'il confesse régulièrement, il recherche ceux qui pourraient se donner entièrement à Dieu et à l'Église.

Petit à petit, au cours de ces rencontres, se profile l'Oratoire, une œuvre séculière, et la société de prêtres qui sera à son service. C'est en 1575 que le pape lui donnera la vieille église Saint-Jérôme. Après quelques travaux, Philippe fera ajouter une salle qu'il appellera « oratoire » où l'on priera et où l'on chantera. C'est dans cette salle que seront créés les oratorios, où solistes et chœurs interprètent des textes religieux accompagnés d'un orchestre.

Déjà midi sonne à l'église, c'est la dernière personne qu'il confessera avant la messe. D'ailleurs, cette dernière confession est rapide, il connaît bien sa pénitente, une commère qui ne peut s'empêcher de répandre ragots et rumeurs. Encore une fois il l'absout, mais il donne à la bavarde une pénitence bien surprenante.

– Ma fille, vous irez plumer une poule en haut de la colline du Capitole.

La femme s'étonne.

– Faites, et revenez me voir.

Philippe se précipite pour troquer son étole de confession contre la chasuble. Il rit encore du beau tour qu'il vient de jouer à la commère à la langue trop bien pendue. Quand elle reviendra, il lui demandera d'aller récupérer les plumes de la poule. Peut-être comprendra-t-elle enfin les conséquences des paroles insidieuses qu'elle sème à tous vents. Il tente de retrouver son sérieux et, comme tous les jours, il prie Dieu de ne pas avoir d'envolées mystiques au milieu de la célébration. Si cela continue, il devra se résoudre à ne plus célébrer en public. Ce matin encore, une femme lui a avoué qu'elle avait cru qu'il était possédé, parce que, au moment de la consécration, il s'était élevé à dix centimètres au-dessus du sol. Il a ri mais cela devient quand même gênant. Peut-être devrait-il mettre un chaton turbulent sur l'autel,

*Peut-être devrait-il mettre un chaton turbulent sur l'autel.*

afin que les facéties du jeune animal captent son attention et le retiennent dans ses élans mystiques...

Ainsi vivait Philippe Néri qui ne fut pas un triste saint. À sa mort, en 1595, Rome le tiendra pour un saint à l'égal des apôtres. Grégoire XV prononcera sa canonisation le 12 mars 1622, en même temps que celle de Thérèse d'Avila, d'Ignace de Loyola, de François Xavier et d'Isidore le Laboureur. C'était rappeler que vraiment *« il y a plusieurs demeures dans la maison du Père »*.

SOURCES : Agostino Valier, *PHILIPPE OU LA JOIE CHRÉTIENNE*. L. Ponnelle et L. Bordet, *SAINT PHILIPPE NÉRI ET LA SOCIÉTÉ ROMAINE DE SON TEMPS, 1525-1595*, Paris, 1928. A. Dupront, « Autour de saint Philippe Néri : de l'optimisme chrétien », in *MÉLANGES D'ARCHÉOLOGIE ET D'HISTOIRE*, Paris, 1932. M. Petrocchi, *STORIA DELLA SPIRITUALITÀ ITALIANA, IL CINQUECENTO E IL SEICENTO*, Rome, 1978.

# LA BATAILLE DE LÉPANTE

## *L'EUROPE SERA-T-ELLE MUSULMANE ?*

**• 5**

**JUI •**

LE DIMANCHE 7 OCTO-BRE 1571, AU LARGE DU GOLFE DE LÉPANTE, à une centaine de kilomètres au sud de Corfou, les premiers rayons du soleil dispersent la légère brume matinale. À bord des navires chrétiens une rumeur enfle qui bientôt n'est plus qu'un cri : « Ils sont là ! » La mer à l'horizon est barrée par l'imposante armada musulmane, 400 bâtiments, au moins 50 000 soldats d'élite. Les chrétiens n'ont que 316 navires, guère plus de 30 000 combattants.

Le 26 septembre, la flotte chrétienne arriva trop tard à Corfou. Les Turcs étaient déjà passés. Dans le port et dans la ville, les chrétiens ne purent que constater l'incroyable barbarie avec laquelle les habitants avaient été exterminés. Les rues étaient encore jonchées de cadavres de femmes éventrées, d'hommes mutilés, exécutés avec plus affreuse sauvagerie. Certains avaient même été écorchés vifs. Les chrétiens reprirent donc la mer, bien décidés à en découdre et à arrêter définitivement, si Dieu le permettait, la progression de cet islam conquérant et implacable.

C'est qu'en cette fin de XVIᵉ siècle, le péril apparaît plus menaçant que jamais.

Depuis qu'en 1453, les Turcs se sont emparés de Constantinople, la capitale de l'empire chrétien d'Orient, leur avancée en Europe semble inexorable. La Bulgarie, la Serbie, la Bosnie, la Croatie, Athènes et le Péloponnèse sont déjà tombés en 1480. Quand le sultan Selim reçoit à La Mecque, en 1517, le titre de *Commandeur des croyants*, les Turcs deviennent des musulmans fanatiques. Après avoir pris le contrôle des musulmans d'Égypte et de toute l'Afrique du Nord, qui pratiquaient jusque-là un islam politiquement modéré, ils se lancent, plus déterminés que jamais, à la conquête de l'Occident chrétien, avec comme but symbolique la prise de Rome. Après celle de Constantinople, devenue capitale politique de l'islam, ce haut fait signerait la victoire définitive de la religion du Prophète sur le christianisme, et montrerait de quel côté est le vrai Dieu. En 1526, ils s'emparent de la Hongrie, puis se jettent sur l'Autriche, faisant le siège de Vienne qui est sauvée de justesse à deux reprises.

En 1537, Soliman le Magnifique, nouveau Commandeur des croyants, est bien près de s'emparer de Rome. Embusqué à Valona avec une puissante flotte et

150 000 soldats, il attend l'attaque convergente sur l'Italie du nord que lui a promise son allié François I$^{er}$, le roi de France. Au dernier moment celui-ci se ravisera et Soliman devra renoncer. Les musulmans se rattrapent en mettant à sac le sud de l'Italie, puis ils poussent jusqu'à Nice, alors savoyarde, qu'ils prennent et détruisent. Le roi de France leur cède la ville de Toulon dont ils vont faire une puissante base militaire avancée. De là, ils mettent à feu et à sang les côtes de l'Italie et de l'Espagne, faisant d'innombrables captifs qui vont, pour les petites filles, peupler leurs harems, pour les petits garçons, former leurs troupes d'élite, les janissaires, dressés comme des fauves pour tuer leurs parents chrétiens ; enfin tous les adultes en bonne santé vont renforcer leurs « troupeaux d'esclaves ». En 1571, Soliman ravage toute la côte italienne de l'Adriatique, de Corfou à Venise. Rome, cernée de toute part, n'est plus qu'un fruit mûr prêt à tomber aux mains de l'islam vainqueur. Car, en plus de la formidable puissance du monde islamique unifié, Soliman bénéficie de la complicité passive de l'Europe protestante d'Allemagne, des Pays-Bas et d'Angleterre à laquelle il ne déplairait pas de voir disparaître « la Babylone papiste » ; et de la complicité active du roi de France qui, dans sa politique à courte vue, aimerait bien avoir sa part du gâteau italien.

Cependant, comprenant que si Rome tombe l'existence même de l'Église sera en jeu, le grand pape dominicain Pie V lance en 1570 un appel à la croisade. Le nouveau roi de France Charles IX, qui poursuit la politique d'alliance « avec le Turc », rejette cavalièrement cet appel. Mais le roi d'Espagne, Philippe II, bien qu'empêtré dans d'insolubles problèmes intérieurs et extérieurs, répond au pape que l'intérêt suprême de l'Église dépasse les intérêts de son royaume, et il ajoute : « *J'ai décidé de m'employer à réaliser l'Alliance que vous souhaitez. Que le Seigneur fasse croître la prospérité de l'Église catholique !* » Apprenant l'engagement de l'Espagne, la république de Venise rejette les incitations françaises à la neutralité. En dépit des intérêts commerciaux qui la lient aux Turcs et aux Français, Venise participe à la croisade. À sa suite, toute l'Italie, de la Savoie-Piémont à la république de Gène en passant par la Toscane, fait taire ses querelles et se lève dans un mouvement unanime, préfiguration de son unité future. À titre personnel, près de 10 000 catholiques allemands, français ou même anglais réussiront eux aussi à rejoindre la croisade à laquelle s'ajoute encore l'ordre souverain de Malte.

> *Rome n'est plus qu'un fruit mûr prêt à tomber aux mains de l'islam vainqueur.*

Le 25 mai 1571, la Sainte Ligue de la croisade est officiellement proclamée dans la basilique Saint-Pierre de Rome. Le pape la met sous la protection de la Vierge Marie, demandant aux catholiques la récitation quotidienne du rosaire à cette intention. C'est cette demande qui est à l'origine de la dévotion populaire du chapelet, auparavant plutôt pratiquée par les religieux. Pour en assumer le commandement, Pie V choisit un jeune prince de vingt-cinq ans, frère naturel de Philippe II, don Juan d'Autriche. À Naples où il fait escale avant d'affronter la flotte musulmane, il reçoit l'étendard béni par Pie V, portant l'inscription « *Par ce Signe tu vaincras* », sous la croix du Sauveur. Après que chaque soldat eût accompli un jeûne complet de trois jours et se soit confessé, la flotte chrétienne prend la mer à la recherche de l'armada turque. Le dimanche 7 octobre, au soleil levant, les flottes adverses se découvrent face à face à l'entrée du golfe de Lépante. La surprise est totale des deux côtés. Les Turcs tentent de se dégager, mais la flotte chrétienne réussit à enfermer son adversaire pourtant supérieur en nombre. Longtemps indécise, la plus grande bataille navale de tous les temps tourne finalement à l'avantage des chrétiens pour finir par une victoire totale. Du côté islamique, seules 30 galères réussiront à s'enfuir et on compte 30 000 morts, 5 000 prisonniers et 15 000 galériens forçats chrétiens libérés. La Sainte Ligue pour sa part déplore la perte de 35 galères et de 8 000 hommes. Dans les rangs vainqueurs, 21 000 blessés graves témoignent de l'âpreté des combats. Parmi eux se trouve Cervantès, l'auteur de *Don Quichotte*, qui en hérita le surnom de « manchot de Lépante ».

Apprenant la victoire, Pie V résumera d'un trait génial toute la bataille en une phrase évangélique. À propos du vainqueur don Juan, il s'écrie : « *Il y eut un homme envoyé de Dieu, dont le nom était Jean.* » C'est en ces termes qu'un autre Jean, Jean Sobieski, sera honoré après sa victoire devant Vienne. Et le pape ajoute : « *Le Seigneur a écouté la prière des humbles et n'a point dédaigné leur demande. Que ces choses soient écrites pour la postérité, et le peuple qui naîtra louera le Seigneur !* » Il institue le 7 octobre fête liturgique de Notre-Dame du Rosaire.

> « *Il y eut un envoyé de Dieu, dont le nom était Jean.* »

Près de 400 ans plus tard, en 1937, le pape Pie XI livre sa dernière encyclique, en forme poignante de testament, *Ingravescentibus malis*. Pour vaincre « *les maux qui s'aggravaient* » avec la menace totalitaire que font peser sur l'Europe encore chrétienne le nazisme et le communisme athées, ce grand pape recourt explicitement à l'exemple de Lépante, et appelle tous les catholiques à la prière quotidienne du rosaire qui a permis la victoire.

SOURCES : F. Braudel, *La Méditerranée à l'époque de Philippe II*, Paris, 1966. J. Ursu, *La Politique orientale de François I*ᵉʳ, Paris, 1908. F. Garnier, *Journal de la bataille de Lépante*, Paris, 1956. J. Dumont, *Lépante*, Paris, 1997. L. Astrana Marin, *Vie de Cervantès*, Madrid, 1949.

# LE ROSAIRE

## *UNE COURONNE DE ROSES POUR MARIE*

**6 JUI**

AU DÉBUT, LA SCÈNE EST NIMBÉE D'UNE LUMIÈRE TRÈS DOUCE. L'ange Gabriel ouvre le premier des mystères joyeux avec l'annonce faite à Marie. Ce moment de grâce qui unit le ciel et la terre n'est cependant pas clos sur lui-même. Le deuxième et le troisième tableau suivent de peu, qui voient Marie rendre visite à sa cousine Élisabeth, puis donner naissance à Jésus dans la crèche de Bethléem – mystère d'intimité et d'universalité mêlées, tableau d'innocence et d'infinie grandeur dans l'humilité. Toutefois, là encore, la contemplation ne se fige pas, car le mystère de l'Incarnation est un mystère en marche. Et tandis que les *Ave* s'égrènent, voici Jésus présenté au Temple, puis, quelques années plus tard, Jésus retrouvé au milieu des docteurs de ce même Temple, les émerveillant de sa connaissance de Dieu alors même que Marie et Joseph le cherchent dans l'inquiétude...

Mystères joyeux, mystères douloureux, mystères glorieux... Le Rosaire, cette « couronne de roses » offerte à Marie depuis tant de siècles par la confiance des fidèles, raconte avant tout l'histoire du Salut. Les cinq mystères joyeux font défiler aux yeux de l'âme les joies profondément humaines de l'Incarnation. Et, en même temps, parce qu'il s'agit de Dieu et que le Rosaire fait tout voir avec Marie et par Marie, ces cinq tableaux vivants laissent déjà pressentir la joie qui n'est pas de ce monde. Ensuite, au centre du Rosaire, se dressent les cinq mystères douloureux, ceux qui, par-delà la répétition des *Ave*, ouvrent des abîmes à qui les contemple : Jésus à Gethsémani ; la flagellation ; le couronnement d'épines ; le portement de croix ; la mort de Jésus. Abîme de l'amour, abîme de la souffrance offerte. Or, Mère des douleurs, Marie est là, au pied de la croix, *Stabat mater*. Comment, dès lors, en ces cinquante *Ave* qui scandent les mystères douloureux, ne pas être peu à peu transformé par cette intensité de présence, ces larmes de silence qui font transparaître l'ineffable ? De la couronne de roses à la couronne d'épines, il n'y a qu'un pas, léger comme l'âme pure de la Vierge qui a dit oui et qui joue ici, plus que jamais, son rôle d'intercession pour le peuple chrétien auprès du Dieu vivant.

« Vivant » ! Les cinq mystères glorieux sont ceux de la mort dominée et vaincue, et des promesses de l'autre monde : la Résurrection de Notre-Seigneur ; l'Ascension de Jésus au ciel ; la venue de l'Esprit Saint ; l'Assomption de la Sainte Vierge au ciel ; et, enfin, le couronnement de Marie élevée au-dessus des chœurs des anges et des saints. Pourquoi achever ainsi sur la Vierge Marie la glorieuse histoire du salut ? Sans doute parce que le Rosaire lui est dédié. Mais plus sûrement parce que, à travers la glorification de Marie, la plus parfaite des créatures, celle par qui le Salut arrive, c'est tout le plan de Dieu qui apparaît en gloire. La gloire de Marie est l'annonce et la promesse de celle de tout chrétien. C'est l'espérance des chrétiens qui est comblée, par le Christ et en Lui.

Cette orientation christologique du Rosaire, intimement liée à la médiation et à l'intercession de Marie, a été soulignée dès la création de cette grande prière de l'Église. La tradition attribue à saint Dominique et à ses fils spirituels confrontés à l'hérésie dévastatrice des albigeois l'une de ses premières mises en forme et la diffusion pressante des invocations du Rosaire. Ce lien entre péril à conjurer et recours à Marie est constant dans l'histoire du Rosaire. On le retrouve au XVIᵉ siècle quand le pape Pie V, face à l'offensive turque contre la chrétienté, demande instamment sa récitation. Par la bulle *Consueverunt Romani Pontifices*, en 1569, il codifie d'ailleurs le Rosaire dans la forme que nous lui

> *La gloire de Marie est l'annonce et la promesse de la nôtre.*

connaissons aujourd'hui. Après la victoire de Lépante, Pie V instaure la fête de « Marie victorieuse » pour remercier la Vierge de son intercession et son successeur, Grégoire XIII, afin de souligner le rôle tenu par cette prière, donne à cette solennité le nom de « fête du Saint-Rosaire ». Beaucoup plus tard, Léon XIII, en faisant du mois d'octobre le mois du Rosaire, souligne l'efficacité de sa récitation contre trois grands périls qui guettent cette fois la société : l'aversion pour l'effort quotidien des travaux et des jours, que vient guérir la méditation des mystères joyeux ; la peur et le refus de toute souffrance – fût-ce au prix de la lâcheté – et la passion de la jouissance, que vient corriger en profondeur la méditation des mystères douloureux ; enfin l'oubli des biens du ciel, c'est-à-dire du but de l'espérance, dont la méditation des mystères glorieux montre combien ce but transfigure la vie en ce monde. Jean-Paul II, qui confesse que le Rosaire est sa « *prière préférée* », ne dit pas autre chose lorsqu'il rappelle, en 1983, l'efficacité du Rosaire : « *Il ne s'agit pas aujourd'hui de solliciter de grandes victoires comme à Lépante et à Vienne, mais il s'agit plutôt de demander à Marie de faire de nous de vaillants combattants contre l'esprit de l'erreur et du mal, par les armes de l'Évangile que sont la Croix et la Parole de Dieu.* »

Cette efficacité, dont les papes précisent qu'elle s'enracine dans deux qualités, l'assiduité et le caractère communautaire de la prière, tient aussi à sa nature même. Car le Rosaire est une prière complète, qui met en jeu le corps et l'âme – voix, mains, esprit et cœur –, qui associe entre elles toutes les formes de prière – adoration, louange, demande, intercession, action de grâces – et qui appelle tous les hommes, de toutes époques, tous pays, tous âges et toutes conditions. Cette universalité tient à la fois à la simplicité des invocations et à la qualité des tableaux évangéliques que ce « Psautier de la Vierge » propose à la méditation des fidèles.

L'expression « Psautier de la Vierge », employée très tôt dans l'histoire du Rosaire, notamment par les cisterciens qui, dès le XIIIᵉ siècle, composent les « clausules » de base du Rosaire populaire d'aujourd'hui, mérite une explication. Il y a cent cinquante *Ave Maria* dans le Rosaire, comme il y a cent cinquante Psaumes. Or, les Psaumes, en rappelant *« à Israël les merveilles de l'Exode et du salut opéré par Dieu »*, l'invitaient sans cesse à la fidélité. De même le Rosaire rappelle-

t-il *« au peuple de la Nouvelle Alliance les prodiges de miséricorde et de puissance que Dieu a déployés dans le Christ en faveur de l'homme, et l'invite à la fidélité aux engagements de son baptême »*.

Ce rappel des prodiges, évoqué ici par Jean-Paul II, suit une démarche profondément évangélique, et donc pédagogique. Le schéma du Rosaire est celui-là même que poursuit saint Paul dans la célèbre épître aux Philippiens : abaissement, mort, exaltation. Il y a là, en raccourci, toute la prédication primitive de la foi.

Le Rosaire, c'est aussi la prière du Seigneur, le *Pater*, reprise avant chaque dizaine, et le *Gloria Patri* qui clôt chaque mystère et relie les fidèles à la grande attente de la joie trinitaire. Il y a enfin, traditionnellement ajoutées à la méditation communautaire du Rosaire, les intentions de prière pour la paix, mais aussi pour toutes les joies et les peines qui tissent la vie des familles. *« La prière du chapelet – dit encore Jean-Paul II – est celle de la solidarité humaine. »*

SOURCES : G. Loarte, *INSTRUCTIONS ET MÉDITATIONS POUR MÉDITER LES MYSTÈRES DU ROSAIRE.* G. Dupuyherbault, *RÈGLE ET MANIÈRE DE PRIER DIEU PUREMENT, DÉVOTEMENT, ET AVEC EFFICACE.* A. Shamon, *PUISSANCE DU ROSAIRE*, Paris, 1999. M.-J. Guillon, *LE ROSAIRE*, Paris, 1998. J. Houzé, *ÉVANGILE DE LA VIE*, Paris, 1997. H. Telième, *LE ROSAIRE*, Paris, 1996. A. Heirz, *LOUANGES DES MYSTÈRES DU CHRIST*, Paris, 1990.

# JEAN DE LA CROIX
## *LA NUIT OBSCURE DE LA FOI*

**• 7**
**JUI •**

LA NUIT ÉTAIT TOMBÉE, ET AVEC ELLE UN SILENCE ENSOMMEILLÉ ENVELOPPAIT LA VILLE. La lumière argentée des étoiles empêchait le granit bleu de la pierre d'Avila de se confondre avec le manteau sombre du ciel. Tout semblait paisible, quand un bruit de pas et des clameurs vinrent rompre cette douce torpeur. Un groupe d'hommes en armes se dirigeait vers le carmel. Arrivés sur place, ils s'orientèrent vers une petite maison située à l'écart du monastère, dans laquelle logeaient les confesseurs des carmélites, le père Jean de la Croix et le père Germain...

Le Carmel était alors en proie à de violentes tensions dues à la réforme entreprise par Thérèse d'Avila et Jean de la Croix, qui souhaitaient un retour à la règle primitive, jugeant trop aménagée et édulcorée celle du Carmel actuel. Or, la réforme suscitait de plus en plus de vocations, et des dissensions commençaient à se manifester entre les carmes mitigés, et les réformateurs, dits carmes déchaux. Jean devenait trop gênant pour les Carmes mitigés ; sa sainteté et son rayonnement silencieux opposaient une résistance invincible aux tentatives pour contrecarrer la réforme. Ne pouvant ni le séduire, ni le réduire, le prieur de Tolède imagina de le faire enlever et de le séquestrer pour le contraindre au moins au silence, sinon à la rétractation.

On eut vent de ce projet, et les parents des religieux, ainsi que les amis des confesseurs, vinrent faire bonne garde autour de leur ermitage pour les mettre à l'abri d'un mauvais coup. Les mitigés ne bougèrent pas et trois jours passèrent. Mais, alors qu'on croyait l'enlèvement conjuré, le vicaire provincial, le père Maldonado, avec le secours du bras séculier, vint par surprise briser la porte, et capturer les deux religieux, en cette nuit du 3 au 4 décembre 1577. Les deux pères furent conduits comme des malfaiteurs au carmel mitigé d'Avila. Thérèse, avertie de l'enlèvement par la rumeur, écrivit au roi d'Espagne, Philippe II. Pendant qu'elle envoyait au monarque une lettre suppliante, le père Jean fut forcé de troquer sa tunique de bure contre celle de drap des mitigés, et fut emmené à Tolède en grand secret, les yeux bandés. Le religieux qui l'accompagnait le traita si durement que, par deux fois, le jeune muletier qui convoyait le prisonnier proposa à Jean de l'aider à fuir, mais ce dernier refusa.

À Tolède, une nouvelle nuit devait succéder à celle de son enlèvement ; une « nuit obscure », un anéantissement qui, loin d'éteindre le feu intérieur qui consumait Jean, devait l'attiser. De son incarcération, il laissera des vers qui sont parmi les plus beaux de la poésie espagnole :

« *Ô nuit qui fut ma conductrice !*
*Ô nuit qu'à l'aube je préfère !*
*Ô nuit qui sut si bien unir*
*L'Amant avec la bien-aimée,*
*L'amante en l'Amant transformée !* »

Si l'on en croit Thérèse, le père Jean comparut le lendemain de son arrivée à Tolède, devant le père Tostado, vicaire général et consulteur de l'Inquisition. Il fut reçu comme un religieux déserteur et rebelle. Tostado lui notifia les ultimes décisions du chapitre de Plaisance, ainsi que les ordres du commissaire général. Pas plus que Thérèse, Jean ne pouvait se soumettre : la réforme du Carmel était l'affaire de Dieu. Voyant qu'ils ne pouvaient le ramener à la raison, les pères décidèrent de lui faire subir les punitions ordinairement infligées aux religieux incorrigibles et rebelles. Jean fut claquemuré dans une étroite cavité de six pieds de large sur dix de long, sans fenêtre, n'ayant pour tout moyen de respirer qu'une mince ouverture, large de trois doigts, pratiquée en haut du mur. Là, on lui donna pour lit quelques planches, et deux vieux manteaux pour couvertures. Ce réduit était si minuscule que Thérèse écrira : « *Tout petit qu'il est, il*

*avait de la peine à s'y tenir.* » Il mangeait dans sa cellule un peu de pain et des sardines, ou quelques restes. Certains soirs, on le faisait descendre au réfectoire, où, après le repas commun, tous les religieux lui donnaient la discipline : Jean était torse nu, à genoux, et chacun passait devant lui et le frappait. Ces jours-là, le prisonnier mangeait au réfectoire, où on lui donnait du pain et de l'eau à même la terre. Jean endurait tout avec patience et amour. « *Il se montrait immobile comme une pierre* », dira un convers mitigé. Le silence et la douceur du père Jean, face aux paroles cruelles et aux mauvais traitements, faisaient pleurer de compassion les jeunes novices qui se disaient : « *Celui-là est un saint.* » Jean de la Croix regagnait son cachot, où là encore des pères venaient l'exhorter à abandonner cette réforme sortie du cerveau d'une femme « *inquiète et vagabonde* ». Et ils détaillaient leurs victoires sur la réforme qui, à ce moment-là, était assez mal en point. Devant cet effondrement apparent de l'œuvre de Thérèse, Jean était assailli par le vertige du doute et de l'angoisse.

C'est dans la souffrance et l'horreur du cachot, dans cet état d'abjection physique, d'humiliation, d'abandon de tous, que le petit frère fit jaillir un cri dont Tolède demeure à jamais exaltée, le *Cantique spirituel* :

« *Où t'es-tu caché, ami*
*Et pourquoi me laisser dans les larmes ?*
*Comme le cerf tu as fui*
*Après m'avoir blessé d'amour...* »

*Il fut reçu comme un religieux déserteur et rebelle.*

Dans la nuit la plus obscure, Jean de la Croix trouve et étreint le Bien-aimé, il se plaint amoureusement au Christ de ce qu'il se cache après avoir blessé son cœur. Au cœur de cette souffrance qui fait écho à l'angoisse du Christ à Gethsémani, Jean connaît le sentiment de plénitude qui caractérise l'union à Dieu.

Les strophes du *Cantique spirituel* et de la *Nuit obscure* qui furent composées durant son incarcération célèbrent ces « noces mystiques » de la créature avec son Créateur :

*« Lorsque le souffle du matin*
*Faisait voltiger ses cheveux,*
*De sa main si douce il m'a prise*
*Au cou je sentis la blessure,*
*Mes sens en furent suspendus. »*

Plus tard, interrogé par les moniales de Beas de Segura, il dira au sujet de cette période des choses qui peuvent sembler contradictoires : *« Une seule grâce parmi celles que Dieu me fit là-bas ne peut se payer par de nombreuses années de prison. »* Mais à une religieuse, qui lui demandait s'il avait eu des consolations de la part de Dieu, *« il dit n'en avoir éprouvé jamais, que tout souffrait, l'âme et le corps ».*

Par ailleurs, Jean rapporta qu'en plusieurs occasions où il se sentait profondément accablé par la privation de lumière, qu'on lui refusait toujours quand arrivait la nuit, le Seigneur se chargea lui-même de lui en envoyer. Pendant deux nuits, le cachot fut illuminé comme en plein jour. La clarté surnaturelle filtrait par les fentes de la porte.

Voyant cela, le gardien courut prévenir le père Maldonado qui arriva avec deux religieux. *« D'où vient cette lumière*, s'écria le prieur, *j'avais défendu qu'on lui en donnât !* » Il n'avait pas achevé que la nuit revint. *« C'est un saint ou un sorcier »*, s'exclama le supérieur en refermant la porte.

À partir du mois de mai, le geôlier fut remplacé par un jeune moine. Plus humain, Jean de Sainte-Marie fut touché par la patience du prisonnier, et sut adoucir sa détention, surtout quand, en juin, le prisonnier fut atteint de dysenterie et dévoré par de terribles fièvres. Il le laissait sortir en cachette pour se rafraîchir, pendant que les moines faisaient la sieste. C'est aussi grâce à lui que Jean put obtenir du papier, et copier les poèmes composés au cours de sa détention.

Le 14 août, le prieur entra dans le cachot. Jean était si affaibli qu'il pouvait à peine bouger. Il demeura couché, persuadé que c'était le geôlier. Voyant cela, le père Maldonado le toucha du pied et lui demanda pourquoi il ne se levait pas en sa présence. Jean lui expliqua sa méprise et le pria de lui pardonner d'autant qu'il ne pouvait se lever promptement à cause de sa faiblesse.

*Le petit frère fit jaillir un cri dont Tolède demeure à jamais exaltée.*

– À quoi pensiez-vous, pour être si absorbé, répliqua le père Maldonado.

– Je pensais, dit Jean, que c'était demain la fête de Notre-Dame, et que ce serait une grande consolation si je pouvais dire la messe.

— Ce ne sera pas de mon temps, répondit le prieur.

Mais la nuit suivante, Notre-Dame apparut à son petit frère douloureux : « *Aie patience, mon fils, car tes épreuves finiront bientôt, tu sortiras de prison, tu diras la messe et tu seras consolé.* »

Un jour de l'octave de l'Assomption, alors que Jean de la Croix se demandait comment le ciel pourrait bien l'aider à sortir du réduit où il étouffait, Notre-Dame lui fit voir en esprit une fenêtre haut placée dans une galerie qui regardait le Tage, et lui dit qu'il descendrait par là, et qu'elle l'y aiderait. Elle lui montra aussi comment dévisser les serrures de sa prison. Ayant la certitude de sa délivrance prochaine, Jean remercia son geôlier et lui fit don du crucifix que Thérèse d'Avila lui avait donné lors de sa prise d'habit. Jean de Sainte-Marie laissait maintenant son prisonnier franchir la porte de la salle et se rendre au lieu « humble », le soir, pendant le repas. Pendant un quart d'heure, Jean pouvait circuler. C'était la première fois, depuis décembre *1577*, qu'il pouvait regarder Tolède, mais toute son attention était retenue par le plan d'évasion. La fenêtre était très haute et, juste en bas, il y avait une pointe de muraille puis le fleuve. Le péril était grand. Jean rentra dans sa cellule. À ce moment, Jean de Sainte-Marie apporta le maigre souper et sortit chercher de l'eau. Le prisonnier qui, chaque matin, avait desserré les vis de sa serrure, lâcha « *les fers du cadenas* » tout en les laissant en place pour que le geôlier ne s'en aperçut pas.

L'évasion sera pour ce soir, pensait-il. Mais deux religieux entrèrent dans la salle voisine et disposèrent leurs lits face à la porte. Une partie de la nuit, ils parlèrent ensemble. Jean priait. Sa corde de sauvetage, fabriquée avec des bandes taillées dans deux vieilles couvertures et liée au crochet de la lampe, était prête. Il y ajouta la tunique que lui avait donnée le sous-prieur. Enfin, il entendit deux fortes respirations à travers la porte. Les deux moines s'étaient assoupis. Il pouvait être deux heures. Jean de la Croix poussa la porte et fit tomber le fer d'un cadenas. Les dormeurs s'écrièrent : « Qui va là ? » Un temps de silence. Jean passa entre les deux lits et, un moment après, il était au petit balcon de la fenêtre. Il fixa le crochet et se laissa glisser le long de sa corde de fortune, elle était trois mètres trop courte. Jean sauta dans le vide. Il atterrit sur la pointe du rempart, et se rendit alors chez les carmélites afin de s'y cacher. Coïncidence providentielle, au même moment une sœur malade exigeait un confesseur : Jean put ainsi franchir la clôture, et se soustraire aux pères mitigés, qui déjà le cherchaient. À l'intérieur, les sœurs l'entourèrent. Il était « *si consumé et défiguré* », qu'il paraissait « *une image de la mort* ». Jean raconta sa prison et confessa que, durant toute sa vie, jamais il n'avait éprouvé un tel contentement, ni joui de lumière et de suavités surnaturelles en plus grande abondance que durant son incarcération. Jean sera à

> *Ce serait une grande consolation si je pouvais dire la messe.*

jamais marqué par cette terrible expérience : elle nourrira ses écrits mystiques et spirituels qui sont parmi les plus beaux de la littérature chrétienne. Et sa voix rejoint celle du psalmiste :

« *J'avais dit :*
*"Les ténèbres m'écrasent !"*
*mais la nuit devient lumière autour de moi.*
*Même la ténèbre pour toi n'est pas ténèbre,*
*et la nuit comme le jour est lumière !* »

SOURCES : Jean de la Croix, *ŒUVRES COMPLÈTES*. A. Huelga, *HISTORIA DE LOS ALUMBRADOS*, Madrid, 1978-1988. H. Kamen, *INQUISITION AND SOCIETY IN SPAIN*, Londres, 1985. B. Bennassar, *L'INQUISITION ESPAGNOLE. XV<sup>e</sup>-XIX<sup>e</sup> SIÈCLE*, Paris, 1979. M. Andres, *LOS RECOGIDOS. NUEVA VISION DE LA MISTICA ESPANOLA (1500-1700)*, Madrid, 1976. J.-P. Dedieu, *L'ADMINISTRATION DE LA FOI. L'INQUISITION DE TOLÈDE (XVI<sup>e</sup>-XVIII<sup>e</sup> SIÈCLE)*, Madrid, 1989. R. Garcia Villoslada, *HISTORIA DE LA IGLESIA EN ESPANA*, Madrid, 1978-1988.

# LA DÉCOUVERTE
# DES CATACOMBES
## *QUAND ROME DÉVOILE*
## *SES ORIGINES CHRÉTIENNES*

**• 8**
**JUI •**

« UNE CITÉ SOUS LA TERRE ! » LA DÉCOUVERTE DE LA VIA SALARIA, EN 1578, fait soudain travailler l'imagination des savants, en même temps qu'elle suscite un extraordinaire engouement. Tout à fait par hasard, en effet, un noyau de galeries d'un genre inédit vient d'être mis au jour à Rome. On connaissait jusqu'alors l'existence de souterrains plutôt dépouillés, et voilà qu'un cimetière riche et orné se révèle aux regards, avec des tombes closes et décorées d'un précieux mobilier. Des peintures magnifiques dévoilent le visage d'un monde enfoui. N'offrent-elles pas le témoignage de la vie cachée des communautés chrétiennes au temps des persécutions ?

Les peintures sont copiées et divulguées, et les savants incités à en rechercher d'autres. Antonio Bosio (1575-1629) sera l'un des chercheurs les plus passionnés. On l'appela même le « Colomb de la Rome souterraine ». À lui seul, il découvrit une trentaine de catacombes, et établit les bases de la recherche scientifique en ce domaine, en faisant l'analyse topographique des monuments à la lumière des documents retrouvés.

Mais la science eut pour une part raison de l'imagination. Les catacombes n'étaient pas, comme on l'avait cru tout d'abord, le lieu habituel du culte, de l'organisation et de la vie même des communautés chrétiennes primitives. Les catacombes étaient tout simplement des cimetières. Et ce type de sépulture n'était pas étendu à toutes les régions du christianisme primitif. La quasi-totalité des catacombes se trouve dans l'Italie péninsulaire, en Sicile, en Sardaigne, à Malte et en Afrique romaine. Ailleurs, les chrétiens enterraient leurs morts à ciel ouvert.

Pourquoi, alors, ces catacombes ? Parce que la roche, en certains lieux, s'y prêtait. Le tuf volcanique de la campagne romaine, par exemple, convenait parfaitement au forage de galeries. Le cas de la « catacombe de Priscille », celle-là même qui fut découverte en 1578 à Rome, sous la via Salaria, est encore plus significatif. Car ses amples galeries n'étaient autres, à l'origine, que les couloirs d'une carrière de pouzzolane ! Abandonnées après un éboulement, elles furent étayées par les chrétiens, dès le début du IIIe siècle, à l'aide de parois en maçonnerie, et utilisées pour des sépultures. Ce sont ces parois, d'ailleurs, qui ont permis de sauver un nombre imposant de *loculi*, c'est-à-dire de cavités sépulcrales. On éprouve une émotion mystérieuse et intense à voir les inscriptions qui les décorent, et qui figurent parmi les plus anciennes de l'iconographie chrétienne : le nom du défunt, un vœu de paix, une palme, une ancre ou une colombe avec un rameau d'olivier. Le silence et le poids du temps ajoutent encore à l'extrême simplicité du message...

> *Une émotion mystérieuse et intense.*

Peu à peu, à partir de la découverte de 1578, on put renouer le fil perdu de l'histoire des catacombes. Cela ne se fit pas sans drame. Pour mener leurs recherches, les archéologues des XVII<sup>e</sup> et XVIII<sup>e</sup> siècles provoquèrent d'irréparables dégâts, transportant inscriptions et sarcophages dans les musées et les églises. Et les vignerons des alentours ajoutèrent parfois aux déprédations, afin de prélever pour leurs demeures des matériaux de construction. C'est l'institution par Pie IX de la Commission pontificale d'archéologie sacrée, qui mit fin au saccage au XIX<sup>e</sup> siècle. C'était le printemps de la science archéologique, et l'Église ne fut pas en reste. C'est à cette époque que Jean-Baptiste De Rossi traça les lignes maîtresses de l'archéologie chrétienne. Et ses fouilles mirent au jour de nombreux sanctuaires de martyrs.

Cette découverte éclaire l'un des secrets des catacombes, celui de leur développement et leur embellissement. Le christianisme des premiers siècles avait connu beaucoup de martyrs. Dès que l'empereur Constantin eut accordé la paix religieuse, on commença à construire des sanctuaires très vénérés autour des tombes de ces martyrs. Tout naturellement, on y célébra l'Eucharistie et l'on eut le souci d'embellir les tombes, même quand cessa, vers la moitié du V<sup>e</sup> siècle, l'habitude des sépultures souterraines. Le pape Damase en avait donné l'exemple sous son pontificat (366-384) : passionné par le culte des martyrs, il tint à faire graver sur leurs tombes, en une calligraphie splendide, de brefs poèmes qu'il dictait lui-même et qui contenaient, passés au crible de son esprit critique, une foule de renseignements sur leurs vies et leurs actes. C'est ainsi que passa à la postérité le sacrifice héroïque du jeune Tarcisius. Aux siècles suivants, l'on ouvrit dans les catacombes de nouveaux *lucernaires*, ou puits verticaux, pour l'aération et la lumière, et l'on ajouta de nouvelles fresques et sculptures. Et l'on songea à guider la visite des pèlerins par des œuvres écrites. Ces *Itinéraires* ont été pour les archéologues modernes un guide très précieux, puisqu'ils ont permis d'identifier la quasi-totalité des catacombes romaines. Pendant des siècles, en particulier dans le haut Moyen Âge, ils ont été un véritable chemin de prière, jusqu'à ce que leur existence même tombe dans l'oubli.

Le mot « catacombes » vient du lieu dit *ad catacumbas*, « près du creux ». Ce creux était la légère dénivellation qui, sur la via Appia, marquait l'emplacement du seul cimetière connu au Moyen Âge, celui qui aurait, selon la tradition, abrité un temps les dépouilles des saints Pierre et Paul. Au nom de cette tradition, Constantin y édifia d'ailleurs une basilique, nommée plus tard Saint-Sébastien. Or quand, à partir du XVIᵉ siècle, on entreprit la recherche systématique des catacombes, on s'aperçut que celles-ci constituaient les sites paléochrétiens les plus nombreux et les plus importants de Rome.

Les chrétiens avaient-ils donc, dès l'origine, leurs propres lieux de sépulture ? On pense aujourd'hui que les premières sépultures spécifiquement chrétiennes datent seulement du pontificat de Zéphirin (195-217). Zéphirin confia au diacre Calixte – qui deviendrait pape lui-même un jour, sous le nom de Calixte Iᵉʳ – la charge des cimetières. Calixte Iᵉʳ fit de la grande catacombe qu'il administrait

le cimetière officiel des papes et lui donna son nom. C'est l'un de ceux que l'on visite avec la plus grande émotion aujourd'hui.

L'insécurité née des grandes invasions, et la translation des reliques qui s'ensuivit durant tout le Moyen Âge, firent tomber sur les catacombes une chape de silence. Puis ce fut, après la redécouverte de ces derniers siècles, l'effervescence d'une connaissance renouvelée. Aujourd'hui les catacombes, entourées de soins et d'attention, bénéficient à Rome de la protection du Saint-Siège. « Archives du christianisme primitif », elles offrent au rêve des temps évanouis un merveilleux voyage. Elles font surtout, à l'issue de ce rêve, jeter l'ancre en terrain sûr : près de « *ceux qui nous ont précédés, marqués du signe de la foi, et qui dorment dans la paix* », comment en ces lieux ne pas goûter déjà l'éternité ?

SOURCES : J. Stevenson, *The Catacombs rediscovered Movements of Early Christianity*, Londres, 1978. U.-M. Fasola, « Les catacombes entre la légende et l'histoire », in *Les dossiers de l'Archéologie*, n° 18, 1976. « Études sur les catacombes romaines », in *Cahiers Archéologiques*, n° 10, 1959-1960.

# EDMOND CAMPION
## *NUL N'EST PROPHÈTE EN SON PAYS*

**• 9
JUI •**

LES CÔTES ANGLAISES SONT EN VUE. DOUVRES SE RAPPROCHE au rythme d'une houle pour l'heure favorable. En ce 24 juin 1580, Edmond Campion regarde ses deux compagnons, Robert Persons et Ralph Emerson. Les trois hommes ont le visage grave. Quel accueil leur pays natal leur réservera-t-il ? La malheureuse Angleterre est ballottée depuis près de cinquante ans au gré des politiques religieuses de ses souverains successifs. En 1533, le roi Henri VIII a contrevenu aux lois de l'Église sur le mariage et a rejeté l'autorité du Pape dont il n'acceptait pas le jugement. Son fils Édouard VI a installé de façon radicale la réforme protestante pendant les six années de son règne de 1547 à 1553. Puis Mary Tudor lui a succédé, qui a tenté de rétablir le catholicisme par la force et dans le sang, entre 1553 et 1558. Élisabeth Iʳᵉ avait commencé son règne dans la modération, mais ulcérée par sa condamnation par le pape Pie V en 1570, avait repris une politique brutale de persécution contre les catholiques. Au début du règne d'Élisabeth, Edmond était encore étudiant à Oxford et il avait espéré un retour dans le calme au catholicisme.

Aussi est-ce la mort dans l'âme qu'il avait dû s'exiler pour poursuivre sa formation sacerdotale. Il s'était d'abord réfugié en Irlande, puis à Rome, où il avait décidé de rejoindre les jésuites : ces mêmes jésuites qui les ont désignés, lui et ses deux compagnons, pour revenir en Angleterre, nouvelle terre de mission pour le salut de laquelle ils vont risquer leur vie.

Edmond a toujours du mal à comprendre en quoi il représente une menace pour l'Angleterre, mais l'administration anglaise ne lui laisse pas le loisir de se livrer à de longues considérations politiques. À peine ont-ils débarqué que le ton est donné. Les trois religieux sont sommés de s'expliquer. Sont-ils des espions à la solde de Rome ? Edmond se récrie : leur mission est purement spirituelle. Le fonctionnaire de Douvres est-il fatigué, négligent, complice ? On les laisse aller. Pour Edmond, ce sursis est l'œuvre de la Providence. Immédiatement, il s'attelle à la tâche. Le temps lui est certainement compté, il est trop pressé pour être prudent.

Ce fils de libraire londonien installe une imprimerie à Stonor Park, Oxfordshire. Il écrit et imprime ses *Decem Rationes*, ses « Dix Raisons », invitant ses adversaires à débattre sur la nature du catholicisme et renouant avec la tradition du débat universitaire qu'il a connue quinze années plus tôt. Le livre est distribué à Sainte-Marie d'Oxford, l'église de l'université. Très vite, Edmond est traqué par des « chasseurs de prêtres » et, alors qu'il vient de célébrer une messe dans le Oxfordshire, il est arrêté le 19 juillet 1581.

On l'amène devant la reine. Quinze ans plus tôt, il avait été désigné par son université, honneur insigne, pour débattre devant elle lors de la visite annuelle de la souveraine à Oxford. Aujourd'hui, c'est de sa foi qu'il débat, c'est sa vie qui est en jeu. Plusieurs des ministres présents ont été ses amis. Ils demandent qu'il ne soit pas accusé de trahison. Mieux, ils lui promettent un avancement au sein de l'Église anglicane, s'il renonce à reconnaître la papauté. Le passé serait oublié et l'avenir à nouveau prometteur ? Edmond refuse, affirme devant eux

> *Edmond est traqué par des « chasseurs de prêtres ».*

qu'être papiste est « *sa plus grande gloire* ». Le débat tourne court.

Le 14 novembre, Edmond Campion et ses compagnons sont déclarés coupables. Il prend la parole, s'adresse aux juges : « *En nous condamnant, vous condamnez vos propres ancêtres, les anciens prêtres, évêques et rois, et tous ceux qui firent autrefois la gloire de l'Angleterre, l'île des Saints et l'enfant le plus dévoué du Siège de Pierre. Être condamnés par ces grands de l'Angleterre, mais également du monde, fait notre joie et notre gloire. Dieu est vivant, la postérité vivra : leur jugement n'est pas autant susceptible d'être corrompu que celui de ceux qui nous condamnent à mort aujourd'hui.* »

Edmond Campion est exécuté le 1er décembre 1581, avec deux prêtres diocésains, Ralph Sherwin et Alexander Briant. Paul VI, lorsqu'il canonisera en 1970 quarante martyrs anglais, affirmera qu'« *une telle foi est une condition nécessaire à tout dialogue qui se veut vrai et fructueux sur l'œcuménisme* ».

SOURCES : Edmond Campion, DECEM RATIONES. J.-J. Scarisbrick, THE REFORMATION AND THE ENGLISH PEOPLE, 1984. J. Bossy, THE ENGLISH CATHOLIC COMMUNITY, 1570-1850, Londres, 1975. P. McGrath, PAPISTS AND PURITANS UNDER ELIZABETH, Londres, 1967. C.-A. Haigh, REFORMATION AND RESISTANCE IN TUDOR LANCASHIRE, 1975. P. Holmes, RESISTANCE AND COMPROMISE : THE POLITICAL THOUGHT OF ELIZABETHAN CATHOLICS, Cambridge, 1982.

# MATTEO RICCI

## *UN JÉSUITE CONVERTI À LA CHINE*

**• 10**

**JUI •**

« ALORS, MATTEO, CETTE MAROTTE NE TE QUITTERA JAMAIS ! Tu vas encore offrir un cours de sciences aux mandarins ! » Michele Ruggieri a accompagné sa phrase d'une retentissante tape sur l'épaule de son frère en religion. Matteo Ricci a neuf ans de moins que lui et tous les deux sont membres de la Compagnie de Jésus qu'Ignace de Loyola a fondée à Rome, en 1540. À le voir arpenter fébrilement le débarcadère de Macao, Michele ne peut s'empêcher de le railler gentiment. « Tu as peur que tes horloges retardent, pas vrai ? »

Matteo Ricci en sourirait peut-être s'il n'était aussi préoccupé. En effet, il s'inquiète. Dans le port, les manœuvres de déchargement d'un grand voilier battant pavillon portugais ont commencé, et le jeune jésuite s'impatiente. Les horloges qu'il a commandées dans la lointaine Europe font-elles bien partie de la cargaison ? Sans elles, comment pousser plus loin sa mission ? Il s'agit d'un nouveau modèle, fabriqué en Allemagne. Pourvu qu'elles ne soient pas abîmées, elles valent si cher ! Elles sont l'un des appâts avec lesquels il désire intriguer les esprits

autochtones et jeter ainsi l'hameçon de l'Évangile.

Mais voici qu'on débarque la première ! Matteo déballe fébrilement le paquet sur le quai. Il veut vérifier, il veut voir. Il remonte le mouvement de l'horloge, et attend que l'aiguille bouge. Comme le temps semble alors s'écouler lentement ! Et pourtant... Cela fait déjà cinq ans qu'il a débarqué dans ce port de Macao. C'était en 1582, il avait trente ans et était loin de se douter des épreuves qui l'attendaient. Un coup d'œil sur l'aiguille. Elle fonctionne, constate-t-il joyeusement.

La Chine n'est pas l'Europe et Matteo constate chaque jour davantage à quel point ce monde est différent ! Ici, le maître du temps est l'empereur qu'on appelle aussi « fils du Ciel ». Autour de Sa Majesté, à peine visible, gravite une machine étatique sans équivalent, que des myriades de fonctionnaires, recrutés sur concours, servent fidèlement. Comment un missionnaire chrétien peut-il trouver sa place dans une mécanique si bien ordonnée ?

Dans cet immense pays, entièrement replié sur lui-même, on n'aime pas les « barbares » ! La dynastie régnante des Ming cultive à outrance le nationalisme et refuse toute « contamination » étrangère. Avec la dynastie mongole, Marco Polo avait eu plus de chance ! En cette fin du XVIᵉ siècle, la Chine est plus fermée que jamais.

Mais un jésuite ne se dérobe pas ! Depuis qu'Ignace de Loyola a fondé la Compagnie de Jésus, ses disciples sont partis jusqu'aux frontières les plus reculées du monde, portés par les grands voiliers. Ils se sont enfoncés dans des terres inconnues, sans cartes, sans armes. « *Allez et enseignez toutes les nations...* » Les « soldats du Christ », comme on ne tarde pas à les appeler, ont toutes les audaces sur tous les continents. Que l'un de ces « chevau-légers » de l'Église meure, un autre aussitôt le remplace sur le front de la mission.

Matteo Ricci est un maillon de cette longue chaîne : n'est-ce pas François Xavier, un compagnon d'Ignace, qui a fait cheminer l'Évangile vers l'Inde et le Japon, avant de mourir aux portes de la Chine en 1552 ? Et c'est au sein de cette famille que Matteo a tout appris : le droit, la théologie, les mathématiques, l'astronomie... Autant d'armes au service de la mission.

Depuis l'enclave occidentale de Macao, d'où rayonnent les missions vers le Japon, la Chine et l'Indochine, Matteo a donc été appelé à faire entrer l'Évangile dans la forteresse chinoise. Après de nombreux échecs, une bonne nouvelle arrive enfin : avec Ruggieri et quelques autres, il est autorisé à résider dans la province de Canton et à y ouvrir une église.

La petite communauté vit sous la menace permanente d'une expulsion. Les jésuites consument leur temps dans les méandres de la diplomatie à la chinoise. Ah, ces séances qui n'en finissent pas ! Les pères en profitent pour approfondir leur connaissance de la langue chinoise, en étudient les classiques, et deviennent capables de prêcher et de traduire le Décalogue. Par le savoir scientifique, Matteo Ricci apprivoise notables et lettrés : les horloges qu'il a fait venir d'Occident les stupéfient, sa mappemonde et ses explications les éblouissent ; quoi, la terre n'est pas carrée mais sphérique !

> *La petite communauté vit sous la menace permanente d'une expulsion.*

Mais annoncer l'Évangile se révèle extrêmement difficile. Les Chinois ne comprennent pas ces hommes qui vénèrent un « *Maître du Ciel qui aurait créé jusqu'au moindre vermisseau, qu'ils tiennent pour plus proche parent que leur père et mère, qu'ils mettent avant leur souverain, une doctrine irrecevable en Chine* », de l'avis de l'un d'entre eux... En 1589, la petite équipe est expulsée de Canton et se replie sur Macao.

Mais Matteo ne se décourage pas. Il sait que, pour réussir, il doit pénétrer au cœur même de l'empire, à Pékin. Ruggieri se rend à Rome pour solliciter une ambassade pontificale auprès de l'empereur de Chine. Mais il meurt en Italie. Matteo reste seul. Il décide alors de revêtir l'habit de soie, de porter cheveux et barbe, et de se donner l'apparence d'un Chinois lettré. Petit à petit, Matteo s'introduit dans la société chinoise. Il donne des conférences scientifiques et finit par être admis dans des cercles académiques. La Providence lui présente des âmes ardentes, touchées par sa science et sa foi : Qu Taisu, un jeune fils prodigue débauché, le choisit pour maître ; un riche marchand demande le baptême ! À Nankin, de grands personnages le rejoignent, dont l'éminent lettré confucéen Paul Xu, qui fera œuvre de philosophe pour défendre la foi chrétienne...

À la fin de l'année 1600, Matteo Ricci obtient enfin un passeport pour Pékin ! Munis de cadeaux – parmi lesquels des horloges, des mappemondes, des livres, des tableaux, et même une épinette –,

*Les pères jésuites échappent de justesse aux eunuques impériaux.*

les pères jésuites échappent de justesse aux eunuques impériaux, qui tentent de les séquestrer, et sont enfin invités par l'empereur. Le 21 janvier 1601, ils sont reçus à la Cour ! Leurs cadeaux, présentés par des eunuques, produisent l'effet escompté : ils peuvent s'établir dans la capitale. Matteo ne la quittera plus jusqu'à sa mort, en 1610. Et c'est l'empereur lui-même qui lui donnera sa sépulture.

Grâce à Matteo Ricci, deux mondes, qui se tenaient chacun pour « la civilisation » par excellence, ont pu se rencontrer. Le missionnaire était parvenu à fonder une communauté chrétienne profondément chinoise. Si les Chinois se convertirent à Jésus-Christ, c'est sans doute parce que des jésuites s'étaient convertis à la Chine.

SOURCES : Matteo Ricci, *TIANXUE CHUHAN* et « Tianzhu shiyi », *in* C. Jacques, *CHOIX DE LETTRES ÉDIFIANTES*, Bruxelles, 1838. Matteo Ricci et N. Trigault, *HISTOIRE DE L'EXPÉDITION CHRÉTIENNE AU ROYAUME DE LA CHINE 1582-1610*. P. Tacchi Venturi, *OPERE STORICHE DEL MATTEO RICCI*, Macerata, 1911-1913. P.-M. D'Elia, *FONTI RICCIANE ; DOCUMENTI ORIGINALI CONCERNENTI MATTEO RICCI E LA STORIA DELLE PRIME RELAZIONI TRA L'EUROPA E LA CINA, 1597-1615*, Rome, 1942-1949. J. Gernet, « La politique de conversion de Matteo Ricci et l'évolution de la vie politique et intellectuelle en Chine aux environs de 1600 », *in SVILUPPI SCIENTIFICI, PROSPECTIVE RELIGIOSE, MOVIMENTI RIVOLUZIONARI IN CINA*, Florence, 1975.

# LE CALENDRIER GRÉGORIEN

## *LA NUIT LA PLUS LONGUE*
### *DEPUIS 2 000 ANS*

**11 JUI •**

Au soir du 9 décembre 1582, les habitants du royaume de France allaient se coucher pour passer la plus longue nuit de tous les temps. En effet, ils ne devaient se réveiller que dix jours plus tard, le 20 décembre ! Par quel stratagème la France, quittant à peine la solennité de l'Immaculée Conception, se retrouve-t-elle ainsi à quelques jours de Noël ? Deux mois auparavant, l'Espagne, l'Italie, le Portugal et la Pologne ont aussi connu la plus longue nuit de leur histoire : au jeudi 4 octobre a succédé le vendredi 15. Dix jours sans décès ni naissances !

La réponse à ce mystère n'a rien de surnaturel, et l'année 1582 ne fut pas non plus écourtée par fantaisie ou par quelque décision arbitraire. Plus simplement, c'est seulement cette année-là que, par la volonté du pape Grégoire XIII, on décida de corriger l'écart qui existait entre la durée de l'année du calendrier julien et la durée de l'année solaire, qui correspond au temps que met la Terre pour accomplir sa révolution autour du Soleil. Très tôt, l'observation de ce phénomène astronomique s'était imposée aux hommes qui se souciaient de mesurer le temps.

L'erreur qui existait dans la mesure de ce cycle n'était qu'une petite erreur, certes : une poignée de minutes et de secondes ; très exactement onze minutes et quatorze secondes de plus que la durée réelle d'une année solaire. Cette différence s'accumulant insidieusement chaque année, de printemps en hivers, on gagnait tous les cent trente ans un jour entier sur l'année réelle.

Le problème était vieux de plus de seize siècles, depuis qu'en 46 av. J.-C., Sosigène d'Alexandrie, astronome mandaté par César, s'était trompé dans le calcul de la durée de la course annuelle du soleil. Ainsi, le calendrier auquel le célèbre Jules César avait laissé son nom était inexact.

Des siècles durant, on s'accommoda fort bien de cette erreur. À vrai dire, seuls de pointilleux savants semblaient s'y intéresser. Au Moyen Âge, on glosa beaucoup sur la question ; d'illustres savants, comme le moine écossais John de Hollywood, dans un traité écrit en 1232, ou les astronomes réunis en Castille en 1252, avaient parfaitement cerné la nature du problème, et c'est Copernic qui calcula la durée exacte de l'année solaire, appelée aussi année tropique. L'idée de réformer le calendrier julien, en diminuant la durée de l'année civile, mit du temps à s'imposer, le sujet fut abordé sans succès devant les princes et aussi les plus hautes autorités de l'Église, durant les conciles de Constance et de Bâle, au XVᵉ siècle, et encore lors de la tenue de celui de Latran V. Faute de détermination, la réforme ne dépassait pas le stade du projet.

Il fallut attendre le pape Grégoire XIII pour voir se réaliser le changement tant attendu. L'intérêt que le pape porta à la question dès le début de son pontificat n'est pas pur hasard et ne procède pas non plus du désir d'affirmer son autorité temporelle d'une manière aussi originale qu'impérative. En effet, pour l'Église, cette petite erreur scientifique venait bouleverser toute l'organisation de l'année liturgique : en 325, l'important concile de Nicée avait notamment arrêté que la fête de Pâques serait immuablement célébrée le premier dimanche après la pleine lune qui suit l'équinoxe de printemps, soit entre le 22 mars et le 25 avril.

Or, en 1582, l'excédent de temps de l'année du calendrier julien par rapport à la durée de l'année solaire faisait tomber l'équinoxe de printemps le 11 mars, soit dix jours avant le 21 mars. Le pape Grégoire XIII franchit le pas et décida de remettre les pendules à l'heure... solaire !

Pour parvenir à ses fins, il décida de réunir, en 1575, une commission de théo-

> *Le pape Grégoire XIII décida de remettre les pendules à l'heure.*

logiens, d'astronomes et de savants que présidait le cardinal Sirleto. L'inspirateur du projet était un certain Aloïno Dantes. Les discussions furent longues et difficiles, car il s'agissait de corriger l'erreur mais surtout de veiller à ce qu'elle ne puisse plus se reproduire. On recalcula donc à la baisse la durée de l'année solaire, et on passa de 365,2465 jours à 365,2422 jours.

Le nombre des années bissextiles – qui permettent de concentrer les fractions de jour manquantes en un jour supplémentaire, le 29 février – dut par conséquent être réduit. Le calendrier grégorien conserve la fréquence d'une année bissextile tous les quatre ans comme le calendrier julien, mais, en revanche, contrairement à celui-ci, les années séculaires (celles qui commencent un siècle) ne sont plus systématiquement bissextile ; seule une sur quatre l'est. Pour savoir si une année séculaire est bissextile, il suffit de regarder si ses deux premiers chiffres sont multiples de quatre. Ceci se produisit en 1600 et se renouvela en 2000.

Pour compenser les dix jours de retard de l'année solaire sur l'année civile, Grégoire XIII décida très simplement de faire faire un bond de dix jours en avant à tous les habitants des pays dont les souverains acceptaient d'appliquer les dispositions de la bulle *Inter gravissimas*, promulguée le 24 février 1582. La réforme gagna rapidement la plupart des pays chrétiens, chacun d'eux ayant le choix de la date de sa mise en application.

Toutes ces considérations scientifiques

échappèrent certainement aux hommes et aux femmes qui, lors cette fameuse nuit, virent disparaître dix jours de leur vie quotidienne. Certains pays préférèrent d'ailleurs, selon l'adage qui courut à l'époque, « *ne pas être d'accord avec le soleil, plutôt que de l'être avec la cour de Rome* ». C'est ainsi que le royaume d'Angleterre attendit le milieu du XVIIIe siècle pour adopter le calendrier grégorien. C'est pourquoi aussi la célèbre révolution d'Octobre 1917 eut bien lieu en octobre pour les Russes mais en novembre pour le reste du monde. Curieusement, ce sont les Soviétiques qui firent entrer la Russie dans le calendrier du pape, en 1918. C'est aussi pourquoi nous n'avons pas le même calendrier que les chrétiens orthodoxes, restés fidèles au calendrier julien. Cependant, l'universalité de ce calendrier s'est imposée dans tous les actes internationaux ; et aujourd'hui, c'est bien l'heure du pape Grégoire XIII qui organise le temps mondial.

> *Les hommes et les femmes virent disparaître dix jours de leur vie.*

SOURCES : G. Perpes, *LES COLONNES DU TEMPS : HISTOIRE DU CALENDRIER*, Paris, 1990. A. Shimony, *LE TROU DANS LE CALENDRIER*, Paris, 1999.

# MARGARET CLITHEROW
## *LA CONSCIENCE*
## *NE PASSE PAS EN JUGEMENT*

• **12**

**JUI** •

25 MARS 1586, FÊTE DE L'ANNONCIATION. LES HABITANTS DE YORK se sont rassemblés devant la prison du pont Ouse pour assister à l'exécution de la dernière des victimes des lois pénales d'Élisabeth Iʳᵉ, qui condamnent ceux de ses sujets qui veulent demeurer catholiques. Les années précédentes, un bon nombre de prêtres ont été exécutés. Mais ce jour-là, ce n'est pas un prêtre qui sort de la prison... C'est une femme... La première femme condamnée à mort à la suite des « lois pénales ». La condamnée est l'épouse du boucher John Clitherow, une mère de famille nombreuse, une femme respectée et aimée dans toute la ville. Officiellement, Margaret Clitherow n'est pas exécutée pour avoir caché des prêtres ou fait dire la messe chez elle – ce qu'elle a pourtant fait –, mais pour avoir refusé de plaider à son propre procès. Ce « *mépris de la Cour* » lui vaut d'être condamnée à une « *peine forte et dure* » : avoir les os broyés jusqu'à ce que mort s'ensuive.

Margaret marche sereinement jusqu'au lieu de son exécution, près de la barrière de péage toute proche, où l'on perçoit d'ordinaire les droits de passage pour la traversée de l'Ouse. Elle est prête. Elle a refusé d'abjurer sa foi catholique, et refusé aussi d'impliquer sa famille et ses amis dans le jugement inique prononcé contre elle. Si elle n'a pas voulu plaider à son procès, c'est parce qu'elle sait que ses enfants, et peut-être même son mari, qui n'est pas catholique mais a toléré qu'elle le demeure, risquent d'être utilisés contre elle. On aurait pu les contraindre à faire des récits mensongers. Et puis, le jury est composé de gens qu'elle connaît bien, et qui cèdent à l'esprit du temps non pas par méchanceté, mais parce qu'ils sont incapables de résister au pouvoir. Ignorance, peur, lâcheté ? Margaret ne veut pas les juger. « *Père, pardonne-leur, ils ne savent pas ce qu'ils font.* »

Dans l'Angleterre élisabéthaine, le gouvernement traite avec une grande attention les affaires de religion et de conscience et met en œuvre des moyens de pression subtils. On a d'abord utilisé la force contre Margaret : on l'a menacée, on l'a emprisonnée à plusieurs reprises. Puis on a tenté de la faire céder avec douceur : on a essayé de la flatter, de lui donner des conseils. Un pasteur protestant s'est donné beaucoup de mal lors de son dernier séjour en prison pour tenter de la convaincre, mais elle lui a résisté avec intelligence et fermeté. Un argument lui fut particulièrement cruel : ne trahissait-elle pas ses devoirs d'épouse et de mère en refusant d'abjurer pour avoir la vie sauve ? Margaret avait alors répondu que refuser que la justice intervienne dans le choix de sa conscience était sa priorité d'épouse et de mère chrétienne. Elle avait ajouté qu'elle aurait été heureuse que « *sa famille eût le bonheur d'avoir à souffrir pour la même raison qu'elle* ». Cette dernière folie avait exaspéré les juges.

Pourtant, rien ne semblait destiner Margaret Middleton au martyre. Cette fille du fabricant de cierges Thomas Middleton était née entre 1553 et 1556. C'était sous le règne de la fille aînée d'Henri VIII et de Catherine d'Aragon, Mary Stuart, qui avait tenté de rétablir la foi catholique en Angleterre. Dans son église de Saint-Martin-le-Grand à York, où il était sacristain, Thomas Middleton avait joué un rôle modeste dans la restauration des rites catholiques. Toutefois, comme la plupart de ses compatriotes, il s'était gardé d'aller à contre-courant et, quand Élisabeth était montée sur le trône et avait restauré le protestantisme, il avait rapidement abandonné ses pratiques catholiques pour assister aux cultes protestants, le refus de s'y joindre étant passible de lourdes amendes. Thomas n'était pas un héros, il était de nature économe et, de surcroît, commerçant. Margaret

> *Cette dernière folie avait exaspéré les juges.*

fut donc élevée dans la toute nouvelle Église d'Angleterre. Ce n'est qu'après son mariage avec John Clitherow, en 1571, qu'elle s'était convertie au catholicisme, bien que John ne fût pas catholique. Mais quelques-uns de ses parents l'étaient, dont un de ses frères qui devint prêtre. Il y avait en outre nombre de catholiques fervents dans la communauté des marchands de York. La décapitation de Thomas Percy, comte de Northumberland (l'un des deux chefs de la rébellion qui avait eu lieu dans le Nord contre les lois religieuses de la reine Élisabeth), à quelques centaines de pas de la maison de Margaret, l'avait sûrement frappée. Le comte avait défendu sa cause jusqu'au bout avec un grand courage, et donné avant de mourir ce témoignage : « *L'Église, à travers toute la Chrétienté, est une et indivisible...* » Et il avait ajouté : « *Je quitte en catholique ce monde malheureux. Quant à cette nouvelle Église d'Angleterre, je ne la reconnais pas.* »

Après la mort de Percy, Margaret avait rencontré un prêtre catholique, et avait été reçue au sein de l'Église. On ne sait pas grand-chose sur son cheminement spirituel, qu'elle garda secret en raison du danger. Sa maison, située dans la ruelle appelée Shambles, devint un refuge sûr pour les prêtres catholiques. Elle y avait aménagé une pièce secrète pour qu'on pût y célébrer la messe. Son refus d'assister aux services protestants valut des amendes à son mari. Elle fit même plusieurs séjours en prison au cours desquels elle affermit sa foi auprès des autres catholiques emprisonnés, et apprit à lire, chose qu'on n'avait pas jugé utile de lui enseigner quand elle était jeune fille.

Ses séjours en prison la préparèrent ainsi à ses épreuves futures, en la détachant progressivement de la vie confortable dans laquelle la fortune et la position de son mari l'entretenaient. Margaret demeurait cependant une épouse et une mère diligente et fidèle à ses devoirs : elle assistait beaucoup John dans son métier, aidait volontiers ses voisins et élevait ses enfants avec rigueur. Une fois au moins, l'un de ses séjours en prison fut écourté, afin qu'elle pût accoucher.

Au mois de mars 1586, John Clitherow, qui fermait les yeux sur les activités de sa femme, fut convoqué devant le tribunal pour s'expliquer sur le séjour de son fils à l'étranger. Le jeune homme était en fait dans un collège catholique en France. Pendant ce temps, une perquisition eut lieu dans la maison du couple. La pièce secrète, avec ses calices et ses ornements sacerdotaux, était bien cachée, mais un jeune Flamand que la famille avait accueilli prit peur et fit des aveux. Margaret fut accusée d'avoir caché des prêtres et d'avoir assisté à la messe et on l'arrêta. Dès cet instant, elle laissa éclater sa foi au grand jour.

Après la lecture de l'acte d'accusation, elle mena avec le juge Clench un dialogue

> *L'un de ses séjours en prison fut écourté afin qu'elle pût accoucher.*

remarquable au cours duquel elle refusa d'être jugée : « *N'ayant point commis d'offense, je n'ai pas besoin de procès.* » Elle affirma ensuite qu'elle ne pouvait être jugée que par Dieu. Contrairement à Thomas More, son illustre prédécesseur, Margaret ne connaissait rien aux lois, et pourtant ses arguments furent les mêmes. Parmi ceux qui la jugèrent se trouvait son propre beau-père, Henry May, l'ambitieux maire de York, extrêmement embarrassé par l'attitude intrépide de sa belle-fille. Pourtant Margaret ne se laissa pas démonter. Quand on exhiba devant elle deux « vils compères » revêtus des ornements découverts chez elle, et qu'on lui demanda si elle aimait cet accoutrement, elle répliqua avec sang-froid : « *J'aimerais ces vêtements s'ils étaient portés par ceux qui savent s'en servir pour la gloire de Dieu, ce pourquoi ils sont faits.* »

Un membre du conseil du Nord, acharné contre la foi catholique, enrage tellement devant l'obstination de Margaret qu'il hurle en pleine audience du tribunal : « *Ce n'est pas pour le service de la religion que tu caches des prêtres, c'est pour des parties de débauche !* » Margaret ne frémit même pas. Elle est déjà ailleurs, là où ni la justice ni l'injustice des hommes ne pourront plus l'atteindre.

Au cours de la semaine qui précède l'exécution de la sentence, Margaret se prépare à la mort par la prière et le jeûne. Elle se confectionne une tunique blanche, espérant qu'on lui laissera porter ce vêtement tout simple afin de ménager sa pudeur. Elle coud des rubans sur les manches afin que l'on puisse aisément lui lier les bras en croix, car elle souhaite mourir comme son Maître. On accède à sa demande. Pourtant, au moment où l'on va poser les poids sur elle, elle oublie un instant son intention, et se couvre le visage des mains tandis qu'elle demande à Dieu une force suffisante. Son bourreau lui sépare enfin les mains et les attache. Et c'est ainsi qu'elle meurt, ces derniers mots aux lèvres : « *Jésus, Jésus, Jésus, prends pitié de moi.* »

SOURCE : J.-J. Scarisbrick, THE REFORMATION AND THE ENGLISH PEOPLE, Oxford. 1984. W.H. Frere, THE CHURCH OF ENGLAND UNDER ELISABETH AND JAMES I$^{er}$, 1904-1924.

# CAMILLE DE LELLIS

## LE « GÉANT DE LA CHARITÉ »

**• 13 JUI •**

EN CE PREMIER JOUR DU MOIS DE FÉVRIER 1575, UN JEUNE HOMME traverse à dos d'âne le dernier champ d'oliviers qui le sépare du couvent des capucins. Depuis la cour, le père Angelo observe l'arrivant et sa monture qui semble ployer sous le poids des sacs dont elle est chargée. Voilà certainement l'envoyé du couvent voisin qui lui apporte des vivres. Le moine regarde le jeune homme descendre de l'âne : c'est un solide gaillard qui doit mesurer près de deux mètres, et qui n'a sûrement pas plus de vingt-cinq ans. Mais, si ses traits sont presque ceux d'un adolescent, la mélancolie immense qui se lit dans ses yeux le vieillit étrangement. Pareil contraste frappe d'emblée le père Angelo, qui s'approche pour l'aider à décharger son âne. Ce regard porte la tristesse d'une vie mal commencée. Le bon moine, ému par cette mine précocement désabusée, engage la conversation.

Camille de Lellis est d'ordinaire réservé, mais le ton prévenant du père Angelo l'invite à se confier. Il se met à lui parler de son enfance, de son village d'origine, Bucchianico, situé entre Rome et le bord de l'Adriatique. Venu au monde comme un don inespéré fait par le Ciel à des parents déjà âgés, après la mort d'un premier fils, Camille n'a pas été un enfant facile. Faute de pouvoir lui faire entendre raison lui-même, son père avait fini par le faire enrôler dans l'armée. Mais la discipline n'avait ni calmé sa fougue ni étouffé sa passion pour les cartes. Camille avoue tristement au père Angelo qu'il a devant lui un joueur invétéré, que même les décès successifs de sa mère et de son père ont été impuissants à corriger.

Le père Angelo a vu juste. Le jeune homme, dont il écoute attentivement le récit, est intelligent et sensible, mais aussi désorienté qu'un pilote de navire qui aurait perdu son cap. Il se met alors à lui parler de Celui qui a largement ouvert les bras pour accueillir le fils prodigue, et ajoute en le regardant : « *Dieu est tout, le reste n'est rien ; le plus important est de sauver ton âme !* »

Le lendemain de leur rencontre est jour de fête pour les chrétiens : on célèbre la Lumière en rappelant la Présentation de Jésus au Temple. Sur le chemin du retour, Camille n'est plus le même homme. Un tourbillon de pensées l'agite. Il se met à pleurer, répétant inlassablement cette prière ardente : *« Seigneur, si longtemps je ne t'ai ni connu ni aimé ! Laisse-moi le temps de faire pénitence ! »*

Comme les pèlerins qui cheminaient jadis sur la route d'Emmaüs, Camille sent son cœur brûler pour Celui qui a bien voulu venir à sa rencontre. La vie sans but dont il avait l'impression de gâcher le moindre instant n'est plus désormais qu'un mauvais souvenir ; Camille n'a d'autre projet que celui d'aimer Dieu. Il demande aux capucins de l'admettre dans leur congrégation ; heureux du changement d'attitude dont ils sont témoins, les religieux accèdent à sa requête. Camille fait donc sienne la règle de saint François qu'il vit dans la prière, le travail et la contemplation. C'est merveille de voir ce moine bien bâti, qui domine tous ses frères de sa stature impressionnante, se baisser pour parler au moins grand d'entre eux, comme s'il voulait se faire encore plus petit que lui. Et c'est merveille aussi de voir que son regard est enfin celui d'un garçon de vingt-cinq ans. Sa simplicité et son dévouement lui valent bientôt le surnom de *« Frère Humble »*.

Pourtant, quelques mois après ce temps de grâce, une grande déception l'attend. Une blessure à la jambe, qu'il a reçue alors qu'il servait en Espagne, se rouvre au contact de son habit de bure. Voilà Frère Humble obligé d'aller se faire soigner à l'hôpital Saint-Jacques de Rome, qu'il connaît pour y avoir travaillé jadis comme mercenaire soignant. C'est

> *Camille a été renvoyé pour insolence et indiscipline.*

qu'il ne fait pas bon soigner les malades contagieux à l'époque, et l'on préfère laisser des soldats désœuvrés s'acquitter de cette tâche. Camille s'y était montré tellement odieux qu'on l'avait pourtant renvoyé sans ménagement, pour insolence et indiscipline.

Quand il franchit les portes du splendide édifice, Camille réprime à grand-peine un haut-le-cœur en constatant amèrement que rien n'y a changé. Une puanteur à laquelle il avait jadis fini par s'accoutumer le prend à la gorge, tandis qu'il s'enfonce dans les profondeurs du bâtiment qu'on ne se soucie jamais d'aérer. La promiscuité est plus grande encore que par le passé. Il reste quatre années dans ce lieu peu hospitalier, en travaillant pour payer les soins nécessaires à sa jambe.

Une fois guéri, Camille demande une nouvelle fois à rentrer chez les capucins. Mais, peu après, sa plaie suinte à nouveau, et il doit définitivement abandonner son projet. Le voilà à la croisée des chemins. Orphelin, fils unique et célibataire, il est sans feu ni lieu. Son amour de la fête et du jeu ne lui a pas laissé le temps de se soucier des études. Il aime Dieu infiniment, mais ne peut rentrer dans la vie religieuse. *« Où me veux-tu Seigneur ? »* demande-t-il avec persévérance. Il comprend finalement qu'il doit faire la seule chose dont il est capable : servir les pauvres et les malades. Son baluchon sur l'épaule, il retourne proposer son aide à l'hôpital Saint-Jacques.

Son travail est vite apprécié et on le nomme économe, ce qui lui permet d'imposer des règles d'hygiène élémentaires : donner un bain et un lit aux draps propres à tout nouvel arrivant, aérer et nettoyer les salles où sont couchés les malades. Hors de l'hôpital, les habitants de Rome le croisent souvent, un panier de provisions au bras, sur le chemin qui mène aux bas quartiers de la ville pour visiter ceux qui n'ont même plus la force de quitter leur couche. « *Pourquoi n'ai-je pas cent bras pour secourir tous ces malheureux ?* » soupire Camille devant l'ampleur de la tâche. Il aimerait tant pouvoir tous les soigner, les réconforter, les aimer.

À force de prières et de réflexions s'impose à lui l'idée de constituer « *une compagnie d'hommes bons et volontaires qui se consacreraient aux malades, pour l'amour de Dieu* ». Avec cinq compagnons, il organise un groupe de prière et de pénitence qui se réunit à l'oratoire de l'hôpital. Ce projet est en butte à la médisance acerbe de calomniateurs et d'envieux. L'évêque lui-même accuse l'économe de Saint-Jacques de vouloir prendre la tête de l'hôpital. Un soir, en ouvrant la porte du petit oratoire qu'il a installé dans ses murs, Camille manque de défaillir à la vue de ce lieu où il aime tant prier, que des esprits mal intentionnés sont venus saccager. Sans mot dire, Camille ramasse le crucifix jeté à terre et l'emporte dans sa chambre. La nuit même, en songe, il voit le Christ lui tendre les bras depuis

> « *Pourquoi n'ai-je pas cent bras pour secourir tous ces malheureux ?* »

son crucifix et prononcer ces paroles apaisantes : « *Ne crains pas, marche en avant, car je t'aiderai et serai avec toi. Cette œuvre n'est pas la tienne mais la mienne.* »

Camille décide alors de quitter l'hôpital pour s'établir en ville avec ses cinq premiers compagnons. Il voudrait créer un ordre qui soit présent dans tous les hôpitaux de Rome, mais il lui faudrait pour cela être prêtre. Conseillé par Philippe Néri, son père spirituel, Camille se met à l'étude, non sans peine, car sa jeunesse turbulente ne l'a guère préparé à la théologie. Il est ordonné dans la basilique Saint-Jean-de-Latran, le 26 mai 1584, à trente-quatre ans, et fonde aussitôt une « nouvelle école de la charité » totalement consacrée aux malades. Deux ans après, il obtient du pape Sixte Quint l'approbation de sa « Compagnie des serviteurs des malades », et demande pour ses frères et lui l'autorisation de coudre une croix de drap rouge sur le côté droit de la soutane et du manteau, afin que les malades voient la croix du Christ en permanence et que les indigents puissent reconnaître de loin leurs « serviteurs ».

Les camilliens se rendent vite indispensables, car Rome est ravagée par une épidémie de peste. Peu de gens sont prêts à risquer la mort en portant secours aux malades. Camille et ses frères ajoutent alors aux trois vœux monastiques qu'ils prononcent celui de ne pas ménager leurs forces, même en cas de contagion. Inlassablement, ils vont combattre la maladie « *partout où l'on souffre et où l'on meurt* ».

Une nuit de Noël, le Tibre déborde et inonde l'hôpital. Trois cents malades sont en danger. Sans perdre de temps à écouter le bruit alarmant de l'eau qui monte à l'assaut de l'édifice, Camille retrousse ses manches et met à profit sa force et sa haute taille pour porter un par un les malades à l'étage supérieur. Cette action épique, que raconteront avec force détails les hôtes de l'hôpital assiégé, lui vaudra désormais le surnom de « géant de la charité ».

Camille et ses frères prennent tant à cœur leur ministère auprès des mourants qu'on les appelle aussi les « pères de la bonne mort » ou « pères du bien mourir ». Beaucoup d'entre eux y laissent leur vie, sans que leur sacrifice fasse reculer les nouveaux volontaires qui, touchés par les maux qui accablent l'Italie du XVIe siècle, demandent à entrer dans l'ordre. Camille ne fonde pas moins de dix-huit maisons d'accueil et de soins dans tout le pays. Accablé de fatigue, il meurt à Rome le 14 juillet 1614, dans la maison mère de l'œuvre, où l'on

> « *Dieu tire sa plus grande gloire quand il fait des merveilles en se servant d'un homme qui ne vaut rien.* »

peut lire aujourd'hui la lettre-testament d'un fils prodigue devenu serviteur de son Père : « *Que personne ne s'étonne si Dieu a voulu se servir de moi, quoique grand pécheur, ignorant, plein de défauts, digne de mille enfers ; en effet, Dieu tire sa plus grande gloire quand il fait des merveilles en se servant d'un homme qui ne vaut rien.* »

Le « géant de la charité » a été canonisé en 1746. Un siècle plus tard, en 1846, il était proclamé avec saint Jean de Dieu « Patron céleste des malades et des hôpitaux » par Léon XIII, et, en 1930, Pie XI le salua du titre de « Protecteur du personnel hospitalier ».

SOURCES : Camille de Lellis, *LES RÈGLES POUR BIEN SERVIR LES MALADES*. M. Vanti, *S. CAMILLO DE LELLIS E I SUOI MINISTRI DEGLI INFERMI*, Rome, 1958. M. Mollat, *ÉTUDES SUR L'HISTOIRE DE LA PAUVRETÉ (MOYEN ÂGE-XVIe SIÈCLE)*, Paris, 1974.

# LE SIÈGE DE PARIS

## « *NOUS VOULONS RESTER CATHOLIQUES !* »

**• 14
JUI •**

EN CETTE ANNÉE 1590, PARIS EST EN EFFERVESCENCE. Partout on court, on s'interpelle, on s'arme. Le peuple de Paris est assiégé, mais il n'entend capituler pour rien au monde. Des cris se répondent comme des exhortations et des professions de foi. « Jamais nous ne nous rendrons. Plutôt mourir que devenir protestant. Catholique je suis, catholique Paris restera ! » Les enfants de tous âges aident leurs pères à préparer la défense de la capitale, pendant que les femmes tentent de les nourrir avec le peu de nourriture qu'elles peuvent se procurer.

Ce que défend le peuple de Paris, c'est sa foi et toutes les armées de la terre ne pourront la lui ôter. Depuis plusieurs jours, la population s'affaire et s'organise pour tenir le siège. Chacun œuvre selon ses compétences. Les mariniers barrent la Seine de grosses chaînes et d'estacades de bateaux pour empêcher une invasion par le fleuve. Les manœuvres creusent des tranchées, les maçons démolissent les maisons et récupèrent les pierres pour élever des remparts, les tonneliers emplissent leurs fûts de terre pour en barrer les rues, les avenues sont plantées de pieux. De leur côté, les fondeurs ont décroché les cloches des églises et fabriqué soixante-cinq canons pour contrer les assauts. Non, jamais ils ne les laisseront entrer dans leur ville.

L'assiégeant, c'est Henri de Navarre, le futur Henri IV. Henri de Navarre est protestant, et jamais les Parisiens ne permettront que la capitale et le royaume de France tombent aux mains d'un protestant. Cela fait déjà plusieurs années que Paris s'est soulevée pour défendre sa foi. Déjà, Henri de Guise et son frère, le cardinal de Lorraine, s'étaient dressés contre le roi Henri III lorsqu'il s'était rapproché des protestants. Le roi avait dû se réfugier à Amboise. Mais de tous ces Henri, il ne reste plus aujourd'hui que celui de Navarre, qui les assiège depuis le mois de janvier. Les Guise ont été assassinés sur l'ordre d'Henri III. Le roi lui-même a été poignardé quelques mois plus tard alors qu'allié aux protestants il tentait de reprendre sa capitale. Le petit peuple ne laissera pas sa foi catholique être la victime de manœuvres politiques. C'est la mission que s'est donnée la Sainte Ligue fondée en 1576. Henri de Navarre a beau être le successeur légitime d'Henri III, les catholiques de France n'accepteront jamais un roi protestant. Ni eux, ni le royaume ne passeront à la Réforme.

Paris n'est pas seule. Elle peut suivre l'exemple de toutes les autres villes de France qui ont vaillamment lutté contre cette armée de toute l'Europe protestante coalisée, cette armée qui, en 1591, était composée de 4 000 Anglais commandés par le comte d'Essex, 3 000 Hollandais commandés par le prince de Nassau, 26 000 reîtres allemands et leurs princes respectifs, ainsi que les 12 000 Français d'Henri de Navarre. Car, si Charles de Lorraine, duc de Mayenne et chef de la Ligue depuis la mort de son frère Henri de Guise, a été vaincu à Arques et à Ivry, si Cahors, Étampes et Louvier ont été prises et leurs habitants décimés à titre d'exemple, d'autres villes, comme Rouen, Lyon ou Marseille résistent toujours. Partout où elle est, la Sainte Ligue oppose à l'armée protestante sa seule force, sa foi.

> *Les derniers chats, les derniers rats sont la nourriture des Parisiens déterminés.*

À Paris comme ailleurs, les réserves de vivres et d'armes manquent. Mais rien n'y fait. Tous sont prêts à mourir pour rester catholiques. À la fin de juin 1590, alors que le siège dure depuis bientôt six mois, il ne reste plus un grain de blé pour nourrir les 280 000 bouches de la capitale. Les assauts se multiplient mais la population affamée résiste. Les derniers chats, les derniers rats sont la nourriture des Parisiens déterminés. Le peuple de Paris combat le ventre vide mais l'esprit rassasié par la foi. Les enfants sont les premières victimes du

siège. Puis viennent les femmes qui se sacrifient pour les combattants. En juillet et en août, ils sont près de 30 000 à mourir de faim et les survivants ne sont plus que des ombres faméliques. Enfin, le 30 août, les Parisiens voient avec bonheur l'armée protestante se retirer.

En effet, le roi d'Espagne, Philippe II, ému par les souffrances et la piété des Parisiens, a envoyé une puissante armée, commandée par le Romain Alexandre Farnèse. Les ordres sont clairs : dissuader mais ne pas combattre, attirer l'armée protestante à distance de Paris, et permettre ainsi aux convois de ravitaillement d'atteindre Paris. Dès que le blocus de la ville est levé, la solidarité des provinces de France fait converger vers la capitale affamée des colonnes de vivres. Mais, pour beaucoup, il est trop tard ; au total 60 000 Parisiens ont payé leur résistance de leur vie.

Henri de Navarre lui-même est touché par la beauté tragique et la gratuité de ce sacrifice. Ces hommes et ces femmes, morts par pure fidélité à la foi catholique, ouvriront enfin son cœur à l'avis de son conseiller Sully : « *Touchant la religion, il y a une autre voie qui est de vous accommoder à la volonté du plus grand nombre de vos sujets.* » Le 25 juillet 1593, Henri IV abjure solennellement le protestantisme en la basilique de Saint-Denis et, l'année suivante, Paris ouvre ses portes à son roi catholique.

« *Paris vaut bien une messe !* » aurait dit Henri IV. Une messe sans prix pour les

200 000 ligueurs qui, en France, ont donné leur vie pour leur foi. De nouveau, le sang des martyrs allait être fécond. La Sainte Ligue aura été le creuset où s'est forgé « le grand siècle des âmes » qui a fait de la France le phare de l'Église : saint François de Sales, sainte Jeanne de Chantal, le cardinal de Bérulle, Mme Acarie, saint Vincent de Paul, sainte Louise de Marillac, ainsi que beaucoup d'autres figures du XVII$^e$ siècle sont des enfants de la Ligue. Quand au peuple de France, il pardonna à Henri de Navarre et honora ce nouveau souverain, que Dieu et l'Église lui donnaient, du nom de « *bon roi Henri* ».

SOURCES : E. Auger, *MÉTANOEOLOGIE*, vers 1591. P. Corneo, *BREF DISCOURS ET VÉRITABLE DES CHOSES LES PLUS NOTABLES ARRIVÉES AU SIÈGE DE PARIS*, Lyon, 1590. F. Braudel, *LA MÉDITERRANÉE AU TEMPS DE PHILIPPE II*, Paris, 1966. J.M. Salmon, « The Paris Sixteen », in *JOURNAL OF MODERN HISTORY*, 1972. F.J. Baumgartner, *THE POLITICAL THOUGHT OF THE FRENCH CATHOLIC LEAGUE*, Genève, 1975. Y. Cazaux, *HENRI IV*, Paris, 1977. J-M Brissaud, *HISTOIRE DE LA LIGUE*, Genève, 1984.

# ROBERT BELLARMIN

## *COMMENT METTRE LES VÉRITÉS DE LA FOI*

## *À PORTÉE DE TOUS*

**• 15**

**JUI •**

ARPENTANT LES RUELLES ET LES ESCALIERS DE MONTE-PULCIANO, SA PAROISSE, le brave curé Scarpagno avait peine à ordonner ses idées. Une fois encore, il regrettait de n'être pas plus savant, et d'éprouver tant de difficultés devant le message même qu'il avait à transmettre et à expliquer à ses ouailles de Toscane... On entendait tellement de discours contradictoires, en cette fin de siècle ! Allez donc vous y retrouver... Et que faire de tous ces beaux ouvrages venus de Rome, de Florence, de Padoue ou d'ailleurs, bien trop compliqués pour le commun des mortels... Le père Scarpagno venait d'apprendre que le petit Bellarmin – jamais il ne pourrait l'appeler autrement... –, l'enfant du pays qu'il avait vu partir aux écoles, et dont il admirait la carrière de jésuite déjà brillant, venait de s'y mettre à son tour : bientôt, il aurait entre les mains cette *Brève doctrine chrétienne* que chacun appelait déjà « le Petit Catéchisme ». L'ouvrage de Bellarmin lui serait-il vraiment utile pour vaincre l'ignorance de ses fidèles ? Il est vrai que lui-même n'en savait guère plus qu'eux...

En ces années 1590, la situation de l'Église n'est guère brillante, et plutôt confuse. D'un côté, les querelles théologiques – Réforme, Contre-Réforme... – suscitent des travaux éminents, mais de l'autre, le peuple et ses pasteurs sont laissés dans une pauvreté spirituelle seulement éclairée de quelques rites dont le sens, souvent, leur échappe. Après la guerre de Cent Ans, l'exubérance de la Renaissance, l'invention de l'imprimerie, la découverte du Nouveau Monde, il avait fallu affronter tant de remises en cause ! Puis était venu ce temps atroce des guerres de religion...

Réforme protestante et Réforme catholique, sœurs ennemies, étaient cependant confrontées au même problème : celui de la « *prodigieuse ignorance* » des fidèles. Pour y remédier, elles préconisaient toutes deux les prédications et les catéchismes. En 1529, Luther avait en quelque sorte inventé le « genre », en publiant un petit et un grand catéchisme pour diffuser sa conception de la vie chrétienne. Face aux mises en cause protestantes ainsi véhiculées, le concile de Trente devait alors préciser les dogmes, restaurer la discipline, et renforcer l'unité autour de la papauté. Pierre Canisius répondit ainsi à Luther en rédigeant trois textes, un premier pour les étudiants, un deuxième pour les petits enfants et un troisième pour les collégiens.

Selon les décrets du concile de Trente, le catéchisme devait s'adresser essentiellement aux curés ; mais d'autres ouvrages, plus simples, plus clairs, correspondant mieux à l'esprit de la Réforme catholique qui s'étend à la fin du XVIᵉ siècle, connaîtront un succès bien plus grand. C'est Bellarmin qui ouvre la voie avec son « Petit Catéchisme » que le pape en personne lui a demandé de rédiger – en italien et non en latin, le point est capital. Il savait à qui il s'adressait : théologien du pontife et homme de toutes les affaires importantes de l'Église – il avait ainsi été envoyé en mission auprès de la « Sainte-Ligue » et du futur Henri IV pour défendre les intérêts catholiques, en 1590 –, bientôt cardinal, le jésuite Bellarmin avait enseigné onze ans durant à l'université grégorienne les controverses, c'est-à-dire les points discutés entre catholiques et protestants. Immédiatement, le « Petit Catéchisme » connaît un remarquable succès, donnant lieu à des éditions innombrables et à des traductions en plus de soixante langues. Et, un an après, Bellarmin livre une *Plus ample déclaration de la doctrine chrétienne*, qui en est un commentaire.

« *Chapitre premier : Du Signe de la Croix. Au nom du Père, du Fils et du Saint-Esprit : nous commençons l'exposition des dogmes de*

> « *Chapitre premier :*
> *Du Signe de la Croix.* »

*la foi chrétienne, dont la connaissance est nécessaire à quiconque désire le salut de son âme.* » Tels sont les premiers mots du manuel de Bellarmin, que son auteur destine avant tout à l'apaisement des fidèles par l'exacte connaissance des dogmes. L'angoisse du « *salut de son âme* » était en effet « le » mal du XVIᵉ siècle ; le savoir pouvait en être le remède. « *Quel est le résumé de la foi chrétienne ? Ce sont les deux grands mystères que figure le signe de la croix. Le premier est l'unité et la Trinité du Dieu très haut... En disant "Au nom..." nous attestons l'unité de Dieu, et les paroles suivantes expriment sa glorieuse trinité... Le second mystère est l'incarnation et la mort de notre Sauveur Jésus-Christ. Il est figuré par le tracé même que nous faisons sur nous.* » Le texte est simple, clair, limpide : le ton est donné, l'enseignement ne laisse rien transparaître du savoir qui le sous-tend.

Viennent ensuite sept petits chapitres. « *En peu de mots, les douze articles du Symbole contiennent tout ce qu'il nous importe de croire sur Dieu et l'Église* » (n° 14) « *Nous avons expliqué ce que nous espérions. Savez-vous l'oraison dominicale ?* » (n° 30) « *Commençons maintenant l'explication de ce qu'il faut que nous fassions pour aimer le Dieu très haut et notre prochain... Récitez les dix Commandements de Dieu* » (n° 46) « *Il est dans l'ordre que nous parlions maintenant des Sacrements, par le moyen desquels nous obtenons la grâce. Dites-moi combien il y a de Sacrements de l'Église* » (n° 61). Ainsi, avec ces soixante-dix questions-réponses, Bellarmin peut encourager son lecteur : « *Nous avons terminé les quatre parties principales de la doctrine chrétienne... Nous voulons parler maintenant des Vertus et des Vices, et de certaines choses qui nous seront d'une grande utilité pour mener une vie conforme à la volonté de Dieu* » (n° 71). Suivent donc encore vingt-cinq questions-réponses réparties en cinq chapitres : vertus ; dons du Saint-Esprit ; œuvres de miséricorde, « *sur lesquelles le Seigneur nous interrogera principalement au jour du jugement* » ; péchés ; fins dernières, « *lesquelles ont la vertu de préserver à jamais du péché quiconque les médite sérieusement* ».

Finalement, le curé Scarpagno ne sera pas perdu dans les pages du petit Bellarmin... Voilà bien ce qui convient pour ce temps d'ignorance et de crise. C'est clair, c'est concis, cela résume bien ce que chacun doit savoir et cela se retient facilement ; quelques prêches en plus, et la mission sera plus facile ! Il est bien habile, le savant né à Montepulciano, d'avoir davantage insisté sur la pratique, sur ce que l'homme doit faire pour mériter le salut, plutôt que de se lancer dans d'hermétiques commentaires sur le salut lui-même, révélé dans le Christ... Pourtant, même s'il ne veut pas faire de son catéchisme un ouvrage de polémique, Bellarmin ne peut oublier ni les appels de son époque ni ses talents de maître ès controverse. D'où l'importance accordée aux éléments concrets de l'Église, institution visible, fortement structurée : « *Je crois qu'il y a une seule et unique Église, laquelle est l'assemblée des chrétiens fidèles qui, ayant* été baptisés, professent la foi de Jésus-Christ, et qui reconnaissent notre Saint-Père le pape de Rome pour le vicaire de Jésus-Christ sur la terre, pour le souverain pontife, pour la tête et le chef de toute l'Église sur la terre* » (n° 23). À bon entendeur, salut... Et de poursuivre à destination de qui se laisserait encore tenter par les thèses de la Réforme : « *Cette Église est appelée universelle, parce qu'elle se compose de tous les hommes, à quelque race et nation qu'ils appartiennent, qui, ayant reçu le baptême, croient et professent la doctrine de Jésus-Christ, telle qu'elle est proposée et enseignée par l'Église romaine* » (n° 24). Les frontières sont précisément posées : elles séparent d'une part « *tous les bons chrétiens* », d'autre part, les « *mauvais chrétiens et tous les infidèles* » (n° 28). « *Le vrai corps et le vrai sang de Jésus-Christ* » présents dans l'Eucharistie, le recours à la Vierge et aux saints, les sept sacrements moyens de grâce : autant de dogmes à retenir sur lesquels insiste le catéchisme de Bellarmin, mais aussi de points doctrinaux suspectés par les protestants et qui marqueront les mentalités et les comportements catholiques, plusieurs siècles durant.

« Petit Catéchisme universel » : c'est sous ce titre que le manuel de Bellarmin continuera sa route. Bien des générations de catholiques seront formées par lui. En 1870, encore, lors du premier concile du Vatican, les pères, en dépit des résistances de certains, voteront par 491 « oui » contre 56 « non » – et 48 « avec réserve » –, un décret demandant que

> *Suivent donc encore vingt-cinq questions-réponses.*

soit rédigé à Rome un catéchisme universel sur le modèle de celui de Bellarmin. Seule la brusque suspension du concile, le 19 juillet 1870, empêchera le décret d'arriver à sa promulgation. Mais l'ouvrage n'avait pas besoin d'une telle caution officielle pour influencer durablement les manuels de formation en usage dans l'Église. On ne peut que s'émerveiller d'une telle réussite pastorale de la part d'un homme qui fut un fin politique et un érudit brillant, un théologien spécialiste de la grâce qui parvint à mettre l'essentiel de sa propre foi à la portée du plus grand nombre. Ardent serviteur de la papauté, il eut cependant à connaître les foudres d'une Église qu'il défendit sans cesse mais qui « l'exila » quelque temps au siège archiépiscopal de Capoue. Sans doute tous les éléments de sa pensée – notamment en matière de politique ecclésiale – n'étaient-ils pas encore recevables en son temps ; n'est-ce pas le risque de tous les précurseurs ? Surgissant du XVIᵉ siècle, son œuvre aura irrigué le monde catholique pendant plus de trois siècles par le biais de ce modeste catéchisme qu'il avait destiné aux plus humbles et qui nourrit des centaines de milliers de catholiques, enseignant les pasteurs aussi bien que leurs ouailles.

SOURCES : J.-C. Dhotel, *LES ORIGINES DU CATÉCHISME MODERNE D'APRÈS LES PREMIERS MANUELS IMPRIMÉS EN FRANCE*, Paris, 1967. E. Germain, *LANGAGE DE LA FOI À TRAVERS L'HISTOIRE*, Paris, 1972 et *DEUX MILLE ANS D'ÉDUCATION DE LA FOI*, Paris, 1983.

# LE BAROQUE

### *UN ART FRÉMISSANT*
### *DU MYSTÈRE DE DIEU*

**• 16 JUI •** L'AUBE APPROCHE. DANS LA MAISON PECORARI, LE GRAND-PÈRE, LE *NONNO* comme on dit, descend doucement de l'étage où toute la maisonnée sommeille encore. Il traverse la boutique et sort dans la *via dei Coronari* pour sa promenade matinale. Rome est encore calme et le vieil homme, amoureux de sa cité depuis toujours, a l'impression qu'à cette heure matinale elle lui appartient davantage. À Rome, les *coronari*, ce sont les marchands de chapelets. Ils sont tous regroupés dans la rue qui porte leur nom : elle se trouve sur le trajet des pèlerins vers la basilique Saint-Pierre. Le père du *nonno* s'y était installé quelques années avant 1600, avant le grand jubilé qui avait attiré tant de fidèles à Rome et relancé les pèlerinages. Son père vendait déjà des chapelets, des objets de piété et de petits guides imprimés en différentes langues qui présentaient aux pèlerins les indulgences des différentes églises de Rome. Depuis plus de soixante-dix ans, le flot des pèlerins n'ayant jamais tari, l'affaire familiale, tenue désormais par Paolo, le fils du *nonno*, a bien prospéré.

Si la boutique est toujours la même, Rome, en revanche, a beaucoup changé. Les papes ont voulu faire de leur cité la plus belle ville du monde, la capitale de la chrétienté. On a construit ou reconstruit des églises, tracé de nouvelles rues, aménagé des places et, aujourd'hui, pas besoin de faire plus de cent pas pour pouvoir se rafraîchir à une fontaine. Les souverains pontifes ont tout mis en œuvre pour donner à la Rome terrestre l'éclat qui permette aux pèlerins d'imaginer la Jérusalem céleste.

« *Nonno, nonno !* » L'enfant qui surgit interrompt la rêverie du vieil homme. Giovanni connaît bien les habitudes de son grand-père. Il l'attend sur le chemin du retour, tout près du Panthéon. « Nonno, tu m'as promis qu'aujourd'hui nous irions à Saint-Pierre ! » À dix ans, l'enfant est déjà un véritable petit Romain ; il s'exprime avec les yeux et les mains aussi bien qu'avec des mots. Il n'a pas son pareil pour lier connaissance avec les groupes de pèlerins qu'il pilote dans la ville, sans oublier, bien sûr, de les conduire ensuite à la boutique familiale. Mais, pendant les mois d'été, à la période des fenaisons et des moissons, les pèlerins sont rares à Rome. Giovanni peut alors profiter pleinement de son grand-père et, ensemble, ils parcourent la ville et ses églises ; c'est à leur tour d'être pèlerins.

« On passe d'abord par Saint-Augustin ! » dit l'enfant. Giovanni sait bien que son grand-père a un faible pour la *Madone des pèlerins*. C'est Caravage, un jeune peintre au tempérament bouillonnant, qui l'a peinte au début du siècle, peu de temps après le jubilé. On y voit un couple de pauvres pèlerins, avec leur bâton, à genoux devant la Vierge Marie qui porte son enfant dans les bras. On dit que le peintre prenait habituellement pour modèles les gens du quartier ou ceux qu'il croisait dans la rue. À l'époque, certains prélats en avaient été choqués : ils trouvaient que les tableaux de Caravage étaient trop réalistes, et qu'il leur manquait la dignité

> *Le peintre prenait pour modèles les gens du quartier.*

qui permet à l'âme de s'élever. Mais les petites gens se retrouvaient dans cet art où Dieu vient à leur rencontre, où dans les ténèbres se lève la lumière. Le *nonno* vient souvent se recueillir devant ce tableau. Giovanni aussi. Le regard attentif de la Vierge Marie posé sur d'humbles pèlerins, sa beauté toute simple le touchent beaucoup. Elle lui rappelle sa maman qui lui a toujours dit de regarder et de traiter les personnes les plus pauvres comme le Seigneur lui-même.

À la sortie de l'église, le vieil homme et l'enfant retournent vers la *via dei Coronari* et, après un arrêt à la boutique familiale, partent pour Saint-Pierre. Giovanni n'est pas peu fier de se promener avec son grand-père. Il essaie de saluer du même geste tous les amis qu'ils rencontrent et sa petite voix fait écho à celle du *nonno* : « Ciao Luigi..., ciao Roberto ! »

Sur le pont qui conduit les pèlerins de l'autre côté du Tibre, on a placé récemment des anges portant les instruments de la passion. Ils sortent des ateliers du grand sculpteur et architecte le Bernin qui, depuis près de cinquante ans, domine l'activité artistique romaine. Giovanni et son grand-père s'arrêtent devant l'ange qui porte le voile de Véronique.

— Bernin est vraiment le génie de notre siècle, dit le *nonno*. Quelle grâce dans ces anges, quelle légèreté ! On oublie qu'ils sont en marbre ! Même le grand Michel-Ange n'a jamais donné autant de mouvement à ses œuvres. On croit voir la vie de Dieu prendre possession de la matière...

— C'est comme si le vent faisait bouger ses cheveux et ses vêtements, remarque Giovanni.

Laissant passer devant eux un important groupe d'ecclésiastiques pressés, l'enfant et son grand-père se remettent tranquillement en route. En arrivant par l'étroite rue du *Borgo San Spirito*, ils débouchent sur un immense portique. Voilà seulement deux ans, en 1667, que les grands travaux d'aménagement de la place Saint-Pierre, dirigés par Bernin, sont achevés. À travers quatre rangées de gigantesques colonnes, les deux pèlerins découvrent alors progressivement le grand espace lumineux de la place, l'imposante façade de la basilique et la merveilleuse coupole édifiée par Michel-Ange.

– Je viens régulièrement ici, dit le *nonno*, et pourtant, chaque fois, je suis émerveillé ; ce portique, c'est comme un voile majestueux qui, tout à coup, se lève pour nous faire découvrir un nouveau décor... J'aime ces effets de Bernin, et j'ai une grande admiration pour l'homme, car il met vraiment tout son art au service de la foi. Regarde, quand on est sur la place, ces colonnades sont comme les deux bras de l'Église qui s'ouvrent pour accueillir les fidèles du monde entier en son sein. C'est pour cela qu'on a placé en leur sommet cette foule de saints de tous les temps.

Giovanni et son grand-père, pourtant familiers des lieux, entrent toujours dans la basilique en pèlerins : il ne leur viendrait pas à l'idée d'aller prier sur la tombe de saint Pierre sans s'y être préparés. Après avoir fait le signe de la croix, ils commencent par s'agenouiller pour se recueillir quelques instants. Ensuite, seulement, ils avancent dans la nef. Les proportions de la basilique, pourtant gigantesques, ne sont pas écrasantes et le petit Giovanni s'y sent bien. Il aime les décors de marbre qui animent certaines faces des piliers ; il contemple ces statues de saints, ces hommes et ces femmes habités par Dieu, trop vivants pour tenir dans le

> *Ces colonnades sont comme les deux bras de l'Église qui accueillent les fidèles.*

cadre qui leur est réservé. Le grand baldaquin de bronze, qui signale l'emplacement de la tombe de l'Apôtre Pierre aux pèlerins, attire irrésistiblement le *nonno*. C'est la première œuvre de Bernin à Saint-Pierre. L'artiste s'est inspiré de ces baldaquins que l'on utilise habituellement pour les processions du Saint-Sacrement et qui sont démontés après la fête. Mais ici, le bois et la toile, matériaux périssables, sont devenus métal éternel ; le petit accessoire liturgique s'est mué en pièce d'architecture. Et quel monument ! Par le scintillement des ors, l'élan des colonnes torses, l'aspect aérien des volutes, Bernin a réussi à donner de la légèreté à cette extraordinaire masse de bronze. C'est une parfaite évocation de l'œuvre de l'Esprit Saint qui vient transformer la pesanteur humaine.

Entre les colonnes du baldaquin, on aperçoit au fond de l'abside la dernière sculpture, ou plutôt mise en scène, de Bernin. Au milieu des cieux ouverts et de la multitude des anges, la colombe de l'Esprit apparaît. La nuée qui envahit la nef vient couvrir de son ombre le trône de Pierre, porté par quatre Pères de l'Église. Giovanni et son grand-père, côte à côte au milieu d'autres pèlerins, prient auprès de la tombe de l'Apôtre. Ils font corps avec ce lieu immense. Ils font corps avec toute l'Église.

SOURCES : J. Delumeau, *VIE ÉCONOMIQUE ET SOCIALE DE ROME DANS LA SECONDE MOITIÉ DU XVIᵉ SIÈCLE*, Paris, 1957-1959. V.-L. Tapié, *BAROQUE ET CLASSICISME*. Paris, 1957.

# MADAME ACARIE

## *CELLE QUI FIT DANSER LES CARMÉLITES*

## *DANS SON SALON*

**• 17 JUI •**

MADAME ACARIE SE REPOSE UN INSTANT. DANS SON HÔTEL DE LA RUE DES JUIFS, plus d'une vingtaine de jeunes filles et de femmes de toutes conditions sont sous sa tutelle. Ensemble, elles espèrent l'arrivée des carmélites espagnoles que Pierre de Bérulle est parti chercher dans leur pays. Mme Acarie attend ce moment avec impatience.

En 1601, cela va bientôt faire quatre ans, Thérèse d'Avila lui a prédit dans une vision qu'elle introduirait le Carmel en France. Dom Beaucousin, le rayonnant maître des novices de l'abbaye rénovée de Feuillant, a été son premier confident. Ils ont commencé à parler de leur projet à quelques personnes, mais la plupart de ceux qu'ils ont consultés, même s'ils ont reconnu l'initiative divine de cette vision, ont jugé le moment inopportun. L'année suivante les visions se sont faites plus nombreuses et plus pressantes et, enfin, Mme Acarie a réussi à persuader ses amis et ses conseillers de s'associer à cette aventure.

En ce début du XVII<sup>e</sup> siècle, l'hôtel Acarie est incontestablement l'un des hauts lieux de la Réforme catholique. Maîtres en Sorbonne et religieux de tous ordres, cisterciens, capucins, jésuites s'y côtoient. La renommée de la « Belle Acarie », comme on la nomme, a attiré tous ceux qui, sous l'impulsion du concile de Trente, veulent réformer l'Église et combattre le protestantisme. Même le futur saint François de Sales, évêque de Genève, est venu chercher en ce lieu et auprès d'elle des forces spirituelles, lors de son dernier séjour à Paris. Il a alors été son confesseur et directeur. Jusqu'à la fin de sa vie il en a été marqué, écrivant à la mort de Mme Acarie : « *Ce fut une grande servante de Dieu que j'ai confessée plusieurs fois et presque ordinairement six mois durant, et notamment en ses maladies de ce temps-là. Oh ! que je fis une grande faute de ne pas faire mon profit de sa très sainte conversation ! Car elle m'eût volontiers communiqué toute son âme, mais l'infini respect que je lui portais me retenait de l'enquérir.* » Car, chez Mme Acarie, on ne se rencontre pas seulement pour faire salon, on agit. Avec des juristes et des conseillers au Parlement, on influence la politique catholique du roi et de la France. On réforme les monastères, on fonde ou on introduit de nouveaux ordres, en s'appuyant sur l'influence des grandes dames de la Cour. L'éducation du clergé séculier n'est pas oubliée, et c'est animé par l'esprit de cénacle pieux, cultivé et très actif, que le futur cardinal Pierre de Bérulle, cousin de Mme Acarie, fondera l'Oratoire de Jésus. Pour l'heure, c'est justement vers son cousin Bérulle que les pensées de Mme Acarie se portent. Elle forme des vœux et prie pour le succès de son entreprise.

Dieu a de l'humour, pense Mme Acarie ! Elle, qui a connu le déshonneur, le rejet et la pauvreté, quand son mari, ligueur, a été exilé, la voilà fréquentée par le Tout-Paris. Elle, à qui on avait défendu d'être religieuse quand, petite, elle voulait rentrer chez les sœurs de l'Hôtel-Dieu pour soigner les pauvres, la voilà sur le point de fonder un ordre.

> *Dieu a de l'humour, pense Madame Acarie.*

Car, maintenant, seul un échec de Pierre de Bérulle en Espagne pourrait empêcher l'installation du Carmel en France. Mais elle est sûre que là où monsieur de Brétigny a échoué, son cousin Bérulle saura réussir. Ses amis n'ont-ils pas obtenu l'accord de tous ceux dont la fondation devait recevoir l'assentiment ? Henri IV, qui ne voulait pas entendre parler de la venue de carmes, surtout espagnols, en France, n'a pas résisté aux arguments de la duchesse de Longueville, qui a su être convaincante, et a obtenu les lettres patentes nécessaires. À Rome, François de Sales a lui même plaidé auprès de Clément VIII. Et, le 13 novembre 1603, par la bulle *In Supremo*,

Sa Sainteté a enfin autorisé la fondation en la plaçant sous le gouvernement de Pierre de Bérulle, André Du Val et Jacques Gallemant. Les négociations ne sont pas encore terminées, mais Mme Acarie est confiante, le général des carmes ne s'opposera pas à la volonté du pape, et surtout, il ne s'opposera pas à la volonté de Dieu et de Thérèse.

Car Mme Acarie est une mystique. Peut-être la plus grande de son temps. Lors des premières manifestations de ce mysticisme, sa famille alarmée avait d'abord cru à une maladie incurable, et les médecins, qui ne savaient que penser, l'avaient saignée à maintes reprises. Il avait fallu l'intervention du capucin Benoît de Canfield, un spirituel renommé, pour que l'on reconnût dans ce mal mystérieux un appel de Dieu. Sa famille n'avait été qu'à demi rassurée. Il est vrai, pense-t-elle, que ces extases mystiques ne sont pas de tout repos. Elles peuvent la laisser des heures durant inertes. Mais que peut-elle y faire ? Rien. Elle a dû s'y habituer. Un jour où elle était allée à la messe à l'aube, Dieu l'avait saisie et elle ne s'était réveillée qu'à la nuit tombée. Aujourd'hui, elle en rit, mais ce jour-là elle n'était pas très fière en découvrant toute sa maisonnée inquiète qui la cherchait partout. Elle avait souvent pensé que concilier une vie de famille, éprouvée qui plus est par l'exil de son mari, et les grâces si encombrantes dont Dieu la comblait n'était pas chose facile.

Surtout qu'aujourd'hui, plus encore

qu'autrefois, sa maison n'est pas vide. Six enfants à élever, un mari enfin rentré d'exil, mais non assagi, des visiteurs en permanence – les prêtres de Paris ne cessent de lui envoyer leurs ouailles pour qu'elle les conseille – ; elle se doit à de nombreuses œuvres de piété et de charité : il lui arrive souvent d'envier la vie paisible des cloîtres. Secrètement, elle se dit que son tour viendra et elle attend, patiente. Dieu l'exaucera. Pour l'instant, il lui faut d'abord former les filles qui éprouvent chez elle leur vocation en vue de leur entrée au Carmel, s'occuper de ses enfants et tempérer son mari agacé par toute cette agitation.

Le remue-ménage et les éclats de rire qu'elle entend dans les pièces voisines lui laissent présager que son fantasque mari n'est pas loin. Mme Acarie l'a toujours aimé. Quand il était exilé, elle n'a jamais manqué de lui rendre visite le plus souvent possible. Elle s'est même brisé une jambe en tombant de cheval au cours de l'un de ses périples. Et puis, c'est grâce à lui qu'elle a découvert non pas Dieu, mais l'amour de Dieu. Elle était toute jeune mariée le jour où il remplaça les romans qu'elle avait coutume de lire par des ouvrages pieux qu'il était allé chercher chez un prêtre de Saint-Étienne-du-Mont. Ces livres, elle les a dévorés. Les auteurs, et les titres de ces ouvrages, elle ne les a pas retenus, mais une phrase lui reste qui sonne comme une devise : « *Trop est avare à qui Dieu ne suffit.* » Cette phrase lui a ouvert les portes d'un nouveau royaume

> *Six enfants à élever, un mari, des visiteurs en permanence.*

où règnent l'amour parfait de Dieu et le don absolu de soi.

Malgré les tendres sentiments et la reconnaissance qu'elle porte à son époux, il n'est que trop évident qu'elle va devoir trouver pour ses filles un endroit plus adapté à la préparation à la vie de carmélite. Car, s'il lui est toujours possible de refuser sa porte à des visiteurs qui viendraient troubler le recueillement de ses pensionnaires, il n'est guère envisageable d'écarter M. Acarie qui goûte grandement la présence de toutes ces jeunes filles sous son toit. Ce matin encore, il a convaincu la belle marquise de Bréauté de l'accompagner en promenade. Mme Acarie ne doute pas de la vertu de son mari mais, ses filles, comme elle les appelle, doivent rompre avec le monde et trouver le calme et la sérénité qui leur permettra de rencontrer Dieu. Comment cela pourrait-il se faire, avec un maître de maison si charmant et un brin extravagant ? N'a-t-il pas imaginé voilà huit jours de faire danser ces demoiselles ?!

Cela fait quelque temps qu'elle pense à trouver un endroit plus convenable pour y installer sa vingtaine de jeunes postulantes. Aujourd'hui, c'est presque chose faite. La duchesse de Longueville est venue la visiter hier. Elle lui a dit avoir trouvé et acheté une maison sur la place Sainte-Geneviève. En attendant de choisir le Carmel ou un autre ordre religieux, ses filles pourront y résider.

Donc, il n'y a plus qu'à déménager,

pense-t-elle gaiement, en saisissant ses béquilles pour aller remettre de l'ordre dans les pièces voisines et morigéner avec tendresse et fermeté son incorrigible époux. Pourvu que son cousin revienne vite, elle est pressée de voir le premier couvent se mettre en place. Quand elle est lasse, Mme Acarie rêve d'une retraite bien méritée dans le calme d'une cellule. Elle mourra au carmel, elle le sait. Elle a même choisi son nom : sœur Marie de l'Incarnation.

SOURCES : Marguerite du Saint-Sacrement, *LETTRES SPIRITUELLES*. J.-D. Mellot, *HISTOIRE DU CARMEL DE PONTOISE (1605-1792)*, Paris, 1994.

# TURIBE DE MOGROVEJO

## *COMMENT UN SAINT LAÏC DEVINT ÉVÊQUE MALGRÉ LUI POUR LE PLUS GRAND BONHEUR DES INDIENS D'AMÉRIQUE*

**• 18 JUI •**

QUI CHOISIR POUR SUCCÉDER À Jérôme de Loaisa au siège archiépiscopal de Lima ? Cela fait des jours que Philippe II, roi d'Espagne, retourne cette question. Il estimait tant Jérôme, et le siège est si important. De l'homme qui l'occupera, dépendra toute la réussite de l'évangélisation de l'Amérique du Sud, une évangélisation d'abord mal partie, mais aujourd'hui sur la bonne voie, grâce à Jérôme. À genoux devant le Saint-Sacrement de la chapelle de l'Escurial, le roi prend une résolution : il ne se laissera pas imposer un de ces hommes d'Église qui ne pensent qu'à leur carrière. Le futur archevêque, il le choisira lui-même, et il choisira un saint. Philippe II s'y connaît en sainteté, lui qui a tout de suite discerné celle de Thérèse d'Avila et celle de Jean de la Croix, lui qui les a aidés et leur a offert sa protection pour les soustraire aux persécutions dont le pouvoir ecclésiastique les poursuivait. Sans compter bien d'autres saints qui sont devenus ses amis, ses conseillers, ses collaborateurs.

Le choix de Philippe II ne se porte ni sur un évêque, ni même sur un prêtre, mais sur un laïc, et bien jeune pour faire un archevêque puisqu'il n'a que trente-neuf ans. Mais c'est un saint. Cette nomination surprend Turibe alors qu'il est magistrat du tribunal inquisitorial de Grenade. À ce poste difficile, il a élevé la justice et la charité à un tel degré que Philippe II y trouve la justification, dit-il, « *du choix que je fis de sa personne* ». Après avoir refusé, Turibe finit par accéder à la volonté royale. En quelques semaines, il reçoit le diaconat et le sacerdoce. Philippe II doit bien exercer sur Rome quelques pressions politiques, et rappeler que le Christ lui-même a choisi ses Apôtres parmi les laïcs, afin que le pape confirme cette nomination. En septembre 1580, Turibe part pour Lima, accompagné de plusieurs membres de sa famille.

Dès son arrivée au Pérou et pendant une année entière, Turibe fait à dos de mule le tour de son diocèse. Il s'aventure jusqu'aux inaccessibles districts de Huánuco. « *D'allure majestueuse, il paraissait bien plutôt un ange qu'un homme mortel et périssable* » se souviendra un témoin de cette première course dans les Andes. Turibe décide que le nouveau concile, préparé par son prédécesseur

Jérôme, se tiendra aussitôt. Au cours de ce concile, il fait face à de violentes oppositions. Certains prêtres et prélats craignent de voir mises au jour leurs indignités personnelles. Ils utilisent tous les moyens, des plus pittoresques aux plus scandaleux, afin d'empêcher Turibe de réformer l'Église du Nouveau Monde. Certains pères conciliaires vont jusqu'à la violence en volant les constitutions conciliaires, et en les faisant brûler dans le four d'un pâtissier. Dans ces circonstances, Turibe fait sien le mot de Diego Lainez, premier successeur d'Ignace de Loyola à la tête des jésuites, qui, lorsque le pape lui avait demandé d'être l'animateur du concile de Trente, avait répondu : « *Je me méfie des assemblées, même des assemblées d'évêques.* » La grande patience et sainteté de Turibe viennent cependant à bout de ses adversaires les plus résolus, et les travaux portent leurs fruits : les canons de ce « concile de Trente américain » resteront en vigueur dans toute l'Amérique jusqu'au concile panaméricain de 1900.

> « *Je me méfie des assemblées, même des assemblées d'évêques.* »

Turibe s'attache aussitôt à faire passer les décisions du concile dans la vie de son Église. Il impose la réforme des mœurs ecclésiastiques afin que les prêtres ne soient rien d'autres qu'« *humbles serviteurs des pauvres* ». Ainsi s'emploie-t-il à mettre fin aux divers trafics auxquels s'adonnent les curés. L'exemple leur vient de haut. L'évêque de Tucuman, Francisco de Vitoria, s'enrichit ostensiblement. Pour faire plier ce haut personnage, dont la famille est très influente en Espagne, Turibe s'en remet à Philippe II. Le 28 novembre 1590, le roi écrit à l'évêque : « *Ayant appris que, avec scandale, notoriété et mauvais exemple, vous traitez et négociez des marchandises publiquement, il m'apparaît que, outre que vous ne pouvez manquer de faire faute à vos saintes obligations occupé que vous êtes à ces négoces, les mener est chose indigne de votre état. J'écris donc au vice-roi qu'il vous convoque et vous dise de ma part ce que vous entendrez de lui.* » Affolé à l'idée d'avoir à entendre ce que le roi a à lui dire, l'évêque s'enfuit au Brésil…

Le plus difficile reste à faire : purger l'ensemble du clergé de ses pratiques mercantiles. Jérôme avait déjà prévu de lourdes peines contre les prêtres trafiquants. Mais ces peines ne peuvent être imposées que par les tribunaux ecclésiastiques. Or, comme presque tout le monde trafique peu ou prou, on réussit toujours à s'arranger avec les juges. Turibe n'y va pas par quatre chemins. Il prévoit une sanction automatique et immédiate pour ceux « *qui ont en charge le ministère d'annoncer l'Évangile, et qui servent à la fois Dieu et l'argent* ». Et la plus rude des sanctions : l'excommunication majeure *latae sententiae* qui expulse le prêtre de l'Église et en fait un paria, par la seule constatation des faits eux-mêmes, sans qu'il soit besoin d'une procédure.

La mesure provoque une véritable révolte. Le clergé en appelle à Rome et au roi. Mais Sixte Quint donne raison à

Turibe et Philippe II ordonne à toutes les autorités de prêter main forte à l'exécution du décret. La peur de l'excommunication majeure instantanée, exécutée par la force publique, fait trembler même les clercs les plus dévoyés. En 1602, Turibe peut écrire au roi : « *Il reste peu ou rien à corriger de ce point de vue. Béni soit Dieu ! le clergé est très réformé.* »

Après avoir réussi à libérer les Indiens des trafics honteux dont ils étaient l'objet, Turibe s'aperçoit que les Incas manquaient de toute forme d'hébergement sanitaire dans leurs villages. Avec l'aide du vice-roi, il crée une contribution sociale qui doit être administrée par des « caisse de communauté », afin de pourvoir à la construction et à l'entretien d'hôpitaux de proximité. Voyant que les gouverneurs d'Indiens utilisent cette contribution à d'autres dépenses, quand ils ne la détournent pas, Turibe réagit sans concession. Il fait saisir les maisons des gouverneurs d'Indiens, et, d'autorité, les transforme en hôpitaux ! Avant d'accomplir ce coup de force, il a préalablement pris la précaution de s'assurer de l'appui de Philippe II. Ce qui semblait illégal prend bientôt la forme de la plus parfaite légalité quand le roi écrit à l'archevêque : « *Je déclare, désire, et c'est ma volonté que vous et vos successeurs puissiez gérer et contrôler les biens appartenant aux hôpitaux d'Indiens.* »

Pendant les quatorze années de son épiscopat, Turibe entreprend trois grandes visites pastorales des Indiens de son

> Il fait saisir les maisons des gouverneurs d'Indiens et les transforme en hôpitaux.

« diocèse d'acrobate » qui durent respectivement sept, cinq et deux ans, c'est-à-dire l'intégralité de son épiscopat. C'est la mort de Turibe qui écourtera la dernière visite. Le saint évêque parcourt son diocèse à dos de mule, à pied, ou sur des radeaux de calebasse, car son peuple est dispersé tant sur les contreforts abrupts et les gorges vertigineuses de la cordillère des Andes que sur le cours supérieur du redoutable fleuve Amazone, en pleine forêt vierge. Dans cet environnement hostile, Turibe avance, « *le bourdon* [son bâton de pèlerin] *à la main et chaussé d'espadrilles propices à l'escalade et au franchissement des ponts de lianes* ». Dans les rares plaines, l'utilisation de la litière à porteurs demeure possible, mais Turibe la refuse d'emblée, « *pour ne pas donner cette peine et ce dérangement aux Indiens* ». Dans ces conditions, il parcourt en quatorze ans près de quarante mille kilomètres. Non seulement, il visite tout, jusques aux hameaux les plus isolés, mais il s'attache à connaître personnellement chacune de ses ouailles : « *Un jour l'archevêque ayant confirmé les habitants d'un village, apprit après l'avoir quitter par une longue côte très abrupte, qu'un Indien malade était resté sans confirmation dans le village. On lui dit qu'on le lui amènerait. Mais Turibe fit demi-tour, redescendit la longue côte périlleuse, pour que l'Indien ne meure pas en chemin, et s'en fut le confirmer chez lui.* » Une autre fois, c'est en traversant un marais pestilentiel peuplé de caïmans et d'anacondas, « *la boue jusqu'aux genoux, tombant souvent évanoui* », qu'il rejoignit un petit groupe d'Indiens isolés dans la forêt vierge.

En chemin, Turibe ne cesse « *de glorifier Dieu et de chanter les litanies de la Vierge ; ainsi croyait-on que c'était un ange qui s'avançait* ». Cet ange a le plus souvent le sourire de Gabriel, mais il peut aussi se montrer inflexible comme Michel. Là, il fait restituer aux Indiens, sans délai, les cadeaux que certains curés s'étaient fait donner par eux. Ailleurs, il destitue sans délai onze curés pour indignité de vie. Au cours de ses visites générales, il inspecte les mines et les fabriques qui commencent à se développer, et fait fermer immédiatement celles qui mettent en danger la santé des ouvriers indiens. Il réforme celles qui les exploitent outrageusement. Ainsi, dans une lettre à Philippe II, Turibe demande l'appui du roi pour confier aux ouvriers indiens la propriété des fabriques textiles où ils sont employés afin qu'ils les gèrent eux-mêmes.

Comme tous les saints, Turibe a été calomnié et persécuté par les hiérarchies ecclésiastiques et politiques. Par d'ignobles manœuvres, on cherca à perdre sa réputation pendant qu'il effectuait ses tournées générales. Mais sa vertu, l'amitié indéfectible de Philippe II, ainsi que l'amour que lui porte le peuple indien lui ont toujours été

> *Il fait restituer aux Indiens, sans délai, les cadeaux que certains curés s'étaient fait donner par eux.*

un rempart inexpugnable. Face à ces attaques, « *jamais on ne l'entendait murmurer ou se plaindre* ». Son unique réponse fut l'exemple de sa vie toute donnée à sa mission : « *Il était si charitable qu'il ne se réservait même pas sa chemise. Il disait que les pauvres étaient les banques par lesquelles les trésors des riches allaient au Ciel. Sa maison de Lima était un véritable refuge. Les pauvres y venaient du matin au soir. Il leur donnait lui-même à manger, les faisant asseoir à sa table.* »

L'œuvre de Turibe suscita au Pérou ce que l'on a appelé « le grand siècle religieux », par une floraison de sainteté laïque unique dans l'histoire de l'Église : entre beaucoup d'autres, Rose de Lima, Martin de Porres, Jean Masias et Marie-Anne de Paredes furent ses enfants spirituels. C'est que le grand archevêque refusa toujours de se plier à la logique de pouvoir de la caste sacerdotale « où les hommes d'Église se lavent les pieds les uns les autres », se faisant serviteurs certes, mais serviteurs d'abord de solidarités cléricales. Comme l'avait espéré Philippe II, il voulut toujours puiser les ressources de l'évangélisation dans l'imitation de Jésus-Christ, ce divin maître qui s'était fait serviteur de tous, et avait choisi ses apôtres parmi des hommes engagés dans la vie familiale et professionnelle.

SOURCES : E. Dussel, *DÉSINTÉGRATION DE LA SOCIÉTÉ COLONIALE ET LIBÉRATION*, Salamanque, 1978. V. R. Valencia, *TORIBIO DE MOGROVEJO*, Madrid, 1956. *MISSIONALIA HISPANICA*, Madrid, 1947. J. Dumont, *L'HEURE DE DIEU SUR LE NOUVEAU MONDE*, Paris, 1991. R. Varga Ugarte, *HISTOIRE DE L'ÉGLISE DU PÉROU*, Madrid, 1982.

# ROSE DE LIMA

## UNE PATRONNE POUR L'AMÉRIQUE

**• 19**
**JUI •**

ISABELLE SAIT CE QUI LUI RESTE À FAIRE. MALGRÉ SES EFFORTS pour que personne ne remarque la beauté de sa peau, on vient une fois encore de la complimenter sur l'élégance et la finesse de ses mains. Il n'est guère étonnant que personne ne l'appelle autrement que Rose depuis son enfance. Son teint n'a-t-il pas la délicatesse et le velouté de la fleur ? Isabelle approche ses mains insolemment belles de la chaux. Puis, brusquement, elle les y plonge... Pendant un mois, elles resteront impotentes.

Isabelle de Flores, dite Rose de Lima, n'aime pas beaucoup la demi-mesure. Toute fillette, elle a découvert la vie d'une grande mystique, sainte Catherine de Sienne. La petite Péruvienne est dès lors fascinée par cette femme dont on lui dit qu'elle a vécu il y a très longtemps, plus de deux cents ans – Rose, quant à elle, est née en 1586 –, très loin, sur le vieux continent. Il faudrait pour se rendre en pèlerinage à Sienne s'embarquer sur un grand navire et traverser tout l'océan, avait-on ajouté afin de la dissuader de choisir la sainte pour modèle. Mais Isabelle se moque de cette distance impressionnante.

L'Italie est peut-être à l'autre bout du monde, cela ne saurait l'empêcher de vouloir ressembler à sainte Catherine. Isabelle commence par faire gravement le même vœu de virginité perpétuelle. Et, pour imiter plus fidèlement la grande sainte, elle s'inflige d'exceptionnelles mortifications, jeûnant très tôt deux ou trois fois par semaine. Mais la dureté dont elle fait preuve envers elle-même ne parvient pas à gâter sa beauté. La fillette est tellement ravissante que tout le monde oublie son nom de baptême pour ne plus retenir que son surnom, Rose, ce joli nom de fleur qui lui va si bien. Cela ne plaît pas du tout à Isabelle qui voudrait bien que l'on cesse de dresser entre elle et son Bien-Aimé l'obstacle encombrant de son propre miroir. Elle a dévoré le *Grand Catéchisme* du futur saint Turibe, l'archevêque de Lima qui l'a confirmée, et cette lecture n'a fait qu'accroître son désir de se donner à Dieu. Aussi est-elle absolument exaspérée par les louanges dont elle est sans cesse l'objet. Comment les gens peuvent-ils être assez futiles pour tomber en admiration devant la vivacité d'un regard ou l'éclat d'un teint de pêche ? Et Rose de se mortifier de plus belle, sans résultat. On la trouve toujours d'autant plus ravissante que les privations qu'elle s'impose la rendent plus fragile et plus pâle. On prend apparemment un malin plaisir à ne lui trouver que des qualités, et à lui rebattre les oreilles avec la litanie de ses attraits.

Le jour où elle prend, en 1606, l'habit noir et blanc des tertiaires dominicaines, Rose pousse un soupir de soulagement en songeant à tout ce qui, désormais, la sépare du monde. Elle est enfin seule avec Dieu, débarrassée de ce vain cortège de louanges et d'honneurs qu'elle traînait derrière elle sans parvenir à s'en défaire. Elle prend le nom de sœur Rose de Sainte-Marie, heureuse de placer cette fleur à laquelle on la comparait

*On la prend pour folle.*

naguère aux pieds de la Vierge, où elle sera au moins un hommage au Seigneur. Elle n'en cesse pas pour autant de se mortifier. Cette jeune religieuse, qui a renoncé aux beaux atours et aux riches parures, alors qu'elle n'avait pas encore l'âge de s'en revêtir, sait malgré tout ne jamais perdre de vue que tout est vanité sous le soleil. Aussi n'a-t-elle envers elle-même pas plus de complaisance que par le passé.

Estimant que la vie dans une cellule de moniale est encore trop douce, la jeune fille se retire dans une cabane au fond du jardin de ses parents. Comme sainte Catherine de Sienne, son modèle, elle est comblée de nombreuses apparitions du Christ, de la Vierge, et de son ange gardien. Mais cette hutte ne la protège pas aussi bien qu'un couvent des regards extérieurs, et cette retraite qu'elle a choisie en toute connaissance de cause lui vaut rapidement des ennuis. Sa spiritualité ascétique, héritée de l'austère Vieille-Castille dont sa famille est originaire, détonne dans l'atmosphère exubérante de l'Amérique coloniale. Le contraste qu'elle offre avec la vie débridée des colons blancs est par trop criant. Alors que la jeune Amérique espagnole du XVIe et du XVIIe siècles cherche de nouvelles voies vers la sainteté et la perfection évangélique, les grâces mystiques et le chemin pénitentiel intransigeant de Rose commencent à faire grincer des dents. Les rumeurs se font de plus en plus vives. On la prend pour folle. D'aucuns prétendent qu'elle est possédée.

Ses visions et ses mortifications répétées attirent sur sa cabane l'attention du tribunal d'Inquisition. Rose est convoquée et sommée de s'expliquer lors de très longs interrogatoires. Paradoxalement, c'est l'existence très simple qu'elle mène qui fera taire la méfiance de ses juges. Car, si Rose a des visions, cela ne l'empêche pas de faire de la couture pour subvenir aux besoins de sa famille, dont elle est le dixième enfant. Elle a aussi transformé une chambre de la maison en infirmerie pour les pauvres, et ne peut donc pas être accusée de se livrer à des mortifications stériles. Sa vie mystique est inséparable de sa sollicitude envers son prochain.

Les réponses sensées et convaincantes qu'elle fait aux questions du tribunal la lavent de tout soupçon aux yeux des juges ecclésiastiques. Elle ressort donc libre d'aller passer les onze années qui lui restent à vivre dans son humble cabane. C'était tout ce que demandait la petite tertiaire dominicaine. Morte en 1617, canonisée en 1672 par Clément X, la jeune femme qui tressait des couronnes pour les vendre au profit des pauvres de Lima sera la première femme du Nouveau Monde à être proclamée sainte. En 1670, Rose de Lima devient pour l'Église « Patronne de l'Amérique ». En 1958, la Congrégation pour les sacrements proclame cette fondatrice de « la première clinique privée du continent américain » patronne des infirmières péruviennes.

SOURCES : « Rose de Lima », in *HISTOIRE DES SAINTS ET DE LA SAINTETÉ CHRÉTIENNE*. J. Dumont, *L'HEURE DE DIEU SUR LE NOUVEAU MONDE*, Paris, 1991. A. Butler, *LES SAINTS PATRONS*, Turnhout, 1996.

# FRANÇOIS DE SALES
## *L'INTRODUCTION À LA VIE DÉVOTE*

• **20**
**JUI** •

QU'ON IMAGINE L'ÉTAT DES CHEMINS ET DES ROUTES DANS LE ROYAUME DE FRANCE et le duché de Savoie, dans les dix dernières années du XVIᵉ siècle, sous le règne de Henri IV !

Pourtant, d'Annecy, lieu de sa résidence, François de Roussy de Sales va rayonner dans tout le Chablais que Berne vient de rendre au duc de Savoie. Il a été chargé par son évêque d'évangéliser des populations tentées par le protestantisme. D'Annecy encore, il se rend à Paris, à plusieurs reprises. Comment voyage-t-il ? À cheval souvent, parfois à dos de mulet, sur des chemins de montagne pleins de trous qui longent d'effrayants précipices, ou encore en carrosse, sur les routes les moins mauvaises... toujours guetté par des maraudeurs, des détrousseurs cachés dans les anfractuosités du rocher, là où le voyageur est pris au piège ! Que de dangers ! Que de fatigues, que de temps perdu ! De temps perdu ? Pour le coup, non, François ne perd jamais son temps... D'abord, il médite puis il prie sincèrement Dieu de lui accorder la force physique d'accomplir sa mission et la force de persuasion nécessaire auprès de ceux qu'il veut attirer à la foi chrétienne. Il prie Dieu de lui souffler les mots qui pourront toucher le cœur des gens simples qu'il rencontre : laboureurs, bergers, vignerons, ou celui des avocats, des notaires, des aristocrates qui habitent les belles demeures et les châteaux construits sur les flancs verdoyants des collines savoyardes.

François a la merveilleuse faculté de se sentir à l'aise avec chacun de ses interlocuteurs et en quelque endroit qu'il se trouve.

Il est né en 1567, au château de Thorens, à quelques lieues d'Annecy au sud, et non loin de Genève au nord. Il a fait ses petites classes aux collèges de la Roche, puis d'Annecy, ses humanités et son année de philosophie au collège de Clermont sis à Paris (et qu'on appellera bientôt Louis-le-Grand) puis ses études de droit à Padoue. Sa famille le destine, en effet, à la magistrature. Ses voyages lui ont ouvert l'esprit. Il a fréquenté à Padoue des protestants, et même des athées, et n'a jamais manqué de bienveillance avec les uns ou les autres. Il a découvert que l'homme est ondoyant, divers ; il s'agit donc de ne rien imposer, mais plutôt de convaincre, ou mieux de dire ce que l'on a à dire et d'attendre que l'autre conclue de lui-même.

Sans doute François a-t-il quelque chose de Michel de Montaigne, son aîné d'un quart de siècle, le scepticisme de ce dernier en moins ! François, lui, est un catholique sûr de sa foi, si bien qu'il ne devient pas magistrat mais prêtre, prévôt du chapitre d'Annecy, et, à ce titre, se trouve chargé de répandre la foi catholique dans toute la contrée que limite au nord le lac Léman, passée plus ou moins de force au protestantisme.

> *La vie de tous les jours peut elle-même être prière.*

Lorsqu'il prêche, auprès de ses ouailles, François de Sales n'entre jamais dans de savants exposés doctrinaux qu'il laisse aux docteurs de la Sorbonne ou à des théologiens éclairés. Il cherche à éclairer les chemins de la prière, à faire comprendre à ses fidèles comment leur vie de tous les jours peut elle-même être prière... Sa sainteté personnelle, son autorité morale, sa délicatesse attirent à lui nombre de laïcs, dont certaines dames de la noblesse qui lui demandent ses lumières. Une jeune femme de sa parenté, Mme de Charmoisy, séduite par sa prédication, le persuade de l'initier à l'oraison verbale. Il lui écrit des lettres d'abord, puis des petits traités variés, qui se font plus abondants au fur et à mesure que Mme de Charmoisy progresse. Celle-ci aime à en partager la lecture. Et, bientôt, on demande au jeune prélat d'en faire un livre. Car François est devenu évêque de Genève, ce fief du protestantisme qui contraint ses évêques à l'exil à Annecy.

François a déjà publié *Les Controverses* en 1595 et *La Défense de l'étendard de la sainte Croix* en 1600, mais il se doit d'être un pasteur auprès de ses fidèles et un administrateur du diocèse tout entier. Il doit donner au peuple égaré de Genève l'exemple de l'orthodoxie catholique, réformer les mœurs de son clergé, instruire de nouveaux prêtres, tenter d'apaiser à Paris ou à Louvain d'incessantes querelles théologiques sur la grâce, continuer à accorder son appui à l'ordre de la Visitation, que sa cousine Jeanne de Chantal vient de fonder, organiser partout des œuvres de charité... Comment trouver encore du temps à consacrer à l'écriture ? Ses amis insistent ; François de Sales reprend donc sa plume et décide, pour gagner du temps, de rassembler simplement les pages qu'il a déjà écrites à l'intention de Madame de Charmoisy. Il les lie de façon habile, et développe quelques points précédemment abordés qui lui paraissent essentiels. Il conserve le ton simple de la lettre dont la destinataire est désormais nommée Philothée (celle qui aime Dieu). « *Vous aspirez à la dévotion, très chère Philothée, parce qu'étant chrétienne, vous savez que c'est une vertu extrêmement agréable à la divine Majesté...* » Ainsi commence l'ouvrage que l'auteur intitule *Introduction à la vie dévote* et qu'il termine le 8 août 1609. Mme de Charmoisy n'était pas savante, encore moins pédante : l'évêque lui parle simplement, rondement. Elle était dans le monde, avait la culture des gens du monde, François de Sales illustre donc son enseignement d'images quotidiennes, quelquefois ravissantes de fraîcheur, toujours de bon sens. Elle était fine, un peu trop scrupuleuse, inquiète de mal discerner ce que Dieu attendait d'elle, d'une grande honnêteté intellectuelle : le directeur lui fait confiance, en appelle à sa logique, la rassure en lui expliquant l'Écriture sainte ou en lui narrant l'expérience des saints. Aujourd'hui encore, lire l'*Introduction*, c'est rencontrer non un auteur, mais un homme qui n'écrase jamais son lecteur de sa science ou de son autorité.

La grande nouveauté de ce livre, pourtant rédigé par un évêque, un docteur en théologie, un directeur de religieux et de religieuses, est bien de proposer la vie dévote, autrement dit la vie chrétienne dans sa plénitude, aux laïcs de toutes conditions. Car tous sont appelés à la sainteté, où qu'ils fussent et quels qu'ils fussent. François de Sales donne à tous une méthode toute simple, progressive évidemment, commode, pour lutter contre les péchés et l'habitude du péché, pour pratiquer les vertus, grandes et petites, et par là laisser la prière emplir progressivement la vie. Toute occasion devient bonne pour s'adresser à Dieu, et il détaille les étapes de cette sanctification de la vie dans le monde, non sans prévoir de consoler ceux qui piétinent ou tombent.

Car François de Sales, dans ce manuel, tient le plus grand compte du cœur de l'homme, qu'il connaît : ce fut le sien, et celui de ceux qu'il dirigeait. De nombreuses pages, par exemple sur l'inquiétude ou la tristesse, sont si exactes, si fines même, que tout le XVIIᵉ siècle s'en inspirera, les écrivains religieux bien sûr, mais aussi les romanciers, les moralistes, et même Molière ! Preuve en est, en effet, que dans son *Tartuffe*, il fit s'exprimer son sage Cléante sur le vrai christianisme, en des termes empruntés à l'évêque de Genève.

Mieux ! une foule enthousiaste de croyants se jeta sur ce livre, et y apprit à prier : à prier bien, intérieurement, donc à vivre bien, humblement. Le salut est offert à tous. Dieu, qui est grâce et pardon, ne fait jamais défaut. La volonté de l'homme reste foncièrement libre de le rejoindre. Et, à tout moment, l'auteur parle à son lecteur avec compassion. L'*Introduction à la vie dévote* est décidément l'un des livres qui fait le mieux briller le sourire de Dieu.

« *Ô Dieu, ce dites-vous, pourquoi ne vous regardé-je toujours, comme toujours vous me regardez ? Pourquoi pensez-vous à moi si souvent, mon Seigneur, et pourquoi pensé-je si peu à vous ? Où sommes-nous, ô mon âme ? Notre vraie place, c'est Dieu, et où est-ce que nous nous trouvons ?* »

Dès 1650, l'*Introduction à la vie dévote* est traduit en dix-sept langues. L'Église béatifia François de Sales en 1662, puis le canonisa en 1665. Elle consacrait par là l'*Introduction à la vie dévote* : ce saint livre devenait le livre d'un saint, dont le rayon-

> *Un homme qui n'écrase jamais personne de sa science ou de son autorité.*

nement demeure prodigieux. Au lendemain de la guerre de 1870, lors du concile du Vatican, l'épiscopat assemblé souhaita, une fois encore, boire à la source salésienne : Pie IX, en 1877, proclama François de Sales docteur de l'Église.

SOURCES : François de Sales, *LES CONTROVERSES*, *LA DÉFENSE DE L'ÉTENDARD DE LA SAINTE CROIX*, *INTRODUCTION À LA VIE DÉVOTE* et *TRAITÉ DE L'AMOUR DE DIEU*. E.-M. Lajeunie, *SAINT FRANÇOIS DE SALES ET L'ESPRIT SALÉSIEN*, Paris, 1962. A. Ravier et R. Devos, *SAINT FRANÇOIS DE SALES*, Lyon, 1962. H. Brémond, *HISTOIRE LITTÉRAIRE DU SENTIMENT RELIGIEUX EN FRANCE DEPUIS LA FIN DES GUERRES DE RELIGION*, Paris, 1916. R. Kleinman, *SAINT FRANÇOIS DE SALES ET LES PROTESTANTS*, Lyon, 1967.

# PIERRE CLAVER

## *SERVITEUR ET APÔTRE DES ESCLAVES*

**• 21 JUI •** À CARTHAGÈNE DES INDES, PORTE DU ROYAUME DE NOUVELLE-GRENADE, DANS L'ACTUELLE COLOMBIE, un homme attend sur le quai de la Trésorerie, lieu de débarquement du commerce négrier.

Devant lui s'étend l'une des baies les mieux situées du Nouveau Continent. Des vaisseaux de toutes provenances y font escale. Dans ce port transitent et trafiquent tous ceux qui viennent conquérir trésors et domaines, à la suite des *conquistadores* en ce début du XVIIᵉ siècle. L'or et les richesses que l'Espagne tire de l'Amérique affluent ici. Pourtant, ni l'or, ni l'argent, ni le pouvoir n'intéressent cet homme vêtu d'une soutane rapiécée. Il attend, une sacoche serrée sous son bras gauche.

Les yeux fixés sur le large, Pierre Claver songe aux dizaines de milliers d'esclaves qui, sur les côtes de l'Afrique occidentale, sont embarqués de force, puis au flot de ceux qui arrivent vivants à Carthagène. Sur ce quai, comme il le fera pendant près de quarante ans, Pierre se prépare. Il vérifie le contenu de sa sacoche : des cierges, de l'huile sainte et les objets nécessaires pour administrer les sacrements, l'extrême-onction aux mourants, le baptême aux enfants nés pendant la traversée.

La vie de Pierre est rythmée par l'arrivée des convois négriers, dont la cargaison humaine est destinée aux travaux domestiques, aux plantations et à l'exploitation des mines. Au début de la conquête de l'Amérique, les colons avaient commencé par réduire en esclavage les populations indiennes. Les interventions répétées de la monarchie espagnole et des papes les avait rendus, en principe, libres. Mais l'amélioration du sort des Indiens a donné une dramatique impulsion à la traite des esclaves originaires d'Afrique. Quelques juristes chrétiens se sont élevés contre ce remplacement d'une race par une autre. Au Congo ou en Angola, certains jésuites tentèrent de limiter les rafles et de secourir les Noirs. À l'autre bout du monde, Pierre, jésuite lui aussi, s'inscrit dans cette même œuvre.

Après une traversée interminable, arrachés avec violence à leur pays, parqués à fond de cale comme du bétail, les captifs arrivent dans un état épouvantable.

Le nombre des captifs s'est alors réduit de moitié. Les survivants sont malades et affamés.

Déjà, le port commence à s'agiter : une rumeur gagne la ville, pressée d'accourir au-devant des vaisseaux du roi. On brûle d'apprendre quelques nouvelles d'Europe, insensible à celles qui viennent d'Afrique, sinon pour faire du profit... Pierre, « l'esclave des Noirs pour toujours », repense à ce vœu spécial qu'il fit lors de sa profession solennelle : celui de se consacrer définitivement aux esclaves et à leur conversion... Soudain, les décharges d'artillerie et les cloches de toutes les églises de la ville l'avertissent que la flotte est entrée dans la baie de Carthagène.

À chaque débarquement, Pierre Claver reprend le même travail qui le laisse brisé de fatigue. Dès que le vaisseau négrier a jeté l'ancre, avant que les médecins n'aient même contrôlé l'état sanitaire de l'équipage et de la cargaison, Pierre obtient du capitaine l'autorisation de monter à bord. Il s'agit d'assister au plus vite les moribonds et de réconforter les malades. Il faut descendre dans la cale pestilentielle, sans se laisser rebuter par les risques d'épidémies. Pierre y apporte une présence humaine, la première depuis longtemps sur un bateau chargé d'esclaves appartenant parfois à vingt ou trente nations africaines différentes.

Après des mois de traitements inhumains, Pierre est le premier Blanc à

> *Il faut descendre dans la cale pestilentielle sans se laisser rebuter par les risques d'épidémies.*

adresser aux captifs noirs une parole fraternelle. Il a appris la langue Angola, mais il lui aurait fallu en apprendre bien d'autres. Il organise donc tout un système de traduction. Sur un cahier, il a des noms d'esclaves pouvant servir d'interprètes dans telle ou telle langue. Le collège jésuite eut jusqu'à dix-huit interprètes attitrés qui devinrent ainsi catéchistes et auxiliaires du père Claver. Parmi eux, un certain Ambroise Calepin, auteur d'un dictionnaire de traduction entre le latin et onze idiomes africains !

Après quelques jours à bord, où Pierre pare au plus pressé et noue les premiers contacts, vient le transfert dans les « nègreries », où les marchands entreposent ceux qu'ils vont vendre. Sur le quai, Pierre aide les plus faibles, spécialement les malades, qu'il transporte avec ses auxiliaires sur des charrettes.

Pendant cette période de captivité intermédiaire, outre les secours matériels, Pierre apporte le baptême à ses frères, les esclaves noirs. Au début de son apostolat, il avait commencé par aller à la recherche des esclaves dans les plantations et dans les mines. Mais il s'est vite aperçu que, s'il voulait les catéchiser, il fallait agir dès leur arrivée à Carthagène, avant qu'ils ne fussent dispersés. D'abord, il nourrit, lave ou confère les sacrements aux malades en état de les recevoir. Puis, Pierre réunit les autres prisonniers dans la cour, à l'extérieur. Il dresse alors quelques toiles peintes, sur lesquelles sont représentés les mystères de la vie du Christ. Ses commentaires et ses instructions sont traduites par ses auxiliaires, qui répètent aussi ses gestes. On connaît la clarté et la simplicité de ses discours, ainsi que l'inventivité avec laquelle il recherche des moyens commodes pour atteindre son auditoire. Ainsi, pour donner une idée de la Trinité, il fait trois plis à son mouchoir, et fait observer que ces trois plis n'empêchent pas le mouchoir d'être une seule pièce. Les séances se poursuivent jusqu'à ce que les catéchumènes soient suffisamment instruits des vérités du catéchisme pour recevoir le baptême.

Pierre était opposé au baptême administré à des captifs, qui le recevaient sans savoir généralement de quoi il s'agissait. Cela lui valut de nombreux contradicteurs. Certes, on mesure aujourd'hui les limites dans lesquelles Pierre Claver administra lui-même ces 300 000 baptêmes, mais le caractère novateur de son

> *Pierre Claver administra lui-même 300 000 baptêmes.*

apostolat est, pour l'époque, hors du commun.

Le ministère du père Claver ne se réduit d'ailleurs pas à l'instruction et au baptême des esclaves noirs. Il soutient, encourage et protège ceux qui restent à Carthagène ou dans les environs. Il veille au sort de ceux qui repartent, exhorte les maîtres qui les achètent à bien les traiter. Le jour du départ, il les accompagne au port, les embrasse, les bénit et les recommande aux patrons de navires. Lorsque les malheureux ont embarqué, il ne lui reste plus qu'à les confier dans la prière à Celui dont il a manifesté la tendresse pendant le temps d'une escale à Carthagène.

Pour les milliers d'esclaves qu'il a soulagé, Pierre Claver a fait briller dans leurs ténèbres la lumière de la Bonne Nouvelle. Il fut canonisé à la fin du XIXᵉ siècle par Léon XIII qui le déclara « patron de toutes les missions auprès des Africains ».

SOURCES : A. Valtierra, *EL SANTO QUE LIBERTO UNA RAZA. SAN PEDRO CLAVER. ESCLAVO DE LOS ESCLAVOS NEGROS. SU VIDA Y SU EPOCA (1580-1654)*, Bogota, 1954. T. Lopez Garcia, *DOS DEFENSORES DE LOS ESCAVOS NEGROS EN EL SIGLO XVII*, Caracas, 1982. P.-M. Lamet, *UN CRISTIANO PROTESTA : PEDRO CLAVER (1580-1654)*, Barcelona, 1980. P.-M. Lamet, *ESCLAVO DE ESCLAVOS : PEDRO CLAVER*, Bilbao, 1996.

# La Congregatio
# de Propaganda Fide

## Porter l'Évangile au-delà des mers

• **22**
**JUI** •

*« Implantez la foi ; ne recherchez rien que les intérêts spirituels et le salut des âmes : que vos travaux, vos désirs, votre pensée soient tournés vers les choses célestes, à l'exclusion de toute autre préoccupation [...]. Gardez-vous de tout effort, et de tout conseil à ces peuples, pour leur faire changer leurs rites, leurs coutumes et leurs mœurs, pourvu qu'elles ne soient pas ouvertement contraires à la religion et aux bonnes mœurs. En effet, quoi de plus absurde que d'introduire chez les Chinois la France, l'Espagne ou l'Italie, ou quelque autre partie de l'Europe ? Ce n'est pas cela que vous devez introduire, c'est la foi, qui ne repousse ni ne lèse les liturgies et les coutumes, pourvu qu'elles ne soient pas mauvaises, et qui veut au contraire qu'elles soient protégées. »*

Les vicaires apostoliques en partance pour l'Extrême-Orient ne pouvaient se tromper sur le sens de leur engagement : ces *Instructions* dont la *Congregatio de Propaganda Fide*, en 1659, entendaient faire d'eux des évangélisateurs au service exclusif du Christ. Si attachés qu'ils fussent à leur propre civilisation, ce n'est pas elle qu'il s'agissait de proposer aux peuples d'Asie, pas plus d'ailleurs qu'à ceux de l'Amérique ou de l'Afrique, mais bien le Christ crucifié et ressuscité. Et pas question de se mêler de politique, ni de faire du commerce, ni de s'adonner à l'administration civile. En revanche, vive l'apprentissage des langues indigènes, et la formation d'un clergé local capable d'initiative ! Un seul but pour le missionnaire : devenir inutile. *« Qu'il croisse, et que je diminue… »*

Il y a, dans les *Instructions* de 1659, un ton à la fois incisif et allègre qui rappelle les premiers temps de l'Église, quand saint Paul donnait l'exemple de l'élan vers les Gentils. Or ces *Instructions* viennent préciser et nourrir la tâche d'une institution fondée plus de trente-cinq ans auparavant par le pape Grégoire XV, fruit d'une réflexion engagée par Rome durant près d'un siècle. La création de la *Congregatio de Propaganda Fide* en 1622, qui fait éclater la jeunesse du message chrétien, offre donc aussi un exemple très intéressant du travail de l'Église dans le temps.

Le premier pape à se poser, en termes neufs, le problème des modalités de l'évangélisation des peuples d'outre-mer, fut saint Pie V. Pape de 1566 à 1572,

Pie V a en face de lui deux puissances temporelles catholiques officiellement chargées de l'évangélisation des pays conquis ou encore à conquérir : l'Espagne et le Portugal. Leur privilège, qui a nom « Patronat », s'enracine dans la création au début du XIVᵉ siècle, par le roi Denys de Portugal, d'un nouvel ordre militaire, la Milice du Christ, destinée à remplacer l'ordre déchu des Templiers. Soumise à la règle de saint Benoît et aux constitutions de Cîteaux, la Milice du Christ avait reçu du pape tous les biens des Templiers et était très vite devenue extrêmement puissante. Or, elle s'était donnée pour but l'évangélisation des païens, et, de pape en pape, les plus insignes privilèges

> *Faire la propagation de la vraie foi.*

furent accordés au grand prieur de l'ordre afin de soutenir cette noble cause. Ces privilèges allaient jusqu'à la nomination d'évêques sur les terres conquises, et, bien entendu, toute l'organisation de la vie chrétienne. Or, à la fin du XVIᵉ siècle, la charge de grand prieur était passée entre les mains du roi du Portugal lui-même. Insensiblement, l'autorité religieuse et l'autorité politique s'étaient confondues.

Parallèlement, l'Espagne, après la conquête de Christophe Colomb, avait revendiqué ses droits sur les terres nouvellement conquises, et le conflit entre le Portugal et l'Espagne s'était soldé par un succès pour le cardinal Carjaval, le négociateur espagnol dépêché auprès du pape par le roi Ferdinand : Alexandre VI avait tracé sur la carte du monde, du pôle Nord au pôle Sud, une ligne passant à l'ouest de l'île la plus occidentale des Açores. Toutes les terres découvertes ou à découvrir, situées à l'est de cette ligne, seraient soumises à la domination portugaise ; l'Espagne s'étendrait à l'ouest. Portugais et Espagnols devaient faire de la propagation de la vraie foi, dans leur zone d'influence, l'objet de leur sollicitude principale.

Les souverains catholiques d'Espagne et du Portugal, qui s'estimaient comptables devant Dieu du sort de leurs sujets, prenaient au sérieux leur mission, tant spirituelle que temporelle. Mais ils semblaient plus naturellement enclins à promouvoir une assimilation culturelle qui confortait leur pouvoir qu'une évangélisation permettant aux nouveaux baptisés de prendre eux-mêmes en mains leur avenir chrétien. Dès lors, aux yeux des peuples soumis, le Seigneur, au lieu de s'offrir, pouvait paraître s'imposer, et le Christ rédempteur faire davantage figure de conquérant national que de serviteur... Par ailleurs, le mélange des genres, au fil du temps, aurait pu se révéler dangereux. Dépendants du pouvoir politique, les missionnaires laisseraient en eux l'humain trop humain prendre le pas sur les soucis surnaturels : esprit de lucre, négligence devant l'oppression des pauvres, mauvais exemples... Après des débuts très prometteurs, la mission aux Indes occidentales et orientales semblait aux yeux de Rome en péril.

Pie V crée en 1568 une commission

chargée de s'occuper des deux Indes, et fait parvenir au roi Philippe II, par nonce interposé, l'énoncé de préceptes vigoureux pour une politique coloniale respectueuse des intérêts de l'Évangile. Philippe II accueille le message avec respect, d'autant plus qu'il en partage depuis longtemps le souci et que ces préceptes ont toujours été respectés dans le Patronat espagnol, contrairement au Patronat portugais. Il insiste aussi sur la nécessité de bien instruire les nouveaux convertis. Saint François de Borgia, général des jésuites à la même époque, ne dit pas autre chose aux missionnaires de son ordre, et il suggère au pape la création d'une instance romaine qui superviserait directement les missions. Mais les temps, apparemment, ne sont pas encore mûrs pour qu'elle porte du fruit.

Toutefois l'idée progresse : sous le pontificat de Grégoire XIII en 1580, puis sous celui de Clément VIII en 1600, il est à nouveau question de créer à Rome une institution qui prendrait en charge l'œuvre missionnaire. Plusieurs religieux, appartenant aux carmes, aux augustins ou aux capucins, apportent tour à tour leur pierre à la réflexion. Vers 1608, un carme déchaussé, Thomas de Jésus, soumet au pape Paul V l'idée d'une congrégation exclusivement consacrée à cette activité, qui ne se voudrait pas souveraine – il ne faut pas heurter les susceptibilités espagnole et portugaise – mais « conseillère spirituelle » et « auxiliaire active ». L'intuition majeure de cette future fondation, dotée d'un véritable institut d'enseignement missionnaire, serait de privilégier la formation. Au cours du demi-siècle précédent, Jean Vendeville, évêque de Tournai, avait plaidé auprès de plusieurs papes successifs pour un « laboratoire d'apostolat ». On y arrivait.

*Une institution qui prendrait en charge l'œuvre missionnaire.*

Le 6 janvier 1622, jour de l'Épiphanie, le projet voit enfin le jour : Grégoire XV établit la congrégation *De Propaganda Fide*, composée de treize cardinaux, de deux prélats et d'un secrétaire. Chargée de la propagation de la foi, la nouvelle institution sera très tôt désignée sous l'appellation de « Propagande », calquée sur le terme latin. Comme le mot a pris de nos jours un sens ambigu, voire antipathique, on peut en rester à la traduction moins littérale – mais totalement fidèle – de « propagation de la foi ».

Quelques mois et quelques réunions plus tard, la bulle *Inscrutabili* concrétise la nouvelle fondation. Il s'agit bien d'un organisme centralisateur, ayant souveraineté sur les missions. La congrégation agit par le biais de vicaires apostoliques, qui ont les prérogatives d'évêques et appartiennent au clergé séculier. Bien entendu, sur le terrain, ces vicaires apostoliques s'appuient sur les divers ordres religieux – notamment les jésuites – qui ont une tradition d'apostolat. Mais c'est de Rome qu'ils tiennent directement leur autorité. D'autre part – et voilà l'innovation essentielle, fruit d'une longue maturation – la congrégation comporte une institution d'enseignement. Le prélat espagnol Vivès, membre de la congrégation dès la première séance, a mis son palais Ferratini à la disposition des futurs missionnaires. L'acte de donation stipule que des élèves de toute race et de toute nation viendront s'y instruire, afin d'être envoyés par le souverain pontife dans tout l'univers pour le maintien et la propagation de la foi catholique. L'enseignement des langues, à commencer par l'arabe, va bientôt battre son plein. Et l'imprimerie polyglotte de la congrégation ne chôme pas non plus !

Certes, la Propagation de la Foi ne vise pas seulement les contrées exotiques. Il s'agit de porter l'Évangile aux païens, mais aussi de convertir hérétiques et schismatiques. Parmi les cardinaux membres de la congrégation, certains ont donc sous leur juridiction des territoires européens, et la joie extrême avec laquelle le roi Louis XIII accueille, en France, l'annonce de la fondation nouvelle est révélatrice : il y voit un moyen de faire pièce au protestantisme. Toutefois les contrées exotiques, et en particulier les Indes, sont au cœur de l'institution fondée par Grégoire XV. Et la France de Louis XIII, celle d'Olier, de Bérulle, de saint Vincent de Paul, va se passionner pour cette mission-là. D'où la création à Paris, dans l'enthousiasme, du séminaire des Missions étrangères pour l'Extrême-Orient.

La Propagation, en effet, a besoin d'hommes. Il faut en former beaucoup, et selon les critères de 1659. Le premier

> *L'imprimerie polyglotte de la congrégation ne chôme pas.*

secrétaire de la *Congregatio de Propaganda Fide*, François Ingoli, a consacré trois mémoires successifs, en 1625, 1628 et 1644, à faire le point sur les abus ou les insuffisances de la mission dans les Indes orientales et occidentales, et les remèdes qu'il propose supposent un état d'esprit neuf. Par exemple, Ingoli note que « *les évêques des Indes orientales ne veulent ordonner aucun prêtre indigène : les séminaires de mission font défaut* ». Or, cette question du clergé indigène, principale pomme de discorde avec l'Espagne et surtout le Portugal, tient très à cœur à Rome.

Plusieurs signes montrent que les temps sont mûrs pour faire évoluer la mission. En Extrême-Orient, les Portugais ont d'autant plus de difficultés pour mener à bien l'évangélisation à partir de leurs comptoirs qu'en cette seconde moitié du XVIIᵉ siècle, la concurrence politique qu'ils subissent de la part des Anglais et des Hollandais se double de prosélytisme protestant. Rome veut reprendre l'initiative par l'entremise de vicaires apostoliques indépendants, uniquement soucieux de répondre aux exigences des Instructions de 1659. Or, en France, plusieurs petites congrégations de jeunes gens dirigées par un jésuite, le père Bagot, rêvent de répondre à ce besoin spirituel. Stimulés par l'action des laïcs de la Compagnie du Saint-Sacrement, ils se groupent avec enthousiasme autour des pères Pallu et de la Motte Lambert, fondateurs de la Société des Missions étrangères, qui entend se vouer au service exclusif de l'apostolat des pays païens. Ils feront de « l'esprit d'adaptation » au terrain, cher aux différents papes, la charte morale de leur engagement, et la congrégation viendra désormais puiser dans leurs rangs la plupart de ses vicaires apostoliques pour l'Extrême-Orient.

Les embûches ne manqueront pas. Les « Patronats » espagnols et portugais ne verront pas toujours d'un bon œil la concurrence de Français, fût-ce sous le label romain. Et l'on sait qu'en Chine et au Japon, l'esprit d'adaptation, qui a déjà connu ses limites au XVIᵉ siècle, en connaîtra d'autres. Il reste que les principes étonnamment modernes édictés par la *Congregatio de Propaganda Fide* au XVIIᵉ siècle auront été le nouveau fondement historique d'un élan missionnaire respectueux des us et coutumes des peuples et de leur richesse humaine. C'est aussi de cet élan que naîtront les clergés locaux pour lesquels l'ordination d'évêques chinois et africains au XXᵉ siècle sera l'aboutissement.

SOURCES : *COLLECTANAE S. CONGRAGATIONIS DE PROPAGANDA FIDE*, Rome. *UN TOURNANT DANS L'HISTOIRE DES MISSIONS : RÔLE ET MÉTHODE DE LA SACRÉE CONGRÉGATION DE PROPAGANDA FIDE*, d'après le cardinal Ludovisi, secrétaire d'État de Grégoire XV (1622), Omnis Terra, Cité du Vatican, 1971. S. Delacroix, *HISTOIRE UNIVERSELLE DES MISSIONS CATHOLIQUES*, Paris, 1957. G. Goyau, *LES MISSIONS DEPUIS LA CRÉATION DE LA PROPAGANDE JUSQU'À LA FIN DU XVIIIᵉ SIÈCLE*, Bruxelles, 1932. V. Martin, *LES CONGRÉGATIONS ROMAINES*, Paris, 1930. F. Rousseau, *L'IDÉE MISSIONNAIRE AUX XVIᵉ ET XVIIᵉ SIÈCLES*, Paris, 1943. B. Jacqueline, « La sacrée Congrégation de Propaganda Fide sous le pontificat de Grégoire XV », in *REVUE D'HISTOIRE ECCLÉSIASTIQUE*, n° 66, 1971.

# ISIDORE

## *OU COMMENT UN LABOUREUR*
## *FUT CANONISÉ LE MÊME JOUR QUE*
## *THÉRÈSE D'AVILA, PHILIPPE NÉRI,*
## *FRANÇOIS XAVIER ET IGNACE DE LOYOLA*

• **23**
**JUI** •

ISIDORE LE LABOUREUR N'ÉTAIT PAS MATINAL, DU MOINS AUX YEUX DES AUTRES VALETS et laboureurs de son maître, dom Jean de Vargas, riche propriétaire de Madrid. Car, aux yeux de Dieu, c'est autre chose ! Si la charrue et les bœufs avaient coutume d'attendre Isidore le matin, c'est parce que le laboureur, levé dès l'aurore, visitait avec amour les églises de Madrid, à commencer par Notre-Dame-d'Atocha, où il entendait la messe dite par les pères dominicains. Il passait aussi la plus grande partie de sa matinée en prières, d'église en église, avant de gagner les champs. Mais, une fois arrivé, il abattait la besogne ! « *Il n'y a point de temps moins perdu ni mieux employé que celui qu'on donne au service de Dieu* », soutenait le laboureur. La vélocité avec laquelle, fort de ses prières du matin, il accomplissait sa tâche aux champs, semblait bien venir appuyer ses dires.

Mais ses compagnons ne voyaient pas les choses du même œil. Les médisances allaient bon train, tant et si bien qu'un jour, le maître lui-même vint voir sur place de quoi il retournait. Quelle ne fut pas sa surprise quand, approchant du champ, il aperçut deux anges qui, avec deux couples de bœufs blancs, labouraient aux côtés d'Isidore ! Dès qu'il fut plus près d'eux, il ne les vit plus, et Isidore lui-même ne sut dire à Vargas de quoi il parlait. Le laboureur n'avait vu personne, il savait seulement que Dieu, qu'il priait de l'aider, ne l'abandonnait jamais. Le maître s'inclina et, de ce jour, traita Isidore avec confiance et égards.

La vie d'Isidore, qui vécut au XIIᵉ siècle et que Madrid, depuis plusieurs siècles, considérait comme le patron de la cité, n'était guère connue en 1622, quand le pape Grégoire XV canonisa le laboureur le même jour que des personnalités aussi prestigieuses que Thérèse d'Avila, Philippe Néri, François Xavier et Ignace de Loyola. Car Isidore, né à Madrid de parents pauvres et obscurs, n'était qu'un humble paysan. Sa condition ne pouvait lui offrir la considération du monde.

Mais Dieu avait pourvu à l'essentiel, et Isidore s'en remettait toujours à Lui. Lorsque Grégoire XV, en 1622, canonisa Isidore que son prédécesseur Paul V avait béatifié en 1619, il en savait assez pour désigner le laboureur à la pieuse admiration des fidèles, non plus seulement d'Espagne mais du monde entier. Les miracles de guérison s'étaient multipliés près de la tombe d'Isidore à Saint-André de Madrid, et bon nombre de malades avaient aussi recouvré la santé en buvant l'eau de la fontaine que la prière d'Isidore avait fait jaillir du sol un jour de grande sécheresse. Plusieurs siècles plus tard, Dieu témoignait par elle des vertus de son serviteur.

Grégoire XV savait d'autres choses encore. Isidore était marié à Marie de la Cabeza, dont il avait eu un fils, mort en bas âge. Après cette épreuve, les deux époux avaient décidé de consacrer leur vie au Seigneur, vivant dans la continence pour le seul service de Dieu. Isidore et sa femme avaient beau vivre de peu, ils n'en secouraient pas moins les pauvres, s'affligeant parfois de n'avoir rien à leur donner, mais si confiants en Dieu pour soutenir leur charité qu'il arrivait aux viandes de se multiplier mystérieusement quand le besoin était criant.

> *Proposer aux fidèles l'exemple d'un simple laboureur.*

Il y eut tout de même, dès 1622 et aussi plus tard, des gens pour s'étonner qu'un simple laboureur, dont la vie s'apparente à une légende, eût été canonisé au même titre et en même temps que des personnalités autrement plus riches de dons aux yeux du monde. De surcroît, Isidore était ce jour-là le seul laïc à recevoir cette consécration. Peut-être le pape était-il heureux de proposer aux fidèles qui ont en charge les soucis temporels, l'exemple d'un simple laboureur ? Et puis, saint Joseph lui-même n'était-il pas charpentier ?

La sainteté déconcerte toujours. Mais, en 1622, la canonisation d'Isidore est comme un signe de la Providence : cette année-là, Grégoire XV crée la Congrégation *De Propaganda Fide*, et entend faire des peuples d'outre-mer, même nouvellement baptisés et tout rustres encore, des chrétiens de plein exercice. « *Il renverse les puissants de leur trône ; Il élève les humbles.* » Par l'élévation d'Isidore le laboureur, pour qui Dieu fut toujours le premier servi, à une dignité plus grande que celle des puissants de la terre, le pape ne consacrait pas seulement l'intuition populaire qui le faisait vénérer à Madrid depuis plus de quatre siècles. Il donnait aussi, à l'Espagne et au monde, une grande leçon d'amour : ce sont les petits qui entrent les premiers dans le Royaume.

SOURCES : Alonso de Villega, *Biographie de San Isidore*. R. Chognon, *Abrégé de la vie, mort et miracles de S. Isidore, laboureur et patron de toute l'Espagne*, Saint-Omer, 1634. R. Chognon, *Le Bon Laboureur ou pratique familière des vertus de S. Isidore, laboureur, pour les personnes de sa profession principalement, et généralement tous ceux qui vivent une vie commune*, Paris, 1646. W. Christian, *Local religion in sixteenth-century Spain*, Princeton, 1981.

# CLAUDIO MONTEVERDI
## *QUAND LA COLÈRE DEVIENT LA MUSIQUE*
## *DE LA RÉDEMPTION*

**• 24**
**JUI •**

– LA COLÈRE, IL NE ME RESTE QUE LA COLÈRE...

Assis à sa table de travail, l'homme qui vient de prononcer ces mots ne semble éprouver aucune rage. Bien au contraire, il soliloque à haute voix, comme pris d'une mélancolie méditative, comme un homme qui s'adonnerait à une réflexion studieuse, à une recherche. Recherche-t-on studieusement la colère ?

L'homme se lève, et va vers la fenêtre. Dehors, Venise déroule l'interminable procession de ses gondoles noires. L'odeur putride qui s'exhale des canaux ne prend même plus Claudio Monteverdi à la gorge, tant il est habitué à la puanteur, à la chaleur de cette ville. De même qu'il ne s'étonne pas de voir la cité des doges saisie déjà par la folie qui va bientôt prévaloir pendant six mois, les six mois que dure le Carnaval... Voilà désormais onze ans que le musicien a trouvé refuge ici. C'était en 1613, après plusieurs années de misère qui l'ont vu perdre sa femme, fuir la cour de Mantoue et subir l'affront de l'indifférence lorsqu'il avait offert au pape les *Sanctissima Virgina Missa senis vocibus ac Vesperae*, l'un de ses chefs-d'œuvre.

– La colère, oui, c'est de cela dont il s'agit...

Le musicien n'a plus d'amertume en songeant à ces années perdues, elles sont derrière lui, et ce ne sont pas elles qui nourrissent son discours d'enragé. Car les « Sanctissima... » ne sont pas, ne sont plus son propos. Pour l'heure, Monteverdi travaille sur tout autre chose. Un madrigal qu'il fera exécuter en cette année 1624, sans doute pendant le Carnaval qui approche. Il lui a déjà trouvé un titre. Ce sera *Il Combattimento di Tancredi e Clorinda*. Le scénario en est simple, emprunté au chant XII de *La Jérusalem délivrée*, de Torquado Tasso. Plus précisément, le musicien a retenu les strophes 52 à 68 : Tancrède, chevalier proche de Godefroy de Bouillon, accompagne son seigneur à la croisade. Au cours d'une escarmouche, il tombe éperdument amoureux d'une belle amazone maure, Clorinde. Les affrontements se multiplient, mais les deux jeunes gens cherchent à s'éviter. Un jour, cependant, Tancrède réussit à briser un encerclement et poursuit le chef des Maures. Un duel s'engage entre les deux combattants. Tancrède frappe son rival à mort. Le voilà qui met pied à terre, s'approche du vaincu et le démasque. C'est alors qu'il reconnaît Clorinde. Celle-ci lui demande le baptême et, par là, la rédemption.

Pour Monteverdi, le choix du sujet est loin d'être innocent. L'histoire de Tancrède et de Clorinde ne rejoint-elle pas l'une des grandes préoccupations de l'Église post-tridentine, le salut des infidèles non baptisés ? Y a-t-il un salut en dehors de l'Église ? L'homme qui évoque en cet instant la colère à haute voix est un musicien engagé religieusement qui va marquer son époque. Avec ce madrigal, il sait qu'il est à l'aube d'une œuvre majeure. Une œuvre qui dépasse les règles de la musique sacrée définies au concile de Trente, et que Palestrina a portées à leur plus haut degré de perfection. Une œuvre à la jonction des deux genres nouveaux du siècle, entre l'oratorio que saint Philippe Néri a suscité et l'opéra, son application à des sujets profanes...

> *Atteindre musicalement cette colère si importante dans sa conception de l'homme.*

– La colère, il faudra bien la suggérer !

Le musicien tourne en rond, puis s'assied à sa table. Sereinement, sans fracas. C'est que Claudio Monteverdi, en pensant à haute voix, ne tente pas de s'emporter. Simplement, il sait qu'il manque encore quelque chose à sa pièce majeure. Déjà, il a trouvé le moyen d'évoquer le combat des épées, en ayant recours aux *pizzicati*. Déjà, il sait avoir composé une admirable description de la nuit : « *Notte, che nel profondo oscuroso sero.* » Cependant, pour que sa réforme musicale, qu'il appelle le « *stile concittato* », trouve son accomplissement, il doit encore creuser. Et atteindre, musicalement s'entend, cette colère qui est si importante dans sa conception de l'homme. N'est-elle pas, selon lui, l'une des trois principales passions humaines ? Quant aux deux autres, la tempérance et l'humilité, Monteverdi en connaît l'expression, la structure musicale, le langage approprié, comme tous les compositeurs de son époque. Mais justement, il n'est pas question de faire une œuvre qui serait celle de n'importe lequel d'entre eux. Il lui reste donc à inventer une forme qui traduise la colère...

Alors, tandis que Venise est encore endormie, que le carnaval n'en est qu'à ses fébriles préparatifs, l'illumination lui vient. Claudio Monteverdi se penche sur le papier, griffonne. Des notes. Un texte. Une superposition de notes et de mots. Plus tard, il écrira à propos de ces instants : « *C'est ainsi que j'ai commencé à comprendre qu'une ronde divisée en seize semi-chromes* [doubles croches] *successives, battues l'une après l'autre et reliées à un texte contenant colère et indignation, pouvait bel et bien ressembler à l'affetto que je recherchais, bien que le texte puisse ne pas suivre le tempo rapide des instruments.* » Claudio Monteverdi vient d'inventer le trémolo.

Il ne reste qu'à déployer son propos. Systématiquement utilisé aux moments les plus pathétiques du récit, l'effet de colère sera chaque fois saisissant, comme en vérité tout ce madrigal de vingt-deux minutes. Lorsque, quelques mois plus tard, Monteverdi le fera exécuter, selon sa propre mise en scène et en plein carnaval, ce ne seront aux oreilles du sénateur Girolamo Mocenigo et de ses hôtes que nouveautés et richesses mélodiques. Une musique manifestement révolutionnaire, d'une intensité prodigieuse jusque dans ses temps de silence. Une musique infiniment moderne, qui étonnera bien après la mort de son compositeur en 1643.

Ce madrigal est un pari certes, mais un pari réussi : le rôle écrasant du narrateur rompt radicalement avec tout ce qui se fait à l'époque. Dans ces vingt-deux minutes de musique magistrale, tout est dit, pensé, ressenti, exprimé : la quête de Dieu, celle de la femme, l'angoisse humaine, la désespérance, la passion, la violence de la guerre, l'injustice du destin, l'abandon à la volonté divine, de sorte que les derniers mots de la belle Maure, « *S'apre il ciel io vado in pace* », sont chantés sur une des phrases musicales les plus habitées de toute l'histoire de la musique, concluant une œuvre dominée par la sublimation progressive de l'amour humain dans la miséricorde de Dieu.

*Une musique manifestement révolutionnaire.*

Le baptême de Clorinde agonisant dans les bras de Tancrède donnera à leur passion sa finalité ultime. Loin, très loin de la colère qui habite le musicien, lorsqu'il griffonne devant Venise assoupie.

SOURCES : M.-F. Buwofzer, *LA MUSIQUE BAROQUE 1600-1750. DE MONTEVERDI À BACH*, Paris, 1982. E. Weber, *LE CONCILE DE TRENTE ET LA MUSIQUE. DE LA RÉFORME À LA CONTRE-RÉFORME*, Paris, 1982. J. Porte, *ENCYCLOPÉDIE DES MUSIQUES SACRÉES*, Paris, 1970. Roland-Manuel, *ENCYCLOPÉDIE DE LA PLÉIADE. HISTOIRE DE LA MUSIQUE, T. 1 : DES ORIGINES À JEAN-SÉBASTIEN BACH*, Paris, 1960.

# PIERRE DE BÉRULLE

## *IL FAUT À L'ÉGLISE DES PRÊTRES*
## *ET DES PRÊTRES QUI SOIENT DES SAINTS*

**• 25**
**JUI •**

LE ROI EST ASSIS DEVANT SON BUREAU. IL A LES TRAITS FATIGUÉS. LES QUERELLES INCESSANTES DE LA COUR et la tension permanente entre sa mère et Richelieu l'accablent. Son souci actuel n'est que le plus récent épisode de cette succession d'incidents et de rébellions : il lui faut se réconcilier avec son frère, le jeune Gaston d'Orléans, qui s'est réfugié à Nancy et qui ne veut traiter qu'avec le supérieur de l'Oratoire, le cardinal de Bérulle. Encore un allié de sa mère et de Monsieur de Marillac, encore un opposant farouche au cardinal de Richelieu. Décidément, régner est un rôle bien difficile, et nombreux sont les jours où il préférerait chasser plutôt que régler les affaires de l'État. C'est d'ailleurs dans l'intention de courir quelque gibier qu'il est venu ici à Fontainebleau, et le voilà retenu au château pour régler ce différend avec son frère Gaston. L'humeur de Louis XIII est d'autant plus maussade qu'il aime le cardinal de Bérulle qui fut son précepteur et qu'il sait qu'il lui faudra ordonner pour être obéi. L'opposition entre les deux cardinaux est aujourd'hui affichée. Invité par Richelieu, il y a dix jours, à la signature du traité de paix avec l'Angleterre, Bérulle n'est point venu, répondant que ce traité sacrifiait, pour la seule gloire d'un ministre, et les catholiques et la propre sœur du roi. Décidément se dit le roi...

– Son Éminence est là, sire.

Le roi, absorbé dans ses tristes rêveries, ne s'est même pas aperçu de l'entrée de son valet. Le moment est venu, il enverra donc Bérulle à Nancy et débarrassera pour un temps Richelieu de ce ministre gênant.

Quelques instants plus tard, dans le couloir qui dessert le cabinet du roi, une silhouette rouge prie en marchant : « Ainsi, à cinquante-quatre ans, et malgré toutes mes protestations, il me faut à nouveau prendre les routes des négociations et de la politique. La reine-mère le souhaite, Gaston le veut, le roi l'ordonne, Richelieu y pousse... Que puis-je faire d'autre, Seigneur ? Donnez-moi la force et l'humilité nécessaires à cette mission, et permettez-moi de revenir au plus vite aux affaires de votre Cour céleste qui me sont autrement plus chères et agréables que celles de notre pauvre royaume de France. »

Cette silhouette, c'est celle du cardinal Pierre de Bérulle, fondateur de l'Oratoire de Jésus et chef du Conseil de la Reine. Il sort de chez le roi qui a refusé une nouvelle fois sa requête et a maintenu son ordre. Il lui faut partir. Il part donc. Son carrosse l'attend en bas des marches de l'escalier de Fontainebleau. Il sera à Paris, ce soir... Ensuite à Nancy. Il lui faut aller raisonner le jeune frère du roi. Bérulle est triste et fatigué. En bas des marches, il se retourne vers le château en pensant que les affaires de l'État lui prennent décidément trop de temps, et lui apportent bien peu de satisfactions. Enfin, il monte. « Paris ! », lance-t-il au cocher. Et tandis que les chevaux s'élancent, le cardinal s'installe dans ses pensées, mi-prières, mi-rêveries.

Il se dit qu'il est loin le temps de la liberté. Ce temps de jeunesse où il fréquentait le salon de la belle Madame Acarie. Ce temps où il controversait avec fougue avec les protestants, ralliant les plus acharnés et parfois les plus belles, comme Mademoiselle de Raconis. Oh, certes, il n'avait jamais été un être frivole et, depuis son plus jeune âge, avait toujours préféré le commerce divin au commerce amoureux. Mais, aujourd'hui, il était père et il lui fallait s'occuper de ses fils et de ses filles. Car, des enfants, il en avait de plus en plus.

Ses filles, d'abord, puisqu'elles furent les premières, et parce qu'il sait qu'il doit beaucoup à certaines d'entre elles, notamment à sa cousine, Madame Acarie, qui l'a associé à ce projet aussi ambitieux que difficile. Car, en 1602, quand de nouveau celle-ci a vu Thérèse d'Avila, en songe, lui commander d'introduire le Carmel rénové

> *Il lui faut aller raisonner le jeune frère du Roi.*

en France, c'est à lui, Pierre de Bérulle, qu'elle a fait appel. Il revient sur cet accouchement difficile, et pense à son voyage en Espagne, sans aucun doute la mission diplomatique la plus difficile qu'il ait eu à entreprendre. Plus de sept mois pour obtenir l'accord des carmes espagnols et pour choisir, parmi les carmélites du pays, celles qui repartiraient avec lui pour la France. Comme il avait été heureux de réussir à faire venir celle que Thérèse elle-même nommait la « *Reine des prieures* », mère Anne de Jésus. Les conversations qu'il avait eues avec cette héritière de la spiritualité de Thérèse avaient beaucoup nourri ses oraisons. Il s'en rendait compte aujourd'hui, en songeant aux événements importants de sa vie. Aucune des querelles qui avaient eu lieu avec certains couvents ou certains carmes jaloux de lui ne pourraient jamais ternir les joies et les forces spirituelles que Dieu lui avait données, en faisant de lui l'un des installateurs du Carmel en France.

Mais c'est surtout à ses fils qu'il pense aujourd'hui en regagnant Paris. À tous ces hommes, jeunes ou moins jeunes, qui se sont donnés à l'Oratoire pour réformer le clergé diocésain. Car, si quarante-deux carmels ont vu le jour depuis le premier couvent du monastère de l'Incarnation, ce sont bien soixante maisons de l'Oratoire qui vivent aujourd'hui, à travers toute la France, et répondent à l'appel de nombreux évêques qui veulent former leurs prêtres et, par eux, le peuple chrétien.

Car, en ces temps de crise, il fallait bien agir. Son ami François de Sales lui avait parlé des tentatives italiennes de Charles Borromée et de César de Bus. Mais lui voulait réformer le clergé diocésain et non fonder de nouveaux ordres religieux. C'était donc dans l'Oratoire italien que Philippe Néri avait fondé à Rome qu'il avait trouvé l'intuition la plus proche de la sienne. Comme il avait tardé à la mettre en œuvre ! Tous le pressaient et lui, ne s'en sentant pas digne, cherchait vainement quelqu'un sur qui il eût pu faire reposer son projet. Il ne s'en sent pas moins indigne, mais dans les heures et les années de prière qui se sont écoulées depuis la fondation de l'Oratoire, le 11 novembre 1611, il a accepté d'entreprendre et d'assumer cette réforme nécessaire que le concile de Trente avait appelée de ses vœux, puisque telle était la volonté du Seigneur.

Perdu dans ses pensées, il n'a pas senti la fièvre le gagner. Il a chaud et ses rêveries laissent parfois place au délire. Les idées deviennent vagues et se mélangent. Les scènes de sa vie vont et viennent. Que de batailles politiques, que de luttes dans l'Église, que de temps perdu en discussions stériles... que d'orgueil ! Il est presque inconscient quand le carrosse s'immobilise sur les pavés de la maison de Saint-Magloire, au faubourg Saint-Jacques. Le cocher, inquiet pour la santé de son maître, n'a pas voulu continuer plus loin, et s'est arrêté dans cette toute première maison de l'Oratoire.

> *Il est presque inconscient quand le carrosse s'arrête.*

La communauté accueille son fondateur pour la nuit avant de le transporter le lendemain matin à la maison de la rue Saint-Honoré. Luttant contre la fièvre, Pierre de Bérulle refait le parcours de l'Oratoire. Il se revoit soudain construisant à la hâte avec les maçons la chapelle qui manquait à l'hôtel de Montpensier. C'est de cette chapelle qu'étaient venus les premiers succès de l'Oratoire. Il avait demandé à ses disciples de prêcher souvent, et de donner de nombreuses conférences spirituelles, parfois dialoguées, afin d'édifier le peuple de Paris qui se pressait de plus en plus nombreux à leurs offices. Des sermons courts et simples, disait-il, qui prennent leur source dans la Sainte Écriture et non, comme le voulait l'époque, dans les affaires publiques et les textes antiques. Mais c'est également l'attention portée à la musique qui les avait rendus célèbres et leur avait valu le surnom de « *pères aux beaux chants* ». Leur notoriété était telle que les premiers oratoriens étaient appelés par différents curés des campagnes voisines à prêcher dans leur paroisse. Dans les années qui suivirent, l'Oratoire avait essaimé dans la plupart des grandes villes et régions françaises : Bordeaux, Dieppe, La Rochelle, Lyon, Toulouse, La Lorraine...

Dans les jours qui suivent, le mal empire. C'est un homme à l'agonie qui réside maintenant rue Saint-Honoré. Il n'est plus question de Gaston, du roi ou de Richelieu. Cette disponibilité aux affaires de Dieu qu'il avait prié le Seigneur de lui accorder tandis qu'il quittait Fontainebleau lui a été donnée plus vite que prévu. Comme à son habitude, le cardinal, même malade, préside la messe chaque jour. C'est dans le saint sacrifice que Bérulle célèbre avec le plus de vérité le mystère de l'Incarnation, si cher à son cœur. En ce matin du 2 octobre, il est pourtant si faible qu'il doit consentir à ce qu'on dresse une chapelle dans la pièce avoisinant sa chambre.

Tandis qu'on l'habille et le revêt des habits sacerdotaux, Pierre de Bérulle pense, comme toujours, aux grandeurs de Dieu qui séparent l'homme de lui-même et des choses créées et l'attirent vers Lui. Cette pensée, qui a toujours été le centre de sa spiritualité, et qu'il a tenté de faire partager à ses disciples par ses conférences et son *Discours sur l'État et les grandeurs de Jésus*, prend aujourd'hui une réalité nouvelle. Il y a longtemps qu'il s'est donné tout entier à Dieu pour le servir. Mais, aujourd'hui, il s'agit vraisemblablement de s'abandonner à lui pour l'éternité.

Rassemblant ses faibles forces, il se lève et se dirige vers l'autel. La sueur perle sur son front ; chaque parole, chaque geste est pour lui un effort et une souffrance. Après le premier évangile, il s'évanouit une première fois. Autour de lui, la communauté s'agite, sentant que la fin approche. Mais le cardinal poursuit la célébration. Avant de débuter la prière eucharistique, il reprend son souffle et prononce ces paroles qui résument à elles seules sa vie, son œuvre et sa spiritualité : « *Hanc igitur oblationem servitutis nostrae* » (Daignez agréer, Seigneur, l'oblation de notre servitude). Il ne peut continuer et se trouve mal. La communauté est maintenant réunie autour de lui. On lui apporte l'Eucharistie du dernier voyage. Reprenant force, il demande à contempler l'hostie et à l'adorer. Le supérieur de la communauté, le père Gibieuf, le voyant si proche de la mort, lui donne l'extrême-onction et le presse de bénir la communauté.

> *Après le premier évangile il s'évanouit une première fois.*

Dans un dernier souffle, étendant la main vers la communauté rassemblée autour de lui, il commence la bénédiction « *Ego Benedico* » (Je bénis) puis s'arrête et reprend en rectifiant : « *Jesus et Maria benedicant eam, regant, et gubernent* » (Jésus et Marie la bénissent, la dirigent et la gouvernent). Dans ses dernières paroles, comme dans l'ensemble de son œuvre, le cardinal Pierre de Bérulle a tenu à être à sa place : serviteur de Dieu.

SOURCES : P. Cochois, *BÉRULLE ET L'ÉCOLE FRANÇAISE*, Paris, 1963. W. Frijhoff et D. Julia, « Les oratoriens de France sous l'Ancien Régime. Premiers résultats d'une enquête », in *R. H. E. F.*, 1979. R. Lemoine, *LE DROIT DES RELIGIEUX, DU CONCILE DE TRENTE AUX INSTITUTS SÉCULIERS*, Paris, 1956. M. Dupuy, *BÉRULLE ET LE SACERDOCE. ÉTUDE HISTORIQUE ET DOCTRINALE*, Paris, 1969.

# VINCENT DE PAUL

## *COMMENT UN AMBITIEUX*
## *DEVINT L'APÔTRE DE LA CHARITÉ*

**• 26**
**JUI •**

C'EST UN FROID GLACIAL QUI SAISIT VINCENT DE PAUL alors qu'il quitte la demeure parisienne du cardinal de Richelieu, en ce 8 janvier 1632. L'hiver promet d'être rude, mais ce fils de paysan, au savoureux accent – dont on se moque à Paris, mais qu'il ne perdra jamais –, s'en soucie peu. Il a autre chose en tête. Le sourire radieux qui illumine son visage aux traits réguliers en dit long. Ses yeux noirs pétillent. Il vient de convaincre le cardinal de Richelieu d'appuyer un projet qui lui tient à cœur depuis longtemps : créer une maison pour accueillir les plus déshérités et les instruire dans la foi chrétienne.

Ce lieu d'accueil a déjà un nom : la maison Saint-Lazare. C'est une ancienne léproserie. Il en fera un asile, un lieu d'instruction pour les plus démunis. Grâce à Saint-Lazare, celui que l'on nomme *Monsieur Vincent* va enfin pouvoir réaliser son vœu le plus cher : se consacrer aux plus pauvres. Car ils sont des millions d'hommes, de femmes et d'enfants à souffrir de la guerre, des épidémies et de la famine qui ravagent la France du XVIIᵉ siècle. Dans ce pays de vingt millions d'habitants, où l'on compte parfois jusqu'à vingt-deux enfants par famille, où l'âge moyen ne dépasse pas vingt-cinq ans, on se nourrit peu et mal. La viande est un luxe réservé aux riches, nobles ou bourgeois, les paysans doivent se contenter de légumes, de soupe et de pain : « *J'ai été porcher* », aime souligner Vincent à la fin de sa vie. Dès sa plus tendre enfance, il dut faire paître le bétail. Il partait, nu-pieds, souvent à plus de quarante kilomètres de chez lui, dans la plaine de Chalosse, et dormait à la belle étoile. De cette époque difficile, il garde néanmoins un bon souvenir : « *Aller finir ma vie auprès d'un buisson en travaillant dans quelque village, je serais bien heureux s'il plaisait à Dieu de me faire cette grâce.* »

Vincent voit le jour le 24 avril 1581, à Pouy, dans les Landes, alors que l'hiver n'en finit pas et que la pluie menace les récoltes. C'est de sa mère, Bertrande Depaul, au visage toujours éclairé d'un inépuisable amour pour ses enfants, qu'il reçoit le sens du travail et son inaltérable compassion envers les pauvres. Vincent chérit tendrement sa mère, mais les origines et l'allure paysannes de son père – dont il a hérité la petite taille – le gênent : « *J'avais honte d'aller avec mon père dans la ville, parce qu'il était mal habillé et un peu boiteux.* » Cette vie étriquée étouffe Vincent. Un de ses parents éloignés, prêtre à quelques kilomètres de Pouy, le pousse à faire des études. Élève des cordeliers de Dax, puis étudiant à la faculté de théologie de Toulouse, il est ordonné prêtre en 1600. Il a vingt ans à peine. Il commence alors à voyager à travers le pays. Mais Vincent a de l'ambition : Paris le fascine. À Paris, il sera quelqu'un, il en est certain ! Un événement imprévu et extraordinaire l'empêche de rejoindre la capitale. En 1605, âgé de vingt-quatre ans, alors qu'il se rend en bateau de Marseille à Narbonne, il est enlevé par des pirates turcs et vendu comme esclave à Tunis où il passe deux années chez quatre maîtres « barbaresques » différents. Il réussit à s'évader grâce à la complicité de l'épouse de son dernier maître. Enfin, il rentre en France.

Après un an de nouvelles pérégrinations, qui le mènent notamment à Rome, Vincent arrive à Paris un matin de 1608. Il a vingt-sept ans. Il se rend immédiatement sur le Mont Valérien, d'où il découvre la capitale endormie, enveloppée d'une fine brume rosée. Il jubile : Paris est à lui. Alors qu'il visite des malades à l'hôpital de la Charité, il rencontre Pierre de Bérulle, un aristocrate entré dans les ordres. Bérulle remarque immédiatement les qualités du jeune prêtre, et le devine taillé pour un destin hors du commun. Il le prend sous sa protection et le pousse à côtoyer les grands de ce monde.

Dévoré par l'ambition, Vincent décide de suivre le conseil de son ami Bérulle. Et c'est avec une grande fierté qu'il apprend, en 1610, qu'il est nommé aumônier de la reine Marguerite, duchesse de Valois, plus connue sous le nom de « la reine Margot » et réputée pour sa grande beauté. Vincent a ses entrées au palais, qu'il arpente tel un enfant avide de découvrir ces mystérieux corridors, ces antichambres feutrées où l'on chuchote, ces salles de bals où intriguent en tournoyant les plus belles femmes de la cour. Sa félicité est à son comble. Insouciant, fasciné, le jeune prêtre s'enivre des fastes de la vie de château. En 1612, il obtient d'être nommé curé de la riche paroisse de Clichy et se surprend à aimer ses paroissiens, même les plus humbles. Mais en 1613, il est nommé précepteur des enfants du prince de Gondi. « *Je m'éloignais tristement de ma petite église de Clichy. Mes yeux étaient baignés de larmes.* » Sa carrière mondaine est à son sommet. Vincent s'ennuie cependant. Sa vie lui semble vaine, la tristesse s'empare de lui. Une nuit froide de l'hiver 1617, alors qu'il confesse un mourant, la tendre image de sa mère, pleine d'amour et de compassion, lui apparaît. Il déclare : « *Sans cette confession, j'étais damné.* » C'est de cette nuit tourmentée que date sa « conversion ». Tremblant, les yeux remplis de larmes, Vincent fait vœu de se consacrer à Dieu à travers les pauvres, en particulier des plus jeunes. Ce sera désormais son unique mission.

Il use de son influence pour obtenir

> *À Paris, il sera quelqu'un.*

une paroisse parmi les plus déshéritées du royaume et, en 1617, il arrive à Chatillon-sur-Chalaronne au cœur des Dombes marécageuses. Un jour qu'il célèbre la messe dans sa nouvelle paroisse, il s'inquiète de l'absence d'une famille. Il questionne ses paroissiens. « C'est la fièvre, monsieur le curé, elle nous prendra tous. » C'est compter sans l'ardeur de Vincent. Il en appelle à la solidarité de ses paroissiens. Dès la sortie de l'église, les bonnes gens se pressent, lui apportant qui des vivres, qui des médecines, qui du linge. Mais sauver une famille ne suffit pas. Il fonde la première Confrérie de la Charité. « *Aimons Dieu, mes frères, aimons Dieu, mais que ce soit aux dépens de nos bras, que ce soit à la sueur de nos visages.* » Dès lors, Vincent ne cessera plus de chercher les plus pauvres parmi les pauvres. Abandonnés de tous, condamnés par la justice humaine, victimes de la fatalité, de la misère, tous ceux que ce monde méprise et voudrait oublier sont l'objet de son attention. Et c'est l'âme en peine qu'il quitte les Dombes, rappelé à Paris par le prince de Gondi. Mais, désormais, s'il fréquente les grands de ce monde, c'est pour leur arracher des secours pour ses pauvres.

Un matin de 1619, Vincent rend visite aux galériens emprisonnés dans les cachots humides de la Conciergerie. Il est pris de pitié pour ces hommes enchaînés, au visage désespéré. Ému, il ne trouve pas de mots. Il se fait nommer aumônier général. Pour Vincent, ce n'est ni un poste, ni un titre. Il décide d'aller dans les lieux de détention de Marseille où les forçats sont les plus nombreux. Là, le spectacle qui s'offre à ses yeux le bouleverse. Les hommes fouettés, affamés et assoiffés, le supplient de leur regard : « *C'est une vraie image de l'enfer* », dit-il. « *Je m'employais par prières et remontrances envers les comités et autres officiers, à ce qu'ils fussent traités plus humainement.* » Mais d'autres misères attendent Vincent.

En 1625, grâce au soutien financier de Madame de Gondi, il crée la Société des Prêtres de la Mission pour lutter contre la misère spirituelle des campagnes, trop souvent abandonnées à l'ignorance par des prêtres mal formés. Mais l'œuvre qui lui tient le plus à cœur est sans doute celle qui voit le jour à l'aube de 1632. Ce 8 janvier, malgré le froid terrible qui engourdit la capitale, est l'un des plus beaux jours de sa vie : la maison de Saint-Lazare est née. Vincent y accueille les plus déshérités.

Cette maison qui donne sur la route de Saint-Denis – actuelle rue du faubourg Saint-Denis – reçoit des aliénés et des délinquants adultes. Une nuit, alors qu'il n'arrive pas à s'endormir, Vincent revoit ces enfants qui vivent dans les rues de Toulon ou de Marseille, abandonnés de tous. Il pense aux 300 enfants qu'il a sauvés à Mâcon, onze années plus tôt. Ils sont des milliers aujourd'hui à Paris. Le lendemain, sa décision est prise. Il accueillera à Saint-Lazare les enfants

*Tous ceux que ce monde méprise sont l'objet de son attention.*

abandonnés. Pour lui, rien n'est plus précieux que les enfants perdus : « *Leur vie et leur mort sont entre nos mains* », déclare Vincent aux prêtres de la Mission. « *Il faut les enlever aux milieux qui les dépravent.* »

L'enfant malheureux a des droits, scande Vincent à qui veut l'entendre. En 1638, il crée l'œuvre des Enfants trouvés. Jusqu'à la fin de sa vie en 1660, Vincent ne connaît pas un moment de repos. Il lui faut organiser les œuvres, en particulier celle des Filles de la Charité qu'il a fondée avec Louise de Marillac en 1633. Il ne cesse d'intervenir dans les plus hautes sphères de l'État ; c'est ainsi qu'en 1643, Anne d'Autriche le nomme au « Conseil de Conscience » pour la soutenir dans sa régence. Monsieur de Bérulle avait vu juste : ce jeune homme ambitieux avait un destin hors du commun.

> *L'enfant malheureux a des droits, scande Vincent.*

SOURCES : Vincent de Paul, *ENTRETIENS SPIRITUELS AUX MISSIONNAIRES*. D. Julia, « L'expansion de la congrégation de la Mission de la mort de Vincent de Paul à la Révolution française », in *VINCENT DE PAUL, ACTES DU COLLOQUE INTERNATIONAL D'ÉTUDES VINCENTIENNES*, Rome, 1983. P. Coste, *LE GRAND SAINT DU GRAND SIÈCLE, MONSIEUR VINCENT*, Paris, 1932. L. Mezzadri et J.-M. Roman, *HISTOIRE DE LA CONGRÉGATION DE LA MISSION*, t. I, Paris, 1994. A. Dodin, *SAINT VINCENT DE PAUL ET LA CHARITÉ*, Paris, 1960.

# LES MAYS DE NOTRE-DAME

## QUAND LE BON PEUPLE DE PARIS

### DÉCORE SA CATHÉDRALE

**27
JUI**

PAR UN MATIN ENSOLEILLÉ DE 1637, LAURENT DE LA HYRE, UN JEUNE ARTISTE talentueux et célèbre, quitte son hôtel particulier pour se rendre en fiacre chez le notaire. Alors que la guerre de Trente Ans ravage l'Europe depuis bientôt deux décennies, lui a le cœur léger. Il vole vers le succès. En effet, une heure plus tard, il signe avec deux orfèvres de la corporation parisienne un contrat fort intéressant qui lui assure la commande d'un *May*, tableau illustrant une scène de la vie des apôtres, pour Notre-Dame de Paris. Pour Laurent de La Hyre, qui vient d'avoir trente ans, c'est la consécration ! Deux ans auparavant, en 1635, il avait exécuté un autre *May*, grâce à cette même corporation. Celle-ci perpétue une longue tradition, marchands et artisans s'étant associés très tôt à la vie de la cathédrale. Ainsi la confrérie des orfèvres avait offert à Notre-Dame la châsse contenant les reliques de saint Marcel. Pour les remercier, une chapelle leur avait été attribuée.

La Hyre, en sortant de chez le notaire, décide de rentrer chez lui à pied, car la perspective d'avoir à peindre un second *May* le grise et il a besoin d'air frais. Traversant Paris, il se souvient de ce que lui racontait son cher maître, aujourd'hui disparu, sur les « princes de may ». Au XVᵉ siècle, ceux-ci, membres de la corporation des orfèvres, avaient coutume de déposer, chaque premier mai – on écrivait alors may – un arbre verdoyant devant la cathédrale Notre-Dame. Deux siècles plus tard, en 1630, les orfèvres changent de programme, en accord avec le chapitre de Notre-Dame : chaque premier mai, ils offriront désormais à la cathédrale un important tableau de 3 mètres 50 sur 2 mètres 75. Conformément aux vœux de l'Église, les orfèvres choisissent, pour illustrer la toile, des scènes inspirées des textes canoniques. Ainsi, la série des grands *Mays*, qui raconte de très beaux passages du Nouveau Testament, est tout à fait conforme aux directives du concile de Trente : les *Actes des Apôtres* représentent la principale source d'inspiration, illustrant l'apostolat des Apôtres Pierre et Paul, ou des diacres Étienne et Philippe. D'autres sujets sont choisis dans les évangiles ; enfin les scènes de martyre des Apôtres sont empruntées aux actes apocryphes.

La Hyre dirige maintenant ses pas vers l'île de la Cité, où trône, telle une reine, la majestueuse cathédrale. Il repense à tous ceux qui, durant près d'un siècle, de 1163 à 1245, ont contribué à sa construction. Le jeune homme s'arrête pour contempler l'auguste monument dont les lignes nobles et pures se détachent sur le ciel bleu. Mais, soudain, une pensée contrariante s'impose à son esprit : dans l'exécution d'un *May*, le choix du sujet, et souvent le détail même de l'iconographie, échappent entièrement à l'artiste. Ainsi, en 1635, le premier *May* de Laurent de La Hyre illustrait exactement la scène de *Saint Pierre guérissant les malades par son ombre* (Actes des Apôtres), et il avait reçu des directives très précises. Aura-t-il, pour le second, aussi peu de liberté ?

Il est temps de se mettre au travail. Le jeune artiste rencontre François Henault et Antoine de La Fosse, les maîtres-orfèvres du *May* de 1637, qui lui proposent d'illustrer le célèbre épisode de la *Conversion de saint Paul*. La Hyre s'enthousiasme rapidement pour son travail et met tout son talent à exécuter cette commande. Il oublie que le *May* lui a été imposé car ce sujet le passionne ! Il découvre avec émotion que dans l'épisode de la *Conversion de saint Paul*, ce dernier s'appelle encore Saul et persécute les chrétiens. C'est sur le chemin de Damas que Saul est ébloui et renversé par une grande lumière, laquelle le rend aveugle tout en ouvrant son esprit à la Vérité.

> *Une pensée contrariante s'impose à son esprit.*

Laurent de La Hyre médite longuement ce passage de la vie de Paul, et entreprend une composition ambitieuse. Les *Mays*, destinés à être exposés au public dans la cathédrale, sont tous préparés avec soin. C'est pourquoi La Hyre exécute d'abord de nombreux dessins. Dans une de ses études préparatoires – un *bozetto* – il ne fait pas apparaître le Christ dans le ciel. Son interprétation est conforme au texte des Actes des Apôtres (9, 1-9) qui parle de *lumière* et de *voix*, non de vision : « *Il faisait route et approchait de Damas, quand soudain une lumière venue du ciel l'enveloppa de sa clarté. Tombant à terre, il entendit une voix qui lui disait : "Saul, Saul, pourquoi me persécutes-tu ?" – "Qui es-tu Seigneur ?" demanda-t-il. Et lui : "Je suis Jésus que tu persécutes. Mais, relève-toi, entre dans la ville, et l'on te dira ce que tu dois faire." Ses compagnons de route s'étaient arrêtés, muets de stupeur : ils entendaient bien la voix, mais sans voir personne. Saul se releva de terre, mais, quoiqu'il eût les yeux ouverts, il ne voyait rien. On le conduisit par la main pour le faire entrer à Damas. Trois jours durant, il resta sans voir, ne mangeant et ne buvant rien.* » (Actes des Apôtres, 9, 3-9). La Hyre a traduit la scène par le seul effet de lumière. Mais les orfèvres ne sont pas d'accord : le spectateur qui connaîtrait mal le Nouveau Testament serait par trop plongé dans l'incertitude ! Ils lui demandent de modifier sa composition. Le grand *May* montre donc le Christ qui apparaît dans la nuée ; Saul l'écoute, les yeux déjà atteints par la cécité dont seul Ananie pourra le délivrer.

La toile de La Hyre est enfin prête. Elle est tendue sur châssis et encadrée avant de quitter l'atelier pour être exposée à Notre-Dame, devant l'autel de la Vierge. Le premier jour de mai, les fidèles se pressent devant le portail pour admirer le nouveau tableau. Plus tard, il trouvera sa place définitive avec les autres grands *Mays* accrochés aux piliers, tournés vers la nef centrale. Les plus grands noms de l'art classique succédèrent à Laurent de La Hyre : Eustache Le Sueur pour la *Prédication de saint Paul à Éphèse* (1649), Charles Le Brun pour le *Martyre de saint André* (1647) puis pour le *Martyre de saint Étienne* (1651). Presque tous furent membres de l'Académie royale de peinture. La tradition des *Mays* demeura jusqu'en 1707 et les soixante-seize tableaux – il n'en fut pas offert en 1683 et 1684 – ornèrent la nef et les bas-côtés de Notre-Dame jusqu'à la Révolution. Dispersés à cette époque, les *Mays* de Notre-Dame, dont certains ont été malheureusement perdus, se trouvent aujourd'hui dans les réserves du Louvre et de certains musées, dont celui d'Arras, ou dans les cathédrales de Versailles, Lyon et Toulouse. Une douzaine de *Mays* seulement ont repris place dans les chapelles latérales de Notre-Dame : parmi eux se trouvent ceux, tant admirés, de Laurent de la Hyre. Cet artiste du XVIIe siècle a largement contribué, par son talent et sa foi profonde, à la naissance de cet art religieux qui a fleuri avec la Réforme catholique.

> *Les fidèles se pressent pour admirer le nouveau tableau.*

SOURCES : « Les Mays de Notre-Dame de Paris d'après un manuscrit conservé aux Archives Nationales », in *MÉMOIRES DE LA SOCIÉTÉ DE L'HISTOIRE DE PARIS ET DE L'ÎLE DE FRANCE (1886)*, Paris, 1887. Bellier de la Chavignerie, « Les Mays de Notre-Dame », in *GAZETTE DES BEAUX-ARTS*, 1864. Vaillant, « Les Mays de Notre-Dame de Paris, la confrérie Royale de Sainte-Anne et de saint-Marcel et la corporation des Orfèvres de Paris », in *NOUVELLES ARCHIVES DE L'ART FRANÇAIS*, 2e série, Paris, 1880-1881. Auzas, *LES GRANDES HEURES DE NOTRE-DAME DE PARIS*, catalogue de l'exposition « Les Mays » dans la chapelle de la Sorbonne, Paris, 1947.

# LE VŒU DE LOUIS XIII
## OU LA CONSÉCRATION DE LA FRANCE
### À LA VIERGE

**28
JUI**

« *EN VÉRITÉ, C'EST UN COUP DE DIEU !* », S'EXCLAME VIVEMENT LE CARDINAL RICHELIEU, à l'annonce de la victoire quasi miraculeuse des armées françaises à Corbie et de la capitulation des armées espagnoles, ce 11 novembre 1636, en la fête de la Saint-Martin.

Soulagé, Richelieu peut l'être. Depuis que la guerre a été déclarée au roi d'Espagne, Philippe IV, en 1635, le royaume de France vit dans l'angoisse. Il faut dire que cette guerre a bien mal commencé pour les Français. En 1636, pendant que les armées impériales envahissaient la Bourgogne, les Espagnols avaient franchi la Somme, et s'étaient emparés de la ville de Corbie, avant de se répandre en Picardie et d'avancer vers Pontoise. Pourvu que l'ennemi ne pousse pas sur Paris ! La peur était telle, et les esprits en furent si vivement impressionnés, que l'expression « l'année de Corbie » resta longtemps dans le langage populaire synonyme de catastrophe.

Devant les périls auxquels le royaume de France se trouvait exposé, Richelieu, qui était un homme d'action mais aussi un homme de foi, avait en mai 1636 écrit à Louis XIII : « *On prie Dieu à Paris, par tous les couvents, pour les succès des armées de Votre Majesté. Si elle trouvait bon de faire un vœu à la Vierge avant que ses armées commencent à travailler, il serait bien à propos.* »

Et voilà qu'après de rudes affrontements, alors que le sort semblait s'acharner contre eux, paysans, nobles et bourgeois unis au nom de leur roi dans la défense de leur pays, voyaient la bataille tourner providentiellement en leur faveur, et que d'assiégeants, les Espagnols se retrouvaient assiégés.

À l'annonce de cette victoire qui sauvait la France de l'invasion, le roi, retiré à Chantilly, se souvint des paroles de son fidèle ministre et, certain que la prière de Marie avait protégé la France, convint qu'il n'avait que trop tardé à réaliser ce vœu. C'est ainsi que la victoire de Corbie fut décisive dans la promulgation du vœu par lequel Louis XIII consacrait sa personne et son royaume à la mère de Dieu. L'action de grâces que le roi rendit à Notre-Dame de Paris, en cette fin du mois de novembre 1636, se trouva confirmée dans le texte appelé « Vœu de Louis XIII » ou « Consécration de la France à la Vierge ».

Par cet édit du 10 février 1638, Louis XIII consacrait sa personne, son État, sa couronne et ses sujets à la « *très sainte et très glorieuse Vierge* », qu'il prenait pour protectrice spéciale du royaume de France : « *Louis, par la grâce de Dieu, roi de France et de Navarre, [...] nous avons déclaré et déclarons que, prenant la très sainte et très glorieuse Vierge pour protectrice spéciale de notre royaume, nous lui consacrons particulièrement notre personne, notre État, notre couronne et nos sujets, la suppliant de nous vouloir inspirer une sainte conduite et défendre, avec tant de soin, ce royaume contre l'effort de tous ses ennemis, que, soit qu'il souffre le fléau de la guerre, ou jouisse de la douceur de la paix que nous demandons à Dieu de tout notre cœur, il ne sorte point des voies de la Grâce qui conduisent à celle de la gloire.* »

Et, pour que la postérité garde en mémoire cette consécration qui plaçait la France sous la protection de la Mère de Dieu, Louis XIII décida de faire reconstruire le grand autel de la cathédrale de Paris. Il souhaitait y figurer, offrant sa couronne et son sceptre à la Vierge représentée en Pietà.

Le roi mourut avant que la statue fût achevée, et c'est Louis XIV qui, à la fin de son règne, fit exécuter dans la pierre le vœu de son père. Il se fit représenter lui-même à genoux, reconnaissant ainsi l'intervention divine dans cette journée du 11 novembre 1636, où la France avait été si près de se perdre !

À la suite de ce vœu, de magnifiques processions eurent lieu dans tout le pays, et, en mémoire de la protection de la Vierge, il fut décidé que les cloches de Notre-Dame sonneraient chaque 15 août, rappelant aux Français ce qu'ils devaient à la mère de Dieu. Les cloches sonnèrent chaque année jusqu'au 14 août 1792, date à laquelle la Convention se réunit en toute hâte pour arrêter cette manifestation de piété jugée déplacée. Il fallut attendre Napoléon qui renoua avec cette tradition, pour que l'Assomption devînt l'une des quatre fêtes chômées de l'année et que la Vierge soit remise à l'honneur en France.

> *La Vierge protectrice du royaume de France.*

SOURCES : D. Richet, *DE LA RÉFORME À LA RÉVOLUTION. ÉTUDES SUR LA FRANCE MODERNE*, Paris, 1991. R. Laurentin, *LE VŒU DE LOUIS XIII*, Paris, 1988.

# LOUISE DE MARILLAC

## *QUAND UNE JEUNE VEUVE*
### *INVENTE LES « BONNES SŒURS »*

**• 29 JUI •** PARIS, 1642. QUATRE HEU-RES SONNENT AU CLOCHER DU PRIEURÉ SAINT-LAZARE. C'est à peine si le chant de quelques oiseaux salue les premières lueurs de l'aube. Mlle de Marillac vient de se lever. Une courte prière, une toilette rapide... Louise a cinquante ans. Vite, elle se rend à la chapelle. Comme chaque matin, elle va y puiser des forces pour la journée. C'est là qu'elle vient parler au Seigneur de ses projets. Jésus n'a-t-il pas dit : « *Sans moi, vous ne pouvez rien faire ?* »

Cinq heures, déjà ! Louise de Marillac s'en va réveiller « ses » quatre-vingt filles. Certaines, toutes jeunes encore, sont postulantes, d'autres, plus âgées, sont déjà « Filles de la Charité ». Toutes sont là parce qu'elles aiment « *leurs seigneurs les pauvres* » autant que leur Seigneur Dieu. « *In nomine Patris, et Filii, et Spiritus Sancti...* » Une heure d'oraison, un temps de méditation en commun et voilà les sœurs déjà prêtes à partir. Partir ? Mais pour aller où ? Dans les rues, les hôpitaux, partout où la pauvreté les appelle. Car les Filles de la Charité ne sont pas des religieuses comme les autres. Comme

aime à le répéter leur sœur servante, Mlle de Marillac, elles ont « *pour monastère les maisons des malades, pour chapelle l'église paroissiale et pour cloître les rues de la ville* ». Dans le dévouement et l'efface-ment le plus complet, toutes vivent de cette parole de Jésus : « *Ce que vous avez fait au plus petit d'entre les miens, c'est à moi que vous l'avez fait.* »

Mais quelle révolution pour l'époque ! Si les couvents se multiplient, la misère, elle, poursuit son œuvre. Car la spiritua-lité se vit loin de la rue et de ses pauvres : « Hors de son couvent, point de salut », pourrait-on dire... Qui donc va s'occuper des pauvres, des forçats, des vieillards, des infirmes, des enfants abandonnés ? Qui ira soigner les malades dans les hôpitaux insalubres ? Et les paysans, que La Bruyère décrit « *tout brûlés de soleil, attachés à la terre qu'ils fouillent et qu'ils remuent avec une opiniâtreté invincible, vivant de pain noir, d'eau et de racines* », qui les sortira de leurs difficultés ? Sans compter les guerres, les famines, les épi-démies qui s'ajoutent à la misère quoti-dienne... Oui, une révolution de l'Amour est nécessaire, tant la misère est grande au royaume de France.

– Aujourd'hui, mes sœurs, je vous accompagne, annonce Louise.

En route donc, les pauvres ne peuvent attendre ! Elles sont issues, pour la plupart, de milieux populaires, le travail ne leur fait pas peur. Vêtues d'une simple robe de serge et chaussées de sabots, les « sœurs grises » ne passent pas inaperçues ! Saluées sur leur passage, elles répondent par de discrets sourires, mais ne s'attardent pas en chemin : ce sont les pauvres, les malades, les miséreux qu'elles veulent voir... Pourtant, les voilà qui s'arrêtent devant une riche demeure !

– Tenez, mes sœurs, prenez ces pains chauds... Et voici aussi quelques chandelles et des vêtements que nous avons confectionnés ces derniers jours. Que Dieu vous garde ! dit simplement une dame de la Charité, en sortant de la maison pour leur donner les vivres.

*Les enfants accourent pour les embrasser.*

Indispensables au travail des Filles de la Charité, ces femmes sont, elles aussi, consacrées aux pauvres. Mais comme ce sont des aristocrates, elles ne peuvent « se montrer » dans les quartiers pauvres. Alors, les sœurs prennent leur relais.

D'ailleurs, les voici maintenant arrivées dans les ruelles de Saint-Nicolas. Aussitôt, les enfants accourent pour les embrasser... Des femmes, tristes et silencieuses, les dévisagent avec insistance. Leur première réaction est la défiance, la misère isole et rend farouche, mais bientôt, leurs visages s'éclairent d'un

pâle sourire. Et c'est tout un quartier qui semble retrouver la joie et la gaieté.

– Des pains tout chauds, mes amis... Servez-vous bien !

– Merci ! Et quand reviendrez-vous ?

– Demain, après-demain, et autant que Dieu voudra !

De son côté, Louise vient d'entrer dans une sombre masure. Dans la pénombre, elle distingue une jeune femme qui allaite son nouveau-né et, à ses côtés, un vieillard qui semble attendre la mort.

– Tenez, voici quelques bouts de chandelle pour y voir plus clair, des draps neufs pour votre père et des langes tout propres pour le petit.

– Oh, comment vous remercier ? répond la femme, les yeux remplis de larmes.

– Ce n'est pas moi qu'il faut remercier, ma bonne, mais Dieu notre Père.

De retour au faubourg Saint-Denis, les filles assistent dévotement à la messe. Louise s'abandonne à la prière : « *Seigneur, apprenez-moi à aimer toujours plus les pauvres ! Malades, enfants abandonnés, prisonniers, galériens, vieillards... tous ont besoin d'être secourus. Mon Dieu, envoyez des ouvrières à votre moisson ! Et répandez en mon âme les lumières de votre Saint-Esprit... »*

Tout à coup, une clochette retentit et la porte s'ouvre sur une jeune paysanne. « Bon regard, yeux pétillants, une vraie fille de la campagne », pense aussitôt Louise.

– Bonjour. Qui êtes-vous et que pouvons-nous pour vous ?

– Je m'appelle Jeanne et je viens pour être fille de la Charité.

– Qui vous envoie ?

– Le curé de mon village.

– Fort bien. Aimez-vous le Seigneur Dieu ?

Le visage de la femme s'éclaire :

– Oui, je l'aime. Et si j'ai quitté père et mère, c'est pour me donner au service des pauvres pour l'amour et la gloire de Dieu.

– Avez-vous quelques affaires avec vous ?

– Oui, mon nécessaire ainsi qu'une petite bourse.

– Nous vous accueillons ici avec joie, Jeanne. Déposez votre balluchon et venez nous rejoindre pour le repas.

« Après Marthe, voici Jeanne... Merci mon Dieu ! », murmure Louise. Oui, c'est Dieu lui-même qui met au cœur de simples paysannes le désir de servir les plus pauvres, c'est bien lui qui envoie des ouvrières pour sa moisson. Et Louise de se souvenir avec émotion des débuts de l'œuvre... Elle aurait pu devenir une veuve repliée sur elle-même, tourmentée et scrupuleuse, tant la mort de son époux l'avait ébranlée. Heureusement, son fils Michel l'avait aidée. Mais c'est sa rencontre avec Vincent de Paul qui a été décisive. Avec lui, elle a appris à se donner aux autres. Elle n'oubliera jamais le jour où, venue lui proposer son aide pour les plus malheureux, elle s'était entendu répondre : « *Oui, ma chère demoiselle, je le veux bien. Pourquoi non, puisque Dieu vous a*

*donné ce sentiment ?* » Elle avait alors repris son nom de jeune fille. Et ce furent, dès 1629, les visites des charités dans toute la France, puis l'accueil des premières filles en novembre 1633.

Des rires parviennent aux oreilles de Louise.

– Allez, notez : « chandelle ». Comment l'écrivez-vous, Marguerite ?

C'est maintenant le temps de la formation des sœurs : écriture, lecture, calcul mais aussi catéchisme, soins d'infirmerie... Pour scolariser les enfants ou soigner les malades, ces femmes – pour la plupart illettrées – doivent d'abord devenir écolières... Elles y mettent une bonne volonté évidente, mais ce n'est pas si facile !

Puis, à nouveau, les sœurs se dispersent dans Paris. Et ce sont une fois encore les sourires sur leur passage, la reconnaissance des pauvres, et la même allégresse de ces femmes dans leur besogne. « *Mes chères sœurs, soyez bien affables et douces à vos pauvres, leur dit souvent leur sœur servante. Vous savez que ce sont nos maîtres et qu'il nous les faut aimer tendrement et les respecter fortement. Ce n'est pas assez que ces maximes soient dans notre esprit, il faut que nous le témoignions par nos soins charitables et doux.* »

Au faubourg Saint-Denis, Vincent de Paul vient d'arriver chez les Filles de la Charité.

– Mon Père !

Louise est toujours aussi émue de retrouver ce prêtre au regard si bon.

> *Je m'appelle Jeanne et je viens pour être Fille de la Charité.*

Comment pourrait-elle oublier qu'il est à l'origine de sa vie donnée aux pauvres ?

– Alors, mademoiselle, comment vont nos charités ?

– Avec la grâce de Dieu, le mieux du monde. Les dames et les filles travaillent bien ensemble, tant il est vrai que les unes ne peuvent aller sans les autres. Nos filles se dévouent sans compter pour les miséreux de toutes sortes... Elles sont une bénédiction de Dieu, même si, aujourd'hui encore, j'ai dû en renvoyer une. Elle était trop mélancolique et semblait préférer Paris à ses pauvres.

– Et que deviennent nos fondations ? Saint-Germain ? Richelieu ? Angers ? Les nouvelles sont-elles bonnes ?

– Partout où vont nos sœurs, elles sont bien accueillies. Et j'ai ouï dire qu'à Nantes aussi, l'évêque nous veut. Je pense m'y rendre avec Barbe et Marie...

– Mademoiselle, prenez garde de n'en pas trop faire. Votre santé est fragile. L'Esprit de Dieu incite à entreprendre le bien que raisonnablement l'on peut faire, afin qu'on le fasse persévéramment et longuement. Faites donc ainsi, mademoiselle, et vous agirez selon l'Esprit de Dieu.

Ils sont si différents : Vincent, le paysan prudent... Louise, la dévote sensible et pressée...

– Monsieur Vincent, je suis inquiète pour certaines de nos filles. L'une a quitté la communauté avec ses vêtements : elle va sans doute les revendre pour se faire du bon argent. Une autre a entrepris de correspondre avec un ancien camarade.

– Laissez faire ! Le diable tente, mais la grâce surabonde... encourage Monsieur Vincent avec douceur.

– Et nos vœux ? Qu'en dites-vous ?

– Le temps est venu, pour vous et quatre de vos filles, de les prononcer. La cérémonie aura lieu le 25 mars prochain. Nous établirons ensuite une règle de vie, mais elle ne devra pas vous contraindre. Comme les oiseaux ont des ailes pour voler, les Filles de la Charité ont besoin d'une règle pour aller plus librement vers Dieu...

– *Deo gratias* ! Mais parlez-moi de Michel, mon fils très aimé.

– Soyez sans crainte, il va bien. Occupé à nos missions, il nous rend bien des services. Mais je vous en prie, songez qu'il a déjà vingt-neuf ans. Laissez Dieu le conduire, il est plus son père que vous n'êtes sa mère, et il l'aime tout autant que vous.

Déjà, le soir tombe... Au faubourg Saint-Denis, mais aussi ailleurs à Paris, en banlieue et dans toute la France, les sœurs grises rentrent à la maison. *« N'oubliez pas, mes filles, qu'il vous faut avoir une conduite sans reproche*, exhorte Vincent de Paul. *Votre mission est belle... et les religieuses confinées pour toute leur vie dans un cloître ne feront rien de plus que vous ! Maintenant, mes filles, lisons le saint Évangile. »* Un court sermon, un léger souper, un dernier temps de prière et les filles vont se coucher. Dans le silence de

> *J'ai dû en renvoyer une. Elle était trop mélancolique.*

la nuit, Louise de Marillac, regagne la chapelle. « *In manus tuas, Domine, commendo spirituum meum...* » Oui, tout est remis entre les mains du Seigneur : la sœur servante peut s'endormir dans la paix.

Aujourd'hui encore, aux quatre coins du monde, quarante mille Filles de la Charité font, chaque soir, la même prière au Seigneur. À la suite de Louise, elles cherchent à soulager les misères qui accablent les hommes et les femmes de notre temps. Mais cela, Mlle de Marillac – morte le 15 mars 1660 – ne s'en doute pas...

Pourtant, Vincent de Paul l'avait prédit : « *Oui, mes filles, si vous restez fidèles à votre règle, Dieu fera par votre compagnie des choses dont on n'a jamais ouï parler.* »

> *Laissez Dieu le conduire,*
> *il est plus son père*
> *que vous n'êtes sa mère.*

SOURCES : Louise de Marillac, *ÉCRITS SPIRITUELS*. A. Dodin, *SAINT VINCENT DE PAUL ET LA CHARITÉ*, Paris, 1960. P. Coste, *SAINT VINCENT DE PAUL, CORRESPONDANCE, ENTRETIENS, DOCUMENTS*, Paris, 1920-1925. S. Delort, « Du règlement de Châtillon aux règles des Filles de la Charité » in *VINCENT DE PAUL. ACTES DU COLLOQUE INTERNATIONAL D'ÉTUDES VINCENTIENNES*, Rome, 1983. E. Charpy, *PETITE VIE DE LOUISE DE MARILLAC*, Paris, 1991. Sœur Vincent, *LOUISE DE MARILLAC OU LA PASSION DU PAUVRE*, Paris, 1974.

# NOTRE-DAME DEL PILAR

## ENQUÊTE SUR UN MIRACLE IMPOSSIBLE

**• 30**

**JUI •**

VOUS QUI METTEZ LE PIED POUR LA PREMIÈRE FOIS À SARAGOSSE, dans l'église de la *Virgen del Pilar*, vous n'êtes pas sans savoir que notre ville peut s'enorgueillir d'être le premier lieu marial de la chrétienté. C'est ici, en effet, que la Vierge serait, non pas apparue à quelques élus, mais bel et bien venue, de son vivant, portée par les anges, pour laisser un pilier, *pilar*, devenu le symbole de la foi chrétienne en Espagne.

Mais allez-vous, vous aussi, vous satisfaire de ce prodige inexplicable, teinté de superstition, de ce miracle en totale contradiction avec la loi du clair-obscur, telle que la formule le philosophe chrétien Blaise Pascal : « *Assez de lumière pour croire ; assez d'ombre pour pouvoir douter.* » Tout miracle ne devrait-il pas obéir à cette règle : raviver la foi des croyants et faire sourire les autres ? Dieu suggère des signes de sa miséricorde mais il n'impose rien, n'est-ce pas ? Cependant, agenouillez-vous, fermez les yeux, et laissez-moi vous raconter l'*unicum* de Saragosse, ce *diktat* du Dieu chrétien, si indéniable, si inquiétant que vous ne trouverez pas un habitant de Saragosse

pour oser vous en parler... Ne vous attendez pas au récit d'une légende, je ne m'appuierai que sur des faits.

En 1637, à l'hôpital de Saragosse, on coupa la jambe droite d'un paysan de vingt ans, Miguel Juan Pellicer. Le jeune homme avait eu un accident pendant son travail : un chariot était passé sur sa jambe et l'avait cassée. La gangrène exigeant l'amputation, ce n'est qu'après de longs mois de souffrance qu'il put quitter l'hôpital, muni d'une béquille, d'une jambe de bois et d'un permis pour demander l'aumône devant le sanctuaire du Pilar.

C'est devant la maison de cette Vierge à l'Enfant debout sur sa colonne que, pendant plus de deux ans, Miguel Juan a tendu la main et a vécu de la charité des dévots. Au début de 1640, il décide de rentrer dans sa famille, à Calanda, village de deux mille habitants, situé à cent kilomètres au sud de Saragosse. Voyage affreux pour ce malheureux unijambiste. Et ce qui l'attend, c'est la misère d'une famille de paysans sans terre. Un seul moyen pour survivre : recommencer son travail de *pordiosero*, le mendiant aragonais qui demande son pain *por dios*. Ici, comme à Saragosse, des centaines de personnes le verront aller avec sa jambe unique, juché sur un mulet, montrant l'horrible blessure.

Mais voici venir le 29 mars de 1640, veille de *La Virgen de los Dolores*, la Vierge des Douleurs, si chère à la piété espagnole. C'est un jeudi, celui de la semaine dite « de Passion ». Chez les Pellicer, il y a un hôte cette nuit-là, un soldat imposé par le gouvernement de Madrid. Il est en marche vers le front de la guerre contre la France. Après la traditionnelle veillée dans la cuisine, le jeune Miguel va se coucher sur un lit de fortune, au pied de celui de ses parents. Il est dix heures. Une demi-heure après, le couple entre dans la pièce pour se coucher à son tour. Première surprise, la pièce est remplie d'une odeur « comme de paradis », témoignera la mère. Le fils dort, mais du manteau du père qui lui sert de couverture, on voit dépasser deux pieds *cruzados*, en croix. Ce n'est pas une illusion mais une réalité bouleversante. Ce sont les cris de ses parents qui le sortent de son profond sommeil, et sans se rendre compte de ce qui est arrivé, il se plaint : « Pourquoi m'avez-vous réveillé ? J'étais si bien ! Je rêvais que j'étais encore au pilier de Saragosse et que je graissais le moignon de ma jambe avec l'huile des lampes qui brûlent devant la Vierge... C'était mon habitude, quand j'étais *pordiosero*... »

Vous imaginez aisément l'émotion collective qui entoure l'annonce de cet événement. L'Inquisition se chargea d'une enquête qui dura près d'un an. Elle n'aurait jamais toléré le moindre soupçon de superstition, de faux miracle. Dans la région, chacun pensait avoir trouvé l'explication de ce prodige. Les uns y voyaient une juste récompense du ciel envers un fidèle qui, dans sa douleur, n'avait jamais perdu la foi, n'avait cessé de prier et de venir en aide à sa famille. C'était un *unicum* à Calenda, « *El Milagro de los milagros* » : la jambe avait repoussé !

D'autres, au contraire, y voyaient une falsification, une machination diabolique. Les fables les plus folles couraient. Juan Miguel avait volontairement provoqué son accident de façon à être amputé, car, comme chacun sait, dans une région pauvre, le *pordiosero* est de loin le mieux rémunéré, puisqu'il reçoit de tous une obole porteuse d'espoir. Il aurait ainsi malhonnêtement fait sa fortune et celle de sa famille, qui, complice de toute l'affaire et enrichie, l'aurait ensuite aidé à se faire greffer une jambe ! Bien sûr, cette « opération » avait certainement nécessité l'intervention de quelque maléfice et peut-être même le savoir-faire suspect de quelque médecin ou magicien maure ou juif. Cette version d'ailleurs était corroborée par les faits puisque, tous pouvaient le constater, le jeune homme avait à nouveau deux jambes.

Deux jours seulement après l'annonce selon laquelle l'impossible s'était vérifié à Calenda, un notaire avait rédigé un acte certifiant qu'il n'y avait pas eu

> *La jambe avait repoussé.*

de « *création de matière* », – pas de jambe nouvelle –, mais la réimplantation de l'ancienne, coupée deux ans et demi auparavant, et ensevelie dans un coin du cimetière de l'hôpital de Saragosse. D'ailleurs, quand on était allé voir, on n'avait trouvé que le trou, ouvert et vide. Voilà ce qu'affirment le procès et l'acte d'un notaire royal à propos du miracle des miracles.

Le tribunal de l'Inquisition fit diligence. On enquêta très sérieusement, chacun fut interrogé, mais rien ne permit de débusquer une supercherie ou l'intervention du diable, sous quelque forme que ce fût. Il fallut se rendre à l'évidence, la jambe était bien là. Pourtant, la raison semble aveuglée par cette évidence.

Ne m'opposez pas vos objections. Je les connais, puisqu'elles sont les miennes et celles d'un bon nombre de contemporains... Mais jusqu'à quel point avaient-ils raison et avons-nous raison nous-mêmes de nous y tenir ?

SOURCES : A. Deroo, *L'Homme à la jambe coupée ou le plus étonnant miracle de Notre-Dame del Pilar*, Résiac, 1977. V. Messori, *Il Miracolo*, 1992.

Décembre

Janvier

Février

Mars

Avril

Mai

Juin

# Juillet

Août

Septembre

Octobre

Novembre

Décembre

# RÉFORMATEURS
# ET RÉVOLUTIONNAIRES
## DE LA MONARCHIE ABSOLUE
## À LA RÉVOLUTION FRANÇAISE

*Seigneur, qu'il sont nombreux mes adversaires,*

*nombreux à se lever contre moi,*

*nombreux à déclarer à mon sujet :*

*« Pour lui, pas de Salut auprès de Dieu ! »*

*Mais toi, Seigneur, mon bouclier,*

*ma gloire, tu tiens haute ma tête.*

*À pleine voix je crie vers le Seigneur ;*

*il me répond de sa montagne sainte.*

*Et moi je me couche et je dors ;*

*je m'éveille : le Seigneur est mon soutien.*

*Je ne crains pas ce peuple nombreux*

*qui me cerne et s'avance contre moi.*

Psaume 3

# MONSIEUR OLIER
## *ET LA FONDATION DU SÉMINAIRE*
## *SAINT-SULPICE*

• **2**
**JUIL.** • MAI 1646, LES PREMIERS BEAUX JOURS ÉCLAIRENT PARIS D'UNE LUMIÈRE DOUCE ET DORÉE, les rues bruyantes ont un air de fête. Les voitures et les charrois tentent de se frayer un passage au milieu des chaussées envahies par les porteurs d'eau, et les marchandes de quatre-saisons qui hèlent les passants à grands renforts de boniments. Dans cette joyeuse cohue, un jeune homme tente de retrouver son chemin. Il cherche l'église Saint-Sulpice. Hier, lors de la fête de l'Ascension, il a pris sa décision, il sera prêtre. Et, dès aujourd'hui, il s'est mis en route pour rencontrer celui qui a fondé, il y a déjà cinq ans, un premier embryon de séminaire à Vaugirard. Enfin, au détour d'une ruelle, il découvre ce qui est peut-être l'église qu'il cherche. Au milieu des gravats, des échafaudages et des planches, nombre de prêtres et de clercs en grand apparat, surplis, dentelle, camail, se pressent, les pieds dans la poussière. Une foule de badauds les entoure. Le jeune homme s'approche et s'enquiert timidement.

– Que se passe-t-il ?

– C'est le nouveau séminaire que l'on vient de bénir. M. Olier a jeté de l'eau dans toutes les pièces et toutes les chambres afin que les jeunes curés puissent s'y installer.

– Le séminaire est donc prêt à recevoir ses nouveaux locataires ?

– Oui, et ils pourront être nombreux, à condition de n'être pas trop regardants sur la qualité de l'habitat. On dit que monsieur le curé veut en construire un plus grand bientôt. Alors, celui-ci, c'est plutôt une construction économique. Ils ont mis des cloisons en planches de sapin jusqu'aux greniers.

Le jeune homme n'écoute même plus les explications. Une seule chose compte : rencontrer M. Olier. En quelques questions aux bigotes qui s'attardent, il se fait indiquer celui qui deviendra son maître. Grimpant les marches du parvis, il se précipite vers lui.

– Monsieur Olier.

– Oui, mon fils, que puis-je pour vous ?

– Je veux devenir prêtre, je veux rentrer chez vous.

M. Olier regarde avec sympathie ce jeune homme qui semble si pressé. De plus en plus de garçons viennent ainsi le voir, pleins d'enthousiasme, désireux de consacrer leur vie au service de Dieu. Mais, pour M. Olier, il ne s'agit pas de leur inculquer des connaissances. Ce qu'il faut avant tout, c'est vérifier cette vocation. Le discernement, pense-t-il, est un travail long et difficile.

— Eh bien, suis-moi, que nous discutions un peu plus à l'intérieur.

— Monsieur, est-ce vrai que vous venez de bénir le nouveau séminaire ?

— Oui, mais dis-moi plutôt comment tu t'appelles et pourquoi tu es venu me voir, moi.

— C'est que je veux être un bon prêtre, et l'on dit que vous savez les faire.

M. Olier sourit.

— C'est l'Église qui fait les prêtres avec la grâce de Dieu, mon fils. Moi, je fonde des séminaires.

M. Olier entraîne le jeune homme dans son bureau. Il l'écoute lui parler de Dieu et de sa vie spirituelle... S'en remettre à l'Esprit, c'est cela l'essentiel. Il sait de quoi il parle, lui qui l'a expérimenté si douloureusement, lorsque d'octobre 1639 à Pâques 1641, il a connu une longue période d'errance. Il s'y est dénudé, a tout perdu. Il se souvient qu'il n'arrivait plus ni à prêcher, ni à confesser, qu'il perdait la mémoire et se méprisait tellement qu'il lui arrivait souvent de vouloir mourir. Il avait lutté, longtemps, avant de découvrir que le seul remède était de cesser de se juger, de s'en remettre à l'Esprit de Dieu et de se jeter en Dieu pour qu'il puisse faire, avec nous, ce qu'il attend de nous.

Les deux hommes s'assoient dans le bureau de M. Olier. Le garçon commence à l'entreprendre sur le séminaire.

*C'est l'Église qui fait les prêtres, moi, je fais les séminaires.*

— Mais, Monsieur, à quoi sert exactement un séminaire ?

— « *S'il se trouve parfois des sujets de bonne volonté, qui sont pourtant assez rares dans l'Église, et que la charité de Dieu les envoie aux saints prélats, après les avoir ouïs en leurs prières et exaucés pour leur révérence, bien souvent ces sujets sont si neufs en toutes les fonctions de leur ordre et si peu capables en leurs saints ministères, que s'ils ne prennent un temps notable pour s'instruire et se former à loisir dans quelque lieu de piété à toutes leurs fonctions, en puisant avec l'instruction, l'esprit et la vertu qui leur est nécessaire, ils demeurent inhabiles toute leur vie au service de Dieu et de l'Église ; et les prélats en demeurent chargés, comme de gens inutiles et plutôt capables de gâter leurs ouvrages que de les cultiver et avancer. Si bien que les séminaires où ces choses s'enseignent et où les prêtres et les clercs sont reçus pour y être instruits de toutes leurs fonctions se trouvent d'une dernière et absolue nécessité.* »

La conversation continue encore quelques instants. M. Olier explique à son futur séminariste les quatre grands piliers de la formation : la lecture de la Bible, l'Eucharistie, l'oraison et la direction spirituelle. « Tous quatre, lui dit-il, aident l'homme à suivre la volonté de Dieu. La Bible comme le Très Saint-Sacrement nous nourrissent. Dans l'oraison et la direction, nous nous laissons conduire par l'Esprit à faire la volonté de Dieu. » Puis, devant la mine ébahie de son interlocuteur, il appelle un jeune prêtre de la communauté et lui demande de trouver une chambre à leur hôte. Le lendemain, ses activités de séminaristes commenceront, mais pour l'instant, une heure d'adoration et l'office du soir avec la communauté seront une excellente introduction à sa nouvelle vie avant le souper pris en commun.

M. Olier se sent de bien bonne humeur, une nouvelle recrue pour inaugurer son nouveau séminaire, voilà qui est bon signe. Car, parmi les œuvres de M. Olier, celle qui lui tient le plus à cœur est sans aucun doute la formation des jeunes clercs, en vue du sacerdoce. C'est à cela que lui et quelques amis ont été appelés par Dieu. Après une longue gestation, leur projet de séminaire a enfin pris corps. Tout a commencé avec la communauté de Vaugirard. Au début, il s'agissait simplement d'accueillir les séminaristes dans leur communauté de prêtres, et de les faire vivre comme eux. Leurs occupations étaient au nombre de trois : l'oraison, la lecture de la Bible et les études. C'est à ce rythme qu'étaient soumis les jeunes hommes qui venaient se former. Aujourd'hui, cette intuition initiale est devenue l'un des fondements des séminaires des amis de M. Olier. Les enseignants et les séminaristes vivent dans la même communauté, de la même manière, une vie consacrée à Dieu où l'adoration du Saint-Sacrement tient une très grande place.

On frappe à la porte, un jeune prêtre passe la tête.

– C'est Monsieur Levau, l'architecte, qui veut vous voir pour les plans de la nouvelle église.

M. Olier sourit : s'il avait écouté sa mère, il serait sans doute aujourd'hui un prélat provincial et tranquille, et n'aurait pas les soucis d'un chef de chantier.

C'est que M. Olier est le fils d'un conseiller au Parlement et secrétaire du roi, un membre considéré de cette noblesse de robe de plus en plus influente. Sa mère est issue de la noblesse du Berry. Jean-Jacques, le quatrième enfant de la famille Olier de Verneuil, était destiné aux plus beaux évêchés de France. Mais, à une époque où l'Église offre à ceux de son rang une carrière brillante et lucrative, il a décidé, lui, de répondre à l'appel du Christ et de faire selon sa volonté. Alors que sa mère et sa famille lui négociaient des évêchés pour assurer ses rentes, il a choisi l'humilité et pris la cure de Saint-Sulpice. Il dilapida ses biens en soutenant de nombreuses œuvres. Dans la bonne société, cette folie a fait scandale, mais elle lui a gagné la sympathie de nombreux ecclésiastiques, décidés depuis quelques années à réformer une Église qu'ils trouvent parfois bien éloignée du message de l'Évangile.

Saint-Sulpice, sa paroisse, n'est assurément pas la plus riche de Paris, mais, à coup sûr la plus grande et la plus peuplée. Grouillante de vie avec ses rues et ses cours débordantes de l'activité des artisans et des commerçants, elle est aussi témoin de la misère du temps. Certains quartiers étaient devenus le lieu

> *Monsieur Levau, l'architecte, veut vous voir pour les plans de la nouvelle église.*

d'habitation ou de rencontre des femmes de petite vertu, des libertins et des athées ainsi que des protestants. La décision de M. Olier d'accepter cette charge ne manqua pas d'étonner, cela ne s'était jamais vu. Jamais un homme de son rang n'avait désiré avant lui une charge pastorale de si piètre qualité. Par ce choix, il témoignait de la grandeur et de la beauté de cette tâche : avoir « cure » des

> *Certains quartiers étaient devenus le lieu de rencontre des femmes de petite vertu.*

âmes du peuple qui lui étaient confiées.

Olier envisage sa charge à la lumière du sacrifice du Christ. Pour lui, toute action pastorale doit être liée à l'Eucharistie. Souvent, il contemple la figure du Christ qui, étrange « bon pasteur », se donne lui-même en nourriture. Dans ses *Mémoires*, il écrit : « *J'oubliais de remarquer que mon Seigneur Jésus n'avait pas seulement le désir de mourir mille fois pour son Église, mais encore celui de se donner à elle en nourriture, ce qu'il accomplit tous les jours au Saint-Sacrement, et c'est aussi le sentiment que sa bonté me donne de me donner à manger à l'Église, si elle en avait besoin. Et, en particulier, je sens que je ne dois rien avoir qui ne soit à l'Église, comme mon bien, qui pourrait être utile pour la nourriture des pauvres de la* paroisse *où je m'en vais entrer. Si je n'ai pas le bien de répandre mon sang pour elle, au moins je serais comme son hostie vivante qui servira pour la nourrir.* »

Dans l'esprit de M. Olier, paroisse et séminaire sont liés. C'est à l'organisation de cette double communauté qu'il va s'attacher afin que l'une stimule l'autre et que les deux témoignent auprès des paroissiens de la grâce et de la gloire divines. Petit à petit, il recrute dans l'une les prêtres nécessaires à la formation de l'autre. C'est ainsi que naîtra, en 1651, la compagnie des prêtres de Saint-Sulpice.

M. Olier mourut en 1657, le lundi de Pâques. La compagnie de Saint-Sulpice qui s'était formée autour lui continua après sa mort l'œuvre qu'il avait entreprise. Mais, dès 1650, de nombreux évêques lui avaient déjà demandé de fonder des séminaires dans leur diocèse : Nantes, Viviers, Saint-Flour, Le Puy... exauçant ainsi son vœu de voir dans tous le pays se bâtir des maisons de formation pour les prêtres. Aujourd'hui encore, les sulpiciens continuent de former des séminaristes dans plusieurs pays du monde.

SOURCES : Jean-Jacques Olier, *TRAITÉ DES SAINTS ORDRES*. M. Dupuy, « Se laisser à l'Esprit », in *ITINÉRAIRE SPIRITUEL DE J.-J. OLIER*, Paris, 1982. « J.-J. Olier », in *BULLETIN DE SAINT-SULPICE*, n° 14, 1988. R. Deville, *L'ÉCOLE FRANÇAISE DE SPIRITUALITÉ*, Paris, 1987. P. Renaudin, *JEAN-JACQUES OLIER*, Paris, 1943.

# POLYEUCTE

## OU COMMENT LE PUBLIC PARISIEN
## SE MIT À BOUDER LE THÉÂTRE CHRÉTIEN

• **3**
**JUIL.**

*« ALLONS À NOS MARTYRS DONNER LA SÉPULTURE, BAISER LEURS CORPS SACRÉS, LES METTRE EN DIGNE LIEU, ET FAIRE RETENTIR PARTOUT LE NOM DE DIEU. »*

Sur ces ultimes vers, le rideau tombe. En ces premiers jours de l'année 1643, le public parisien est venu applaudir la dernière pièce de Pierre Corneille que jouent les comédiens du Marais, dont le célèbre Floridor : *Polyeucte*.

C'est dans les *Vies de saints*, ouvrage rédigé en latin par un chartreux du XVIᵉ siècle, que Corneille a choisi son sujet. Dans l'Arménie romanisée du IIIᵉ siècle, le noble Polyeucte, gendre du gouverneur romain, s'est converti au christianisme sous l'influence de son ami Néarque et va recevoir le baptême. Sa jeune épouse, Pauline, qui est restée païenne, s'en inquiète. Elle retrouve par hasard Sévère, un ami qu'elle avait aimé autrefois et qu'elle croyait mort. Il revient d'un lointain et long voyage. Sévère et Pauline sont heureux de se retrouver, mais, troublés par le souvenir de leurs anciennes amours, décident de

ne plus se revoir. Polyeucte admire le courage des deux jeunes gens. Au palais, on s'apprête à sacrifier en l'honneur de l'empereur Dèce. Inspiré par Dieu, Polyeucte, aidé de son ami Néarque, renverse les idoles païennes. En raison du scandale qu'il a causé, il est condamné à mort. Pauline et Sévère tentent en vain de sauver Polyeucte qui confie sa femme à Sévère. Il est exécuté mais, à la suite de son martyre, sa veuve se convertit au christianisme, suivie aussitôt après par le gouverneur, qui avait pourtant ordonné la mort de Polyeucte. Désormais, les persécutions cesseront en Arménie, et du sang du martyr – saint Polyeucte – naîtra une foule de nouveaux chrétiens.

Dans sa loge du théâtre du Marais, Corneille est soucieux : la réaction du public est mitigée, sa douzième pièce ne connaît pas le succès qu'il avait espéré. Il s'en doutait un peu : cette tragédie résolument chrétienne n'est pas le divertissement que le public attend. Pourtant, averti des conditions du succès dans la capitale, il avait pris la décision de faire lire préalablement son œuvre à l'hôtel de Rambouillet, afin de se gagner l'approbation des mondains. Même le cardinal de Richelieu, peu avant sa mort en décembre 1642, l'a entendue ou lue. Corneille a même déjà décidé de la dédier à la régente, Anne d'Autriche, lorsqu'il l'éditera. Cette pièce est digne de son « *extraordinaire et admirable piété* ».

Polyeucte martyr... l'auteur du *Cid* pense à sa jeunesse. Il revoit son collège de Rouen et les pères de la Compagnie de Jésus qui lui ont tout appris et qu'il n'a jamais oubliés. Il se souvient de son professeur de latin et de français, Jean, un saint homme. C'est lui qui lui a donné cet amour de la langue, et la joie de mettre l'élégance du verbe au service de Dieu. Il était entré dans la congrégation de la Sainte-Vierge, où les bons pères réunissaient leurs élèves les plus pieux. Aujourd'hui encore, il reste lié à ses anciens maîtres. Lecteur de leurs œuvres, il les a pris pour confesseurs et directeurs. C'est auprès d'eux qu'il cherche à apaiser ses craintes quant à la moralité de son théâtre. On le dit bon époux, excellent père, il essaye de mener une vie chrétienne. Il récite quotidiennement le *Bréviaire Romain*, il a traduit en vers français l'office de la Sainte Vierge, et il a commencé l'*Imitation* dont saint Ignace recommande la lecture. Il met ses talents au service de sa foi et de celle de ses contemporains. En écrivant certains vers de sa pièce, il a donné à ses personnages la foi qu'il souhaiterait tant avoir.

Pourtant, il sent bien que les sujets chrétiens ne sont plus de saison. Le demi-succès de *Polyeucte* prouve bien que le temps des mystères du Moyen Âge est révolu. Les guerres de religion avaient un temps redonné goût à l'exaltation des martyrs. Les humanistes du siècle précédent avaient loué, en français ou en latin, la force de leur témoignage en mettant en valeur les victimes des persécutions antiques et en rappelant les figures de Jean Baptiste, de saint Étienne ou de Jephté... Il se souvient que chez les pères jésuites, dans sa jeunesse, il avait pu voir de nombreuses pièces édifiantes qui avivaient la piété des élèves et vantaient les mérites et les vertus de leurs missionnaires qui, au Canada, en Chine ou au Japon, avaient subi le martyre. Mais, en 1643, malgré la ferveur des cercles dévots, le puissant renouveau de la spiritualité française, et alors que la peinture s'attache à représenter Agnès, Cécile, Agathe ou Sébastien, le théâtre doit renoncer à exposer les mérites de la foi de manière trop directe.

Corneille le sait. Désormais, l'Église devra se priver du secours des drames sacrés. Les puristes se plaignent que les sujets chrétiens s'accommodent mal des formes classiques de la tragédie. Les rigoristes ne veulent pas que le christianisme soit prostitué sur scène et que des comédiens, réputés infâmes, revêtent des rôles de saints. Les mondains n'ont que faire de tels sujets auxquels ils préfèrent l'amour et la politique. Les gallicans blâment la France de permettre que son théâtre soit « vendu à Rome » comme celui de l'Espagne et de l'Italie.

> *Il sent bien que les sujets chrétiens ne sont plus au goût du jour.*

Les jansénistes boudent ces pièces dont les jésuites se sont fait une spécialité. Et, d'une façon générale, le clergé français ne veut pas être moins sévère que les calvinistes de Genève, qui interdisent toute activité dramatique. Non, décidément, le théâtre chrétien n'a pas d'avenir.

Et, bientôt, toute l'Église de France, avec à sa tête Bossuet, considérera comme un crime d'écrire pour le théâtre, d'aller au théâtre, de jouer du théâtre. Molière allait en savoir quelque chose, quant à Racine... il ne destinera ses drames bibliques, *Esther* et *Athalie*, qu'à Saint-Cyr, et, de son vivant, on se contentera de les lire. Deux ans après *Polyeucte*, Corneille lui-même connaîtra l'échec avec *Théodore vierge et martyre*, sa dernière tentative pour mettre en scène la vie d'un saint.

Corneille contemple son public avec tristesse. Dames de la Cour, gentilshommes, bourgeois aux vêtements trop voyants... Il comprend bien qu'ils ne peuvent se retrouver dans Polyeucte et qu'ils préfèrent nettement les héros de ses pièces précédentes : Rodrigue et Horace qui acceptent tout pour satisfaire aux lois de l'honneur, Cinna qui se montre le plus généreux des princes... Ces

> *Décidément,
> le théâtre chrétien
> n'a pas d'avenir.*

trois protagonistes ne font que répondre aux circonstances dans lesquelles le destin les place. Ils peuvent les comprendre et vouloir les imiter. Polyeucte, lui, provoque le destin et brise des idoles païennes sans y être contraint. Puis, le cœur généreux, ce jeune mari confie son épouse à son rival ! Ce patricien, gendre du gouverneur, abandonne tous ses privilèges pour l'obscurité d'un cachot et une mort inéluctable. Comment s'étonner que ce public, si attaché à son confort, à ses prérogatives et à ses biens, ne puisse entrer dans les raisons de Polyeucte ! Sa destinée est si peu enviable que nul spectateur ne peut la souhaiter pour lui-même... Voilà un héros trop parfait dont ils ne désirent en rien être l'égal !

Et cependant, pense Corneille, ces personnages ont bien été des êtres de chair et de sang. Pour servir Jésus-Christ, des hommes et des femmes ont accepté de faire le sacrifice de leur vie, sans autre honneur ni gloire que celle de la sainteté. Corneille rêve à d'autres publics que la postérité voudra peut-être lui donner et qui sauront goûter la beauté de ses vers et partager avec lui le souffle et l'élan de la foi dont il a doté ses personnages.

SOURCES : P. Corneille, *POLYEUCTE*. K. Loukovitch, *L'ÉVOLUTION DE LA TRAGÉDIE RELIGIEUSE CLASSIQUE EN FRANCE*, Liège-Paris, 1963. A. Stegmann, *L'HÉROÏSME CORNÉLIEN*, Paris, 1968. J. Truchet, *LA TRAGÉDIE CLASSIQUE EN FRANCE*, Paris, 1975.

# JEAN EUDES

## *LES PROSTITUÉES SONT*
## *LES PREMIÈRES DANS LE CŒUR DE DIEU*

• **4**
**JUIL** •

– EH LÀ, MES BEAUX MES-
SIEURS, C'EST QUE VOUS AVEZ
L'AIR BIEN PRESSÉS, OÙ
EST-CE QUE VOUS COUREZ
comme si le diable était à vos trousses ?
Jean Eudes et ses compagnons, interloqués, regardent la jeune femme qui les
apostrophe. Campée au bord du chemin,
provocante, cheveux dénoués qui retom-
bent dans le dos... pas de doute, c'est une
prostituée. Ils la toisent avec mépris et
s'apprêtent à partir, mais elle reprend :

– Sans doute dans les églises, n'est-ce
pas ? Vous y aller pour y encenser des
images, après quoi vous croyez être bien
dévots...

La femme les plante là, abasourdis, et
disparaît dans une ruelle.

La petite troupe d'hommes, qui effectivement se rend à l'église, discute de
l'irruption de cette femme sur leur chemin.
Et le soir, on narre encore l'anecdote à
ceux qui n'y ont pas assisté. Certains s'en
amusent, d'autres s'en scandalisent. Jean
Eudes, lui, silencieux dans un coin, se
répète les propos de cette femme. Son
interpellation l'a heurté de plein fouet.

Il n'est pas de ceux qui s'horrifient du
« travail » que font les femmes de ce genre.

Mais Jean Eudes ressent le malaise qu'il
a déjà vécu ailleurs. C'était il y a sept ans,
en 1634, pendant la peste. Il avait réussi
à convaincre ses supérieurs de se rendre
à Argentan, où l'épidémie sévissait. Pendant dix semaines, au mépris de la contagion, il avait accompagné, soigné, enterré,
portant, attaché à son cou, une boîte de
fer blanc qui contenait l'Eucharistie, pour
avoir les mains libres tout en agissant au
nom du Christ. C'est là que, pour la première fois, il avait compté, au nombre de
ses « patientes », quelques « filles ». Et il
se souvient qu'à l'époque, déjà, leur
détresse l'avait ému et qu'il avait beaucoup
prié pour savoir comment il pourrait les
aider. Quatre ans plus tard, à Caen, alors
qu'il affrontait de nouveau la peste, il avait
ressenti ce même désir de les aider sans
savoir exactement comment. Il frémit en
repensant à cet épisode. Cette fois-là, il
avait bien cru qu'il mourrait. Pour ne pas
contaminer sa communauté et être plus
proche des victimes, il avait du dormir
dans un tonneau.

Mais, aujourd'hui, la question se pose à
lui, de manière plus brûlante que jamais.
Que faire pour cette femme et pour celles
qui, comme elle, sont méprisées de tous et

semblent attendre un geste de l'Église ? Car elle a eu raison de l'apostropher ainsi. Quelle relation y a-t-il entre ce qu'il prêche et ce qu'il vit réellement ?

En cette année 1641, voilà déjà quatorze ans que ce Normand est parisien, quatorze ans aussi qu'il est prêtre, disciple brillant de l'un des plus grands esprits de son temps, le cardinal Pierre de Bérulle, quatorze ans qu'il prêche, d'une voix tonitruante, parfois devant des milliers de fidèles, l'amour et la miséricorde divine.

> « *Servir Dieu et lui obéir avec un cœur énorme et un amour formidable.* »

Alors, comment communiquer à cette femme la miséricorde de Dieu ? Comment mettre en pratique cette phrase de la Bible qu'il se répète souvent : « *Colere Deum et facere voluntatem ejus corde magno et animo volenti* » (« Servir Dieu et lui obéir avec un cœur énorme et amour formidable ») et qui guide toute sa vie ? Certes, il a pu lui arriver, ici ou là, d'aider quelques femmes à sortir de la prostitution, mais cette fois, il lui faut aller plus loin.

Jean Eudes trouve une maison, quelques amis et commence à fonder ce qui deviendra un ordre religieux important, l'institut Notre-Dame-de-Charité. Un ordre destiné à montrer la miséricorde de Dieu aux femmes méprisées et bafouées, à ces « filles perdues ».

L'interpellation de la prostituée a joué le rôle de détonateur et a fait éclater au grand jour tout ce qu'il a découvert depuis son enfance, notamment depuis la peste. Oui, maintenant il sait ce qu'il doit faire. Proclamer la tendresse de Dieu et sa miséricorde ; voilà ce qui importe en ce siècle de jansénisme, où les esprits sont plus prompts à brandir la menace d'un Dieu de rigueur, de justice et de colère que de proclamer un Dieu d'amour...

Deux ans après la maison pour les « femmes de petite vertu », c'est à la question des prêtres qu'il va s'attacher. Au cours de ses nombreuses missions dans l'ouest de la France, il a pu constater que la vie quotidienne des paroisses n'est guère satisfaisante et que les prêtres ne sont souvent pas aptes au dur ministère auquel ils sont confrontés. Jean Eudes pense qu'ils ne sont pas assez formés, trop vite et trop peu engagés dans un service qu'ils ne savent pas vivre dans et pour l'amour de la miséricorde. Il devient donc formateur et fonde pour cela, en 1643, la petite congrégation de Jésus et de Marie qu'on appellera bientôt les eudistes. Disciple des oratoriens, comme son contemporain, Monsieur Olier, il va fonder un premier séminaire à Caen, puis d'autres en Bretagne et en Normandie sur ses terres de mission.

Mais s'il tente d'explorer les chemins de la miséricorde divine dans ses actions pastorales, c'est d'abord au cœur de sa vie spirituelle qu'il découvre l'amour de Dieu. En contemplant Marie, celle qui aime Dieu « d'un cœur énorme », Jean Eudes va se souvenir d'une formule que Bérulle ne cessait de répéter : « *Ô cœur de Marie, vivant en Jésus pour Jésus...* ». Marie ne vivant que pour son fils, se dit-il, son cœur est plein d'amour pour lui, c'est donc « Jésus vivant en Marie » qu'il va adorer. « *Mais ne savez-vous pas que Marie n'est rien, et n'a rien, et ne peut rien que de Jésus, et par Jésus, et en Jésus, et que c'est Jésus qui est tout, qui peut tout et qui fait tout en elle [...] que venir au cœur de Marie, c'est venir à Jésus ; honorer le cœur de Marie, c'est honorer Jésus ; invoquer le cœur de Marie, c'est invoquer Jésus ?* » C'est à partir de ces deux cœurs et de la méditation sur l'amour qui les remplit, qu'il va prendre le contre-pied des rigoristes et des tenants d'un Dieu sévère. Il va chanter l'amour de Dieu, et le faire chanter, composant une messe « au cœur de Marie » (1648) et une autre « au cœur de Jésus » (1672)... Très vite, elles seront célébrées chez les bénédictines de Montmartre, là où, deux siècles plus tard, on érigera le Sacré-Cœur.

À sa mort en 1680, Jean Eudes a réussi à restaurer, dans un siècle marqué par le jansénisme, l'idée d'un Dieu d'amour. Jamais on avait ainsi parlé de Dieu à la prostituée qui, pourtant elle aussi, elle surtout, avait sa place dans le « cœur de Marie ».

> « *Venir au cœur de Marie, c'est venir à Jésus ; honorer le cœur de Marie, c'est honorer Jésus ; invoquer le cœur de Marie, c'est invoquer Jésus.* »

SOURCES : Saint Jean Eudes, *ŒUVRES COMPLÈTES*. P. Gontier, *LE PRÊTRE D'APRÈS SAINT JEAN EUDES*, 1909. G. Bonnenfant, *LES SÉMINAIRES NORMANDS DU XVIᵉ AU XVIIIᵉ SIÈCLE*, 1915. A. Pioger, *SAINT JEAN EUDES D'APRÈS SES TRAITÉS ET SA CORRESPONDANCE*, Caen, 1940. C. Berthelot du Chesnay, *LES MISSIONS DE SAINT JEAN EUDES*, 1967. P. Milcent, *UN ARTISAN DU RENOUVEAU CHRÉTIEN AU XVIIᵉ SIÈCLE : SAINT JEAN EUDES*, Paris, 1985.

# JEAN DE BRÉBEUF
## *L'ÉVANGILE AUX HURONS*

• **5 JUIL•** DRELIN, DRELIN, DRELIN ! SUR SA PIROGUE INDIENNE, UN HOMME D'UNE CINQUANTAINE D'ANNÉES, VÊTU D'UNE longue robe noire, remonte le fleuve en cette matinée de 1643. Il annonce son arrivée en agitant de petites clochettes et en chantant des psaumes. Quelques Hurons se pressent sur la côte : « C'est Echom, c'est Echom ! » La pirogue se rapproche de la rive et accoste. L'homme saute à terre, deux gros livres sous le bras, une Bible et un dictionnaire français-huron qu'il vient d'établir.

Il s'assied au milieu de ses hôtes, et commence à leur parler dans leur langue. Le sujet de sa conversation est toujours le même. Il leur parle de Jésus et de l'amour de Dieu, du salut des hommes et de l'Église. Parfois, alors qu'il hésite sur un mot ou qu'il doit répondre à une question plus précise, il plonge dans son livre et, sous le regard étonné de ses interlocuteurs, trouve le terme exact. Par quelle magie ces morceaux de papier parlent-ils leur langue ? Mais une seule question semble intéresser les Hurons :

– Echom, où irons-nous après la mort ?

– Mes enfants, vous irez rejoindre notre Père céleste au paradis avec tous les autres chrétiens.

– Mais, Echom, nos pères, eux, n'y seront pas au paradis ! Et nous, nous voulons rejoindre nos ancêtres. Alors, nous ne voulons pas aller au paradis.

Jean de Brébeuf cherche ses mots. Comment leur faire comprendre ?

– Ceux de vos ancêtres qui ont eu une vie juste et droite sont déjà auprès du Père céleste dans les prairies éternelles du paradis. Vous les y retrouverez.

En repartant dans sa pirogue vers un autre groupe de Hurons, Jean de Brébeuf repense à la discussion de la matinée. A-t-il su trouver les mots justes ? Et les Hurons, qu'ont-ils compris de ce qu'il leur a enseigné ? Décidément, il ne se posait pas ce genre de questions lorsqu'il enseignait la grammaire et la langue françaises à ses jeunes élèves du collège de Rouen. Il venait juste d'entrer chez les jésuites, c'était en 1617, il avait vingt-quatre ans. Il essayait de leur inculquer le sens des vertus et de l'honneur. Parfois, il leur parlait de ces hommes au courage exemplaire qui partaient à la découverte du Canada. Jacques Cartier, bien sûr, qui, dès 1534, avait déclaré la contrée propriété du roi de France, mais aussi Samuel de Champlain qui, depuis 1603, explorait ce territoire : le golfe du fleuve Saint-Laurent, la presqu'île qu'on appelle aujourd'hui Gaspésie, l'Acadie, cette vaste contrée qui s'étend sur la rive droite de l'estuaire et qu'on appelle de nos jours la Nouvelle-Écosse et le Nouveau-Brunswick. Il racontait à ses élèves les voyages de Champlain, qui avait remonté le fleuve, et découvert la région où se situent actuellement les villes de Chicoutimi, de Trois-Rivières, et de Québec, ville qu'il fonda en 1608. Il expliquait que Champlain avait poursuivi son exploration dans la région des Grands Lacs et commencé la mise en valeur des colonies qu'il avait établies. Toute cette contrée était peuplée par des tribus de Hurons, dispersées entre le lac Ontario et le lac Huron. Et alors qu'il déployait toutes les richesses et les merveilles de ces nouvelles terres sous les yeux de ses élèves captivés, Jean n'imaginait pas un instant qu'il ferait lui-même un jour ce grand voyage.

À la suite de Champlain, des laboureurs, des chasseurs et des marchands avaient traversé l'océan pour s'installer dans cette Nouvelle-France. Trois frères franciscains, décidés à convertir les tribus indigènes à la religion catholique, les avaient rejoints. Mais les Français avaient des ennemis : les Anglais protestants qui essayaient, dans le même temps, de faire du Canada tout entier une possession britannique. Pour les trois franciscains, la tâche était écrasante. Ils demandèrent de l'aide à la Compagnie de Jésus dont la mission principale était la propagation de la vraie foi. C'est ainsi que Jean de Brébeuf, malgré sa santé délicate, était parti en compagnie de quelques-uns de ses frères, et s'était retrouvé au Canada après une traversée éprouvante.

La pirogue glisse sur le fleuve, effrayant parfois un oiseau bavard. Les Indiens sont plutôt réceptifs à l'annonce de l'Évangile, mais ils ont tendance à mêler ce qu'il leur dit de Jésus à leur propre religion. Comme plusieurs de ses camarades jésuites en mission au Québec, Jean se demande si, dans ces conditions, il peut les baptiser. Parfois, il lui semble qu'il n'a plus cet enthousiasme dont il faisait preuve quand il a commencé à œuvrer en faveur de la mission. Il est vrai qu'à l'époque il avait tout juste trente ans : tout était si nouveau, si exaltant. Les premières années, il avait partagé la vie des chasseurs français immigrés et découvert avec eux le pays. Ses premières rencontres avec les Hurons lui avaient permis de rédiger un dictionnaire et une grammaire de leur langue. Les Hurons, amis des Français, l'avaient accueilli avec bienveillance. La défaite de la France face aux Anglais l'avait chassé du pays pendant plusieurs années, mais il était revenu. Il avait retrouvé plusieurs d'entre eux et repris ses activités missionnaires.

*La pirogue glisse sur le fleuve, effrayant parfois un oiseau bavard.*

Aujourd'hui, avec ses compagnons, il a décidé de s'enfoncer un peu plus dans le pays et d'établir une mission à Sainte-Marie. La situation n'est pas simple. Plusieurs fois, il a été menacé de mort. Les sorciers surtout sont jaloux de son influence. Mais ce qui l'inquiète le plus, ce sont les tensions grandissantes entre les Iroquois, qui vivent sur les rives des Grands Lacs et que les protestants hollandais ont armés, et les Hurons. Jean sait bien que la mort peut venir, mais il s'en remet à Dieu. Dans sa pirogue, comme souvent, il prie : « *Mon Dieu et mon Sauveur Jésus, que puis-je t'offrir en retour de tout ce que tu as daigné endurer pour moi ? Je veux éloigner de toi le calice et invoquer ton nom. C'est pourquoi [...] je te fais le vœu solennel, mon seigneur Jésus, de ne jamais refuser pour ma part la grâce du martyre si, dans ton infinie bonté, tu devais un jour, quel qu'il soit, me l'offrir, à moi ton indigne serviteur [...]. Mon seigneur Jésus, je t'offre joyeusement dès ce jour mon sang, mon corps et mon âme, en sorte que je ne puisse mourir que pour toi, si tu m'en fais la grâce, toi qui as daigné mourir pour moi. Rends-moi capable de vivre de telle manière que tu puisses finalement m'accorder cette mort. Ainsi, ô Seigneur, j'éloignerai de toi le calice et j'invoquerai ton nom, Jésus, Jésus, Jésus.* »

Les faits ne vont pas tarder à l'exaucer. La guerre s'intensifie et tourne à la défaveur des Hurons qui perdent de nombreux hommes. Jean de Brébeuf,

> *Les sorciers sont jaloux de son influence.*

son compagnon jésuite, le père Gabriel Lalemant, et quelques Hurons chrétiens, sont fait prisonniers par les Iroquois en 1649. Jean subit les pires supplices avec le courage que lui donne sa foi. Après l'avoir roué de coups, ébouillanté pour parodier le rite du baptême et scalpé, on lui arrache le cœur. Il meurt le 16 mars 1649, à quatre heures de l'après-midi. Longtemps auparavant, Jean de Brébeuf avait écrit : « *Ô mon Dieu, pourquoi n'es-Tu pas connu ? Pourquoi ce pays barbare n'est-il pas entièrement converti à Toi ? Pourquoi le péché n'en est-il pas banni ? Pourquoi n'es-Tu pas aimé ? Oui, Seigneur, si tous les tourments que les prisonniers peuvent endurer ici sous la cruelle torture peuvent retomber sur moi, je m'offrirais de grand cœur à les endurer seul.* »

Jean de Brébeuf avait rédigé pour ses confrères une brève *Instruction pour les pères de notre compagnie qui seront envoyés aux Hurons*, qu'il introduisait en ces termes : « *[Il] faut aimer de tout cœur les Sauvages, les regardant comme rachetés du sang du Fils de Dieu et comme nos frères, avec lesquels nous devons passer le reste de notre vie.* » Avec sept de ses compagnons martyrisés comme lui, Jean de Brébeuf fut béatifié en 1925, puis canonisé en 1930 par le pape Pie XI.

SOURCES : C. Le Clercq, *Nouvelle Relation de la Gaspésie*, Paris, 1691. G.-T. Sagard, *Le Grand Voyage au pays des Hurons (1632)*, Paris, 1865. R. G. Thwaites, *The Jesuit Relations and Allied Documents*, Cleveland, 1891-1901. L. Campeau, *La Mission des jésuites chez les Hurons 1634-1650*, Montréal-Rome, 1987. R. Latourelle, *Jean de Brébeuf*, Paris, 1999.

# BLAISE PASCAL

*LA NUIT DE FEU*

• **6**
**JUIL•**

« CET ENFANT EST FOU ! » SOUPIRE ÉTIENNE PASCAL, PENCHÉ SUR LA RAMPE DU GRAND ESCALIER. À ses pieds, son fils, le jeune Blaise, à genoux sur le sol, un morceau de bois calciné à la main, macule le dallage de figures géométriques et de formules mathématiques. Étienne Pascal descend les derniers degrés de l'escalier et se penche sur les graffitis que Blaise trace d'une main rapide. Un dernier signe, l'enfant se redresse et contemple avec satisfaction le résultat.

– Et voilà !

– Voilà quoi ? interroge le père.

– La somme des angles d'un triangle est égale à deux angles droits ! scande triomphalement Blaise.

Puis, s'avisant que celui qui vient ainsi de l'interroger est son père, il prend un air penaud et tente maladroitement d'effacer à pleines paumes les traces de son raisonnement. Il bafouille :

– C'était juste pour m'amuser.

Étienne soupire encore : « S'amuser, cet étrange enfant a décidément des distractions particulières. Sans doute sa mère lui manque-t-elle ? » Il sait que les soins d'un père, même attentif, ne remplacent jamais la tendresse d'une mère.

Étienne Pascal, deuxième président à la cour des aides de Montferrant, en Auvergne, est devenu veuf en 1626. Blaise était alors âgé de trois ans, sa sœur Gilberte de six, et la plus jeune des enfants, Jacqueline, n'avait que quelques mois. Pour ne pas abandonner ses enfants à des domestiques ignorants ou à des précepteurs indifférents, il a vendu sa charge de président et s'est installé à Paris, où il a entrepris d'assurer lui-même l'éducation de Blaise et de ses deux sœurs.

Très tôt le jeune garçon a montré les prémices d'une vive intelligence. Blaise ne cesse de poser des questions : « Et pourquoi ceci, mon père ? Mon père, dites-moi comment il se fait que... Expliquez-moi, s'il vous plaît, ce que vous avez voulu dire... » La sœur aînée de Blaise, Gilberte Périer, a laissé sur ce point un témoignage éloquent : « *Il voulait savoir la raison de toutes choses, et comme elles ne sont pas toutes connues, lorsque mon père ne les lui disait pas, ou ne lui disait que celles qu'on alléguait d'ordinaire, qui ne sont proprement que des défaites, cela ne le contentait pas : car il a toujours eu une netteté d'esprit admirable pour discerner le faux ; et on peut dire que toujours et en toutes choses, la vérité a été le seul objet de son esprit, puisque jamais rien n'a su et n'a pu le satisfaire que sa connaissance. Ainsi, dès son enfance, il ne pouvait se résoudre qu'à ce qui lui paraissait évidemment vrai ; de sorte que, quand on ne lui donnait pas de bonnes raisons, il en cherchait lui-même. »*

Étienne Pascal, effrayé par la curiosité insatiable de l'enfant et la précocité de son raisonnement, tente de freiner ces excès. Il lui refuse l'étude des mathématiques. Ces cercles, ces cônes, ces angles et ces triangles qui lui sont interdits attirent Blaise. Il se cache dans les recoins de la maison et tente d'en percer les mystères. Il aurait ainsi redécouvert seul les trente-deux premières propositions d'Euclide !

Étienne Pascal regagne lentement son bureau, vaincu. Il caresse du regard tous les livres de sa bibliothèque : « Puisque Blaise veut savoir, qu'il apprenne ! Mieux vaut un savant qu'un chenapan. » Dès lors, Blaise obtient tous les livres qu'il veut. Il pourra également interroger des savants ou des esprits éclairés, des juristes, des religieux et même l'acteur Mondory lors des réunions à la fois mondaines et savantes de l'académie Mersenne à laquelle son père appartient.

À onze ans, Blaise compose un petit traité sur les sons, que l'on juge tout à fait bien raisonné. À seize ans, il publie un *Essai sur les coniques.* Puis, à Rouen, où son père a été nommé, en 1640, « commissaire député par Sa Majesté en

*Ces cercles, ces cônes, ces angles et ces triangles qu'on lui interdit attirent Blaise.*

la Haute-Normandie pour l'impôt et la levée des taxes », il se lance, désireux de le soulager lors de ses opérations comptables longues et sujettes à erreurs, dans la fabrication d'une machine à calculer, dont il a inventé le principe. Il en construit de nombreux exemplaires, jusqu'à cinquante, dit-on, en dix ans, maniant lui-même le bois, l'acier, l'ivoire, aidé d'ouvriers qu'il trouve maladroits et lents à exécuter ce qu'il conçoit en un éclair. Il met ses machines en vente à Paris et espère même faire fortune !

En 1646, son père est victime d'une chute assez grave qui l'immobilise pendant trois mois. Deux gentilshommes, qui le visitent, lui apportent les œuvres de Saint-Cyran, Jansénius, Arnauld. Blaise les dévore. Il est conquis. Le Dieu qu'il découvre le séduit, ce Dieu qui attend des hommes non l'obéissance à des règles mais des actes d'amour. Il découvre que l'Église véritable n'est pas seulement celle des marbres et des ors, des rites et de la pompe solennelle, mais celle qui reçoit et porte la prière humble et sincère qui vient du cœur.

Jacqueline, sa plus jeune sœur, entre quelques années plus tard dans la maison de Port-Royal à Paris ; quant à Blaise, il pousse Gilberte, déjà mariée et mère de famille, à renoncer à tout ce qui est superficiel, toilettes et parures de toutes sortes... Le goût pour la vie spirituelle ne détourne pourtant pas Blaise de son intérêt pour le monde physique.

« *La nature a horreur du vide.* » Muni de tubes de verre et de mercure, Blaise entreprend de le vérifier et reproduit les expériences de Torricelli. À sa demande, son beau-frère, Périer, transporte instruments et tubes au sommet du Puy-de-Dôme, le 19 novembre 1648. À Paris, Pascal met au point une nouvelle expérience. Du haut de la tour Saint-Jacques, il prouve « *que la nature n'a aucune répugnance pour le vide, qu'elle ne fait aucun effort pour l'éviter, que tous les effets qu'on a attribués à cette horreur procèdent de la pesanteur et pression de l'air* ». Il fait connaître ses travaux dans une publication intitulée *Récit de la grande expérience* suivie d'un *Traité sur l'équilibre des liqueurs.*

Mais Blaise se sent seul, son père est mort, Jacqueline est entrée au couvent. Il se distrait, fréquente des réunions mondaines, envisage d'acheter une charge, peut-être de se marier. Puis, subitement, il renonce à cette vie futile, sans intérêt, et s'enfonce dans un état morbide. Depuis l'âge de dix-huit ans, il est coutumier de ces étranges crises qui le laissent glacé du bout des pieds jusqu'à la ceinture. Il souffre de migraines affreuses et peut à peine s'alimenter. Il a sans cesse l'impression qu'un abîme s'ouvre sur sa gauche. Pour faire disparaître ce sentiment, il prend soin d'avoir toujours quelqu'un ou quelque chose sur son côté gauche, au moins une chaise, rempart, ô combien dérisoire, contre le néant ! Qu'a-t-il fait de sa vie ? Que sont les deux ou trois vérités qu'il a pu démontrer ? A-t-il trouvé Dieu comme il l'avait cru un moment en lisant Jansénius ? A-t-il torturé en vain sa raison pour établir les preuves de l'existence divine ?

C'est dans cet état de profond marasme, alors que l'angoisse du vide et du néant l'étreint douloureusement, que l'illumination inattendue, foudroyante, terrasse Blaise dans la nuit du 23 novembre 1654, et le laisse haletant, tremblant. Il est tout juste capable de griffonner quelques mots sur un morceau de parchemin qu'un serviteur trouvera après sa mort, précieux joyau, jalousement gardé au plus près du cœur, cousu dans la doublure de son habit et que l'on appelle le *Mémorial.*

> *Il souffre de migraines affreuses et peut à peine s'alimenter.*

« *FEU*

*Dieu d'Abraham, d'Isaac, Dieu de Jacob,*
*Non des philosophes et des savants.*
*Certitude, certitude, sentiment, joie, paix.*
*Dieu de Jésus-Christ.*
*Père juste, le monde ne t'a point connu,*
   *mais je t'ai connu.*
*Joie, joie, joie, pleurs de joie.*
*Je m'en suis séparé, je l'ai fui, renoncé,*
   *crucifié*
*Que je n'en sois jamais séparé !* »

Dieu s'est révélé à Pascal en un don pur et brûlant. Dès lors, celui-ci ne doute plus et va consacrer les forces qui lui restent à faire connaître le vrai Dieu. Il fait d'abord une retraite à la campagne puis s'installe dans une cellule chez les solitaires de Port-Royal. Ceux-ci sont en difficulté dans un débat contre les jésuites. Pascal prend la plume pour composer une *Lettre écrite à un provincial par un de ses amis sur le sujet des disputes récentes en Sorbonne*. Du 23 janvier 1656 au 1er juin 1657, ce sont dix-huit « lettres », dites *Les Provinciales*, qu'il écrit. Pascal essaie de démêler les mystères de la grâce. Il débat du péché, fustige la casuistique des jésuites, manie l'indignation, l'ironie, l'élégance du style. Le résultat est un tel chef-d'œuvre d'intelligence et d'éloquence que Bossuet lui-même regrettera de ne pas en être l'auteur !

> *Bossuet lui-même regrettera de ne pas en être l'auteur.*

En 1658, il se décide enfin à écrire l'apologie de la religion chrétienne à laquelle il songe depuis longtemps. Il note ses réflexions, les pensées fugitives qui le traversent sur de grandes feuilles de papier que, par la suite, il découpera afin de les regrouper selon un ordre logique. La mort ne lui permettra pas d'achever son œuvre. Publiée et connue aujourd'hui sous le nom de *Pensées*, elle se présente comme une suite de fragments bruts que Pascal eût sans doute limés, polis, adoucis, peut-être liés entre eux, mais qui, tels quels, obligent le lecteur à s'interroger, à poursuivre la réflexion.

« *Le silence éternel de ces espaces infinis m'effraie* », écrit-il. Son unique réponse sera la foi, la foi en Jésus-Christ seule raison d'espérer, la foi qui suffit à tout. Dieu ne se démontre pas, il se donne. Dès lors, tout est accompli. Pascal meurt en 1662, à trente-neuf ans, brûlé, consumé par une passion folle, celle de découvrir la vérité, la vérité du monde matériel, celle de l'esprit, celle de l'âme, et, par-dessus tout, la Vérité de Celui qu'il a cherché si longtemps, voulu connaître, désiré de tout son cœur et qui, finalement, s'est donné à lui : Dieu.

SOURCES : B. Pascal, *Œuvres complètes*. Saint-Beuve, *Port-Royal*. H. Lefebvre, *Pascal*, Paris, 1949-1954. G.-M. Garonne, *Ce que croyait Pascal*, Paris, 1969. L. Goldmann, *Le Dieu caché*, Paris, 1955. J. Racine, *Abrégé de l'histoire de Port-Royal*, Paris, 1994. R. Taveneaux, *Jansénisme et réforme catholique*, Nancy, 1992.

# JEAN-JOSEPH SURIN

## *L'AMOUR PLUS FORT QUE LA FOLIE*

**7 JUIL.** LA LUMIÈRE PÂLE D'UN CRÉPUSCULE D'AUTOMNE SEMBLE PEU PRESSÉE DE CÉDER LA PLACE À L'OBSCURITÉ nocturne. Un vent froid s'est levé, et fait tourbillonner les feuilles qui virevoltent longtemps avant de tomber à terre. Un promeneur solitaire, visiblement désireux de goûter jusqu'au bout la paix qui descend sur le monde à la nuit tombante, s'attarde sur le tapis rouge et or qui revêt les allées du parc. En cette soirée bénie d'octobre 1655, le père Jean-Joseph Surin a l'impression de revenir des ravins de la mort, et de retrouver enfin une sérénité qu'il n'osait même plus espérer. Tout en écoutant avec délices le froissement léger des feuilles mortes sous son pas inégal, il repense à la scène toute simple qui l'a tiré de l'enfer quelques heures auparavant. Car le père jésuite qui arpente ces allées désertes se considérait lui-même jusqu'à ce jour comme irrémédiablement damné, et cette expression n'était pas dans sa bouche une vaine métaphore. Voilà vingt ans qu'il était enfermé dans la folie, traité comme un insensé par ses frères, privé de ses facultés au point qu'il ne pouvait plus ni lire ni écrire. Il avait dû renoncer à célébrer la messe. Son corps n'avait pas résisté au naufrage de son esprit ; la maladie mentale l'avait souvent paralysé jusqu'à faire du moindre de ses gestes un supplice indicible. Par un jour sinistre où l'absurdité de son existence lui était apparue sous des couleurs plus affreuses encore qu'à l'ordinaire, il avait même tenté d'y mettre fin en se jetant par la fenêtre. Il en était resté boiteux à jamais.

Et puis, il y a de cela quelques mois, une faible lueur s'est mise à briller pour lui dans les ténèbres. La sollicitude de certains de ses confrères est venue remplacer la pitié qu'il se refusait à lui-même. Faute de pouvoir prêcher, il a pu dicter à l'un d'eux quelques éléments d'un *Catéchisme spirituel*. Cette lumière de plus en plus vive l'a conduit jusqu'à la journée pour laquelle il est en train de rendre grâces, alors même qu'elle va s'achever. Quand il a vu entrer tout à l'heure le père Jean Ricard dans sa cellule, il s'est précipité à genoux et lui a demandé d'entendre la confession d'un pécheur qui ne parlait pas en homme vivant sur la terre, mais en damné. Longtemps après le départ de son confesseur, les mots qu'il a entendus résonnent encore dans son cœur : « *J'ai eu une impression qui ne vient point de mon imagination, ni de mon propre sens, qui est que, avant de mourir, notre Seigneur vous fera la grâce de voir que vous vous trompez et que vous viendrez enfin à faire comme les autres hommes, et j'espère que vous mourrez en paix.* » À genoux devant le crucifix, Jean-Joseph Surin avait fixé sur chacun de ces mots une attention douloureuse. Et, soudain, une grande paix l'avait envahi. Il était sorti dans le parc admirer la lumière mourante du soleil, et avait eu, pour la première fois depuis longtemps, l'impression que ses rayons pourtant tièdes le réchauffaient. Le silence vespéral n'exaspérait plus son esprit naguère harcelé sans répit par le tourbillon des pensées les plus folles.

En suivant les allées droites tracées avec art dans ce jardin magnifique, le père Surin songe aux chemins accidentés qui ont mené au fond de l'abîme son âme enfin convalescente. Très tôt dans sa vie, il a senti en lui la présence d'une ombre qui semblait n'attendre qu'un moment propice pour l'envelopper de ténèbres. Le jeune jésuite qui sillonnait les routes d'Aquitaine se savait fragile, et le ministère de prédication et de direction spirituelle que ses supérieurs lui avaient confié l'avait au départ effrayé. Mais s'il avait été ordonné prêtre, n'était-ce pas pour venir en aide à ceux qui souffraient ? Aussi avait-il étouffé la voix intérieure qui lui recommandait la prudence et lui répétait qu'un fardeau trop lourd ferait ployer son âme jusqu'à ce qu'elle se rompe. Et l'on vantait par toute

> On l'avait envoyé à Loudun pour y terminer l'exorcisme auprès de religieuses possédées.

l'Aquitaine les qualités d'écoute et d'accompagnement exceptionnelles de ce prêtre, qui ne semblait vivre que pour soulager son prochain.

Jean-Joseph Surin s'est assis sur un banc pour offrir son visage à la lumière rasante qui passe à travers le feuillage d'or. Mais l'appel perçant d'une corneille brise soudain le silence du soir, et le jésuite sursaute violemment. Ce cri discordant le ramène vingt ans en arrière, en 1634. Il se revoit franchir un portail en écoutant les hurlements rauques qui l'accueillent. On l'avait envoyé à Loudun pour y terminer l'exorcisme commencé depuis deux ans auprès de religieuses possédées. Le couvent avait attiré l'attention de tout le royaume, mais Jean-Joseph Surin avait refusé de participer à ce qui devenait presque un spectacle. Avec discrétion, il s'était fait le directeur spirituel et le conseiller des sœurs. Il ne les avait pas regardées comme des créatures habitées, mais comme des femmes malheureuses, douées de sens et de parole. Il les avait ainsi délivrées de cette logique de possession par un long cheminement fait de confiance et d'écoute. Poussant jusqu'au bout son désir de rédemption, il avait formulé la prière de prendre sur lui l'angoisse et le mal des religieuses, au risque d'y perdre son âme. Sa fragilité n'avait pas résisté à cette épreuve ; à peine la dernière religieuse avait-elle été guérie qu'il s'était enfoncé à son tour dans la nuit.

La pénombre a complètement envahi le

parc. Le père Surin se lève et reprend sa marche dans les allées sombres. Il sait à présent ce qui lui reste à faire. Après avoir vécu, vingt ans durant, la pire des pauvretés, celle qui consiste à être dépouillé de son propre esprit, il lui semble à présent qu'il va pouvoir reprendre sa tâche de directeur spirituel mieux encore que par le passé. Aucune détresse, aucune humiliation ne lui seront scandaleuses ou incompréhensibles.

Jean-Joseph Surin, que l'on a surnommé « le plus grand mystique de la compagnie de Jésus en France » trouve effectivement dans ses dernières années une immense sérénité qui, alliée à une connaissance profonde des ténèbres du cœur humain, lui donne de devenir un père spirituel extraordinaire. Il écrit des lettres par centaines, et claudique sur les routes de France pour rendre visite aux « *pauvres gens des campagnes, dont aucun, si humble soit-il, n'a été plus humilié et n'est moins aimé de Dieu que lui* ». Il laisse derrière lui une œuvre importante qui n'a rien d'un système théologique, mais qui souligne l'aspect radical de l'amour divin. L'homme est fait pour le bonheur, et ce bonheur n'est possible qu'en Dieu. Cette certitude est le point de départ d'une quête exaltante qui laisse l'esprit sans repos et ne tolère aucune concession. Aucun cheminement spirituel ne peut être vécu à moitié, si bien que le pèlerin de ce monde doit se considérer comme un sauvage qui n'aurait ni feu ni lieu jusqu'à ce qu'il ait enfin atteint la maison du Père.

Cette pensée radicale ne l'empêche pas de goûter profondément dans ses vieux jours une paix qui lui rappelle la joie de son enfance. Il se souvient avec émotion de l'année où il avait huit ans, et où on l'avait mis pour son bien en quarantaine tandis que la peste sévissait autour de lui. Il avait alors passé ses journées dans une immense liberté et une grande insouciance, il a l'impression de retrouver le même bonheur au soir de sa vie. « *Mes forces naturelles sont, par la grâce de Dieu, tellement renouvelées que j'ai presque oublié les maux passés, et cette année, qui est la soixante-deuxième de mon âge, me semble immédiatement jointe avec la huitième, où je me souviens que je jouissais paisiblement du bien que Dieu donne aux enfants. Depuis quelque temps, je dors toute la nuit d'un sommeil paisible et sans interruption. Il me semble sincèrement que je suis comme un enfant dans le sein de notre Seigneur.* »

Les cris des possédées de Loudun sont loin, loin aussi les vingt années d'obscurité complète qui ont suivi cet épisode, lorsque sous sa plume naît ce poème serein :

« *Je veux aller courir parmi le monde,*
*Où je vivrai comme un enfant perdu.*
*J'ai pris l'humeur d'une âme vagabonde*
*Après avoir tout mon bien dépendu.*
*Ce m'est tout un que je vive ou je meure,*
*Il me suffit que l'Amour demeure...* »

SOURCES : J.-J. Surin, CANTIQUES SPIRITUELS. A. Pottier, LE PÈRE LALLEMANT ET LES GRANDS SPIRITUELS DE SON TEMPS, Paris, 1927-1929. M. de Certeau, « Les œuvres de J.-J. Surin. Histoire des textes », in RSAM, n° 40-41, 1964-1965. M. de Certeau, LA POSSESSION DE LOUDUN, Paris, 1970.

# L'ABBÉ DE RANCÉ ET LA RÉFORME DE LA TRAPPE

## QUAND UN ABBÉ DE COUR SE FAIT MOINE

**8 JUIL.**

EN L'AN DE GRÂCE 1662, AU MOIS DE JUILLET... SUR LES CHEMINS DE BASSE-NORMANDIE, un homme au front élevé, au nez droit et aux yeux pleins de feu, fait route vers la Trappe de Soligny. Au loin, derrière les étangs, il croit apercevoir les murs de l'abbaye. Il hésite cependant, pense s'être trompé. Serait-il possible que la Trappe, *son* abbaye, l'un des derniers bénéfices auxquels il n'a pas renoncé, soit sur le point de n'être plus que ruine ?

À l'entour, les bois se font de plus en plus touffus. À cette heure matinale, le brouillard n'est pas encore dissipé et l'humidité perce ses vêtements. Rancé frissonne... Les yeux fixés sur les murs délabrés, il s'interroge : est-ce là que Dieu l'attend ? Trouvera-t-il réponse aux questions qu'il se pose depuis de nombreuses années ? Il a déjà perdu tant de temps en menant une vie mondaine et futile. Il a certes éprouvé, après la perte d'une personne aimée, le feu brûlant de la conversion qui l'a conduit à renoncer au monde deux ans plus tôt, dans la solitude de sa maison de Véretz. Mais, à trente-six ans, il cherche toujours sa vocation. La lecture des Pères du Désert, recommandée par les oratoriens qui assuraient sa direction spirituelle, n'a pas apaisé son cœur inquiet. Depuis deux ans, il a beaucoup écouté les conseils avisés des saints évêques qu'il a consultés, Mgr Pavillon à Alet, Mgr Caulet à Pamiers et finalement l'évêque de Comminges. Mgr Pavillon l'a incité à choisir la plus absolue pauvreté, sans nuances, sans considération pour les obligations liées à son rang : « *Vendez votre part de l'héritage paternel, réparez les églises de vos bénéfices et donnez le reste à l'Hôtel-Dieu ou à l'hôpital général.* » Tel le jeune homme riche de l'Évangile, Rancé est reparti, attristé, « *car il avait de grands biens* ». Mgr Caulet pour être moins radical n'en fut pas moins ferme : « *Lorsqu'on veut mener une vie pénitente, croyez-vous nécessaires les revenus de deux prieurés et de trois abbayes ?* » Il restait à l'évêque de Comminges l'honneur de porter l'estocade en lui suggérant de se retirer dans l'une de ses abbayes et de s'y faire religieux. Si l'idée de « *se faire frocard* » soulève le cœur de Rancé, il envisage cependant une retraite auprès de l'une de ses abbayes. Après de longues hésitations, il songe à se retirer dans le seul autre bénéfice qu'il a conservé, un prieuré près de Chambord. Mais il lui faut avant tout pourvoir aux besoins de la Trappe, bénéfice qu'il a longtemps négligé et qu'il s'est promis de visiter.

Dans la solitude du petit matin, Rancé murmure alors cette prière : « *Seigneur ! vous connaissez les désirs de mon cœur. Vous savez bien à présent que je ne cherche que vous seul : faites-moi connaître la voie par laquelle vous voulez que j'aille à vous !* [...] *Doit-elle être ce chemin boueux qui conduit à l'abbaye de la Trappe ?* »

Un rayon de soleil caresse la cime des arbres. Et soudain, l'abbaye est là, devant ses yeux. Les bâtiments, immenses, présentent un aspect si triste que le pas du voyageur se fait hésitant. Comme il s'apprête à franchir la grille – grande ouverte au monde –, Rancé s'immobilise à la vue d'un vagabond qui longe l'abbaye. Il l'interpelle et lui demande s'il peut rencontrer les frères. Peut-être sont-ils à l'office, ou réunis en chapitre ? La réponse de l'homme le pétrifie. Plus d'office, plus d'oraison, plus de chapitre... Abasourdi, Rancé insiste... avant de comprendre que son interlocuteur est bien renseigné puisqu'il est lui-même moine ! Un moine qui, comme ses frères, ne porte plus l'habit.

Rancé tente de retenir le religieux vagabond, de lui parler, de comprendre. Mais, agacé, levant les yeux au ciel, le moine poursuit sa route. Alors seulement Rancé remarque le lièvre qui dépasse de sa besace : « En plus, il chasse... Tous les moines sont-ils devenus braconniers ? »

> *Tous les moines sont-ils devenus braconniers ?*

songe-t-il avec tristesse. Il n'est malheureusement pas si loin de la vérité. Les six religieux de l'abbaye qu'il finit par rencontrer n'ont plus rien d'hommes consacrés à Dieu. L'abbaye est totalement délabrée. À l'image des moines, elle semble avoir perdu son âme... Et Rancé, écrasé sous le poids de la culpabilité, regarde avec impuissance ce désolant spectacle.

Mais, au milieu des remords qui l'assaillent, la réponse tant attendue surgit : sa vie, il la consacrera à son abbaye afin d'en faire un lieu de silence, de prière et de solitude, conforme à sa vocation initiale... Même si, pour l'heure, il ne se sent pas appelé à devenir moine, il rénovera l'abbaye, son bénéfice, en restant prêtre séculier, en suivant, en abbé commendataire, le mouvement de réforme entrepris par les religieux de la Stricte Observance de Cîteaux. À cette époque où le laisser-aller est grand dans les abbayes cisterciennes, nombreux sont les moines qui cherchent à retrouver les exigences primitives de la règle de saint Benoît.

Trois semaines plus tard, six moines du monastère de la Stricte Observance de Perseigne arrivent à la Trappe, avec pour mission d'y faire revivre une vie monacale régulière. Ce sont les premiers « trappistes ». Sous le regard bienveillant de Rancé, ils commencent à restaurer l'église et les principaux bâtiments conventuels. Le 20 août 1662, à minuit, neuf moines – trois anciens, repentis, ont rejoint les nouveaux trappistes – précédés de leur abbé arrivent au chœur pour chanter matines. Il y avait deux siècles qu'on n'avait pas vu cela.

Au fur et à mesure que l'abbaye retrouve son âme, Rancé continue son long cheminement spirituel. « *J'ai une telle aversion pour le froc que jamais je ne pourrai me résoudre à me faire moine* » répétait-il souvent à ses amis. Pourtant, il finit par désirer plus que tout revêtir l'habit blanc de Cîteaux et devient, après une année de noviciat, le 14 juillet 1664, abbé régulier de la Trappe pour la plus grande joie de ses frères. Moine parmi les moines, il peut ainsi revenir aux intuitions des Pères du Désert et à la règle primitive de saint Benoît.

Mais que de difficultés pour en arriver là ! Il faut une véritable révolution pour revenir aux usages primitifs de Cîteaux. Car si le mouvement de la Stricte Observance corrige certains abus, il autorise cependant quelques aménagements de la règle primitive. Fougueux et exigeant comme tous ceux qui, après l'avoir longtemps cherché, ont trouvé leur chemin vers Dieu, l'abbé de Rancé veut retrouver la règle de saint Benoît dans toute sa pureté... Deux mois après être devenu abbé régulier de la Trappe, il doit partir pour Rome afin d'y défendre les partisans de la Stricte Observance contre les mitigés... qui trouvent en l'abbé de Rancé une cible de choix. Ces vingt mois hors de la Trappe sont une épreuve douloureuse. Les mitigés lui reprochent surtout son

> « *J'ai une telle aversion pour le froc que jamais je ne pourrai me résoudre à me faire moine.* »

extrême rigueur, l'accusant même de menacer la vie de ses ouailles, par une discipline trop sévère. L'abbé de Rancé répond par la prière aux critiques et aux calomnies. Et, au fil du temps, l'abbé reçoit la grâce de la douceur. Les oppositions pourtant ne cessent pas. Son livre, *De la sainteté et des devoirs de la vie monastique*, paru en 1683, lui vaut les foudres de nombreux ordres, qui lui reprochent avant tout d'attirer nombre de leurs religieux ! Refusant de suivre la rigueur des jansénistes, condamnant aussi les tenants d'une morale laxiste au nom de la miséricorde divine, et d'une fidélité sans faille à l'orthodoxie catholique, « *l'abbé Tempête* » doit souvent se montrer inflexible.

Notre-Dame de la Trappe en sort grandie, toujours fidèle aux exigences de la réforme, et devient alors un modèle pour de nombreuses abbayes. Grâce à la personnalité exceptionnelle de son réformateur et à ses appuis dans le monde, l'abbaye de la Trappe peut vaincre toutes les résistances. Filleul de Richelieu, l'abbé de Rancé peut également compter sur la protection de la reine Anne d'Autriche puis sur celle de son fils, le roi Louis XIV.

À la mort de l'abbé de Rancé, en 1700, quatre-vingt-dix moines vivent à la Trappe dans la joie, la paix et l'unité. Aux abords de l'abbaye, plus de braconniers, mais des moines qui reviennent des champs en chantant. Plus de repas opulents, mais de sobres collations, des jeûnes fréquents, des levers matinaux... Une vie de travail, une vie de prière, dans le silence. « *Soyez persuadés que la solitude n'est rien, et qu'il ne peut y avoir ni piété ni régularité véritable dans les monastères sans le silence : c'est inutilement que vous fermerez la porte de nos cloîtres si vous laissez vos bouches ouvertes* » rappelait souvent le père abbé.

Aujourd'hui, Notre-Dame-de-la-Trappe – devenue la Grande Trappe – a donné naissance à d'autres Trappes. Par leur vie de prière, de pénitence et de solitude, les trappistes – dits cisterciens de la Stricte Observance, par opposition à ceux de la Commune Observance –, cherchent à rencontrer l'Absolu de l'Amour de Dieu et à en témoigner... jusqu'au don de leur vie, à l'exemple des sept frères de la Trappe de l'Atlas à Tibhérine, en Algérie.

SOURCES : R. de Chateaubriand, *VIE DE RANCÉ*. A.-M. Caneva, *LE RÉFORMATEUR DE LA TRAPPE. BIOGRAPHIE DE L'ABBÉ DE RANCÉ*, Paris, 1997. I. Bobry, *RANCÉ*, Lausanne, 1991. A.-J. Krailsheimer, « La réforme de Rancé : la Trappe comme modèle », in *NAISSANCE ET FONCTIONNEMENT DES RÉSEAUX MONASTIQUES ET CANONIAUX*, Saint-Etienne, 1991.

# BOSSUET

## *LE PRÉDICATEUR QUI FIT COURBER*
## *LA TÊTE AU ROI*

**• 9 JUIL•** UNE AGITATION CERTAINE COURT LE LONG DES GALERIES DU PALAIS DU LOUVRE. En ce 2 février 1662, le roi Louis XIV, la reine Marie-Thérèse, la reine-mère Anne d'Autriche se rendent à la chapelle. Les cannes et les talons qui frappent les dalles, le cliquetis des épées de cour, le bruissement des robes, des capes et des manteaux de soie se mêlent au murmure des conversations des grands seigneurs et des dames de la Cour. On s'interroge : « Qui est ce nouvel abbé convoqué pour nous prêcher le Carême ?... Un certain Bossuet... La reine-mère elle-même l'a choisi avec l'assentiment de la reine Marie-Thérèse. C'est un prêtre du diocèse de Metz... Il est encore jeune... Il n'aurait que trente-trois ans ! C'est un disciple de Monsieur Vincent... Il va nous falloir bien de la piété pour écouter ses sermons pendant près de deux mois !... Il est, paraît-il, un bon orateur... L'année dernière, il a prêché le Carême au grand carmel du faubourg Saint-Jacques, et auparavant, on l'a entendu chez les minimes de la place Royale... » Peu à peu, les voix se font plus discrètes alors que les cloches carillonnent à toute volée.

Dans la chapelle, chacun s'installe de son mieux. Les dames resserrent leurs jupes autour d'elles et ajustent leurs mantes de velours bordées de fourrure pour bien couvrir leurs épaules, car un air glacial tombe de la voûte de pierre. Le prédicateur monte en chaire. Il tente de dissimuler sous une apparence sévère la peur qui l'étreint : « Comment ai-je pu accepter la mission qui m'échoit ? Louis se dit très chrétien et semble persuadé d'être un bon fils de l'Église, mais l'est-il vraiment ? Il est si jeune, il n'a que vingt-trois ans ! Son esprit et son âme sont si vulnérables et la Cour est le lieu de toutes les vanités, de toutes les intrigues, de toutes les bassesses ! Seigneur ! Mettez sur mes lèvres les mots qui toucheront les cœurs ! »

Et Jacques-Bénigne Bossuet parle. Il a préparé un sermon sur la purification de la Sainte Vierge, la fête du jour. Peu à peu, sa voix a pris de l'assurance. Chacun se laisse envelopper par ce discours tout d'humilité et de fermeté et se prend à rêver d'un monde de grâces, auquel, selon l'orateur, il peut accéder s'il consent à faire effort sur lui-même... Mais, dès le dimanche suivant, Bossuet ne ménage pas son auditoire : il rappelle aux seigneurs et aux dames de la Cour que le Carême est un temps de pénitence. Qu'ils oublient, les grands de ce monde, les tables bien garnies, les viandes grasses et juteuses présentées à profusion dans les plats d'or, de vermeil ou d'argent ! Qu'ils oublient les joies du mardi gras, joies seulement terrestres, les plaisirs de la bonne chère, pour songer maintenant aux délices de l'âme qu'ils trouveront dans l'oubli d'eux-mêmes et la recherche de la Vérité. « *Paraissez donc, ô Vérité sainte ! [...] Illuminez par votre présence ce siècle obscur et ténébreux, brillez aux yeux des fidèles, afin que ceux qui ne vous connaissent pas, vous entendent, que ceux qui ne pensent pas à vous, vous regardent, que ceux qui ne vous aiment pas, vous embrassent.* »

Dès la fin de la prédication, Bossuet regagne sans tarder la communauté de prêtres pieux dans laquelle il s'est installé, non loin du Louvre. Il ne va pas perdre son temps en visites mondaines, alors qu'il doit prêcher encore seize fois devant le roi et la Cour, trois jours chaque semaine ; le dimanche, le mercredi et le vendredi, jusqu'à la fête de Pâques que Louis célébrera dans sa paroisse, Saint-Germain-l'Auxerrois.

Dans sa cellule, tard dans la nuit glacée, Bossuet cherche l'inspiration. À la faible lumière des chandelles, il gratte le papier, ajoute ici un mot, rature là une redondance inutile. Sa plume d'oie crisse dans le silence. L'abbé travaille et retravaille son texte. Néanmoins, il espère que l'Esprit Saint lui soufflera en chaire les mots qui toucheront le cœur des grands de la Cour. Les dimanches suivants, Bossuet prononce des sermons sur

la parabole du mauvais riche, sur la charité fraternelle, sur l'ambition ; les jours de semaine, il parle de l'enfer, de la providence, de la mort, de l'ardeur de la pénitence ; le samedi 25 mars, il prêche sur la fête du jour, l'Annonciation. Le lendemain, on l'entend sur l'efficacité de la pénitence ; il couronne ce cycle par un sermon sur les devoirs des rois, le 2 avril, dimanche des Rameaux, et, enfin, le Vendredi saint, il prêche sur la Passion du Seigneur.

Chaque fois qu'il monte en chaire, l'abbé parle avec détermination. En des élans passionnés, le jeune prêtre n'hésite pas à fustiger la Cour, lors de son sermon sur le mauvais riche : « *Ils meurent de faim ! Oui, Messieurs, ils meurent de faim dans vos terres, dans vos châteaux, dans les villes, dans les campagnes, à la porte et aux environs de vos hôtels ! Nul ne court à leur aide. Hélas ! Ils ne vous demandent que le superflu, quelques miettes de votre table, quelques restes de votre grande chère.* »

Déjà, en cet hiver si rigoureux, le roi lui-même a organisé au Louvre, dans son propre palais, des distributions de vivres au profit des indigents. Il paraît alors vouloir répondre aux désirs de sa mère, la pieuse Anne d'Autriche. Mais Bossuet souhaite convaincre tous les courtisans de laisser leur cœur s'ouvrir à la piété, à la charité de l'Évangile envers leurs frères les plus démunis.

Le roi n'est pas insensible à la parole sainte et cherche réellement à soulager la misère de son peuple. Il a toutefois beau-

> *À la faible lumière des chandelles, sa plume d'oie crisse dans le silence.*

coup de chemin à parcourir pour mener une vie plus chrétienne. Ne vient-il pas de commander à l'architecte Le Vau le coûteux et bientôt ruineux chantier de Versailles ? Ne donne-t-il pas des fêtes de plus en plus somptueuses ? De surcroît, au lieu de rester fidèle à la reine, qui lui a pourtant donné le dauphin espéré, il s'abandonne aux yeux de tous à une passion coupable pour la jeune Louise de La Vallière. Quel exemple pour la Cour tout entière ! Bossuet veut que Louis s'amende et n'hésite pas à lui rappeler ses devoirs. Lors du sermon du dimanche des Rameaux, il s'adresse directement au jeune roi : « *Sire, je supplie Votre Majesté de se représenter aujourd'hui que Jésus-Christ Roi des rois, et Jésus-Christ souverain pontife met son Évangile sur votre tête et en vos mains [...]. Jésus-Christ veut régner sur vous ; et, par vous, il veut régner sur vos peuples.* »

Louis XIV ne resta pas sourd à ces leçons, notamment à ce dernier discours de politique chrétienne. En 1670, il confia à Bossuet le soin de faire de son fils un prince chrétien et le nomma précepteur. Il ne chercha pourtant pas à éloigner sa maîtresse, Louise de La Vallière. C'est elle qui chercha à fuir la Cour en se réfugiant à deux reprises à la Visitation de Chaillot, avant de rompre définitivement avec son royal amant, pour devenir, en 1675, sœur Louise de la Miséricorde au carmel du faubourg Saint-Jacques. Bossuet prêcha le jour de sa profession.

> *Bossuet veut que Louis s'amende et n'hésite pas à lui rappeler ses devoirs.*

Tous comptes faits, et malgré son caractère parfois abrupt – que l'on songe à ses démêlés avec Fénelon –, Bossuet ne fut pas seulement un brillant orateur. Il fut aussi un prêtre zélé et un évêque de Meaux remarquable. Il administra du mieux qu'il put son diocèse et les affaires de l'Église de France jusqu'à sa mort, en 1704. Ses nombreux ouvrages pastoraux, d'une très grande qualité littéraire, lui valurent d'être élu à l'Académie et le font considérer encore aujourd'hui comme l'un des meilleurs écrivains du Grand Siècle.

Bossuet avait assisté dans leur agonie La Rochefoucauld et Henriette d'Angleterre, convertit la princesse Palatine, Turenne, Condé et bien d'autres encore. Quelque temps avant sa mort, celui que l'on nommait l'Aigle de Meaux écrivit pour lui-même une *Préparation à la mort* : « *Tout le reste est passé ; tout s'en va autour de moi comme une fumée ; mais je m'en vais où tout est [...]. Mon Sauveur, en écoutant vos saintes paroles, j'ai tant désiré de vous voir et de vous entendre vous-même ; l'heure est venue ; je vous verrai, vous me serez un juge sauveur. Vous me jugerez selon vos miséricordes, parce que je mets en vous toute mon espérance et je m'abandonne à vous sans réserve.* »

SOURCES : J.-B. Bossuet, *ŒUVRES COMPLÈTES*. J. Le Brun, *LA SPIRITUALITÉ DE BOSSUET*, Paris, 1972. L. Cognet, *CRÉPUSCULE DES MYSTIQUES. BOSSUET-FÉNELON*, Turnhout, 1958. M. Péronnet, *LES ÉVÊQUES DE L'ANCIENNE FRANCE*, Lille, 1977.

# FRANÇOIS DE LAVAL

## *L'INVENTION DE L'ÉGLISE QUÉBÉCOISE*

**• 10 JUIL •** FRANÇOIS DE MONTMORENCY-LAVAL FRISSONNE. POURTANT, CE 16 JUIN 1659, LE SOLEIL BRILLE généreusement sur la campagne québécoise. L'air est doux, à peine agité par une légère brise d'été.

Mais le jeune évêque qui vient tout juste d'arriver de France connaît les difficultés qui l'attendent. D'abord le climat : hostile et froid l'hiver, malsain et humide l'été. Et puis les féroces tribus iroquoises qui s'opposent farouchement à la présence des Français. Enfin il y a la ville, Québec. Ce comptoir commercial, fondé par Samuel Champlain au début du XVIIᵉ siècle, était à l'origine destiné à être le centre d'une colonie de peuplement. Mais, en réalité, Québec ne compte guère plus de deux mille habitants. Découragés par la dureté de la vie qui les attend, les Français répugnent à venir s'installer outre-Atlantique. Quant aux colons qui ont tenté l'aventure, ils vivent modestement du commerce des fourrures et de la pêche. La ville végète...

Pourtant, cette ville pourrait ouvrir les portes de l'Amérique, si l'on réussissait à y implanter des colons. Louis XIV a déjà envoyé un gouverneur qui tente d'instaurer un climat de quasi-sécurité et de maintenir de bonnes relations avec les Indiens. Il y a aussi un intendant qui gère l'administration locale, ainsi qu'un Conseil souverain qui rend la justice. Que manque-t-il donc ? Peut-être un évêque entreprenant et courageux, capable de donner naissance à l'Église de la Nouvelle-France !

François de Laval, le nouvel évêque de Québec, ne manque ni de qualités morales ni de dons spirituels. Né le 30 avril 1623 à Montigny-sur-Avre, près de Chartres, François de Laval appartient à la branche cadette de l'une des familles les plus distinguées de l'aristocratie française, les Montmorency. Destiné dès l'enfance à l'Église, il fait toutes ses études chez les jésuites. Élève brillant, il se fait rapidement remarquer pour sa grande piété. Ordonné prêtre en 1647, il est archidiacre d'Évreux pendant six ans. Il fait alors partie d'une association de chrétiens fervents, appelée les « Bons Amis », qui s'encouragent au progrès spirituel tout en œuvrant pour la diffusion de l'Évangile.

En 1653, les « Bons Amis » accueillent le jésuite Alexandre de Rhodes, « apôtre des missions du Tonkin », qui préconise la création de vicaires apostoliques, mandatés directement par le Saint-Siège pour former un clergé autochtone en Asie. François de Laval est pressenti, mais à la suite de sombres intrigues, il est écarté. Déçu et amer, il se démet de son archidiaconat, renonce à son patrimoine et se retire à l'ermitage de Caen, dirigé par Jean de Bernières de Louvigny. Pourtant, ce n'est que partie remise : il n'a guère plus de trente ans et Louis XIV n'entend pas laisser longtemps inexploités les talents du jeune Montmorency. En janvier 1657, le roi propose au pape d'envoyer le jeune homme sur le nouveau continent. L'aventure commence pour le tout jeune évêque François de Laval, promu vicaire apostolique de Nouvelle-France, comme on nommait alors les possessions françaises du Canada...

> En 1658, il embarque avec trois prêtres et un clerc.

En 1658, il embarque avec trois prêtres et un clerc. Ce jeune prélat de trente-six ans a, selon le gouverneur, « *un grand ascendant par son génie et par sa réputation de sainteté* ». La tâche gigantesque qui l'attend a réellement de quoi faire frissonner. Mais l'évêque a de grandes ambitions pour Québec. Pourtant l'accueil est décevant : faute d'un hébergement convenable, les cinq hommes sont recueillis par les jésuites puis par les ursulines. Impatient de s'installer, François de Laval fait construire un presbytère tout près de la cathédrale Notre-Dame. Assuré d'obtenir une aide financière de la reine Anne d'Autriche, mère de Louis XIV, il entreprend rapidement des chantiers plus importants.

Cinq ans plus tard, le 26 mars 1663,

Monseigneur de Laval fonde le séminaire de Québec. À partir de ce moment, l'Église catholique du Nouveau Monde prend véritablement son envol. Destiné à être « *l'âme de l'Église canadienne* », le nouveau séminaire doit organiser le clergé et la propagation de la foi catholique dans la colonie. Organisé comme une communauté de prêtres séculiers, il accueille non seulement les prêtres, mais aussi les laïcs qui sont engagés dans les paroisses et les missions. Centre de la vie apostolique, centre de formation, centre spirituel, le séminaire forme un clergé de qualité qui encadre les paroisses créées au fur et à mesure de l'avancée des colons. Le séminaire pourvoit également à l'entretien des prêtres, leur offre le voyage, quand « *on en tirera de France ou qu'ils y retourneront* », et se charge de construire les églises. Contrairement à l'usage en France, François de Laval obtient que les dîmes soient exclusivement prélevées par l'évêque et aillent en totalité au séminaire, à charge pour lui de les répartir au gré des besoins du diocèse.

En 1663, on compte six prêtres et cinq postulants à Québec. Leur vie au séminaire est strictement réglée : ils se lèvent à quatre heures pour une méditation commune, puis suivent la messe servie par les séminaristes. Après les cours au collège jésuite, ces derniers rentrent à onze heures pour la récitation du chapelet qui précède le repas pris en silence. L'après-midi est consacrée à l'étude de l'Écriture sainte et au chant. À six heures a lieu le second chapelet suivi d'une méditation ; à six heures et demie, le souper est servi ; à huit heures, ils récitent la prière du soir et, à neuf heures, tous se couchent.

*« La colonie n'a de vie que depuis le temps que vous vous êtes dévoué pour elle »*, écrit Louis XIV à François de Laval. Et c'est vrai. L'entreprenant évêque ne cesse de bâtir, d'organiser, d'instruire. Il fonde ainsi un petit séminaire pour la formation chrétienne des enfants. François de Laval est avant tout un grand pédagogue. Connaissant les besoins des petits enfants, il a l'astucieuse idée d'organiser des vacances au moment des fortes chaleurs de l'été. Entre le 15 août et le 1er octobre, les élèves du petit séminaire vont ainsi passer quelques semaines dans deux grandes fermes situées entre l'île d'Orléans et la côte de Beaupré. C'est pour eux l'occasion de pêcher, de chasser, de jouer et de découvrir la nature. Ces enfants ne recevront pas tous le sacrement de l'ordre, mais l'évêque veut avant tout leur dispenser une solide et sérieuse éducation chrétienne et humaine.

Bientôt, les locaux ne suffisent plus. Il faut raser l'ancien séminaire et reconstruire un bâtiment plus vaste, dans le style du pays. La nouvelle maison est longue, ses murs sont enduits d'un mortier ocre clair et son seul étage est coiffé d'une haute toiture recouverte de tuiles en bois. Lorsque la construction s'achève

> *Il organise des vacances pour les petits enfants au moment des fortes chaleurs de l'été.*

en 1681, c'est sans conteste l'un des plus beaux édifices du pays !

Bientôt 20 paroisses (1 400 familles et 8 000 âmes) s'éparpillent le long du fleuve. Les colons installent leurs maisons sur des bandes de terrains, parallèles entre elles et qui ont les pieds dans l'eau. Suivant les saisons, les curés les visitent en canot ou en raquette. François de Laval entreprend également d'évangéliser les Micmacs, Indiens réputés pour leur douceur et leur hospitalité, qui semblent désireux *« d'être instruits des vérités de la foi »* et dont les coutumes s'harmonisent avec l'esprit du christianisme.

En 1684, François de Laval, épuisé par les privations, les maladies et l'effort qu'il a entrepris depuis presque trente ans, demande à quitter sa charge et se retire dans son séminaire. Mgr de Saint-Vallier lui succède. À la grande tristesse de François, le nouvel évêque transforme aussitôt le séminaire de Québec en un lieu exclusivement destiné à la formation des futurs prêtres sur le modèle des séminaires français. Les pieux laïcs et les prêtres diocésains qui s'y formaient s'en vont. Le lien entre les paroisses du diocèse et le séminaire est rompu. Le bel édifice n'est plus le centre et le soutien du clergé canadien.

En 1700, Mgr de Saint-Vallier s'absente de la colonie. François Laval reprend la charge vacante. Il édifie les prêtres et les fidèles par ses vertus et par sa charité ardente. En 1701 et 1705, deux incendies ravagent le séminaire de Québec. Le vieil évêque le rebâtit à chaque fois. Seule sa mort, le 6 mai 1708, mettra un terme à son œuvre.

Dans la seconde moitié du XVIII<sup>e</sup> siècle, la France perd sa colonie, mais la vitalité de l'Église catholique demeure. François de Laval a contribué à bâtir un pays, une culture, une identité. Il a été béatifié en 1880 et a donné son nom à l'université de Québec – l'université Laval, la plus ancienne université française d'Amérique. Quel meilleur hommage aurait-on pu rendre à ce grand pédagogue ?

SOURCES : L. Campeau, *L'ÉVÊCHÉ DE QUÉBEC*, Québec, 1974. N. Voisine, A. Beaulieu, J. Hamelin, *HISTOIRE DE L'ÉGLISE CATHOLIQUE AU QUÉBEC, 1608-1970*, Montréal, 1971. N. Baillargeon, *LE SÉMINAIRE DE QUÉBEC DE 1760 À 1800*, Laval, 1981. M. Lebel, P. Savard et R. Vezina, *ASPECTS DE L'ENSEIGNEMENT (1765-1945) AU PETIT SÉMINAIRE DE QUÉBEC*, Société historique de Québec, 1969.

# LES MARTYRS DU VIETNAM

## *MOURIR POUR LA LOI DU SEIGNEUR DU CIEL ET DE LA TERRE*

**• 11 JUIL •**

LA PLUIE TOMBE EN CATA-RACTES. ELLE TAMBOURINE VIOLEMMENT SUR LES TOITS DU VILLAGE, et transforme ses rues en un vaste torrent de boue. La rivière bouillonne sous les trombes d'eau qu'elle reçoit du ciel, et ses tourbillons rageurs semblent vouloir se jeter à l'assaut des maisons les plus proches. Nous sommes en 1664 et, comme chaque année, la mousson vient de s'installer sur le Vietnam. La veille, les paysans ont hoché la tête d'un air entendu devant la couleur étrange du soleil couchant. Ce matin, la masse des nuages chargés de pluie a bouché l'horizon. Le vert sombre de la jungle s'est confondu avec le ciel d'encre, et le village a été enveloppé d'une obscurité complète dans laquelle le déluge s'est soudain déchaîné.

À l'intérieur du tribunal, les habitants du village se tiennent cois, impressionnés par ce tumulte qui recommence chaque année, mais dont la violence les fascine toujours. L'air saturé d'humidité devient presque irrespirable, et rend la chaleur plus accablante encore. Les regards suivent avec envie le mouvement lent et régulier de la palme avec laquelle un vieil homme évente le président du tribunal. Celui-ci semble indifférent à la température intolérable comme au vacarme de la pluie. Son visage impassible ne reflète qu'un ennui profond, que trahit aussi le léger mouvement de ses mains sur sa robe d'un jaune éclatant. Une fillette assise au premier rang a les yeux rivés sur ces doigts étonnants, prolongés par de fins cônes de métal qui protègent les ongles longs du juge et signifient son appartenance à la puissante caste des mandarins.

Le prisonnier est enfin introduit dans la salle ; le bruit de la pluie est si fort qu'on ne l'a pas entendu arriver. Les deux gardes amènent Thomas Tin sans ménagements devant le mandarin, et se plantent à côté de lui. Les trois hommes sont aussi trempés que s'ils s'étaient plongés dans la rivière, et une flaque d'eau se forme à leurs pieds tandis que le mandarin interroge l'accusé d'une voix tranchante.

– Comment as-tu osé abandonner la religion de tes vénérables ancêtres pour embrasser celle des Portugais ?

Le prisonnier, qui se tient profondément courbé devant son juge en signe de respect, répond d'une voix ferme :

– Maître, si mes compagnons et moi

avons choisi d'adopter une religion prêchée par des étrangers, ce n'est pas par mépris envers nos ancêtres, que nous honorons profondément. Ce n'est pas non plus par indifférence à notre pays. Le Dieu que nous adorons n'est pas seulement celui des Portugais. Regardez le soleil... » Thomas Tin s'interrompt, car l'eau qui dégoutte de ses vêtements lui rappelle que cet exemple n'est pas de mise aujourd'hui. Mais il poursuit :

– Le soleil qui brille en Cochinchine brille aussi par toute la terre, et tous les hommes se réjouissent de sa lumière. De même, le Dieu des missionnaires portugais, italiens ou français est aussi le nôtre.

Pendant tout le temps de son discours, Thomas Tin a gardé la tête baissée et les yeux fixés sur le bas de la robe de soie jaune du juge. D'un mouvement impatient de sa longue main, le mandarin chasse cette sotte réponse. Il a jugé d'autres chrétiens, et tous semblent n'avoir que ces arguments à la bouche. Et pourtant, si leur Dieu n'est pas étranger, pourquoi s'affublent-ils de ces noms bizarres, Thomas, Paul ou Pierre, qui écorchent de leurs sons discordants les oreilles des habitants de la Cochinchine ? Aussi l'accusé est-il condamné à mort. Ses gardes l'entraînent hors du tribunal. En arrivant sur le lieu de son exécution, Thomas s'irrite devant l'intitulé de la condamnation : « Le roi ordonne que l'on mette à mort tous ceux qui suivent la loi des Portugais. » Il sait que le fait de soudoyer son prochain ne compte pas parmi les vertus

> *D'un mouvement impatient de sa longue main, le mandarin chasse cette sotte réponse.*

chrétiennes qu'on lui a enseignées, mais tout de même, pour la bonne cause... Tirant de sa poche les dernières pièces de monnaie qui lui restent, il s'approche d'un soldat, les lui tend subrepticement, et parvient à faire remplacer « loi des Portugais » par « loi du Seigneur du Ciel et de la Terre ».

Deux ans plus tard, c'est Pierre Dang, accusé de trahison envers le pouvoir impérial et les coutumes du peuple, qui tente d'expliquer à son souverain Hien Vuong la nature des liens qui l'unissent à Dieu : « Prince, nous adorons un seul Seigneur, qui a fait le Ciel et la Terre, et qui ne nous empêche pas d'honorer en vous la majesté royale. Nous essayons de ne pas nous écarter de ce qui est juste et droit. Nos honorons aussi nos parents et nos ancêtres, nous aimons tous les hommes comme s'ils étaient nos frères. Nous ne convoitons pas le bien des autres. Votre Majesté ne voit rien là que de très louable. »

Peine perdue. Le souverain se caresse la barbe en examinant le prisonnier, dont il ne voit que la natte tant celui-ci est courbé devant lui. Son expression n'annonce rien de bon. Le plaidoyer obstiné et respectueux de Pierre Dang ne lui vaudra pas la clémence de son prince.

Ces épisodes ne sont pas exceptionnels au XVII<sup>e</sup> siècle, en un temps où le message évangélique des premiers missionnaires atteint le Vietnam. Les habitants de la péninsule indochinoise ont pourtant un sens religieux aigu. Ils ponctuent leurs conversations d'images et de proverbes qui donnent à leurs propos un tour singulièrement méditatif. Ils aiment à écouter les conteurs qui cheminent de village en village, et dont la voix chantante parle de héros légendaires favorisés du Ciel. Ils passent de longs moments, devant le petit autel consacré dans chaque foyer aux ancêtres de la maisonnée, à regarder monter la fumée odorante de l'encens.

Mais le christianisme a du mal à trouver sa place dans cette vision du monde où le sacré est partout. L'idée d'un Dieu personnel qui aurait créé l'univers bouscule les philosophies taoïstes, bouddhiques et confucéennes, et s'accorde mal avec les croyances populaires. Pour le taoïsme, le Ciel est un principe d'ordre et d'harmonie universelle, et les sages qui ont passé leur vie à étudier cet enseignement supportent mal que les chrétiens parlent systématiquement d'amour quand il est question du Ciel. Que viendrait donc faire l'amour dans le Ciel ?

Quant au confucianisme, il enseigne que trois éléments organisent l'univers : le Ciel, puissance bienfaisante, la société, fondée sur le culte des ancêtres, et l'Empereur, fils du Ciel, dont le mandat dure tant qu'il maintient l'harmonie entre l'ordre cosmique et l'ordre social. Les chrétiens assurent qu'ils ne mettent pas en cause ces principes, mais les mandarins refusent d'être les dupes d'un mensonge pareil. Quelle n'a pas été leur fureur en apprenant qu'un missionnaire rusé, le père Alexandre de Rhodes, a publié en 1651 un catéchisme en vietnamien, où il fait semblant d'épouser les enseignements confucéens ! Il dit qu'il y a bien trois degrés dans les honneurs à rendre : les parents, l'Empereur, et un « Seigneur du Ciel ». De voir ainsi déformer la pensée de leur vénérable maître exaspère les sages. Tout le monde sait que les chrétiens, s'ils prétendent honorer leurs ancêtres, refusent de leur rendre un culte digne de ce nom. Quant à l'Empereur, ils le respectent mais ne le considèrent pas comme Fils du Ciel. Et cela suscite de graves outrages à la hiérarchie, comme celui dont se rend coupable en 1700 le capitaine Paul Kien. Son seigneur lui ordonne d'abjurer ; sommé de choisir entre l'obéissance et la mort, il a l'audace de préférer la seconde ! Et les chrétiens osent dire qu'ils ne battront jamais en brèche les principes sacrés sur lesquels repose la société.

C'est pourquoi les mandarins, et une grande partie du peuple derrière eux, ne sont pas tendres envers ces hommes et ces femmes dont ils sont persuadés qu'ils n'ont d'autre but que de détourner les esprits des voies qui mènent à la sagesse. De 1640 à 1862, plus de soixante-dix mille chrétiens vietnamiens et missionnaires étrangers versent leur sang pour leur foi. En juin 1988, l'Église a choisi de proclamer saints cent dix-sept d'entre eux, parmi lesquels quatre-vingt-seize prêtres et laïcs vietnamiens, dix prêtres et évêques français, onze prêtres et évêques espagnols du *Patronato* présents là aussi, comme ils l'avaient été au Japon. La période

> *Les mandarins refusent d'être les dupes d'un mensonge pareil.*

des martyres ne s'achève qu'avec la signature d'un traité de paix entre la France et l'Annam, qui prévoyait expressément la liberté de culte pour tous les chrétiens du pays. L'Église vietnamienne est née de ces terribles dialogues de prétoire ; elle n'a pas refusé la tradition culturelle de son pays, mais, tout en s'y enracinant, elle a maintenu intactes les exigences de la foi chrétienne.

SOURCES : Y. Ishizawa, « Catholicisme et sociétés asiatiques : notes pour une approche méthodologique », in A. Forest, *CATHOLICISME ET SOCIÉTÉS ASIATIQUES*, Tokyo, 1988. Cl. Lange, *L'ÉGLISE CATHOLIQUE ET LA SOCIÉTÉ DES MISSIONS ÉTRANGÈRES AU VIETNAM, XVII<sup>e</sup>-XVIII<sup>e</sup> SIÈCLES*, Paris, 1980. Y. Tsuboï, *L'EMPIRE VIETNAMIEN FACE À LA FRANCE ET À LA CHINE*, Paris, 1987.

# REMBRANDT

## *LE RETOUR DU PRODIGUE*

**• 12 JUIL •**

« LE 8 OCTOBRE 1669, REM-BRANDT VAN RIJN, DOMICI-LIÉ AU ROZENGRACHT, VIS-À-VIS DU DOOLHOF ; BIÈRE AVEC SIX PORTEURS ; laisse deux enfants. Frais perçus : vingt florins. » Voilà ce que l'on peut lire sur le registre des enterre-ments. Une note marginale précise : « Enterré dans l'église ; on ne sait plus sous quelle dalle. » Même dans la rigueur d'une inscription administrative, Rem-brandt s'échappe. « On ne sait plus sous quelle dalle » ! Voilà qui dissuade d'entre-prendre un pèlerinage jusqu'à la Wester-kerk. Les détails de la biographie de Rem-brandt ne sont guère plus éloquents. Il naît en 1606 à Leyde, aux Pays-Bas, huitième enfant d'un meunier qui broie le malt pour les brasseries de la ville. Le pays est cal-viniste. Quelques années d'études, et il entre dans l'atelier de Jacob Isaacz van Swanenburgh, puis chez Pieter Lastman à Amsterdam. Tous deux sont des peintres d'histoire catholique. En 1625, Rembrandt s'installe comme peintre indépendant. Dès 1633, sa réputation est telle qu'on lui com-mande une série d'œuvres, *La Vie du Christ*. Jusqu'en 1646, il livrera sept tableaux, qui lui seront payés six cents florins chacun. Le filon est lucratif, sa fortune semble faite. En 1639, il achète une maison pour treize mille florins. Il épouse Saskia, la fille de son associé, le marchand d'art Van Uylenburgh, qui lui donne trois enfants, dont un seul survit, un fils nommé Titus. Un an après la nais-sance de ce fils, Saskia meurt. Il engage une gouvernante dont il se débarrassera cinq ans plus tard en la faisant interner à l'hospice de Gouda. Les raisons de Rembrandt sont mal connues, et la solu-tion manque pour le moins d'élégance et d'humanité. Pendant ce temps, Rem-brandt n'a cessé de peindre des œuvres, souvent d'inspiration biblique, qui lui sont payées un bon prix, et il dépense ses abondants revenus en achetant sans compter œuvres, tableaux et objets d'art. Il compte si peu qu'en 1656, ses créan-ciers le font déclarer en faillite, tous ses biens sont vendus à l'encan, y compris la maison qu'il n'a pas fini de payer. Depuis 1649, il vit avec Hendrickje Stoffels, une petite paysanne qu'il n'épousera jamais, malgré les réprimandes du consistoire protestant qui s'offusque d'une vie si notoirement immorale. Depuis sa faillite, le train de vie de Rembrandt s'est réduit, mais il continue à peindre, et une « société écran », dont son fils et sa compagne sont les gérants, le met à l'abri des créanciers. Rien de bien édifiant dans tout cela, et l'on chercherait en vain dans les écrits ou les propos de l'artiste une quelconque déclaration de portée spirituelle. Marchand, jouisseur, individualiste, peu embarrassé de moralité, le portrait serait convaincant s'il n'y avait pas son œuvre, toute son œuvre, et particulièrement son dernier tableau achevé, *Le Retour de l'enfant prodigue*, qu'il peint un an avant sa mort en 1667-1668.

Des proportions imposantes (2,62 m de haut, 2,05 m de large) une dimension intérieure qui révèle ce « *quelqu'un en moi plus moi-même que moi* », selon l'expression de saint Augustin. Car ce que révèle ce tableau, ce n'est ni l'art, pourtant à son sommet de l'artiste, ni même l'artiste, qui s'est si souvent peint dans ses œuvres, mais quelque chose d'autre, qui échappe à l'analyse et qui parle au cœur.

Ils sont deux. Deux, le chiffre magique du tableau : deux hommes, le père et le fils ; deux mains, celles du père ; deux pieds, ceux du fils. Bien sûr, plus de la moitié de la toile est emplie de trois autres hommes, figures inutiles, qui ne sont là que pour n'être pas, qui ne sont là que pour accentuer l'intensité de la rencontre du père et du fils, de ces deux figures qui ne se regardent pas et dont les corps seuls se rencontrent. Le fils, jeune encore, à la nuque rasée de bagnard, est lové au sein du père. Le père, tout voûté de tendresse, est penché sur ce fils à genoux, qu'il a cru perdu. Son vêtement ample et pourpre enveloppe le pauvre en haillons. Le père retient des deux mains le corps brisé de ce fils ; la main gauche, puissante, protectrice, paternelle ; la main droite, longue, caressante, maternelle. Tout le corps du père semble s'être creusé dans l'attente, s'être usé de patience, et enfin, il tient dans ses bras cet homme éprouvé par une si longue errance. Le père l'a si longtemps attendu, le fils a si longtemps marché ! Ses chaussures n'ont pas résisté à la brûlure du chemin, il en a les talons meurtris. Il revient de si loin. Il avait demandé sa part d'héritage à son père, raconte Jésus dans l'Évangile selon saint Luc, et il était parti dans un pays étranger, où il avait dilapidé son argent dans une vie de désordre. Ruiné, abandonné par ses amis, il avait dû garder des porcs, pour gagner le droit de manger plus mal qu'eux. Alors, « *rentrant en lui-même, il se dit, combien d'ouvriers de mon père ont du pain en abondance, tandis que moi, ici, je meurs de faim ! Je vais aller vers mon père, et je lui dirai : "Père, j'ai péché contre le ciel et contre toi, je ne mérite plus d'être appelé ton fils. Traite moi comme un de tes ouvriers."* » C'est cet homme, qui revient comme un esclave, qui est accueilli en fils : « *Comme il était encore loin, le père l'aperçut, et fut pris de pitié. Il courut se jeter à son cou.* » Et le père dit à ses

> *Le père, tout voûté de tendresse, est penché sur ce fils à genoux, qu'il a cru perdu.*

serviteurs : « *Mon fils que voici était mort et il est revenu à la vie, il était perdu et il est retrouvé.* »

Le fils revenait comme un vaincu, « *Père, j'ai péché contre le ciel et contre toi, je ne mérite plus d'être appelé ton fils* », et c'est en fils qu'il renaît dans les bras du père. Ce retour est une nouvelle naissance. La tête de l'enfant s'appuie sur les entrailles du père qui lui rend la vie. Le vieil homme épuisé d'amour est tout à la fois la mère qui donne la vie, et le père qui nomme l'enfant « fils ». Tout l'art du peintre se fait humble devant le mystère

*La tête de l'enfant s'appuie sur les entrailles du père qui lui rend la vie.*

de tendresse et de miséricorde qui s'accomplit.

Fallait-il que Rembrandt confessât par les mots ce que sa peinture donne si bien à voir ? Le sage Nicodème avait interrogé Jésus : « *Comment un homme peut-il naître étant déjà vieux ? Peut-il une seconde fois entrer dans le sein de sa mère et naître ?* »

Plus de mille six cents ans plus tard, au soir de sa vie, le vieux peintre hollandais offre une réponse lumineuse. Pourquoi demander à l'artiste des raisons, quand son œuvre parle pour lui ?

SOURCES : P. Baudiquey, *REMBRANDT. LE RETOUR DU PRODIGUE*, Paris, 1995 et *UN ÉVANGILE SELON REMBRANDT*, Paris, 1990. J. Genet, *LE SECRET DE REMBRANDT*, Paris, 1995.

# KATERI TEKAKWITHA

## COMMENT « CELLE QUI AVANCE EN HÉSITANT » DEVINT LA PREMIÈRE RELIGIEUSE INDIENNE

**• 13 JUIL •** UNE VIEILLE INDIENNE CARESSE LES LONGS CHEVEUX NOIRS DE PETITE CLARTÉ DU CIEL QUI retrouve peu à peu la vie dans ce village indien d'Ossernenon au Canada, où une terrible épidémie de variole sévit depuis plusieurs semaines. En 1660, la variole est une maladie mortelle. La jeune Iroquoise a perdu sa mère, la chrétienne et pieuse Fleur de Prairie, son père, le chef guerrier Kenhoronkwo qui a reçu le baptême avant de mourir, et son petit frère, Trèfle Rose. Hélas, Clarté du Ciel porte à jamais sur son visage les stigmates de la maladie, et elle est presque devenue aveugle. Petite Clarté du Ciel devient alors, pour toute la communauté de son village, Tekakwitha, *celle qui avance en hésitant.*

La petite fille n'a que quatre ans. Elle est recueillie par son oncle Onsegongo, sa femme Gannantaha et la sœur de cette dernière qui vit sous le même toit, Maghenta. Tous les trois ne sont pas convertis et ne cachent pas leur hostilité à l'encontre des chrétiens. Ils interdisent à l'enfant de fréquenter les amies de sa mère.

La petite Tekakwitha est souvent d'humeur mélancolique et montre un grand penchant pour la solitude. Son statut de jeune orpheline atteinte de disgrâces renforce ces traits de caractère. Mais elle témoigne d'un naturel serviable et des dons manuels étonnants, largement exploités par sa nouvelle famille. Tekakwitha acquiert rapidement une réputation de jeune fille douce et travailleuse. Mais la petite Indienne se sent isolée au sein d'une famille pour laquelle elle est corvéable à merci. Son seul refuge est la prière qu'elle pratique en cachette. Car, malgré l'interdiction de sa famille de pratiquer le culte chrétien, Tekakwitha n'a rien oublié des enseignements de sa mère. Elle souhaite ardemment rencontrer les fameuses Robes-Noires, ces missionnaires jésuites qui ont naguère apporté la bonne parole dans les villages indiens. Mais les belliqueux Iroquois, en guerre avec les autres tribus huronnes et algonquiennes, ont depuis longtemps chassé les missionnaires de leurs terres, où ils refusaient la présence des Français.

Les Robes-Noires vont pourtant revenir. Devant les attaques incessantes des Iroquois, les Français s'allient aux autres tribus et leur déclarent la guerre. Rapidement acculés, les Iroquois signent la paix avec « leurs frères indiens et leurs amis blancs ». Les missionnaires peuvent ainsi s'installer à nouveau aux abords du village de Tekakwitha. La première hutte qu'ils visitent est celle qui abrite sa famille. Tekakwitha émerveillée boit leurs paroles, comme une assoiffée dans le désert.

Lorsqu'elle atteint l'âge de douze ans, on songe à la marier. Mais Tekakwitha refuse tout engagement, même auprès d'un valeureux guerrier qui apprécie la gentillesse, la modestie et le courage de la jeune fille. Elle désire avant tout se rapprocher de Dieu et vivre loin des rites païens et des tentations qui pourraient souiller son âme... Bientôt les bons pères s'installent à demeure dans le village de Tekakwitha, pour la plus grande joie des quelques chrétiens de la communauté. La première église est édifiée. Pour la jeune fille, l'arrivée de la mission est un rayon de soleil qui éclaire un cœur assombri par des années de privations. Privée de prier Dieu, privée de l'honorer.

Aux premiers cours de catéchèse donnés par le père de la Mission, elle est la plus fervente et la plus assidue. Mais son oncle lui interdit à nouveau de fréquenter les missionnaires et de se rendre à l'église.

La présence des Robes-Noires est pourtant un peu mieux acceptée. La jeune Indienne est finalement autorisée à fréquenter la maison du Seigneur si elle a terminé sa besogne. Plus vertueuse que jamais, elle est prête à tout endurer pour être digne de Celui qui a donné sa vie pour sauver tous les hommes. Et, le matin de

*Le matin de Pâques de l'an 1676, Tekakwitha reçoit enfin le baptême.*

Pâques de l'an 1676, Tekakwitha reçoit enfin le baptême. Elle prend le nom de Catherine, Kateri en iroquois. Son cœur est débordant d'amour, la piété et le bonheur inondent son visage.

Son union à Dieu sera dès lors indéfectible, malgré toutes les difficultés qu'un entourage hostile opposera à sa foi ardente. Kateri vit le plus humblement possible, partageant son temps entre les actes de charité et les travaux domestiques, à la maison, aux champs et aux bois. Elle endure avec patience les brimades et les mauvaises plaisanteries des siens qui se moquent de sa foi et de ses mœurs jugées austères. Ils n'hésitent pas, par exemple, à la priver de nourriture le jour du Seigneur, prétextant qu'elle n'a pas gagné sa pitance puisqu'elle ne travaille pas ce jour-là. On l'accuse de jeter des sorts funestes avec son chapelet et d'être la maîtresse de son oncle. Constamment harcelée par ses semblables qui s'acharnent à l'humilier, Kateri ne connaît plus le repos. Mais sa foi reste inébranlable et s'affermit chaque jour dans le pardon de l'offense. Toujours plus humble, elle pardonne chaque brimade et offre à Dieu et à son infinie miséricorde tous les instants de sa vie.

Le plus difficile pour la jeune fille est de ne pas pratiquer sa foi au grand jour de façon constante : elle tremble toujours à l'idée que son oncle pourrait une fois de plus lui interdire le chemin de l'église. Cela lui devient tellement insupportable qu'elle décide de quitter le village. Un jour, trois missionnaires de passage partent pour la

Prairie, une mission iroquoise située sur les bords du Saint-Laurent. Un groupe d'Indiens chrétiens y vit selon les enseignements du Christ. Les anciennes amies de la mère de Tekakwitha ont fini par s'y installer, lassées de subir les persécutions de leur village. Échappant à la vigilance de sa famille, elle s'enfuit avec les missionnaires. Après plusieurs jours de route et de navigation vers la rive sud du Saint-Laurent, ils arrivent enfin à bon port. Kateri reconnaît aussitôt ses amis qui l'accueillent avec des transports de joie.

Sa vie d'humble servante du Seigneur reprend son cours familier. Elle vaque aux occupations ménagères et agricoles pour la famille qui l'a adoptée. Mais, désormais, elle ne manque plus aucun office, et sa vie religieuse devient le centre de son existence. Son zèle émerveille tant les missionnaires qu'elle reçoit la première communion le jour de Noël, seulement quelques mois après son arrivée. La reconnaissance de ses vertus va plus loin encore : à Pâques de l'an 1678, elle est reçue dans la confrérie de la Sainte-Famille où ne sont ordinairement admises que les personnes âgées ayant prouvé la constance de leur foi. Lorsque, pour la seconde fois, on tente de la marier, la jeune fille décide de devenir ouvertement l'épouse de Jésus et la sœur des Anges. C'est chose faite le 25 mars 1679, jour où elle prononce ses vœux de virginité : c'est le plus grand moment de son ascension spirituelle et le couronnement de sa vie mystique. Le reste de ses jours sera un long dialogue d'amour entre son âme légère et le Christ Sauveur.

Modèle d'humilité, d'abnégation et de constance, Kateri Tekakwitha rejoint son Bien-Aimé à vingt-quatre ans, le 17 avril 1680. La première Indienne consacrée au Christ partait pour l'Éternelle Prairie.

> *Échappant à la vigilance de sa famille, elle s'enfuit avec eux.*

SOURCES : L. Campeau, *LA MISSION DES JÉSUITES CHEZ LES HURONS 1634-1650*, Montréal-Rome, 1987. D. K. Richter, « Iroquois versus Iroquois : Jesuit Missions and Christianity in Village Politics », in *ETHNOHISTORY*, n° 32, Toronto, 1983.

# JEAN-BAPTISTE DE LA SALLE

## *L'ÉCOLE POUR LES PAUVRES*

JEAN POUSSE CRAINTIVE-MENT LA PORTE DE LA GRANDE SALLE OÙ L'ATTEND LE MAÎTRE. Ses condisciples, des garçons âgés d'une dizaine d'années, sont depuis longtemps penchés sur leur syllabaire. Ils ont commencé leur page d'écriture, pendant que les plus jeunes lisent à voix haute le récit de la multiplication des pains.

La porte grince, le silence se fait. Toutes les têtes se sont tournées vers le retardataire qui rougit et baisse le nez. Mais les élèves ont vite repris leur travail devant le regard bleu du maître, debout sur son estrade, le visage mince sur son rabat blanc. Jean n'a pas besoin de protéger sa joue, comme lorsque son père le gronde. Il sait que le maître n'a jamais levé la main sur l'un de ses élèves, ni pour un retard, ni pour un pâté sur la page d'écriture, ni même pour une grosse sottise. Mais il craint presque davantage ces yeux sans colère et la baguette qui montre seulement, l'une après l'autre, quatre maximes inscrites sur quatre tableaux blancs au mur.

*Il ne faut ni s'absenter de l'école sans rien dire, ni venir tard sans permission.*

*Il faut toujours écrire sans perdre de temps.*

*Il faut écouter attentivement le catéchisme.*

*Il faut prier Dieu avec piété à l'église et à l'école.*

Tous les élèves connaissent les quatre règles ; chaque fois que l'un d'entre eux y contrevient, le maître fait le même geste lent. Même ceux qui ne savent pas encore lire les ont retenues.

Jean s'assied au bout du banc devant le pupitre en bois brut, lustré par les manches des enfants. Il prend la plume et la trempe dans l'encre brune. Sans rien dire, le maître lui a tendu une feuille où il a préparé la veille une ligne de B. Et, tandis que le petit garçon s'absorbe dans sa tâche, il passe devant les pupitres pour vérifier le travail de chacun.

Au coude à coude, dans cette classe, se retrouvent des enfants du quartier, la plupart fils de journaliers et d'ouvriers mais aussi de boutiquiers et d'artisans. Le père de Jean travaille chez un boulanger. Alors que seul le crissement des plumes vient troubler le silence, le maître se souvient de sa première rencontre avec Jean-Baptiste de la Salle, venu le voir dans sa classe alors qu'il n'était encore qu'une toute jeune recrue. Au milieu d'enfants presque en guenilles, le fondateur de l'institut des

Frères des Écoles chrétiennes ne semblait gêné ni par les tignasses que le maître devait apprendre à laver, ni par le patois et la langue abrupte de ses protégés. Ce fils d'un magistrat siégeant au présidial de Reims, élevé dans un riche hôtel bâti au siècle précédent, habitué à la langue classique des discours de la Sorbonne où il avait parfait ses études, posait sur ses petits un regard bienveillant.

Il avait parlé de la dignité de tous les enfants : le fils du portefaix habitué aux jurons de la rue, et celui du drapier qui avait appris à parler comme les riches clients. Tous méritaient une éducation chrétienne qui ferait d'eux des hommes responsables. Les enfants les plus pauvres n'avaient pas à rougir de leur condition. Dieu les avait pourvus d'un esprit vif et d'une intelligence qu'il fallait éveiller en leur permettant de côtoyer les enfants déjà privilégiés par leur milieu familial.

– Veillez à ne jamais gâter leur bonté naturelle par quelque humiliation. Ne moquez pas leurs maladresses. Et, pour mettre en valeur chacun, interrogez souvent les meilleurs élèves en premier. Ainsi les moins bons auront-ils le temps de se rappeler la leçon en entendant leurs camarades !

Précieux conseils que Monsieur de la Salle avait depuis consigné dans l'un de ses ouvrages, *La Conduite des écoles*. Cet homme d'exception venait de s'éteindre à soixante-huit ans, laissant dans le cœur de ses frères un grand vide. Il avait fondé

dans tout le royaume une cinquantaine d'écoles très diverses, depuis la petite école de Charité, comme il en existait plusieurs en ce temps-là, jusqu'aux écoles où l'on enseignait un métier et même des pensions pour les enfants difficiles, abandonnés par leurs parents ou menacés par la justice du roi.

Il avait réuni vingt-cinq communautés de frères issus de toutes les conditions, avec la même mission : enseigner ; le même but : participer à l'œuvre créatrice de Dieu en formant les jeunes qui leur étaient confiés. Le même esprit de pauvreté les unissait. Jean-Baptiste de la Salle avait lui-même renoncé à sa charge de chanoine et fait inscrire dans sa règle qu'après lui, jamais un prêtre ne serait responsable de l'Institut. Les Frères des Écoles chrétiennes resteraient des laïcs, consacrés à l'éducation chrétienne des enfants.

Jean-Baptiste de la Salle avait dû se battre contre la mesquinerie des concurrents privés et faire face au curé de Saint-Sulpice, à Paris, qui voulait lui imposer une tenue vestimentaire plus parisienne, afin que chacun ait conscience de l'importance de leur rang et de leur fonction. Le fondateur des Écoles chrétiennes avait alors rédigé un *Mémoire sur l'habit* dans lequel il insistait pour que ses maîtres gardent leur apparence paysanne, afin de ne pas heurter la sensibilité de leurs élèves les plus modestes.

> *« Interrogez souvent les meilleurs élèves en premier. Ainsi les moins bons auront-ils le temps de se rappeler la leçon en entendant leurs camarades ! »*

C'est à cette époque qu'il avait ouvert à Rouen, sur le domaine de Saint-Yon, un noviciat où se formaient les futurs maîtres et frères de son Institut. On y apprenait bien évidemment les matières à enseigner mais également comment comprendre certains enfants qui auraient pu rebuter les futurs maîtres. On leur recommandait de ne jamais se départir de leur zèle apostolique pour transformer ces enfants en véritables chrétiens. On leur demandait d'enseigner les enfants pour qu'ils puissent à leur tour éduquer leurs propres parents, en rentrant chez eux. Cette éducation chrétienne puisait ses racines dans la leçon de catéchisme quotidienne, consignée dans *Le Devoir du chrétien* rédigé par le fondateur.

Comment ce fortuné chanoine, voué à une brillante carrière, en était-il venu à consacrer sa vie aux enfants du peuple ? Aîné de onze enfants, âgé de vingt ans à la mort de ses parents, il avait dû pourvoir lui-même à l'instruction et à l'établissement de sa fratrie, tout en poursuivant sa formation théologique. Ordonné prêtre en 1678, il avait été profondément marqué par son directeur spirituel, Nicolas Roland, fondateur de la communauté des Filles du Saint-Enfant-Jésus, qui le convainquit de l'abandon dans lequel se trouvaient certains enfants. Aussi, lorsque Adrien Nyel, économe à l'hôpital général de Reims, lui avait demandé son aide pour fonder des écoles de garçons dans plu-

*On leur demandait d'enseigner les enfants pour qu'ils puissent à leur tour éduquer leurs propres parents.*

sieurs quartiers de la cité champenoise, Jean-Baptiste n'avait pas hésité à mettre à son service son influence et ses relations. Il avait logé dans une même maison les dix maîtres recrutés pour l'ouverture des trois premières écoles, et les avait invités à prendre leurs repas à sa table. Il avait même installé chez lui ces jeunes instituteurs en mal de conseils et de soutien. En 1682, la communauté des Frères était née.

Les frères semblaient parfois aussi rustres que leurs jeunes élèves. On les voyait, à la sortie de l'école, les reconduire en rang par deux, jusque devant la porte de leur logis. Les enfants paraissaient propres et ne jouaient pas à la fronde en chemin. Mais ces maîtres, vêtus de leur grande pèlerine à manche, jetée sur leurs épaules, comme les paysans champenois, attiraient la moquerie :

– Venez voir les « quatre bras », criaient des gentilshommes à leurs maîtres de philosophie. Sont-ils ridicules avec leurs grands chapeaux démodés !

– Des ignorantins, monsieur, qui ne savent pas le latin et se mêlent de vouloir faire les leçons en français ! Il paraît que ce Jean-Baptiste de la Salle, leur fondateur, vient de publier lui-même un syllabaire...

– Il se trouve des honnêtes gens pour lui envoyer leurs propres enfants !

– Il nous ôte le pain de la bouche, avec tous ses cours gratuits ! répondaient les maîtres privés.

– Il n'a rien inventé : des écoles comme les siennes existaient déjà en Lorraine et à Lyon !

– Pourquoi le roi a-t-il rendu l'instruction obligatoire sur ses terres, jusqu'à l'âge de quatorze ans ? Croyez-moi, ces belles idées éducatives passeront comme la mode des rubans.

Ils sont bien loin ces quolibets ! En cette d'année 1725, six ans après la mort de leur fondateur, une bulle pontificale a officiellement reconnu l'œuvre inlassable des Frères des Écoles chrétiennes. Et les maîtres peuvent tranquillement poursuivre leur tâche.

Une fois sa page terminée, Jean lève le doigt pour attirer l'attention du maître. Derrière lui, un grand agite ses galoches contre le montant du banc. Un petit coup de clapet en bois le rappelle à l'ordre. Le maître s'approche de Jean pour regarder la page où s'entrelacent les boucles du B. Le regard bienveillant de l'instituteur rassure l'enfant. Il n'oubliera pas d'arriver à l'heure demain et ne se laissera pas envoyer en course par sa maman au moment de partir pour l'école. Le maître sourit et demande à Jean d'ouvrir son livre.

L'élève obéit et tandis qu'il lit posément *Les Règles de la bienséance et de la civilité chrétienne*, le maître loue le ciel qu'un fils d'ouvrier mitron ait pu accéder à l'instruction. Cela n'aurait pas été possible sans le doux Jean-Baptiste de la Salle.

SOURCES : J.-B. de la Salle, *MÉDITATIONS* et *EXPLICATION DE LA MÉTHODE D'ORAISON*. M. Sauvage et M. Campos, *JEAN-BAPTISTE DE LA SALLE*, Paris, 1977. Y. Poutet, *LE XVII<sup>e</sup> SIÈCLE ET LES ORIGINES LASALLIENNES*, Rennes, 1970. Frère J. Huscenot, *JEAN-BAPTISTE DE LA SALLE ET SES FRÈRES ENSEIGNANTS*, Langres, 1981.

# JEAN SOBIESKI

## QUAND LES ARMÉES DU ROI DE POLOGNE
## EMPÊCHENT LES TURCS D'ENTRER
## DANS VIENNE

**• 15 JUIL •**

« LE ROI DE POLOGNE EST LÀ ! » LE CRI DU KHAN TATAR SELIM GEREÏ s'étrangle dans sa gorge, tandis que, dans son camp, la terreur se répand comme une traînée de poudre. Le 12 septembre 1683, les armées autrichiennes et ottomanes se font face sur le champ de bataille du Kahlenberg, tout proche de Vienne. Cela fait cinquante-neuf jours que la ville est assiégée. Le grand vizir Kara Mustapha, qui commande au nom du sultan Mehmet IV les troupes turco-tatares, a fait porter l'effort principal en direction du bastion de la Hofburg, la résidence impériale. L'empereur Léopold Ier, la Cour et le gouvernement autrichiens ont abandonné celle-ci en toute hâte, au début du siège, pour gagner Linz et Passau et préparer la contre-offensive. Mais, aujourd'hui, la garnison est à bout de forces. Certes, les Turcs ont, eux aussi, subi de lourdes pertes, mais l'épuisement des assiégés est patent. Quand donc arriveront les secours ? On prie, et les regards se tournent en direction de la forêt viennoise, d'où les alliés devraient jaillir d'une heure à l'autre, si la providence voulait bien entendre les prières de la chrétienté.

Il est quatorze heures. Et soudain, sur les monts qui dominent le champ de bataille du Kahlenberg, les voilà ! Soixante-cinq mille hommes de troupes, dont vingt-cinq mille Polonais, tous placés sous le commandement de Jean III Sobieski, roi de Pologne. La seule apparition de Jean Sobieski, auquel Léopold Ier a eu la sagesse de s'en remettre, entraîne la fuite d'une grande partie des assiégeants. Il faut dire que le roi de Pologne, qui sait combien sa personne épouvante les Turcs, fait tout pour que sa présence éclate aux yeux de l'ennemi : vêtu de bleu ciel à la polonaise, il se fait précéder d'un écuyer portant un grand bouclier armorié, et d'un enseigne qui a attaché un panache au fer de sa lance, afin que nul n'ignore, même de très loin, l'endroit où se trouve le roi. Son fils Jacques, qui chevauche à ses côtés, ne le quittera pas de toute la bataille. Jean III Sobieski, ardent catholique, sait pourquoi il se bat. Auréolé de ses stupéfiantes victoires passées contre les Turcs, fort de la confiance pressante du pape Innocent XI, le roi de Pologne se considère comme un nouveau croisé. Il n'ignore pas que son peuple et toute la chrétienté voient en lui le doigt de Dieu.

Lui-même a toujours attribué ses victoires à Jésus...

Mais pourquoi Jean III Sobieski est-il là, et comment Vienne en est-elle arrivée à connaître une telle épreuve ? Dans la première moitié du XVIIe siècle, on croyait avoir jugulé le péril turc. Mais il avait resurgi au début des années 1660 du fait du grand vizir, Mehmet Köprölü, qui convoitait les possessions de la république de Venise et la Transylvanie. Pomme de discorde entre Vienne et Constantinople, la Transylvanie avait donc été cause d'une nouvelle guerre austro-turque entre 1661 et 1664. Or le résultat de cette guerre était étrange : alors que l'empereur Léopold Ier avait remporté sur les Turcs une éclatante victoire, à Saint-Gotthard en Transdanubie, la paix signée à Vasvar en 1664 n'avait pas été à son avantage ! Les Hongrois étaient les grands perdants. Toujours soucieux d'autonomie, mais attachés à leur roi Habsbourg, ils se sentaient trahis par cette paix qui étendait exagérément la zone tributaire du sultan. De là à chercher les moyens de recouvrer leur indépendance, par exemple avec l'aide de la France, voire, dans un second temps, de l'Empire ottoman lui-même, il n'y avait qu'un pas...

De son côté, Louis XIV entendait s'appuyer sur les Hongrois mécontents pour mener, après la paix de Nimègue qui avait mis fin aux guerres de Hollande, sa politique de « réunions », c'est-à-dire d'annexions de territoires en pleine paix. En 1681, la ville de Strasbourg était occupée par les troupes françaises, et Louis XIV promettait une aide financière au Hongrois Thököly s'il prenait les armes contre Vienne. Or, en 1682, le nouveau grand vizir ottoman, Kara Mustapha, accorda à Thököly la dignité royale. La Hongrie, partagée entre Vienne et Istanbul, était donc en passe de se réunifier sous protectorat ottoman !

C'en était trop pour Innocent XI. Il fustigea les agissements français qui, pour satisfaire cette diplomatie d'annexions, faisaient courir à la chrétienté de grands dangers. Mais peut-être le pape n'avait-il par ailleurs qu'à demi confiance dans la détermination de l'empereur Léopold Ier à disputer chèrement la Hongrie à l'Empire ottoman : l'empereur d'Autriche, tourné vers le Rhin, rêvait surtout d'en découdre avec la France. Alors, le pape Innocent XI poussa Jean III Sobieski à se rapprocher de l'empereur autrichien. Il savait que le roi de Pologne comprendrait le sens de sa mission. De fait, le 20 mars 1683, un traité d'alliance était signé entre l'Autriche et la Pologne. Il était temps : l'Empire ottoman attaquait en Hongrie.

L'enjeu du conflit apparaît brutalement. Il s'agit bien de deux civilisations qui s'affrontent et l'épreuve de l'Autriche est celle de la chrétienté tout entière. Les choses deviennent plus claires encore lorsque Kara Mustapha, à la surprise générale et contre tous les principes de l'art de la guerre, ne craint pas de laisser derrière lui des places fortes aux mains

> *Le pape Innocent XI blâma les agissements français qui faisaient courir à la chrétienté de grands dangers.*

des Autrichiens pour marcher directement sur Vienne. Partout, l'humble peuple chrétien à genoux supplie son Dieu. En France, Louis XIV ne réussit pas à se dépêtrer de ses tortueuses alliances. Il adopte une stricte neutralité tandis que dans le royaume tout entier, les églises ne désemplissent pas. La chrétienté retient son souffle. L'Europe chrétienne va connaître deux mois d'angoisse à l'idée que Vienne pourrait succomber.

C'est dire l'immense joie qui accueille, dans les rangs alliés, l'arrivée du roi de Pologne à Kahlenberg. Jean Sobieski est l'héritier d'une longue et puissante lignée. À vingt-deux ans, porte-enseigne de la Couronne de Pologne, il acquiert une grande renommée dans les guerres contre les Suédois, les Russes et les Turco-Tatars. En 1667, ses exploits contre les Cosaques alliés aux Tatars – et notamment la victoire de Podatriek – le rendent légendaire. Enfin, en 1673, son éclatante victoire sur les Ottomans à Chocim enthousiasme l'Europe entière. Le 22 décembre, Madame de Sévigné écrit à sa fille : « *Il a gagné une victoire si pleine et si entière qu'il est demeuré quinze mille Turcs sur la place... Et cette victoire est si grande qu'on ne doute point qu'il soit élu roi.* » Il s'en faut

de quelques années à peine : le 20 mai 1674, Jean Sobieski est élu roi de Pologne.

Tel est l'homme qui, le 12 septembre 1683, est pour Vienne l'instrument du salut. La bataille du Kahlenberg s'achève par le triomphe des forces alliées. Il faudra encore quelques années pour que leur victoire sur l'Empire ottoman soit complète, mais la délivrance de Vienne marque un coup d'arrêt décisif. « *Toutes les troupes ont fait leur devoir* », écrit Jean Sobieski à sa femme. « *Elles attribuent à Dieu et à nous la victoire. Au moment où l'ennemi commença de plier [...], j'ai vu l'Électeur de Bavière, le prince de Valdeck et autres ; ils m'embrassaient [...]. Tous m'obéissaient encore mieux que les miens.* » Charles de Lorraine, commandant en chef des forces impériales, qui avait accepté de reconnaître Sobieski comme chef de l'armée combinée, et le commandant de la ville, Stahremberg, l'admirent et le louent comme un sauveur. Et quand le roi de Pologne entre dans la cathédrale Saint-Étienne-de-Vienne pour le *Te Deum*, le prédicateur le reçoit avec les mots mêmes du prologue de l'Évangile de Jean à propos de Jean-Baptiste : « *Il y eut un homme envoyé de Dieu ; il s'appelait Jean...* »

> *L'humble peuple chrétien à genoux supplie son Dieu.*

SOURCES : J. Bérenger, *HISTOIRE DE L'EMPIRE DES HABSBOURG*, Paris, 1990. « Les relations franco-autrichiennes sous Louis XIV », in *ACTES DE COLLOQUE SUR LE TRICENTENAIRE DU SIÈGE DE VIENNE (9-11 MARS 1983)*, Coëtquidan, 1983. « Vienne 1683, l'Empire ottoman et l'Europe », in *LA DÉFAITE DES ARMÉES OTTOMANES* (congrès).

# MARGUERITE-MARIE
# ALACOQUE
## *LA DÉVOTION AU CŒUR DE JÉSUS*

**• 16 JUIL •**

LES CLOCHES DE LA BASILIQUE DE PARAY-LE-MONIAL SONNENT À TOUTE VOLÉE EN CETTE CHAUDE JOURNÉE d'août 1671. Une jeune mariée rayonnante s'avance dans la nef. Mais on chercherait en vain un époux endimanché prêt à lui donner le bras pour la mener devant l'autel, car c'est au Christ lui-même que Marguerite a choisi de consacrer sa vie. À l'issue de la cérémonie, quand on lui aura passé au doigt un anneau en signe de son union avec Dieu, elle rejoindra le couvent des visitandines, répondant ainsi à l'appel impérieux qu'elle a entendu toute petite : « *C'est ici que je te veux !* » Elle n'avait que cinq ans lorsque, dans la chapelle du château de Corceval, chez sa marraine, le Seigneur lui avait demandé au cours d'une messe si elle voulait être la messagère de son divin cœur. Et la fillette haute comme trois pommes avait alors fait, avec toute la gravité dont elle était capable, le vœu solennel de n'avoir d'autre époux que Dieu.

Après avoir perdu coup sur coup son père et deux de ses frères, Marguerite (qui ajoutera plus tard à son nom de baptême celui de Marie, par reconnaissance envers la protection spéciale dont elle se sent l'objet de la part de la Vierge) est poussée à se marier par une grand-mère et deux tantes quelque peu tyranniques. Il serait temps, d'après elles, que la jeune fille fonde un foyer afin de pouvoir inviter sa mère à venir demeurer sous son toit. Marguerite décide pourtant de ne pas renoncer à son engagement et entre au couvent de la Visitation.

La novice a quelque chose de peu ordinaire, qui n'est pas sans troubler le calme habituel du couvent. Une religieuse visionnaire est chose rare. Qui est donc cette Marguerite-Marie qui prétend entendre des voix intérieures ? La mère supérieure se montre fort circonspecte et extrêmement agacée. Elle aimerait que l'on respecte, dans cette communauté que Dieu lui a confiée, certain précepte de Thérèse d'Avila qui lui paraît plein de bon sens. La grande sainte espagnole disait à ses carmélites qu'il est trop facile d'avoir des apparitions quand on est censé balayer le cloître, et leur interdisait formellement les élans de mysticisme intempestifs. Or, la jeune religieuse semble mettre un empressement extraordinaire à braver ce principe. Ainsi, un jour où elle a été chargée de s'occuper d'une ânesse et de son ânon, elle s'égare dans ses prières et en oublie les deux animaux dangereusement laissés à eux-mêmes au milieu des légumes. On lui demande de s'expliquer sur cette distraction inconcevable. Elle a beau insister sur le fait qu'une intervention divine a empêché les bêtes de somme de causer le moindre dégât, la supérieure entre dans une grande colère et tance vertement cette écervelée qui délaisse le rôle de Marthe pour celui de Marie, au mépris des instructions reçues. Le Seigneur suggère à Marguerite cette réponse pleine d'humour : « *Dis à ta supérieure que je réponds de tout pour toi et que, si elle me trouve solvable, je serai ta caution.* »

Le 27 décembre 1673, le Seigneur accorde à sa bien-aimée une première apparition, suivie d'une seconde l'année suivante où il lui montre ses cinq plaies brillant comme cinq soleils. Il lui demande de communier régulièrement tous les premiers vendredis du mois, et d'offrir une heure sainte chaque jeudi de onze heures à minuit, au cours de laquelle elle devrait prier, souffrir et demander pardon pour les péchés du monde. Marguerite-Marie est remplie de joie à l'idée de pouvoir, par son adoration, consoler le cœur de Celui qu'elle a coutume d'appeler son « *tendre Époux* ». Elle court demander l'autorisation de sa supérieure, mais essuie un refus catégorique. Cette fois, on la traite de folle, de possédée du démon, et on lui administre

*On la traite de folle, de possédée du démon, et on lui administre de l'eau bénite pour chasser l'esprit du mal.*

de l'eau bénite pour chasser l'esprit du mal, à tel point qu'elle en vient à croire elle-même qu'elle est victime de son imagination. Elle tombe malade. Sa supérieure va la trouver pour lui dire : « *Demandez au Seigneur de vous guérir. S'il le fait, je vous croirai et vous autoriserai.* » Aussitôt, Marguerite-Marie recouvre la santé, mais comprend que sa route sera rendue difficile par les montagnes de scepticisme qu'il lui faudra abattre.

La mère supérieure, à qui elle relate scrupuleusement le moindre des messages qu'elle reçoit, continue à tout faire pour la mettre à l'épreuve et vérifier la solidité de sa foi. Marguerite-Marie souffre de cette incompréhension permanente qu'elle accepte toutefois sans mot dire. En 1675, elle trouve un réconfort et un soutien en la personne d'un jésuite fraîchement arrivé à Paray-le-Monial. Claude de La Colombière a tôt fait de comprendre que les visions de la religieuse n'ont rien d'imaginaire, et lui demande très vite d'écrire le récit des grâces qu'elle reçoit. C'est au nom de l'obéissance qu'elle entreprend la rédaction du précieux manuscrit auquel on doit les détails de sa vie peu ordinaire.

La même année a lieu la « grande apparition », au cours de laquelle Marguerite-Marie, prosternée devant le Saint-Sacrement, se voit demander d'obtenir l'instauration d'une fête en l'honneur du Sacré-Cœur. Le Christ lui confie la mission de dire au monde la profondeur de son Amour constamment blessé par le péché des hommes. La religieuse reçoit l'appui inconditionnel de Claude de La Colombière pour mener à bien cette tâche ; tous deux ne cesseront de proclamer autour d'eux l'immensité de l'amour de Dieu.

Faut-il encore un miracle pour achever de convaincre la communauté de Marguerite-Marie ? Une jeune pensionnaire du couvent tombe gravement malade, et l'on s'inquiète de la voir mourir sans avoir reçu les derniers sacrements. L'on s'adresse à Marguerite-Marie qui obtient une amélioration de la santé de la mourante, le temps qu'elle puisse communier. Mais la mère supérieure estime qu'il faut continuer à mettre à l'épreuve cette surprenante religieuse : Marguerite-Marie doit promettre de faire tout ce qui lui sera ordonné et

> *Marguerite pleure de joie et ne cesse de répéter que désormais, elle mourra contente.*

d'accepter tous les emplois qu'on voudra bien lui confier. Peu de temps après, elle est nommée maîtresse des novices et se réjouit de cette tâche qui lui permettra de faire honorer davantage le divin cœur de Jésus. L'année suivante, la communauté tout entière honore la fête du Sacré-Cœur au jour que le Seigneur a fixé à Marguerite. Cette dernière pleure de joie et ne cesse de répéter que désormais, elle mourra contente.

Elle devra attendre encore deux ans avant que son Bien-Aimé ne vienne la chercher pour lui faire partager la gloire de son cœur, à laquelle toute sa vie terrestre n'a fait que rendre témoignage. Aussi radieuse que le jour de son mariage, c'est en murmurant les noms de Jésus et de Marie que s'éteint celle que l'on appelle déjà la « sainte de Paray ».

SOURCES : J. Croiset, *LA DÉVOTION AU SACRÉ CŒUR DE NOTRE JÉSUS-CHRIST*, 1691. R. Darricau, et B. Peyrous, *VIE ET ŒUVRES DE SAINTE MARGUERITE-MARIE ALACOQUE*, Paris-Fribourg, 1990-1991. B. de Margerie, *HISTOIRE DOCTRINALE DU CULTE AU CŒUR DE JÉSUS*, t. I, Paris, 1992.

# INÈS DE LA CRUZ

## *RELIGIEUSE, FEMME DE LETTRES ET POÈTE MEXICAINE*

**• 17 JUIL •**

À TROIS ANS, LA PETITE JUANA INÈS S'ARRANGE POUR ACCOMPAGNER SA SŒUR AÎNÉE À L'ÉCOLE et apprendre à lire... à l'insu de sa mère qui découvre son secret alors qu'elle sait déjà déchiffrer !

À six ans, elle se déguise en garçon dans l'espoir d'aller à l'université.

À huit ans, elle entend dire que le fromage rend borné. Désormais, elle s'abstiendra d'en manger, car son désir de savoir est plus grand que sa gourmandise !

*« On comprend bien par là quelle est la force de mon inclination. Béni soit Dieu qui voulut que ce soit vers les lettres et non vers quelque autre vice, car il aurait été en moi invincible. »*

Cette petite fille au tempérament de feu naît en 1648 dans un village de Nouvelle-Espagne, le Mexique actuel, à l'ombre du volcan Popocatépelt. Son père, un capitaine basque espagnol, abandonne le foyer peu de temps après ; Inès est donc élevée par sa mère, Isabel Ramirez, restée seule avec ses six enfants. Elle s'instruit elle-même avec enthousiasme en dévorant les ouvrages de la bibliothèque de son grand-père, Pedro Ramirez de Santillana, petit propriétaire féru de latin et de littérature classique.

À l'âge de huit ans, Inès est confiée à l'une de ses tantes, mariée à un homme fortuné et influent de Mexico. La capitale, ancienne cité aztèque qui domine la moitié de l'empire espagnol, est alors la première place intellectuelle du Nouveau Monde. Perché à plus de deux mille mètres d'altitude, Mexico est le centre de la colonie espagnole, le siège de l'Inquisition et la résidence du vice-roi. Juana Inès, petite fille prodige à la mémoire extraordinaire, est vite séduite par cette ville d'art et de culture. On parle beaucoup de cette enfant surdouée dans les milieux lettrés. À deux reprises, elle est interrogée par des universitaires et des hommes de lettres qui sont subjugués par ses dons fabuleux.

À seize ans, elle brille à la cour du vice-roi comme dame d'honneur de son épouse, la marquise de Mancera, qui est pour elle une protectrice attentive et généreuse. Jeune fille, elle doit songer à s'établir. Se marier ? Sa renommée et son charme compensent largement ses origines modestes et son manque de fortune.

Mais Inès n'est attirée que par la vie de l'esprit. Rester célibataire dans le monde ? Il n'en est pas question à l'époque. Elle songe donc au couvent, où elle pense trouver la liberté de s'adonner à ses travaux d'écriture. À vingt et un ans, elle prend le voile au couvent de Saint-Jérôme de Mexico sous le nom d'Inès de la Cruz.

Commence alors pour elle une nouvelle existence, qu'elle partage entre les mondanités et les choses de l'esprit. C'est que la vie est douce dans les nombreux couvents de la cité mexicaine. Les religieuses y vivent dans de petits appartements avec leurs servantes. La vie communautaire est très réduite. Surnommée « la dixième muse de Mexico », Inès collectionne les livres sacrés et profanes, les instruments d'astronomie, les objets curieux et les traités scientifiques. Dans sa cellule, elle reçoit les plus beaux esprits, tient salon, boit du chocolat et offre à ses visiteurs des mets délicats, tout en discutant philosophie ou théologie.

Les portraits de Juana Inès montrent une très belle femme assise devant une grande bibliothèque, la plume à la main, s'apprêtant à écrire. Car Inès de la Cruz est avant tout une femme de lettres. Son œuvre littéraire est considérable et comprend pêle-mêle du théâtre religieux, des poésies lyriques et des réflexions philosophiques. Ses livres sont lus et commentés à Lima, Lisbonne et Séville, et ses pièces de théâtre jouées dans le Nouveau Monde, mais également en Espagne.

*Elle tient salon, boit du chocolat et offre à ses visiteurs des mets délicats, tout en discutant philosophie ou théologie.*

En 1680, Mexico accueille un nouveau vice-roi, le marquis de La Laguna. Sa jeune épouse a le même âge qu'Inès et les deux femmes se lient rapidement d'amitié. De retour en Espagne en 1688, le couple princier contribuera à faire éditer et connaître en métropole l'œuvre de la religieuse. Inès lui doit sa renommée internationale.

Pourtant, Inès rencontre aussi des difficultés. Elle est en butte aux préjugés, à l'incompréhension, au mépris de certains. « *Quant à moi, le désir seulement de savoir m'a tellement coûté !* avoue-t-elle. *Car cette habileté à faire des vers, même s'ils sont religieux, quels ennuis ne m'a-t-elle pas apportée et ne cesse-t-elle pas de m'apporter ?* » Son premier confesseur la juge trop mondaine et se retire. Un ami évêque lui demande de renoncer à la littérature profane pour les sciences religieuses. Inès sait que son statut de lettrée la place dans une situation délicate. Elle entreprend alors de plaider sa cause sous la forme d'une autobiographie spirituelle. Elle y affirme que le droit à l'étude n'est pas réservé aux hommes, et trouve dans l'Écriture et la tradition chrétienne de quoi entreprendre une défense de la condition féminine. La Vierge Marie et les saintes femmes de la Bible sont pour Inès des témoins suffisamment éloquents de la place des femmes dans la vie du Christ.

Religieuse, elle sait que son goût pour les choses intellectuelles risque de l'éloigner du véritable service de Dieu. Elle en souffre et s'accuse de préférer la solitude de l'écrivain aux règles de la vie conventuelle. Cette contradiction se retrouve d'ailleurs dans son œuvre, qui oscille entre l'apparence et l'essence des choses, la fugacité de la vie et l'éternité, la conscience humaine et l'infini de Dieu.

Pourtant la foi d'Inès de la Cruz est profonde. Pour elle, l'harmonie du monde ne se réalise qu'en Jésus-Christ, et la plus grande partie de son œuvre a une signification religieuse. Son chef-d'œuvre, *Le Divin Narcisse*, est une pièce allégorique sur la Rédemption et l'institution des sacrements. Inès y révèle sa maîtrise éblouissante de la langue espagnole et montre une grande dextérité dans le maniement des paradoxes et des métaphores. Cette poésie précieuse, qui mêle amour profane et amour sacré, connaît un immense succès.

Sœur Inès de la Cruz compose également de très nombreux poèmes destinés à être chantés lors des fêtes religieuses. Ses *villancicos* mettent en scène Indiens, Noirs, et Créoles, et révèlent une conscience catholique mexicaine très originale. Ces poèmes, qui laissent libre cours à la fantaisie et à l'imagination – jeux de mots, situations cocasses et pittoresques –, sont très appréciés du public. Le petit peuple aime sa virtuosité et son sens de l'humour, car s'il y trouve sa propre caricature, celle-ci n'est en rien cruelle sous la plume d'Inès de la Cruz.

Le peuple est également sensible aux enseignements religieux et moraux qui concluent les chants. Car Inès de la Cruz respecte les humbles et pratique à leur égard une charité ardente. Si elle parodie la *media langua* parlée par les esclaves noirs ou l'exotisme de leur comportement, elle prend aussi leur défense, ainsi que celle des Indiens. L'un de ses *villancicos* est une critique des prêtres qui ne rachètent que les captifs à peau blanche. Si elle n'est pas la seule à dénoncer l'esclavage, sa voix est néanmoins bien isolée dans la société de son temps.

Avec l'argent que lui rapportent ses *villancicos*, elle se procure des livres et achète même sa cellule. Ainsi, mise à l'abri de tout souci matériel, elle fait briller son intelligence au service de la foi. La dévotion qui lui tient le plus à cœur est celle qu'elle voue à la Vierge Marie. Elle croit fermement que la Vierge a été conçue sans péché, même si l'Immaculée Conception n'est pas encore un dogme officiel de l'Église.

À la fin du siècle, elle renonce volontairement à toute activité mondaine et intellectuelle. Mexico est secouée par de violentes émeutes entre 1692 et 1695. Le pays est touché par une vague de catastrophes naturelles qui provoquent des famines et des épidémies. Frappée par tant de misère, sœur Inès de la Cruz donne tous ses biens aux pauvres et

> *Cette poésie précieuse, qui mêle amour profane et amour sacré, connaît un immense succès.*

meurt le 17 avril 1695 en soignant ses sœurs malades elles aussi de la peste.

Personnage hors du commun, Inès de la Cruz est l'illustration parfaite de « l'âge d'or espagnol » du XVIIᵉ siècle, cette époque baroque, féconde, généreuse, ouverte sur le monde et empreinte de spiritualité.

Quelle image garder de cette femme étonnante ? Peut-être celui d'une curieuse insatiable qui a célébré à sa manière la beauté de la création : *« J'admirais et m'étonnais de toutes les choses, dit-elle, même si je n'étudiais pas dans les livres, j'étudiais dans toutes les choses que Dieu a créées. »*

SOURCES : Inès de la Cruz, *RESPUESTA A SOR FILOTEA* et *EL SUENO*. O. Paz, *SOR JUANA INÈS DE LA CRUZ OU LES PIÈGES DE LA FOI*, Paris, 1987. M.-C. Benassy-Berling, « Humanisme et religion chez Juana Inès de la Cruz » in *LA FEMME ET LA CULTURE AU XVIIᵉ SIÈCLE*, Paris, 1982.

# Dom Mabillon

## *Un bénédictin à l'origine*
## *du droit pénal*

**• 18 JUIL •** L'IMMENSE PARC ET LES HAUTS MURS PARVIENNENT À PEINE À APAISER LES RUMEURS DE LA VILLE. En cette fin du XVIIe siècle, assaillie par le développement désordonné du faubourg auquel elle a donné son nom, l'abbaye Saint-Germain mérite-t-elle encore d'être appelée « des Prés » ? Ici, comme à travers tout le royaume, même les moines semblent pris d'une fièvre de construction, comme si la blanche noblesse des frontons et les élégantes volutes des ferronneries devaient témoigner d'un sursaut de la foi. À l'ombre de l'église qui demeure depuis des siècles dans sa simplicité médiévale, dom Luc d'Achery s'interroge : à quoi bon tant de réformes de la famille bénédictine, si ses frères mauristes préfèrent élever des palais pour leur propre usage, plutôt que de nouveaux sanctuaires pour le Seigneur ? Bien vite, il chasse la tentation de l'amertume, soucieux de retrouver sans attendre la paix intérieure qui fait de son labeur parmi les vieux ouvrages une véritable prière. Comme il aime ce travail un peu secret à l'abri des rayonnages ! Bibliothécaire, il assume cette charge avec autant de satisfaction que de compétence.

D'autant que le père abbé a été heureusement éclairé en nommant à ses côtés un adjoint de haut vol, un érudit d'une science rare pour qui l'étude est tout. Dommage que ce Jean Mabillon soit plus souvent à courir le monde, d'abbayes en couvents, et à fouiner dans les livres des autres qu'à œuvrer parmi les trésors de son propre monastère !

À l'en croire, il lui faut ne laisser échapper aucun acte, aucun document qui puisse, d'une manière ou d'une autre, enrichir son travail. Une méthode à la mesure de l'ambition de sa tâche : recenser, étudier, commenter, n'admettre aucune source sans la soumettre à une méticuleuse critique. Sans parler de sa méthode, une véritable ascèse de la rigueur, de l'exactitude et de l'exigence, dont peu d'historiens jusque-là ont fait preuve, et qu'il a su imposer à ses collaborateurs. Publié en 1685, son *Livre de diplomatique* est une somme ; à n'en pas douter, il sera longtemps une référence. Personne ne peut plus étudier en conscience un acte officiel sans en appliquer les recommandations ! Quel esprit que celui de cet homme, qui, tout en faisant œuvre d'historien, fonde les principes mêmes de sa science, et qui parvient à appliquer ces principes dans plusieurs ouvrages qu'il rédige en même temps. Verra-t-on bientôt la fin de ses impressionnants *Actes des saints de l'ordre de saint Benoît* qui sont déjà une mine pour l'édification des jeunes frères ?

Dom d'Achery, cependant, ne peut se défaire d'une curiosité étonnée à propos d'un opuscule auquel Mabillon semble particulièrement tenir, mais qu'il garde jalousement hors de portée de la plupart de ses frères. Oh ! rien de sulfureux ou de répréhensible, non. Mais un sujet rare, inattendu, à la frontière de l'étude des mœurs humaines et de la méditation de la miséricorde de Dieu : *Réflexions sur les prisons des ordres religieux,* tel est le titre que le bibliothécaire a pu apercevoir un jour, par-dessus l'épaule de son auteur. Non content d'être le fondateur de la science historique moderne, Mabillon va aussi fonder une science des peines. D'Achery ne peut imaginer que, deux siècles plus tard, juristes, pénalistes et criminologues reconnaîtront en effet en lui un précurseur.

Né en 1632, Jean Mabillon est l'un de ces esprits brillants à l'étonnante érudition, dont le tournant des XVII<sup>e</sup> et XVIII<sup>e</sup> siècles n'est pas avare. Et l'univers monastique auquel il appartient – au sein de la congrégation bénédictine de Saint-Maur – l'est moins que tout autre. Ses nombreux voyages à travers toute l'Europe enrichissent sa réflexion et élargissent les sources de ses recherches, qui dépassent le seul domaine de l'histoire. Pour être plus confidentielle, son étude sur les peines à travers la tradition de l'Église catholique n'en est pas moins d'une importance capitale. Il faudra attendre près de vingt ans après sa mort pour la voir publiée, en 1724.

Mabillon y développe des thèses qui prennent appui sur la conception et la pratique des peines dans l'Église depuis les premiers siècles, conception moins liée qu'on ne le croit à l'héritage du droit romain. En effet, si l'Église n'a jamais cherché à imposer des lois et à instituer un véritable droit pénal chrétien, elle a élaboré tout au long de son histoire, depuis les Pères jusqu'au XV<sup>e</sup> siècle, une très importante construction éthique consacrée aux preuves et aux peines. Ainsi, par exemple, les pénitentiels monastiques qui apparaissent à l'époque carolingienne influencent rapidement les modes de preuve et, en particulier, l'aveu. De même, les décisions des conciles médiévaux ou les grands traités des canonistes des XIII<sup>e</sup> et XIV<sup>e</sup> siècles sont à l'origine des premières conceptions de la peine, dans laquelle s'affirme une nouvelle morale du châtiment.

Héritier et parfait connaisseur de l'histoire de l'Église – monastique principalement – et de l'histoire judiciaire, dom Mabillon élabore des propositions qui reposent sur deux positions essentielles. La première, c'est que la tradition judi-

> *Deux siècles plus tard, juristes, pénalistes et criminologues reconnaîtront en effet en lui un précurseur.*

ciaire de l'Église fait une place particulière aux peines « médicinales », appelées « censures » : plus que réprimer ou punir, il s'agit de guérir et de conduire le coupable sur le chemin de la repentance et de la réhabilitation, en lui proposant un moyen de se reconstruire. Une position fort différente des modes ordinaires de répression en vigueur dans les tribunaux laïcs. Il s'agit bien de sanctions ecclésiastiques, adaptées au monde clérical et surtout au but poursuivi, beaucoup plus exigeant que la seule punition : la *conversio morum*, la conversion – au sens le plus fort du terme – des mœurs.

Ces peines tiennent étroitement compte de l'attitude du coupable. Elles partent de l'idée que non seulement la peine doit être proportionnée au délit ou au crime, mais, surtout, qu'elle ne doit pas être fixée une fois pour toutes : c'est l'abandon du vieux système des peines fixes coutumières, et aussi de la pratique selon laquelle le juge ne peut plus modifier la nature et la durée de la peine, une fois celle-ci prononcée. Pour dom Mabillon, le criminel le plus exécrable reste un homme : la position est éminemment chrétienne. Sa conversion, sa transformation doivent pouvoir intervenir au cours de sa peine, et celle-ci doit pouvoir être interrompue s'il manifeste par son attitude, sa contrition, des signes de changement et de correction suffisants. Cette conception intègre aussi le recours à la peine capitale, reconnue

> *Pour Dom Mabillon, le criminel le plus exécrable reste un homme.*

nécessaire et parfois légitime, lorsque aucune pédagogie ne semble adaptée à la « régénération » du coupable, ou lorsque la gravité de l'offense est exceptionnelle et que Dieu seul peut pardonner. Cette position perdurera dans la culture pénale, au moins jusqu'à la fin du XIX$^e$ siècle.

La seconde position fondamentale de Mabillon est que la prison est le lieu où doit s'opérer cette correction adaptée. C'est ce point qui sera considéré comme le plus novateur, et la Révolution de 1789 et le Code pénal de 1791 le reprendront à leur compte. C'est à Mabillon qu'ils empruntent cette conception évolutive et régénératrice de la peine, et non aux philosophes des Lumières qui n'accordent qu'une attention limitée et superficielle à cette question des peines. Dom Mabillon prend l'exemple des peines dites de « séminaire » pratiquées dans les ordres religieux. On s'étonne de découvrir parfois des « prisons » ou « enfermeries » en visitant des abbayes anciennes : c'est que les ordres religieux, comme l'Église plus généralement, pratiquent alors l'incarcération, dans un but « médicinal » et régénérateur ; il s'agit bien d'un outil de guérison. Mabillon souligne en outre que, dans ces modes d'emprisonnement, ce n'est pas seulement le condamné qui est visé, mais toute la communauté. À ses yeux, c'est tout le groupe monastique qui est concerné dans l'exécution de la peine, car l'acte délictuel et la faute du coupable sont aussi ceux de la communauté : l'isolement d'un membre affecte tout l'ensemble, qui expérimente ainsi une authentique solidarité avec le coupable. Non seulement on est en présence d'une perturbation de l'ordre interne disciplinaire, mais surtout le but final de la vie commune – le salut de tous – est remis en cause. Cette très belle idée, d'une grande richesse spirituelle, que la communion des saints et la communication de la sanctification opèrent ensemble à travers la peine, est fondamentale chez dom Mabillon.

> *L'acte délictuel et la faute du coupable sont aussi ceux de la communauté.*

Mabillon insiste donc sur l'aspect communautaire de la peine. Certes, la prison enferme celui qui est tombé dans la faute, et il y est privé du commerce d'autrui ; comme un malade, il y est, d'une certaine manière, à la fois isolé et pris en charge. Car la communauté ne saurait l'abandonner à son sort, bien au contraire : la référence à la brebis égarée s'impose... Ainsi la communauté doit-elle déléguer des membres avertis, bons psychologues, expérimentés dans la foi et la connaissance des hommes, pour surveiller, éduquer, amener celui qui s'est perdu à prendre conscience de la nature et de la gravité de son acte. Tel est le rôle, ravivé par Mabillon en ce XVIIe siècle finissant, de ceux que la *Règle* de saint Benoît appelle des « sympectes » – dont l'étymologie est proche de celle du mot « sympathie » – et qui sont chargés de vérifier les signes patents de la guérison et de l'amendement du coupable. Le savant mauriste est, à cet égard, très éloigné des pratiques pénales de son temps. Il fait une très large place à fois à la formation de la culpabilité individuelle, et au pardon de la collectivité. La prison doit permettre la réparation qui consiste à reconnaître vis-à-vis d'autrui le dommage causé et à le réparer par le travail. Il souligne surtout le rôle central de la réconciliation : elle doit être progressive et se situe dans une perspective religieuse, ce qui signifie que la charité et la compassion en sont les composantes essentielles.

Mabillon est ainsi l'un des fondateurs des principes carcéraux modernes. Son mérite, immense, est d'avoir conçu ces théories alors même que la prison ne servait, dans la justice laïque seigneuriale et royale, que préventivement, pour la détention de l'accusé avant son jugement, de manière à pouvoir l'interroger plus commodément et efficacement. Ce n'est que très lentement que la pratique judiciaire inclura la prison dans l'échelle traditionnelle des peines, au cours du XVIIIe siècle. On constate en effet que les grands juristes de l'époque ne s'intéressent pas à la peine carcérale, ni même à la « pénologie », sauf à en illustrer essentiellement les buts étroitement répressifs.

Peut-être influencé par la place très forte faite par les calvinistes à l'introspection individuelle et à la valorisation du travail pénal, libérateur et économiquement utile, Mabillon a bien compris que la peine n'est pas uniquement une affaire qui concerne l'État, chargé du châtiment, ou l'individu isolé, coupable et abandonné à lui-même. La peine, selon l'érudit bénédictin, est non seulement liée à la faute et à Dieu qui en subit l'offense, mais au corps social tout entier. Celui-ci a été blessé, meurtri ; il a subi un dommage grave, qui a atteint l'un des siens et a porté préjudice à l'ensemble de la communauté, qui doit tout faire pour ramener à elle celui qui était perdu. Sans doute, la conception extraordinairement moderne de la réinsertion selon dom Mabillon est-elle plus fortement ancrée dans l'unité du petit groupe que forme la communauté religieuse monastique ; mais le christianisme n'a-t-il pas, par nature une dimension communautaire ? *« Un membre souffre-t-il ? Tous les membres souffrent avec lui »* (1 Co 12, 26).

SOURCES : J. Mabillon, *DE RES DIPLOMATICA*, *SAINT-BERNARD*, *TRAITÉ DES ÉTUDES MONASTIQUES*, et *BRÈVES RÉFLEXIONS SUR QUELQUES RÈGLES DE L'HISTOIRE*.

# LOUIS-MARIE GRIGNION DE MONTFORT

## *LE PRÉDICATEUR INSUPPORTABLE*

**• 19 JUIL •**

FURIEUX, LE JEUNE LOUIS-MARIE SE LÈVE ET SORT EN CLAQUANT LA PORTE DERRIÈRE LUI. Dans la salle à manger silencieuse, Madame Grignion regarde avec tristesse son mari, un homme de loi violent, aigri par les déconvenues professionnelles. Elle pense à ce fils ombrageux et fier qui, une fois de plus, a quitté la table sans avoir dîné.

Dans la ferme bourgeoise située à Montfort-la-Cane, près de Rennes, les disputes se font de plus en plus fréquentes entre le père et le fils. Louis-Marie ne vient-il pas de brûler un livre de la bibliothèque paternelle parce qu'il le trouvait « obscène » ? Que va-t-on bien pouvoir faire de ce caractère si emporté ?

Partagé entre une mère à qui il voue une admiration sans bornes et un père à l'autorité tatillonne, Louis-Marie Grignion, né le 31 janvier 1673, révèle vite un caractère entier. Ses parents le poussent vers la prêtrise. Il entre à l'âge de douze ans au collège jésuite de Rennes. Sa soif d'absolu et son intransigeance le tiennent à l'écart des jeux de ses camarades. Le jeune garçon préfère la retraite et la solitude à la compagnie des jeunes de son âge. Il souffre des railleries constantes de ses condisciples et se réfugie dans l'étude et la dévotion.

Sa délivrance vient d'une amie de la famille, Mlle de Montigny, qui habite le quartier Saint-Sulpice à Paris. Au cours d'un séjour dans la demeure des Grignion, elle vante le mérite du séminaire installé dans sa paroisse, et s'engage à trouver un financement pour permettre à Louis-Marie d'y étudier.

Quelque temps plus tard, en 1692, sur le pont en dos d'âne qui enjambe la Vilaine, Louis-Marie fait ses adieux à sa mère et prend la route de Paris. Désormais libre de ses mouvements, exalté, il songe en marchant d'un pas alerte qu'il pourra enfin vouer sa vie aux pauvres et s'abandonner à la providence divine. Il n'a d'ailleurs pas parcouru deux lieues qu'il a déjà donné au premier mendiant rencontré tout l'argent reçu de ses parents. Contre les hardes du second, il troque ses propres vêtements. Sans argent et déguenillé, les joues en feu, il met dix-huit jours pour rallier la capitale...

À son arrivée à Paris, le jeune homme ne trouve pas ce qu'on lui avait promis. Mais qu'importe ? Oublié par Mlle de Montigny, il s'installe dans une pension pour séminaristes déshérités. Il se consacre alors aux œuvres de charité et mène une vie des plus rigoureuses. Lors de la terrible famine qui ravage Paris pendant l'hiver 1693-1694, il veille les morts jusqu'à tomber malade. Rétabli, il poursuit sa formation, désormais rattaché au séminaire de Saint-Sulpice. Mais trop singulier, trop absolu, trop pieux, il se distingue à nouveau de ses condisciples. Ne s'est-il pas, par esprit de mortification, installé dans la plus mauvaise chambre, sans chauffage, s'abîmant de longues heures en prière ? Pour le ramener dans le troupeau, le directeur lui suggère alors de confectionner un recueil d'histoires drôles et de les raconter durant les récréations. Devant son ton compassé, l'hilarité est générale.

En 1700, il est ordonné prêtre. Les missions canadiennes l'attirent, mais ses supérieurs le dissuadent vite de partir. Ils craignent qu'il ne se laisse emporter par l'impétuosité de son zèle, et ne se perde dans les vastes forêts de ce pays, en courant chercher les sauvages ! Envoyé à Nantes dans une communauté de prêtres, il s'y ennuie et cherche sa voie entre contemplation et mission évangélique : « *Je sens de grands désirs de faire aimer Notre Seigneur et sa Sainte Mère, d'aller, d'une manière pauvre et simple, faire le catéchisme aux pauvres de la campagne, et exciter les pécheurs à la dévotion à la Très Sainte Vierge.* » Son projet est clair, mais il n'arrive pas à le faire aboutir. Son zèle trop violent élève un véritable obstacle. Car Louis-Marie exaspère son entou-

rage en s'imposant une vie trop austère. Son extrême rigueur lui joue d'ailleurs bien des tours. Comme ce jour où, invité à la prise d'habit de sa sœur Sylvie à l'abbaye de Fontevrauld, il décide de s'y rendre à pied par esprit d'humilité et arrive, épuisé... le lendemain de la cérémonie.

Louis-Marie a cependant la chance de rencontrer ce jour-là la sœur de l'abbesse, Madame de Montespan, ancienne favorite de Louis XIV, qui est touchée par son désir de servir les pauvres. Elle lui offre une charge de chanoine – qu'il refuse – et lui conseille d'aller voir l'évêque de Poitiers. Aussitôt dans cette ville, il rencontre les pauvres de l'hôpital général, dont il devient rapidement l'aumônier en titre. Est-il besoin de dire que ce fut une fois de plus un échec ? Certes, il réforme l'institution, assainit les comptes et instaure un règlement et des heures de prières. Mais il est si mal habillé qu'il ressemble davantage à un vagabond qu'à un prêtre. Les bonnes gens persiflent et, peu à peu, les antipathies se déclarent.

Une femme cependant le soutient, Jeanne Trichet, ancienne paralytique guérie après un pèlerinage à Notre-Dame-des-Ardilliers. Elle admire ce prêtre qui se sacrifie constamment pour imiter le Christ. Avec elle, il crée une communauté de jeunes filles handicapées, les Filles de la Sagesse. Apprenant que ces « pauvres folles » communient tous les jours, la bonne société crie au scandale.

Découragé, Louis-Marie se retire à

> *Devant son ton compassé, l'hilarité est générale.*

Paris et travaille pendant deux ans à la rédaction de ses célèbres cantiques. Il écrit de pieuses paroles sur des airs de chansons populaires, parfois même grivoises. De nouveau, les bonnes gens s'indignent, beaucoup trouvent le procédé inconvenant. On soutient que les paroles profanes et grossières remontent spontanément aux lèvres des chanteurs... Louis-Marie passe outre et compose avec ferveur des milliers de cantiques pour les missions qu'il projette toujours d'entreprendre. Pour éprouver sa vocation de missionnaire, il se rend à Rome – à pied – où il est reçu, le 6 juin 1706, par Clément XI. Ce dernier, prudent, lui conseille de rester en France à la disposition des évêques.

Obéissant, Louis-Marie retourne dans son pays natal. À Dinan, il se met sous les ordres du père Jean Leuduger qui dirige les missions d'évangélisation pour le diocèse de Saint-Brieuc et Saint-Malo. Comme les autres prêtres, il instruit les habitants, fait chanter des cantiques, confesse et distribue la communion. Mais son ascendant sur le petit peuple lui attire rapidement la jalousie de ses confrères. Au bout de dix mois, il est remercié.

L'évêque de Nantes lui accorde alors l'autorisation de prêcher dans les paroisses de son diocèse. Son charisme est si grand qu'il réussit à mobiliser toute une région pour la construction d'un gigantesque calvaire, sur une colline artificielle, à Pontchâteau, entre Loire et

> *Il écrit de pieuses paroles sur des airs de chansons populaires, parfois même grivoises.*

Vilaine ! Quatre cents personnes y travaillent en bon ordre et, au bout d'une année, le « golgotha » est achevé. Les pèlerins affluent de toute part pour l'inauguration. Devant cette ferveur populaire, les autorités locales s'affolent. Les routes et les travaux de terrassement pourraient faciliter un débarquement de l'ennemi anglais ! La veille, l'évêque interdit la bénédiction, puis retire à Louis-Marie son autorisation de prêcher. Le roi ordonne de raser le calvaire.

Louis-Marie a mûri dans ce dernier échec. Son enthousiasme et son dévouement demeurent, mais il apprend désormais à se tempérer. À Luçon puis à La Rochelle où il passe les cinq dernières années de sa vie, il habite une petite maison, s'habille enfin selon les normes vestimentaires de l'époque et accepte de fréquenter la bonne société. Conscient que ses emportements ont joué contre lui, il s'assagit. Son charisme et ses dons d'orateur se déploient alors complètement. Loin des prédicateurs savants, il sait parler aux plus humbles, en respectant la dévotion populaire. À La Rochelle où il prêche une trentaine de missions, les gémissements de l'assemblée couvrent parfois ses mots : « *Mes enfants, ne pleurez pas, vous m'empêchez de parler !* » Il sait émouvoir, susciter l'effroi et le repentir. Mais, fidèle à la miséricorde du Christ, il est un censeur peu sévère dans le tribunal de la pénitence.

Il meurt d'épuisement à quarante-trois ans, le 28 avril 1716, serrant dans une main le crucifix que lui a donné le pape et dans l'autre une statuette de Marie, qu'il vénérait tout particulièrement. Son amour pour la Vierge, mère du Christ et mère des hommes, était immense. Louis-Marie Grignion de Montfort était convaincu que le Christ ne pouvait résister aux demandes de sa mère et conseillait d'offrir toutes les prières à la Vierge pour que sa douceur et sa pureté les transforment avant qu'elle ne les remette à son Fils. Selon ses dernières volontés, il fut inhumé au pied de l'autel de la Vierge de l'église de Saint-Laurent-sur-Sèvre, où un pèlerinage naquit spontanément. Louis-Marie Grignion de Montfort avait su s'abandonner totalement à la Providence et accepter toutes les épreuves comme un don du ciel. Modèle de foi et d'humilité, cet incroyable personnage fut canonisé par Pie XII en 1947.

SOURCES : L.-M. Grignion de Montfort, ŒUVRES COMPLÈTES. L. Pérouas, GRIGNION DE MONTFORT, LES PAUVRES ET LES MISSIONS, Paris, 1966. T. Rey-Mermet, LOUIS-MARIE GRIGNION DE MONTFORT, Paris, 1984. B. Guitteny, GRIGNION DE MONTFORT, MISSIONNAIRE DES PAUVRES, 1673-1716, Paris, 1993.

# LE SIÈCLE D'OR DE L'ORGUE
## QUAND LA MUSIQUE
## ÉLÈVE LES ÂMES VERS DIEU

• **20**
**JUIL** •

– SEREZ-VOUS À LA GRAND-MESSE À SAINT-GERVAIS, MADAME ?

– J'y compte bien, on y donne des motets, et l'on dit que Monsieur Couperin lui-même y tient l'orgue ce dimanche.

Ce jour de mai 1720, Paris résonne des cris bruyants des saltimbanques et des marchands qui animent les places sous les yeux gourmands des badauds. Les cloches sonnent à toutes volées, partout les paroisses appellent les fidèles à la grand-messe. Les prêtres préparent chasubles et encensoirs dans les sacristies. Les maîtrises d'enfants, en grandes tenues, répètent les motets qu'elles interpréteront pendant l'office. Les orgues donnent la note ou commencent à introduire la célébration en des pleins jeux sonores dont les mélodies rapides et enlacées couvrent la conversation des fidèles qui cherchent place, en se racontant les dernières nouvelles du quartier.

À l'entrée de l'église Saint-Gervais, un petit panonceau indique en effet qu'« *ici on donne des motets* ». Un couple élégant s'arrête un instant, gravit les marches du parvis et pénètre dans l'église où déjà fidèles et curieux se pressent. Le lieu est couru, gentilshommes et belles dames se joignent aux modestes paroissiens. Déjà, sous les voûtes anciennes, les premiers accents de l'orgue s'élèvent, première invitation à la prière et au recueillement.

La messe est dite. À la sortie, pieuses gens et amateurs de musique se côtoient et discutent la dernière pièce que François Couperin a exécutée après l'envoi. La conversation s'anime. Une femme d'un certain âge, coiffée d'un bonnet de bigote, prend à partie le jeune couple qui, ayant retrouvé quelques connaissances, ne tarit pas de louanges à propos de l'œuvre nouvelle que vient de donner le titulaire des lieux.

– La messe devient un concert. On y entend des airs de danses et des mélodies à la mode. Ce n'est plus Notre Seigneur Jésus-Christ que l'on célèbre dans cette église, c'est Monsieur Couperin et son instrument, jette-t-elle d'un ton pincé.

– Mais, chère madame, ses longues phrases méditatives ne vous aident-elles pas à prier ? Et qu'importe la forme utilisée pour la composition si l'art du compositeur en fait une œuvre religieuse.

– Certainement non ! Regardez autour

de vous, tous ces jeunes gens, dans leurs tenues à la mode, tout occupés de plumes, de rubans et de dentelles, ils prennent notre église pour une salle de concert. Ils ne viennent pas à la messe, mes enfants, ils viennent au spectacle. Et ne me dites pas que la musique qu'ils y entendent va les convertir à Notre Seigneur. Cette jeunesse n'a plus de religion ! De mon temps...

Nul ne saura si, de son temps, les jeunes gens avaient plus de goût à la prière et s'ils confondaient moins les saints offices avec les divertissements mondains. Elle tend une piécette au mendiant, serre son aumônière brodée sous sa mante et s'éloigne d'un pas pressé. Amusé, le jeune couple revient à sa conversation, laissant la pieuse dame s'en retourner chez elle, la tête pleine de griefs contre cette manie qu'ils ont tous de vouloir toujours plus d'orgue dans les offices religieux.

*Tous ces jeunes gens, tout occupés de plumes, de rubans et de dentelles, prennent notre église pour une salle de concert.*

Dans le petit cercle d'amis, la conversation va bon train. François Couperin est un modèle pour toute cette génération de jeunes gens passionnés de musique. N'est-il pas le symbole de la musique d'orgue française ? Sa réussite fulgurante séduit cette génération pressée en quête de nouveauté et avide de succès. À dix-sept ans, il était déjà titulaire des orgues de Saint-Gervais. Cinq ans plus tard, avec son *Livre d'orgue*, il était devenu le maître incontesté de l'orgue français. Avec les deux messes que l'ouvrage contenait, celle pour les paroisses et celle

pour les couvents, Couperin avait montré sa maîtrise de l'instrument et sa parfaite connaissance des maîtres français qui l'avaient précédé. Et, dans les cinq années qui avaient suivies, il avait été nommé successivement claveciniste du roi, organiste de la chapelle royale, maître de clavecin des enfants de France. Après la mort de Louis XIV, la mode en était resté, et le public parisien ne manquait pas de venir entendre Monsieur Couperin en son église de Saint-Gervais, qui verrait sept générations de Couperin, une véritable dynastie, se succéder à ses orgues.

– Monsieur Couperin était très en forme. Sa gigue improvisée durant l'offertoire était vraiment charmante.

– Et l'orgue est tout à fait extraordinaire. Je ne sais qui en est le facteur, mais le son des jeux et l'équilibre du positif et du grand orgue sont tout à fait miraculeux. De la majesté du *Sanctus* à la complainte de l'*Agnus*, cet instrument est capable de nous faire ressentir les émotions les plus diverses et de faire naître des élans spirituels avec une facilité proprement miraculeuse.

– Décidément, nos orgues sont moins fades que ceux d'Italie et moins prétentieux que les instruments allemands, ils correspondent si bien à notre musique et à notre Église. L'intériorité est la particularité de notre musique et de notre spiritualité. Monsieur Couperin le montre bien.

– Voilà bien de la piété, mon ami, l'orgue a donc des vertus, n'en déplaise aux grincheuses bigotes.

– Cela est bien vrai, et si nos organistes n'avaient pas à subir les cadres fixés par l'archevêché, ils pourraient donner libre cours à leur génie et nous offrir des pièces peut-être encore plus proches de nos aspirations mystiques.

– Oh, n'exagérons rien, ils ont quand même des moments de grande liberté, et les contraintes peuvent également leur permettre de montrer l'étendue de leur talent.

– Oui, et je trouve assez normal que l'archevêché ait publié ces indications un peu strictes dans son cérémonial. Après tout, la musique est dans les églises au service du culte divin. Et tous nos amis musiciens ne sont pas théologiens, alors...

– Tu as raison et, par ailleurs, ils peuvent toujours donner des concerts en dehors des offices, s'ils le souhaitent. Il me semble que cela se fait de plus en plus : ce serait une sorte de concert spirituel, si l'expression est permise.

– C'est exact. Je suis allé la semaine dernière entendre un concert donné dans une église du Marais par le titulaire du lieu. Il revenait d'Italie et a joué un certain nombre de très belles pièces d'un maître romain du siècle dernier. Je crois qu'il s'agissait de Girolamo Frescobaldi, qui devait être organiste à Saint-Pierre de Rome, si ma mémoire est bonne. En entendant ces pièces, j'ai pu constater à quel point Couperin a su faire la syn-

> *La musique est dans les églises au service du culte divin.*

thèse entre la musique italienne et la tradition française.

– Il faut quand même que nos grands compositeurs continuent d'accompagner les messes. Je ne saurais comment l'exprimer, mais l'orgue est pour moi un soutien, une aide précieuse, il me semble que cette musique élève l'âme.

– Il est vrai que souvent, je me sens transporté plus que je ne puis l'exprimer. L'orgue et les chœurs d'enfants se mêlent si harmonieusement ; l'orgue laisse entrevoir la gloire du ciel, les voix candides suggèrent l'innocence des âmes rachetées. C'est comme un avant-goût de la liturgie céleste que les saints et les anges célèbrent déjà pour Dieu. La pureté de cette musique ne peut que nous mener vers ce concert de sainteté.

– Tu as mille fois raison et l'alternance de la maîtrise et de l'orgue était d'ailleurs si belle tout à l'heure au moment du *Sanctus* que je me suis pris moi-même à chanter intérieurement « *Sanctus Dominus, Deus Sabbaoth* ». J'ai ressenti dans la musique cette même grâce divine qui remplit le ciel et la terre. Seule la musique, me semble-t-il, nous permet de pressentir cette présence de la grâce, cette merveilleuse union entre le monde céleste et le nôtre.

La conversation se poursuit, brillante et spirituelle à la fois. Les organistes célèbres et les grands facteurs d'orgues sont passés en revue au gré des passions de chacun. On se conte les dernières commandes d'œuvres ou d'orgues passées par les ordres religieux ou les grands noms de la Cour. Les jésuites continuent de soutenir la création, convaincus que la musique dans les églises est interprétée *ad majorem Dei gloriam*. Quelques esprits grincheux ou épris d'austérité ne cessent pourtant d'assiéger l'archevêque afin qu'il prenne des mesures contre ces musiciens qui se croient tout permis. « Décidément, avec le Régent, la moralité et la religion ne sont plus ce qu'elles étaient... », lance l'un des jeunes hommes. Le petit groupe renonce à engager la conversation dans les débats politiques du temps et, tiraillé par la faim, se disperse.

De 1650 à 1750, l'orgue connut un tel essor dans toute l'Europe que certains n'hésitèrent pas à appeler cette époque son « siècle d'or ». Plus de deux cents ans plus tard, l'Église universelle rassemblée au deuxième concile du Vatican écrivait : « *On estimera hautement, dans l'Église latine, l'orgue à tuyaux comme l'instrument traditionnel dont le son peut ajouter un éclat admirable aux cérémonies de l'Église et élever puissamment les âmes vers Dieu et le Ciel.* » Réponse en forme de point d'orgue à la polémique engagée sur le parvis de Saint-Gervais par la bigote peu amène.

SOURCES : O. Beaumont, *COUPERIN. LE MUSICIEN DES ROIS*, Paris, 1998. S. Hofman, *L'ŒUVRE DE CLAVECIN DE FRANÇOIS COUPERIN LE GRAND*, Paris, 1961.

# ALPHONSE DE LIGUORI
## *L'AVOCAT QUI FAISAIT ENTRER*
## *LES LARRONS DANS LES ÉGLISES*

**21 JUIL.**

*« MONDE, JE TE CONNAIS. ADIEU LES TRIBUNAUX ! »*

Alfonse de Liguori, le brillant, le célèbre avocat, est fou de rage. Dans le procès qui oppose le duc Orsini di Gravina à Cosme III, grand duc de Toscane, il n'a pas su remporter la partie. C'est la première fois de sa fulgurante carrière qu'il perd et il ne le supporte pas. Ce n'est pas tant d'avoir perdu qui le met en colère : cela devait bien lui arriver un jour et il le savait. Mais ce qu'il ne peut admettre, c'est d'avoir perdu parce que le procès était truqué.

À quoi bon tout ce travail, à quoi bon toute cette fougue ? À quoi bon avoir réussi à douze ans son examen d'entrée à la faculté de droit, être devenu à dix-sept ans docteur en droit civil et canonique, avoir plaidé depuis lors sans jamais perdre un procès ? Voilà à quoi l'ont mené ses années d'études, ses précepteurs de lettres, de philosophie, de droit, de beaux arts... et cette foi qu'il a toujours eue en la justice... Non, c'est bien décidé, il arrête tout : *« Adieu les tribunaux ! »*

De retour chez lui, Alphonse est songeur. Que lui reste-t-il ? Tout ce en quoi il a cru jusque-là est si vain ! Presque machinalement il se dirige vers son prie-Dieu et s'y agenouille. Heureusement, il me reste la prière, se dit-il, tout en luttant contre la mélancolie qui le gagne. Depuis que, à dix-huit ans, il a connu ses premières joies spirituelles, il sait qu'il peut trouver refuge en Dieu qui l'aime comme un père. Mon père va être furieux, pense-t-il à ce propos. Lui, l'officier supérieur de la marine de guerre, dont l'ambition pour son fils n'a d'égale que son orgueil d'appartenir à la vieille noblesse napolitaine, comment pourra-t-il accepter qu'Alphonse ne devienne pas le brillant gentilhomme dont il rêve. Car, le fougueux avocat en est sûr, Dieu l'appelle à autre chose et qu'importent son nom, ses privilèges, sa richesse et son éducation...

Le jeune homme songe à ce qu'a été sa vie depuis quelques années, à ses activités au sein de la confrérie des docteurs qui assure visites et soins aux malades du plus grand hôpital de Naples et aux treize cents grabataires qui l'y attendent. Est-ce là que Dieu le veut ? Dans son désarroi, il veut embrasser une nouvelle vie.

La réponse ne tarde pas à venir. Le 29 août 1723, il entend l'appel du Seigneur : *« Laisse le monde et donne-toi à moi.* » Fou de joie, l'avocat au barreau se précipite dans l'église de la Merci, et se jette aux pieds de la Vierge devant laquelle il dépose son épée de chevalier. Puis, rentrant chez lui, il renvoie ses clients, et, contre l'avis de son père, s'inscrit au séminaire de Naples.

Mais on ne renie pas ainsi un passé aussi brillant. Alphonse, externe, étudie seul sous la direction de celui qu'il appelle son « Maître », don Torni. Il consacre à ses nouvelles études le même zèle que celui qu'il mettait à gagner ses procès. Substituant aux grands juristes les auteurs spirituels, les commentateurs et les théologiens issus du concile de Trente ; préférant désormais à l'étude de la jurisprudence la découverte des œuvres de Thérèse d'Avila, sa « maîtresse d'oraison », ou de François de Sales, le noble et ancien avocat qui lui ressemble tant, il met ses talents intellectuels au service de sa foi. Le 27 octobre 1724, Alphonse est tonsuré et entre comme novice dans la Congrégation des missionnaires diocésains ou clercs séculiers des Missions apostoliques et il reçoit l'ordination le 21 décembre 1726 à l'âge de trente ans.

Les semaines, les mois passent. Et Naples qui s'émerveillait des talents d'orateur du jeune avocat et voyait en lui le plus prometteur de ses sujets, s'inquiète de plus en plus. À la tombée de la nuit, les *lazzaroni* se rassemblent sur les places publiques. Ces petites gens qui s'entassent entre la mer et la ville basse, ces miséreux et ces larrons, prompts à voler une bourse, s'installent sur les places de la ville, pour écouter un prêtre : Alphonse ! Celui qui faisait l'admiration des grands a trouvé un autre auditoire, pour d'autres propos. Cela inquiète, cela irrite, et les notables font interdire ces assemblées.

Mais le cardinal Pignatelli a entendu parler du travail du jeune prêtre, de ces communautés et des laïcs qu'il réunit pour les envoyer en missions auprès d'elles. Étonné et heureux de la réussite de cet apostolat, il a fait ouvrir les chapelles et les églises du diocèse à ces groupes du soir. Les *capelle serotine* (chapelles du soir) dispensent désormais une aide spirituelle, qui va permettre aux miséreux de se prendre en charge. À la mort d'Alphonse, ils seront plus de cent cinquante groupes à se réunir régulièrement, dans chacune des quelque soixante-quinze chapelles de la ville ouvertes à leur intention.

Alphonse les aura pourtant quittés depuis longtemps. En 1729, il quitte sa famille. Deux ou trois fois par an, il part prêcher dans les campagnes les plus reculées du royaume, et notamment, en 1730, à Scala, où après sa rencontre avec des chevriers, il décide qu'« *on ne peut laisser ces pauvres à l'abandon* ». Habité par cette nouvelle résolution, il entreprend de fonder une nouvelle congrégation avec l'accord de ses conseillers spirituels : ce seront les Rédemptoristes.

> *À la tombée de la nuit, les lazzaroni se rassemblent sur les places publiques.*

À trente-cinq ans, l'intellectuel choisit de faire à Dieu le « sacrifice de Naples » pour changer radicalement de monde. L'aristocrate prêcheur quitte sa ville à dos d'âne et sûr de la volonté de Dieu, il s'offre à vivre le reste de ses jours dans les bergeries et les chaumières, et à y mourir au milieu des pâtres et des campagnards. En 1732, Alphonse fonde la congrégation du Très-Saint-Rédempteur qu'il place sous la direction de Mgr Falcoia.

Apôtre de l'oraison au point qu'on le surnommera « le docteur de la prière », Alphonse est un moraliste. Son enseignement tranche avec le rigorisme en vigueur. Il défend « le juste milieu ». Entre laxisme et rigorisme, il affirme, au risque de scandaliser son temps, que Dieu aime la liberté de l'homme, et que tel est le signe majeur de son amour. Il théorise trois primats : la vérité (Dieu), la conscience personnelle, sur laquelle chacun sera jugé, et la liberté. Il affirme que ces trois primats s'équilibrent et s'harmonisent. Alphonse, ardent à stigmatiser le péché, a bien peu de rigueur pour le pécheur. Trop peu, aux yeux de certains. N'avoue-t-il pas n'avoir jamais renvoyé un pénitent sans lui avoir donné l'absolution ?

Alors, avec enthousiasme et volonté, Alphonse va plaider, lutter contre les critiques, rassurer l'Église. Il met sa science de la persuasion, et son talent, au service de sa cause. La *Théologie morale* qu'il écrit en 1748 comptera, par exemple, neuf éditions de son vivant et soixante-treize après sa mort. Inlassablement, il répète le même message : pitié pour le pécheur, il faut l'aimer et non l'accabler. De son brillant passé, de ses études d'enfant prodige, il reste le style et la rigueur, la création d'une langue moderne, simple. Mais également un amour de l'art : poète, peintre, musicien, il laisse aussi cinquante *canzoncine* qui feront l'admiration de Verdi.

Le temps des mondanités napolitaines est bien révolu, Alphonse parcourt les campagnes, négligé, mal rasé, la soutane rapiécée. Sa congrégation est sans cesse menacée d'anéantissement et il lui faut toujours la défendre. Il s'y emploiera, même vieillard, même lorsque l'infirmité le diminuera, jusqu'à sa mort, le 1er août 1787 à Nocera dei Pagani. Sa cause de béatification est introduite seulement huit mois plus tard. Canonisé en 1839, le docteur en droit civil sera devenu, dans les campagnes napolitaines, maître théologien. Celui qu'on appelle « le nouveau saint Augustin » est proclamé docteur de l'Église en 1871. Et ses œuvres, éditées plus de vingt mille fois, seront traduites en soixante-dix langues...

> *Il n'a jamais renvoyé un pénitent sans lui donner l'absolution.*

SOURCES : Th. Rey-Mermet, *LA MORALE SELON SAINT ALPHONSE DE LIGUORI*, Paris, 1987. F. Bourdeau, *ALPHONSE DE LIGUORI, PASTEUR ET DOCTEUR*, Paris, 1987. L. Colin, *ALPHONSE DE LIGUORI, DOCTRINE SPIRITUELLE*, Mulhouse, 1971.

# LES MISSIONS JÉSUITES
# DU PARAGUAY

*OU COMMENT LES « LUMIÈRES »*

*TRIOMPHÈRENT DE L'« OBSCURANTISME »*

• **22 JUIL.** LE SOLEIL PARAGUAYEN INONDE LA PLACE DE L'ÉGLISE DE YEPAYU. La somptueuse façade baroque dessine sur la terre des espaces d'ombre gracieux, où passants et enfants viennent chercher un peu de fraîcheur. De l'église sortent des bribes de musique. À l'intérieur, l'un des révérends dirige le petit orchestre et les chœurs formés par les jeunes gens de la mission. Devant l'intérêt et les qualités musicales des Indiens guaranis, les missionnaires ont créé un conservatoire où ils dispensent des cours d'instruments, de chant, et de musique liturgique. Dans d'autres villes du pays, des écoles d'art ont été établies où des artisans produisent une exceptionnelle statuaire du Christ, de la Vierge et des saints.

En cette année 1767, le bonheur semble régner à Yepayu. Pourtant, dans son bureau, le supérieur de la communauté est affligé. Les nouvelles qu'il reçoit d'Europe sont de plus en plus dramatiques. Les rois de France et du Portugal ont interdit son ordre, la Compagnie de Jésus, et tout laisse présager que le roi d'Espagne, dont le Paraguay dépend, ne va pas tarder à prendre la même décision. Cela fait des mois que dans son oratoire le supérieur prie Dieu d'éclairer les raisons afin que les jésuites puissent poursuivre leurs activités sociales dans les différentes œuvres qu'ils dirigent et particulièrement dans les missions paraguayennes. Mais aujourd'hui, il n'a plus grand espoir de voir ses prières exaucées. Dieu lui-même est impuissant devant tant d'acharnement. Maintenant, il prie pour avoir le courage d'affronter fidèlement cette épreuve qui lui brise le cœur.

Pourtant, l'histoire des réductions jésuites (du verbe castillan *reducir* : convaincre et organiser) avait bien commencé. Leur naissance, cent cinquante ans plus tôt, avait été officiellement conçue comme libre substitut de la conquête.

En 1604, le roi catholique Philippe III d'Espagne avait donné un ordre au gouverneur du Paraguay : « *Même si l'on dispose d'assez de forces pour conquérir les Indiens, que l'on ne le fasse pas, sinon par la seule doctrine et prédication du saint Évangile, en recourant aux religieux de la Compagnie de Jésus* ». En 1611, des cédules royales confirmaient le financement, l'administration et la protection des missions jésuites par la couronne royale. Aucun Espagnol ni aucun Européen ne pouvait pénétrer sur le territoire des réductions sans l'accord formel des religieux. En 1633, les réductions du Paraguay étaient rattachées directement à la couronne royale, ce qui faisait de leurs chefs indiens, démocratiquement élus, des *hidalgos*, portant le titre de *don*.

Ces « républiques chrétiennes » ont permis une mutation profonde des modes de vie des Indiens guaranis. Ce peuple, qui connaissait des guerres continuelles et pratiquait une anthropophagie systématique, enfants compris, est devenu un peuple pacifique et fraternel. Aux sinistres et sanglants rites chamaniques s'est substituée, dans les réductions, une vie chrétienne sans cesse animée par la beauté des liturgies et des fêtes accompagnées de danses, de scènes théâtrales et de riches décors. Cette évolution se double d'une véritable réussite économique, une vraie gageure dans un tel système égalitaire où toutes les richesses produites sont partagées également entre tous. Au milieu du XVIIIe siècle, les réductions exportent une grande partie des cinq cent mille têtes de bétail qu'elles élèvent. Elles ont lancé la mode d'une nouvelle infusion, le *maté*, dont elles sont le premier producteur et exportateur mondial. Elles sont devenues les premiers producteurs d'Amérique du Sud dans des domaines aussi divers que l'imprimerie, la lutherie, le travail du cuir, la fabrication de tissus, et les chantiers de navires fluviaux.

*Le féroce chaman Neçu a fait massacrer les pères Roch Gonzalez, Alphonse Rodriguez et Jean del Castillo.*

Cette merveille de chrétienté qui gère elle-même son développement artistique, intellectuel et matériel a également réussi une admirable promotion de la femme. Réduites à n'être que des objets de plaisir et des bêtes de somme dans l'ancienne société indienne, sans autre droit que de contenter dès leur plus jeune âge le premier venu et ensuite d'assurer la totalité des travaux de la tribu, les femmes guaranis sont devenues des mères de famille responsables de leur foyer. La monogamie chrétienne s'est ainsi imposée d'elle-même tout comme le transfert des éprouvants travaux agricoles et industriels aux hommes. Enfin, cette société guarani, qui ne connaissait pas la moindre compassion pour les faibles, a fait fleurir en son sein des dispensaires, des hôpitaux, des asiles pour les vieillards et des orphelinats.

C'est tout cela qu'il faudrait voir disparaître ! Le supérieur est effondré. Déjà, ici, au Paraguay et dans les pays voisins, ils ont eu des ennemis redoutables. Les princes indigènes et les chamans se jugent dépossédés de leur « rente de chair humaine ». Tous ici connaissent la tragique histoire du féroce chaman Neçu qui a fait massacrer, dans les conditions les plus horribles, les pères Roch Gonzalez, Alphonse Rodriguez et Jean del Castillo. Certains commerçants et colons espagnols auraient sûrement aussi voulu continuer à extorquer, exploiter et corrompre les Indiens comme les esclavagistes portugais du Brésil voisin, les paulistes. Ceux-ci avaient procédé à de véritables razzias d'hommes pour fournir des esclaves aux moulins à sucre et aux plantations de leur pays. Leurs incursions soudaines avaient enlevé soixante mille Indiens des premières missions, mais elles avaient pris fin quand Philippe IV d'Espagne avait autorisé les jésuites à armer leurs Guaranis. Les troupes des missions avaient alors remporté sur les paulistes la victoire décisive de Mbororé. C'était en 1641. Quand l'Amérique du Sud avait été définitivement pacifiée, les missions s'étaient intégrées harmonieusement à la vie coloniale. Depuis lors, leurs habiles artisans travaillent à l'édification des villes, leurs agriculteurs vendent leurs surplus sur les marchés. Leurs talentueux musiciens et choristes donnent même à Buenos Aires des festivals très courus.

*Une société juste, fraternelle, ouverte au progrès, fondée sur la foi chrétienne.*

Pour réaliser tout cela, ses frères jésuites, venus de divers pays d'Europe, ont montré un don de soi total, jusqu'à devenir d'humbles serviteurs des Indiens. Grâce à eux, qui étaient en Europe l'élite intellectuelle et scientifique, l'État guarani a atteint les sommets de la vie en société évangélique comme les plus hauts niveaux du développement. Dans beaucoup de domaines, les compétences des Guaranis sont reconnues jusqu'en Europe. L'observation astronomique et météorologique, qui utilise les instruments fabriqués sur place, en est l'illustration. Les observations des réductions de Saint-Côme sont recherchées et publiées par les universités européennes, comme celle d'Upsala en 1732. La qualité humaine atteinte par les Guaranis des missions, en à peine un siècle, est telle que l'Argentine devenue indépendante choisira l'un d'eux comme premier gouverneur des îles Malouines.

Le supérieur fait les cent pas devant ses fenêtres. Dans moins d'une heure, il devra présider le conseil de la communauté. Il lui faudra annoncer à ses frères les nouvelles alarmantes qu'il a encore reçues ce matin. Aujourd'hui il en est sûr, ils doivent se préparer à être arrêtés et dispersés. Mais quelles explications pourra-t-il leur donner ? Les lettres de ses frères espagnols lui rapportent les sentiments hostiles que les autorités nourrissent à l'égard de leur ordre. On dit les jésuites trop influents et trop indépendants, n'obéissant qu'aux seuls ordres du souverain pontife dont ils dépendent directement. Pour les tenants de la philosophie des Lumières, la Compagnie de Jésus représente l'armée de l'ombre de l'obscurantisme chrétien, pense-t-il en se rasseyant. Sans doute l'exemple de cette société juste, fraternelle, ouverte au progrès, fondée sur la foi chrétienne, bat-elle en brèche l'idée selon laquelle le catholicisme opprime l'homme et le maintient dans l'ignorance. Et puis, soupire-t-il, n'oublions pas l'appât du gain : toutes ces terres sont hautement désirables pour qui veut s'enrichir. Il lui reste encore un peu de temps avant de rejoindre les autres prêtres de la mission, il va en profiter pour écrire au père général de la Compagnie. Peut-être sera-ce la dernière lettre qu'il recevra de la mission de Yepayu ?

Quand, dans les années 1770, les soldats espagnols vinrent arrêter et déporter les jésuites, il y avait au Paraguay trente missions réunies en confédération, comptant chacune de trois à six mille Indiens. Ceux-ci ne rejoignirent pas les forêts ou les brousses mais affluèrent en masse vers l'autre chrétienté des établissements coloniaux espagnols et leur libérale société métisse. Livrés à eux-mêmes, ils demeurèrent pourtant fidèles au catholicisme. Dans la brousse du « pays des missions », il ne reste aujourd'hui que les superbes ruines des écoles fondées par les jésuites ou de leurs églises. Mais, dans les cœurs, le catholicisme indien demeure.

SOURCES : P. Borges Moran, *MISIÓN Y CIVILIZACIÓN EN AMERICA*, Madrid, 1986. M. Haubert, *LA VIE QUOTIDIENNE AU PARAGUAY SOUS LES JÉSUITES*, Paris, 1967.

# JEAN-SÉBASTIEN BACH
## *LA MUSIQUE À LA SEULE GLOIRE DE DIEU*

• **23 JUIL** • *« S'IL Y EN A UN QUI DOIT QUELQUE CHOSE À BACH, C'EST BIEN DIEU ! »*

Le bourdonnement des conversations s'interrompt brutalement. L'élégante Valentine de Sérigny, dont le salon compte parmi les esprits les plus brillants de Paris, se retourne les yeux pétillants d'amusement vers son invité.

– Et bien, Charles, que nous contez-vous là ? Il est bien rare de vous entendre parler de la sorte. Nous raconterez-vous à quels propos s'attachait cette sentence ?

– Mais madame, bien volontiers. Avec vos invités, nous devisions de musique et certains ici me soutenaient qu'il n'y avait rien de religieux dans la musique de Bach. Et que les œuvres de Palestrina, Lotti, ou Caldara étaient bien plus marquantes.

– Les noms que vous me citez comptent parmi ceux des plus grands musiciens religieux de tous les temps et je ne vois pas en quoi nos amis se trompent.

– Certes, chère comtesse, certes. Mais, ils ajoutaient, avec moins de finesse, que Bach n'était pas un musicien religieux, car les formes et les discours musicaux qu'il utilisait pour ses œuvres religieuses étaient les mêmes que pour ses œuvres profanes.

– Et n'est-ce pas une opinion courante aujourd'hui ? Hier encore à l'Opéra, nous entendions l'un de nos amis musiciens nous parler d'une manière tout à fait identique des messes de Mozart ou de Haydn.

– Et bien madame, quand vous m'avez interpellé, je citais seulement ce mot attribué à Voltaire qui nous dit bien tout l'inverse.

– Ah ! mon ami, un philosophe défendant un protestant, voilà qui doit nous mettre résolument sur le chemin de la vérité !

Tous se sont approchés de la cheminée autour de laquelle se tient la conversation. À Paris, Charles Jervouet était connu pour être un jeune homme fantasque mais cultivé, prompt à défendre les causes les plus folles et à s'attaquer aux idées les plus reconnues. La conversation promettait d'être passionnante et il était fort probable que l'on en parlerait, pendant les entractes, dans les jours à venir.

– Nous vous attendons, Charles. Défendez votre thèse et expliquez-nous ce que Bach a accompli de si extraordinaire pour que notre grand penseur des Lumières fasse de Dieu son créancier.

– Sa musique, ma chère, uniquement sa musique.

– Mais, enfin, il écrivait ses cantates et ses messes comme toutes ses autres œuvres... Il n'y a pas là matière à s'émerveiller !

– Pardon, madame, il était avant tout un véritable chrétien. À ceux qui, dès son époque lui faisaient des reproches identiques, il avait répondu : « *Me connaissant doué pour établir une musique régulière, je le fais pour la plus grande gloire de Dieu et l'éducation de mon prochain.* » *Soli Deo Gloria* était sa devise, madame.

– Eh bien, s'il était chrétien, l'humilité n'était pas sa plus grande vertu !

– « *J'ai travaillé avec application. Quiconque s'appliquera aussi bien que moi en fera autant.* » Voilà ce qu'il vous aurait répondu. Non, madame, vous êtes trop dure, vraiment cet homme était un génie et un chrétien.

Valentine de Sérigny cesse d'agiter son éventail. Ses invités font maintenant cercle autour de Charles. Tous regardent le jeune orateur. Ses boucles brunes s'agitent au rythme de ses mouvements, et sa lavallière se gonfle régulièrement sous sa respiration, ses gestes expriment la passion la plus vive... l'homme commence à fasciner son auditoire.

– Alors, bien évidemment, l'ampleur des chœurs de son *Magnificat* peut laisser croire que seule l'esthétique compte pour lui. Mais ne frémit-on pas quand la première soprano entonne le deuxième air ?

> « *Je le fais pour la plus grande gloire de Dieu et l'éducation de mon prochain.* »

Et ses cantates, ne vous est-il pas arrivé de pleurer d'émotion en les écoutant, tant elles peuvent être poignantes ?

– Soit, votre Bach est doué, mais est-il chrétien ?

– Madame, même si nous ne savions pas qu'il était un chrétien fervent, un lecteur émerveillé des Saintes Écritures, un penseur, un théologien... sa musique seule nous apprendrait que tout en lui était tourné vers Dieu. Protestant, soit, mais la spiritualité à laquelle son œuvre nous convie ne l'en place pas moins au-dessus des querelles que piétistes et luthériens donnaient à voir. Il a d'ailleurs écrit lui-même des cantiques dans la langue la plus inspirée.

– Donnez-nous des exemples. Nous sommes presque prêts à nous ranger à votre avis.

– Quel plus grand exemple pourrions-nous donner que celui de sa *Messe en si mineur* ? Quand certains ont bâti des cathédrales pour rendre hommage à Dieu, lui a offert à l'humanité l'œuvre qui à tout jamais restera au sommet de la musique sacrée. Une œuvre magistrale, vingt-six morceaux reliés presque uniquement par cette spiritualité, cette piété qu'il a su leur imprimer. Non, madame, ce qui est admirable, ce ne sont pas les savantes architectures de ses contrepoints ou de ses variations, l'habileté avec laquelle solistes, chœurs et accompagnements se répondent ou se fondent... ce qui est bouleversant c'est l'âme du monde qui s'élève dans les courbes divines de ses mélodies, comme une véritable offrande spirituelle à Celui qui seul a pu les inspirer. Entendez-vous cette invocation limpide du *Christe* que chante la soprano ? Ne vous associez-vous pas à la contemplation de Dieu qu'exprime la vocalise du *Laudamus te* ? Et dans les moments où, assiégée par le désespoir, vous vous tournez vers le Père, ne communiez-vous pas à cette voix d'alto qui dans le dernier verset de l'*Agnus* en appelle à la miséricorde divine ? Non, madame, il ne peut pas ne pas être chrétien.

Cette puissante envolée laisse l'assistance sans voix. Charles lui-même semble s'être absenté. Valentine, pétrifiée, entend, du fond de sa mémoire monter les phrases musicales. Il a raison. Se ressaisissant, elle regarde Charles et reprend la conversation. Son ton n'est plus celui de la badinerie de salon, elle veut savoir.

– Mais, Charles, outre l'émotion que nous éprouvons, dites-moi ce qui chez lui est profondément chrétien ?

– Je pourrai vous répondre tout. Le *Et in unum dominum*, où les voix du Père et du Fils s'unissent dans un canon pour soprano et alto, prouve que Bach ne se contente pas de faire vibrer nos sens. Mais je crois que c'est quand il parle de la mort qu'il nous montre à coup sûr qu'il est chrétien. Il avait perdu des personnes chères, ses propres enfants, et pourtant il continuait à voir dans la mort le passage suprême, l'ultime libération. Et cette pensée le conduisait à louer Dieu. Madame, qui d'autre qu'un chrétien pourrait penser ainsi ?

Valentine de Sévigny se lève et embrasse Charles. Elle est profondément émue. Elle se répète cette phrase de Jean-Sébastien Bach lui-même : « *Pour la gloire de Dieu et pour l'éducation de mon prochain...* » Ce compositeur allemand mort en 1750 aurait-il réussi à ébranler la tranquille assurance d'une jeune comtesse frivole qui ne croyait plus guère qu'aux plaisirs éphémères et aux fugaces joies de l'esprit ?

SOURCES : Ph. Spitta, *JOHANN SEBASTIAN BACH*, Leipzig, 1873-1880. « Die protestantische Passion », in *MUSIK IN GESCHICHTE UND GEGENWART*, Kassel, 1949-1986. A. Schweitzer, *J.-S. BACH. LE MUSICIEN-POÈTE*, Paris, 1908. A. Basso, *J.-S. BACH*, Paris, 1985. M. Bukofzer, *LA MUSIQUE BAROQUE 1600-1750. DE MONTEVERDI À BACH*, Paris, 1982.

# LAZZARO SPALLANZANI

## *TOUT PRÈS DU MYSTÈRE*

## *DE LA VIE BIOLOGIQUE*

• **24 JUIL•** « MONSIEUR L'ABBÉ, UNE LETTRE EST ARRIVÉE DE FRANCE... » LA VIEILLE BONNE QUI VIENT D'ENTRER dans la pièce s'arrête tout net et écarquille les yeux. Une ribambelle de petits crapauds revêtus de caleçons danse une gigue endiablée sur la table. Maria a beau savoir que son maître est le savant le plus excentrique qui soit, elle ne l'a encore jamais surpris à contempler des batraciens affublés d'une si étrange tenue de bal.

Lazzaro Spallanzani part d'un rire sonore devant l'air ahuri de la bonne.

– C'est une expérience, Maria.

– Dame, oui, je m'en doute, Monsieur l'abbé.

– Il s'agit de découvrir le principe de reproduction des êtres vivants, vous comprenez.

Non, Maria ne comprend pas. Cela ne lui explique pas pourquoi des batraciens en culottes sont en train de se démener devant elle, comme des personnages de contes de fées métamorphosés en animaux.

– Posez la lettre sur le bureau, Maria, je suis occupé.

Le courrier de France peut attendre. De plus, il mérite sûrement une attention sans partage : Charles Bonnet n'écrit jamais que des choses essentielles. Depuis longtemps déjà, ils entretiennent une correspondance d'une haute tenue intellectuelle et maintiennent leurs échanges dans les sphères fascinantes du savoir, de la science et de la philosophie. C'est lui qui, à force d'exhortations amicales, est à l'origine des travaux en cours. Parfois, Lazzaro est pris d'inquiétude devant les responsabilités qu'il a acceptées. Ne va-t-il pas trop loin ? Il a toujours ressenti un besoin irrépressible de connaître et de comprendre. Mais aussi insensées que puissent paraître à sa bonne les expériences qu'il est en train de mener, il a conscience de toucher au mystère de la vie. En a-t-il vraiment le droit, lui, prêtre de l'Église catholique ?

Jamais il n'a opposé sa vocation de savant et sa vocation religieuse, bien au contraire. Quand il était enfant, par les nuits d'été où il observait la voûte céleste avec un intérêt mêlé de crainte depuis son jardin de Scandanio, dans le duché de Modène, il imaginait déjà les fabuleuses découvertes qu'il ferait un jour. Connaître le pourquoi et le comment, percer tous ces mystères... Plus tard, abreuvé de philosophie et de rhétorique par les bons pères du collège de Reggio et alors que se révélait l'étonnant éclectisme de ses dons, il avait gardé une curiosité sans bornes devant les merveilles de la Création. Il désirait ardemment les comprendre pour mieux en rendre grâces, et collaborer par ses recherches à l'œuvre divine. Cette magnifique complémentarité de la soif du savant et de la vocation religieuse l'avait conduit à la prêtrise.

*Son père n'admet pas qu'il renonce à un avenir déjà si prometteur.*

Brillant dans toutes les matières littéraires, étudiant en droit à Bologne pour satisfaire un père qui le voulait juriste comme lui, il se lance aussi dans les mathématiques et la physique, sans jamais cesser d'être attiré par les sciences de la nature. L'annonce de sa vocation fait l'effet d'un coup de tonnerre. Son père n'admet pas qu'il renonce à un avenir si prometteur. Mais le jeune homme est obstiné, et reçoit rapidement les ordres mineurs. Il a tout juste vingt-cinq ans quand, en 1754, il est ordonné prêtre et nommé professeur à l'université de Reggio, où il enseigne la logique, la métaphysique et la littérature grecque. Cela ne l'empêche pas de se consacrer à l'étude des connaissances biologiques de son temps. À trente-deux ans, il s'installe à Modène où il enseigne l'histoire naturelle. Un peu comme Vivaldi, incapable de renoncer à la musique malgré les obligations du sacerdoce, Lazzaro Spallanzani ne peut abandonner ses recherches ; et, comme le maître vénitien, il obtient de ses supérieurs la permission de concilier sa passion et sa vie de prêtre.

Spallanzani va être à l'origine d'une véritable révolution méthodologique dans le domaine des sciences naturelles. C'est que la biologie qu'il découvre manque singulièrement de rigueur. Les naturalistes les plus éminents restent sur le terrain théorique pour aborder la plupart des questions, et n'accordent qu'une part modeste à l'expérience. Buffon et Needham prétendent, par exemple, que les êtres vivants possèdent des atomes qui se détachent à un certain moment de l'organisme et permettent ainsi la transmission de la vie. « Pures abstractions ! », répond le jeune abbé d'une plume cinglante dès son premier article. Plutôt que de spéculer, il met au point des milieux de culture artificiels où il parvient à maintenir en vie des êtres très petits, qu'il observe au microscope. Émerveillé, il discerne en eux tous les signes de la vie. Pourquoi, dès lors, invoquer d'hypothétiques atomes vitaux, alors que la seule observation suffit à montrer que les organismes les plus infimes sont bel et bien vivants ?

Spallanzani ouvre ainsi la voie à Pasteur, et jette les bases d'une véritable méthode expérimentale que Claude Bernard systématisera au siècle suivant. Dès 1768, année où il hérite de la direction du Muséum de Pavie, il entreprend une série d'expériences révolutionnaires sur la régénération des êtres vivants élémentaires. Il fait plus encore, en pratiquant sur eux les premières transplantations réussies de l'histoire de la biologie. Au fil des années, il étend progressivement ses activités dans tous les secteurs de cette discipline.

Mais ce sont surtout ses travaux sur la

reproduction sexuée, entrepris à la demande de Bonnet, qui lui valent sa réputation. Les ovules avaient été observés au microscope par de Graaf à la fin du XVIIᵉ siècle, les spermatozoïdes par Leeuwenhœck à l'aube du XVIIIᵉ siècle, mais leur rôle n'en restait pas moins mystérieux. On croyait alors que les gamètes contenaient depuis la création du monde des « *homonculi* », « petits hommes » emboîtés les uns dans les autres à la manière de poupées russes. Pour les uns, ils se trouvaient dans les spermatozoïdes, et Adam aurait contenu en lui l'humanité tout entière ; pour les autres, ils étaient localisés dans les ovules, et dans cette hypothèse, c'était en Ève qu'il fallait chercher l'origine de l'humanité. Spallanzani opte pour la première théorie, mais l'important n'est pas là. L'abbé italien parvient en effet à montrer que les gamètes des deux sexes sont indispensables à la conception chez les batraciens. En soi, ce résultat n'est guère surprenant ; en revanche, la manière dont il est obtenu est tout à fait novatrice. Spallanzani imagine de revêtir le bas ventre des crapauds mâles avec ces petits caleçons hermétiques qui ont tout pour stupéfier la vieille Maria, puisque celle-ci ne connaît pas le fin mot de l'histoire. Les animaux ainsi recouverts éjaculent à la vue des grappes d'ovules pondues par les femelles, mais, la semence étant retenue par les caleçons, aucune conception ne se produit. En revanche, le sperme des crapauds laissés nus recouvre les œufs, et de nombreux têtards apparaissent après quelques jours.

Spallanzani pousse encore ses observations plus avant. Il transfère dans des fioles séparées les ovules et le sperme de ses batraciens. En faisant varier les conditions de température ou de composition de l'eau, il parvient à déterminer les paramètres biologiques en fonction desquels la semence est fécondante : c'est la première fécondation artificielle opérée dans le monde animal. Pour la première fois dans l'histoire de la biologie, la méthode expérimentale est appliquée à ce phénomène fascinant et déroutant qu'est la transmission de la vie. Et cela, par un homme de Dieu !

Mais Spallanzani ne va pas plus loin ; en conscience, il ne le peut probablement pas. Il a obtenu des résultats probants et montré l'efficacité de sa méthode. Il a levé un coin du voile sur le mystère de la vie biologique. D'autres après lui iront plus loin dans leurs recherches. Mais le prêtre italien sait qu'il est un mystère qui appartient à Dieu seul : celui de la vie spirituelle et singulière que Dieu insuffle à chaque être humain. Spallanzani sait que là l'homme de science est muet et laisse la parole à l'homme de foi.

> *Spallanzani imagine de revêtir le bas-ventre des crapauds mâles avec ces petits caleçons hermétiques.*

SOURCES : J. Rostand, *LES ORIGINES DE LA BIOLOGIE EXPÉRIMENTALE ET L'ABBÉ SPALLANZANI*. R. Delavault, *LES PRÉCURSEURS DE LA BIOLOGIE : DE L'ANATOMIE À LA BIOLOGIE EXPÉRIMENTALE*, Paris, 1998.

# L'ABBÉ DE L'ÉPÉE

## UN LANGAGE POUR LES SOURDS ET MUETS

**• 25 JUIL •**

L'ABBÉ DE L'ÉPÉE EST EN RETARD. IL S'EST PERDU DANS LE DÉDALE DU MARAIS. Le souffle court, il pénètre dans une cage d'escalier sombre et croise deux jeunes filles, des jumelles au visage avenant et au regard doux. Il les salue de quelques mots. Aucune réaction. Les deux jeunes filles n'esquissent pas même un sourire et regardent l'abbé avec des yeux ronds. L'abbé de l'Épée possède pourtant une physionomie sympathique et sa cinquantaine doublée d'un léger embonpoint est plutôt rassurante. De plus, à la vue de son vêtement, chacun peut constater qu'il est prêtre. Que craignent donc ces enfants ? Il esquisse un sourire et renouvelle son salut, point de réponse. C'est alors que l'une d'entre elles lui fait un signe désespéré. L'abbé vient soudain de comprendre qu'il s'agit de sourdes-muettes. Il ressent cette rencontre comme un appel, et sa vie va en être bouleversée. Il sait, même s'il ignore encore comment, qu'il doit être le pasteur de ces âmes que l'on laisse, faute de moyens, dans l'ignorance de la Vérité et des voies du salut. Le Christ l'appelle à faire parler les muets et entendre les sourds !

Nous sommes en 1760. Le sort des sourds-muets n'est guère enviable. Ils sont souvent considérés à l'égal des fous ou des pestiférés, et restent murés dans leur immense solitude tout au long de leur vie ou sont abandonnés à des destinées hasardeuses et souvent misérables, et ce, malgré quelques esprits éclairés, Rabelais, Montaigne, Diderot ou Louis XIV lui-même, qui porta quinze jours le deuil en hommage au prince de Carignan, le « fameux muet », mort en 1709.

L'abbé de l'Épée, comme beaucoup d'hommes de son temps, a toujours porté le plus vif intérêt à la science. Après avoir longuement étudié tout ce que les scientifiques proposaient pour venir en aide à ces « infirmes », l'abbé ouvre une école à leur intention, devenant ainsi, selon ses propres termes, « *l'instituteur gratuit des sourds et muets* ». Les premières élèves sont les fameuses jumelles. Avec ses propres deniers (il vient d'hériter d'un petit pécule familial), il fait vivre sa fondation qui accueille pauvres et riches.

Les rares enseignants qui se sont intéressés à l'éducation des sourds-muets étaient souvent des prêtres-précepteurs réputés pour leur zèle charitable. Des prêtres capables de braver les idées reçues pour réussir à communiquer avec les sourds-muets, leur rendre leur dignité d'enfants de Dieu et leur annoncer l'Évangile. Si quelques savants, médecins et pédagogues se sont penchés sur l'étude des sourds-muets, leurs avis divergent sur la façon de « soigner » les « malades ». Les méthodes intuitives et empiriques largement développées font la part belle aux diverses décoctions, qui doivent « assurer » la guérison. Pour n'en citer que quelques-unes : graisse d'anguille, fiel de bœuf mêlé avec du lait de femme ou de chèvre, infusion d'huile d'escargot, suc de glandes de castor... L'abbé laisse de côté ce panier de la ménagère et se concentre sur l'apprentissage des signes, déjà éprouvé par Jacob Rodriguez Pereire vingt ans avant lui.

> *Graisse d'anguille,*
> *fiel de bœuf,*
> *infusion d'huile d'escargot,*
> *suc de glandes de castor...*

Il est peu probable qu'il ait lu *Émile ou de l'Éducation* de Jean-Jacques Rousseau (dont il est l'exact contemporain à cinq mois près), qui vient de paraître. Ce sont davantage des ouvrages de théologie et de morale qu'il utilise pour mener à bien son enseignement. Si l'abbé de L'Épée a l'ambition de faire de ses élèves des êtres capables de communiquer en société, en « ouvrant » leur bouche et leurs oreilles, il désire avant tout permettre à l'Esprit de résonner dans leur cœur.

Sa méthode fonctionne à merveille. Petit à petit, ses « enfants », comme il les appelle, sortent de la torpeur où leur triste condition les cantonnait. Ils découvrent la magie du dialogue, de la communication, par des signes d'abord, puis par le dessin, l'écriture et enfin la lecture. L'abbé de l'Épée leur fait même apprendre plusieurs langues. Chaque année, devant une assemblée de curieux triés sur le volet, l'abbé rend compte des progrès de ses « petits » en organisant des représentations, qui reprennent des thèmes religieux. Les personnes intéressées accourent et s'extasient devant ces enfants souriants, actifs, propres et bien mis, que rien ne différencie des autres. Ni bosse, ni pied bot, ni bave, ni regard sournois ou illuminé. Ces élèves *à part* savent s'exprimer à leur façon, intelligible sitôt qu'ils tiennent une plume à la main.

Montrer, dialoguer, amuser, instruire dans la joie pour rendre l'étude encore plus plaisante que les jeux, voilà ce que l'abbé se propose de faire avec ces enfants, en même temps qu'il leur dispense une éducation chrétienne. « *Étant prêtre, je ne me suis chargé de l'éducation des sourds et muets que par motif de religion.* » Sa pédagogie est celle de Dieu. Son devoir est d'instruire ces enfants dans l'amour du Seigneur. « *Les avertir* » dit-il, et délivrer leur âme en livrant la Parole de Dieu « *Vous n'entendez pas la Parole de Dieu par vos oreilles, mais vous la lisez par vos yeux. Et nous vous l'expliquons par nos signes.* » Tel est son programme. Il l'applique au mot et à la lettre. Au signe près, pourrions-nous dire...

La seule façon pour l'abbé de l'Épée de faire perdurer son œuvre après sa mort est de la faire reconnaître. Aussi publie-t-il, une fois par an, une lettre d'une dizaine de pages, exposant les réalisations du programme annuel de son école. Il n'a pas l'ambition de rivaliser avec *Les Lettres persanes* de Montesquieu, mais il sait que le genre est à la mode et l'utilise pour faire passer son message. De même, pour préserver l'avenir de son établissement, il forme des instituteurs et des maîtres sourds-muets, et obtient, en 1778, la reconnaissance de son école par décret royal.

Le 23 décembre 1789, Charles Michel, abbé de l'Épée, qui, sans le savoir, a œuvré pour les droits de l'homme en faisant des sourds et muets les égaux de leurs semblables et en leur rendant leur dignité, s'éteint en même temps que s'achève le siècle des Lumières. Dans un silence recueilli, famille, élèves et amis entourent le lit à baldaquin sur lequel repose le vieil homme à l'agonie. Mgr Jérôme-Marie Champion de Cicé, archevêque de Bordeaux et garde des Sceaux de France, se penche sur l'abbé et lui murmure ces quelques mots à l'oreille : « *Mourez en paix, la Patrie adopte vos enfants.* »

La promesse, hélas, ne sera pas tenue... Contraire aux idéaux d'unification hérités de la Révolution française,

> *Le langage des signes est interdit sous l'Empire.*

le langage des signes est interdit sous l'Empire : on veut, de gré ou de force, faire en sorte que les sourds-muets apprennent à parler. Le langage développé par l'abbé de l'Épée, perçu comme un particularisme incompatible avec l'idée d'unité nationale, est combattu au même titre que les langues régionales. Il faut beaucoup de ténacité aux sourds-muets pour faire admettre ce que l'abbé de l'Épée avait lui, compris : le langage des signes est une langue à part entière, avec ses évolutions et ses accents. Un sourd-muet italien ne signe pas tout à fait comme un Français.

Charles Michel, lui, croyait que chaque homme est unique et que chacun peut louer Dieu dans sa langue, car « *c'est le même Esprit qui dans le cœur de chaque homme crie : Abba, Père !* »

SOURCES : Charles Michel, abbé de l'Épée, *LETTRES*. D. Diderot, *LETTRES SUR LES SOURDS ET MUETS*. Begazu-Deluy, *L'ABBÉ DE L'ÉPÉE, INSTITUTEUR GRATUIT DES SOURDS-MUETS*, Paris, 1990. H. Lane, *QUAND L'ESPRIT ENTEND. HISTOIRE DES SOURDS-MUETS*, 1991.

# BENOÎT-JOSEPH LABRE

## *LE SAINT PUANT*

• **26**
**JUIL**•

« *È MORTO IL SANTO !* », « *LE SAINT EST MORT !* » LA NOUVELLE SE RÉPAND SUR LES PLACES ET DANS LES RUES de Rome comme une traînée de poudre. En ce mercredi saint de l'année 1783, le peuple de Rome se lamente. « Leur » saint, le vagabond de Dieu, vient de mourir. Il s'est affaissé sur les marches de l'église Sainte-Marie-des-Monts où il venait d'entendre la messe. Tous s'étaient précipités au secours de ce gueux qu'ils protégeaient comme un trésor. Le boucher Zaccarelli, qui le connaissait bien, obtint de le transporter dans son arrière-boutique, où il expira doucement quelques heures plus tard. Il n'avait que trente-cinq ans.

Alors que la nouvelle de sa mort plonge Rome dans une profonde tristesse, certains commencent déjà à invoquer le « *pauvre du Colisée* ». Pour le peuple de Rome, il n'y a aucun doute : cet homme était un saint.

Mais qui est donc ce « *pauvre du Colisée* » dont la mort arrache tant de larmes au petit peuple de Rome ? Qu'a-t-il donc d'extraordinaire, ce pouilleux, ce vagabond, pour que toute une ville le pleure

et proclame sa sainteté, sans même s'enquérir de l'opinion de l'Église ?

Celui qui vient de mourir dans l'arrière-boutique du boucher Zaccarelli vient de France. Il est arrivé à Rome un beau jour de 1777, avec pour seul bagage une vieille besace trouée. L'hospice Saint-Louis-des-Français l'a tout d'abord accueilli, mais il a trouvé l'endroit trop confortable. Il a donc choisi pour gîte un trou de muraille, près du palais du Quirinal. Et puis finalement, c'est le Colisée qui est devenu son lieu de retraite favori.

Le peuple de Rome commençait à le connaître. Il repérait de loin le mendiant en guenilles, qu'une odeur insupportable précédait. Celui-ci ne possédait rien et se contentait de mendier le peu qu'il mangeait. Mais, pourtant, ce vagabond était bien différent de ceux que les Romains avait l'habitude de croiser dans la ville. Il ne demandait rien et donnait même aux autres mendiants les quelques piécettes que les plus généreux lui glissaient dans la main. C'était comme s'il ne voulait rien posséder... Alors, petit à petit, malgré sa crasse et ses haillons, le peuple de Rome s'était surpris à l'aimer et avait recherché sa compagnie. En l'espace de quelques semaines, il était devenu « leur » vaga-bond. Cet homme couvert de vermine n'avait rien, *a priori*, pour fasciner les foules, pourtant, il les attirait irrésistiblement. L'homme s'abîmait pendant des heures, souvent jusqu'à l'extase, dans l'adoration du Saint-Sacrement. Pour rien au monde, il n'aurait renoncé à se joindre aux pèlerins des Quarante Heures. Était-ce son regard éperdu d'amour pour la sainte hostie qui frappait ainsi les esprits et les cœurs ? Ceux qui le côtoyaient affirmaient avoir vu un saint, détaché de ce monde, comme s'il goûtait déjà la joie des noces éternelles. Et tous enviaient le bonheur qui illuminait son visage quand il se recueillait dans une église.

Le « *pauvre du Colisée* », comme on avait pris l'habitude de l'appeler, y faisait régulièrement le chemin de croix et les habitants de Rome l'y rejoignaient, invinciblement attirés par son rayonnement.

La folle aventure de Benoît-Joseph Labre, puisque c'est son nom, a réellement commencé le 2 juillet 1770. Il a vingt-deux ans, quand il passe la porte de la trappe de Sept-Fons et s'éloigne à pas lents de l'abbaye. Durant huit mois d'un noviciat heureux, il a été frère Urbain et a cru de toute son âme qu'après avoir erré de cloître en cloître, il avait enfin trouvé le lieu où sa vocation s'épanouirait. Mais l'abbé avait été formel : « *Dieu vous attend ailleurs* ! » Benoît-Joseph Labre n'avait jamais discuté un appel du Seigneur. Puisqu'il fallait aller

> *Puisqu'il fallait aller ailleurs, il y alla, attendant que le Seigneur veuille bien le trouver...*

ailleurs, il y alla, et se mit en route, en attendant que le Seigneur veuille bien le trouver...

Depuis son plus jeune âge, Benoît-Joseph était un quêteur d'absolu. Né à Amettes, dans le diocèse de Boulogne, le 26 mars 1748, au sein d'une famille de quinze enfants, Benoît-Joseph avait reçu une éducation très chrétienne. Son père agriculteur, sa mère qui tenait une mercerie avaient tous deux la foi chevillée au corps. Ils constatèrent vite la spiritualité remarquable de leur petit dernier et le crurent destiné à la prêtrise. Il fut envoyé chez l'un de ses oncles, l'abbé François-Joseph Labre, curé d'Érin, où il étudia pendant six ans et demi, de 1760 à 1766. Et quand cet oncle mourut, c'est chez l'oncle Jacques Vincent, vicaire à Conteville, que Benoît poursuivit ses études. Mais Benoît-Joseph sentait déjà confusément que la prêtrise n'était pas sa vocation. Son désir de solitude et de prière, sa charité aussi, n'avaient fait que croître au cours de ses années d'adolescence. « *Pour aimer Dieu comme il convient, il faudrait avoir trois cœurs en un seul* », dira-t-il. À l'âge de seize ans, pris d'une inspiration qui lui semblait répondre aux volontés de Dieu, le jeune homme crut enfin avoir trouvé sa voie : « *Je veux être moine, moine contemplatif et non pas curé de campagne. Je vivrai de l'herbe des champs et de racines, comme les anciens ermites.* » C'est ainsi qu'il tenta à plusieurs reprises de devenir moine, jusqu'à ce jour de juillet 1770.

En cette belle journée d'été, le jeune homme savait qu'il lui était désormais demandé bien davantage encore. Le Fils de l'homme n'avait pas « *où reposer la tête* ». Benoît, qui aimait lire et relire l'*Imitation de Jésus-Christ*, comprenait que Dieu lui demandait un détachement total. De 1770 à 1783, date de sa mort à Rome, Benoît-Joseph vécut la grâce et la croix d'une errance absolue, se faisant, par mille chemins, puis sous le porche des églises de la Ville éternelle, le vagabond de Dieu.

Sur le chemin de l'exigence, une lecture compta beaucoup pour lui : celle des livres du père Lejeune, dit l'Aveugle, oratorien du XVIIe siècle dont les sermons brûlants ne le quittaient plus depuis l'adolescence. Quand Benoît, déguenillé et sale, arpenta les routes d'Italie, de France, d'Allemagne, de Pologne, de Suisse et d'Espagne, avant de se fixer à Rome en 1777 après quelque vingt-cinq mille kilomètres de pérégrinations, il a toujours conservé au fond de son sac l'Évangile, l'*Imitation de Jésus-Christ*, et son cher recueil de sermons.

Si le destin de Benoît-Joseph Labre a tant frappé ses contemporains, en ce XVIIIe siècle orgueilleux de son art de vivre et sûr des triomphes de la raison, c'est que Benoît incarne toute cette foule de pauvres au cœur fervent qui, pour ne point faire de bruit, n'en existaient pas moins à l'ombre des Lumières. Quant au petit peuple de Rome, il vénéra de tout son cœur le vagabond pouilleux et solitaire parce qu'en le voyant prier Benoît il se sentait meilleur. Il reconnaissait spontanément dans le pauvre aux pieds nus et à la besace trouée l'un de ces « fous de Dieu » qui ont pour tâche de rappeler au monde que le Royaume n'est pas d'ici. Et le petit peuple de Rome l'aimait tant, son vagabond, qu'il réussit à lui extorquer, dès son enterrement à Sainte-Marie-des-Monts le dimanche de Pâques 1783, tant de miracles avérés, que l'Église dut faire diligence ! Moins d'un siècle plus tard, le 8 décembre 1881, Léon XIII le canonisait. Ce jour-là un poète, vagabond lui aussi et frappé par la Grâce, composait à la gloire de Benoît un sonnet plein d'admiration et de foi :

*Comme l'Église est bonne*
*en ce siècle de haine*
*D'orgueil et d'avarice et de tous les péchés*
*D'exalter aujourd'hui le caché des cachés*
*Le doux entre les doux*
*à l'ignorance humaine*

Verlaine, d'un coup d'aile, s'était élevé à l'essentiel.

SOURCES : H. Brejon, BENOÎT LABRE, Paris-Méditerranée, 1999. A. Dhôtel, SAINT BENOÎT JOSEPH LABRE, Paris, 1983. J. Richard, LE VAGABOND DE DIEU : SAINT BENOÎT LABRE, 1982. BENOÎT LABRE ERRANCE ET SAINTETÉ, HISTOIRE D'UN CULTE, 1783-1983, ACTES DU COLLOQUE BENOÎT LABRE, Paris, 1984.

# L'ÉGLISE CORÉENNE
## *La mission sans missionnaire*

• **27 JUIL** • CORÉE, JANVIER 1784. LE JEUNE LEE PIOK TREMBLE D'IMPATIENCE. IL ATTEND DES NOUVELLES DE SON AMI Lee Seeung-Hung, parti quelque temps plus tôt pour Pékin. Quelle chance qu'il ait pu accompagner son père ambassadeur pour faire allégeance à l'empereur de Chine, dont la Corée est vassale ! Là, il pourra sans doute rencontrer l'un de ces « sages » occidentaux présents à la cour impériale, et rapporter de nouveaux livres.

Lee Piok et ses amis, de jeunes lettrés curieux, ont pris l'habitude de faire circuler entre eux, en secret, des livres chinois pour satisfaire leur besoin de connaissances. Car si la Chine accueille à la cour de l'empereur des Européens férus de géographie et d'astronomie – des prêtres catholiques –, la Corée ferme hermétiquement ses portes et se vante même de rester le « royaume ermite ». Pour les jeunes intellectuels friands d'idées nouvelles, comme Lee Piok, ces livres lus en cachette sont une fenêtre ouverte sur le monde. Parmi ces ouvrages, ils ont découvert un certain nombre de livres chrétiens, écrits deux siècles auparavant par le père Matteo Ricci et ses compagnons jésuites.

Quelques jeunes Coréens ont été conquis, comme un certain Hong Yu-Han, qui a commencé à prier tout seul, à célébrer à sa façon, une fois par semaine, un « jour du Seigneur »... et à mettre en pratique la charité en partageant généreusement ses biens.

Lee Piok est lui aussi très intrigué par cette religion. Il aimerait en savoir plus... La seule façon de connaître le christianisme est de profiter d'une ambassade pour demander des renseignements aux prêtres occidentaux présents en Chine. C'est la mission qu'il a confiée à son ami Lee Seeung-Hun.

Dès son retour de Chine, Lee Seeung-Hun se précipite chez son ami, les bras chargés de livres d'astronomie, de géométrie et de religion. Les yeux brillants d'excitation, il raconte à Lee Piok son voyage à Pékin. Il commence par le récit de sa rencontre avec trois « sages » occidentaux, des jésuites, le Portugais d'Almeida et les pères français Grammont et de Ventavon. Malgré la barrière de la langue – lui parlait coréen, eux chinois – ils sont parvenus à communiquer par écrit car Lee Seeung connaissait les caractères chinois. Il leur a demandé des livres de géométrie, d'astronomie et, suivant le conseil de son ami, a prié les prêtres de lui administrer le baptême pour s'attirer leur sympathie. À ce moment du récit, Lee Piok comprend à la voix de son ami que quelque chose d'extraordinaire s'est passé à Pékin. Il le presse de questions. Et son ami lui raconte, très ému, comment le père Grammont lui a enseigné, pendant presque un mois, l'essentiel de la foi chrétienne. Lee Seeung-Hun est fier d'annoncer à son ami qu'il a réussi l'examen de catéchisme et reçu le baptême, après que les pères jésuites eurent obtenu l'accord de son père, en janvier 1784. Il révèle à son ami son nom de baptême, Pierre. Les pères jésuites n'ont pas choisi son nom au hasard. Il répète à son ami la phrase de Jésus à Pierre : « *Tu es Pierre et sur cette pierre, je bâtirai mon Église.* » Pour les fougueux jeunes gens, ces mots résonnent comme une promesse.

Lee Piok et ses amis se lancent alors à corps perdu dans l'étude du christianisme, tant et si bien qu'au début de l'hiver de la même année, *Pierre* Lee baptise les trois « catéchumènes » parmi les plus avancés, dont son ami Lee Piok. Immédiatement, les premières communautés se forment. L'une d'elles se réunit en plein cœur de Séoul, à l'emplacement de la cathédrale actuelle, les autres s'établissent en province. Très vite, les livres chrétiens sont traduits en coréen et se répandent.

Car ces nouveaux chrétiens ont l'esprit missionnaire : ils composent des chansons et inventent des histoires allégoriques pour attirer l'attention des petites gens. C'est un spectacle étonnant de voir cette jeune Église pousser de-ci, delà, comme un champignon, sans la présence d'un seul missionnaire !

Mais très vite aussi, on chuchote dans les milieux officiels que des éléments dangereux se réunissent secrètement et troublent l'ordre public. L'affaire éclate au grand jour quand des policiers pénètrent chez un certain Thomas Kim qui réunit des chrétiens chez lui au centre de Seoul. La communauté est dispersée et Thomas Kim envoyé en exil. L'année suivante, Pierre Lee transmet la nouvelle au père Grammont grâce à un ami. Ce dernier revient de Pékin avec des livres qui sont immédiatement confisqués par les autorités. Déjà les chrétiens sont indésirables et persécutés.

> *Cette jeune Église se développe sans la présence d'un seul missionnaire !*

La situation devient critique. Pourtant, le nombre des chrétiens ne cesse d'augmenter. L'enthousiasme des débuts n'est ni un feu de paille ni l'apanage d'une élite intellectuelle... Les conversions se multiplient. Bientôt, il y a mille chrétiens en Corée puis deux mille ! Les moyens du bord sont vite insuffisants. Un prêtre doit s'occuper des âmes du « royaume ermite ».

Dans leur ignorance mais aussi dans leur grande simplicité, les nouveaux chrétiens organisent des élections pour désigner des prêtres parmi les membres de la communauté. Ils se donnent même un évêque. Certains d'entre eux cependant ont des doutes. La communauté décide alors d'en référer à l'évêque de Pékin, qui décrète les élections non valides... mais promet l'envoi d'un prêtre.

Le premier missionnaire est un jeune prêtre chinois du nom de Jacques Chu. Entré secrètement en Corée en 1794, il fait preuve d'un courage admirable. Vivant caché, parcourant tout le pays la nuit, il encourage les chrétiens, il leur prêche la Bonne Nouvelle et administre les sacrements. À son arrivée en Corée, il trouve quatre mille chrétiens. Peu après, ils sont déjà dix mille ! Mais, six ans après son arrivée, le prêtre apprend que la police arrête et torture les chrétiens pour qu'ils le dénoncent. Il se livre aussitôt, est impitoyablement torturé et exécuté en 1801.

Les chrétiens supplient alors l'évêque de Pékin de leur envoyer un autre missionnaire. Mais ce dernier meurt en route ! L'Église de Pékin, consternée, elle-même soumise aux persécutions, se déclare impuissante : il n'y a plus personne à envoyer. Les chrétiens de Corée ne se découragent pas. Ils écrivent au pape. Une première lettre est interceptée et son auteur exécuté. Une deuxième n'atteint pas son destinataire Pie VII, alors prisonnier de Napoléon Bonaparte à Fontainebleau. La troisième est la bonne : le pape Grégoire XVI demande aux Missions étrangères de Paris d'envoyer des missionnaires en Corée.

*Les chrétiens de Corée ne se découragent pas. Ils écrivent au Pape.*

C'est ainsi que les missionnaires poursuivirent le merveilleux travail accompli par les jeunes Coréens. Ce ne fut pas sans que le sang des martyrs soit versé. Près de dix mille Coréens moururent pour leur foi. Parmi les cent trois martyrs de la foi en Corée canonisés par le pape Jean-Paul II, on retrouve quatre-vingt-douze laïcs et un prêtre coréen, André Kim. Sans oublier les dix missionnaires des Missions étrangères de Paris.

Telle fut l'étonnante histoire de la naissance de l'Église coréenne, qui est actuellement l'une des plus florissantes du monde.

Sources : Houang Sa-Yeng, *Lettre d'Alexandre Hoang à Mgr de Gouvea, évêque de Pékin.* E. Duperray, *Ambassadeurs de Dieu à la Chine*, Paris, 1956. Jou Jae-Young, *Magnifique Histoire de l'Église de Corée*, Séoul, 1970. Yu Hong-Ryol, *Histoire de l'Église de Corée*, 2 tomes, Séoul, 1984.

# JOSEPH HAYDN

## *LA MUSIQUE DES TÉNÈBRES*

**• 28 JUIL •** EN CE VENDREDI SAINT, LA CATHÉDRALE DE CADIX SE VOILE DANS DES DRAPERIES DE VEUVE. Les murs, les fenêtres et les piliers tout de noir tendus transforment l'édifice en un écrin funèbre où l'Église pénitente médite le mystère qui la sauve, la Passion du Seigneur. Seule, une petite lampe suspendue au milieu de la nef illumine les saintes ténèbres. À l'heure de midi, on ferme toutes les portes et la cérémonie commence. La musique s'élève lentement vers les voûtes sombres, l'évêque monte en chaire, prononce la première des sept paroles du Christ en croix et la commente. Son homélie achevée, il descend de la chaire et va s'agenouiller devant l'autel. Pendant la prière, la musique joue de nouveau. Puis, l'évêque remonte en chaire, proclame et commente la seconde parole puis retourne s'agenouiller...

Chaque année, un oratorio est ainsi exécuté, et la musique accompagne la prière de l'Église à genoux qui adore son Messie crucifié.

En 1785, Joseph Haydn reçoit, de Cadix, commande d'une œuvre digne de ce cadre liturgique grandiose. Le compositeur autrichien, né à Rohrau en 1732, est alors âgé de cinquante-trois ans. Durant deux ans, il va travailler sans relâche à cette partition. La tâche est loin d'être aisée. Il a des contraintes de tous genres, et notamment celle du temps qu'il exprime lui-même : « *Ce ne fut pas si simple de faire se suivre les pièces demandées, sept adagios qui devaient avoir chacun une durée de dix minutes environ, sans lasser l'auditeur, et je constatai bientôt qu'il m'était impossible de me plier à la durée prescrite.* »

Sans doute éprouve-t-il l'une des plus grandes joies de sa vie, et le sentiment d'une immense délivrance, quand enfin il achève sa partition. Le Vendredi saint de l'année 1787, *Les sept paroles de Jésus en croix* de Joseph Haydn sont jouées pour la première fois en l'église souterraine Santa Cueva de Cadix.

C'est avec une stupéfiante maîtrise qu'Haydn est parvenu à éviter l'uniformité entre les neuf pièces méditatives. Neuf, car aux sept paroles de Jésus, il a ajouté la poignante sonate d'introduction et le puissant final qui accompagne le tremblement dont la terre est soulevée à l'heure où le Christ expire. Les sept paroles sont méditées une à une, avec une inventivité de langage qui concilie une profonde piété et une grande richesse musicale. Mais, ce qui frappe, c'est l'émotion contenue dont le compositeur ne se départit jamais. Il communie à chacune des paroles, les laisse se déposer dans le silence avant de les prier dans la simplicité d'un abandon au mystère de Pâques. Sa musique rejoint ici la pureté et la concision de l'art roman. Ainsi, le continuo scande d'une manière quasi obsédante le phrasé des violons qui accompagnent la souffrance de Jésus lorsqu'il exprime le sentiment tragique d'être abandonné par son Père. La paix cependant reste présente, communion invisible de la Trinité à l'agonie du Fils. Désespérance et sérénité, rupture et réconciliation se mêlent dans la dramaturgie musicale de chacune des sept paroles.

« *Père, pardonne-leur, car ils ne savent ce qu'ils font.* » (*Lc* 23, 34) ; « *Aujourd'hui tu seras avec moi au Paradis.* » (*Lc* 23, 43) ; « *Femme, voici ton fils.* » (*Jn* 19, 26) ; « *Mon Dieu, mon Dieu, pourquoi m'as-tu abandonné ?* » (*Mc* 15, 34) ; « *J'ai soif.* » (*Jn* 19, 28) ; « *Tout est achevé.* » (*Jn* 19, 30) ; « *Entre tes mains, Père, je remets mon esprit.* » (*Lc* 23, 46).

Pardon accordé à ses bourreaux, promesse de salut, fondation de l'Église, bouleversant abaissement du Fils durant sa Passion, accomplissement des Écritures, constat d'achèvement de sa mission et ultime abandon au Père dans l'Esprit. Le mystère du Salut qui s'accomplit se déploie en sept tableaux musicaux et se termine par l'évocation du tremblement de terre, qui, tout comme le déchirement du voile du Temple de la *Passion selon saint Matthieu* de Jean-Sébastien Bach, est comme la voix de Dieu qui scelle la tragédie alors qu'elle vient de s'accomplir.

Sans doute chaque grand créateur porte-t-il en lui une œuvre de prédilection qu'il retouche inlassablement. Pour Joseph Haydn, incontestablement, ce sont *Les Sept Paroles du Christ en croix*. En 1788, il en publie une nouvelle version, écrite cette fois à l'intention d'une formation qu'il connaît parfaitement puisque c'est lui qui l'a créée, le quatuor. Plus intimiste, cet accompagnement musical lui semble davantage approprié à la méditation priante des paroles de Jésus. Haydn est d'ailleurs parfaitement conscient qu'en adaptant son œuvre pour une formation musicale plus réduite, il lui donne un caractère plus intime et plus intérieur. « *C'est une œuvre entièrement nouvelle* », écrit-il. Cette seconde version doit toutefois être donnée dans le respect de la structure liturgique du Vendredi saint. Car, tout au long de cette maturation, Haydn ne se départit jamais des sentiments de piété profonde et de respect devant le mystère qu'il approche. La musique demeure entièrement tournée vers une méditation intérieure que viennent encore souligner les longs temps de silence, comme le fera Liszt dans la *Via crucis*. L'ensemble de l'œuvre dure un peu plus d'une heure, une pause étant

> *C'est comme la voix de Dieu qui scelle la tragédie qui vient de s'accomplir.*

prévue après chaque sonate afin de pouvoir méditer la parole qui suit.

Pendant plusieurs années, *Les Sept Paroles du Christ en croix* hantent l'esprit et l'âme du compositeur. Chaque nuit, en songe, il réécrit une nouvelle version de son œuvre. Au petit matin, épuisé, il prend la plume et tente, vainement, de coucher sur le papier ce qu'il a imaginé en rêve. Lorsqu'il rentre définitivement à Vienne en 1795, il a acquis sa maturité orchestrale. Ses grandes symphonies londoniennes rivalisent avec celles de Mozart, elles annoncent la révolution beethovénienne. Cette maîtrise de l'orchestre l'amène à rédiger en 1796 une nouvelle version des *Sept paroles*,

> *Chaque nuit, en songe, il réécrit une nouvelle version de son œuvre.*

sous forme d'oratorio, et pour orchestre cette fois. Cette version, que l'on entend le plus fréquemment de nos jours, est la dernière. Haydn a été jusqu'au bout de ses exigences. Apaisé, il peut maintenant se consacrer à de nouvelles œuvres. Et c'est ainsi, qu'à plus de soixante-cinq ans, ce maître de la symphonie classique réserve au monde une ultime surprise, en composant, dans le genre de l'oratorio, *La Création* (1798) et *Les Saisons* (1801), deux chefs-d'œuvre d'où jaillissent la fraîcheur et l'enthousiasme d'une éternelle jeunesse, car devant l'œuvre de Dieu, le plus grand des créateurs redevient un enfant émerveillé.

SOURCES : J. Haydn, *JOSEPH HAYDN*. M. Marnat, *HAYDN*, Paris, 1995. A. Rachlin, *HAYDN*, Paris, 1993. R. Hughes, *LES QUATUORS DE HAYDN*, Arles, 1985. M. Vignal, *JOSEPH HAYDN*, Paris, 1988. K. Geiringer, *JOSEPH HAYDN*, Paris, 1984.

# Un choix déchirant

## *La Constitution civile du clergé*

**• 29 JUIL •**

EN CE DIMANCHE 20 JAN-
VIER 1791, LES CLOCHES
DE BOQUEHO SONNENT LA
FIN DE LA GRAND-MESSE.
L'église est comble. D'ordinaire, elle est
assez vaste pour cette paroisse peuplée
d'environ quinze cents âmes. Mais, en ce
jour, bien des habitués de la première
messe ont préféré l'office solennel. Même
le conseil général de la commune est présent.

C'est en effet aujourd'hui que le recteur
de la paroisse, Hervé-Julien Le Sage, doit
lire au prône le fameux décret du
27 novembre 1790 qui prescrit aux évêques, curés et vicaires de prêter le serment
à la Constitution civile du clergé. Depuis
quelques jours les rumeurs vont bon train
même si beaucoup s'attendent ici à voir le
curé prêter ce fameux serment.

N'a-t-il pas jusqu'ici montré le « patrio-
tisme » le plus pur, manifesté le zèle le plus
ardent pour la « cause du peuple » ? Sensible aux injustices et aux abus, le curé Le
Sage a accueilli avec faveur la convocation
des états généraux. Malgré ses réticences,
il a même accepté la charge de maire de
Boqueho et celle d'électeur aux assemblées du district. Les aristocrates le trai-

tent de démagogue et les orateurs des
clubs se plaisent à le citer.

Cependant, depuis quelque temps, les
motifs d'inquiétude se multiplient : la suppression de la dîme, puis la mise à la disposition de la nation des possessions du
clergé. Le curé commence à se demander
jusqu'où ils oseront aller. Hervé-Julien Le
Sage est chanoine régulier de l'ordre de
Prémontré. Il relève de l'abbaye de Beau-
port, à l'ouest de Saint-Brieuc. Et cette
mesure touche sa communauté et ses frères de près. Pourtant, jusqu'ici, il s'est résigné à se laisser dépouiller.

Mais là, trop c'est trop. La Constitution
civile du clergé est inacceptable. Il se
refuse absolument à digérer ce serment.
Des confrères se sont pourtant efforcés de
le rassurer. Ils ont essayé de le convaincre
que cette Constitution civile n'est pas
l'œuvre d'incroyants, que ses rédacteurs
reconnaissent que les évêques et les prêtres exercent les premières et les plus
importantes fonctions de la société, qu'elle
permet à tous les prêtres qui en sont capables d'accéder à l'épiscopat au lieu de
réserver cette charge aux seuls aristocrates, qu'elle supprime les parasites et les
revenus abusifs... En bref, qu'elle ramène

le clergé aux beaux jours de la primitive Église.

Un curé voisin de ses amis ne lui avait-il pas affirmé : « *Il n'y a que du civil et du temporel dans la Constitution civile du clergé. Donc il est permis de faire le serment qu'elle exige des fonctionnaires publics.* » Un autre avait renchéri en disant : « *Sous quelque aspect que je la considère, je la vois, d'un côté, maintenant le dogme et la doctrine dans leur intégrité, et, de l'autre, tendant à la réformation de la discipline et des mœurs.* »

Mais ils ont eu beau faire, le curé Le Sage ne voit dans cette Constitution civile du clergé que des vices et des erreurs. Elle balaie d'un trait de plume tous les ordres monastiques et religieux. Elle établit des élections pour les évêques, mais d'une manière tout à fait étrangère aux premiers siècles de l'Église. Elle enlève au pape toute juridiction sur l'Église de France, et cela sans qu'aucune discussion ait eu lieu avec Rome. Elle enferme l'Église dans les bornes de la nation. Or l'Église est catholique, c'est-à-dire universelle, son autorité ne peut donc pas s'arrêter aux frontières d'un État.

Il en a longuement discuté avec son vicaire Jean Le Saulnier et tous deux sont arrivés à la même conclusion : il n'est pas possible de prêter serment, sauf en le limitant au seul domaine politique de la Constitution civile. C'est d'ailleurs la proposition qu'a faite l'évêque de Clermont, Monseigneur François de Bonal. Aussi le curé de Boqueho et son vicaire

> *Il se réserve huit jours de réflexion avant de prêter le serment.*

ont-ils décidé d'attendre huit jours de plus pour fixer leur choix définitif en fonction de la réponse de l'Assemblée.

Aussi, à la fin de la grand-messe, pendant que les cloches continuent d'accompagner le *Ite missa est*, le curé Le Sage se contente-t-il de lire le décret du 27 novembre 1790 en ajoutant simplement qu'il se réserve huit jours de réflexion avant de prêter le serment. Un murmure d'étonnement parcourt l'assistance, et déjà dans les bancs, les commentaires vont bon train. Dans la petite église de Boqueho, une page tragique de l'histoire a commencé de s'écrire.

Une semaine plus tard, le curé n'a plus de doute. L'Assemblée constituante ayant interdit toute réserve au serment, le 27 janvier 1791, Hervé-Julien Le Sage, encore maire de la commune de Boqueho, rassemble les membres du conseil et leur adresse un long discours pour leur expliquer les raisons qui le poussent à refuser le serment requis. Son ton est ferme :

« *La Constitution civile donnée au clergé me paraît attenter aux droits essentiels de la juridiction spirituelle de l'Église, en détruire la hiérarchie et tendre visiblement au schisme. En prêtant le serment de la maintenir je me croirais coupable d'une lâche apostasie et de vous séparer de l'Église catholique, apostolique et romaine hors laquelle il n'y a point de salut.*

« *Je déclare donc refuser le serment pur et simple de maintenir la constitution puisque l'Assemblée nationale n'a pas admis l'offre de*

*Monsieur l'évêque de Clermont de la restreindre aux objets purement politiques.*

« *Je déclare que je ne cesse point d'être votre vrai pasteur, que j'ai seul droit de vous administrer les sacrements, de vous annoncer la parole de Dieu, en un mot que je ne perds rien de ce que je tiens de l'Église seule et qu'en vous attachant à tout autre vous vous jetteriez hors de la voie du salut.* »

Il ne prête pas serment, et pourtant, il ne quitte pas sa paroisse. Le Sage parachève son discours en remettant sa démission de maire. Son vicaire refuse également le serment et adhère en tous points à la déclaration de son curé.

À la Pentecôte 1791, le curé Le Sage est remplacé. Il doit céder à son successeur constitutionnel son traitement, sa maison et l'accès à l'église. Il se retire près d'une chapelle dépendant de la paroisse. Estimé des habitants, Le Sage conserve leur confiance. L'intrus qui le remplace, délaissé par les fidèles, ne peut le supporter et le dénonce au district.

> *Il doit céder à son successeur constitutionnel son traitement, sa maison et l'accès à l'église.*

Menacé d'arrestation, Hervé-Julien Le Sage mène une vie errante pendant dix semaines. Sa tête mise à prix, il réussit en juillet 1791 à s'embarquer pour Jersey, première étape d'une longue errance qui le mènera jusqu'en Silésie, au-delà de Breslau.

Hervé-Julien Le Sage n'était pas un héros, il ne fut pas un martyr. Il jugea selon sa conscience comme tous les prêtres et religieux de France eurent à le faire en ces temps troublés. Il aimait la France et l'Église et, par-dessus tout, il se devait au soin des âmes de ses paroissiens. Il lui fallut choisir, et ce choix fut déchirant.

Des dizaines de milliers de prêtres, de religieux et de religieuses durent, comme Hervé-Julien Le Sage, s'exiler pendant la Révolution française. Beaucoup d'autres choisirent de continuer à exercer leur ministère dans la clandestinité. Cachés par le peuple, traqués sans relâche, ils furent des milliers à finir au bagne ou sur l'échafaud.

SOURCES : X. Lavagne d'Ortigue, *DE LA BRETAGNE À LA SILÉSIE. MÉMOIRES D'EXIL DE HERVÉ-JULIEN LE SAGE (1791 À 1800)*, Paris, 1983. Condorcet, *SUR LA CONSTITUTION CIVILE DU CLERGÉ*. T. Tackett, *LA RÉVOLUTION, L'ÉGLISE, LA FRANCE, LE SERMENT DE 1791*, 1986. B. Cousin *et alii*, *LA PIQUE ET LA CROIX, HISTOIRE RELIGIEUSE DE LA RÉVOLUTION FRANÇAISE*, Paris, 1989.

# MADEMOISELLE
# DE LAMOUROUS

## *AGENT SECRET DU CLERGÉ BORDELAIS*

**• 30 JUIL.** MADEMOISELLE DE LAMOUROUS EST BOULEVERSÉE. SON CONFESSEUR VIENT DE SORTIR DE CHEZ ELLE, dans la plus grande discrétion. Lui, l'abbé qu'elle a connu depuis sa plus tendre enfance, celui qui l'a baptisée et accompagnée depuis tant d'années, un être si doux, si bon est aujourd'hui un hors-la-loi, un recherché, un traqué. Elle n'en revient pas et sent la colère monter en elle. Non, ce n'est pas possible, il faut agir. Prendre le pouvoir, soit, mais vouloir régenter l'Église, non, non, et non.

Ce qui a poussé Marie-Thérèse à réagir, c'est de voir ses amis prêtres interdits par ces petits bleus qui voudraient contraindre le clergé à jurer fidélité à la Constitution civile du clergé, ce texte inique qu'ils ont voté dans leur soi-disant assemblée. L'archevêque, Mgr Champion de Cicé, a déjà décidé de s'exiler et dans le diocèse, les prêtres se partagent en deux camps : celui des « jureurs » et celui des réfractaires que l'on pourchasse. Être emprisonnés ou se cacher : voilà à quoi ils sont réduits. Mais jamais ils n'abdiqueront, la République n'est pas le premier régime à martyriser l'Église. Et elle, Marie-Thérèse de Lamourous, compte bien entrer dans la bataille.

Mlle de Lamourous est alors âgée de trente-six ans. Elle qui avait voulu entrer au couvent et qui n'y avait pas été acceptée voit dans les événements dramatiques que vivent les catholiques, et surtout les prêtres clandestins, l'occasion de se mettre au service de sa religion. Pour tromper l'ennemi, elle jouera la révolutionnaire.

– Marie, allez me chercher une paire de ciseaux et prêtez-moi votre bonnet, je m'en vais me mettre à la mode de Bordeaux.

En jupon de coton, fichu noué sur la poitrine, les cheveux courts serrés sous son bonnet, riante, elle hante les bureaux du Comité de surveillance. À grand renfort de sourires et de flatteries, elle inspire confiance aux jacobins, prend connaissance de leurs projets, reçoit des confidences et en informe ses amis. Dans son rôle d'espionne, Mlle de Lamourous trompe bien le petit monde révolutionnaire girondin. Grâce aux renseignements qu'elle glane ici et là, elle peut sauver les têtes de ses amis recherchés, les prévenant à temps des rafles et des complots.

Mais c'est avant tout pour l'Église et pour les fidèles démunis que Marie-Thérèse se bat. Transportant, au péril de sa vie, livres pieux et objets liturgiques, elle permet aux prêtres réfractaires de célébrer les sacrements pour leurs ouailles qui ne veulent pas accepter les nouveaux vicaires envoyés par « la gueuse ». Un jour, elle apprend qu'une bonne chrétienne, mariée à un révolutionnaire, va mourir sans avoir reçu l'extrême-onction. Elle accompagne le prêtre qui porte le Saint-Sacrement, serrant sous sa propre mante les saintes huiles, l'étole et le surplis. Elle introduit le faux médecin, interpelle le mari et parvient à l'éloigner pendant que le prêtre administre les derniers sacrements à la malade : « Citoyen, ne manque pas de lui bien faire prendre le remède, exactement ! », lance-t-elle au mari en partant... Ce qu'il promet !

Avec passion, elle remplit sa tâche, ô combien délicate, de messager secret, d'espionne. Avec grande habileté, manifestant sang-froid et dévouement, elle risque sa vie au milieu des ennemis. Elle rejoint l'association secrète des Sacrés Cœurs de Jésus et de Marie qui offre un soutien spirituel à ceux qui sont entrés dans la clandestinité. L'adoration quotidienne, la prière et la pénitence pour les crimes commis et le salut de leurs âmes, leur sont d'un profond secours dans leur lutte pour Dieu et le roi.

Mais, en avril 1794, elle tombe sous le coup des décrets qui frappent la noblesse. Mlle de Lamourous doit quitter Bordeaux et se réfugie dans la propriété familiale du Pian-Médoc. Vivant dans une grande pré-

> *Citoyen, ne manque pas de lui bien faire prendre le remède.*

carité matérielle et une insécurité complète, elle ne renonce pas, pour autant, à franchir régulièrement les quatre ou cinq lieues qui la séparent de Bordeaux, à la merci des révolutionnaires et... des loups qui hantent la lande désolée.

Mais, même si parfois elle a peur, elle ne renonce jamais à se rendre utile. Dans la nuit du 20 au 21 juillet 1794, elle pénètre dans la cellule du père Martinien Pannetier, grand carme, chef réfractaire de la première heure, pour recueillir ses consignes avant sa comparution devant le Tribunal révolutionnaire. De façon habituelle, elle se met au service des six cents habitants de son village, suppléant l'absence du curé légitime. Elle ouvre l'oratoire de sa maison aux réfractaires, assure l'enseignement du catéchisme, réunit femmes et filles pour prier, visite et encourage les malades... Si la visite d'un prêtre est impossible, elle leur fait recevoir en esprit les sacrements, « *goûtant des consolations inexprimables* » à cette tâche. Les paysans en viennent à la considérer comme leur chef spirituel et, longtemps après la Révolution, ils continueront de lui manifester cette totale confiance.

À plusieurs reprises, mademoiselle de Lamourous est sur le point d'être arrêtée, mais, chaque fois, elle réussit à désarmer ses adversaires par sa douceur et ses bons mots. Un dimanche soir, alors qu'elle était venue réciter son chapelet près d'un petit calvaire, « *elle vit venir à elle deux hommes mal vêtus et de mine passablement farouche. Elle fut saisie de frayeur* au fond de l'âme ; mais prenant aussitôt cet air gai et bienveillant qui lui était familier : *"Bonjour, citoyens, leur dit-elle la première, soyez les bienvenus ! Vous me paraissez fatigués. J'ai du bon vin à vous offrir ; venez vous reposer chez moi !"* Ces deux hommes, interdits par un accueil aussi cordial, se regardèrent et lui dirent : *"Ma foi, citoyenne, nous acceptons d'autant plus volontiers, que nous allions chez toi. – C'est bien, mes braves !"* Et leur tendant la main, elle les introduisit chez elle. Là elle leur fit servir à manger et à boire. Lorsqu'ils furent rassasiés, ils se dirent quelque chose à l'oreille et l'un d'eux, adressant la parole à mademoiselle de Lamourous, lui dit : *"Citoyenne, tu ne sais pas pourquoi nous sommes ici ? – Non, c'est peut-être que vous cherchez de l'ouvrage ? – Ma pauvre femme, reprit-il en riant, tiens, lis cela !"* Et il lui montra son signalement avec l'ordre de l'arrêter qui était joint. *"Oh ! c'est cela, dit mademoiselle de Lamourous sans paraître émue ; eh bien ! nous partirons demain matin ! – Non, reprirent ces deux hommes, tu es trop bonne personne ! Ce serait dommage de te faire du mal ; nous allons dire que nous ne t'avons pas trouvée chez toi."* Et ils partirent en lui serrant la main. »

> *J'ai du bon vin à vous offrir ; venez vous reposer chez moi !*

En 1801, quand le Concordat permet aux catholiques de pratiquer à nouveau leur religion ouvertement et de fonder des associations charitables confessionnelles. Mlle de Lamourous, attentive aux besoins suscités par les bouleversements de la société, fonde l'Œuvre de la Miséricorde qu'elle dirigera, en bonne mère, jusqu'à sa mort. Elle trouvera à ses côtés, pour la conseiller, l'abbé Guillaume-Joseph Chaminade, son directeur de conscience depuis 1794. L'Œuvre de Miséricorde se consacrera au relèvement moral des femmes que la misère a contraintes à la prostitution. Les règles de l'Œuvre reposent sur l'esprit de liberté : les repenties viennent librement et peuvent repartir librement. Dans les tâches les plus quotidiennes, laver, repasser, coudre, raccommoder, ranger, frotter etc., elle s'attache à éduquer ses filles à la vertu et à leur rendre ainsi leur dignité par le travail. Infirme depuis longtemps, Marie-Thérèse de Lamourous s'éteindra à quatre-vingt-deux ans, le 14 septembre 1836. Bordeaux la vénérait déjà comme une sainte.

SOURCES : J.-M. Augustin, *LA RÉVOLUTION FRANÇAISE EN HAUT-POITOU ET PAYS CHARENTAIS, 1789-1797*, Toulouse, 1989. F. Lebrun, *PAROLE DE DIEU ET RÉVOLUTION*, Paris, 1979. A. Forrest, *LA RÉVOLUTION FRANÇAISE ET LES PAUVRES*, Paris, 1986.

# Le pardon de Bonchamps

## Quand un général vendéen
## sauve 5 000 républicains

**• 31 JUIL •** LE 17 OCTOBRE 1793. EN TOUTE HÂTE, ON S'AFFAIRE SOUS LA FINE PLUIE QUI TREMPE LA TERRE. L'armée vendéenne est en déroute. Dans le bruit des chevaux qui hennissent, des hommes qui s'interpellent, des armes que l'on apprête, les derniers combattants royalistes dressent le camp de repli. Leur général en second, le marquis de Bonchamps a été blessé devant Cholet et c'est mourant, qu'avec eux il a gagné Saint-Florent au bord de la Loire.

Il est étendu sur un brancard. Autour de lui, ses lieutenants, hommes du peuple ou grands noms de l'Ouest, le veillent. Tous savent que la fin est proche. Après Cathelineau, le voiturier à qui il avait laissé la tête de l'armée, c'est l'une des grandes figures de la guerre de Vendée qui va s'éteindre. Sur les visages épuisés de ses hommes dont les yeux ont pourtant déjà vu tant de morts, l'émotion perce et les larmes coulent. Un prêtre, cachant sa soutane sous un pourpoint, pistolet, épée et crucifix entremêlés à la ceinture, récite l'office des défunts.

À l'extérieur de la tente, des cris éclatent. « À mort ! À mort ! » ; « Tuons-les ! » ; « À mort les Bleus ! » Scandés comme un refrain macabre les cris de haine résonnent dans le crâne bouillant de fièvre du marquis de Bonchamps. Se relevant à grand peine, il demande :

– Qu'est-ce donc ? Après qui en a-t-on de la sorte ?

– Mon général, ce sont nos hommes qui veulent se venger des Bleus.

– Quels Bleus ?

– Dans notre déroute, nous avons capturé cinq mille républicains que nous avons enfermés dans un couvent à quelques pas d'ici. Ce sont sur eux que nos hommes ont décidé de pointer les canons.

Le marquis se crispe. Malgré l'agonie qui meurtrit son corps, malgré la souffrance qui contracte ses traits et l'empêche de se lever, il supplie son cousin, le comte d'Autichamp, d'obtenir la grâce des Bleus : « Mon ami, c'est sûrement le dernier ordre que je vous donnerai... » D'Autichamp ne discute pas. Il se précipite au dehors de la tente, saute sur un cheval et galope jusqu'aux abords du couvent où les hommes s'apprêtent déjà à la vengeance. Là, il fait battre tambour pour obtenir le silence et proclame : « Grâce aux prisonniers ! Bonchamps le veut.

Bonchamps l'ordonne ! » Les soldats hésitent, se regardent. Ils n'ont pas la charité de leur général. Mais ils le respectent profondément. Depuis qu'ils sont allés le chercher pour combattre avec eux, le marquis de Bonchamps est devenu pour eux un père et un modèle. Certains regagnent les tentes dressées un peu plus loin et obéissent par devoir ; d'autres, comprenant les motifs de leur chef, acceptent de libérer les républicains.

En fait ce dernier geste ne les étonne pas vraiment. Clémence, miséricorde, justice... Charles de Bonchamps a toujours été un exemple d'humanité. Les plus anciens se souviennent que dès les premiers jours de la guerre, il avait empêché les pillages, les incendies et les exécutions. Il avait relâché les prisonniers sur la simple promesse qu'ils ne reprendraient pas les armes. Comme certains violaient leur serment, les Blancs avaient décidé de raser la tête de ceux que leur général libérait. À Thouars, en mai, Bonchamps avait battu le général Quétineau, un républicain réputé pour sa bravoure et son honnêteté. Pour ces raisons, le marquis l'avait soustrait au désir de vengeance des Vendéens et lui avait même offert l'asile pour le protéger des Bleus qui ne manqueraient pas de le mettre à mort s'il retournait vers eux. Par honneur et par fidélité à la Révolution, Quétineau avait refusé. Bonchamps l'avait donc libéré et le tribunal révolutionnaire l'avait immédiatement condamné à être guillotiné pour reddition et connivence avec les rebelles !

> *Un dais blanc, marqué d'une fleur de lys et des cœurs de Marie et Jésus enlacés, protège le corps de la pluie.*

Sur les bords de la Loire, un autre roulement de tambour retentit dans la nuit. Il appelle les hommes à se rassembler. Le marquis de Bonchamps est mort. Son corps est exposé sur une civière. Un dais blanc, marqué d'une fleur de lys et des cœurs de Jésus et de Marie enlacés, le protège de la pluie. Un à un, ses soldats viennent s'agenouiller devant lui. Ils ne cachent pas la peine qui les étreint. Certains racontent les mois passés avec lui. « Je faisais partie des sept gars du pays qui sont allés le chercher. Je m'en souviens, il avait hésité mais le 21 mars, il était à Challonnes avec d'Elbée », raconte un paysan d'Anjou, la terre des Bonchamps.

Les uns et les autres racontent les hauts faits du marquis. En sept mois de guerre, le jeune officier qui avait fait ses classes en Inde, s'était révélé un général exceptionnel. En avril, il avait sauvé l'armée catholique et royale par un repli sur Tiffauges qu'il avait imposé à ses pairs découragés. En mai, il avait gagné la bataille de Fontenay, avant d'être blessé par un soldat qu'il venait de gracier. En juin, il s'était opposé à l'attaque de Nantes qu'il jugeait trop téméraire. Malgré son concours, la bataille avait tourné au désastre pour les Blancs. De nouveau blessé en juillet, il n'avait pu reprendre le combat que le 19 septembre, à Torfou, où il avait battu les Mayençais de Kléber. Mais voilà, qu'à Cholet, ces mêmes Mayençais avaient été les plus forts. Tard dans la nuit, à la lumière des feux de camp, les soldats épuisés continuent de tisser la vie de leur général aux fils de la mémoire et de la légende.

Dans sa dépêche du 19 octobre au Comité de salut public, le citoyen Merlin de Thionville écrit : « *Il faut ensevelir dans l'oubli cette malheureuse action.* » Pour lui, le pardon de Bonchamps déshonore les soldats ainsi empêchés de mourir en héros de la République. On poursuit et condamne sa veuve qui en transmettait le souvenir. Peine perdue. Elle s'échappe, aidée par ces soldats mêmes que son mari avait rendus « indignes ». C'est le fils de l'un d'entre eux, le sculpteur David d'Angers, qui figera le geste du pardon dans la pierre. La statue funéraire, à Saint-Florent-le-Vieil, montre Bonchamps mourant, se soulevant de son grabat pour tendre la main vers le ciel et crier dans son dernier soupir : « *Grâce aux prisonniers !* »

*« Grâce aux prisonniers ! »*

SOURCES : J.-C. Martin, *BLANCS ET BLEUS DANS LA VENDÉE DÉCHIRÉE*, Paris, 1988. Y. Gras, *LA GUERRE DE VENDÉE*, Paris, 1994. L. Delhommeau, *LE CLERGÉ VENDÉEN FACE À LA RÉVOLUTION*, Paris, 1992. R. Blachez, *BONCHAMPS ET L'INSURRECTION VENDÉENNE*, Cholet, 1986.

DÉCEMBRE

JANVIER

FÉVRIER

MARS

AVRIL

MAI

JUIN

JUILLET

AOÛT

SEPTEMBRE

OCTOBRE

NOVEMBRE

DÉCEMBRE

# MISSIONNAIRES ET ROMANTIQUES

## *DES CONQUÊTES NAPOLÉONIENNES*
## *À LA RÉVOLUTION INDUSTRIELLE*

*Seigneur, je n'ai pas le cœur fier*

*ni le regard ambitieux ;*

*Je ne poursuis ni grands desseins,*

*ni merveilles qui me dépassent.*

*Non, mais je tiens mon âme*

*égale et silencieuse ;*

*mon âme est en moi comme un enfant,*

*comme un petit enfant contre sa mère.*

*Attends le Seigneur, Israël,*

*maintenant et à jamais.*

Psaume 130

# LES CARMÉLITES DE COMPIÈGNE

## *UNE LITURGIE POUR L'ÉCHAFAUD*

**2 AOÛ**

AUTOUR DE LA GUILLOTINE, LE SILENCE EST IMPRESSIONNANT. D'ordinaire, la foule des curieux hurle et se répand en invectives, noyant les accusés sous les insultes et les railleries. Mais aujourd'hui, le 17 juillet 1794, la foule se tait. Pourtant le spectacle promet d'être palpitant. N'attend-t-on pas seize religieuses condamnées à mort par le Tribunal révolutionnaire ? Des carmélites habituées au cloître seront bientôt exposées au regard de tous.

Cette guillotine, on vient de la déplacer vers la Bastille, puis vers la Barrière de Vincennes et les cortèges de charrettes se suivent sans ralentir. Les morts se succèdent à un rythme infernal. Les religieuses ont été jugées le jour même selon la rapidité coutumière du Tribunal révolutionnaire. La sentence n'a surpris personne. La mort n'est-elle pas devenue le lot quotidien des juges et des condamnés ?

Elles sont là, serrées les unes contre les autres. Sur leur visage, nulle trace de peur, ni de haine. C'est pour cela que la foule se tait. La grâce qui rayonne sur leur front la gêne, l'embarrasse. Elle n'a pas l'habitude de voir des femmes marcher à l'échafaud comme si elles allaient à leurs noces. Et pourtant, quand elles chantent d'une seule voix le *Veni Creator*, on dirait des jeunes épousées, émues et impatientes de retrouver l'Époux promis.

La plus jeune d'entre elles, Constance, s'avance et s'agenouille devant la mère supérieure. Avec une douce fermeté, la jeune novice lui demande sa bénédiction, puis la permission de mourir. Alors elle monte les marches, le cou droit et le visage fier, en chantant *Laudate Dominum omnes gentes*. Depuis sainte Thérèse d'Avila, ce psaume est chanté à chaque ouverture d'une nouvelle fondation. Telle une « reine allant recevoir son diadème », Constance se place elle-même sous le couteau, sans permettre au bourreau de la toucher.

Ses compagnes la suivent avec la même attitude noble et courageuse. Elles meurent après avoir renouvelé leurs vœux de religion. La prieure est la dernière, conformément à sa volonté d'assister d'abord au martyre de ses sœurs. Le sacrifice de leurs vies, ces religieuses l'offrent comme dans une cérémonie liturgique, en demeurant scrupuleusement fidèles aux règles de leur ordre.

Les carmélites désirent consommer

jusqu'au bout leur martyre, mourir pour leur foi. Les conclusions de Fouquier-Tinville, le procureur général lors du procès des seize carmélites, sont sans équivoque. Les religieuses sont condamnées pour « fanatisme ». Le jugement de condamnation les accuse aussi d'avoir formé « *des rassemblements et conciliabules contre-révolutionnaires* », d'avoir « *conservé des écrits liberticides, ainsi que les caractères de ralliement des rebelles de la Vendée* ». Mais tout cela n'est guère sérieux. Le fait que le carmel de Compiègne ait été « chéri des rois » pour avoir accueilli la fille de Louis XV n'entraîne pas comme conséquence obligée sa participation à une action contre-révolutionnaire au sens politique. À moins que le simple fait de refuser la logique révolutionnaire ne puisse être considéré comme un acte contre-révolutionnaire...

C'est précisément le cas. Ce que le Tribunal reproche au carmel, c'est sa fidélité à l'Église du Christ. L'une des religieuses, sœur Henriette de la Providence s'adresse ainsi à Fouquier-Tinville : « *Voudriez-vous, citoyen, nous dire ce que vous entendez par ce mot fanatique ?* » Il lui est d'abord répondu par un torrent d'insultes. Nullement déconcertée, la sœur reprend : « *Citoyen, votre devoir est de faire droit à la demande d'un condamné, je vous somme donc de nous répondre*

> *Fouquier-Tinville répond par un torrent d'insultes.*

*et de nous dire ce que vous entendez par le mot fanatique.* »

« *J'entends*, répond Fouquier-Tinville, *votre attachement à des croyances puériles, à vos sottes pratiques de religion.* » Sœur Henriette est comblée, elle peut se tourner vers sa mère prieure : « *Toutes nous désirions cet aveu, nous l'avons obtenu... Oh, quel bonheur, quel bonheur de mourir pour son Dieu !* »

On ne peut rester insensible devant la mort exemplaire des carmélites. Religieux, musiciens, écrivains ont approché le mystère du martyre chrétien pour essayer d'en traduire la grâce. Poulenc a donné au monde un opéra mondialement connu, composé d'après le non moins célèbre *Dialogue des carmélites* (1949) de Georges Bernanos.

Témoins d'un amour total, sans réserve et offert au monde, les carmélites de Compiègne ont pu prononcer en vérité ces paroles d'amour extrême : « *Ceci est mon corps donné pour vous.* »

Pendant la Révolution française, les prêtres et les religieuses ne furent pas les seuls à être persécutés. Il y eut aussi une multitude de laïcs, hommes, femmes et enfants, qui payèrent de leur vie leur fidélité à l'Église du Christ. Au point que les historiens estiment qu'il y eut plus de 100 000 martyrs immolés pour leur foi.

SOURCES : G. Bernanos, *DIALOGUE DES CARMÉLITES*. Sœur Marie de l'Incarnation, *RELATION DU MARTYRE DES SEIZE CARMÉLITES DE COMPIÈGNE (1794)*, Paris, 1992. J. Bernet, *RECHERCHES SUR LA DÉCHRISTIANISATION DANS LE DISCTRICT DE COMPIÈGNE*, Paris, 1981. M. Vovelle, *RELIGION ET RÉVOLUTION : LA DÉCHRISTIANISATION DE L'AN II*, Paris, 1976. I. Gobry, *DICTIONNAIRE DES MARTYRS DE LA RÉVOLUTION*, Paris, 1990.

# CLEMENS BRENTANO

## QUAND ANNE CATHERINE EMMERICH
### FAIT D'UN GRAND ROMANTIQUE
### LE PÈLERIN D'UNE SEULE ÂME

• **3 AOÛ** •

DEVANT SA TABLE DE TRAVAIL IMPROVISÉE, CLEMENS BRENTANO NOIRCIT DES PAGES ENTIÈRES de son journal. « *Un nouveau monde s'ouvre à moi !* » L'écriture est petite, serrée, rapide. L'homme est tendu, concentré et cependant il éprouve un étrange sentiment de calme : ce 24 septembre 1818 une rencontre a bouleversé sa vie. Quand il a poussé la porte d'Anne Catherine Emmerich, il ne pensait certainement pas qu'il en ressortirait habité par une telle certitude. « *Combien la patiente est entièrement et parfaitement chrétienne.* » Cette perfection s'impose à lui avec une telle force, une telle vérité, qu'elle devient « sa » vérité. Dès cet instant, il se reconnaît comme bel et bien chrétien. Ce retour si brutal à la foi de sa jeunesse le laisse désorienté. Lui, Clemens Brentano, l'écrivain, le dramaturge, le poète, qui fut de tous les cercles romantiques, lui, le familier de Goethe qui allait de salon en femme et de femme en salon, lui qui avait chanté et vanté la liberté de mœurs sinon le libertinage, lui dont la vie n'était guère réglée que par la fantaisie voit son existence passer subitement à l'impératif. Il se sent poussé par un sentiment qu'il ne maîtrise pas. Pas question de rentrer chez lui. Il lui faut rester auprès de cette femme. Il l'a su dès qu'elle lui a dit tout simplement : « *Ah, le voilà ! Vous n'étiez pas un étranger pour moi.* » Cette femme dont il ne connaissait rien sinon ce que son ami, le juriste Ludwig von Gerlach, et la rumeur publique lui avait rapporté, l'avait accueilli comme le Christ lui-même l'aurait fait.

Lui qui se sentait étranger à lui-même, lui qui cherchait dans le romantisme et dans l'écriture la porte de son salut, voilà que la femme qu'il vient de visiter lui découvre son être. « *L'hôte plus intérieur à moi-même que moi-même* », ces mots de saint Augustin lui reviennent en mémoire, éclairés d'un jour nouveau. Il se souvient de Zachée venant à la rencontre du Christ et s'entendant dire : « *Ce soir, il me faut demeurer chez toi.* » Ce soir, il en est sûr, le Christ demeure en lui.

Clemens a reposé sa plume, refermé son journal et s'est allongé sur le lit. Il sait qu'il ne fermera pas l'œil de la nuit. Le visage de cette femme, Anne Catherine, la « béguine de Dülmen » l'obsède. On lui avait bien raconté les intolérables souffrances qu'elle endurait, l'apparition de plus en plus fréquente des stigmates, mais ce qui le fascine, c'est l'incroyable douceur de ses propos, l'amour immense dont elle rayonne depuis ce lit où son corps souffre la passion. La vie de cette femme n'a pas été facile mais elle a su trouver en Dieu son réconfort. De sa jeunesse maladive où elle faisait paître les troupeaux dans le hameau de l'évêché de Munster à son entrée au couvent des augustines d'Agnetemberg où ses sœurs l'avaient ignorée et méprisée, elle avait toujours surpris son entourage par sa grande piété et sa joie.

Cette joie, Anne Catherine l'avait trouvée dans l'adoration du Saint-Sacrement. C'est devant lui qu'elle avait rendu grâce pour cette entrée en religion qu'elle devait à la générosité d'une voisine fortunée. Jamais ses pauvres parents ne lui auraient en effet permis de réaliser ce rêve qu'elle nourrissait depuis longtemps. Dans la chapelle de son couvent, elle s'était offerte aux souffrances de son Époux mystique. C'est là qu'elle avait connu ses premières extases. Le Christ lui était apparu dans les douleurs de sa Passion et elle avait désiré les partager autant qu'elle le pourrait.

Mais six ans après son entrée, le couvent fermait sur l'ordre de Jérôme Bonaparte, roi de Westphalie, qui avait dissous les congrégations. C'est dans la maison de l'abbé Lambert, un prêtre français exilé, qu'elle avait trouvé refuge. Sa vie spirituelle n'avait pas cessé pour autant de gagner en intensité et, malgré les efforts de son médecin et de son confesseur dominicain, la rumeur de ses visions s'était vite répandue au-delà du petit bourg de Dülmen.

Que de chemin parcouru, pense Clemens, que de temps perdu ! Il lui semble déjà tellement loin le temps de Iéna, la capitale du romantisme où il avait fait ses débuts d'écrivain et de poète. Les intrigues confuses de *Godwi*, son premier roman, ont fait place à la simplicité et à la sérénité. « *De Goethe à Jésus*, voilà un titre pour mon autobiographie », pense-t-il. Car si cette rencontre a bien la soudaineté d'une révélation, si elle engendre, il en est certain, une rupture radicale, c'est en toute conscience qu'il voit ce bouleversement s'opérer en lui. Et cependant, il comprend que le changement n'est pas aussi brutal qu'il y paraît. Depuis quelques années, sans qu'il s'en rende compte, quelque chose le pousse de manière irrésistible vers le Christ. Déjà, dans plusieurs de ses œuvres, il avait laissé transparaître son attachement au catholicisme, au moins comme valeur culturelle venant parachever l'évolution humaine.

Clemens passe en revue son passé pour y trouver les germes de sa conversion. Les recueils de chants populaires qu'il a fait paraître avec Achim von Arnim, de 1806 à 1808, en sont sûrement une étape. Les critiques y ont vu un événement capital pour l'histoire du lyrisme allemand, mais Clemens y découvre autre chose. Il retrouve en effet dans *Le Cor enchanté de*

> *La rumeur de ses visions s'était vite répandue.*

*l'enfant (Des Knaben Wunderhorn)* les accents de simplicité et la douce musicalité des paroles d'Anne Catherine. Il y reconnaît surtout les balbutiements de son âme attristée mais déjà tournée vers ce qu'il ne savait pas encore être Dieu.

Et puis il y a les *Romances du Rosaire*, ce qu'il appelait sa « divine comédie », qu'il a travaillées huit années et laissées inachevées, vaste fresque lyrique, tout imprégnée de romantisme et foisonnante de spiritualité mariale, qui raconte la rédemption d'une famille bolonaise par le Rosaire. Même si la religion est au cœur de cette œuvre, aujourd'hui, il juge ce travail sévèrement. Il sait qu'il y a davantage déployé son art de la versification que les beautés de la religion. Ces *Romances* montrent pourtant qu'il n'avait pas tout oublié de l'éducation chrétienne que son père, important négociant d'origine italienne s'était attaché à transmettre à ses enfants.

En 1813, à Vienne, il avait décidé de ne pas poursuivre la rédaction de cette œuvre, et avait participé avec certains de ses amis à des débats sur la contre-révolution et le renouveau catholique. Dans l'effervescence et le bouillonnement intellectuel et politique de l'Allemagne du tout début du XIXᵉ siècle, le catholicisme exerçait une réelle fascination sur les romantiques. Si l'attrait pour la Grèce antique reste présent, la théologie et l'histoire chrétienne prennent d'autant plus d'importance que plusieurs d'entre eux, et non des moindres, ont eu

> *Le catholicisme exerce une réelle fascination sur les romantiques.*

une solide formation théologique universitaire : Hegel, Hölderlin ou Schelling, par exemple. L'attrait pour le Moyen Âge, son inspiration poétique et son élan mystique, contribuait aussi à une indéniable familiarité avec les références chrétiennes. Novalis, qui publie en 1799 la magnifique apologie de l'Occident médiéval qu'est *La Chrétienté ou l'Europe*, voyait le Christ comme la clef d'un monde uni par le pontife romain dans une paix, certes difficile à sauvegarder, mais maintenue grâce à la diffusion généreuse des ordres monastiques et d'une commune dévotion à la Mère de Dieu. De telles idées jouent à l'évidence un rôle dans des conversions très officielles comme celle de l'un des chefs de file les plus en vue de l'école romantique, Friedrich Schlegel ; sans doute ne sont-elles pas absentes chez Brentano, qui avait rencontré Adam Müller, théoricien de la Sainte-Alliance, Philipp Veit, peintre de l'école nazaréenne, Joseph von Eichendorff, le père Hoffbauer (qui sera canonisé en 1909), et Joseph Görres, un essayiste et publiciste de talent dont l'ouvrage majeur sur la mystique aura une portée considérable au XIXᵉ siècle.

Dans la vie de Clemens Brentano, tout cela ne constitue que des indices, alors que sa rencontre avec Anne Catherine est pour lui une sorte de preuve. Il s'interroge : « Que sera ma vie maintenant ? » Il songe aux femmes qu'il a aimées, à Dieu et à l'amour sans limites de son Fils. Il ne sait pas très bien ce qu'il fera demain, mais une chose est certaine, il ne s'éloignera plus de cette femme, cette religieuse visionnaire qui lui a révélé que Dieu l'attendait et l'aimait. « *Ah, te voilà ! Tu n'étais pas un étranger pour moi.* » Lui, l'instable, l'infatigable voyageur se sent devenir le pèlerin d'une seule âme.

Pèlerin, c'est ainsi que la sœur Emmerich surnomme son scribe. Car en effet, Clemens Brentano ne la quittera plus, prenant en note ses visions et ses pensées. Anne Catherine devient sa seule source d'inspiration, il renonce à toutes les futilités de la vie et décide de mettre son talent au service de l'essentiel. De la mort de la religieuse en 1824 jusqu'à la parution anonyme en 1833, de *La Douloureuse Passion de Notre Seigneur Jésus-Christ selon Anna Katharina Emmerick*, le poète trouvera la force qui lui avait tant manqué auparavant. Cette âme enfantine et orpheline, amoureuse des nuits serties d'étoiles, amoureuse de primevères et de jacinthes, de femmes et de jeunes filles, a trouvé son port auprès de la souffrante de Dülmen. Dès cette rencontre, ce prince romantique s'abandonne sans retour à la seule passion qui compte, celle de Jésus-Christ.

> *L'infatigable voyageur se sent devenir le pèlerin d'une seule âme.*

SOURCES : Clemens Brentano, *LA DOULOUREUSE PASSION DE NOTRE SEIGNEUR JÉSUS-CHRIST SELON ANNE CATHERINE EMMERICH*. Adam Müller, *ELEMENTE DER STAATKUNST*, et *VERSUCHE EINER NEUEN THEORIE DES GELDES*. P. Brachin, *LE CERCLE DE MÜNSTER (1779-1806) ET LA PENSÉE RELIGIEUSE DE F.-L. STOLBERG*, Lyon-Paris, 1952. J. Droz, *LE ROMANTISME POLITIQUE EN ALLEMAGNE*, Paris, 1963. J. Rovan, *LE CATHOLICISME POLITIQUE EN ALLEMAGNE*, Paris, 1956.

# LE GÉNIE DU CHRISTIANISME
## *OU COMMENT CHATEAUBRIAND ÉLEVA*
## *UNE CATHÉDRALE À LA FOI CATHOLIQUE*

**• 4**
**AOÛ •**

EN CETTE NUIT D'AVRIL 1822 OÙ LA TEMPÊTE FAIT RAGE, LONDRES DORT PROFONDÉMENT, indifférente au vent qui hurle dans les rues. Pourtant, sur la sombre façade de l'ambassade de France, une lumière brille dans l'obscurité. La fenêtre éclairée à cette heure insolite est celle du bureau de l'ambassadeur. Par cette nuit agitée, M. de Chateaubriand ne parvient pas à trouver le sommeil, et met à profit ces heures d'insomnie où nul ne viendra le déranger pour continuer la rédaction de ses mémoires. Assis à sa table de travail, enveloppé dans une lourde veste d'intérieur, il a trempé sa plume dans l'encrier d'un geste machinal, mais sa main reste figée au-dessus de la page blanche. La pluie qui dégouline le long des vitres et les sifflements du vent dans la cheminée le transportent jusqu'à son rivage natal. Au même moment, la mer démontée doit venir se fracasser contre les austères remparts de Saint-Malo. Il se représente une fois de plus la scène de sa naissance, telle qu'il l'a décrite au début de ses mémoires, telle qu'il vient de la relire. Cette nuit-là aussi, les éléments se déchaînaient : « *Le mugissement des vagues, soulevées par une bourrasque annonçant l'équinoxe d'automne, empêchait d'entendre mes cris : on m'a souvent conté ces détails ; leur tristesse ne s'est jamais effacée de ma mémoire. Il n'y a pas de jour où, rêvant à ce que j'ai été, je ne revoie en pensée le rocher sur lequel je suis né, la chambre où ma mère m'infligea la vie, la tempête dont le bruit berça mon premier sommeil... »*

Sa mère ! L'écrivain se tourne vers elle, alors qu'il s'apprête à évoquer les circonstances qui l'ont amené à écrire le *Génie du christianisme*. Mme de Chateaubriand est morte en 1798, loin de son fils que la tourmente révolutionnaire avait chassé outre-Manche. Le jeune homme, désireux de comprendre les événements qui venaient de bouleverser l'Europe, avait publié en 1797 un *Essai historique, politique et moral sur les révolutions anciennes et modernes*, où il comparait la révolution française aux grandes mutations politiques de l'Antiquité. Œuvre d'un sceptique, cet essai ne faisait certes pas l'apologie d'une révolution qui avait conduit à l'échafaud son frère et sa belle-sœur, mais il ne défendait pas non plus l'Ancien Régime avec l'ardeur qu'aurait souhaitée Mme de Chateaubriand.

L'ambassadeur exhume d'un tiroir de

son bureau une lettre qu'il garde comme une relique. Le papier jauni est couvert de la fine écriture de sa sœur Julie de Farcy. Il ne peut relire sans émotion ces lignes qui lui annoncent la mort de leur mère. Et devant cette écriture familière, il pleure aussi cette sœur bien-aimée, qui allait suivre Mme de Chateaubriand dans la tombe, moins d'un an plus tard. L'écrivain replonge lentement sa plume dans l'encre noire et, s'abreuvant aux sources de son chagrin, il écrit, d'un trait, le récit de la mort des deux êtres chers. Il rédige d'une main fébrile. Au fracas de la tempête répond maintenant le grincement de la plume, qui suit avec peine le rythme de ses pensées, tandis qu'il trace fiévreusement les derniers mots du récit de sa conversion : « *Ces deux voix sorties du tombeau, cette mort qui servait d'interprète à la mort, m'ont frappé. Je suis devenu chrétien. Je n'ai pas cédé, j'en conviens, à de grandes lumières surnaturelles : ma conviction est sortie du cœur ; j'ai pleuré et j'ai cru.* »

Mais comment évoquer l'intense activité qui suit son brusque retour à la foi ? Pour expier les impiétés, du reste fort rares, de l'*Essai sur les révolutions*, le jeune homme compose un ouvrage à la gloire de la religion « *avec l'ardeur d'un fils qui bâtit un mausolée à sa mère* ». Il a d'abord l'idée d'une œuvre assez modeste, manière de plaidoyer esthétique en faveur du christianisme, intitulé *De la religion chrétienne par rapport à la morale et aux beaux-arts.* Un peu plus tard, le titre en devient *Des beautés poétiques et morales de la religion*

*Il trace fiévreusement les derniers mots du récit de sa conversion.*

chrétienne et de sa supériorité sur tous les autres cultes de la terre.

C'est l'époque où Bonaparte, après le coup d'État du 18 Brumaire, restaure l'ordre civil et prépare le Concordat avec le Saint-Siège. Rentré en France sous l'identité de David de Lassagne, Chateaubriand poursuit à Paris son travail de composition, en se livrant à des recherches approfondies, et choisit le titre définitif de son ouvrage. Ce sera le *Génie du christianisme*. Sa parution est précédée par celle d'*Atala*, roman que lui a inspiré un voyage en Amérique, et qui le rend célèbre. « *C'est de la publication d'*Atala, écrira Chateaubriand, *que date le bruit que j'ai fait dans le monde.* » Ce succès lui vaut, avec l'appui de son ami Fontanes, proche du Premier consul, d'être rayé de la liste des émigrés et de recouvrer son vrai nom, le 21 juillet 1801. On lui présente à cette époque Pauline de Beaumont, à qui François René voue immédiatement une amitié profonde, et qui lui apporte une aide précieuse dans ses recherches bibliographiques. Ils vont même séjourner tous les deux à Savigny-sur-Orge de mai à novembre 1801, pour achever au calme la rédaction du *Génie du christianisme*. Cette étroite collaboration ne manque pas de faire jaser les mauvaises langues. À Paris, on brocarde ce nouveau défenseur de la morale...

L'ouvrage n'est encore qu'une ébauche, que déjà la rumeur le condamne : « Ah ! mon Dieu, s'écrie Mme de Staël, notre pauvre Chateaubriand ! Cela va tomber à plat ! », tandis que l'abbé de Boulogne répond à un libraire qui le consulte : « Si vous voulez vous ruiner, publiez cela ! »

« Cela » paraît enfin le 14 avril 1802, quatre jours avant la proclamation du Concordat. Le succès est immédiat et foudroyant. Dès le 15 avril, le *Mercure de France* publie un compte rendu très élogieux de Fontanes. Après tant d'années de troubles, les Français ont soif de retrouver la religion de leurs ancêtres, et Chateaubriand offre à ce vaste mouvement d'opinion l'œuvre qu'il attendait. Le consul interprète la faveur populaire comme une ratification de sa politique ; Bonaparte et Chateaubriand sont donc, à ce moment-là, contents l'un de l'autre. L'écrivain est rapidement nommé secrétaire d'ambassade à Rome. Reçu par Pie VII le 1er juillet 1803, il a l'immense joie de découvrir sur le bureau du Saint-Père un exemplaire ouvert du *Génie du christianisme*, à propos duquel le pape lui adresse des mots aimables.

> *Il a l'immense joie de découvrir sur le bureau du Saint-Père un exemplaire ouvert du Génie du christianisme.*

Chateaubriand sourit à ce souvenir flatteur, et pose sa plume. L'envie le prend de parcourir de nouveau cette apologie de la religion, écrite il y a vingt ans exactement. Il saisit, dans la bibliothèque, un exemplaire précieusement relié de son livre, qu'il ouvre presque religieusement. Voilà le passage où il a décrit, dans un élan lyrique qu'il ne renierait pas aujourd'hui, la joie du fidèle qui entend une volée de cloches l'appeler à la prière, et la sérénité grave du glas qui résonne « *dans le calme des nuits* ». Pareils sons s'étaient faits rares dans les campagnes françaises : les révolutionnaires s'étaient acharnés à fondre les cloches pour imposer le silence aux églises... Voilà le chapitre consacré aux immenses cathédrales et aux basiliques moussues qui disent la grandeur de Dieu. « *Tandis que l'airain se balance avec fracas sur votre tête, les souterrains voûtés de la mort se taisent profondément sous vos pieds...* » Voilà le long développement sur les sépultures de Saint-Denis, où « *venaient tour à tour s'engloutir les rois de France* », et ce passage, où il lui semble avoir si bien évoqué ces princes, que l'on croirait les voir surgir de leurs sépulcres, « *jetant à l'écart le drap mortuaire qui les couvre* ». Voilà les chapitres où il exalte les rites liturgiques, pour des lecteurs qui les retrouvent depuis peu – le décret de réouverture des églises le dimanche date de 1799. Et voilà, enfin, ces lignes consacrées au chant grégorien, cette musique poignante qui « *arrache des larmes d'amertume* » à quiconque l'écoute...

Qu'importent les flottements des formulations dogmatiques, il n'a pas prétendu écrire un traité de théologie. C'est une méditation sur la force créatrice et les splendeurs du christianisme, un voyage à travers tout ce qu'il présente d'admirable, dans sa doctrine, dans ses beaux-arts et sa littérature, dans son culte.

Chateaubriand portera plus tard sur son œuvre un jugement nuancé : « *Le Génie du christianisme étant encore à faire*, écrira-t-il vers 1830, *je le composerais tout différemment : au lieu de rappeler les bienfaits et les institutions de notre religion au passé, je ferais voir que le christianisme est la pensée de l'avenir et de la liberté humaine* [...] *C'est ce qu'il exprime avec une merveilleuse simplicité dans ses oraisons les plus communes, dans ses vœux quotidiens, lorsqu'il dit à la foule dans le temple : "Prions pour tout ce qui souffre sur la terre." Quelle religion a jamais parlé de la sorte ?* »

SOURCES : F. R. de Chateaubriand, *GÉNIE DU CHRISTIANISME*, *MÉMOIRES D'OUTRE-TOMBE*, et *ÉTUDES HISTORIQUES*. J.-P. Clément, *CHATEAUBRIAND. GRANDS ÉCRITS POLITIQUES*, Paris, 1993. F. P. Bowman, *LE CHRIST ROMANTIQUE*, Genève, 1973. P. Bénichou, *LE SACRE DE L'ÉCRIVAIN, 1750-1830*, Paris, 1973. A. Vinet, *CHATEAUBRIAND*, Paris, 1991.

# PIERRE TOUSSAINT

## *OU LA VIE EXEMPLAIRE*

## *D'UN COIFFEUR NEW-YORKAIS*

**• 5**
**AOÛ •**

LES DOIGTS AGILES DE PIERRE SE FIGÈRENT TOUT NET. C'ÉTAIT SON PREMIER RENDEZ-VOUS avec Mme Brocher. Comme la plupart de ses clientes, elle s'était mise à bavarder pendant qu'il commençait à échafauder dans ses cheveux gris la pyramide de boucles que l'on appréciait tant en cette année 1815. Il ne prêtait qu'une oreille distraite à ses doléances au sujet de la vie insipide que l'on menait à New York. Mais un nom familier avait soudain pénétré son esprit comme un coup de tonnerre.

– Bérard ! Comme c'est étrange, madame ! Je vivais chez des Bérard, il y a bien longtemps, à Saint-Domingue.

De stupeur, Mme Brocher manqua s'étouffer.

– Mais c'est de là-bas que vient Aurore ! Elle me parle souvent de leur plantation familiale, l'Artibonite.

La vieille dame saisit son miroir pour examiner le beau visage d'ébène qu'elle avait derrière elle. Elle voyait des yeux noirs et sereins briller sous un large front. Le tracé régulier des joues descendait jusqu'à la barbe taillée avec soin. Les lèvres, entrouvertes sous l'effet de la sur-prise, découvraient des dents d'une blan-cheur éclatante. Ces traits respiraient la force et la bonté. Se pouvait-il que ce coif-feur, dont la haute stature rehaussait la distinction, soit né esclave dans la planta-tion des Bérard ?

– Madame, la famille dont je parle vivait à Saint-Marc. La plus jeune des quatre filles, Aurore, était ma marraine.

Pierre rentra chez lui. Les souvenirs s'entrechoquaient dans sa mémoire. Che-min faisant, il remettait toute sa vie sous le regard du Seigneur. Juliette l'attendait dans l'entrée, vêtue de son tablier blanc impeccable. La petite Euphemia se préci-pita dans ses bras.

Ils restèrent longtemps à table à évo-quer le passé. Pierre se revoyait jouant avec Aurore dans des champs éblouis par le soleil des Caraïbes, et tressant des cou-ronnes pour ses cheveux blonds. Il se rap-pelait le salon de l'Artibonite où, vêtu de sa veste rouge, il dansait pour les invités. Il repensait aux cases des esclaves situées tout au bout de la propriété. Et à cette chapelle où il avait eu le bonheur d'être baptisé, de faire sa première communion, et de sentir s'enraciner en lui, au fil des années, une fois qu'aucune épreuve n'avait pu ébranler.

Zénobie, sa grand-mère, lui avait appris à lire, et il entendait encore son maître l'inviter à utiliser sa bibliothèque. Toute la famille aimait ce garçon intelligent et enjoué. Mme Bérard demanda que Pierre devienne domestique afin de lui épargner un travail éreintant dans les champs de canne à sucre.

*Peu après son mariage, des bruits inquiétants se répandirent dans l'île.*

Jean, l'aîné des enfants, était un jour revenu de la métropole où il faisait ses études, pour reprendre l'Artibonite. Peu après son mariage, des bruits inquiétants se répandirent dans l'île. Les planteurs, qui avaient parfois plus d'un millier d'esclaves, apprirent que ceux-ci fomentaient une révolte. Le déséquilibre des forces avait de quoi les terrifier. Jean et sa jeune épouse Marie décidèrent d'aller passer un mois ou deux à New York jusqu'à ce que le calme revienne. Ils prirent avec eux les deux sœurs de Marie et décidèrent que Pierre, sa petite sœur Rosalie et leur tante Marie Bouquemont les accompagneraient comme domestiques.

La scène de leur arrivée dans le port de New York revenait à Pierre parée des couleurs les plus vives. Il revoyait le quai grouillant où les passagers qui débarquaient cherchaient des amis et hélaient des porteurs. Des marchands se frayaient un chemin dans cette foule et lançaient des offres pour acheter la cargaison du navire. Pierre n'avait pas été peu fier ce jour-là, à vingt et un ans, de se voir confier la responsabilité des bagages. En chemin, il surveillait avec inquiétude les boîtes à chapeaux qui, posées en équilibre sur les malles, menaçaient de tomber à tout moment.

Les premiers jours passés à New York avaient été heureux. Jean avait fait de bons placements et se sentait à l'abri de tout souci pour les quelques semaines que durerait leur séjour. Il mit Pierre en apprentissage chez un coiffeur pour qu'il se forme à un métier utile. Marie Bouquemont servait de femme de chambre à la maîtresse de maison, et Rosalie, qui avait dix-huit ans, faisait la cuisine et le ménage. Pendant ce temps, Marie et ses sœurs se consolaient de leur exil en organisant dîners et réceptions dans la communauté française.

Quant à Pierre, il eut tôt fait d'acquérir toute la science de son maître et se fit vite apprécier de sa clientèle. Chaque jour, une fois son travail achevé, il se rendait sur les quais en chantonnant des psaumes, dans l'espoir que le courrier apporterait des nouvelles de Saint-Domingue.

Quand celles-ci arrivèrent enfin, elles apprirent aux émigrés que la rébellion battait son plein. Jean décida de repartir pour sauver ce qu'il pourrait de la propriété. De l'île, il écrivit plusieurs lettres très pessimistes. Puis arriva une lettre rédigée par une main étrangère : la maladie et le désespoir avaient eu raison de Jean Bérard.

Les souvenirs continuaient à affluer, et Toussaint les égrenait comme il égrenait les perles de son chapelet. On eût dit qu'il voulait en faire un bouquet à offrir au Seigneur. La vie avait été difficile après la mort de Jean. Marie se remettait mal de cette disparition. La banque des Bérard avait fait faillite, et Pierre avait dû subvenir seul aux besoins de la maisonnée entière. Il le faisait avec simplicité, tout en cherchant à soulager par sa bonne humeur l'atmosphère endeuillée qui régnait autour de sa maîtresse. Il se souvenait même d'une remontrance qu'elle lui avait adressée, un jour où il lui avait répété plusieurs fois que l'espérance ne trompait pas. « *Pierre*, lui avait-elle dit d'un ton quelque peu agacé, *laissez-moi pleurer en paix, votre foi est presque trop grande.* » Mais elle avait fini par se remarier avec un réfugié français. Pierre avait exulté intérieurement et loué de toute son âme Celui qui donnait aux affligés la joie.

En quelques années, il devint le coiffeur le plus réputé de New York. Il était appelé chaque jour dans les maisons les plus distinguées, et les femmes du monde l'admiraient non seulement pour ses talents mais aussi pour ses grandes qualités humaines. Ce coiffeur qui ponctuait toutes ses conversations d'allusions à la bonté de Dieu leur inspirait un respect et une confiance immenses, et Pierre trouva parmi elles quelques-unes de ses amies les plus fidèles. Tout en subvenant aux besoins domestiques, il mettait de côté chaque semaine une petite somme d'argent pour réaliser son rêve le plus cher : acheter la liberté de sa sœur. Il y parvint une semaine tout juste avant le mariage de Rosalie. Enfin vint le jour de

son propre affranchissement, que Marie demanda sur son lit de mort, le 2 juillet 1807. Celui qui donnait aux affligés la joie donnait aussi aux captifs la délivrance...

– Et tu connais le reste, ma chérie. Pierre regarda celle qui lui était plus chère que la prunelle de ses yeux.

– En voilà une qui devrait être au lit depuis longtemps, dit-elle avec un sourire pour la petite tête qui reposait sur le bras de Pierre.

– Je vais la déshabiller si doucement qu'elle ne se réveillera même pas, chuchota Pierre.

> « *Pierre, laissez-moi pleurer en paix, votre foi est presque trop grande.* »

Le mariage de Rosalie n'avait pas été heureux ; son mari l'avait abandonnée très vite, et elle était revenue chez Pierre et sa femme pour y passer les derniers mois de sa vie. Elle était morte peu après la naissance du bébé, leur laissant ce nourrisson fragile qui allait devenir leur plus grand trésor.

Chaque année, le 16 septembre, jour de son anniversaire et de sa fête, Pierre emmenait Euphemia rendre visite à l'orphelinat de Prince Street, en face de la cathédrale Saint-Patrick, que tenaient les Sœurs de la Charité de mère Seton. Un jour, en rentrant à la maison, Euphemia avait demandé : « Oncle Pierre, qu'est-ce que c'est, un orphelin ? » Quand Pierre lui eut expliqué que c'était un enfant qui avait perdu père et mère, elle demanda d'un ton étonné : « Mais il n'a pas d'oncle ? » Chaque fois que Pierre racontait cette histoire, il ne manquait pas d'ajouter : « J'ai remercié Dieu de tout mon cœur. » L'action de grâces était le secret de la sérénité de cet homme si bon qui avait vécu la perte de sa terre natale, de sa famille, avant d'éprouver finalement celle de sa femme et de sa nièce. Euphemia mourut de la tuberculose à quatorze ans ; Juliette succomba à un cancer en 1851. « N'est-il pas étrange, Seigneur, qu'elles soient parties les premières, et que je reste seul ? » s'étonnait-il dans ses prières. Mais il se répondait à lui-même : « C'est la volonté de Dieu ». Car la foi de Pierre Toussaint était inébranlable...

Le vieil homme mourut chez lui, seul, le 30 juin 1853. Il avait quatre-vingt-sept ans. Eliza Schuyler, fille de l'une de ses grandes amies, lui avait rendu visite chaque jour au cours de sa dernière maladie. C'est par elle que nous connaissons les mots qui sont sans doute les derniers qu'il prononça. La veille de sa mort, elle lui avait demandé avant de partir s'il lui manquait quelque chose. Il avait répondu en souriant : « *Rien ici-bas.* »

SOURCES : A. et E. Sheehan, *PIERRE TOUSSAINT, A CITIZEN OF OLD NEW YORK*, New York, 1955. E. Tarry, *THE OTHER TOUSSAINT, A POST-REVOLUTIONARY BLACK*, Boston, 1981.

# LA CONVERSION
# D'ALESSANDRO MANZONI
### *LE PLUS GRAND DES ROMANTIQUES*
### *ITALIENS SE FAIT LE CHANTRE*
### *DE L'AMOUR DIVIN*

**• 6 AOÛ •**

SOUDAIN, UNE EXPLOSION DÉCHIRE L'ESPACE. UN FRACAS FORMIDABLE, PUIS UNE GERBE DE COULEURS qui plane dans le ciel, très haut au-dessus de la foule. Un feu d'artifices.

Mais tous ceux qui sont venus, qui se pressent aux abords des Tuileries et de la place des Pyramides en cette soirée de 1810 pour assister aux festivités du second mariage de l'empereur Napoléon avec Marie-Louise l'Autrichienne, ne sont pas coutumiers de ces exploits pyrotechniques. Le peuple de Paris a encore en tête d'autres explosions... La Révolution n'est pas loin, avec son cortège d'émeutes. Et la crainte d'un coup d'État habite toujours les esprits.

Aussi, lorsque la salve retentit, un terrible mouvement soulève-t-il brutalement la masse des badauds. Une rumeur enfle : « une machine infernale », « les légitimistes veulent punir l'usurpateur », « les dragons vont charger »... Du joyeux rassemblement patriotique, de ces couples enlacés, de ces gamins juchés sur les épaules qui agitaient bouquets de fleurs et fanions colorés, il ne reste en un instant qu'une marée humaine en proie à la pani-que. Cris, bousculade, hommes qui jouent des coudes pour s'extraire au plus vite du piège de la foule, corps jetés au sol et aussitôt piétinés... Comme beaucoup d'autres, un jeune aristocrate lombard en exil, le comte Alessandro Manzoni, est emporté par la houle folle. Projeté contre une façade, il lâche la main de son épouse Henriette. Seule, elle ne peut résister au puissant courant qui la happe. Un instant encore, il la suit des yeux, frêle silhouette emportée par le flot.

Alessandro se hausse pour l'apercevoir, monte sur une borne. Trop tard, il n'y a plus qu'une masse humaine indistincte d'où émergent à peine quelques mains qui tentent de se rejoindre. Le tourbillon a englouti la délicate jeune femme blonde, de vingt ans à peine.

Alors le monde bascule. Une angoisse terrible étreint Alessandro, le mord au ventre. L'« épouse angélique », comme il l'appelle, a-t-elle disparu à jamais ? Elle si raisonnable et si humble, elle qui le guérissait depuis deux ans qu'ils étaient mariés de ses plaies d'enfant délaissé par un père austère et une jeune mère avide de plaisirs, l'a-t-il perdue pour toujours ? Alessandro titube jusqu'aux marches les plus proches : celles de l'église Saint-Roch. Effaré, il se réfugie dans le calme de cette demeure. Là, il s'agenouille et pleure sur un prie-Dieu.

Lui, le poète philosophe, qui fréquente assidûment le salon de Mme Helvétius, la femme du philosophe athée, lui qui ne ressent plus qu'une tiède indifférence envers la religion de ses parents, se surprend à prier. Cela fait des années qu'il n'a pas renoué avec ces paroles entendues de la bouche de son père, dont la foi conformiste l'a toujours rebuté, des années qu'il n'a pas repris les mots prononcés quelques fois par sa mère. Il a été plus sensible, dans son adolescence, aux convictions de son grand-père maternel, le marquis de Beccaria, célèbre juriste auteur du traité *Des délits et peines*. Il a été transformé par la fréquentation de l'école barnabite *deã Nobili*, passage obligé d'une jeune aristocratie milanaise qui se pique de modernité, et par la fréquentation des idées éclectiques des encyclopédistes. La rencontre de sa jeune épouse calviniste, la découverte de sa foi ancrée et raisonnée n'ont guère contribué à le ramener vers Dieu. Mais l'heure n'est plus aux idées, à la dispute philosophique, aux syncrétismes... L'heure est à la supplication : que sa bien-aimée lui soit rendue saine et sauve.

Petit à petit, à l'extérieur, le tumulte décroît, les cris s'espacent, laissant place à des plaintes isolées, des pleurs. Et enfin au silence. Et, dans ce silence, Alessandro se sent étrangement calme. Une voix le rassure, il va retrouver la compagne de ses jours

Il sort de l'église. Dans la nuit, on n'entend plus que quelques sanglots. Chacun a emporté ses morts et ses blessés. Quelques chiens rôdent sur le lieu du drame. Et, un peu plus loin en effet, il trouve Henriette qui cherche elle aussi son mari... Un sentiment d'intense gratitude inonde Alessandro. La grâce de la prière exaucée sera à jamais le ferment de sa foi.

Un mois après, Henriette embrasse, elle aussi, la foi catholique, et abjure la religion calviniste. Elle n'éprouve aucune réticence à suivre son mari sur cette voie. Elle l'y avait même précédé. Un an auparavant, ils ont tous deux rencontré un groupe de Piémontais, ami de Carlo Imbonati, l'amant défunt que pleure Giulia, la mère d'Alessandro. Le groupe, qui vit en s'imposant une certaine rigueur morale, a beaucoup plu à la petite calviniste suisse descendante des Cévenoles.

Au cours d'un dîner, une discussion s'était engagée sur la foi.

– Je crois en l'Église catholique, et reste fidèle à ses enseignements autant que je le peux, avait déclaré un Turinois, le comte Somis de Chabrie.

L'assurance du comte, l'accent résolu avec lequel il affirmait sa fidélité avaient impressionné Henriette.

– Pour ma part, avait-elle dit, j'aimerais en savoir plus sur cette religion qui n'est pas mienne.

– Vous devriez rencontrer l'abbé Degola. Un Suisse comme votre père, originaire de Genève. Les mauvaises lan-

> *Dans la nuit, on n'entend plus que quelques sanglots.*

gues le disent janséniste, il est vrai qu'il a des amis à Port-Royal, mais il n'en a ni la pâleur, ni le verbe rare. Il est indulgent à tous. Bien qu'il soutienne qu'une certaine forme de tolérance fait le lit de l'indifférence religieuse...

Alessandro, lui, s'était alors contenté d'écouter en silence, mais il avait encouragé les rencontres d'Henriette avec une Alsacienne convertie par l'abbé Degola, puis avec le prêtre lui-même de l'automne 1809 et au début de l'année 1810. Sans mot dire, le comte Manzoni avait assisté aux entretiens. Le soir, un peu perplexe, il regardait Henriette rédiger des résumés de ses acquisitions sur le catholicisme, admirant son esprit méthodique et sa patience genevoise. Et, à la naissance de leur première enfant, la petite Giulietta, Alessandro et Henriette l'avaient fait baptiser dans la foi catholique. Face aux réticences de sa propre famille, la jeune comtesse avait alors prétendu qu'il fallait faire plaisir à la mère de son mari.

Le terrain était préparé mais, après la panique des Tuileries, leur conversion à tous deux est effective et publique. Du même coup, Giulia, la mère d'Alessandro, qui a volé d'amant en amant depuis son mariage, qui a divorcé lorsque son fils avait onze ans, retrouve à leur contact la foi intense de son enfance. Avec la petite Giulietta, ils décident de fuir la vie de Paris qu'Henriette n'a jamais réussi à apprécier. Alessandro lui aussi veut quitter ce lieu où les foules

s'affolent, où il a eu si peur. Ils regagnent Milan.

Alessandro Manzoni va devenir le plus grand poète romantique italien. Dès 1806, il écrivait dans *In morti di Carlo Imbonati* : « *Ne trahis jamais la sainteté du vrai.* » Sa conversion va fonder sur le roc sa passion de la vérité. Ses drames seront applaudis ; son roman, *Les Fiancés* (1825), le placera au premier plan de la littérature italienne ; ses *Hymnes sacrés* écrits de 1812 à 1822, chanteront la gloire de Dieu, à la manière des romantiques, enflammée. Il renouvelle la langue.

> *Alessandro Manzoni va devenir le plus grand poète romantique italien.*

Il lutte pour la justice, le droit, l'unité de son pays. Son réalisme politique, son engagement dans les débats du siècle ne l'éloigneront jamais de la foi. Il fréquente des patriotes francs-maçons, de farouches anticatholiques comme son ancien modèle, Monti. Il ne se rallie pas plus à leur anticléricalisme qu'il n'abonde dans le sens des catholiques intransigeants selon qui l'unité italienne ne peut se faire en dehors de la Rome papale.

Ni la perte de « l'épouse angélique » après vingt-cinq ans de mariage, ni la mort de sept de leurs neuf enfants, ni un nouveau veuvage après encore vingt-quatre années d'un second mariage, ne feront vaciller la foi reçue à Paris, dans le havre de l'église Saint-Roch. En 1873, à quatre-vingt-huit ans, quand il mourra, *L'Osservatore Romano* rendra hommage à « *la gloire des lettres italiennes, l'écrivain sin-*

*cèrement catholique, le poète de la foi chrétienne* ». Pour le premier anniversaire de sa mort, le compositeur Verdi fera à ce poète ardent, féru de langue italienne et fervent catholique, l'hommage de sa *Messe de requiem.*

SOURCES : Alessandro Manzoni, LES FIANCÉS. D. Menozzi, LA CHIESA ITALIANA E LA RIVOLUZIONE FRANCESE, Bologne, 1990. M. Rosa, « Jansénisme et Révolution en Italie », *in* C. Maire, JANSÉNISME ET RÉVOLUTION. ACTES DU COLLOQUE DE VERSAILLES... 13 ET 14 OCTOBRE 1989, Paris, 1990. Cassiano da Langasco, « Un esperimento di politica giansenista ? La republica ligure 1797-1800 », in NUOVO RICERCHE STORICHE SUL GIANSENISMO, Rome, 1954. M. Caffiero, LA NUOVA ERA. MITI E PROFEZIE DELL'ITALIA IN RIVOLUZIONE, Gênes, 1991. MANZONI VIVANT, Paris, 1985. L. Portier, ALESSANDRO MANZONI, Paris, 1956.

# ÉLISABETH SETON

## *UNE MÈRE POUR*
## *LA JEUNE ÉGLISE AMÉRICAINE*

**• 7**
**AOÛ •**

UN BIEN ÉTRANGE CONVOI SOULÈVE LA POUSSIÈRE DES CHEMINS DE EMMITSBURG, petite bourgade du Maryland, au nord-ouest des États-Unis d'Amérique. Précédant les calèches et leurs chevaux épuisés par le voyage, des femmes avancent fièrement sous les yeux ébahis des habitants. Elles marchent, insensibles à la fatigue du long voyage commencé à Baltimore, riant devant l'accueil inhabituel des chiens et des cochons qui viennent à leur rencontre, et des oies qui tendent leur cou dans une interrogation muette. Qui sont donc ces femmes pour quitter Baltimore et venir s'installer, en cette année 1809, dans ce coin perdu du Maryland ?

Les voyageuses intrépides sont des religieuses et la première d'entre elles, celle qui conduit le convoi d'un pas décidé malgré sa toute petite taille et son apparente fragilité, n'est autre que mère Seton, fondatrice et supérieure de cette nouvelle congrégation qui vient s'installer dans sa toute première maison. Les religieuses ont adopté comme règle permanente une version modifiée de celle que saint Vincent de Paul avait donnée aux premières Sœurs de la Charité en France. Répondant à un

désir d'Élisabeth Seton, ce « berceau de la communauté » prend saint Joseph pour patron. Alors que la communauté s'installe, mère Seton ne peut s'empêcher de songer, les yeux rieurs, que le Seigneur aime décidément confier de lourdes responsabilités à d'honnêtes mères de famille. Louise de Marillac, dont elle s'est inspirée, n'était-elle pas veuve et mère de famille tout comme elle ?

Élisabeth a grandi dans le bouillonnement politique et intellectuel de la révolution américaine. Elle appartient à l'une de ces grandes familles de l'Église épiscopale (la forme américaine de l'Église anglicane). Après son entrée dans le monde, elle a pris une part active à la vie brillante de la société new-yorkaise dont le faste sait être éblouissant surtout lorsque le président Washington et sa femme, qui demeurent dans la ville, honorent les salons de leur rare présence. Bals, réceptions, théâtre : le caractère joyeux et sociable de la jeune fille menue et gracieuse – elle n'est pas haute de cinq pieds – s'accommode très bien de ces festivités permanentes.

En 1794, Élisabeth épouse William Magee Seton. « *Ma propre maison à vingt ans – le monde – et le Ciel aussi – cela me semble impossible !* » confie-t-elle à son journal. Depuis l'adolescence, le cœur de cette jeune fille de bonne famille déborde d'amour pour Dieu. Et même si elle est ravie d'être mariée, il lui semble parfois difficile de concilier ses devoirs d'épouse et de femme du monde avec ses exigences spirituelles. Au cours de la sixième année de leur mariage, William fait faillite ; les Seton doivent emménager dans un logement plus modeste et mener un train de vie qui n'a plus rien à voir avec celui qu'ils ont connu naguère. Si elle ne craignait de blesser son mari, Élisabeth s'en réjouirait ouvertement. Elle peut enfin se consacrer entièrement à sa famille : « *Je crois que le plus grand bonheur possible ici-bas est d'être libéré des soucis et du protocole de ce qu'on appelle le "monde". Mon monde à moi, c'est ma famille, et ce qui va changer pour moi, c'est que je vais pouvoir me consacrer entièrement à mon trésor.* »

Les bouleversements vont alors se succéder à vive allure. Pendant l'épidémie de fièvre jaune qui frappe New York en 1800, le docteur Bayley, père d'Élisabeth, contracte la maladie de ses patients et meurt. L'année suivante, après la naissance de leur cinquième enfant, Rebecca, la santé de William, qui n'a jamais été florissante, se dégrade rapidement. Les Seton décident de se rendre en Italie, ultime tentative pour vaincre la tuberculose. Peine perdue ! En 1803, William s'éteint à Livourne entre les bras de son épouse. Élisabeth est alors âgée de vingt-

> *En 1803, William s'éteint à Livourne entre les bras de son épouse.*

neuf ans. Au cours du bref séjour qu'elle fait en Italie avant d'embarquer pour rentrer en Amérique, elle découvre l'Église catholique et se sent vivement attirée par ses enseignements, en particulier ceux qui concernent le Saint-Sacrement et la Vierge Marie. En 1805, de retour à New York et après être venue à bout d'une résistance opiniâtre de la part de sa famille et de ses amis, elle entre dans l'Église catholique. Une vie nouvelle s'ouvre à elle.

Le père William Dubourg, supérieur des sulpiciens de Baltimore, propose à Élisabeth de fonder une école de filles près du séminaire Sainte-Marie. Cette idée, si inattendue, n'est pas pour déplaire au caractère aventurier d'Élisabeth. Elle s'installe donc à Baltimore, et, sous la direction spirituelle de l'archevêque John Carroll, réussit à conjuguer ses devoirs de mère de famille avec la fondation du système scolaire catholique paroissial en Amérique.

Quand la première petite école ouvre ses portes, quatre volontaires offrent rapidement leur aide. Les talents d'organisatrice d'Élisabeth font merveille. Elle conçoit un programme éducatif bien équilibré, compose des manuels scolaires, forme les professeurs, traduit du français des ouvrages religieux, et écrit elle-même quelques traités spirituels.

Élisabeth est rapidement rejointe par d'autres jeunes femmes désireuses, comme elle-même, de servir le Christ en servant les pauvres. Elle songe alors à fonder une communauté. Mgr Carroll, son directeur spirituel, évêque de Baltimore, l'y encourage en lui donnant une règle et l'autorisation d'accueillir des membres dans sa communauté. Il reçoit ensuite ses vœux solennels, permet à son petit groupe d'adopter une vie religieuse, et lui accorde le titre de « mère ». Et c'est ainsi que mère Seton accompagne ses « filles » dans leur nouvelle maison d'Emmitsburg.

L'amour que mère Seton porte à tous les démunis l'incite à ouvrir un premier orphelinat à Philadelphie en 1814, puis un autre à New York en 1817. Le célèbre coiffeur Pierre Toussaint rend souvent visite au second, qui se trouve en face de la cathédrale Saint-Patrick. Il apporte aux sœurs les dons qu'il reçoit de ses clients, les membres de cette société new-yorkaise dont Élisabeth Seton avait jadis fait partie.

En 1821, la vie d'Élisabeth Bayley Seton touche à son terme. Elle n'a que quarante-six ans, mais s'est usée à force de se dépenser sans compter. Les épreuves qu'elle a traversées ont nui à sa santé. Car, si elle a eu la joie de voir entrer sa deuxième fille chez les Sœurs de la Misé-ricorde et de savoir l'aîné de ses fils parfaitement heureux dans la carrière de marin, elle s'est difficilement remise de la mort précoce de ses trois autres enfants. Au petit matin du 4 janvier 1821, entourée de ses sœurs qui chantent le *Magnificat* à voix basse, Élisabeth Ann Seton part pour son dernier voyage, vers la maison du Père. Le pape Jean XXIII la béatifia, et le 14 septembre 1975, le pape Paul VI la proclama sainte. Elle devint ainsi la première citoyenne des États-Unis canonisée.

Après la mort de mère Seton, la congrégation continua de croître et de prospérer, acceptant de nouvelles tâches apostoliques au fur et à mesure que les besoins grandissaient. Aujourd'hui, les Sœurs de la Charité ont en charge des collèges, des lycées, des écoles élémentaires, des maternelles, des garderies, des hôpitaux, des orphelinats, et des projets d'hébergement pour sans-abri. Leur rayonnement a largement dépassé les frontières des États-Unis, et les filles de mère Seton, qui sont maintenant plus de deux mille sept cents, poursuivent leurs œuvres caritatives au Canada, au Guatemala, à Porto Rico, aux Bermudes et dans les Bahamas.

> *Mère Seton ouvre un premier orphelinat à Philadelphie en 1814.*

Sources : J.-I. Dirvin, *Mrs. Seton, Foundress of the American Sisters of Charity*, New York, 1975. M. D. Poinsenet, *Élisabeth Seton*, Paris-Fribourg, 1967. M. Bunson, *Founding of Faith : Catholics in the American Revolutionary Era*, Boston, 1977. Ch.-J. Kauffmann, *Traditions and Transformation in Catholic Culture. The Priests of Saint-Sulpice in the United States from 1791 to the Present*, New York, 1988. J. Durkin et R.-E. Curran, *The Maryland Jesuits 1634-1833*, Baltimore, 1976. A.-J. Reichley, *Religion in American Public Life*, Washington, 1985.

# JOHN CAROLL

## CONSTRUIRE UNE ÉGLISE AMÉRICAINE
## POUR LES AMÉRICAINS

**• 8**
**AOÛ •**

— MES FRÈRES, MES FRÈRES, VENEZ VITE... VENEZ DONC. JE PRIE VOUS DE VOULOIR BIEN VENIR...

Dans la haute bâtisse Sainte-Marie de Baltimore, le père François bat le rappel dans un anglais toujours aussi approximatif. Seize ans passés sur le sol américain n'ont arrangé ni l'accent, abominable, ni les structures grammaticales, qui rendent encore hommage à la langue de Molière même lorsque l'ecclésiastique à face de lune parle celle de Shakespeare. Le sulpicien, venu former les futurs prêtres, mais incapable ne serait-ce que d'assurer des lectures pour ses étudiants, est cantonné depuis dans le rôle de surveillant de la turbulente troupe des séminaristes.

La trentaine de jeunes hommes enfin réunie, Robert en est encore à pasticher les formules bigarrées de l'apprenti anglophone, lorsque le supérieur entre. L'homme est d'une raideur de statue, mais ce n'est pas son austère autorité qui fait alors frissonner les étudiants. Pas plus que le froid mordant du Maryland en ce mois de décembre 1815. Non, c'est qu'à sa mine, déjà, tous savent que le directeur de la maison est là pour leur confirmer ce

qu'une longue maladie laissait présager depuis quelques mois : « Messieurs, notre père évêque est mort. Je n'ai pas besoin, je pense, de vous rappeler ce que nous lui devons. Je vous invite à vous rendre à la chapelle... »

Le soir même, Günther, le séminariste allemand qui tout à l'heure a eu l'air égaré, interroge Robert.

— Robert, excuse-moi, mais je n'ai pas compris...

— M'étonne pas. Avec vous autres les Germains !

— Non, ce n'est pas cela. Que lui devons-nous à votre John Caroll ?

— Oh, cela dépend du point de vue que l'on adopte. Le supérieur parlait sûrement de ce seul séminaire. C'est Caroll qui a fait venir les sulpiciens de France pour former les premiers prêtres américains. Et qui les a retenus quand ils voulaient repartir, faute de candidats...

— Ah... Excuse-moi, j'ignorais cela.

— Mais en réalité, nous autres Américains, nous lui devons beaucoup plus que cela. Nous lui devons d'avoir une Église vraiment américaine.

Et Robert entame alors pour l'immigré nouvellement débarqué le récit de ce qui fit d'un grand homme le père de l'Église nationale. Comment ce rejeton d'une illustre famille, né dans le Maryland, partit étudier en Europe, devint jésuite, puis revint dans sa patrie natale en 1774. Comment il essaya dès cet instant de concilier sa vie ecclésiastique avec les idéaux de la révolution américaine, puis de l'Indépendance. Comment, d'emblée, il comprit la spécificité du nouvel État, sa séparation d'avec l'Église, et prit parti pour une « tolérance générale et égale » de toutes les religions. Bien sûr, certaines subtilités échappent au nouvel arrivant : la parenté d'esprit de celui qu'on surnomme le *First Citizen*, le premier d'entre les citoyens, avec Charles, son cousin qui fut l'un des cinquante-cinq signataires de la déclaration d'Indépendance (1776) ; avec Daniel, son frère qui fut l'un des rédacteurs de la Constitution de 1787. Au point que tous trois signèrent en 1789, au nom des catholiques romains, le message de félicitations qu'ils adressèrent à George Washington lors de son élection.

> *Ils adressèrent un message à George Washington lors de son élection.*

— C'est alors que le pape Pie VI décida, à titre exceptionnel, de laisser le clergé américain choisir lui-même son premier évêque...

— Comment cela, choisir ? Tu veux dire qu'ils l'ont élu ?

— Tout juste. N'étions-nous pas déjà les hérauts de la démocratie ? C'est ce que firent donc les prêtres américains, qui choisirent Baltimore pour siège épiscopal, et désignèrent John Caroll pour l'occuper.

Confirmé le 6 novembre 1789 par la lettre apostolique *Ex hac apostolicae*, le premier évêque américain n'a bientôt qu'une urgence : trouver les prêtres qui manquent aux vingt-cinq mille catholiques américains, les faire venir de l'Europe déchirée par la révolution et les guerres napoléoniennes, et permettre qu'ils en forment de nouveau dans la communauté américaine. Il fait appel à la France, à la compagnie des prêtres de Saint-Sulpice.

— Et c'est ainsi que nos bons maîtres sont arrivés, avec le père François « dans les bagages d'eux... »

— Arrête de te moquer de son anglais, le mien n'est guère meilleur.

— Tu plaisantes. Lui aurait dit : « Le mien n'est guère plus bien... »

Mais Robert, après son fou rire habituel lorsqu'on évoque le père François, n'en a pas fini de son récit. Lui, le fils d'un libraire catholique de Baltimore, sait combien John Caroll a structuré la vie de son Église naissante, et il a du mal à supporter que ses professeurs français oublient si facilement, lorsqu'ils font l'éloge de l'évêque, tout ce qui n'est pas leur séminaire, tous les particularismes si américains de son œuvre.

Il lui faut raconter à Günther la « messe communautaire » instaurée par Caroll, qui développe, autant que le permet la discipline romaine, l'usage de l'anglais dans la liturgie. Il explique comment la législation des États n'autorisant le droit de propriété qu'à des personnes physiques, il imagina, contrairement à l'usage traditionnel du droit canon, de constituer des comités de laïcs chargés de fonder et de gérer chaque paroisse, sous réserve qu'ils reconnaissent l'autorité spirituelle de l'évêque, comment ce *trusteeism* connut un essor immédiat, et comment il fallut en conséquence former les laïcs susceptibles d'assumer des postes de responsabilités dans l'Église comme dans l'État : John Caroll créa alors à leur intention la première université catholique des États-Unis.

— Mais bien sûr, nos bons professeurs français préfèrent passer sous silence les *trustees*. Ils ne les ont jamais beaucoup aimés eux-mêmes, et leurs compatriotes venus se faire sacrer évêques en 1808 ont déjà réussi à se fâcher avec les leurs...

Robert se tait. Il n'a en fait guère le goût ce soir de singer le père François, le supérieur ou aucun autre des sulpiciens. La mort de Caroll, il le sait, laisse présager des heures sombres. Le dynamisme de l'Église américaine a été tel ces derniers temps qu'il a parfois entendu l'évêque, en visite au séminaire Sainte-Marie, évoquer la coordination qui manque à l'ensemble, le concile provincial qui sera tôt ou tard nécessaire. Mais maintenant, qui pourra réunir l'Église de la jeune nation ? Les Français n'y comprennent rien, et les Allemands, à Philadelphie, rêvent tellement d'une Église nationale que l'on frôle le schisme... Alors, qui ?

Le séminariste songe à l'un des prêtres qui sont passés récemment à Sainte-

*À Philadelphie, les Allemands rêvent tellement d'une Église nationale qu'on frôle le schisme.*

Marie, John England, sujet brillant, méfiant vis-à-vis des Français, et qui porte si haut le souci de marcher sur les traces de Caroll, dans la voie de la démocratie américaine.

Le hasard réunira quinze ans plus tard l'étudiant, entre-temps ordonné, et le prêtre, devenu évêque. Et effectivement, Robert pourra vérifier que John England est bien devenu le successeur de John Caroll. L'évêque de Charleston, sacré en 1820, a aussitôt assumé tout l'héritage originel. Dès sa première lettre pastorale à l'ensemble du peuple américain, il a proclamé son attachement à la Déclaration des droits et à la Constitution des États-Unis. Puis il a imposé dans son diocèse la règle du dialogue plutôt que des coups de crosse. Il a visité toutes les paroisses, autorisé celles qui s'étaient organisées spontanément, faute de prêtres, à célébrer chaque dimanche une liturgie dont il a réglé pour eux les modalités. Avec sa sœur, il a créé le premier journal catholique, et insisté pour que les associations d'éducation et de bienfaisance s'ouvrent à tous, y compris aux protestants. Il a organisé la coopération des *trustees* avec leur évêque dans un régime constitutionnel. Bref, il a réuni la communauté chrétienne autour des valeurs de la jeune société américaine.

Et lorsque Robert retrouve l'évêque de Charleston, en 1829, celui-ci s'apprête à poser la dernière pierre de l'édifice catholique américain. Fidèle jusqu'au bout aux intuitions du fondateur Caroll, il a œuvré pour que se réunisse, dans le port de Baltimore, le premier « concile provincial » de l'Église des États-Unis.

Robert, désormais secrétaire de l'archevêque de Baltimore, accompagne celui-ci et ses suffragants. Il voit entrer tour à tour, dans la salle conciliaire, John England, le maître d'œuvre de la rencontre, que l'on surnommera « le père des conciles américains » ; puis les évêques de Boston, New York, Philadelphie, Cincinnati, et Richmond ; ceux qui administrent l'Alabama, la Floride et l'immense Louisiane aux contours incertains. C'est vraiment toute son Église nationale qui est là : les supérieurs des congrégations reli-gieuses, quelques laïcs présents à titre d'experts... Lorsque le secrétaire rédi-gera, sous les instructions de son maître, le rapport envoyé à Rome pour rendre compte de la rencontre, il pourra pren-dre des accents triomphants : les vingt mille catholiques de 1789 sont maintenant deux cent mille. Six grands séminai-res, neuf collèges, trois uni-versités, trente-sept com-munautés religieuses irriguent la vie d'une communauté nationale organisée en un véritable réseau de paroisses, d'écoles et d'associations. Trente ans plus tard, en 1860, la religion catholique accède au premier rang des confessions religieuses des États-Unis d'Amérique.

> *Les 20 000 catholiques de 1789 sont maintenant 200 000.*

SOURCES : A.-N. Melville, *John Carroll of Baltimore, Founder of the American Catholic Hierarchy*, New York, 1955. R. Fr. Trisco, *The Holy See and the nascent Church in the Middle Western United States, 1826-1850*, Rome, 1962. T.-F. Casey, *The Sacred Congregation de Propaganda Fide and the Revision of the First Plenary Council of Baltimore*, Rome, 1957. T. Spalding, *The Premier See. A History of the Archdiocese of Baltimore 1789-1989*, Baltimore, 1989.

# LE CURÉ D'ARS

## *SUR LE CHEMIN DU CIEL*

**9 AOÛ**

— EH PETIT, PEUX-TU M'INDI-QUER LA ROUTE D'ARS ?

— BIEN SÛR, MONSIEUR LE CURÉ. Il suffit de continuer tout droit sur ce chemin et de prendre à droite au prochain croisement. Vous verrez l'église.

— Merci, petit. Comment t'appelles-tu ?

— Jean, monsieur le curé.

— Eh bien, Jean, comme tu m'as montré le chemin d'Ars, je te montrerai le chemin du Ciel.

Après une tape amicale sur l'épaule du jeune garçon et une discrète bénédiction, l'abbé Jean Marie Vianney poursuit sa route en direction de sa nouvelle cure. Tout en marchant, il remercie le Seigneur pour cette rencontre, son premier paroissien, et le prie d'exaucer sa requête : faire connaître au petit Jean les joies de la sainteté. Il a trente-deux ans. Sa petite taille, son allure malingre, son visage pâle et anguleux reflètent l'inquiétude qui le ronge.

Comment va-t-il convertir son peuple ? Cette question l'obsède depuis qu'il a reçu sa nomination. Il n'est guère savant et il le sait. Il est né en 1786 à Dardilly, près de Lyon, dans une famille pauvre et pieuse. Il a reçu les rudiments de son éducation religieuse auprès d'un prêtre réfractaire, au cœur de la tourmente révolutionnaire. Pour devenir prêtre, il lui a fallu l'intervention du premier vicaire général tant son niveau scolaire était médiocre. Heureusement, la main de Dieu m'accompagne, songe-t-il, et puisque je ne peux compter que sur la grâce, je n'ai qu'une chose à faire : prier pour que Dieu m'aide.

Il y a maintenant une semaine que l'abbé Vianney a pris possession de sa cure. Il n'est pas mécontent. Il s'attendait à pire tant on lui avait dit qu'on l'envoyait dans l'une des paroisses les plus crottées du diocèse. Pourtant, en cette année 1817, malgré le choc révolutionnaire, Ars n'a pas complètement perdu son âme, mais la tâche est immense. Fidèle à son intuition de départ, il passe des heures à prier devant le Saint-Sacrement. Prêtre, il est ministre du Christ. Et le Christ est là, présent dans son église. C'est lui qui lui donnera la force et le zèle de son apostolat. Aussi, avant toute autre chose, il lui faut se mettre à son service et écouter ses appels dans la prière.

D'autant qu'il ne se sent pas à la hauteur de ce ministère qu'il idéalise. Le prêtre n'est-il pas responsable des âmes qui lui sont confiées, n'est-il pas le signe de Dieu pour sa communauté ? Comment le pourrait-il, lui qui se croit déjà damné et que l'enfer obsède jour et nuit. Dans sa prière, il supplie Dieu de lui accorder la connaissance totale de sa « pauvre misère ». Et Dieu l'enseigne. « *J'ai connu ma misère, écrira-t-il, et j'ai été si accablé que je L'ai prié de diminuer la peine que j'éprouvais. Il m'a laissé assez de lumière sur mon néant pour me faire comprendre que je ne suis capable de rien.* »

De ce savoir naît un profond désespoir que seules sa fidélité et sa grande humilité vont réussir à vaincre. Comme toujours, c'est au pied du Saint-Sacrement que Jean-Marie puise son réconfort. « *Comment faire pour aimer le bon Dieu ? Ah ! mon ami, humilité, humilité... Je n'ai d'autre ressource que de me jeter au pied du tabernacle comme un petit chien au pied de son maître.* » Il décide de mener une vie d'une grande simplicité. Il mange de vieilles pommes de terre, se mortifie, dort mal et peu, donne ce qu'il possède. Mais ce qu'il donne à voir n'a rien de morbide. Ceux qui le côtoient parlent de lui comme d'une lumière, la lumière de Pâques. Et quand il s'agit de Dieu, il fait confectionner ou acheter des ornements et des objets liturgiques d'une grande beauté pour honorer le Créateur.

Mais le curé d'Ars ne reste pas prostré devant le Christ à gémir sur son sort. Il parcourt sa paroisse, va de fermes en fermes, interpelle ses ouailles avec une simplicité de langage qui les touche. Petit à

> On l'accuse d'avoir engrossé une fille.

petit, les villageois s'ouvrent à lui et l'écoutent. Il rend visite aux paysans qui travaillent aux champs. Sa sollicitude et son intérêt pour leurs travaux et pour leur vie les impressionnent. Amitié et confiance permettent à Jean Marie de prêcher à chacun d'eux la Bonne Nouvelle. La conversion est affaire de contagion, pense-t-il. Petit à petit, il y arrivera.

Il confie son ministère à la Vierge afin qu'elle l'aide à ramener sa paroisse à son Fils. En 1838, il dédiera son église à Marie Immaculée. Il instaure l'adoration perpétuelle. Au fil des mois, ses paroissiens sont plus nombreux à venir prier à l'église. Par curiosité d'abord, par dévotion bientôt. Les messes se remplissent. Pour lutter contre la misère et éviter des mœurs peu chrétiennes, il fonde un foyer pour les jeunes filles déshéritées, la Providence. Qu'importent les critiques de ses confrères, les railleries et les ragots ! On l'accuse d'avoir engrossé une fille, il fait comme si de rien n'était et offre ses peines au Seigneur. À quoi bon perdre son temps, il y tant d'âmes à sauver.

Et pour cela, Jean Marie Vianney ne connaît qu'un remède : le pardon même de Dieu. Des heures durant, il reçoit dans son confessionnal, écoute ses frères et leur donne ce que lui-même a reçu du Seigneur dans sa prière. Il veut remettre ses pénitents sur le chemin de la Vérité. Il les aime tant ses paroissiens. Il peut lui arriver de confesser pendant dix-huit heures d'affilée jusqu'à en tomber d'épuisement. À l'un d'eux qui s'étonne de le voir pleurer, il répond : « *Je pleure parce que vous ne pleurez pas.* » Il les engage à tout donner : leurs doutes, leurs faiblesses, leurs manques d'amour. Les incrédules s'agenouillent et les conversions se multiplient. L'amour rend son apostolat si simple...

— Et si Dieu n'existait pas, monsieur le curé ?

— *Je serais bien attrapé, mais je ne regretterais pas d'avoir cru en l'amour.*

À force de guérir les âmes, les corps se libèrent. Des miracles surviennent. Il les attribue à saint François Régis ou à sainte Philomène dont la petite église possède une relique... mais la piété populaire fait vite d'Ars et de son curé l'objet d'une dévotion. Ce culte l'embarrasse, lui qui ne souhaite que convertir ses paroissiens. Dès 1830, le village devient un lieu de pèlerinage où les fidèles viennent chercher la paix et la guérison. Dix ans plus tard, une diligence quotidienne transportera des pèlerins venus de Lyon pour être entendus en confession. Exténué, le curé d'Ars s'éteindra en 1859 et sera canonisé en 1925. Celui à qui on avait failli refuser les ordres est devenu le patron des prêtres. Sur le chemin de Dieu, une phrase peut résonner au cœur de chaque homme : « *Il y a en nous de quoi faire le bien.* »

SOURCES : J.-M. Vianney, LE CURÉ D'ARS : SA PENSÉE, SON CŒUR. A. Ramier, UN PRÊTRE POUR LE PEUPLE DE DIEU : LE CURÉ D'ARS, Paris, 1999. R. Charvin, MOI, JEAN-MARIE VIANNEY, CURÉ D'ARS, Paris, 1995. M. Moulin, PETITE VIE DE JEAN-MARIE VIANNEY, CURÉ D'ARS, Paris, 1990. J. Follain, SAINT JEAN-MARIE VIANNEY, CURÉ D'ARS, Fontfroide-le-Haut, 1987.

# LAENNEC

## UN STÉTHOSCOPE POUR VAINCRE
## LA TUBERCULOSE

**• 10
AOÛ •**

LA CHAPELLE PRESQUE DÉSERTE BAIGNE DANS L'OBSCURITÉ. UN HOMME EST À GENOUX DEVANT LE CRUCIFIX. Il lui semble entendre les poumons de l'homme en croix inspirer et expirer avec de plus en plus de difficultés, exercer leurs fonctions vitales avec de plus en plus de bruit et, dans la tête du médecin agenouillé, les râles du crucifié se confondent avec ceux des malades qu'il a perdus, faute de soins appropriés. Mais, à cet instant, c'est une prière d'action de grâces qui monte de ses lèvres. La découverte qu'il vient de faire va permettre aux médecins de mieux identifier les troubles pulmonaires et cardiaques des malades. Cet homme est René, Théophile, Hyacinthe Laennec, docteur en médecine. Il vient d'inventer le stéthoscope. En ce début de XIXe siècle, la tuberculose est un fléau qui décime des générations entières. Le petit instrument qu'il vient de concevoir va améliorer considérablement le diagnostic des médecins, leur permettre de mieux suivre l'évolution de la maladie, et donc de mieux la traiter.

La tuberculose est « la maladie » du XIXe siècle, même si elle n'est pas la seule. La syphilis, et la menace de dégénéres-cence de la race qu'elle engendre et la lèpre – que l'on songe à ce mouroir que fut l'île de Molokaï avant le père Damien – hantent les consciences. Les réflexes d'ex-clusion que ces maladies suscitent mar-quent les politiques sanitaires du siècle. Esquirol prescrit d'enfermer les aliénés dans des institutions spécialisées, Parent-Duchatelet conçoit un système de régle-mentation stricte des prostituées.

La tuberculose cependant est une figure à part. Partout, les gens meurent par dizai-nes de milliers, fauchés en pleine force, les poumons ravagés, l'organisme usé par le *Mycobacterium tuberculosis*. La littérature en témoigne abondamment. Zola explore les entrailles de l'épidémie dans *Germi-nal*, Dostoïevski la fixe en quelques por-traits inoubliables, ceux de l'alcoolique Marméladov (*Crime et Châtiment*), et d'Hippolyte (*L'Idiot*) en particulier. Alexandre Dumas fait de *La Dame aux camélias* la romantique héroïne du drame de ce siècle. Les sanatoriums ne sont en définitive que des mouroirs, et les cen-tres de thérapeutique par le travail ne donnent que des résultats médiocres. Dans la vie quotidienne du XIXe siècle, rien n'endigue la progression de l'épidémie. La misère et la promiscuité dans laquelle vivent de larges couches de la population n'arrangent rien. La maladie fait des ravages.

Laennec, né à Quimper en 1781, élevé dans une foi ardente, monte à Paris pour obtenir son diplôme de médecin, ce qu'il fait brillamment avant de travailler à l'hôpital Necker, dans le service des pulmonaires chroniques. En même temps, il ouvre un cabinet privé, devient un médecin à la mode et se fait rapidement une très belle clientèle. Voilà pour l'apparence. En réalité, la vie de Laennec se confond presque totalement avec le combat contre la tuberculose et sa forme la plus grave, la phtisie galopante. Au début du XIXᵉ siècle, la seule connaissance que l'on ait de la maladie provient de la dissection des cadavres. Les médecins ont ainsi acquis une très bonne connaissance de l'organisation histologique des lésions pulmonaires, en particulier du stade terminal, la phtisie.

Ils sont en revanche beaucoup plus démunis dans l'exercice quotidien de leur profession. Le seul examen clinique à leur disposition est la percussion des poumons, qui permet le repérage de « zones sourdes » (correspondant par exemple à une collection d'eau ou de matière phtisique) ou d'hypersonorités (provoquées par une dilatation excessive du tissu pulmonaire). C'est peu. En désespoir de cause, les cliniciens accumulent les notes, consignant par écrit les moindres signes relevés sur les malades.

*Ces poitrines ne sont pour lui que des tombeaux muets.*

En compagnie de son confrère et ami, le docteur Pierre Bell, Laennec noircit ainsi des dizaines de petits carnets.

Mais Bell diagnostique sur lui-même un stade avancé de phtisie. Découragé, Laennec se retire en Bretagne. Il n'en reviendra que pour assister son ami dans ses derniers instants. Comment lutter ? Où chercher ? Sur quoi s'appuyer ? Le médecin breton ressent durement son dénuement face à celle qu'il ne cesse d'appeler sa vieille ennemie. Comment ne pas douter devant une telle fatalité ? Il arrive souvent à Laennec de s'agenouiller simplement devant le crucifix, comme si le médecin, confronté jour après jour à son impuissance, éprouvait le besoin de communier avec la passion du Christ. Face à ces poitrines qui ne sont pour lui que des tombeaux muets, il n'a d'autre refuge qu'une prière silencieuse.

La solution vient par le plus grand des hasards. Un jour, Laennec interrompt sa promenade parisienne pour s'asseoir sur un banc. À deux pas de lui, quelques gamins jouent. Ils se livrent à un curieux manège. Ils ont posé une poutre de bois en équilibre sur un tonneau. Laennec les regarde distraitement. Tout à coup, quelque chose l'intrigue. Il se lève, s'approche et leur demande à quoi ils jouent. L'un d'eux l'invite à coller son oreille à une extrémité de la poutre. Laennec s'exécute. Aussitôt, un gamin commence à gratter l'autre extrémité avec son couteau. Et Laennec entend les bruits. C'est l'illumination.

Il rentre chez lui, se précipite sur un vieux carnet vierge, en arrache quelques pages, les enroule sur elles-mêmes pour en faire un tuyau, consolide ce dernier avec une ficelle. Le voici au chevet d'une malade. Fébrilement, il lui demande d'ouvrir sa robe de chambre et pose le tuyau de papier sur sa poitrine. Il lui demande d'inspirer, d'expirer, de tousser. Chaque fois, il écoute et entend. Des bruits différents. Tout un langage qu'il faut déchiffrer. Un monde inconnu. Le stéthoscope est né, et avec lui la clinique moderne. Grâce à lui, le médecin peut espérer avoir accès aux lésions du malade. La diversité des bruits, des râles, des souffles, des crépitements et autres sifflements transmis par le stéthoscope doit correspondre aux différents états pathologiques des poumons, telle est l'intuition profonde de Laennec. La mise en relation des lésions trouvées lors de la dissection et des signes auditifs révélés par le nouvel instrument rend intelligible par l'auscultation ce que l'on ne connaissait que par l'autopsie. D'autres que lui, suivant la voie qu'il avait tracée, mettront au point l'auscultation cardiaque. Désormais, c'est l'ensemble de la cage thoracique qui livre ses secrets. C'est que la découverte de Laennec est révolutionnaire. Grâce à elle, le médecin peut désormais diagnostiquer la tuberculose avec sûreté, isoler des pathologies pulmonaires qui n'ont rien à voir avec elle, suivre pas à pas les progrès de la phtisie dans l'organisme. Laennec voudrait répandre l'usage du stéthoscope mais il se heurte rapidement à une violente opposition. Comment faire la part de la jalousie, de l'étroitesse d'esprit, de l'intolérance, dans l'hostilité que manifestent tant de médecins pour la méthode stéthoscopique ? Emmenés par Broussais, breton comme lui, et figure de proue de la vie mondaine parisienne, ses collègues tournent Laennec en dérision. Il est même accusé de charlatanisme ! Son engagement catholique n'arrange rien, en un temps où l'athéisme scientifique croit pouvoir triompher des « vieilles superstitions ». Cette campagne de calomnies est d'autant plus incompréhensible que la découverte de Laennec est sans danger pour le malade. Le médecin de Quimper ne s'est jamais avancé sur le terrain de la thérapeutique de la phtisie. Sur ce point-là, il se satisfait bon gré mal gré de l'impuissance de son époque. En revanche, il se bat pour mettre au point une méthode de diagnostic fiable, et qui plus est non invasive pour le patient. Devant cette violence, Laennec se replie silencieusement sur son travail et ses recherches. Entouré de ses élèves, disciples, et compagnons de la première heure, il accumule les observations. Quelques diagnostics particulièrement brillants achèvent d'asseoir sa réputation, comme celui d'une pleurésie liquidienne chez une jeune femme que l'un de ses adversaires considérait comme présentant une phtisie en phase terminale. Ponctionnée à temps sous la seule responsabilité de Laennec, la jeune femme se rétablit.

> *La découverte de Laennec est révolutionnaire.*

Le débat devient public. Bientôt, il passe les frontières. On est pour ou contre l'auscultation. C'est dans l'Europe entière que l'on discute désormais de l'invention du médecin de Quimper. On le presse de commercialiser le stéthoscope, il persiste à vouloir d'abord mettre sa méthode au point. La fortune est à portée de main, il lui tourne le dos. Il a construit son instrument, il le perfectionne sans cesse, il découvre jour après jour ses possibilités dans le diagnostic des maladies pulmonaires. Il demeure inébranlable même face à ses proches. Son obstination est récompensée en 1819 : la première édition de son traité *De l'auscultation médiate* voit le jour.

Le contact quotidien avec des malades tuberculeux, des consultations interminables, un service à l'hôpital constamment exigeant, des dizaines de nuits passées à consulter ses notes dans la solitude, à les examiner à la lumière falote d'une bougie, à opérer des

> *Son tour est venu.*
> *Sa vieille ennemie*
> *frappe à sa porte.*

dizaines de rapprochements, à synthétiser ses observations pour dicter son livre ont épuisé Laennec qui se découvre une forme débutante de phtisie. Son tour est venu. Sa vieille ennemie frappe à la porte. Laennec sent qu'il s'éloigne progressivement du monde des vivants. Il se bat cependant. Après de longues hésitations, il épouse la comtesse d'Argoult, visiteuse de malades qui l'a fidèlement secondé pendant toutes les années de lutte. Il veut encore croire à la vie. Ses ennemis les plus farouches perdent pied devant l'évident succès de l'auscultation. Tandis que Laennec se bat contre la mort, la gloire arrive enfin. En 1822, il devient professeur au Collège de France et succède à Jean Nicolas des Marest à la clinique de la Charité à Paris et publie une nouvelle édition de son traité d'auscultation. Âgé d'à peine quarante-cinq ans, Laennec meurt le 13 août 1826 comme il a vécu, abandonné dans les bras de Dieu.

SOURCES : V. Kerneis, *LAENNEC*, Paris, 1981. *LAENNEC, INVENTEUR DE L'AUSCULTATION*. Catalogue officiel de l'exposition du bicentenaire (Quimper, Paris, Nantes, 1981), Quimper, 1981. S. Malard, *LAENNEC, GÉNIE FRANÇAIS*, 1960.

# PAULINE JARICOT

## *UNE MISSIONNAIRE EN ROBE DE SOIE*

**• 11 AOÛ •** DEUX ENFANTS ACCOUDÉS AU PARAPET D'UN PONT JETTENT DANS LE RHÔNE DES BRINDILLES DE BOIS enveloppées d'une fine étoffe. Nous sommes à Lyon, au début du XIXᵉ siècle. Ces bateaux improvisés sont si légers qu'ils pourraient bien traverser les mers et voguer jusqu'au bout du monde ! Pauline et Philéas espèrent bien les retrouver, le jour où ils accosteront sur les rivages exotiques de l'Orient... Car les deux enfants ne rêvent que d'une chose : partir en mission.

– Je serai apôtre, j'irai en Chine. Tant mieux si l'on me tue ! Maman dit que le sang des martyrs fait pousser les chrétiens, s'écrie Philéas en regardant son frêle esquif s'éloigner au gré du courant.

– Je te suivrai, renchérit sa petite sœur, les yeux brillants et la tête pleine d'actions héroïques.

– Oh, une fille ! Ça ne sait pas le latin, ça ne monte pas à cheval, sur les chameaux, les tigres, les crocodiles !...

– Tu n'auras qu'à m'attacher derrière toi sur ta bête, avec un gros ruban ! réplique Pauline d'un ton dépité.

On dirait que son frère la prend pour une poule mouillée, alors qu'elle se voit si bien franchissant avec lui des montagnes escarpées, affrontant sans crainte de cruels païens, évangélisant des peuplades à la langue incompréhensible. Cette condescendance, cette attitude vaguement dédaigneuse ne lui plaisent pas du tout.

Philéas balaie les rêves de Pauline :

– À quoi bon traverser les mers ? Tu prendras un râteau, tu ramasseras des tas d'or et tu me les enverras.

Pauline fait la moue, envahie par un violent sentiment d'injustice. C'est toujours comme cela. Fort de son autorité fraternelle, Philéas se réserve constamment le meilleur rôle. Ainsi, monsieur partirait seul à la découverte d'horizons magiques, sans scrupule ! Le jeune garçon s'aperçoit qu'il vient de froisser sa petite sœur, et la prend affectueusement par l'épaule.

– Tu sais, Pauline, tu seras au moins aussi importante que moi. C'est seulement dans les contes que les personnages n'ont jamais besoin d'argent. Un vrai missionnaire en chair et en os, il lui faut des sous pour vivre s'il veut convertir les gens ! » Et Pauline de sourire, rassérénée à l'idée de savoir qu'elle sera utile.

Nés dans une riche famille de soyeux lyonnais, les deux enfants ont un tempérament passionné. Leur curiosité est insatiable. L'éducation chrétienne qu'ils reçoivent les fait brûler du désir de se donner entièrement à Dieu, comme les grands saints dont ils découvrent les hauts faits avec émerveillement. Mais leur ardeur enfantine s'émousse quelque peu au fil des années. Tout compte fait, la vie mondaine a bien des charmes, se dit Pauline lorsqu'elle contemple son image dans le miroir avant de partir au bal. En songeant au nombre de cavaliers qui vont se bousculer pour lui demander une danse, elle ne peut s'empêcher de penser que son frère avait raison. À quoi bon traverser les mers, en effet ? Comment a-t-elle pu envisager d'aller mener une vie rude et dangereuse dans un pays hostile ? Pauline sourit, en examinant ses fossettes, dont on lui a souvent dit qu'elles étaient ravissantes, compliment avec lequel la jeune fille n'est pas loin d'être d'accord. Elle a dix-sept ans, le bonheur est à portée de main, et elle ne voit pas pourquoi elle le refuserait. Pauline n'est pas vraiment frivole. Juste un peu coquette...

Mais le dimanche suivant, elle entend un sermon de l'abbé Würtz sur la vanité. Piquée par cette homélie, Pauline rentre chez elle, jette un dernier coup d'œil à son miroir, et décide de changer radicalement de vie. Elle se débarrasse de ses bijoux et du surplus de son abondante garde-robe. Elle ferme à jamais ses chers livres romanesques, dont les histoires merveilleuses avaient subrepticement remplacé dans son esprit celles des héros chrétiens qui l'exal-

*Nombre de cavaliers vont se bousculer pour lui demander une danse.*

taient jadis, fait vœu de chasteté, et se dit résolue à servir le Seigneur toute sa vie.

L'occasion s'en présente dès 1818 quand son frère, séminariste à Paris, la sollicite pour aider financièrement les missionnaires. La somme de 87 francs par an suffirait à l'entretien d'un missionnaire catéchiste, qui à lui seul baptiserait une multitude de Chinois ! Pauline s'enflamme. Elle n'aura pas même besoin de ramasser des monceaux d'or avec un râteau. Parmi les ouvrières de son quartier, elle recrute des chrétiennes zélées qu'elle appelle fièrement son « bataillon sacré », et qui reçoivent pour mission de recueillir chaque semaine un sou autour d'elles. L'opération du « sou hebdomadaire » reste informelle. Sachant qu'il faut 20 sous pour faire 1 franc, ce sont des centaines de donateurs que doit trouver Pauline. Pour « ratisser » le plus largement possible, elle élabore le système de la collecte par dizaine : chaque personne qui donne un sou réunit 10 personnes autour d'elle, qui s'engagent à leur tour à donner un sou et qui elles-mêmes s'adressent à 10 autres personnes. Un chef de dizaine rassemble les collectes de 10 personnes, un autre, chef de centaine, reçoit les collectes de dix chefs de dizaines, et un chef recueille les collectes de 10 chefs de centaines. Le plan de Pauline fonctionne au-delà de toute espérance. Les ouvrières sont les premières à s'engager, et bientôt les dizaines se multiplient, tandis que les premières centaines se forment. Un réseau de prières et d'aumônes diffuse avec une efficacité incroyable l'esprit des Missions. Ce n'est plus un bataillon, c'est une véritable armée !

L'entreprise rencontre des oppositions virulentes à Lyon. L'on pince les lèvres en entendant parler de ces quêtes suspectes, et l'on accuse Pauline de lancer des œuvres non autorisées. Approuvée par le grand vicaire M. Courbon et soutenue par l'abbé Gourdiat, la jeune fille, qui n'a que vingt ans, est profondément affectée par cette méfiance, et il faut les exhortations de son frère pour la décider à persévérer : « *Continue, ainsi que Girodon* [un membre actif de la Congrégation] *de propager cette œuvre que Dieu a commencée par vos mains et qui est peut-être le grain de sénevé qui doit produire un grand arbre dont les rameaux bienfaisants couvriront de leur ombre toute la surface de la terre.* » En effet, l'Œuvre, réservée à l'origine aux Missions d'Asie, s'étend aux Missions d'Amérique.

> On accuse Pauline de lancer des œuvres non autorisées.

Devant l'ampleur du succès, un groupe de laïcs s'organise autour d'elle : l'association de la Propagation de la foi naît officiellement le 3 mai 1822. Pauline Jaricot est évincée de sa direction par un ecclésiastique peu scrupuleux, mais son action est totalement reconnue puisque le premier conseil de l'association reprend son plan, ses cadres et ses troupes. Celle qui rêvait jadis de partir avec son frère pour de folles équipées à dos de crocodile le long du fleuve Jaune est donc la véritable mère et fondatrice du mouvement.

À partir de cette date, Pauline reste dans l'ombre et se contente « de bien tenir sa centaine ». Elle n'a pas vingt-trois ans... Le reste de sa vie s'écoule dans les épreuves et l'humilité. Ruinée par un escroc qui a dilapidé la fortune familiale, elle s'éteint en 1862, dans la solitude, la maladie et la pauvreté, fidèle jusqu'au bout à son idéal de service et d'abandon à Dieu. Léon XIII déclarera à son sujet en 1881 : « *Par sa foi, sa confiance, sa force d'âme, sa douceur et l'acceptation de toutes les croix, elle se montra la vraie disciple de Jésus-Christ.* »

Quand à l'œuvre de la Propagation de la foi, elle s'accroît rapidement. Pour développer son organisation, Pie XI lui octroie le statut d'œuvre pontificale en 1922. Le siège situé à Lyon déménage à Rome, conformément au vœu de Pauline Jaricot qui voyait dans le pape le dispensateur des aumônes offertes par tous les fidèles. Le budget de l'œuvre de la Propagation de la foi devient le budget missionnaire de l'Église. Ayant pour tâche de promouvoir l'entraide spirituelle et matérielle entre les différentes Églises locales, l'œuvre est aujourd'hui implantée dans plus de cent pays.

SOURCES : *ANNALES DE L'ASSOCIATION DE LA PROPAGATION DE LA FOI* (1827). G. Naidenoff, *MARIE-PAULINE JARICOT : SI J'ÉTAIS VIVANTE DE MA PROPRE VIE*, Paris, 1986. D. Lathoud, *MARIE-PAULINE JARICOT : LE SECRET DES ORIGINES DE LA PROPAGATION DE LA FOI*, Paris, 1927. *ŒUVRE PONTIFICALE DE LA PROPAGATION DE LA FOI, CONSEIL SUPÉRIEUR GÉNÉRAL, COMMÉMORATION DE MARIE-PAULINE JARICOT, 75ᵉ ANNIVERSAIRE DE SA MORT, 1862-1937*, discours de son excellence Mgr Celso Costantini, Rome, 1937.

# ANNE-MARIE JAVOUHEY

## *LES NOIRS SERONT SES ENFANTS*

**• 12 AOÛ •**

RIEN N'EST PLUS PARLANT QUE SON PORTRAIT. TASSÉE PAR LES ANS, LE VISAGE ROND, l'œil vif, le sourcil épais, le nez busqué, la mâchoire large, le menton volontaire : assurément Anne-Marie Javouhey est une vraie Bourguignonne, avec un fond paysan, plein de solidité, de bon sens et de franchise. Et ce sourire ! Large, généreux, bienveillant, maternel, il dit toute la ronde bonhomie, toute la modestie, la piété fervente et le sens de la compassion de la fondatrice de la congrégation de Saint-Joseph de Cluny. *« Madame Javouhey ! Mais c'est un grand homme »*, s'était exclamé un jour le roi Louis-Philippe.

Elle est née le 10 novembre 1779 dans une ferme du hameau de Jallanges, près de Seurre, dans cette fertile et verdoyante plaine qui s'étend entre Saône et Doubs. Ses parents, de bons laboureurs de l'ancienne France, attachés au travail bien fait comme aux pratiques régulières de la vie chrétienne, ont dix enfants. Elle est la cinquième, après deux garçons et deux filles. Son père, Balthazar, fut autrefois maire du village voisin de Chamblanc, sa paroisse d'origine, où la famille revint

d'ailleurs se fixer. Dès l'enfance, Anne – que l'on surnomme Nanette – révèle sa nature gaie, pétillante, exubérante, espiègle même, mais animée d'une foi solide qui ira en se fortifiant. À seize ans – on est en pleine Révolution –, elle guide au péril de sa vie les prêtres réfractaires, venus de nuit célébrer la messe ou assister un mourant. Avec sang-froid, l'intrépide jeune fille, une lanterne à la main, les conduit par les chemins et les bois, les cache au besoin dans une armoire, tandis qu'elle détourne les recherches des « patriotes » en leur offrant à boire. Un jour, apprenant que l'on va piller le château de Chamblanc, déserté par son propriétaire, elle se précipite à la chapelle et parvient à sauver les vases et les ornements sacrés...

À mesure que le temps passe, elle se sent poussée vers la vie consacrée. Dans la nuit du 11 novembre 1798, le père Ballanche, ancien missionnaire diocésain, célèbre en secret la messe dans une grange appartenant au fils aîné des Javouhey. Anne vient de fêter ses dix-neuf ans. À la communion, on la voit s'avancer, vêtue de blanc, une couronne de fiancée sur la tête. Au grand étonnement de l'assistance, elle annonce son désir de devenir religieuse, au service des pauvres et des enfants. Le Seigneur, dira-t-elle plus tard sans trop s'appesantir, lui avait fait connaître sa vocation « *d'une manière extraordinaire* ».

Après différents essais, en octobre 1805, elle fonde à Chalon, avec trois de ses sœurs et cinq autres compagnes, un institut inspiré du tiers ordre de la Trappe, qui se place sous le patronage de saint Joseph. Les sœurs Javouhey prennent le voile le 12 mai 1807, ajoutant aux trois vœux habituels celui de se consacrer à l'éducation chrétienne de la jeunesse. Leur costume est très simple : robe bleue recouverte d'un scapulaire noir, guimpe blanche et voile noir. Le groupe essaime, et compte bientôt novices, professes, et postulantes en grand nombre. Il s'installe d'abord à Autun, puis au couvent des Récollets de Cluny, d'où le nom que prendra l'ordre. Des maisons d'éducation s'ouvrent en province et à Paris. Partout, on apprécie les méthodes pédagogiques très novatrices des religieuses.

Le succès est tel qu'en 1816 l'intendant de l'île Bourbon (aujourd'hui La Réunion) prie la jeune supérieure de lui envoyer quelques-unes de ses sœurs. La population, lui explique-t-il, composée de Blancs, de Noirs et de mulâtres, a grand besoin d'être éduquée selon ses principes. En entendant ces propos, Anne-Marie se souvient très précisément d'une vision qu'elle avait eue chez les sœurs de la Charité de Besançon : des petits enfants de couleur (elle ignorait

> *Des petits enfants de couleur l'appelaient « Ma chère mère ».*

alors qu'il en existât) qui l'appelaient « ma chère mère ». Et une voix lui avait dit : « *Ce sont les enfants que Dieu te donne. Je suis sainte Thérèse ; je serai la protectrice de ton ordre.* » C'est le trait de lumière : telle est la volonté du Seigneur ! Peu après, le vicomte Lainé, ministre de Louis XVIII, vient la confirmer dans sa conviction en lui proposant de s'occuper de l'éducation et du soin des enfants dans les colonies françaises.

Pendant l'été 1818, quelques sœurs partent pour l'île Bourbon, ouvrent une école à Saint-Paul, puis une autre à Saint-Denis. L'année suivante, la congrégation prend en charge l'hospice de Saint-Louis au Sénégal. La mère Javouhey rejoint cet établissement en mars 1822. Au cours de ce premier séjour africain, elle ne ménage pas sa peine. À la mission de Dagana, on la voit s'adonner aux travaux agricoles, dispenser aux Noirs des leçons de labourage et naturellement soigner les malades. Bientôt, le gouverneur anglais de Sainte-Marie de Gambie et de Sierra Leone fait appel à elle. Elle se rend sur place avec quelques religieuses et crée une nouvelle fondation. Mais les fièvres la saisissent. Elle en réchappe de peu. Quand on la ramène à Saint-Louis, en hamac, elle n'est plus que l'ombre d'elle-même. Mais son courage ne l'a pas quittée. On l'admire, on la réclame. En Europe, ses filles se sentent orphelines. « *Dites-moi, je vous prie, leur répond-elle, ferais-je en France le quart de ce que je fais dans ce pays ?*

*Serais-je digne de votre amitié si je ne remplissais pas mes devoirs aux dépens même de ma vie ?... Que j'aime l'Afrique ! Que je remercie le Bon Dieu de m'y avoir amenée. »* Elle revient, cependant.

L'apostolat des Noirs, leur émancipation enflamment ses pensées. En attendant, sa seule présence en France multiplie les vocations. Des maisons se sont établies à Senlis, Brie-Comte-Robert, Crépy-en-Valois. Après son retour, d'autres voient le jour à Rouen, Breteuil, Fontainebleau, Limoux, Brest, Alençon... Les religieuses ajoutent à leur vocation première le soin des aliénés. Toutes reconnaissent la rayonnante bonté, le dévouement, la charité de leur fondatrice. *« Rien n'est petit*, disait-elle, *de ce qu'on fait à Dieu !* » Mais elle ne veut pas de *« religieuses de paille »*, de *« femmelettes molles »*, de minaudières. Si une novice éprouve quelque répugnance à s'approcher d'une pauvre vieille couverte de plaies suppurantes, elle s'empare elle-même du tablier et pratique les soins qui conviennent. « Ce n'est pas plus difficile que cela ! » ajoute-t-elle en guise de leçon, avec un bon sourire. Et de la simplicité avant toute chose ! Quand elle rend visite à ses maisons, elle ne veut ni honneur, ni festin, ni décorum. Un jour, alors qu'elle passe à Chamblanc, ses amies d'autrefois, embarrassées, ne savent comment l'appeler : « Eh ! leur dit-elle, *c'est Nanette qu'il faut me nommer, ne suis-je pas toujours la même ? »*

En 1828, encouragée par le gouvernement, elle part pour la Guyane, avec trente-six sœurs et soixante-trois colons, laboureurs, ouvriers ou artisans. À Mana, le long de la rivière du même nom, il s'agit de créer, avec des esclaves noirs libérés, une véritable colonie chrétienne, un peu à la manière des jésuites du Paraguay. La révérende mère a l'œil à tout, s'occupant du défrichement, du tracé des rues, de la construction des maisons, des ateliers, de l'église, de l'asile pour lépreux. Elle n'hésite pas à sarcler elle-même, à planter du manioc ou des haricots en chantant des cantiques ! Sous le grand ciel bleu, les labours, les semailles et les moissons ! L'action n'empêche ni la prière ni l'oraison ! Le rapport de la commission pour l'abolition de l'esclavage, rédigé en 1835 par Lamartine, souligne le succès de son œuvre, au cœur des forêts lointaines.

En décembre 1835, avec l'appui de Louis-Philippe et de la famille royale, elle reçoit encore la mission d'encadrer, d'éduquer et de fixer plus de cinq cents esclaves, trouvés sur les négriers par la marine royale. La « chère mère », comme on l'appelle, conduit tout ce monde — parfois fort remuant — dans sa petite république, où elle les forme avec succès à la vie sociale, familiale et religieuse.

Les sœurs de Cluny s'établissent un peu partout outre-mer, en Guadeloupe, en Martinique, aux îles Marquises, à Tahiti, Pondichéry, Mayotte, Madagascar, en Haïti, tandis que les communautés françaises, notamment celle de Saint-Affrique, deviennent une

> *Elle ne veut pas de « religieuse de paille, de femmelette molle ».*

pépinière de jeunes missionnaires. Mais c'est l'émancipation des gens de couleur qui mobilise le plus la fondatrice. Quand, en 1848, l'abolition de l'esclavage est officiellement proclamée, les Noirs de Mana, pleins de reconnaissance pour son combat courageux, veulent même l'élire... député !

Pourtant à la « mère *Grand Madame* » rien ne fut épargné : la misère, la faim, la calomnie, les humiliations, la persécution, la haine des colons, une mutinerie sur son navire et même une tentative d'assassinat. Le clergé local alla jusqu'à lui refuser les sacrements. Elle déjoua un schisme à l'île Bourbon et surtout eut à résister à l'évêque d'Autun, qui cherchait à prendre le contrôle de l'Ordre. La pieuse femme, forte des consolations spirituelles qu'elle recevait, triompha de tout, tenant le gouvernail d'une main ferme. Elle mourut à Paris le 15 juillet 1851 et fut béatifiée par le pape Pie XII en 1950. Marquées par sa vigoureuse empreinte, 3 160 religieuses et novices, réparties en 415 maisons, œuvrent encore aujourd'hui aux quatre coins du monde...

SOURCES : C. Prudhomme, *HISTOIRE RELIGIEUSE DE LA RÉUNION*, Paris, 1984. A. Richomme, *ANNE-MARIE JAVOUHEY*, Paris, 1995. A. Merland, *ANNE-MARIE JAVOUHEY : AUDACE ET GÉNIE*, Paris, 1983. R. Berthier, *ANNE-MARIE JAVOUHEY ET LE JOURNAL D'UNE FEMME, APÔTRE DES TERRES LOINTAINES*, Paris, 1979.

# FRÉDÉRIC OZANAM

## *DES LAÏCS À L'ASSAUT DE LA MISÈRE*

• **13 AOÛ** •

LE SOIR DU MARDI 23 AVRIL 1833, ALORS QUE PREND FIN LE TRISTE HIVER PARISIEN, Félix Clavé, Jules Devaux, François Lallier, Paul Lamache, Auguste Le Taillandier et Frédéric Ozanam se rendent au siège du journal *La Tribune catholique*, rue du Petit-Bourbon-Saint-Sulpice. Ils sont accueillis par le directeur du journal, Emmanuel Bailly. C'est justement chez cet intellectuel engagé que toute l'histoire a commencé.

Emmanuel Bailly réunit régulièrement chez lui la conférence d'histoire, cercle de réflexion et de débat qu'il a créé. Lors de ces réunions, qui regroupent une quarantaine d'étudiants presque tous venus de province, on discute de philosophie, de littérature et d'histoire. Les incroyants y sont les bienvenus car leur présence favorise le débat d'idées. C'est ainsi qu'un soir d'avril 1833, un étudiant matérialiste avance cet argument à l'encontre du christianisme : si celui-ci a exercé une influence utile dans le passé, il n'a plus aucun rôle à jouer dans le monde moderne. Cette affirmation est un véritable défi pour Ozanam et ses amis.

C'est pour relever ce défi que les six jeunes gens arrivent, ce soir du 23 avril

1833, à *La Tribune catholique*. De la discussion animée qui se poursuivra jusque tard dans la nuit, va naître la Conférence de charité. Mais nul ne se doute alors que ce petit groupe d'amis deviendra la société de Saint-Vincent-de-Paul et inventera une nouvelle forme d'apostolat pour les laïcs. Cette invention devra beaucoup à l'action personnelle et à l'intuition prophétique de l'un des participants de cette soirée, Frédéric Ozanam, âgé tout juste de vingt ans.

Né à Milan le 23 avril 1813, alors que les guerres napoléoniennes ravagent la France, Frédéric Ozanam n'a guère de souvenirs de l'Italie. Ses parents, originaires de la Dombes, petit pays de Bourgogne, rentrent en France peu après sa naissance et s'installent à Lyon. C'est là qu'il passe sa jeunesse entouré de l'affection de son père, médecin à l'Hôtel-Dieu, et de celle de sa mère issue d'une riche famille de négociants en soie. Pendant ses études au Collège royal de Lyon, le jeune Frédéric, qui est élevé dans la tradition catholique, traverse une crise spirituelle sévère. Il n'a que quinze ans et les jeux ne l'amusent déjà plus. Tôt le matin, il s'échappe de la vaste demeure familiale pour rejoindre la solitude des berges du Rhône où il passe de longues heures à méditer. Le doute l'assaille et le laisse égaré, l'âme broyée. Heureusement, l'enseignement de son professeur de philosophie, l'abbé Noirot, homme d'une foi profonde, permet au jeune homme de surmonter ce douloureux moment d'abattement spirituel. La violence de cette crise a éprouvé la foi du jeune Frédéric. Il se passionne alors pour le débat religieux et se fixe un unique objectif : défendre la religion catholique.

Lorsque Ozanam arrive à Paris en 1831 pour poursuivre des études de droit et de lettres, il trouve à l'université un terrain d'action privilégié. Il a maintenant dix-huit ans. Mûri, sûr de lui, il n'hésite pas, avec quelques camarades, à contredire en pleine Sorbonne ses professeurs rationalistes hostiles à l'Église. Extrêmement actif, il devient, à partir de juin 1833, l'un des porte-parole des jeunes catholiques qui demandent à l'archevêque, Mgr de Quelen, de faire donner des conférences dans sa cathédrale. C'est d'ailleurs à la suite de ces démarches qu'en mai 1835 Henri Lacordaire, prêtre et ancien collaborateur de *L'Avenir* – journal qui, de 1830 à 1831 tendait à concilier le libéralisme politique avec le catholicisme –, sera invité à prêcher à Notre-Dame.

Mais nous n'en sommes pas là. Revenons à cette soirée de 1833. Pour relever le défi qui leur a été lancé. Ozanam et ses compagnons doivent maintenant prouver que le christianisme a bien un rôle à jouer,

> *Il devient l'un des porte-parole des jeunes catholiques.*

aujourd'hui encore, dans la construction d'une société juste et humaine. Auguste Le Taillandier a une idée : plutôt que de parler de charité, il faut la pratiquer, de manière concrète. Recommandés par Bailly, les jeunes gens vont demander conseil au curé de Saint-Étienne-du-Mont qui leur propose d'enseigner le catéchisme. Mais Ozanam et ses amis préfèrent une forme d'action moins intellectuelle. Ils optent donc pour la visite des pauvres à domicile. Une initiative quasi révolutionnaire à l'époque, en raison du cloisonnement des classes sociales. Leur projet bénéficie aussitôt du soutien d'une religieuse, fille de la Charité, sœur Rosalie Rendu. Cette « apôtre du quartier Mouffetard » les aide à accomplir les premières démarches pratiques. La Conférence de charité est prête à agir.

Fort modeste à ses débuts, la Conférence de charité compte dès 1833 une quinzaine de personnes. Sa création est une œuvre collective. Emmanuel Bailly, le premier président, a un rôle important. Mais c'est sous l'impulsion d'Ozanam que la société connaît un essor fulgurant. La personnalité rayonnante du jeune Lyonnais, qui ne cessera jusqu'à sa mort de s'intéresser aux pauvres, attire non seulement ses amis de jeunesse mais aussi de nombreux jeunes gens venus étudier dans les grands collèges parisiens et qui, une fois retournés dans leur province natale, fondent à leur tour des conférences de charité.

Dès l'automne 1834, la Conférence de charité, qui s'était placée au mois de février précédent sous le patronage de saint Vincent de Paul, rassemble une centaine de membres qu'il faut répartir en sections. Parallèlement, des « conférences », désormais cellules de base de la Société, sont créées en province : dès 1834 à Nîmes, par Léonce Curnier, un ami d'Ozanam, puis en 1836 à Lyon, par Ozanam lui-même, de retour dans sa ville. En 1835, un règlement est adopté. Des hommes d'âge mûr, des professeurs d'université, des intellectuels se joignent aux étudiants. À partir de 1842, des conférences sont fondées à l'étranger.

Outre son action propre, la nouvelle société noue des liens avec d'autres œuvres comme, par exemple, la société de Saint-François-Régis, créée en 1826 pour faciliter le mariage chrétien des couples vivant en concubinage. Mais la société de Saint-Vincent-de-Paul est aussi à l'origine de la création de diverses fondations dont notamment la congrégation des frères de Saint-Vincent-de-Paul, l'Œuvre des apprentis et la société de Saint-François-Xavier, toutes trois vouées à l'évangélisation des populations ouvrières. La Société est aussi au cœur d'un grand nombre d'initiatives qui cherchent toutes à apporter des remèdes aux divers maux engendrés par la révolution industrielle : aide matérielle aux plus pauvres, formation de la jeunesse, assistance spirituelle aux familles.

En 1843, âgé de trente ans, Ozanam devient l'un des vice-présidents généraux de la Société. Marié, père de famille, il est aussi professeur de littérature étrangère à la Sorbonne. Miné par la maladie, il consacre ses dernières forces à l'enseignement et à ses recherches sur l'Allemagne et l'Italie au Moyen Âge. À travers ses travaux, c'est toujours le même objectif que poursuit Ozanam : démontrer la vérité et la beauté du christianisme. En 1848, il écrit quelques articles pour l'*Ère nouvelle*, journal qu'il a fondé avec Lacordaire et Maret. Mais la maladie poursuit inexorablement ses ravages et Ozanam est contraint de cesser ses multiples activités. Il s'éteint le 8 septembre 1853, entouré de sa femme et de ses enfants. Il a tout juste quarante ans.

Un siècle et demi plus tard, en 1998, la société de Saint-Vincent-de-Paul compte 47 600 conférences et 880 000 membres, dans 132 pays. En béatifiant Frédéric Ozanam, le principal artisan de cette belle aventure, à Paris, lors des XXIIᵉ Journées mondiales de la jeunesse, Jean-Paul II propose aux jeunes catholiques l'exemple d'un étudiant, laïc, marié, père de famille, qui a su trouver un chemin de vie évangélique dans une société hostile, travaillée par les ruptures sociales, en quelque sorte, un grand frère à imiter.

SOURCES : J.-B. Duroselle, *LES DÉBUTS DU CATHOLICISME SOCIAL EN FRANCE 1822-1870*, Paris, 1951. A. Foucault, *LA CONFÉRENCE DE SAINT-VINCENT-DE-PAUL*, Paris, 1933. M. Vincent, *ANTOINE-FRÉDÉRIC OZANAM*, Paris, 1997. M. Des Rivières, *OZANAM*, Paris, 1997. L. Camus-Marzin, *FRÉDÉRIC OZANAM*, Paris, 1997.

# MONSIEUR DUPONT

## *LA VIE D'HUMILITÉ ET DE CHARITÉ*
## *D'UN ANCIEN MAGISTRAT*

• 14
AOÛ •

IL ARRIVA À TOURS UN JOUR DE JUIN 1834, AVEC SA MÈRE, SA FILLE HENRIETTE, ÂGÉE DE DIX-HUIT MOIS, ses trois domestiques de couleur, et installa ses malles dans une belle maison de la ville. C'était un homme mince, de haute taille, dans la force de l'âge, au front large, au long visage encadré de favoris, dont les grands yeux bleus laissaient voir un regard franc, à la fois grave et profond. Un sourire chaleureux tempérait ce que l'allure générale, empreinte de majesté, pouvait avoir de raide et d'un peu sévère. Avec tous, il était affable et d'une politesse exquise. Les curieux ne tardèrent pas à apprendre qu'il était un magistrat créole, répondant au nom de M. Dupont, propriétaire de belles plantations de canne à sucre en Martinique, et qui, à la suite de son récent veuvage, avait demandé son congé et décidé de s'installer en cette bonne ville de Tours.

C'était l'époque où, Louis-Philippe régnant, la bonne société tourangelle, voltairienne d'esprit, comme la majeure partie de la bourgeoisie française, se piquait d'incrédulité et se montrait fort critique à l'égard de l'Église et des cérémonies reli-

gieuses. La révolution de 1830 s'était traduite dans la région par une violente vague d'anticléricalisme. C'est à peine si les croyants osaient remplir publiquement leurs devoirs religieux. On laissait ces « pratiques superstitieuses » aux pauvres, aux esprits faibles ou aux femmes !

Or, tout de suite, le nouveau venu crée la surprise. Non seulement il se met à fréquenter assidûment les offices de la cathédrale, mais il témoigne aussi de sa foi avec une conviction pleine d'assurance et de modestie. Oui, il brûle d'amour pour le Seigneur, il aime l'Église, le pape et les évêques, envers lesquels il manifeste une déférente et filiale soumission ! Il communie presque chaque jour (fait exceptionnel à l'époque) et s'astreint même à réciter le bréviaire comme les prêtres. Le chanoine Janvier, qui sera son biographe, est alors jeune séminariste. Il est le témoin étonné de ce comportement inaccoutumé : « *Je n'oublierai jamais l'impression que la seule vue de M. Dupont produisait sur moi quand je le voyais servir la messe à quelqu'une des chapelles, ou tenir les cordons du dais aux processions du Saint-Sacrement. Tant de modestie, de piété, d'angélique ferveur dans un simple laïc, dans un homme de la haute société, m'apparaissaient comme un phéno-mène inouï. »*

Léon Papin-Dupont, dit Léon Dupont, est né le 23 janvier 1797 à la Martinique d'une famille de planteurs bretons, d'origine noble, et installée aux Antilles. Ayant perdu son père à six ans, il a été élevé par sa mère. À l'âge de vingt-trois ans, il rejoint la Congrégation, ensemble d'œuvres spirituelles et caritatives, alors fort active. Après avoir fait de brillantes études à la faculté de droit de Paris, il obtient un poste de conseiller au tribunal royal de Saint-Pierre. En 1827, à l'âge de trente ans, il épouse sa cousine Caroline d'Audiffredy, créole comme lui, qui lui donne une petite fille, Henriette, avant de disparaître l'année suivante, emportée par une « maladie de langueur ». Ce drame bouleverse sa vie. C'est alors qu'il revient en France et se fixe à Tours, où sa chère femme avait été élevée. L'année suivante, il donne sa démission de la magistrature, et dès lors vit de ses rentes. Le sacerdoce le tente un moment, mais il y renonce sur le conseil de son direc-teur spirituel, qui pense qu'il sera plus utile dans l'état séculier. Il demeure donc un simple laïc, mais un laïc agissant : vocation singulière à l'époque.

Le 22 juillet 1837, à la fête de sainte Marie-Madeleine, il ressent un appel plus pressant à la pénitence et à l'ascèse. Il renonce alors aux mondanités, aux réceptions et consacre désormais toute sa vie à Dieu. « *Il n'y a que Lui*, disait-il, *qui*

> *À trois ou quatre heures du matin, il commence sa journée.*

*puisse saisir notre cœur et captiver vraiment notre intérêt. »*

À trois ou quatre heures du matin, il commence sa journée par un grand moment de prière et de méditation, avant d'aller à la messe à la chapelle des Laza-ristes ou au carmel. De retour chez lui, il lit les Saintes Écri-tures (il a installé dans sa chambre, sur un grand lutrin, une ancienne bible in-folio). Il passe le reste de la matinée soit à lire la vie d'un saint ou un ouvrage apologétique, soit à correspondre avec ses amis, des journalistes catholiques, tel Louis Veuillot, ou des personnalités comme Mme Barat, fondatrice de la société des Dames du Sacré-Cœur, le père Eymard, fondateur des prêtres du Très-Saint-Sacrement, ou Dom Guéran-ger, abbé de Solesmes. L'après-midi, après un repas vite expédié, il s'occupe des pauvres, des malades ou des détenus de la prison de Tours, et enseigne aux illettrés. Le soir, quand sa mère et sa fille sont endormies, il récite son chapelet et fait de longues et silencieuses oraisons.

Les charités de M. Dupont, membre actif de la conférence Saint-Vincent-de-Paul, sont sans borne et ses aumônes innombrables. Il distribue aux pauvres argent et vêtements, ne gardant pour lui que le strict nécessaire. Il aide les orphe-linats, les patronages, les congrégations charitables. C'est lui, par exemple, qui permet l'installation à Tours des Petites Sœurs des Pauvres de Jeanne Jugan et assure en partie leur subsistance.

Il prend aussi l'habitude de faire des

pèlerinages dans les sanctuaires des environs d'abord, puis dans la France entière. Il se rend ainsi à La Salette, dont le message occupe une grande place dans sa piété. En 1847, il a le malheur de perdre sa fille, âgée de quinze ans, de la fièvre typhoïde. « *Dieu est partout*, dit-il à la pauvre enfant sur son lit de douleur, *tu seras devant lui dans le Ciel et tu le verras ; moi, ici-bas, je serai aussi avec lui, et par lui je serai avec toi.* » Et la mort étant venue, M. Dupont étouffe ses larmes, et récite le *Magnificat*.

Auteur de plusieurs ouvrages de piété, M. Dupont a donné à sa spiritualité une double orientation : la voie de l'enfance, douce, enfouie dans l'humilité, amour simple et confiant, et la voie de la réparation. Cette dernière prend au fil des années une importance primordiale. Il s'agit de « réparer » par la prière et les privations tout ce qui offense le Dieu d'amour et de tendresse, repoussé par les hommes : sacrilèges, blasphèmes, railleries, déchaînements antireligieux, profanations du dimanche, philosophie matérialiste...

*Des pèlerins viennent prier dans son salon.*

C'est dans cet esprit que M. Dupont, tout en ayant conscience de sa propre indignité, est à l'origine à Tours de plusieurs œuvres : l'association à la Gloire du Saint Nom de Dieu, la confrérie de Notre-Dame de Réconciliation, l'Adoration nocturne des hommes, l'association des Pauvres misérables, le Vestiaire de Saint-Martin. Il participe activement à la restauration du culte du grand évêque Martin.

Sous l'influence d'une petite Bretonne, Perrine Éluère, devenue carmélite sous le nom de sœur Marie de Saint-Pierre, et qui avait reçu des révélations privées, il crée en 1851 son œuvre principale, le culte de la Sainte-Face. Devant une reproduction du visage douloureux du Christ souffrant, installée dans son salon, des pèlerins viennent prier en esprit de réparation. Il existe ainsi une parenté spirituelle certaine entre la sœur Marie de Saint-Pierre, M. Dupont et sainte Thérèse de Lisieux qui se fit appeler sœur Thérèse de l'Enfant-Jésus et de la Sainte-Face.

Bientôt il prend l'habitude de faire sur la tête et les mains des malades des onctions d'huile prélevée à la lampe qui brûle en permanence devant la Sainte Face, reproduction du « Voile de Véronique », lui-même icône du saint suaire. Des grâces en grand nombre, des guérisons impressionnantes se produisent. Des plaies vives, des ulcères, des tumeurs cancéreuses, des cataractes disparaissent subitement.

Le pieux laïc n'en tire nul orgueil, attribuant tout à la gloire de Dieu. Et ce qui réjouit surtout son cœur, c'est le salut des âmes, les conversions, les retours vers le sacrement de pénitence. La dévotion réparatrice à la Sainte Face à un immense retentissement, attirant chaque année des milliers de pèlerins. Elle se propage hors des frontières, en Europe et jusqu'en Amérique.

Le 18 mars 1876, celui qu'on appelle le « saint homme de Tours » s'éteint à l'âge de soixante-dix-neuf ans. Une foule innombrable suit ses obsèques. Sa ville d'adoption conserve aujourd'hui encore son souvenir et le culte de la Sainte Face s'y poursuit fidèlement à son domicile, rue Bernard-Palissy, transformé en oratoire, sous l'égide d'un centre spirituel et d'une archiconfrérie canoniquement reconnue. Le 21 mars 1983 fut promulgué le décret reconnaissant l'héroïcité des vertus du serviteur de Dieu Léon Dupont, étape essentielle sur la voie de son éventuelle béatification.

SOURCES : L. Aubineau, LE SAINT HOMME DE TOURS, Tours, 1878. Abbé Pierre-Désiré Janvier, VIE DE MONSIEUR DUPONT, MORT À TOURS EN ODEUR DE SAINTETÉ LE 18 MARS 1876..., Tours, 1879. Chanoine L. Baudiment, M. DUPONT, « LE SAINT HOMME DE TOURS », 1797-1876, Genval, 1962. Chanoine A. Foucre, « Léon Papin-Dupont, portrait spirituel », in n° spécial des ANNALES DE LA SAINTE FACE, Tours, 1983.

# GRÉGOIRE XVI

## LA CONDAMNATION DE L'ESCLAVAGE

• **15 AOÛ** •

– MON PÈRE, MON PÈRE, C'EST UNE LETTRE... UNE LETTRE DE VOTRE SUPÉRIEUR !

Le père François s'excuse auprès de son hôte et sort de l'abri de branches qui jouxte l'église de la mission. Sitôt hors de l'ombre, il ne peut s'empêcher de s'éponger le front. L'atmosphère, rendue irrespirable par l'humidité de cet automne sénégalais, n'est pas beaucoup plus supportable à l'intérieur de sa « maison » qu'à l'extérieur, mais il a conservé de Marseille, sa ville natale, le réflexe d'associer soleil et chaleur.

Paul, le jeune garçon qui l'appelle à tue-tête depuis l'autre bout de la mission, l'aperçoit enfin et court vers lui.

– D'où arrives-tu ?

– De Dakar, mon père... J'ai une lettre de votre supérieur.

– Oui, c'est en effet ce qu'il me semble avoir entendu, répond le père François dans un sourire.

Il décachette aussitôt le pli et commence sa lecture en retournant dans ce qui lui sert de maison. Son compagnon, assis dans un coin de la grande salle, savoure le silence en contemplant la volute de fumée bleue qui s'échappe de sa pipe.

L'ecclésiastique achève sa lecture.

– Eh bien, voilà qui va sans doute clore notre longue conversation.

Le fumeur est un médecin français qui n'est arrivé dans la mission sénégalaise que depuis deux jours. Les compatriotes sont si rares dans cette région du Sénégal que les deux hommes ont passé presque tout leur temps dans cette salle en longues discussions sur un seul sujet : l'esclavage, qui s'est organisé depuis plusieurs siècles à quelques kilomètres de là, sur l'île de Gorée – d'où les marchands d'ébène embarquaient les malheureux vers les Amériques, et d'où revient justement le visiteur – un esclavage qui continue d'avoir cours, en cette année 1888, dans le Brésil portugais par exemple. Le médecin, en solide positiviste athée, déplore les silences de l'Église. Le prêtre lui affirme que l'Église condamne sans ambiguïté le commerce des êtres humains.

– Eh bien, cher docteur, mon supérieur me fait savoir que notre pape Léon XIII a écrit une lettre encyclique, intitulée *In plurimis*, dans laquelle il exhorte les évêques brésiliens à faire connaître sa condamnation de l'esclavage.

– Eh bien voilà, mon père, une bonne

nouvelle qui intervient fort à propos dans notre conversation... Mais une décision bien tardive, je le regrette.

Le père François soupire. Ainsi donc, son interlocuteur n'est pas encore fatigué de polémiques... Depuis deux jours, ils ont refait ensemble l'histoire des condamnations successives de l'esclavage. L'un reproche à l'Église d'avoir été plus souvent soucieuse sur ce sujet de transformer les consciences que les structures. L'autre rétorque que l'Église prêche, aux captifs comme à tout homme prétendu « libre », non pas d'abord une libération temporelle, mais bien celle du péché et de la mort, dans un monde marqué pour tous par la servitude depuis le péché originel et que son rôle est d'abord spirituel. Le médecin a beau jeu de rappeler qu'au Moyen Âge l'Église a admis la servitude pour les prisonniers dans le cas d'une guerre juste, et pour les infidèles. Mais le prêtre se récrie : au nom de la dignité de tout homme, l'Église ne s'est-elle pas élevée, périodiquement, contre les excès engendrés par l'esclavage ? Et au Moyen Âge justement, c'est l'action de l'Église qui a transformé les esclaves en serfs, puis les serfs en hommes libres.

– Et que dit au juste votre pape dans cette encyclique, mon père ? Convient-il enfin qu'il faut combattre la traite des Nègres comme les autres commerces humains ?

– Bien évidemment. Mais me voilà surpris, docteur... Dois-je comprendre qu'au moins, vous en êtes venu à admettre que sur l'esclavage des Indiens, notre Église ne saurait être soupçonnée d'ambiguïtés ?

– Disons que sur ce point, je veux bien m'en remettre, faute de vérifications approfondies, à votre argumentation.

Le prêtre savoure cette victoire. Il lui a fallu la remporter de haute lutte, en rappelant comment, aux XVIe et XVIIe siècles, l'action vigoureuse des papes et des souverains espagnols en faveur des droits des Indiens et l'institution de la congrégation *De propaganda fide* avaient combattu avec vigueur la logique de l'esclavage.

– Mais vous savez comme moi, mon père, que le problème de ce siècle est celui de la traite des Noirs, ici même, et que vous autres chrétiens et vos papes êtes singulièrement absents du mouvement abolitionniste.

– Convenez comme moi, docteur, qu'un mouvement né de la Révolution n'avait pas grande chance de séduire l'Église.

– La « gueuse », n'est-ce pas ?

– L'Église, qui ne dispose que de la force morale, a été plus constante dans ses condamnations que les États qui disposent des lois et les font varier au gré de leurs intérêts. Transformer les consciences est peut-être long, mais sans doute est-ce plus sûr.

*Depuis deux jours, ils ont refait ensemble l'histoire de l'esclavage.*

Tous les deux ont en tête l'histoire de l'abolitionnisme : la révolte des esclaves de Saint-Domingue, la Convention qui supprime l'esclavage dans toutes les colonies françaises en 1794, sous l'impulsion de l'abbé Grégoire, prêtre constitutionnel. Napoléon qui le rétablit en 1802. Le congrès de Vienne qui s'ouvre en 1814, alors qu'en Angleterre et dans les pays protestants de nombreux esprits militent pour l'abolition de la traite.

– Souvenez-vous que, profitant de la présence de toutes les puissances européennes au congrès de Vienne, le pape Pie VII a vigoureusement soutenu l'action des juristes du congrès, en faveur d'une abolition internationale de l'esclavage et de la traite négrière. J'ai d'ailleurs ici copie d'une lettre qu'il envoya au roi de France, et où il traite ces pratiques de « commerce ignoble », que « la religion désapprouve et maudit ».

– Une copie de lettre...
Je vois, mon cher père, que la question vous tient à cœur. Mais vous savez comme moi que l'appel à l'abolition lancé par le congrès de Vienne ne fut nulle part suivi d'effets. Et que les lois d'abolition qui le suivront un peu partout, tiennent plus aux insurrections d'esclaves et à nos libéraux athées qu'à vos encycliques.

– À qui faites-vous allusion ? À Victor Schoelcher ?

– Oui. C'est la République et Schoelcher qui ont obtenu en France l'abolition de 1848, vous devez l'admettre !

– Quant aux lois, je veux bien vous donner raison. Mais vous oubliez Grégoire XVI.

Le père François reprend sa démonstration passionnée. Celle qu'il développe

> *Le pape Pie VII a vigoureusement soutenu une abolition internationale de l'esclavage.*

depuis deux jours, celle qu'il répète à chacun de ses visiteurs scandalisés par le spectacle de l'île de Gorée et de ses sinistres embarcadères. Il évoque le rôle du futur pape Grégoire XVI lorsque, préfet de la congrégation *De propaganda fide*, il recueille dans son zèle missionnaire des dizaines de témoignages d'esclaves. Il explique comment, devenu pape, il écrit en 1839 sa célèbre encyclique *In supremo apostolatus fastigio*, dans le sillage de ces témoins et de ces martyrs qui lui ont décrit l'indicible.

– Quoi que vous en disiez, docteur, sa condamnation de la traite négrière est sans appel. Dois-je vous en rappeler les termes ? Il parle d'un « commerce inhumain, inique, pernicieux, dégradant ». Et en 1850, son successeur Pie IX insiste encore, en béatifiant Pierre Claver.

– Qui donc, mon père ? Nous ne nous sommes rencontrés que depuis deux jours, pardonnez-moi si je ne connais pas encore tous vos saints.

– Pierre Claver, un jésuite catalan. Il avait ajouté en 1622 à ses vœux de profès celui de servir Dieu sa vie durant dans la personne des esclaves. Cette béatification est un geste symbolique important vers l'Afrique, quoique vous puissiez railler...

La conversation s'émaille progressivement d'éclats, le ton monte. Le père François tente de convaincre son compatriote du rôle essentiel des missions africaines dans la lutte contre l'esclavage. Et, parmi tant d'autres, du rôle des Pères du Saint-

Esprit, la congrégation à laquelle il appartient... À eux comme à tous ceux qui, à cette époque, sillonnent l'Afrique, les papes ne cessent de rappeler : « *Partout où s'est largement répandu l'esprit de la charité fraternelle que Jésus-Christ nous a enseignée, il ne peut plus subsister ni servitude, ni cruauté, ni barbarie.* »

Un peu plus tard, Léon XIII donnera de nouveaux arguments au missionnaire. Il annoncera aux évêques du monde entier qu'il envoie le cardinal Lavigerie auprès des princes des grandes puissances européennes pour les persuader d'aller au bout de leur logique abolitionniste. Parallèlement, il instituera une quête annuelle, le jour de l'Épiphanie, en faveur des missions qui, comme celle du père François, travaillent à l'abolition de l'esclavage africain.

> *Un acte antiesclavagiste est enfin signé.*

En 1890 à Bruxelles, grâce à la force de persuasion du cardinal Lavigerie, les dernières résistances des gouvernements seront vaincues, et un acte antiesclavagiste enfin signé. Quelque cent ans plus tard, le 22 février 1992, un pape se rendra au Sénégal. Jean-Paul II évoquera en ces termes le « crime énorme » que stigmatisait déjà Pie II, en 1462, dans une lettre à un évêque missionnaire en partance pour la Guinée : « *Ils venaient de tous pays et, enchaînés, partant vers d'autres cieux, ils gardaient comme dernière image de l'Afrique natale la masse du rocher basaltique de Gorée. [...] Ces hommes, ces femmes et ces enfants ont été victimes d'un honteux commerce, auquel ont pris part des personnes baptisées mais qui n'ont pas vécu leur foi...* »

---

SOURCES : *IN SUPREMO APOSTOLATUS*. Victor Schoelcher, *ESCLAVAGE ET COLONISATION*. G. de Félice, *ÉMANCIPATION IMMÉDIATE ET COMPLÈTE DES ESCLAVES. APPEL AUX ABOLITIONNISTES*. F. Buxton, *DE LA TRAITE DES ESCLAVES EN AFRIQUE ET DES MOYENS D'Y REMÉDIER*. J.-Fr. Zorn, « L'étrange destin de l'abolition de l'esclavage », in *AUTRES TEMPS, CAHIERS DU CHRISTIANISME SOCIAL*, n° 22, 1989.

# JEAN-GABRIEL PERBOYRE
## LE CALVAIRE DE L'ÉGLISE CHINOISE

**• 16 AOÛ •**

– LES VOILÀ, MON DIEU !
– ILS NOUS ONT VUS... ILS ARRIVENT !
– VITE, VITE, GRIMPEZ AUX arbres ! Dissimulez-vous dans les buissons !

Hommes et femmes, pris de panique, cherchent une cachette : déjà, la troupe de l'empereur s'est détournée de la mission de Tcha-Yuen-Keou qu'elle a fini de saccager. Des hommes en armes s'approchent maintenant du bois où les chrétiens chinois ont pensé trouver un abri.

– Père... J'ai peur... On dit qu'ils sont terribles avec nous.

– Aie confiance, Tchang. Confiance.

Le jeune garçon implore des yeux l'homme menu, malingre, qui seul semble conserver un peu de sérénité. Jean-Gabriel Perboyre l'attire contre lui, comme pour faire de son corps une protection. Faible rempart, en vérité, songe le prêtre : n'est-ce pas son apparence physique maladive qui a failli l'empêcher de gagner la Chine ? N'est-ce pas de ce prétexte qu'usaient ses supérieurs lazaristes pour l'empêcher de venir ici trouver ce qu'il cherchait : la mission, le service des pauvres, et maintenant, il en est sûr, le martyre ?

– Où allons-nous nous cacher, père ?

L'enfant le ramène à la vérité du moment.

– Ne crois-tu pas qu'il est trop tard, Tchang ?

– Père, je ne résisterai pas sous leurs chevalets. Je ne veux pas renier Jésus.

Le martyre. En ce mois de septembre 1839, le lazariste se sent-il prêt, lui ? Lorsqu'il a abordé à Macao, voici quatre ans, il marchait sur les traces de son frère Louis, mort en mer en gagnant la Chine ; sur celles de son confrère François-Régis Clet, tué en 1820, et dont les reliques avaient été ramenées à Paris. L'avis d'un médecin, contre toute attente, avait fait fléchir ses supérieurs, qui voulaient faire de lui un professeur de séminaire, à Saint-Flour ou rue de Sèvres à Paris. Et il avait pu quitter la direction des novices de la congrégation. Sa prière avait été exaucée : « *Priez Dieu*, répétait-il, *que ma santé se fortifie et que je puisse aller en Chine afin d'y prêcher Jésus-Christ et de mourir pour lui.* »

Les hommes arrivent.

– Tchang, cache-toi sous ce buisson. Voilà. Rentre tes jambes, on les aperçoit encore.

La troupe saisit Jean-Gabriel Perboyre. Et vingt chrétiens avec lui. Tchang a échappé à leur chasse, caché sous son épineux. Au moment de l'arrestation, il a entendu le prêtre, qui l'a dissimulé, affirmer sans chercher de faux-fuyants : « *Je suis prêtre, je ne renoncerai jamais à ma foi.* » Maintenant, le silence retombe sur le bois. Tchang sort du buisson. Comme lui, deux ou trois autres ont pu échapper à la bande de soldats.

La traque va continuer, il le sait. Elle a commencé quelques semaines plus tôt, lorsqu'après une période de tolérance, la persécution a ressurgi, et avec elle les incendies, les pillages d'églises, les arrestations. Voilà plus d'un siècle que se succèdent ainsi rémissions et éruptions de violence... Pourtant, l'Église avait d'abord connu, deux siècles plus tôt, une expansion foudroyante et pacifique, sous l'impulsion des jésuites que les Portugais avaient emmenés dans leurs malles. Matteo Ricci, un italien, premier missionnaire à pénétrer en Chine (1583), avait séduit les mandarins et même l'empereur, par ses connaissances mathématiques et astronomiques. Dans sa foulée, les jésuites avaient adopté la langue chinoise, cherché des points de rencontre avec l'admirable civilisation locale, afin de présenter une théologie que l'on dira bien plus tard « inculturée ». Ricci avait adapté la liturgie aux coutumes chinoises, et le succès avait été tel que les convertis avaient afflué par centaines, et qu'en 1615 le pape Paul V avait autorisé la messe en chinois.

Mais les méthodes jésuites présen-taient dès le départ quelques ambiguïtés... La manière de Ricci fut attaquée, et d'abord sa terminologie : avait-il trouvé le terme chinois convenable pour nommer Dieu ? Les jésuites qui lui succédèrent dans l'empire du Milieu se scandalisèrent des aménagements que Ricci avait instaurés : adoption du costume et d'un nom chinois, discrétion dans l'exposition du crucifix en public, tolérance des taux d'emprunt usuraires, célébration des fêtes du calendrier traditionnel chinois... Ces dissensions internes inaugurèrent les difficultés. Si les jésuites, à l'instar du père Schall von Bell, conseiller impérial, gérèrent habilement l'arrivée au pouvoir de la dynastie mandchoue, qui succédait à celle des Ming, le contexte occidental leur devint en revanche défavorable. Le Portugal n'était plus seul à faire de la Chine une terre d'intérêts – et incidemment de missions. Les concurrents espagnols et français allaient jouer contre les jésuites « portugais », exploitant sans mal, tant elles étaient vives, les rivalités entre les ordres missionnaires : augustins, dominicains, franciscains, tous ligués en cette occasion contre la Compagnie de Jésus.

Bientôt, ce fut autour de la question des cultes rendus à Confucius et aux ancêtres que s'affrontèrent les uns et les autres. S'agissait-il, comme l'avait affirmé Ricci, de simples rites civils, auxquels les chrétiens pouvaient sacrifier sans renier leur foi ? Ou d'une véritable pratique religieuse, définitivement incompatible avec le christianisme,

*La traque va continuer, il le sait.*

ce que défendaient les nouveaux missionnaires, et singulièrement le dominicain Domingo Navarette qui s'emploierait à dénoncer les ambiguïtés des jésuites ? Sans cesse, les uns et les autres allaient faire appel au pape pour trancher la question. Innocent X en 1645 se rangea à l'avis de ceux qui vitupéraient contre les « idolâtries », Alexandre VII en 1656 privilégia au contraire la thèse des jésuites. Et tandis qu'à Pékin, ceux-ci obtenaient de l'empereur Kangxi qu'il promulgât un décret en faveur du christianisme (1692), la paix de la communauté, qui comptait désormais près d'un million de fidèles, était de jour en jour davantage menacée par la « Querelle des rites ». Lorsque finalement Clément XI, en 1704, interdit les rites chinois, ce fut la catastrophe. Kangxi, lisant la constitution *Ex illa die* (1715) qui confirmait les propos de 1704, « *reconnut que la religion chrétienne n'est pas meilleure que l'idolâtrie et que les religions inférieures des bouddhistes et des taoïstes* », y vit « *un non-sens absolu et inouï* ».

Et les persécutions commencèrent... Celle que Tchang vient de vivre, dissimulé sous son buisson, n'est que l'expression ponctuelle de ces exactions, de ces résurgences d'intolérance, récurrentes depuis un siècle que le christianisme est proscrit. Son père, le père de son père lui ont fait le récit des précédentes, et enfant il a souvent fui des églises en flammes. Le père Perboyre, pour rejoindre leur région du Juang-Xi voici

> *Tchang reste dissimulé sous son buisson.*

quatre ans, n'avait-il pas d'ailleurs été obligé de voyager à pied, de nuit ?

Comme lui, ils sont tous désormais réduits à la clandestinité, à la merci de tous. « *Nous sommes de moins en moins nombreux et de plus en plus misérables* », lui a dit un jour sa mère, découragée. Le pape Benoît XIV quand il confirmait solennellement par la bulle *Ex quo singulari* (1742) l'interdiction des rites adaptés aux traditions chinoises, ne s'adressait déjà plus qu'à une Église en déclin (200 000 à 300 000 fidèles), composée de pauvres gens, rongée par la misère qui s'étendait sur l'empire chinois en pleine expansion géographique... Alors que dire aujourd'hui ?

Tchang plonge de nouveau dans l'ombre, dans le silence. Seul, démuni, il va rester plusieurs mois sans nouvelles de sa communauté, ni de Jean-Gabriel Perboyre. Jusqu'à ce que le petit montagnard gagne la ville d'Outchangfou. Là, il rencontrera grâce à des frères chrétiens un lazariste chinois qui a reçu un message, transmis secrètement depuis la prison par le prêtre français. Là, Tchang aura une dernière occasion de le revoir, le vendredi 11 septembre 1840, le jour de son exécution.

La rumeur a couru la ville, le peuple se presse, hostile, dans un fracas de cymbales. Tchang devine le lazariste qui fend la foule, il aperçoit son corps marqué par la torture sous la robe rouge des condamnés ; les mains liées dans le dos serrent une perche au bout de laquelle se trouve une planchette portant la sentence.

Mais, non, Tchang ne rêve pas : le visage du prêtre, qui doit courir jusqu'au lieu du supplice, brille de joie. Il récite des prières. Comment le jeune Chinois comprendrait-il que cette exécution est l'achèvement tant désiré ? Que depuis son entrée à quinze ans au petit séminaire-collège de Montauban dirigé par l'un de ses oncles, prêtre de la Mission (lazariste), le désir de la mission a poussé Perboyre vers cette heure, au point qu'il lui a fallu se battre contre ses supérieurs pour partir ? À son arrivée à Macao, le 29 août 1835, n'écrivait-il pas : « *Je ne sais pas ce qui m'est réservé dans la carrière qui s'ouvre à moi ; sans doute bien des croix, c'est là le pain quotidien du missionnaire. Et que peut-on souhaiter de mieux, en prêchant un Dieu crucifié ?* »

> *On l'attache à un gibet en forme de croix, les pieds relevés à la hauteur des reins.*

Dans la foule déchaînée, peut-être alors Tchang devine-t-il un peu de la vérité du prêtre. Le temps s'étire. Cinq exécutions précèdent celle du lazariste. Quand vient son tour, on l'attache à un gibet en forme de croix, les pieds relevés en arrière à la hauteur des reins. Le bourreau lui passe la corde au cou, la serre à l'aide d'un bambou, laissant à trois reprises à la victime le temps de reprendre haleine. Enfin, elle s'effondre sans vie. Il est midi...

Tchang quitte la place. La dépouille de Jean-Gabriel Perboyre, rachetée par des chrétiens et inhumée en Chine, sera rapatriée plus tard à Paris. En 1889, Léon XIII proclamera le lazariste bienheureux et martyr. Le 2 juin 1996, il sera canonisé par Jean-Paul II.

---

SOURCES : T. Lyall, *PASSION POUR L'EXTRAORDINAIRE. MISSION À L'INTÉRIEUR DE LA CHINE, 1865-1965*, Thoune, 1965. J.-Y. Ducourneau, *UNE SEMENCE D'ÉTERNITÉ : SAINT JEAN-GABRIEL PERBOYRE : PRÊTRE DE LA MISSION, MARTYR, PREMIER SAINT DE CHINE*, Paris, 1996.

# Jeanne Jugan

## Quand les pauvres servent les pauvres

• 17
AOÛ •

UN VENT GLACÉ AGITE DE FORTES VAGUES L'ESTUAIRE DE LA RANCE, GIFLE DE SES EMBRUNS les vieilles pierres de la tour Solidor, s'engouffre en mugissant dans les rues désertes de Saint-Servan, s'infiltrant jusque sous les portes des masures sans feu, où des grappes de miséreux s'entassent sur des paillasses sordides. Anne Chauvin, veuve Haneau, est vieille, aveugle, à demi paralysée et dans le plus grand dénuement. Sa sœur, son seul soutien, vient d'être hospitalisée. Ce soir de la fin de décembre 1839, une femme, Jeanne Jugan, tire la pauvre veuve de son taudis, la conduit jusque chez elle, l'aide à monter l'escalier – on dit même qu'elle la porta sur son dos –, l'installe dans son propre lit et l'adopte « pour sa mère ». Elle a quarante-sept ans, et déjà, derrière elle, une vie bien remplie de labeur, de dévouement, d'austérité et de prière.

Née le 25 octobre 1792 dans une chaumière des environs de Cancale, sur la côte nord de la Bretagne, Jeanne est issue d'une famille de marins pauvres : un père matelot-vétéran, qui disparaît en mer quand elle a trois ans et demi, et une mère courageuse, chargée d'enfants, qui mène seule la maisonnée en faisant des ménages. Adolescente,

elle est placée comme aide-cuisinière dans un manoir voisin, puis aide-infirmière à l'hôpital du Rosais, à Saint-Servan, où elle reste six ans. La petite Jeanne est déjà animée d'une foi ardente. À dix-huit ans, elle éconduit un prétendant sérieux, un brave marin de Cancale : « *Dieu me veut pour Lui,* dit-elle avec gravité. *Il me garde pour une œuvre qui n'est pas connue, qui n'est pas encore fondée.* » L'œuvre, en effet, mettra un quart de siècle à germer avant d'éclore, mais elle sera magnifique... En attendant, Jeanne, qui a suivi avec ferveur les missions paroissiales, rejoint la Société des Enfants du Cœur de la Mère admirable, tiers ordre fondé au XVIIᵉ siècle par saint Jean Eudes, et fait vœu de chasteté.

Épuisée par son travail à l'hôpital, elle se fait engager comme servante par une pieuse paroissienne, Mlle Lecoq, qui devient son amie. Les deux femmes font le catéchisme et s'occupent des nécessiteux. Le port de Saint-Servan est l'une de ces cités bretonnes où convergent tous les indigents de la région, vagabonds ou chômeurs, jetés sur les routes par la famine. Sur une population de 9 000 âmes environ, plus du tiers sont des nécessiteux. Ni le bureau de bienfaisance ni l'hôpital ne peuvent répondre à leur détresse.

En 1835, après la mort de sa bonne patronne, Jeanne gagne sa vie en faisant de petits travaux à la journée chez les familles fortunées de la ville : ménage, lessive, garde de malades. Avec l'une de ses amies, ancienne servante de prêtre, Françoise Aubert, dite Fanchon, qui a hérité d'une petite rente, elle loue deux chambres assorties d'un débarras sous les combles, au second étage d'une maison de la rue du Centre. En 1838, une jeune orpheline, Virginie Trédaniel, vient les rejoindre, recommandée par un conseiller municipal. Malgré leur différence d'âge – Françoise a 72 ans, Jeanne 46 et Virginie 17 –, les trois femmes mènent une vie commune régulière, rythmée par la prière, l'entraide et le service des pauvres. Françoise file, Jeanne fait ses ménages et Virginie devient couturière.

Cette vie dure jusqu'à ce soir de décembre 1839 où les trois femmes décident d'accueillir sous leur toit la veuve Haneau. Peu après, elles prennent en charge une vieille servante infirme, Isabelle Coeuru, et c'est au tour de Virginie de céder son lit et de monter au grenier. Bientôt, une jeune fille, Marie Jamet, qui aide sa mère à tenir un commerce, vient rejoindre le petit groupe. Celui-ci se dote d'une règle calquée sur celle des tertiaires eudistes : prière, exercices spirituels, abandon à la Providence, service des pauvres et des vieillards. Jeanne et ses compagnes fondent leur association le 15 octobre 1840. Un vicaire de Saint-Servan, l'abbé Le Pailleur, attentif à la souffrance des miséreux, encourage cette initiative. Madeleine Bourges, ouvrière de vingt-sept ans, rejoint le groupe, d'abord comme malade, puis comme membre actif. La maison étant pleine, les associées louent alors la salle d'un ancien cabaret (le « Grand En Bas »), où elles peuvent installer douze lits pour leurs vieilles.

Il faut maintenant trouver l'argent qui permettra de subvenir aux besoins de la petite communauté et de ses pensionnaires. Encouragée par des frères de Saint-Jean-de-Dieu, qui ont installé une communauté à Dinan, Jeanne choisit de quêter. Elle accepte tout : argent, quignons de pain, restes de repas, vieux vêtements...

*Un jour, un homme irascible la gifle.*

La voilà donc avec sa grande cape à large capuchon, ses sabots et son panier, qui arpente les rues de Saint-Servan, frappe aux portes, avec humilité mais ténacité. Elle n'est pas toujours bien accueillie. Un jour même un homme irascible la gifle : « *Merci*, répond-elle, *cela, c'est pour moi ; maintenant donnez-moi pour mes pauvres, s'il vous plaît.* » Et il donne. Il est difficile de résister à Jeanne Jugan !

Le « Grand En Bas » se révèle rapidement trop étroit. La générosité des habitants de Saint-Servan et Saint-Malo permet d'acquérir une partie de l'ancien couvent des Filles de la Croix. En novembre 1842, cette résidence compte déjà vingt-six pensionnaires. L'année suivante, des hommes et même des enfants abandonnés sont accueillis par Jeanne et ses compagnes qui font leurs vœux d'obéissance, définissent un costume très simple et élisent une supérieure, Jeanne Jugan, naturellement.

À partir de ce moment, l'ordre essaime prodigieusement. Sous l'impulsion de Jeanne, des maisons sont fondées à Rennes, à Dinan, Tours, Angers. D'autres ouvrent à Bordeaux, Rouen, Paris, en Angleterre, en Belgique, en Espagne, en Amérique, en Afrique du Nord... Les postulantes affluent par centaines. En 1854, la congrégation qui a pris le nom de « Petites Sœurs des pauvres » est approuvée par le pape. En France, le décret impérial d'autorisation est signé en janvier 1856. Enfin, en mars 1879, Léon XIII sanctionne par un décret d'approbation les constitutions de l'ordre.

Pour les disciples de Jeanne, il ne s'agit pas de secourir les miséreux par simple philanthropie ou idéal humanitaire, mais bien, comme l'indique leur règle, dans le but de « *communier à la béatitude de la pauvreté acheminant vers le dépouillement total qui livre une âme à Dieu* ». Exigence radicale qui mène au mystère du Christ rédempteur ! Jeanne, devenue sœur Marie de la Croix, participe aux exercices de piété, oraison, messe, communion fréquente, chemin de croix, méditation du Rosaire...

En décembre 1843, Jeanne est, sans aucune justification, destituée de ses fonctions de supérieure par l'abbé Le Pailleur, qui s'est institué le protecteur de la communauté. On la cantonne dans le rôle de quêteuse et de créatrice de nouveaux centres en province. Avide de notoriété, poussé par un ahurissant délire de vanité, l'abbé fait croire, en allant même jusqu'à falsifier des documents et des témoignages, qu'il est le vrai fondateur de l'ordre ! À partir de 1852, Jeanne est totalement mise à l'écart, condamnée à vivre parmi les novices. Elle aurait pu rétablir la vérité, mais accepte tout, sans plainte. « *Soyez petites, bien petites !* recommandait-elle aux novices. *Gardez l'esprit d'humilité et de simplicité. Seuls les petits plaisent à Dieu !* »

Elle meurt après vingt-sept ans de silence, à la fin d'août 1870 à La Tour Saint-Joseph, à Saint-Pern (Ille-et-Vilaine), devenue la maison mère de l'ordre. Le mensonge et l'usurpation de l'abbé ne seront révélés qu'après sa mort. Le 3 octobre 1982, le pape Jean-Paul II proclame bienheureuse la vénérable Jeanne Jugan, la « *pauvre chercheuse de pain* » comme elle s'appelait elle-même, pauvre parmi les pauvres, mais, de ce fait, riche, infiniment riche de l'amour infini de Dieu. « *Si nous savions la richesse que nous possédons*, disait-elle à ses sœurs, *comme nous aimerions nos habits pauvres, raccommodés, notre pauvre nourriture !* »

> *Il ne s'agit pas de secourir les miséreux par simple philanthropie.*

SOURCES : F. Trochu, *JEANNE JUGAN*, Archives des Petites Sœurs des pauvres, 1961. G.-M. Garonne, *CE QUE CROYAIT JEANNE JUGAN*, Paris, 1974. J.-B. Duroselle, *LES DÉBUTS DU CATHOLICISME SOCIAL EN FRANCE 1822-1870*, Paris, 1951.

# THÉODORE ET ALPHONSE RATISBONNE

## *QUAND DEUX FILS D'ABRAHAM SE RÉCONCILIENT DANS LE CHRIST*

**• 18 AOÛ •**

« *L'OBSCURITÉ ÉTAIT GRANDE ; MAIS LA LUMIÈRE DE LA GRÂCE TRIOMPHE. LE NOM DE JÉSUS SORTIT DE MON CŒUR comme un cri de détresse.* » Théodore Ratisbonne relit cette phrase qu'il a écrite au lendemain de sa conversion. Il se souvient encore de cette chambre dans une hôtellerie suisse et de cette maladie qu'il avait crue mortelle. Il était écartelé entre le désir de prier le Dieu de Jésus-Christ et la crainte de trahir le Dieu de ses pères, le Dieu d'Abraham, d'Isaac et de Jacob. Il avait peur mais du plus profond de lui, le nom du Sauveur avait surgi, cri poussé par l'Esprit qu'il ne pouvait plus retenir.

« Aujourd'hui je suis prêtre et le plus heureux des hommes. Mais combien d'années ont passé ! » Le père Ratisbonne repose sur son bureau le vieux cahier dans lequel il avait pris quelques notes. Quinze ans déjà qu'il a découvert le Christ et demandé le baptême. Il glisse la main dans sa poche pour sentir, une fois encore, la lettre qu'on lui a apportée ce matin et qu'il n'a guère lâchée depuis. Une lettre de Rome. « Pour la première fois depuis quinze ans, pour la première fois depuis

ma conversion, se répète-t-il, et quelle nouvelle ! » Enfin, il pleure, brisé de bonheur et d'émotion. Il pense à cette dispute terrible qui a hanté ses nuits et nourri sa prière... et voilà qu'il tient dans sa main une lettre de son frère. La seule si on excepte le faire-part de ses fiançailles, unique concession faite aux convenances en quinze années de long silence.

Et le contenu de la lettre lui arrache encore des larmes de joie. Son frère est chrétien, son frère Alphonse qui ne lui avait jamais pardonné d'avoir « trahi ses pères » en devenant chrétien a été saisi par le Dieu de Jésus-Christ à Rome alors qu'il visitait une église lors d'un voyage de plaisance. Pas une conversion lente, fruit d'une longue recherche et d'un profond combat, mais un miracle brutal, violent, inespéré.

Théodore compare leurs deux cheminements, les deux cheminements de deux frères juifs. Le sien avait été douloureux. Il se revoit encore invoquer le divin pour qu'il lui réponde. « *Ô Dieu, si vraiment tu existes, fais-moi connaître la vérité, et je te jure de lui consacrer ma vie.* » Désespéré par la mort de sa mère, il avait arrêté ses études de finances à Paris. Fils d'une grande famille de banquiers de Strasbourg, il était retourné auprès de son père et avait entamé la recherche de « *ce mystère caché qu'il pressentait vaguement* ». De la franc-maçonnerie à la lecture des grands penseurs comme Rousseau, Voltaire, Volney et Bolingbroke, de ses études de droit à la philosophie que lui enseigne Louis Bautain, sa quête l'avait mené à « *ces rudes combats qu'il avait eus à livrer à ses préjugés, à ses souvenirs d'enfance, à l'attachement instinctif qu'il portait à cette chose confuse qu'il appelait la religion de ses Pères* ».

C'est le Christ lui-même qui avait mis fin à cette tension en lui plaçant son nom sur les lèvres. Mais il sentait bien que déjà les cours de Louis Bautain l'avaient amené progressivement à choisir Jésus-Christ. Il se rappelle ces heures passées à écouter cet enseignement consacré « *aux mystères de l'homme et de la nature et [au] développement de cette vérité universelle que le maître puisait dans la source vivante des Saintes Écritures, d'où sa parole tirait force, vertu et puissance* ».

Il avait demandé le baptême et l'avait reçu le samedi saint 14 avril 1827 dans la plus grande discrétion. Sa famille avait pourtant fini par se douter de sa conversion et avait très mal pris la chose. S'il avait pu se réconcilier avec son père assez rapidement, son frère Alphonse, lui, avait décidé de ne plus lui adresser la parole. Et voilà que ce même Alphonse qui semblait n'avoir jamais été troublé par la moindre question se convertissait en un instant.

> *Sa famille avait très mal pris la chose.*

Théodore relit une fois de plus la lettre qu'il tient entre les mains.

« *Mon très cher frère,*

*Dieu a voulu que toute ma vie jusqu'à l'instant de ma conversion, ne fût qu'une série d'actes antichrétiens ; Dieu a voulu que je fusse dans un concours de circonstances telles qu'il est impossible à qui que ce puisse être d'expliquer ma conversion subite autrement que par une force divine, par un miracle. [...] À Dieu, mon bienheureux frère ; je t'ai causé bien du chagrin, pardonne à ton frère en Jésus.* »

Signé Marie-Alphonse. Marie car c'est la Vierge qui est apparue à Alphonse ce 20 janvier 1842 dans la chapelle de l'Ange Gardien de l'église Saint-André del Fratte après que, dans la nuit, la croix lui fut apparue. C'est ce que Théodore découvre en lisant le récit de Théodore de Bussière qui est joint à la lettre. Il accompagnait son frère dans cette église ce jour-là et il rapporte l'apparition dans les termes dont Alphonse lui-même a usé devant le père de Villefort que M. de Bussière l'a emmené voir juste après l'événement.

« *J'étais depuis un instant dans l'église lorsque tout d'un coup, je me suis senti saisi d'un trouble inexprimable ; j'ai levé les yeux, tout l'édifice avait disparu à mes regards. Une seule chapelle avait pour ainsi dire concentré la lumière, et au milieu de ce rayonnement parut debout, sur l'autel, grande, brillante, pleine de majesté et de douceur, la Vierge Marie, telle qu'elle est sur ma médaille ; elle m'a fait signe de la main de m'agenouiller, une force irrésistible m'a poussé vers elle, la*

*Vierge a semblé me dire : "C'est bien !" Elle ne m'a point parlé, mais j'ai tout compris.* »

Marie, le Fiat d'Israël, Notre-Dame de Sion. Théodore sait depuis longtemps que pour lui, fils d'Israël, Marie est une figure unique du peuple juif. Elle est celle qui, avec Joseph, accueille le Messie. La vision de son frère, converti par son intervention même, est pour lui un signe. « *Mais ce qui me touchait le plus, c'est la vive éclaircie qui se projetait sur la grande question des juifs. L'intervention visible de la Sainte Vierge [...] me paraissait comme un présage de l'accomplissement prochain des promesses de grandes miséricordes concernant le peuple d'Israël, promesses consignées dans les livres sacrés de l'Ancien et du Nouveau Testament.* »

> Il reçoit la bénédiction de Grégoire XVI.

Théodore en est désormais sûr. Dieu l'appelle à œuvrer pour la conversion des juifs à son Fils Jésus-Christ. Il est ému et fatigué, mais tellement heureux. Dès demain il se mettra à réfléchir aux démarches à entreprendre pour servir au mieux l'œuvre que Dieu lui confie. Une chose est certaine, celle-ci appartiendra à la Sainte Vierge, pense-t-il. Mais pour l'instant il ne songe qu'à rendre grâce encore pour ce don.

Très vite le père Théodore Ratisbonne fondera l'œuvre de Sion. En pèlerinage sur le lieu de la conversion de son frère en juin 1842, il reçoit la bénédiction de Grégoire XVI « *pour l'investir d'une plénitude de grâces correspondant à l'apostolat qu'il lui confère* ». Avec Sophie Stouhlen et Louise Weywada qu'il avait connues à Strasbourg, il fonde une œuvre pour éduquer chrétiennement les fillettes juives que leur famille lui envoie. Bientôt, des familles chrétiennes souhaitent que leurs enfants soient eux aussi accueillis. L'œuvre tente d'instaurer un dialogue respectueux des traditions, fortement marqué par la lecture et l'étude de la Bible. Le 30 mai 1846 aura lieu la première consécration de l'Œuvre de Notre-Dame-de-Sion dont la caractéristique est l'amour que Jésus avait pour les juifs. Avec la déclaration *Nostra Ætate* de Vatican II, l'Église reprendra l'intuition de Théodore Ratisbonne et redonnera un nouveau souffle aux sœurs et aux pères de Sion : « *En scrutant le mystère de l'Église, le concile se souvient du lien qui unit spirituellement le peuple du Nouveau Testament à la descendance d'Abraham. Puisque le patrimoine spirituel commun aux chrétiens et aux juifs est si grand, le concile veut encourager et recommander entre eux la connaissance et l'estime mutuelles qui naîtront surtout d'études bibliques et théologiques et de rencontres fraternelles.* »

SOURCES : Théodore Ratisbonne, *ITINÉRAIRE À LA LUMIÈRE DE LA PAROLE* et *MES SOUVENIRS*. R. Laurentin, *ALPHONSE RATISBONNE, VIE AUTHENTIQUE*. S. Marie Carmelle, *L'ÉVÉNEMENT DU 20 JANVIER 1842 ET MARIE-ALPHONSE RATISBONNE*, N.-D. de Sion. P.-R. Gaussin, *LE MONDE DES RELIGIEUX, DES ORIGINES AU TEMPS PRÉSENT*, Paris, 1988. S. Marie Carmelle, *THÉODORE RATISBONNE, ITINÉRAIRE À LA LUMIÈRE DE LA PAROLE*, N.-D. de Sion, 1984.

# MONSEIGNEUR DOUARRE

## *L'ÉVÊQUE DES CANNIBALES*

• 19
AOÛ •

« DESCENDS DE LÀ, CHENA-PAN ! » LANCE L'OUVRIER EN VOYANT LE PETIT GUIL-LAUME DOUARRE à califour-chon sur l'une des poutres de bois du mou-lin à papier où travaille son père. Le jeune garçon a douze ans, des rêves plein la tête, et se prend pour don Quichotte. La belle affaire ! L'exercice est dangereux et for-mellement interdit. Mais à peine l'ouvrier a-t-il le dos tourné que Guillaume se hisse sur son cheval de bois qui tangue tout près des rouages et entraîne la sombre mécani-que dans son bain de boue. Cette grosse horloge le fascine, tant elle ressemble à la gueule d'un ogre. Le jeune irréductible s'en rapproche, pour voir. Il perd pied, glisse et tombe. La machine infernale va le broyer. L'enfant dans un éclair demande à la Vierge de le sauver, et fait le vœu d'aller aux Missions. Le moulin s'arrête. Guillaume Douarre n'a plus qu'à tenir sa promesse...

Le jeune Auvergnat est né en 1810 dans une famille de montagnards robustes qui ont pour principe de mettre du cœur à l'ouvrage. Ordonné prêtre en 1834, il rejoint la congrégation des Pères maristes en 1842, et reçoit la même année le titre d'évêque d'Amata. Le 3 mai 1843, il s'embarque à Toulon pour la Nouvelle-Calédonie en compagnie des pères Rou-daire et Rougeyron, et des frères Marmoi-ton et Taragnat, quatre solides Auvergnats de sa trempe, à la bonté désarmante, et dont la foi pourrait déplacer des mon-tagnes.

Après six longs mois de traversée, la terre promise est enfin en vue. Le 19 décem-bre 1843, Mgr Douarre consigne dans son journal : « *Je vois dans le lointain, de hautes montagnes ayant leurs chapeaux comme le Puy de Dôme...* » Les Canaques qui vien-nent à leur rencontre ont une pagaie dans une main, une massue dans l'autre, une fronde autour du cou et une giberne de cailloux autour de la taille. Malgré cette apparence peu hospitalière, ils sont plus circonspects que mal intentionnés. Devant les signes amicaux que leur dis-pensent les arrivants, ils s'enhardissent rapidement, au point de les tâter de tou-tes parts en claquant les dents de joie, ce qui n'est guère fait pour rassurer les mis-sionnaires. « Euh... Nos nouveaux amis sont cannibales à leurs heures, si je ne m'abuse ? » demande l'un des frères à ses compagnons avec un large sourire quelque peu crispé. « Je l'ai entendu dire, effectivement, mais il ne faut jamais se fier aux bruits qui courent », répond son voisin avec un sang-froid remarquable, en regardant avec anxiété l'un de leurs hôtes renifler son chapelet. Avant de débarquer, le père Rougeyron avait écrit dans un élan d'enthousiasme : « *Je n'ai pas encore vu de pays qui me rappelât si bien l'Auvergne...* ». Vue de la mer, il est vrai que cette nature luxuriante baignée d'une chaude lumière avait de quoi réjouir le cœur des passagers fatigués par une interminable traversée. Mais tout compte fait, une fois à terre, le prêtre nuance cette comparaison avec son cher pays natal : « *Nous étions les bêtes curieuses du pays. Bêtes curieuses ou gibiers ?* »

Bientôt, Mgr Douarre célèbre la première messe de Noël qu'ait jamais entendue le village de Mahamate. La population indigène et son chef Païma se sont regroupés sur la plage sous un gigantesque banian, dont les racines proéminentes forment un autel naturel. Les répons de l'assemblée sont encore hésitants, mais l'évêque écoute avec joie les voix de ses nouvelles ouailles se mêler au bruit des vagues et au chant des oiseaux. Les choses commencent bien.

La première année est consacrée à l'installation de la mission. Les prêtres se font tour à tour charpentiers, chasseurs, pêcheurs, éleveurs et paysans. Entre deux coups de bêche, il leur faut aussi apprendre la langue indigène pour pouvoir prêcher la Bonne Parole à leurs hôtes qui, malgré les ressemblances de leur pays avec celui des missionnaires, ne semblent pas entendre le patois auvergnat. « *Le matériel seul nous a occupés pendant près de dix-huit mois, parce qu'il faut d'abord s'asseoir : le spirituel viendra en son lieu* », écrit Douarre dans son journal. « *Il nous arriva plus d'une fois de mettre la dent au crochet* », dit-il aussi en évoquant la famine qui sévit de septembre 1844 à février 1845. Mais les cinq hommes ne doutent pas une seconde de la Providence. « *Dieu, dont nous sommes les enfants, veut bien nous éprouver, mais il ne saurait nous abandonner.* »

*Nos nouveaux amis sont cannibales à leurs heures, si je ne m'abuse ?*

À la fin de l'année 1844, les maristes installent une nouvelle mission à Baïao. Ils mettent tout leur cœur à essayer de convaincre les indigènes que le vol, le mensonge et le cannibalisme, très répandus dans les mœurs mélanésiennes, ne sont pas les vertus les plus chrétiennes qui soient. Et ils ont la joie de constater que « *les vols diminuent, les menteurs rougissent et les anthropophages se cachent* ».

Mais une grande sécheresse, une invasion de puces et de moustiques, une famine et une épidémie mettent soudain à rude épreuve le climat d'entente qui règne entre la mission et les indigènes. La population est décimée. Malgré les efforts des missionnaires pour soulager cette détresse, on les tient pour responsables des calamités qui ravagent le pays. Leur demeure est mise à sac, le frère Blaise Marmoiton est décapité, et ses compagnons échappent de peu à la tuerie. Le 20 août 1847, la mort dans l'âme, ils quittent la Nouvelle-Calédonie pour Sydney.

Mgr Douarre ne s'avoue pas vaincu. Il n'entend pas être un évêque en exil, ni renoncer à sa mission en terre canaque. Il assiège de ses demandes de renfort l'épiscopat et le gouvernement français. Car si la France a conquis les îles polynésiennes sous la monarchie de Juillet, la Nouvelle-Calédonie reste à prendre. Or, elle ne laisse pas l'Angleterre indifférente. Mgr Douarre a beau lui répéter que le fait d'accepter la mainmise britannique sur l'île condamnerait irrémédiablement la mission catholique, le gouvernement fait la sourde oreille.

Les maristes décident toutefois de repartir le 20 avril 1848, et jettent l'ancre à Ancityum, l'île méridionale des Nouvelles-Hébrides. Tout commence bien. L'évangélisation des Canaques va bon train, et les pères maristes se réjouissent d'entendre les jeunes Calédoniens réciter d'impeccables déclinaisons latines et manier avec aisance la langue française. Forts de ce succès, les missionnaires décident de se rendre sur l'île de Pins, l'une des perles du Pacifique, et à Hienghène où ils sont obligés, une fois de plus, de fuir devant la violence indigène. Sur l'île des Pins, l'évangélisation reste timide. Roudaire écrit : « *Nous nous abstenons de faire un signe religieux, de crainte que les indigènes les assimilent à des sortilèges dont ils ont grand-peur.* »

Après un passage à Futuna, la mission

> *Cet évêque prend son diocèse pour le centre du monde.*

explore les îles alentour et finit par retourner à Balade-Baïao le 23 mai 1851. Les mœurs indigènes ne se sont pas adoucies, et les maristes rongent leur frein. Le père Rougeyron est au bord du désespoir. Faudrait-il donc, pour réussir auprès des indigènes, adopter en tous points leurs façons de vivre, cannibalisme compris ?

En métropole, le ministre soupire une fois de plus en ouvrant une enveloppe posée en évidence sur son bureau. Voilà une écriture qui commence à lui être familière, et à le fatiguer quelque peu. « Encore lui ! » grommelle-t-il d'un ton agacé. « On dirait que cet évêque prend son diocèse pour le centre stratégique du monde ! » L'enveloppe contient un appel de plus au gouvernement pour que ce dernier prenne l'île avant que les Anglais ne le fassent et que les mouvements de violence ne tournent au massacre généralisé. « Si je pouvais mettre une armée sur pied immédiatement et vous l'envoyer d'un coup de baguette magique, Monseigneur, croyez bien que je le ferais avec plaisir », conclut le ministre en passant au courrier suivant.

Enfin, le 24 septembre 1853, l'amiral Febvrier-Despointes s'empare officiellement de la Nouvelle-Calédonie. Mgr Douarre est mort le 27 avril de la même année, emporté par une épidémie, avant d'avoir vu le ministre céder sous le poids des lettres qu'il recevait de ce missionnaire têtu.

On peut lire sur sa tombe : « *Sous*

*l'étendard de Marie, avec intrépidité et ferveur, (Guillaume Douarre) crut et devint ainsi dans le Christ, le père d'un nouveau peuple. »* Mgr Douarre avait foi en sa mission. Il aimait les Canaques comme ses « enfants » et croyait dur comme fer que leurs cœurs finiraient par s'ouvrir, avec la grâce de Dieu, à la vérité de l'Évangile. L'obstination des Pères missionnaires de Nouvelle-Calédonie leur permit de tenir bon malgré la maladie, la misère et les coutumes peu accueillantes de leurs hôtes.

Leur ténacité ne fut pas vaine. Les frères maristes, mais aussi les picpusiens et les sœurs de Saint-Joseph de Cluny marchèrent sur leurs pas, comme Mgr Douarre l'avait espéré. Ils ne se contentaient pas de semer la Bonne Nouvelle sur les rives calédoniennes, mais enseignaient aussi les techniques nouvelles de construction, et fondaient des hôpitaux et des écoles : on atteignait le chiffre de deux cents écoles sur l'île des Pins en 1861, quelque vingt ans après l'arrivée de Mgr Douarre. C'est à la même époque qu'un centre de formation de catéchistes fut installé près de Nouméa ; il devait devenir, trente ans plus tard, un petit séminaire. Le visiteur qui découvrait le bâtiment pouvait apercevoir les « petits-enfants » de Mgr Douarre en train d'apprendre le catéchisme et l'histoire sainte dans des ouvrages traduits pour eux, sous le regard bienveillant du buste de leur premier évêque.

SOURCES : H. Pourrat, *L'ÉPOPÉE DE GUILLAUME DOUARRE*, Paris, 1953. G. Delbos, *L'ÉGLISE CATHOLIQUE EN NOUVELLE-CALÉDONIE*, Paris, 1993.

# DANIEL O'CONNELL

## *POUR L'HONNEUR DE L'IRLANDE*

**• 20 AOÛ •**

C'EST UNE GROSSE COLLINE VERTE, DE CENT TRENTE MÈTRES À PEINE, et pourtant, de son sommet, l'œil embrasse toute la région alentour, sur des kilomètres. Le site est propice, symbolique sans doute, encore que O'Connell ne soit pas très sûr du sens de ce symbole... C'est là que séjournaient en des siècles lointains les rois de Meath, l'un des cinq royaumes d'Irlande. C'est là que se sont tenues, jusqu'en 780, les grandes réunions druidiques. Tara, cet ancien haut lieu du pays, va revivre une heure de gloire en ce jour du 15 août 1843, avec et grâce aux catholiques. La foi catholique, apportée par saint Patrick, a chassé le paganisme, mais elle n'a pas éteint l'âme irlandaise, au contraire ! C'est cela que ce rassemblement va manifester avec éclat, c'est cela que Daniel O'Connell va proclamer, c'est ce qu'attendent, à ses pieds, ces hommes et ces femmes qui, par milliers, par dizaine de milliers même, s'agglutinent autour de la butte. Ouvriers et artisans dublinois venus à pied – la ville n'est qu'à une trentaine de kilomètres à peine – vibrer aux discours de leur lord-maire. L'Irlande, voilà ce qu'ils veulent entendre, une Irlande libérée du joug britannique, libre d'être elle-même, libre d'être catholique. Juristes et élus irlandais de Dublin sont là eux aussi. Ils ont emprunté le nouveau réseau routier en voitures à cheval pour entendre le plus brillant d'entre eux. Ils ont été rejoints par des paysans, des petits fermiers (les *cottiers*) ou des journaliers écrasés par les riches propriétaires anglais. Tous sont prêts à suivre au combat le « Libérateur ». Il y a là, aussi, des curés par dizaines, ralliés de la première heure, que l'orateur a enrôlés voici vingt ans pour qu'enfin, après des décennies d'écrasement, de colonisation et d'humiliations, le peuple irlandais se relève, retrouve une dignité et une terre.

Ils sont deux cent cinquante mille au bas mot, qui constituent la foule la plus formidable jamais rassemblée par un *monster meeting*. Ils sont ceux sur lesquels Daniel O'Connell sait pouvoir s'appuyer dans son combat pour l'Irlande.

La rumeur de la masse humaine enfle, monte vers lui, ardente, impatiente. Il connaît ce mouvement de la foule, cette attente fébrile qui précède et prépare son discours. Depuis deux ans, il se sent porté par l'immense souffle d'espoir que sa venue soulève semaine après semaine, mois après mois, en chacun de ces meetings géants qu'il suscite. Depuis vingt ans, c'est tout un peuple qu'il emmène à sa suite, en bataillons serrés. La pression pacifique est leur arme, l'Église leur alliée...

Lorsque la lutte a commencé, le brillant juriste, gaélique et catholique, ne se savait pas encore tribun. Formé sur le continent, et à Londres, parlant l'anglais, la langue de l'oppresseur devenue indispensable à qui veut compter sur l'île colonisée, il devient, à son retour en Irlande, l'un des ténors du barreau, ouvert depuis peu aux catholiques. Il décide alors de faire de sa compétence constitutionnelle le ferment de la lutte ; animé par une foi sincère, il obtient le ralliement de l'Église catholique à la lutte irlandaise. Depuis l'*Union Act* de 1800, qui avalisait définitivement, dans l'esprit du Parlement britannique, la domination du Royaume-Uni sur l'île gaélique, la flamme nationaliste était sous l'éteignoir.

Pour remédier à cette situation, O'Connell fonde, en 1823, une Association catholique, qui bientôt dissoute, renaît sous le nom de Nouvelle Association catholique. Mobilisant les paysans, soutenant leurs griefs, elle incarne une nouvelle forme de résistance : le souvenir terrible que O'Connell a gardé de la Révolution française le fait fuir toute violence, il croit que la foi et le pouvoir de l'opinion publique, mobilisée intelligemment et pacifiquement, constitue-

*Le souvenir terrible qu'O'Connell a gardé de la Révolution française le fait fuir toute violence.*

ront une force invincible, qu'elles suffiront à l'emporter. Les prêtres qui condamnaient les sociétés secrètes agraires, seule expression de révolte des paysans, mais expression ultraviolente qui se montraient plus que réticents face aux précédents mouvements nationalistes, laïcs et républicains, ces prêtres irlandais embrassent sans réticence la cause irlandaise. C'est avec leur aide, avec celle des classes moyennes catholiques, et avec le concours de juristes surtout, qu'il organise, mobilise progressivement les masses, leur inculque toutes les techniques d'agitation politique pacifique. On signe des pétitions, on constitue une caisse de défense. Grâce aux cotisations d'un penny qu'il faut payer chaque mois, tous, même les plus misérables, se sentent engagés dans le même mouvement. O'Connell découvre le pouvoir du verbe.

Il va prendre conscience, aussi, qu'une action individuelle peut enflammer un pays entier. S'ils peuvent voter, les catholiques aisés restent inéligibles. Aux élections de 1828, O'Connell lance un premier, un formidable défi au château de Dublin et au gouvernement de Londres. Il n'a pas le droit de se présenter ? Qu'importe, il se présente. Et puisqu'il ne faut pas faire les choses à moitié, il choisit la circonscription d'un membre du cabinet anglais. C'est la panique dans les bureaux de vote du comté de Clare : que faut-il faire de ce candidat illégitime ? Les électeurs, quant à eux, ont un avis sur la question. La victoire de O'Connell est triomphale. Et son entrée à Westminster, celle d'un catholique irlandais théoriquement inéligible, n'en est que plus fracassante. Le précédent est créé, le 15 mai 1828. Sir Robert Peel et Wellington tirent la leçon du coup de force, et contraignent le Parlement à voter, le 13 avril 1829, l'Acte d'émancipation qui accorde aux catholiques le libre accès à toutes les fonctions militaires et civiles.

Dès lors, O'Connell est plus qu'un tribun, il devient le véritable héros de l'Irlande catholique, et le recours de la paysannerie misérable écrasée de charges. Près de la moitié des familles, parfois plus d'une dizaine de personnes, vit alors dans des cabanes de boue, constituées d'une pièce unique. Pour elles, la pomme de terre n'est pas seulement la base de l'activité économique, mais aussi l'élément unique de l'alimentation... Quand la récolte, deux décennies plus tard, sera mauvaise, c'est plus d'un million de personnes qui mourront de faim.

Le grain qu'ils cultivent, les bêtes qu'ils élèvent, les *cottiers* les vendent pour payer fermages et taxes. Mais si quatre-cinquièmes des paysans sont catholiques, les terres sont quasi exclusivement détenues par l'aristocratie britannique, anglicane ou presbytérienne, tandis que l'Église Établie, sœur irlandaise de l'Église anglicane, écrase les *cottiers* sous les dîmes et taxes. O'Connell organise une nouvelle fois la contestation. Il sait

que les *whigs*, au pouvoir en Angleterre, ont besoin des députés irlandais pour asseoir leur majorité. Il en joue, et la dîme abhorrée est réduite de 75 %. O'Connell n'a jamais été aussi populaire, il est élu lord-maire de Dublin le 1er novembre 1841, et gagne son surnom...

Le « Libérateur » : voilà celui qu'attendent aujourd'hui, à Tara, les dizaines de milliers d'Irlandais qui entourent la butte. Voilà celui qu'on s'arrache depuis le début de la campagne des *monster meetings*. Alors, lentement d'abord, puis avec des accents qui s'enflamment, le tribun discourt. O'Connell parle, et la foule se tait. Il exige l'abrogation de l'*Union Act*, ce rattachement honteux à l'Angleterre. Il parle au nom de son pays et de sa foi, au nom de la justice, au nom de son refus de la nouvelle *Poor Law* britannique qui consiste à enfermer les indigents d'Irlande dans des *workhouses*, à la fois asiles et ateliers de travail obligatoire. Et l'auditoire, chauffé à blanc, s'enthousiasme.

> Il exige l'abrogation de l'Union Act, ce rattachement honteux à l'Angleterre.

Mais cette fièvre irlandaise, cette ferveur dans laquelle tout un peuple communie et qui devrait conforter O'Connell, l'inquiète. La fermeté des propos n'a pas faibli, mais l'esprit est tourmenté : il voit les nuages qui s'amoncellent à l'horizon de son combat. Il sait que sa dernière revendication, la révocation de l'*Union Act*, est une pierre trop lourde dans le jardin de la Couronne. Il sait que le gouvernement britannique a déjà voté une loi de répression, une de plus, et que des troupes débarquent, que l'on fortifie casernes et fortins.

Autour de lui, au premier rang de l'assistance, il voit ceux qui veulent en découdre. Les « Jeunes Irlandais », nationalistes intransigeants et romantiques, entendent passer dès à présent à la lutte armée. Le choix de O'Connell est fait. Il ne veut pas exposer la foule immense venue à lui aux incertitudes de la violence et de la guerre civile. Il tiendra la voie du combat pacifique. Un an après Tara, plutôt que de risquer un bain de sang, il tentera un compromis avec les Britanniques, annulera le rassemblement de Clontarf interdit par les autorités. Il sera trop tard : le mouvement nationaliste abandonnera la non-violence, et son héraut avec elle.

Le « Libérateur », contraint de passer la main, verra son pouvoir s'effriter. Fidèle jusqu'au bout à ses convictions, il se retirera de la vie publique et mourra, à Gênes en 1847, alors qu'il se rendait en pèlerinage à Rome. Il conservera une place à part dans l'histoire irlandaise, et Dublin l'indépendante lui donnera, soixante ans plus tard, le nom de son artère principale.

SOURCES : Ch. Greville, *THE PAST AND PRESENT POLICY OF ENGLAND TOWARDS IRELAND*. E. R. Norman, *CHURCH AND SOCIETY, 1770-1970. A HISTORICAL STUDY*, Oxford, 1976. J. C. Beckett, *A SHORT HISTORY OF IRELAND*, Londres, 1975.

# L'OUVERTURE
# DE LA MISSION AFRICAINE
## *L'ÉPOPÉE DE JEAN-RÉMI BESSIEUX*
## *ET GRÉGOIRE SEY*

**• 21 AOÛ •**

LE 28 SEPTEMBRE 1844, *LE ZÈBRE*, NAVIRE FRANÇAIS CHARGÉ DE SURVEILLER LES CÔTES AFRICAINES, entre dans le vaste estuaire du Gabon. Il mouille à quelques encablures du fort d'Aumale, modeste forteresse que la marine française a élevée l'année précédente sur un plateau dominant la mer pour mieux poursuivre les trafiquants d'esclaves qui sévissent sur la côte Ouest de l'Afrique. À l'intérieur du fort, une batterie de six pièces de gros calibre et deux bâtiments, le logement du commandant et celui de la troupe. À l'arrière, un potager qui donne des légumes pendant la saison sèche.

Ce jour-là, deux épaves humaines débarquent du *Zèbre* : un prêtre et un jeune homme ramassés sur la côte. Ce sont les seuls rescapés d'une folle aventure apostolique qui, en deux ans, a presque anéanti la Mission venue pour évangéliser la côte Ouest de l'Afrique.

Comment ces deux hommes, que la sentinelle voit franchir en titubant l'espace qui les sépare du fort, sont-ils arrivés jusque là ? Tout a commencé en 1841. Un juif converti et ordonné prêtre,

François Libermann, convaincu de l'importance d'évangéliser l'Afrique, ouvre à La Neuville, près d'Amiens, le noviciat de la Société du Saint-Cœur-de-Marie consacrée à *l'Œuvre des Noirs*. La même année, Edward Barron, vicaire général de Philadelphie aux États-Unis, s'embarque pour le Liberia avec deux compagnons. Nommé vicaire apostolique des Deux-Guinées, territoire immense qui s'étend du Sénégal au Sud de l'Angola sur huit mille kilomètres de côtes, il arrive dans une Afrique que les Blancs connaissent encore très mal. Quelques ports ont été créés pour des raisons stratégiques et commerciales, mais la pénétration intérieure est pratiquement nulle, et il n'existe aucune mission avant l'arrivée de Mgr Barron. Pour le soutenir dans sa tâche, il cherche des compagnons. L'abbé Libermann lui propose alors sept recrues du Saint-Cœur de Marie ; ceux-ci s'embarquent pour l'Afrique le 13 septembre 1843 sous la conduite du père Jean-Rémi Bessieux, un prêtre de quarante ans. Trois orphelins bordelais se joignent à eux. L'un d'eux s'appelle Grégoire Sey. Il est âgé de dix-neuf ans et sort d'un atelier de tailleur.

À la fin du mois de novembre, ces renforts parviennent au cap des Palmes, sur la côte de ce qui va bientôt devenir le Liberia. Ils y retrouvent les deux premiers compagnons de Mgr Barron. Dès mars 1844, deux missionnaires meurent, victimes de leur inexpérience et de leur zèle imprudent. Au cours de la même année, trois autres succombent à Grand-Bassam, en actuelle Côte-d'Ivoire. Tout cela s'annonce très mal. Mgr Barron constate l'échec et, découragé, décide de rentrer en Amérique.

Cependant, avant de quitter l'Afrique, Mgr Barron écrit au père Bessieux et à son compagnon Grégoire qui sont alors en mission. Il leur apprend la mort des uns, le rapatriement des autres et la perte de tout le matériel. Que faire dans ce vaste territoire qui dévore hommes, argent et équipements ? La conclusion de l'évêque est claire : « Repartez en Europe ; moi je repars en Amérique. » Mgr Barron est tellement certain que ses conseils sont parvenus à ses deux derniers compagnons que, dans une lettre du 7 août 1844, il annonce leur arrivée prochaine en France.

C'est compter sans les défaillances du courrier en Afrique ; Jean-Rémi Bessieux et Grégoire Sey n'ont pas reçu sa lettre et se sont retrouvés seuls, abandonnés. C'est ainsi que *Le Zèbre* les a recueillis en fort piteux état. Une fois débarqués au Gabon, ils renoncent à se

> *Que faire dans ce vaste territoire qui dévore hommes, argent, et équipements ?*

faire rapatrier et s'installent au fort d'Aumale, dans une modeste case en bois. Le mobilier est sommaire : une caisse de genièvre garnie d'un morceau de toile blanche fait office d'autel et un baril de petit salé sert de trône à la Vierge. Dans une boîte en fer blanc qui prétend au nom de coffre-fort, ils conservent précieusement un sou, et une image de l'Enfant-Jésus portant une légende qui fait des propriétaires du coffre-fort les hommes les plus riches du monde : *Qui a Jésus a tout !*

Le père Bessieux écrit à Libermann. Ses six premières lettres, confiées aux commandants des navires qui font escale au fort d'Aumale, se perdent en route. En France, on est de plus en plus persuadé que les infortunés missionnaires sont morts. Une messe est même célébrée pour eux. Enfin, la septième lettre atteint son destinataire en juin 1845.

Libermann leur écrit aussitôt, sans que ses lettres connaissent un sort plus heureux. L'isolement et l'inquiétude des missionnaires du Gabon se prolongent donc jusqu'à cette soirée d'octobre 1845 où le courrier tant attendu arrive enfin. « *Le commandant, par une délicatesse qu'on ne saurait trop louer, fit porter les lettres à onze heures du soir à M. Bessieux qui n'était pas encore couché. Ce bon père s'en fut réveiller Grégoire et ils s'en furent à la chapelle lire leurs lettres, à genoux devant le très Saint-Sacrement. Que de larmes de joie coulèrent. Ils n'avaient reçu aucune nouvelle de France, ni de la Congrégation depuis deux ans. Ils* croyaient la société dissoute et ils apprenaient par leurs lettres que, au contraire, elle était très florissante, plus, que de nouveaux confrères venaient à leur aide. Ils se mirent à chanter le Magnificat *en action de grâces. Il était minuit. »*

L'*Œuvre des Noirs* progresse effectivement à vive allure. Rome se soucie de plus en plus des missions africaines, et prête une oreille attentive aux suggestions qu'émettent des spécialistes de la question comme Libermann. L'un des amis de celui-ci, le père Jean Luquet, qui appartient aux Missions étrangères de Paris, rédige un rapport qui s'inspire des *Instructions* données en 1659 aux premiers vicaires apostoliques envoyés au Tonkin et en Cochinchine. L'essentiel de ce rapport est repris dans l'encyclique *Neminem profecto* que Rome publie en 1845, et qui encourage vivement les missionnaires à susciter l'émergence d'un clergé local et à lui confier de plus en plus de responsabilités.

Peu après, le père Pierre-Marie Le Berre arrive en renfort au fort d'Aumale. Les missionnaires s'installent dans leur propre maison, premier édifice de ce qui deviendra la mission Sainte-Marie de Libreville. À la fin de l'année 1846, le père Bessieux, fatigué et malade, rentre en France. Il est nommé supérieur de l'ensemble des communautés de la côte africaine. La société du Saint-Cœur-de-Marie vient de quitter La Neuville et occupe l'ancien couvent cistercien de

> Ils se mirent
> à chanter le Magnificat.
> Il était minuit.

Notre-Dame-du-Gard, situé à proximité d'Amiens.

Le 24 décembre 1847, le père Bessieux reprend la mer jusqu'à Dakar, où il apprend la mort du vicaire apostolique des Deux-Guinées (Mgr Barron n'avait pas été laissé sans remplaçant), Mgr Benoît Truffet. Le père Bessieux lui succède en novembre 1848, et s'installe définitivement au Gabon. Entre-temps, en septembre, Rome a approuvé l'union de la société du Saint-Cœur-de-Marie avec la congrégation du Saint-Esprit, dont le père Libermann devient le supérieur général.

En février, les premières sœurs arrivent au Gabon. Mgr Bessieux entreprend une tournée épiscopale longue et mouvementée ; sur les milliers de kilomètres qui séparent le Sénégal du Gabon, il visite les principaux centres de la côte, en prévision des fondations missionnaires. Enfin, le 1er octobre 1849, le navire *La Prudence* le ramène au Gabon et salue par douze coups de canon le débarquement de Mgr Bessieux.

En 1848, la France vient d'abolir l'esclavage. L'année suivante, le capitaine de vaisseau Bouet-Willaumetz arraisonne un navire négrier portugais, *L'Elizia*, et installe les esclaves libérés au voisinage du fort d'Aumale. « Libreville » vient de naître.

C'est dans cette ville que meurt Mgr Bessieux le 30 avril 1876, laissant le souvenir d'un homme réaliste dont le « *robuste bon sens de paysan des Cévennes, le ramenait toujours à la claire vision des choses* ». Ainsi, en 1872, au moment où la France affaiblie envisageait d'abandonner le Gabon, Mgr Bessieux avait déclaré au gouverneur : « *Amiral, nous sommes ici à une porte qui peut s'ouvrir un jour. Restons-y.* » La porte s'est ouverte sur un immense champ d'apostolat.

Qu'advient-il de Grégoire Sey ? Dans une lettre de 1846, le père Bessieux en parle ainsi : « *Frère Grégoire est toujours bon, docile, il fait tout mon petit travail, il lave le linge, il fait notre petite cuisine, nous n'employons personne. Il s'occupe à arranger le vieux linge, il ne manque jamais d'occupation matérielle. Il est pieux, régulièrement il fait la sainte communion. Il ne sait pas encore bien lire. Pour le former, je le fais lire tous les jours pendant les deux repas. Pendant son dîner et son souper, je lis un chapitre de l'Évangile.* » Les lettres de Grégoire, à la même époque, sont moins optimistes : « *J'ai été soumis à une rude tentation du démon ; je n'avais plus de goût à rien depuis quatre ou cinq mois. Il me semblait que le bon Dieu me voulait ailleurs, par exemple chez les trappistes, pour lesquels j'ai toujours eu du goût.* » Sept mois de noviciat au Sénégal, dans la communauté de Gorée, lui redonnent le courage de continuer ses humbles travaux au Gabon. En 1850, sans vraiment se plaindre, il écrit : « *Je vous assure que je suis bien agité et fatigué dans ce pauvre pays.* » Enfin, en 1857, il bénéficie d'un passage gratuit sur la corvette à vapeur *Le Grondeur*. Il y célèbre la fête de Pâques et meurt en mer quelques jours après sans avoir revu la France. Il avait été le très humble serviteur missionnaire du Gabon, comptant avec le père Bessieux parmi les pionniers de l'évangélisation en Afrique équatoriale.

SOURCES : P. Coulon et P. Brasseur, *LIBERMANN*, Paris, 1988. P. Brasseur, « Missions catholiques et administration française sur la côte d'Afrique, 1815-1870 », in *REVUE FRANÇAISE D'HISTOIRE D'OUTRE-MER*, n° 62, 1975. H. Koren, *LES SPIRITAINS*, Paris, 1982. *DES MISSIONS AUX ÉGLISES : NAISSANCE ET PASSATION DES POUVOIRS, XVIIe-XXe SIÈCLES, ACTES DE LA Xe SESSION DU CREDIC À BÂLE EN AOÛT 1989*, Lyon, 1990. *MÉMOIRE LIBERMANNIEN À LA PROPAGANDE. ANNALES DE LA PROPAGATION DE LA FOI. L'AMI DE LA RELIGION* (Instruction de la Sacrée Congrégation de la Propagation de la Foi « Nominem Profecto », le 23 novembre 1845).

# JOHN HENRY NEWMAN

## LE SECOND PRINTEMPS
## DE L'ÉGLISE D'ANGLETERRE

**22 AOÛ**

L'ORAGE SE DÉCHAÎNE SUR LA CAMPAGNE ANGLAISE, EN CETTE NUIT DU 8 OCTOBRE 1845. Le père Barberi tente de se protéger au mieux de la pluie qui lui fouette le visage sans relâche, tout en dirigeant d'une main ferme la diligence qui cahote sur les chemins détrempés. Voilà enfin le but de son voyage : Littlemore, un petit village près d'Oxford. Le prêtre passioniste, trempé jusqu'aux os, n'est pas mécontent de pouvoir enfin se réchauffer.

Encore frissonnant, il s'approche du feu qui brûle dans la bibliothèque où on l'a conduit. Tout à coup, la porte s'ouvre. Un homme se précipite dans la pièce et se jette à ses pieds, le suppliant de bien vouloir recevoir sa confession sur le champ. Il s'agit du très distingué John Henry Newman, éminent théologien anglican, qui a fait venir le père Barberi afin d'être reçu dans l'Église catholique, l'« *unique et véritable bercail du Rédempteur* ». Le prêtre passioniste italien écoute John Newman avec attention et tente de calmer ses angoisses. L'entretien durera une partie de la nuit, pour s'achever le lendemain par le baptême tant désiré. Deux jours plus tard, Newman peut enfin recevoir le Corps du Christ.

Depuis de longs mois, Newman s'était retiré dans l'annexe paroissiale de Littlemore pour y vivre dans la solitude avec quelques amis, vite frappés, voire inquiétés, par l'austérité quasi monacale de leur compagnon. Ils sont témoins depuis plusieurs mois, sans vraiment le comprendre, d'une conversion brûlante et déchirante, celle d'une âme saisie, bouleversée et passionnée par Dieu depuis déjà de longues années. Car la conversion de Newman, si impérieuse soit-elle, n'est pas une conversion subite. À l'âge de quinze ans, alors qu'il était étudiant au Trinity College d'Oxford, le jeune garçon avait déjà eu la révélation soudaine, imprévisible, de la présence de Dieu dans son existence. Intimement convaincu depuis lors qu'il fait partie des élus de Dieu, des prédestinés – sa foi est alors fortement marquée par l'évangélisme des réformés, la religion de sa mère –, Newman cherche à répondre à cet appel de Dieu qu'il ressent comme une élection et un don extraordinaire.

Il se destine à une carrière ecclésiastique et universitaire. Après avoir été ordonné diacre de l'Église anglicane, il poursuit ses études au prestigieux Oriel College avant de devenir curé de Saint-Mary à Oxford. Son activité intellectuelle est alors remarquable. Il se plonge avec passion dans la lecture des grands théologiens anglicans et des Pères de l'Église. Il tire de ces lectures la conviction que son Église, l'Église anglicane, doit se reconnaître comme l'Église des Apôtres et retrouver la pureté des origines pour se réformer. Car la situation de l'Église anglicane n'est pas brillante. Alors que les autres confessions réformées – méthodistes, presbytériens, baptistes – connaissent une ferveur nouvelle, l'Église anglicane se sclérose, étouffée par la routine et la soumission au pouvoir politique. Népotisme, favoritisme et vénalité marquent le choix des évêques.

C'est au cours d'un séjour en Sicile, à la fin de l'année 1832, que sa vie connaît un tournant décisif. Il tombe gravement malade, et pendant les longues journées où il lutte contre la fièvre, le jeune homme prend alors conscience de l'orgueil qui l'habite. La guérison lui ouvre la voie du progrès spirituel et de la perfection. Décidé à s'abandonner radicalement à la volonté de Dieu, il écrit son célèbre *Cantique spirituel* : « *Bienfaisante lumière* [...] *guide moi maintenant !* *J'aimais l'éclat du jour ; l'orgueil malgré mes craintes régnait en moi : ne te souviens plus du passé* », et s'engage de toutes ses forces en faveur d'une réforme de l'Église anglicane. C'est à cette époque qu'il rencontre

*Le jeune homme prend conscience de l'orgueil qui l'habite.*

Nicholas Wiseman, prêtre catholique anglais, recteur du Collège anglais de Rome. Entre les deux hommes, l'entente est immédiate : s'ils sont de confessions différentes, ils partagent le désir de réformer leur Église pour retrouver la ferveur des premiers apôtres.

Lorsque Newman revient de son voyage en Italie, son ami Keble prêche son célèbre sermon : *De l'apostasie nationale*. C'est la naissance du mouvement d'Oxford. Les amis de Newman, tels Keble ou Pusey, publient une série de pamphlets, dans lesquels ils fustigent la léthargie de l'Église anglicane. Newman se révèle vite doué pour la controverse : son style est brillant, son ton satirique. Cependant, malgré sa foi ardente et son dévouement à l'Église anglicane, il perd peu à peu la confiance des autorités universitaires et ecclésiales qui ne comprennent pas son exigence et voient dans certaines de ses positions une attirance inavouée pour le catholicisme.

Son intégrité intellectuelle le pousse à mener jusqu'au bout ses recherches, pour comprendre quelle est l'Église qui se situe dans la légitime continuité de celle des Apôtres. En 1842, son *Pamphlet 90* déclenche une tempête sans précédent : Newman démontre que les *39 articles* publiés en 1563 – la charte doctrinale de l'Église anglicane – sont parfaitement conciliables avec la doctrine du concile de Trente : « *Si les Articles sont les produits d'un âge non catholique, ils ne sont point, grâce à Dieu, non catholiques pour ne pas dire plus, et ils peuvent être souscrits par ceux qui veulent être catholiques de cœur et de doctrine.* » C'est à cette date que Newman part pour Littlemore. Il acquiert dans sa retraite la certitude que l'Église catholique est celle des Apôtres. Il prend alors une décision radicale : tout quitter pour reprendre des études de théologie et être ordonné prêtre catholique.

Pour entrer dans l'Église catholique, Newman est prêt à tous les sacrifices. Sa décision n'est pourtant pas facile : bien que contesté au sein de l'Église anglicane, c'est un orateur brillant, un pasteur aimé et reconnu par ses paroissiens et un éminent théologien au parcours universitaire des plus brillants. Dans ses moments difficiles, Newman pense tout naturellement à se tourner vers son ami Wiseman, devenu en 1840 coadjuteur de Mgr Walch, vicaire apostolique du district de Midland. Newman part le rejoindre en février 1846 pour solliciter ses conseils. Wiseman, qui entretient des relations étroites avec le mouvement d'Oxford depuis ses débuts, accueille avec joie son ami, l'encourage dans la voie qu'il a choisie et l'envoie à Rome se préparer au sacerdoce. Le 30 mai 1847, John Newman est ordonné prêtre.

En février 1848, Newman fonde le premier Oratoire d'Angleterre, dont le rôle va être considérable dans le développement de l'Église catholique en Angleterre. Son ami Wiseman œuvre lui aussi pour ce renouveau : il organise nombre de conférences pour faire connaître « le

> *L'Angleterre était considérée comme une terre de mission.*

génie du christianisme sous sa forme catholique ». Newman et Wiseman sont alors les grands artisans du rétablissement de la hiérarchie catholique en Angleterre. Il n'existe alors que huit vicariats apostoliques en Angleterre, dont celui du district de Londres, dont Wiseman a été nommé vicaire en 1849. Depuis le schisme anglican du XVIᵉ siècle, en effet, l'Angleterre était considérée comme une terre de mission et, en tant que telle, dépendait à Rome de la congrégation de la Propagande. Le renouveau de l'Église catholique est alors significatif : les catholiques sont en effet sept fois plus nombreux qu'au début du siècle en Angleterre. En octobre 1850, le pape Pie IX décide donc de rétablir la hiérarchie ecclésiastique. Il crée un archevêché – qu'il confie à Wiseman – et treize évêchés autonomes.

Lors du premier synode du nouveau diocèse de Westminster, à Oscott, le 13 juillet 1852, Newman prononce un sermon, filant la célèbre métaphore du « second printemps » : il rend grâce pour cette Église que ses détracteurs disaient morte et qui renaît de ses cendres. Un renouveau comme le « *printemps anglais, incertain, saison mêlée d'espérance et de crainte, de joie et de souffrance, de lumière promise, et d'espoir bourgeonnant, mais aussi un printemps ponctué de coups acérés, de douches froides, et d'orages soudains* ».

Catholique, Newman affronte autant de controverses et de malentendus que lorsqu'il était anglican. Le courant ultramontain qui marque l'Église catholique à cette époque apprécie peu son libéralisme. Newman est en effet un précurseur, notamment en ce qui concerne le rôle des laïcs dans l'Église. Dans *De la nécessité de consulter les fidèles en matière de doctrine*, Newman explique pourquoi « *chaque partie constituante de l'Église a ses fonctions propres, et [pourquoi] aucune partie ne peut être négligée sans que cela ne présente un danger* ».

Toute cette période est marquée par une profonde souffrance. Newman se sait incompris par beaucoup de catholiques, et par ses amis anglicans d'antan. Cette période de malentendus et de rejet prend cependant fin de manière inattendue. L'écrivain Charles Kingsley, très virulent à l'encontre des catholiques, attaque personnellement Newman, en l'accusant de manquer d'intégrité. Ce dernier rompt son silence et écrit son autobiographie, *Apologia pro vita sua*, pour expliquer publiquement sa conversion au catholicisme. Paru en 1865, le livre remporte un immense succès. Beaucoup de ses anciens amis de l'Église anglicane reprennent contact avec lui. À la fin de sa vie, Newman est élu premier professeur honoraire de son ancien collège d'Oxford, Trinity. Cette reconnaissance ne pouvait que le combler, lui à qui il avait tant coûté de résigner son *fellow-*

*Il rompt le silence et écrit son autobiographie.*

*ship* d'Oriel lors de sa conversion. Les doutes des catholiques à son égard sont définitivement levés quand le pape Léon XIII le nomme cardinal en 1879. Il emprunte sa devise *Cor ad Cor Loquitur*, à saint François de Sales.

Le cardinal Newman mourut à quatre-vingt-neuf ans, le 11 août 1890. Le cardinal Wiseman, quant à lui, avait quitté ce monde en 1865, à l'âge de soixante-trois ans. Grâce à eux, l'Angleterre du XIXᵉ siècle se couvrit de séminaires, les congrégations religieuses se développèrent. La foi ardente de ces deux hommes d'exception fit se lever un nouveau printemps sur l'île. Cependant l'œuvre de Newman ne se limite pas à la seule résurrection du catholicisme anglais. Intellectuel exigeant, théologien novateur, il se passionne pour l'homme, met en relief son caractère unique, personnel, la liberté de sa conscience, et la rigueur de sa réflexion renouvelle la pensée catholique des XIXᵉ et XXᵉ siècles.

L'orgueilleux oxfordien, le brillant prédicateur a appris au fil des épreuves à s'abandonner à la volonté de Dieu. Aux pires moments de solitude, il écrit dans son recueil d'oraisons : « *Seigneur, je ne demande pas à voir, je ne demande pas à savoir ; seulement que Vous Vous serviez de moi.* »

SOURCES : J.-H. Newman, *APOLOGIA PRO VITA SUA*. J. Honoré, *NEWMAN, SA VIE ET SA PENSÉE*, Paris, 1988. J. Honoré, *ITINÉRAIRE SPIRITUEL DE NEWMAN*, Paris, 1964. L. Cognet, *NEWMAN OU LA RECHERCHE DE LA VÉRITÉ*, Paris, 1967. Nicholas Wiseman, *LECTURES ON THE CONNECTION BETWEEN SCIENCE AND REVEALED RELIGION*, et *DUBLIN REVIEW*. C. d'Haussy, « 1850-1880. Essor religieux dans une nation prospère », in *HISTOIRE RELIGIEUSE DE LA GRANDE-BRETAGNE*, Paris, 1997.

# Don Bosco

## *Une soutane*

## *pour cible*

**• 23 AOÛ •**

LE COUP DE FEU CLAQUE. DANS LE HANGAR, C'EST LA PANIQUE. LES GARÇONS SE COUCHENT EN CRIANT. L'un d'eux se retourne et s'écrie :

– Don Bosco... Ils ont touché Don Bosco !

Aussitôt, quatre ou cinq adolescents se relèvent, se précipitent vers le prêtre qui contemple, figé, sa main crispée sur la soutane, cherchant la plaie. Deux des plus âgés bondissent au même moment dehors, contournent le hangar, vers la fenêtre d'où le coup est parti, pour surprendre l'auteur de l'attentat.

À l'intérieur, Jean Bosco se redresse, sourit : « Eh, ne m'enterrez pas, je ne suis pas mort. Regardez la balle... » Il montre le trou laissé dans le tissu par le projectile – il est passé entre son bras et son flanc – puis son impact dans le mur opposé. Au même moment, les deux « grands » rentrent, bredouilles.

Jean Bosco se rassied. Et reprend son cours de catéchisme, un moment perturbé. À trente-deux ans, il n'est plus homme à se laisser impressionner par de tels événements. Allez, il commence à bien le connaître, ce Turin de 1848 : c'est une capitale en proie depuis, un an, à un vent révolutionnaire franchement anticlérical. Le clergé, que les journaux donnent pour réfractaire au progrès politique, paie les frais de l'agitation que semble autoriser aux yeux de certains, la Constitution toute neuve. Aux quatre coins de la ville, dans les rues, sur les places, des bandes de jeunes se piquent d'infliger tous les affronts imaginables aux prêtres et à la religion. « Bon, songe-t-il, il faut bien que jeunesse se passe, mais si l'on pouvait éviter l'arquebuse... » Il est entendu : quelques jours plus tard, il survivra à une nouvelle agression, mais au couteau cette fois.

Le soir du premier attentat manqué, Jean Bosco, après une ronde succincte dans les environs, rentre dans sa cuisine, prend sa soutane, un fil, une aiguille, et se met au travail.

Et rapidement, parce qu'il se penche sur l'impact du projectile, mortel à quelques centimètres près, le cours de ses pensées dérive. Une question l'intrigue : pourquoi tirer sur un prêtre qui s'occupe des garçons de la rue ? N'étaient-ils pas délaissés par tous avant qu'il ne décide de les prendre en charge ? Ils n'étaient pas là, ces arquebusiers maladroits, quand il a visité les prisons de la ville, au lendemain de son ordination en 1841. Quand il y a découvert une foule de jeunes de douze à dix-huit ans, tous sains, robustes, à l'esprit éveillé, mais réduits au désœuvrement, mangés par la vermine, privés de tout. « *Qui sait*, pensa-t-il alors, *si ces jeunes avaient hors d'ici un ami qui s'intéressât à eux, les assistât, les instruisît religieusement, qui sait si pareil sort ne leur serait pas épargné et si le nombre des récidivistes, souvent des garçons de bonne volonté, ne diminuerait pas !* »

Dès cet instant, sa résolution est prise. Il sera cet ami-là. Depuis, il n'en a pas démordu. Il y a eu d'abord la création de l'Oratoire Saint-François-de-Sales, nouveau nom pour le hangar où il discourait tout à l'heure. Et les garçons, trop jeunes ouvriers ou enfants de la rue, ont afflué autour de lui par centaines, ne le quittant qu'à la tombée de la nuit. Il a créé pour eux, en 1844, des cours du soir, une manière d'école du dimanche. Celle justement que le coup de feu a troublée. Puis il a recueilli dans sa maison branlante une quinzaine de garçons. C'est la construction adjacente au hangar qui les loge désormais. Ancienne maison de passe, elle est devenue l'année dernière la maison Saint-François-de-Sales, un véritable foyer d'apprentis...

Mais ce soir, don Bosco est tout de même ébranlé. Si maintenant on lui tire dessus... Comme s'il ne suffisait pas qu'il se tue à la tâche ? Il a décidé, à la création du foyer, d'assumer lui-même tous les travaux domestiques,

avec sa vieille mère accourue depuis sa campagne, afin qu'ainsi la contagion d'idées dangereuses s'arrête aux portes de l'établissement. La cuisine, la préparation de la table, le balayage, tout est pour lui. Et aussi couper du bois, tailler et confectionner des culottes, des chemises, des pantalons... et désormais repriser les soutanes trouées à coups d'arquebuse : voilà son quotidien.

Allez, mieux vaut en rire. D'ailleurs, ses travaux ne manquent pas d'avantages pédagogiques : « *Tandis que je leur distribue du pain, du potage ou autre chose, je peux aisément adresser aux jeunes un conseil ou un mot d'amitié.* » Mais quant au but initial, qui consiste à remettre d'aplomb l'esprit de ces gamins, cela ne va pas de soi. Au foyer, bien sûr, c'est lui qui s'occupe d'eux. Mais les jeunes qu'il abrite se rendent en ville pour la journée, soit au travail, soit en classe. Les compagnons qu'ils y rencontrent, les conversations qu'ils y entendent, ce qu'ils y voient ou devinent, rendent vaines les exhortations de leur protecteur. Plus il y réfléchit, plus Don Bosco pense que, dans un monde pareil, seul un régime d'internat, avec ateliers et classes sur place, lui permettrait d'atteindre l'idéal éducatif auquel il aspire. D'ailleurs, il a déjà en tête l'idée de camps de vacances, et sans doute fondera-t-il dès cette année l'école secondaire dont il rêve. Mais quand les cours professionnels ?

Sûrement pas tant qu'on lui tirera dessus... Les apprentis risqueraient de rece-

> *Couper du bois, tailler et confectionner des culottes, des chemises, des pantalons...*

voir une balle perdue. Ne pourrait-on pas le laisser un peu tranquille ? Si encore il n'y avait que les révolutionnaires... Des curés, il l'a appris, vont se plaindre à l'archevêque : Jean Bosco leur enlèverait leurs ouailles ! Et du côté des autorités civiles, ce n'est guère mieux. On ne voit pas d'un bon œil ces rassemblements de jeunes. Le préfet de police l'a sermonné quand il a commencé : « Je ne veux de mal à personne. Vous travaillez avec de bonnes intentions, mais ce que vous faites est plein de dangers. Comme je suis obligé de veiller à la tranquillité publique, je vous ferai surveiller, vous et vos réunions. Au moindre incident compromettant, je ferai immédiatement disperser vos gamins, et vous, vous me rendrez compte de tout ce qui pourra s'ensuivre. » Les six premiers mois, chaque dimanche, des gardes et des agents de police ont passé la journée avec les garçons, les suivant jusque dans la chapelle. Ils auraient été plus utiles aujourd'hui !

Jean Bosco compte ses ennemis en reprisant la soutane. Tous ne s'armeront pas contre lui, sinon on risque une guerre civile dans la banlieue de Turin. Mais, mieux vaut être vigilant. D'ailleurs, même les prêtres qui lui apportent leur concours risquent de mettre en péril son travail. Il les a à l'œil, ceux-là. Il en a croisé certains aux manifestations patriotiques qui se multiplient dans les villes et les villages du Piémont sous le nom de « fêtes nationales ». Ils veulent que l'oratoire y participe. Don Bosco va refuser, c'est décidé.

> *Jean Bosco compte ses ennemis en reprisant sa soutane.*

Ce qu'il ignore encore, c'est que les ecclésiastiques qui l'aident ne vont pas lui pardonner sa dérobade. Le dimanche qui suit l'annonce de son refus, il est avec ses jeunes sur le terrain de jeux ; à proximité, quelqu'un lit ostensiblement un journal conservateur. Des prêtres, ses auxiliaires habituels, se présentent avec médaille, cocarde et drapeau tricolore. Et l'un deux s'avance vers le lecteur du journal : « Quelle honte ! Il est temps d'en finir avec ces niaiseries ! » Il lui arrache la feuille des mains, la jette sur le sol, crache dessus et la piétine rageusement. Puis il se dirige vers Don Bosco et lui met sous le nez le journal progressiste du temps : « Ça, c'est un bon journal ! Tous les vrais et honnêtes citoyens devraient le lire et nul autre ! » Un autre de ses « auxiliaires » entraîne ensuite la troupe de ses protégés, chantant à gorge déployée des hymnes nationaux et agitant leur drapeau, dans un défilé patriotique jusqu'aux portes de la ville. Là (selon don Bosco), ils promettent solennellement de ne plus revenir à l'oratoire à moins d'y être invités et reçus « dans les normes nationales ». Don Bosco ne cède pas. Les jeunes reviendront s'excuser : ils ont été abusés. Mais le prêtre perdra dans l'aventure ses aides ecclésiastiques.

Même sans eux, le quartier du Valdocco devient progressivement une véritable cité éducative. Seul, Jean Bosco assure le dimanche tous les exercices religieux, veille aux divertissements des jeunes et aux classes de chant et de langue italienne. Pendant la semaine, il court en ville pour voir ses apprentis, leur rend visite dans leurs ateliers ou leurs boutiques, et, à l'occasion, leur cherche du travail. Le soir, il faut donner des cours de français, d'arithmétique, de chant, de musique vocale, de piano et d'orgue. Les cours professionnels seront créés en 1853. Les collaborateurs de Jean Bosco sont, cette fois, triés sur le volet, acquis à ses idées comme à sa pédagogie qui déroute l'époque, et que résume sa formule : « Prévenir et non réprimer. » Cependant, même ceux qu'il scandalise ont renoncé à s'exprimer les armes à la main.

Alors, ce sera le succès et il faudra l'organiser. Don Bosco fondera dans les décennies suivantes la Congrégation des salésiens (1859), l'Institut des filles de Marie Auxiliatrice (1872) et l'union des Coopérateurs salésiens. Il lancera des missionnaires, hommes et femmes, jusqu'en Amérique du Sud.

Peut-être forme-t-il déjà certains de ces projets, le soir de cet attentat. En attendant, Jean Bosco a une soutane à repriser. Et il s'exécute, marmonnant, en songeant aux hasards de la balistique et aux complications du nationalisme turinois. Dans les étages, les garçons dorment déjà.

SOURCES : A. Auffray, *UN GRAND ÉDUCATEUR, SAINT JEAN BOSCO*, Lyon-Paris, 1947. F. Desramaut, *DOM BOSCO ET LA VIE SPIRITUELLE*, Paris, 1967. F. Traniello, *DON BOSCO NELLA STORIA DELLA CULTURA POPOLARE*, Turin, 1987. M. Midali, *DON BOSCO NELLA STORIA*, Rome, 1990. P. Stella, *RICERCHE STORICHE SALESIANE*, Rome, 1983.

# BUCHEZ ET L'ATELIER

## QUAND LA RÉVOLUTION DE 1848

### TUE UN GRAND RÊVE

**• 24 AOÛ •**

— ET PUISQUE JE TE DIS QUE NOUS SOMMES NOUS-MÊMES NOS PATRONS ? Comment pourrions-nous vouloir « *spolier les ouvriers* », puisque nous travaillons pour nous ?

— Mais le cas de ta bijouterie est unique, Leroy. Tu le sais bien.

— Et tu sais aussi bien que nous que, si nous chassons la poire (Louis-Philippe, dont le visage est caricaturé ainsi), nos bourgeois prendront le pouvoir et nous n'aurons rien gagné.

En ce début de printemps 1848, l'imprimerie de *L'Atelier* sent le vent révolutionnaire monter dans Paris. Et les ouvriers comme les rédacteurs du journal ne voient pas comment faire l'économie de cette nouvelle donnée, dont un philosophe allemand réfugié à Bruxelles, Karl Marx, vient de faire la clef de l'histoire : la lutte des classes.

Il y a là le bijoutier Leroy, qui avec quatre ouvriers, a créé Leroy, Thibault et Cie, une entreprise d'un type unique : les ouvriers, légalement propriétaires de leur outil de travail, partagent leur temps entre l'ouvrage et le suivi de la marche de leur entreprise. Leroy sait combien l'idée est fragile, lui qui lutte contre vents et marées pour maintenir ce modèle inspiré par un penseur original, le docteur Philippe Buchez. Depuis 1834, à cinq, ils essaient de continuer l'expérience (elle s'achèvera en 1873), en attendant que, comme le prône Buchez, l'État se dote d'une « caisse générale de crédit public » qui permettra à la classe ouvrière de s'associer librement, de fonder des entreprises, de créer les outils de travail... L'idée fera long feu, la caisse ne verra jamais le jour.

Quant aux contradicteurs de Leroy, ils savent eux aussi que, dans la révolution qui s'annonce, la réconciliation des bourgeois et de la classe ouvrière sera délicate, sinon impossible. Ne sont-ils pas, d'ailleurs, déjà acquis à la notion de lutte des classes, contre l'opinion du docteur Buchez ? Sur ce point ils s'opposent résolument à l'homme dont ils défendent par ailleurs les idées, et qui leur a inspiré la création de leur journal, huit ans plus tôt, en 1840.

Il faut dire que ce Philippe Buchez les déroute parfois, qui poursuit depuis quelque quinze ans une voie singulière, tentant de réconcilier socialisme et catholicisme. Tous, à *L'Atelier*, ne le suivent pas sur ce point : pour un Leroy, catholique convaincu, ou un Chevé que Buchez a ramené à la foi, d'autres, Corbon et Leneveux par exemple, l'ont perdue. D'ailleurs, le journal est plus virulent que Buchez et ses proches : les ouvriers trouvent le clergé apathique face aux problèmes de société, et maudissent l'aumône dont le but avoué est selon eux de perpétuer l'impuissance de la condition ouvrière. Même les sermons énergiques de l'ancien ouvrier Ledreuille n'obtiennent pas l'adhésion du journal : on doute de sa sincérité, on flaire une manœuvre.

Pendant que les ouvriers discutent des événements à venir, leur inspirateur publie lui aussi sa pensée dans son propre mensuel, la *Revue nationale*. Depuis un an, Philippe Buchez et ses disciples poursuivent leur tâche : il faut que les « révolutionnaires » retrouvent leurs vraies racines, le catholicisme, et que les catholiques sortent de leur conservatisme et deviennent « révolutionnaires ». Pour Buchez, une des clefs de l'histoire du monde est la lutte permanente entre l'égoïsme et le désintéressement. S'il restera toujours proche des socialistes, c'est qu'il trouve autant de vertu à l'association qu'à la liberté individuelle. Dans la formule « liberté, égalité, fraternité », ce sont les deux derniers termes qu'il exalte, et il espère que « la dernière époque du christianisme » réalisera ce qu'il a lu des premières communautés chrétiennes.

Sa pensée n'est pas toujours orthodoxe et les discours pieux ou spirituels ne sont pas son fort : Buchez est nourri depuis son enfance des idées du siècle des Lumières que lui enseignait son père, chef de bureau à l'octroi de Paris, où il avait fait entrer son fils comme employé. À sa mort en 1816, le jeune homme a vingt ans. Il se lance dans des études de médecine et devient médecin à vingt-neuf ans... Ses convictions républicaines l'amènent à fonder, sous la Restauration, le mouvement français des Carbonari. Tout naturellement, il entre dans une loge, celle des « Amis de la vérité ». Tout ce qui touche à la vie sociale le passionne et, ayant pris connaissance des œuvres de Saint-Simon, il adhère à l'école saint-simonienne et écrit même quelques articles dans la publication de ses nouveaux amis, *Le Producteur*. Mais son idylle avec les saint-simoniens ne dure que quelques années. Il trouve que le successeur de Saint-Simon a donné à l'école de pensée, dont il est devenu l'animateur après la mort du fondateur, une orientation pseudo-mystique qui ne lui plaît guère. En 1829, la rupture est consommée.

C'est l'amorce d'un virage qui l'amènera au catholicisme. Ce qu'il découvre, d'abord, c'est l'harmonie du monde, la cohérence de ce que la science naissante révèle. Là où certains s'orientent vers le scientisme, lui s'interroge sur l'existence d'un créateur. C'est sur le terrain de la morale qu'il poursuit ses investigations. Et cet homme, qui se sent si

> *Buchez est nourri depuis son enfance des idées du siècle des Lumières.*

proche des socialistes, qui réprouve le conservatisme social de beaucoup de clercs et de laïcs, l'attitude de ceux qui laissent « *les privilégiés jouir du superflu* » tout en prêchant « *les rigueurs de la pénitence aux malheureux qui manquent de pain* », va très vite se déclarer chrétien et faire l'éloge du christianisme. Les protestants, qui lui semblent peu enclins à se soucier de la condition misérable des ouvriers, ne l'attirent pas. C'est donc l'Église catholique qu'il choisit : « *J'en appris l'histoire, j'y trouvai l'origine de tout ce que j'admirais et respectais ; j'y lus pourquoi la France était la fille aînée de l'Église.* » D'une certaine manière, ce virage du docteur Buchez est un retour aux sources... maternelles : sa mère catholique lui a transmis dès l'enfance cette morale à laquelle il est si attaché. Et, tandis que l'usage que la bourgeoisie voltairienne fait de la philosophie des Lumières dans sa pratique de l'économie le révolte, le catholicisme lui semble avoir un « but social ».

> « *J'y lus pourquoi la France était la fille aînée de l'Église.* »

Pendant qu'à *L'Atelier* les ouvriers radicalisent leur ligne éditoriale, les rédacteurs buchéziens défendent, dans la *Revue nationale*, la doctrine sociale chrétienne que le docteur s'est forgée, pourfendant par exemple la charité, qu'ils ne voient que comme un palliatif destiné à calmer l'irritation de la classe ouvrière. Qu'importe que cette pensée méconnaisse la réalité de l'entreprise, ou néglige le rôle du capitalisme... Elle est en train de prendre une certaine impor-

tance, notamment depuis que Buchez, pour véhiculer ses idées, a fondé son premier journal, l'*Européen*, qui paraîtra de 1831 à 1832, puis de nouveau de 1835 à 1838. Certes, son influence est encore numériquement limitée. Mais il y a une école buchézienne, de la même façon qu'existait une école saint-simonienne. Quelques-uns de ses membres iront renforcer les rangs des dominicains, recrutés par le père Lacordaire avec qui Buchez est entré en contact épistolaire en 1839. D'ailleurs, l'influence du docteur s'étend jusqu'à quelques membres éminents de la hiérarchie catholique française : en 1847, Buchez a d'importants contacts avec Mgr Affre, l'évêque de Paris, qui a lu plusieurs de ses articles et souhaite le faire intervenir devant un cercle catholique.

Cependant, comme les ouvriers de *L'Atelier* le pressentent, ce printemps 1848 va être décisif. Pour la tentative de synthèse qu'a ébauchée le docteur Buchez, ce sera le révélateur de l'échec, alors même que son auteur parvient au faîte de sa gloire politique. Après avoir été adjoint au maire de Paris, au moment du gouvernement provisoire, il est élu représentant du peuple pour la Seine et, le 5 mai, devient président de l'Assemblée constituante à une courte majorité.

Les journées de juin, qui voient les troupes de la « république bourgeoise » tirer sur les émeutiers ouvriers, vont tout faire basculer. La mort de Mgr Affre, tué sur une barricade, met fin, prématurément, au dialogue et à l'amorce de collaboration entre la hiérarchie catholique et l'école buchézienne. Et puisque désormais les rêves de réconciliation entre ouvriers et bourgeois sont bien morts, les buchéziens, adversaires de la lutte des classes, sont écartés du débat politique. Le 5 juin, le docteur, qui déplaît à la fois aux extrémistes et aux modérés, n'est plus président, sa revue est suspendue, le club de l'Atelier fermé. La tentative d'émergence d'un socialisme chrétien a tourné court.

Philippe Buchez gardera une poignée de fidèles jusqu'à sa mort en 1865. Le docteur aura eu le mérite de proposer des voies nouvelles. À défaut d'avoir eu une portée féconde sur le plan philosophique, sa doctrine sociale, souvent maladroite et simpliste, aura contribué à alerter certains membres éminents de la bourgeoisie catholique.

SOURCES : J.-B. Duroselle, *LES DÉBUTS DU CATHOLICISME SOCIAL, 1822-1870*, Paris, 1951. J. Touchard, *AUX ORIGINES DU CATHOLICISME SOCIAL, LOUIS ROUSSEAU*, Paris, 1968. F.-A. Isambert, *BUCHEZ OU L'ÂGE THÉOLOGIQUE DE LA SOCIOLOGIE*, 1967.

# MONSEIGNEUR AFFRE

## « _PUISSE MON SANG_
## _ÊTRE LE DERNIER VERSÉ_ »

**• 25 AOÛ •** CE VENDREDI 23 JUIN 1848, QUAND IL SE REND POUR UNE CONFIRMATION D'ENFANTS À L'ÉGLISE Saint-Étienne-du-Mont, Mgr Affre, archevêque de Paris, ne peut imaginer le tragique enchaînement des événements qui vont le conduire à la mort. Sans doute, depuis la veille, la capitale a-t-elle pris sa couleur des mauvais jours. La décision de la commission exécutive de la République de supprimer les ateliers nationaux, qui procurent le pain quotidien – un bien maigre pain ! – à quelques dizaines de milliers d'ouvriers au chômage, a déclenché cortèges et manifestations de rue. Mais on espère encore que, le premier choc passé, le calme reviendra et que les ouvriers assagis rejoindront, comme on le leur suggère, soit les rangs de l'armée, soit la Sologne où des travaux de terrassement les attendent. Il n'en est rien. Dès le lendemain, quatre cents barricades sont érigées dans les rues de Paris, notamment autour de la montagne Sainte-Geneviève, si bien qu'au sortir de l'église, le prélat se trouve bloqué et doit passer la nuit au collège Henri-IV.

Le 24 au matin, la bataille fait rage, les fusillades crépitent, le canon tonne et l'état de siège est proclamé. Les troupes du général Cavaignac ayant repoussé les insurgés, Mgr Affre parvient à regagner l'archevêché, sur l'île Saint-Louis.

Bouleversé par les violences dont il vient d'être le témoin, il passe de longues heures en prière dans la soirée et la nuit. Le dimanche 25, en début d'après-midi, il reçoit la visite de Frédéric Ozanam, fondateur des conférences de Saint-Vincent-de-Paul, qui lui suggère de tenter une médiation entre les combattants. « _Cette pensée me poursuit depuis hier_, répond-il. _Le pasteur se doit à son troupeau._ » Sa décision est prise. Il ira.

À cinquante-quatre ans, Denys Auguste Affre a déjà accompli une belle carrière ecclésiastique. Né en septembre 1793 à Saint-Rome-de-Tarn, en Aveyron, il a, très jeune, manifesté le désir de devenir prêtre. Son oncle et parrain, M. Boyer, qui est directeur au séminaire de Saint-Sulpice, l'y fait entrer malgré son jeune âge. Ordonné prêtre à vingt-quatre ans, il enseigne quelque temps la théologie, devient successivement aumônier des Enfants trouvés, vicaire général à Luçon et à Amiens, enfin coadjuteur de l'archevêque de

Paris, Mgr de Quelen, auquel il succède, le 6 août 1840. Il s'attache alors à améliorer l'enseignement religieux des fidèles et la formation supérieure des prêtres, dédouble son petit séminaire, organise des conférences ecclésiastiques et crée, dans l'ancienne maison des Carmes, une École des hautes études ecclésiastiques (futur Institut catholique). Cet intellectuel érudit et timide, auteur de plusieurs ouvrages savants de théologie et de droit canon, est – chose rare à l'époque – préoccupé par la misère populaire. Il regarde avec sympathie le monde ouvrier, cherche le moyen de l'instruire, de le secourir, et de l'évangéliser. Il soutient notamment contre le gouvernement de Louis-Philippe l'Œuvre de Saint-François-Xavier, importante société de secours mutuel et d'éducation populaire. Bon administrateur, ce petit homme rond, bougon, aux traits rudes, à la voix rocailleuse et au franc-parler, est certainement l'un des grands archevêques de Paris au XIXᵉ siècle.

*Portant sa robe violette et sa croix pectorale, il se rend place de la Bastille.*

Vers la fin de l'après-midi, portant sa robe violette et sa croix pectorale, il se rend au centre des combats, place de la Bastille. Grâce aux laissez-passer accordés par les autorités, il franchit sans difficulté les barrages de soldats. Sa mission est périlleuse. Trois généraux ont déjà été tués. Un quatrième, Jean-Baptiste Bréa, qui tentait de parlementer, a été massacré à la barrière de Fontainebleau.

On agite des mouchoirs blancs. Mgr Affre s'avance accompagné de ses deux vicaires généraux et d'un domestique, suivi de quelques gardes nationaux en blouse d'ouvriers, dont l'un brandit un rameau vert en signe de paix. Il franchit une première barricade qui sert de poste avancé. Puis il se dirige vers la barricade principale, qui barre la rue du Faubourg-Saint-Antoine jusqu'au deuxième étage des maisons. On le fait passer par une maison à double issue. Il se retrouve au milieu des émeutiers. Là, les discussions sont plus difficiles. Il exhorte ses interlocuteurs à l'amour et à la paix. Soudain, des coups de feu éclatent sur la place. « Nous sommes trahis ! » crie-t-on, et la fusillade reprend. Les députés sont molestés et gardés en otage. Personne, cependant, n'ose porter la main sur l'archevêque. Mais soudain, il s'affaisse, frappé par une balle.

Le prélat titubant est conduit au bureau de tabac voisin, au numéro 4 de la rue. Comme il n'y a pas assez de place pour l'étendre, on le transporte dans une autre boutique. De là, avec un matelas d'enfant et des fusils, on improvise une civière qui permet de le conduire au presbytère de Saint-Antoine.

On ne sut jamais avec certitude d'où était parti le coup. Le procès-verbal de l'examen médico-légal, signé par une dizaine de médecins, mit hors de cause l'armée régulière. Il y est dit, en effet, que Mgr Affre fut atteint dans le dos, au rein gauche, par un projectile non calibré, coulé dans un moule artisanal et non dans une lingotière réglementaire.

L'archevêque, du reste, ne se trouvait pas au sommet de la barricade, comme le représentent certaines gravures, mais derrière elle. Les témoignages s'accordent également à écarter la responsabilité des insurgés, qui manifestèrent au blessé respect et grande sympathie. Vraisemblablement, Mgr Affre fut mis en joue par un tireur isolé, situé sur une position élevée – une fenêtre du deuxième étage d'une maison, a-t-on dit – se trouvant du côté droit, un peu en arrière, dans la rue du Faubourg-Saint-Antoine. Les ouvriers qui réclamaient du travail et du pain n'étaient pas antireligieux. Mais il y avait, comme dans tout mouvement insurrectionnel, des éléments exaltés, incontrôlables, prêts à tout. Plus tard, plusieurs suspects furent arrêtés et interrogés. Faute de preuve, on les relâcha.

> *Vers minuit,*
> *il reçut le viatique*
> *et l'extrême-onction.*

Quand on lui annonça qu'il risquait fort de ne pas survivre à sa blessure, Mgr Affre se recueillit un moment, puis leva les yeux au ciel : « *Mon Dieu*, dit-il, *je vous offre ma vie. Acceptez-la en expiation de mes péchés et pour arrêter l'effusion du sang qui coule. Ma vie est bien peu de chose ; mais prenez-la. Je serais content si je pouvais espérer la fin de cette horrible guerre civile, si mon sacrifice terminait tant de malheurs. Dites bien aux ouvriers que je les conjure de déposer les armes, de cesser cette lutte atroce, de se soumettre aux dépositaires du pouvoir. Certainement le gouvernement ne les abandonnera pas. Si on ne peut leur procurer du travail à Paris, on leur en donnera ailleurs. Dites-*

*leur pour leur plus grand bien qu'ils se décident à partir.* » Vers minuit, il reçut des mains du vicaire général le viatique et l'extrême-onction. Malgré ses souffrances, il trouva encore la force d'implorer la miséricorde divine en faveur du « pauvre peuple ».

Au matin, l'armée ayant réussi à dégager le quartier, on ramena Mgr Affre à l'archevêché. Insolite et désolant spectacle que celui de ce prélat agonisant, transporté sur une civière maculée de sang. De petits groupes de femmes, d'ouvriers en blouse, de gardes nationaux se signaient au passage du cortège. Les rues étaient jonchées de cadavres. Des maisons éventrées s'échappaient les fumées des incendies mal éteints.

Le mourant demanda pardon à tous de ses impatiences, répondit à ses visiteurs par des paroles d'affection, assurant le nonce de sa filiale obéissance au Saint-Père. « *Il n'était pas de ces natures stoïques pour qui la douleur physique n'est presque rien, et qui semblent ne pas connaître le prix de la santé* », disait de lui son médecin, le docteur Cayrol, précieux témoin qui l'assista dans sa longue agonie. Mais lorsqu'il fut atteint par la balle fatale – tous en conviennent –, ce pacificateur, étranger aux luttes partisanes, n'eut plus qu'une pensée : offrir sa vie. Il voulut savoir si sa blessure était mortelle et ne demanda rien d'autre, pas même qu'on l'opérât ou qu'on le soulageât de ses souffrances. Il priait constamment. « *Que votre volonté soit faite et non la mienne* », murmurait-il. Il expira le 27 à quatre heures de l'après-midi. Dehors, les fusillades s'étaient arrêtées et le canon avait cessé de tonner.

La mort de l'archevêque de Paris eut un immense retentissement et frappa les esprits dans la France entière. Elle montra que l'Église n'était pas du côté des riches et des puissants comme on le disait, même si le drame fut politiquement exploité par le parti de l'Ordre, qui voulut l'imputer aux émeutiers. Mais là n'est pas sa vraie signification. Elle est dans la fulgurante transfiguration de ce grand prélat, de tempérament plutôt autoritaire et opiniâtre, très attaché à sa dignité, que rien ne destinait au martyre. Elle est dans l'offrande par l'archevêque de Paris de ses souffrances et de sa mort, humblement, librement acceptées. Elle est dans le sacrifice du bon pasteur pour ses brebis qui, se sachant condamné, trouve la force de s'écrier : « *Puisse mon sang être le dernier versé...* » Au terme de sa douloureuse passion, Mgr Affre, illuminé par la grâce, aura été, à l'image du Christ, une victime d'amour.

> *La mort de l'archevêque de Paris frappa les esprits dans la France entière.*

SOURCES : L. Alazard, *VIE DE MGR AFFRE*, Paris, 1905. J. Collot, *L'ARCHEVÊQUE DES BARRICADES*, Paris, 1948. R. Limouzin-Lamothe et Mgr J. Leflon, *MGR DENYS-AUGUSTE AFFRE, ARCHEVÊQUE DE PARIS (1793-1848)*, Paris, 1971.

# ADOLPHE KOLPING

## L'ABBÉ DES BUVEURS D'EAU ET
## DES ÉPLUCHEURS DE CHAPELETS

**• 26 AOÛ •**

LES BUVEURS ACCOUDÉS AU COMPTOIR LÈVENT LA TÊTE EN SOURIANT. Le patron de la brasserie, un gros homme débonnaire à la mine réjouie, se hâte de ranger les bouteilles trop précieuses au fin fond d'un placard. On entend au-dehors l'un des chants qui résonnent du matin au soir dans les rues de Cologne, en ce printemps 1848 où la révolution bat son plein par toute l'Allemagne. Les clients du bar ne sont pas effrayés par le bruit qui enfle et se rapproche, car ils connaissent bien la bande de gais lurons qui vient ici fêter tous les soirs l'avènement de la révolution. Ces étudiants sont turbulents, ils beuglent à tue-tête des chants dans lesquels on chercherait en vain un peu de justesse et d'harmonie. Les débats politiques dans lesquels ils se lancent coûtent souvent au patron des dizaines de chopes de bière et quelques heures de nettoyage, mais, même s'ils boivent beaucoup et paient rarement, ce ne sont pas de mauvais bougres...

La porte s'ouvre à toute volée. « Ah, mes amis, nos "frères de l'eau" sont là ! » s'écrie l'un des arrivants d'une voix de stentor enroué. Cette bonne nouvelle décide les fêtards à franchir le seuil de la brasserie, et à se diriger vers une table où sont assis une quinzaine de jeunes gens. Comme chaque soir, les clients contemplent le contraste frappant qu'offrent les deux groupes à leurs regards amusés. La tenue des nouveaux arrivants est aussi débraillée que celle des autres est soignée. Tandis que les premiers commandent sans tarder d'énormes chopes de bière, les seconds sirotent avec délices un grand verre d'eau limpide. Tout le monde sait que les jeunes gens attablés partiront avant minuit, alors que le patron devra mettre à la porte les joyeux drilles saouls comme des barriques, au petit jour... Les habitués de la brasserie ont une secrète préférence pour les « frères de l'eau », qui ne sont jamais en reste dans les discussions, mais dont la bonne humeur constante est moins tapageuse que celle des nouveaux arrivants. Ceux-ci se bousculent autour de la table de leurs calmes camarades, à qui ils portent une solide affection, quoique tout oppose les deux bandes. Dame ! c'est que la fraternisation ne doit pas rester un vain mot en cette année 1848 où les étudiants tiennent entre leurs mains l'avenir de l'Allemagne !

— Alors, chers éplucheurs du Rosaire, combien de chapelets aujourd'hui ?

— Un seul, comme tous les jours, messieurs les révolutionnaires, répond gaiement l'un des dévots ainsi apostrophé.

Le meneur des étudiants fait la moue.

— Vous ne vous donnez pas beaucoup de mal, mes amis. Qu'en dit votre grand abbé Kolping ?

Les éclats de rire fusent derrière lui. Ses camarades attrapent des chaises et s'y installent à califourchon. Le débat est ouvert ! Et il s'annonce vif, car s'il est une chose qui fait sortir de leurs gonds les doux buveurs d'eau, c'est bien que l'on s'attaque au prêtre qu'ils admirent tant.

L'abbé qui va être l'objet de cette discussion bruyante est un homme de trente ans au caractère bien trempé. Né en 1818, il a été placé très tôt chez un maître cordonnier, et nul ne sait parler aussi bien que lui aux jeunes apprentis. Ceux-ci apprécient en lui son immense simplicité et sa volonté de fer. Ils aiment l'entendre raconter comment, en 1837, alors qu'il n'était encore qu'un blanc-bec de dix-neuf ans, il est allé demander à son curé de lui apprendre le latin pour lui permettre de devenir prêtre. Le curé a renvoyé l'apprenti chez lui, persuadé qu'Adolphe Kolping n'est bon qu'à fabriquer des chaussures. Mais celui-ci a rencontré un vicaire plus compréhensif qui l'a pris sous sa protection, et lui a si bien enseigné les rudiments du latin qu'il a pu entrer à l'université de Munich en 1841, grâce à l'aide financière d'une

*Boire des bocks de bière tout en chantant psaumes et cantiques à la gloire de Dieu.*

paroissienne touchée par ses efforts. En 1845, ordonné prêtre, il a été nommé vicaire à Elberfeld.

L'un des premiers gestes de l'ancien apprenti a été de chercher un local qui permettrait à des jeunes gens de se réunir pour boire des bocks de bière tout en chantant psaumes et cantiques à la gloire de Dieu, car il brûle de partager avec les apprentis le trésor qu'il a découvert. Un instituteur lui suggère d'aller plus loin encore, et de transformer ce local en un lieu où les jeunes gens pourraient consulter des livres, écouter des conférences et poursuivre une formation générale et religieuse.

Le père Kolping se saisit sans attendre de cette idée. La première association d'apprentis est fondée à Cologne en novembre 1846. L'abbé en devient le président, et la décrit comme un « *encouragement pour ceux qui ont à cœur le vrai bien du peuple* ». Il entend ainsi aider les apprentis, qui errent de ville en ville, de maître en maître, afin de parfaire leur formation, et éviter qu'ils ne soient abandonnés à eux-mêmes.

L'association rassemble très vite deux cent cinquante et un jeunes gens. Ceux-ci vont rester en dehors du tourbillon révolutionnaire qui s'empare de l'Allemagne en 1848. Comme les étudiants déchaînés qui les taquinent ce soir dans la brasserie, les apprentis du père Kolping sont convaincus que l'avenir de l'Allemagne mérite que l'on s'y intéresse avec ferveur. Mais ils n'ont pas du tout le même point de vue sur la façon de changer les choses, et ces divergences font naître des disputes passionnées autour des chopes de bière et des verres d'eau. Les apprentis se font les ardents défenseurs des idées du père Kolping. Ils insistent sur le rôle fondamental de la famille, dont dépend le salut de la société, idée qui fait pouffer de rire leurs contradicteurs. Ils clament haut et fort leur volonté de créer de nombreuses associations comme la leur, qui, « *ramifiées entre elles, constitueraient une sorte d'école plus professionnelle, plus instructive* », et seraient dans toute l'Allemagne des « asiles de paix ». Les étudiants répondent qu'ils ne voudraient jamais d'une paix faite de chapelets et de verres d'eau, et que les soutanes sont bien trop loin du peuple pour que des révolutionnaires qui se respectent envisagent de les soutenir.

« Comment, loin du peuple ? » ne manque jamais de rétorquer l'un des « éplucheurs du Rosaire ». « C'est le comble ! Messieurs les esprits forts, vous n'avez jamais entendu prêcher le père Kolping ! » Et les étudiants de s'étouffer de rire, tant l'idée d'aller écouter un abbé en chaire leur semble comique. « Quand il parle, ce n'est pas l'Église qui va au peuple, c'est l'Église issue du peuple et restant au milieu du peuple ! » conclut l'apprenti dans une envolée lyrique qui lui vaut les applaudissements de ses camarades. Le père Kolping les fascine par la profondeur

> *Les étudiants s'étouffent de rire, tant l'idée d'aller écouter un abbé en chaire leur semble comique.*

de son attachement pour le peuple. Il ne cesse d'inviter ses confrères à devenir des missionnaires, à créer des associations, à ouvrir largement les portes de leurs presbytères, et surtout à ne jamais oublier le peuple. Ses apprentis admiratifs lui demandent parfois pourquoi il ne fonde pas une congrégation qui s'appuierait sur ses idées ; à cela, il répond qu'une congrégation serait le plus sûr moyen de mettre un obstacle entre les gens et lui.

L'atmosphère effervescente dans laquelle vit l'Allemagne en cette fin des années 1840 n'empêche pas le père Kolping de poursuivre son œuvre. En quelques mois, la Rhénanie catholique se couvre d'associations qui, dès le mois de mai 1850, se fédèrent en une ligue rhénane. En novembre 1851, on trouve des associations semblables en Allemagne du Sud et en Silésie. Kolping en établit aussi à Munich et à Vienne, interpellant parfois de jeunes prêtres issus du milieu artisan pour qu'ils l'aident dans son œuvre. L'un d'eux, Antoine Gruscha, deviendra un jour archevêque de Vienne.

Le prêtre infatigable se rend ensuite à Berlin avec une pléiade de jeunes confrères, et y crée foyers et associations. Ceux-ci bénéficient du soutien de la Cour. L'un des premiers à leur prodiguer ses encouragements n'est autre que le beau-frère de Karl Marx, le ministre von Westphalen. Encouragé par la manière chaleureuse dont le roi de Prusse soutient les associations, Kolping en fait des institutions diocésaines fédérées entre elles, qui ont pour but de promouvoir l'instruction des apprentis, mais aussi toute une forme de vie en société fondée sur la famille et sur la foi. Le fondateur de ces associations en devient le président général ; la seule recommandation qu'il fait alors à ses confrères est d'écouter et de conseiller les jeunes gens auxquels ils ont affaire. Quand il meurt en 1865, on ne compte pas moins de 418 associations rassemblant 24 600 membres. À la fois centres éducatifs, foyers d'hébergement et bourses d'emploi, les associations fondées par Kolping ont lutté efficacement contre le déracinement et l'isolement en créant une véritable fraternité du travail.

SOURCES : L. Lenhart, *BISCHOF KETTELER*, Cologne, 1966-1967. F. G. Scaffer, *ADOLF KOLPING*, Cologne, 1961. H. J. Kracht, *ADOLF KOLPING, PRIESTER, PÄDAGOGE, PUBLIZIST IM DIENST CHRISTLICHER SOZIALREFORM*, Fribourg, 1993.

# LE DOGME DE
# L'IMMACULÉE CONCEPTION
### *QUAND LA PIÉTÉ POPULAIRE*
### *PORTE LA VIERGE AUX NUES*

**• 27 AOÛ •**

LA GIFLE EST PARTIE UN PEU TROP VITE, ET UN PEU TROP BRUTALEMENT, l'abbé Peyramale s'en rend soudainement compte. La fillette qui le regarde, et dont la joue porte encore le stigmate cuisant, en semble tout interloquée. Mais c'est que le solide curé de Lourdes la connaît, cette Bernadette Soubirous : une gamine inculte, qui ne va même pas au catéchisme, une gamine qui depuis quelques semaines raconte d'étranges choses. Elle aurait eu des apparitions ! Bon, et puis, il faut bien l'admettre, il est un sanguin. Alors, la voir pénétrer chez lui, dans sa cuisine, se planter devant la table de bois et se présenter par ces mots de patois : « *Que soy era immaculada councepciou...* »

Non, mille fois non, il ne tolérera pas que cette gamine ait l'insolence de se dire l'Immaculée Conception. De femmes qui méritent cette sainte appellation, de femmes qui ont reçu la grâce de cette liberté-là – celle de ne pas avoir été dès la naissance marquée par la faute originelle –, il n'en est que deux : Ève, bien sûr, puisque la faute n'était pas encore commise. Et la Sainte Vierge, qui a reçu cette grâce comme un fruit par avance de la mort rédemptrice de son fils. D'ailleurs, même à son sujet, l'Église n'a-t-elle pas attendu ces dernières années pour assurer de toute son autorité que Marie est bien exempte de la faute originelle, qu'elle était de ce fait pleinement libre d'entrer dans l'œuvre du salut ? Alors, comment une gamine aurait-elle le toupet, chez lui...

Mais brutalement, la colère du curé retombe, car enfin, comment, en cette année 1858, Bernadette pourrait-elle connaître ce dogme tout récent ? Comment saurait-elle ce nom que l'Église n'accole que depuis quatre ans à la mère de Dieu, et comment se l'attribuerait-elle, fût-ce en patois ? Il écoute alors, enfin, ce que la gamine lui explique : ce nom, c'est celui que la Dame qu'elle prétend « voir » lui a donné, lorsque une fois de plus elle lui a demandé son nom. C'est le mot qu'elle a répété sans y rien comprendre durant tout le chemin, afin de ne pas l'oublier. Le curé Peyramale, ébranlé, commence pour la première fois à penser que ces visions ne sont pas une fable...

Quel signe ce serait, alors, se dit-il. La Vierge aurait justement choisi d'attendre la proclamation par Pie IX du dogme de l'Immaculée Conception. Elle ratifierait, aujourd'hui, la bulle *Ineffabilis Deus* du 8 décembre 1854, laquelle ne faisait au fond qu'entériner une réalité spirituelle explorée depuis plus d'un millénaire...

« *Nous déclarons, prononçons et définissons que la doctrine, qui tient que la bienheureuse Vierge Marie a été, au premier instant de sa conception, par une grâce et une faveur singulière du Dieu tout-puissant, en vue des mérites de Jésus-Christ, Sauveur du genre humain, préservée intacte de toute souillure du péché originel, est une doctrine révélée par Dieu, et qu'ainsi elle doit être crue fermement et constamment par tous les fidèles.* » Les termes d'*Ineffabilis Deus*, explicites et tranchants, n'ont pas surpris l'époque qui les accueille. Il s'est agi, en fait, d'affirmer ce que des générations de théologiens, d'artistes et de chrétiens fervents, ont chacun célébré à leur manière.

Certes, entre la proclamation en 431 de la Maternité divine à Éphèse et l'affirmation de l'Immaculée Conception à Rome en 1854, quatorze siècles se sont écoulés. Depuis l'affirmation de la sainteté de la mère du Christ, intuition quasi originelle, jusqu'à l'énonciation de sa conception immaculée, un long mûrissement a été nécessaire dans la conscience chrétienne. Mais déjà, saint Irénée, au IIᵉ siècle, salue en Marie la « Nouvelle Ève ». Dès le VIIIᵉ siècle, l'Église d'Orient rend un culte à la pureté sans tache de la Vierge. L'Occident, et d'abord l'Angleterre, la célèbrent à leur tour à partir du XIᵉ siècle. Quelques décennies plus tard, le moine britannique Eadmer, disciple de saint Anselme, s'essaiera même à cerner théologiquement le mystère de l'impeccabilité originelle de Marie, fondant son argumentation sur l'exégèse de l'Ancien Testament.

Depuis ces foyers originels, la célébration se répand, les dévotions fleurissent, tandis que les savants s'emparent de la question, la disputent. Ainsi, les étudiants normands, lors de la fondation de l'université de Paris, choisissent-ils pour fête patronale de leur « nation » le 8 décembre, fête de la Conception. Ils la célèbreront en l'église Saint-Séverin, où s'instaurera plus tard, en 1311, la première confrérie de la Conception.

Mais si le XIIIᵉ siècle dit déjà Marie Immaculée, l'Église ne s'est pas encore mise au diapason, et ne se mêlera formellement aux voix qui la célèbrent qu'à partir du XVᵉ siècle. Ce sera d'abord par la liturgie, qui propose alors une formule d'une telle plénitude – Dieu a préparé à son Fils « *une demeure digne de lui par la conception immaculée de la Vierge*, préservant celle-ci *de tout péché par une grâce venant déjà de la mort de ce Fils* » – qu'elle sera reprise, presque textuellement, dans la bulle de 1854. On frôle d'ailleurs déjà la perfection dogmatique, sous l'impulsion essentielle des Franciscains et du pape Sixte IV (franciscain) qui fait composer un office pour la fête du 8 décembre, tandis qu'en Sorbonne, une profession de foi envers l'Immaculée Conception devient obligatoire pour toute la communauté universitaire en 1496.

*La célébration se répand, les dévotions fleurissent.*

Période propice, ô combien, où réflexions théologique et esthétique se nourrissent et se fécondent, pour dévoiler peu à peu les pans du mystère. Marie immaculée s'incarne alors en cette femme de l'Apocalypse, que saint Bernard a identifiée à la Vierge : « *Un signe grandiose apparut au ciel : c'est une femme, le soleil l'enveloppe, la lune est sous ses pieds et douze étoiles couronnent sa tête.* » Marie immaculée prend les traits de la « Vierge aux symboles bibliques », cette toute jeune fille, aux longs cheveux tombant sur les épaules, qui joint les mains pour adorer et semble flotter dans l'espace, entre ciel et terre : « *belle comme la lune, brillante comme le soleil* », « *source d'eaux vives* », « *miroir sans tache* »... Dieu se montre au-dessus d'elle, et il prononce, en la voyant si pure, la parole du Cantique des cantiques : « *Tota pulchra es, amica mea, et macula non est in te (Vous êtes toute belle, ô mon amie, et il n'y a pas de tache en vous).* »

Autant de thèmes qui habitent encore les peintres, les graveurs, les maîtres verriers du XVIᵉ siècle, tandis que le concile de Trente, plutôt que d'affirmer le dogme, se contente de mentionner l'exemption de Marie du péché originel (1546, 5ᵉ session, 1ᵉʳ décret). Si les théologiens laissent juridiquement la question ouverte, le pape Paul IV décide néanmoins de permettre sa propagation artistique. Présent formidable, dont l'Espagne des XVIIᵉ et XVIIIᵉ siècles se saisit, cette Espagne mystique qui dépasse tous les pays catholiques par son zèle à

défendre l'Immaculée Conception. La statue de Montanez l'exalte à la cathédrale de Tolède, les toiles de Zurbaran, de Ribera la proclament, et plus encore celles de Murillo, qui s'y essaie dix fois, vingt fois, sans cesse.

Du génie propre à l'Espagne, de l'exploration esthétique surgissent de nouvelles images, de nouveaux thèmes, surtout celui qu'inspire le chapitre troisième de la Genèse : « *Le Seigneur dit au serpent : je mettrai des inimitiés entre toi et la femme, entre ta descendance et sa descendance : elle t'écrasera la tête...* » (Gn, 3, 15). La Vierge ne cessera plus de fouler aux pieds le serpent, depuis la *Purissima* de Murillo jusqu'à la médaille miraculeuse gravée en 1832, à la suite des apparitions à Catherine Labouré, rue du Bac à Paris. Elle deviendra l'éclatant symbole de la victoire mariale sur le péché et, partant, de sa propre conception déjà libérée de tout mal. Les théologiens rejoindront les artistes, puisant eux aussi dans la prophétie de la Genèse. Et Pie IX la reprendra en sa bulle : « *De l'avis de tous, cette divine prophétie annonce clairement et ouvertement le miséricordieux Rédempteur du genre humain, à savoir Jésus-Christ, Fils unique de Dieu. Elle désigne aussi sa bienheureuse Mère, la Vierge Marie. Et en même temps elle exprime d'une façon remarquable les inimitiés identiques de l'un et l'autre contre le démon.* »

Ainsi, songe à Lourdes l'abbé Peyramale, c'est depuis plus d'un millénaire que la Vierge aurait pu s'affirmer dans sa conception immaculée, c'est depuis

> La Vierge ne cessera plus de fouler aux pieds le serpent.

plus d'un millénaire que les artistes, les savants et les fidèles l'ont proclamée telle. Alors, comment comprendre, autrement que comme un point final mis à cette patiente recherche, la déclaration faite aujourd'hui à Bernadette, puisqu'enfin, il faut bien que ce soit la Vierge qui l'ait prononcé, ce nom qui authentifie les récits de la fillette ?

Il sait, le curé, quels trésors les artistes ont dû déployer pour dire le mystère de cette conception singulière. Et dans un sourire, il écoute la description que lui en fait la gamine, cette robe et ce voile de même blancheur que la parure de neige des montagnes, ces deux roses d'or rayonnant sur des pieds nus qui reprennent contact avec la terre pour la purifier à nouveau. Et dans ce même sourire, il devine les difficultés qui attendent les statuaires... Effectivement, elle sera déçue, Bernadette, en voyant la sculpture qui devait reproduire l'image de la Dame : « *Non, ce n'est pas cela !* » Ce mystère fut si long à dire, il reste maintenant à le représenter...

Sources : R. Aubert, *Le Pontificat de Pie IX, 1846-1878*, Paris, 1964. G. Martina, *Pio IX, 1851-1866*, Rome, 1986. G. Martina, *Il pontificato dio Pio IX*, Turin, 1970. E. Lecanuet, *Les Dernières années du pontificat de Pie IX*, 1931. G. Martina, « Problemi storiografici e metodologici sull'episcopato Pecci », *in* E. Cavalcanti, *Studi sull'episcopato Pecci a Perugia (1846-1878)*, Naples, 1986.

# DE LA PRISON DE CADILLAC
# AU COUVENT DE BÉTHANIE

## COMMENT CELLES QUE L'ON NOMMAIT
## LES VOLEUSES DEVINRENT DOMINICAINES

**28 AOÛ**

SŒUR SOPHIE ENTROUVRE LA CELLULE D'OÙ S'ÉCHAPPE UNE PUANTEUR INSOUTENABLE. Elle détourne la tête une fraction de seconde, puis fixe la silhouette en guenilles couchée à même le sol. « Préparez-vous, et dépêchez-vous de rejoindre les autres. » La gisante se relève doucement, tout son corps est meurtri. Elle porte le masque des souffrants. Le froid, la faim, la soif et la saleté l'ont rendue méconnaissable. Elle n'a plus d'âge, ni de nom. Elle fait peur à voir. Elle n'est plus que le fantôme d'une jeune et jolie personne d'à peine dix-neuf ans, qui dans une autre vie s'appelait Fanny.

Fanny est l'une des quatre cents détenues de la prison de Cadillac-sur-Garonne en Gironde, ancien château des ducs d'Épernon. Les cachots se trouvent dans les caves à vin. La température idéale pour la conservation du vin n'est guère favorable aux hommes et aux femmes qui y séjournent... Les conditions de détention sont si atroces et l'insalubrité telle que l'établissement pénitentiaire a le triste privilège, en 1866, d'enregistrer le plus fort taux de décès – majoritairement par suicide – de tout l'univers carcéral français.

Ce n'est plus une prison, c'est un mouroir. Ce n'est pas une annexe de l'enfer, c'est l'enfer même où de pauvres diablesses meurent chaque jour dans l'indifférence absolue. C'est aussi un lieu où les détenues les plus fortes imposent leur loi aux plus faibles. Débordés par la violence qui règne dans la maison de force, l'aumônier et les religieuses gardiennes de la prison demandent alors aux dominicains de leur diocèse d'envoyer un prêtre prêcher une retraite à Cadillac.

Lorsque le père Lataste, le jeune dominicain venu prêcher la retraite de quatre jours, pénètre pour la première fois dans l'austère bâtisse, il est abasourdi : « *Elles étaient là près de quatre cents, couvertes de vêtements grossiers, la tête enveloppée d'un mouchoir étroitement serré autour des tempes, ce qui leur donnait une physionomie toute singulière, vraiment repoussante.* » Le prédicateur est d'ailleurs entré à reculons dans ce mouroir. Le père Lataste est pourtant un homme de son siècle, préoccupé par les questions sociales. Il a été un membre de la congrégation de Saint-Vincent-de-Paul ; il animait une équipe qui servait la soupe populaire et apprenait à lire aux illettrés. Après la mort de sa fiancée, des

886

suites d'une fièvre typhoïde, il est entré dans les ordres. Et maintenant, devant les visages fermés, les silhouettes courbées de ces criminelles, le jeune prêtre ne peut réprimer un frisson de dégoût et de peur.

Pourtant, il doit prêcher cette retraite ! Il n'est pas là pour parler selon la justice des hommes mais pour témoigner de la miséricorde de Dieu. Alors, n'écoutant que son cœur, le dominicain s'adresse aux misérables filles. Il leur parle comme un frère d'un Dieu qui les aime, malgré leurs souillures, d'un amour inimaginable ici-bas, d'un Dieu qui ne cesse de les regarder avec tendresse. Il évoque les grands convertis, témoigne de sa propre conversion, pour montrer la réalité de la miséricorde divine.

Parmi les détenues, Fanny, la tête basse, rentrée dans les épaules, voûtée comme une vieillarde, fixe ses sabots. Et comme une vieille femme, elle marmotte en écoutant le prêtre, à moins qu'elle ne prie pour que sa souffrance s'apaise, pour recevoir un peu de cette lumière dont leur parle l'abbé. La Lumière du Seigneur. Mais Dieu ne les a-t-il pas oubliées ? « *Souvenez-vous de Marie-Madeleine* », leur souffle le prêtre. Fanny se met à pleurer doucement, et, pour la première fois depuis longtemps, relève le visage et sourit faiblement en regardant la croix de l'autel. Elle écoute le prêtre prêcher la Miséricorde avec ferveur et leur parler d'un Dieu-père et non d'un Dieu-juge, d'un Dieu d'espérance plutôt que d'expiation. Enfin ! « *Vous êtes mises au ban de la société [...] Mais je suis le ministre d'un Dieu qui vous poursuit sans cesse de son amour et qui tandis que je vous parle se tient invisiblement à la porte de votre cœur* », leur dit-il. Ainsi, femmes bannies, elles seraient déshonorées par les hommes et honorées par Dieu ? Malgré leur soif d'amour et de reconnaissance, la fable semble trop belle à certaines d'entre elles. Mais pas à toutes, pas à Fanny. Le père Lataste leur révèle aussi que la vie religieuse et l'internement qu'elles subissent se ressemblent. Ce qu'elles vivent dans la contrainte (enfermement, solitude, pauvreté, silence), d'autres qu'elles ont choisi de le vivre dans la liberté.

Et pendant quatre jours, chaque matin dès quatre heures et demie, et chaque soir après onze heures, quatre cents détenues, moins deux, suivent l'office du père Lataste.

Au terme de sa longue prédication, il n'a pas gagné une âme, mais cent. Alors que les hommes les punissent et les avilissent, Dieu pardonne à ces femmes, faisant des dernières les premières. « *Si Dieu me pardonne*, disent-elles au père, *comment pourrais-je ne pas pardonner à mon tour ? Non seulement c'est déjà fait, mais je prie pour ceux qui m'ont fait tant de mal.* » Car le mal, avant de le commettre, elles l'ont subi. Nombre de ces détenues sont des filles de paysans venues à la ville dans l'espoir de trouver un travail à l'usine, dans ce Second Empire en plein

> *Ces femmes bannies seraient déshonorées par les hommes et honorées par Dieu ?*

essor industriel. Elles se retrouvent la plupart du temps isolées, travaillant quinze heures par jour pour un salaire de misère. Beaucoup ne résistent pas, et finissent sur le pavé, réduites à la mendicité ; d'autres survivent en se prostituant ; ou encore se laissent séduire et, abandonnées avec un enfant non désiré, recourent aux faiseuses d'ange, et c'est ici dans les caves de Cadillac que s'achèvent ces tristes odyssées. La rue, la misère, la prostitution, l'avortement, Fanny, ancienne cousette, a tout connu.

Lorsque ces femmes viennent à lui pour se confesser, le père Lataste a une fulgurante révélation : elles lui ressemblent. Elles sont ses sœurs d'âme. Il écoute, prend des notes et, pour certaines d'entre elles, ajoute sur le coin de sa page : « *moi-même* ». Il ne fait aucune allusion devant elles à ce qui les a poussées à commettre ces actes. Dans son recueil *Les Réhabilitées*, il incriminera vivement la société qu'il tient pour responsable du sort misérable de ces jeunes femmes rejetées et abandonnées par les bien-pensants, et que la prison exclut bien davantage encore.

Le père Lataste comprend alors pourquoi Dieu l'a conduit jusque-là. Il propose à « *ces enfants déchues aux yeux des hommes* » de se rassembler en un lieu où, à leur sortie de prison, elles vivront leur foi en toute liberté et retrouveront leur dignité à travers l'adoration du Christ, où elles passeront de la prison contrainte

> « *Du plus grand pécheur, Dieu peut faire le plus grand saint.* »

au cloître consenti. « *Du plus grand pécheur, Dieu peut faire le plus grand saint* », leur a-t-il dit. Il ne s'agit pas de fonder une congrégation de plus réservée aux seules prisonnières, ce qui serait toujours infamant, mais de les mêler à d'autres religieuses au parcours moins mouvementé.

À ces femmes repenties et affamées d'amour, le père Lataste propose le modèle de sainte Marie-Madeleine la pécheresse, sauvée par l'Amour miséricordieux du Christ. Cette œuvre de miséricorde, la Maison de Béthanie – Marie-Madeleine et Marie de Béthanie étant parfois confondues en une même personne – voit le jour le 14 août 1866. L'entreprise est audacieuse car, à cette époque, les anciennes détenues ne peuvent pas devenir religieuses, les congrégations n'en veulent pas. Mais le père Lataste persiste, persévère, secoue la hiérarchie et obtient enfin l'assentiment de la congrégation dominicaine. Le 21 novembre 1866, la nouvelle communauté est approuvée par l'archevêque de Besançon.

Emporté par une bronchite, le père Lataste ne survit que trois ans à son œuvre. Mais sa fondation demeure et essaime partout en France et en Europe. Aujourd'hui encore, elle accueille dans la même consécration à Dieu des femmes ressuscitées dans l'amour du Christ, venues d'horizons divers, prison, drogue, prostitution, alcoolisme..., et d'autres au passé moins tumultueux.

Délivrant un message d'espérance et de pardon, les dominicaines de Béthanie célèbrent l'Eucharistie et adorent ensemble le Saint-Sacrement, car « *la main qui a relevé les unes est la même que celle qui a préservé les autres de tomber... Dieu ne nous demande pas ce que nous fûmes, il n'est touché que de ce que nous sommes* ».

SOURCES : *Prêcheur de la miséricorde*, Paris, 1992. Mgr G. Daucourt, *Le Message du père Lataste et des dominicaines de Béthanie*, Paris, 1993. Emmanuelle Marie, *Marie-Madeleine a encore quelque chose à dire*, Paris, 1994. Frère Denys Sibre, *Dominicains, l'ordre des Prêcheurs présenté par quelques-uns d'entre eux*, Paris, 1980.

# DOMINIQUE SAVIO

*« JE VEUX ÊTRE SAINT ET VITE! »*

**• 29 AOÛ •**

LE MAÎTRE SE FAIT ATTENDRE. TROP LONGTEMPS, AU GOÛT DES DEUX GARNEMENTS qui occupent les pupitres du fond. S'étant jeté un regard entendu, ils quittent leur banc, se précipitent dans la cour, ramassent une grosse boule de neige et regagnent la classe.

Don Cugliero arrive peu après. À peine sur l'estrade, il éternue plusieurs fois, tant la fumée que dégage le poêle est opaque. La flaque d'eau qui s'est répandue sous ce vénérable tas de ferraille lui paraît bien suspecte. De toute évidence, on s'est amusé à mettre de la neige sur les charbons ardents. Fronçant le sourcil, le maître se retourne vers sa classe étrangement silencieuse. D'une voix terrible, il lance : « Qui a fait cela ? » Personne ne pipe mot, car il n'est pas loyal de dénoncer des camarades. Surtout quand ceux-ci sont musclés et pourraient faire regretter au mouchard son excès de zèle. L'un des deux auteurs du méfait lève le doigt. « C'est Dominique Savio, mon père ! » La classe entière a le souffle coupé par une telle calomnie, mais personne n'ose protester, car le cancre qui vient de s'exprimer en impose. Le maître est sidéré. Son meilleur élève lui joue des tours, à présent ! C'est le monde à l'envers. Il voit l'accusé devenir écarlate, serrer les poings, pincer les lèvres. « Si ce n'était pas la première fois, Dominique, tu serais renvoyé. » Dominique étouffe sa colère et se rassied sans un mot. Pour les deux affreux, c'était le renvoi assuré.

Cette sombre histoire de poêle vaut à l'écolier de faire la connaissance de Don Bosco. Car son maître, à qui un élève finit par raconter la vérité, fait venir Dominique, lui parle longuement, et apprend que l'enfant n'a d'autre désir que celui de devenir prêtre. Don Cugliero décide de l'envoyer à son grand ami, fondateur des Salésiens.

Le 20 octobre 1854, Don Bosco voit arriver un frêle garçon accompagné de son père. Il ne peut s'empêcher de sourire, curieux de voir de quelle étoffe est fait celui que Don Cugliero lui a présenté comme un « vrai saint Louis » (saint Louis de Gonzague, mort à vingt-trois ans). Ce cher confrère a toujours eu une nette tendance à l'exagération...

Don Bosco interroge Dominique sur son enfance. L'enfant est né en 1842 ; son père est maréchal-ferrant, sa mère couturière. Ce « nouveau saint Louis » n'est donc pas venu au monde dans une famille aristocratique... Très vite, cependant, le sourire amusé du prêtre devient admiratif. Il ne peut retenir une exclamation de surprise quand Dominique lui apprend qu'il a fait sa première communion à sept ans, son curé ayant estimé inutile de le laisser attendre jusqu'à l'âge requis de douze ans. Fichtre ! Ce gamin a effectivement quelque chose d'exceptionnel. Tout chétif qu'il est, il répète avec insistance qu'il veut passer sa vie à servir Dieu, et demande au fondateur de le recevoir dans son établissement pour lui enseigner le latin. À la fin de l'entretien, le prêtre dit à l'enfant : « *Il me semble que tu es une bonne étoffe pour faire un habit au Seigneur.* » Et Dominique file la métaphore avec une aisance désarmante : « *Donc, je suis l'étoffe et vous serez le tailleur.* » Que pourrait répliquer Don Bosco à cette injonction ? Le tailleur n'a plus qu'à s'exécuter, et emmène sa précieuse étoffe à Turin.

Quelques semaines plus tard, le 8 décembre 1854, la ville en liesse fête la proclamation du dogme de l'Immaculée Conception. De la chapelle Saint-François-de-Sales monte la prière ardente d'un gamin de douze ans, qui se consacre solennellement à la Vierge : « *Marie, je vous donne mon cœur, faites qu'il soit toujours vôtre. Jésus et Marie, soyez toujours mes amis. Mais, par pitié, faites-moi mourir, plutôt que de me laisser commettre un seul péché.* »

Le 24 juin suivant, on célèbre la Saint-Jean, fête de Don Bosco. Celui-ci, pour remercier ses élèves, demande à chacun d'écrire sur un bout de papier le cadeau qu'il voudrait recevoir, et s'engage à essayer de satisfaire tout le monde. En dépliant les feuilles, il tombe sur une écriture bien connue. « *Aidez-moi à devenir un saint.* » Don Bosco se met à rire. Ce garçon est vraiment décidé à lui donner du fil à retordre.

> « *Je vais te donner le secret de la sainteté.* »

Il ne pouvait pas se contenter de demander du nougat comme ses camarades, il fallait qu'il mette une fois de plus son maître au défi ! Don Bosco réfléchit un instant, et fait appeler Dominique. Il veut une réponse dans les règles, il l'aura. L'élève arrive, et le fixe d'un regard mi-amusé, mi-inquiet. Il avait cru mettre son directeur dans l'embarras. Mais si celui-ci s'apprête vraiment à lui donner une recette, il s'agit d'être tout ouïe.

« *Je vais te donner le secret de la sainteté. Fais bien attention. Premièrement, la joie. Ce qui te trouble et t'enlève la paix ne vient pas du Seigneur. Deuxièmement, les études et la piété : attention en classe, application dans le travail et la prière. Tout cela, ne le fais pas par ambition, pour avoir des compliments, mais par amour du Seigneur et pour devenir un homme. Fais du bien aux autres. Aide toujours tes compagnons, même si cela te demande des sacrifices. La sainteté, c'est tout cela.* »

Le gamin sourit largement. La balle est dans son camp ; à lui maintenant de relever le défi par lequel Don Bosco vient de répondre au sien. Il va s'y employer de toutes ses forces. Il ne sera pas dit que Dominique Savio ne se montre pas à la hauteur des tâches qu'on lui assigne !

Cette graine de saint déploie dès lors des efforts constants pour faire régner l'entente autour d'elle, sans reculer devant les grands moyens pour y parvenir. Un jour, un élève apporte une brochure pleine d'images érotiques. À peine a-t-il réuni autour de lui un groupe de camarades ricanants qu'il voit Dominique fondre sur lui et réduire en miettes ce précieux illustré qu'il avait eu tant de mal à obtenir. La voix indignée de l'audacieux rabat-joie couvre les récriminations des gamins dépités : « *Les belles choses que tu apportes ici ! Don Bosco s'esquinte à faire de nous de bons chrétiens et d'honnêtes citoyens, et tu apportes dans la maison des saloperies de ce genre. Les images qui offensent Dieu et l'homme ne doivent pas entrer ici.* » Le râleur se tait, non pas tant sous le coup de la honte que sous celui de la surprise. En vérité, il ne croyait pas cet élève modèle capable d'employer pareil langage !

Au fil des bonnes actions de Dominique, Don Bosco admire l'œuvre de Dieu dans ce garçon. Le Seigneur semble n'avoir besoin de personne pour se tailler un riche habit dans cette étoffe de choix. Une nuit de décembre 1855, l'élève vient frapper à sa porte et le guide sans mot dire jusqu'à une maison de la ville où un homme allait mourir sans avoir reçu les derniers sacrements. Le prêtre interroge Dominique pour savoir d'où lui est venue cette intuition. Pour une fois, ce garçon d'habitude si enjoué reste muet, et se met à pleurer par-dessus le marché. Décontenancé, Don Bosco se rend compte qu'il a chez lui un enfant qui parle avec Dieu. Décidément, si Dominique Savio devient saint un jour, son maître se gardera de s'en attribuer le mérite.

Pour l'heure, en tout cas, il a le devoir de modérer l'ardeur au travail de cet élève trop bouillant dont la santé s'use à vue d'œil. Don Bosco décide de ne plus l'envoyer en classe à Turin, et de lui donner lui-même des cours. L'adolescent accepte, conscient de sa fragilité. Il semble d'ailleurs saisi par un sentiment d'urgence qui le rend plus impatient que jamais. Il ajoute soudain deux mots au refrain impérieux dont il rebat les oreilles de son maître : « *Aidez-moi à me faire saint, et vite !* » Don Bosco a vraiment l'impression d'être entraîné dans une course à perdre haleine. Ce gamin pressé lui laisse de moins en moins de repos...

Dominique décide peu après de fonder une association parmi ses camarades, afin d'organiser les bonnes actions des uns et des autres. C'est qu'il s'agit d'être efficace, si l'on veut fouler à grandes enjambées le chemin qui mène à la sainteté. Quelques garçons accueillent le projet avec enthousiasme, et leur meneur a tôt fait d'obtenir l'autorisation de Don Bosco. Ce qui, bien entendu, n'étonne personne : chacun sait que Dominique a le directeur dans sa poche. La compagnie de l'Immaculée-Conception est inaugu-

> *Un enfant qui parle avec Dieu.*

rée le 8 juin 1856. Elle a pour but de créer un climat de joie et de sérénité autour d'elle, et survivra plus de cent ans à son fondateur au sein des maisons salésiennes.

La santé de Dominique décline rapidement. En février 1857, pour la première fois, Don Bosco doit élever la voix contre l'adolescent têtu qui prétend ne pas voir la nécessité de repartir chez lui.

– Tu n'arrêtes pas de tousser, bourrique ! Ce n'est pas ici que tu vas guérir.

– Don Bosco, répond l'élève d'une petite voix, je voudrais mourir ici, près de vous.

– Cesse de dire des bêtises, répond sèchement le prêtre pour cacher son émotion. Au printemps, tu seras de retour ici, frais et dispos.

– Mais si je meurs...

– Eh bien, si le Seigneur t'appelle, articule Don Bosco d'une voix qu'il a du mal à rendre légère, tu nous verras depuis le Paradis, ainsi que ta famille, et mille choses plus belles encore.

Quelques jours après son retour chez lui, le 9 mars 1857, Dominique recevait l'extrême-onction, et partait en murmurant à son père : « *Adieu, Papa. Monsieur le curé me disait... Je ne m'en souviens plus... Oh, que c'est beau, ce que je vois !* »

Le pape Pie XII canonisera en 1954 ce gamin de quinze ans qui n'avait qu'une idée en tête, celle d'être saint, et vite...

SOURCES : J. Bosco, *SAINT DOMINIQUE SAVIO, 1842-1857*. G. Courtois, *DOMINIQUE SAVIO*, Paris, 1995. R. Berthier, *JEUNES AMIS DE JÉSUS*, Paris, 1985.

# BERNADETTE SOUBIROUS

*JE NE SUIS PAS CHARGÉE*

*DE VOUS LE FAIRE CROIRE,*

*JE SUIS CHARGÉE DE VOUS LE DIRE*

**• 30 AOÛ •**

LE 11 FÉVRIER 1858, BERNARDE SOUBIROUS, QUE SES PROCHES NOMMENT BERNADETTE, part chercher du bois sur les bords du gave de Pau, accompagnée de sa sœur et d'une amie. La petite ville de Lourdes s'éveille. Il fait très froid ce matin-là. Les trois jeunes filles courent à travers les bois, en chantant à tue-tête et en riant. Pour un peu, elles en oublieraient les morsures du froid et cette faim qui souvent leur tiraille le ventre. Arrivées au lieu-dit Massabielle, elles se déchaussent pour traverser le cours d'eau. Abîmée dans ses pensées, Bernadette s'attarde sur la berge tandis que ses compagnes ont déjà atteint l'autre rive. Là, se dresse, impressionnante, une large grotte. Elles s'y engouffrent et commencent à y ramasser du bois, en bavardant.

S'apercevant qu'elle est seule sur la berge, Bernadette s'apprête à les rejoindre. C'est alors, racontera-t-elle plus tard, qu'elle entend « *un bruit comme un coup de vent* ». Pourtant, il n'y a pas de vent, s'étonne la jeune fille. Le bruit se fait à nouveau entendre. Intriguée, elle relève la tête et regarde dans la direction de la grotte. De l'autre côté du Gave, dans une petite niche, elle voit une lumière douce.

Au cœur de cette lumière, elle distingue une belle demoiselle. L'apparition, d'une saisissante beauté, lui sourit. Bernadette croit à un rêve, elle se frotte les yeux plusieurs fois. Mais la belle dame est toujours là et fait un signe de croix, puis prend un chapelet. Bernadette, figée sur place, fait de même. Elle commence à prier : « *Je vous salue Marie, pleine de grâce...* » L'apparition sourit et égrène à son tour les perles de son chapelet. Lorsque Bernadette a terminé sa prière, la dame disparaît tout d'un coup. Bouleversée, Bernadette rejoint ses compagnes. Celles-ci n'ont absolument rien remarqué et ne comprennent pas pourquoi Bernadette s'obstine à leur demander si elles aussi ont vu la dame. Alors Bernadette se tait, aide ses compagnes à ramasser du bois et rentre chez elle.

Lorsqu'elle voit la « belle dame » pour la première fois, Bernadette n'a que quatorze ans. Née à Lourdes en 1844, dans une famille d'une grande pauvreté – son père est meunier, sa mère fait des ménages –, c'est une jeune fille discrète, à la santé fragile, sujette aux crises d'asthme. Mais cela ne l'empêche pas de travailler beaucoup à la maison pour aider ses parents. Il faut dire qu'elle n'a pas vraiment le choix : tout le monde travaille dans la famille Soubirous. Alors évidemment, Bernadette n'a pas le temps d'aller à l'école. À quatorze ans, elle ne sait ni lire ni écrire. Elle ne va pas non plus au catéchisme, et n'a donc pas encore fait sa première communion. Ses parents, qui sont pourtant chrétiens, lui ont parlé de Dieu et lui ont appris à prier. Mais la vie n'est pas facile pour les Soubirous, et Bernadette a le souci constant d'aider ses parents à subvenir aux besoins de la famille.

Personne ne prête vraiment attention à elle dans le village. C'est la fille Soubirous, la fille du meunier. Et voilà qu'en cette année 1858, la petite Bernadette va devenir subitement le centre de toutes les attentions. Entre le 11 février et le mois de juillet 1858, en présence d'une foule toujours plus importante, la Vierge apparaît dix-sept autres fois à Bernadette. C'est le 18 février, à sa troisième apparition, que l'étrange vision parle pour la première fois à la jeune fille : « *Je ne vous promets de vous rendre heureuse en ce monde, mais dans l'autre.* » Pour être entendue des hommes, la Vierge a préféré la simplicité : d'abord en choisissant Bernadette ; ensuite en délivrant un message limpide, sans signes compliqués, sans secrets à révéler ultérieurement. Ce message peut se résumer en quelques mots : appel à la prière et à la pénitence, demande de construction d'une chapelle et invitation à y venir en pèlerinage.

Lors de son apparition du 25 février, la Vierge invite Bernadette à se diriger vers un coin de la grotte. Elle lui dit alors ces quelques mots : « *Allez boire à la fontaine et vous y laver.* » Bernadette obéit. Elle commence à creuser la terre de ses mains, à l'endroit que la Vierge lui indique, sous les yeux médusés des témoins qui, en cet instant, commencent à douter de sa santé mentale. Et pourtant... l'eau jaillit entre les mains de la petite Soubirous ! Cette demande a un sens éminemment spirituel qui annonce les gestes de pénitence que des millions de fidèles vont accomplir, à l'avenir, en se rendant en pèlerinage à Lourdes et en buvant à la source découverte par la petite Bernadette.

Après chaque apparition, on presse Bernadette de questions. Pourquoi fait-elle ces gestes-là ? Qui est cette dame qu'elle prétend voir, ne peut-elle pas lui demander son nom ? Bernadette obéit et demande chaque fois à la Vierge de lui dire son nom. La Vierge répond toujours par un sourire. Mais le 25 mars, en la fête de l'Annonciation, alors que la Vierge apparaît pour la quatorzième fois à Bernadette, elle lui dit enfin son nom : « *Que soy era Immaculada Councepciou* (Je suis l'Immaculée Conception) ».

Même en patois de Bigorre, le vocable a de quoi surprendre Bernadette ! Elle ignore que, quatre ans plus tôt, le pape Pie IX a solennellement défini le dogme de l'Immaculée Conception de la Vierge. Bernadette court répéter l'étrange pa-

> « *Allez boire à la fontaine et vous y lavez.* »

role de la Vierge au curé de Lourdes, l'abbé Peyramale. Celui-ci comprend que ces mots que Bernadette répète sans les comprendre sont un signe de l'authenticité des apparitions.

La dernière vision de Bernadette a lieu à la fête de Notre-Dame-du-Mont-Carmel, le 16 juillet 1858. Sa mission est maintenant terminée. Bernadette ne sait pas encore que les apparitions l'ont rendue célèbre. D'étonnantes guérisons, des miracles commencent à se produire à la grotte. Visiteurs et journalistes se pressent bientôt à Lourdes pour la voir et l'interroger. Bernadette doit souvent faire le récit de ses visions. Un jour, à un incrédule qui doute de ses propos, elle dit simplement : *« Je ne suis pas chargée de vous le faire croire, je suis chargée de vous le dire... »* Toute la simplicité de Bernadette est contenue dans cette réponse ! Elle sait qu'elle n'a été qu'une messagère, le porte-voix du Ciel. Elle sait aussi que sa vie ne se résume pas à ces apparitions et qu'elle a rejoint le peuple des simples fidèles.

Le 18 janvier 1862, Mgr Laurence, évêque de Tarbes, déclare après une enquête approfondie, que l'apparition de la Vierge à Lourdes *« revêt tous les caractères de la vérité et que les fidèles sont fondés à la croire certaine »*. C'est ainsi que des malades, venus des quatre coins de France et même du monde, arrivent par milliers dans la petite ville des Pyrénées. Certains en repartent totalement guéris. En juillet 1866, Bernadette quitte Lourdes pour entrer dans la congrégation des Sœurs de la Charité de Nevers. Elle devient sœur Marie-Bernard, menant une vie d'obéissance et de simplicité. De plus en plus affaiblie par l'asthme et la tuberculose, elle meurt le 16 avril 1879, à trente-cinq ans, laissant derrière elle cette phrase magnifique de simplicité et d'amour de Dieu : *« Mourant sans cesse à moi-même, en paix supportant la douleur, je travaille, je souffre et j'aime sans autre témoin que Son Cœur. »*

> *« Je ne suis pas chargée de vous le faire croire, je suis chargée de vous le dire... »*

SOURCES : R. Laurentin, *LES APPARITIONS DE LOURDES*, Paris, 1966. Y. Chiron, *ENQUÊTE SUR LES APPARITIONS DE LA VIERGE*, Paris, 1995. R. Laurentin, *VIE DE BERNADETTE RACONTÉE À TOUS*, Paris, 1985.

# ANTOINE CHEVRIER
# ET LE PRADO
## UN DANCING POUR LES PAUVRES

**31 AOÛ** • LYON, 1861. SUR LE PARVIS DE L'ÉGLISE, LA FOULE DES FIDÈLES QUI ONT ASSISTÉ À LA MESSE en ce vendredi matin se disperse. Bientôt les conversations ne sont plus que murmures. La place se vide. Seul un mendiant demeure les yeux baissés, la main tendue. Dans un bruissement d'étoffe, une dame approche.

– Monsieur l'abbé, que faites-vous donc là à mendier ?

L'abbé contemple un instant le bas de la robe soyeuse. Puis il relève la tête et observe en silence la vieille dame élégante qui pose sur lui un regard scandalisé. Comment un prêtre peut-il en être réduit à tendre la main à la sortie d'une église ? Autour d'eux, plusieurs personnes sont passées, toisant avec mépris cet abbé en soutane élimée. Certains l'insultent même et menacent d'appeler la maréchaussée pour qu'elle arrête ce misérable, ce filou qui usurpe certainement l'habit ecclésiastique pour escroquer les honnêtes gens. Mais, à la surprise de la coquette, l'homme pose sur elle un regard doux :

– Madame, je mendie pour les pauvres qui manquent de tout, y compris de Dieu.

– Mais pensez-vous que ce soit votre rôle, à vous, un prêtre ? rétorque la dame, choquée par l'attitude inconvenante de l'abbé.

L'abbé Chevrier réagit. Ses propos sont fermes même s'ils laissent transparaître une grande douceur : « *Il faut instruire les ignorants, évangéliser les pauvres. C'est notre lot. Aller aux pauvres, parler du Royaume de Dieu aux ouvriers, aux humbles, aux petits, aux délaissés, à tous ceux qui souffrent. Oh ! que ne nous est-il pas permis d'aller, comme Notre Seigneur, comme les apôtres, sur les places, dans les ruines, dans les familles, porter la foi, prêcher l'Évangile, catéchiser, faire connaître Notre Seigneur !* »

Dans un haussement d'épaules, la vieille dame jette une pièce à ce prêtre dont l'attitude est décidément bien étrange. Le père Chevrier la regarde s'éloigner. L'incompréhension dont font preuve ses contemporains le chagrine. Pourquoi n'entendent-ils pas ce cri, cet appel au secours que le Christ pousse à travers ses pauvres. Sont-ils tous réellement aveuglés par l'outrageante prospérité du Second Empire ?

Les notables des quartiers bourgeois de Lyon voient bien la pauvreté des quartiers populaires. Mais ils ont peur.

Ils croient entendre la révolte gronder comme en 1830, 1834 ou 1848, chaque fois qu'ils croisent le regard implorant de l'un de ces malheureux. Ils se disent que, décidément, l'histoire l'a prouvé, ces pauvres sont dangereux ! L'Église elle-même a tendance à se réfugier dans les paroisses bien établies, auprès de fidèles éduqués et dociles. Le père Chevrier ne peut les blâmer. Après tout, il lui a fallu attendre d'être vicaire à La Guillotière, cette paroisse des faubourgs de Lyon, pour découvrir la misère des ouvriers et comprendre qu'il était urgent d'agir.

*La boisson, les mauvaises fréquentations, la prostitution font des ravages.*

La Guillotière est l'un de ces faubourgs qui, comme la Croix-Rousse ou les Brotteaux, accueillent tous ceux qui viennent chercher du travail dans une industrie lyonnaise en plein essor. Car, avec la création des premières lignes de chemin de fer et l'enrichissement de la bourgeoisie, les industries métallurgiques et textile se développent à vive allure. Lyon est devenu le centre textile le plus important du pays : il faut bien produire des mètres et des mètres de velours, de taffetas, de satin pour parer de rubans, de volants froncés et de galons brodés les amples robes à crinoline de cette bourgeoisie au luxe tapageur. Dans ces fabriques qui se multiplient, la demande de main-d'œuvre est si forte que les campagnes du Lyonnais et du Forez se dépeuplent. Les paysans s'imaginent que la vie est plus facile et plus agréable en ville et abandonnent leurs terres peu fertiles.

Trois jours après son ordination, le père Chevrier a été nommé vicaire de la paroisse Saint-André à La Guillotière avec, parmi ses fonctions, celle d'enseigner le catéchisme aux enfants et aux jeunes gens. La situation sociale dans ce quartier le bouleverse. Face aux tentations multiples de la ville, les esprits les plus faibles se laissent aller à la paresse ; la boisson, les mauvaises fréquentations, la prostitution font des ravages. Des familles sont à l'abandon, manquant d'un logement convenable, d'une nourriture saine. Les enfants sont privés d'éducation et traînent dans la rue du matin au soir quand ils ne sont pas déjà au travail dans les manufactures.

Le père Chevrier avait rêvé de partir en mission pour porter l'Évangile aux pays lointains. Une nuit de Noël, devant la crèche de l'église de Saint-André, il comprend. Il comprend comment, là où il est, il peut suivre son Dieu incarné pauvre parmi les plus pauvres. Ces quartiers déshérités, où l'incroyance est reine, où l'Eucharistie est bafouée, seront désormais sa terre de mission. « *C'est là que je me suis converti, ma vie fut désormais fixée.* » Il trouve alors sur sa route un laïc que l'appel à la sainteté a tiré de son athéisme. Camille Rambaud vit très pauvrement dans la cité ouvrière de l'Enfant-Jésus, qu'il a ouverte pour les familles les plus démunies.

Chevrier quitte Saint-André pour loger dans la cité dont il devient l'aumônier, préparant les enfants pauvres à la première communion. Depuis un peu moins d'un an, cédant à la pression de son entourage, il a fini par accepter d'installer cette « œuvre » de catéchisme dans un local spécifique. Le 9 décembre, il trouve, au centre de La Guillotière, un dancing mal famé en fort mauvais état appelé « Le Prado ». La salle principale mesure soixante mètres de long sur vingt de large et peut accueillir près de mille danseurs qui se contentent d'un sol en terre battue. Deux pièces attenantes servent de buvettes. Le local est immédiatement transformé en un petit pensionnat. Dans des conditions extrêmement précaires, il recueille des enfants et des adolescents, garçons d'un côté, filles de l'autre. Les conditions pour être admis ? « *Ne rien avoir, ne rien savoir, ne rien valoir !* » Et les demandes commencent à affluer...

Sur le parvis de l'église, Antoine Chevrier a retrouvé le sourire. Il pense maintenant aux vingt-cinq jeunes de plus de quinze ans qui feront leur première communion, à Pâques, dans la chapelle aménagée au centre du local. Il les aime tous ces jeunes qu'il accueille au cours de l'année et le travail qu'ils lui demandent lui est agréable même s'il le fatigue. Il faut les loger, les nourrir, les chauffer... On vit au jour le jour, dans l'abandon à la Providence, grâce aux quelques dons qui lui arrivent parfois.

*Je mendie pour des gosses dont personne ne veut !*

« Voilà pour qui je mendie ! Pour des gosses dont personne ne veut ! » a-t-il envie de crier à la vieille femme qui a depuis longtemps disparu.

Son entourage lui a conseillé de faire travailler ses jeunes pensionnaires. Bien des industriels lyonnais catholiques seraient prêts à proposer de petits travaux aux protégés de l'abbé, comme cela se pratique dans bien des pensionnats démunis. Mais le père Chevrier veut accueillir ces enfants gratuitement. L'éducation, l'instruction et le catéchisme, cela ne se monnaie pas, cela se donne. Antoine Chevrier soupire. Ce refus, à une époque où le travail est paré de toutes les vertus, est mal compris et lui vaut bien des désagréments.

L'abbé persévère toutefois dans la voie qu'il a choisie. Il vit au milieu des enfants, leur témoignant une douceur, une patience et un amour sans bornes. Au bout de quelques mois de « stage », une fois la communion faite et les notions élémentaires de lecture, d'écriture et de calcul assimilées, les jeunes seront renvoyés chez eux... pour laisser la place aux autres ! Et cela marche... En mars, il a même obtenu l'autorisation d'ouvrir une école.

Le père Chevrier a déjà un autre grand projet : celui de former des « prêtres pauvres » qui pourront évangéliser les milieux dont ils sont issus. Jean-Marie Vianney, le curé d'Ars, l'y a vivement encouragé. Présenté au pape Pie IX en 1864, le projet prend forme lentement. Antoine Chevrier cherche à fixer autour de lui quelques prêtres pour l'aider, et discerne, parmi les garnements qu'il accueille au Prado, ceux qui sont susceptibles de le devenir. Ainsi s'organise une « école cléricale » dont il rédige le *Règlement*. Son but est de former des prêtres séculiers, vivant en communauté et consacrés, dans la pauvreté, à l'évangélisation du monde ouvrier. Il emmène ses jeunes en retraite à Saint-Fons, dans une maison isolée dont on lui a fait don. Sur le mur principal de la chapelle, il fait peindre, en un résumé pédagogique, son programme de vie sacerdotale : la crèche (pauvreté), la croix (sacrifice), l'Eucharistie (amour). En 1877, les quatre premiers diacres pradosiens sont ordonnés à Rome, préfiguration de la dimension universelle de la nouvelle Société.

Au cours de l'année 1879, la santé du père Chevrier, mise à l'épreuve par de longs jeûnes, ne cesse de se détériorer. Angoisse et solitude ne lui sont pas épargnées. Il s'éteint au Prado, le 2 octobre 1879, à cinquante-trois ans. Cinquante mille pauvres suivent sa dépouille jusqu'à la chapelle du Prado, où il est enseveli devant la table de communion. L'avenir de la Société est loin d'être assuré et il faut attendre les années 1920 pour que le Prado prenne son essor, avec la publication de son ouvrage, *Prêtre selon l'Évangile*, et l'approbation définitive des constitutions.

Antoine Chevrier a été béatifié par Jean-Paul II le 4 octobre 1986, à Lyon, en la fête de saint François d'Assise, le *poverello*, hommage ultime à celui qui avait choisi un sacerdoce exigeant, au service des petits et des pauvres.

> *Cinquante mille pauvres suivent sa dépouille jusqu'à la chapelle du Prado.*

SOURCES : Père Chevrier, *LE PRÊTRE SELON L'ÉVANGILE OU LE VÉRITABLE DISCIPLE DE NOTRE SEIGNEUR JÉSUS-CHRIST*. J.-F. Six, *UN PRÊTRE, ANTOINE CHEVRIER, FONDATEUR DU PRADO*, Paris, 1965. J. Sandrin, *ENFANTS TROUVÉS, ENFANTS OUVRIERS, XVIIe-XIXe SIÈCLE*, Paris, 1982.

DÉCEMBRE

JANVIER

FÉVRIER

MARS

AVRIL

MAI

JUIN

JUILLET

AOÛT

**SEPTEMBRE**

OCTOBRE

NOVEMBRE

DÉCEMBRE

# CATHOLIQUES ET SOCIALISTES
## *DES RÉVOLUTIONS EUROPÉENNES*
## *À L'ENCYCLIQUE RERUM NOVARUM*

*Heureux qui craint le Seigneur,*

*qui aime entièrement sa volonté !*

*Sa lignée sera puissante sur la terre ;*

*la race des juste est bénie.*

*Les richesses affluent dans sa maison :*

*à jamais se maintiendra sa justice.*

*Lumière des cœurs droits, il s'est levé dans les ténèbres,*

*homme de justice, de tendresse et de pitié.*

*L'homme de bien a pitié, il partage ;*

*il mène ses affaires avec droiture.*

*Cet homme jamais ne tombera ;*

*toujours on fera mémoire du juste.*

Psaume 111

# THÉOPHANE VÉNARD

## DU MARAIS POITEVIN
## AUX RIZIÈRES DE HANOI

**2**
**SEP** •

*« JE VOUS ÉCRIS AU COMMENCEMENT DE CETTE ANNÉE QUI SERA, SANS DOUTE, LA DERNIÈRE DE MON PÈLERINAGE SUR la terre. Je vous ai déjà écrit un petit billet par lequel je vous fais connaître mon arrestation le 30 novembre, jour de saint André, dans un village chrétien. Le bon Dieu a permis que je fusse trahi par un mauvais chrétien ; mais je ne lui en veux pas. De ce village, j'ai été conduit à la sous-préfecture et je vous ai tracé quelques lignes d'adieu au moment où l'on allait me passer la chaîne des scélérats au cou et aux jambes. Je l'ai baisée cette jolie chaîne de fer, vraie chaîne d'esclavage de Jésus et de Marie, que je ne changerais pas pour son pesant d'or... »*

Ainsi commence la lettre que le père Jean-Théophane Vénard adresse le 2 janvier 1861 du lointain Tonkin à son père, à sa sœur Mélanie et à ses frères Henri et Eusèbe. Il a trente et un ans. Toute sa vie a été tendue vers un unique amour, celui du Seigneur. Né le 21 novembre 1829 à Saint-Loup-sur-Thouet, dans les Deux-Sèvres, il est le fils du maître d'école du village, lui-même chrétien d'une ardente piété. À neuf ans, racontera-t-il, alors qu'il gardait la chèvre familiale sur le coteau de Bel-Air, il découvre, dans une brochure, la vie et le martyre d'un jeune missionnaire du diocèse, Jean-Charles Cornay, sauvagement massacré au Tonkin. De là naît sa double vocation de prêtre et de missionnaire. L'enfant est d'abord envoyé au collège de Doué-la-Fontaine, en Maine-et-Loire. Puis il passe au petit séminaire de Montmorillon et, en octobre 1848, au grand séminaire de Poitiers. Au début de 1851, quelques semaines après avoir reçu le sous-diaconat, il informe son père de sa décision de devenir missionnaire. Il le fait avec beaucoup de ménagement : au siècle dernier, en effet, cela signifie une séparation définitive d'avec sa famille, un départ sans retour, un « à Dieu » véritable, avec la mort au bout de la route.

Le voilà donc à Paris, rue du Bac, au séminaire des Missions étrangères. L'atmosphère est chaleureuse, bienveillante, fraternelle et plaît à son caractère joyeux. Les « aspirants » attendent leur « feuille de route » avec une impatiente exaltation. Théophane est ordonné prêtre en juin 1852 et envoyé à Hong Kong, où il reste de longs mois. Sa destination est la Chine continentale, mais finalement, au dernier moment, en raison de la guerre civile qui y sévit, il part pour le Tonkin occidental, province de l'empire d'Annam, là où précisément son inspirateur, Jean-Charles Cornay, a conquis avec beaucoup d'autres la palme du martyre. Le but de la mission est de former un clergé indigène, conformément aux instructions de l'encyclique *Nominem profecto*. Le vicaire apostolique, l'illustre Mgr Retord, est déjà à la tête d'une importante communauté chrétienne : quatre ou cinq missionnaires, soixante-quinze prêtres autochtones, cent quarante mille fidèles, un petit et un grand séminaire.

La tâche est exaltante, mais les conditions de vie sont épouvantables, car les chrétiens, un moment tolérés dans la région, sont à nouveau pourchassés. Leurs églises de bois et de chaume sont brûlées. Il faut toujours être sur le qui-vive. On se déplace la nuit, à pied, sur les petits sentiers de terre rouge qui courent entre les rizières et les roseaux, ou en sampan lorsque les eaux vertes et limoneuses des *arroyos* envahissent la plaine. Quand les soldats des mandarins arrivent dans une bourgade, il faut se cacher dans les doubles cloisons des cabanes ou dans des trappes humides et insalubres creusées sous terre et attendre là des heures, voire des jours. Ceux qui se font prendre sont enchaînés, flagellés, suppliciés, étranglés ou décapités.

À ces périls s'ajoute le climat. Bientôt le jeune prêtre tombe malade. C'est une attaque de tuberculose : il met deux ans à se rétablir. En février 1857, le centre chrétien de Vinh Tri, au sud-est de Hanoi, est totalement rasé, et Mgr Retord est contraint de gagner les montagnes sauvages où rôdent les tigres. Il y meurt de fièvre maligne. Théophane a pris en charge un district de quatre paroisses : douze mille chrétiens avec sept prêtres du pays pour l'assister. Échappant momentanément aux troupes de l'empereur, il a le temps de traduire en annamite plusieurs textes du Nouveau Testament. Il est nommé supérieur du grand séminaire, mais c'est un titre de pure forme, car ses élèves, dispersés dans les paroisses, sont obligés de vivre dans la même clandestinité que lui.

Le 30 novembre 1860, il est capturé, jeté dans une cage de bambou et conduit à Phu Ly, la sous-préfecture, d'où, grâce à la complicité d'un gardien complaisant, il peut tracer avec un pinceau quelques lignes pour sa famille. Il n'est pas brutalisé. L'oncle du sous-préfet voudrait même le sauver et l'engage plusieurs fois à apostasier et à fouler la croix. Mais la foi de Théophane ne faiblit pas, bien au contraire : en attendant son transfert à Hanoi, la préfecture, il parle de la foi chrétienne à ceux qui s'approchent de sa cage. Beaucoup lui avouent que, si l'empereur ne l'interdisait pas, ils embrasseraient volontiers cette religion d'amour, qui rend si forts ceux qui la confessent.

Vient enfin le départ. Après deux jours de voyage, où il est exhibé comme une

> *Il faut se cacher dans des trappes humides et insalubres creusées sous terre.*

bête dans son inconfortable habitacle porté par huit soldats, Théophane arrive à Hanoi le 6 décembre. Une foule de curieux est sortie des petites maisons de brique qui longent le fleuve Rouge. Le jeune homme entend des réflexions autour de lui : « Qu'il est joli cet Européen ! Il est serein et joyeux comme quelqu'un qui va à la fête ! Il n'a pas l'air d'avoir peur ! Celui-là n'a aucun péché ! Il n'est venu en Annam que pour faire du bien... » Il s'abandonne à la Providence, prie Marie, la « reine des martyrs », lui demande d'assister « son petit serviteur ». Il ne veut pas défaillir. Arrivé à la citadelle, on lui glisse une tasse de thé à travers les barreaux, puis le préfet l'interroge. Théophane répond avec calme. Il est prêt à offrir au Seigneur le sacrifice de son sang, dans l'ardente certitude de voir le Ciel s'entrouvrir pour lui. Devant de tels propos, le vice-roi ne peut que prononcer un jugement de mort. Il faut maintenant attendre que l'empereur confirme la sentence.

> « Qu'il est joli cet Européen ! Il est serein et joyeux comme quelqu'un qui va à la fête ! »

Même si celle-ci tarde à venir, elle ne fait aucun doute. Tu Duc, l'empereur d'Annam, qui réside à Huê, est, en effet, un homme impitoyable. C'est lui le responsable de la persécution des missionnaires et de la mort de Mgr Diaz, évêque espagnol.

En attendant, Théophane est traité avec une relative indulgence par ses gardiens, touchés par sa gentillesse. On lui a donné une cage plus spacieuse. Une veuve chrétienne a pris en charge sa nourriture et est parvenue à lui faire passer des hosties consacrées. Un prêtre déguisé en mandarin a même réussi à le confesser.

La fatale nouvelle parvient à Hanoi le 2 février 1861, jour de la Chandeleur. Pour Théophane, c'est l'heure joyeuse – oui, joyeuse ! – celle de la rencontre tant attendue avec le Seigneur. « *Mon cœur a soif des eaux de la vie éternelle* », a-t-il écrit à sa famille. Selon la mise en scène habituelle, il est conduit le long du fleuve Rouge, par un cortège de deux mandarins à dos d'éléphant, douze soldats sabre au clair, une rangée de gardes munis de longues lances, des cymbales, des tambours... Le prisonnier, les bras attachés, attend à genoux sur un tapis de toile, sa tunique de soie noire dégrafée, à côté de lui la sentence inscrite sur une planchette est fichée en terre. Le bourreau, qui a bu, se montre d'une extrême maladresse. La tête ensanglantée du martyr ne tombe qu'après cinq coups de sabre. Exposée trois jours en haut d'un poteau, elle sera ensuite jetée au fleuve où les chrétiens ne la repêcheront que quelques jours plus tard.

Les dernières lettres du père Vénard, le récit de son exécution par l'un de ses compagnons, Mgr Theurel, parus dans les *Annales de la Propagation de la Foi*, produisirent en France une forte émotion. Sa correspondance, qui révélait sa piété, son enthousiasme, sa grande sensibilité, son lyrisme même, fut publiée en 1864 par son frère, l'abbé Eusèbe Vénard. En

1896, Thérèse de l'Enfant-Jésus la découvrit et en fut à son tour profondément marquée : « *Ce sont mes pensées,* disait-elle ; *mon âme ressemble à la sienne.* »

D'une pointe de bambou, Théophane avait écrit à son père : « *Un léger coup de sabre séparera ma tête, comme une fleur printanière que le Maître du jardin cueille pour son plaisir. Nous sommes tous des fleurs plantées sur cette terre, que Dieu cueille en son temps, un peu plus tôt, un peu plus tard. Autre est la rose empourprée, autre le lys virginal, autre l'hum-ble violette. Tâchons tous de plaire, selon le parfum ou l'éclat qui nous sont donnés, au souverain Seigneur et Maître.* »

Le 19 juin 1988, Jean-Paul II éleva sur les autels, au rang de saints, cent dix-sept martyrs du Vietnam qui avaient donné leur vie pour le Christ entre 1745 et 1862 : quatre-vingt-seize Vietnamiens, onze Espagnols, dix Français, et, parmi ces derniers, deux Poitevins au destin indissolublement liés, Jean-Charles Cornay et Théophane Vénard.

SOURCES : Théophile Vénard, *LETTRES*, Paris, 1984. A. Richomme, *LE BIENHEUREUX THÉOPHANE VÉNARD*, Paris, 1990.

# RAIFFEISEN

## *COMMENT MONSIEUR LE MAIRE INVENTA*
## *LE CRÉDIT MUTUEL AGRICOLE*

**3 SEP** « NE VOUS INQUIÉTEZ PAS, MON BON ERNST, JE TROUVERAI UNE SOLUTION ! » Rassuré par ces mots, le paysan quitte à pas lent la mairie. Friedrich Wilhelm Raiffeisen regarde l'homme à la silhouette de vieillard s'éloigner, les épaules voûtées. Et dire qu'il n'a pas trente ans. Comment pourrait-il en être autrement ? Il a femme et enfants à nourrir et n'a plus ni grain ni bête pour subvenir à leurs besoins. Ce n'est pourtant pas faute d'avoir été courageux. Mais, en cette année 1847, une grave crise agricole vient encore de frapper de plein fouet la petite bourgade rurale d'Allemagne dont Raiffeisen est le maire. Depuis 1840, les crises de subsistance se sont succédé. Et, aujourd'hui, la pauvreté des paysans est devenue insupportable. Aussi, quand l'un d'entre eux vient le trouver, désespéré, pour le supplier de l'aider, le sang de Raiffeisen ne fait qu'un tour. Il n'est pas homme à assister, impuissant, aux drames qui se nouent autour de lui. Il tiendra sa promesse et trouvera une solution.

Raiffeisen est un catholique à la foi chevillée au corps et au bon sens communicatif. Cela fait un moment qu'il cherche le moyen d'aider les paysans endettés ou totalement ruinés par les crises agricoles. Mais il faut d'abord parer au plus pressé. Dès les jours suivants, le maire crée une boulangerie coopérative, puis un service de prêt de bétail aux paysans les plus pauvres. Voilà de quoi soulager les misères les plus immédiates. Raiffeisen sait bien que cette solution n'est que provisoire. Maintenant, il faut aller plus loin.

À ses yeux, le meilleur moyen de lutter contre la pauvreté des paysans est de promouvoir le crédit coopératif. La taille moyenne des exploitations de cette région située à l'est de l'Elbe est faible, souvent inférieure à cinq hectares. Dès lors, le petit paysan ne peut obtenir aucune aide des banques, ni des organismes ordinaires de crédit : il en est réduit à se tourner vers l'usurier, marchand en gros, maquignon, souvent de confession israélite. Outre l'antisémitisme qu'engendre cette situation, l'usure est une plaie : les taux d'intérêt s'élèvent couramment à 15 % ou 20 % et peuvent atteindre 40 %. Et ce n'est pas tout ! De nombreuses autres charges accablent le paysan, lui laissant souvent un revenu réel très inférieur au revenu brut de l'exploitation. C'est contre ce fléau qu'il faut lutter efficacement, et à long terme. Fort de cette conviction, Raiffeisen s'engage alors dans la fondation de caisses de crédit rural, en pressant les paysans les plus aisés d'y déposer quelques fonds.

L'entreprise le passionne, mais les difficultés commencent. Car ces caisses gérées par des bénévoles ont du mal à fonctionner. Raiffeisen décide alors de prendre contact avec un autre réformateur, Schulze-Delitsch, un protestant saxon, qui a créé de son côté des coopératives d'artisans. Sa méthode est intéressante : Schulze-Delitsch a constitué des associations de crédit (*Vorschussvereine*), dont les caisses ont pour capital les sommes apportées par les sociétaires, garanties sur leur patrimoine. On peut donc emprunter aux banques et la caisse gère les crédits ainsi obtenus. Voilà le système dont il faut s'inspirer !

*Les caisses Raiffeisen prêtent à neuf mois avec un taux d'intérêt modéré.*

Raiffeisen part donc de ces principes pour créer des caisses rurales. Les associations sont constituées de personnes « *susceptibles d'avoir besoin d'aide* ». La première caisse est fondée en 1864. C'est une Caisse mutuelle de prêts (*Darlehn-Kasse*), gérée par un bénévole qui ne touche qu'une faible indemnité. Des notables locaux, engagés dans l'action sociale chrétienne, en assurent le contrôle, souvent d'ailleurs aux côtés du curé. La responsabilité des sociétaires est illimitée, mais étant donné que la Caisse ne concerne guère qu'un village, les habitants, qui se connaissent fort bien, se surveillent très efficacement !

F. W. Raiffeisen, en bon catholique, récuse certaines conceptions de Schulze-Delitsch, trop libérales à ses yeux : ses caisses ne distribuent donc pas les excédents de gestion. Cette disposition ne nuit en rien à leur succès, au contraire. Bien adaptées au milieu rural, puisqu'elles prêtent à neuf mois avec un taux d'intérêt modéré, les caisses Raiffeisen connaissent une expansion rapide. À tel point que, dès 1876, Raiffeisen est conduit à fonder à Neuwied une banque qui fédère les caisses locales du Palatinat. Et, en 1877, voit le jour une Union générale des caisses qui regroupe toutes les caisses allemandes et les banques régionales, essentiellement développées en Allemagne de l'Ouest.

Officialisées par une loi d'empire du 1er mai 1889, elles sont plus de sept cents en 1890 et leur essor se poursuit. Elles s'implantent surtout dans les régions catholiques, en Rhénanie, en Bavière, en Silésie, mais aussi en Alsace-Lorraine. De ce fait, lorsque l'Alsace et la Lorraine redeviennent françaises en 1918, le système des caisses Raiffeisen suscite un vif intérêt dans de nombreuses régions de France. Il s'y implantera sous le nom de Crédit mutuel et s'y développera très largement, surtout après la Seconde Guerre mondiale.

L'apport essentiel des caisses Raiffeisen est incontestablement l'élimination de l'usure. On peut dire que l'intuition fondamentale de Raiffeisen à cet égard a atteint son but. L'élimination de l'usure entraîne d'ailleurs une forte diminution de l'antisémitisme dans les campagnes. Un autre avantage de la disparition de l'usure est aussi de permettre et d'accélérer la modernisation de l'agriculture allemande qui utilise de manière de plus en plus systématique machines et engrais. De 1880 à 1913, la hausse des rendements confirme ce résultat : la production de blé passe de 14,9 quintaux par hectare (moyenne de 1880-1884) à 21 (moyenne de 1910-1914). La morale et l'efficacité se sont rejointes. L'œuvre de Raiffeisen est considérable. Car elle n'a pas seulement profité à l'Allemagne, ou à la France après 1918 : l'historien britannique Clapam souligne son influence en Irlande, mais aussi aux Indes. La vision chrétienne sociale de ce laïque, modeste responsable municipal, a été déterminante dans ce qu'on a appelé au XX$^e$ siècle la « révolution verte ».

Les mêmes intuitions sont exploitées aujourd'hui dans le tiers monde par des associations catholiques qui créent, sur le même principe de solidarité, des « banques des pauvres » susceptibles de pallier les défaillances d'un système bancaire mondial peu soucieux du développement des petites exploitations rurales ou artisanales.

SOURCES : A. Gueslin, LE CRÉDIT MUTUEL : DE LA CAISSE RURALE À LA BANQUE SOCIALE, Coprur, 1983. G. Brakelmann, KIRCHE, SOZIALE FRAGE UND SOZIALISMUS, T. I : KIRCHENLEITUNGEN UND SYNODEN ÜBER SOZIALE FRAGE UND SOZIALISMUS 1871-1914, Gütersloh, 1977. A. Rauscher *et alii*, DER SOZIALE UND POLITISCHE KATHOLIZISMUS, ENTWICKLUNGSLINIEN IN DEUTSCHLAND 1803-1963, Munich, Vienne, 1981.

# JACQUES LAVAL
## *ET LE CATÉCHISME FLEURIT À MAURICE*

**• 4**
**SEP •**

UN CORTÈGE DE PLUS DE QUARANTE MILLE PERSONNES SUIT LE CERCUEIL : en ce 9 septembre 1864, l'île Maurice est orpheline. Les vieillards marchent péniblement, soutenus par les plus jeunes. Les enfants, pourtant si rieurs d'ordinaire, ont cessé de jouer et suivent gravement la dépouille de celui qu'ils aimaient tant. Noirs, Malgaches, Indiens, Blancs sont unis en une même tristesse. Aujourd'hui, toutes les communautés de l'île Maurice conduisent le père Laval de la cathédrale de Port-Louis à sa dernière demeure à Sainte-Croix.

Il fut un temps, vingt ans plus tôt, où le père Laval avait été un jeune missionnaire plein de fougue et de zèle. Mais, quelques mois avant sa mort, ce n'était plus qu'un pauvre homme que l'on voyait marcher lentement, appuyé sur un bâton, la tête penchée, le buste courbé... Un vieillard exsangue et frileux qui, fût-ce au temps des plus fortes chaleurs, recouvrait d'un lourd manteau sa soutane râpée. Et pourtant, même diminué ainsi, ce n'est pas sans respect que les habitants de Port-Louis le regardaient quand ils croi-

saient sa fragile silhouette dans les rues de la ville.

En septembre 1841, au moment où le père Laval s'installe à Port-Louis, l'île Maurice est sous domination anglaise, mais le catholicisme demeure la religion de la majorité de la population mauricienne et la langue française a officiellement droit de cité (comme cela est encore le cas de nos jours). L'Angleterre avait aboli l'esclavage dans ses colonies en 1835. À Maurice, soixante-six mille esclaves noirs furent ainsi émancipés : immédiatement, de longs cortèges de charrettes à bras, chargées des menus biens des anciens esclaves s'étirent sur les routes poussiéreuses. Hommes, femmes, enfants abandonnent massivement les plantations, ce douloureux symbole de leur servitude. Une nouvelle vie commence pour eux. Rapidement, il faut trouver de nouveaux bras pour couper les cannes à sucre : l'île fait alors appel, pendant quelque temps, à l'immigration indienne. En arrivant à Maurice, le père Laval découvre ainsi la grande richesse de l'île, la faune et la flore luxuriante, bien sûr, mais aussi la grande variété des visages.

Anciens esclaves originaires d'Afrique,

Malgaches, Mozambicains, Indiens, Malaisiens, Comoriens accueillent le père Laval avec chaleur. Mais, auprès des Blancs, ses débuts sont difficiles et même pénibles. Le missionnaire ne se décourage pas : il a vite compris que, comme pour tout, il faut du temps à Maurice pour se faire connaître et se faire aimer. Et peu à peu, sous le soleil de plomb, l'aversion fond comme par enchantement : les salutations distantes se font plus chaleureuses et bientôt le père Laval croule sous les cadeaux. Certains déposent des bananes à sa porte, d'autres des œufs de tortue. Les vieillards le saluent avec respect, les petits enfants aiment venir quémander son affection, pères et mères de familles n'hésitent pas à solliciter ses conseils. Petit à petit, la confiance s'est muée en une profonde vénération, tant la bonté illumine son visage.

*« Faites de bons parents et vous aurez de bons enfants. »*

Le père Laval est plus qu'un saint homme. C'est un missionnaire de génie, qui a trouvé comment implanter durablement le christianisme sur cette terre volcanique. Une solution toute simple, à l'image du bon sens des paysans de sa Normandie natale. Lorsqu'il était curé de Pinterville, Laval avait constaté que la formation religieuse qu'il dispensait aux enfants ne portait aucun fruit durable parce que leurs parents, à la maison, ne leur donnaient pas de bons exemples. Il en avait tiré cette conclusion : *« Faites de bons parents et vous aurez de bons enfants. »* Et, toute sa vie missionnaire, il marquera une prédilection pour *le vieux monde*, comme on dit à Maurice. La moyenne d'âge de ses dix premiers baptisés s'élève ainsi à quarante-huit ans ! Cela ne peut que plaire aux Mauriciens, si respectueux de leurs anciens. Parmi ces nouveaux baptisés, il choisit des hommes et des femmes qui, leur journée de travail terminée, enseignent bénévolement les catéchumènes de leur quartier. Pour les aider, il rédige un petit catéchisme en créole. Petit à petit, il oriente certaines femmes vers le soin des malades dans tous les quartiers de la ville ; chacune d'elles visite les malades et les vieillards, les catéchise et les prépare aux sacrements. Ainsi, de génération en génération, Maurice devient chrétienne et le bon père Laval se réjouit de voir ses paroissiens développer entraide et amitié.

En mai 1847, l'un de ses confrères venu de l'île Bourbon s'étonne : *« Le père Laval est vraiment un homme de miracles. Croiriez-vous qu'en ce moment, sans se donner le moindre mouvement extérieur, en restant dans l'église et le confessionnal, il a mis instantanément en construction dix chapelles. Et moi, à Bourbon depuis trois ans, je n'ai pu en faire commencer une ! »* Le père Laval ne s'éloigne que rarement de Port-Louis, mais le réseau de catéchistes, dont il a couvert le pays, suffit largement. Il répond à leurs questions, les encourage et les oriente. Tous apprécient que le missionnaire leur confie des responsabilités. À partir de 1847, le père Laval est efficacement aidé dans sa tâche par le père

Prosper Lambert qui lui a été adjoint et, peu après, par les pères François Thévaux et François Thiersé qui, après un essai malheureux d'évangélisation en Australie, sont affectés à la communauté de Maurice.

Sa santé se détériore. En mai 1856, le père Laval est victime d'une attaque et de deux autres en juin 1857. Deux ans plus tard, l'un de ses confrères constate : « *Il est vraiment usé et incapable désormais de la moindre chose sinon de souffrir, de prier et de représenter la religion par sa présence et par son nom.* » Cinq ans encore et le vendredi 9 septembre 1864, jour de la fête de saint Pierre Claver, le père Laval rend son âme à Dieu.

Depuis, tous les ans, le 9 septembre, une foule bigarrée, comme celle qui suivait son cercueil, emprunte les routes et les sentiers qui mènent à Sainte-Croix, vers le tombeau de l'apôtre, pour vénérer celui qui, le 29 avril 1979, a été déclaré bienheureux. Le bon père Laval aimait tant cette île luxuriante ! Maurice ne l'a pas oublié.

SOURCES : Arens, *MANUEL DES MISSIONS CATHOLIQUES*, 1925. J. Michel, *LE PÈRE JACQUES LAVAL : LE « SAINT » DE L'ÎLE MAURICE*, Paris, 1990.

# GREGOR MENDEL
## *LE MOINE QUI MARIAIT LES PETITS POIS*

**5 SEP** — EH, MALHEUREUX, NE TOUCHE PAS AUX PETITS POIS !

Le jeune homme sursaute, la main serrée sur quelques cosses qu'il dissimule derrière son dos.

– Mais mon père, je... Enfin, l'intendant m'a demandé de préparer la soupe, alors je m'étais dit que, pour une fois, on pourrait varier son goût et...

– Eh bien, la prochaine fois que tu auras une idée, parle-m'en d'abord ! Ce sont les petits pois du père supérieur que tu cueilles en ce moment.

Soudain, une voix interrompt la remontrance : « Allons, père Stefan, laisse-le donc nous faire une soupe. » Gregor Mendel, l'abbé du couvent augustinien de Brünn, qui vient à son secours, a parlé dans le dos du malheureux postulant. Celui-ci fait aussitôt repasser son poing plein de cosses vers l'avant, sur le ventre, sous les yeux courroucés du redoutable Stefan. Les petits pois sont cernés.

– Combien de fois faudra-t-il vous répéter, père Stefan, que ces petits pois ne sont pas une sainte relique. Allez ! jardinez-les à votre guise, et mangeons-les.

Le jardinier tourne le dos en grommelant. Le postulant du couvent augustinien de Brünn profite de la fin de la conversation pour laisser glisser les quelques cosses à ses pieds, puis il les repousse du bout de la sandale jusque sous les plants.

– Excusez-moi, révérendissime père, si j'avais su que vous y teniez tant, je vous les aurais laissés...

– Eh ! que crois-tu, frère Sigismond ? qu'un supérieur s'autorise des extra de petits pois au lard dans sa cellule, après le repas communautaire ?

– Eh bien, je ne sais pas... Il m'avait semblé que le père Stefan...

– Le père Stefan est un brave homme, mais il n'a jamais compris à quoi me servaient ces plantations. On m'a dit que tu as étudié à l'université avant de venir nous rejoindre. Si tu le souhaites, je peux t'expliquer.

Dans la bibliothèque du couvent, le vieil abbé et le postulant s'installent.

– Quel âge as-tu, Sigismond ?

– Vingt et un ans, révérendissime père...

– Ah, c'est à cet âge que, moi aussi, je suis entré à Brünn. En 1843. Mais je n'avais pas eu comme toi le mérite de fréquenter les bancs de l'université. Pour tout dire, j'y ai été refusé deux fois, et j'en garde un souvenir cuisant. L'école supérieure tenue par un religieux du monastère m'a permis de commencer mes recherches.

– Vos recherches, mon père ? Ici, au couvent...

– Tu connais la règle des moines, Sigismond, *ora et labora*. Il y a des siècles que les moines travaillent, recopient des manuscrits, étudient les plantes médicinales, défrichent les terres. Moi, mon travail, c'est la science et la recherche.

– Les petits pois, c'est de la recherche ?

– Si l'on veut. En fait, j'étudiais la botanique, la physique, je me suis même intéressé à la météorologie et à l'apiculture, mais rapidement, c'est la sélection des espèces qui m'a passionné.

– La sélection des petits pois ?

– Oui et non. Laisse-moi t'expliquer. Depuis très longtemps, les hommes essaient d'améliorer les races, les chevaux pour qu'ils soient plus rapides ou plus forts, les moutons pour qu'ils donnent plus de laine ou de viande, les fruits, les légumes, bref, le monde vivant, toute la création.

Sigismond ne peut s'empêcher d'imaginer un gigot aux petits pois. Son esprit a soif de savoir, mais son estomac de vingt ans a toujours faim. Il fait un effort pour revenir aux explications du père Gregor.

– Mais, père Gregor, il y a longtemps que les petits pois sont très bons, il y en a même de nombreuses variétés, pour la soupe, pour les jardinières, pour les ragoûts, pour...

> *Sigismond ne peut s'empêcher d'imaginer un gigot aux petits pois.*

Gregor Mendel interrompt cette énumération digne d'un livre de cuisine.

– Eh bien, c'est justement, vois-tu, parce qu'il y a de nombreuses variétés de pois que je me suis intéressé à eux, et aussi, parce que les pois que j'ai choisis s'autofécondent.

Sigismond s'anime.

– Camérius, de l'université de Tübingen, a exposé la notion de sexualité des plantes.

Gregor saisit la balle au bon.

– Très bien, alors, écoute, voilà quel était mon problème. Puisque mes pois s'autofécondent, je sais que je dispose de souches pures, sans mélange entre les variétés. Mettons, des pois à fleurs rouges et des pois à fleurs blanches. Si je n'interviens pas, les rouges restent rouges, et les blancs restent blancs. D'accord ?

Sigismond opine.

– Si je marie des rouges et des blancs, qu'est-ce que j'obtiens ? Des rouges ! Uniquement des rouges, mes premiers hybrides sont tous rouges, le blanc a disparu.

Le père Gregor s'échauffe et, précisément, lui aussi devient rouge. Il reprend son souffle et continue.

– Maintenant, si je les laisse s'autoféconder, à la seconde génération, je trouve beaucoup de rouge, et quelques blancs.

– Que s'est-il passé ?

– Ah, tu vois, toi aussi, tu t'étonnes, eh bien, moi, je me suis étonné pendant huit ans, et j'ai compté et noté le nombre de blancs, de rouges, et je n'ai pas observé seulement les couleurs, mais aussi les ridés, les lisses, à gousses jaunes, ou vertes, et, chaque fois, j'ai observé que les caractères apparaissaient et disparaissaient de génération en génération. Le hasard ? J'ai compté, et recompté, non, pas le hasard, toujours les mêmes chiffres, des constantes statistiques : première génération, 100 % de rouges ; deuxième génération, 25 % de blancs, 75 % de rouges ; troisième génération, parmi les rouges, deux tiers laissent de nouveau apparaître le blanc dans les générations suivantes. J'en ai déduit que les plantes transmettaient dans leur patrimoine des caractères qui apparaissent et des caractères qui n'apparaissent pas. Certains caractères l'emportent, je les ai appelés dominants, d'autres sont dominés, je les ai appelés récessifs. Si une plante hérite un caractère de couleur dominant, elle prend cette couleur ; si elle hérite de ses deux « parents » des caractères récessifs, elle est de la couleur récessive, dans le cas de mes pois, blanche. Ainsi, un caractère peut-il rester caché à une génération et réapparaître plusieurs générations plus tard. J'ai tout noté, là.

Le père Gregor désigne fiévreusement des dizaines de calepins noirs, empilés sur une table et couverts de poussière.

– Êtes-vous sûr de ce que vous avancez, mon père ? Je n'ai jamais entendu de tels propos à l'université.

– C'est un autre problème que je t'expliquerai plus tard, Sigismond. Mais je peux t'assurer que mes pro-

*L'étude porte sur plus de 10 000 cas.*

pos relèvent d'une observation statistique certaine. L'étude simultanée des autres caractères – la couleur de la cosse, la rugosité du grain – me l'a confirmé, tout en me démontrant que chacun des caractères est hérité séparément. Le reste n'est qu'une loi de probabilités !

– Mais, père... ce que vous avancez prouverait la discontinuité du patrimoine héréditaire. C'est révolutionnaire ! Vous dites que vous avez découvert cela il y a déjà vingt ans, pourquoi n'en faites-vous pas un article ?

– Eh bien, Sigismond, je n'ai pas cessé depuis lors d'essayer de faire connaître mes résultats. Mais je crains fort que nul n'y trouve grand intérêt. Je te montrerai demain mes communications. En attendant, il me semble avoir entendu qu'il y a une soupe à préparer...

Le lendemain, seul dans la bibliothèque, le jeune novice compulse les dossiers du père Mendel. Les deux communiqués à la Société d'histoire naturelle de Brünn, en 1865 ; l'étude qu'il présente, qui porte sur plus de dix mille cas. Sigismond la parcourt, apprend par une notule que Mendel a envoyé ses résultats à un professeur qu'il a lui-même rencontré à l'université de Munich. Le supérieur a inséré dans le dossier qu'il a transmis à son novice la lettre de ce Nägeli, spécialiste de botanique : il demandait au moine de bien vouloir lui envoyer des échantillons, pour pouvoir vérifier les résultats annoncés. Mendel a noté, au dos de la lettre du professeur, que Nägeli n'a « *jamais daigné accuser réception de son envoi, pourtant accompagné d'une lettre de douze pages* ». Sigismond comprend alors pourquoi, cette fois, son supérieur a préféré lui confier de la lecture, plutôt que de poursuivre son récit. La Linnean Society et la Royal Society à Londres, les académies de Prusse, d'Autriche n'ont pas davantage prêté attention aux travaux de Mendel que ne l'avait fait Nägeli. Le jeune novice lit dans les notes du vieil abbé toute son amertume et son découragement.

« Quel gâchis ! » Avant de retourner à ses cuisines, Sigismond prend une résolution : il va tout faire pour que les découvertes de son supérieur soient publiées. « Mais que puis-je faire, dans un couvent ? » Il verra mourir Mendel le 6 janvier 1884 et devra, pour répondre à ses dernières volontés, exécuter une tâche qui lui déchire le cœur : brûler tous les papiers de ce génie inconnu.

À partir de 1900, il verra pourtant la redécouverte des travaux de son maître à la suite de ceux de Hugo De Vries en Hollande, Carl Correns à Tübingen et d'Erich Tschermark à Vienne. Dans un train qui le ramène de Cambridge à Londres, le biologiste anglais William Bateson tombera sur le mémoire de Mendel, en parcourant des archives. Il y trouvera la confirmation de ses propres recherches sur les variations discontinues du patrimoine héréditaire. En 1902, le Français Lucien Cuénot découvrira, alors qu'il étudie des souches de souris, que les lois de Mendel sont valables dans le règne animal.

Sigismond apprendra enfin, en lisant une communication, que la science « inventée » par son ancien supérieur est désormais baptisée « génétique ». Il parcourra les travaux de Morgan qui découvre l'existence des chromosomes en travaillant sur la mouche du vinaigre, retrouvant ainsi les lois de Mendel. Puis, il s'éteindra à son tour, avant la découverte de l'ADN par Crick et Watson, acte décisif qui assiéra définitivement la science qu'avait créée son maître, et qui repose encore sur ses intuitions et ses lois.

La communauté scientifique reconnut le caractère exemplaire du protocole de recherche du moine Mendel qui, pendant des années, maria les petits pois.

> *Les lois de Mendel sont valables dans le règne animal.*

SOURCES : *LA MISSION CHRÉTIENNE DE LA SCIENCE*. D. Buican, *GREGOR MENDEL*, Paris, 1993. V. Orel, *MENDEL : UN INCONNU CÉLÈBRE*, Paris, 1985.

# FRANZ LISZT

## UN PIANO POUR LE CIEL

**6 SEP** LA GRANDE PIÈCE AUX BAIES LARGEMENT OUVERTES SUR LES BERGES DU TIBRE est inondée de lumière. Le cloître Santa Maria del Rosario, au sommet du Monte Mario, où Franz Liszt vient se recueillir régulièrement, est entouré de vieux arbres majestueux dans lesquels les oiseaux chantent la joie de la création. Assis à son piano de travail, Liszt exécute avec recueillement et aisance une pièce où se mêlent virtuosité et intériorité. Parmi les visiteurs qui l'écoutent, un homme est assis, tout de blanc vêtu. Son chapeau rond à larges bords posé sur ses genoux, il tourne machinalement l'anneau qu'il porte à l'annulaire, absorbé par les longues et rapides lignes mélodiques qui s'échappent des doigts et de l'instrument de son hôte. Plusieurs ecclésiastiques l'entourent, debout, écoutant avec respect cet abbé d'une cinquantaine d'années dont les doigts experts courent d'une extrémité à l'autre du clavier.

Avant de commencer à jouer, il a annoncé à son illustre visiteur le titre des deux pièces qu'il allait interpréter.

— Très Saint-Père, ce sont deux légendes pour piano. Je les ai écrites en souvenir de deux saints que j'aime particulièrement,

saint François d'Assise et saint François de Paule. Deux saintes figures de l'ordre franciscain. Vous savez que j'ai été admis, en 1858, à la fraternité du tiers ordre franciscain de Budapest. J'avais alors quarante-sept ans. Comme je le dis souvent, je suis un mélange de tzigane et de franciscain.

Pie IX l'a écouté avec bienveillance et même avec une certaine révérence. Cet homme-là n'est-il pas au moins aussi célèbre que lui ? À Rome comme en Europe, tout le monde connaît Franz Liszt, musicien adulé par toutes les cours et dont les frasques amoureuses ont défrayé la chronique, le plus grand pianiste de tous les temps, dit-on, et maintenant fils respectueux de l'Église. La dernière fois qu'il l'a vu, c'était juste après que Mgr Hohenlohe lui eut conféré les ordres mineurs dans la chapelle privée de son appartement du Vatican. Depuis, celui qui est devenu l'abbé Liszt vit dans un petit appartement contigu à celui de Mgr Hohenlohe qu'il sert en fidèle acolyte. Le pape sourit. Il trouve insolite que cet abbé dans sa soutane de velours, la cravate flottante, semblant sortir à l'instant d'une maison de couture, ce héros d'un romantisme luxueux qui a connu tous les honneurs depuis qu'à l'âge

de douze ans il est devenu le pianiste virtuose le plus couru d'Europe, puisse être
aussi un admirateur fidèle de ces François, apôtres de la pauvreté et de l'abandon.
Décidément, pense-t-il, les âmes sont mystérieusement habitées et Dieu doit sourire
de nos contradictions.

– J'ai intitulé la première
*Saint François de Paule mar-
chant sur les flots* et la seconde
*Saint François d'Assise parlant
aux oiseaux.* J'ai essayé d'y transcrire la
passion et l'enthousiasme de ces deux
hommes pour Dieu et sa création. Mais je
vais vous interpréter ces deux légendes et
vous pourrez juger par vous-même de
mon travail.

Le pape écoute religieusement la première pièce racontant l'histoire du fondateur des Minimes. Un jour qu'il s'était
présenté chez les pasteurs de Messine
pour qu'ils lui fassent traverser le détroit
et l'emmènent en Calabre dans une de
leurs barques, ceux-ci avaient refusé car
le temps était menaçant et les eaux très
agitées. N'écoutant que l'appel du Seigneur, le saint s'était avancé sur les eaux
et avait commencé sa traversée. Liszt fait
se déchaîner les éléments et donne à son
piano la puissance d'un orchestre. Puis,
petit à petit, tout se calme. La mer
retrouve sa douce tranquillité et le vent
tombe. Dieu apaise la tempête pour que
son saint, dont la foi n'a pas frémi, puisse
tranquillement rejoindre la mission qui
l'attend. Le miracle a lieu.

Franz Liszt entame la seconde œuvre.
Le pape est maintenant perdu dans les
pensées qui surgissent en lui à l'écoute

> *La mer retrouve
> sa douce tranquillité
> et le vent tombe.*

de l'œuvre. Ces yeux ont tout naturellement franchi les balustres des fenêtres
ouvertes et se sont portés sur les arbres
et les oiseaux qui de l'un à l'autre volet-
tent en gazouillant. Saint François leur
parle, lui parle. La douce voix du saint
a interrompu les trilles
aigus de leur conversation.
Il semble leur dire : « *Mes
oiseaux, vous êtes extrêmement
obligés à Dieu, votre créateur,
et toujours, en tous lieux vous devez le louer.* »
Quelques accords ont fait place à la
réponse des charmantes créatures. Le
sermon débute : « *Gardez-vous donc du
péché d'ingratitude et toujours étudiez-vous à
louer Dieu.* » Ces paroles, le pape les
prend pour lui. Il pense à son pouvoir
temporel qui s'écroule et au modernisme
qui partout agresse la vraie foi. Ne
devrait-il pas plutôt louer Dieu pour la
grande vigueur du catholicisme qui dans
les missions ou en Europe tente de délivrer l'homme de ses emprisonnements ?

Relevant la tête, il regarde l'abbé. Lui
aussi a les yeux perdus dans les éternités.
Ses doigts agiles font surgir la musique
du piano sans qu'il y prenne garde. À
quoi peut-il bien penser ?

Franz Liszt pense à tout et à rien. Son
passé, ses peines et ses joies défilent.
Depuis qu'il a fui Weimar pour la Ville
éternelle, il partage son temps entre la
prière, les dévotions à San Carlo al Corso
et la composition. À son arrivée à Rome, il
a écrit à sa fille Blandine : « *Mon existence
est plus paisible, plus harmonique et mieux
ordonnée qu'en Allemagne. Les dimanches je
vais régulièrement à la chapelle Sixtine pour y*

*baigner et retremper mon esprit dans les ondes sombres du Jourdain de Palestrina et chaque matin je suis réveillé par un concert de campaniles des églises environnantes. »* La Ville éternelle favorise ses élans mystiques et l'étonnante sérénité de ses pierres et de la prière qui s'élève de ses églises et de ses couvents l'aide à composer. Son désir de travailler à la rénovation de la musique religieuse se heurte à une curie conservatrice qui voit dans le romantisme de ses œuvres une atteinte à la pureté du genre. On lui reproche ses marches hongroises qu'il mêle à des éléments qui rappellent le grégorien ou le plain-chant de la Renaissance. On préfère les médiocres pastiches de chant grégorien fort en vogue à l'époque. À Rome comme à Weimar, on adule le virtuose et l'on méprise le compositeur.

> *Il veut composer une authentique méditation des mystères de la vie de Jésus.*

*« Je disais l'autre jour que ma musique d'église ne plaisait pas aux ecclésiastiques et semblait hétérogène aux oreilles mondaines. Cependant, je continuerai d'écrire selon ce qu'il m'est infligé de sentir. »* Et c'est ce qu'il est en train de faire avec *Christus*, un oratorio qu'il a commencé à composer il y a trois ans, et qu'il compte finir cette année. Il a voulu rompre avec son style précédent, triomphant, et composer une œuvre où l'humilité va jusqu'à faire disparaître les sections dramatiques que l'on trouvait dans les oratorios de Bach et d'Haendel. Il veut composer une authentique méditation des mystères de la vie de Jésus, de l'Annonciation à la Résurrection, dans la tradition de saint Thomas d'Aquin, Giotto, Piero della Francesca ou de l'*Imitation de Jésus-Christ*, une œuvre plus spirituelle que liturgique, une œuvre réellement religieuse, nourrie par sa prière, ses méditations, ses retraites. En pensant à la dernière partie de son *Christus*, qui va de la Passion à la Résurrection, l'abbé Liszt songe qu'il lui faudra également écrire une œuvre uniquement consacrée au chemin de Croix, une *Via Crucis*. Elle manque à son œuvre, elle lui manque. Entre les messes, les oratorios et les œuvres pour piano, il lui faudra écrire sur ce thème central de toute vie de foi et y donner le meilleur de lui-même, une synthèse de son credo musical.

Les mains se sont relevées du clavier, emportant avec elles le chant des oiseaux et saint François, revenu quelques instants des sphères célestes afin d'unir dans la musique le ciel et la terre pour l'unique louange de Dieu. Pie IX a applaudi. Il s'est levé, les yeux et l'esprit pleins de ses méditations, et a chaleureusement félicité l'abbé : *« Votre musique pourrait induire au repentir le criminel le plus endurci. »* Et Liszt, un instant, est comblé.

SOURCES : J. Drillon, *Liszt transcripteur ou la Charité bien ordonnée*, Arles, 1986. V. Jankélévitch, *Liszt et la rhapsodie*, Paris, 1989. P.-A. Huré, *Liszt en son temps*, Paris, 1987. R. de Candé, *La Vie selon Franz Liszt*, Paris, 1998.

# LE PÈRE PETITJEAN
# À NAGASAKI

## *QUAND LES CHRÉTIENS JAPONAIS*
## *SORTENT DES CATACOMBES*

• **7**
**SEP** •

NAGASAKI, LE VENDREDI 17 MARS 1865. LE PÈRE PETITJEAN, PRÊTRE DES MISSIONS ÉTRANGÈRES, se recueille dans l'église des Vingt-Six-Martyrs, inaugurée moins d'un mois auparavant en souvenir des ecclésiastiques et des laïcs crucifiés à Nagasaki en 1587. Balayant l'édifice du regard, il songe avec une fierté mêlée de tristesse que cette construction est la seule œuvre missionnaire accomplie depuis son arrivée au Japon, en novembre 1862. Tant d'impatience, tant d'excitation avaient précédé son arrivée. En 1854, le Japon avait enfin ouvert ses portes aux échanges commerciaux avec les Occidentaux, après que les Américains eurent imposé sous la menace du canon le traité de Kanagawa. Les Missions étrangères attendaient ce moment depuis près de trois siècles. Elles allaient enfin pouvoir envoyer à nouveau des missionnaires sur l'île. À partir du XVIIᵉ siècle en effet, le Japon s'était fermé à tout contact extérieur. Le régime autoritaire du Shogun muselait ses sujets, pourchassait les quelques Occidentaux encore présents sur l'île, et menaçait les chrétiens.

Du feu allumé par saint François Xavier, trois siècles plus tôt, il ne reste plus que cendres, songe tristement le père Petitjean. Comment croire qu'il y avait en 1605 près de deux millions de catholiques au Japon ? Une des pages les plus lugubres de l'histoire s'est écrite, depuis lors, en lettres de sang. En 1614, un édit a ordonné l'exil de tous les prêtres, la destruction de toutes les églises et le reniement de la foi catholique sous peine de mort. Et des martyrs, Dieu sait qu'il y en eut ! En 1622, quarante-cinq chrétiens eurent à souffrir pour le nom de Jésus-Christ sur le grand bûcher de Nagasaki. Le père Petitjean pense à cet homme qui a vendu son habit pour acheter le poteau de son supplice, avant d'expirer dans les flammes en criant : « Jésus ! » Et à cette jeune fille qui ramassait les braises de son bûcher pour les poser sur sa tête, comme une couronne, en l'honneur de son Époux du Ciel. Après la terrible insurrection de Shimabara en 1628, trente-cinq mille chrétiens furent massacrés. Le père Petitjean les porte souvent dans sa prière. Il supplie ces âmes martyres d'intercéder pour le renouveau de l'Église au Japon. Car le père Petitjean ne peut s'empêcher de croire qu'il reste un embryon de foi sur l'île, malgré les deux siècles de persécutions. Il espère découvrir, en cette terre si abondamment ensemencée par le sang des martyrs, les quelques racines du christianisme qui doivent y subsister. Après deux ans de réclusion sur l'île la plus méridionale du Japon, l'île Oukiga, dans l'archipel de Riou-Kiou, avec interdiction formelle de prêcher et pour seul recours la prière, il est arrivé à Nagasaki. Cela fait maintenant trois ans qu'il attend. Malgré la récente autorisation octroyée aux Occidentaux de construire des églises, le missionnaire est souvent au bord du découragement. Il est bon d'avoir des lieux de culte, mais comment annoncer l'Évangile quand on n'a pas le droit de prêcher, que les gardes surveillent constamment les moindres faits et gestes des prêtres, que l'emprisonnement et la peine de mort menacent quiconque voudrait se convertir, et que le simple fait d'être occidental constitue un danger ?

Alors, comme chaque jour depuis son arrivée, le père Petitjean prie. Il ne peut qu'espérer, prier et attendre. Il est bientôt midi. Rien ne vient troubler le calme de l'église. Pourtant, quelque chose intrigue le père Petitjean. Il va jusqu'à la porte et découvre une quinzaine d'hommes, de femmes et d'enfants devant l'église. Troublé, il laisse la porte ouverte et se dirige vers le tabernacle. Le petit groupe le suit à distance. Le missionnaire commence à réciter le Notre Père. À peine a-t-il fini sa prière que trois femmes du groupe, âgées d'une cinquantaine d'années, s'agenouil-

lent devant lui. L'une d'entre elles murmure :

– *Notre cœur à nous tous qui sommes ici ne diffère point du vôtre.*

– *Vraiment, mais d'où êtes-vous donc ?* demande le père Petitjean.

– *Nous sommes tous d'Urukami. À Urukami, presque tous ont le même cœur que nous.*

Le père Petitjean n'ose pas encore espérer. C'est alors que l'une des trois femmes demande dans un souffle : « *Où est l'image de sainte Marie ?* » Le missionnaire les conduit tous devant la statue de la Vierge Marie. À la vue de la statue, l'un d'entre eux s'écrie : « *Oui, c'est bien Sancta Maria ! Voyez sur son bras On ko Jesu Sama, son auguste fils.* » Voilà que les questions fusent de toutes parts. Le père Petitjean ne sait plus comment répondre à tant d'empressement. Ses visiteurs lui racontent avec excitation, en montrant l'Enfant Jésus dans les bras de la Vierge, qu'ils célèbrent la fête de *On Aruji Jesu Sama*, « le vingt-cinquième jour des gelées blanches », et qu'on leur a enseigné qu'il était né dans une étable, avait vécu dans la pauvreté avant de mourir pour les hommes sur une croix. Les Japonais demandent ensuite au missionnaire s'ils sont bien au dix-septième jour de Tristesse. Le père Petitjean leur confirme en souriant qu'il s'agit bien du dix-septième jour du carême. Sa joie est à son comble. Il n'a plus de doute : il vient enfin de rencontrer les descendants des premiers chrétiens du Japon.

> « À Urukami, presque tous ont le même cœur que nous. »

Le père Petitjean décide alors de se rendre chez les chrétiens d'Urukami. La ville n'est qu'à deux lieues de Nagasaki, mais la route est éprouvante. Suivant le chemin qui serpente dans les monts Tateyama et Kompira avant de s'enfoncer dans la vallée, le prêtre traverse les rizières et arrive, exténué, au village. Là, au détour de pauvres maisonnettes à demi cachées par les arbres, il rencontre quelques paysans et les salue avec enthousiasme. Mais ces chrétiens, qui n'avaient pas vu de missionnaire en soutane depuis plus de deux siècles, loin de se précipiter à sa rencontre, le regardent avec méfiance. Quelle déception ! Aurait-il rêvé ou trop follement espéré ? Il repart dépité, mais dès le lendemain, le père Petitjean est rassuré. La nouvelle de la présence d'un prêtre « *qui a le même cœur* » qu'eux s'est répandue de chaumière en chaumière et les chrétiens d'Urukami viennent alors, chaque jour plus nombreux, à Nagasaki pour lui parler et lui poser des questions, en dépit des dangers qu'ils encourent. Les officiers japonais, intrigués par ce va-et-vient, redoublent de vigilance. Mais le père Petitjean ne s'en inquiète pas, tout à sa joie d'avoir découvert cette Église cachée.

Ces chrétiens ont réussi depuis plus de deux siècles, sans le secours des sacrements, à se transmettre de génération en génération la foi reçue des premiers missionnaires. Depuis les persécutions, ils demandaient inlassablement à la Vierge d'intercéder pour le retour des prêtres. Et, comme cela n'arrivait pas, ils s'étaient organisés. Dans toutes les communautés, un chrétien administrait le sacrement du baptême. Bien conscientes qu'il leur fallait un prêtre pour conférer les autres sacrements, les communautés se contentaient de choisir un autre chrétien qui, chaque dimanche, dirigeait en cachette les prières. Le père Petitjean découvre, à chaque rencontre, que ces chrétiens partagent une foi parfaitement conforme à celle de leurs ancêtres. De jour en jour, il connaît un peu mieux ces chrétiens aux noms d'apôtres : les jeunes Petero et Jiwano, l'adorable petit Domingo ou encore le vieux Paolo. Puis il découvre d'autres villages chrétiens, émerveillé par la puissance de la grâce du baptême qui, depuis deux cents ans, n'a pas cessé d'agir.

Cette Église souterraine du Japon, dont personne n'imaginait l'existence, commence alors lentement à refaire surface, malgré les dangers qui ne cesseront de la menacer jusqu'à la fin du XIXᵉ siècle, où la liberté de culte sera enfin accordée aux chrétiens du Japon.

> *Ils demandaient à la Vierge d'intercéder pour le retour des prêtres.*

Sources : F. Marnas, *La Religion de Jésus ressuscitée au Japon*. R. Drummond, *A History of Christianity in Japan*, USA, 1970. J. Ganguin, « L'Évangile au Japon », in *Journal des Missions Étrangères*, Paris, 1904.

# BAUDELAIRE

## « *JE SUIS UN CATHOLIQUE* ##

## *BIEN SUSPECT* » ##

**8 SEP**

L'HOMME QUI MEURT ICI N'A PAS PERDU SON REGARD VIF et, dans son corps paralysé, son esprit veille comme une lampe dans un cachot. Vêtu de noir ecclésiastique, le moribond n'a cependant rien d'un clerc et ses amis ont en mémoire tous les blasphèmes du poète, toutes les provocations du dandy, tous les vices du débauché qu'il fut avant qu'une attaque ne le laisse hémiplégique et aphasique, et ne le contraigne à la prostration et au silence. Pourtant il tente de reprendre la parole, esquisse des gestes ; sa mère qui le veille le comprend avec peine, mais le comprend encore. L'âme tient, plus alerte que jamais dans ce corps déjà inerte. L'homme qui meurt ici demande les sacrements, un prêtre, le recueillement :

*Sois sage, ô ma Douleur,*
*et tiens-toi plus tranquille...*

Voir un prêtre au chevet d'un bourgeois à l'agonie ne surprendrait personne en 1867, mais au chevet de Baudelaire ! Il y a loin des *Litanies de Satan*, où le poète suppliait l'Ange déchu de le prendre en pitié, au chrétien qui s'éteint dans la consolation divine. Le même homme a lentement passé de l'un à l'autre. Le même qui a aiguisé le fil de ses contradictions.

*Nous avons blasphémé Jésus,*
*Des dieux le plus incontestable !*

écrit-il, avec une ironie superbe ; mais c'est pour lancer bientôt un cri à celui qu'il a blasphémé :

*Ah ! Seigneur ! donnez-moi*
*la force et le courage*
*De contempler mon cœur*
*et mon corps sans dégoût !*

Gautier, Asselineau, les amis de ses nuits parisiennes, voient en Baudelaire un brillant manieur de paradoxes. Il est plus que cela ; il les vit, ils sont sa très réelle douleur et la maladie seule les résout.

Les *Fleurs du mal*, l'unique recueil de poèmes que Baudelaire fait paraître en 1857 à l'âge de trente-six ans, sont construites selon une double orientation, « l'une vers Dieu, l'autre vers Satan » : l'« Idéal » et le « Spleen ». Cette contradiction primordiale est conduite à son paroxysme d'abord dans la compassion des « Tableaux parisiens », puis dans le vin, dans la volupté surtout, dans le blasphème ensuite, dans la mort enfin.

L'idolâtrie des femmes manifeste, plus que tout, la souffrance de Baudelaire et

son éclatement intérieur. Il aime la féminité, la forme de la femme, qu'il tente de
saisir ; mais en prenant chaque femme,
c'est sa chair qu'il tient et son imperfec-
tion. Son désir si élevé, cultivé par
l'amour de l'art, ne trouve à s'accomplir
que dans la prostitution. Baudelaire se
reproche cette faiblesse continuelle. Il
méprise celles qui lui ont cédé et se hait
lui-même. Pire encore, son adoration des
femmes le pousse à transmettre la syphilis, qu'il porte comme un mal suprême, à
celles que pourtant il vénère.

Il place au plus haut la femme idéale,
mais s'abaisse auprès de femmes qui
le dégoûtent ; le poète
devine aussi, dès *Les
Fleurs du mal*, une autre
contradiction irréducti-
ble. Familier de la souffrance, il l'abhorre,
mais la découvre rédemptrice. C'est, une
fois de plus, et plus profondément
encore, une nouvelle illustration des tensions entre le « Spleen » et l'« Idéal » : le
mal est à la fois la fatalité qui marque
l'humanité et la blesse depuis le péché
originel, et le moyen qui lui permet de se
racheter.

*Soyez béni, mon Dieu,
    qui donnez la souffrance
Comme un divin remède à nos impuretés !
Je sais que la douleur
    est la noblesse unique...*

Baudelaire voudrait se substituer au
Christ et porter en lui toute la douleur du
monde, la totalité du mal, pour sauver
l'humanité par son écrasement dans le
péché auquel il se livre. Comme Satan, il
voudrait égaler Dieu et se relever seul,

par lui-même, grâce à sa volonté, comme si
le sacrifice du Christ était resté sans efficacité puisque le monde souffre encore après
lui. Ce sentiment inspire certes les très
beaux poèmes du chapitre « Révolte », mais
il laisse Baudelaire sans réponse !

Le poète possède, par-dessus tout, la
claire conscience du péché, cette malédiction qui stigmatise chaque homme et par
laquelle il blesse à son tour ses semblables.
La connaissance intime du mal traverse
son œuvre entière et détermine son itinéraire intérieur. C'est elle qui lui fera concevoir que la souffrance seule est rédemptrice. C'est elle qui lui fera peu à peu
vénérer la religion et
mépriser ceux qui la raillent, car seule la religion
qui enseigne la doctrine
du péché originel dit la vérité de l'Homme.
C'est elle qui lui fera désirer de plus en
plus cette foi que sa culture abhorre mais
que sa souffrance appelle. C'est elle qui lui
fera demander sur son lit de mort les
sacrements qu'il a ignorés toute sa vie,
pour s'endormir dans la paix de Dieu.

À partir de la publication des *Fleurs du
mal* et de leur condamnation, plusieurs
événements vont détacher Baudelaire de
la volupté. Les drogues ont laissé leur
empreinte dans son corps, la syphilis le
mine. Les soucis matériels l'accablent
sans cesse depuis la mise sous tutelle de
ses biens en 1844. La fin en 1861 de la
longue, chaotique et destructrice relation
avec Jeanne Duval qui le trompait et le
volait, le lamentable séjour en Belgique
de 1864 à 1866, où aucun de ses projets
n'aboutit, toutes ces flétrissures et tous

*Comme Satan,
il voudrait égaler Dieu.*

ces échecs vont laisser Charles Baudelaire face à un autre lui-même, plus seul que jamais. Il s'engage alors dans une lutte lucide contre le péché et le remords dans lesquels, jeune, il s'est complu. Il s'agit de moins en moins de faire le mal en conscience, en le regardant en face. Il faut que sa douleur qui s'aggrave prenne sens. Ses journaux intimes, sa correspondance et ses écrits de Belgique témoignent de ce changement. Il déteste et pourfend toujours plus les contempteurs du catholicisme. Il finit même par réinterpréter ses propres *Fleurs du mal* et par y voir la religion déjà présente, mais « travestie ».

> *Baudelaire lira l'empreinte du désir de Dieu dans ses premiers poèmes.*

Comme Huysmans relisant à vingt ans de distance *À rebours* pour y trouver le premier pas qui l'a conduit à la conversion, Baudelaire lira alors l'empreinte du désir de Dieu dans ses premiers poèmes. Car la fascination du mal suppose, en positif, l'intuition du bien par excellence et l'aspiration à celui-ci. Cette aspiration qu'il a longtemps voulu cacher transparaît partout dans ses écrits. Mais au contraire de Huysmans, ce revirement, Baudelaire le vit dans sa chair et n'en fait pas le récit. Il faut le deviner : on l'entr'aperçoit partout et on ne le fixe nulle part.

Et voici que la parole de Dieu sourd, souvent inversée, quelquefois magnifique, chez Baudelaire :

*Car c'est vraiment, Seigneur,*
   *le meilleur témoignage*
*Que nous puissions donner de notre dignité*
*Que cet ardent sanglot*
   *qui roule d'âge en âge*
*Et vient mourir au bord de votre éternité !*

Certes, Baudelaire ne sera pas *chrétien* avant sa mort, mais l'inquiétude de Dieu le possède et il cherche le Verbe. Il méconnaît longtemps le Christ et sa Rédemption ; il en a seulement l'immense désir – le désir de la Consolation. Le jour où il quitte ce monde de souffrance, enfin, ses yeux voient la lumière.

SOURCES : C. Baudelaire, *Œuvres complètes*. P. Verlaine, *Charles Baudelaire*. C. Asselineau, *Charles Baudelaire, sa vie et son œuvre*. « Hugo et Baudelaire devant Dieu : gnose et mystique en poésie », in *Atlantis*, n° 342. P. Emmanuel, *Baudelaire, la femme et Dieu*, Paris, 1982. J. Pommier, *La Mystique de Baudelaire*, Slatkine, 1967.

# MONSEIGNEUR DUPANLOUP

## *LE CATÉCHISME,*
## *L'ŒUVRE PAR EXCELLENCE*

**• 9**
**SEP •**

DANS SON BUREAU DE L'ÉVÊ-CHÉ D'ORLÉANS, EN CETTE ANNÉE 1868, Mgr Dupanloup met un point final à son manuscrit. Une compilation des quarante-trois entretiens qu'il a eus avec ses prêtres sur le catéchisme. Entre les portraits de ses prédécesseurs, l'évêque fait les cent pas en relisant une page qu'il tient à la main. Le parquet crisse au rythme des mots qu'il proclame avec délectation. Il a toujours aimé parler.

« *Le catéchisme n'est pas une simple classe, une espèce d'école où l'on apprend la religion aux enfants. Le catéchisme est une famille où on élève les âmes pour Dieu, pour l'Église, pour le Ciel.* »

Il a déjà son titre : *L'Œuvre par excellence.* C'est sa conviction : l'éducation de la jeunesse est le chantier du siècle. Il faut rebâtir. Il reprend sa lecture comme si les prêtres étaient devant lui. Les prêtres, l'Assemblée, la France.

« *Vous savez, Messieurs, quelles ruines l'impiété et la révolution avaient accumulées, dans quel discrédit était tombée la religion dans tant de familles. On sentit alors que pour relever la cité sainte, pour reconquérir les âmes, pour sauver les générations nouvelles,* il fallait de suprêmes efforts ; et un des moyens d'action les plus puissants et les plus féconds dont Dieu mit alors l'inspiration au cœur des bons prêtres pour opérer cette œuvre de restauration religieuse, fut le catéchisme. »

L'évêque d'Orléans a de l'expérience : ses souvenirs d'enfant catéchisé, son brillant passage comme catéchiste à Saint-Sulpice et à la Madeleine, son action pastorale comme évêque encourageant ses prêtres à développer le catéchisme de persévérance... Déjà, quand il était prêtre du diocèse de Paris, il avait publié un *Manuel des catéchismes ou recueil de prières, billets, cantiques et avis* qui avait reçu l'approbation de l'archevêque et qui avait été adopté par la plupart des grandes paroisses parisiennes et par un grand nombre de diocèses.

Il a regagné son fauteuil profond et reposé sa feuille sur son bureau. Appuyé sur son dossier, les yeux fixés sur les motifs sculptés du plafond, il tente de se remémorer ses premiers pas de caté-chiste. Il se souvient de sa première entrée comme séminariste stagiaire dans la chapelle de Saint-Sulpice. Les séances duraient deux heures et étaient toujours structurées de la même manière, en six temps. Il n'avait pas tardé à s'apercevoir que le cadre était très important. L'atmosphère sacrée qui imprégnait la chapelle permettait aux enfants qui avaient chacun leur place de sentir l'importance de l'enseignement qui leur était dispensé. De plus, le lien entre enseignement, lecture de la Bible et liturgie, nécessaire pour que le catéchisme ne soit pas seulement une instruction, imposait de tenir ces réunions dans un lieu de prière, dans la mesure où cela était possible.

Il ne s'agit pas uniquement d'enseigner la doctrine. « *Le catéchisme n'est pas seulement l'instruction, c'est l'éducation. L'éducation est le but à atteindre. L'instruction n'est qu'un des moyens. L'instruction ne s'adresse qu'à l'intelligence. L'éducation forme tout à la fois : intelligence, cœur, caractère, conscience. Faire le catéchisme ce n'est pas seulement enseigner aux enfants le christianisme ; c'est les élever dans le christianisme. Là est le fond du catéchisme...* »

Pour l'abbé comme pour l'évêque, il n'y a pas deux modèles de catéchisme possibles, il n'y en a qu'un et c'est celui dit « de Saint-Sulpice ». Dans un premier temps, on interroge les enfants sur le catéchisme diocésain, constitué de questions et de réponses, à propos de la leçon qui sera traitée pendant la séance, c'est cela que chaque enfant doit apprendre par cœur avant de venir. Ensuite, on récite un passage de l'Évangile ou d'un ouvrage qui raconte l'histoire de Jésus-Christ. Enfin, on écoute le compte rendu

> « *Faire le catéchisme ce n'est pas seulement enseigner aux enfants le christianisme ; c'est les élever dans le christianisme.* »

de la leçon étudiée la fois précédente, que certains ont préparé chez eux. Après ces trois premières étapes et le chant d'un cantique en rapport avec l'Évangile lu ou la leçon étudiée, le catéchiste donne l'instruction, c'est-à-dire l'explication de la leçon récitée au début dans le cadre de l'interrogation du catéchisme diocésain. Suit un sermon sur l'Évangile et pour finir des avis sur la vie chrétienne qui peuvent donner l'occasion de pointer les défauts des enfants.

Le catéchisme est ainsi un temps où les enfants peuvent puiser dans l'Évangile la manière chrétienne de considérer leur vie. Car « *ce n'est pas assez de l'enseignement qu'on leur donne et qui les instruit. Il faut y ajouter des exhortations qui les touchent, des exemples qui les persuadent, des pratiques qui leur plaisent, des exercices pieux qui les améliorent. Il faut redresser leur caractère, corriger leurs défauts, fortifier leur volonté, éclairer et rectifier leur conscience, ennoblir leurs sentiments. Il faut enfin élever jusqu'à Dieu leur âme tout entière* ».

Mgr Dupanloup parcourt du regard la pile des feuillets couverts de sa petite écriture. Tout ce qu'il croit profondément sur le catéchisme est là. Une vie de réflexion et une vie de pratique. C'est cela qu'il veut transmettre à tous, prêtres, séminaristes, religieux et religieuses, qui ont ou qui auront à s'occuper de cette tâche si importante pour l'Église. Il a en haute considération le devoir des catéchistes et il aime à leur répéter qu'ils ne sont pas seulement des professeurs de doctrine chrétienne. Il les considère comme des pasteurs et rappelle qu'une condition est nécessaire pour mener à bien tout travail pastoral, l'amour de Dieu et l'amour des âmes. L'amour est donc l'essentiel du savoir à transmettre. Et c'est ce qu'il a voulu leur offrir, leur écrire comme un père à ses fils. « *Tant que vous n'aurez pas appris aux enfants à aimer leur Père qui est dans le ciel, tant que vous ne leur aurez pas appris à aimer l'Église qui est la mère de tous les fidèles, et cette maison sainte qu'on appelle aussi l'église et qui est la maison de Dieu pour eux, dans leur village... et je l'ajoute à vous aimer vous-même, car il est nécessaire qu'ils vous aiment, tant que vous ne leur aurez pas fait sentir que vous-même vous les aimez... vous n'aurez rien fait.* »

« Ah si je pouvais voir tous mes enfants revivre de cet amour de Dieu ! » laisse-t-il échapper en rassemblant consciencieusement les feuilles devant lui. C'est bien pour cela qu'il regarde le catéchisme comme l'œuvre par excellence et qu'il n'a cessé, de Paris à Orléans, de prendre du temps pour exposer sa conviction et son expérience.

Car Mgr Dupanloup est l'un des ecclésiastiques les plus en vue du pays. Le Tout-Paris est encore émerveillé de la diplomatie avec laquelle il a ramené Talleyrand à l'Église, recevant sa confession sur son lit de mort. Son rôle politique est considérable, il sera élu à l'Assemblée nationale puis au Sénat. Dans l'Église, son combat contre l'ultramontanisme et l'antimodernisme qu'il juge de nature à écarter les milieux dirigeants de l'Église, le fait passer pour libéral. Mais, au milieu de ces multiples activités, il a fait du catéchisme l'une de ses priorités, car rien n'est plus grand à ses yeux que de sauver les âmes de ses contemporains.

> *L'amour est l'essentiel du savoir à transmettre.*

S'il regarde avec confiance l'œuvre menée par les catéchistes, Mgr Dupanloup est inquiet pour la suite. Déjà les jeunes gens de treize à vingt ans pratiquent moins et, quand ils passent à l'âge adulte, le taux de pratique s'effondre encore à moins de six pour cent pour les hommes et à moins de vingt-cinq pour les femmes. Comment maintenir le peuple de Dieu « *sous les ailes de la Religion* » ? L'évêque d'Orléans va s'y employer. Il demande à ses prêtres d'agir en mettant en place des catéchismes de persévérance, des confréries et des patronages destinés aux jeunes et aux adultes afin de leur permettre de ne pas s'éloigner dangereusement de l'Épouse du Christ, leur Mère.

SOURCES : Mgr Dupanloup, *L'ŒUVRE PAR EXCELLENCE*. F. Isambert, *CHRISTIANISME ET CLASSE OUVRIÈRE*, Paris, 1961. E. Germain, « La catéchèse et la prédication », in *LE MONDE CONTEMPORAIN ET LA BIBLE*, Paris, 1984.

# LÉON BLOY

## *UNE GRANDE GUEULE POUR L'ÉVANGILE*

**10 SEP**

— MAIS ENFIN, FOUTREDIEU, VOUS NE POUVEZ PAS FAIRE ATTENTION ? Vous voulez donc tous les écorner ?

— Dites, jeune homme, prenez-le sur un autre ton. Dois-je vous rappeler que, maintenant, ces livres sont à moi ?

Léon Bloy, qui s'était penché pour ramasser quelques-uns des volumes de Voltaire, tombés de la voiture à bras, se relève. Il réplique, grandiloquent : « À un marchand, ces livres ? Ils ne le seraient pas si cette époque était moins misérable... » Puis, au libraire : « Et vous, vil accapareur, vous vivez de ma pauvreté... » Et enfin, aux fenêtres de la rue Rousselet, qui s'ouvrent les unes après les autres : « Allez-vous-en, les loqueteux, rentrez chez vous. Nos histoires sordides ne vous regardent pas. » Après quoi le jeune homme de vingt ans se tait, saisit l'un des tomes éparpillés au sol, le brandit sous le nez des badauds, le baise avec ferveur avant de le reposer, tendrement, sur la charrette.

Il faut bien le payer, ce fichu loyer. Alors, il s'est résigné. Il a fait monter, dans la soupente où il moisit, le bouquiniste, et l'a laissé faire son choix parmi ses livres.

Et, le mois prochain, il faudra encore s'appauvrir... L'année 1867 sera difficile à boucler. Depuis son installation en 1864, ça va de mal en pis. Sitôt débarqué du train de Périgueux, il était entré, par l'entremise de son père, dans le bureau de M. Renaud, architecte pour la Compagnie des chemins de fer d'Orléans : cent francs par mois, une bonne place, sérieuse, pleine d'avenir si l'on accepte de venir travailler tous les jours, et de respecter les horaires. Ce fut le cas de Léon les premières semaines, il ne désirait rien tant qu'« être digne de son père », accepter cette vie réglée, ces chambres modestes d'hôtel meublé. Il avait pu ainsi s'installer au 15 de la rue Rousselet.

Mais, depuis plusieurs mois qu'il fréquente les peintres, les filles et les billards, sa bourse n'y suffit plus. Son emploi s'est transformé en un mi-temps – l'autre partie de la journée est occupée à des cours de dessin, qu'il suit d'ailleurs irrégulièrement. Il a dû déménager dans un cagibi sous les combles, neuf numéros plus loin, de l'autre côté de la rue. À la prochaine étape, quand il aura épuisé tous ses livres, ce sera la rue...

C'est l'époque qui veut cela, et cette

société impériale décadente. Il le sait, il a lu tous les pamphlets, violents et drôles, qui ridiculisent l'empereur, son infâme politique sociale, son expédition désastreuse au Mexique. Dans la mansarde, le bouquiniste n'a pas eu un regard pour cette littérature, pas plus que pour les essais du nihiliste russe Alexandre Herzen. Pauvre imbécile ! Il ne connaît donc rien à l'importance de ces témoignages sur les journées de 1848. Sans doute se moque-t-il aussi que l'on écrase la classe ouvrière ? Ah ! comme il déteste cette morale bourgeoise ! Comme il faut abhorrer l'infâme société et cette empoisonneuse des consciences, l'Église catholique, qui la sert obséquieusement.

Le libraire empoigne sa charrette à bras. Les éclats, il en a assez supporté, cela suffit ! Il s'apprête à partir lorsque son regard croise un homme à la haute stature, grande cape doublée d'écarlate, jabot de dentelle, chapeau à large bord, un brin théâtral. Une célébrité de la rue, du quartier même, le « connétable des lettres ».

— Monsieur Barbey d'Aurevilly, dit seulement le libraire au passage de l'homme, qui ne lui accorde pas même un coup d'œil.

Quoi ? L'auteur d'*Une vieille maîtresse*, du *Chevalier Des Touches* ? La gloire des lettres ? Il vit ici, dans son quartier, et Léon Bloy l'ignore ? Lui qui, depuis son départ de chez l'architecte – car finalement, il a lâché ce boulot qui l'abrutissait –, ne rêve que d'une carrière littéraire... C'est la chance de sa vie, il le sent.

*L'Église catholique, cette empoisonneuse des consciences.*

Bloy ne connaît rien ou presque de cet impérieux opposant au siècle du scientisme, de ce farouche défenseur d'un catholicisme hautain, incarnation baroque d'un monarchisme qui nargue les fastes dérisoires du régime napoléonien. Tout les oppose, tout, sinon la gloire littéraire conquise par l'un, si violemment désirée par l'autre. Léon Bloy s'élance, pousse la porte de l'immeuble dans lequel le grand homme vient de s'engouffrer, au 25 de la rue. Il gravit hâtivement l'escalier, parvient sur le palier du premier étage. Barbey se retourne devant la porte de son appartement, « *son tournebride de sous-lieutenant* », comme il l'appelle :

— Que me voulez-vous, jeune homme ?

— Vous contempler, répond Léon.

Et lui faisant signe d'entrer, Barbey rétorque :

— Contemplez-moi si vous voulez, mais entrez et asseyez-vous, vous serez mieux pour cette opération.

La contemplation durera vingt-deux ans, jusqu'à la mort du maître.

Jules Barbey d'Aurevilly décèle aussitôt l'ardeur qui habite son fougueux voisin. Il s'amuse de ce jeune homme et de ses amis, faméliques et orgueilleux, il les taquine parfois cruellement, il surnomme Bloy Apemantus, du nom d'un personnage de Shakespeare : *a churlish philosopher*, dit le poète, une sorte de Diogène vitupérant.

Barbey ne manque pourtant pas d'encourager Apemantus. S'il juge ses premiers textes bien médiocres, il l'incite à persévérer. Il conseille dans ses lectures le jeune homme jusqu'ici nourri de Walter Scott, Dumas fils et George Sand : il le lance dans Joseph de Maistre, Bonald, auxquels il a consacré des monographies, dans l'ouvrage *Prophètes du passé* (1851). Subjugué, Léon Bloy lit, et s'abandonne à son mentor. Sa révolte, cette violente soif de justice, est intacte mais change d'objet. Il découvre la Bible, les Béatitudes, Celui qui déclare : « *Je suis venu apporter un feu sur la terre.* »

Enfin, « le feu sur la terre »... Pendant deux ans, le jeune homme s'impose l'étude poussée du latin, apprenant par cœur des vers de Virgile pour mieux connaître les règles de grammaire et de syntaxe. Il dévore la Vulgate, les Pères de l'Église, les sermons. Plume à la main, il passe son temps dans les cinq tomes du Littré. A-t-il vraiment la foi à ce moment-là ? Il ne le croit pas. Il a parié, à la manière de Pascal, pris les dispositions pour croire et il attend. En 1869, il écrit à un prêtre : « *Mon père, je vous supplie au nom de Dieu de me venir en aide. Je voudrais qu'une main forte et paternelle me traînât par le chemin du repentir. J'ai soif d'obéissance et j'aspire à n'être qu'un instrument. Depuis près d'un an, je m'efforce vainement de prier. Un catholicisme spéculatif ne peut me satisfaire, il faut à mon âme de feu une pratique ardente. Après tout, il y va de mon salut éternel.* » L'apprenti croyant s'obstine, se plonge dans les mystiques, lui dont l'imagination s'enflamme si vite.

> « *Je me vis extrêmement à ma place dans la poussière et dans l'ordure.* »

Un jour de carême, Léon Bloy lit Clemens Brentano, la *Douloureuse Passion de Notre Seigneur Jésus-Christ* et écrit sitôt après : « *Je ne me rappelle plus rien, sinon qu'il y eut un torrent de délices, une pluie de larmes. Je me vis extrêmement à ma place dans la poussière et dans l'ordure, et je sentis passer sur moi la Beauté divine.* »

Le 29 juin 1869, en la fête de saint Pierre et saint Paul, Léon Bloy revient définitivement au Christ de son enfance. Pleurs de joie de sa mère. Ricanement de son père : « *Tu fais de la religion comme tu faisais naguère des sentiments sociaux. De "babouviste"* [on surnomme ainsi les disciples de Gracchus Babeuf, sorte de communiste avant la lettre, initiateur de la conjuration des Égaux en 1796], *tu es devenu un dominicain de l'école de Torquemada* (célèbre inquisiteur espagnol du XVᵉ siècle). » Il croit à une nouvelle foucade de son fils.

Léon tiendra bon, malgré les épreuves, les tentations, le combat avec l'ange. Et puisqu'il est le Job moderne, que l'époque accable de ses malheurs, il l'accablera à son tour de ses imprécations. Les temps sont favorables, pendant l'été 1870, la guerre éclate, Bloy revient à Périgueux, pour rejoindre son régiment. Cette guerre est une croisade et il va pourfendre les Prussiens, ces sectateurs de Luther. « *Ma patrie à moi, c'est l'Église et j'entends être un soldat du Christ.* » La défaite, l'écrasement des insurgés de Montmartre le détournent des idées d'ordre qu'il commençait à faire siennes. Le Royaume n'est pas de ce monde, il sera sujet de Jésus, un communard de son Église. Il vitupérera.

Solesmes et la figure de dom Guerranger l'attirent, la Trappe de Soligny aussi. Mais non, il ne fuira pas cette société qu'il exècre, il sera cloîtré dans le monde, reclus partout où il ira – à Lagny, « Cochons-sur-Marne » ou au pied du Sacré-Cœur. Sa vocation l'impose : derrière les murs du couvent, qui entendrait ses imprécations ? Comment deviendrait-il ce qu'il doit être, un « entrepreneur de démolitions » ? Jusqu'à sa mort en 1917, Léon Bloy invective. Il y consacre ses journées, réduit à la misère. Il invective le monde, ses confrères écrivains – Zola, Bourget. Il invective la société catholique – Louis Veuillot, directeur de l'*Univers*, les évêques, ou *La Croix*. La parole évangélique le hante : « *Le Fils de Dieu quand il*

> *Il sera sujet de Jésus, un communard de son Église.*

reviendra, trouvera-t-il encore la foi sur terre ? » Héraut d'une catholicité prophétique, un brin messianique, exigeante, sans concession, c'est un stylite sur sa colline, une voix qui crie dans le désert : « *Ceux qui ont des oreilles, qu'ils entendent.* »

Un jour de juin 1905, deux jeunes gens entendront ce cri, graviront la colline. Lecteurs de *La Femme pauvre* sur le conseil de Maurice Maeterlinck, ils ont écrit à son auteur, ont découvert deux tomes de son *Journal*. Ils se nomment Jacques et Raïssa Maritain, et ils sont agnostiques. Pour l'heure, ils se « nettoient l'esprit » – comme dira Bloy – en suivant les cours de Bergson au Collège de France. Le vieil imprécateur, touché par la grâce et la soif des deux jeunes gens, les conduira au Christ, jouant pour eux le rôle du « *connétable des lettres* » qu'il avait désiré être.

SOURCES : Léon Bloy, *LE DÉSESPÉRÉ, LA FEMME PAUVRE* et *LETTRES À VÉRONIQUE*. Jules Barbey D'Aurevilly, *ŒUVRES*. Clemens Brentano, *LA DOULOUREUSE PASSION DE NOTRE SEIGNEUR JÉSUS-CHRIST*. R. Maritain, « Récit de ma conversion » (1909), in *CAHIERS JACQUES MARITAIN*, n° 7-8, Kolbsheim, 1983. J. Maritain, « Qui était Léon Bloy ? », *in* M. Aubry, *LÉON BLOY*, Lausanne, 1990. J. Petit, *LÉON BLOY*, Paris, 1966. A. Germain, *LES CROISÉS MODERNES : DE BLOY À BERNANOS*, Paris, 1959. A. Béguin, *BLOY, MYSTIQUE DE LA DOULEUR*, Paris, 1984.

# MONSEIGNEUR KETTELER
## *L'INVENTEUR DU CATHOLICISME SOCIAL*

**• 11 SEP •**

LES DEUX PRÊTRES D'AIX-LA-CHAPELLE QUI ARPENTAIENT LA GRANDE PIÈCE COMMUNE DU PRESBYTÈRE se sont tournés vers leur curé. Celui-ci revient de l'archevêché.

– Alors ?

– Je ne sais pas... Toujours rien.

– L'archevêque devait rentrer ce soir... Peut-être a-t-il eu un contretemps.

– Ou bien l'assemblée se prolonge.

– Vous croyez que c'est bon signe ?

– Faites confiance à Mgr Ketteler, les enfants...

Ce que deux au moins des trois ecclésiastiques attendent, en cette nuit de 1869, ce sont les résultats de l'Assemblée épiscopale allemande réunie à Fulda. Ils savent que l'avenir de leur travail dans la banlieue de cette cité industrieuse d'Allemagne peut en dépendre. Il y a là le père Anton, le solide et vieux curé du lieu, responsable du patronage et de l'aumônerie de ces faubourgs ouvriers, et son vicaire, Gustav, qui depuis une dizaine d'années passe habituellement ses soirées et ses nuits dans les mansardes et les couloirs des grandes casernes que l'Allemagne industrielle naissante édifie pour y

entasser son prolétariat. Et il y a aussi Georg, un jeune prêtre tout frais émoulu du séminaire, qui s'est vu pour l'instant confier l'animation des rencontres de paroissiens ouvriers...

– Toute la question est de savoir si les évêques iront aussi loin que le *Katholikentag* (Rassemblement catholique) de Krefeld, souligne Gustav...

– Fais confiance à Ketteler.

Georg, qui a quitté le séminaire depuis quelques semaines seulement, et qui a encore du mal à croire ce qu'il a découvert – la violence sociale que génèrent le capitalisme industriel allemand et la misère effroyable dans laquelle sont abandonnés les ouvriers – ne se sent pas capable d'arbitrer la joute.

– Excusez-moi, mais je n'y entends goutte.

– *Ach...* Ne me dis pas qu'on ne vous parle pas de Ketteler dans votre maudite Prusse.

– Mais laisse-le donc un peu, et pour une fois explique-lui de quoi il retourne, s'emporte Gustav.

Le curé rudoie, depuis son arrivée, Georg, ce fils de hobereau de la Prusse orientale qui, avec autant de générosité que de candeur, a voulu être nommé dans une paroisse ouvrière : il ne supporte pas plus ses manières raffinées que son nationalisme prussien. Depuis la victoire de Sadowa, le roi de Prusse Guillaume I$^{er}$ se pose en héraut de la réunification allemande, et de la guerre. Et son chancelier Bismarck tire déjà en coulisses des ficelles qui ne plaisent guère au père Anton.

— Tu as au moins entendu parler des résultats de Krefeld ?

— Eh bien, j'ai peur que non, mon père.

— Cesse donc de m'appeler mon père et de prendre des précautions oratoires avec moi. Nous ne sommes plus dans vos salons de *Junker*...

— Anton !

— Gustav ! Tu as raison. Excuse-moi, petit. Bon, je vois en tout cas qu'il va falloir tout reprendre depuis le début.

— C'est-à-dire en 1848.

— *Ach, Sakrament,* tu me laisses raconter, ou tu le fais toi-même ?

Georg se signe discrètement. S'il commence à s'habituer aux relations « fraternelles » du curé et de son premier vicaire, il n'arrive pas en revanche à supporter les jurons du père Anton.

— Bien... Revenons en 1848. Comme tu le sais, le peuple se révolte contre les puissances autocratiques des États, partout, en Allemagne et en Europe.

— Laisse tomber ta rhétorique, Anton !

— Quoi donc ? Ce ne sont que des faits... Enfin, bon. Partout, des constitutions sont votées. Des parlements sont élus. C'est à ce moment que l'on com-

*Ketteler décide de siéger parmi les élus d'extrême gauche.*

mence à entendre parler de Wilhelm Emmanuel von Ketteler...

Et le curé commence, non sans une certaine dose de mauvaise foi, mais aussi avec une certaine précision historique, le récit du combat de Ketteler. Il raconte comment ce jeune baron, ordonné quatre ans avant les révolutions, est élu député au parlement de Francfort, et décide de siéger parmi les élus d'extrême gauche. Sa décision fait scandale, mais les émeutes ouvrières de septembre 1848 vont lui offrir une tribune inespérée. Deux aristocrates sont tués. « Sans doute quelques-uns des amis de tes parents, Georg... » Et c'est le prêtre-député, rentré entre-temps dans les rangs des modérés au parlement, qui prononce l'homélie de leurs obsèques.

— Laisse-moi te lire ce qu'il a dit alors, Georg.

Le curé va fouiner dans la bibliothèque qui occupe l'un des pans de la pièce. Il en sort trois feuilles méchamment imprimées.

— Oh non, Anton, tu ne vas pas commencer. Écoute, Georg, ce qu'il faut en savoir, c'est qu'à la suite de ce sermon, et de six autres, l'affaire des émeutes se conclut par un non-lieu, et les ouvriers découvrent qu'ils se sont trouvé un défenseur dans l'Église catholique.

Six sermons : Gustav, qui ne veut pas entrer dans les détails, fait référence aux interventions de Mgr Ketteler au *Katholikentag* de Mayence, et à ses prédications de l'Avent à la cathédrale. À la suite de ces sermons, le jeune prêtre est nommé curé à Berlin, puis, rapidement, évêque de Mayence (1850).

– Dès l'année suivante, il y fonde le séminaire où j'ai suivi mes études, Georg. Mais, ce qu'il faut que tu comprennes bien, c'est que Mgr Ketteler propose déjà des idées très nouvelles...

Cette fois, c'est Gustav qui a pris les rênes du récit, interrompu sans cesse par le père Anton qui s'exclame, le contredit, se lève pour aller chercher un document, fait la lecture... Le vicaire trouve tout de même le moyen de rappeler les fondements de la pensée spirituelle du jeune évêque : la nécessité d'une conversion intérieure, la double nature du chrétien, responsable de ses actes et soutenu par la grâce. Le père Anton se lève, lit, solennel : « *Le théologien peut devenir hérétique quand il perd de vue soit la hauteur de notre dignité, soit la profondeur de notre misère...* »

– Mais quel rapport avec la condition ouvrière, père Gustav ?

– J'y viens, Georg, j'y viens. En même temps qu'il développe ses idées spirituelles, Mgr Ketteler est, dès cette époque, attentif à la question sociale : il ne veut pas simplement défendre des émeutiers, il veut faire de la misère ouvrière la question centrale de la société.

– Et, pour bien la comprendre, il faut se pencher sur la pensée des socialistes.

– Les socialistes ? Grand Dieu !

– Eh, quoi, gamin ! Ce ne sont pas des monstres...

– Laisse, Anton. Mgr Ketteler suit avec intérêt les réflexions des principaux penseurs d'alors, et notamment de Ferdinand Lassalle...

Gustav traduit pour le béotien : Lassalle développe alors l'idée d'associations ouvrières, soutenues par l'État, qui financerait ces entreprises au moyen d'impôts prélevés sur les riches revenus. Ketteler étudie les propositions, s'intéresse par ailleurs au libéralisme de l'école de Manchester. Mais c'est avant tout la pensée thomiste sur la destination universelle des biens qui est dès ce moment le fil conducteur de sa réflexion.

– Ah bon ! Votre saint évêque n'est quand même pas un socialiste...

– *Himmel und Sakrament.* Voilà le Prussien qui ironise, maintenant.

– Non, Georg, tu as raison. Il n'est pas socialiste. Mais il est séduit par le courage de Lassalle face aux marxistes, et il le rejoint dans sa critique de l'ordre social.

– Et la grande différence entre eux, monsieur le bel esprit, c'est que Ketteler ne veut pas d'une intervention de l'État dans les coopératives de production. Il préfère s'appuyer sur le capital des catholiques fortunés, si tu vois ce que je veux dire...

Après cette nouvelle pique aux origines sociales de Georg, le père Anton éclate d'un grand rire, puis va chercher un nouveau livre dans la bibliothèque. C'est *La Question ouvrière et le christianisme* (1864), qui, explique-t-il, est la recherche d'une troisième voie entre le socialisme lassallien et le libéralisme.

> *Votre saint évêque n'est quand même pas un socialiste.*

— Et sais-tu ce qui arriva ? Sa force de conviction était telle que les luthériens non libéraux l'approuvèrent à la sortie du livre, et que Lassalle lui-même lui rendit hommage...

— Mais, ce que je ne comprends pas, c'est ce que vous attendez maintenant...

— Ah, c'est un peu compliqué ! Disons que nous attendons une confirmation. Depuis 1865, Mgr Ketteler défend d'autres idées nouvelles, qui ont été approuvées l'année dernière par le *Katholikentag* de Krefeld.

— Des idées nouvelles ?

Le curé a déjà ses pages ouvertes, prêt à lire :

— Écoute donc : « *À la place du self-help individualiste... doit surgir le self-help corporatif, sans exclure un appui raisonnable de l'État. Je maintiens pour cela la nécessité d'une organisation à laquelle tous les travailleurs doivent appartenir, ayant pour base la profession. [...] Les professions se regrouperaient dans une fédération qui organise les rapports entre l'État et la profession.* »

— Je n'y entends rien, père Anton.

— Mgr Ketteler défend l'idée d'un syndicalisme allemand, un syndicalisme de métier, traduit le père Gustav. Mais ce n'est pas tout. À Krefeld, il a aussi prôné la participation des travailleurs aux bénéfices, l'aide aux ouvrières, une pro-gression de salaire en fonction de l'ancienneté, la limitation de la durée du travail, la fermeture des locaux insalubres, l'ingérence des inspecteurs d'État...

— Mais... mais c'est du socialisme...

— Pas du tout. Si l'assemblée de Fulda entérine ces propositions, l'Église allemande aura véritablement à sa disposition une sorte de « catholicisme social »...

Soudain, on cogne à la porte. C'est le vicaire d'une paroisse ouvrière voisine.

— Messieurs, ça y est ! Je viens de voir le secrétaire de l'évêque... Fulda a suivi Mgr Ketteler !

En 1869, pour la première fois en Europe, une Église nationale pose les bases d'une doctrine sociale. L'héritage de Mgr Ketteler sera immense : les premières associations ouvrières naissent dès 1869 et, la même année, la Fédération générale des associations catholiques laisse se développer une Union sociale chrétienne dont le but est la protection des travailleurs catholiques. L'Encyclique *Rerum novarum*, en 1891, s'inspirera pour bâtir sa doctrine sociale des travaux de celui que Léon XIII nommera « *mon précurseur* ». Dès 1869, à Aix-la-Chapelle, un prêtre écrivait à Ketteler : « *Sur d'autres lèvres que les vôtres, nos bourgeois catholiques n'auraient pu supporter de telles vérités...* »

---

Sources : Mgr Ketteler, *La Question ouvrière et le christianisme*. L. Lenhart, *Bischof Ketteler*, Cologne, 1966-1967. R. Morsey, *Der soziale und politische Katholizismus, Entwicklungslinien in Deutschland, 1803-1963*, Munich, 1981.

# LES APPARITIONS DE PONTMAIN
## QUAND LA VIERGE S'AFFICHE EN MAYENNE

**• 12 SEP •**

LA NUIT VIENT DE TOMBER SUR PONTMAIN, PETIT BOURG DE MAYENNE. Ce soir du 17 janvier 1871, l'inquiétude marque les traits de chacun des habitants. On dit que les troupes allemandes sont entrées en Mayenne. Et puis, cela fait plus de quatre mois que trente-huit hommes du village sont partis à la guerre. Leurs familles attendent désespérément des nouvelles. Insidieusement, l'attente s'est muée en angoisse et, en ce triste soir d'hiver, nombreux sont ceux qui pensent que ces hommes ne reviendront pas. Le curé du village, l'abbé Guérin, tente d'apaiser les esprits inquiets et ne cesse de dire à ses petits du catéchisme : « *Priez, mes enfants, vous obtiendrez miséricorde ; et surtout, demandez par Marie.* » Marie, mère de Dieu et mère des hommes, pourrait-elle rester insensible à la prière de ces enfants qui attendent le retour de leur père, de leur frère, de leur oncle ou de leur cousin ? Alors, depuis plusieurs jours, les enfants récitent le chapelet avec une ferveur nouvelle.

Dans la salle commune de la ferme de Barbedette, ce soir-là, l'atmosphère est lourde, tendue : « Si les Prussiens arrivent... et les hommes qui ne sont pas là. » Le petit Joseph n'en peut plus. Il se glisse au-dehors de la maison. La neige et le verglas ont recouvert la terre d'un épais manteau blanc. Tout est calme. Le petit garçon savoure le silence. Cependant, quelque chose lui paraît étrange. Levant le nez, il fixe le ciel qui lui semble soudain bien clair pour cette heure tardive. Il remarque alors le très grand nombre d'étoiles qui brillent au firmament, il lui semble qu'il n'en a jamais autant vu... Et soudain, en face de lui, à sept ou huit mètres au-dessus de la maison d'Augustin Guidecoq, le ciel s'ouvre. Il aperçoit une Dame d'une beauté ravissante, qui le regarde en souriant. Elle est vêtue d'une robe bleu foncé, qui descend toute droite, sans ceinture, depuis le cou jusqu'aux pieds, parsemée d'étoiles d'or à cinq branches. Aux pieds, elle porte des chaussons du même bleu, ornés d'une boucle d'or. Un voile noir couvre sa tête, cachant en partie le front et les cheveux, et retombant sur les épaules. Une couronne d'or, semblable à un diadème, surmonte le voile.

Joseph crie. Il court chercher sa famille, qui ne voit rien et qui appelle les voisins. Peu à peu, tous les villageois sont dehors mais personne ne voit rien, excepté sept enfants. Certains adultes commencent à se fâcher et accusent les petits de leur mentir ou de leur jouer un mauvais tour. Cependant, la vision se prolonge et les accents de sincérité des enfants sont tels que les parents consentent à rester dehors malgré le froid et se mettent à réciter des *Pater* et des *Ave*, ainsi que le *Magnificat*. Progressivement, la vision se précise.

Une petite croix rouge apparaît sur le cœur de la Dame, et un ovale bleu foncé se forme autour d'elle. Trois belles étoiles visibles par tous restent à l'extérieur de l'ovale. La Dame semble alors triste et une grande banderole blanche, longue comme la maison Guidecoq, apparaît sous ses pieds. C'est sur cette banderole que viennent s'inscrire l'une après l'autre des lettres majuscules dorées. Elles forment un message d'espérance et de paix, que les parents, « non voyants », laissent déchiffrer aux enfants : « *Mais priez, mes enfants, priez !* » Puis, peu après : « *Dieu vous exaucera en peu de temps.* » Et ensuite : « *Mon Fils se laisse toucher.* » Une croix d'un rouge vif apparaît en avant de la Sainte Vierge et, sur cette croix, un Christ tout couvert de sang. Au sommet de cette croix, il y a une deuxième traverse blanche sur laquelle est inscrit en lettres rouges :

> *Une grande banderole blanche, longue comme la maison Guidecoq, apparaît sous ses pieds.*

« *Jésus-Christ.* » La Vierge baisse alors les yeux et pose un regard douloureux sur le crucifix qu'elle présente à l'assistance à genoux qui renouvelle ses ardentes supplications : « *Priez pour nous, pauvres pécheurs.* »

Vers 21 heures, la Vierge disparaît derrière un voile blanc qui semble se dérouler devant elle. Bientôt, seule la couronne reste visible, puis s'efface subitement au moment même où tout le village uni d'un seul cœur récite l'*Ave Maria*.

Le lendemain, les troupes allemandes arrêtent leur avancée et commencent à évacuer la Mayenne, le bourg de Pontmain est préservé de l'invasion et le message de la Vierge se réalise : « *Priez, Dieu vous exaucera en peu de temps.* » Le 28 janvier, l'armistice est signé et les trente-huit paroissiens sont de retour. Au village, beaucoup considèrent ces circonstances comme miraculeuses.

C'était le 17 janvier 1871 à Pontmain ; des sept enfants, six préférèrent garder toute leur vie cette histoire pour eux. Était-ce par obéissance, par devoir, par humilité ou tout simplement parce qu'ils craignaient de n'être pas crus ? Joseph Barbedette, quant à lui, devint prêtre. C'est sur l'ordre de son évêque qu'il fit un jour le récit des événements tels que nous les connaissons aujourd'hui.

SOURCES : Y. Chiron, *ENQUÊTE SUR LES APPARITIONS DE LA VIERGE*, Paris, 1995. R. Laurentin, *ALORS LE CIEL S'OUVRIT... : PONTMAIN, 17 JANVIER 1871*, Paris, 1997.

# HENRI PLANCHAT
## *MARTYR DU PEUPLE DE PARIS*

**• 13 SEP •**

DU VACARME, DEHORS, DU TUMULTE, LES FUSILS QUI S'ENTRECHOQUENT sur les murs, sur les dalles du couloir de la prison... Et le bruit des bombardements continue au loin.

Des voix, maintenant : « Faites sortir les otages. » Et le bruit des premières lourdes portes que l'on ouvre. Des cris, des insultes, des coups, à dix mètres, à deux mètres... Un grincement de gonds, des jurons, un carré de lumière qui se découpe dans l'obscurité. Les gardes nationaux entrent dans la cellule. Les trois prêtres se regardent. Ainsi donc, voici l'heure.

Les mains liées dans le dos, traînés, poussés, bousculés, Marie-Matthieu Henri Planchat et ses deux compagnons rejoignent la longue file des otages. Ils aperçoivent une dernière fois, en retrait de la colonne, la silhouette voûtée de Mgr Darboy que les communards avaient espéré un temps échanger contre le révolutionnaire Blanqui. L'évêque de Paris sera, lui, exécuté sur place, dans la cour de la prison de la Roquette.

L'aube blême, dit-on... Le ciel de ce 26 mai 1871 est noir, noir des fumées de Paris qui brûle. Les versaillais, ces troupes de l'Assemblée nationale réfugiée à Versailles depuis que Paris a refusé de se soumettre à la défaite face aux Allemands, et à la volonté des députés, avancent. Le Conseil d'État, le Palais de justice, les Tuileries, l'Hôtel de Ville sont en flammes. Planchat sait par un geôlier que désormais, seul le quartier ouvrier résiste encore.

On y est, on le parcourt, cet ultime bastion. Le prêtre regarde intensément ces rues, dépavées pour hérisser les barricades, ces immeubles éventrés, ces hommes et ces femmes, ces adolescents qui courent, l'arme à la main. Il reconnaît des visages, certains qu'il a croisés depuis 1863 au patronage Sainte-Anne dont il était l'aumônier. Certains qu'il a visités dans les mansardes et les taudis au cours de ses tournées charitables, quand il distribuait les aumônes, baptisait, régularisait les mariages, prêchait les retraites, fondait pour eux l'« Œuvre de la première communion des retardataires »... Certains qui ont protesté quand on l'a emmené comme otage, voici des semaines.

On passe la Folie-Regnault, on arrive à Ménilmontant, au cimetière du Père-Lachaise. On contourne une barricade. Henri Planchat aperçoit à son sommet Silvio, un immigré de Charonne, le drapeau rouge à la main. Ils sont plusieurs sur le monticule de pavés à s'interpeller en italien, à crier pour qu'on leur apporte de l'eau, des munitions. L'officier garibaldien qui mène le sinistre cortège par les rues de son quartier, un quartier en guerre, leur répond dans la même langue. « Camarades, occupez-vous des versaillais, nous nous tuons les curés... » Planchat a compris l'apostrophe. Il parle lui aussi l'italien, il connaît chacun des ouvriers immigrés du quartier, pour qui il a créé, voici quelques années l'œuvre de la « Sainte Famille italienne ».

Soudain, devant eux, un fracas formidable. Un obus est tombé sur le boulevard de Ménilmontant. On hurle, on râle, des gardes nationaux accourent, avec une charrette à bras. Le cortège reprend, le père Planchat voit les blessés que l'on charge, les mourants qui restent à même le sol. Des scènes comme celle-là, il en a vu des centaines, depuis le début du premier siège de Paris par les Prussiens, il y a six mois. Lui-même s'est occupé du poste ambulancier installé à Sainte-Anne, il s'est même porté sur les redoutes, sous le feu prussien, aux avant-postes des combats, confessant sans relâche, la nuit, dans les bivouacs, les soldats agonisants. On le surnommait alors « le curé mobile ». On aurait encore besoin de lui aujourd'hui, mais aujourd'hui, il a les mains liées dans le dos... Aujourd'hui, ce sont les obus français qui tombent sur Ménilmontant. Aujourd'hui, les ouvriers ont pris les armes, aujourd'hui l'on meurt partout.

On longe vers le nord le cimetière du Père-Lachaise où, dans deux jours, les derniers insurgés de la Commune tomberont,

*Un obus est tombé sur le boulevard de Ménilmontant.*

en d'ultimes combats, derrière les tombes, en une dernière fusillade avant le grand nettoyage policier, au « mur des Fédérés ». Henri Planchat, lui, le provincial né en 1823 à Bourbon-Vendée (aujourd'hui La-Roche-sur-Yon), connaît bien maintenant la géographie de ce Paris ouvrier. Il sait que le cortège approche de l'état-major des légions de Belleville et Ménilmontant. Il devine que ce sera le lieu de l'exécution. Il est temps de rassembler sa vie pour l'offrir.

Il songe à Grenelle, Grenelle si loin aujourd'hui, Grenelle tenue par les versaillais... Grenelle qui était devenu son premier champ d'exploration, lorsqu'à vingt ans, après ses brillantes études parisiennes, le Vendéen s'était inscrit à la Société Saint-Vincent-de-Paul, fondée par Frédéric Ozanam. Deux ans plus tard, il avait commencé de fréquenter les frères de Saint-Vincent-de-Paul, fondés par un pieux laïc, Jean-Léon Le Prévost, qui avait décidé de se consacrer particulièrement à la formation morale et spirituelle des apprentis et des jeunes travailleurs. Déjà, Le Prévost avait compris que le clergé enfermé dans ses églises serait impuissant à ramener le monde ouvrier à la foi : il n'est que de voir aujourd'hui les visages haineux de ceux que le prêtre croise dans la rue, et qui prennent encore le temps de l'insulter, au moment même où ils se préparent à mener leur dernier combat...

Henri Planchat, lui, a pourtant cru être prêtre au service de ce prolétariat. Après son ordination en 1850, il a repris le chemin des faubourgs de Grenelle, usines et taudis ouvriers, champs en friche. Il a recommencé son travail auprès des ouvriers, victimes d'un ordre social qui les craint et d'un ordre économique qui les exploite. Comment supporter la misère sociale, la vue de ces enfants qui, de huit à douze ans, ne sont autorisés à travailler « que » huit heures par jour ? Il est entré dans la congrégation naissante de Le Prevost, il a ouvert avec lui un patronage, il a participé à la création du « Fourneau de Saint-Vincent-de-Paul » qui venait en aide aux indigents... Il a visité les malades, fait du porte-à-porte, grimpé dans les soupentes. En quelques mois, la moisson a été abondante : les jeunes faisaient leurs Pâques, les parents revenaient à la pratique... Où sont-ils tous aujourd'hui ? morts sur une barricade ? écrasés sous un bombardement prussien ou versaillais ? retournés à leur impiété, ou gagnés par la folie communarde ?

*Les fédérés les rudoient, rendus hystériques par la peur.*

Rue Haxo. On arrive. Les fédérés aux abois les rudoient encore, rendus hystériques par la peur, par la haine qui s'est emparée des deux camps. On les aligne le long du mur de la briqueterie qu'il connaît bien... Il va mourir parmi les siens. Les gardes nationaux bourrent leur fusil de poudre – ils ignorent que tous ceux qui en auront sur les mains, hommes, femmes, enfants, seront exécutés par les versaillais au long de cette semaine sanglante.

Henri Planchat profite de ces derniers instants pour rappeler à lui, encore, quelques visages. Celui du soldat égaré dans le faubourg de Grenelle, et du clochard mourant de froid sur la plaine d'Issy, qu'il a hébergés un soir de neige. Celui de cet autre, rencontré nu-pieds sur l'esplanade des Invalides, à qui il avait cédé ses chaussures. Il reste tant à faire. Puis reviennent, sans qu'on les rappelle cette fois, les visages des êtres chers, tandis que les premiers ordres jaillissent du peloton : ce saint curé d'Ars qui lui avait donné sa bénédiction ; son père, sa mère, sa petite sœur Virginie. Et pourquoi faut-il qu'il se souvienne en cet instant, en ce dernier instant, du jour où il avait surpris Ninie en train de piller sa réserve de gâteaux et de bonbons ? « *Écoute*, lui avait-il dit les larmes aux yeux, *je vais te dire un secret. C'est moi qui avais caché là mes desserts pour les donner aux pauvres qui n'en ont pas. Je suis sûr que tu les aimes et que tu feras comme moi... Nous avons tout ce qu'il nous faut, mais pas les pauvres ! Et puis, ce qu'on donne aux pauvres, c'est au bon Dieu qu'on le donne.* »

« Feu ! » Les coups claquent. Les otages tombent à terre. Ils sont cinquante-deux à être exécutés ce jour-là. L'officier garibaldien s'approche de Planchat, déchire le mourant de plusieurs coups de sabre. On lui tire une balle en plein front. C'est fini.

SOURCES : M. Maignen, *Le Prêtre du peuple ou la vie d'Henri Planchat*, Paris, 1883. V. Dugast, *Le Père Planchat, apôtre des faubourgs*, Paris, 1962. G.-A. Boissinot, *Un autre Vincent de Paul, Jean-Léon Le Prevost, 1803-1874*, Cap-Saint-Ignace, 1991.

# DAMIEN DE VEUSTER

## *LE SERVITEUR DÉFIGURÉ*

**• 14 SEP •**

MOLOKAI, ÎLES SANDWICH, DIMANCHE 17 MAI 1873

« Cher Pamphile,

« C'est le petit Joseph qui écrit aujourd'hui à son grand frère. Voilà exactement une semaine que j'ai mis le pied à Molokai, plus précisément à Kalawao, et déjà le découragement me gagne. Si je ne t'ai pas écrit plus tôt, c'est que j'avais honte de mon comportement, de ma peur, de ma lâcheté et surtout de ne pas être à la hauteur de la mission que Mgr Maigret m'a confiée en m'envoyant dans ce cimetière vivant, ce « pourrissoir de Kalawao », comme l'on dit ici, cette réserve où l'on a rassemblés tous les lépreux de l'archipel. C'est probablement par orgueil, par une sorte de défi présomptueux que j'ai accepté de les aider, mais j'en suis incapable, mon Pamphile, ma foi n'est pas assez grande. À toi je peux le confesser, ce matin j'ai eu la tentation d'annuler la messe tant l'odeur était insupportable. Loin de moi l'idée de me chercher des excuses, mais laisse-moi te décrire ma descente aux enfers, la partager avec toi me soulagera sans doute du fardeau que je porte.

« Quand je suis venu ici pour la première fois il y a dix ans, Mgr Maigret m'avait chargé de m'occuper du district missionnaire de Puna et je dois dire que je n'avais pas regretté de quitter ni nos Flandres natales, ni nos pères des Sacrés-Cœurs [les picpuciens], ni même nos deux sœurs : on m'avait envoyé au paradis ! À peine deux mille habitants à évangéliser dans une zone, certes volcanique et montagneuse, mais d'où il était facile de s'échapper pour aller s'amuser quelques heures sur des vagues immenses, en équilibre sur des troncs d'arbres ! Et il y avait cette joie de bâtir une chapelle avec les Canaques : qu'il était simple de les conduire à Dieu dans un amour réciproque, ils aimaient le prêtre, ils en aimaient plus facilement le Christ, Notre Seigneur. À Molokai, la vie est bien différente, j'ai tant de mal à aimer, et même à supporter, les plus pauvres et les plus délaissés de tous, les lépreux. Ce ne sont que chairs purulentes, visages ravagés et troués, et surtout une odeur pestilentielle écœurante. La police les a déportés ici comme des criminels. Ils attendent la mort, délaissés de tous. Ma seule activité se limite à nettoyer leurs plaies, appliquer des pommades, faire des pansements. Je me sens impuissant et je sais qu'en les côtoyant, je serai moi aussi contaminé. J'ai peur. Mon seul espoir me vient de Baptiste, un Blanc qui a été contaminé quand il était infirmier. Ensemble nous avons pensé tout à l'heure, après la messe, à deux petites astuces dont je tiens à te faire part car, bien qu'elles ne me semblent pas très catholiques, elles nous permettront de rendre la vie supportable et de redonner un peu de dignité à ces malades.

« Tout d'abord, je vais me mettre à fumer. Je sais que ce n'est pas bien, mais Baptiste m'a dit que c'était la seule façon de les approcher malgré cette odeur répugnante. D'autre part, nous ne parlerons plus de pansements mais de « sandwiches ». Sais-tu que Lord John Montagu, comte de Sandwich, se faisait servir à sa table de jeu des tranches de pain entre lesquelles on mettait une tranche de viande ? Eh bien nous aussi, nous enveloppons les mollets et les bras de nos lépreux dans des feuilles, ou des bandelettes, quand le gouvernement nous approvisionne. Ainsi ferons-nous des « sandwiches », du nom de nos îles, je crois que le rire rendra le contact plus aisé.

« Mon vœu le plus cher serait de les inciter à ne plus subir passivement leur maladie en attendant la mort, afin qu'ils parviennent tant bien que mal à cultiver un lopin de terre, à entretenir une basse-cour et peut-être, plus tard, à construire un orphelinat... Mais bien sûr, tout cela ne sera possible que si je ne

*Nous enveloppons les mollets et les bras de nos lépreux dans des feuilles ou des bandelettes.*

cède pas au découragement. Il me faut continuer de prier et persévérer.

« Embrasse bien fort nos deux sœurs et dis bien à Mgr Maigret que, malgré la difficulté de ma mission, je le remercie car j'ai la conviction d'être à ma place. À ma place.

Ton frère Joseph. »

Voilà comment était mon frère, lui qui avait quitté les Flandres à vingt-trois ans – celui qu'on appela ensuite père Damien n'était encore qu'un enfant, ayant toujours peur de mal faire. Pourtant, il changea la vie de ces malheureux. Grâce à lui, les pestiférés n'étaient plus traités comme des réprouvés dont on avait hâte de se débarrasser. Leurs funérailles devenaient une fête d'entrée dans une nouvelle vie, la « vraie vie », pour ceux qui, sur une île paradisiaque, avaient vécu à l'ombre de la mort. « *La terre*, leur disait-il, *est un lieu d'exil. Notre patrie, c'est le ciel où, nous autres lépreux, nous sommes sûrs d'aller un jour... Là-haut, plus de lèpre, plus de laideur, nous serons transfigurés et d'autant plus beaux et plus heureux que nous acceptons avec plus de résignation l'épreuve d'aujourd'hui.* » Mon frère, lui aussi rongé par la maladie, accompagna les lépreux pendant plus de quinze ans, suscitant même l'admiration des non-catholiques. Le 28 mars 1889, ses plaies purulentes aux mains et aux pieds l'empêchèrent de monter à l'autel et il mourut deux semaines plus tard, le lundi de la Semaine sainte.

Sur sa tombe, en accord avec les pères

des Sacrés-Cœurs et avec Mgr Maigret, évêque missionnaire de Honolulu, nous avons fait graver ces simples mots : « À *la mémoire du père Damien de Veuster, mort martyr de la charité pour les infortunés lépreux.* »

SOURCES : Père Damien, *UN ÉTRANGE BONHEUR : LETTRES DU PÈRE DAMIEN LÉPREUX (1885-1889)*. H. Eynikel, *LE PÈRE DAMIEN*, Paris, 1999. B. Couronne, *PETITE VIE DU PÈRE DAMIEN DE MOLOKAI : 1840-1889*, Paris, 1994. E. Brion, *COMME UN ARBRE AU BORD DES EAUX : LE PÈRE DAMIEN DE MOLOKAI, APÔTRE DES LÉPREUX (1840-1889)*, Paris, 1994. O. Englebert, *LE PÈRE DAMIEN, APÔTRE DES LÉPREUX*, Paris, 1963.

# LA CONVERSION DE VERLAINE

## *QUAND LE POÈTE EMPRISONNÉ DÉCOUVRE LA LIBERTÉ DES ENFANTS DE DIEU*

**• 15**
**SEP •**

24 AVRIL 1874. VERLAINE EST SEUL DANS SA CELLULE de la prison de Mons. Seul face à l'écrasante culpabilité qu'il ressent après le geste terrible qu'il a commis de longs mois plus tôt, par une belle journée d'été. Le 10 juillet 1873 à Bruxelles, éperdu de jalousie, il a tiré deux coups de revolver et blessé son amant, le jeune poète Arthur Rimbaud. À la suite de cet accès de folie, il purge une peine de deux ans d'emprisonnement, et se retrouve face à lui-même.

Ce jour d'avril, le poète ne sait pas encore que le tribunal civil de la Seine vient de prononcer « la séparation de corps et de biens des époux Verlaine », confiant à son épouse, Mathilde, la garde de leur fils pour qui Verlaine devra verser une pension alimentaire. Il prendra connaissance de cet arrêt quelques jours plus tard, en lisant la copie de l'acte que lui remet le directeur de la prison. Pour le poète âgé de trente ans, la solitude revêt un nouveau visage. Celui du « *chevalier Malheur* » qui entre dans sa cellule et l'oblige à prendre conscience de ce qui a amené sa vie à prendre ce dramatique tournant. Une voix l'interroge :

*Qu'as-tu fait, ô toi que voilà*
*Pleurant sans cesse,*
*Dis, qu'as-tu fait, toi que voilà,*
*De ta jeunesse ?*

Les remords et les regrets l'assaillent, le rappel de ses fautes et de sa déchéance lui martèle le crâne. Verlaine ne peut pas encore comprendre que cette rencontre avec le « *chevalier Malheur* » sera l'occasion d'un véritable retour à Dieu. Son cœur est encore nourri par l'orgueil de son acte. Il résiste, refuse de se souvenir de sa foi d'enfant, vite perdue après sa première communion, lui qui a, depuis plusieurs années, abandonné toute pratique religieuse. Mais voici que soudain, sans qu'il comprenne comment, son cœur est saisi :

*Et voici qu'au contact glacé du doigt de fer*
*Un cœur me renaissait,*
*tout un cœur pur et fier.*
*Et voici que, fervent d'une candeur divine,*
*Tout un cœur jeune*
*et bon battit dans ma poitrine.*

C'est le premier pas vers la conversion. Quelques heures seulement après avoir appris le jugement du tribunal de la Seine, Verlaine exprime vivement le désir de voir l'aumônier de la prison, à qui il demande un catéchisme. L'abbé Descamps – tel est son nom – lui remet alors un exemplaire du *Catéchisme* de Mgr Gaume, qui sera l'« apôtre », comme l'écrit Verlaine dans *Mes Prisons*.

Le poète ne rend pourtant pas facilement les armes, ignorant que cette recherche, comme le soulignait Pascal, est la preuve même de la découverte de Dieu. Verlaine cherche sans trouver pendant plusieurs semaines : « *C'est vrai que je vous cherche et ne vous trouve pa*s », lance-t-il à Dieu dans un poème. Plongé dans les huit gros volumes du *Catéchisme de persévérance*, il s'agace du style de Mgr Gaume et juge « *assez médiocres* » les preuves qu'il donne en faveur de l'existence de Dieu et de l'immortalité de l'âme.

> Le poète se prosterne à genoux devant le petit crucifix de cuivre.

Pendant ses longues conversations avec l'abbé Descamps, Verlaine discute pied à pied les arguments de Mgr Gaume. L'abbé s'efforce vaillamment d'exposer, d'expliquer, de défendre, sans grand succès. Jusqu'au jour où, inspiré, il conseille au poète de lire directement les chapitres consacrés au sacrement de l'Eucharistie. Avant de laisser Verlaine à sa lecture, l'abbé Descamps accroche une lithographie du Sacré-Cœur au-dessous du petit crucifix qui orne le mur de la cellule. Le poète juge l'image « *assez affreuse* ». Mais bientôt il y reconnaît un appel :

*Mon Dieu m'a dit :*

  « *Mon fils, il faut m'aimer. Tu vois*
*Mon flanc percé,*
    *mon cœur qui rayonne et qui saigne* »

Et Verlaine entend enfin l'appel de Dieu.

Un matin de juin, au petit jour, le poète se précipite hors de son lit et se prosterne à genoux devant le petit crucifix de cuivre et l'image du Sacré-Cœur : « *Je ne sais quoi ou Qui me souleva soudain, me jeta hors de mon lit, sans que je pusse prendre le temps de m'habiller et me prosterna en larmes, en sanglots, aux pieds du Crucifix et de l'image surérogatoire, évocatrice de la plus étrange mais à mes yeux de la plus sublime dévotion des temps modernes de l'Église catholique.* » Aussitôt, il appelle l'abbé Descamps et lui annonce sa « conversion ». « *C'en était une sérieusement*, racontera-t-il. *Je croyais, je voyais, il me semblait que je savais, j'étais illuminé.* »

Convaincu de la sincérité de Verlaine, l'aumônier demeure toutefois prudent, garde son calme, aide le poète à retrouver le sien et, tout en le félicitant, lui conseille d'attendre encore avant de se confesser.

Verlaine se soumet et, retrouvant les gestes de l'enfant, prie « *à deux genoux, à deux mains, de tout* [son] *cœur, de toute* [son] *âme, de toutes* [ses] *forces, selon* [son] *catéchisme ressuscité.* » Son cœur qui « *saignait dans l'orgueil* [...] *flambe* » désormais « *dans l'amour* », cet amour qui lui a « *fait une âme neuve* », lui permet de mettre « *en fuite* [...] *toute la rhétorique* [...] *des péchés* » et lui donne la force d'accepter son châtiment tout en lui rendant l'espérance :

*Si je me sens puni, c'est que je le dois être.*
*Mais j'ai le ferme espoir*
    *d'un jour pouvoir connaître*
*Le pardon et la paix*
    *promis à tout Chrétien.*

Le poète n'oppose plus que de « timides

objections » à l'abbé Descamps qui finit par entendre sa confession : « *longue, détaillée à l'infini, très véridique et consciencieuse* ». Dans la triste cellule de la prison de Mons, l'abbé donne l'absolution au poète repenti. Et Verlaine, ébloui, laissera en ces vers éclater sa joie de pouvoir revenir dans la Maison de Dieu :

> *Pour y participer au Vin*
> *qui désaltère,*
> *Au Pain sans qui la vie est*
> *une trahison.*

Ce sera le 15 août 1874, jour où l'Église fête l'Assomption de celle qui guida Verlaine vers le Père :

> *Et comme j'étais faible*
> *et bien méchant encore,*
> *Aux mains lâches,*
> *les yeux éblouis des chemins,*
> *Elle baissa mes yeux*
> *et me joignit les mains,*
> *Et m'enseigna les mots*
> *par lesquels on adore.*

À sa sortie de prison, Verlaine commence une nouvelle vie qui se veut exemplaire. Il fait une retraite à la Trappe

> « *Elle baissa mes yeux*
> *et me joignit les mains,*
> *Et m'enseigna les mots*
> *par lesquels on adore.* »

de Chimay, en Belgique, lit les écrits de sainte Thérèse d'Avila et de saint Thomas d'Aquin. À Rimbaud, qu'il voudrait convertir, il écrit ces mots : « *Aimons-nous en Jésus.* » Sa conversion marque son travail et son inspiration poétique. Mais Verlaine, tout en conservant le souvenir de cet « *inoubliable jour* », ne se montre pas toujours le « *fils soumis de l'Église* » et l'« *auteur désormais chrétien* » que, dans la préface de *Sagesse*, il prétendait être devenu.

« *Le relâchement peu à peu s'en est suivi, puis les chutes à nouveau* », reconnaît Verlaine dans *Mes Prisons* après avoir raconté sa conversion. À quelle aune cependant juger ces années terrestres de pénitence et de constance, si ce n'est à celle de la balance divine ? Car, dans le même texte, avant d'en appeler à la pitié et à la miséricorde de Dieu, Verlaine s'écriait, montrant le prix de ce qu'il avait vécu dans la cellule de Mons : « *Ô le catéchisme de Mgr Gaume, ô ne pouvoir le relire, ne vouloir peut-être le relire, – et cette fois s'y tenir !* »

---

SOURCES : P. Verlaine, *Œuvres complètes*. *Spiritualité verlainienne : actes du colloque international de Metz, novembre 1996*, Klincksieck, 1997. E. Lepelletier, *Paul Verlaine : sa vie, son œuvre*, Slatkine, 1982. L. Morice, *Verlaine, le drame religieux*, Paris, 1947.

# DOSTOÏEVSKI

## *LA RÉDEMPTION EST DANS LES BAGNES*
## *DE SIBÉRIE*

**• 16 SEP •**

HIVER 1849. UN BAGNARD TRAÎNE SES CHAÎNES SUR LE SOL GLACÉ DE LA SIBÉRIE. Le froid terrible qui pénètre sa chair jusqu'à l'os, la bassesse des criminels qui l'entourent, et les coups de knout incessants des gardiens lui font souvent toucher le fond du désespoir. Cet homme disgracié, abandonné de tous, est l'écrivain Fiodor Mikhaïlovitch Dostoïevski qui a publié, quatre années auparavant, un roman à succès, *Les Pauvres Gens*. Dans cette œuvre, l'homme rejoignait les humbles, comprenait leurs aspirations à un monde meilleur, leurs souffrances, leur résignation, mais aussi leurs attentes, leurs rêves. Un roman d'une rare sensibilité. La critique littéraire voyait déjà en lui l'initiateur du roman social russe et ne tarissait pas d'éloges. Que fait-il donc là, accablé, au milieu de ces hommes sinistres ? Quel crime a-t-il pu commettre pour avoir été ainsi condamné à la déportation ?

Fiodor a toujours été un être délicat et sensible, trop nerveux même. Né à Moscou, capitale ancienne et sainte de la Russie, en 1821, il grandit auprès d'un père sévère et autoritaire, un médecin-major qui pensait surtout à donner à ses deux fils une solide éducation et une situation stable. C'est auprès de sa mère, une femme douce, tendre et profondément chrétienne, qu'il trouvait complicité et réconfort. Elle mourut alors qu'il n'était encore qu'un adolescent. Fiodor éprouva un immense chagrin. Peu après, le père conduisit ses deux fils à Saint-Pétersbourg, pour qu'ils préparent leur entrée à l'École du génie et puissent à l'avenir bénéficier d'une situation enviée de fonctionnaires. Ils y étudièrent les mathématiques, la géométrie, le dessin, la science des fortifications et participèrent à des manœuvres épuisantes.

Mais Fiodor est insatisfait. Jeune enfant, adolescent, il a beaucoup lu et trouvé dans la lecture le moyen de répondre à sa soif de rêves. Éperdu d'admiration pour les romantiques russes ou étrangers, il voudrait être Gogol ou, mieux, Pouchkine, moscovite puis pétersbourgeois comme lui, mort à trente-sept ans en duel, paré de la gloire du poète et entouré du halo de mystère que suscite un destin brutalement brisé. Dégoûté des plans et des systèmes de la défense militaire, Fiodor donne bien vite sa démission de lieutenant du génie pour se lancer dans l'écriture. Il écrit un *Boris Godounov*, une *Marie Stuart* et trouve le succès en 1845 avec *Les Pauvres Gens*. Fiodor croit avoir atteint la gloire !

À Saint-Pétersbourg, l'industrie est en plein essor : bourgeois enrichis et ouvriers ou manœuvres miséreux se côtoient. Les palais somptueux qui bordent la Neva toisent de leur luxe insolent les masures construites sur les fonds marécageux. Dans les campagnes, le servage demeure. Les idéaux de la Révolution française ont traversé l'Europe mais se sont arrêtés aux portes de la Russie. Pourtant, chaque soir, de nouveaux cercles politiques se constituent. La société russe est en effervescence et Dostoïevski ne reste pas sourd aux soucis du temps. Il fréquente assidûment un cercle animé par un certain Petrachevski, fonctionnaire du ministère de l'Intérieur. On y débat clandestinement des idées françaises, on y réclame l'abolition du servage, le respect des droits de l'homme, la suppression de la censure, on y rêve d'une société plus juste inspirée de celle que l'économiste français Fourier a essayé d'établir avant sa mort, survenue en 1837. Hélas ! la police du tsar est avertie.

Le 25 avril 1849, tous les membres du cercle sont arrêtés et envoyés à la forteresse Pierre-et-Paul. Le 16 novembre, Dostoïevski est condamné à mort. Le 22 décembre à l'aube, les gardes entrent dans sa cellule et l'emmènent sans un mot. Dans la cour de la prison, en chemise, il grelotte. Il croit sa dernière heure

> *Dans la cour de la prison, en chemise, il grelotte.*

venue, on lui annonce alors que le tsar a commué sa condamnation en déportation dans un bagne de Sibérie, à Omsk. Le soir de Noël 1849, il traverse la ville en fête pour prendre vers l'est le chemin des steppes désertiques et glacées. Ce qui l'attend au bout du chemin est l'horreur absolue : des conditions de vie épouvantables, des travaux forcés inhumains, des jours et des jours d'un désespoir sans fond... Et le voilà, misérable, traînant ses chaînes, n'espérant plus que la consolation de la mort.

Pourtant, peu à peu, sous l'écorce rude de ses compagnons de captivité, rebelles, criminels, parias, Fiodor découvre un cœur : une main tendue à un détenu plus malheureux encore que les autres, une parole d'apaisement et de réconfort, un regard plein de pitié ou même un sourire ! Peu à peu une certaine solidarité se crée entre les prisonniers de ce lieu maudit. Il découvre que la compassion et même l'espoir – chose insensée – peuvent être présents dans ce bagne sordide. Lentement, les cœurs endurcis reviennent vers la foi de leur enfance. Les bagnards se tournent vers le Christ. Celui qui a été condamné comme un criminel, tout comme eux, peut comprendre leur souffrance et peut-être les aider à la porter. Jésus est leur unique secours, et leur unique espérance. Ils le prient ardemment.

Dostoïevski en témoigne dans l'ouvrage où il a consigné ses souvenirs du bagne, écrit en 1861, et qu'il a intitulé

*Souvenirs de la maison des morts.* « *Les forçats priaient avec une grande ferveur et chacun, jour après jour, apportait à l'église son misérable kopeck pour un cierge ou pour la quête. "Moi aussi, je suis un homme, se disaient-ils peut-être en déposant leur offrande ; devant Dieu, on est tous égaux..." Nous communiâmes à la première messe. Quand le prêtre, le ciboire à la main, récita l'oraison : "Comme le larron, je vous dis, souvenez-vous de moi, Seigneur, quand vous serez dans votre royaume...", presque tout notre groupe se prosterna dans un cliquetis de chaînes, en prenant ces paroles à la lettre.* »

> L'homme est-il libre
> de choisir
> entre le bien et le mal ?

Dostoïevski lui aussi sent grandir en lui son amour pour le Christ. Cependant, sa foi dans le Sauveur de l'humanité lui pose au moins autant de questions qu'elle n'en résout. Si Dieu existe, comment le mal peut-il aussi exister ? L'homme est-il libre de choisir entre le bien et le mal ? Comment l'homme qui a péché peut-il se racheter ? Ces grandes interrogations constitueront la matière de l'œuvre future de l'écrivain. Elles le tourmentent pendant toutes ces années d'horreur où, traînant son boulet, il ne peut se libérer d'elles en les jetant sur le papier.

Enfin, à la mi-février 1854, Fiodor est libéré et envoyé dans un régiment caserné à Semipalatinsk. Il tombe amoureux fou d'une jeune femme, Maria Dmitrievna Issaeva, qu'il épouse en 1857. Ce mariage est un échec. Entre autres griefs, Maria, elle-même phtisique, amoindrie par la maladie, ne supporte pas les terribles crises d'épilepsie qui accablent son mari. Ces crises obligent du reste les autorités militaires à libérer Fiodor en 1860, bien qu'il ait été promu officier après avoir adressé au nouveau tsar, Alexandre II, plutôt libéral, une pièce en vers qui fait son éloge et suggère des réformes sociales auxquelles du reste le tsar procédera en partie. En 1861, il publie coup sur coup *Humiliés et offensés*, puis *Souvenirs de la maison des morts*. Après le décès de sa femme, survenu en 1864, il se remarie le 15 février 1867 avec Anna Grigorievna, douce, équilibrée, qui le rend père et lui apporte jour après jour une aide précieuse. Il a bien besoin du réconfort de sa présence, car ses affaires financières se trouvent au plus mal. La revue qu'il a fondée est au bord de la faillite. Pour se tirer d'affaire, Dostoïevski s'essaie au jeu à Baden-Baden puis à Wiesbaden, sans succès. Il décide alors de quitter définitivement la Russie avec Anna pour fuir ses créanciers. Il voyage en Allemagne, en Suisse, en Italie, en France. Partout où il passe, il essaie de comprendre les idées et la société occidentales. Il avait cru que le libéralisme était la solution de tous les problèmes qu'engendre l'oppression. Il découvre qu'il n'en est rien. Le goût forcené de l'argent en Angleterre comme en France a entraîné l'exploitation des plus faibles qui doivent travailler durement du matin au soir, vivent dans des taudis à la périphérie des villes et s'adonnent à la boisson. La prostitution s'étale presque partout. Il rêvait d'un socialisme chrétien, et découvre un socialisme athée international, ennemi farouche du christianisme et notamment de la Russie. Profondément déçu, il décide, en 1871, de regagner son pays.

Dieu, le bien, le mal, la faute, la rédemption deviennent le matériau de base de son œuvre littéraire. *Crime et Châtiment* paraît dès 1866. Le personnage principal, Raskolnikov, athée par raison, désireux de se prouver à lui-même qu'il est au-delà du bien et du mal, tue une vieille usurière. Il ne trouvera la paix que lorsqu'il aura avoué son crime et accepté de se repentir dans la foi du Christ. Suivent *L'Idiot* en 1868, *Les Possédés* (ou *Les Démons*) en 1872, *L'Adolescent* en 1875 et, en 1880, un ouvrage majeur, *Les Frères Karamazov*, qui s'achève par une exaltation de l'Évangile. Après la mort du starets Zosime, son disciple au cœur pur, Aliocha, ira dans le monde prêcher la Parole de Dieu et répandre le bien autour de lui.

> *Il rêvait d'un socialisme chrétien, et découvre un socialisme athée, ennemi farouche du christianisme.*

Dostoïevski peint un monde sombre, habité de criminels, de déséquilibrés, de maudits. Tous ces personnages pitoyables ne peuvent se tourner que vers une seule lumière, celle du Christ. Ils attendent tout de lui et surtout la rédemption. Dostoïevski et ses héros, ou plutôt ses antihéros, se ressemblent étrangement. Ils sont faits des mêmes contrastes brutaux, dévorés par les passions et les contradictions.

Ce qui en définitive sauve Dostoïevski du désespoir, c'est la foi, la foi des humbles, la foi des bagnards, et non celle des savants. La foi de ceux qui n'espèrent qu'en Dieu parce que tout espoir et toute miséricorde humaine leur ont été enlevés. À travers ses œuvres, Dostoïevski aura été le témoin et l'avocat de ces âmes-là, lui qui savait, avec la lucidité des plus grands saints, que devant Dieu tout homme est criminel, et que dans le Christ tout homme est racheté.

SOURCES : F. M. Dostoïevski, *LE JOURNAL D'UN ÉCRIVAIN*, *L'IDIOT*, in *ŒUVRES COMPLETES*. A. Suarès, « Dostoïevski », in *LES CAHIERS DE LA QUINZAINE*, Paris, 1910. P. Pascal, *DOSTOÏEVSKI, L'HOMME ET L'ŒUVRE*, Lausanne, 1970. M. Suardini, *L'UNIVERS RELIGIEUX DE DOSTOÏEVSKI*, Paris, 1947. J. Roland, *DOSTOÏEVSKI*, Paris, 1983.

# L'Union de Fribourg

## L'« Internationale » catholique
## de la question ouvrière

**• 17**

**SEP •**

En parcourant des yeux la longue table de conférences, Gaspard Decurtins s'abandonne un instant à une pensée irrévérencieuse : étrange assemblée, vraiment... Des comtes, des barons, des éminences et des leaders ouvriers ; des Allemands, des Autrichiens, des Français, des Romains et des Suisses comme lui – une forme d'« Internationale », mais il n'est pas sûr que le mot plairait à certains des éminents invités du cardinal Mermillod... C'est ce qui l'a fait sourire un instant.

Pourtant, dans les congrès qu'il fréquente, il ne se passe pas un jour, pas un discours sans qu'il n'entende ce terme. Chef du parti ouvrier suisse, il a l'habitude de prendre la parole devant les délégués des industries textiles de Saint-Gall ou de Schaffhouse, devant les machinistes et les chaudronniers de Bâle et de Lucerne, devant les horlogers du Jura... Oh ! ce n'est pas que la joute oratoire avec les personnalités réunies aujourd'hui lui fasse peur : député des Grisons, Decurtins a l'habitude des débats d'idées, voire du combat pour les idées. Mais il n'est pas sûr que la diatribe ou la polémique soient

parfaitement à leur place ici, sous les lambris dorés du palais épiscopal de Fribourg, en ce jour de 1884.

Allons, foin d'ironie ! Une tâche sérieuse les attend, celle pour laquelle le prince de Loewenstein, le comte Kuefstein, le marquis de La Tour du Pin, M. Milcent et le cardinal Mermillod lui-même ont créé cette Union de Fribourg. Ils entendent qu'elle permette à des penseurs, à des ecclésiastiques, à des hommes d'action aussi qui, à travers l'Europe, tentent tous de jeter les bases du catholicisme social, de travailler ensemble.

Decurtins songe en cet instant que s'entendre ne sera pas facile : des hommes comme Albert de Mun, le baron Carl von Vogelsang, le comte Blome, Henri Lorin, ou les pères de Pascal et Lehmkuhl n'appartiennent pas aux mêmes écoles de pensée. Tous, sans doute, ne s'accordent pas sur les paroles inaugurales du cardinal : *« Nous avons en face de nous les socialistes, qui sont plutôt des exilés de l'ordre chrétien que des adversaires... »* Quand certains, pour combattre la misère née du libéralisme, espèrent le retour d'une société européenne prérévolutionnaire, d'autres, au contraire, considèrent comme irréversibles les changements nés de la démocratie en politique et de l'industrialisation. Le Suisse est de cette dernière catégorie. Et encore, il ne s'agit que de réfléchir et non d'agir...

Heureusement, il y a aussi des points de convergence : leur commune opposition à l'individualisme, à l'égoïsme libéral ; leur souci de demeurer fidèle à l'Église, de ne pas déduire de leurs travaux une remise en cause de la foi, comme le fait alors le protestantisme social ; enfin, leur désir de voir Rome prendre en compte la question sociale...

Sous la houlette de Mgr Mermillod qui vient d'ouvrir la séance, cette réunion aura lieu chaque année. Et, malgré le scepticisme amusé de Decurtins, qui est l'une des chevilles ouvrières des travaux, les résultats vont être considérables : en 1890, l'Union de Fribourg a élaboré des synthèses et des propositions sur le rôle de l'État, sur la nécessité de mettre au point une législation nationale et internationale pour la protection des travailleurs, aussi bien que sur les organisations professionnelles, la représentation des travailleurs... Bref, elle a rassemblé les idées et les ambitions du catholicisme social, offrant à Léon XIII, qui suit avec un grand intérêt l'expérience, un corpus théorique qui alimentera sa réflexion pour préparer l'encyclique *Rerum novarum* qu'il publie en 1891.

Dès 1885, l'Union demande au pape de prendre position sur la question

> *L'Union de Fribourg a rassemblé les idées et les ambitions du catholicisme social.*

ouvrière, et de défendre les victimes des excès du libéralisme. En 1890, Mgr Mermillod peut annoncer, sous le sceau du secret, à l'assemblée que l'encyclique est pratiquement achevée. Certains, comme Decurtins, le savent bien, qui ont mis la main à la pâte pour établir les premiers schémas du texte.

Lorsque *Rerum novarum* paraît, quelques mois avant la mort du cardinal Mermillod, c'est en grande partie le travail de l'Union de Fribourg qu'elle reprend et sanctionne. L'Union ne survivra pas à la mort du prélat, mais ses membres contribueront à donner au texte toute sa publicité.

Beaucoup comme Decurtins sont parlementaires : ils défendent leurs travaux devant les différentes représentations nationales. Les autres participent à tous les congrès catholiques de leur pays, pour y porter la bonne parole face à des auditoires largement ignorants de la question ouvrière... Quant à Decurtins, il choisit de continuer à affirmer ses convictions dans les congrès ouvriers.

Cela ne manque pas de lui procurer quelques nouvelles occasions de sourire, ainsi, lorsque le Congrès international ouvrier de Bienne (1891) approuve par acclamation l'encyclique, ou que celui des Associations ouvrières suisses (1893) vote, presque à l'unanimité, alors que les catholiques y sont archiminoritaires, la motion suivante : *« Les organisations ouvrières catholiques sont invitées à déployer une propagande internatio-*

*nale en faveur de la réalisation des postulats que Léon XIII a énoncés dans son encyclique sur la question ouvrière. »*

Léon XIII pourra bien alors récompenser Decurtins, ce « cher fils », en prenant position en 1893 pour une législation internationale du travail que le Suisse appelait de ses vœux depuis 1888, et dont l'Union de Fribourg avait fait son cheval de bataille. Cet appel définissait les contours de la future Organisation internationale du travail (1919).

SOURCES : Gaspard Decurtins, *Réforme sociale chrétienne et réformisme catholique. Lettre à un ami*. J. Bricourt, *Dictionnaire des connaissances religieuses*, Paris, 1928. *Catholicisme, hier, aujourd'hui, demain*, t. III, Paris, 1952.

# KATHARINE DREXEL

## DE L'AVANTAGE POUR LES NOIRS ET
## LES INDIENS AMÉRICAINS
## QU'UNE RICHE HÉRITIÈRE AILLE FAIRE
## L'INTÉRESSANTE CHEZ LE PAPE

**18**
**SEP**

« HORS DE QUESTION ! AB-SO-LU-MENT HORS DE QUES-TION, VOUS ENTENDEZ ? » Les interlocuteurs auxquels s'adresse Katharine Drexel ne sont autres que les statues qui surmontent les piliers de la place Saint-Pierre à Rome. La jeune fille en furie, en a déjà fait trois fois le tour, et ces saints qui la regardent d'un air bien-veillant restent d'une placidité qui la fait littéralement sortir de ses gonds. Ils sont exaspérants à rester aussi calmes, alors qu'elle les prend l'un après l'autre à témoin de l'injustice de son sort. Si tous ces hom-mes de marbre pouvaient descendre de leur piédestal, Katharine est certaine qu'ils iraient en procession intercéder pour elle auprès du pape, et que celui-ci, impres-sionné par ce cortège, retirerait sur-le-champ les paroles par lesquelles il vient de révolutionner son existence paisible.

Quand Katharine a demandé une audience pour ses deux sœurs et pour elle-même, elle était loin de se douter de ce qui l'attendait. Les trois jeunes Américaines ont entrepris un tour d'Europe au début de l'année 1885, pour s'éloigner de leur demeure de Philadelphie, qui leur semblait sinistre maintenant que leur père était

mort. Lizzie a trente ans, Kate vingt-sept, et Louise, que leur père a eue d'un second mariage, est la plus jeune des trois, avec ses vingt-deux ans tout juste révolus.

Francis Drexel était un banquier mil-lionnaire, et ses filles ont largement de quoi s'offrir un long voyage outre-Atlan-tique. Mais, si elle avait su, Katharine Drexel serait restée sur son continent natal, malgré son amour pour les splen-deurs de l'Europe qu'elle connaît déjà bien, car elle s'y est souvent rendue en famille. C'est du moins ce qu'elle se répète, en fusillant d'un regard noir ces statues qui s'obstinent à ne pas l'écouter.

Pour les trois sœurs, un séjour dans la Ville éternelle était l'occasion bénie de rendre visite au Saint-Père. Katharine avait une requête bien précise à présenter à Léon XIII. Elle trouvait que l'Église catholique américaine présentait une fâcheuse lacune : personne ne se souciait d'évangéliser les Indiens et les Noirs, qui vivaient là-bas dans des conditions diffici-les, méprisés et rejetés par les Blancs. Elle, Katharine Drexel, n'était pas indifférente à cette misère, et prenait très à cœur le sort de ses frères défavorisés. Elle se char-gerait d'attirer l'attention du Saint-Père sur la nécessité pressante d'envoyer des missionnaires auprès d'eux.

Elle aurait mieux fait de tenir sa langue et de garder ses idées généreuses pour elle. Car à la fin de sa harangue, Léon XIII lui avait demandé doucement : « Et pourquoi, mon enfant, ne vous feriez-vous pas missionnaire vous-même ? » Il avait fallu tout le sang-froid qu'une éducation raffinée avait donné à Katharine, et toute la solennité de ces lieux imposants, pour empêcher la jeune fille de s'étrangler sous l'effet de la surprise. Elle n'avait réussi qu'à balbutier quelques phrases sans suite, dont il ressortait qu'elle s'était déjà posé la question à plusieurs reprises, mais qu'elle ne se sentait pas prête à prendre une décision.

À peine sortie, Katharine avait planté là ses sœurs pour pouvoir donner libre cours à sa colère. Comment le pape s'était-il permis de la mettre au pied du mur ? L'idée d'une vocation religieuse l'avait plus d'une fois taraudée, certes, mais la jeune fille l'avait repoussée de toutes ses forces. Prendre l'habit, renoncer au monde à jamais, quelle horreur ! Ses cheveux se dressaient sur sa tête rien que d'y penser. Elle regrettait à présent de n'avoir pas été aussi catégorique devant le pape. Les passants qui la voyaient faire le tour de la place Saint-Pierre d'un pas rageur, et lever un regard ulcéré vers les statues impassibles, échangeaient des commentaires ahuris. Comment auraient-ils pu se douter que Katharine Drexel était poursuivie par sa propre vocation ?

Soixante-dix ans plus tard, en 1955,

*Prendre l'habit, renoncer au monde à jamais, quelle horreur !*

alors qu'elle attend la mort dans la maison-mère de Cornwells Heights, mère Mary Katharine songe encore avec amusement à cette scène lointaine. Il y a bien long-temps que la vieille supérieure, qui a atteint l'âge de quatre-vingt-dix-sept ans, a appris à s'abandonner entièrement à la volonté imprévisible de Dieu.

La traversée qui l'a ramenée à Philadelphie après cette entrevue mémorable n'a été qu'une longue tempête spirituelle. Katharine était obstinée, et n'entendait pas céder. « Hors de question ! » murmurait-elle encore en arpentant le pont du navire, en contemplant l'horizon, et en regardant l'équipage faire ses manœuvres.

À son arrivée, elle s'est précipitée chez l'évêque, Mgr James O'Connor, vieil ami de la famille qui était aussi son directeur spirituel.

Peu de temps après, en 1891, au terme d'une année de noviciat chez les sœurs de la Miséricorde à Pittsburgh, elle prononce les vœux qui font d'elle la première sœur et la supérieure de la communauté du Saint-Sacrement. L'année suivante, la congrégation achève de s'installer avec son noviciat dans le couvent Sainte-Élisabeth à Cornwells Heights.

La supérieure ne perd pas de vue le but qu'elle s'est donné, ou du moins qu'elle s'est vu donner par le pape contre son gré et sur sa propre suggestion : aller évangéliser les Noirs et les Indiens.

Après deux ans de formation spirituelle intensive, mère Mary Katharine envoie ses premières sœurs en mission. Elles commencent par fonder l'école Sainte-Cathe-rine pour les Indiens pueblos de Santa Fe au Nouveau-Mexique. En 1899 est créée l'école normale et technique Saint-Fran-çois-de-Sales destinée aux Noirs améri-cains de Rock Castle, près de Richmond, en Virginie. Cette école a bientôt un tel succès qu'elle draine des étu-diants venus de toute la nation.

En 1902 naît l'école Saint-Michel dans la réserve des Navajos, au beau milieu de l'Arizona. Enfin, en 1904, mère Mary Katharine achète un ter-rain à Nashville dans le Tennessee, et ouvre l'école technique de la Mère-Imma-culée, pour les Noirs. Cette série de fon-dations lui vaut des attaques virulentes, car tous les Américains, si fiers soient-ils de vivre dans le pays de la liberté, ne sont pas animés comme elle de sentiments fra-ternels envers les Indiens et les Noirs. Mais si Katharine Drexel a cédé une fois dans sa vie devant la volonté de Dieu qui était contraire à la sienne, elle n'est guère prête à s'incliner devant les hommes, quand elle est convaincue qu'ils ont tort.

Elle doit répondre aux demandes d'aide qui affluent au fil des années. Pour fonder des écoles et faire bâtir des églises desti-nées à ses protégés, mère Mary Katharine puise généreusement dans la fortune héri-tée de son père, et réussit à parsemer le territoire de foyers où les moins privilégiés des habitants de l'Amérique pourront recevoir les trésors de la culture. Elle a sept millions de Noirs et quelques centai-nes de milliers d'Indiens à secourir, et leurs

> *Mère Katherine puise généreusement dans la fortune héritée de son père.*

appels à l'aide ne cessent de résonner en elle. Elle brûle du désir de les voir devenir citoyens américains à part entière, et de celui, plus profond encore, de les amener à l'Église. La règle de sa congrégation est imprégnée de ces préoccupations.

La règle ! La vieille religieuse qui est en train de s'éteindre doucement en 1955 se rappelle le mal qu'elle a eu à obtenir à son sujet l'approbation de Rome. Quinze ans après la fondation de sa communauté, elle n'avait toujours pas de réponse de la Sacrée Congrégation au dossier qu'elle lui avait envoyé. Elle hési-tait entre l'inquiétude et l'agacement : un pape lui suggérait tout simplement de par-tir en mission, comme si cela allait de soi et que la bénédiction de Rome lui était tout acquise, et son successeur gardait un silence incompréhensible !

Sur le conseil de mère Cabrini, elle s'était rendue elle-même au Vatican. Elle n'avait pas manqué de sourire aux statues de la place Saint-Pierre, ces vieilles amies dont elle avait jadis maudit le mutisme ; elle avait été reçue en audience privée par Pie X, qui lui avait réservé un accueil cha-leureux et lui avait annoncé que la Sacrée Congrégation approuvait son œuvre.

De retour en Amérique, elle sillonne à nouveau le pays pour rendre visite aux missions déjà établies et en préparer de nouvelles. En avril 1917, elle achète aux enchères l'université du Sud, désaffectée, pour y établir l'université Xavier. Quand, en 1954, la Cour suprême abolit la sépa-ration des races dans les écoles, l'université ouvre ses portes à tous les étudiants, sans distinction de couleur ou de religion. Cette transformation, qui marque l'apogée de la congrégation du Saint-Sacrement, est la dernière que voit mère Mary Katharine de son vivant. En 1935, une crise cardiaque l'a beaucoup affaiblie, et voilà vingt ans qu'elle n'est plus à la tête de sa communauté. Cela ne l'a pas empêchée de survivre à deux supérieures qui avaient pris sa relève. La fondatrice des sœurs du Saint-Sacrement retourne à Dieu le 3 mars 1955, et toute trace de résistance à la volonté du Seigneur est effacée dans la dernière prière qu'elle formule : « *Ô Esprit Saint, je voudrais être une plume, afin que Votre souffle m'emporte où bon Vous semble.* »

SOURCES : Mother M. Katharine Drexel, *REFLECTIONS ON LIFE IN THE VINE* et *RÉFLECTIONS ON RELIGIOUS LIFE*. Sr. Consuela Marie Duffy, *KATHARINE DREXEL, A BIOGRAPHY*, Cornwells Heights, 1972.

# CHARLES DE FOUCAULD

## *DES ORS DE SAINT-CYR*

## *AUX SABLES DU HOGGAR*

• **19**
**SEP** •

C'EST UNE IMMENSE ÉGLISE AU CŒUR DE PARIS, PRÈS DU QUARTIER DE SAINT-LAZARE, SAINT-AUGUSTIN. En ce matin d'octobre 1886, un homme se recueille, courbé sur un prie-Dieu. À quelques mètres de lui, un prêtre confesse. L'homme est absorbé dans ses pensées depuis de longues minutes. De longues heures peut-être. Que se passe-t-il dans ce tête-à-tête entre Dieu et cet enfant prodigue ? Il répète comme une litanie, jusqu'à l'abrutissement, cette phrase : « *Mon Dieu si vous existez, faites que je vous connaisse.* »

Charles de Foucauld, ce chercheur de Dieu si exigeant, est un ancien officier de vingt-huit ans. Il est né à Strasbourg en 1858. Il a perdu coup sur coup sa mère et son père. Il avait cinq ans. Charles et sa sœur Élisabeth ont été confiés à leur grand-père, M. de Morlet et à leur tante Inès, Mme Moitessier. Chez elle, Charles se lie de passion avec Marie, sa cousine de neuf ans son aînée. Elle est pieuse, douce et patiente, une seconde mère pour lui. Il lit beaucoup : Voltaire, Montaigne... mais dédaigne le livre de Bossuet que Marie lui a offert pour sa première communion. Il passe son bac à seize ans et prépare Saint-Cyr à Versailles.

Il est doué, sensible, paresseux. Il se laisse aller : « *Je vivais comme on peut vivre quand la dernière étincelle de foi est éteinte.* »

Charles intègre Saint-Cyr dans un bon rang, en sort dans un mauvais, entre à l'École de cavalerie de Saumur. Il a vingt ans, reçoit élégamment en pyjama de flanelle blanche à brandebourgs, dégustant du foie gras accompagné de champagne. Un soir, quoiqu'aux arrêts, il s'échappe de l'École pour aller dîner en ville et tombe, au beau milieu de la réception, sur le général commandant Saumur. Foucauld est gras d'un physique un peu marqué par les excès de la bonne chère et des vins fins, aussi négligeant dans sa conduite qu'il est soigné dans sa mise. À sa sortie de l'École, l'inspecteur général note : « *A de la distinction, a été bien élevé. Mais la tête légère et ne pense qu'à s'amuser.* » Il est classé dernier. Puis c'est la vie de garnison, ennuyeuse : Sézanne, Pont-à-Mousson, Sétif. Pour se distraire, il donne des fêtes somptueuses, reçoit des femmes, fait parler de lui en ville en s'affichant avec une demi-mondaine qu'il présente comme la vicomtesse de Foucauld. Il laisse, dans son sillage, un parfum de scandale.

« Étais-je heureux ? » se demande Charles plongé dans sa prière, sur le prie-Dieu de Saint-Augustin. « [J'ai ressenti] *un vide douloureux, une tristesse que je n'ai jamais éprouvée qu'alors ; elle me revenait chaque soir quand je me retrouvais seul dans mon appartement.* » En mars 1881, il est renvoyé en métropole, suspendu de toute activité pour *« indiscipline et inconduite notoire ».* En juin, il apprend que son régiment se bat dans le Sud oranais. La perspective des combats l'exalte. Il demande sa réintégration, l'obtient et rejoint ses camarades. Au feu, Foucauld se révèle audacieux, courageux, gai, serviable. Il conquiert l'admiration de ses hommes et l'estime de ses camarades. Il découvre un continent, l'éblouissement d'une terre de soleil et de silence. C'est le choc. En janvier 1882, il démissionne de l'armée pour apprendre l'arabe. Son idée ? explorer le Maroc. Dix-huit mois plus tard, il quitte Alger et part pour une année de courses à travers des terres inconnues. Il découvre des territoires, il explore le plus profond de son être. Il se révèle à lui-même.

C'est au désert que l'idée de Dieu s'impose à lui, en observant les hommes prosternés, en lisant le Coran, en rencontrant les communautés israélites. Il voyage même sous l'identité du rabbin Joseph Aleman arrivant de Jérusalem. Il poursuit sa recherche, considère que l'islam ne va pas assez loin dans l'amour de Dieu, lit les philosophes païens qui le déçoivent et ouvre enfin les *Élévations sur les mystères* de Bossuet que Marie lui a offert. Sous la plume

limpide et altière du prédicateur, il découvre la religion chrétienne comme jamais auparavant. Mais cette lumière n'est encore qu'intellectuelle. Il demande à Dieu de se faire connaître à lui.

Ce matin de 1886, après des heures de recueillement, Charles de Foucauld s'approche du prêtre. L'abbé Huvelin, vicaire à Saint-Augustin, est le directeur de conscience de sa cousine Marie. Il espère que cet homme-là lui donnera enfin les explications qui lui manquent, qu'il saura le convaincre. *« Je ne viens pas me confesser mais parler avec vous de Dieu. Je voudrais avoir des lumières sur lui »,* lui déclare Foucauld. La réponse de l'abbé est brutale, impérative : *« Mettez-vous à genoux et confessez-vous. »* Charles obéit, s'agenouille et commence à parler... Et la grâce le foudroie : *« Aussitôt que je crus qu'il y avait un Dieu, je compris que je ne pouvais pas faire autrement que de ne vivre que pour lui. »*

Dès cet instant, Charles veut tout donner, tout quitter, tout abandonner. Il a toujours la même nature ardente, dispendieuse, impatiente. Charles veut être religieux et implore l'abbé Huvelin de lui trouver un ordre. Le prêtre l'invite à lire l'Évangile, s'efforce d'imposer le calme à cet esprit désorienté par douze années de désordres : *« Tantôt les miracles de l'Évangile me paraissaient incroyables ; tantôt je voulais entremêler des passages du Coran dans mes prières. »* Le prêtre l'envoie en pèlerinage en Terre sainte, à Jérusalem, en Galilée, en Judée. Là, Charles découvre Bethléem, le soir de la Nativité, Nazareth, et le Golgotha, la

*« Mettez-vous à genoux et confessez-vous. »*

figure pauvre, la figure cachée, la figure souffrante de ce Jésus qu'il a cherché avec tant d'insistance. C'est décidé, il sera pauvre parmi les pauvres pour mieux imiter son Seigneur. Il fréquente Solesmes, puis la Trappe de Soligny, puis celle de Notre-Dame-des-Neiges en Ardèche. Le 15 janvier 1890, il renonce à tout, à lui-même, lègue ses biens à sa sœur, écrit une lettre d'adieu à sa cousine Marie, le voici trappiste : frère Marie Albéric. Silence, solitude, nuits de prières dans le froid. Bientôt, il s'interroge de nouveau : est-ce suffisant pour partager vraiment la vie de Jésus ?

> *« Il y aura bientôt dix ans que je dis la messe à Tamanrasset et pas un seul converti. »*

Quelques mois plus tard, Charles est envoyé en Syrie, à Akbès, au monastère Notre-Dame-du-Sacré-Cœur. Il retrouve ce monde arabe qui l'a tant fasciné jadis. Un lieu de misère plus conforme à la pauvreté et à l'humilité de la vie de Jésus, pense-t-il. Puis lui vient le projet de fonder lui-même une communauté qui mènerait cette vie de pauvreté au milieu des musulmans, comme un témoignage secret de l'amour du Christ pour tous. Il retourne dans le Hoggar. Tout le reste de sa vie à Beni-Abbès et à Tamanrasset, au fort de l'Assekrem, n'est qu'un effort absolu pour se rapprocher de la condition de Jésus-Christ à qui il voudrait ressembler en tout. Charité, effacement, louange sans fin, don de soi deviennent son quotidien. Il

éprouve souvent un sentiment d'inutilité. *« Il y aura bientôt dix ans que je dis la messe à Tamanrasset et pas un seul converti »*, écrit-il à Marie. Le 1er décembre 1916, l'ermitage du frère Charles est attaqué par des rebelles touaregs. Il ne cherche pas à se défendre. Il est fait prisonnier. Soudain, à l'approche d'une patrouille, son jeune gardien s'affole et l'abat d'une balle. On retrouvera son corps trois semaines plus tard, et enterré dans le sable non loin de lui, l'ostensoir avec l'Hostie. Vingt ans plus tôt, un jour de Pentecôte, il avait écrit : *« Pense que tu dois mourir martyr, dépouillé de tout, étendu à terre, nu, méconnaissable, couvert de sang et de blessures, violemment et douloureusement tué... et désire que ce soit aujourd'hui. Considère que c'est à cette mort que doit aboutir toute ta vie. »*

Le père de Foucauld est mort sans avoir vu naître la Fraternité qu'il désirait tant, et dont il avait écrit la règle de vie. Mais son rayonnement spirituel ne cesse depuis lors de grandir ; son message se transmet aujourd'hui non seulement à travers ses nombreux écrits mais aussi par la vie des fraternités et communautés d'hommes et de femmes, consacrés ou non, qui se réclament de lui (Petits Frères et Petites Sœurs de Jésus, Petits Frères et Petites Sœurs de l'Évangile, Petites Sœurs du Sacré-Cœur, Fraternité Charles-de-Foucauld...).

SOURCES : H. Didier, *Petite vie de Charles de Foucauld*, Paris, 1993. E. Debouté, *Charles de Foucauld : le frère universel, 1858-1916*, Paris, 1991. J.-F. Six, *Itinéraire spirituel de Charles de Foucauld*, Paris, 1983. M. Serpette, *Foucauld au désert*, Paris, 1997.

# PAUL CLAUDEL

## *DIEU EST DERRIÈRE*
## *LE DEUXIÈME PILIER À DROITE*

**20 SEP** • « *CE MIRACLE D'INNOCENCE ET DE LAIT, QUI, AU CŒUR DE TOUTES LES ÉGLISES DE LA CHRÉTIENTÉ, profite de ce hiatus hivernal et nocturne, de ce suspens solsticial, entre un an et l'autre, un jour et un autre jour, pour se substituer au temps...* »

Tel sera le Noël éternel de Claudel. Ce 25 décembre 1886, pourtant (et ce n'est même pas la nuit), a l'air d'un jour ordinaire, plus morose même encore qu'un autre ; le ciel grincheux a refusé aux petits enfants un peu de neige pour mieux rêver, tandis qu'un jeune homme de dix-huit ans, aux yeux bleus et au cœur triste, arpente l'une des rues de Paris les plus longues, les plus droites et les plus ennuyeuses, sous une pluie qui semble ne jamais vouloir finir. Mais cette rue Saint-Jacques, qui est tout de même celle des pèlerins d'autrefois, vous dépose tout d'un coup, quand vous arrivez au bout, devant ce grand vaisseau marial amarré à Paris : « *Notre-Dame, la vieille maison vénérable, dans le sein de qui j'ai été conçu une seconde fois. C'est mélangé à ses ténèbres que j'ai reçu l'étincelle séminale et la respiration essentielle. Elle a été pour moi l'asile, la chaire, le docteur et la nourrice...* » Et là, sans trop savoir pourquoi, parce que c'est Noël, parce que tout le monde est là, Paul Claudel entre.

Dans la foule, dans la fatigue de son âme, il ne voit rien. Il entend soudain un chant merveilleux, une voix qui, à travers la guirlande latine du *Magnificat*, lui adresse comme un message caché, une injonction irrésistible, désormais offerte à sa contemplation intérieure pour toute sa vie : « *Puissance merveilleuse de la voix, de l'âme directement qui atteint, qui imprègne, qui s'unit l'autre âme et qui l'entraîne avec elle, avec la connivence irrésistible de l'oreille, dans un même acte d'amour, quand c'est l'amour qui va à la rencontre de la foi. Vous savez ce qu'a été pour moi la maîtrise des enfants de chœur de Notre-Dame. C'est à eux que je dois ma conversion.* » Mais au fait, qui parle ? Et que dit-on ? Sans savoir (il ne le saura qu'après), il en a l'intuition : tout d'abord, c'est un message féminin, maternel, un chant d'humble jubilation et d'action de grâces, qui confond son esprit orgueilleux ; c'est Notre-Dame elle-même, qui, dans le temps et l'espace absolu de la nuit de Noël, devant les bergers émerveillés, « *conserve toutes ces choses en son cœur* » :

« *J'avais eu tout à coup le sentiment déchirant de l'innocence, l'éternelle enfance de Dieu, une révélation ineffable.* »

Ensuite (avec l'*Adeste fideles*), c'est une invitation pressante à revenir, à renouveler cette émotion, à la partager avec l'Église qui, dans sa splendeur, se révèle, mais aussi, ce que Paul Claudel ne cessera de faire, à prendre la parole à son tour pour répéter, annoncer la Bonne Nouvelle :

*Minuit sonne.*
 *Poursuivez votre chemin et entrez.*
*Quel cœur si dur qui ne se fonde*
 *au spectacle qui nous est présenté !*
*Lui qui nous aime tant,*
 *qui ne l'aimerait de son côté,*
*Et n'aurait les larmes aux yeux,*
 *prenant entre ses bras ce petit pauvre ?*

Ainsi ces vêpres de Noël, ce chant du soir qui se superpose au crépuscule du monde (Léon Bloy parle au même moment de l'*octogénaire XIXᵉ siècle*), portent en elles le matin de l'âme qui s'éveille sur un paysage nouveau, une lumière nouvelle qu'annonçaient déjà les anciennes prophéties. Chargé d'années, dans la paix de sa campagne dauphinoise, le poète consacrera tous ses efforts à déchiffrer ces signes dans sa belle Vulgate, et expliquera comment « *Daniel a prédit le temps, et Michée le lieu* », et que « *l'histoire complète, avec le nom même de Jésus à chaque ligne, se trouve dans David et dans Isaïe* ». Il ira d'émerveillement en émerveillement à travers cette si haute poésie biblique dont toutes les splendeurs convergent,

> « *Le sentiment déchirant de l'innocence, l'éternelle enfance de Dieu.* »

comme les rayons de l'étoile suivie par les mages, vers l'Enfant de la crèche.

Sortant de Notre-Dame, retrouvant « *les rues pluvieuses qui [lui] semblaient maintenant si étranges* », Claudel est mystérieusement accompagné dans un monde métamorphosé : à ses côtés, une sorte de petite fille qu'il baptisera plus tard Anima, et qui est la Grâce ; et, tout autour, un paysage transfiguré de l'intérieur, un vrai paysage de Noël qui n'a rien à voir avec la météorologie :

*En ce petit matin de l'An tout neuf,*
 *quand le givre sous les pieds est criant*
 *comme du cristal*
*Et que la terre en brillant, future,*
 *apparaît dans son vêtement baptismal,*
*Jésus, fruit de l'ancien Désir,*
 *maintenant que Décembre est fini,*
*Se manifeste, qui commence,*
 *dans le rayonnement de l'Épiphanie.*

Cette neige de Noël, le poète en habillera l'admirable scène de *L'Annonce faite à Marie*, tout imprégnée de la liturgie de la Nativité, où Violaine la lépreuse ressuscite l'enfant de sa sœur qui l'a trahie.

C'est que Claudel, d'emblée, a compris que la joie de Noël n'est pas une gaieté de surface, mais qu'elle est intimement liée à tout ce que le Christ apporte, et en particulier à son sacrifice qui triomphera dans la Résurrection. Cette Vérité que réactualise la messe, à laquelle il assistera par la suite tous les jours, il la dit en associant la crèche à l'autel et à l'ostensoir : « *Ainsi ce soleil de douceur que le prêtre dans le grand lange de soie apporte comme un enfant nouveau.* »

Rentré chez lui, à l'autre extrémité de la rue Saint-Jacques, Paul Claudel trouve sur la table un livre qu'il n'avait jamais considéré avec beaucoup d'attention. C'est une Bible, laissée là par sa sœur Camille. Il l'ouvre au hasard, et deux passages se présentent, l'un dans le Nouveau Testament, c'est cette promenade au crépuscule sur le chemin d'Emmaüs où deux disciples rencontrent le Ressuscité sans le reconnaître ; l'autre, c'est ce sublime passage du livre des Proverbes, lu comme épître le jour de l'Immaculée Conception, et que Claudel paraphrase dans son « Chant de marche de Noël » :

*Salut, femme à genoux dans la splendeur,*
   *première-née entre toutes les créatures !*

*Les abîmes n'étaient pas encore*
   *et déjà vous étiez conçue.*
*C'est vous qui avez fait que dans les cieux*
   *la lumière indéficiente est issue !*
*Quand il faisait une croix sur l'abîme,*
   *le Tout-Puissant avait placé devant lui*
   *votre figure,*
*Comme je l'ai devant moi dans mon cœur,*
   *ô grande fleur-de-lys, Vierge pure !*

Tout est donné en un éclair : le suspens poétique de Noël, sa grâce morale, la profondeur théologique du Verbe incarné où se rejoignent les deux objets d'une quête jusqu'alors désespérée, Beauté et Vérité.

*Mais déjà l'aube blanchit sur le désert,*
   *de ce jour qui ne finira plus,*
*Le point de notre premier jour chrétien,*
   *l'an Premier de la grâce et de notre*
   *salut !*

SOURCES : Paul Claudel, ŒUVRES COMPLÈTES. PAUL CLAUDEL ET LA BIBLE : L'APPROBATION SACRÉE, Paris, 1993. « Paul Claudel et la conversion », in LES CAHIERS DU ROCHER, t. I, Paris, 1986. D. Petit, PAUL CLAUDEL 13 : CLAUDEL LECTEUR DE LA BIBLE, Paris, 1981.

# LES MARTYRS D'OUGANDA

## QUAND LES BAGANDAS ÉCRIVENT
## L'ÉVANGILE PAGE APRÈS PAGE

**21 SEP**

NOVEMBRE 1885. LE PREMIER MINISTRE DU ROI DE L'OUGANDA sort de la pièce où le prisonnier est reclus. Il trouve toujours une saveur particulière à ces dernières visites aux condamnés, juste avant leur mise à mort. Si Joseph Muraka n'a pas suffisamment montré à son goût la peur qui doit le dévorer, il est malgré tout plutôt content de la dernière réplique qu'il lui a lancée : « Tu vois, Joseph, tu aurais mieux fait de te taire... Désormais, vous autres, vous allez tous payer pour ce que tu as dit. Ça, je te le promets. »

Ce misérable petit chef des pages va certainement passer une sale nuit, la dernière de sa méprisable existence. D'autant qu'il sait très bien que le ministre tient toujours ses promesses, surtout quand elles sont horribles.

Très bien. Tout se présente sous le meilleur jour. Heureusement que Joseph lui a préparé au mieux le terrain : s'il n'avait pas commis l'erreur de se rendre chez le roi Mwanga pour lui faire les reproches les plus vifs au sujet de sa conduite dépravée, sans doute lui-même aurait-il eu le plus grand mal à convaincre le roi que ces chrétiens sont un poison. Mais désormais,

c'est chose faite, le roi Mwanga est conscient du danger qu'ils représentent. Et ils vont voir ce qu'ils vont voir...

C'est quand le jeune roi a succédé à son père, un an plus tôt, en novembre 1884, à la tête du petit royaume dominé par l'ethnie baganda et niché le long du lac Victoria, que le Premier ministre a compris qu'il faudrait travailler Mwanga au corps pour qu'il relance la persécution. Le nouveau souverain se piquait alors de tolérance, et laissait même revenir en Ouganda les missionnaires, ces missionnaires qui étaient venus une première fois pervertir les esprits ougandais, des protestants anglais dès 1877 et des catholiques français en 1879.

Les Pères Blancs ont cru pouvoir oublier, depuis un an, que Mtéça, le roi précédent, les avait chassés. Eh bien, ils en seront quittes pour un nouvel aller et retour ! S'ils repartent vivants, encore ! Et, cette fois, on ne leur laissera pas le temps de s'installer comme la première fois, quand ils avaient détourné de la croyance aux Loubalé [les esprits supérieurs] des centaines d'Ougandais, même à la cour ; quand, en 1880, ils avaient « baptisé », comme ils disent, les quatre premiers

Bagandas. Cette fois, on a compris la leçon. Il avait suffi, lors de la conversion de Mtéça à l'islam, que l'on suppliciât par le feu un seul jeune converti (1881), pour que les missionnaires s'en allassent ? Eh bien, cette fois, on va en brûler quelques bonnes dizaines, et une pincée de missionnaires avec s'il le faut. Et on verra alors s'ils reviennent, leurs Pères Blancs...

Une pensée avive encore la félicité du bon Premier ministre : dès demain, les réjouissances commencent, et on va voir si Joseph-le-moraliste fera toujours le fier, devant les machettes...

Le lendemain, 15 novembre 1885, le Premier ministre est au premier rang, un large sourire aux lèvres, lorsqu'au petit matin, on amène le jeune converti devant les bourreaux du roi. Ceux-ci veulent lui lier les mains. Il les repousse avec assurance : « Comment ? Je meurs pour ma religion et je chercherais à m'évader ? Un chrétien qui donne sa vie pour Dieu n'a pas peur de mourir. »

*Le sourire du Premier ministre s'épanouit lorsque la tête de Joseph roule sur le sol.*

Le sourire du Premier ministre se fige un instant : encore tant d'insolence... Mais il s'épanouit largement lorsque la tête de Joseph roule sur le sol. Et ce même sourire mange le visage de tous les conseillers royaux, tandis que l'on met le feu au corps du supplicié...

Le lendemain de l'exécution, le Premier ministre se trouve bien un peu déçu – on aurait préféré quelques supplications de la part du chef des pages, on aurait aimé qu'il s'avilît, qu'il pleurât, qu'il hurlât ou qu'il gémît –, mais il se sent cependant empli d'une grande paix intérieure : le spectacle d'un chrétien décapité sous son autorité l'a rasséréné... Non, les Pères Blancs et leurs séides ne passeront pas. Ou alors ce sera en morceaux.

Maintenant qu'on en a découpé un, cela va fonctionner comme la dernière fois. Les missionnaires vont filer, et les chrétiens, s'il en reste quelques-uns, vont se cacher ou abandonner leur foi. C'est presque un peu dommage, il aurait mieux valu lancer un plus vaste coup de filet, on aurait pu alors en supplicier plusieurs en variant les plaisirs. Il aurait dû en parler à Mwanga.

Il se perd quelques instants dans des idées baroques, des tortures qu'on aurait pu imaginer à l'infini. Ah, qu'importe, il est trop tard. Il ne s'agit plus de perdre son temps bêtement, mieux vaut intriguer pour le plus grand bien du royaume...

Mais tiens, voilà justement l'un des espions qu'il a placés près de la mission des Pères Blancs. Ils ont donc déjà commencé à plier bagage ?

– Maître, je reviens de la mission des Pères Blancs, que tu m'as demandé de surveiller.

– Parle, vite ! Ils sont partis ?

– Euh, non, pas encore, bafouille l'espion, visiblement confus. Les... les Bagandas accourent par centaines à la mission et les supplient de leur donner... Il s'interrompt, cherche les mots qui éviteront la colère de son maître.

– Quoi ! Leur donner quoi ?

Une goutte de sueur coule le long du visage de l'espion qui reprend, la gorge sèche :

– Je ne sais pas si j'ai bien compris, ô Grand Maître, mais je crois que c'est ce qu'ils appellent le... baptême.

Le dernier mot est à peine audible. Mais le Premier ministre bondit, manque de s'étrangler. Quand il apprendra, une semaine plus tard, que cent cinq Ougandais ont été baptisés depuis l'exécution, ce sera un séisme. Et quand l'espion discret lui révélera, quelques jours après, qui figure parmi les chiens galeux baptisés, il explosera. Et filera voir sa majesté Mwanga.

– Majesté, cet hérétique de Joseph avait contaminé tout le palais...

– Que dis-tu ?

– Vos pages, majesté... Tous vos pages, ou presque, se sont fait baptiser.

Juin 1886. Le Premier ministre n'est plus très sûr de sa stratégie. Oh, bien sûr, demain, on exécute de nouveau des chrétiens, et il faut bien avouer qu'il ne se lasse pas du spectacle. D'autant que parmi les victimes figureront cette fois treize des petits pages de Mwanga. Et il imagine déjà la crispation de ces visages adolescents qui l'ont nargué trop longtemps, au moment où le feu leur léchera le corps...

Mais l'ennui, avec ces chrétiens, c'est leur façon de mourir. En matière de tortures et de supplices divers, il se flatte d'avoir quelques lumières, et pourtant... il n'y a rien à faire. Il n'y en a pas un, ne fût-ce qu'un seul, qui accepte d'« apostasier », comme ils disent... Depuis un mois

> *Majesté... Tous vos pages se sont fait baptiser.*

que Mwanga s'est décidé à reprendre les massacres, pas un seul n'a cédé. Alors, à quoi bon martyriser les corps, si les esprits ne cèdent pas ? Cela vous gâche la chose. Et l'on finit par être ridicule, campé devant ces mourants qui chantent sans même vous écouter.

Enfin, demain, ce sont les pages et, cette fois, on va bien voir... Peut-être devrait-il écouter son instinct, si sûr en la matière, qui lui dicte de commencer par les plus jeunes ? Par le petit Kizitto, qui à peine douze ans... Celui-là au moins ne tiendra pas le coup, et ce sera plus agréable encore de voir brûler les autres...

Le lendemain, on emmène Kizitto et ses douze compagnons vers le bûcher. Le Premier ministre les y attend, prudemment en retrait, derrière un tas de bois : s'il arrivait que les enfants résistent, il ne veut pas une fois encore avoir à supporter leurs étranges prières au moment de la mort. On attache les condamnés, les bourreaux allument le feu. C'est alors que Kizitto, cet infâme Kizitto sur lequel il avait tant compté, se met à réciter avec ferveur le Notre Père ! Et tous, au milieu des flammes, reprennent la prière ! Ah, les mauvaises gens ! Derrière le tas de bois, le ministre n'en finit plus de fulminer.

Janvier 1887. Cette fois, le Premier ministre n'en peut vraiment plus. Demain, on décapite Jean-Marie Mouzeï. C'est le dernier des pages baptisés en novembre 1885, lorsqu'il avait fait couper Joseph en deux morceaux. Il a été « confirmé », comme ils disent, ces chiens, le jour même où Kizitto a été réduit en cendres. Si ce n'est pas de la provocation ! Et il a eu le toupet de revenir à la Cour !

Le Premier ministre n'a même pas esquissé une grimace de satisfaction, en suggérant que le corps de Mouzeï, demain, après l'exécution, soit jeté à l'étang, en pâture aux crocodiles. Depuis bientôt huit mois, il a perdu le goût de tout, même du repas si cocasse des reptiles. Rien ne le distrait désormais, et rien ne le distraira demain.

Si encore cette exécution pouvait changer quelque chose, mais ils savent tous désormais à quoi s'en tenir : cela fait plus de vingt, de trente, de cent chrétiens que l'on exécute ; on brûle des catholiques, on tranche des anglicans, on hache menu tous les disciples de leur Jésus, on entaille tous les baptisés... Il en reste toujours plus à brûler, couper, hacher, trancher. Les missionnaires ne repartent toujours pas. À chaque exécution, ses espions apprennent au Premier ministre qu'il en vient de partout, des nouveaux Bagandas qui entrent à la mission et demandent le baptême...

Ils seraient plus de cinq cents désormais... Peut-être plus de mille. Et même la perspective de bûchers géants ou de décollations à la chaîne ne le fait plus rêver. Il sait qu'ils ont perdu, lui et ses conseillers.

> *Qu'il soit jeté à l'étang, en pâture aux crocodiles !*

Mwanga, lassé lui aussi, a déjà décidé de gracier trois des chrétiens, Denys Kamyouka, Siméon Séboutta et Charles Wérabé. Quand ils sortiront de prison, ils seront traités en héros, et lui, le fidèle Premier ministre, sera déconsidéré... Il n'est pas très sûr que la prudence lui conseille de rester auprès du roi. C'est décidé, Mwanga arrête dès après-demain toute persécution. La mort de Mouzeï sera son bouquet final. Et encore, peut-être vaudrait-il mieux ne pas y assister. Les exécutions de chrétiens sont de si piètres distractions que la Cour pourrait chercher d'autres coupables pour s'occuper.

Le 18 octobre 1964, Paul VI canonisera les victimes de Mwanga et de ses conseillers, les premiers martyrs noirs d'Afrique, suppliciés entre 1885 et 1887. Il associera aux vingt-deux catholiques solennellement proclamés martyrs les victimes anglicanes, « *les autres qui, appartenant à la confession anglicane, ont affronté la mort pour le nom du Christ* ». Et, au cours de son homélie, le pape décrira en une métaphore l'action des missionnaires en Ouganda : « *Les premiers jets de la moisson nouvelle croissent beaux, droits, vigoureux. C'est un magnifique printemps !* »

SOURCES : M. André, *LES MARTYRS NOIRS DE L'OUGANDA*, Paris, 1936. « Paul VI, allocution pour la canonisation des vingt-deux martyrs de l'Ouganda », in *LA DOCUMENTATION CATHOLIQUE*, n° 1435, 1964.

# FÉLICIE HERVIEU

## *IL FAUT CULTIVER SON JARDIN*

**• 22**
**SEP •**

MAIS COMMENT PEUVENT-ILS VIVRE AINSI ? COMMENT PEUVENT-ILS TENIR depuis si longtemps entassés les uns sur les autres, à dix dans une pièce qui ne suffirait pas à abriter sa lingerie ? Félicie se pose chaque fois la question. Les mômes qui pleurent, la crasse, et ce linge qui pend, qui oblige à se baisser deux ou trois fois pour traverser l'espace. En sept ou huit pas à peine, elle a parcouru tout un « appartement », depuis les marches d'entrée jusqu'au coin où ils cuisinent, là, à l'autre bout de ce « logement ». Et l'odeur qui vous saisit à la gorge, et le bruit incessant, et cette nourriture qui cuit, toujours la même... Et la tension de cette femme qui attend toujours, qui ne sait à quelle heure le bistro lui rendra son mari, qui ne sait pas non plus si le vin l'aura rendu gai ou de méchante humeur...

À quoi sert-il alors de donner de l'argent, de se consacrer à ces gens depuis des semaines, des mois ? À tenir son rang de dame bourgeoise qui, dans la bonne société sedanaise comme ailleurs, en cette année 1889, se doit de faire l'aumône, et d'avoir « ses » pauvres. Bien sûr, c'est son rôle. Ni plus ni moins. Mais continuer à croire que la charité suffira à sortir cette famille-là de la misère serait jouer la comédie. Ce n'est ni l'habitude ni le désir de Félicie Hervieu.

Et, tout à l'heure, en passant au bord de la Meuse, devant un champ en friche, envahi par les herbes, à quelques centaines de mètres de là, elle a eu une idée. Mme Hervieu pose son panier, s'assoit, entame la conversation. Elle sait bien que la femme, nerveuse tout à coup, redoute qu'elle n'attende avec elle. Elle sait que la pauvre ne supporte pas qu'une autre connaisse son infortune de femme d'alcoolique. Mais ce soir, Félicie Hervieu a bien l'intention de parler au chef de famille.

L'homme rentre, sans doute moins ivre que d'autres jours. Et cependant, quand elle lui propose son marché, Mme Hervieu sent bien que c'est d'abord l'incompréhension. Pourquoi mettrait-il, comme elle le lui suggère, trois francs de côté, tous les mois, sur l'argent qu'elle lui donne ? Il ne mesure pas immédiatement que, dans la balance, elle propose, elle, d'ajouter tous les mois six francs à la somme, et que ces neufs francs déposés à la Caisse d'épargne feront cent huit francs en fin d'année. Ce n'est pas l'enthousiasme, mais néanmoins, il accepte. Et au bout d'un an, la somme est atteinte...

Ce n'est qu'une première bataille gagnée. Félicie, qui retourne régulièrement voir la famille, attend l'occasion de poursuivre. Lorsqu'enfin, elle a de nouveau l'opportunité d'une discussion avec les deux parents, elle les entretient du but qu'elle envisage pour ces économies : elle a eu l'idée d'un jardin qu'ils loueraient et cultiveraient, afin de subvenir à leurs besoins alimentaires... Cette fois, ce n'est même plus un manque d'entrain, c'est une franche hostilité que manifeste la famille.

– Mais qu'y gagnerions-nous ?

Félicie Hervieu n'est pas femme à renoncer lorsqu'elle a une idée. On dispute des heures, on résiste, puis l'on cède : le jardin est loué, les bêches et binettes commencent leur travail. Les légumes poussent. La famille s'en trouve mieux, on change l'ordinaire du repas, on arrive même à vendre le surplus au marché. Les deux époux, les plus âgés des gamins retrouvent aussi, à travailler ensemble, une entente que la misère avait lézardée, réduite en miettes...

Et puisque cela marche, elle ne s'arrête plus. Ses six enfants sont désormais à l'âge où ils n'accaparent plus leur mère. D'autres familles ont besoin d'elle. D'autres jardins doivent être cultivés. Elle engage donc la course aux jardinets. Des amies de la bourgeoisie catholique de Sedan adhèrent à l'idée, la suivent dans son projet, et décident de verser chacune soixante francs par an pour acquérir les lopins de terre. Elles s'organisent en une association, l'Œuvre de « la reconstitution de la famille ». Le préfet des Ardennes en approuve les statuts le 27 février 1891.

Mme Hervieu réussit à faire triompher localement ses deux fortes idées : cette « reconstitution familiale » des familles misérables – plus de temps au jardin, moins de temps au bistro, et les enfants qui participent et coopèrent... ; et cette intuition que la charité ne peut, ne doit pas donner « le pain de l'aumône », mais « le pain du travail ».

Mais elle n'a pas su s'entourer. Elle commet aussi l'« erreur » de prôner l'aide à toutes les familles, quelles que soient leurs convictions politiques ou religieuses... Et l'époque, où s'annoncent déjà les grandes querelles de 1904-1905, n'accepte pas cette manière d'œcuménisme. Le maire de Sedan torpillera l'œuvre en 1904, par pur calcul politique. Et son milieu reprochera à Mme Hervieu de ne pas être restée la pieuse veuve du drapier, faisant sa charité... Qu'une femme puisse s'attaquer à l'ordre établi, promouvoir des réformes sociales, voilà qui est trop singulier. Félicie Hervieu dénoncera d'ailleurs, dans ses discours futurs, cette injustice faite aux femmes, réduites à l'impuissance sociale, et les insuffisances d'une législation conçue par les hommes : « *Mères, unissons-nous, marchons en éclaireurs, écartons les pièges tendus sous les pas de nos enfants... Faisons appel aux hommes d'élite... Proclamons bien haut le droit de l'enfant au foyer paternel et le droit de la femme au respect de l'homme...* »

*Le préfet des Ardennes approuve les statuts le 27 février 1891.*

Toutefois, puisque les esprits ne sont pas encore prêts, Félicie comprend qu'il ne faut pas qu'elle reste propriétaire de l'œuvre qu'elle a créée, un soir de 1889, en incitant un pilier de bistro à cultiver ses propres légumes. Il faut se faire connaître : elle multiplie les articles, les conférences. Un prêtre, l'abbé Lemire, se saisit de l'idée : il comprend aussitôt qu'elle pourrait faire tache d'huile, que l'on pourrait la diffuser au niveau national. Ce sera l'Œuvre des « jardins ouvriers », selon le terme qu'invente le docteur Lancry.

Félicie peut alors rentrer dans le rang, en 1904, pour se consacrer à sa famille. Le mouvement est lancé, et bien lancé. L'abbé Lemire dépose une proposition de loi en 1894 et, en 1909, elle aboutit enfin : le Parlement reconnaît le jardin ouvrier, facilite l'accession à la propriété des « maraîchers » improvisés. En 1931, au Congrès international de Bruxelles, le continuateur de l'abbé Lemire annonce l'existence de 450 000 jardins, qui occupent alors 9 000 hectares.

SOURCES : G. Monédiaire, *L'URBANISATION ET L'AMÉNAGEMENT*, université des sciences sociales de Grenoble, 1984. L. Rivière, *LA TERRE ET L'ATELIER, JARDINS OUVRIERS*, Paris, 1904. P. Acker, *ŒUVRES SOCIALES DES FEMMES*, Paris, 1908. H. Rollet, *L'ACTION DES CATHOLIQUES EN FRANCE*, Paris, 1955.

# L'AMÉRICANISME

## *Isaac Hecker est-il un saint ?*

**• 23 SEP •**

ROME, 1856. EFFONDRÉ, LA TÊTE ENFOUIE DANS SES MAINS, Isaac Thomas Hecker est assis au fond de la nef de l'église Saint-Paul. Le jeune prêtre américain est pétrifié. Une heure plus tôt, le recteur général des rédemptoristes lui a lancé d'une voix glaciale : « *Vous êtes exclu de la congrégation.* » Depuis, ces mots ne cessent de résonner dans sa tête. Comment cela se peut-il ? Quel mal a-t-il fait ? Il ne comprend pas ce que ses frères peuvent lui reprocher.

Le père Hecker est arrivé à Rome trois jours plus tôt, plein d'enthousiasme, pour soumettre un grand projet au recteur général des rédemptoristes. Depuis son ordination sacerdotale, quelques années auparavant, Hecker est emporté dans une sorte de tourbillon étourdissant. Il y a tant de choses à faire pour répandre l'Évangile ! Le jeune prêtre a très vite été envoyé en mission à travers les États-Unis. Il a parcouru le pays en tous sens, avec quatre amis proches, mettant toute son ardeur au service de l'évangélisation. Tous les cinq sont de récents convertis – Isaac Hecker est né dans une famille protestante – et partagent le même désir brûlant de trans-

mettre cette foi qu'ils viennent de découvrir. Arrivés à New York, ils ont l'idée d'implanter une maison de rédemptoristes qui sera exclusivement anglophone. Ils pensent, avec l'ardeur de la jeunesse, que cette nouvelle maison sera un foyer d'évangélisation sans précédent puisque, selon eux, les missionnaires étrangers peuvent difficilement prêcher la Bonne Nouvelle aux Américains dont ils connaissent mal la culture. Forts de cette conviction, ils se précipitent auprès de l'archevêque de New York, Mgr John Hughes, et de l'évêque de Newark, Mgr James Bailey, pour leur soumettre cette idée ; tous deux leur prodiguent les encouragements les plus vifs. Avec son aplomb coutumier, le père Hecker se rend à Rome pour soumettre ce beau projet au recteur général de la Congrégation.

Il s'agit bien là d'un geste propre à la personnalité passionnée d'Isaac Hecker. Depuis son plus jeune âge, en effet, Isaac manifeste un tempérament des plus vifs. Fougueux, extrême, en perpétuelle recherche de lui-même, il lui arrive fréquemment de surprendre son entourage par ses coups de tête imprévisibles. Au grand dam de ses parents, il quitte l'école à treize ans pour aller rejoindre ses frères aînés et les aider à la boulangerie de Rutgers Street à New York. Peu de temps après, ils possèdent quatre boutiques à Manhattan, ainsi qu'un moulin. À force de travail et de débrouillardise, ils sont en passe de devenir millionnaires. Mais, contre toute attente, Isaac quitte l'entreprise florissante pour aller vivre à Brook Farm. L'argent et le succès ne sont pas ce qui parviendra à répondre à ses attentes.

Brook Farm lui donne la possibilité de poursuivre sa recherche de la vérité. Dans cette communauté rustique située à West Roxbury, dans le Massachusetts, les esprits les plus brillants de l'époque – Nathaniel Hawthorne, Ralph Waldo Emerson, Brownson, Henry David Thoreau, Bronson Alcott et Charles Lane – réfléchissent au sens de leur vie et débattent d'idées nouvelles, fortement marquées alors par le transcendantalisme. Cette quête le mène peu à peu à approfondir la foi reçue de ses parents, et après un long temps de réflexion, il en vient à demander le baptême catholique. Il a vingt-cinq ans et prend alors le nom de Thomas. Un an plus tard, il entre, avec ses quatre amis convertis comme lui, chez les rédemptoristes et est ordonné prêtre.

Et maintenant... Le père Hecker s'éponge le front d'un geste las. Le verdict terrible continue à lui marteler le crâne. *« Vous êtes exclu parce que vous êtes venu à Rome sans l'autorisation de votre supérieur. »* Incroyable ! C'est un malentendu, pense Isaac Hecker, abasourdi. Il n'avait aucune mauvaise intention. Il ne voulait

> Je vais poser
> la question
> au Saint-Père.

pas s'opposer à l'autorité de son supérieur. Il croyait ne faire que son devoir... « Quelle est réellement la volonté de Dieu ? » se demande-t-il depuis des heures. Tout à coup, Isaac Hecker relève la tête. Il n'est pas homme à se laisser abattre. « Je vais poser la question au Saint-Père », dit-il à haute voix et, d'un pas décidé, il quitte l'église.

Après des mois de tergiversations, Pie IX relève les cinq rédemptoristes de leurs vœux. Il suggère au père Hecker de fonder une nouvelle communauté religieuse aux États-Unis. À son retour à New York, le père Hecker fonde donc la Société des prêtres missionnaires de Saint-Paul, ou pères paulistes. En 1858, Mgr Hughes approuve leur règle et les autorise à s'établir dans son diocèse de New York.

La nouvelle Société attire rapidement de nombreux membres. Le père Hecker envoie ses paulistes partout dans le pays, pour *« convaincre les hommes que l'Église n'est pas l'ennemie de la liberté »*. Au contraire, elle la garantit, elle lutte pour sa défense. Les pères donnent nombre de conférences publiques. Leur fondateur, infatigable, ne manque ni d'ardeur ni d'idées nouvelles. Bientôt, il se tourne vers la presse. En 1865, il fonde le *Monde catholique*, un mensuel qui a pour but de répandre les enseignements de l'Église à une large échelle. Nombre de personnalités de l'Église, en particulier les évêques de Saint-Paul, de Richmond et de Baltimore, soutiennent le père Hecker. Celui-ci s'épuise à la tâche, parcourant le pays, prêchant, organisant sa nouvelle congrégation. Les lourdes responsabilités du fondateur et supérieur de la Société des prêtres missionnaires de Saint-Paul ne l'empêchent pas d'assister en qualité de théologien au concile Vatican I, comme l'évêque de Baltimore le lui a demandé.

Usé par ses charges apostoliques, atteint d'une leucémie chronique, le père Hecker meurt en 1888. Converti ardent, fondateur d'un ordre rayonnant sur tout le Nouveau Monde, figure éminente du catholicisme américain... tout laisse penser qu'il sera un jour porté sur les autels. Et pourtant... Moins de dix ans après sa mort, une controverse éclate au sein de l'Église à son sujet. Elle porte sur une question essentielle pour la canonisation du père Hecker, puisque le titre de l'ouvrage à l'origine de la controverse est : *Isaac Hecker était-il saint ?* Si la formule prête à rire, la controverse est loin d'être une plaisanterie.

Entre 1890 et 1891, Walter Elliot, un père pauliste, écrit *La Vie d'Isaac Hecker*. Il la fait traduire en français par l'abbé Félix Klein qui y ajoute sa propre introduction laudative. En 1897, une version abrégée est publiée. On imprime six fois ce livre qui est l'objet d'une attention considérable. Une attaque au vitriol répond à l'édition française de la biographie d'Elliot, sous la forme d'un ouvrage écrit par un certain Charles Maignen : *Études sur l'américanisme. Le père Hecker est-il un saint ?* Le débat fait bientôt rage.

> Une attaque au vitriol répond à l'édition française de la biographie.

Des discussions enflammées ont lieu à travers toute l'Europe. L'Amérique catholique aussi est déchirée par la controverse. De quoi s'agit-il ? Isaac Hecker est tout simplement accusé d'avoir édulcoré la foi catholique pour la rendre plus « compatible » avec la modernité ; et, à travers lui, ce sont les particularismes du catholicisme américain qui sont soupçonnés de conduire à des déviances.

Quand Maignen a écrit son pamphlet en 1898, il avait pour but de s'opposer à la volonté qu'il croyait déceler chez certains membres du clergé américain et européen de faire triompher les idées progressistes dites « américanistes ». (on baptise du nom d'américanisme certaines idées attribuées abusivement à Hecker.) Sa seule source d'informations sur le père Hecker est l'édition française de sa biographie. Il cite aussi des affirmations émises par Hecker dans sa jeunesse comme s'il s'agissait de sa pensée d'homme mûr, attribuant ainsi au prêtre ce qui avait été écrit par le laïc protestant. Tout cela donne une étude qui manque singulièrement d'objectivité.

Avec une grande prudence, Léon XIII refuse de mettre la biographie de Hecker à l'Index et nomme une commission de cardinaux pour étudier la question. Ce comité fournit un rapport bien renseigné. Le pape en écrit lui-même l'ouverture et la conclusion, afin que nul individu ou groupe d'individus (comme Hecker ou les paulistes) ne soient accusés de professer les enseignements qu'il condamne. C'est la lettre apostolique *Testem benevolentiae* de 1899 dans laquelle le pape rappelle que l'Église n'a pas à modifier ses enseignements pour plaire à la civilisation moderne, encore moins à adapter sa doctrine pour attirer les masses. L'Église se doit de transmettre fidèlement la vérité reçue des Apôtres et non de se compromettre en faisant des ajustements pour convertir ses contemporains.

> *L'Église n'a pas à modifier ses enseignements pour plaire à la civilisation.*

Léon XIII souligne plus précisément quelques erreurs : le fait de rejeter la direction spirituelle comme superflue, de placer les vertus naturelles au-dessus des vertus surnaturelles, de refuser les vœux religieux comme incompatibles avec la liberté d'un chrétien, et enfin d'adopter certaines nouvelles méthodes d'apostolat auprès des non-catholiques.

En recevant cette lettre adressée à Mgr Gibbons, évêque de Baltimore, le clergé américain, le père Klein et tous les prélats européens qui avaient pris part à la controverse s'inclinent immédiatement, en affirmant avec force qu'ils n'ont jamais soutenu les doctrines condamnées. La biographie du père Hecker disparaît des librairies. Si ce dernier avait été en vie, il aurait certainement été le premier à s'aligner sur les décisions de l'Église, qu'il n'avait cessé de servir fidèlement et d'honorer.

SOURCES : Isaac-Thomas Hecker, *EXPOSÉ DE LA SITUATION DE L'ÉGLISE EN FACE DES DIFFICULTÉS, DES CONTROVERSES ET DES BESOINS DE NOTRE TEMPS*. Th. Mc Avoy, *THE AMERICANIST HERESY IN ROMAN CATHOLICISM, 1895-1900*, University of Notre-Dame Press, 1963. J.Farina, *ISAAC T. HECKER, THE DIARY : ROMANTIC RELIGION IN ANTE-BELLUM AMERICA*, New York, 1988.

# LOUIS PASTEUR

## *LA SCIENCE NE VACCINE PAS*
## *CONTRE LA FOI*

**• 24 SEP •** LOUIS PASTEUR GRAVIT PÉNIBLEMENT LES MARCHES qui le conduisent à la chambre de la petite Sophie. Le cas de l'enfant est désespéré. C'est peut-être pour cela qu'il a tenu à venir lui rendre visite. Il se déplace avec difficulté. Son hémiplégie du côté gauche lui a laissé un avant-bras très contracté et une démarche difficile et lente. Mais peu lui importe. Il doit y aller, même si sa présence impuissante au chevet de la petite malade ne peut que nuire à sa réputation. Il veut s'associer à cette souffrance injuste.

L'illustre savant s'est approché du chevet de l'enfant et lui a pris la main. Ému, il pleure à ses côtés. Il sait que la science n'est pas toute-puissante, mais il a du mal à accepter que cette fois il ne puisse rien faire. Comment pourrait-il ne pas penser à ses trois filles mortes en bas âge ? La dernière qui lui reste est toute sa consolation. Après une demi-heure passée aux côtés de Sophie, il prend congé de la petite et de sa famille. En descendant tristement la rue, il se dit que pourtant il a toujours essayé de soulager ses contemporains. L'essentiel de ses recherches et de ses découvertes est né du désir de servir l'humanité. Faire progresser le monde en mettant ses talents à son service.

C'est ainsi qu'il a étudié les fermentations pour répondre aux problèmes des industriels du vin venus le trouver quand il a été nommé à Lille. Il a pu faire bénéficier de ses recherches les industries du vinaigre, du vin et de la bière. À cette occasion, il a fait une découverte d'une portée considérable. Le ferment responsable des maladies du vin peut être détruit par un simple chauffage rapide. Il a ainsi découvert un principe auquel il allait donner son nom : la pasteurisation. C'est en vertu de ce même principe qu'il a pu donner un conseil de grande importance aux chirurgiens : « *Si j'avais l'honneur d'être chirurgien, jamais je n'introduirais dans le corps d'un homme un instrument quelconque sans l'avoir fait passer dans l'eau bouillante et mieux encore dans la flamme tout aussitôt avant l'opération et refroidi rapidement.* » À une époque où les maternités sont de véritables antichambres de la mort, Pasteur résout le problème des septicémies et des fièvres puerpérales. C'est à partir de ces études qu'il entreprend des recherches sur les maladies contagieuses.

C'est quand il met au point le vaccin

contre la rage avec le docteur Roux que Pasteur connaît réellement la gloire. Une histoire merveilleuse. Souvent il y repense, il lui arrive même de revivre cette scène en rêve. Sa découverte a constitué une réelle avancée dans la recherche médicale. Le traitement antirabique, c'est-à-dire l'injection de moelles infectées et desséchées, fonctionne sur l'homme. Mais c'est surtout pour cet enfant condamné et sauvé que Pasteur ne cesse de rendre grâce à Dieu. Jamais il n'a eu aussi peur que dans les heures qui ont suivi l'inoculation du vaccin au jeune Alsacien Joseph Meister. Avait-il eu raison de tenter cette expérience qu'il n'avait jusqu'alors réalisée que sur des chiens ? Il lui fallait sauver cet enfant, il n'avait pas le choix. Aujourd'hui il continue de voir cet enfant et de lui envoyer de l'argent pour qu'il puisse étudier. Il l'aime comme un fils.

Pasteur est arrivé chez lui. Son épouse l'aide à quitter son lourd pardessus. Sans elle, il ne sait pas s'il aurait résisté à la mort de ses filles et à la maladie. Il la revoit, dans les mois qui ont suivi son attaque d'hémiplégie, chaque jour revenant de la messe, l'aider à s'habiller et à se nourrir. Catholique comme elle, il a toujours été émerveillé par sa foi si tranquille, par sa confiance absolue même aux heures les plus dures. Pour lui, la rigueur de la science passe avant tout. *« Il n'y a ni religion, ni philosophie, ni athéisme, ni matérialisme, ni spiritualisme qui tienne... Tant pis pour ceux dont les idées*

> *Plus on tenterait de s'approcher de Dieu par la science, plus on s'en éloignerait.*

*philosophiques sont gênées par mes études... La science expérimentale est essentiellement positiviste en ce sens que, dans ses conceptions, jamais elle ne fait intervenir la considération de l'essence des choses, de l'origine du monde et de ses destinées. Elle n'en a nul besoin. Elle sait qu'elle n'aurait rien à apprendre d'aucune spéculation métaphysique. »* Plus on tenterait de s'approcher de Dieu par la science, plus on s'en éloignerait, pense-t-il, mais ce n'est pas pour autant qu'il faut souscrire au scientisme qui domine la pensée actuelle. Il y a certes un espace infranchissable entre la science et la métaphysique, mais cela ne signifie pas qu'il nous soit interdit d'avoir des pensées métaphysiques, ni même de croire au Dieu de l'Évangile.

C'est ce qu'il a essayé de dire, peut-être maladroitement, dans son discours de réception à l'Académie française. Car comment ne pas être émerveillé par le monde ? Dans la plus belle tradition de la métaphysique chrétienne, il contemple Dieu dans le désir d'infini que chaque homme porte en lui. Avec Anselme, Thomas, Descartes, Pascal et tant d'autres, il voit dans cette évidence humaine la présence et, certainement, un commencement de preuve de l'existence de Dieu. *« La notion de l'infini dans le monde, j'en vois partout l'inévitable expression. Par elle, le surnaturel est au fond de tous les cœurs. L'idée de Dieu est une forme de l'idée de l'infini. Tant que le mystère de l'infini pèsera sur la pensée humaine, des temples seront élevés au culte de l'infini, que*

Dieu s'appelle Brahma, Allah, Jéhova ou Jésus. Et sur la dalle de ces temples, vous verrez des hommes agenouillés, prosternés, abîmés dans la pensée de l'infini. » Renan n'a pas voulu comprendre. Il attendait de lui un discours scientifique et lui, Pasteur, avait tenté de lui dire qu'en contemplant l'idée de Dieu on pouvait s'en approcher.

Le pape Pie XI, à l'occasion des cérémonies du centenaire de la naissance de Pasteur, écrivait : « *Au milieu de ses études,* il gardait la foi droite, simple et confiante, et ses études scientifiques lui faisaient découvrir de plus en plus, au fond de toutes choses, le Dieu infini qui illuminait et consolait son âme, qui lui inspirait sa charité. » Celui qui s'éteignit le 2 septembre 1895, après avoir communié aux Pâques précédentes, n'aurait pu avoir plus belle épitaphe sur sa tombe que la phrase du docteur Roux : « *L'œuvre de Pasteur est admirable mais il faut avoir vécu dans son intimité pour connaître la bonté de son cœur.* »

SOURCES : Mgr d'Hulst, *LA MISSION CHRÉTIENNE DE LA SCIENCE*. P. Debré, *LOUIS PASTEUR*, Paris, 1998. E. Deher, *PASTEUR (1822-1895) ET LE DÉVELOPPEMENT DE LA VACCINATION*, Paris, 1995. P. Darmon, *PASTEUR*, Paris, 1995. M. Vallery-Radot, *PASTEUR*, Paris, 1994.

# L'ÉCOLE BIBLIQUE
# DE JÉRUSALEM
## *L'EXÉGÈSE À DOS DE MULET*

**• 25 SEP •**

AU FUR ET À MESURE QUE LES MULES AVANCENT SUR LA PISTE, LES CINQ HOMMES n'en finissent plus de s'éponger le front... Le soleil monte sur l'horizon et se fait d'heure en heure plus ardent. Ils ont appris à connaître sa brûlure aux heures chaudes. Il faut dire que leurs longues robes blanches de dominicains ne sont pas tout à fait adaptées à la situation, d'autant plus qu'elles se prennent quelquefois dans les étriers.

Pourtant, ils ont été prudents, ils ont quitté Jérusalem au premier appel du muezzin. Les minarets et les clochers étiraient leurs grandes ombres violettes sur la ville endormie et, dans les étroites ruelles, on respirait encore la fraîcheur de la nuit.

L'éclat des premiers rayons du soleil sur les vieilles pierres de la ville a une fois de plus ému la petite troupe. Oui, cette lumière est belle comme celle du matin de la Résurrection, mais ces religieux-là ne sont pas ici pour contempler cette merveille ; ils ne sont pas des pèlerins ordinaires, ils ne sont pas venus en Palestine pour s'adonner à la méditation, ils sont là pour travailler, la Bible dans une main, le carnet de notes dans l'autre. D'ailleurs, sur le mulet de tête, le père Albert Lagrange sort déjà son crayon et griffonne quelques lignes. Deux des hommes qui l'accompagnent sourient en le voyant faire : chacun a parié sur le temps qui s'écoulerait avant que le dominicain n'extirpe de sous sa robe le fameux carnet ; l'un d'eux sort sa montre à gousset, et constate sa victoire.

Le dernier des âniers, qui traîne derrière lui trois bêtes lourdement bâtées, n'a d'yeux que pour les délicats appareils dont il a la charge. Il marche la tête tournée vers l'arrière, vers Jérusalem, confiant dans la capacité des mules à régler leur pas sur celles qui les précèdent. Lorsque Lagrange saute de son animal pour se lancer dans une explication dont il a le secret, c'est le carambolage : les huit animaux freinent des quatre sabots à des rythmes variés, et du dernier d'entre eux, le bât laisse échapper trois des plaques de verre photographique, avant que l'ânier n'ait pu maîtriser l'équilibre des charges.

Le fracas distrait un instant le père Lagrange, qui laisse retomber son doigt déjà levé vers le ciel, dans la pause doctorale qu'il adopte systématiquement pour annoncer l'une de ses découvertes.

– Mais enfin, mon ami, fais donc attention à nos plaques...

– Mon père, si vous cessiez un instant de bondir de votre mule sans prévenir, je pourrais...

– Il n'importe. (Le doigt se lève de nouveau, un pur réflexe.) Messieurs, nous voici donc devant la confirmation de ce que nous supposions. Jéricho doit se trouver, étant donnée cette atmosphère, au-dessous du niveau de la mer. C'est la seule explication de cette chaleur croissante et des vapeurs soufrées... « *Un homme descendait de Jérusalem à Jéricho.* » (Le doigt retombe.)

Le dominicain se dirige vers la bête qu'il enfourche en fourrageant dans son habit pour y glisser le carnet.

– Allons voir maintenant ce monastère du Mont-de-la-Tentation.

La petite colonne s'ébranle, laissant derrière elle sur la piste les trois plaques de verre fracassées.

Les deux étudiants au gousset ne s'étonnent même plus. Tout juste parient-ils de nouveau sur la minute précise de la prochaine intervention : cela fait maintenant quelques semaines qu'ils fréquentent le père Lagrange. Les premiers jours, ils sont allés de surprise en surprise. En découvrant, par exemple, l'« École » biblique que le dominicain a fondée : une seule salle, un tableau, une carte de la région, une table autour de laquelle les étudiants doivent se tasser... Et, encore accrochés le long des murs, les crochets et les anneaux qui servaient aux précé-

> *Il s'est installé comme il a pu dans un ancien abattoir.*

dents utilisateurs des lieux. Le père Lagrange leur a expliqué, en guise d'introduction, qu'en arrivant de Jaffa, l'année dernière – en 1890 –, il avait pour mission de créer son école et qu'il n'a trouvé que ce lieu, un ancien abattoir. Avec trois religieux à demi invalides pour toute aide, il s'est installé comme il a pu. Les crochets sont restés, en guise de témoignage.

Les étudiants qui ont assisté à l'inauguration de l'école, le 15 novembre 1890, ont raconté comment, déjà doctoral, Lagrange leur avait narré son arrivée sur les lieux neuf mois auparavant. Le père Colchen, son supérieur, l'avait chargé de créer une école biblique. Dès le début, l'harmonie entre ce sol et son histoire l'avait profondément ému. « *J'avais tant aimé le livre* [la Bible], *et maintenant je contemplais le pays. Aucun doute ne subsista dans mon esprit sur l'opportunité de pratiquer les études bibliques en Palestine.* » Au début, il assurait tous les cours, l'hébreu, l'assyrien, l'arabe qu'il avait appris à l'école des langues orientales de Vienne. C'est lui qui enseignait aussi l'archéologie, et l'histoire... Depuis, il se démène pour organiser le programme d'études, trouver des maîtres et, surtout, créer une bibliothèque. Lagrange ne confie-t-il pas qu'il a eu l'intuition d'une école pratique d'études bibliques en visitant une exposition de manuscrits, à la Bibliothèque nationale de Paris ? Et c'est d'ailleurs de ce choc initial que date son entrée chez les dominicains en 1879.

Mais ce que Lagrange préfère, il l'avoue lui-même, ce sont les recherches sur le terrain, pour, selon son expression, *« relier le monument au document »*. Les deux jeunes rats de bibliothèque qui s'amusent des tics de leur professeur commencent d'ailleurs à peine à sortir de la délicate période d'adaptation à ces nouvelles activités scolaires : ils ont encore les reins, et d'autres parties moins avouables de leur anatomie, endoloris par la découverte de la locomotion animale. Ils commencent aussi à comprendre pourquoi l'eau est si précieuse partout dans la Bible. Même les mules tirent la langue, et voudraient bien se reposer un peu entre deux *« extases historiques »* de Lagrange.

Outre les conditions de vie, la chaleur et les ânes, la méthode qui consiste à examiner sur place l'exactitude des faits bibliques n'est pas sans risques. C'est justement après une expédition en Palestine, en 1860, et après des visites similaires sur les lieux et les vestiges bibliques, qu'Ernest Renan, ancien séminariste devenu professeur d'études sémitiques, a commis une *Histoire des origines du christianisme*, visant à fonder un christianisme rationnel. Le premier volume, la *Vie de Jésus* (1863), a fait grand bruit. Renan s'y livre à une interprétation critique et positiviste de la vie du Christ, qu'il qualifie d'*« homme incomparable »* mais à qui il ne reconnaît aucune divinité. Il rejette les dogmes catholiques au profit d'un sentiment religieux teinté de

> *Lagrange parcourt le pays avec ses mulets, ses étudiants et ses plaques photographiques.*

scientisme, et c'est justement pour réconcilier la science et la foi catholique que le père Colchen a envoyé Lagrange ici, qui depuis se démène...

En cette année 1891, Lagrange continue inlassablement à parcourir le pays avec ses mulets, ses étudiants et ses plaques photographiques, à la recherche de repères géographiques, et de traces archéologiques. Mais, la grande affaire, c'est maintenant de bâtir l'édifice définitif de l'École biblique de Jérusalem. Le 5 juin, Lagrange a déposé dans les fondations deux fragments lourds de symbole : un petit morceau de la soutane de Jean-Marie Vianney, curé d'Ars, et un fragment de la tunique du père Lacordaire, dominicain comme lui, qui a fortement inspiré son œuvre. Ce lieu *« enregistrera, centralisera les découvertes, intéressera l'archéologie et la géographie biblique »*. Il sera aussi consacré à l'étude des langues anciennes, et des manuscrits, à l'analyse des textes bibliques.

Viendront ensuite d'autres créations, notamment celle de la *Revue biblique* dont le premier numéro paraît en janvier 1892. Elle va servir à diffuser ses recherches et celles de ses collègues... prudemment. Dans une lettre du 17 novembre 1892, le pape Léon XIII encourage l'entreprise du père Lagrange, peu avant que soit publiée l'encyclique *Providentissimus Deus* sur les études bibliques. Le pape y recommande de *« conserver la doctrine de l'inerrance de la Bible et de chercher la solution des difficultés dans une exégèse à la fois* traditionnelle et progressiste ». La chose n'est pas aisée, pour ne pas dire contradictoire. Lagrange s'engage sur une route non balisée encore, il compare les sites, les textes, les versions de la Bible, analyse les conditions d'écriture, les circonstances historiques, les vestiges...

À travers ses promenades à dos de mulet, Lagrange ne se contentera pas en effet d'accumuler les notes, les carnets, les photographies. Il permettra à la science biblique de s'édifier sur de nouvelles fondations. Il exposera sa théorie dans la *Méthode historique* (1903) : la Bible est écrite sous l'inspiration de l'Esprit Saint, elle exprime d'une part une pensée humaine dans un style humain et d'autre part, elle est soumise aux mêmes lois d'interprétation que tous les autres écrits antiques.

Cette nouvelle approche consiste à appliquer à la Bible le même « *traitement* », la même lecture qu'à n'importe quel autre texte de l'Antiquité. L'Écriture sainte doit être lue et déchiffrée d'après le contexte de la rédaction des textes, d'après l'environnement social, intellectuel et psychologique. Il s'agit de reconnaître dans les textes bibliques des genres littéraires différents, de découvrir, dans la constitution des textes, les apports de sources distinctes, de repérer des reprises

*Il sera dénoncé comme rationaliste et même comme « déviationniste protestant ».*

d'écriture au long des siècles pendant lesquels le recueil des textes bibliques s'est constitué. C'est scientifique et cela ne détruit en rien la foi. Le caractère inspiré des textes bibliques n'est pas mis en cause par une telle méthode, il s'agit simplement de mettre en lumière la coopération de l'Esprit Saint et des rédacteurs des textes saints. Dans l'esprit du père Lagrange, cette méthode ne conteste pas la validité des commentaires et des interprétations théologiques et spirituels transmis par la tradition de l'Église.

Et pourtant, sa *Méthode* et les publications de la *Revue biblique* ne lui vaudront pas que des amis. Quinze ans durant, il sera la cible de détracteurs qui le dénonceront comme rationaliste et même comme « déviationniste protestant » ! Il se soumettra avec obéissance à ses supérieurs et à la hiérarchie de l'Église, attendra le bon moment pour publier le fruit de ses travaux. L'École biblique pourra alors devenir une référence scientifique internationale, et publier la Bible de Jérusalem dont il initie la traduction. Pour avoir exploré le caractère historique des Évangiles, et plus encore donné une importance majeure au sens des mots, on peut dire, en reprenant une expression du cardinal Tisserant, que le père Lagrange est une « *réédition de saint Jérôme* ».

SOURCES : *LA BIBLE DE JÉRUSALEM*. Cl. Savart et J.-N. Aletti, *LE MONDE CONTEMPORAIN ET LA BIBLE. BIBLE DE TOUS LES TEMPS*, Paris, 1985. P. Benoît, *LE PÈRE LAGRANGE AU SERVICE DE LA BIBLE. SOUVENIRS PERSONNELS*, Paris, 1967. *NAISSANCE DE LA MÉTHODE CRITIQUE. ACTES DE COLLOQUE DU CENTENAIRE DE L'ÉCOLE BIBLIQUE ET ARCHÉOLOGIQUE FRANÇAISE DE JÉRUSALEM*, Paris, 1992.

# RERUM NOVARUM

## *POUR LA DIGNITÉ DES PAUVRES*
## *ET LE SALUT DES RICHES*

**• 26 SEP •**

DANS LA CHAPELLE PRIVÉE DE SON APPARTEMENT DU VATICAN, LÉON XIII s'est agenouillé, en ce 15 mai 1891 comme chaque matin, sur son prie-Dieu face au grand crucifix. Le Christ au corps souffrant semble l'observer et le questionner. Il se souvient qu'il y a quelques mois, il s'était livré à une longue méditation devant la croix. Ce matin-là, il avait pris sa décision. L'Église, par une encyclique, ferait savoir au monde sa position sur le drame des ouvriers. Il a longtemps hésité. Le problème est complexe, plusieurs écoles défendent leurs projets. Ne s'agit-il que d'encourager les patrons à une charité sociale plus grande ? Faut-il autoriser et même plaider pour la création de syndicats tout en sachant qu'ils sont ou seront aux mains des socialistes ? Faut-il demander à l'État de participer à une politique sociale plus juste ? S'il avait alors des convictions intimes, le pape ne se sentait pas le droit de donner des réponses définitives engageant l'Église dans sa totalité.

Pourtant, en regardant le corps de son Dieu, crucifié et souffrant, il s'était souvenu de la foule des ouvriers bruxellois qu'il avait pu rencontrer lorsqu'il n'était encore que le nonce Mgr Pecci. Ne s'était-il pas déjà alarmé devant cette société où « *s'opposent des multitudes auxquelles on a enlevé tout espoir de l'avenir* » et « *un petit nombre auquel sourit la fortune* ». Depuis cette époque, il n'a cessé d'essayer de comprendre les mécanismes sociaux et de chercher avec la bourgeoisie et les parlementaires qu'il a pu rencontrer comment on peut agir face à ce drame humain. Car le problème social est avant tout pour lui un problème moral, celui de la dignité des pauvres et du salut des riches. « *Comme il sera difficile à ceux qui ont des richesses de rentrer dans le Royaume de Dieu !* » C'est dans ce sens qu'une fois devenu évêque de Pérouse, il avait écrit des lettres pastorales *Église et civilisation* qui condamnaient plusieurs pratiques économiques ou sociales qu'il désapprouvait fortement.

Cela fait plus d'un an, pense-t-il, qu'il a lancé la rédaction de son encyclique. Trois textes ont successivement vu le jour. Ils sont dus essentiellement à deux théologiens issus de la pensée thomiste : le père jésuite Liberatone et Son Éminence dominicaine le cardinal Zigliara. Pour le troisième essai, le compagnon de Jésus a été aidé du cardinal Mazella. Le pape pense qu'à ces trois illustres ecclésiastiques, il faut ajouter tous ceux qui, depuis, les ont conseillés et aidés dans leurs recherches. Le sujet est tellement sensible que, lors de la traduction officielle de l'encyclique en latin par deux de ses proches collaborateurs, on a encore modifié certains passages. Il y a quelques jours, il a cédé au cardinal Gibbons, et a fait ajouter un paragraphe sur la légitimité d'associations ouvrières non chrétiennes. Le texte ne contentera pas tout le monde, il le sait. Mais le magistère de l'Église n'est pas là pour bénir toutes les pensées en laissant croire qu'elles sont toutes bonnes. Chacun pourra lire dans le texte la critique, positive ou négative, de ses idées, et juger par là-même si elles vont dans le sens de l'Évangile ou non.

L'important, c'est de donner au monde un texte qui rappelle la dignité de l'homme quelle que soit sa richesse, la responsabilité de chacun face aux besoins de ses frères, les devoirs du pouvoir dirigeant envers ceux qu'il gouverne. *Rerum novarum* répond à ces trois principes. Sur les propositions que comprend l'encyclique, chacun pourra discourir. En son for intérieur, Léon XIII ne croit pas que la doctrine sociale de l'Église que son encyclique développe puisse radicalement modifier le monde et supprimer le malheur social. Cette terre est un « *lieu d'exil [...] quand nous aurons quitté cette vie, alors seulement nous commencerons à vivre* ». Le péché originel fait que « *la terre est maudite* » et que le travail est « *une nécessité imposée comme une*

> *Donner au monde un texte qui rappelle la dignité de l'homme quelle que soit sa richesse.*

*expiation [...] Les calamités qui ont fondu sur l'homme n'auront pas ici-bas de fin ni de trêve* ».

« Seigneur, vous qui prenez sur votre croix les souffrances de votre peuple, vous qui souffrez de notre péché, vous nous avez demandé d'aimer nos frères comme vous-même. Nous vous en supplions, faites que votre Église et les indignes serviteurs qui la servent puissent par leurs paroles et leurs actions soulager les hommes et les femmes qui dans ce monde souffrent. »

*Rerum novarum* n'est rien d'autre qu'un développement de cette prière qu'il renouvelle pratiquement chaque jour. C'est dans cet esprit qu'il a rappelé dans son texte les quelques règles fondamentales de la doctrine sociale de l'Église, présentes déjà chez de nombreux auteurs. Afin de ne pas laisser libre cours à des interprétations socialistes de ses propositions, il a commencé par rappeler « *l'inviolabilité de la propriété privée* » et a clairement réfuté les faux remèdes que le socialisme propose. « *Les socialistes, pour guérir ce mal, poussent à la haine jalouse des pauvres contre ceux qui possèdent, et prétendent que toute propriété de biens privés doit être supprimée, que les biens de chacun doivent être communs à tous et que leur administration doit revenir aux municipalités ou à l'État. [...] Mais pareille théorie, loin d'être capable de mettre fin au conflit, ferait tort à l'ouvrier si elle était mise en pratique. D'ailleurs, elle est souverainement injuste, en ce qu'elle viole les droits légitimes des propriétaires, qu'elle dénature les fonctions de l'État et tend à bouleverser de fond en comble l'édifice social.* »

À partir du constat de l'extrême pauvreté dans laquelle vivent les ouvriers et de cette position très ferme face à des théories sociopolitiques jugées fausses et dangereuses, l'encyclique développe deux grands axes : la nécessité d'une morale de l'économie et du travail et la constitution de lois et de liens entre l'État et les ouvriers. Pour Léon XIII, il ne s'agit plus là de charité mais de justice. *Rerum novarum* se situe dans la même lignée que les oracles des prophètes de l'Ancien Testament. Quelques versets de Jérémie lui reviennent à l'esprit : « *Ils ne respectent pas le droit, le droit des orphelins, pourtant ils réussissent ! Ils n'ont pas rendu justice aux indigents...* »

Car, s'il combat avec violence les dogmes prétendus humanitaires du communisme, il ne se laisse pas non plus berner par les positions ultralibérales de certains catholiques pour qui la charité est la seule ingérence possible de l'Église dans le domaine économique. S'appuyant sur la dignité inaliénable de tout être humain, en ce qu'il est fils de Dieu, il plaide pour « *un juste salaire* » et « *une juste possession des richesses* », rappelant l'adage tiré des Épîtres pauliniennes : *In necessitate sunt omnia communia*, en cas de besoin il y a communauté des biens. Pour satisfaire ces deux principes, il demande à tous les acteurs sociaux et économiques de revoir les cadres du travail afin qu'y règnent des règles justes, et rappelle à l'État qu'il doit « *prendre les mesures voulues pour sauvegarder la vie et les intérêts de la classe ouvrière* ». En effet, la justice est valable pour tous les citoyens, mais l'État doit veiller tout particulièrement à ce que ceux qui ne peuvent s'abriter derrière leurs richesses puissent en bénéficier. Afin de permettre aux ouvriers de devenir des acteurs dans ce contexte socioéconomique, et non de devenir seulement les bénéficiaires de mesures prises en dehors d'eux, Léon XIII a même accepté d'appeler de ses vœux la création ou le développement d'associations : « *Nous voyons avec plaisir se former des sociétés de ce genre, soit composées des seuls ouvriers, soit mixtes* » grâce auxquelles on évitera de livrer « *les travailleurs isolés et sans défenses... à la merci de maîtres inhumains et à la cupidité d'une concurrence effrénée* ».

> *On va m'accuser de socialisme, pense le pape.*

« On va m'accuser de socialisme, pense le pape en souriant. Mais, si cette encyclique permet à nos sociétés et aux Églises de commencer à traiter le problème de la pauvreté et des ouvriers, je suis bien prêt à cela. Après tout, mes positions sociales en 1848 m'ont bien valu d'être considéré par Pie IX comme opposé à son pouvoir temporel et favorable au libéralisme ! Aujourd'hui je suis pape, ainsi va l'Église. »

SOURCES : Léon XIII, *Rerum novarum*. G. Antonazzi, *L'Enciclica « Rerum novarum » : testo autentico dai documenti originali e redazioni preparatorie*, Rome, 1957. G. Antonazzi et G. De Rosa, *L'Enciclica « Rerum novarum » e il suo tempo*, Rome, 1991. M. Turmann, *Le développement du catholicisme social depuis l'encyclique « Rerum novarum »*, Alcan, 1900.

# LOUIS BOISARD

## *UN PONT ENTRE LA COLLINE QUI PRIE*
## *ET LA COLLINE QUI TRAVAILLE*

**27**
**SEP**

— IL FAUT VOUS FAIRE PRÊ-
TRE. Le père Fond, curé à
Saint-Bruno-des-Chartreux,
vient de faire cette tranquille
déclaration à son pénitent, Louis Boisard.

Nous sommes en 1873, jour de la fête
du Sacré-Cœur, dans une église de la
Croix-Rousse, « quartier où l'on travaille »
à Lyon. Cela dit, sans trop de malice mais
avec certain réalisme, par les canuts lyonnais qui veulent opposer leur colline à celle
d'en face, Fourvière, la colline où l'on prie.
Les Lyonnais fervents et reconnaissants y
ont élevé une basilique dédiée à Notre-
Dame pour la remercier de leur avoir
épargnés la peste.

Louis Boisard, le pénitent à genoux qui
vient de s'entendre dire : « Il faut vous
faire prêtre », est un ingénieur de vingt-
deux ans tout juste, et un brillant industriel lyonnais. À treize ans, par dérogation,
il entrait à l'École centrale de Lyon, à
seize, il en ressortait diplômé, et deuxième
de sa promotion. Cette brillante réussite
ne l'a pas empêché, pour se forger le caractère, de commencer comme ouvrier dans
l'entreprise paternelle. Pendant deux ans,
il a appris à connaître le milieu des travailleurs manuels. Ensuite, la guerre

contre la Prusse l'a vu s'engager à dix-neuf
ans. Il en est revenu sans blessure, et s'est
lancé, avec son beau-frère, dans la fabrication industrielle de produits pharmaceu-
tiques.

Même s'il trouve le temps de fréquenter
la Société Saint-Vincent-de-Paul et de
créer un cercle catholique ouvrier, Louis
Boisard est un jeune homme très occupé
à qui tout sourit : études, argent, travail...
Alors, lorsque la déclaration du père Fond
tombe dans le silence du confessionnal, le
pénitent ne sait vraiment que répondre.

— Mais je n'ai jamais fait de latin... Et je
suis associé pour douze ans à mon beau-
frère. Qu'adviendra-t-il si je le laisse tomber ? Et il y a aussi mon père, jamais il
n'acceptera que je ne reprenne pas sa succession. Vous le connaissez, il n'est pas
pratiquant, et il a tant donné pour ma
réussite.

Le bon prêtre, qui a pressenti le caractère exceptionnel de son « client », lui
répond tout aussi calmement que le latin
s'apprend, que le beau-frère s'en accom-
modera, et que le père finira bien par
accepter ce que veut le Seigneur.

— Il suffit de le lui faire dire par votre
sœur. Les pères entendent mieux leur fille.

Et il se rendra par amour pour vous, s'il ne le fait pour Dieu.

Le père, d'abord, ne se résout pas. Il cherche à comprendre. Le prêtre à qui il demande conseil lui assure que Louis, son successeur et fils, a de grandes choses à réaliser pour le bien de tous. Bouleversé par cette révélation, M. Boisard retrouve le chemin de l'Église et prend, à la Société Saint-Vincent-de-Paul, la place que son fils, occupé par sa formation théologique, a laissée vacante.

Quatre ans plus tard, en 1877, Louis devient l'abbé Boisard. Il a vingt-six ans. L'année suivante, il est préfet de discipline à Saint-Bruno-des-Chartreux, quand il apprend la mort de son père, victime d'un accident de chemin de fer. Sa mère rejoint son époux dans la mort six mois plus tard. Louis, accablé de tristesse, tombe malade et doit cesser son travail. Il se rétablit à l'automne 1879, et le cardinal Caverot, archevêque de Lyon, le nomme aumônier du patronage Notre-Dame-de-la-Guillotière.

Louis retrouve alors ce milieu ouvrier qu'il avait appris à aimer lorsqu'il travaillait dans l'usine de son père. Mais il découvre rapidement que les apprentis, écrasés de travail, désertent le patronage. Il s'aperçoit en outre que ces jeunes gens ne reçoivent pas la formation générale et professionnelle qui leur permettrait de sortir sereinement de l'enfance, et de faire face à leur vie d'adulte chrétien responsable.

Il comprend qu'il a trouvé son terrain d'élection, mais ne sait pas encore que là

*Vous êtes Boisard.*
*Soyez toujours Boisard,*
*Bois ardent !*

sera sa vocation. Il fait retraite, en 1881, et part pour l'Italie. Don Bosco, qui l'accueille à Turin, se rend compte que la personnalité de Louis doit s'épanouir dans un autre contexte que le sien. Louis retourne donc à la Grande-Chartreuse. Il doit réfléchir encore : on ne s'engage pas aussi facilement hors des sentiers battus, lorsque l'on est de formation technique et que l'on a la tête bien faite.

– Vous avez en effet une vocation particulière, lui dit un des moines. Dieu vous a façonné. Vous êtes Boisard. Soyez toujours Boisard, *Bois ardent* !

Louis va donc se mettre à l'œuvre. Il conçoit un projet novateur : faire, en même temps et de façon cohérente, l'éducation secondaire, la formation professionnelle, morale et religieuse du futur ouvrier. Louis n'est pas ingénieur pour rien. Les productions des élèves, au cours de leur formation, devront être de qualité et d'un prix compétitif. La formation intellectuelle sera liée à la technique : les apprentis la critiqueront, l'analyseront et la perfectionneront. Les connaissances ne seront pas encyclopédiques mais constitueront une véritable culture, élevant l'esprit. La vie communautaire permettra d'acquérir le sens des responsabilités, du service, du respect, de l'ordre et de la propreté physique et morale.

Après une nouvelle retraite à la Chartreuse, tout s'enchaîne, comme les rouages bien huilés d'une machine-outil. De 1882 à 1895, les ateliers s'ajoutent les uns aux autres : cordonnerie, ébénisterie, menuiserie, serrurerie, d'abord... Puis d'autres, qui mettent en œuvre des techniques plus complexes : mécanique, électricité, ajustage... Les commandes affluent. En 1895, l'académie de Lyon distingue les ateliers du père Boisard.

Le jeune créateur d'entreprise d'autrefois n'a rien perdu de sa fougue, ni de son sens de l'organisation. Au contraire, le sacerdoce et le don total de soi lui permettent d'ouvrir au plus grand nombre les portes de l'industrie, de manière que chacun s'y trouve libre, inventif et adapté. Les jeunes gens formés dans les ateliers du père Boisard deviendront des adultes responsables dans leur vie professionnelle et dans leur vie sociale et privée : ce que l'on apprend bien, dans le creuset de l'adolescence, ne se perd pas. Louis Boisard affine sa pédagogie, l'adapte au rythme de chacun. Hormis

*Tout se passe sur le terrain, aux ateliers.*

les cours de français, de philosophie, d'économie et de religion, tout se passe sur le terrain, c'est-à-dire dans les ateliers.

Pour assurer la pérennité de ses intuitions pédagogiques, il crée, encouragé par Pie X, la « Petite Société de la Sainte-Famille ». Elle réunit cinq prêtres, proches collaborateurs de l'œuvre. Le succès ne cesse de se confirmer.

Après trente-huit ans d'existence, les ateliers du père Boisard reçoivent mille demandes d'inscription par an. Et l'œuvre survit à la mort en 1938 de son fondateur. Sa vitalité est encore présente dans sa région, où les Écoles de production Rhône-Alpes fédèrent plusieurs ateliers d'apprentis. D'autres établissements découvrent aujourd'hui, ou redécouvrent, les principes d'un enseignement conceptuel précédé de l'indispensable expérience concrète.

SOURCES : A. Lestra, *LE PÈRE BOISARD, PRÊTRE OUVRIER*, Lyon, 1949. P. Pierrard, *L'ÉGLISE ET LES OUVRIERS EN FRANCE*, Paris, 1984. « Christianisme et monde ouvrier », in *CAHIER N° 1*, Paris, 1975. H. Rollet, *LES ÉTAPES DU CATHOLICISME SOCIAL*, Paris, 1949. J. Brugerette, *LE PRÊTRE FRANÇAIS ET LA SOCIÉTÉ CONTEMPORAINE*, t. II, Paris, 1935.

# ALFRED-SIMON DIBAN KI-ZERBO

## *UN VIEUX CATÉCHISTE BURKINABÉ S'ASSOIT SUR LE SIÈGE DE SAINT PIERRE*

**28 SEP**

LE VATICAN. JUIN 1975. SOUTENU PAR SES DEUX FILS, UN VIEILLARD NOIR ET CENTENAIRE, en tenue traditionnelle, pénètre dans une immense salle tendue de pourpre et d'or. Son nom est Alfred Diban. Il vient de Haute-Volta (l'actuel Burkina-Faso) et, pour la première fois, Alfred a pris l'avion depuis Ouagadougou malgré son grand âge. Ce matin, il a rendez-vous avec le pape Paul VI qui l'a mandé en audience particulière. Alfred est connu dans toute l'Afrique, et sa réputation de premier chrétien de Haute-Volta et de missionnaire laïque infatigable lui vaut la reconnaissance du Saint-Siège. Cette entrevue est, pour ce vieillard décharné, si sage et si humble, dont le regard brille en ce jour béni entre tous, l'aboutissement d'une vie de labeur au service de Dieu.

Les trois hommes sont accueillis par deux cardinaux, Mgr Zougrana et Mgr Gantin, ainsi que par Mgr Benelli qui fait à Alfred l'honneur suprême de l'asseoir sur le trône pontifical en attendant le pape. Le cœur d'Alfred bat à tout rompre. Quand Paul VI, presque aussi frêle que lui, apparaît, tout de blanc vêtu,

les mains tendues, le vieillard se lève pour se jeter à ses pieds. Le Saint-Père l'arrête aussitôt : « Oh non ! Restez assis ! dit-il en français. Vous pourriez être mon père ! » Alfred obéit, les larmes aux yeux.

Quel chemin parcouru ! songe Alfred en embrassant l'anneau du Saint-Père dont il retient la main pour prolonger l'instant. En effet, quel chemin parcouru pour cet enfant de paysans africains, ancien gardien de chèvres devenu esclave d'une ethnie ennemie, et qui, après son évasion, trouva la foi auprès des Pères Blancs qui l'avaient recueilli.

Le petit Alfred naît à Da (près de Tougan) vers 1875. Il s'appelle alors Diban Ki-Zerbo. *Diban* signifie « bon talisman » et *Ki* signifie « chef », tandis que *Zerbo* veut dire « éclaireur, guide ». Ce qu'il sera. Ses parents élèvent du bétail, et lui-même devient berger. Enlevé vers l'âge de quinze ans, vendu, exploité, battu mais insoumis, le jeune Alfred résiste à tous les mauvais traitements et trouve le courage d'échapper à ses maîtres à trois reprises. La dernière est la bonne.

Alfred recouvre la liberté et la dignité grâce aux Pères Blancs qui lui fournissent du travail, le gîte et le couvert, sans contrepartie. Il est libre de choisir son Dieu. Mais Alfred ne choisit pas, il est élu. Élu par la Sainte Vierge qui lui apparaît comme une belle inconnue dans un songe, et qu'il retrouve, statue éplorée au regard si doux, dans l'église de la mission de Ségou. Il comprend alors que la route chaotique qu'il a empruntée est la bonne, et s'emploie à mettre toute son ardeur morale et sa force physique au service des missions chrétiennes. Il n'a que vingt ans. Les débuts sont difficiles, il sème sur un terrain en friche et une terre aride, mais Alfred est un homme d'espérance... et de ressources ! Tour à tour cuisinier, jardinier, maçon, ébéniste, chasseur, infirmier... mais aussi catéchiste. Il est d'une fidélité sans faille à l'Église. Attaché à six missions successives, il devient le plus ardent zélateur de la foi chrétienne, allant porter la bonne parole de village en village, et, pendant plus de soixante-quinze ans, il amène au baptême des centaines de convertis ! Il se marie deux fois – sa première femme meurt en couches. Il a de nombreux enfants tous élevés dans l'amour de Dieu. Thérèse, sa seconde femme, raconte comment, homme de charité, Alfred ouvre sa porte et son cœur à tous les nécessiteux et les malades, partageant son pain et se donnant à eux sans compter. « *De jour comme de nuit, partout où il y avait de la détresse, on venait le chercher, comme s'il était un docteur. [...] Il passait son temps à donner : argent, cauris, habits, mil, riz, dolo, conseils... à tout le monde : femmes, enfants, vieillards, malades surtout.* »

Ainsi cet homme de prières a traversé le siècle, connu la captivité, les guerres fratricides, les affres de la colonisation, les blessures de l'indépendance et la perte douloureuse de ses proches, sans jamais douter, sachant donner aux autres l'amour qu'il avait reçu de Dieu.

Il s'éteint le 5 juin 1980, au moment même où Jean-Paul II, en visite à Ouagadougou, dans un Sahel en pleine sécheresse, donne sa bénédiction au peuple burkinabé. À la fin du cantique d'adieu, le souffle lui manque. Après une vie de labeur, de charité et de souffrances, mais aussi d'espérance, il entre au Royaume des cieux, simplement, comme il était venu sur terre. L'Afrique orpheline de son père lui rendit un dernier hommage, et pleura, tandis que les griots chantaient :

*Ah ! Résonnez tam-tam !*
*Le voilà auprès de Dieu !*
*Le voilà qui parle à Dieu !*

> *Cuisinier, jardinier, maçon, ébéniste, chasseur, infirmier... mais aussi catéchiste.*

SOURCES : J. Ki Zerbo, ALFRED DIBAN, PREMIER CHRÉTIEN DE HAUTE-VOLTA, Paris, 1983. J. Ki Zerbo, HISTOIRE DE L'AFRIQUE NOIRE, Paris 1972. A. Roux, L'ÉVANGILE DANS LA FORÊT. NAISSANCE D'UNE ÉGLISE EN AFRIQUE NOIRE, Paris, 1971.

# ROSE HAWTHORNE

## *LA CONTAGION DE LA CHARITÉ*
## *CONTRE CELLE DU CANCER*

**• 29**
**SEP •**

ROSE HAWTHORNE LATH-
ROP SE TIENT DEVANT LA
PORTE GRANDE OUVERTE DU
SALON DE COIFFURE.

– Partie ? murmure-t-elle dans un souffle. Mais... où donc ?

L'adolescent qui balaie le sol hausse les épaules d'un air indifférent.

– Sur l'île, je pense.

– Quelle île ? Qu'est-ce que tu veux dire ?

– Blackwell. Vous ne saviez pas ? Elle...

– Oh ! Seigneur, non ! Pas un cancer !

– Si, m'dame. Ils l'ont emmenée la semaine dernière. On n'a même pas eu le temps de prévenir ses clients. Ils ne voulaient pas attendre.

Le garçon jette un regard furtif sur la femme ravissante qui se tient devant lui. Elle est vêtue d'une élégante robe bleue. Sa chevelure brune aux reflets roux couronne d'un éclat sombre un large front et des yeux bleus qui l'examinent avec angoisse.

– C'est terminé pour elle, j'imagine, lance-t-il maladroitement en guise de conclusion avant de reprendre sa tâche.

Rose est bouleversée. Le départ de son amie est pour elle une tragédie de plus. Il avait suffi de trois années pour que sa vie tournât à l'aigre. Rose Hawthorne et George Lathrop avaient dû s'avouer que leur mariage était un échec. Quand leur fils unique, un petit Francie de cinq ans, aux cheveux d'or, avait été emporté par une diphtérie, George s'était mis à boire. L'alcool l'avait progressivement détruit. Rose avait essayé de lui faire reprendre son métier d'écrivain et de journaliste, et de construire une nouvelle vie avec lui. Mais leur conversion récente au catholicisme n'avait pas encore eu le temps de s'enraciner assez profondément en lui, pour qu'il pût y trouver un quelconque réconfort. Au long de ces trois années sinistres, leur situation s'était petit à petit dégradée. Rose ne se sentait plus en sûreté. Elle avait fini par demander aux autorités diocésaines la permission de quitter son mari. C'est ainsi qu'elle se retrouvait seule à New York, sans aucun projet d'avenir. Elle savait seulement qu'il fallait qu'elle se consacrât aux autres si elle voulait surmonter sa tragédie personnelle.

Ses pensées reviennent sur la petite coiffeuse habile qui était toujours de bonne humeur, et qui était devenue pour elle une amie. Quel sort affreux ! Mary

Sullivan n'avait pas de famille pour s'occuper d'elle, et pas d'autre fortune que ses maigres économies. Même si elle avait pu aller à l'hôpital, on l'en aurait vite fait sortir, car les gens craignent la contagion. Il n'y a donc tout simplement pas de place à New York pour les pauvres qui « attrapent » un cancer.

Tandis que Rose réfléchit au destin de Mary, elle revoit une scène de son enfance. En 1853, le président Pierce avait nommé son père consul des États-Unis à Liverpool. Toute la famille l'avait suivi en Angleterre, même le « bouton de Rose ». Les yeux à demi fermés, elle revoit son père traversant un orphelinat. Un petit enfant, couvert de croûtes et de plaies dues à une maladie affreuse, s'était précipité vers lui dans un élan de confiance, les bras tendus. Elle avait vu son père se figer brusquement à cette vision répugnante, puis se baisser, prendre l'enfant et le serrer dans ses bras.

Bouleversée par le sort de Mary et frappée par ce souvenir mystérieusement surgi du fond de sa mémoire, Rose sent que sa vie est sur le point de basculer et que, désormais, plus rien ne ressemblera au passé. Elle écrira plus tard : « *Un feu s'alluma alors dans mon cœur, et il y brûle toujours. De tout mon être, je m'élançai au secours des indigents cancéreux.* »

Lorsque Rose se rend à Blackwell (que l'on appelle aujourd'hui l'île Providence) à la recherche de Mary, elle espère encore pouvoir faire quelque chose. Hélas ! il est trop tard : son amie est déjà morte. Mais le feu est allumé.

Rose ne perd pas de temps en lamentations. On est en 1896, elle a quarante-quatre ans.

Après une période d'apprentissage de trois mois à l'hôpital des cancéreux de New York, elle loue quelques pièces dans le quartier est de la ville. Elle veut vivre parmi les pauvres, se confondre avec eux. Jusqu'au jour où elle aura de quoi louer quelque chose de plus grand, elle veut les soigner chez eux. Elle prend en charge tous ceux que l'on a chassés des hôpitaux parce qu'incurables. Si les patients ont la force de monter l'escalier branlant qui conduit chez elle, elle les soigne dans son propre appartement. Sinon, elle arpente les rues de la ville pour les trouver là où ils se cachent. L'œuvre de sa vie a enfin commencé. Famille et amis protestent. Comment la fille du grand écrivain Nathaniel Hawthorne, charmante et cultivée, élevée dans les milieux intellectuels les plus brillants, peut-elle supporter ces gens sans intérêt et leur quartier sordide ? La plume de Rose leur rétorque : « *Au milieu de toutes ces mauvaises herbes qui poussent en vrac sur le terrain de la cruauté et de la grossièreté, s'épanouit une fleur de délicatesse. Les pauvres, je l'ai appris, sentent et accomplissent des choses héroïques.* »

Nombreux sont ceux qui, touchés par son éloquence, lui donnent de l'argent. Mais il lui faut des bonnes volontés pour l'assister dans son travail. Rose fait passer des annonces dans les journaux. Elle plaide sa cause avec des mots dignes de

> *Rose fait passer des annonces dans les journaux.*

Nathaniel Hawthorne : « *Que la femme qui implore des soins puisse être soulagée ; et qu'un peu de douceur et d'attention lui soient accordé jusqu'à sa mort, elle qui représente le Christ. C'est tout.* »

Le bruit se répand à une vitesse fulgurante. Il y a une femme élégante à la maison Sainte-Rose, 426 Cherry Street, qui soigne les cancéreux gratuitement ! Non, elle n'accepte pas d'argent. En fait, elle n'aide que ceux qui n'en ont pas. Et ils viennent en foule dans son salon. Avec habileté, elle nettoie et panse les plaies repoussantes, puis renvoie chaque patient en l'invitant chaleureusement à revenir.

En 1897, elle déménage dans des locaux plus grands. La veille de Noël, sa première assistante permanente arrive. Alice Huber, étudiante en art, du Kentucky, a lu l'annonce de Rose dans le journal et ose s'aventurer dans ce quartier terrifiant pour lui proposer son aide. « Je pourrai peut-être venir un après-midi par semaine », dit-elle d'un ton hésitant, le cœur soulevé à la vue de l'appartement de Rose et de ses occupants. Elle restera jusqu'à la fin de sa vie.

Les esprits sont divisés. Certains critiquent l'œuvre de Rose. Mais l'archevêque de New York, Mgr Michael Corrigan, accorde à son entreprise étonnante une approbation sans réserves. Elle noue une profonde amitié avec le prieur dominicain de l'église Saint-Vincent-Ferrier, le père Clement Thuente. Sur une suggestion de ce dernier, les deux pionnières entrent dans le tiers ordre dominicain le 14 septembre 1899. Rose prend le nom de sœur Mary Alphonsa, et Alice celui de sœur Mary Rose. Après une année éprouvante de noviciat, l'archevêque donne aux deux femmes la permission de prendre l'habit dominicain.

Dès le départ, sœur Mary Alphonsa fixe des règles simples et peu nombreuses. D'abord, les sœurs ne devront jamais montrer de dégoût en soignant les patients. Ensuite, une fois qu'un cancer sera reconnu comme incurable, aucune expérience sur le patient ne sera admise. Enfin, aucune rétribution ne sera acceptée venant des patients ou de leurs familles. Cent ans plus tard, ces nobles principes sont toujours appliqués. La devise de « la Congrégation dominicaine de Sainte-Rose » est simple : « *Nous sommes pour Dieu et pour les pauvres.* »

Patients et assistantes affluent rapidement. À la maison Sainte-Rose ne vivent que des femmes ; seize matelas et lits de camp ont été installés dans tous les coins et recoins de l'appartement, et jusque dans les placards. Comme le nombre des malades va croissant, sœur Mary Alphonsa se rend compte qu'il faut absolument s'agrandir.

Les années passées à la nouvelle maison de Rosary Hill voient bien des tempêtes, ainsi que la menace permanente d'un désastre financier que la plume éloquente de mère Alphonsa et le nombre croissant d'amis reconnaissants permettent cependant d'éviter. Elles apportent

> *Aucune rétribution ne sera acceptée venant des patients ou de leurs familles.*

aussi le trésor inestimable que représentent tous ces malades abandonnés et désespérés qui viennent à Rosary Hill en quête d'espérance et qui apprennent à aimer la vie alors même qu'elle les quitte. Quand mère Alphonsa meurt en 1926, elle laisse tout ce qu'elle a bâti sur le roc de la foi entre les mains compétentes de sœur Mary Rose, la première à l'avoir suivie et à lui succéder, qui fondera cinq nouvelles maisons à Philadelphie, Fall River, Atlanta, Cleveland et Saint-Paul.

En rappelant la valeur de toute vie humaine, même la plus menacée, Rose Hawthorne Lathrop, ou mère Alphonsa, personnifie par sa vie riche et mouvementée l'idéal même des Pères fondateurs américains. Son amie Emma Lazarus, elle-même victime d'un cancer, avait apporté un soutien spirituel et matériel à l'œuvre de Rose dès le départ. Elle lui rendit un ultime hommage en exprimant cet idéal dans les termes que l'on trouve sur le socle de la statue de la Liberté :

*Donnez-moi vos masses*
  *misérables et prostrées,*
*Qui voudraient enfin*
  *pouvoir respirer librement ;*
*Envoyez-les moi, ceux qui sont sans abri*
  *et que les tempêtes ont ballottés.*
*J'élève ma torche*
  *sur le seuil de la Porte Dorée.*

SOURCES : K. Burton, *Sorrow Built a Bridge*, New York, 1937. T. Maynard, *A Fire Was Lighted*, Milwaukee, 1948. B. Hanley, « The More Things Change the More They Are the Same », in *The Antonian*, vol. 59, Paterson, New Jersey, 1985.

# LÉON HARMEL

## *UNE CHAPELLE DANS L'USINE*

• **30**
**SEP** •

AU CAFÉ DES NÉGOCIANTS, À REIMS, LES CHEFS D'ENTRE-PRISE DE LA RÉGION AIMENT SE RÉUNIR pour parler affaires, en dégustant un armagnac. La conversation est des plus animées en cette chaude soirée de juin 1897. On vient de voir passer la voiture noire du vieux Léon Harmel.

– Pas même un signe, quelle fierté, ce Léon Harmel.

– Fier peut-être, fou sûrement, donner à ses ouvriers des avantages pareils, je vous demande un peu...

– Et cette archiconfrérie Notre-Dame de l'usine... Ça va faire près de quinze ans que ça dure, cette excentricité ! On dit que presque la totalité de ses employés en fait partie !

– Passage obligé, mon cher ! persifle un cinquantenaire aux tempes grisonnantes, en tirant sur son cigare. C'est qu'ils y ont profit ou veulent se faire bien voir de leur patron ! Certains d'entre eux prétendent même « œuvrer à la transfiguration chrétienne des ateliers » !

L'habile orateur ne peut finir son discours tant les rires se déchaînent autour de lui.

– Tout de même quel bigot, ce Harmel !

Une chapelle dans son usine... Que s'imagine-t-il ? qu'il va restaurer la chrétienté en France ?

– Figurez-vous, mon cher, qu'il prétend donner à ses ouvriers des responsabilités. Sans doute pour faire croire qu'il est prêt à les écouter. À condition, bien entendu, de rester le seul maître à bord... lui qui s'est permis de contester plus d'une fois la hiérarchie !

– En tout cas, les socialistes, eux, ne s'y trompent pas. Je peux vous assurer qu'ils n'y voient rien d'autre qu'une ligue contre-révolutionnaire. Enfin... Des patrons qui se mêlent aux ouvriers. Drôle d'époque... Mais heureusement, la culture des patrons, la nôtre, quoi qu'on en dise, ne sera jamais celle des ouvriers.

– Peut-être y a-t-il du bon dans tout cela...

Tout à coup, le silence se fait. Les regards courroucés se tournent lentement vers la voix calme qui a pris la défense de l'absent. N'est-ce pas cet aristocrate qui a repris il y a peu de temps l'entreprise familiale, l'une des plus anciennes manufactures de tissage de la ville ? Et il ose prendre parti pour ce traître à ses pairs. Pire, il poursuit :

– Pourquoi pas ? Léon Harmel est pieux, d'accord, mais c'est un homme intelligent. D'ailleurs, il n'est pas si excentrique que cela. L'Église accorde une grande importance à ce genre d'actions sociales. Il suffit de lire *Rerum novarum* !

– C'est sûr, si le pape donne raison aux illuminés de son espèce, où va le monde ? ironise un premier.

– Pour ma part, je m'y refuse : un seul patron suffit ! renchérit un second. Nous pratiquons ainsi depuis des siècles dans notre famille, et cela a fait ses preuves.

Patiemment, le jeune homme reprend :

– Depuis qu'il a pris la suite de son père, en 1854, la filature du Val-des-Bois s'est considérablement développée. N'est-ce pas là le signe d'une certaine réussite ? Il a vraiment trouvé le moyen de promouvoir, pour le bien de son entreprise et le bien de ses ouvriers, les qualités professionnelles de chacun. Il a quand même eu l'idée de créer un syndicat mixte, avec des pompiers, des secours mutuels en cas de maladie, un système d'hôtellerie, des crèches... et il propose différents patronages : gymnastique, lecture, musique, théâtre...

– Comme si les ouvriers avaient le temps et l'envie de s'intéresser aux beaux-arts ! Allons, allons, jeune homme, vous voyez bien que ce Léon Harmel est un vieux fou !

– Nous allons bien au théâtre, nous, pourquoi pas nos ouvriers ?

– Je vois, vous êtes du parti d'Harmel, un démocrate ! Ignorez-vous que votre modèle, avant d'être votre « bon père » de quatre-vingts ans, fut un légitimiste. Et à quarante ans, croyez-moi, il n'avait rien du sage d'aujourd'hui.

– Sauf le respect que je vous dois, monsieur, rétorque le jeune homme visiblement agacé, sans ce genre d'homme, le catholicisme aurait depuis bien longtemps perdu la classe ouvrière.

– Évidemment... Pourtant il ne s'est pas privé de critiquer tout le monde, y compris notre Saint-Père, si je ne m'abuse...

– Saint François n'a pas été, je crois, plus soucieux des susceptibilités de son époque. Harmel est bien l'un de ses disciples. Il fait partie du tiers ordre franciscain depuis l'âge de trente et un ans, je crois. Léon Harmel est un grand homme. Il a toujours aimé son entreprise et s'est toujours soucié de ses ouvriers. Volontaire, jusqu'au volontarisme parfois, audacieux, entreprenant, tenace, réaliste ! Très exigeant envers lui-même comme envers son entourage. Quant à sa piété, je la crois authentique. Il accuse les coups et sait pardonner. Même à ses détracteurs. Ne devrions-nous pas en faire autant, chers amis ?

On tousse un peu alentour et on rajuste son lorgnon.

– Allons ! reprend doucement le jeune homme, Léon Harmel est un homme en quête de vérité, croyez-moi. Et peut-être un exemple pour nous tous.

Le bruit des conversations a fait place au silence. Il se fait tard. Les hommes se

> *Ce Léon Harmel est un vieux fou !*

lèvent, attrapent leur canne à pommeau d'ivoire ciselé. Le jeune chef d'entreprise reste seul devant son café, à méditer sur l'intérêt passionné que suscite, bien malgré lui, son cher Léon Harmel.

– Nul n'est prophète en son pays, M. Harmel, murmure tout bas le jeune homme. Comment pourraient-ils comprendre, tous ces hommes sûrs d'eux et de leurs idées, que ce qui vous anime les dépasse ? Mais, un jour, votre organisation deviendra un modèle, j'en suis certain...

Et le jeune homme, épuisé par cette longue joute oratoire, quitte lentement le café des Négociants. L'avenir lui a donné en partie raison. Léon Harmel a été l'un des pionniers, modeste certes, de l'action sociale alors naissante de l'Église, l'un de ceux qui eurent l'audace d'innover et inspirèrent nombre de patronages et d'associations au siècle suivant.

SOURCES : P. Pierrard, *L'ÉGLISE ET LES OUVRIERS EN FRANCE, 1840-1940*, Paris, 1984. P. Tremoille, *LÉON HARMEL ET L'USINE CHRÉTIENNE DU VAL DE BOIS, 1840-1914*, Lyon, 1920. H. Rollet, *L'ACTION SOCIALE DES CATHOLIQUES EN FRANCE 1871-1914*, Paris, 1948-1958.

Décembre

Janvier

Février

Mars

Avril

Mai

Juin

Juillet

Août

Septembre

## Octobre

Novembre

Décembre

# ATHÉES ET MISÉRICORDIEUX
## *DE THÉRÈSE DE LISIEUX*
## *À LA CRISE DE 1929*

*Rends-moi justice, ô mon Dieu, défends ma cause*

*contre un peuple sans foi ;*

*de l'homme qui ruse et trahit,*

*libère-moi.*

*Envoie ta lumière et ta vérité :*

*qu'elle guide mes pas*

*et me conduise à ta montagne sainte,*

*jusqu'en ta demeure.*

*J'avancerai jusqu'à l'autel de Dieu,*

*vers Dieu qui est toute ma joie ;*

*je te rendrai grâce avec ma harpe,*

*Dieu, mon Dieu.*

Psaume 42

# THÉRÈSE DE LISIEUX

## JE VEUX PASSER MON
## CIEL À FAIRE DU BIEN SUR LA TERRE

**2 OCT**

« *QUE POURRA-T-ON DIRE DE SŒUR THÉRÈSE DE L'ENFANT-JÉSUS APRÈS SA MORT ? ELLE N'A RIEN FAIT.* » Ce 30 septembre 1897, au cœur de la nuit, alors qu'elle prie dans sa cellule, sœur Saint-Vincent-de-Paul se souvient de cette réflexion qu'elle a faite, quelques semaines plus tôt. Aujourd'hui, la petite Thérèse est morte, elle avait vingt-quatre ans. Les sœurs qui ont assisté à sa lente et douloureuse agonie ont raconté qu'elle a rendu son âme à Dieu, le regard posé sur le crucifix, en murmurant : « *Oh ! je l'aime... Mon Dieu, je vous aime !* » Sœur Saint-Vincent-de-Paul ne cesse de penser à cette déclaration d'amour, magnifique de simplicité, à ce cri, jailli du cœur brûlant d'une jeune fille qu'elle a toujours crue insignifiante, ordinaire et que beaucoup trouvaient maladroite.

Au carmel de Lisieux, on ne prêtait guère attention à Thérèse. Il n'y avait rien d'exceptionnel dans son comportement : elle ne restait pas plus longtemps que les autres à la chapelle, et sa voix n'était pas particulièrement jolie. Elle était entrée au carmel à l'âge de quinze ans, certes, mais, après tout, cela n'avait rien d'extraordi-naire. La directrice de l'école où Thérèse avait fait ses études durant sa jeunesse, mère Saint-Placide, religieuse bénédictine de l'abbaye Notre-Dame-du-Pré, était entrée au couvent au même âge.

Thérèse Martin était la dernière d'une famille de neuf enfants, dont quatre étaient morts en bas âge. Très choyée par ses parents et ses sœurs aînées, Thérèse jouis-sait d'un heureux caractère : elle riait volontiers et se montrait facétieuse. En revanche, elle était très sensible et mani-festait une nette tendance à l'impatience et à la colère. Mais sa mère et ses sœurs l'avaient habituée toute jeune à se dominer pour « faire plaisir » à Jésus. À quatre ans et demi, elle perdit sa mère, emportée par un cancer. La petite fille ne pleura guère sur le moment. Mais elle fut blessée au plus profond de son être : bientôt un rien ferait sangloter Thérèse, qui se montrait si rieuse avant ce drame.

La famille Martin déménagea à Lisieux afin de se rapprocher du frère de la défunte, Isidore Guérin, qui tenait une pharmacie sur la grand-place. Thérèse y retrouva ses deux cousines, Jeanne et Marie, mais elle préférait la chaude atmo-sphère des Buissonnets, sa nouvelle demeure. À dix ans, Thérèse connut une nouvelle épreuve. Pauline – qu'elle considérait comme sa seconde mère – entra au carmel. Thérèse tomba malade. Une maladie dont elle guérit instantanément le 13 mai 1883, en la fête de la Pentecôte, en voyant la statue de la Sainte Vierge près de son lit lui sourire.

Thérèse avait pourtant encore bien du mal à retenir des larmes qui coulaient souvent pour des broutilles. Elle voulait entrer au carmel comme Pauline, mais comment pouvait-elle devenir religieuse si Dieu ne la guérissait pas de sa fragilité ? Le miracle se produisit la nuit de Noël 1886. À la suite d'une remarque de son père, des larmes lui montèrent aux yeux, mais elle parvint à les refouler et à défaire les cadeaux déposés devant la cheminée, comme si son père n'avait rien dit. Dès ce jour, le cœur de Thérèse n'est plus le même. Jésus l'a saisi, il l'a apaisé, il l'a transformé. « *Le Dieu fort et puissant* » de la crèche auquel elle a communié l'a revêtu pour toujours de sa force. « *En un instant*, écrira-t-elle plus tard, *l'ouvrage que je n'avais pu faire en dix ans, Jésus le fit, se contentant de ma bonne volonté.* »

En 1887, l'année de ses quatorze ans, Thérèse s'ouvre au monde. Elle va de découverte en découverte. Tout l'intéresse, surtout les ouvrages de science et d'histoire. Au mois de juillet, Pranzini, un criminel qui défraye la chronique, est condamné à mort pour avoir tué sauvagement trois personnes. Thérèse fait dire des messes et multiplie prières et sacrifices afin d'obtenir sa conversion. Le 31 août, quelques secondes avant son exécution, l'assassin embrasse le crucifix. Nul doute possible : Jésus la veut au carmel pour qu'elle y sauve beaucoup d'autres de ses enfants. Thérèse montre alors une détermination farouche. La toute jeune fille, à peine sortie de l'enfance, multiplie les démarches pour y entrer le plus tôt possible, profitant même d'un pèlerinage à Rome pour demander à voir le pape. Devant tant d'insistance, Léon XIII la reçoit en audience privée. Le pape écoute cette petite si décidée avec bienveillance, mais il lui demande d'attendre d'avoir quinze ans révolus pour franchir la clôture.

> *Quelques secondes avant son exécution, l'assassin embrasse le crucifix.*

Thérèse entre au carmel de Lisieux le 9 avril 1888, trois mois après l'anniversaire de ses quinze ans. Elle s'y sent tout de suite très heureuse. Les épreuves pourtant ne manquent pas : difficultés à prier ; attitude sévère de la prieure, Marie de Gonzague, qui juge indispensable de l'humilier en public ; remarques aigres-douces de quelques religieuses qui ne la trouvent pas assez dégourdie pour les travaux manuels. Le 10 janvier 1888, pourtant, Thérèse prend l'habit sous le nom de sœur Thérèse de l'Enfant-Jésus et de la Sainte-Face.

Vient ensuite la maladie mentale de son père. En février 1889 – moins d'un an après l'entrée de Thérèse au carmel –, M. Martin est interné à l'asile de Caen. L'artériosclérose lui a fait perdre la tête. Contemplant la face humiliée de Jésus dont elle porte désormais le nom, une face adorable outragée par les péchés des hommes, elle puise une consolation infinie à penser que le visage défiguré de son père deviendra plus tard lumineux comme celui de Jésus.

Le 8 septembre, Thérèse prononce ses vœux définitifs. Elle a dix-sept ans et demi. Sa vie se poursuit avec simplicité. La petite Thérèse suit la règle du Carmel avec ponctualité, mais ne se fait nullement remarquer. Pourtant, elle met beaucoup d'amour dans les gestes les plus simples de sa vie quotidienne car, avec une audace admirable, elle croit qu'elle est capable de faire plaisir à Jésus par le moindre de ses actes. S'adressant à l'enfant Jésus, elle lui dit avec tendresse : « *Je ne veux pas d'autre joie que celle de te faire sourire.* » Thérèse ne veut rien refuser à Jésus, elle ne veut pas être une sainte à moitié.

En scrutant les Écritures, elle comprend aussi de mieux en mieux que croire en Dieu demande de croire sans hésiter en son inlassable miséricorde. Tous les pécheurs peuvent parvenir à une très grande sainteté, s'ils s'abandonnent avec une entière confiance entre ses bras de Père. Quand on lui parle de l'enfer, Thérèse ne peut se résoudre à croire que des âmes puissent endurer des souffrances éternelles, loin du Dieu d'amour. Elle n'y croit pas et n'hésite pas à le dire. Elle a bien trop confiance en l'infinie miséricorde de Dieu.

Thérèse se considère elle-même

*Trois avril, Thérèse commence à tousser.*

comme une « petite âme », pauvre et fragile, incapable de parvenir par ses seules forces à la perfection de l'amour vers laquelle elle tend de tout son être. Il faut que Jésus la prenne dans ses bras, comme il accueille les enfants que l'on voit s'approcher de lui dans l'Évangile, une scène qu'elle aime particulièrement. « *L'ascenseur qui doit m'élever jusqu'au Ciel,* écrit-elle, *ce sont Vos bras, ô Jésus.* »

Telle est la « petite voie » que Thérèse enseigne aux novices dont on lui a demandé de s'occuper, ainsi qu'aux deux futurs missionnaires que la prieure a confiés à sa prière. « *Être enfant de Dieu,* leur explique-t-elle, *c'est avoir envers Lui une confiance totale en sa bonté de Père ; c'est aussi, lorsqu'on a commis quelque bêtise, aller se faire "punir" en réclamant de Lui un nouveau baiser !* »

Le 3 avril, Thérèse commence à cracher du sang. La tuberculose la fait mourir dix-huit mois plus tard. Dix-huit mois durant lesquels elle est terriblement tentée de douter de l'existence de l'au-delà. L'épreuve est d'autant plus crucifiante que grandit en même temps dans son cœur le désir de « *passer* [son] *Ciel à faire du bien sur la terre* ». Et si le Ciel n'existait pas ?

Alors Thérèse multiplie ses actes de foi. Elle redit à Jésus qu'elle croit à l'au-delà à cause de sa promesse : « *Si quelqu'un me suit, il y sera aussi* » (Jn 12, 26). Autrement dit, même l'esprit envahi par les objections, par les doutes, Thérèse croit. Plus que jamais, elle apprécie le trésor inestimable que constitue la foi et offre ses épreuves pour que les incroyants reçoivent un jour cette grâce de croire.

Thérèse n'a publié aucun livre, mais elle a écrit des lettres, des poésies, des pièces de théâtre. Un an après sa mort, paraît le récit de sa vie : *L'Histoire d'une âme*. Devenue, en 1893, prieure de la communauté, sa sœur Pauline lui avait en effet demandé, en 1895, de raconter ses souvenirs d'enfance. Ce qu'elle fit. La carmélite de vingt-deux ans ne s'imaginait évidemment pas que ces pages allaient être traduites dans plus de cinquante langues et permettre à des millions de lecteurs de mieux comprendre le message de l'Évangile, « *la douceur du Bon Dieu* », comme elle disait.

L'histoire de l'âme de Thérèse bouleversa celles de ses lecteurs. On se mit à prier Thérèse, à venir en pèlerinage sur sa tombe. Conversions et guérisons se multiplièrent tant et si bien que, dans le monde entier, on commença à vénérer la petite Thérèse comme une sainte, bien avant sa canonisation en 1925 par le pape Pie XI. En 1927, Thérèse a été proclamée « patronne des missions ». Le pape Pie XI reconnaissait ainsi le rôle de premier plan joué par la petite carmélite de Lisieux dans l'évangélisation du monde.

Pour exercer une influence sur ses frères, il n'est pas forcément nécessaire de se livrer à de multiples activités apostoliques. Il suffit d'aimer. Un an avant sa mort, Thérèse avait exprimé cette conviction en s'écriant : « *Dans le cœur de l'Église, ma Mère, je serai l'Amour.* » Elle croyait intensément qu'elle pouvait aider tous les missionnaires du monde à prêcher l'Évangile en étant simplement dans l'Église un cœur brûlant d'amour, un cœur tout livré à la fournaise d'amour du Seigneur. Elle espérait aussi poursuivre ce travail après sa mort : « *Comme je n'aurai rien refusé au Seigneur sur la terre*, pensait-elle, *il ne pourra rien me refuser dans le Ciel !* »

Son espérance a été comblée. Des milliers de chrétiens ont éprouvé, depuis un siècle, la puissance de son intercession auprès du Seigneur. Jean-Paul II a honoré celle qui connaissait Dieu par le cœur en la nommant docteur de l'Église en octobre 1997.

SOURCES : Thérèse de Lisieux, *L'HISTOIRE D'UNE ÂME, ŒUVRES COMPLÈTES* et *J'ENTRE DANS LA VIE. DERNIERS ENTRETIENS*. M. Van der Meersch, *LA PETITE SAINTE THÉRÈSE*, Paris, 1947. G. Gaucher, *HISTOIRE D'UNE VIE. THÉRÈSE MARTIN*, Paris, 1993. P. Descouvemont, *THÉRÈSE DE LISIEUX, DOCTEUR DE L'ÉGLISE*, Paris, 1997.

# LE PÈRE LAMY
## UN NOUVEAU CURÉ D'ARS

**3 OCT** · L'ÉGLISE DE LA COUR-NEUVE N'EST PAS BIEN PLEINE, EN CE MOIS DE SEP-TEMBRE 1900. Le père Lamy, qui vient d'en être nommé curé, a pourtant du mal à se faire entendre. Les quelques maraîchers et ouvriers de la commune qui assistent à la messe dominicale sont d'humeur bavarde. Depuis quelques minutes, un léger murmure va croissant et trouble le prédicateur. Il couvre presque sa voix, maintenant. Tout en continuant son sermon, le père Lamy tend l'oreille. Non, il ne rêve pas : ses paroissiens sont bien en train de faire du commerce ! Il s'interrompt : « *Vendez vos pommes, vendez vos navets : je vous donne deux minutes pour cela, mais écoutez la parole de Dieu !* » Immédiatement, tous se taisent, comme des enfants pris en faute. Mais le père Lamy ne semble pas courroucé. Il attend tranquillement. Les paroissiens se regardent, interloqués. Puis ils obéissent et, une fois leurs petites affaires conclues, le père Lamy peut enfin finir son sermon.

Les maraîchers et les ouvriers de La Courneuve apprennent vite à connaître et aimer cet homme à la soutane élimée, qui a perdu un œil lors de son service militaire et dont la piété est si intense que l'on peut lire Dieu sur son visage ridé. Pour le remercier de ses visites, ses paroissiens lui offrent qui une botte de carottes, qui des oignons, qui des choux. « *Je rentrais en lisant mon bréviaire avec ma botte de carottes sous le bras ou le chou pendant au cou.* » Le saint curé se dévoue sans relâche à sa mission, ne prenant que le strict temps de repos nécessaire pour ne pas ruiner sa santé. Il visite les mourants, confesse les malades, parfois même à travers les carreaux des fenêtres fermées. Certains lui présentent les petits enfants à bénir. Le bon père en profite pour demander s'ils sont baptisés. Si la petite tête qu'on lui présente ne l'est pas, il répond avec un grand sourire : « *Je le bénis, mais à condition que vous me l'apportiez dimanche.* » Et, après la messe dominicale, il fixe la date du baptême.

Le père Lamy a souvent été appelé le « nouveau curé d'Ars ». Comment ne pas voir en effet en Jean-Édouard Lamy, né le 22 juin 1853, six années avant le rappel à Dieu de Jean-Marie Vianney, le digne successeur du saint patron des curés ? Car la vie du père Lamy, si simple et emplie d'humilité, n'en atteignit pas moins les plus hautes sphères spirituelles et l'on ne compte plus les âmes touchées et sauvées par le « curé des pauvres et des voyous ».

Jean-Édouard Lamy est né le 22 juin 1853 d'un père maçon. Son enfance fut pauvre et heureuse. Chantant du matin au soir des cantiques « comme un rossignol », il allait aux champs et sur les marchés. Son grand-père emportait dans ses vignes son livre d'office. Sa grand-mère avait caché des prêtres réfractaires pendant la Révolution française. La civilisation paysanne et chrétienne de sa Haute-Marne natale l'a beaucoup marqué : « *Je cachais toujours un croûton de pain le soir du Jeudi saint. Je le dissimulais dans mon livre pour qu'on ne me le prenne pas. Le Vendredi saint on mangeait seulement un déjeuner puis dans la maison toute la famille baisait le crucifix avant l'office. Combien de fois ai-je déterré les salsifis et les mangeais crus ! Ceux qui étaient aux champs et qui ne pouvait à cause des bêtes participer aux offices emmenaient leur livre et les chantaient. C'était frais et charmant. On ne chantait pas des godicheries, des godailleries comme maintenant. À la Toussaint on chantait les psaumes à la maison.* » Dans la paroisse où il était enfant de chœur, il n'y avait pas de frontière entre vie profane et vie religieuse : « *Toutes les familles avaient leurs ruches et donnaient au curé une partie de leur cire comme on lui apportait une partie du vin, quand on le faisait, comme un morceau de cochon quand on le tuait. Pendant les vendanges on passait avec un tombereau pour le vin du curé, sur les deux barriques, deux seaux de vin rouge et blanc lui étaient destinés. […] Le dimanche,*

*on recevait les enfants des pauvres. Ils venaient chercher le pain de la semaine. Ils frappaient à la porte, et avec un petit goupillon en bois, ils jetaient de l'eau bénite : "C'est Dieu qui frappe : ouvrez pour son amour !" Ils récitaient le Benedicite. On coupait du lard, du pain ; on leur donnait des fruits secs, des pruneaux faits maison, ma mère leur mettait dans un sac. Pour une grande fête, elle ajoutait une bonne bouteille de vin. Les mets changeaient selon les saisons.* »

Dès son plus jeune âge, le père Lamy a, comme le saint curé d'Ars, une grande dévotion pour la Vierge Marie. Il aime prendre la statue de la Vierge et la bercer dans ses bras. Il passe des nuits entières en prière devant la statue de Marie Immaculée. En 1864, Marie lui apparaît, alors qu'il est en train de faire une procession avec une image de la Sainte Vierge, tout en gardant les deux vaches familiales. « *Elle était là en haut d'un peuplier. À la fin des litanies, elle a disparu.* » Dans son cœur d'enfant, il se dit : « *Si ça plaît à cette Bonne Dame d'être là-haut dans les peupliers…* »

Quand il a dix-sept ans, un incendie détruit la maison familiale. Le pécule et le trousseau que ses parents ont constitués pour son entrée au séminaire disparaissent en fumée. Pour lui, plus question de séminaire. Il devient alors oblat de Saint-François-de-Sales à Troyes : contre quinze ans de service, on lui promet qu'il accédera à la prêtrise.

Après trois mois de probation, il est chargé de diriger l'Œuvre de jeunesse. Il

> *Il aime prendre la statue de la Vierge et la bercer dans ses bras.*

s'occupe à merveille des jeunes, fonde des patronages, des clubs de sport et des troupes de théâtre. Il est alors un vrai père pour les gamins de Troyes, dont personne ne veut. Il passe une bonne partie de son temps devant les tribunaux à se faire l'avocat des jeunes qui ont commis quelques délits. Pris par ses multiples activités, il n'en oublie pas pour autant sa vocation sacerdotale. « *J'étudiais quand je pouvais, et je n'étais guère libre que la nuit. J'avais eu une instruction à peine primaire. Et j'avais deux cours : un de théologie et un de latin. Je voulais toujours devenir prêtre, mais avec deux heures de cours par semaine je n'en concevais plus le moyen. J'étais désespéré. J'étais à la chapelle Notre-Dame-de-l'Espérance à Troyes. C'est alors que saint Joseph m'est apparu. Il a fixé ma vocation : "Soyez prêtre, m'a-t-il dit. Devenez un bon prêtre." Ce n'est pas dire que je le sois devenu, mais j'ai fait tous mes efforts pour tâcher d'arriver à ce but.* »

Il reçoit la prêtrise à trente-trois ans le 12 décembre 1886 à la chapelle des Lazaristes devant le tombeau de saint Vincent de Paul. « *Quand on se trouve devant un grand saint comme celui dont le corps est conservé ici, on se sent si petit ! Que de vertus auxquelles on n'atteindra jamais ! Combien d'histoires on trouve à lui raconter ! Que de choses à lui demander ! Quel bafouillage cela fait !* »

En 1892, il devient vicaire à Guéret pour six mois, puis il est nommé vicaire à Saint-Ouen, aux portes de Paris. Ses paroissiens sont pour la plupart des chiffonniers. Dans la rue, il les interpelle : « *Vous n'avez pas oublié votre maman du Ciel ? – E's fout bien de nous !*, répondent-ils. *Non, Elle ne se fout de personne !* » rétorque-t-il, et il leur apprend l'*Ave Maria*. Pour aider les plus démunis, il fonde le Vestiaire de l'Enfant-Jésus. « *Je faisais de belles distributions. Le matin pour les filles, le soir pour les garçons. Pas un enfant ne manquait la prière, je leur offrais un crucifix. Quand j'avais touché les enfants, j'avais les mains noires. Une bonne âme a fait mettre une fontaine. J'ordonnais à tous les enfants de se laver, aidé par de bonnes chrétiennes.* »

De cent premiers communiants, la paroisse est passée en peu de temps à quatre cents. On lui amène des enfants misérables à baptiser, il donne à leurs parents la layette. Seul vicaire pour vingt-trois mille âmes, il fait un travail d'apostolat extraordinaire. « *Un jour, je suis allé baptiser ; je monte dans la voiture. Le fond se défonce. Celui qui me conduisait était assis sur son cheval, et moi debout, les pieds sur les ridelles. Ils m'ont amené ainsi depuis les Épinettes jusqu'au vieux Saint-Ouen, sur la place. Tous riaient, et cela a plu aux gens. J'ai dit à ceux qui riaient : "Mon carrosse est défoncé !" Celui qui était venu me chercher dans cette charrette sans fond était un homme de la zone, et il parlait en conséquence ; il m'a dit : "Il faut vous dépêcher, j'ai deux petits : je crois bien qu'ils vont crever." Et de fait, les nouveau-nés sont morts peu après leur baptême.* » Une autre fois, on signale une maison hantée et il vient pour les exorcismes. « *Je m'étais*

> Contre quinze ans de service, on lui promet qu'il accédera à la prêtrise.

enquis auprès des gamins et j'avais appris que la maison hantée était simplement habitée par des voleurs. Le soir venu, je poste trois de mes gamins près du mur que le voleur escaladait pour rentrer chez lui, avec la consigne de crier : "Coa ! Coa ! Coa !" quand celui-ci viendra repasser le mur et je reste moi-même au guet. Quand le voleur rentre la nuit, il commence par jeter son sac par-dessus le mur ; mais quand il entend les Coa, Coa, Coa, il prend la fuite. Aussitôt je dis à un des gamins de courir vite auprès du commissaire de police. Le sac contenait des lapins, des poules, des bouteilles de liqueurs, et l'exorcisme a fini par un bon temps de prison infligé au possédé. »

Comme le saint curé d'Ars, le père Lamy consacre de plus en plus de temps aux confessions. Pendant la guerre, il lui arrive de confesser douze heures par jour. Les soldats se confessent le sac au dos et gardent leur fusil dans le confessionnal. « *Pour Pâques, j'étais débordé, j'avais jusqu'à mille confessions pascales. Quelquefois, j'avais à confesser deux cents prêtres qui revenaient par fournées, j'étais épuisé de confesser assis, alors je confessais mes confrères debout en me promenant avec chacun d'eux dans le jardin.* »

Dans la vie quotidienne du père Lamy, les anges, la Vierge Marie et saint Joseph ont une grande place. Plusieurs de ses amis le surprennent conversant avec eux. Il est aussi fréquemment tourmenté par Lucifer. « *Cessez de prier, je cesserai de vous tourmenter* », lui dit l'Ange déchu. « *Il peut*

*Le sac contenait des lapins, des poules et des bouteilles de liqueur.*

*dire ce qu'il veut, je prierai rien que pour le faire enrager, si je n'avais pas l'amour de Dieu. La récitation du Saint Rosaire, c'est cela qui le désole. C'est l'ennemi déclaré du chapelet. Un jour à la sacristie, Lucifer m'embêtait, je lui dis : "Ah ! la sale bête !" L'archange Gabriel me reprit : "Il faut respecter le chef-d'œuvre du Créateur."* »

Ce curé des ouvriers et des maraîchers côtoie aussi les plus grandes figures de son temps. Ami de Jacques Maritain et de Mgr Ghika, le père Lamy conforte la conversion du célèbre compositeur Erik Satie en lui disant simplement : « *Consentez-vous à ce que je vous donne la bénédiction de la Sainte Vierge ?* » Jacques Maritain lui rend aussi témoignage : « *Qui a fréquenté du temps de M. Lamy l'ancien presbytère de La Courneuve a une idée du dénuement évangélique ; une idée aussi des vertus du pasteur qui ne vit que pour son troupeau. Il était là le curé des chiffonniers, comme à Troyes il avait été le "curé des voyous". L'Évangile nous avertit d'être attentifs à ces vies cachées que l'amour anime : une énergie surnaturelle illuminée par la charité habitait ce pauvre prêtre.* »

Épuisé, le père Lamy doit en 1923 se retirer à l'infirmerie Marie-Thérèse. Il fonde alors la congrégation des Serviteurs de Jésus et de Marie. Il meurt huit ans plus tard, en décembre 1931, à Jouy-en-Josas chez son ami le comte Paul Bivert. Il a soixante-dix-huit ans.

SOURCES : Jacques Maritain, *LA SEMAINE RELIGIEUSE DE PARIS*, 1932. Paul River, *LE PÈRE LAMY*, Chiry, 1982.

# Mère Cabrini
## *Une italienne à New York*

**4 OCT**

LA RELIGIEUSE S'ÉTIRE SUR SA CHAISE LONGUE ET ASPIRE UNE GRANDE BOUFFÉE D'AIR FRAIS. Elle est à présent seule sur le pont, à contempler le ciel constellé d'étoiles. Quelle aubaine qu'une traversée aussi longue ! se dit-elle. Rien de tel que l'existence « désœuvrée » que l'on mène sur un transatlantique pour passer des moments précieux en tête à tête avec son Époux. Mère Cabrini rit sous cape quand elle entend les passagers se plaindre d'un ton morne de l'ennui qui les ronge déjà. Elle n'aura pas trop de ses journées et de ses nuits pour se reposer en Dieu ! Elle aura bientôt quarante ans et ces longs jours de traversée ne seront pas de trop pour se préparer à affronter New York.

Mère Cabrini pense à ses filles avec amusement. À peine le navire a-t-il levé l'ancre, hier, que sœur Battistina a filé vers sa cabine. Sœur Ignatius a vaillamment essayé d'avaler un petit déjeuner ce matin, mais s'est levée au milieu du repas en déclarant qu'elle n'avait décidément pas faim. Quant aux autres, inutile de tenter de leur faire ingurgiter quoi que ce soit. Au moindre mouvement du navire, elles crient à l'ouragan. « S'il vous plaît, ma mère, a supplié sœur Eletta, demandez au capitaine de stopper le bateau pendant les repas. » Que diable vont donner ces héroïnes quand elles débarqueront à New York ? « Allons, en Lui, rien n'est impossible, se répète la supérieure, en Lui qui nous fortifie. »

Son désir d'être missionnaire est né alors qu'elle n'était encore qu'une enfant. Pendant les longues soirées d'hiver de cette Italie de 1860, dans sa ferme natale de Sant'Angelo, en Lombardie, alors que sa mère et sa sœur Rosa cousaient et rapiéçaient, son père faisait la lecture. Il tirait des *Annales de la Propagation de la foi* des récits extraordinaires de missions à l'autre bout du monde. Sa sœur Maddalena, atteinte de la poliomyélite, se régalait des descriptions de contrées qu'elle ne verrait jamais. Francesca et son frère Giovanni, seul garçon qui restait à Agostino et Stella de leurs treize enfants, l'écoutaient aussi de toutes leurs oreilles... « Un jour, murmurait la fillette, je serai missionnaire, tant pis si tout le monde dit que je suis trop fragile ! » Mais elle avait frappé en vain à la porte de plusieurs communautés religieuses en Italie. Elle était trop chétive !

Sur le pont du transatlantique, mère Cabrini soupire. Encore aujourd'hui, elle éprouve un léger pincement au cœur en évoquant tous ces échecs, notamment celui de la Maison de la Providence, à Codogno. L'évêque l'avait nommée supérieure de cette maison chargée de soulager les misères des plus pauvres. Mais Antonia Tondini et Teresa Calza, les deux seuls membres de la petite communauté, n'avaient jamais accepté que leur ancienne novice devienne leur supérieure. Les tensions n'avaient fait que croître au point que Mgr Gelmini avait fini par dissoudre la Maison de la Providence. Il avait même dû excommunier les deux insoumises.

> « *Je suggère que vous remportiez votre rêve avec vous à Codogno.* »

L'épreuve fut terrible, mais déjà l'évêque se tournait vers elle et lui disait : « *Mère Cabrini, vous avez toujours voulu être missionnaire. Mais il n'existe pas d'ordre missionnaire féminin en Italie. Voulez-vous en fonder un ? – Je vais me mettre en quête d'une maison* », avait-elle répondu d'un ton aussi calme que s'il s'agissait d'aller faire des emplettes au marché. Les sœurs missionnaires du Sacré-Cœur étaient nées. Que d'heureux souvenirs, cette fois ! Pendant sept ans, elle avait parsemé la Lombardie d'écoles et d'orphelinats et fondé quelques couvents en dehors de la maison mère de Codogno. Mais, un jour, son Époux lui avait encore joué un de ses tours dont il a le secret. Alors qu'elle contemplait une statue de la Vierge à l'Enfant qui tenait le monde dans sa main, son cœur fut envahi d'un amour débordant pour son Seigneur. Elle s'était exclamé : « *Cette sphère est minuscule. Si je pouvais la gagner tout entière à sa cause, elle serait encore trop petite !* » Elle brûlait de tout offrir à l'amour qui avait pris sa vie entière. Mère Cabrini était alors partie pour Rome, bien décidée à établir son ordre sur le roc de Pierre, avant de partir évangéliser le monde.

À Rome, le cardinal Parocchi l'avait écoutée d'un air dont le moins que l'on puisse dire est qu'il n'était pas enthousiaste. « Je suggère que vous remportiez votre rêve avec vous à Codogno », lui avait-il dit après un bref entretien. Elle avait articulé calmement : « Éminence, est-ce une suggestion ou un ordre ? » Le cardinal avait gardé le silence quelques instants, stupéfait de cette audace. Mine de rien, cette petite religieuse avait l'air d'aimer n'en faire qu'à sa tête. Sa réplique teintée d'impertinence ne lui plut visiblement qu'à moitié. Mère Cabrini rit franchement à chaque fois qu'elle revoit en pensée la mine pincée du cardinal. En haussant les épaules, il lui avait répondu : « Une suggestion. » Puis il avait rit lui aussi, en imaginant les païens aux prises avec cette sœur têtue. De guerre lasse, ils auraient tôt fait de se convertir !

Un mois plus tard, c'est Léon XIII lui-même qui la recevait. Elle lui dit combien elle rêvait d'aller en Chine. À son tour, il lui fit part de son inquiétude au sujet des milliers d'Italiens qui émigrent aux États-Unis, et qui risquent là-bas de perdre leur foi, faute de soutien spirituel. Il ajouta enfin, sans doute en espérant que cette sœur peu commode acceptât un tel changement de cap : « *Ma fille, votre champ de mission vous attend, non à l'Est, mais à l'Ouest. Allez en Amérique !* » Mais la religieuse s'était inclinée, avec joie. La volonté du Saint-Père, la volonté de l'Église, a toujours été la sienne. Et la voilà, sur le pont, tandis que ses filles gémissent dans leurs cabines et la supplient de les sauver ! Mais, bientôt, la terre est en vue. Les huit religieuses, les jambes encore flageolantes, retrouvent avec joie la terre ferme.

Le lendemain matin, elles sonnent à l'archevêché de New York. Mgr Corrigan ne les attendait pas si tôt, et leur arrivée l'agace. « *Je suggère, mère Cabrini, que vous repartiez pour l'Italie par le bateau qui vous a amenée ici. La tâche est trop lourde pour vous.* » Il ne sait pas encore à qui il a affaire, et fronce le sourcil au son de la voix claire et haut perchée qui répond : « *Excellence, je suis ici par la volonté du Saint-Père. L'Amérique est le terrain de mission qui m'a été confié. En toute humilité, je dois vous dire qu'il me faut y rester.* »

Une école voit bientôt le jour à la paroisse Saint-Joachim, au beau milieu de la Petite-Italie, et un orphelinat ouvre ses portes dans la 59ᵉ rue, avant d'emménager à West Park dans une ancienne maison jésuite, de l'autre côté de la rivière Hudson. C'est là que mère Cabrini installe son noviciat américain. Elle entreprend ensuite de remédier au manque criant d'hôpitaux pour les immigrés italiens. Elle n'avait jamais envisagé une carrière de fondatrice d'hôpitaux, mais « *avec le Christ, rien n'est impossible* » ! Le premier établissement de dix lits, situé dans la 12ᵉ rue, devient rapidement l'hôpital de Colomb, et s'installe dans la 20ᵉ rue. Celui-ci dispose de plus de cent lits, d'un matériel moderne, et d'un personnel exceptionnel. Il reçoit l'approbation officielle de l'État de New York en 1895. Outre les hôpitaux, mère Cabrini fonde des couvents, des écoles, des orphelinats et des classes de catéchisme pour adultes. Elle rend aussi visite aux émigrés italiens dans leurs taudis, armée d'un balai et d'une serpillière devant lesquels la crasse la plus tenace s'avoue toujours vaincue. Elle mendie pour eux de la nourriture dans les boutiques du ghetto, et rares sont les commerçants qui font la sourde oreille à ses requêtes, aussi polies qu'impérieuses.

Pendant un séjour qu'elle fait en Italie pour rendre visite à ses premières maisons, mère Cabrini a une nouvelle entrevue avec le souverain pontife, très impressionné par les succès de l'œuvre de la religieuse. Comme prévu, elle mène ses affaires tambour battant. D'ailleurs, son regard n'a rien perdu de sa redoutable fermeté.

> Devant le balai et la serpillière, la crasse la plus tenace s'avoue vaincue.

– Après les États-Unis, où comptez-vous aller ?

– On m'a demandé d'ouvrir une maison en Amérique du Sud, Très Saint Père.

– Mon enfant, c'est un vaste champ à moissonner. Vous avez ma bénédiction !

Elle commence par le Nicaragua, avec une école pour jeunes filles de bonne famille. Mais une révolution chasse les sœurs du pays ; elles partent alors à Panama. De là, elles passent au Chili, puis en Argentine. La traversée des Andes se fait à dos de mulet, sur un étroit sentier qui serpente dans la neige, dans des conditions périlleuses. Mais il en faudrait plus pour faire reculer mère Cabrini. Son obstination va de pair avec une humilité sans bornes, si bien que l'on ne sait quelle est la plus désarmante de ses deux qualités. « *Je n'ai aucun pouvoir*, explique-t-elle à un entourage surpris. *Non, je ne suis même pas un instrument entre les mains de Dieu ; seulement un témoin de sa générosité sans limites. En Lui, je suis capable de tout.* »

En trente-cinq ans, mère Cabrini est un si bon témoin de la générosité de Dieu que soixante-sept maisons sont fondées, accueillant près de mille cinq cents sœurs. Chaque nouvelle fondation européenne ou américaine qui voit le jour rencontre les protestations bien intentionnées d'un haut clergé timoré. Mère Cabrini n'en a cure, et achète terrains et bâtiments sans avoir un sou devant elle, dans la certitude que Dieu y pourvoira.

En 1908, mère Cabrini obtient la citoyenneté américaine. Neuf ans plus tard, épuisée par la malaria, et alors qu'elle conçoit encore la construction d'autres maisons où le flot croissant des immigrés italiens pourra trouver l'amour de Dieu, elle quitte un monde trop étroit pour son vaste appétit, le 22 décembre, à Chicago.

En 1947, Pie XII canonise ce petit bout de femme obstinée, qui n'avait qu'une seule soif : que tous les hommes connaissent, comme elle, l'amour infini de son Époux Bien-Aimé.

SOURCES : M. Launay, *LES CATHOLIQUES AUX ÉTATS-UNIS*, Paris, 1990. Theodore Maynard, *TOO SMALL A WORLD, THE LIFE OF FRANCESCA CABRINI*, New York, 1947. Pietro Di Donato, « Immigrant Saint, the Life of Mother Cabrini », New York, 1960. *A DAUGHTER OF ST. PAUL, MOTHER CABRINI*, Boston, 1977.

# LÉONIE CHAPTAL

## *DE L'OUVROIR À LA SOCIÉTÉ DES NATIONS :*
## *L'INCROYABLE PARCOURS DE MADEMOISELLE NINIE*

**• 5 OCT •** DANS LE GRAND HÔPITAL SILENCIEUX, UNE INFIRMIÈRE FAIT SA RONDE DE NUIT. Elle se penche sur la très vieille dame qui vient d'appeler. Elle lui donne un peu d'eau.

– Ça va aller ?

– Mieux... merci. Il fait chaud. J'ai un peu de mal à dormir. C'est ma jambe.

– Le service est calme ce soir, je vais vous tenir compagnie un moment.

– Comme c'est gentil. Vous savez, à quatre-vingt-quinze ans, on n'a plus trop à qui parler. Vous me rappelez quelqu'un. Il y a longtemps, dans les années 1890, figurez-vous, j'avais dû être hospitalisée pour une grosse toux. En fait je souffrais de la tuberculose. Nous avions une adorable jeune fille qui venait nous visiter chaque jour pendant les vacances. Elle avait dix-sept ans. Ses parents habitaient dans l'Allier et, comme ils avaient une maison par chez nous, à Fontainebleau, ils y venaient chaque année. C'était un ange de douceur ; elle nous parlait si gentiment. Sa voix nous reposait. Et elle savait ce qu'elle voulait aussi, cette petite. Je toussais beaucoup et cela m'épuisait, elle insistait pour que le médecin me donne quelque chose qui me calme rapidement. Elle était pourtant d'une grande famille. Pensez, son grand-père avait même été ministre de Napoléon I$^{er}$, et pair de France. Il s'était occupé de l'assistance publique à l'époque, je crois. Un grand monsieur ! Eh bien ! la petite fille courait par les faubourgs pour soulager la misère ! Elle venait tous les jours à l'hôpital. Et en plus elle surveillait l'ouvroir de dames, s'occupait du patronage, recevait des familles qui n'avaient pas de quoi. À un âge où les jeunes filles vont danser ! Elle nous racontait que son frère aîné était prêtre. Elle avait aussi envie d'être religieuse, mais je crois que cela ne s'est pas fait. Lorsque nous lui parlions de sa bonté, elle répondait : « *Être bon, ce n'est pas difficile, quand on aime.* » Vous savez, elle ne faisait pas semblant. Elle nous aimait vraiment, ça se voyait. Avec mes compagnes de chambre, nous aussi nous l'aimions bien, nous l'appelions « Mlle Ninie. » Elle s'appelait Léonie. Léonie Chaptal.

– Mlle Chaptal !

– Vous la connaissez ?

– J'ai passé mon diplôme grâce à elle. Elle a ouvert une école d'infirmières, en 1905. J'y suis entrée dès la première année. Nous n'étions que quatre inscrites ! Le docteur Letulle, un professeur, donnait les cours de médecine, et Mlle Chaptal, les cours de morale professionnelle. Là, j'ai appris beaucoup de choses. Elle pensait qu'une formation technique ne suffisait pas ! Elle disait toujours : « *Le malade a des droits, l'infirmière n'a que des devoirs.* » Ensuite elle a ouvert cet hôpital pour que nous puissions y faire notre pratique. En 1911, elle a regroupé l'école et l'assistance maternelle qu'elle avait aussi créée. C'est une femme extraordinaire.

*La petite fille du ministre montre un véritable talent de stratège.*

– Maintenant, elle doit avoir soixante ans, au moins ! Si vous avez occasion de la voir, dites-lui que Madeleine de Fontainebleau ne l'a pas oubliée. Et que tout ce qu'elle a fait pour le bien des malades lui sera certainement rendu au centuple !

L'infirmière souhaite une bonne nuit à la vieille dame et reprend sa ronde. Des malades dorment paisiblement, certains ronflent lourdement, d'autres parlent ou geignent dans leur sommeil. Elle redresse celle-ci qui respire mal, prend le pouls d'une autre. C'est la longue nuit habituelle de l'hôpital. « L'heure de la vigilance », aurait dit Léonie, dans l'un de ses cours.

« *Veillez et priez avec moi* [...] *Ne m'abandonnez pas dans la souffrance* », disait le Christ à ses disciples. Les Chaptal, aristocrates ouverts au monde, catholiques fervents, puisent à cette source une spiritualité du don de soi et de la charité.

Léonie est la deuxième enfant, son frère est prêtre, sa jeune sœur deviendra religieuse. Ces vocations sont certainement le fruit d'une vie spirituelle intense et fraternelle. Le frère demande à être nommé dans la paroisse la plus misérable du diocèse de Paris : le faubourg de Plaisance. Là règne la plus grande détresse humaine. La tuberculose fait des ravages. Léonie, qui a vingt ans, y trouve sa véritable vocation : soulager l'humanité souffrante. Là sera son champ d'action. Elle va s'attaquer à la maladie et aux fléaux sociaux qu'engendre la misère ouvrière : la faim, l'alcoolisme, la mortalité infantile, l'abandon maternel, la prostitution des jeunes filles. Léonie, petite-fille d'un ministre qui a réorganisé l'assistance hospitalière publique, montre un véritable talent de stratège.

Six ans durant, tout en parcourant le faubourg de Plaisance, soignant et aidant, elle étudie le quartier. En 1900, sa première réalisation prend corps : elle ouvre un dispensaire antituberculeux, entièrement financé par des dons qu'elle a collectés elle-même. Un médecin et des aides bénévoles l'assistent dans cette entreprise. Les résultats sont vite là, étonnants pour l'époque : la mortalité des malades n'est que de 11 % ; on compte 50 % d'améliorations et 20 % de guérisons. Par ailleurs, elle a gagné la confiance des uns et des autres dans le quartier, l'hygiène a nettement progressé.

Trois ans plus tard, faute de moyens, elle décide de rattacher le dispensaire à l'Œuvre des tuberculeux adultes, fondée neuf ans plus tôt par le docteur Sannal. Léonie ne se sent pas propriétaire de son œuvre. La sagesse de ses dix-sept ans ne l'a pas quittée. Elle sait partager et déléguer. Plus tard, elle ouvre deux autres dispensaires, à la Villette et dans le quartier de Javel. Après la tuberculose, il faut s'intéresser aux mères.

En 1901, elle obtient du généreux docteur Ancelet, devenu son ami, qu'il donne une fois par semaine une consultation à des femmes enceintes et reçoive les jeunes mères avec leurs nourrissons. De son côté, elle accueille ces femmes ainsi que des filles-mères. Elle les réconforte et les encourage à allaiter leurs bébés. Elle plaide pour l'allaitement maternel : une meilleure santé pour l'enfant, une meilleure hygiène, une méthode peu coûteuse ! Elle ne prêche pas en vain : en trente-cinq ans, le pourcentage des femmes qui allaitent passe de 28 à 80 %.

Son œuvre d'assistance maternelle n'en reste pas là. D'autres services se développent, dont les mamans peuvent bénéficier. On leur offre la possibilité d'accoucher chez elles en mettant à leur disposition une garde, formée à l'hygiène, qui vient s'occuper des enfants, du ménage et de la cuisine. Le dispensaire dispose d'une couveuse pour les enfants prématurés et les jumeaux, souvent plus petits à la naissance. Des visiteuses médicales viennent suivre les enfants. Un square est aménagé pour les plus de trois ans. N'y sont acceptés que les enfants munis d'un certificat de non-contagion. Il s'agit de ne pas étendre les épidémies de bronchites ou de varicelle...

La mortalité infantile est de 7 % à Plaisance, contre 9 % dans le XIV^e arrondissement de Paris. Chez les enfants qui fréquentent le dispensaire, le taux tombe à 4 %. Tout cela malgré les résistances, l'égoïsme des hommes, les préjugés sociaux, le travail des mères, l'ignorance généralisée.

Après avoir protégé les mères et leurs petits enfants, il faut rebâtir la cellule familiale. Léonie, comme Félicie Hervieu à Sedan, en a fait le constat. Mais elle n'a alors que trente ans et caresse un vieux rêve de jeunesse : passer le diplôme d'infirmière. Tout en se dévouant à l'assistance maternelle, elle s'est inscrite à l'École des infirmiers et infirmières de la ville de Paris. En 1903, elle réussit l'examen final.

Elle avait compris dès sa jeunesse, durant ses vacances à Fontainebleau, à quel point l'hospitalisation, qui est toujours une épreuve pénible, peut même devenir un véritable cauchemar pour les plus pauvres. Elle sait quel rôle privilégié joue l'infirmière au cours de ce douloureux séjour, à quel point un mot aimable et juste, un geste fraternel, un sourire rassurent et redonnent espoir. Elle a le projet d'une école d'infirmière, qui formerait à cette dimension plus humaine.

En 1905, Mme Hippolyte Taine

> *Elle s'inscrit à l'École des infirmières de la ville de Paris.*

accepte de devenir marraine de l'établissement qui ouvre le 1er juin. Mais Léonie ne s'arrête pas là ! Dans son plan de lutte contre la misère et d'amélioration des conditions de la vie familiale, elle décide de s'attaquer aux méfaits de l'alcoolisme. Comme par le passé, sa force morale tranquille, son esprit méthodique, sa détermination lui attachent des partenaires compétents et dévoués. Pour elle, « *la charité est à la base de tout socialisme bien compris !* ». Aussi, entraîne-t-elle tous les cœurs et toutes les intelligences, quelle que soit leur religion ou leur appartenance politique, et de nombreux bénévoles la rejoignent dans son combat.

Contre l'alcoolisme, la solution sera la Roulotte. Une charrette à bras que l'on promène dans les rues et qui propose des boissons sans alcool, dix centimes le verre, chaudes ou froides. Des attroupements bon enfant se créent autour de la Roulotte, qui constitue un moyen d'échapper aux bistrots qui vendent le vin au détail et où s'attardent plus que de raison des hommes et parfois des femmes. Le préfet Lépine accorde l'autorisation de circulation à la Roulotte, qui sillonnera le faubourg de Plaisance.

Après les plus pauvres, Léonie se penche maintenant sur les classes moyennes, qui se développent largement au début du XXe siècle. En 1911 a lieu l'inauguration de l'hôpital privé médico-chirurgical pour « classe moyenne ». Les services de médecine générale, de chirurgie, de lutte contre les maladies contagieuses sont bien équipés et dirigés par des médecins compétents. On retrouve aussi Léonie sur le front des logements insalubres. Elle intervient pour obtenir leur restauration, et crée une caisse de loyers pour faire face aux urgences. Car Léonie Chaptal n'en a jamais terminé. Le préfet Lépine écrit dans un rapport destiné à lui obtenir le prix Marie-Laurent : « *Pendant quarante ans de travail incessant, parfois ingrat, [elle] n'a pas eu un moment de défaillance, une heure de découragement. Au milieu d'obstacles et de difficultés de tous ordres, notamment pécuniaires..., elle s'est toujours confiée à la Providence du soin de son avenir, tant sa foi était sincère.* »

Née le jour de la fête des Rois, elle a suivi comme eux l'étoile de Nazareth, qui mène aux plus petits. Après la guerre de 14-18, elle continue son œuvre en faveur de certains démobilisés qui n'ont pas droit à une pension, malgré les maladies respiratoires, voire la tuberculose, contractées dans les tranchées. Réformés numéro 2, ils ne peuvent gagner leur vie, mais risquent de contaminer d'autres personnes. La PR2, sa nouvelle organisation, accueille, dans des établissements de cure et de soins, les anciens soldats les plus touchés et visite les autres à domicile, en les secourant médicalement et matériellement.

Au moment de sa mort en 1937, le palmarès de Léonie est étonnant. Non seulement elle a reçu l'appui de l'Assistance publique, mais encore elle a représenté la France dans les congrès inter-

*Après la guerre, certains démobilisés n'ont pas droit à une pension.*

nationaux de lutte contre la tuberculose. Elle a obtenu, en 1915, le vote d'une loi relative à l'hygiène sociale et à la prévention de la tuberculose, la création du diplôme d'État d'infirmière hospitalière, auquel elle tenait tant. Elle est présidente de l'association nationale puis internationale de ces nouvelles diplômées. Elle siège au Comité de protection de l'enfance, à la Société des Nations en 1926, sur la demande du gouvernement français. Les vieilles dames de l'hôpital de Fontainebleau ont eu raison d'aimer leur Mlle Ninie ! Sa formidable énergie, alimentée par une foi à toute épreuve, dans une existence relativement brève, lui a fait déplacer des montagnes.

SOURCES : Léonie Chaptal, *COMMENT ALLER AUX PAUVRES ?* et *LE LIVRE DE L'INFIRMIÈRE*. P. Acker, *ŒUVRES SOCIALES DES FEMMES*, Paris, 1908. M. Pelletier, *MADEMOISELLE CHAPTAL, SES PRINCIPALES ŒUVRES SOCIALES*, Paris, 1937.

# PIE X

## ET LA COMMUNION FRÉQUENTE

*LAISSEZ VENIR À MOI LES PETITS ENFANTS*

• 6
OCT •

AU TINTEMENT ARGENTIN DE LA CLOCHE, LES FIDÈLES SE LÈVENT, et l'organiste se met en devoir d'accompagner d'une grande variation la procession qui sort de la sacristie.

Le thuriféraire marche en tête, entouré du nuage parfumé qui se dégage de son encensoir. Puis vient un clerc dont un rochet immaculé recouvre la soutane. Il porte gravement la grande croix, élevant celle-ci très haut au-dessus de l'assemblée, qui la suit du regard tandis qu'elle descend le déambulatoire et commence à remonter l'allée centrale. Dix enfants de chœur avancent derrière elle deux par deux, des plus petits aux plus grands, vêtus de robes rouges et de surplis. Les communiants leur emboîtent le pas, tout timides dans leur tenue éclatante de blancheur, les mains jointes et le regard baissé. Les fillettes, qui précèdent les garçons, portent sur la tête de fines couronnes de pétales roses, et leurs nattes brunes ou blondes sont recouvertes d'un voile blanc. Les parents émus, parés de leurs plus beaux habits du dimanche, regardent s'avancer dans la nef ces enfants qui vont recevoir le Corps du Christ pour la première fois. Le curé ferme la marche, et sa lourde chasuble richement ornée semble briller de mille feux à la lueur des cierges qui éclairent l'église.

Une profonde génuflexion, une dernière série d'accords par lesquels l'organiste semble vouloir faire trembler les piliers du sanctuaire, et la procession se disperse en bon ordre. Les communiants rejoignent les premiers rangs qui leur sont réservés, tandis qu'officiant et acolytes pénètrent dans le chœur. La messe commence. Les enfants écoutent de toutes leurs oreilles les oraisons et les lectures qui se succèdent. Ils se disposent ensuite, pour la première fois de leur vie sans doute, à ne perdre aucune des paroles du sermon, car ils se doutent bien que le curé, monté en chaire, va parler tout spécialement pour eux.

« Au nom du Père, du Fils et du Saint-Esprit,

« Mes très chers frères,

« C'est avec joie que je vous accueille en ce jour béni. Nos enfants, nos chers enfants, vont aujourd'hui s'approcher pour la première fois des saintes espèces pour y communier. Ils ont sept ans, l'âge de raison, l'âge de comprendre que le pain dont ils vont être nourris n'est pas seulement une nourriture terrestre mais le pain de vie. Le pain de la vie éternelle, le pain du salut, Jésus s'offrant pour nous et avec nous au Créateur de toutes choses, son Père.

« Et quelle joie est la mienne de pouvoir, en cette année, accueillir des enfants à la sainte table ! Cette joie, je la dois, ou plutôt nous la devons, à notre bien-aimé pape, Pie X. Vicaire du Christ sur terre, c'est animé du même amour qu'il rappelle ces paroles : *"Laissez les petits enfants venir à moi. Ne les empêchez pas, car c'est à leurs pareils qu'appartient le Royaume de Dieu."*

« Car, mes frères, le Christ n'est pas venu pour les théologiens et les savants ! N'a-t-il pas loué son Père d'avoir *"révélé aux tout-petits"* ce qui reste parfois caché aux esprits les plus brillants ? Et ne voit-on pas aujourd'hui encore, sous le couvert du modernisme ou de la science, véritables idoles de notre siècle, des esprits que Dieu a emplis d'intelligence sacrifier la Vérité au nom de leurs opinions ou de leurs idéologies ?

« Car il n'est pas nécessaire, comme nous l'enseigne le magistère de la sainte Église, *"qu'il y ait une connaissance pleine et parfaite de la doctrine chrétienne"* pour communier. Qui de nous pourrait en ce cas s'approcher des saintes espèces ? Non, mes bien-aimés, la communion est bien au contraire l'unique moyen d'accéder à la vie éternelle. Elle est la nourriture unique qui peut nous conduire aux béatitudes promises, la seule nourriture

*Son regard se pose avec bienveillance sur ses tout jeunes fidèles du premier rang.*

qui peut nous mettre en marche. Comme le rappelait notre Très Saint-Père dans son encyclique *Mirae caritatis*, la vie éternelle *"a beaucoup de ressemblances avec la vie de l'homme naturel. Il faut, de même que celle-ci est entretenue et fortifiée par la nourriture, qu'elle soit sustentée et augmentée par l'aliment qui lui est propre."* Or, si nous voulons que nos enfants grandissent dans la foi, l'amour et la crainte du Seigneur, il est bon de les nourrir de l'unique nourriture de la vie spirituelle. »

Le curé s'arrête un instant et son regard se pose avec bienveillance sur ses jeunes fidèles du premier rang.

« Mes chers enfants, votre chemin de chrétien ne s'arrête pas en ce jour. La communion fortifiera votre route vers le Seigneur. Le pape, dans son souci apostolique de donner à tous la force et l'envie de rejoindre Jésus et de vivre de son amour, vous fait accéder à la communion. Mais, en même temps, il vous demande de rester fidèles à la sainte eucharistie que vous allez recevoir pour la première fois aujourd'hui. Communiez régulièrement avec un cœur pur et empli de désir. Si, à cause d'un acte ou d'une pensée, vous ne vous sentez pas dignes de recevoir en votre bouche le corps très saint de Notre Seigneur, n'hésitez pas, courez auprès de l'un de ses ministres pour demander à Jésus de vous pardonner vos fautes et pour lui promettre en toute sincérité de l'aimer de toutes vos forces. Enfin, sachez que cette progression spirituelle, qui devra vous mener à la sainteté que vous confère votre baptême, doit s'accompagner d'une progression dans l'intelligence de la foi. À cet effet, comme le Saint-Père lui-même vous le demande, *"continuez à apprendre graduellement le catéchisme entier"*. La vie spirituelle et le bonheur que vous trouverez dans l'eucharistie vous conduiront à mener une vie de charité qui vous fera aimer plus encore Dieu votre Père.

« Et vous parents, soutenez vos enfants, montrez-leur combien la communion vous est nécessaire. Rappelez-leur, par votre exemple, les paroles même de notre Seigneur telles que saint Jean nous les rapporte. *"Amen, amen, je vous le dis, si vous ne mangez pas la chair du Fils de l'homme, et si vous ne buvez pas son Sang, vous n'aurez pas la vie en vous."* Et cette vie, mes très chers frères, n'est pas seulement à venir. Elle est déjà présente, ici-bas, grâce au sacrifice que le Christ fit et renouvelle pour nous en chaque eucharistie. Permettez-moi donc, une dernière fois, de citer le souverain pontife : *"Ce n'est pas d'une seule manière [...] que le Christ est la vie [...] : chacun sait en effet qu'aussitôt que sont apparues sur terre 'la bonté et l'humanité de Dieu notre Sauveur' [Tt 3, 9], une force a surgi, créatrice d'un ordre de choses tout nouveau, et qui s'est répandue dans les veines de la société civile et domestique [...] ; mais, ce qui est le principal, c'est que les cœurs et les esprits ont été ramenés à la vérité de la religion et à la pureté des mœurs, et qu'ainsi fut communiquée à l'homme une vie toute céleste et divine."*

« Alors, mes très chers frères, mes très chers enfants, veillez à tenir comme supérieure à toutes choses la communion au Corps de Notre Seigneur Jésus-Christ. C'est en elle que vous trouverez la force de renoncer au péché et la joie de vivre de l'amour et de l'abandon du Christ à son Père. Soyez humbles devant les mystères de Dieu, afin que, nourris de son don, vous puissiez être forts devant les hommes quand vous annoncerez la victoire de la Vie et de la Vérité sur les Ténèbres et la Mort. Ainsi soit-il. »

> *Ainsi vous annoncerez la victoire de la Vie et de la Vérité sur les Ténèbres et la Mort.*

L'orgue entame un lent prélude méditatif, par lequel il semble porter vers le ciel les prières de l'assemblée. Celle-ci, plus recueillie que jamais, suit gravement des yeux l'officiant qui se dirige vers le maître-autel et tourne le dos aux fidèles. Les communiants retiennent leur souffle, tant ils sont impressionnés à l'avance par ce qu'ils s'apprêtent à vivre. L'offertoire, que leurs esprits d'enfants bouillants trouvaient interminable jusqu'à une date récente, leur semble singulièrement court, maintenant qu'ils en comprennent le sens. Le sermon du curé a souligné une fois de plus la beauté de l'engagement qu'ils vont prendre, sur laquelle, au catéchisme, ils ont réfléchi pendant de longs mois, si bien qu'ils en sont pénétrés, et qu'ils vivent intensément le déroulement de la liturgie eucharistique, conscients de prendre pleinement part à l'offrande du peuple saint à son Seigneur.

La consécration commence dans un silence absolu. Les enfants observent la magnifique chasuble de l'officiant d'un regard presque douloureux à force d'être attentif. Ils voient le prêtre s'incliner profondément, et comprennent qu'il saisit l'hostie dans la patène. Ils suivent lentement le mouvement du bras qui élève le pain consacré. Un enfant de chœur agenouillé derrière l'officiant prend délicatement en main un pan de sa lourde chasuble, pour lui permettre d'achever son geste sans être encombré par l'étoffe rigide dont il est revêtu. La cloche de l'église sonne par trois fois. Communiants en aubes immaculées, assemblée endimanchée, acolytes en rouge et blanc, servants de messe en blanc et noir sont à genoux pour adorer le Corps du Christ. Tout semble s'être figé dans une minute d'éternité. Le thuriféraire est le seul à ne

pas s'être immobilisé : il semble vouloir envelopper tout le chœur d'une nuée odorante, à travers laquelle les raies de lumière colorée, qui tombent des vitraux, ont du mal à filtrer.

Le prêtre repose l'hostie, et fait une longue génuflexion. Puis vient l'élévation du Sang du Christ. Imaginer le regard adorateur du célébrant, tandis qu'il porte à bout de bras la précieuse coupe, aide les enfants à mieux prier ce Dieu qu'ils vont recevoir.

À l'instant où les enfants s'avancent vers la table de communion, ils sont si recueillis qu'ils en ont oublié la présence des familles, des amis, et de la communauté paroissiale qui assistent à cette première rencontre. Et si émus, aussi, qu'ils ne peuvent que balbutier dans leur cœur, en songeant que Jésus lui-même vient au-devant d'eux, ces mots qui les dépassent, et qu'on leur a appris à méditer avec ferveur : « Mon Seigneur et mon Dieu. »

SOURCES : D. Menozzi, *LA CHIESA CATTOLICA E LA SECOLARIZZAZIONE*, Turin, 1993. R. Aubert, « Pio X tra restaurazione e riforma », in *STORIA DELLA CHIESA*, Milan, 1990. A. Haquin, « Les décrets eucharistiques de Pie X », in *LA MAISON-DIEU*, n° 203, 1995. Y. Chiron, *SAINT PIE X*, Rome, 1999.

# LA SÉPARATION
# DE L'ÉGLISE ET DE L'ÉTAT

*COMMENT ON ENLEVA À L'ÉGLISE DE FRANCE,*

*QUI AVAIT DÉJÀ TOUT DONNÉ,*

*LE PEU QUI LUI RESTAIT*

## • 7 OCT •

SOUDAIN, EN CETTE FROIDE NUIT DU 29 AVRIL 1903, tous les chiens de Pont-Saint-Bruno, du hameau de la Diat, et de toutes les fermes alentour, se mettent à aboyer. Réveillés en sursaut, les paisibles habitants de ces vallées du massif de la Chartreuse se pressent aux volets. Une froide lune éclaire les larges flaques de neige laissées par le récent hiver, le vent cinglant glace les pauvres champs et ourle d'un givre éclatant le sommet des sapins drus qui moutonnent à l'infini.

Que se passe-t-il donc ? Mais oui, c'est bien cela. Des pas cloutés martèlent les cailloux de la route ; pantalons garance, képis et capotes bleus, tout un bataillon du 140e régiment d'infanterie monté de Grenoble se bouscule et défile en désordre en se dirigeant vers le monastère des pères chartreux, là-bas au fond de la Combe, aux creux des forêts. « Ils » ont osé, « ils » vont les chasser par la force ! Les paysans s'habillent à la hâte et bientôt ils sont plusieurs centaines à converger à travers les épaisses forêts vers le monastère. Des centaines de lampes tempête trouent la nuit glacée. Il est minuit passé, bientôt les pères vont quitter leurs petites cahutes personnelles pour chanter matines.

Mais déjà les pious pious sont là et se déploient devant l'entrée du monastère. On entend alors une cavalcade : ce sont une cinquantaine de gendarmes, bicornes au vent, montés de Saint-Laurent-du-Pont ou de Saint-Pierre. Ils sont suivis de deux escadrons de dragons dont les casques jettent de curieux éclats dans cette triste nuit. Un commissaire et le procureur sont également arrivés pour représenter la loi, tandis que, rejoints par d'autres villageois alertés, les paysans tentent de s'opposer en alternant huées et cantiques.

Des échauffourées éclatent bientôt, qui vont durer plus de deux heures jusqu'à ce que les soldats réussissent à écarter les paysans et leurs fourches, râteaux et autres fléaux dérisoires. Vers quatre heures enfin, le procureur de la République s'approche de la porte principale et sonne deux fois. N'obtenant pas de réponse, il donne l'ordre aux militaires d'enfoncer le lourd portail, ce qui va prendre près de vingt minutes. Pénétrant alors en masse dans le monastère, les forces de l'ordre sont stupéfaites de ne trouver aucun moine. On les déniche enfin, barricadés dans le chœur de la chapelle, derrière un amoncellement de chaises et de bancs. Serrés autour du père abbé, ils prient. Le procureur en personne pénètre dans l'Église et essaie de notifier aux pauvres chartreux qu'en vertu de la loi, leur congrégation est dissoute, et qu'en conséquence, ils sont expulsés de leur couvent.

Les malheureux répondent par des psaumes, des cantiques et des prières. Aucun ne bouge... Devant ces refus réitérés, le procureur ordonne aux gendarmes de les évacuer par la force. Et c'est ainsi que, dans le petit matin frisquet qui pointe, ayant rassemblé quelques hardes, les pères chartreux sont littéralement emportés à bras d'homme, un par un, sous les inutiles huées des paysans impuissants.

Un siècle plus tard, on croit rêver à l'évocation d'une telle scène qui, hélas ! se reproduisit dans d'autres couvents et d'autres écoles de France. Qu'a-t-il bien pu se passer en France pour que la loi républicaine en arrive à faire chasser *manu militari* des centaines et des centaines de religieux ? Comment la France, si pétrie de tradition chrétienne, a-t-elle pu basculer dans l'anticléricalisme le plus virulent, qui rappelle par moments – le sang versé en moins – les épisodes les plus douloureux de la Terreur révolutionnaire ?

L'expulsion musclée des religieux de la Grande-Chartreuse n'est que la manifestation d'une question récurrente dans l'histoire politique : quelle doit être la place de la religion et des Églises dans

> *Les pères chartreux sont emportés à bras d'homme, un par un.*

un État ? Jusqu'au XVIIIᵉ siècle, la réponse était simple : sujets et souverain avaient la même religion. *Cujus regio, ejus religio*. Puis cette donnée fut bouleversée dans toute l'Europe occidentale. La France ne fut pas épargnée et connut les heures sanglantes de la Terreur révolutionnaire. Dès lors, tout s'enchaîna...

L'alternance de restaurations monarchiques et d'épisodes républicains symbolise l'avance ou le recul du poids de l'Église dans la société. Et l'attachement des catholiques à la monarchie trouve son écho dans le ralliement des anticléricaux à la république. Les épisodes les plus marquants se déroulent au moment de la chute de Napoléon III, de la défaite devant la Prusse et des valses hésitations qui jalonnent les années 1871-1873 : retour manqué à la monarchie du comte de Chambord, ordre moral de Mac-Mahon et manifestations de repentance. On pense alors que si la France a connu la défaite, c'est parce qu'elle a péché : processions, missions, pèlerinages, vœu national ou érection de la basilique du Sacré-Cœur à Montmartre en témoignent.

Le jeu se calme provisoirement en 1875 par l'instauration d'une inoffensive république votée par des monarchistes. Mais la méfiance est là. Catholiques nostalgiques, et anticléricaux, décidément républicains, s'épient. L'Église est régulièrement accusée d'entretenir la flamme antirépublicaine, dans ses prêches, dans les écoles, les hôpitaux... À l'époque, c'est l'Église qui assure l'essentiel des fonctions éducatives, sanitaires et charitables. Les catholiques, accusés de conservatisme social, ont pris en charge les effroyables misères du monde industriel qui livre sans protection des milliers d'ouvriers, de pauvres et d'infirmes aux excès d'un libéralisme économique sans morale et d'un capitalisme cupide. L'État, qui n'a presque rien fait, s'en venge. Un premier choc sévère a lieu, de 1881 à 1886, avec Jules Ferry et ses lois scolaires. Il faudra toute la diplomatie d'un Léon XIII pour tenter de réconcilier république et Église catholique.

C'est alors qu'une nouvelle bourrasque déferle sur des relations déjà tendues entre Église et État. L'affaire Dreyfus... La Bonne Presse des pères assomptionnistes n'hésite pas à attiser le feu : *La Croix* et *Le Pèlerin* sont à l'avant-garde du combat. Pour la gauche dreyfusarde et républicaine, c'est le signal d'une nouvelle poussée d'anticléricalisme qui, de 1900 à 1905, conduit au divorce total.

Le président du Conseil, Waldeck-Rousseau, un républicain laïque, commence par interdire la congrégation des Assomptionnistes et empêche les moines de prêcher. En fait, les deux griefs du gouvernement envers les congrégations sont leur supposée fortune et leur action politique. En lançant un grand chantier sur les associations en général, il cherche à atteindre les congrégations en particulier. C'est ainsi que la fameuse loi de 1901 dite « sur les associations » oblige les associations laïques à une simple déclaration, alors qu'elle soumet les associations religieuses à un contrôle strict en les obligeant à demander une autorisation légale. Le pape et les évêques protestent en vain contre cette discrimination... À la fin du délai de mise en règle, la plupart des congrégations ont refusé de se soumettre à la demande d'autorisation. Parmi celles qui s'y sont soumises moins de 10 % des congrégations masculines et environ 20 % des congrégations féminines ont été autorisées.

Encore ne s'agit-il là que de simples « lois de contrôle ». En 1902, une nouvelle majorité, plus anticléricale et renforcée par les Francs-Maçons, arrive au pouvoir. Un ancien séminariste devenu farouchement laïque, Émile Combes, dirige ce « bloc républicain ». Les lois de contrôle sont peu à peu transformées en lois d'exclusion généralisées. C'est ainsi qu'un décret de juin 1902 fait fermer 3 125 écoles non autorisées. Certaines provinces très catholiques, comme la Bretagne, se soulèvent : de dures manifestations de résistance troublent la quiétude estivale. Mais rien n'arrête Combes, qui, dans la foulée, fait expulser par la force vingt mille religieux en confisquant leurs biens... C'est ainsi que nos pacifiques chartreux subissent leur triste sort. Et, malgré les protestations des évêques, malgré la voix du pape, qui s'élève depuis Rome, les événements s'enchaî-

> *Une nouvelle majorité plus anticléricale et renforcée par les francs-maçons arrive au pouvoir.*

nent. En déni du concordat de Bonaparte, le budget du culte disparaît en 1903... L'Église qui avait offert ses biens à la nation en 1789, contre l'entretien de ses œuvres, se retrouve sans revenus. Waldeck-Rousseau lui-même s'élève contre l'application drastique qui est faite de sa loi de 1901 ! Mais rien n'arrête la nouvelle majorité. Le ton monte. Peu après son accession au trône pontifical en juillet 1903, Pie X rompt les relations diplomatiques avec la France. Triste été 1903, qui voit, entre autres, Combes être obligé de se faire escorter par six mille soldats lors de l'inauguration d'une statue du Breton Renan à Tréguier ! Surprenante rentrée scolaire d'octobre, où six mille écoles catholiques rouvrent leur portes avec des enseignants... en civil !

L'année 1904 marque le paroxysme de la crise avec Rome. Dès janvier, Pie X refuse d'entériner la nomination de trois évêques et, en avril, un incident diplomatique éclate à Rome lors de la visite du président de la République, Loubet, au roi d'Italie. Combes est alors vivement critiqué. Les nouveaux socialistes lui reprochent son anticléricalisme obsessionnel : « Que ne vous occupez-vous donc des ouvriers ? C'est plus urgent ! » Mais Combes persiste et signe : coup sur coup, les crucifix sont enlevés des lieux publics, les prêtres sont interdits d'agrégation, la loi Falloux est abrogée. On traque les catholiques jusque dans les rangs de l'armée ! C'est la sinistre affaire des fiches avec des libel-

> *On traque les catholiques jusque dans les rangs de l'armée.*

lés, parfois savoureux, sur tel ou tel officier qui « va à la messe... avec son livre ! »

Combes s'apprête à consommer la rupture entre l'Église et l'État. Mais, fatigué, il démissionne en janvier 1905. Son successeur, Rouvier, accélère la préparation de la loi qu'un jeune avocat nantais, Aristide Briand, est chargé de rapporter. Votée par les députés, ratifiée par les sénateurs, la loi paraît au *Journal officiel* le 9 décembre 1905. L'État ne reconnaît ni ne subventionne plus aucun culte. Le patrimoine immobilier est confisqué et confié à l'État ou aux communes ; églises, presbytères, autres lieux de culte sont pris en charge par les collectivités locales. Libre aux pratiquants de constituer des « associations cultuelles » pour les gérer. Les libertés de conscience et de culte sont cependant garanties. Briand affirme que « *l'État n'est pas antireligieux. Il est a-religieux* ».

Pie X ne manque pas, dans son encyclique *Vehementer nos*, en 1906, de condamner cette dénonciation unilatérale du concordat de 1801. Il interdit aux catholiques de participer aux « associations cultuelles ». Mais, malgré de nouvelles tensions à l'arrivée de Georges Clemenceau au pouvoir, rapidement calmées par le vote d'une utilisation libérale des lieux de culte, les problèmes religieux sont rapidement relégués au second plan. Les problèmes sociaux, la guerre qui menace prennent alors le devant de la scène.

Si l'Église de France sort choquée de cette crise, meurtrie par les expulsions, les inventaires et l'anticléricalisme virulent, si sa situation économique est préoccupante, sa vitalité et son espérance sont intactes. Libérée de ses liens avec l'État, définitivement pauvre, elle est prête à affronter le siècle avec une plus grande authenticité et une ardeur nouvelle.

Sources : *La Séparation de l'Église et de l'État en France. Exposé et documents*, livre blanc du Saint-Siège, 1906. L. Capéran, *L'Invasion laïque. De l'avènement de Combes au vote de la Séparation*, Paris, 1935. J.-M. Mayeur, *La Séparation de l'Église et de l'État*, Paris, 1991.

# MADEMOISELLE GAHERY
## *COMMENT UNE JEUNE FILLE*
## *QUI VOULAIT CRÉER UNE ÉCOLE MÉNAGÈRE*
## *MÉLANGEA LES TORCHONS ET LES SERVIETTES*

**8 OCT**

« ON NE MÉLANGE PAS LES TORCHONS ET LES SERVIETTES ! » Tiens ! à vingt ans de distance, le seul souvenir de cette phrase lui fait encore monter le rouge aux joues. Aujourd'hui, à plus de quarante ans, elle réussit tant bien que mal à maîtriser ses émotions, à masquer ses colères, à étouffer ses rages et à présenter le calme et rassurant visage d'une honorable directrice d'école. Mais elle sait qu'à chaque instant, son bouillant caractère menace de faire exploser la façade de la respectabilité. Ils ont pourtant tout essayé pour la garder dans la tiédeur des salons, les yeux baissés. Réservées, retenues, c'est comme cela que l'on aime les jeunes filles dans son milieu, rougissantes de timidité, et non empourprées de colère. Et voilà qu'elle, Marie Gahery, issue d'une famille d'universitaire normand, pieuse jeune fille bourgeoise, s'était mis en tête d'« aller au peuple », ce peuple de 1887, redouté, violent, parcouru par des courants anarchistes et socialistes. On l'avait traitée de folle et la phrase terrible était tombée, les torchons et les serviettes, les loques pour le peuple, le lin damassé pour les bourgeois. Eh bien, elle, elle allait changer tout cela ! Elle avait vingt ans, ce monde n'avait qu'à bien se tenir, Mlle Gahery arrivait.

Madame la directrice épingle une mèche rebelle qui s'échappe de son chignon, rajuste sur son nez ses fines lunettes cerclées d'or, jette un coup d'œil rapide au reflet déformé que lui renvoie la plaque de cuivre fixée à la porte de son bureau. En route pour l'inspection quotidienne.

Dans la salle de classe, les jeunes filles et les jeunes femmes prennent des notes attentives. Dans une autre pièce, les futures enseignantes s'initient à la gymnastique rythmique. Ici, on apprend la couture, là, l'art du conte. Toute l'école bourdonne paisiblement. Marie Gahery soupire d'aise, ça marche ! Mais, pour en arriver là, que de peines, d'échecs, de déconvenues. Pourtant, cette Normande plus têtue qu'une Bretonne ne s'est pas laissé démonter par les objections de sa famille.

Pour commencer, elle se lance dans la fondation d'un ouvroir près de la paroisse Saint-Ambroise à Paris. Des femmes y sont invitées à coudre ou à tricoter en bavardant ou en écoutant des lectures. Mais les lectures de la demoiselle ne sont pas du goût des femmes d'ouvriers, qui veulent pleurer à de belles histoires d'amour et non sur le sort des martyrs ! Le martyre, elles ne le connaissent que trop. Il s'appelle misère, alcoolisme, maternité à risques, mort des enfants, incompréhension des maris qui s'en vont au bistrot rassurer leur peur et s'en reviennent parfois les battre. Il a aussi pour nom abandon et mère sans époux. Tout cela les éloigne d'une jeune fille de bonne famille, même bien intentionnée, qui vit dans un bel appartement parisien. Cette jeune fille, pas sotte, comprend la situation : pour parler à des ouvriers et être entendue, il faut au moins vivre parmi eux.

Elle s'installe donc rue du Chemin-Vert, près de la Folie-Regnault. Des aristocrates en quête d'œuvre vont l'y aider. Patronage, garderie, formation ménagère..., les projets ne manquent pas. D'autant que cette fois, la confiance s'installe. Ce qui manque, ce sont des bénévoles fidèles au poste. Seules quelques grandes aristocrates, princesses, comtesses ou marquises, que de longues traditions familiales de charité disposent à ces œuvres, encouragent le travail de la jeune fille. Il faut dire qu'il lui manque aussi certaines rondeurs de caractères. Cette demoiselle au visage ovale et aux cheveux sagement relevés sur le front, dont le regard exprime la profonde bonté, possède un franc-parler et un enthousiasme qui est loin de plaire à tous. Les bourgeois s'en offusquent et n'approuvent guère ses initiatives en matière budgétaire. Elle se brouille donc avec son comité de soutien, d'autant plus qu'on lui a trouvé une collaboratrice aussi tenace qu'elle, et, rapide-

*Elle se brouille avec son comité de soutien.*

ment, des conflits d'autorité apparaissent. Or, comme le comité paye le loyer, la fondatrice devra s'incliner.

Marie, sans argent, n'a plus qu'à tirer la leçon de ses maladresses. Peut-on être financé par quelqu'un et faire fi de ses opinions ? Non, évidemment. Doit-on greffer une structure aussi lourde qu'une école ménagère sur un petit patronage, en équilibre financier précaire ? Non, encore. Elle tire profit de cette réflexion, mais ne se réforme pas vraiment. Un an plus tard, elle se trouve à nouveau en conflit avec un second comité de soutien. Encore une fois, elle doit partir.

Nul n'est totalement irremplaçable et les comités trouvent chaque fois une bonne âme pour prendre la suite.

Décidément, ce qui manque à Marie Gahery, c'est un caractère un peu plus doux. Ses rages et ses emportements masquent son intelligence et sa sensibilité. Pour l'heure, elle s'installe à Charonne. L'Union familiale est née. Ceux-là même qui la traitaient de folle lui prédisent un nouvel échec.

Son objectif est la reconstitution de la famille ouvrière. Et cela passe par les enfants. Éduqués tôt à l'initiative, à la prévoyance et à la solidarité, ils peuvent faire des merveilles. Elle veut y associer les parents, quelle que soit leur origine, et rapprocher les classes sociales. Elle donne l'exemple en vivant chichement comme une ouvrière, à Charonne. Lectrice du pédagogue allemand Fröbel, elle s'en inspire et crée un jardin d'enfants, sur le modèle des *Kindergarten* d'outre-Rhin.

Cette garderie n'est pas gratuite, sauf le jeudi, jour officiel de congé scolaire. Les parents contribuent, même de façon modique, à une œuvre qui devient un peu la leur. Ils sont fiers d'avoir participé à l'achat des livres pour la bibliothèque ou des agrès pour la gymnastique. L'Union familiale part donc d'un bon pied.

Les fillettes de dix ans se voient confier des petits à surveiller. Un cercle de garçons de treize à dix-huit ans s'occupe du jardin ouvrier. Le cercle de filles a accès à l'Œuvre du trousseau, où elles peuvent se confectionner un trousseau de soixante-treize pièces. Enfin, mademoiselle loue un chalet en Haute-Savoie, où elle envoie ses filles respirer le bon air. Les cotisations ne suffisent pas à tout financer. Qu'à cela ne tienne ! Elle va vendre des boissons rafraîchissantes aux touristes altérés. Un écriteau annonce : café, thé, chocolat, au profit de l'Œuvre du grand air. Les ressources affluent, le budget s'équilibre. Les touristes viennent nombreux admirer les sommets en ce début de siècle, où l'alpinisme est en vogue, et ils ont soif. Les fillettes échangent avec de nouvelles amies savoyardes leur « savoir broder », contre un « savoir traire les vaches ».

En 1903, elle souhaite associer les parents à sa réflexion éducative. Tous les deuxièmes mardis du mois, elle reçoit un groupe de parents. On parle de chaque enfant bien sûr, mais aussi, et surtout, de pédagogie : le jeu, la gymnastique, la participation des enfants, le rôle des sanctions et des récompenses. Il est même question de l'influence de l'atmosphère conjugale sur les petits. Bref, tout ce qui sera mis en forme et en concepts par Mme Lebrun, trente ans plus tard, avant d'être repris par Françoise Dolto.

En 1907, Mlle Gahery a quarante ans, l'âge d'un premier bilan. Elle avait voulu créer une école ménagère et le projet avait avorté faute de préparation et d'organisation. Elle y revient et cette œuvre sera le fleuron de sa carrière.

Dès l'année suivante, elle ouvre une école pratique de formation. Les bienfaiteurs auxquels elle fait appel reconnaissent la valeur de cette initiative et, le 22 novembre, lui offrent de nouveaux locaux, au 185 de la rue de Charonne. Cinq jours plus tard, le décret déclarant l'école d'utilité publique paraît.

L'école de formation conçue par Mlle Gahery offre une première année de formation des jardinières d'enfants et une seconde pour la formation des maîtresses d'enseignement ménager.

Les jardinières suivent une formation complète afin de répondre à la curiosité des petits : histoire, histoire de l'éducation, sciences de la terre, travaux manuels, arts plastiques, gymnastique rythmique, jeux, contes... L'enseignement est appuyé sur la pratique : histoire naturelle associée au jardinage, méthodes éducatives actives directement avec les enfants, hygiène et enseignement ménager.

> *Les fillettes échangent leur « savoir broder » contre un «savoir traire les vaches».*

Cette dernière œuvre aura un retentissement considérable avant d'être reprise beaucoup plus tard par l'école publique et l'université.

Enfin, Mlle Gahery voit ses efforts récompensés. Ses intuitions sont reconnues. Sous des dehors plus sages, elle n'a rien perdu de la fougue qui l'animait à vingt ans. Sans doute fallait-il la témérité de la jeunesse pour renverser les préjugés sociaux et croire, contre les avis de ses proches, que tous, hommes, femmes et surtout enfants, ont le droit non seulement de survivre mais de vivre et de développer leurs talents puisqu'ils sont tous des enfants du même Père.

SOURCES : P. Acker, *Œuvres sociales des femmes en France, 1870-1940*, Paris, 1908. H. Rollet, *L'Action sociale des catholiques en France*, t. III, Paris, 1955.

# ÉDOUARD BRANLY

## *L'INVENTEUR DE LA TSF*

**9 OCT** « *MON ADVERSAIRE SE PRÉSENTE SOUS LE SIGNE DE L'INCURIE !* » Trop facile et d'un goût pour le moins douteux, le jeu de mots prêté à Édouard Branly face à Marie Curie est, hélas ! révélateur du climat ambiant. La presse, il est vrai, a bien préparé le terrain. Visiblement, l'air du temps et ses querelles ont franchi les murs de l'Académie des sciences, en ce jour d'élection de 1911. Depuis déjà six ans, l'opposition entre laïcs et cléricaux, entre libres penseurs et chrétiens, rejaillit sans cesse, à la moindre occasion, dans tous les secteurs de la vie sociale et politique. Aujourd'hui, c'est le travail scientifique qui devrait être au cœur des enjeux, mais l'exploitation qui est faite du scrutin le rabaisse à de la vile politique.

Pour le plus grand nombre, la question est toute simple : va-t-on assister à l'entrée à l'Académie d'une femme, ou d'un membre d'un institut privé catholique ? Pour nombre d'académiciens, il s'agit de choisir... entre deux maux ! Au matin de l'élection, c'est un véritable déchaînement. Dès l'entrée dans la salle, les deux partis s'affrontent, chacun tentant d'occuper le plus

de place dans le public. À la porte, le secrétaire perpétuel empêche les femmes d'entrer, et certaines s'évanouissent au milieu de la foule... On se bouscule, on s'invective, on s'injurie même, dans cette enceinte accoutumée au beau langage et aux mœurs policées. Qu'ils sont loin les discours pleins de retenue et de science ! La science, ce jour-là, n'est plus qu'un prétexte. Les cris, les mots que l'on croit bons et qui font mouche, les moqueries fusent parmi les grands esprits. Jamais la coupole, en trois siècles de vie académique, n'avait abrité un tel tohu-bohu. Au milieu de ce désordre, les deux personnalités en cause ne parviennent même pas à se faire entendre : leurs partisans monopolisent les débats, qui, bien vite, se perdent dans la confusion la plus totale. Marie Curie et Édouard Branly ne souhaitaient pas s'affronter, mais ils deviennent les enjeux d'un combat qui les dépasse. Leurs travaux ne sont même pas en cause ! On fait de cette élection une joute politique et philosophique mesurée à l'aune du journalisme le plus tendancieux.

Dans l'agitation et le brouhaha, on tente de saisir l'évolution du scrutin. Ont-ils voté ? Oui ? Déjà ? Quelques bribes de résultat parviennent avec peine dans les couloirs. Jusqu'au bout, l'assemblée reste dans l'incertitude. Une voix de majorité ? Mais pour qui ? Que dites-vous ? Deux voix de majorité ? Mais qui l'emporte ? Comment ? Qui ? Finalement, le résultat se propage jusqu'au bord de la Seine, où la foule a envahi le quai : « C'est Branly ! C'est Branly ! » À n'en pas douter, Édouard Branly aurait préféré être élu d'une tout autre façon. L'événement constitue cependant une juste reconnaissance de l'importance de ses travaux, mais il prend aussi une signification toute particulière en couronnant une carrière accomplie, pour la plus grande part, dans le cadre des institutions catholiques.

« *Vous n'avez pas craint de mettre au service de l'Église catholique vos talents et votre science, sacrifiant votre carrière à cette sainte cause menacée* », déclare, en 1882, le prêtre qui marie Branly à Marie Lagarde, riche héritière avec laquelle il partagera quarante-cinq ans de vie commune. Le constat est important, et plus encore l'engagement dont il témoigne : même au travers de son activité de chercheur et d'enseignant, Branly ne cesse d'affirmer ouvertement son sentiment religieux à un moment où la France est en pleine crise anticléricale.

Certes, tout avait commencé de manière « classique ». En octobre 1865, Pasteur, alors directeur adjoint de l'École normale supérieure, transmettait à un brillant élève du lycée Henri-IV son arrêté de nomination, signé quelques jours plus tôt par Victor Duruy, ministre de l'Instruction publique.

Dans les nouveaux locaux de la rue d'Ulm, Branly découvre « *l'esprit du couvent combiné avec celui de la caserne* », selon le mot de Napoléon, et la très rigoureuse discipline que Pasteur fait régner dans l'école ; mais cela n'est pas pour déplaire au jeune Édouard. Poursuivant brillamment ses études, il sort major de sa promotion en sciences physiques. Nommé chef de laboratoire à la Sorbonne, il participe à la guerre de 1870 – où il est sous-lieutenant – puis est le témoin de la Commune de Paris. Deux coupures dans son travail, qu'il déchiffre comme deux épreuves imposées à un monde qui renie de plus en plus son Créateur. Il commence une thèse sur l'électricité, dans des conditions difficiles : au dénuement des laboratoires de la Sorbonne s'ajoutent les tremblements provoqués par les chariots qui passent rue Saint-Jacques et perturbent les instruments de mesure qu'il utilise pour détecter de faibles courants électriques... Pourtant, sa thèse est brillante.

Un événement digne d'un mauvais vaudeville va bouleverser sa carrière. Son directeur de thèse s'est mis en tête de lui faire épouser sa fille. Pour échapper au mariage, Branly n'a d'autre recours que de quitter la Sorbonne ! Au grand dam de ses maîtres, il prend un poste dans l'enseignement secondaire et abandonne toute recherche. Branly saisit alors l'occasion d'unir son engagement

> Rue d'Ulm, il découvre « *l'esprit du couvent combiné avec celui de la caserne* ».

chrétien et sa vocation de chercheur, grâce à la clairvoyance d'un homme exceptionnel, l'abbé d'Hulst, fondateur de l'université catholique de Paris. Cette toute nouvelle université catholique – qui prendra le nom d'Institut catholique après que l'autorisation d'enseigner dans les universités aura été retirée aux prêtres – ouvre ses portes avec des perspectives d'indépendance d'esprit et annonce des conditions de recherches bien meilleures qu'en Sorbonne. L'abbé d'Hulst veut pour elle « *des maîtres dont on ne puisse contester la foi* », qui puissent démontrer « *l'accord réalisé et par conséquent possible de la haute science et de la foi* ». Cette préoccupation sera reprise par le futur cardinal Baudrillard, ancien condisciple de Branly à l'École normale, et deuxième recteur de l'Institut catholique, en 1907, qui souhaite « *que la foi devienne savante et que la science reste fidèle* ». À ces principes, Branly ne peut que souscrire. Malgré de multiples difficultés, il enseigne à l'université catholique de Paris sans aucune interruption pendant plus d'un demi-siècle, avec un dévouement exemplaire malgré des moyens parcimonieux. Car ses espoirs de voir le laboratoire qu'il imaginait mis à sa disposition sont bientôt anéantis. L'argent manque ! L'archevêché de Paris accorde la priorité de ses investissements à l'achèvement du Sacré-Cœur de Montmartre. Branly se soumet à ce choix. Il regrette seulement cette

décision qu'il ne peut s'empêcher de trouver dommageable pour l'époque et préjudiciable pour l'avenir et qui montre que les catholiques ne mesurent pas l'importance de l'enseignement supérieur libre.

Branly se retrouve donc dans la même situation que ses collègues de Sorbonne : Pierre et Marie Curie, dans leur hangar, occupés à piler de la pechblende pour en extraire du minerai radioactif ; Pasteur, dans sa soupente de la rue d'Ulm ; Claude Bernard, dans son étroit atelier du Collège de France... La situation financière de l'Institut catholique se dégrade tellement que l'on croit un moment à sa fermeture définitive. Branly juge alors opportun de se ménager une porte de sortie : à trente et un ans, avec l'approbation de l'abbé Hulst, commence des études de médecine, espérant pouvoir professer la physique à la Faculté de médecine. Sur ses carnets de notes prises lors de ses stages hospitaliers, il inscrit : « *Notes thérapeutiques de É. Branly, docteur ès sciences, étudiant en médecine, professeur incertain à l'Institut catholique de Paris.* » Son intérêt comme sa formation initiale le portent vers les applications de la physique à la médecine, et il soutient sa thèse, en 1882, sur le dosage du sang grâce à des procédés optiques. Il espère alors pouvoir se présenter à l'agrégation, mais le doyen de la faculté lui refuse cette autorisation. Il est extrêmement affecté par cette décision,

> « *E. Branly, docteur ès sciences, étudiant en médecine, professeur incertain à l'Institut catholique de Paris.* »

qu'il met sur le compte de son appartenance à l'Institut catholique. Ayant choisi de soigner gratuitement, deux ou trois heures par semaine, les indigents d'un quartier populaire, il est profondément choqué par l'exclusion des religieuses des hôpitaux de l'Assistance publique en 1880.

À travers tous ses engagements, Édouard Branly reste avant tout un savant. Délivré des soucis financiers par son mariage, il reprend ses travaux sur l'électricité dans son laboratoire de l'Institut catholique. L'électricité est alors au cœur des recherches du temps : l'Anglais Maxwell découvre que la lumière n'est qu'une forme de l'électricité ; l'Allemand Hertz, que celle-ci se transmet par des ondes. On se presse à l'exposition de 1881 qui montre les possibilités offertes par ce nouveau fluide, et la comtesse de Pange écrit : « *On voyait des piles électriques ressemblant à des pots de confiture, de mystérieux disques tournants, de grosses boules de cuivre d'où sortaient d'effrayantes étincelles qui éclairaient toute la chambre, une multitude de fioles et de petits pots portant des étiquettes énigmatiques...* » Dans ce décor étrange, Branly ne mesure ni ses efforts ni son temps. Des heures et des heures de travail acharné le conduisent à une découverte insignifiante pour le profane : le radioconducteur, circuit comportant une pile, un appareil de mesure et un tube contenant de la limaille de fer. Le phénomène qui se produit dans le tube lorsque l'on

*Il augmente la portée de sa transmission à près de quatre-vingts mètres inventant ainsi l'antenne.*

génère une décharge électrique dans son voisinage est la clef de la transmission des sons ; la découverte rend possible le développement de la radio, la « TSF », la « télégraphie sans fil ». Plus tard, Branly a l'idée de relier par un fil un des pôles de son générateur d'étincelle à des fils métalliques verticaux qui guident le store d'une fenêtre de son laboratoire : il augmente la portée de sa transmission à près de quatre-vingts mètres, inventant ainsi l'antenne ! Pendant plus de dix ans, il cherche à comprendre et à développer ce phénomène. Il a aussi l'intuition que les circuits neuronaux du cerveau sont du même type que ces circuits électriques : il utilisera l'électricité dans son activité médicale avec un certain bonheur.

Popov en Russie, Marconi en Italie, Ducretet en France permettent à la découverte de Branly de se déployer dans des applications technologiques. En 1898, des signaux utilisant des oscillations électriques rapides sont transmis de la tour Eiffel au Panthéon, tandis que la première liaison par télégraphie sans fil à travers la Manche a lieu en 1899. Le message est le suivant : « *Marconi envoie à M. Branly ses respectueux compliments par le télégraphe sans fil à travers la Manche. Ce beau résultat étant dû en partie aux remarquables travaux de M. Branly.* »

Jamais Branly ne chercha à faire fortune. Il refusa même à plusieurs reprises des dons que des industriels voulaient lui faire pour exploiter son nom. « *Ma mis-*

*sion est de travailler dans le silence pour aider les hommes à comprendre quelques miracles de la science, ceux que le Créateur consent à nous révéler un peu »*, confia-t-il en 1936, quatre ans avant sa mort. Fervent catholique, il avait fait du labeur quotidien sa priorité absolue, le mettant au service d'une recherche qui participe à la connaissance de la Création, c'est-à-dire de l'œuvre de Dieu.

SOURCES : *LA MISSION CHRÉTIENNE DE LA SCIENCE*. « Edouard Branly et la T.S.F. », in *REVUE D'HISTOIRE DES SCIENCES*, vol. XLVI, Paris, 1993. P. Monod-Broca, *BRANLY*, Paris, 1990.

# PIERRE DUHEM

## *UN GRAND SCIENTIFIQUE*
## *QUI NE LAISSE PAS DIEU HORS DU MONDE*

**• 10**
**OCT •**

GINO NE PEUT S'EMPÊCHER DE LIRE ENCORE UNE FOIS LA GENTILLE LETTRE DE MONSIEUR TIC-TAC. « *Ma chère petite Gino, c'est bien gentil à toi de penser à ton vieil ami Tic-Tac...* » Jouant avec l'une de ses boucles brunes, elle sourit et pense à la belle montre à gousset de son ami, qu'il s'amusait à approcher de son oreille pendant l'été qu'elle avait passé dans sa grande maison à Cabrespine, près de Carcassonne. Depuis, M. Duhem, comme ses parents l'appellent, n'a pas d'autre nom pour elle que « Monsieur Tic-Tac ». « *Mange bien et dors bien afin de te faire de bonnes joues roses.* » Gino rosit de plaisir, replie la soigneusement la feuille et la range dans sa boîte à trésor.

Gino est une petite fille de Thiais. Sa famille n'est pas très riche et Pierre Duhem l'a accueillie pendant un été à Cabrespine, son lieu de résidence languedocienne. Toute sa vie, elle gardera un souvenir ébloui de ces premières grandes vacances, pleines de rires et de jeux, et de la gentillesse de « Monsieur Tic-Tac » qui les lui a offertes. Oui, bien après la mort de Tic-Tac, en 1916, Gino y pensera encore. Tout comme sœur Saint-Pierre,

que Pierre Duhem a sauvée de la tuberculose. Il l'avait rencontrée lors d'une excursion dans les montagnes autour de Cabrespine alors qu'elle toussait violemment en gardant ses moutons. Il avait convaincu ses parents que l'unique chance de survie de la petite bergère était qu'il l'emmenât au sanatorium d'Arcachon, à une bonne centaine de kilomètres de là. Il l'installa à ses frais et, pendant plus de six ans, Marie-Louise reçut sa visite tous les samedis matins. Il lui parlait de ses montagnes et de ses moutons, et pourvoyait à tous ses besoins. Plus tard, Marie-Louise entra chez les religieuses de la Doctrine chrétienne et prit le nom de sœur Saint-Pierre. Toute sa vie, Pierre Duhem aida aussi la veuve d'un de ses camarades de l'École normale supérieure qui était restée seule à l'âge de vingt ans avec un petit garçon de trois mois.

Cependant, la vie de Pierre Duhem ne fut pas exempte d'épreuves : une affection gastrique chronique, la mort de sa sœur, de son frère et surtout la perte d'une épouse tendrement aimée, morte en mettant au monde un fils qui ne lui survécut pas. Il éleva avec beaucoup de tact et d'intelligence sa fille unique, Hélène, qu'il appelait « Toumi ». Mais sa plus grande souffrance fut sans doute l'incompréhension dont il fut victime au sein du monde scientifique, car ce chrétien généreux était aussi un éminent scientifique et un grand philosophe des sciences.

Après de brillantes études au collège Stanislas à Paris, Duhem entre major à l'École normale supérieure de la rue d'Ulm dans la section des mathématiques, mais préfère commencer des études de physique et de chimie. À la Sorbonne où, selon le mot de Renan « *la science organisera Dieu* », il découvre l'antagonisme irréductible que les anticléricaux ont échafaudé entre la science et la foi.

Membre de l'Académie des sciences, ce grand savant, dont l'œuvre a nourri les travaux des Perrin, des Curie, des Poincaré, cet éminent chercheur, reconnu à l'étranger – comme en témoignent les distinctions qu'il y reçoit et les étudiants qui viennent en France pour travailler à ses côtés –, voit sa carrière brisée par ceux qui ne lui pardonnent pas d'être catholique, de le dire et d'en vivre.

Dès sa soutenance de thèse, il s'oppose à Marcelin Berthelot en démontrant qu'un de ses principes de base est faux. Ce dernier fait savoir que « *ce jeune homme n'arrivera jamais à Paris* ». Sa thèse est refusée sous la pression de Berthelot. Duhem soutient une nouvelle thèse, en mathématiques, cette fois. Charles Hermite et Émile Picard, deux des plus grands mathématiciens de l'époque, sont membres du jury et témoignent des qualités exceptionnelles du jeune normalien.

Nommé à Lille, puis déplacé arbitrairement à Rennes avant de se voir offrir une chaire à Bordeaux, Pierre Duhem ne sera jamais, malgré les efforts de ses amis, nommé en Sorbonne. Le Collège de France ne le nommera pas à la chaire d'histoire des sciences, qu'il mérite pourtant, et même l'Institut catholique de Paris, malgré des demandes réitérées, ne créera pas de chaire de philosophie des sciences. Wilhem Ostwald, de loin le plus grand chimiste allemand de l'époque, parle en termes dithyrambiques des travaux du professeur bordelais : *Le Potentiel thermodynamique* (1896) est « *un ouvrage qui a joué un rôle important et influent* » et *La Mécanique chimique* est « *un autre apport capital aux brillantes méthodes de l'illustre auteur* ». L'équation de Gibbs-Duhem, celle de Duhem-Margules et l'inégalité de Clausius-Duhem posent les fondations de la chimie contemporaine, et ce sont les travaux de Duhem qui conduisent Ilya Prigogine jusqu'au prix Nobel de chimie en 1977.

L'approche philosophique de Duhem est originale. Il est l'un des rares à souligner que les formalismes mathématiques de la physique ne donnent pas le droit aux physiciens de prononcer des déclarations absolument définitives. « *Le raisonnement n'a pas de prise sur qui déclare qu'il ne se soucie pas d'avoir raison* », écrit-il lors de sa candidature à l'Académie des sciences. Pour lui, la perfection de la

> *Sa thèse est refusée sous la pression de Berthelot.*

théorie physique est de « *classer et d'ordonner le chaos des faits que l'expérience nous a révélés* ». Il définit sa vocation dans une lettre à un ami : « *J'ai cru de mon devoir de savant comme de mon devoir de chrétien de me faire sans cesse l'apôtre du sens commun, seul fondement de toute certitude scientifique, philosophique, religieuse.* » Le sens commun n'est pas aussi naïf qu'il y paraît car « *les fondations de la physique, de la mécanique voire de la géométrie sont formées de notions que l'on a la prétention de comprendre, bien qu'on ne puisse les définir, de principes dont on se tient pour assuré, bien qu'on en ait aucune démonstration. Ces notions, ces principes sont formés par le bon sens* ». L'avenir lui donnera raison : le théorème de Gödel montre en particulier que tout l'édifice mathématique repose sur l'idée intuitive d'ensemble.

Pierre Duhem déploie surtout une énergie considérable à réconcilier science et foi en montrant, grâce à sa monumentale histoire des sciences, *Le Système du monde*, que l'Église n'a pas été la puissance obscurantiste qu'on a prétendu. Au contraire, la culture et la philosophie chrétiennes ont rendu possible et préparé le développement de la science moderne. Il montre ainsi comment la métaphysique du Moyen Âge engendra la science de Newton (1642-1727) et de Leibniz (1646-1716). Sur ce thème de la naissance de la science moderne, Duhem et le Père Garigou-Lagrange ont échangé des lettres pendant deux décennies. Le travail de Pierre Duhem en histoire des sciences (dix volumes soit plus de cinq mille pages...) est fondamental et a influencé celui de Koyré qui le cite plus de cinquante fois, mais aussi d'autres historiens des sciences. Pourtant, même l'édition de cette œuvre a posé des problèmes invraisemblables : le dernier tome du *Système du monde* a été publié quarante ans après la mort de son auteur...

> *Il montre comment la métaphysique du Moyen-Âge engendra la science de Newton et de Leibniz.*

Duhem a été prophète sans honneurs tout au long de cette quête de vérité. Né en 1861, il était l'un des rares enfants à continuer à aller au catéchisme pendant la Commune de Paris, et lors de la guerre de 14-18, il se refusait à porter un imperméable quand il pleuvait, par solidarité avec les poilus dans les tranchées. Il devait d'ailleurs en mourir en 1916. Cette France qu'il aimait tant l'a ignoré et continue de l'ignorer superbement. « *Français sans peur et chrétien sans reproche* », cette devise de Stanislas, son collège parisien, Pierre Duhem l'a pourtant faite sienne tout au long de sa vie.

SOURCES : Pierre Duhem, « Quelques réflexions au sujet des théories physiques », in REVUE DES QUESTIONS SCIENTIFIQUES, et « Comment se pose le problème de Dieu », in REVUE DE MÉTAPHYSIQUE ET DE MORALE. S.-M. Jaki, PIERRE DUHEM, HOMME DE SCIENCE ET DE FOI, Paris, 1990. H. W. Paul, THE EDGE OF CONTINGENCY, FRENCH CATHOLIC REACTION TO SCIENTIFIC CHANGE, FROM DARWIN TO DUHEM, 1979.

# CHARLES PÉGUY

## *DES PLAINES DE LA BEAUCE*
## *AU FRONT DE LA MARNE :*
## *L'ULTIME PÉLERINAGE D'UN POÈTE*

### • 11 OCT •

– LA PAUSE ! LE LIEUTENANT A LANCÉ L'ORDRE ; et aussitôt les hommes en pantalon garance s'affaissent sur les talus qui bordent la route interminable. Ils n'en peuvent plus... Le 276ᵉ régiment d'infanterie marche depuis quatre jours, maintenant, depuis l'est, vers les plateaux de la Marne. Cent cinquante kilomètres ! En ce 4 septembre 1914, comme toutes les troupes de France devant les Allemands, engouffrés en une offensive foudroyante, et qui déjà sont à Senlis, le 276ᵉ fait retraite...

La patrie, cette patrie qu'il aime tant, est vraiment en danger. Mais ce n'est pas à elle que songe, en cet instant terrible, le lieutenant Charles Péguy. Ces quatre jours de retraite le ramènent en arrière, pour cette autre « retraite » où il avait marché, quatre jours également. Les champs de France traversés dans la tourmente du *Blitzkrieg* lui rappellent cette autre plaine, traversée en pèlerin plus de deux ans auparavant :

*Étoile de la mer, voici la lourde nappe*
*Et la profonde houle et l'océan des blés*
*Et la mouvante écume*
      *et nos greniers comblés...*

*Un sanglot rôde et court par-delà l'horizon,*
*À peine quelques toits font*
      *comme un archipel.*
*Du vieux clocher retombe une sorte d'appel.*

Quoi d'étonnant à ce retour de la mémoire vers cette « étoile de la mer », quand son amour de la patrie est un amour tout spirituel ; quand les fils de France, qu'il chérit tant, sont ceux de Notre-Dame et des saints innombrables de cette nation, de cette terre que les Allemands foulent désormais, presque sans rencontrer de résistance. Et jusqu'où iront-ils, jusqu'à quel village, jusqu'à quel clocher ?

Péguy songe à Chartres, à la flèche de Notre-Dame. Il était parti vers elle, le vendredi 14 juin 1912... Deux jours pour l'atteindre, mais au moins alors, cette marche vers l'ouest était-elle chargée de sens, quand il ne s'agit cette fois que de fuir devant les casques à pointe.

On marchait, il y a deux ans, plein d'espérance : une simple promenade, d'abord, jusqu'à Dourdan, avec Alain Fournier ; puis les jambes s'étaient alourdies, passé Sainte-Mesme et Longroy, mais le « *plus beau clocher du monde* » avait tout restauré. N'avait-il pas confié par la suite à son ami Lotte : « *Ç'a été une extase. Je ne sen-*

tais plus rien, ni la fatigue, ni mes pieds. Toutes mes impuretés sont tombées d'un coup. J'ai prié dans la cathédrale, le samedi soir. J'ai prié une heure, le dimanche matin, avant la grand-messe. [...] J'ai prié, mon vieux, comme jamais je n'ai prié. » Et les mots lui reviennent :

Ô Reine voici donc après la longue route,
Avant de repartir par ce même chemin,
Le seul asile ouvert au creux de votre main,
Et le jardin secret où l'âme s'ouvre toute.
Voici le lourd pilier et la montante voûte ;
Et l'oubli pour hier, et l'oubli pour demain ;
Et l'inutilité de tout calcul humain ;
Et plus que le péché, la sagesse en déroute.

Il suppliait alors la Vierge pour qu'elle l'aidât à dominer une passion adultère ; il rendait grâce, aussi, pour le soin qu'elle prenait de son fils cadet, Pierre, dont une longue maladie – la paratyphoïde – avait menacé les jours... Il offrait alors ses enfants à Notre-Dame de Chartres : « Mon gosse est sauvé, je les ai donnés tous les trois à Notre-Dame », confiait-il à Lotte. Et il était rentré heureux de ce pèlerinage mené « comme un beau raid d'infanterie », ce lundi de 1912.

Chartres est loin aujourd'hui. Quelle prière pourra faire taire la fatigue, faire renaître l'ardeur de ses hommes, et la sienne ? Qui entendra maintenant son souci de sauver d'autres fils, ceux de France, en ces chemins de déroute ? Comment offrir ici, sur les routes de retraite, ses hommes à la Très Sainte Vierge ? Quel lourd pilier trouveront-ils pour abriter peines et fatigues ?

Une estafette arrive, on lui transmet les ordres. Le lieutenant écoute, opine, et se relève. Demain, on marchera de nouveau au combat. Joffre l'a décidé, la retraite est finie, on va bloquer l'Allemand, coûte que coûte. La bataille de la Marne commence. On marchera enfin, pour de vrai cette fois...

La mort sera peut-être au bout... Charles Péguy songe à sa deuxième marche vers Chartres, avec son fils Marcel. Après une nouvelle guérison de Pierre, de la diphtérie cette fois, il s'était résolu à rendre à la Vierge un pèlerinage annuel, sans demande cette fois, se contentant d'offrir. « J'y vais aveuglément. J'ai définitivement renoncé à demander rien de particulier à des gens (la Vierge et les saints) qui savent mieux que nous. ». Mais, en 1913, le soleil l'écrasait, et manqua de le tuer. Le futur lieutenant écrira par la suite : « Ce serait beau de mourir sur une route et d'aller au Ciel, tout à coup. » Qui sait si, dès demain, sa phrase ne prendra pas, sur un autre chemin, son sens le plus profond ? Mourir loin de Chartres, mais mourir avec elle, Notre-Dame.

Quand on nous aura mis
     dans une étroite fosse,
Quand on aura sur nous dit
     l'absoute et la messe,
Veuillez vous rappeler, reine de la promesse,
Le long cheminement
     que nous faisons en Beauce.

La nuit passe, longue, sans sommeil, qui précède la première montée au feu. Charles Péguy s'exalte au combat qui s'annonce ; il songe à la mort, qui peut-être

> La retraite est finie, on va bloquer l'Allemand.

s'avance, et se souvient alors de son dernier voyage vers Chartres, avec la mère, la sœur et la nièce de Jacques Maritain... Reverra-t-il « sa » Notre-Dame ? Va-t-il assister une fois, une fois seulement, à la messe en la cathédrale ? Il songe à cette messe de l'Assomption, le 15 août 1914 – c'était déjà la guerre, il était lieutenant, il y assiste, pour la première fois depuis l'âge de douze ans, pour la première fois depuis sa conversion. Cette messe a été un retour à l'enfance, à sa fragilité, à sa prière confiante. « *La mystique est la force invisible des faibles.* »

Charles Péguy voudrait revêtir cette force ; il songe à cette lettre envoyée aux siens, le 16 août, au lendemain de sa première messe : « *Si je ne reviens pas, vous irez une fois par an à Chartres pour moi.* » En cette nuit de septembre, la nuit de la Marne, il évoque les figures de ceux qui l'ont précédé à Chartres : Saint Louis, Henri III et les milliers de pénitents de 1583, le grand pèlerinage national de 1873, l'année de sa naissance... Il a ressuscité, seul, ce pèlerinage ancien : « *Au fond, c'est une renaissance catholique qui se fait par moi.* » Si son vœu s'exauce, Notre-Dame de Chartres accueillera de nouveau les foules en dévotion, tout offertes vers elle. « *Je l'ai faite, moi, la route de Chartres.* »

C'est l'aube. On s'ébranle, le fusil à la main. On marche vers l'Allemand. L'artillerie prépare en un tonnerre puissant le chemin vers le front. On ne regarde plus cette fois les blés le long des routes, on atteint Villeroy. Les herbes hautes cachent encore l'ennemi, mais déjà les mausers claquent à moins de cent mètres. Les fils de France avancent sous la mitraille. Le lieutenant se lève, pour les porter au feu.

– En tirailleurs, les enfants ! En avant !

Un mauser a craché la balle meurtrière. Le lieutenant Péguy ne verra plus la flèche de la cathédrale, il ne reverra pas les lourds piliers de Chartres, il ne portera plus ses enfants en offrande. Il tombe, frappé à mort, ses yeux bientôt s'éteignent, une dernière prière s'emmêle sur ses lèvres : « *Rien n'est beau comme un enfant qui s'endort en faisant sa prière, dit Dieu. Et qui déjà mêle tout ensemble et qui n'y comprend plus rien ; et qui fourre les paroles du Notre Père à tort et à travers pêle-mêle dans les paroles du Je vous salue Marie. Pendant qu'un voile déjà descend sur ses paupières, le voile de la nuit sur son regard et sur sa voix.* »

Sa femme, fidèle à la promesse, prendra en 1916 la route de Chartres. À sa suite, René Salomé, Charles Flory, puis le père Sertillanges, partiront vers la Vierge de Beauce. Les enfants de Péguy, convertis, accompagneront en 1930 cinq cents étudiants de la Sorbonne. Quatre mille en 1945, vingt mille en 1967, ils seront sans cesse plus nombreux à faire la route de Chartres, sur les pas du poète...

SOURCES : Charles Péguy, *Œuvres complètes*. J. Maritain, *Péguy au porche de l'église*. « Charles Péguy », in *Cahiers de l'Herne*, 1977. J. Bastaire, *Prier à Chartres avec Péguy*, Paris, 1993.

# LES CURÉS
# DANS LA GRANDE GUERRE
## QUAND LES SOUTANES PASSENT
### AU BLEU HORIZON

**12 OCT** — À BOIRE... À BOIRE... L'HOMME RÂLE... IL NE PEUT PLUS MÊME ATTEINDRE les murs détruits de la ferme, là-bas, à quelques mètres. Tout son corps se fige, déjà, dans une gangue de froid. Seule la douleur, en aiguilles fulgurantes, réveille encore les blessures du caporal qui meurt, et lui donne la force désespérée de gémir, d'appeler. Il ne veut pas finir seul, dans ce champ de betteraves, loin des copains du 115e.

Un bruit, des pas... Français, Boche ? Il ne sait pas où est le front de l'Oise, en ce 17 septembre 1914. Il ne sait plus où sont les siens... Il attend sur le ventre la réponse finale. Bruits de métal sur le métal. Sera-ce la balle qui mettra fin à tout ? Non, c'est une gourde qu'on lui tend : « Bois, mon fils. »

Une main relève son menton, l'aide à boire. La main essuie le front en sang.

– Tu ne vois plus ?

– Non. Un éclat de shrapnel...

L'homme, qu'il ne peut voir, essaie maintenant de le retourner. Ses gémissements l'arrêtent.

– Qui es-tu ? Où est le 115e ?

– Tu es entre les lignes. Je suis le père Doncœur. Je suis l'aumônier militaire.

Alors le caporal s'abandonne, il pleure une dernière fois.

– *Oh ! que je suis heureux ! J'ai dit mon chapelet pour que vous veniez ! Oh ! comme je suis heureux !*

L'aumônier prend dans ses bras le corps supplicié, il le calme, il l'absout. La mort fait son œuvre, et les ultimes paroles du caporal défiguré ont déjà effacé le champ de betteraves, le champ d'horreur, le champ d'honneur.

– *Je suis au paradis ! Je suis si bien ici !*

L'abbé Doncœur le veille, puis part vers d'autres morts.

Combien sont-ils ainsi, qui marchent entre les lignes ? Il est déjà loin, le bel été 1914, qui a drainé des foules en liesse, où la France appelait tous ses fils, même les prêtres.

Les curés savent, dès août 1914, que leur place sera auprès des blessés, des souffrants, des morts. Ils ignorent encore l'horreur absolue du feu. À Paris, un aumônier, l'abbé Lelièvre, déclare alors : « *Il faut à tout prix que je parte, non pour tuer certes – je préférerais mourir ici – mais pour m'offrir.* » Impatient de se jeter

« *dans l'horrible mêlée* », il rejoint, dès le début des hostilités, le 19ᵉ régiment d'infanterie, auquel il restera affecté jusqu'en avril 1915.

Monté au front la fleur au chapelet, l'abbé Lelièvre déchante rapidement. Les premiers temps d'affectation sont difficiles, dans cette armée de la République, qui l'a enrôlé, mais qui ne sait encore qu'en faire, aux côtés de soldats pour beaucoup habitués à « bouffer du curé ». Dans nombre de régiments, les aumôniers sont tout juste tolérés par les hommes. L'abbé Lelièvre vit mal la chose, impatient de venir en aide et contrarié de sa mise à l'écart... Il rencontre son général de brigade et lui propose de se rendre utile. Le général lui répond : « *Monsieur l'aumônier, j'ai l'honneur de vous saluer.* »

L'abbé Thibaut, en arrivant au 1ᵉʳ régiment d'infanterie, est reçu avec la même sécheresse. De nombreux hommes se demandent ce qu'il vient faire ici, car il n'est pas soldat. Que veulent-ils, ces aumôniers ? « *Rendre service et ne rien demander pour eux-mêmes* », déclare spontanément l'abbé Thibaut à l'un de ses supérieurs. Car les officiers qui, au départ, n'osaient pas lui serrer la main, ni même le saluer, prennent l'habitude de le recevoir. Les chefs de corps, partout, vont faire de même. Le commandant Bréant fait ainsi appeler le vicaire de Grandvillars et lui dit : « *Vous serez infirmier, c'est mieux pour vous.* » Ce dernier lui répond tout naturellement : « *Je ferai ce qu'on voudra...* »

> Les aumôniers gagnent leurs « galons » de poilu.

Puis, après avoir assis leurs statuts dans les mess d'officiers, les aumôniers, l'abbé Thibaut et l'abbé Lelièvre, gagnent leurs « galons » de poilus... Quand, le 15 août 1914, les Allemands cherchent à franchir la Meuse, le 1ᵉʳ régiment d'infanterie se trouve en réserve sur la route d'Anthée, à Dinant. L'abbé Thibaut demande au général Franchet d'Espérey d'aller au feu, pour offrir ses services aux blessés du 33ᵉ régiment. Plus tard, lors de la retraite du 23 août, il reste aux avant-postes, juste sous les canons, qui ne cessent de tonner. Il ne quitte le village de Romedenne qu'au tout dernier moment pour échapper aux Allemands. Il peut alors être accepté par les hommes comme l'un des leurs.

L'abbé Lelièvre, lui, attendra mai 1915, lors d'une offensive vers Chanteclair et Douai, pour qu'un fait d'armes l'adoube parmi les hommes. Le colonel a donné l'ordre d'attaque, mais certains, la peur au ventre, terrés dans leurs tranchées, ne peuvent se résoudre à partir à l'assaut. Alors, l'abbé bondit de sa tranchée, un fusil à la main, et se jette à corps perdu sur l'ennemi... Devant un tel courage, les soldats, pétrifiés un instant plus tôt, le suivent comme un seul homme. Plus tard, un « gamin de la Croix-Rouge », en parlant de son aumônier, affirmera : « *Quand j'ai aperçu dans la tranchée cette belle tête calme et souriante, ma frousse a disparu ; et je me suis senti capable de n'importe quoi.* »

L'époque est si terrible qu'on ne juge

les hommes qu'à leur ardeur au combat. Et certains des aumôniers prennent le fusil pour gagner le respect ou l'amitié des troupes. Le rôle des curés « sac au dos » est pourtant ailleurs. Le prêtre écoute, console, rassure. Dans les tranchées, au milieu de la boue qui couvre les visages, parmi le fer et les éclats qui mutilent les corps, le prêtre incarne la foi, et l'espérance d'une rédemption.

Puisque la boucherie s'éternise, puisque les hommes tombent toujours plus nombreux, le prêtre devient vite celui qui veille « ses » morts. Image terrible de cet homme qui, dans les environs de Verdun, reste là, agenouillé devant des cercueils posés sur le sol. Il demande qu'on le laisse seul. Il veille. Il prie sur la tombe de « ses enfants ». C'est l'abbé Lelièvre, qui, en un an, a découvert l'horrible visage de cette guerre et qui, sans cesse, visite les avant-postes, pour être là où l'on tombe, pour accompagner les blessés, pour aider les mourants à mourir... À Ronclincourt, le soir de Pâques 1915, il monte en première ligne. Il avance, serre les mains, apaise les esprits inquiets, réconforte les plus désespérés. Lorsqu'il revient au campement, il affirme : *« Je n'ai même pas prononcé vingt phrases dans ma rapide tournée, mais elles furent le meilleur sermon de ma vie. »*

La désespérance est telle, les morts si nombreux à veiller, que les aumôniers enrôlés n'y suffisent plus. D'autres, à l'arrière, comprennent que leur sacerdoce doit les conduire là où l'on meurt... L'aumônier volontaire apparaît.

Albert de Mun l'invente et en fait *« l'œuvre de [sa] vie dont [il est] le plus fier »*. Il se bat pour permettre à ces hommes, les « Aumôniers d'Albert de Mun », de venir en renfort spirituel sur le front, d'apporter leur secours aux combattants. Longtemps, le gouvernement refuse, mais un compromis est trouvé : les aumôniers volontaires partiront, mais sans solde.

Au rez-de-chaussée du 21 de la rue François-I$^{er}$, devant la porte du bureau d'aumônerie militaire volontaire, des milliers de prêtres se bousculent bientôt pour déposer leur candidature. Nombreux sont ceux qui reviennent de l'exil auquel les avaient contraints les lois anticléricales du début du siècle. Geoffroy de Grandmaison – qui, à la mort d'Albert de Mun le 6 octobre 1914, a pris sa succession – veille au respect des règles : pour qu'une demande soit retenue, il faut être libre de toute obligation militaire, être en possession de l'autorisation épiscopale et être en bonne santé. Les aumôniers volontaires sont affectés directement, en fonction des besoins. Au cours de l'hiver 1915, Millerand fait ainsi appeler dans son bureau Geoffroy de Grandmaison et lui demande une douzaine d'aumôniers pour accompagner le corps expéditionnaire des Dardanelles. Le ministre précise les qualités des volontaires : être d'anciens missionnaires d'Orient, être habitué au climat, connaî-

> *Millerand demande une douzaine d'aumôniers pour les Dardanelles.*

tre les coutumes, et les langues grecque et turque...

Tandis que les prêtres se bousculent pour monter au front apporter leur service, d'autres sont simples soldats. Tous les prêtres, loin de là, n'ont pas reçu une affectation d'aumôniers. Beaucoup, l'arme à la main, sont poilus parmi les poilus... Cette fois, le gouvernement n'organise pas, ce sont les initiatives qui se multiplient chez certains gradés : on ne manque pas de morts, mais on manque de prêtres. Utilisons-les donc, ces poilus ordonnés ! Ils seront, troisième catégorie de prêtres au front, les « aumôniers bénévoles ».

Ces prêtres sont chargés par leurs supérieurs hiérarchiques du service religieux. Et, même si la règle canonique stipule qu'un prêtre ne doit pas se mêler d'une « affaire de sang », l'évêque de Verdun fournit la réponse à cette interdiction : « *Les prêtres combattants ou infirmiers, même s'ils sont irréguliers du fait de la guerre, pourront, au cours des opérations militaires, célébrer le saint sacrifice et administrer les sacrements.* » Les bénévoles peuvent dire la messe, confesser les mourants. Mais ils restent avant tout des militaires engagés dans la guerre. Morel-Journel demande un jour au père Poidebard :

« *Vous connaissez beaucoup de pères allemands. Si vous vous trouvez par hasard dans une charge en face de l'un d'eux, que ferez-vous ?*

*– Je n'hésiterai pas une seconde : je le fendrai en deux de tête en bas !* »

> Quand la bataille est finie, ils revêtent l'étole.

Et, constatant l'étonnement de son ami, le père Poidebard explique : « *Mais oui ! Mon devoir est simple : évangéliser en jésuite et faire la guerre en soldat.* »

Ces aumôniers bénévoles ne peuvent exercer leur ministère que durant leur « temps libre », entre deux montées en première ligne sous les pluies d'obus. Quand la bataille est finie, pour quelques heures, ils revêtent l'étole, et distribuent les sacrements. Puis, c'est le feu de nouveau, et alors l'on reprend casque et baïonnette... Deux circulaires ministérielles tentent de supprimer ces prêtres-soldats. La première, du 3 janvier 1916, affirme que les aumôniers bénévoles « *ne peuvent être autorisés que par le ministre à exercer leur ministère aux armées* ». La seconde, plus catégorique encore, précise : « *Il n'y a pas lieu de retenir l'existence d'une troisième classe d'aumôniers dits bénévoles.* » Sur les trente-deux mille cinq cents prêtres mobilisés, ou engagés volontairement, plus de quatre mille seront tués, dont beaucoup de bénévoles...

Le sacrifice de tous n'aura pas été vain, parce qu'au front, ils apportent l'espérance sur un champ de cadavres ; parce qu'à l'arrière, l'époque change déjà, elle n'est plus à cet anticléricalisme qui marquait l'entrée en guerre. Devant l'évidence de la mort, les chapelets, les médailles, la dévotion au Saint-Sacrement s'imposent.

Le 4 août 1914, Raymond Poincaré, président de la République, célébrait l'« Union sacrée », ce rassemblement des catholiques et des socialistes pour surmonter ensemble les menaces de la guerre. Et, après l'armistice, la conduite des curés « sac au dos » aura fait tomber de nombreux préjugés. Un partisan socialiste, à l'Assemblée, s'exclamera même : « *Je m'aperçois surtout qu'on nous a affreusement menti sur ce que sont les curés. Je les trouve les plus honnêtes des hommes, les plus charitables, et, je dois l'avouer, les plus patriotes.* »

**Sources** : J.-J. Becker, LES FRANÇAIS ET LA GRANDE GUERRE, Paris, 1980. Abbé J. Bourceret, SUR LES ROUTES DU FRONT DE MEUSE. SOUVENIRS D'UN INFIRMIER-MAJOR, Paris, 1917. J. Fontana, ATTITUDES ET SENTIMENTS DU CLERGÉ ET DES CATHOLIQUES FRANÇAIS DEVANT ET DURANT LA GUERRE 14-18, Lille, 1973. Mgr Liénart, L'ÂME D'UN RÉGIMENT, L'ABBÉ THIBAUT, Cambrai, 1928. Lissorgues, NOTES D'UN AUMÔNIER MILITAIRE, Aurillac, 1921.

# LE GÉNOCIDE DES ARMÉNIENS

## *LA MORT PROGRAMMÉE*
### *DE LA PREMIÈRE NATION CHRÉTIENNE*
### *DE L'HISTOIRE*

**• 13 OCT •**

L'APPEL DU MUEZZIN VIBRE SOUDAIN DANS LA NUIT CLAIRE. Au bruit de cette voix rauque qui égrène les premières notes de son chant, Krikor se dresse d'un bond sur son lit. Une fois de plus, l'invitation à la prière s'est confondue avec son cauchemar et l'a brusquement tiré de son sommeil. Les yeux grands ouverts dans l'obscurité, le vieil homme tente en vain de se raisonner. Pourtant, en cette nuit de février 1918, il y a presque deux ans que le calme est à peu près revenu à Kharpout, cette petite ville de trente mille âmes perdue au cœur de l'Empire ottoman. Les couloirs du consulat américain ont beau être déserts, le consul a beau être reparti aux États-Unis depuis que son pays est en guerre contre l'empire, Krikor n'a pas à craindre une incursion de musulmans fanatiques dans ces locaux dont il est désormais l'unique habitant et le seul gardien.

Pourtant, la psalmodie du nom d'Allah lui rappelle les soirées effroyables de l'été 1915. À l'abri derrière les murs du consulat, Krikor frémissait chaque soir en entendant la prière publique des Turcs rassemblés devant le bâtiment. Ils invoquaient pieusement Allah de les bénir dans leurs efforts pour exterminer les chrétiens haïs. Jour après jour, les « fidèles » poursuivaient leur sanglante entreprise.

En écoutant le muezzin chanter la grandeur de son Dieu, le vieil homme laisse affluer ses souvenirs. Il ne peut les retenir. N'a-t-il pas vécu toutes les affres de cette histoire tragique que les survivants du peuple arménien ne pourront jamais oublier ?

26 juin 1915... Cette date hante l'esprit du vieillard. C'est ce jour-là que le crieur public a bouleversé de sa voix de stentor l'existence des Arméniens de la province. Krikor, ayant à faire à Kharpout, avait quitté très tôt son village de Bozmachen, situé à deux heures de route de là. Bâtie au sommet d'une petite montagne, Kharpout dominait une plaine fertile que Krikor ne contemplait jamais sans émotion. Il était profondément attaché à cette terre séparée de tout port ou de toute ligne de chemin de fer par plusieurs centaines de kilomètres. Il fallait deux semaines de voyage en charrette pour atteindre la mer, et un télégramme mettait entre deux et quinze jours pour atteindre Istanbul. Mais l'amour de Krikor pour sa plaine coupée

du reste du monde était lié à une sourde angoisse. Terre chrétienne dans un empire musulman, cette province peuplée d'Arméniens avait toujours été regardée d'un très mauvais œil par le gouvernement de la Sublime Porte. La déposition du sultan en 1909 avait fait croire un instant aux Arméniens que les massacres qu'ils subissaient périodiquement allaient enfin faire partie d'un sombre passé désormais conjuré. Mais cette illusion s'était vite dissipée. Le gouvernement jeune-turc, quoique laïc, n'était pas mieux disposé que l'ancienne dynastie ottomane à l'égard de cette race étrangère qui pratiquait une religion détestée, vivait selon des coutumes mal comprises, et exaspérait la population turque locale par la prospérité de son commerce et de son agriculture.

Ce jour-là, en atteignant les portes de la ville, Krikor était particulièrement inquiet. Des rumeurs avaient circulé jusque dans son lointain village. On parlait de l'étonnante disparition des notables arméniens les plus célèbres de la ville. La gendarmerie turque, sous prétexte d'un complot révolutionnaire, avait procédé à l'arrestation de nombre d'entre eux. Nul ne savait, depuis, ce qu'ils étaient devenus.

Au seul souvenir de ce qu'il a entendu, en ce matin du 26 juin, les battements du cœur du vieil homme s'accélérèrent follement dans sa poitrine. Voilà plus de deux ans que, dans l'esprit inquiet de Krikor, le crieur public proclame froidement l'ordre de déportation immédiate de la population arménienne tout entière, hommes, femmes, enfants, vers une destination bien trop lointaine pour être atteinte à pied, par un été torride, à travers des régions où l'on peut marcher trois jours de suite sans rencontrer un puits.

> *Le crieur public proclame froidement l'ordre de déportation immédiate de la population arménienne tout entière.*

C'était la condamnation à mort de tout un peuple qui était ainsi prononcée, et d'emblée Krikor renonça à la comprendre. Il n'envisagea pas pour autant de prendre les armes. Les Arméniens sont pacifiques ; pas plus que la plupart de ses frères de race et de religion, le vieil homme ne se sentait capable d'une résistance héroïque. Il rentra dans son village pour y attendre la mort, certain qu'elle viendrait l'y chercher, aussi sûrement que s'il partait avec les convois de déportés.

Caché dans un sombre réduit de sa maison, il suivit néanmoins les premières péripéties de la tragédie. Bozmachen et les villages alentour se vidèrent de leurs habitants arméniens. Ceux-ci, avant de partir, vendirent leurs biens les plus précieux aux Turcs pour des sommes dérisoires, et ces derniers, tels des vautours, festoyèrent sur le malheur de leurs voisins haïs.

Sitôt les déportés partis, les gendarmes turcs arrivèrent sur place pour procéder au nettoyage. Ils ne firent pas de quartier, et assassinèrent froidement les villageois restés chez eux. Krikor se terra dans son grenier. Un jour de juillet, des pas se firent entendre à sa porte : il crut sa dernière heure venue. Miracle ! ce n'étaient pas des gendarmes turcs, la voix avait un accent américain. Comment la Providence avait-elle mené jusque chez lui le consul américain de Kharpout en personne ? Il ne le comprit jamais. Pour l'heure, il était sauvé.

Le voilà installé au consulat, minuscule bout de terre américaine perdue au cœur de la Turquie d'Asie, qui devait sa survie au fait que les États-Unis étaient encore une puissance neutre dans le conflit mondial. C'est à l'ombre du drapeau étoilé auquel il devait la vie que Krikor a compris l'ampleur de la tragédie qu'était en train de vivre son peuple, au fil des récits que faisaient au consul les réfugiés qui se présentaient.

Il apprit le sort prévisible des immenses convois de déportés qui sillonnaient le pays. Ceux des malheureux qui résistaient à la fatigue et à la soif étaient décimés par des bandes féroces de pillards kurdes dont la présence sur leur chemin était encouragée, voire commanditée par le gouvernement d'Istanbul acharné à la perte du peuple arménien.

*Leurs livres de prières leur furent arrachés avec des jurons et des coups de pieds.*

Le consul, impuissant, lui parla de ce camp que les autorités avaient installé à Kharpout pour les convois qui arrivaient des provinces les plus reculées de l'empire. Ces gens-là mettaient à ne pas mourir une obstination qui agaçait les Turcs de la ville ; aussi les avait-on parqués dans un cimetière, sans vivres ni vêtements, pour en finir. Le regard du consul s'assombrit lorsqu'il évoqua ces visions affreuses qui n'étaient pas, hélas !, le triste privilège de Kharpout. Ce n'étaient partout que ruines fumantes et champs de cadavres, femmes, enfants, vieillards... Viols, tueries, l'horreur était partout, effroyable et systématique.

Krikor entendit le récit du massacre de neuf cents hommes sur qui les gendarmes avaient ouvert le feu dans une vallée déserte avant de les achever à la baïonnette. L'un des seuls rescapés de cette tuerie a été hébergé un temps au consulat, avant de reprendre sa route vers la frontière russe, déguisé en femme.

Krikor ne repense jamais sans un sentiment de profonde injustice à l'épisode révoltant de la mort de l'évêque catholique, Mgr Israélian... Le gouverneur de la province faisait semblant de respecter cet homme profondément bon ; aussi, à son départ, Mgr Israélian et une quarantaine de membres de son entourage s'étaient-ils vus délivrer des sauf-conduits. Ruse infâme. Krikor vit un jour arriver au consulat l'une des trois femmes de ce petit convoi catholique à en avoir réchappé. Elle lui raconta comment le groupe, ayant été arrêté par un peloton de gendarmes qui avait affirmé ne plus pouvoir assurer sa sécurité s'il poursuivait sa route plus avant, avait dû rebrousser chemin pour tomber dans un guet-apens. L'évêque et ses ouailles, agenouillés, avaient tenté d'ouvrir leurs livres de prières, qui leur furent arrachés avec des jurons et des coups de pieds. Puis ce fut l'hécatombe ; seules trois femmes, jugées assez jolies pour orner des harems, furent épargnées.

Chaque journée apportait à Krikor, au

cours de cet été funeste, des rumeurs de mort et de dévastation.

Krikor sait maintenant ce qu'est l'« abomination de la désolation » dont parle la Bible. C'est le massacre de tous ces innocents que l'on a beau jeu d'accuser d'« intelligence avec l'ennemi » et de « complot révolutionnaire ». C'est une lente agonie froidement voulue par un gouvernement implacable. C'est l'élimination systématique de tout un peuple dont le seul tort est d'exister et d'avoir une foi différente de celle des autres sujets de la terre où il vit. C'est le destin d'hommes et de femmes qui, de deux millions trois cent mille qu'ils étaient avant le début de leur chemin de croix, ne sont plus que huit cent mille une fois parvenus au sommet de leur calvaire. Un million cinq cent mille d'entre eux sont tombés en route, le long de cette *via dolorosa* amère que leur ont infligée la haine et le fanatisme.

En 1986, la sous-commission des Droits de l'homme de l'Organisation des Nations unies reconnaissait officiellement le *génocide* du peuple arménien.

SOURCES : L.A. Davis, *DÉPÊCHES À L'AMBASSADE AMÉRICAINE DE CONSTANTINOPLE*, Kharpout, 1915. L.A. Davis, *RAPPORT AU DÉPARTEMENT D'ÉTAT*, New York, 1918.

# ANNE DE GUIGNÉ

## *UNE TRÈS GRANDE ÂME*

## *POUR UNE TOUTE PETITE FILLE*

**• 14 OCT •**

TOUTES LES FAMILLES D'ANNECY-LE-VIEUX SAVENT CE QUE SIGNIFIE la visite des officiers d'état civil dans les maisons des femmes de soldats. Voilà un an que la guerre dure, voilà plus de six mois qu'elle s'est enlisée dans les tranchées. Dans la boue de l'Est, loin de leurs montagnes, les hommes tombent. Alors, en ce mois de juillet 1915, lorsque la jeune femme voit arriver les deux officiers, lorsqu'elle les voit monter les marches du perron, déjà, elle a compris.

« Le lieutenant Guigné est tombé au champ d'honneur à la tête de sa compagnie de chasseurs alpins, sur le front d'Alsace... » Toute la nuit, ces mots terribles résonnent dans la tête de la jeune veuve. Ses enfants, ses quatre enfants, sont des enfants sans père. Le lendemain, dans la pièce où la jeune femme s'est réfugiée pour pleurer, Anne, sa fille, née dans cette maison le 25 avril 1911, s'approche timidement. Dans la tête de Mme de Guigné, tout s'entrechoque. La mort du héros, les soucis domestiques, et cette gamine si vive, si intelligente, mais tellement désobéissante, orgueilleuse, jalouse et capricieuse... Si, au moins, ses colères pou-

vaient cesser. La maman caresse les cheveux de la fillette et murmure : « *Anne, si tu veux me consoler, il faut être bonne.* » Et Anne va tout faire pour « être bonne ».

À partir de cet instant, elle s'y efforce sans répit, avec l'acharnement d'une gamine de quatre ans et demi, s'appliquant à d'innombrables sacrifices, à table, au travail, dans les jeux... La petite fille répète sans cesse : « Je suis heureuse. » Elle s'obstine et sollicite l'aide de Dieu.

Au milieu de sa détresse, Mme de Guigné assiste au surprenant combat spirituel d'une enfant passionnée qui ne veut plus rien refuser à Dieu. Par moments, pour quelques broutilles – un jeu auquel Anne ne peut participer, une sucrerie qu'on lui refuse –, la mère voit la petite fille devenir subitement rouge de colère, serrer les poings. Mais Anne maîtrise toujours son caractère emporté. Elle l'a promis. Peu à peu, les crises s'espacent et, bientôt, son entourage a l'impression que tout lui est agréable. Son institutrice constate elle aussi cet irréversible et radical changement : « *Je n'ai jamais vu Anne revenir en arrière.* »

Les mois passent. Au début de 1917, Mgr Chapon, évêque de Nice, découvre sur la liste des candidates à la première communion une enfant qui n'a pas encore six ans. Stupéfait, il refuse qu'on l'admette. On insiste, on supplie. Il se laisse alors fléchir, mais exige un « examen sévère ». Lorsqu'on amène Anne de Guigné au père Perroy, le supérieur des jésuites, chargé de l'interroger, il commence par s'y refuser. *« Elle est beaucoup trop petite. C'est un bébé ! Que Mme de Guigné vienne me parler, je m'arrangerai avec elle. Bientôt les mamans voudront faire communier les enfants avant qu'ils sachent marcher ! »*

Il cède enfin. Et, pendant une demi-heure, il l'interroge.

Les questions du catéchisme d'abord, puis, comme l'enfant ne commet aucune erreur, il entame un dialogue plus libre. Saisi par les réponses de l'enfant, le jésuite se rend à l'évidence : *« Madame,* dit-il à sa mère, *non seulement elle est prête, mais je souhaite que vous et moi soyons toujours au degré d'instruction religieuse de cette enfant-là. »*

L'examen est réussi, mais, toujours, demeure la blessure initiale. La veille de la première communion, alors qu'elle n'a eu de cesse de connaître ce moment,

> *« Mon bon Jésus,*
> *je veux tout*
> *ce que vous voulez. »*

Anne est infiniment triste. Son père ne sera pas présent. Mais elle retrouve le sourire lorsqu'elle comprend qu'il assistera, du Ciel, à la cérémonie. En ce lundi 26 mars 1917, où elle communie pour la première fois, elle fait déposer sur l'autel un billet : *« Mon Petit Jésus, je vous aime et, pour vous plaire, je prends la résolution d'obéir toujours ! »*

Mais déjà le combat d'Anne touche à sa fin. Frappée d'une maladie cérébrale, sans doute une méningite, en décembre 1921, elle est forcée de s'aliter. Elle répète sans cesse : « *Mon Bon Jésus, je veux tout ce que vous voulez.* » Et, aux invocations que l'on fait pour son rétablissement, elle ajoute systématiquement : *« Guérissez aussi les autres malades. »*

Anne de Guigné meurt à l'aube du 14 janvier 1922, à Cannes. Elle n'a pas onze ans. Pendant longtemps, ses proches voulurent garder pour eux l'étonnant parcours spirituel de cette petite fille obstinée qui ne voulait qu'une seule chose, « être bonne ». Mais la renommée de la fillette dépassa bien vite le cadre familial et, le 3 mars 1990, le décret reconnaissant l'« héroïcité des vertus » d'Anne de Guigné et la proclamant « vénérable » était promulgué.

SOURCES : R. de Tryon-Montalembert, *ANNE DE GUIGNÉ*, Paris, 1989.

# BENOÎT XV ET LA GUERRE

## *DANS L'EUROPE DÉCHIRÉE,*

## *UNE VOIX PRIE POUR LA PAIX*

**15 OCT**

– BON SANG ! VOUS N'ALLEZ TOUT DE MÊME PAS LES LAISSER NOUS TUER SANS RIEN FAIRE !

– Assieds-toi, Paulo, et garde ton calme. Cela ne sert plus à rien...

– Mon calme !

Paulo tourne en rond et se cogne contre les murs du cachot. Il y a eu les tranchées, les caillebotis, les trous où l'on s'enfouissait dans le noir, où l'on s'endormait en pensant à l'obus fatal... Il y a eu la boue, qui, aux jours d'automne, depuis trois ans, vous montait aux hanches, remplissant le boyau jusqu'à mi-hauteur. Mais ces murs-là, les derniers qu'ils verront tous les trois, sont plus insupportables encore. Ces pierres, ce ciment, ces barreaux sont français ; français aussi, les officiers qui les ont fait comparaître ; français, le peloton qui, demain à l'aube, exécutera la sinistre sentence.

– Survivre aux balles des Boches, et mourir sous celle de nos gars !

– J'ai vu arriver les appelés. C'est pas des poilus qui pourraient tirer, alors ils font faire cela aux jeunes.

– Arrêtez, tous les deux... Je ne veux pas penser au peloton avant demain matin. Cela suffira bien.

On frappe à la porte. Les trois hommes se lèvent, raides dans leurs uniformes, dont on enlèvera demain les galons : « fraternisation avec l'ennemi », disent-ils, en cet été 1917... La porte grince, l'aumônier entre :

– Mes enfants, je...

– Barre-toi, salopard de corbeau... Va rejoindre tes amis généraux, et laisse-nous tranquilles.

La porte se referme. Paulo ricane :

– Au moins, on n'embêtera pas la chair à canon pour sa dernière nuit. Vous avez vu comment je l'ai...

– Moi, je voulais me confesser...

Derrière lui, Jean, qui depuis le début se tait le plus possible, et invite les autres à se taire ; Jean, qui ne supporte pas l'idée de l'aube ; Jean l'a interrompu.

– Tu es catholique, toi, Jean ?

– Je ne sais pas. Je suis socialiste, et je n'allais plus à l'église, et mes amis étudiants n'y allaient pas non plus. Mais j'ai peur, Paulo, j'ai peur.

– Eh ben, tu n'as qu'à prier, si ça te rassure. Mais ne fais pas confiance aux curés... Ils sont les alliés des généraux, ils étaient les alliés de Nivelle et ils sont ceux de Pétain.

Antoine, l'ancien maçon enrôlé dès août 1914, qui sait bien qu'ils n'en ont plus pour longtemps, et qui s'agace que Paulo continue de gémir, opine cette fois.

– Jean, tu ne les as pas vus bénir les gars, quand on partait à la boucherie, sur le chemin des Dames ?

– Le sabre et le goupillon, Jean... Tu verras, ils se sont réconciliés sur notre dos.

Un silence. Puis Jean secoue la tête.

– Arrêtez tous les deux... Je ne sais pas si les évêques sont les amis des généraux, mais vous savez comme moi que le pape nous soutient...

– Le pape ? Bien planqué dans son palais, il nous soutient, selon toi ?

– Oui, Paulo. Tu ne sais pas de quoi tu parles. Moi, j'en parlais encore il y a une semaine. Et les lettres de mes amis de Paris ne cessent de me le confirmer...

Jean, l'étudiant qui a lutté il y a trois ans dans les ateliers de *L'Humanité*, auprès de Jean Jaurès, pour que la guerre n'éclate pas, explique à ses compagnons :

– Depuis le début, Rome est derrière nous, derrière la paix. Pie X a refusé, au moment de la déclaration de guerre, de bénir les armes autrichiennes.

– Et les nôtres ?

– Aucune. Il a refusé de choisir un camp...

Jean ne peut citer les mots du pontife, il ne s'intéressait à l'époque qu'à l'Internationale ouvrière. Pie X invitait tous les camps à se tourner « *vers Celui de qui seul*

peut venir le secours, vers le Christ prince de la paix et Médiateur tout-puissant des hommes auprès de Dieu* ». L'étudiant ne peut pas plus évoquer la première encyclique *Ad beatissimi* de Benoît XV, élu le 6 septembre 1914, et qui déplorait, dès le 1er novembre, le « *spectacle que présente l'Europe et même le monde entier, spectacle assurément le plus affreux et le plus désolant qui se soit jamais vu de mémoire d'homme.* [...] *Plus de limites aux ruines et au carnage : chaque jour la terre, inondée par de nouveaux ruisseaux de sang, se couvre de morts et de blessés* ».

En revanche, Jean sait que le combat du pape pour la paix continue en cette année 1917, puisqu'il en a parlé, lors d'une rare permission, avec des amis de l'arrière. Ceux-là qui essaient de mobiliser les ouvriers de l'armement pour que les grèves éclatent et que la guerre cesse, ceux-là qui mobilisent l'Internationale pour lancer des appels à la paix ne peuvent plus ignorer qu'un homme lance depuis Rome des appels similaires.

Bien sûr, pour Rome c'est d'un combat spirituel qu'il s'agit. « *À voir ces peuples armés les uns contre les autres,* écrit le pape dès 1914, *se douterait-on qu'ils descendent d'un même Père, qu'ils ont la même nature et font partie de la même société humaine ? Les reconnaîtrait-on pour les fils d'un même Père qui est aux cieux ?* » Les présupposés des internationalistes sont bien différents de ceux du pontife. Mais Jean, au fond, n'en a cure : dans le combat pour la paix, ne faudrait-il pas aussi une « union

> *Le pape ? Bien planqué dans son palais, il nous soutient selon toi ?*

sacrée », qui contrebalancerait celle de Poincaré, réconciliant le pays dans la guerre ?

Et, puisque le pape a fixé comme « *objectif et entreprise spéciale* » de son pontificat que « *la charité de Jésus-Christ reprenne son empire sur les âmes* », il n'est pas question de se passer de ce soutien de poids. Lui, comme les internationalistes, a refusé de choisir un camp : « *Mêler l'autorité pontificale aux disputes des belligérants ne serait ni convenable ni utile.* » Lui comme eux, « *ne doit être d'aucun parti* », même s'il affirme, lui, que c'est pour « *embrasser dans sa charité tous ceux qui combattent* ».

Mais que peut-il, ce pape ? Il est intervenu auprès des belligérants pour améliorer le sort de prisonniers blessés ou malades, pour faire libérer des détenus civils, pour favoriser l'action caritative. Mais aucun de ses appels n'a été entendu : en 1914, la trêve de Noël, qu'il appelait de ses vœux, n'a jamais eu lieu. En 1915, l'Italie est entrée dans la guerre malgré tout ce qu'il a fait pour l'empêcher. Et son exhortation du 28 juillet 1915 aux gouvernements, *Allorchè fummo*, pour qu'ils mettent « *un terme à cette horrible boucherie qui depuis une année déshonore l'Europe* », pour qu'ils ouvrent des négociations, n'a pas été suivie d'effets. Jean se dit que cette impuissance n'est pas plus grande que la leur.

Dans le cachot, les deux autres condamnés l'écoutent. Cela distrait de l'aube qui pointe. Paulo se lève.

*La trêve de Noël qu'il appelait de ses vœux n'a jamais eu lieu.*

– Et à quoi me sert donc que ton pape veuille la paix, si nous y passons tous ?

– Paulo, pour nous, c'est fini. Mais pense aux autres gars...

– Antoine a raison, Paulo. Tu sais que les États craignent notre mobilisation. On nous fusille pour empêcher que la contagion pacifiste s'étende... Si le pape nous aide, ne crache pas dessus.

– Tu as parlé d'une nouvelle que tes amis t'ont annoncée...

C'est Antoine qui cette fois l'interroge. Antoine veut trouver dans la marche du monde des raisons de penser que son sacrifice n'est pas inutile. Jean comprend qu'il faut lui donner un peu d'espoir. Il reprend :

– Des camarades munichois ont annoncé aux nôtres que le nonce de Munich, Mgr Pacelli, a été envoyé pour mener des missions diplomatiques auprès des empereurs allemand et autrichien... Ce sont des missions secrètes, et qui sait si, cette fois ?

– Regardez... Regardez dehors... Ils installent les poteaux.

Paulo, accroché aux barreaux, les a interrompus. Dehors, effectivement, les préparatifs ont commencé. Jean ne veut pas les voir, il ne va pas à la fenêtre. Il veut garder l'attention d'Antoine, il veut se donner jusqu'au bout une raison de croire que la paix est bientôt là. Que la lutte n'aura sans doute pas été vaine...

– J'ai parlé avec un aumônier, la semaine dernière... Il m'a dit que Benoît XV a publié, le 1er août, une

« exhortation à la paix ». Il paraît qu'on en discute à l'arrière. Le pape propose comme nous un nouvel ordre international. Il propose le désarmement progressif, « *l'arbitrage, avec sa haute fonction pacificatrice* »... Ce sont ses mots, les gars...

Dans l'escalier de la prison militaire, on entend les soldats français qui descendent, pour les amener jusqu'au peloton. Antoine, le maçon, n'écoute plus Jean. Il sait que la paix ne viendra que des armes, il sait qu'il faudra la gagner dans les barbelés, il sait qu'il y aura des vainqueurs, qui imposeront leurs conditions aux vaincus. Mais Jean n'entend plus rien, il monologue à haute voix ; il ne voit plus rien, il s'accroche à ces raisons qui vont, c'est sûr, justifier leurs actions à tous :

*Il effleure le coude du condamné, le relève de la paillasse.*

– Benoît XV a demandé l'évacuation de la Belgique par les Allemands. Oh ! bien sûr, il a oublié l'Alsace et la Lorraine, mais on réglera cela après la paix, vous verrez !

Les soldats entrent dans le cachot, se saisissent d'Antoine, lui attachent les mains dans le dos. Au sol, Paulo hurle, pleure, supplie. L'un des hommes s'approche de Jean et, presque délicatement, effleure le coude du condamné, le relève de la paillasse où il est assis, tandis que l'ancien étudiant délire :

– Vous verrez les gars... Le pape dit que tous doivent renoncer aux dommages de guerre, il propose des règlements des conflits de Pologne, des Balkans, d'Arménie... Vous verrez, les gars... Je vais le dire à l'aumônier... Et avec nos grèves dans les usines, en France et en Allemagne, ce sera bientôt la paix... La paix, les gars... Je vais le dire à l'aumônier.

Puis, les hommes sortent avec les condamnés.

SOURCES : *ACTES DE BENOÎT XV*, t. III. Mgr J. Leflon, « L'action diplomatico-religieuse de Benoît XV en faveur de la paix durant la Première Guerre mondiale », *in* K. Repgen, HK, t. VII, *BENEDETTO XV, I CATTOLICI E LA PRIMERA GUERRA MONDIALE. ATTI DEL CONVEGNO DI STUDIO TENUTO A SPOLETO NEI GIORNI 7-8-9 SEPTEMBRE 1962*, Lune, 1963. « Benoît XV et la paix », in *LA DOCUMENTATION CATHOLIQUE*, t. II, 1919. V. Conzémius, « L'offre de médiation de Benoît XV du 1er août 1917. Essai d'un bilan provisoire », in *RELIGION ET POLITIQUE*, Lyon, 1972.

# LE PÈRE ESCRIVÁ DE BALAGUER

## *QUAND DES PAS SUR LA NEIGE*
## *DESSINENT L'ŒUVRE DE DIEU*

**• 16 OCT •**

CE MATIN DE L'HIVER 1918 LA PETITE VILLE DE LOGROÑO, au nord de l'Espagne, se réveille dans une blancheur immaculée : une abondante chute de neige a recouvert toutes les aspérités du terrain. Le jeune Josemaria Escrivá, seize ans, se précipite à la fenêtre pour jouir du spectacle, et c'est alors qu'un détail attire son attention : devant la maison de ses parents, quelqu'un a marché, imprimant sur le tapis blanc la trace de ses pas. Or, ces traces-là sont étranges : ce ne sont pas les traces de grosses chaussures, mais celles de pieds nus ! De toute évidence, c'est un carme déchaussé, l'un de ceux du couvent voisin, qui est passé par là ce matin...

La vision de ces pas sur la neige touche profondément le cœur de l'adolescent. *« Puisque ce carme est capable d'un tel sacrifice pour l'amour du Seigneur, que dois-je faire, moi ? »* À partir de ce moment-là, le jeune homme cherche ardemment à discerner ce à quoi Dieu l'appelle. Très vite, il comprend qu'il doit être prêtre et entre en 1920 au séminaire à Saragosse. Trois ans plus tard, sur une suggestion de son père, il entame, parallèlement à ses études de théologie, des études de droit civil. Ordonné prêtre en 1925, il part pour Madrid l'année suivante afin d'achever son doctorat de droit civil. Mais à Madrid, si intense que soit son travail intellectuel, ce sont les malades et les pauvres qui tiennent dans sa vie la première place. Il les visite, les soigne, prépare les plus jeunes à la première communion. Le père Escrivá de Balaguer a déjà compris qu'au sein de l'œuvre de Dieu en ce monde, ce sont les œuvres de miséricorde qui donnent leur sens à toutes les autres. *« Si tu n'as pas la charité... »*

L'« Œuvre de Dieu » ! C'est en 1928, au cours d'une retraite, qu'il reçoit la révélation intime de ce qui allait devenir l'*Opus Dei*. Soudain, tandis qu'il met en ordre des notes et des réflexions personnelles, une idée le frappe : il n'est pas nécessaire d'être prêtre pour atteindre la plénitude de la vie chrétienne. La vocation sacerdotale est irremplaçable, mais les laïcs doivent montrer, à travers leurs occupations ordinaires, que tous doivent aspirer à la sainteté. Tout travail est appelé à devenir tâche divine s'il est effectué dans un esprit apostolique.

Bien des années plus tard, le père

Escrivá aura l'occasion de préciser, notamment dans un entretien au *New York Times* en 1966, sa grande intuition du 2 octobre 1928 : « *Le Seigneur a fait naître l'Opus Dei en 1928 pour rappeler aux chrétiens que Dieu, comme il est dit au livre de la Genèse, a créé l'homme pour travailler. Nous sommes venus pour attirer l'attention sur l'exemple de Jésus qui, pendant trente années, à Nazareth, n'a cessé de travailler, de pratiquer un métier.* [...] *Pour la grande majorité des hommes, être saint, cela signifie sanctifier leur travail personnel, se sanctifier dans leur travail et sanctifier les autres par leur travail, et ainsi trouver Dieu sur le chemin de leur vie.* »

Prendre le monde comme chemin de sainteté, c'était suivre un chemin original. Dans l'histoire de l'Église, nombreux ont été les saints à témoigner de la fécondité spirituelle du retrait du monde, pour aimer et servir Dieu dans le silence et la solitude. En fondant l'*Opus Dei*, le père Escrivá de Balaguer est appelé à témoigner d'une autre réalité, également essentielle aux yeux de l'Église : la fécondité spirituelle de la création.

En 1937, en pleine guerre civile, il s'installe à Burgos, l'ancienne capitale de la Vieille-Castille. Pendant plus d'un an, il y développe une activité apostolique intense, formant des jeunes et les conseillant dans leur vie chrétienne. Leurs promenades les mènent souvent du côté de la cathédrale. « *J'aimais monter avec eux en haut des tours, pour qu'ils puissent contempler de près la pierre sculptée, une véritable dentelle, fruit d'un travail patient, coûteux.*

> *Leurs promenades les mènent souvent du côté de la cathédrale.*

[...] *Je leur faisais remarquer que toutes ces merveilles n'étaient pas visibles d'en-bas. Et j'en profitais pour illustrer ce que je leur avais souvent expliqué, en leur disant : "Voilà un travail de Dieu ; c'est cela l'Œuvre de Dieu : achever son travail personnel à la perfection, en faisant de son œuvre de la belle ouvrage, aussi soignée que cette fine dentelle de pierre." C'était une réalité qui entrait par leurs yeux, et ils comprenaient ainsi que tout cela était prière, dialogue avec le Seigneur. En dépensant leurs énergies à cette tâche, ces hommes savaient bien que, des rues de la ville, personne ne pourrait apprécier leurs efforts : ils ne travaillaient que pour Dieu.* »

La dentelle de pierre de Burgos est d'abord dialogue avec le Seigneur. Et ce message-là est au cœur de l'*Opus Dei*. Car, si l'Œuvre a pour but de sanctifier le travail et celui qui le produit, le secret de sa fécondité est dans la prière. Pendant la guerre civile, le père Escriva écrit ses considérations spirituelles, qui seront éditées après la guerre sous le titre de *Chemin*. Son livre et le témoignage qu'il donne lors des nombreuses retraites qu'il prêche impressionnent de plus en plus. Son message est exaltant : voilà que la sainteté, tout en demeurant un idéal exigeant, devient accessible ! Mais à tous, étudiants, mères de famille, ouvriers ou notables, il est demandé à cette fin d'être fidèles à des pratiques spirituelles quotidiennes : oraison, chapelet, lecture spirituelle, examen de conscience. Et bien sûr à l'Eucharistie, centre et sommet de toute vie chrétienne.

L'*Opus Dei* s'étend très vite aux autres pays. En 1943, son fondateur crée avec l'accord du Saint-Siège la « Société sacerdotale de la Sainte-Croix » pour accueillir les prêtres issus de l'Œuvre. Dès la fin des années quarante, l'ardent désir de servir l'Église conduit l'*Opus Dei* à installer son siège dans la capitale de la chrétienté. À partir de 1949, l'Œuvre, déjà active dans plusieurs pays d'Europe, s'implante au Mexique et aux États-Unis, puis dans le monde entier. On prêche des retraites, on donne des cours, on se consacre aux œuvres d'assistance et d'éducation. Les femmes y ont toute leur place, dans les métiers les plus divers. Le père Escrivá voue toutefois une admiration et une affection particulières à celles qui se vouent à « *l'apostolat de l'apostolat* » : prendre en charge l'administration des centres de l'œuvre et notamment les tâches ménagères, car la noblesse du travail est aussi et peut-être d'abord dans les tâches les plus humbles.

En 1967, sur le campus de l'université de Navarre, fondée quelques années plus tôt à Pampelune par des universitaires membres de l'Œuvre, Mgr Escrivá prononce devant plus de quarante mille personnes une homélie qui apparaît, avec le recul, comme une sorte de « grande charte » du laïcat : « *Le véritable champ de votre existence quotidienne est la vie ordinaire.*

> « *La vocation chrétienne consiste à convertir en alexandrins la prose de chaque jour.* »

[...] *Il n'y a qu'une seule vie faite de chair et d'esprit et c'est cette vie-là qui doit être – corps et âme – sainte et pleine de Dieu. [...] Voilà pourquoi je puis vous dire que notre époque a besoin qu'on restitue à la matière et aux situations qui semblent les plus banales leur sens noble et originel, qu'on les mette au service du Royaume de Dieu, qu'on les spiritualise, en en faisant le moyen et l'occasion de notre rencontre continuelle avec Jésus-Christ. [...] Voilà pourquoi je vous ai dit et répété tant de fois que la vocation chrétienne consiste à convertir en alexandrins la prose de chaque jour.* »

Mgr Escrivá verra son intuition fondamentale quant au rôle des laïcs confirmée par les orientations du concile Vatican II. Mais c'est également une leçon spirituelle que laissera le jeune homme, qui avait découvert que Dieu l'appelait dans les traces de pas qu'un moine avait laissées sur la neige : seule une âme contemplative peut transformer le monde au gré du Seigneur. Mort en 1975, il sera béatifié par Jean-Paul II dix-sept ans plus tard. Aujourd'hui, son Œuvre se poursuit sur tous les continents. « Contemplatifs au milieu du monde », les membres de l'*Opus Dei* mettent à le façonner un zèle aussi émouvant que la dentelle de pierre là-haut, tout en haut des tours de la cathédrale de Burgos.

SOURCES : Josemaria Escrivá de Balaguer, *CHEMIN*. D. M. Helming, *DES PAS SUR LA NEIGE. BIOGRAPHIE DE JOSEMARIA ESCRIVÁ DE BALAGUER, FONDATEUR DE L'OPUS DEI*, Paris, 1991.

# LES ATELIERS D'ART SACRÉ
## QUAND LES ÉGLISES TÉMOIGNENT
### DE LA GRANDEUR DE DIEU

**• 17 OCT •** VOUS AVEZ VU COMME JE VAIS ÊTRE BELLE. Telle la fiancée que l'on pare pour l'époux, ils s'activent tous autour de moi. Il est temps que ces hommes m'accordent un peu de soin. C'était à croire que Dieu n'était pas digne du beau ! Heureusement que certains de ces humains ont un peu plus de jugeote. J'ai de la chance de naître à cette époque. Un peu plus tôt ou un peu plus tard, j'aurai risqué comme beaucoup de mes sœurs d'être condamnée à... un coup de *blush* tout au plus... ou, avec un peu de chance, à quelques verres colorés pour paraître moins triste.

Heureusement, je suis une fille du cardinal Verdier et je suis née en 1932. Je ne suis pas n'importe qui, je suis son septième « chantier » et l'un de ses plus vaste. Grâce à moi, tous ces habitants de l'Est parisien vont pouvoir venir à la messe et prier Dieu dans une véritable église. Mes grandes sœurs l'Immaculée-Conception et Notre-Dame-de-Bercy étaient bien trop petites pour réussir à loger cette population qui n'a cessé de s'agrandir depuis la fin de la Première Guerre mondiale. Ils m'ont

dédiée au Saint-Esprit, c'est flatteur ! Mes paroissiens iront à l'église du Saint-Esprit.

Mais, peu importe, je vous parlais de ma beauté. Ils ont choisi les Ateliers d'art sacré pour ma toilette. Leurs deux fondateurs sont là. Par là-bas, celui qui travaille près du pilier, c'est Desvallière. La souffrance et la mort lui sont familières, le pauvre... Son chemin de croix sera un chef-d'œuvre. Et, là-bas, c'est Maurice Denis. Vous le reconnaissez ? Il est en train de peindre la Sainte Vierge. C'est pour une grande composition sur la Pentecôte. Il paraît que le programme a été défini par l'architecte et qu'il est très ambitieux. Digne de moi ! Mais vous n'avez pas l'air de savoir de qui je vous parle. À croire que vous n'êtes pas d'ici !

En 1919, rue de Furstemberg, à l'ombre de l'abbaye de Saint-Germain-des-Prés, à côté de l'ancien atelier de Delacroix, Maurice Denis et Georges Desvallière fondèrent les Ateliers d'art sacré pour rénover... l'Art sacré. Maurice avait cinquante ans et Georges soixante. Mais regardez-les, seize ans après, ils ont encore bon pied bon œil au milieu de leurs élèves. Contrairement à Georges, Maurice a vite compris qu'il fallait *« tenter un effort pour ramener l'art à son grand maître qui est Dieu, pour le courber de nouveau au service de celui qui peut seul inspirer de grande chose.* » Ce n'est pas moi qui le dis, c'est lui qui l'a écrit dans son journal à quinze ans. Depuis, il n'a cessé, tout en restant fidèle au symbolisme de sa jeunesse, de dire sa foi et d'incarner son génie non dans des formes académiques mais dans un art vivant, au milieu de communautés chrétiennes.

Pour Desvallière, c'est différent, c'est un converti ! C'est Notre-Dame-des-Victoires qui me l'a raconté. Un jour où il était chez elle, il a éprouvé une telle émotion qu'il s'est agenouillé sur le marbre du chœur en entendant le Credo et est allé se confesser. Elle était si surprise et si émue qu'elle a fait sonner l'angélus. Quelques jours après, alors qu'il s'acheminait vers Montmartre, il a vu l'image du Sacré-Cœur. Il l'a peint. C'était en 1905, je crois. Depuis cette date, des œuvres nombreuses ont jalonné son cheminement, comme le *Christ à la colonne* en 1910, jusqu'à la guerre où il a pris la décision de se consacrer exclusivement à la peinture sacrée.

Partageant un idéal commun et devenus amis, c'est tout naturellement qu'ils ont donc fondé les Ateliers. En 1912, Desvallières avait d'ailleurs déjà signé un manifeste en faveur d'une école d'art religieux « *placée sous la direction de Notre-Dame de Paris* ». Ce sont ces mêmes Ateliers qui aujourd'hui font de moi la plus belle des fiancées ! Car tous ces jeunes et moins jeunes que vous voyez travailler sous la direction des deux maîtres sont leurs élèves. Bien évidemment ils apprennent avec eux les techniques, mais surtout ils se préparent à travailler pour nous.

Leurs Ateliers ne correspondent pas à un modèle académique. Ils sont établis sur un « plan corporatif » correspondant à un idéal social et politique, avec une hiérarchie et un cursus qui va des « apprentis » aux « maîtres » en passant par les « compagnons »... mais, vous savez, je n'y entends pas grand-chose. Maurice et Georges y dirigent les ateliers de peinture décorative. Mais il y a également de la broderie avec Sabine, la fille de Georges, de la sculpture avec Roger de Villiers, de la gravure avec Paule Marrot et du vitrail avec Jean Hébert-Stevens, Pauline Peugniez et André Ruiny. Je crois qu'ils y font même de la chasublerie et de l'orfèvrerie. De quoi nous équiper des pieds à la tête. Seul fait défaut l'atelier d'architecture, dommage !

On dit qu'il y règne une ambiance très familiale et même religieuse. On y dit la prière avant le travail. Il y a même des oratoires, dans lesquels maîtres et élèves se retrouvent. Un vrai petit « *centre de vie catholique* » en fait. On y dispense des cours généraux de dogme, de liturgie et d'histoire de l'art chrétien en plus des cours préparatoires de dessin ou de peinture. Denis et Georges appartiennent au Tiers Ordre dominicain. Ce sont des ateliers néo-thomistes en somme ! Mais je pourrai parier que plusieurs de leurs membres finiront

> *Ces Ateliers font de moi la plus belle des fiancées.*

par opter pour une vocation religieuse, Sabine Desvallière par exemple. Quant à Pierre Couturier, il y a dix ans, il est entré chez les dominicains.

Mais je ne suis pas étonnée que vous découvriez tout cela. Ces Ateliers, si importants qu'ils sont pour le renouveau de l'art religieux, sont boudés par les critiques et les chrétiens eux-mêmes. Bien peu de mes sœurs bénéficient comme moi de commandes. Je vous le dis, ils ne passeront pas la prochaine guerre. Pourtant, plus nous serons belles, plus vous aurez envie de découvrir Dieu. L'art ne vous aide-t-il pas à prier ? Hé ! vous m'écoutez ! Ah ! tous les mêmes ces touristes, ils dérangent ceux qui travaillent et n'écoutent même pas ce qu'on leur raconte ! J'espère quand même que lorsque ma Vierge rayonnante et mes Apôtres seront terminés, ils auront le cœur transpercé d'émotion devant ma Pentecôte et qu'ils se diront : « Que devons-nous faire ? »

SOURCES : *L'ART SACRÉ*, mars-avril 1948. J. Picard, *L'AVENTURE MODERNE DE L'ART SACRÉ*, Paris, 1966.

# LA LÉGION DE MARIE

## *HISTOIRE D'UNE RETRAITE*

## *TRÈS IMPROVISÉE*

**• 18 OCT •**

– ALLONS, MON AMI, RACONTE-NOUS ÇA PAR LE MENU.

– Eh bien, figurez-vous, je dois vous l'avouer en préambule, que je m'étais déjà rendu dans cette maison, par hasard, voici quelques années !

– Par hasard, allons donc ! On n'entre pas par hasard dans une maison de passe !

Toute la petite assemblée éclate d'un rire franc, même les ecclésiastiques... Après tout, les dames ne sont pas là, ils tiennent réunion à huis clos, et l'heure est suffisamment grave pour qu'une plaisanterie soit la bienvenue.

Frank Duff reprend la parole :

– Je puis vous assurer, messieurs, que je n'y avais pas fait long feu alors. Je comptais me rendre au numéro 23, et là, débarquant au numéro 25, j'aperçus tout d'abord une bien étrange hôtesse... Puis d'autres, tout aussi curieusement attifées... Et, comprenant ma méprise, j'en suis sorti bien vite.

Quelques rires, de nouveau, mais plus tendus cette fois. Il va falloir entrer dans le vif du sujet.

– Mais ce soir, Frank, comment cela s'est-il passé ?

– Eh bien, père Creedon, comme un véritable chemin de croix ! Nous n'avons eu de cesse, mes compagnons et moi, d'aller de chambres en chambres pour convaincre ces filles de suivre notre retraite. Et quand, dans une chambre, ces femmes se rendaient enfin à nos arguments, celles que nous avions gagnées à l'instant précédent revenaient en arrière et décidaient de ne pas y aller... Elles ont fini par s'y résoudre, du moins je l'espère. Elles ont peur, comprenez-vous, que tout cela ne soit qu'une opération menée par le gouvernement pour les faire sortir, et les emmener jusque dans une prison...

– Ce ne sera pas le cas, je puis vous l'assurer. J'ai visité le couvent, avec Mlle Plunckett, et il m'a fait tout à fait bonne impression.

– Et quelle impression y feront nos quelques filles ?

Cette fois, plus personne ne rit.

Si la petite dizaine d'hommes s'est réunie en ce 13 juillet 1922, dans la nuit mouillée de Dublin, c'est pour prendre la décision la plus lourde de conséquences depuis que s'est fondée la Légion de Marie, le 7 septembre précédent. Frank Duff, le visiteur du bordel, et le père

Toher, chez qui se tient la réunion improvisée, hésitent plus que les autres : depuis huit mois, ils fréquentent et animent tous deux les réunions hebdomadaires, à Mary House, de ce groupe de femmes qui veulent par la prière compléter l'action de la Société Saint-Vincent-de-Paul, en exerçant un apostolat très concret auprès des plus démunis. La découverte par Frank Duff du *Traité de la vraie dévotion* de saint Louis-Marie Grignion de Monfort a eu une influence notable sur ce petit groupe pieux de femmes laborieuses. Il leur a lu : « *Aimer c'est agir. Si la dévotion à Marie n'oblige pas à travailler pour elle, à se dévouer sans relâche, à être héroïque, je ne peux croire qu'elle soit sincère.* » Elles ont décidé d'agir, de visiter les malades de l'hôpital voisin, se disputant même le « privilège » de visiter les cancéreux.

Alors que le premier groupe de légionnaires, Notre-Dame-de-la-Miséricorde, a pris son rythme de croisière et qu'un second est en cours de création, cette nouvelle initiative risque maintenant de détruire toute l'œuvre... À cause de cette idée insensée qui a germé dans les esprits, voilà quelques jours seulement.

Au cours d'une retraite prêchée par le père Ignace dans le quartier de Francis Street, le prêcheur, accompagné du vicaire de la paroisse, le père Creedon, a décidé d'aller voir les filles de la maison de passe, au numéro 25 de la rue Blank Street. Ils les réunissent dans la cuisine, commencent à leur parler. Bientôt, il leur apparaît que la plupart de ces femmes

> *Le couvent de Baldoyle accueille une retraite de prostituées.*

souhaiteraient sortir de la vie où elles sont. Lorsqu'ils les y exhortent, certaines pleurent même. Mais où iraient-elles ? Quand le père Creedon a proposé l'Asile des filles repenties, on lui a répondu : « Vous iriez là-bas, vous ? » Et il a dû convenir que l'endroit n'était pas ce qui leur convenait.

Alors, dans un élan, il a proposé au propriétaire de lui payer quatre mille francs par jour, l'équivalent de ce que le commerce des femmes lui rapportait, pour qu'il accepte qu'elles ne travaillent plus... Mais la solution n'est pas tenable financièrement, et le père Creedon a convoqué voilà une semaine une réunion pour décider de la stratégie qu'on adoptera afin de sortir ces jeunes femmes de leur situation. On a évoqué la possibilité de trouver une maison, mais au cours de la conversation, une autre idée a germé : pourquoi ne pas d'abord proposer aux prostituées une retraite de trois jours ?

Et voilà où ils en sont : ils embarquent la Légion de Marie dans une aventure des plus audacieuses, qui risque de souiller à jamais la réputation de l'œuvre naissante, voire de l'abattre... Il n'est que de songer à la tête de la mère Angèle, du couvent de Baldoyle, lorsque le père Creedon et Mlle Plunkett sont allées la trouver, pour lui demander d'accueillir une retraite de prostituées ! Au moins a-t-elle accepté. Mais si les choses tournent mal, si le couvent est transformé ce week-end en un champ de bataille ou, pire, en un lieu de passe...

Le père Creedon reprend la parole :

– Messieurs, tout est prêt. Nous sommes même, Frank et moi, allés faire des emplettes cet après-midi...

Les rires fusent, dans un climat d'extrême nervosité.

– Et je dois dire, mon père, que je crois bien que nous n'avons rien oublié. Votre sagacité pour choisir les couvertures et les objets de toilette m'a même franchement surpris.

De nouveau les rires, interrompus cette fois par le père Creedon :

– Je pense que nous ne pouvons plus renoncer. Les filles ont accepté l'idée de la retraite, Frank et nos compagnons leur ont donné rendez-vous demain à onze heures et demi. Elles veulent redevenir honnêtes, et nous ne pouvons plus les décevoir.

Dès neuf heures le lendemain, deux heures trente avant le départ du car, les prêtres se rendent en chœur chez le révérend Philippe, accompagnés de Frank Duff. Il leur faut un prédicateur, pour cette retraite, et on leur a dit le plus grand bien de ce jeune franciscain. On lui expose la situation. Il répond qu'il les aidera volontiers sous réserve d'obtenir l'assentiment de ses supérieurs. Dans deux heures, il aura sa réponse.

– Mais, dans deux heures, les filles monteront dans le car !

– Pour peu qu'il y en ait au moins une...

– Allons ! il y en aura, père Toher ! Eh bien, qu'à cela ne tienne, père Philippe, nous reviendrons vous chercher ici !

Puis, on part vers Blank Street. Devant le 25, c'est la cohue : tout le quartier a entendu parler de l'étrange expédition des légionnaires de Marie. On se presse, on se bouscule pour voir. Dans la cohue, les femmes de la Légion – Mlles Plunkett, Scratton, et Mme Davis – s'approchent des filles qui, une à une, sortent de la maison avec leur baluchon.

– Allez vers Myra House discrètement, par deux ou trois. Ainsi, nous n'entraînerons pas la foule...

Peine perdue : le cortège des curieux suit les prêtres, les légionnaires et leurs compagnes de petite vertu jusqu'au lieu où la Légion se réunit chaque semaine, et où les attend l'autobus. Cette fois, pas de doute, si la retraite est un fiasco, la Légion devra disparaître.

Deux jeunes femmes montent les premières dans le car, puis les autres les suivent. On compte alors la troupe : elles sont vingt-trois, sur les trente et une du bordel... Mais, lorsqu'on s'arrête devant chez les franciscains, pour quérir la réponse du prédicateur, la troupe semble vouloir prendre la fuite... Tandis que Duff est allé voir le père Philippe, les prostituées s'aperçoivent qu'une troupe de soldats stationnent en face du car : ils sont là pour surveiller un chantier de démolition, mais la crainte d'un trajet organisé pour les emprisonner resurgit parmi les jeunes femmes. C'est le tumulte, et le retour providentiel de Duff, porteur de l'acceptation du père Philippe, suffit seul à calmer toutes les passagères de l'autobus.

> *Elles sont vingt-trois sur les trente et une filles du bordel.*

On part vers le couvent de Baldoyle. On arrive. La mère Angèle leur ouvre la porte et, risquant un regard dehors, lance à Frank, aux prêtres et aux trois légionnaires : « *Serons-nous tous assassinés dans notre lit ?* » Puis, regardant derrière eux pour apercevoir les « retraitantes », elle leur trouve meilleures mines que prévues : « *Eh bien, à vos yeux, je vois bien que non, et franchement j'en suis fort aise ! Allons, mesdames, installons nos amies.* »

Tandis que les hommes se chargent des lits qu'on a fait livrer – les sœurs du couvent croient qu'ils sont destinés à des retraitantes d'une paroisse du centre de Dublin –, le révérend Philippe réunit rapidement tout le groupe. La retraite de trois jours commence...

> Le deuxième jour, toutes les filles se confessent.

Elle va en fait se dérouler sous d'extraordinaires auspices : le deuxième jour, toutes les filles se confessent. Deux des prostituées sont protestantes, mais suivent quand même les enseignements. Puis le soir, une « *ravissante jeune fille de vingt ans* » (*dixit* Frank Duff) explique comment elle a formellement apostasié. Pour recevoir la communion le lendemain, comme elle le souhaite, elle doit y être autorisée par l'évêque lui-même. Duff court chez l'évêque, qu'il saisit au moment où celui-ci s'apprête à partir. Mgr Fitzpatrick, devant l'arrêt de tramway, écoute cet homme qu'il ne connaît pas lui expliquer l'extraordinaire situation. Il donne ses pouvoirs à Frank Duff, lui qui ne les a jamais confiés à un laïc. Il accorde même « *ses compliments à tous ceux qui participent*

*à cette grande entreprise* ». La jeune femme pourra communier.

Reste une question à résoudre : pendant que les prostituées prient, le conseil de guerre se réunit de nouveau, le 15 juillet. Pas question de laisser ces jeunes femmes repartir dans leur maison de passe, une fois la retraite terminée. Mlles Plunkett et Stratton sont disposées à tenir pour elles une maison... mais, la maison en question, on ne l'a pas. Il faut un logement pour le lundi matin, fin de la retraite.

– Puisqu'il s'agit de problème de logement, pourquoi ne pas nous adresser directement au ministre de l'Intérieur ; c'est bien de lui que cela relève ? Demandons-lui de nous aider.

L'audace de cette suggestion est payante : dès le lendemain, trois missionnaires dont le père Toher, se rendent au ministère en ambassade. Le ministre Cosgrave est sidéré et touché. Il leur conseille d'établir une manière de dossier sur une feuille, en précisant leurs objectifs. Il pourra ainsi en débattre au Conseil, le soir-même, avec un élément tangible. Il leur donne congé en leur promettant son appui et une réponse dès le lendemain.

Le dimanche 16 juillet, en effet, une lettre attend les prêtres au ministère : Cosgrave met à la disposition de la Légion une maison pour trois mois.

On la baptisera Sancta Maria. Elle est vide, et il faudra encore une fois improviser un emménagement, tout nettoyer, trouver des meubles en quelques heures. Mais désormais le pli est pris : mobilier improvisé, petits napperons et coudières sur les fauteuils, rideaux cousus dans de vieilles robes... La Légion a établi ses bases.

À partir de Sancta Maria, une action pastorale pour aider l'autorité ecclésiastique, sous la dépendance totale de Marie Médiatrice, va prendre son essor. Prisonniers, prostituées, gens de la rue, « inadaptés sociaux » : les légionnaires de Marie vont dans les années suivantes étendre leurs actions à toutes les victimes de la misère matérielle et spirituelle. La Légion essaimera hors d'Irlande.

Elle regroupe aujourd'hui des dizaines de milliers de membres, actifs ou auxiliaires, qui restent fidèles aux principes énoncés par Frank Duff : les réunions de prières hebdomadaires, et l'apostolat mené partout, auprès des plus exclus.

SOURCES : F. Duff, *LES DÉBUTS DE LA LÉGION DE MARIE*, Paris, 1993.

# LE SACRÉ-CŒUR
# DE MONTMARTRE

*UNE MOSAÏQUE POUR ACHEVER*

*L'ŒUVRE DU PEUPLE DE PARIS*

**• 19**
**OCT •**

JEAN TENTE ENCORE UNE FOIS DE SE RENDORMIR. Il tire sur lui la couverture – il fait si froid, ce matin –, et enfouit la tête sous l'épais oreiller. Peine perdue. Aujourd'hui, toute la colline de Montmartre vibre. C'est jeudi et il ne peut même pas profiter de ce jour de repos ! Tous ces coups de maillet lui vrillent les nerfs. De fort méchante humeur, Jean se glisse hors de son lit et se précipite dans la cuisine, où sa mère s'active déjà.

– Bonjour, mon trésor, lance-t-elle en lui tendant un bol de lait chaud, as-tu bien dormi ?

– Comment veux-tu que je dorme avec tous ces coups qui me martèlent le crâne ? répond le petit garçon d'un ton acerbe.

– Arrête donc de geindre, veux-tu ? Tu sais bien que ce sont les travaux de la basilique. Ton père est parti très tôt ce matin pour y travailler. Si tu veux, nous irons lui porter son repas, dès que tu auras bu ton lait.

Vu sous cette nouvelle perspective, le jeudi du gamin s'annonce mieux : une visite au chantier ! Jean regrette déjà sa mauvaise humeur, et se hâte de finir son petit déjeuner. Il pose son bol sur la table et regarde sa mère, qui prépare la gamelle. Un peu de pain, du vin et une bonne soupe au lard pour réchauffer son mari. Les voilà partis.

Jean court devant sa mère, tout excité à l'idée de voir les travaux du Sacré-Cœur dont son père lui a tant parlé. Il a fallu plus de quarante ans pour édifier la basilique, qui a été achevée en 1914, peu après la naissance de Jean. Mais la décoration, commencée en 1901, n'est pas encore terminée. Il reste encore à réaliser l'immense mosaïque qui va couvrir le cul-de-four – voûte formée d'une demi-coupole de 475 mètres carrés – du chœur. Malgré le froid pénétrant qui les glace jusqu'au sang, en ce matin de décembre 1921, les ouvriers ont achevé d'édifier de gigantesques échafaudages, en chantant pour se réchauffer. Parmi eux, Jean aperçoit son père et court vers lui.

– Bonjour, papa, on t'apporte ta gamelle !

Le père éponge la sueur de son front et regarde son fils en souriant.

– Regarde, Jean, comme nous avons bien travaillé !

Il montre l'arche de bois close, qui doit abriter les mosaïstes, suspendue à plusieurs dizaines de mètres du sol, juste au-dessus du chœur.

– C'est de là-haut que les artistes vont assembler tous les émaux pour faire la mosaïque. Quel chantier ! Quand je pense que M. le recteur veut continuer, malgré le bruit et à la poussière, à célébrer la messe...

Jean se sent honteux d'avoir tant récriminé ce matin. Pourvu que sa mère n'en parle pas ! Il glisse sa menotte dans la main de son père, et demande d'un ton câlin :

– Dis, papa, c'est toi qui vas faire la mosaïque ?

Le père éclate de rire.

– Non, bien sûr que non ! Ce sont des ouvriers spécialisés qui vont la réaliser. Tu sais, c'est un travail très compliqué. Le chef de chantier m'a dit que l'architecte, je crois qu'il s'appelle Lucien Magne, et le peintre, Luc-Olivier Merson, ont travaillé depuis longtemps dessus. Depuis bien avant la guerre. Il paraît même qu'ils ont dû faire de nombreux dessins avant de trouver la version définitive, et la guerre les a empêchés de poursuivre...

Mais Jean n'écoute plus ces explications. Il est déçu : son père ne fait pas lui-même cette mosaïque dont on lui parle tant. Devant sa mine dépitée, l'ouvrier reprend :

– Mais tu sais, Jean, avant que ne commence l'ouvrage des mosaïstes, il faut d'abord préparer la pierre. Durant de longues semaines, nous allons la « rustiquer », la tailler pour lui donner une apparence rugueuse ; puis creuser dans la pierre huit

*Il faut creuser dans la pierre huit mille trous.*

mille trous, y planter les agrafes, reliées par des fils de laiton. Sur ces fils, on coulera une double couche de ciment sur laquelle les émaux seront enfoncés.

– Alors, sans toi, la mosaïque n'existerait pas, lance Jean, tout réjoui.

– C'est un peu vrai, répond le père. Tout le monde participe à ce beau travail. Mais laisse-moi maintenant, je dois reprendre le chantier et, avec toutes tes questions, je n'ai même pas eu le temps de manger !

Jean rentre chez lui avec la gamelle vide en bandoulière, qu'il traîne et fait rebondir sur les pavés de Montmartre. Décidément, il est très fier de son père. Il lui semble presque que c'est lui l'unique artisan de cette œuvre gigantesque. Oubliés, dans la tête du garçonnet, les centaines de mosaïstes qui, dans les ateliers parisiens, assemblent patiemment les petits cubes de pâte de verre colorés sur de vastes panneaux. Oubliée, la longue préparation nécessaire pour réaliser les cubes d'or et d'argent. Heureusement encore que Luc-Olivier Merson, le peintre, n'a pas choisi la couleur or pour peindre le fond de la mosaïque, mais un bleu intense et profond, formé de douze tons harmonieusement fondus, que ne renierait pas Fra Angelico.

Le jour de la Pentecôte 1923, le soleil inonde Paris. La mosaïque est achevée. Jean et ses parents se rendent en cette occasion à la messe dans « leur » basilique. Après l'office, Jean, la tête levée, prend le temps de contempler l'œuvre dans ses moindres détails. Il admire d'abord, au centre de la mosaïque, le Christ en gloire, debout, les bras étendus, ses vêtements drapés à l'antique. Le prêtre de la basilique, touché par le regard émerveillé du petit garçon, s'approche alors pour lui expliquer la mosaïque.

– Le Christ est étrange, n'est-ce pas ? C'est parce qu'il est d'inspiration byzantine, comme tous les personnages qui l'entourent. Et comme tu vois, mon garçon, ces personnages sont de taille différente, suivant la place qu'ils occupent dans la hiérarchie céleste : plus le personnage est sacré, plus il est grand. À la droite du Christ se trouve la Très Sainte Vierge. À sa gauche, en vêtements blancs, c'est la France, mon enfant, la France qui doit tant au Sacré-Cœur. Le Père éternel et le Saint-Esprit, que tu vois là représenté par la colombe, relient le Sacré-Cœur au grand arc de la voûte.

– Et qu'est ce qu'il y a marqué dessous ?

– Le long de la frise ? Eh bien, c'est la dédicace. Si tu connaissais le latin, tu pourrais lire : « *Au cœur très saint de Jésus, la France fervente, pénitente et reconnaissante.* »

Jean ne peut détacher ses yeux de cette mosaïque céleste. Il regarde, émerveillé, les cortèges de saints qui avancent vers le chœur. Le prêtre poursuit sa description :

– Il y a saint François de Sales, qui porte le blason aux armes du Sacré-Cœur ; sainte Marguerite-Marie, l'apôtre de la basilique, celle qui a reçu les messages de Paray ; saint Jean Eudes,

> *Il regarde, émerveillé, les cortèges de saints qui avancent vers le chœur.*

qui fit chanter pour la première fois ici à Montmartre l'office du saint lieu. Regarde bien. *L'hommage de l'Église catholique et de ses saints sur la terre* occupe toute la voûte du côté de l'Évangile.

– Et qui sont ces trois hommes, là ?

– Les papes Clément XIII, Pie IX et Léon XIII, mon garçon. Cet *Hommage de l'Église* se déroule en trois scènes, encadrées sous des architectures d'or. Et, du côté de l'Épître, il y a aussi trois tableaux dans *L'Hommage de la France catholique*.

– Vous me les racontez ?

– Oh ! ce serait un peu long !

– Laquelle vous préférez ?

– Celle que je préfère est celle qui évoque l'histoire de la construction de la basilique.

– Vous me la racontez ?

Le prêtre comprend qu'il ne s'en tirera pas comme cela. Alors, de bonne grâce, il explique à Jean comment, à la suite de la défaite de la France, à l'automne 1870, des laïcs fervents, comme Alexandre Legentil ou Hubert Rohault de Fleury ont eu à cœur le sort de Paris, celui de leur nation, ainsi que celui du pape ; comment ils ont promis à Dieu de construire une église en l'honneur du cœur de Jésus ; et comment ils ont été à l'origine du vœu national en 1871.

– Tu le vois, mon garçon, l'édification du Sacré-Cœur est un véritable acte de foi ! Toute l'Église de notre pays soutient cette fondation : les évêques de province, les ordres dominicains et jésuites, les pères et mères de famille, jusqu'aux petits enfants comme toi, je l'espère !

Mais baisse les yeux une minute, et regarde derrière toi...

Jean s'exécute, et aperçoit au fond de l'édifice ses parents, qui voudraient quitter la basilique et l'appellent depuis un bon moment déjà... Un remerciement au prêtre, un dernier coup d'œil au Christ en majesté et le garçonnet les rejoint en courant.

Le prêtre regarde avec tendresse l'enfant s'éloigner avec sa famille : les bonnes gens ! C'est grâce aux dons de gens comme eux, aux dons de la France tout entière, du paysan le plus humble au noble le plus riche, que la basilique a pu être construite. Tous ces chrétiens ont vu dans l'érection du Sacré-Cœur bien plus qu'un repentir, ils l'ont vécue comme une incitation à retrouver cette foi sincère et unique en Dieu que nombre d'entre eux avaient perdue. L'offrande la plus remarquable à laquelle songe le curé, c'est ce bracelet en or qu'a envoyé une jeune fille, Thérèse Martin, Thérèse de l'Enfant-Jésus, et dont le procès de canonisation est en cours.

Déjà, depuis des années, les Parisiens se succèdent nuit et jour pour adorer, perpétuellement, le Saint-Sacrement. Le curé ignore encore que cette adoration va durer des dizaines d'années, et qu'elle se poursuit encore...

SOURCES : J. Benoist, *LE SACRÉ-CŒUR DE MONTMARTRE : DE 1870 À NOS JOURS*, Paris, 1992. M. Bony, *VIE ET ŒUVRES DE M.-A. LEGENTIL : L'INITIATEUR DU VŒU NATIONAL*, Paris, 1989. A. Van der Brule, *HUBERT ROHAULT DE FLEURY : LE SACRÉ-CŒUR DE MONTMARTRE*, Paris, 1995. P. de Meester, *REDÉCOUVRIR LE SACRÉ-CŒUR*, Paris, 1996.

# COCTEAU ET MARITAIN

## QUAND L'AMITIÉ VIENT AU SECOURS

## DE LA FOI

**20**
**OCT .**

DANS LES ANNÉES VINGT, LA FRANCE VEUT OUBLIER QUATRE ANS DE GUERRE. Elle adopte le jazz, danse au Bœuf sur le toit, invente le surréalisme. Dans cette effervescence, Jean Cocteau est là, au premier rang, touche-à-tout de génie, auteur de *Plain-Chant*, de *Thomas l'Imposteur*, des *Mariés de la tour Eiffel*. Dessins, poésie, théâtre, bientôt cinéma, il sait tout faire et le fait avec une grâce unique. Un feu follet à Paris. En 1922, probablement à l'occasion de la représentation de son *Antigone*, il rencontre un jeune philosophe nommé Jacques Maritain. Peut-on imaginer deux êtres plus dissemblables ? Le second est rigoureux quand le premier est frivole, rationnel quand l'autre est sentimental. Un commun amour de la vérité les unit pourtant même si, pour le premier, la vérité c'est Dieu, quand, pour le second, elle revêt les traits de l'art. Jusqu'à leur mort, l'acrobate et le frère portier, comme ils se baptiseront eux-mêmes, vont se porter une amitié indéfectible. Amitié, hélas !, limitée dans sa portée et dans ses effets par l'homosexualité de Jean Cocteau,

tache d'ombre entre deux êtres d'exception, souffrance de part et d'autre.

En 1923, Maritain a quarante ans. Sa réputation de philosophe commence à grandir. Petit-fils du ministre Jules Favre, converti grâce aux cours de Henri Bergson au Collège de France et sous l'influence de l'écrivain Léon Bloy, il est déjà l'auteur de plusieurs livres, dont *Art et scolastique*. Dans cet essai, le philosophe s'efforce de définir la place de l'art, sa finalité au regard du salut auquel tout est ordonné. Cet effort de réflexion touche les nombreux artistes qui gravitent autour des Maritain. Depuis longtemps, Jacques et sa femme, Raïssa, ont pris conscience de l'urgence de l'évangélisation des milieux intellectuels. Ils rêvent à un nouveau Moyen Âge, quand l'art et l'intelligence n'étaient qu'un acte de louange, au retour de cette époque d'or, celle des cathédrales et celle de saint Thomas dont ils redécouvrent l'œuvre.

Les Maritain habitent à Meudon depuis juin 1923. C'est une maison à mi-hauteur de la colline de Meudon, que domine le plateau de l'Observatoire. Le 10, rue du Parc, est un pavillon assez vaste pour accueillir une chapelle, assez loin de Paris pour y travailler au calme, assez près pour y recevoir facilement des amis. Tous les dimanches après-midi, médecins, philosophes, poètes, peintres, musiciens, agnostiques, juifs, orthodoxes, protestants ou catholiques sont invités par Jacques Maritain à entrer dans la connaissance de l'immense entreprise thomiste, cette élucidation du monde à la lumière de la foi par le recours à la raison. Ce sont Georges Rouault, Pierre Van der Meer, Georges Auric, Erik Satie, Pierre Reverdy, Max Jacob... Ils sont des maîtres à Paris ; à Meudon, des disciples.

En juillet 1924, sous l'amicale pression du musicien Auric, Jean Cocteau vient à Meudon pour la première fois. C'est le coup de foudre. Le poète désordonné en quête de pureté émeut Maritain, dont la sensibilité, la grandeur d'âme séduisent Cocteau. Des rencontres, une correspondance s'établissent à cœur ouvert. Jacques Maritain lui écrit : « *Vous portez le nom de ce Jean très pur, qui devine par amour les secrets de Dieu. C'est pourquoi vous ne serez bien que dans la douceur du Saint-Esprit.* » Un an après, alors que le poète sort d'une longue cure de désintoxication, il se rend à Meudon et croise un missionnaire du Sahara, Charles Henrion, un disciple de Charles de Foucauld, en robe blanche marquée d'un Sacré-Cœur rouge. C'est le choc tant espéré par Jacques et Raïssa ; deux jours plus tard, Cocteau se confesse au père Henrion et communie. *Deo gratias !* En octobre 1926, encore tout empli

> Cocteau se confesse au père Henrion et communie.

de la grâce de sa conversion, il écrit à « Jacques chéri » : « *Pour vous je brûlerai tout un livre s'il vous fait une petite ombre.* »

Mais, bientôt, l'équilibriste Cocteau est repris par ses vieux démons. L'homosexualité fait obstacle entre lui et ses amis. Au nom de la vérité de leur amitié, Jacques intervient. Déjà en 1923, il avait tenu à rencontrer le prince de la jeunesse, André Gide, dont le *Corydon*, éloge de l'homosexualité avait fait scandale : « *Ce sera une sorte de combat contre le diable, avec peut-être le salut d'une ou de plusieurs âmes comme enjeu* », prédisait-il à la veille de s'y rendre. En vain, Gide esquiva le débat. En août 1925, dans la foulée de Cocteau, le sulfureux Maurice Sachs était venu à Meudon. Il y avait reçu le baptême et, quelque temps plus tard, avait émis le désir de la prêtrise. Ses frasques en soutane avaient bientôt fait scandale et été pour Jacques et Raïssa une immense source de déception.

À la fin de 1926, Cocteau rencontre sa nouvelle âme damnée, un certain Jean Desbordes. Éperdument amoureux du garçon, il écrit à Maritain : « *L'amour rend les sacrements inutiles car il est sacrement ; on communie en Dieu à travers une de ses créatures.* » C'est le début d'une âpre controverse. Des âmes sont en jeu. La vérité doit être dite, mais pas au détriment de la charité. À maintes reprises, Maritain s'explique, le plus clairement possible : « *Il ne s'agit pas de vous importuner par des homélies mais de vous dire la vérité.* » Le plus doucement aussi : « *Reprenez-moi si je vous ai*

*fait de la peine, semoncez-moi si j'ai été bête.* »
Mais il tient à s'expliquer, à expliquer
dans sa totalité la doctrine de l'Église,
inspirée de l'Évangile : « *[L'homosexua-
lité] porte à l'infini l'empire du sexe, répand
sur toute la vie l'affreuse cruauté de Vénus.
[...] Elle est à l'amour ce que la magie est à
la sagesse. Ce n'est pas l'effet d'un préjugé dû
à saint Paul ou à une éducation de séminaire,
c'est pour des raisons éternelles que l'Église la
condamne. Ce qui peut changer c'est la
manière dont on traitera les âmes qui sont
parfois parmi les plus nobles – atteintes parfois sans leur faute, de ce mal mystérieux.
Mais il restera toujours un mal.* » Il en
appelle à la chasteté. En
secret, Maritain est mor-
tifié ; il s'accuse de ne
pas en avoir fait assez
pour amener Cocteau à
la vraie connaissance de Dieu et pour l'y
arrimer solidement.

C'est que la nature résiste à la grâce.
Celle de Cocteau est habituée à la contradiction, au mariage des contraires. Il
tente en vain l'alliance de l'eau et du feu,
de la vie spirituelle et du péché de
Sodome : « *Lorsque cette tendresse miraculeuse rapproche deux êtres jusqu'à les faire
mourir l'un pour l'autre, la présence divine
n'est plus dans l'Église mais dans l'âme des
amants.* »

En 1928, Desbordes prépare un livre
intitulé *J'adore*, mélange de religion et de
délire sexuel. Sous l'influence de son
ami, Cocteau écrit une sorte d'autobiographie érotique, *Le livre blanc*, qu'il
compte publier à petit tirage. Maritain
lutte contre les tentations de son ami

qu'il continue de soutenir. Sans relâche,
il l'encourage à rester fidèle à ses promesses de conversion. À la dérive, Cocteau plaide pour la tolérance. La tolérance ? « *Mais ce qui est sans pitié pour les
homosexuels, c'est la nature, Jean, la loi de
l'espèce, la terrible réalité de ce qui est. La
charité de Dieu, qui est surnaturelle, fait
place, elle, à ceux qui portent ce fardeau.* »

Maritain lutte, essaie d'obtenir de
Cocteau la non-publication du *Livre
blanc*. L'autre tergiverse, déchiré entre
son penchant et son immense amitié
pour les Maritain. Jamais Jacques ne
renonce, s'admonestant lui-même en des
lettres admirables : « *Ton
ami n'aime pas assez le
Christ pour le suivre et toi
tu l'aimes trop pour le laisser au démon.* » En quel-
ques semaines, le ton monte, Cocteau
s'enferme dans une sorte de panthéisme
sensuel insupportable à Maritain qui
reste ferme, s'insurge contre les blasphèmes du mauvais génie, Desbordes. Le
poète endiablé s'entête, vitupère, adresse
des reproches injustes au couple Maritain qui souffre et prie en silence, sans
jamais rompre. Cocteau revient penaud.
« *Il existe en moi un espace très vague et blanc
comme neige. Je souffre beaucoup. Sans votre
tendresse, sans Raïssa, sans Meudon, je serais
perdu. – J'ai peur pour vous* », répond Maritain. Et le poète s'éloigne à jamais, sans
que ses deux bons anges, Jacques et
Raïssa, aient renoncé à aucune exigence,
ni à celle de la charité, ni à celle de la
vérité.

Leur amitié durera jusqu'à la mort de

> *Cocteau s'enferme
> dans une sorte
> de panthéisme sensuel.*

Cocteau, en 1963. Par une de ces arabesques dont il est familier, Cocteau décore des chapelles, celle de Villefranche-sur-Mer, celle de Fréjus et celle de Milly-la-Forêt, et Maritain est encore là, retiré chez les petits Frères de Jésus, à Toulouse, depuis la mort de Raïssa en 1960. Par une présence amicale, quoique plus lointaine, il l'encourage en de courts billets affectueux qui arracheront à Cocteau cet aveu, à l'aube de sa mort : *« Jamais je n'ai découvert chez lui la moindre faute capable d'amoindrir mes sentiments de respect et d'affection fraternelle. »*

SOURCES : R. Maritain, *LES GRANDES AMITIÉS*. J. Maritain et J. Cocteau, *LETTRE À JACQUES MARITAIN, RÉPONSE À JEAN COCTEAU*, Paris, 1983. B. Hubert et Y. Floucat, *JACQUES MARITAIN ET SES CONTEMPORAINS*, Paris, 1991.

# La Jeunesse ouvrière chrétienne

## *Nous referons de nos frères des chrétiens*

**• 21 OCT •**

– La Grande Guerre,... La der des ders, peut-être, mais grande ? Moche, oui ! Heureusement qu'il y avait des gens comme vous, père Danset, pour nous aider à passer les moments difficiles. Grâce à Dieu, c'en est maintenant fini des balles, des obus et des tranchées. Mais la paix ne résout pas tous les maux...

Arrivé depuis peu en banlieue parisienne, à Clichy, où il vient d'être nommé vicaire, le père Guérin a parfois l'âme en proie à de profondes nostalgies. Non, décidément, la paix ne règle pas tout. Traité de Versailles ou pas, il y a toujours des laissés-pour-compte. Depuis la fin de la guerre, il y a sept ans, il le voit bien, lui, et même de plus en plus, à mesure que se creuse l'écart entre les classes, et que les campagnes se vident au profit des banlieues... Des banlieues comme celle où il vient de prendre ses fonctions. Les cheminées d'usine sont désormais plus hautes que les clochers des églises, mais, le plus inquiétant, c'est que sans action pastorale adaptée, l'écart entre l'Église et cette population risque de se creuser. D'autant plus que la diffusion d'une certaine forme de socialisme entraîne la disparition de la pratique religieuse, et que socialisme et christianisme sont en passe de devenir irréconciliables.

Sortant le père Guérin de ses sombres pensées, son ancien aumônier militaire, le père Danset, lui suggère en quelques mots ce qui sera l'œuvre de sa vie.

– Voici un petit journal belge qui devrait vous intéresser. Je connais vos préoccupations, renseignez-vous sur l'action de l'abbé Cardijn.

Le père Guérin a en effet déjà entendu parler de cet abbé Cardijn. Depuis qu'en 1912, il a pris en charge les œuvres féminines dans la banlieue de Bruxelles, il cherche à promouvoir le syndicalisme féminin, quasi inexistant. Il a formé un comité d'études, qui réunit les ouvrières les plus douées, et il leur donne une formation syndicale pour les amener à assumer la responsabilité de leur organisation. Il leur apprend à exprimer leurs idées en public et insiste particulièrement sur le respect de soi et sur la fierté d'être ouvrier et critique. Le 18 juin 1925, l'abbé Cardijn fonde officiellement la JOC, Jeunesse ouvrière chrétienne, qui réunit déjà cent quatre-vingt-douze sections locales et plus de six mille membres cotisants.

Pour le père Guérin, la lecture de cette revue est une révélation. C'est la rencontre de ses aspirations et de leur mise en œuvre concrète. Il discute avec trois amis de l'interrogation que soulève leur lecture, puis ils sont cinq, sept... jusqu'au jour de la première réunion en France de la JOC, en octobre 1926, à laquelle assistent soixante-dix travailleurs, puis deux cents en juillet 1927, vingt mille en 1933, et environ quatre-vingt mille lors du congrès de Paris en 1937 !

> *« Très Saint Père s'il le faut, je suis prêt à mourir pour sauver la jeunesse ouvrière. »*

En 1925, l'abbé Cardijn a publié le *Manuel de la JOC*, qui prône le « voir-juger-agir ». Le même *leitmotiv* est repris en France. La JOC apprend aux jeunes travailleurs que le christianisme doit se trouver au cœur de toutes leurs actions, et dans toutes les circonstances de leur existence...

« *Moi, simple ouvrière,* affirme une jociste, *le voir-juger-agir et les enquêtes de la JOC m'ont appris à regarder autour de moi, à écouter, à discerner le positif du négatif dans les comportements ou les situations des autres.* »

Le père Guérin rédige à son tour un *Essai de jeunesse ouvrière chrétienne,* dans lequel il énonce les principes fondamentaux de la JOC, Il s'agit « *pour et par les ouvriers* » de « *réaliser un mouvement de masse, au lieu de se cantonner à former une élite* », et d'entraîner cette masse vers une action à sa portée. Il s'agit enfin que partout, où ils sont, où ils savent, les jocistes aient l'initiative et la responsabilité de l'action.

Grâce à l'impulsion du père Guérin, les jeunes ouvriers se prennent en main. Marie-Thérèse retrouve le chemin de l'Église et fonde à dix-sept ans une section féminine de la JOC à Cambrai. « *Ce qui m'a le plus marquée pendant cette période, ce fut d'abord la prise de conscience des valeurs de la classe à laquelle j'appartenais. Avec la JOC, je fus de plus en plus fière d'appartenir à la classe ouvrière et je désirais lui consacrer toute ma vie.* »

Bien sûr, la montée en puissance d'une telle organisation ne se fait pas sans heurts. L'Action catholique n'est pas encore sensibilisée à la prise en compte des différents milieux ; on reproche même à l'abbé Cardijn d'introduire, peut-être malgré lui, la lutte des classes au sein du monde catholique.

Heureusement, le pape Pie XI soutient cette action, certainement convaincu par la détermination du fondateur de la JOC. Lors d'une rencontre entre les deux hommes, le prêtre lui avait déclaré : « *Très Saint-Père, je veux sauver la jeunesse ouvrière. S'il le faut, je suis prêt à mourir pour sauver la jeunesse ouvrière... »*

Au sein même de cette classe, la présence de ces gens ouvertement chrétiens ne passe pas toujours facilement. « *Pour elle qui était communiste, chrétiens et gens d'Église étaient considérés comme des traîtres à la classe ouvrière. Par notre témoignage, elle a découvert ce qui nous poussait à lutter contre l'exploitation, à revendiquer de meilleures conditions de travail. C'était notre foi en Christ. Au bout d'un certain temps, et suite à de nombreux échanges, elle ne nous a plus combattus, et montrait alors un grand respect pour notre foi chrétienne. »*

L'œuvre des pères Cardijn et Guérin a profondément modifié le paysage du monde ouvrier et influencé l'évolution du milieu syndical, mais, plus profondé- ment, ce sont les individus qu'elle touche au cœur de leur vie. L'enracinement dans la foi, manifestée à travers un quo- tidien difficile, permet de trouver direc- tement une force pour affronter les pro- blèmes en face, et pour les affronter ensemble.

SOURCES : J. Deles et E. Poulat, *L'APPEL DE LA JOC*, Paris, 1986. J.-P. Jonhotal, *LA JOC : TRAJECTOIRE IDÉOLOGIQUE ET POLITIQUE D'UN MOUVEMENT D'ACTION CATHOLIQUE*, Lyon, 1982. P. Pierrard et M. Lau- nay, *LA JOC, REGARDS D'HISTORIENS*, Paris, 1962. M. Walckiers, *SOURCES INÉDITES À LA CRÉATION DE LA JOC*, Louvain-Paris, 1970.

# LES CRISTEROS

*L'ÉPOPÉE TRAGIQUE DES PAYSANS
MEXICAINS QUI OFFRIRENT LEUR CHAIR
EN SACRIFICE POUR LE CHRIST-ROI*

**22
OCT.**

— VIVE LE DIABLE ! LE CRI TERRIFIANT RETENTIT. Dans le village, il est trop tard. Sa mère et sa sœur sont déjà parties au marché. Il est trop tard, il ne reste qu'à fuir...

Emiliano attrape son fusil, sort par l'issue secrète, creusée à l'arrière de la maison. Dans la grand-rue, les soudards regroupent les vieillards, les enfants qui jouaient par là...

Emiliano rampe dans la poussière, derrière les baraques des journaliers. Dans la grand-rue, les hommes violent à la baïonnette les femmes du village, les vieilles, les jeunes, même les fillettes : « Celles là ne seront plus *bonitas* [mignonnes] ! »

Emiliano arme le fusil, s'élance, franchit l'espace découvert. Dans la grand-rue, la brigade rit et s'apostrophe, en sortant les chalumeaux du camion. « Que votre foi vous consume, *peones*... »

Emiliano court vers la colline, les poumons lui brûlent, ses jambes fléchissent. Dans la grand-rue, on arme les mitrailleuses lourdes, on rassemble les survivants en une masse compacte, la plus compacte possible, pour les faucher tous à la fois...

Au bruit des dernières rafales, Emiliano atteint le couvert. Il sait qu'il n'a plus ni sœur ni mère. Il sait que les « brigades infernales » ne laissent rien ni personne derrière elles. Il sait leur diabolique cri de ralliement, et il sait quel est le sien. Il marche depuis trois ans déjà sous la banderole des guérilleros : « *Vive le Christ-Roi et la Vierge de Guadalupe.* » Emiliano marche avec l'armée des Indiens, des mulâtres, des métis, des pauvres. Avec ces milliers de paysans armés pour défendre leur foi... Emiliano est *cristeros*.

Cela fait trois ans qu'il se bat... Cette guerre, dont il ignore qu'elle s'achève, Emiliano en connaît les morts. Et les ennemis : Calles, les soldats gouvernementaux, les brigades, et les Américains... Ils ont fermé les églises, interdit le culte catholique. Il n'y a plus de messe au Mexique, mais il y a désormais le sacrifice, les cris, les larmes, les deuils des enfants du pays.

Lorsqu'en 1925, le général Calles, président du Mexique, décide de lancer la lutte finale contre le catholicisme, le combat décisif « *entre les ténèbres et la lumière* », comme il dit, c'est le début de la révolte. Calles promulgue un arsenal législatif qui transforme en délit de droit commun la pratique du culte catholique. Les églises sont fermées, les prêtres et les laïcs qui refusent d'adhérer aux associations cultuelles gouvernementales sont emprisonnés. L'armée se lance dans de vastes opérations d'intimidation, avant d'entamer une véritable persécution. Après avoir épuisé tous les recours, le 31 juillet 1926, l'épiscopat mexicain prononce la suspension totale du culte, et demande au peuple de se mobiliser pour obtenir les conditions de son rétablissement.

La « mobilisation » est immédiate. En janvier 1927, à l'appel de ses pasteurs, toute la région du Centre-Ouest se soulève massivement. Hommes, femmes et enfants quittent leurs villages et confluent vers la capitale. Sans autres armes que leurs bannières, « *ils s'avancent comme en pèlerinage* », certains d'obtenir par leurs prières et leur nombre le rétablissement du culte. Ils sont accueillis par l'armée et ses mitrailleuses. Cette effroyable boucherie donne le signal de l'insurrection générale.

Des villageois prennent les machettes, les faux, les bâtons. Ils se muent en guérilleros. Soutenue par le petit peuple des campagnes et des villes, c'est une véritable armée populaire qui se lève. Au gouvernement, on se frotte les mains. Ce soulèvement spontané, sans stratégie, sans chefs, sans argent, sans vivres et sans armes, entre parfaitement dans le plan gouvernemental

> *Cette effroyable boucherie donne le signal de l'insurrection générale.*

d'éradication du catholicisme. Se désignant eux-mêmes comme cible, les « *activistes* » pourront être liquidés. La masse sera ensuite définitivement matée par la terreur, et la foi, « *cet outrage intolérable à la raison* » disparaîtra du Mexique. « *Tout sera fini avant deux mois* », pronostique le président Calles.

Contre toute attente, en moins de deux mois, la guérilla inflige à l'armée régulière déroute sur déroute. On prend les armes des vaincus, on les retourne contre les gouvernementaux, forts du soutien explicite du pape Pie XI. Seule « *l'absence d'un commandement unifié empêcha les insurgés d'obtenir un véritable succès initial contre les forces fédérales* », dira un attaché militaire américain.

Justement, le pouvoir pour survivre a besoin de l'appui des États-Unis. L'allié américain soutient les « libéraux » au pouvoir. L'argent, les armes ultramodernes, les automitrailleuses, les avions affluent. Dès 1926, Mgr Curley, archevêque-primat de Baltimore, proteste avec véhémence : « *Les mitrailleuses qui ont ouvert le feu contre les fidèles de San Luis Potosi étaient des mitrailleuses nord-américaines. Les fusils qu'on a utilisés contre les femmes de Mexico provenaient de notre pays. C'est nous, par l'intermédiaire de notre gouvernement, qui armons les assassins professionnels de Calles ; nous qui les soutenons dans leur abominable plan qui veut aboutir à détruire jusqu'à l'idée de Dieu dans le cœur de millions d'enfants mexicains.* »

« *Assassins professionnels* », le mot est

lâché... Et de fait, conseillée par des « attachés militaires » américains, l'armée mexicaine met en œuvre une stratégie d'éradication. Premier acte : la déportation systématique des populations. Les routes du pays s'en trouvent embouteillées. « *On voit partout des charrettes pleines de familles. La majorité n'a pas une miette de pain ; les enfants pleurent de faim de fatigue et de froid.* » Au bout du voyage, les populations déportées sont parquées « *dans des enclos à bétail, exposées aux intempéries ; cet entassement produit la contagion et la mort d'une multitude* ». Deuxième acte : la terre brûlée. Une fois les populations déportées, les villages et les cultures sont détruits, le bétail vendu ou abattu. Troisième acte : la terreur. On ne fait aucun prisonnier. Tout combattant, ou supposé tel, s'il est capturé ou s'il se rend, est torturé puis exécuté. Les hôpitaux sont transformés pour pratiquer des « opérations chirurgicales » au sadisme raffiné...

Cela ne suffit pas ? Le gouvernement décide de créer les « brigades infernales », chargées de répandre la terreur absolue dans la population non combattante, mais présumée, à juste titre, complice. Il ne s'agit plus alors de déporter mais d'exterminer sur place. Pourtant, rien n'y fait : la révolte continue de s'étendre et de gagner du terrain. Les étudiants rallient la rébellion. Les filles et les jeunes femmes créent les célèbres « BB », *Brigadas Bonitas* (brigades mignonnes), qui s'illustreront sur tous

> « *Ils nous vendent,
> mon petit Manuelito,
> ils nous vendent.* »

les fronts. Et voici qu'en juillet 1927, le général Gorostieta de l'armée gouvernementale, connu pour être athée et franc-maçon, se convertit, passe au peuple, et devient le général en chef des *cristeros*. Sous son commandement, la guérilla acquiert l'organisation efficace qui lui manquait, au point qu'un attaché militaire américain s'alarme : « *La situation empire lentement et sûrement, malgré les actions hystériques et inefficaces des gouvernementaux.* » Dans les rangs mexicains, on enregistre cette année-là plus de vingt mille désertions. Et, en juin 1928, c'est une véritable armée de vingt-cinq mille hommes, baptisée *Guardia nacional*, que Gorostieta s'apprête à conduire vers une victoire définitive... différée de mois en mois, faute de munitions.

Le gouvernement américain sait qu'il n'y a plus d'autre choix : il faut que les « libéraux » et les évêques parviennent à un accord avant que le gouvernement ne soit renversé. Washington met tout son poids, tous ses dollars dans la balance. On discute. À l'émissaire qui lui apprend ces tractations, le général Gorostieta dira : « *Ils nous vendent mon petit Manuelito, ils nous vendent...* » L'Église institutionnelle locale et la curie romaine recherchent, depuis le début de l'insurrection, un accommodement diplomatique, avec comme intermédiaire l'ambassadeur américain Morrow. L'accord est finalement signé le 21 juin 1929.

Il se révèle outrageant pour les *cristeros* morts, et pour les survivants. La loi antireligieuse n'est en rien modifiée, seule une partie de son application est provisoirement suspendue. Le seul « avantage » obtenu est que les évêques puissent jouir à nouveau de leurs palais épiscopaux. Le Vatican donne inexplicablement son agrément, à la condition que soit accordée une amnistie générale pour tous les combattants. Le 22 juin, les évêques mexicains décrètent officiellement la reprise du culte.

À cette annonce, Delgollado, général en chef depuis la mort au combat de Gorostieta, envoie son dernier ordre du jour à tous les *cristeros* : « *Sa Sainteté le pape, par la voix de son excellence Mgr le délégué apostolique – et pour des raisons que nous ne comprenons pas mais auxquelles, comme catholiques, nous nous soumettons – a ordonné de rétablir le culte sans abrogation (corrélative) des lois antireligieuses. De ce fait, camarades, notre situation se trouve changée... Nous devons nous soumettre aux décrets de la Providence. La* Guardia nacional *est donc dissoute, non vaincue par ses ennemis, mais bien abandonnée par ceux qui les premiers auraient dû recueillir le fruit de ses précieux sacrifices.* » Aussitôt, l'armée chrétienne organise sa dispersion, après avoir, dans un ordre parfait, livré ses chevaux et ses armes aux représentants du gouvernement.

Les *cristeros* rentrent alors chez eux. Mais ce n'est pas la paix des braves qu'ils y trouvent, c'est la boucherie. Désarmés, on peut enfin les égorger tranquillement. D'abord, tous les chefs qui s'étaient rendus sont exécutés.

*Tous les chefs qui s'étaient rendus sont exécutés.*

Puis, et ce jusqu'en 1941, les miliciens du Parti révolutionnaire institutionnel (PRI, toujours au pouvoir) s'appliquent à rechercher et à éliminer par milliers et milliers les braves qui avaient servi sous l'étendard du Christ-Roi (*cristeros*, leur sobriquet).

Il ne se trouve que trois voix dans la hiérarchie mexicaine pour protester contre le massacre. Et, encore ceux qui s'émeuvent sont-ils immédiatement relevés de leur charge épiscopale. Les évêques prononcent servilement la dissolution de toutes les associations de laïcs mexicains que le gouvernement désigne à leur « attention ». Quelques prélats iront jusqu'à excommunier les prêtres qui ont servi comme aumôniers des combattants, avant de s'apercevoir que, après s'être rendus, ces prêtres avaient été fusillés, pendus ou équarris vifs...

Les responsables de l'épiscopat expliquent qu'ils ont tout accepté pour mettre fin aux souffrances de tous... Le pape Pie XI lui-même tente bien par une encyclique, en 1932, de justifier l'assentiment qu'il a donné à l'accord qui livrait le peuple mexicain, « *pour,* dit-il, *ne pas laisser échapper cette occasion qui paraissait offrir une possibilité de reconnaître les droits de la Hiérarchie* » (*Acerba animi*).

En privé cependant, Pie XI ne peut maîtriser ses larmes dès que l'on évoque devant lui le sort des *cristeros*. Et, quand il apprendra que la hiérarchie mexicaine excommunie les derniers résistants qui, désespérés, refusent de se rendre, il n'y tiendra plus et, le 28 mars 1937, dans une lettre à l'épiscopat mexicain, il justifiera et exaltera la geste des *cristeros* : « *Quand le pouvoir se dresse contre la justice et la vérité, jusqu'à détruire les fondements de toute autorité, on ne voit pas comment on pourrait condamner les citoyens qui s'unissent pour défendre la nation et se défendre eux-mêmes [...] contre ceux qui programment étatiquement leur malheur...* »

Le 25 septembre 1988, Jean-Paul II a béatifié Miguel Agustin Pro, jésuite mexicain et aumônier des cristeros, arrêté et fusillé en 1927.

SOURCES : J.-A. Meyer, *LA CRISTIADA*, Mexico, 1973. J. A. Meyer, *APOCALYPSE ET RÉVOLUTION AU MEXIQUE, LA GUERRE DES CRISTEROS 1926-1929*, Paris, 1974. T. Halperin-Donghi, *HISTOIRE CONTEMPORAINE DE L'AMÉRIQUE LATINE*, Paris, 1972. D. Bailey, *VIVA CRISTO REY ! THE CRISTERO REBELLION AND THE CHURCH-STATE CONFLICT IN MEXICO*, Austin, 1974.

# CHARLES TOURNEMIRE

## QUAND L'ORGUE SE FAIT SERVITEUR

## DE LA PRIÈRE

**23 OCT**

LE PRÊTRE S'EST AVANCÉ VERS L'AUTEL, SA CHASUBLE DORÉE est rehaussée d'un galon de soie rouge sur lequel sont peintes les scènes de la Passion. Lentement, ayant béni les oblats, il prend la patène où repose sur une fine dentelle l'hostie qu'il va présenter à Dieu. Le jeune clerc en soutane cramoisie est venu se placer sur la première marche de l'autel réajustant d'un geste gauche son surplis. Derrière eux, ils sentent le peuple de Dieu, qui s'offre silencieux, tendu d'un seul mouvement vers celui qui le sauve. Les yeux levés vers le ciel, le prêtre élève la sainte offrande devant lui.

La première note a empli les voûtes de Sainte-Clotilde sans que personne ne la remarque. Avec aisance et simplicité, elle se meut et s'étire dans une lente mélodie grégorienne. Avec douceur, une harmonie vient se glisser en dessous de la lente ligne récitative : la prière silencieuse du prêtre, l'oblation silencieuse du peuple. Tandis que l'offertoire se poursuit, l'orgue finit d'emplir les espaces les plus reculés de l'église. Subtile esquisse du récit, couleurs mouvantes du plain-chant, il porte la prière dans l'espace infini d'un moment.

Impressionnisme musical, la simplicité et la richesse de cette atmosphère invitent les fidèles à laisser libre cours à leur prière. Dans la liberté de la vocalise grégorienne, cette prière semble se fondre dans celle de l'Église et rejoindre par des chemins inconnus la louange que les anges et les saints chantent dans l'éternité divine. Comme elle était venue, la mélodie prend fin, la dernière note happée par un monde supérieur d'où elle semblait venue.

La main de l'organiste s'est délicatement soulevée du clavier tandis que dans le chœur s'élève distincte et basse la voix du célébrant. Charles Tournemire écoute, recueilli, la mélodie latine qui monte devant l'autel comme la fumée d'encens. Un récitatif spirituel, pense-t-il, une musicalité, un phrasé et une syncope comparables à la ligne grégorienne qu'il vient d'interpréter. La simplicité, voilà le maître mot de l'art religieux. Simplicité de Dieu, simplicité de l'orgue qui doit être ramené à sa plus louable mission : servir la prière des fidèles. L'orgue d'église ne peut plus ressembler à ces démonstrations théâtrales dont le XIXᵉ siècle avait été friand. L'instrument n'est pas là pour servir l'organiste ou le goût de l'époque, il est là pour servir la prière et aider chacun à offrir à Dieu la plus pure expression de son amour et de son engagement. L'orgue se fait serviteur des serviteurs...

C'est ce qu'avait si bien compris le cardinal Sarto. Devenu pape sous le nom de Pie X le 4 août 1903, il avait édicté un *motu proprio* dès le 23 novembre sur les codes de la musique d'Église. Des instructions sages et tolérantes, pense l'organiste qui ne comprend pas pourquoi le texte a provoqué tant de remous. Il se remémore l'une de ses phrases qui rappelait que la musique sacrée, qui est « *partie intégrante de la liturgie solennelle, devra posséder la sainteté (louange à Dieu), l'excellence des formes (art véritable), l'universalité (pour tous et en tous lieux) : qualités mêmes de la mélodie grégorienne, suprême modèle* ». Il était pourtant vrai que la musique religieuse s'était bien appauvrie au XIXᵉ siècle, la Révolution ayant interrompu la tradition musicale de l'Église. Les textes liturgiques étaient tronqués, les formes musicales utilisées étaient parfois sans rapport avec la liturgie... L'église était devenue une salle de concert.

Heureusement, tant dans l'Église que chez les musiciens, des voix s'étaient élevées. Les romantiques avaient ravivé un goût pour l'art médiéval. Les bénédictins de dom Guéranger et de dom Porthier s'étaient faits les rénovateurs de la liturgie et du grégorien. Des musiciens avaient ouvert des écoles de musique religieuse : Niedermayer en 1857, et Charles Bordes, le fondateur des chanteurs de Saint-Gervais et de la Schola cantorum, en 1894. Plusieurs hommes d'Église, comme l'abbé Perruchot, maître de chœur à Saint-François-Xavier, avaient contribué aussi au renouveau des maîtrises, faisant redécouvrir les motets de la Renaissance. Puisant aux sources de la tradition, la musique d'Église donnait une âme chrétienne à un romantisme en quête d'idéal.

Charles entame le Sanctus de la *Messe royale* de Dumont. L'assemblée entière reprend le thème avec aisance, portée par la pureté de cette ligne qui s'appuie fermement sur une basse richement ornée. Les timbres de celle-ci raisonnent sous les voûtes et les modulations, qui la colorent encore, semblent tracer par des lignes invisibles les saints chemins du ciel. Il se souvient des leçons de son maître. Les accords altérés qu'il joue au grand orgue, tandis que la vénérable mélodie s'égraine majestueuse dans son phrasé régulier, semblent parfois surgir du génie de César Franck qui avant lui avait tenu les mêmes orgues.

Franck lui a tout appris. Il l'entend encore dire : « *C'est dans la foi que l'on découvre l'orgue que l'on veut faire entendre. Vas-y, fais prier ton Cavaillé-Coll !* » Redécouvrant Bach et les anciens, il avait banni toutes les ritournelles et autres procédés grossiers qui faisaient de l'orgue une musique de théâtre, pour y introduire la prière, source de la création. Auprès de Beethoven et de Reicha, il avait enrichi sa musique en altérant ses harmonies, et en

> *La vénérable mélodie s'égrène, majestueuse.*

multipliant les modulations. Les variations beethovéniennes alliées à la forme chorale devaient aboutir dans son œuvre à la création de la symphonie pour orgue.

Dans sa méditation, Tournemire est passé de Franck à Guigout, peut-être à cause de cette longue complainte grégorienne qu'il est en train d'improviser pour la consécration. Il a pris le chant au pédalier, lentement, dans un *legato* absolu. À la fin de la phrase, il reprendra le thème au grand orgue, faisant descendre en superposition une plainte légère et sourde pour exalter ce mystère ineffable. Guigout, un autre des élèves de Franck, est certainement celui qui avait achevé la restauration de l'orgue spirituel et liturgique. Son *Album grégorien*

marquerait sûrement l'époque. C'est grâce à lui que Tournemire avait redécouvert l'œuvre de Titelouze ou de Couperin, dont il s'inspirait.

Charles Tournemire soupire. « Quel sera l'avenir de l'orgue d'église ? » Son histoire depuis ses origines ne permet pas de répondre. Lui, il laissera son « orgue mystique » où il commente les thèmes du *plain-chant* pour tous les dimanches de l'année liturgique. Tout y est, ses formes favorites comme le prélude, le choral, la fugue ou la grande variation, les jeux d'oppositions entre de subtiles esquisses et des fresques majestueuses, la synthèse entre l'orgue symphonique et l'orgue liturgique... Pour la plus grande gloire de Dieu.

SOURCES : J.-M. Fouquet, *CATALOGUE RAISONNÉ DE L'ŒUVRE DE CHARLES TOURNEMIRE (1870-1939)*, Minkoff, 1979.

# SIGRID UNDSET

## *UNE FEMME DE LETTRES CHANTE LA COMPAGNE DE L'HOMME*

**• 24 OCT •** LE SOLEIL QUI RASE L'HORIZON ENNEIGÉ BAIGNE LA PIÈCE D'UNE LUMIÈRE DOUCE. Sigrid Undset pose sur la table de bois blanc son bol de lait fumant, le pot de beurre et les petits pains dorés à peine sortis du four. Un rapide coup d'œil par la fenêtre... La journée promet d'être belle. Un de ces froids secs et vivifiants comme en connaît la Norvège au mois de novembre. La romancière attrape le journal littéraire qu'elle aime parcourir en savourant son petit déjeuner, caresse le chat alangui sur l'épais banc de bois, s'installe tranquillement à ses côtés et commence sa lecture.

VLAM ! ! ! D'un bond, le chat s'est enfui pour se réfugier sous la huche. Sous le coup de la colère, Sigrid Undset a bondi sur ses pieds, et le bol de lait vient de s'écraser sur le sol. La romancière relit encore une fois l'article pour être sûre qu'elle a bien compris. Pas de doute. C'est bien d'elle dont on parle en ces termes inqualifiables. La romancière fulmine, froisse le misérable journal et le jette rageusement dans le poêle. En ce méchant mois de novembre 1924, où il gèle à pierre fendre – d'ailleurs, où est donc passé son châle, tout disparaît décidément dans cette maison –, des imbéciles qui savent à peine tenir une plume ont osé écrire qu'elle, Sigrid Undset, s'est convertie au catholicisme par intérêt, pour faire parler d'elle, pire, pour séduire de nombreux lecteurs dans les pays catholiques. On croit rêver.

Le chat tente timidement une sortie mais, devant la colère de sa maîtresse, préfère se replier, et à pas de velours se faufiler vers le salon et ses coussins moelleux. La romancière est atterrée. Cela fait longtemps qu'elle a compris que les critiques littéraires ont approximativement autant de neurones que de mots de vocabulaire, c'est-à-dire très peu, mais là, franchement, ils se sont surpassés. Comment peuvent-ils se permettre ? Comment osent-ils parler aussi légèrement des inclinations de son cœur et des aspirations de son âme ? Mon Dieu, comme ces mots font mal !

Sigrid Undset a appris, depuis qu'elle est une romancière à succès, à se protéger des attaques perfides des critiques. Mais, aujourd'hui, les mots viennent blesser son être le plus intime. La colère est retombée, certes, mais la souffrance demeure. Cela fait des années qu'elle s'interroge sur le sens de la souffrance, de l'échec et de la désillusion. Il faut dire qu'elle a eu son lot de malheurs. Un père qu'elle chérissait, brillant archéologue, mort alors qu'elle avait à peine onze ans, l'obligation d'interrompre ses études à seize ans pour travailler comme secrétaire à Oslo ; une séparation éprouvante d'avec son mari, le peintre Svarstad en 1919 ; six enfants, dont deux enfants qui souffrent d'une déficience mentale.

> Son héroïne avouait : « J'ai trompé mon mari. »

Pendant longtemps, la romancière croit trouver dans l'écriture un remède à son mal de vivre. *Marta Oulie et ses voisines*, son premier roman, publié à l'âge de vingt-quatre ans, peint, à travers l'histoire d'un mariage malheureux, les mesquineries et les bassesses du milieu petit-bourgeois d'Oslo, qu'elle observe chaque jour dans sa tragique réalité. Le roman fait scandale. Son héroïne avoue : « *J'ai trompé mon mari.* » Sigrid esquisse déjà une peinture remarquable de finesse des sentiments féminins et de la tragédie de l'amour humain. Au fil du temps, son œuvre s'enrichit, tandis que ses convictions intellectuelles, morales et religieuses évoluent, jusqu'à sa conversion au catholicisme. La romancière développe une vision très originale de la femme et de l'amour. Elle acquiert très vite la certitude que le rêve d'un amour individualiste et absolu est une dangereuse utopie et que la femme ne peut trouver son épanouissement qu'en se libérant des conventions sociales et des préjugés d'un milieu étouffant. Mais ce n'est pas une émancipation inconditionnelle qu'elle réclame. Elle

pense que la femme s'épanouit pleinement dans l'intimité familiale et dans une société régie par des lois morales – et non moralisatrices – librement consenties. Profondément croyante, Sigrid Undset est persuadée, avant même sa conversion au catholicisme, que la femme a en elle la faculté de mener une vie intérieure plus intense que l'homme, parce qu'en donnant la vie, elle est par essence amenée à renoncer à elle-même et appelée à porter la croix. Sigrid aussi a connu la souffrance, et la douleur d'une maternité malheureuse. Et, maintenant, on formule contre elle la pire des attaques : on ose affirmer qu'elle n'est pas sincère !

La romancière ramasse les débris qui jonchent le sol puis tente d'emprisonner d'un geste maladroit les quelques boucles folles qui mangent son visage. Elle s'assied quelques instants. Décidément, ces critiques n'ont rien compris à son œuvre, pourtant si limpide. S'ils avaient su lire entre les lignes, ils n'auraient pas pu affirmer les horreurs qu'ils viennent de professer dans ce journal. La romancière songe à quelques-uns des ouvrages qui l'ont rendue célèbre, à son premier grand succès, *Jenny*, construit autour du rêve d'un amour absolu et impossible. Jenny, une jeune artiste norvégienne, se fiance sans conviction avec l'un de ses camarades et brave tous les tabous, tous les interdits pour connaître la passion auprès du père de ce dernier. À travers ce roman, elle posait la question de savoir si on doit appeler « immoralité » le mépris des conventions sociales et religieuses, et la soif d'absolu. Ce faisant, elle dénonçait les difficultés dressées devant la femme luttant contre les préjugés qui l'accablent mais épargnent son partenaire. *Jenny* était un roman en partie autobiographique, mais ces imbéciles n'ont rien compris. Ils ne peuvent pas sonder les cœurs et les reins, tous ces beaux penseurs, et comprendre à quel point la faillite de son couple a été pour elle une tragédie. Comment trouver un sens à son existence, lorsque la valeur centrale à laquelle on croit vient de se briser ? Comment construire une œuvre autour de l'amour si son expérience humaine se révèle à ce point fragile ? Sa maturation vers le catholicisme a été lente, certes. Peut-être aurait-il fallu qu'elle convoque les journalistes et se jette à genoux dans une église pour prouver sa sincérité ? La foi de ses parents était une pure convenance sociale, et elle a déclaré à plusieurs reprises, du temps de sa jeunesse, qu'elle ne croyait à rien. Mais elle se sentait irréversiblement attirée vers le christianisme. Peut-on prévoir le jour et l'heure où la grâce vous prendra sous son aile ?

Et puis sa vision de la femme, à travers toute son œuvre, ne pouvait qu'éclairer le cheminement de son âme. Celle-ci ne pouvait qu'être durablement marquée par la profondeur de la vision de l'épouse et de la mère que le catholicisme proposait. Mais cela, visiblement, ils ne voulaient pas le voir. En revanche, ils pouvaient bien lire dans la plupart de ses romans son amour du christianisme. N'y voit-on pas clairement que le paganisme ne connaît que la vengeance, alors que le christianisme enseigne le pardon, jusqu'à oser dire que malgré sa misère l'homme aussi est capable de miséricorde ? Qu'ils relisent donc l'histoire de *Vigdis la farouche* pour avoir une petite idée de cette misère de l'homme sans la Parole qui libère. La païenne Vigdis, violée à quinze ans par un marin islandais, déchirée entre la honte de la naissance illégitime qui en est le malheureux fruit et l'amour fidèle de son ami d'enfance, ne peut oublier l'affront qui lui a été fait et met son fils en demeure de lui rendre l'honneur en tuant son père. C'est finalement la tête de son propre fils qu'elle recevra enveloppée dans un linge. Voilà où mène la vengeance, à la souffrance et à la désolation. Alors que dans son premier grand roman médiéval, *Christine Lavransdatter*, elle leur a offert un magnifique hymne au pardon, en racontant l'histoire de cette femme qui, au seuil de sa vie, pardonne à l'homme qui l'a abandonnée. Ne peuvent-ils pas comprendre que ce sont ses propres blessures et son propre cheminement spirituel qui l'ont amené à écrire ce roman ?

Sigrid Undset se calme. Après tout, quelle importance ? Elle qui s'est toujours moquée des avis des critiques, voilà qu'ils lui font perdre patience, au point de terroriser ce malheureux chat, et gâchent une journée pourtant promet-

> *C'est la tête de son propre fils qu'elle recevra enveloppée dans un linge.*

teuse. La romancière se lève et contemple sereinement la vaste étendue de neige qui, décidément, saura toujours apaiser son caractère tourmenté. Rassuré, le chat s'approche et la frôle, cajoleur. Il est temps de commencer cette journée. Il lui vient d'ailleurs l'idée d'un roman... Un roman qui parlerait d'une vie de souffrance, de désolation, de vengeance inassouvie. Une opposition entre la nature et la grâce. L'histoire d'un homme et de ses tragiques amours qui, à la fin de sa vie, serait néanmoins touché par la main de Dieu et qui finirait ainsi :

« *La vie d'Olav aurait dû être pareille à un champ d'orge très blanc, très clair, attendant le moissonneur. Mais quelqu'un était là dans le champ et avait pu trouver une poignée d'épis qu'il déposerait dans la balance.* »

Le prix Nobel consacrera, en 1928, l'œuvre de Sigrid Undset, cette œuvre superbe qui tente de percer le mystère la femme, de sa vocation au bonheur, et de l'amour humain.

SOURCES : Lars R. Langslet, « La conversion de Sigrid Undset », in REVUE DES SCIENCES RELIGIEUSES, Strasbourg, 1966.

# LES ACCORDS DU LATRAN

## *VIVE LE PAPE LIBRE*

**• 25 OCT •**

ROME, 11 FÉVRIER 1929, IL EST MIDI. AU PALAIS DU LATRAN, le cardinal Gasparri, secrétaire d'État du Saint-Siège, et le chef du gouvernement italien, Mussolini, paraphent les accords du Latran. « *C'est l'heure la plus joyeuse de notre jeunesse. Dieu en soit béni* », affirme Raimondo Manzini dans un éditorial qu'il titre « L'heure historique ». Un trait de plume efface le différend qui oppose depuis presque soixante ans le Saint-Siège et l'État italien. Des manifestations de joie explosent dans tout le pays. Le matin même, à onze heures, le pape Pie XI est descendu à Saint-Pierre. Il a assisté à la grand-messe d'anniversaire de son couronnement, célébrée par le cardinal Locatelli. Lors de son entrée dans la basilique, il a été acclamé par la foule immense qui se pressait pour apercevoir le souverain pontife.

Les accords du Latran interviennent pour normaliser les relations entre le Saint-Siège et l'Italie. Depuis le VIII<sup>e</sup> siècle, les États pontificaux étaient la garantie de l'indépendance spirituelle de la papauté vis-à-vis des puissances temporelles. En 1870, les troupes du roi d'Italie, Victor-Emmanuel II s'emparent de Rome, déclarent la ville capitale de l'Italie et annexent les États pontificaux. Le pape Pie IX s'enferme au Vatican, s'y déclare prisonnier, refuse toute garantie de la part de l'État italien et repousse toute tentative de négociation. Cette détermination farouche vaut au pontife la sympathie et l'admiration des catholiques du monde entier. Le début du XX<sup>e</sup> siècle voit cependant un dialogue prudent se rétablir, traversé par de nombreux échecs. Au cours de la Première Guerre mondiale, les relations officieuses entre les deux partis s'intensifient. Le premier pas s'effectue à Paris en juin 1919 lorsque l'envoyé du Vatican, Mgr Cerreti rencontre le président du Conseil italien, M. Vittorio Emmanuele Orlando. Le tournant décisif est pris le 3 juin 1925. Mussolini aborde dans un discours les rapports entre l'État et les confessions religieuses. Des échanges encore discrets s'amorcent en octobre 1926 et se poursuivent jusqu'en décembre 1928. Les pourparlers officiels, quant à eux, ne s'ouvriront qu'en janvier 1929 au palais du Latran pour s'achever ce matin de février.

Un traité, une convention financière et un concordat forment ces accords. Dans son préambule, le Traité, qui regroupe vingt-sept articles, prévoit « *l'indépendance absolue et visible* » du Saint-Siège. L'article 2 confirme « *la souveraineté du Saint-Siège dans le domaine international comme attribut inhérent à sa nature, en conformité avec sa tradition et avec les exigences de sa mission dans le monde* ». La cité du Vatican est alors créée. Minuscule État de 44 hectares, le territoire n'en demeure pas moins l'État pontifical et s'impose sur la scène internationale comme « *neutre et inviolable* ». Il affirme cette neutralité et son impartialité dans les relations internationales. Le 7 juin 1929, le pape promulgue les lois de ce nouvel État autonome et la garde pontificale remplace la gendarmerie italienne à l'entrée de la place Saint-Pierre. Cet État devient « *la pleine propriété [sous] l'autorité exclusive et absolue et la juridiction souveraine du Saint-Siège* ». De fait, « *la souveraineté et la juridiction exclusive que l'Italie reconnaît au Saint-Siège sur la cité du Vatican implique cette conséquence qu'aucune ingérence de la part du gouvernement italien ne pourra s'y manifester et qu'il n'y aura là d'autre autorité que celle du Saint-Siège* ». En échange, le Saint-Siège renonce à la restauration des États pontificaux et reconnaît le « *royaume d'Italie sous la dynastie de Savoie, avec Rome pour capitale de l'État italien* ». La capitale, selon les termes du Concordat, garde son « *caractère sacré* ». Et l'État italien s'engage à garantir ce caractère. Hors de l'enceinte du Vatican, tous les bâtiments qui demeu-

rent la propriété du Saint-Siège à Rome bénéficient du caractère d'extraterritorialité. L'Italie s'engage à respecter les immunités des diplomates du Vatican, ainsi qu'à assurer la liberté de la correspondance avec le Saint-Siège. Par la ratification de ce traité, la question romaine, qui a empoisonné tout le XIX$^e$ siècle, apparaît comme « *définitivement et irrévocablement résolue* ».

La convention financière, quant à elle, accorde au Vatican une indemnité de 1 750 millions de livres, versée soit en capital, soit sous forme de rentes. Cette indemnité est accordée en qualité de compensation pour « *la perte du Patrimoine de Saint-Pierre, constitué des anciens États pontificaux et des biens du corps ecclésiastique* ».

Enfin, le concordat, constitué de quarante-cinq articles, est conclu pour « *régler les conditions de la religion et de l'Église en Italie* », selon les termes du préambule. Dans l'article premier du traité, la religion catholique est déclarée « *religion d'État* ». Une immunité particulière est offerte au clergé et aux lieux du culte. La nomination des évêques reste sous le pouvoir du Saint-Siège, et l'État italien ne peut s'y opposer pour des raisons politiques. L'Italie consent à mettre sa législation en harmonie avec le droit canonique, notamment en ce qui concerne la personnalité juridique des institutions de l'Église. Des dispositions particulières sont adoptées pour favoriser l'enseigne-

> *La garde pontificale remplace la gendarmerie italienne à l'entrée de la place Saint-Pierre.*

ment religieux à tous les niveaux de la vie scolaire. Enfin, l'État reconnaît les organisations d'Action catholique, à condition qu'elles s'abstiennent de tout lien avec un parti politique. Ce dernier point sera l'objet de graves tensions entre le gouvernement italien et le Saint-Siège, notamment entre 1931 et 1938.

Le jour même de la signature des accords, le pape commente le traité aux prédicateurs de carême de Rome. À cette occasion, il affirme : « *Il n'y a pas une ligne, pas une expression des Accords en question qui n'aient été, au moins pendant une trentaine de mois, l'objet particulier de Nos études, de Nos méditations et plus encore de Nos prières.* » Deux jours plus tard, il s'exprime devant les professeurs et les étudiants de l'université catholique de Rome, à qui il explique en détail le traité des Accords du Latran, et achève son discours par : « *Nous croyons avoir* [...] *redonné Dieu à l'Italie et l'Italie à Dieu.* » Quelques jours plus tard, il accorde un entretien exclusif au chef des services d'information d'United Press, M. Morgan, auquel il déclare : « *Dans tout le monde, les temples se sont remplis de fidèles désireux de remercier le Très Haut pour la protection accordée à son Église.* » Et il ajoute enfin : « *Les fruits doivent encore* [...] *être recueillis* [...] *Beaucoup de travail nous reste à faire.* »

Le jour de la signature, *La Civilta Cattolica* fait paraître un article sous le titre de « L'heure de Dieu ». Le journal célèbre « *la rénovation même de l'Italie redevenue*

*En France, le journal La Croix fête cet heureux événement.*

*chrétienne dans sa législation, dans son éducation, dans sa vie domestique et civile, privée et publique* ». En France, le journal *La Croix*, le 16 février, fête cet heureux événement sous la plume d'Alverne : « *La question romaine est arrivée à maturité, elle se résout, elle est résolue. On croit rêver. Pourtant, c'est un fait. L'Église est à un nouveau "tournant de l'histoire". Le temps a marché depuis la chute de Rome. Cinquante-neuf ans de négociations, de dissertations, qui rempliraient une bibliothèque ; cinq pontificats protestataires, la conflagration mondiale, l'enfantement laborieux d'un nouveau régime ont eu raison d'un problème réputé insoluble et si gros de conséquences ! Mais il a fallu, par-dessus tout, la coïncidence providentielle de deux hommes, la conjonction de deux astres.* »

Deux astres, dont l'un est Mussolini... C'est dire que la véritable nature du fascisme n'était pas encore apparue ! L'origine socialiste de Mussolini avait longtemps masqué la réalité de sa doctrine. Les années suivantes allaient en révéler l'exacte teneur, culte de la nation et du chef allant jusqu'au mépris des personnes, mainmise sur la jeunesse, déni du droit des personnes, contrôle des libertés.

Pourtant, ceux qui s'émeuvent des accents triomphalistes de la presse catholique et qui redoutent de voir l'Église « *jeter le poids si lourd de son crédit spirituel au service des régimes de dictature* », ainsi que Léon Blum l'écrit dans *Le Populaire* du 9 février 1929, s'alarment à tort. La fermeté de ton des trois grandes encycliques de Pie XI, *Non abbiamo bisogno* (1931), *Mit brennender Sorge* et *Divini redemptoris* (1937), qui condamnent sans appel le fascisme, le nazisme et le communisme, montrent que, par les accords du Latran, l'Église ne s'est soumise à aucun pouvoir temporel, bien au contraire. Appuyée sur un territoire de quarante-quatre hectares et une poignée de gardes suisses, elle accède à une magistrature morale et spirituelle incontestable.

SOURCES : G. Cholvy et Y.-M. Hilaire, *HISTOIRE RELIGIEUSE DE LA FRANCE CONTEMPORAINE, 1880-1930*, Paris, 1989. J. Delos, « Le traité de Latran et la situation juridique nouvelle de la papauté », in *REVUE GÉNÉRALE DU DROIT INTERNATIONAL PUBLIC*, 1959. Y. de La Brière *et alii*, *LES ACCORDS DE LATRAN*, Paris, 1930.

# PIER GIORGIO FRASSATI

### *QUAND DES PARENTS DÉCOUVRENT,*
### *LE JOUR DE SES FUNÉRAILLES,*
### *QUE LEUR FILS ÉTAIT UN SAINT*

**• 26 OCT •**

LA PORTE GRINCE COMME UNE ÂME EN PEINE, et livre passage au chef de famille. Un détail insolite saute immédiatement aux yeux de son épouse : Tommaso tient en main un journal. Depuis quand a-t-il la prétention de lire des pages et des pages d'articles écrits en minuscules caractères, lui qui pourrait à peine déchiffrer les gros titres ? « Que se passe-t-il, Tommaso ? » demande Giovanna en voyant son air atterré. En guise de réponse, son mari lui tend *La Stampa*. « Ça date d'aujourd'hui, tu vois : 5 juillet 1925 », articule péniblement l'ouvrier turinois. L'exclamation consternée de leur mère attire alors les enfants, qui viennent se presser autour d'elle. Sur la première page, une grande photographie est encadrée de noir. Un beau jeune homme souriant pose sur eux un regard franc et vif. C'est Pier Giorgio, « la bonté incarnée », le précieux ami de la famille.

Au sortir de la guerre, alors que Tommaso et Giovanna se battaient contre la pauvreté, ce garçon plein d'entrain était arrivé chez eux, on ne sait comment, un panier de provisions sous le bras. Giovanna est fière, elle n'aurait jamais accepté qu'une dame de bonne famille vienne lui « faire la charité ». Mais le sourire enchanteur de Pier Giorgio avait été désarmant de simplicité, sa joie de vivre contagieuse, et Giovanna avait très vite considéré comme l'un de ses fils ce garçon de dix-huit ans, qui avait presque l'air d'un gamin. Les visites de Pier Giorgio étaient l'occasion de grandes réjouissances. Quand les enfants l'entendaient gravir quatre à quatre leur escalier pourtant périlleux, ils se précipitaient vers la porte, ne lui laissant même pas le temps de reprendre son souffle. Ce garçon, dont ils ne savaient pas d'où il venait, mais dont ils soupçonnaient qu'il habitait les quartiers les plus riches de Turin, avait l'art de leur faire oublier qu'il n'était pas un voisin de palier.

– À ce qu'il paraît, Pier Giorgio était le fils de Frassati, le directeur de *La Stampa*, prononce Tommaso d'une voix enrouée.

– Mais comment ? Pourquoi ? balbutie sa femme.

– J'ai pas réussi à lire, mais j'ai demandé au marchand de journaux. Il est mort hier d'une sale maladie, la polio quelque chose, en quelques jours.

Le lendemain, Giovanna et ses enfants

se mêlent à la foule immense qui assiste à l'enterrement de Pier Giorgio Frassati. On leur désigne, à l'autre bout du parvis, un couple en grand deuil : ce sont les parents du jeune homme. Giovanna les regarde avec une profonde compassion. Avoir eu un fils qui semblait réunir toutes les qualités du monde, et le perdre si brutalement ! Comment pourrait-elle se douter que les Frassati, en vérité, ont dû attendre cette journée tragique pour connaître Pier Giorgio ? En sortant de l'automobile qui les a amenés au pied de la cathédrale, ils ont été stupéfiés de découvrir un parvis noir de monde. Pour eux, Turin était une petite ville qu'habitait un nombre restreint de familles « fréquentables ». Ils ignoraient qu'aux yeux de leur fils, Turin était aussi et surtout peuplée par une multitude de pauvres. Alors qu'ils s'attendaient à voir assister à l'enterrement quelques centaines de membres respectables de la bourgeoisie, les voilà devant une foule venue des quatre coins de la ville, et même – constate le père du défunt en fronçant le sourcil –, de ses bas quartiers. C'est donc au fil des condoléances qu'ils reçoivent et des témoignages émus qu'ils entendent qu'ils apprennent enfin qui était vraiment ce garçon mystérieux.

Pier Giorgio est né le 6 avril 1901 dans cette ville de Turin où l'on porte aujourd'hui son deuil. Son père n'est pas n'importe qui. Alfredo Frassati, fondateur du quotidien *La Stampa*, est l'une des grandes figures du libéralisme ita-

> *Pier Georgio serait-il une graine de bigot ?*

lien. En 1913, il devient le plus jeune sénateur du pays, et sa nomination comme ambassadeur à Berlin en 1920 rehausse encore son prestige politique.

Un an après la naissance de Pier Giorgio, une petite sœur, Luciana, vient compléter le foyer. Les deux enfants reçoivent une éducation rigoureuse, qui leur inculque le sens du devoir et de l'honnêteté. Mais la haute bourgeoisie dont ils sont issus ne met presque plus les pieds à l'église. Pier Giorgio, futur héritier d'un père illustre, destiné à un brillant avenir, aurait toutes les raisons du monde de rester indifférent à la Bonne Nouvelle de l'Évangile. La façon précoce dont il s'éprend de Dieu n'est donc pas l'aspect le moins étonnant de son enfance. Sa famille ne se rendra jamais compte de la profondeur de sa foi. Aux yeux de ses parents, il reste, jusqu'à sa mort, un fils discipliné et facile à vivre, qui fait leur fierté, car de toute évidence il a oublié d'être bête. Il est un peu distrait, sans doute, mais tellement charmeur ! La seule chose qui agace Alfredo Frassati est de trouver son fils à genoux au pied de son lit. Cela arrive trop souvent à son goût, et ne laisse pas de l'inquiéter. Pier Giorgio serait-il une graine de bigot ? Le caractère joyeux et l'entrain du garçon dissipent ses appréhensions.

Le parcours scolaire de Pier Giorgio n'a rien d'extraordinaire. Renvoyé de l'école publique pour ses mauvais résultats en latin, il entre à douze ans dans un institut tenu par des jésuites, où il rencontre le père Lombardi, qui sera pour lui un directeur spirituel précieux. À treize ans, il commence à communier tous les jours, engagement sérieux que Pie X a vivement recommandé.

Pier Giorgio ne se prend pas au sérieux. Ses parents le voient souvent à califourchon sur une branche d'arbre, d'où il déclame des vers de Dante d'une voix d'outre-tombe, quand il n'est pas à quatre pattes dans le jardin en train d'herboriser. Des innombrables passions de son fils, l'alpinisme est celle que son père encourage le plus vivement. Ce sport d'élite est digne d'un héritier Frassati. S'il se doutait que l'enthousiasme de ce dernier pour la haute montagne est directement lié à sa joie de se sentir plus près du ciel, sans doute son inquiétude au sujet la piété excessive de son fils renaîtrait-elle...

En 1919, Pier Giorgio entame des études d'ingénieur. L'Italie, qui avait espéré être mieux récompensée de sa participation à la défaite de l'Allemagne, sort de la guerre avec le sentiment d'une « victoire mutilée ». Ce mécontentement entretient une grande effervescence dans le milieu étudiant. Pier Giorgio a le sentiment d'entrer sur un champ de bataille. Mais la discrétion qui le caractérise, et qui explique que ses parents ne connaissent pas vraiment leur fils, lui fait fuir les rôles de premier plan. Pier Giorgio n'est pas pour autant un garçon effacé. Il s'est constitué un groupe d'amis d'une solidité à toute épreuve, avec qui il fonde un cercle dont le but est de s'aider mutuellement à vivre en chrétiens. Sa générosité le fait vite remarquer à l'université. Certains n'hésitent pas à en abuser. Il est commode d'adresser des requêtes à un garçon si serviable dont le père est si haut placé !

Le jeune homme se nourrit quotidiennement de l'Évangile et de l'Eucharistie. Quant à manquer une messe les jours de fête, il n'en est pas question, dût-il pour cela renoncer à une course en montagne. Cet amour de la prière lui permet de se lancer dans l'action. Pier Giorgio, tenant passionné de la démocratie, rêve d'une société équitable. Comme nombre de catholiques, il s'engage en 1920 dans le Parti populaire italien, dont il devient militant, au moment de la montée spectaculaire du fascisme. Pier Giorgio ne trouve pas de mots assez durs pour fustiger le mouvement de Mussolini, dont le programme est aux antipodes des idées républicaines qu'il défend.

Quand Pier Giorgio n'est ni chez ses parents, ni à l'église, ni dans un rassemblement politique ou religieux, on a toutes les chances de le trouver dans les logements misérables des bas quartiers de Turin. Membre des conférences Saint-Vincent-de-Paul, il prend sa tâche au sérieux. Entrer dans un taudis est, à ses yeux, s'approcher du Christ. On comprend donc aisément que ce garçon nanti ne fasse preuve d'aucune condescendance envers des « amis » que son père n'aimerait pas le voir fréquenter.

> *L'alpinisme, ce sport d'élite, est digne d'un héritier Frassati.*

Les derniers mois de sa vie sont pourtant un chapelet d'épreuves. Ses parents s'acheminent vers le divorce. Luciana, qui tentait avec lui de préserver une unité familiale précaire, épouse un diplomate polonais en janvier 1925 et part à l'étranger. Pier Giorgio, quant à lui, tombe amoureux fou d'une certaine Laura, mais sait que cette obscure orpheline n'aurait pas l'heur de plaire à son père, qui s'étoufferait à l'idée de voir son fils épouser quelqu'un d'autre qu'une riche héritière. Sa mère, par esprit de contradiction, prendrait peut-être le parti de son fils, et les derniers vestiges d'entente conjugale voleraient en éclats. Aussi le jeune homme préfère-t-il se taire, même devant sa bien-aimée. Ses parents ne se douteront jamais de ce sacrifice, dont seuls ses amis les plus proches sont au courant.

Au moment où ses espoirs politiques sont définitivement broyés par la poussée irrésistible du fascisme et les compromis qu'acceptent de nombreux membres du parti populaire avec ce mouvement honni, son père lui fait demander, n'osant pas le faire lui-même, d'entrer à *La Stampa*. Pier Giorgio baisse la tête et dit oui, renonçant ainsi à une carrière d'ingénieur envisagée avec joie.

À la fin du mois de juin, il ressent les premiers symptômes d'un mal foudroyant. D'une main à moitié paralysée, il rédige un dernier billet pour s'excuser auprès des familles pauvres auxquelles il ne peut aller rendre visite, et s'éteint sereinement le 4 juillet. La maisonnée, préoccupée par l'agonie de la grand-mère de Pier Giorgio, n'a même pas le temps de se rendre compte que le jeune homme est en train de mourir. Ainsi s'achève une courte vie, que les témoignages entendus le jour de ses funérailles font apparaître au grand jour, comme une mosaïque dont les multiples facettes reflètent la gloire du Seigneur, et qui vaudra à Pier Giorgio Frassati d'être béatifié par Jean-Paul II le 20 mai 1990.

SOURCES : L. Frassati, *PIER GIORGIO FRASSATI, LES JOURS DE SA VIE*, Paris, 1990.

# LE CHANOINE GEORGES LEMAÎTRE

### *L'INVENTEUR DU BIG-BANG*

• **27**

**OCT** •

« *L'ÉVOLUTION DU MONDE PEUT ÊTRE COMPARÉE À UN LANCER DE FEUX D'ARTIFICES qui viennent tout juste de se terminer : quelques lueurs rouges, des cendres et de la fumée. Nous tenant en un lieu glacé, nous contemplons la lente diminution de la lumière des soleils et nous essayons de nous souvenir de la merveilleuse brillance de la formation du monde.* »

L'homme qui publie en novembre 1931 cet article intitulé « L'expansion de l'espace » est un prêtre, astronome de l'université de Louvain en Belgique, l'abbé Georges Lemaître. Cette déclaration, qui évoque la possibilité d'un atome primitif d'où serait sorti tout l'univers, est immédiatement tournée en dérision par la communauté scientifique. Quelle aubaine ! Voici l'occasion rêvée de mettre au pilori un ecclésiastique soucieux de démontrer que l'univers a été créé *ex nihilo* ! Avec le « big-bang du père Lemaître », l'obscurantisme du Moyen Âge est de retour !

La plaisanterie est devenue titre de gloire : qui aujourd'hui n'a pas entendu prononcer le mot « big-bang » ? Qui aurait pu imaginer que le chanoine Georges Lemaître serait le responsable de cette formidable remise en question de notre conception de l'univers ? Et pourtant, cet article n'est que la conclusion logique d'une série de découvertes scientifiques initiée par Einstein et sa théorie de la relativité. Lorsque Eddington fait connaître ses travaux, qui lui ont demandé cinq années d'efforts intellectuels surhumains, sur la vérification de la théorie de la relativité d'Einstein, il relègue la théorie de la gravitation de Newton, sur laquelle toute l'explication de l'univers reposait depuis plus de deux siècles, à un cas particulier de cette nouvelle théorie. Mais le résultat le plus fascinant d'Einstein concerne l'univers, dont la notion même avait été considérée par les philosophes comme un concept inintéressant pour l'intelligence humaine. Einstein venait de prouver que l'univers, c'est-à-dire la totalité des choses que la science peut décrire, était fini alors que Kant, dans une de ses antinomies, « prouvait » que Dieu ne pouvait être tout-puissant s'il n'avait pas créé un univers infini... L'enjeu était de taille !

Ce nouveau point de vue ne laissa pas de poser des problèmes même aux scientifiques, dont l'un, très simple, n'était autre que le paradoxe formulé par Olbers en 1823 : comment se fait-il que les nuits sont noires malgré la présence d'une infinité d'étoiles dans cet univers dont on disait qu'il était infini et dont on aurait du attendre une diffusion laiteuse dans toutes les directions ? Olbers prétendait que la lumière était absorbée avant d'arriver jusqu'à nous, mais on s'aperçut très vite que cet argument n'était pas valable au vu des lois de la thermodynamique. La bonne explication sera donnée par la théorie du big-bang de Georges Lemaître ! Cette vision d'un univers infini était largement répandue à tel point que lord Kelvin lui-même n'hésitait pas à dire : « *Le fini est incompréhensible !* » La notion d'univers fini était si totalement étrangère à la mentalité des scientifiques de l'époque que personne ne vit la révolution qu'Einstein avait instituée.

Mais, dès 1913, la fameuse question de l'expansion de l'univers était à l'étude. En effet, la relativité d'Einstein impliquait une instabilité cosmique et De Sitter proposa une théorie de l'expansion de l'univers conduisant à une taille infinie et à une densité de matière nulle. Et voici qu'apparaît Hubble. Il fait une découverte qui va modifier complètement la conception de l'univers en apportant une preuve expérimentale de ce que De Sitter avait calculé. En étudiant attentivement les distances et le spectre lumineux des galaxies lointaines, c'est-à-dire des amas d'étoiles qui sont en dehors de notre voie lactée, Hubble découvre que la couleur de ces galaxies a tendance à évoluer vers le rouge (sauf celle de la galaxie d'Andromède) et ce d'autant plus rapidement qu'elles sont éloignées de nous. Cette observation est à rapprocher d'une autre que tout le monde peut faire : lorsqu'on est sur le quai d'une gare où des trains passent rapidement sans s'arrêter, leur bruit avant d'entrer en gare est plus aigu que quand ils en sortent. C'est l'effet Döppler-Fizeau. Les galaxies font en quelque sorte un « bruit » lumineux du même type... La loi de Hubble met en relation le glissement des galaxies vers la couleur rouge et leur mouvement. Il semble donc que ces galaxies « fuient » de plus en plus vite, sauf celle d'Andromède, qui se rapproche.

*Les galaxies font une sorte de « bruit lumineux ».*

Mais, si Hubble répugne à considérer que ce processus d'expansion peut avoir un début, l'abbé Lemaître n'a pas ces *a priori*. Formé par le thomisme et étranger au modernisme, il est libre de penser comme a pu l'être, dans d'autres circonstances, un Gregor Mendel face à la transmission du patrimoine héréditaire. Lemaître sait que ni l'éternité ni la temporalité de l'univers ne peuvent être prouvées par la raison seule. Il sait aussi que l'existence de Dieu ne peut être mise en danger par une quelconque découverte scientifique. Libéré par cette certitude, le chanoine Georges Lemaître peut émettre toutes les hypothèses. Et ce sera la théorie du big-bang !

En effet, si les galaxies s'éloignent de plus en plus vite les unes des autres, il suffit de projeter le « film » à l'envers pour « imaginer » ce qu'a pu être la naissance de l'univers : ces mêmes galaxies se rapprochent en freinant, en se fondant les unes dans les autres et en formant une boule de feu qui va en se contractant. Ainsi le point de départ de l'extension de l'univers a dû être un moment d'extraordinaire luminosité. « *Et la lumière fut* » ! Lemaître montre que la théorie de la relativité d'Einstein explique de façon cohérente cette évolution du spectre des galaxies vers le rouge dans un article de 1927 sur l'atome primitif. Non seulement l'abbé explique que l'univers a été une petite chose, donc qu'il a une histoire, mais aussi qu'il est soumis à des forces qui le dépassent... L'impact métaphysique de ce résultat scientifique n'échappe pas à ses détracteurs, qui caricaturent dans un premier temps l'hypothèse de leur collègue sur l'atome primitif en le qualifiant de « big-bang du père Lemaître ». La plaisanterie est amère pour les tenants d'un univers immobile, infini et éternel ! Eddington, dans une conférence à l'université Cornell, affirme : « *Philosophiquement la notion d'un commencement abrupt de l'ordre présent de la nature m'est absolument répugnante, comme je pense qu'elle doit l'être à la plupart d'entre vous. Et même pour ceux qui aimeraient une preuve de l'intervention d'un Créateur, une sorte de ressort que l'on remonte à une époque éloignée n'est pas le genre de relation entre Dieu et ce monde qui peut donner toute satisfaction à l'intelligence.* » Les contre-propositions font flo-

> *Le big-bang recevait le statut de théorie scientifique.*

rès très rapidement : on propose des contractions qui suivent des expansions dans une sorte de mouvement d'accordéon de nouveau éternel.

La justification des calculs de Lemaître est donnée beaucoup plus tard, lors des lancements des premiers satellites de communication les « Telstar ». À cette occasion, deux ingénieurs mettent au point un radar très performant pour capter les émissions et les redistribuer sur le continent américain. Ils constatent à leur plus grande surprise qu'il y a toujours un bruit de « friture » dans leur appareil quelle que soit la direction dans laquelle ils tournent le radar. Une conférence à Princeton leur fait découvrir les travaux de Lemaître à travers le commentaire d'un auditeur. « Le bruit dont vous parlez n'est-il pas le big-bang du père Lemaître ? » Celui-ci avait en effet calculé ce que pouvait être l'énergie résiduelle de cette expansion de l'univers : stupéfaction, le « bruit » en question a la même énergie ! Penzias et Wilson reçoivent le prix Nobel de physique pour ce résultat, qui met en évidence le premier d'une série de fossiles de l'histoire de l'univers. Le big-bang du chanoine Lemaître devient convenable et reçoit le statut de théorie scientifique.

La tentation est grande d'utiliser ces résultats pour « prouver » l'existence d'un Créateur et donc de Dieu. La science ne va-t-elle pas enfin se réconcilier avec la foi ? La rupture consommée au temps de Galilée ne verra-t-elle pas enfin son dénouement ? Whittaker franchit ce Rubicon et y entraîne même le pape Pie XII. Whittaker va jusqu'à dire : « *La physique et l'astronomie peuvent nous conduire à travers le passé des choses et nous montrer qu'il y a eu nécessairement une création.* » Brillant mathématicien et historien des sciences, Whittaker fait une erreur de débutant en prétendant que l'état de la science à un instant donné est son développement ultime et donc révèle la totalité des choses. Dans son adresse à l'Académie pontificale des sciences, le pape Pie XII, poussé par Whittaker, son conseil en matière scientifique, choisit comme sujet « *les preuves de l'existence de Dieu à la lumière des sciences modernes de la nature* » et déclare : « *Par conséquent avec le concret qui est la caractéristique des preuves de la physique, la science a confirmé la contingence de l'univers et aussi bien fondé de la déduction concernant l'époque où le cosmos sortit des mains du Créateur. Donc la Création a pris place dans le temps. Donc il y a un Créateur. Donc Dieu existe ! Bien que ce*

*ne soit ni explicite ni complet, c'est la réponse que nous attendions de la science et que la génération actuelle attendait de la Science.* » Le *non sequitur* (« nous ne vous suivrons pas ») de l'Académie pontificale cause une rupture durable dans les relations entre le pape et ses académiciens. L'année suivante, Georges Lemaître est nommé président de cette Académie par le Saint-Père et réussit par des interventions délicates mais décisives à dissuader le pontife de créer, en continuant dans cette voie, une nouvelle rupture avec le monde scientifique.

Le père Lemaître meurt octogénaire en 1966, laissant derrière lui une œuvre magistrale par le changement radical qu'elle a suscité. L'univers a une histoire, il est une entité qui évolue : deux conceptions impensables au début du siècle, qui sont maintenant des évidences pour le monde scientifique. « *L'univers est un joyau unique, sans équivalent, sans prix car il ne peut en exister un autre* », écrivait Chesterton.

SOURCES : G. Lemaître et A. Friedmann, *ESSAIS DE COSMOLOGIE*. H. Reeves, *DERNIÈRES NOUVELLES DU COSMOS*, Paris, 1999.

# NON ABBIAMO BISOGNO

## *QUAND LE PAPE S'ÉLÈVE*

## *CONTRE LE FASCISME*

**• 28**
**OCT •**

*NON ABBIAMO BISOGNO*. CES TROIS MOTS QUI BARRENT L'ÉDITION ITALIENNE DE *L'OSSERVATORE ROMANO* éclatent comme un coup de tonnerre dans le ciel estival de la Rome fasciste. Cette journée du 5 juillet 1931 marque l'apogée de la confrontation qui oppose désormais ouvertement le Saint-Siège à l'État italien, Pie XI à Mussolini.

Tout a pourtant commencé sous les meilleurs auspices en 1922. Pie XI est élu pape en février. Huit mois après, Mussolini devient chef du gouvernement. Leur relation est alors marquée par une volonté réciproque de rapprochement. En 1929, le catholicisme est même reconnu religion d'État, et l'Italie dédommage « enfin » le Vatican de l'injuste spoliation qu'il a subie en 1870. Quand l'État italien avait annexé les États pontificaux et Rome, les Papes s'étaient alors considérés comme « prisonniers du Vatican ». Mais grâce à Dieu et à ce providentiel concordat, l'« *Italie a été rendue à Dieu et Dieu à l'Italie* ».

Mais aujourd'hui... Pie XI a pourtant tout fait pour ne pas en arriver là. Lorsque le régime a commencé à se dévoiler sous son vrai jour, le Saint-Père a adressé au pouvoir les protestations les plus officielles. Passe encore que la presse du régime critique systématiquement les organisations catholiques, en qui elle voit des foyers d'opposition au pouvoir et des concurrentes aux organisations fascistes. Même si les militants fascistes provoquaient de multiples incidents dans les cercles et associations catholiques, et jusque dans les églises, la situation était encore viable. Mais, le 31 mai 1931, la fermeture des cercles de la Jeunesse catholique italienne d'abord, puis la dissolution de la FUCI (Fédération universitaire catholique italienne) sont les dernières gouttes d'eau qui tombent dans un vase qui ne demandait plus qu'à déborder. Puisque les protestations officielles par voies diplomatiques ne suffisent plus, c'est l'opinion publique qui sera alertée.

Contrairement aux usages, l'encyclique *Non abbiamo bisogno* n'est pas rédigée en latin mais en italien afin que chacun puisse comprendre tous les termes. Et, au cas où le régime fasciste s'aviserait de museler cette voix contestataire en Italie, un certain nombre de précautions sont prises. Si la communication à l'échelle internationale n'est pas encore aisée, l'Église dispose d'un réseau efficace. Le texte est distribué de nonciature en nonciature ; Mgr Montini, futur Paul VI, ira porter lui-même le texte à Berne et à Munich.

Le 5 juin, le texte est publié simultanément dans les journaux catholiques d'Italie, de France, d'Allemagne, des États-Unis et d'ailleurs. La réaction du pouvoir italien ne se fait pas attendre : l'appartenance à tout mouvement d'Action catholique est interdite aux adhérents du Parti national fasciste, et l'« *alliance inouïe entre le Vatican et la franc-maçonnerie* » est stigmatisée par la presse inféodée au pouvoir. Le pape a pourtant pris la précaution de stipuler que « *la bataille qui est en cours aujourd'hui n'est pas politique, elle est morale et religieuse : spécifiquement morale et religieuse* ». Et de préciser en conclusion qu'il n'avait pas voulu « *condamner le régime et le parti fasciste en tant que tel* ». Mais la « *défense des droits sacrés des âmes et de l'Église* » voulue par le pape était trop virulente pour le pouvoir... L'encyclique dénonce la volonté « *d'arracher à l'Action catholique, et par elle à l'Église, la jeunesse, toute la jeunesse* », de vouloir « *monopoliser entièrement la jeunesse... pour le plein et exclusif avantage d'un parti, d'un régime, sur la base d'une idéologie qui, explicitement, se résout en une vraie et propre stàtolatrie païenne, en plein conflit tout autant avec les droits naturels de la famille qu'avec les droits surnaturels de l'Église* ».

> *Pie XI ne souhaite pas voir la situation s'envenimer.*

Malgré la virulence des réactions de l'État italien, Pie XI ne souhaite pas voir la situation s'envenimer. Le père Tacchi Venturi est envoyé discrètement comme émissaire auprès de Mussolini. Le 2 septembre, un nouvel accord est signé, la FUCI est à nouveau autorisée, mais les impératifs diplomatiques la font changer de nom... On la nomme désormais Associations universitaires, elle se trouve placée sous la dépendance étroite de la direction générale de l'Action catholique. De même, les cercles de la Jeunesse catholique italienne peuvent rouvrir leurs portes, à la condition de ne pas « renforcer » les rangs de l'opposition : aucun dirigeant de l'Action catholique ne doit être lié au Parti populaire italien, parti démocrate-chrétien opposé au fascisme. L'Action catholique doit se cantonner à une action strictement religieuse. Ses membres ne doivent avoir aucune activité sociale, syndicale ou même sportive.

Par sa courageuse encyclique, Pie XI a stoppé la tentative fasciste de contrôler de manière exclusive les mouvements de jeunesse. Et, s'il a dû faire certaines concessions, il élèvera d'autres protestations dans les années à venir, notamment à propos des relations entre l'Italie et l'Allemagne nazie, ou contre la législation raciale introduite plus tardivement en Italie par le pouvoir fasciste.

---

SOURCES : Pie XI, encyclique *NON ABBIAMO BISOGNO*. R. Fontenelle, *PIE XI*, Paris, 1939.

# MADELEINE DELBRÊL

## L'ÉVANGILE COURT LA BANLIEUE

**• 29 OCT •**

IL FALLAIT OSER ! LE 15 OCTOBRE 1933, TROIS JEUNES FEMMES s'apprêtent à embarquer pour une « terre étrangère ». Nul besoin de passeport, ni de billet de train, pas de mers à traverser ni de jungle à affronter. Le voyage risque pourtant d'être long et les rencontres plutôt inattendues. Avec l'insouciance de la jeunesse, Madeleine Delbrêl et ses deux amies traversent les boulevards « Maréchaux » de Paris comme on franchit le Rubicon. Destination Ivry-sur-Seine. Dans l'entourage des trois ex-cheftaines scoutes, on crie au casse-cou. Car c'est, ni plus ni moins, dans la « capitale » du communisme français que ces trois chrétiennes ont décidé de s'installer. Elles veulent être missionnaires dans la cité « rouge » aux trois cents usines, là où le seul « credo » est celui du marxisme et où les réunions de cellule ont, depuis longtemps, supplanté la messe dominicale.

Ce projet fou, Madeleine Delbrêl a pris le temps de le mûrir avec son aumônier, l'abbé Jacques Lorenzo. Pour abattre le mur qui sépare l'Église de la classe ouvrière, cette jeune bourgeoise que rien ne préparait à un tel choix décide de s'installer en plein fief du parti communiste. Pour la plupart des catholiques de l'époque, le communisme, c'est le diable. On reproche aux premiers prêtres-ouvriers de passer un pacte avec Satan. Malgré toutes les embûches, Madeleine franchit le fossé, celui qui divise la ville d'Ivry, rejetant les catholiques d'un côté et les prolétaires de l'autre.

Loin d'avoir peur du communisme, elle choisit de faire de l'athéisme le lieu de sa propre conversion. « *Jamais Dieu n'a dit : Vous devez aimer votre prochain comme des frères, excepté les communistes, que vous devez haïr...* », lance-t-elle dans un meeting.

Au début de son installation à Ivry, Madeleine a encore des idées bien « pieuses » : « *Priez pour Ivry où le péché officiel du laïcisme rouge s'est affreusement affiché* », dit-elle à ses amis dans les premiers jours. Mais, très vite, elle prend conscience qu'en restant à l'intérieur du cocon de sa paroisse, elle passe à côté de l'essentiel. À l'époque, les théologiens ne parlent pas encore « d'inculturation ». Mais c'est bien pourtant de cela dont il s'agit : il faut apprendre le langage de l'autre, s'ouvrir à la différence, fût-elle celle de l'athéisme marxiste. En 1935, la petite communauté fondée par Madeleine Delbrêl s'installe près de la mairie communiste. Elle ne cherche ni à convertir ni à lancer des anathèmes. Elle mène la vie ordinaire des hommes et des femmes de ce quartier ouvrier et elle gagne leur confiance. Le maire adjoint communiste d'Ivry lui ouvre sa porte et son amitié. Bientôt, Madeleine saisit l'occasion de travailler au service social de la mairie. Elle découvre alors la misère et l'injustice, cibles du combat communiste. Cette confrontation quotidienne avec l'athéisme marxiste va désormais faire partie de sa foi chrétienne. « *Les communistes ont gagné mon amitié par leur volonté onéreuse de devenir ce qu'ils avaient choisi d'être* », écrit-elle, mais sans que cela entraîne chez elle une fascination pour le marxisme. Très tôt, Madeleine sent l'incompatibilité fondamentale entre le marxisme et le christianisme. Il ne faut pas confondre l'émancipation du prolétariat avec l'idéal évangélique, dit-elle en substance. Ce qui ne l'empêche pas de lutter aux côtés des communistes.

Elle est de tous les combats pour les pauvres et pour la justice. Pour Madeleine, l'Église doit sortir de ses sacristies, parler le langage des hommes et les rejoindre. Elle vient souvent consulter le père Lorenzo, l'un des maîtres spirituels du séminaire de Lisieux. Il lui cède souvent la place pour qu'elle fasse une « lecture spirituelle »... Une lecture nourrie, enrichie de ce qu'elle vit à Ivry. C'est à Madeleine que beaucoup

de jeunes séminaristes devront leur « conversion », leur passage d'un catholicisme appris à une foi vivante.

« Conversion », le mot a pris un sens très fort pour Madeleine. Née en 1904 à Mussidan en Dordogne, elle a grandi de gare en gare, son père étant employé de chemin de fer. Jusqu'à ce jour de 1916 où sa famille s'installe à Paris. Quatre ans plus tard, la jeune fille qui, entre-temps, a fait sa communion, ne trouve plus ni sens, ni intérêt à la religion. « *Dieu est mort* », lance-t-elle en proclamant son nouvel athéisme.

À la Sorbonne, elle suit les cours de philosophie de Léon Brunschvicg. Puis Madeleine se fiance à un catholique convaincu. Un jour, il lui annonce son entrée chez les dominicains. Madeleine ne se mariera jamais. Après cette séparation, elle remet en cause son athéisme affiché et proclamé. « *Et s'il n'était pas absurde que Dieu existe ?* » finit-elle par se demander. Madeleine cherche la réponse et décide de prier. Un acte volontaire et, en même temps, un geste terriblement pauvre. Elle prie à genoux pour, dit-elle, casser en elle toutes les emprises de l'idéalisme. Elle revient à la foi, aidée par la lecture de sainte Thérèse d'Avila qui, toute sa vie, restera une référence.

Ce passage par l'athéisme a sans doute permis à Madeleine de mieux comprendre ses futurs compagnons d'Ivry. Elle expérimente une façon totalement libre de vivre sa foi. Pour Madeleine, aimer n'est ni un « devoir », ni une vertu, mais une

> *Pour Madeleine, l'Église doit sortir des sacristies.*

« folie ». La foi ne nécessite ni crainte ni visage fermé et triste. « *Nous sommes tous prédestinés à l'extase, tous appelés à sortir de nos pauvres combinaisons pour surgir heure après heure dans le plan [de Dieu]. Nous ne sommes jamais de lamentables laissés-pour-compte* », affirme-t-elle. Un véritable courant d'air frais, un cadeau précieux : subitement, la foi cesse de n'être qu'une dogmatique abstraite réunie en archives pour prendre le goût de sel d'une aventure.

La petite communauté de Madeleine conjugue intériorité et engagement. Un moment tentée par la création d'un nouvel ordre religieux, elle y renonce finalement pour demeurer « nomade ». « *La condition qui nous est donnée, c'est une insécurité universelle, vertigineuse* », une insécurité au parfum de liberté, celle-là même du Christ. En 1942, Madeleine précise sa pensée : « *Nous sommes de vraies laïques, n'ayant pas d'autres vœux que les promesses de notre baptême.* » Un « *groupe féminin, laïc, quoique chacune de nous soit entièrement donnée au Christ pour essayer de le vivre et d'être au milieu de ceux qui ne le connaissent pas.* » Et elle ajoute : « *Par le seul fait de sa naissance, tout homme devient le frère de tous les autres hommes. Lorsque, par nos actes, nous nions être son frère, nous nions à la fois et ce que Dieu crée et ce que nous sommes.* »

Madeleine Delbrêl nous apprend que chaque homme et chaque femme est une cathédrale assez grande pour que nous allions nous y mettre à genoux dans la rencontre de Dieu. Désormais, chaque visage humain est un monastère et chaque rue de nos villes est devenue un cloître.

SOURCES : « Jean Debruynne raconte Madeleine Delbrêl », in *PANORAMA*, 1998.

# La conversion
# de Pierre Goursat

## La nouvelle naissance
## du fondateur de la communauté
## de l'Emmanuel

**30 OCT**

1933. Plateau d'Assy. Elle est morte. Ce matin, la montagne est tragiquement belle, le ciel atrocement clair, l'air horriblement pur, cet air qu'elle ne respire plus, et que ses pauvres poumons à lui aspirent encore un peu, pour combien de temps encore ? Si cela ne faisait pas si mal, de vivre, de respirer, il pourrait se croire dans un roman, dans *La Montagne magique*, de Thomas Mann. Ici, on lit, on bavarde, on admire la montagne, on aime, on pleure, on meurt. Mais ce n'est pas un roman, c'est sa vie, ou ce qu'il en reste, loin de l'histoire de l'art, des antiquités celtiques. Loin de Paris, où l'a introduit son oncle Georges, le célèbre caricaturiste connu sous le nom de Sem, ce Paris qui a fêté en lui le jeune homme brillant promis au plus bel avenir. Pierre Goursat a dix-neuf ans, les poumons percés, le cœur brisé, et il use ses dernières forces dans ce sanatorium qui n'est qu'une élégante antichambre de la mort. Il appartient déjà au peuple des ombres, bientôt, pour lui aussi, ce sera la terre et une pierre par-dessus. Dans ce triste hôpital, dans cette chambre anonyme, il se prend à songer à Bernard, ce jeune frère de deux ans son cadet, mort âgé d'à peine huit ans. Et soudain, auprès de ce lit, dans lequel un instant plus tôt, il voyait son futur catafalque, il entend la voix de Bernard. « *Tu ne penses plus à moi, car ton cœur est devenu dur...* » Pierre se jette à genoux au pied du lit, la grâce le submerge. « *Je n'ai jamais douté depuis* », dira-t-il.

Il est malade, et pourtant il renaît. Son combat contre la tuberculose durera vingt-cinq ans encore. « *La vieille ennemie* », comme disait Laennec, ronge sa vie, mais Pierre se bat avec l'énergie de l'espérance toujours neuve qu'il a reçue. « *Ce n'est plus moi qui vis, c'est le Christ qui vit en moi.* » La vie lui a été rendue, et chaque minute en est désormais précieuse.

Sa santé s'améliore suffisamment pour qu'il quitte Assy et revienne à Paris. Commence alors un long chemin. Tout d'abord, il se doit de comprendre ce qui en un instant lui a été révélé. Il fait l'apprentissage de la vie chrétienne. Prêtres, amis, confesseurs veulent l'aiguiller vers le sacerdoce. Il a la certitude que sa vocation est laïque. Le cardinal Suhard le confirme dans cette voie.

Il fréquente le milieu du septième art.

Il se retrouve à la tête d'une revue de cinéma, connaît parfaitement bien ce monde dont il note les stratégies et fréquente les festivals, fait partie de plusieurs jurys. Lui, le perpétuel malade, homme peu sûr en apparence, « *il cafouille et bafouille* », dit un homme de cinéma, « *mais réussit tout ce qu'il entreprend* ». Plusieurs metteurs en scène le tiennent en grande estime, et souhaitent l'avoir près d'eux pendant les tournages. « *Heureusement que tu es malade*, lui dit un ami cinéaste, *tu nous aurais tous tués avec ton rythme.* » Mais souvent il rentre chez lui après le travail pour s'aliter et parfois cracher ses poumons malades.

Son activité ne se limite pourtant pas au monde du spectacle. Il s'imprègne de l'Évangile. Il apprend ce qu'il ne connaît pas, et ne cesse de puiser l'eau vive de sa spiritualité.

Et voici qu'au soir de sa vie – Pierre a cinquante-neuf ans – l'Esprit Saint le lance dans une nouvelle aventure. En décembre 1971, le père Saint-Pierre, un trinitaire canadien, lui fait découvrir le Renouveau charismatique. C'est en février 1972, avec Martine Laffitte, jeune interne en médecine, qu'il reçoit l'effusion de l'Esprit au cours d'un week-end organisé par le père Caffarel. L'Emmanuel naît de la rencontre de ces deux personnalités qui se découvrent rapidement débordées par une vocation imprévue, incontrôlable, et qui rassemblent les foules. À Pâques 1972, leur

> *Drogués, mineurs en fugue, missionnaires de passage, étudiants, professionnels...*

communauté compte cinq personnes ; cinq cents, un an plus tard.

Dès lors, l'histoire de Pierre se confond avec celle de la communauté, et celle du Renouveau qui va rassembler prêtres et laïcs comme aux temps des premiers chrétiens. Autour de lui, Pierre attire une pléiade de jeunes de tous les milieux, de toutes les « spiritualités », où se mêlent drogués, mineurs en fugue, écologistes de la première génération, missionnaires de passage, étudiants, professionnels... La communauté qui se forme accueille à la fois des séminaristes et des prêtres, des consacrés célibataires et des frères.

Pierre voit simple et large. Un corps solidaire ouvert au travail à la fois à l'intérieur et à l'extérieur de l'Église, pour aller proposer la bonne nouvelle aux peu pratiquants et aux incroyants, tels sont les statuts de l'Emmanuel.

L'évangélisation se fait dans la rue, boulevard Saint-Michel, puis sur les Champs-Élysées. L'évangélisation se fait par les médias : SOS-Prière par téléphone, la revue *Il est Vivant, Cahiers du Renouveau*, puis viennent radio, télévision, cassettes audio et vidéo. L'évangélisation est enfin internationale : dans les rues de plusieurs capitales du monde, et par la Fidesco pour la coopération avec les autres pays...

Adoration, compassion, évangélisation, les trois missions données par Pierre à sa communauté trouvent un lieu pour son épanouissement : la belle petite ville de Paray-le-Monial, dont la basilique se mire dans le canal qui unit la Loire à la Saône.

Il y organise, après celle de Vézelay, la deuxième Session du Renouveau charismatique catholique. De 1975 à 1998, environ deux cent mille personnes viennent suivre ces sessions. En 1986, Jean Paul II choisit Paray pour dire une messe devant cent trente mille fidèles.

En 1985, une crise cardiaque oblige Pierre Goursat à se retirer sur la péniche du Mont-Thabor à Paris, dont il a fait le centre de la communauté de l'Emmanuel. Jour et nuit, il se consacre désormais à l'adoration.

À sa mort, le 25 mars 1985, trente évêques ont reconnu les statuts de la communauté et Rome s'apprête à leur donner une dimension universelle. Ce sera fait à titre expérimental en 1992, et définitivement en 1998.

Sources : B. Peyrous et H.-M. Catta, *Pierre Goursat, fondateur de la communauté de l'Emmanuel*, Paris, 1995. B. Peyrous et H.-M. Catta, *Qu'est-ce que le Renouveau charismatique ?*, Paris, 1999. J. Laffitte, *Le Pardon transfiguré*, Paris, 1995.

# DOROTHY DAY

## *COMMENT INVENTER L'UN DES PLUS GRANDS JOURNAUX CATHOLIQUES DES ÉTATS-UNIS SUR LA TABLE DE SA CUISINE*

**• 31 OCT •**

AU PRINTEMPS DE 1933, LA GRANDE DÉPRESSION BAT SON PLEIN, avec ses millions de chômeurs. Le 1er mai, fête du travail, une journaliste new-yorkaise lance le *Catholic Worker*, un journal d'action sociale qu'elle compose dans sa cuisine, avec l'aide d'un franciscain laïc, doux et obstiné. À la fin de l'année, le journal tire à plus de cent mille exemplaires ; tout un réseau de centres d'accueil s'organise autour de lui ; la conscience sociale des catholiques américains est en éruption. Le franciscain laïc, Peter Maurin, est un Français qui a su se faire aussi léger que les lys des champs, et les vents d'est l'ont poussé jusqu'au Nouveau Monde. La journaliste, Dorothy Day, est une séductrice ; elle plonge les âmes dans l'Évangile, les y rafraîchit, les y ravive, et les y tient en les accablant de missions impossibles qu'il faut réussir au plus vite. Auprès d'elle, tout le monde est débordé, épuisé ; mais si l'on y crève, c'est de joie.

Dorothy est née à Brooklyn, en 1897, dans une famille où les courses de chevaux ont plus d'importance que le sermon sur la montagne. Son père, journaliste et tur-fiste, oscille avec une régularité exemplaire entre la conquête du veau d'or et la débâcle financière. À vingt ans, Dorothy a connu aussi bien les beaux quartiers que les banlieues sordides. Elle préfère ces dernières ; elle les parcourt en tous sens, elle en aime les habitants. Et c'est là, bien avant sa conversion, qu'elle découvre le catholicisme, qui restera pour elle la religion des pauvres et des mal-aimés.

Pendant la Grande Guerre, elle se lance dans le journalisme et la visite des prisons – comme détenue. En 1917, elle manifeste devant la Maison Blanche pour que les femmes obtiennent le droit de vote. Avec une quarantaine de manifestantes, elle est jetée dans un pénitencier. Elle y organise une grève de la faim et agite si bien l'opinion que le Président en personne, Woodrow Wilson, donne l'ordre de la relâcher, elle et ses camarades. Voilà, le ton est donné ; jusqu'à la fin de sa vie, Dorothy n'arrêtera plus. Son dernier séjour en prison date de 1973, quand, à soixante-seize ans, elle se rend en Californie avec Cesar Chavez pour participer aux piquets de grève des immigrés mexicains exploités par les grandes sociétés vinicoles.

Mais elle ne s'identifia jamais avec un

parti politique. Dès ses débuts new-yorkais, vers 1916, il lui arrive de se rendre seule, le soir, dans une église catholique. Elle tente d'y retrouver le visage du Christ qu'elle a rencontré toute la journée chez les mal-fichus, les pauvres, les exclus de Brooklyn, du Bronx ou de Harlem. Pendant plus de dix ans, la tentative reste vaine. Elle sait qu'elle ne pourra jamais reconnaître qu'un seul maître, n'entendra qu'une seule promesse, n'accueillera qu'une seule nouvelle. Mais elle ne réussit pas à larguer les amarres. Elle s'encombre de problèmes personnels qui la rendent malheureuse. Et, comme elle est malheureuse, elle se fait du mal. Elle a une liaison avec un journaliste de Greenwich Village, tombe enceinte et se fait avorter. Elle sort de l'épreuve en miettes, tout juste bonne à écrire des romans qui sont adaptés pour le cinéma. Lorsque Hollywood commence à lui verser des droits d'adaptation cinématographique, elle achète un cottage au bord de l'océan, à Staten Island. Elle vit avec un anarchiste anglais qui l'aime, mais aime plus encore ses propres idées. Quand Dorothy est de nouveau enceinte et veut garder l'enfant, il accepte, mais refuse qu'elle le fasse baptiser. Dorothy tient bon, fait baptiser la petite Tamar dans l'Église catholique, et rompt avec son cher et navrant anarchiste. Il sera son dernier amant selon la chair. Le 28 décembre 1927, elle suit le chemin que lui a ouvert Tamar, et se fait recevoir à son tour dans l'Église catholique.

Elle ne sort pas pour autant de cette

*Les marcheurs réclamaient du pain, du travail et une assurance contre le chômage.*

longue solitude qui lui inspirera le titre de son autobiographie. Une solitude pourtant très peuplée. Elle entre à la rédaction du *Commonweal*, un hebdomadaire catholique influent et libéral, qui l'envoit (avec Tamar !) faire une série de reportages sur le Mexique, où une effroyable persécution se déchaîne contre l'Église, et surtout contre les petits paysans catholiques. Elle profite de cette tribune pour expliquer son point de vue sur les problèmes sociaux qui sévissent aux États-Unis. Le 8 décembre 1932, elle est chargée de couvrir l'arrivée à Washington de la grande marche de la faim. Les marcheurs réclament du pain, du travail, une assurance contre le chômage, une couverture sociale. Dorothy enrage d'être là comme témoin, et non comme militante. Elle se reproche amèrement son repli, son inaction – et celle de son Église. Elle va prier au sanctuaire national de l'Immaculée-Conception, dont c'est la fête. « *La prière qui me vint dans les larmes et l'angoisse, était que je puisse trouver quelque moyen d'utiliser le peu de talent que j'avais au bénéfice de mes amis ouvriers, au bénéfice des pauvres.* » Et elle rentre à New York.

Le lendemain, 9 décembre 1932, Peter Maurin frappe à la porte de sa cuisine. Il lui est adressé par George Shuster, le rédacteur en chef du *Commonweal*. Dorothy comprend que ce vagabond de Dieu lui est envoyé pour mettre fin à sa longue solitude. « *Il ne commençait pas par vous mettre plus bas que terre, ou par peindre un* tableau de la misère et de l'injustice tel que l'on brûlait de changer le monde. Au lieu de cela, il éveillait en vous le sentiment de vos propres capacités de travail et de réussite. » Il s'occupe de la formation intellectuelle de Dorothy, il lui enseigne Jacques Maritain et Charles Péguy, Léon Bloy et Nicolas Berdiaev, Luigi Sturzo et Romano Guardini, le personnalisme et la démocratie chrétienne, le renouveau liturgique et la restauration de la philosophie catholique, l'existence aussi d'une doctrine sociale de l'Église, dont Dorothy, jusque-là, avait tout ignoré. Enfin, il amène régulièrement chez elle des gens qu'il a rencontrés dans la rue, qui s'attachent à ses pas et s'installent comme chez eux dans la cuisine ou le bureau de Dorothy. Il peut aussi bien s'agir de dockers irlandais que du rédacteur en chef du *Wall Street Journal* ou d'un professeur de l'université de Columbia. Lorsque Maritain lui-même rend visite à Dorothy, sa cambuse lui rappelle le bureau de Charles Péguy, au temps des *Cahiers de la quinzaine*, rue de la Sorbonne.

C'est grâce à cette triple opération de sauvetage spirituel, intellectuel et moral que Dorothy peut lancer le *Catholic Worker*. Les bénévoles qui le vendent à la criée, dans les rues ont bientôt le sentiment d'appartenir à une communauté. Grâce à cette communauté et au succès du journal, Dorothy ouvre les premiers centres d'accueil, qu'elle appelle les « *maisons d'hospitalité* ». Le mouvement gagne Boston, Chicago, l'Ohio, la Pennsylvanie...

> Elle accueillait tous ceux qui se présentaient y compris les ivrognes et les fainéants.

En 1941, les maisons sont implantées dans trente villes à travers tout le pays, financées par les lecteurs du *Catholic Worker*, mais aussi, quand les dettes les plus criantes se mettent à hurler, par des dons inattendus qui permettent à Dorothy de lancer de fulgurantes opérations de sauvetage. La manière dont elle gère les maisons soulève des polémiques. On lui reproche de ne pas trier les nécessiteux, de ne pas se borner aux « pauvres méritants », mais d'accueillir tous ceux qui se présentent, y compris les ivrognes et les fainéants. On lui reproche également de les garder aussi longtemps qu'ils le souhaitent. « *Ils vivent avec nous*, répond Dorothy Day, *ils meurent avec nous, et nous les enterrons comme des chrétiens. Nous prions pour eux après leur mort. Une fois qu'ils sont avec nous, ils deviennent des membres de la famille. Ou plutôt ils ont toujours fait partie de la famille. Ils sont nos frères et nos sœurs dans le Christ.* » Les « ouvriers », comme Dorothy appelle ses compagnons, ne touchent pas de salaire ; ils se servent dans les mêmes marmites que leurs « invités », s'habillent des mêmes rebuts, partagent les mêmes locaux. Dorothy aime citer cette maxime de saint Vincent de Paul, à propos des pauvres : « *Vous devez les aimer beaucoup pour leur faire oublier le pain que vous leur donnez.* »

Tout en visitant inlassablement ses maisons d'hospitalité, Dorothy continue à soutenir les syndicalistes et les piquets de grève. Elle ouvre l'un de ses premiers centres d'accueil dans le ghetto noir de

Harlem. Lorsque Hitler promulgue les lois antisémites de Nuremberg, elle organise une série des manifestations qui culminent, dans le port de New York, par l'assaut du paquebot allemand Bremen : les manifestants détruisent le pavillon à croix gammée, et Dorothy est, encore une fois, arrêtée. Après la guerre, elle devient l'une des grandes figures du mouvement pour les droits civiques, et la cible de plusieurs attentats. Son antiracisme militant va de pair avec un engagement pacifiste qui lui vaut beaucoup d'incompréhension, et, dans les années cinquante, plusieurs séjours en prison – alors que, de son propre aveu, la prison la terrifie. Elle fait campagne contre la peine de mort, qu'elle qualifie de « meurtre judiciaire ».

*Les manifestants détruisirent le pavillon à la croix gammée.*

Active, elle ne tombe pas dans l'activisme. Si ses journées la dispersent, elle refait l'unité de sa vie, consacre plusieurs heures à la prière, à la méditation, à la messe, à la lecture des Évangiles qui lui sont devenus une « lettre d'amour ». Plus elle agit, et plus elle ressent le besoin de pratiquer des retraites d'un ou deux jours, temps de silence et de recueillement où elle sent « *comme un avant-goût du paradis* ». Elle parle de son expérience de la retraite fermée, rigoureuse, comme d'une « *seconde conversion* ». De 1951 à 1961, elle consacre une partie de ses aubes à écrire une biographie de sainte Thérèse de Lisieux, dont l'héroïsme si simple la fascine.

Alors que ses engagements choquent beaucoup de catholiques conservateurs, elle demeure fidèlement en communion avec l'Église. « *L'Église est la croix sur laquelle le Christ a été crucifié, et qui peut séparer le Christ de sa croix ? [...] Nous reconnaissons et acceptons l'autorité de l'Église comme celle du Christ lui-même.* » Le *Catholic Worker* enseignait à ses lecteurs qu'en dépit de tout, l'Église est la seule institution, la seule force capable de changer le monde.

Le journal est imprimé sur les presses de la puissante maison d'édition des Missionnaires de saint Paul Apôtre, plus connus sous le nom de paulistes. Jamais les pères paulistes ne font défaut à Dorothy Day. Elle peut également compter sur l'appui des jésuites, d'une minorité agissante du clergé paroissial, et de figures emblématiques du catholicisme américain, tel le moine cistercien Thomas Merton. Du côté de l'épiscopat, le cardinal Spellman, archevêque de New York, qui n'est certes pas un progressiste, mais a l'esprit de discernement : il reconnaît la valeur évangélique du témoignage porté par Dorothy Day, et n'entrave jamais son action. Le successeur de Spellman, le cardinal Hayes, nomme un censeur ecclésiastique auprès du *Catholic Worker*... et laisse à Dorothy le soin de le choisir. Elle désigne son confesseur, un père pauliste qui l'a toujours aidé et ne censurera jamais rien, même quand le journal soutiendra les jeunes Américains qui refusèrent de participer à la guerre du Vietnam.

Dorothy accueille avec joie l'encyclique *Pacem in terris*. En 1963, elle se rend une première fois au Vatican, à titre privé. Puis, en 1965, elle assiste à la session finale de Vatican II à la tête d'une délégation du mouvement pacifiste qu'elle parraine, le groupe Pax. Pendant les deux mois qui suivent, à Rome, elle rencontre nombre d'évêques, participe à plusieurs colloques, et peut présenter son expérience à un auditoire venu du monde entier. En 1967, elle est l'une des figures marquantes du Congrès international des laïcs, et reçoit la communion des mains de Paul VI. L'université Notre-Dame, l'un des grands établissements catholiques américains d'enseignement supérieur, lui remet sa prestigieuse Laetare Medal « *pour avoir réconforté les affligés et affligé les confortables* ». Lors d'un de ses premiers séjours aux États-Unis, Mère Teresa épingle sur sa robe la croix des sœurs missionnaires de la Charité.

En 1983, dans leur *Lettre pastorale sur*

> *Mère Teresa épingle sur sa robe la croix des Sœurs missionnaires de la Charité.*

*la paix et la guerre*, les évêques américains rendirent hommage à Dorothy Day et reconnurent que son action « *avait eu un profond effet sur la vie de l'Église aux États-Unis* ».

Dorothy était morte depuis trois ans. Pendant sa dernière maladie, elle s'insurgea encore contre ceux qui l'accablaient de leur dévotion : « *Ne m'appelez pas une sainte, je ne veux pas que l'on se débarrasse de moi si facilement.* » La vie de Dorothy Day présente un étrange paradoxe : elle a été jugée et condamnée de nombreuses fois par des tribunaux civils, jamais par la hiérarchie religieuse. Jusqu'au bout, elle ne manqua pas une occasion de dire et d'écrire que seule sa foi permettait d'expliquer ce qu'elle faisait et d'en comprendre le sens. Par son attachement constant, et parfois héroïque, à l'Église, elle a amené beaucoup d'Américains à réviser leur opinion sur le catholicisme, et à y discerner un espace de liberté humaine et spirituelle.

SOURCES : W. D. Miller, *DOROTHY DAY : A BIOGRAPHY*, San Francisco, 1982. J. T. Ellis, *DOCUMENTS OF AMERICAN CATHOLIC HISTORY*, t. II, Wilmington, 1987.

DÉCEMBRE

JANVIER

FÉVRIER

MARS

AVRIL

MAI

JUIN

JUILLET

AOÛT

SEPTEMBRE

OCTOBRE

## NOVEMBRE

DÉCEMBRE

# JUSTES ET BOURREAUX
## DE LA PRISE DE POUVOIR D'HITLER
## À LA DESTRUCTION DE NAGASAKI

*Dieu, les païens ont envahi ton domaine ;*
*ils ont souillé ton temple sacré*
*et mis Jérusalem en ruines.*
*Ils ont livré les cadavres de tes serviteurs*
*en pâture aux rapaces du ciel*
*et la chair de tes fidèles, aux bêtes de la terre ;*
*Ils ont versé le sang comme l'eau*
*aux alentours de Jérusalem :*
*les morts restaient sans sépulture.*
*Pourquoi laisser dire aux païens :*
*« Où donc est leur Dieu ? »*

Psaume 78

# MAURICE BLONDEL
## *LE RENOUVEAU*
### *DE LA PHILOSOPHIE CATHOLIQUE*

**• 2 NOV •**

À LA TERRASSE DE LA PALETTE, BOULEVARD DU MONTPARNASSE, UN GROUPE DE JEUNES GENS S'AGITE joyeusement autour de bières et d'orangeades. Comme chaque jour, ils refont le monde dans ce café parisien où intellectuels et artistes se côtoient, en ce début des années trente. Le temps est au beau et l'humeur plaisante. Les épaules des jeunes filles se sont dénudées, les garçons ont retroussé les manches de leurs chemises.

– Un livre, un livre !

Ce cri ne s'adresse nullement au serveur. C'est leur jeu préféré qui commence. Il est simple, et digne de ces jeunes intellectuels, étudiants en philosophie à la Sorbonne. L'un deux choisit un titre de roman ou d'essai et le débat s'installe. Celui qui aura été le plus brillant aura l'honneur de payer la tournée. Aujourd'hui, c'est Franck qui a choisi l'ouvrage.

– *Le Problème de la philosophie catholique.*

Le silence s'installe sournoisement autour des trois ou quatre tables rondes habilement réunies pour permettre à chacun de prendre place. Il y a quelques mois que l'œuvre est parue. À vrai dire, peu d'entre eux l'ont eue en main, mais tous connaissent son auteur, le très controversé Maurice Blondel. La partie n'en sera que plus difficile. Pourtant, au-delà du « challenge », on peut lire dans les yeux de chacun l'intérêt qu'a éveillé ce titre. Ici, ils sont tous catholiques, mais en parlent peu... peut-être est-ce là l'occasion de partager leur point de vue sur le délicat sujet du rapport entre foi et raison.

– « *Oui ou non la vie a-t-elle un sens et l'homme une destinée ? J'agis...* »

C'est Madeleine qui s'est lancée. Ses cheveux blonds se balancent au rythme de ses phrases. Elle a allumé une cigarette et tire de petites bouffées rapides tout en parlant, peut-être pour se donner de l'assurance. C'est la première phrase de *L'Action*, la thèse de Blondel qu'ils connaissent tous. Dès cette question, le philosophe situe le débat. Le ton est donné et la thèse exposée. C'est dans l'action que se trouve la réponse, c'est dans l'action, synthèse du vouloir, du connaître et de l'être, que l'homme peut découvrir la réponse à sa question la plus pressante : « Quel est le sens de ma vie ? » Madeleine continue sur un ton monocorde et posé, comme si elle dispensait un cours au grand amphithéâtre de la Sorbonne.

— Déjà, dans *L'Action*, Blondel parlait de Dieu. « *L'action qui enveloppe et achève toutes les autres*, dit-il, *c'est de penser vraiment à Dieu.* »

— C'est bien cela qui lui a posé tant de problèmes avec son jury. Comment osait-il mêler Dieu à la philosophie ?

Si aucun d'entre eux n'était né quand Maurice Blondel a soutenu sa thèse en 1893, tous en ont entendu parler.

— On raconte que l'un des membres du jury lui a carrément demandé : « *Êtes-vous un solitaire, un sauvage ? Ou bien seriez-vous le porte-parole d'une campagne concertée contre la conception que nous avons ici de la philosophie et de son rôle ?* »

— Il est vrai que, depuis Kant, il n'est plus permis de penser Dieu. On ne peut rien en dire, il ne faut rien en dire. Dieu n'est pas une question pour l'homme, surtout s'il se prétend philosophe.

Grand, maigre, deux petits cercles de fer posés sur le nez, Charles a parlé avec ironie. Dans le groupe, la plupart ont parié depuis longtemps sur sa prochaine entrée au séminaire, mais il s'en défend tant qu'il peut, affichant des liaisons plus ou moins imaginaires et parlant mariage, enfants et carrière universitaire. À l'université, il est le seul à oser parler de religion pendant les cours, récoltant la plupart du temps la même réponse : « Monsieur d'Arleux, ici nous faisons de la philosophie. »

— Je trouve que Blondel a eu beaucoup de courage d'oser présenter sa thèse. Car il savait bien où il mettait les pieds. Dès son introduction, il s'opposait, de manière à peine voilée, au positivisme qui régnait alors en maître sur la pensée universitaire. Ne parle-t-il pas de « *la science et de sa magie* » ? Si ce n'est pas une attaque en règle contre la religion d'Auguste Comte...

— Oui, Charles, mais si nous en revenions au texte qu'il publie aujourd'hui. Car il me semble qu'il va encore plus loin..., qu'il y défend une philosophie chrétienne.

— Comme les thomistes ?

C'est au tour de Suzanne d'intervenir. Son frère est dominicain et, sur ce sujet, elle a pu s'entraîner aux joutes oratoires avec lui pour le plus grand agacement de ses parents.

> C'est une attaque en règle contre la religion d'Auguste Comte.

— Non, justement, et c'est là où sa position est originale. La philosophie chrétienne telle qu'il l'entend n'est pas un simple retour à celle de saint Thomas d'Aquin, comme voudraient nous le faire croire beaucoup de ces néo-thomistes. D'ailleurs, les différentes écoles qui se réclament de saint Thomas ne sont pas toutes d'accord..., ce qui prouve bien qu'on ne peut pas enfermer la pensée chrétienne dans des cadres rigides, si tant est que cet immense philosophe et théologien en ait jamais eu la prétention, ce que je ne crois pas.

— Mais, alors, qu'est-ce que Blondel entend par philosophie chrétienne ? Où se situe-t-il entre une philosophie catholique scolastique et un rationalisme exclusif interdisant tous rapports entre philosophie et christianisme ?

– Je lis, annonce Franck, qui a sorti l'opuscule de son sac. « *Tant que l'on reste placé au point de vue des concepts à assortir, ou bien on provoquera des heurts, ou bien on fera du christianisme un fardeau meurtrier pour la raison. Si la révélation surnaturelle est « génératrice de raison » comme on nous le fait espérer, il faut d'abord qu'on nous montre comment la raison, loin de tout stabiliser en concepts clos, découvre en elle des besoins que la nature ne satisfait point, un inachevé, toujours naturellement inachevable et cependant incoerciblement avide d'achèvement.* »

– Voilà qui confirme ce que nous disions sur sa critique du mouvement thomiste mais qui nous montre aussi la double option qui se propose à l'esprit du philosophe chrétien. D'un côté, la philosophie devrait être la recherche par l'homme, à la seule force de sa raison, de la vérité ; de l'autre, la religion chrétienne annonce à l'homme blessé par le péché qu'il ne peut tirer de lui la Vérité, don libre et révélé par Dieu. C'est en cela que *L'Action* a été une révolution dans la pensée chrétienne. En étudiant tous les types d'action humaine, de l'acte quotidien sans importance à l'acte religieux, il a tenté de découvrir la nécessité de Dieu dans une étude proprement philosophique de l'agir et des aspirations humaines.

– C'est à partir de la différence entre ce que nous souhaitons faire et ce que nous faisons réellement qu'il a bâti sa thèse. Je crois que, dans *L'Action*, il dit à peu près ceci : le problème philosophique de l'action humaine consiste « *à mettre en équation, dans la conscience même, ce que nous paraissons penser et vouloir et faire, avec ce que nous faisons, nous sommes et nous pensons en réalité* ». C'est bien de la réalité de l'homme que Blondel part, même si, bien sûr, il a des présupposés chrétiens. *L'Action* est vraiment une œuvre philosophique.

– Oui, mais qu'entend-il alors par philosophie catholique ?

– Je crois que la première idée de Blondel est de dire que la philosophie doit être catholique dans le sens où elle ne doit pas s'arrêter à l'unique pensée de ses limites humaines, que la vraie philosophie doit traiter du Tout. Dans cet esprit, il affirme que le contenu du magistère de l'Église invite la raison « *à faire examen de sa conscience et de sa puissance* ». Mais, plus encore, il s'agit de ne pas se limiter à l'homme tel qu'il est dans sa condition humaine. Tiens, Franck, fais-moi voir le livre... Ah ! voilà ! « *En ce sens, "l'état de nature" n'est pas une possibilité irréalisée ; car [...] l'infirmité congénitale de la créature spirituelle reste effectivement sous-jacente à l'ordre même de la grâce. Mais en un autre sens [...] l'état de pure nature n'a pas existé et n'existe pas à part comme une donnée historique ou psychologique. Il est donc insuffisant de traiter l'homme tel qu'il est, en un de ses états quelconques, comme si l'étude du donné se rapportait à ce*

**Qu'entend-il par philosophie catholique ?**

*qu'il n'est pas, ou comme si la philosophie devait se borner au possible, à l'irréel. »*

– En fait, pour Blondel, le surnaturel n'est plus considéré comme possible mais comme réel. Il applique donc les méthodes philosophiques classiques à l'étude de la religion. En fait, même si la philosophie ne peut rien dire sur Dieu lui-même, elle peut analyser la relation entre l'homme et Dieu. Ainsi la question de Dieu reprend sa place au cœur de la philosophie sans pour autant affirmer que la raison peut le contenir.

– Tiens, c'est en effet à peu près ce qu'il écrit. « *Toutefois, ne soyons pas dupes de l'appellation philosophie catholique, même en cette compénétration réelle des deux ordres qui sont, doivent et ne peuvent que rester inconfusibles : il s'agit d'une symbiose, dans une hétérogénéité irréductible. »*

Les jeunes gens reprennent souffle un instant et interpellent le serveur afin de commander quelques rafraîchissements supplémentaires. C'est que parler et penser donnent soif. La conversation reprend sur un air plus badin.

– Cela n'a pas dû être facile pour lui. D'un côté comme de l'autre, sa thèse n'a pas été appréciée par les conservateurs catholiques ou philosophiques.

– Il faut dire qu'il y a quarante ans, l'Église ne brillait pas par ses intellectuels. En spiritualité, je ne dis pas, mais, en matière de philosophie, l'encyclique de Léon XIII *Aeterni Patris* n'avait guère ouvert la voie qu'à une relance du thomisme et on sait ce qu'en craignait Blondel.

– C'est vrai qu'il est contemporain de toute cette génération d'intellectuels qui ont tenté de faire bouger la pensée philosophique et sociale. Brunschvicg, Bergson, le père Laberthonnière...

– Avec qui Blondel a condamné l'Action française, n'est-ce pas, Charles ? Dix ans avant le pape, c'est bien cela ?

Charles, dont la famille, comme lui-même, n'a jamais caché ses sympathies pour ce mouvement, rit. Franck, lui, s'affiche volontiers comme un intellectuel de gauche.

– Évidemment, répond Charles, comme d'habitude, tu ne racontes que la moitié de l'histoire. Car si Blondel appréciait les idées générales du Sillon, il en est quand même resté à l'écart car certaines de leurs positions étaient assez peu catholiques...

– Oui, mais il était proche des Semaines sociales, dont plusieurs membres de sa famille faisaient partie...

« Stop ! » hurle en chœur le reste de la fine équipe, qui sait très bien que, sur ce point, les deux protagonistes sont intarissables d'arguments de plus ou moins bonne foi. Franck et Charles s'arrêtent et Madeleine en profite pour prendre la parole, sur le même air docte qu'au début de la conversation. « Si elle le veut vraiment, elle va payer la tournée... », semble dire le regard ironique de l'un de ses camarades.

– Mais il est quand même clair que, parmi eux, Blondel s'est délibérément placé en champion d'un catholicisme intelligent. Il l'a lui-même reconnu dans

*Si elle le veut vraiment, elle va payer la tournée.*

plusieurs articles. J'en ai lu un, l'autre jour, assez explicite. « *Dès le début*, disait-il, *j'ai conçu ma thèse comme une lutte contre toutes les formes du dilettantisme, du criticisme, de l'évolutionnisme immanentiste ; comme une élucidation, une justification de l'acte en face de la simple puissance ; de la lettre en face de l'esprit qui ne serait qu'idéalisme ; du dogme, de la pratique, de la discipline catholique en face d'une sensibilité individualiste, d'une autonomie rationaliste ou d'un pragmatisme moral et religieux. Sincèrement, je me considérais alors comme un "intégriste" féroce.* »

– Oui, mais il a surtout ouvert la voie à de nombreux théologiens et philosophes qui aujourd'hui ne font pas mystère de tout ce qu'ils lui doivent.

En 1993, pour le centenaire de *L'Action*, Jean-Paul II écrira : « *En faisant mémoire de l'œuvre, nous entendons honorer surtout son auteur qui, dans sa pensée et dans sa vie, sut faire coexister la critique la plus rigoureuse et la recherche philosophique la plus courageuse avec le catholicisme le plus authentique, en puisant aux sources de la tradition dogmatique, patristique et mystique. Cette double fidélité à certaines exigences, de la pensée philosophique moderne et au magistère de l'Église n'alla pas sans incompréhension ni souffrances, en un temps où l'Église se trouvait face à la crise moderniste, dont Blondel avait pourtant été l'un des premiers à discerner les enjeux et les erreurs. [...] C'est ce courage du penseur, allié à une fidélité et à un amour indéfectibles envers l'Église, que les philosophes et les théologiens actuels qui étudient l'œuvre blondélienne ont à apprendre de ce grand maître.* » Gageons que cet éloge eût valu au pape de payer les orangeades s'il se fût trouvé ce jour-là à la terrasse de la Palette.

SOURCES : *ANNALES DE PHILOSOPHIE CHRÉTIENNE.* P. Archambault, *L'ŒUVRE PHILOSOPHIQUE DE MAURICE BLONDEL*, Paris, 1928. E. Gilson, *LE PHILOSOPHE ET LA THÉOLOGIE*, Paris, 1960. J. Prévotat, « Théologiens laïcs des années trente », in *LES QUATRE FLEUVES*, n° 17, 1983. R. Rémond, *LES CATHOLIQUES DANS LA FRANCE DES ANNÉES 1930*, Paris, 1979.

# LA CONVERSION
# D'ANDRÉ FROSSARD

## *DIEU EXISTE, JE L'AI RENCONTRÉ*

**3 NOV.** C'EST UNE PETITE CHAPELLE EN FACE DE L'ÉCOLE DES ARTS DÉCORATIFS, rue d'Ulm, à l'ombre du Panthéon. À côté d'un grand portail de fer, il y a une petite porte ouverte. Ce 8 juillet 1935, il est dix-sept heures dix. Le jeune homme de vingt ans qui y pénètre sait-il ce qui va s'accomplir en son propre cœur ? Absolument pas. C'est la première fois qu'il en franchit le seuil. Jusqu'alors André Frossard n'en a éprouvé ni le besoin, ni même la curiosité. Durant quelques mois, il a étudié aux Arts déco, sans y être très assidu. Il aurait aimé être architecte, et fréquentait alors les musées et les jardins publics. Sans grande conviction, comme tout ce qu'il fait. Il est bien entré dans quelques églises, à Saint-Étienne-du-Mont pour le jubé, à Notre-Dame pour la rosace. Comme tous les membres de sa famille, Frossard est un agnostique paisible. Il a été nourri au lait de Rousseau, sait *L'Internationale* par cœur. Il ressemble au Candide de Voltaire. Il se souvient bien un peu de son enfance franc-comtoise, de Noël, où l'on attendait saint Nicolas, mais c'était « *un Noël sans souvenirs religieux* », comme il l'écrira plus tard. En

revanche, Frossard n'a pas oublié les rassemblements annuels du mur des Fédérés au cimetière du Père-Lachaise : son père, Louis Oscar, dit Ludovic, n'est-il pas depuis trente ans une très grande figure de la gauche en France ? Ancien instituteur, révoqué pour menées révolutionnaires, journaliste à *L'Humanité* de Jaurès, il a été onze fois ministre de la très laïque IIIᵉ République, et, après le congrès de Tours, le premier secrétaire général du Parti communiste français qu'il quitta plus tard pour rejoindre les rangs socialistes. L'éminente position de son père a permis à André de débuter dans la vie sans grande difficulté. Il a fait un peu de politique, lancé une section des Jeunesses socialistes dans la ville où Ludovic est député-maire. Il n'éprouve pourtant aucune passion pour cet art où son père excelle par sa culture et son éloquence. Grâce à des recommandations, André a placé quelques dessins et des articles dans la presse de gauche. Il s'est essayé aux faits divers. Il s'y est surtout fait un ami, Willemin, un esprit fantasque, confessant un « anarcho-royalisme » de potache et revenu à la foi de son enfance grâce à la lecture de grands esprits comme Ernest Hello. Pour Frossard, l'adhésion de son camarade à l'Église catholique n'est qu'une excentricité de plus.

Ce jour-là, en sortant du journal, Willemin l'a entraîné dans le quartier du Panthéon. Ils ont d'abord erré dans le V^e arrondissement, place Maubert, rue Claude-Bernard, rue Mouffetard, il est encore un peu tôt pour aller dîner. Ce soir, André Frossard a rendez-vous avec une jolie Allemande des Beaux-Arts.

Frossard voit son ami entrer dans la chapelle, hésite, tergiverse, entre à son tour. Il pénètre dans l'enceinte gothique du XIX^e siècle, un peu grise, une nef en trois parties, avec dans la pénombre, des vitraux mal éclairés. Les sœurs de l'Adoration réparatrice récitent une prière à deux voix, des psaumes, et s'inclinent en chantant : *Gloria Patri et Filio et Spiritui Sancto*. Devant lui, sur l'autel se trouve une grande croix de métal avec, en son centre, un disque blanc. Le journaliste ignore qu'il s'agit du Saint-Sacrement, de Jésus-Christ, présent réellement en cet endroit, à cet instant. Des yeux, il cherche son ami dans l'obscurité et son regard est attiré par la lumière du disque qu'il se surprend bientôt à fixer intensément. Sa vie bascule. Il croit en Dieu le Père tout-puissant, en son fils Jésus-Christ le Seigneur, en l'Esprit qui habite en nos cœurs, il croit en l'Église et en la communion des saints.

Éberlué, il ressort, en compagnie de son ami Willemin qui pérore en évoquant la belle Allemande, qui, visiblement, donne à espérer à son cher Frossard *« une défense modérée de ses frontières »*. Mais Frossard ne répond pas. Son ami l'interroge : « *Mais qu'est ce qui t'arrive ? Tu as les yeux écarquillés !* » Frossard répond : « *Je suis catholique* », avant de préciser, comme si cela ne suffisait pas pour que sa confession fût complète, « *apostolique et romain* », puis il entraîne Willemin à la terrasse d'un café et raconte tout à son camarade.

L'extase dure un mois, un mois de béatitude. « *Chaque matin, je retrouvais avec ravissement cette lumière qui faisait pâlir le jour, cette douceur que je n'oublierais jamais, et qui est tout mon savoir théologique.* » Son père apprend bien vite la mauvaise nouvelle : « *Malheureusement*, écrit Frossard, *le secret fut mal gardé et c'est en lisant un quotidien que mon père apprit tout, sauf l'essentiel, à savoir les circonstances exactes de ma conversion.* » Ses parents inquiets pour sa santé mentale font venir un médecin de leurs amis, athée solide, qui ne peut conclure qu'à un effet de la « grâce », comme il aurait dit d'un virus incurable.

> *Ses parents inquiets pour sa santé mentale font venir un médecin.*

Au journal, Willemin et Frossard ne peuvent s'empêcher de parler de cette incroyable expérience. Ils rient, s'isolent en conciliabules joyeux dans les couloirs de la rédaction. L'un de leurs amis, très envieux, finit par leur demander la cause de cette excitation permanente. Les deux compères minaudent, répondent qu'il ne peut pas comprendre, parce que lui n'est pas baptisé, ni croyant, ni même désireux de l'être. Vexé, leur camarade insiste. Willemin et Frossard lui suggèrent alors d'assister, pendant un mois, à la messe de six heures du matin en l'église Saint-Nicolas-des-Champs. Le lendemain, les jours suivants, ils le pressent de questions. « Alors ? – Alors, rien », répond imperturbablement le jeune homme, dépité. Le mois passe ; toujours rien. Jusqu'au dernier jour, Willemin et Frossard espèrent. Ils doivent, hélas !, se rendre à l'évidence : Dieu n'a pas foudroyé leur ami de sa grâce comme ils en étaient persuadés. Et pourtant... Les deux amis s'aperçoivent, non sans surprise, que leur camarade continue de se rendre tous les matins à la messe. « Il n'avait pas la foi, mais il ne pouvait plus se passer de la messe, tant et si bien qu'il finit par devenir chrétien de la manière la moins courante qu'il soit : par convoitise et par entêtement. [...] Son obstination lui valut une foi merveilleuse de fraîcheur, et l'habitude de procéder par sommation au divin. »

> Il n'avait pas la foi, mais ne pouvait plus se passer de la messe.

Frossard, quant à lui, se prépare au baptême auprès d'un père du Saint-Esprit. Il découvre peu à peu, ébloui, les détails de ce qu'il lui a été donné de croire par ce bel après-midi de juillet. « J'en prenais acte à chaque ligne avec un redoublement d'acclamations, comme on salue un coup au but. » Ce qu'il apprend sur l'eucharistie le surprend particulièrement. « Non qu'elle me parût incroyable ; mais que la charité divine eût trouvé ce moyen inouï de se communiquer m'émerveillait, et surtout qu'elle eût choisi, pour le faire, le pain qui est l'aliment du pauvre et la nourriture préférée des enfants. De tous les dons éparpillés devant moi par le christianisme, celui-là était le plus beau. »

Le jeune homme devient pourtant un chrétien comme les autres, avec ses jours d'enthousiasme et ses jours de souffrance. Mais, dès lors, quoi qu'il fasse, André Frossard en a la certitude : « Dieu existe, il L'a rencontré. »

Sources : A. Frossard, *Dieu existe, je l'ai rencontré.*

# GEORGES BERNANOS
## *JOURNAL D'UN CURÉ DE CAMPAGNE*

**• 4 NOV •** QUEL FROID, CE SOIR ! ARMAND JETTE UN COUP D'ŒIL AU VILLAGE ENNEIGÉ. LES VOLETS SONT CLOS, c'est à peine s'il discerne quelques rais de lumière, qui filtrent sous les portes hermétiquement closes. Il secoue la neige qui s'est amoncelée sur les épaules de sa lourde cape noire, frappe ses godillots de cuir sur la pierre du seuil et pousse l'épaisse porte de bois de son presbytère. Immédiatement, une douce chaleur l'enveloppe et une forte odeur de soupe au chou vient flatter son odorat. Dieu, merci ! Victorine a préparé le dîner. « Dieu, merci ! », il grimace, il a encore le réflexe de remercier ce Dieu qui déjà n'est plus qu'une ombre. À l'instant même, il vient de renoncer à pousser le portail de son église. Qu'irait-il chercher dans ce tombeau de pierre glacé où il a enterré ses illusions de jeune prêtre avec la foi de son enfance ?

– C'est vous, monsieur le curé ?

La voix puissante de Victorine lui parvient de la cuisine.

– Qui donc voulez-vous que cela soit, ma bonne Victorine ? Attendons-nous de la visite ? Monseigneur l'évêque daignerait-il venir partager notre soupe ?

– Ne vous moquez pas, monsieur le curé, Monseigneur a bien des occupations, et, certainement, il prie pour nous.

– Certainement, Victorine, certainement, nous n'en doutons pas, grince-t-il.

– Quoi que vous disez, monsieur le curé ?

Armand soupire.

– « Qu'est-ce que vous dites », Victorine ! Il appuie sur chaque syllabe fautive.

– C'est ce que je vous demandais, monsieur le curé.

Armand renonce, accroche sa cape au crochet et entre dans la cuisine. Victorine est déjà en train de poser sur la table une assiette de soupe fumante, un morceau de fromage, le pain, une bouteille de vin à demi entamée et une pomme cuite. Elle dénoue son tablier.

– Je vas y aller.

Armand s'apprête à la reprendre de nouveau quand déjà elle ajoute :

– J'oubliais, le facteur est passé.

Armand sent l'accablement le saisir, encore une lettre de M. Dupuis, son directeur au séminaire, qui s'étonne de son long silence ; une lettre qui ira rejoindre, sans même qu'il l'ouvre, les cinq précédentes au fond du tiroir de son bureau qui, depuis plusieurs mois déjà, s'entassent comme une longue série de reproches. Victorine ouvre l'armoire pour lui donner le courrier. Il imagine par avance la large et ferme écriture de M. Dupuis.

— C'est un paquet, souligne Victorine.

La précision surprend Armand.

— Un paquet ?

Il espère un instant. Hélas !, sur le méchant papier d'emballage jaune, il reconnaît l'écriture redoutée. Cette lettre-là sera encombrante dans son tiroir. C'est compter sans la curiosité de Victorine qui reste plantée là, avide de savoir ce que contient le paquet. Armand laisse retomber sa cuillère, saisit son couteau et tranche la ficelle. Il déplie le papier, un feuillet s'en échappe et un petit livre tombe sur la table. *Journal d'un curé de campagne*, auteur : Georges Bernanos. Après les plaintes, les protestations d'amitié, les reproches, et il ne sait quoi d'autre, puisqu'il ne lit plus la prose de Dupuis, voilà des bondieuseries imprimées.

Armand repousse le livre et la lettre, plonge la cuillère dans la soupe et donne congé à Victorine.

— À demain, Victorine.

— À demain, monsieur le curé, n'oubliez pas que les enfants viennent pour l'examen de la communion.

— Merci, Victorine, et couvrez-vous, il gèle fort cette nuit.

Enfin, il est seul. Il déboutonne le haut de cette satanée soutane qui l'étouffe et avale une cuillerée de soupe. Victorine est curieuse, mais, au moins, elle est

*Après les plaintes et les reproches, voilà des bondieuseries imprimées.*

bonne cuisinière. Avec elle, il est à l'abri de la faim. Surtout, ne rien laisser. Selon Victorine, tant qu'on mange, on va bien, heureuse femme !

Machinalement, Armand saisit le livre qui gît entre le pain et le vin. De la pointe du couteau, il coupe les premières pages et commence distraitement à les parcourir. « *Ma paroisse est une paroisse comme les autres* [...] *le bien et le mal doivent s'y faire équilibre* [...] *Le village m'est apparu brusquement, si tassé, si misérable, sous le ciel hideux de novembre. L'eau fumait sur lui de toutes parts,* [...] *dans l'herbe ruisselante, comme une pauvre bête épuisée. Que c'est petit, un village ! Et ce village était ma paroisse. C'était ma paroisse, mais je ne pouvais rien pour elle* [...]. *Et lui, le village, il semblait attendre aussi — sans grand espoir —, après tant d'autres nuits passées dans la boue, un maître à suivre vers quelque inimaginable asile.* [...] *Hier soir, je crois qu'un saint l'eût appelé.* »

Sans même y penser, Armand coupe d'autres pages, il continue sa lecture.

« *On ne prie jamais seul. Ma tristesse était trop grande, sans doute. Je ne demandais Dieu que pour moi. Il n'est pas venu.* [...] *Dieu ! Je respire, j'aspire la nuit, la nuit entre en moi par je ne sais quelle inimaginable brèche de l'âme. Je suis moi-même nuit.* [...] *Si j'allais ne plus aimer !* »

La soupe a depuis longtemps cessé de fumer. Le couteau à la main, Armand dévore les pages. « *Non, je n'ai pas perdu la foi !* [...] *On ne perd pas la foi, elle cesse d'informer la vie, voilà tout.* »

Armand a quitté le village des Alpes, il est en Normandie, avec le jeune curé d'Ambricourt ; il souffre et lutte avec lui, il est lui. Vient la scène où le jeune prêtre rencontre la châtelaine, où, de toutes ses faibles forces, il tente d'arracher cette âme à la mort, au malheur, au mal. *« L'amour est plus fort que la mort, cela est écrit dans vos livres. — Ce n'est pas nous qui avons inventé l'amour. Il a son ordre, il a sa loi. — Dieu en est maître. — Il n'est pas le maître de l'amour, il est l'amour même. Si vous voulez aimer, ne vous mettez pas hors de l'amour. »*

Armand a cessé de lire, la larme qui coulait sur la joue du curé d'Ambricourt roule maintenant sur son visage, et, déjà, ce n'est plus une larme, c'est un torrent ; là, dans l'étroite cuisine chichement éclairée, devant la grande cuisinière où le feu se meurt doucement, Armand s'abandonne à la douceur de l'amour que ce jeune frère vient de lui redonner. Le grand jeune homme tombe à genoux devant la table de bois. Il croit, il aime, et son cœur desséché s'abreuve de ces pleurs de joie. Joie, il est prêtre. Cette vie qu'il croyait perdue, gâchée, l'Amour la lui rend pour qu'il puisse l'offrir. *« Seigneur, ouvre mes lèvres, et ma bouche redira ta louange. »* Les mots ressassés de la liturgie, les mots que, ce matin encore, il répétait en un mortel ennui, deviennent des mots d'enfant qui s'épanche dans la tendresse de l'amour. Lentement, Armand se redresse, et saisit la lettre de M. Dupuis ; maintenant, il veut tout savoir : qui est

ce Georges Bernanos qui vient de lui donner un frère, qui vient par la grâce de l'écriture de le ramener au Père, qui vient de lui rendre la joie et le bonheur d'être un enfant comblé ?

« Armand, mon cher fils,

« Je devine que tu n'as pas commandé chez le libraire ce petit livre dont je t'entretiens depuis quelques semaines, aussi, je prends la liberté de te l'envoyer. Je ne l'accompagne que de ces quelques mots de l'Apocalypse de saint Jean, non que je me prenne pour un ange, quoique je veille sur toi de loin.

« Et l'ange dit de prendre ce petit livre : *"Prends et mange-le. Il sera amer à tes entrailles, mais dans ta bouche il aura la douceur du miel."*

« Que Dieu te garde.

« Jules Dupuis, p.s.s. »

La nuit est bien avancée, mais Armand n'a plus sommeil. Son âme endormie depuis si longtemps s'est subitement réveillée et tient son corps en alerte ; il se précipite dans sa chambre, ouvre le tiroir de son bureau, attrape le paquet des lettres méprisées.

De retour dans la cuisine, il jette une bûche dans la cuisinière, et décachette à grands coups de couteau la correspondance de M. Dupuis. Il ne s'arrête pas aux interrogations inquiètes de son maître sulpicien. C'est Bernanos qu'il veut, et il le trouve, par bribe, lettre après lettre. Né à Paris le 20 février 1888, d'ascendance espagnole et lorraine, des études chez les jésuites à Paris, lettres et droit, pas de

*Le couteau à la main, Armand dévore les pages.*

séminaire, marié, avec Jeanne Talbert d'Arc, une descendante d'un frère de Jeanne la Pucelle, six enfants. Il vient de lire le livre d'un père de famille ! Il a beau croire de nouveau au miracle, il n'en revient pas. Journaliste sans le sou, Bernanos devient agent d'assurances pour nourrir sa famille. Des assurances, pour ce marchand d'éternité, Armand va de surprise en surprise. Il découvre d'autres titres, qu'il se promet de lire, *Sous le soleil de Satan* (1926), *L'Imposture* (1927), *La Joie* (1928), d'autres ouvrages, et puis *Journal d'un curé de campagne* (1936), le petit livre a moins d'un an.

> *Il ne s'agit pourtant que du journal d'un curé de campagne très jeune, et pas trop malin.*

Monsieur Dupuis a recopié fort à propos ce que l'auteur lui-même dit de son livre : « *Il se peut que je me trompe. Il se peut aussi que je n'ai jamais atteint à cette fermeté, à cette tendresse. Je voudrais que le livre rayonnât* [...]. *Je crois que le surnaturel y coule cette fois à plein bord.* [...] *Il me semble* que je frappe un grand coup sur les âmes. Il ne s'agit pourtant que du journal d'un curé de campagne très jeune, et pas trop malin. [...] Je vois se lever devant moi un visage inoubliable.* » Bernanos ajoute, parlant du roman : « *J'y tiens énormément.* [...] *Je le crois appelé à retentir dans beaucoup d'êtres, et je n'ai d'ailleurs jamais fait, même de très loin, un tel effort de dépouillement, de sincérité, de sérénité.* »

Armand sait que demain, après avoir célébré la messe — ô merveille, s'il ne lui restait pas un peu de bon sens, il le ferait immédiatement en parfaite action de grâces ! — et fait passer l'examen de la communion aux enfants, il a deux lettres à écrire, une à M. Dupuis, qu'il va pouvoir rassurer, et, surtout, une à ce M. Bernanos, qui sait par la magie des mots, et sans doute aussi par la grâce de Dieu, rendre la sainteté si simple, si belle, si contagieuse, qu'il faudrait lire ses livres à genoux.

SOURCES : G. Bernanos, *ŒUVRES COMPLÈTES*. C. Daudin, *GEORGES BERNANOS : UNE PAROLE LIBRE*, Paris, 1998. G. Picon, *BERNANOS : L'IMPATIENTE JOIE*, Paris, 1997. H. Aaraas, *LITTÉRATURE ET SACERDOCE : ESSAI SUR LE JOURNAL D'UN CURÉ DE CAMPAGNE DE BERNANOS*, Paris, 1984. L. Moch, *LA SAINTETÉ DANS LES ROMANS DE GEORGES BERNANOS*, Paris, 1962.

# L'ACADÉMIE PONTIFICALE
# DES SCIENCES
## DES NOBEL AU VATICAN

**5 NOV.** EN CE MATIN DU PREMIER JUIN 1937, SCHRÖDINGER, BOHR, PLANCK ET ZEEMAN, TOUS NOBEL DE PHYSIQUE, devisent tout en se promenant dans les jardins du Vatican. La lumière transparente de la Campanie, celle des poésies d'Horace ou des peintres du *quattrocento*, inonde les pins parasols. Les physiciens, bientôt rejoints par des mathématiciens de renom, des chimistes, des biologistes et des spécialistes de la philosophie des sciences, franchissent le seuil de la Casina, cette villa du XVIᵉ siècle, toute de stucs, de marbres colorés, de mosaïques et de statues. Tous ces savants, élite de la science contemporaine, viennent d'être nommés par le pape Pie XI membres de la toute nouvelle Académie pontificale des sciences et se rendent au lieu mis à leur disposition par le Saint-Père pour leurs travaux. Leur intronisation a eu lieu quelques instants auparavant dans la grande salle du Vatican en présence du représentant du pape alors souffrant, le cardinal Eugenio Pacelli, futur Pie XII.

Cette Académie réunit des savants, sans distinction de race ni de religion, « *qui ont*

*voué leur vie au culte de la vérité* ». Ils sont rassemblés par le désir du pape de les associer « *à cette recherche du vrai qui représente pour l'homme la plus haute expression de la noblesse de ses origines et de sa nature* ». « *En cette heure, où les nations sont troublées par la guerre et la haine, le fait d'avoir pu réunir un groupe d'hommes qui viennent de plusieurs pays, appartiennent à plusieurs races, parlent plusieurs langues, pratiquent des religions différentes et sont unis par un seul dessein, la recherche du vrai, ce fait revêt une signification profonde qui ne peut échapper à personne : pour nous tous, c'est une leçon. C'est aussi une raison d'espérer voir un jour une humanité réconciliée dans la paix de la justice et dans l'ordre de la vérité.* »

Le premier président de l'Académie est Fra Augustino Gemelli. Ce neurologue et psychiatre de renommée internationale a commencé sa carrière en chercheur athée. Mais il a rapidement la certitude qu'il ne faut pas compter sur la science pour régler la conduite ni des individus ni des sociétés. La conversion de ce savant follement épris de recherche scientifique, son entrée chez les franciscains et son ordination sont un coup de théâtre. Pie XI le charge de s'inspirer de l'Académie *dei Lincei*, des « lynx », qu'un Prince de dix-huit ans, Frederico Cesi, avait créée à Rome en 1603. Les lynx, assurait-on, voyaient à travers les murs ! Il faut dire que les lunettes astronomiques avaient frappé les imaginations de l'époque et les savants se voyaient parés de dons inouïs. L'Académie des lynx avait, tant bien que mal, survécu à l'ombre du Vatican mais ses membres n'étaient pas de première valeur et son recrutement manquait d'éclectisme. Gemelli recrute donc des savants de renommée internationale et écarte les pressions des États qui veulent tous voir l'un de leurs ressortissants parmi les membres de cette prestigieuse Académie.

Mais Gemelli, dont le caractère vif le fait surnommer *Terrore magnifico* – en référence au *Rettore magnifico*, qui préside aux destinées des universités italiennes –, doit aussi s'attaquer à un enjeu de taille : la réconciliation entre l'Église et la science. En effet, il est nécessaire de sortir à la fois d'un scientisme étroit et d'un repli frileux de l'Église dont les dogmes sont contestés par une science qui se veut de plus en plus détentrice de la vérité. Même à l'intérieur du Vatican, où il a pourtant l'appui du pape, Gemelli doit dépenser une énergie considérable pour convaincre les membres de la curie de la nécessité d'une assemblée indépendante, constituée de personnalités qui ne sont pas nécessairement catholiques.

Ensuite, ce sont des savants eux-mêmes que viennent les difficultés au moment de définir les activités de l'Académie. Certains sont partisans d'une synthèse encyclopédique du savoir, d'autres ne souhaitent pas investir autant de temps dans l'Académie pontificale. On opte finalement pour des groupes de travail où des thèmes seront débattus en fonction de l'actualité. Des actes et des commentaires doivent être publiés régulièrement. Schrödinger est le premier à offrir à l'Académie un long article sur la mécanique quantique. Alexis Carrel propose alors que l'Académie élabore « *des connaissances qui soient directement utilisables pour la conduite de la vie humaine* ». « *L'emploi de la science au progrès de la personne humaine demande une synthèse de toutes ses parties. Car une connaissance fragmentaire est dangereuse si elle s'applique à l'homme qui est unité en même temps que multiplicité. Seule la vérité totale nous sauvera.* » Cette proposition n'est ni plus ni moins qu'une version moderne du scientisme, et il faut toute l'habileté de Gemelli pour éviter de tomber dans un piège aussi séduisant : remplacer le Christ par une vérité totale et salvatrice.

Les académiciens, sous la houlette de leur président, réduisent donc leurs ambitions à des semaines d'études sur des thèmes précis et décident de les ouvrir à des savants venus de l'extérieur. La première semaine d'études doit se tenir en 1939. Elle a pour thème « l'âge de l'univers ». La Seconde Guerre mondiale repousse cette réunion à 1949. Pie XI

> *Une science qui se veut de plus en plus détentrice de la Vérité.*

s'adresse pour la dernière fois à l'Académie en 1938 quelques semaines avant sa mort.

Pie XII poursuit l'œuvre de son prédécesseur avec un engagement personnel encore plus grand. Dans sa première allocution devant l'Académie, il invite les scientifiques à méditer sur deux des tableaux les plus célèbres du Vatican : *L'École d'Athènes* et *La Dispute du Saint-Sacrement* où, dit-il, « *le génie de saint Thomas d'Aquin a guidé la main de Raphaël, lui indiquant les trois degrés de la connaissance de Dieu. Dans le premier tableau, "l'homme monte des créatures jusqu'à Dieu par la seule lumière de sa raison" et dans le second "la science et la foi se contemplent et s'illuminent l'une l'autre dans la lumière sublime de la pensée."* » La tentation du « concordisme » qui considère que la science vient épauler la foi est proche ; le pape, entraîné par l'un de ses conseillers, fait un pas de plus sur cette voie dans son discours de 1951, devant la même assemblée, sur le thème du big-bang : « *Il semble en vérité que la science d'aujourd'hui, remontant d'un trait des millions de siècles, ait réussi à se faire témoin de ce* Fiat lux *initial de cet instant où surgit du néant avec la matière un océan de lumière et de radiation tandis que des particules des éléments chimiques se séparaient et s'assemblaient en millions de galaxies. [...] Elle confirmait ainsi, avec le caractère concret propre aux preuves physiques, la contingence de l'univers et la déduction fondée que, vers cette époque, le cosmos est sorti de la main du Créa*

*teur.* » La subordination des résultats et des méthodes scientifiques afin de défendre la foi – c'est-à-dire fondre *L'École d'Athènes* dans *La Dispute du Saint-Sacrement* – ne peut que contrarier des intellectuels jaloux de leurs prérogatives. Pie XII ne devait plus s'adresser à l'Académie avant 1955.

Les années difficiles de la guerre se conjuguent avec des conflits entre l'Académie et différents mouvements de pensée, qui secouent l'Église. Mais tout n'est pas négatif, loin de là. Par exemple, la défense des savants juifs pendant cette période conduit l'Académie pontificale à publier leurs écrits, en particulier ceux de Levi-Civita, de Volterra et de Mme Levi-Montalcini qui recevra le prix Nobel de médecine en 1986. De la même manière, Pie XII est alerté par Max Planck sur le danger de l'arme atomique contre laquelle il prend position dès 1943. L'Académie joue alors pleinement son rôle en signalant les dérives possibles de la science et en donnant au Saint-Père la caution d'une analyse faite par de grands savants.

La querelle du monogénisme – c'est-à-dire de l'existence du premier homme – provoqua aussi des tensions entre le pape et son Académie. Dans l'encyclique de 1950, *Humani generis*, le pape réaffirme que toute l'humanité est issue d'un couple unique qui a fauté contre Dieu. Certains académiciens laissent dire et n'en pensent pas moins. L'articulation des domaines de compétences de l'Académie

> *L'Académie joue pleinement son rôle en signalant les dérives possibles de la science.*

et du Vatican n'est toujours pas claire. Aussi Paul VI relance-t-il le débat en se demandant si l'Académie doit être pontificale ou catholique à la lumière de la constitution conciliaire *Gaudium et spes*. Le pape s'inquiète d'un possible usage délictueux de la science quand elle n'est pas éclairée par une dimension transcendante. La science peut devenir une menace spirituelle, morale et matérielle. Le travail des savants membres de l'Académie n'est pas en cause mais il est nécessaire de définir l'activité que ceux-ci doivent avoir quand ils sont réunis à la Casina. Heureusement pour l'avenir de l'Académie, le Saint-Père nomme à sa présidence un laïc, Carlos Chagas, Argentin mondialement connu pour ses travaux en biophysique. Celui-ci prépare les statuts de 1976 : l'Académie est pontificale mais ne relève pas du gouvernement de l'Église. Forte de ses notoriétés scientifiques et considérée comme une des meilleures académies du monde, elle est pérennisée dans son rôle de réflexion sur tout ce qui concerne la science, dans un contexte de totale liberté dans la recherche de la vérité. Sur la suggestion de ce nouveau président, des savants agnostiques ou de religions extrême-orientales entrent à l'Académie, ce qui aurait été impensable quelques années auparavant.

Le pape Jean-Paul II, fidèle à sa célèbre exhortation : « *N'ayez pas peur !* », laisse l'Académie entièrement libre de ses mouvements. « *Je voudrais répéter tout mon attachement à la science comme recherche désintéressée de la vérité, à la science comme une fonction, une activité supérieure de l'homme, de l'esprit humain* », dit-il en 1979. Tout son pontificat est marqué par ce respect de l'activité scientifique : réhabilitation de Galilée, nuances sur la question de l'évolution, où certains ont voulu voir, bien à tort, une sorte de « canonisation » de Darwin, alors que le Saint-Père avait bien pris soin de distinguer les hypothèses des faits établis et les schémas matérialistes des approches respectant l'inouï de l'âme spirituelle. Il demande aussi à l'Académie d'évaluer les conséquences d'une éventuelle guerre nucléaire. À sa demande, le président de l'Académie pontificale réunit en 1982, à la Casina, les présidents de trente-cinq académies du monde entier, dont onze viennent du bloc de l'Est. L'importance des discussions en fait l'un des plus importants colloques de savants sur le thème de la guerre des étoiles. Les travaux des groupes de réflexion portent aussi sur l'origine de la vie, l'évolution des primates, la déficience mentale, la fécondation *in vitro*, la prolongation artificielle de la vie et la détermination du moment exact de la mort.

L'Académie pontificale a permis de briser l'opposition, que d'aucuns pensaient irréductible, entre la science et l'Église. Cela n'a pas été sans mal ni sans difficultés, y compris au sein du Vatican. Le succès de l'initiative de Pie XI a été considérable. Le successeur de Pierre est maintenant entouré des meilleurs spécia-

> *Jean-Paul II laisse l'Académie libre de ses mouvements.*

listes mondiaux. Certains académiciens ne cachent pas leur désaccord profond avec le magistère. Cela peut être anecdotique, comme ce fut le cas pour Stephen Hawkings, le très médiatique professeur de Cambridge, et ses théories sur le début de l'univers. Cela peut aller beaucoup plus loin quand certains membres souhaitent utiliser leur notoriété pour infléchir la politique vaticane... La quête de la vérité n'a jamais été facile mais *« religion et science mènent ensemble une bataille commune dans une incessante croisade, croisade qui ne s'arrête jamais, contre le scepticisme et contre le dogmatisme, contre l'ignorance et contre la superstition et le cri de ralliement pour cette croisade a toujours été et sera toujours "Jusqu'à Dieu" ».* (Max Planck, prix Nobel de physique en 1919.)

SOURCES : R. Ladous, *DES NOBEL AU VATICAN : LA FONDATION DE L'ACADÉMIE PONTIFICALE DES SCIENCES*, Paris, 1994.

# ZÉPHYRIN GIMENEZ MALLA

## *QUAND LES CATHOLIQUES ESPAGNOLS*
## *MEURENT AVEC LE CHAPELET*
## *POUR SEULE ARME*

**• 6**
**NOV •**

« LÂCHE TON CHAPELET ET GAGNE TA LIBERTÉ. TU NE MÉRITES PAS LA MORT, Zéphyrin, laisse ton Dieu un instant et tu auras la vie sauve. » Zéphyrin Gimenez Malla hésite un instant... Mais très vite il se reprend. Dieu a connu les mêmes tourments. *« Éloigne de moi cette coupe, [...] et pourtant non, qu'il soit fait selon ta volonté. »* Zéphyrin regarde son tentateur et puis il lui sourit. « Qu'il soit fait selon sa volonté... Mon seul crime est d'avoir défendu un innocent, battu à mort par un groupe de miliciens. Mes "armes" étaient dans ma poche, un couteau et ce chapelet. Si mon chapelet est une arme, je ne m'en séparerai pas, quoi qu'il advienne. »

Ce chapelet ne le quitte jamais. Chaque matin, depuis des années, Zéphyrin assiste à la messe, se montre assidu à l'adoration eucharistique le jeudi, et, une fois par mois, à l'adoration nocturne. Il anime régulièrement la catéchèse des enfants, toujours armé de son chapelet. Alors, non, il ne s'en séparera pas...

Zéphyrin Gimenez Malla est un vrai Gitan. Né en 1861, « *El Pelé* », comme on l'appelle alors, est maquignon ; il gagne son pain de foire en foire. Son adhésion au christianisme remonte à loin maintenant. En 1874, marié selon les coutumes gitanes (il n'a que treize ans), il avait décidé de soumettre son union aux rites de l'Église catholique. Plus tard, faute d'enfant, il avait adopté Pepita, la nièce de sa femme. Et c'est l'un des amis anarchistes de cette enfant qui vient lui proposer maintenant de faire le mur alors que tout devrait les opposer.

Depuis l'instauration du régime républicain en 1931, il y a cinq ans déjà, une campagne intense contre la religion catholique fait des ravages. Soutenue par l'ensemble des journaux anticléricaux, et parfois par le gouvernement de la nation, elle aboutit à une véritable haine à l'égard des catholiques et de l'Église, relayée pour beaucoup par les hommes politiques laïcistes, et la gauche radicale des communistes et des anarchistes. En 1931, la proclamation de la république n'était pas encore officielle, que déjà les milices populaires incendiaient des dizaines de couvents et d'églises à Madrid ; en 1934, elles assassinèrent sans distinction trente-quatre prêtres et religieux lors d'une insurrection dans les Asturies.

Face à tout cela l'Église ne réagit pas, comme paralysée par l'incrédulité. Les hommes et les femmes qui la composaient n'arrivaient sans doute pas à croire que l'on pût les exterminer sur le seul motif de leur foi.

Alors, qu'un anarchiste lui propose de s'évader, voilà qui pourrait surprendre Zéphyrin. Mais, en fait, rien d'anormal à ce qu'on lui tende la main : il est apprécié de tous ses concitoyens. À Barbastro, sa droiture et sa sagesse lui valent d'avoir été choisi, quoique analphabète, pour être l'un des dix conseillers de la ville. Pour ses pairs, il sert de médiateur : on l'appelle le « maire des Gitans ». Et son ami l'évêque, Mgr Barroso, le consulte souvent. Mais, aujourd'hui, l'évêque lui-même est arrêté. Zéphyrin ne comprend pas ce que l'on peut reprocher à cet homme. Qu'a-t-il fait pour mériter la prison ? Cette explosion de barbarie est difficile à comprendre. Cette injustice, comme celle subie par de nombreux autres membres du clergé, s'explique exclusivement par leur état sacerdotal. N'a-t-on pas retrouvé sur le corps sans vie d'un commerçant malchanceux : « *Nous l'avons tué parce qu'il était curé !* » ? Et la mère du père Lahiregua, directeur spirituel du séminaire de Madrid, s'est entendu tenir ces propos lorsqu'on venait chercher son fils, heureusement absent : « *Madame, nous savons que votre fils est un type bien. Mais c'est quand même un curé, et puisque c'est un curé nous continuerons à le chercher, et, quand nous l'aurons trouvé, nous le tue-*

> « *Nous l'avons tué parce qu'il était curé !* »

*rons.* » Peut-on massacrer ces gens pour ce qu'ils croient, juste pour ce qu'ils représentent ? Le père Lahiregua a réussi à passer au travers, mais ce n'est pas le cas de l'ami de Zéphyrin, Mgr Barroso.

Aussi lorsque le 26 juillet, c'est au tour d'un autre ami prêtre, don Manuel, d'être arrêté et roué de coups par les miliciens, le sang de « Calo » de Zéphyrin ne fait qu'un tour. « *Si nombreux contre un seul, innocent qui plus est...* » Il s'en mêle donc, seul à son tour contre tous les miliciens. Il est arrêté bien sûr, et ce sont les armes trouvées dans ses poches qui lui valent la prison : un couteau et son chapelet...

Zéphyrin ne sauvera pas sa vie en abandonnant le rosaire. Ce chapelet ne le quitte jamais ! Le 9 août 1936, Zéphyrin Gimenez Malla est exécuté pour sa fidélité au chapelet qu'il tient à la main. Il a soixante-quinze ans, la révolution a-t-elle à craindre d'un homme de son âge ? Son corps est jeté dans la fosse commune et ne sera jamais retrouvé.

Dans certaines régions, en seulement deux mois, les deux premiers de la guerre civile, près des neuf dixièmes du clergé local sont morts martyrs, pour la seule raison qu'ils étaient prêtres. La population laïque connaît aussi de lourdes pertes, sans autre justification politique ou militaire. La guerre civile espagnole entraîne au total la mort de treize évêques et plus de sept mille prêtres, religieux, religieuses et séminaristes. Ce n'est que le 1er juillet 1937, un an après le début du conflit, que, devant tant de haine, l'Église espagnole se résout à soutenir le général Franco. Elle l'affirme alors ouvertement dans la *Lettre collective des évêques espagnols à ceux du monde entier.*

Le bienheureux Zéphyrin, martyr, a été béatifié en 1997 par Jean Paul II. Le jour de sa fête est le 4 mai. La meilleure façon d'honorer sa mémoire, pour les Roms, les Sintis, les Calos, les Manouches, ou les « *gadjé* », est d'égrener, chapelet en main, les mystères du rosaire.

SOURCES : A. Montero Moreno, *HISTORIA DE LA PERSECUCIÓN RELIGIOSA EN ESPAÑA. 1936-1939*, Madrid, 1961. D. Benavides, *EL FRACASO SOCIAL DEL CATOLICISMO ESPAÑOL*, Barcelona, 1973. V. Carcel Orti, « La Iglesia durante la II Republica y la guerra civil (1931-1939) », in *HISTORIA DE LA IGLESIA EN ESPANA*, Madrid, 1979. H. Raguer, « Los obispos españoles y la guerra civil » in *ARBOR*, Madrid, 1982, et « El Vaticano y la guerra civil » in *VIDA NUEVA*, n° 1523, Madrid, 1986.

# MIT BRENNENDER SORGE
## QUAND PIE XI CONDAMNE LE NAZISME

**7 NOV.** DU HAUT DES CHAIRES DE TOUTES LES ÉGLISES CATHOLIQUES D'ALLEMAGNE, EN CE 21 MARS 1937, dimanche des Rameaux, la lecture publique du texte pontifical vient de commencer. Les fidèles retiennent leur souffle. « *Mit brennender Sorge* »... « C'est avec une vive inquiétude ». Les premiers mots de l'encyclique de Pie XI disent assez la gravité du moment. Écrite en allemand et destinée aux vingt millions de catholiques du III^e Reich – un tiers de la population –, l'encyclique sur « *la situation de l'Église catholique dans l'Empire allemand* », signée par Pie XI le dimanche précédent, a été acheminée au cours de la semaine en grand secret dans tous les diocèses d'Allemagne, puis reproduite et distribuée clandestinement. Dans beaucoup d'églises, en attendant la lecture publique, dont il a été fait obligation par le Saint-Père, on a caché le texte dans les tabernacles. Et maintenant...

« "*Révélation*", au sens chrétien du mot, désigne la parole dite par Dieu aux hommes. Employer ce même mot pour les "suggestions" du sang et de la race, pour les irradiations de l'histoire d'un peuple, c'est, à coup sûr, créer une équivoque. Une fausse monnaie de cette sorte ne mérite pas de passer dans l'usage des fidèles du Christ. » Les mots se pressent, au cœur d'un silence impressionnant. Dans l'une de ces églises, l'écrivain français Robert d'Harcourt se tient parmi les fidèles. Il écoute et regarde avec intensité, et publie quelques jours plus tard, dans *L'Écho de Paris* du 2 avril 1937, un article resté célèbre, qui retrace, de façon saisissante, le climat de cette lecture : « *Dans ce silence actif d'une prodigieuse tension où était moralement perceptible le battement des cœurs, nous avons, coude à coude avec les fidèles allemands et dans un sentiment accru de la solidarité de la grande famille catholique, nous avons entendu tomber, les uns après les autres, les mots terribles [...]. Sur les visages, sur presque tous, une expression qui ne pouvait tromper, une expression nouvelle d'audace joyeuse dans la ferveur. [...] Point de trace d'abattement ou de consternation. Bien plutôt une expression de libération devant l'événement attendu qui se produit enfin, qui crée l'irréparable, rend impossibles les reculs, coupe les ponts [...]. Toute cette foule pressée n'avait qu'un cœur et se taisait [...]. Le service divin s'est achevé par une communion presque générale.* »

Les catholiques allemands ont bien besoin de la force du Christ, car ils savent ce qu'ils risquent à prendre au sérieux les directives du pape. Le concordat signé le 20 juillet 1933, entre le Saint-Siège et l'Allemagne, pour protéger l'Église dans ses droits essentiels n'est pas respecté par le Reich. Multiplication des procès contre le clergé catholique, embrigadement des enfants dans les jeunesses hitlériennes, étouffement des associations chrétiennes, pertes d'emploi, emprisonnements, exil... Les persécutions contre les chrétiens ont déjà atteint une ampleur inquiétante. Qu'en sera-t-il maintenant que le pape porte le fer au cœur même de l'idéologie nazie, désignant l'ennemi comme « *prophète du néant* » ?

Pie XI n'ignore rien des risques encourus. Mais précisément, en publiant à cinq jours de distance, les 14 et 19 mars 1937, *Mit brennender Sorge* et *Divini Redemptoris*, en opérant la condamnation solennelle, conjointe et argumentée, des deux idéologies totalitaires qui ensanglantent le siècle tout en prétendant séduire les meilleurs, le pape croit à la force de la Vérité. Il faut dessiller les yeux des catholiques sur la réalité perverse de ces doctrines, et leur faire mesurer la catastrophe qu'entraînerait l'absence de réaction.

Cela fait plusieurs années déjà que la lettre du pape sur le nazisme est en gestation. À Pâques 1933, la philosophe Edith Stein confiait à dom Walzer, archiabbé de Beuron, un message pour

Pie XI, exposant la situation, prophétisant ce qui risquait de suivre et demandant une encyclique.

Le 18 août 1936, à la conférence qui les réunit à Fulda, au tombeau de saint Boniface, les évêques allemands demandèrent au pape de défendre l'Église d'Allemagne persécutée. Le 17 janvier 1937, alors que Pie XI était gravement malade, les trois cardinaux allemands, accompagnés des évêques de Berlin et de Münster, se rendirent à son chevet pour discuter du texte de l'encyclique. Le cardinal Faulhaber, « l'évêque d'airain » de Munich, joua un rôle important dans sa rédaction. Et c'est le cardinal Pacelli – le futur pape Pie XII –, alors secrétaire d'État, qui élabora le texte définitif ; il connaissait bien la situation de l'Allemagne, où il avait été nonce jusqu'en 1930.

Le pouvoir nazi reçoit d'abord l'encyclique dans « *un silence de mort* ». Puis sa colère se déchaîne. La police du régime fait la chasse aux copies du texte pontifical, fouille les presbytères, arrête les imprimeurs. Les portraits du Führer remplacent les crucifix dans les écoles, emprisonnements et procès redoublent. Le masque est tombé. En 1942, une circulaire confidentielle de Martin Bormann, *Reichsleiter*, tire avec une rage froide les conséquences de la condamnation pontificale de 1937 : « *Les conceptions nationale-socialiste et chrétienne sont incompatibles. Les Églises chrétiennes forment l'homme dans l'ignorance et s'efforcent d'y maintenir la*

> *Le pouvoir nazi reçoit l'encyclique dans « un silence de mort ».*

majeure partie de la population, car c'est pour elles la seule façon de conserver leur pouvoir. Par contre le national-socialisme repose sur des bases scientifiques. [...] Il en résulte que nous devons empêcher le renforcement des croyances religieuses déjà existantes et l'encouragement des croyances naissantes, en raison de leur incompatibilité avec le national-socialisme. Il n'y a pas lieu de faire ici de distinction entre les diverses confessions chrétiennes. [...] Il faut limiter de plus en plus le champ d'action des Églises et de leurs ministres. Les Églises ne se laisseront bien sûr pas faire, et réagiront à cette perte de pouvoir, mais elles ne doivent jamais plus retrouver leur influence sur le destin de la nation. Cette influence doit au contraire être brisée complètement et pour toujours. »

Qu'a donc dit Pie XI ? Le pape a planté le glaive de la Vérité directement au cœur du message nazi, en lui ôtant son masque faussement messianique. L'encyclique affirme, point par point, « la vraie foi en Dieu », « la vraie foi au Christ », « la vraie foi en l'Église », « la vraie foi en la primauté » de Pierre. Ce faisant, elle déboute le paganisme nazi de ses prétentions à séduire des âmes droites. « Quiconque prend la race, ou le peuple, ou l'État, ou les dépositaires du pouvoir, ou toute autre valeur fondamentale de la communauté humaine – toutes choses qui tiennent dans l'ordre terrestre une place nécessaire et honorable –, quiconque prend ces notions pour les retirer de cette échelle de valeurs, même religieuses, et les divinise par un culte idolâtrique, celui-là renverse et fausse l'ordre des choses créé et ordonné par Dieu : celui-là est

> L'encyclique
> déboute
> le paganisme
> nazi.

loin de la vraie foi en Dieu et d'une conception de la vie répondant à cette foi. »

Pie XI débusque les ambiguïtés entretenues par le panthéisme nazi autour du nom de Dieu, dénonce comme un blasphème la volonté nazie d'interdire dans les écoles l'enseignement de l'histoire biblique et de l'Ancien Testament et fait Justice du « larcin fait aux choses saintes » et de « la confusion des esprits » entretenue par le régime autour des mots sacrés qu'il s'approprie. Le pape en appelle au « courage héroïque » des chrétiens pour éviter « une indicible catastrophe », non sans magnifier au passage, d'un propos ferme et haut, cette « humilité » chrétienne que le nazisme raille et méprise. Mais avant tout Pie XI enracine dans le Christ toute révélation : « Personne ne peut dire : Je crois en Dieu, cela me suffit en matière de religion. [...] En Jésus-Christ, le Fils de Dieu fait homme, est apparue la plénitude de la Révélation divine. » Peut-être cette notion de « plénitude », exprimée pour la première fois à propos du Christ dans une encyclique, est-elle une des choses que la dévotion païenne des nazis aux « révélations » de la race lui pardonnera le moins...

L'encyclique *Mit brennender Sorge* venait à son heure. Comme le semeur de l'Évangile, Pie XI n'a pas, toutefois, semé seulement en terre fertile. Si le « document pontifical de base » – expression codée pour désigner le texte sous l'Occupation – a préparé beaucoup de chrétiens à une résistance de la première heure, tant en France qu'en Allemagne, d'autres se sont tus ou n'ont pas suivi. Mais la parole du pape fut relayée par les évêques du monde entier. Pie XI lui-même multiplia les gestes et les déclarations, jusqu'à cette allocution du 6 septembre 1938, qui, cette fois, répond directement à l'antisémitisme nazi : « *Par le Christ et dans le Christ, nous sommes de la descendance spirituelle d'Abraham* [...]. *Nous sommes spirituellement sémites.* »

À la mort de Pie XI, le 10 février 1939, Julien Weil, grand rabbin de Paris, « *associe de tout cœur* » le judaïsme à la « vénération universelle » qui entoure le pape, en lui rendant cet hommage : « *À plusieurs reprises, Pie XI dénonça avec une fermeté et une netteté lumineuses les pernicieuses erreurs du paganisme raciste, et il a condamné l'antisémitisme comme inconciliable avec la foi chrétienne.* » Nul doute que, dans l'objet de ce jugement admiratif, *Mit brennender Sorge* n'ait tenu une place de choix.

SOURCES : Pie XI, encyclique « *MIT BRENNENDER SORGE* ». H. A. Raem, *PIUS XI UND DAS NATIO-NALSOZIALISMUS. DIE ENCYKLIKA « MIT BRENNENDER SORGE » VON 14 MARZ 1937*, Schöningh, 1979. L. Volk, « Die Fuldaer Bischofskonferenz von der Encyklika *Mit brennender Sorge* bis zum Ende der NS Herrschaft », *in* D. Albrecht, *KATHOLISCHE KIRCHE IM DRITTEN REICH*, Mayence, 1976.

# DIVINI REDEMPTORIS
## QUAND PIE XI CONDAMNE LE COMMUNISME

**8 NOV.** « SALE JOURNÉE EN PERSPECTIVE... ». EN TRAVERSANT LA PLACE NAVONNE CE MATIN du 19 mars 1937, la fontaine de Bernin ne le fait pas rêver, malgré ses quatre statues qui symbolisent les grands fleuves d'Europe, et l'entraînent ordinairement dans d'interminables songes, souvenirs des villes de ses précédentes nominations. Mais, aujourd'hui, François Charles-Roux, ambassadeur de France près le Saint-Siège, n'a pas le cœur à voyager. Il a rendez-vous dans un quart d'heure avec son homologue, l'ambassadeur de France en Italie, nommé il y a quelques mois par le nouveau gouvernement du Front populaire. Les deux ambassadeurs de France à Rome ont coutume de se rencontrer ainsi, de façon plus ou moins formelle. La dernière fois, leur tâche avait été facile. Ils avaient évoqué la précédente encyclique, *Mit brennender Sorge*, parue il y a moins d'une semaine. Elle condamnait sans appel le régime de Hitler. Mais le sujet du jour s'annonce plus délicat, et la teneur de *Divini Redemptoris* plus difficile à digérer pour l'actuel gouvernement français.

C'est sur ces sombres pensées qu'il franchit sans hâte les portes du palais Farnèse. L'huissier est allé l'annoncer, il peaufine mentalement son introduction. C'est très important, l'introduction en diplomatie. Cependant, réussie ou non, la suite sera de toute façon vraiment délicate, il est peu probable que l'annonce du texte ait mis son excellent collègue de bonne humeur.

– Monsieur l'ambassadeur de France près le Saint-Siège...

Les portes s'ouvrent et le représentant du gouvernement français en Italie vient lui-même chercher son visiteur.

– Mon ami, j'ai eu un aperçu de la presse de ce matin, je crois que nous avons du travail... Allons directement au fait, je vous prie.

– *Divini Redemptoris* est parue ce matin, je crains que son contenu ne soit pas à la convenance de notre gouvernement. Les relations risquent de se tendre quelque peu entre le Saint-Siège et la coalition de Front populaire. Il faudra des trésors de diplomatie pour préserver l'union des partis de gauche dans une politique d'entente avec le Vatican.

– Au fait, je vous prie, au fait. Qu'a précisément déclaré Pie XI ? La condamnation du régime nazi lui aurait-elle fait peur, pour qu'il veuille déjà là contrebalancer ?

– La balance pencherait presque en faveur du précédent texte... *Mit brennender Sorge* condamnait sans ménagement non seulement la politique du Grand Reich, mais aussi la nature même du régime nazi. J'ai l'impression que Pie XI ne s'est pas retenu cette fois non plus pour démolir le régime soviétique. Ne serait-ce que ce simple détail : ses précédents textes contre les fascismes s'adressaient directement aux populations concernées, dans la langue de chacun des pays visés, Italie puis Allemagne. *Divini Redemptoris* est parue quant à elle en latin... Le pape considère que la menace constituée par le communisme est universelle. Je ne suis pas certain que le secrétaire général du Parti communiste français, M. Thorez, soit ravi de ces propos. D'autant que sa politique de « main tendue aux catholiques », lors des élections de 1936, est visée de manière, disons..., à peine masquée, par le Saint-Père : *« Le communisme athée s'est montré au début tel qu'il était, dans toute sa perversité, mais il s'est bien vite aperçu que de cette façon il éloignait de lui les peuples ; aussi a-t-il changé de tactique, et s'efforce-t-il d'attirer les foules par toutes sortes de tromperies, en dissimulant ses propres desseins sous des idées elles-mêmes bonnes et attrayantes. [...] Sans rien abandonner de leurs principes pervers, les communistes invitent les catholiques à collaborer avec eux sur le terrain humanitaire et charitable, comme on dit, en proposant parfois*

> *Le communisme s'efforce d'attirer les foules par toutes sortes de tromperies.*

*les mêmes choses entièrement conformes à l'esprit chrétien et à la doctrine de l'Église. »*

Il faut un certain temps à l'ambassadeur de France en Italie pour prendre la mesure de ce qui vient d'être lu. Enfin, il commente :

– Comme vous dites ! Le président du Conseil va devoir ménager ses alliés à la Chambre s'il désire garder à la fois l'unité de son camp, et quelques rapports avec le Vatican. Ne pourrions-nous déjà lui apporter quelques interprétations nuancées, en même temps que nos réflexions sur cette encyclique ?

– Eh bien, je n'ai pas eu le temps d'approfondir tous les arguments, il y a tout de même soixante pages ! Et vous connaissez les charges du métier... Mais – risque François Charles-Roux –, je crois que l'on pourrait peut-être jouer adroitement sur un distinguo qui apparaît à première vue dans le texte. Pie XI condamne le communisme, marxiste-léniniste certes, mais surtout athée ! La France doit pouvoir trouver son exception dans cette subtilité...

– Croyez-vous que ce soit la seule faille que nous puissions trouver à ce texte ? Le gouvernement tient bon, soutenu notamment par l'angoisse que fait naître la menace d'une prise de pouvoir fasciste. Mais il n'en faudrait pas non plus beaucoup pour que la majorité vole en éclat à la suite de quelques frictions et de telles prises de positions.

Le regard de l'ambassadeur de France près le Saint-Siège va successivement du buste de Marianne à ses pieds, de ses pieds aux dorures des fresques de Michel-Ange, qui ornent le magnifique salon du XVIᵉ siècle. Il n'a bien sûr personnellement rien à se reprocher ; après tout, ce texte n'est pas de lui, et l'on se doute bien à Paris qu'il n'a pas été consulté, mais se faire l'écho d'un texte qui désavoue les fondements mêmes du communisme, quand on représente un gouvernement dont l'autorité repose sur une alliance avec ce parti, c'est à la fois cocasse et délicat... Il croise finalement les yeux de l'ambassadeur, et se sent pris d'un début de fou rire peu diplomatique.

– Eh bien, cela va plus loin, comme vous vous en doutez ! Sur l'aspect socio-économique à proprement parler, c'est encore assez virulent. La politique stalinienne de persécution et de terreur, et toutes les tentatives d'éradication des sentiments divergents, notamment religieux, sont autant de griefs qui attirent la condamnation sans appel du système marxiste. Et s'il ne s'agissait que d'une condamnation historique... L'encyclique reproche au communisme de s'opposer à l'ordre social et au droit naturel. Ce sont aussi la lutte des classes, la collectivisation, la suppression des hiérarchies naturelles, comme la famille, la suppression de la propriété privée, qui sont mises au pilori.

La condamnation du communisme par le pape s'étend aussi bien à sa doctrine qu'à sa mise en pratique sociale : « *Le communisme est intrinsèquement pervers et l'on ne peut admettre sur aucun terrain la collaboration avec lui de quiconque veut sauver la civilisation chrétienne.* »

– Bien, avec toutes ces explications..., nous allons tâcher de transmettre cela à Paris sans provoquer de crise. Une chose m'apparaît pourtant claire, à prendre ainsi position, l'Église risque de causer du tort à certains gouvernements, jusque-là amis.

– Certes, mais la volonté de l'Église n'est pas tant de condamner des comportements ou des régimes particuliers que de défendre la dignité de l'homme, créé à l'image et à la ressemblance de Dieu. *Divini Redemptoris* n'est rien d'autre qu'une encyclique défendant le caractère sacré de la personne humaine contre les idéologies qui menacent sa liberté de fils de Dieu. Que voulez-vous, mon ami, les idéologies passent, la Vérité demeure.

> *Un texte qui désavoue les fondements mêmes du communisme.*

SOURCES : Pie XI, encyclique *Divini Redemptoris*. E. Cattaneo, *Pio XI*, Milan, 1969. *Pio XI, nel trentesimo della morte*, Milan, 1969.

# LES ORPHELINS APPRENTIS D'AUTEUIL

## *APPRENDRE UN MÉTIER ET LA VIE*

**9 NOV.**

– ET TOI MON ENFANT QUE VEUX-TU FAIRE ?

DANS LA COUR DU 40, RUE LA FONTAINE au cœur du XVIIIᵉ arrondissement de Paris, le groupe de jeunes gens qui jouaient à la balle s'est arrêté quand l'abbé à l'imposante carrure est sorti du petit bureau d'accueil. La longue barbe blanche du prêtre repose, comme un rectangle de coton, sur sa soutane. Il est accompagné d'un jeune homme d'une douzaine d'années, dont les vêtements sont marqués par l'usure et la crasse. L'air jovial du père Daniel Brottier a dû gagner la confiance du garçon qui parle avec lui comme s'ils s'étaient toujours connus. Mettre à l'aise les enfants est certainement l'une des spécialités de cet abbé aux allures de légionnaire. Depuis qu'on lui a demandé de reprendre l'œuvre d'Auteuil, en 1923, il en a vu passer des gamins, souvent plus jeunes et plus farouches que le petit Rémi, le dernier venu...

– J'sais pas, m'sieur l'abbé, j'ai jamais travaillé. Pour gagner deux sous, j'aidais le boulanger à livrer. Mais c'était déjà bien fatigant. Alors, un vrai métier, vous savez, je ne sais pas si je pourrais m'y faire.

– Allons ! ne t'en fais pas ! Tu apprendras, comme tout le monde. Tu verras vite que travailler n'est pas si dur. Aimais-tu travailler avec le boulanger ?

– Oh ! oui, m'sieur l'abbé, surtout le matin quand on sortait les pains du four !

– Et bien, Rémi, tu seras boulanger !... Mais, pour l'instant, viens plutôt par ici que je te présente aux autres garçons de la maison... Allez, venez, vous autres, voici Rémi, un nouveau. Faites connaissance et montrez-lui ses nouveaux quartiers... Nous nous retrouverons tout à l'heure à la chapelle pour prier. En attendant, amuse-toi avec les autres.

Les enfants se présentent dans un joyeux brouhaha, ponctué de plaisanteries et de rires, et la partie de ballon reprend avec ce nouveau joueur. Le père Brottier écoute les jeux et les cris qui reprennent, d'une oreille distraite, en retournant vers son bureau. Rémi a déjà rejoint la cohorte des noms et des visages, des réussites et des échecs qui emplissent ses souvenirs et sa vie.

Cela va faire douze ans qu'il est aux commandes des Orphelins apprentis d'Auteuil. Depuis que l'archevêque de Paris lui a confié cette mission, il a ouvert une dizaine de nouveaux centres en province afin de faire bénéficier un nombre croissant de jeunes des activités de la fondation. Ils sont près de vingt mille maintenant à être passés par ses maisons et ses foyers pour y apprendre un métier et découvrir qu'ils ont un avenir. Il se souvient qu'à son arrivée, il y a un peu plus de dix ans, il ne pouvait guère accueillir plus de cent soixante-dix jeunes. Aujourd'hui, ils sont bien mille quatre cents. Pour satisfaire à la demande, il a dû multiplier les propositions d'enseignements. Aux ateliers de cordonnerie, de menuiserie et de typographie, il a ajouté des formations de mécanicien, de boulanger et d'horticulteur.

> *Le père Brottier soupire. Les dossiers s'accumulent.*

Si l'abbé Louis Roussel pénétrait aujourd'hui dans cette cour dallée où, le 19 mars 1866, il a fondé l'œuvre des Orphelins apprentis d'Auteuil, il serait bien étonné. Le père Brottier se souvient très bien du jour où lui-même a découvert pour la première fois le 40, rue La Fontaine. Sur le coup, il ne savait pas très bien ce qu'il pourrait faire de cette œuvre de charité du diocèse de Paris. Missionnaire spiritain au Sénégal, bâtisseur du Souvenir africain à Dakar, aumônier militaire pendant la Première Guerre mondiale, cofondateur de l'Union nationale des combattants avec Georges Clemenceau, la direction d'une œuvre pour les enfants démunis ne lui a pourtant pas fait peur. Apprendre à lire et à écrire à tous ces jeunes qui errent dans les rues, les nourrir et les éduquer chrétiennement était une mission nouvelle mais *a priori* pleine d'attrait.

Le père Brottier soupire devant son bureau couvert de papiers et de lettres. Les dossiers s'accumulent. Il y a l'éditorial du *Courrier d'Auteuil* et celui de *La France illustrée* à écrire, la lettre du ministre, à laquelle il faut répondre... Et dimanche aura lieu la fête annuelle de la fondation ! L'année dernière, ils étaient vingt mille, peut-être seront-ils plus nombreux encore à se presser autour du sanctuaire dédié à sainte Thérèse. La petite Thérèse ! Elle a redonné un souffle spirituel à cette œuvre. Thérèse, son ange gardien, qui réalise pour lui le vœu qu'elle a fait, *« passer son ciel à faire du bien sur la terre. »* Elle est sa bonne étoile. Pendant la guerre, elle l'a mystérieusement protégé. Il en a eu la confirmation le jour où il a revu Mgr Jalabert, l'évêque de Dakar, de passage en France. Celui-ci lui avait montré, inséré dans son bréviaire, une image double représentant sainte Thérèse de l'Enfant-Jésus et, entre les deux feuillets, il avait aperçu sa propre photo, avec au verso, écrit de la main de l'évêque : *« Petite sœur Thérèse, gardez-moi mon père Brottier. »* Sans elle, il n'aurait sûrement pas connu non plus les succès de ces dernières années.

Et les succès sont importants. Les journaux de la fondation sont nombreux et ont des tirages impressionnants. *La France illustrée*, créée par le fondateur de l'œuvre, concurrence nettement *L'Illustration*, la grande revue d'actualité illus trée du moment. Le *Courrier d'Auteuil*, le bulletin mensuel de l'œuvre, a atteint les trois cent mille lecteurs. Et *Mission*, la revue qu'il a créée pour les jeunes, tire aujourd'hui à quarante mille exemplaires. Le père Brottier aime les médias et sait s'en servir. Pour la construction du sanctuaire d'Auteuil dédié à sainte Thérèse, il a fait paraître les années précédentes dans *La France illustrée* de nombreux éditoriaux, des annonces de kermesses et des appels au don. Il a même fait mettre des affiches dans le métro pour financer cette nouvelle église. Et quelle joie, le 5 octobre 1930, quand le cardinal Verdier, archevêque de Paris, assisté de douze autres évêques, a consacré ce nouveau lieu !

Mais son plus beau combat, sa plus belle victoire, dans cette France où la séparation de l'Église et de l'État rend les rapports avec la société civile difficiles, a sans aucun doute été d'obtenir pour la fondation le titre d'« œuvre d'utilité publique ». Une reconnaissance importante pour la pédagogie et le travail de la fondation. Une manière aussi de montrer que l'Église, avec le peu de moyens qui lui reste, continue de remplir son rôle éternel de charité et d'éducation de l'homme.

Car, ce que souhaite avant tout le père Brottier, c'est rendre à ces jeunes en grande difficulté familiale et sociale leur dignité d'homme. C'est la seule solution pour qu'ils puissent s'insérer dans un monde dont ils se sentent rejetés. Et il leur fait confiance, même

*Il fait mettre des affiches dans le métro.*

s'il doit se battre, à chaque instant, contre leur paresse et les tentations qui pourraient les empêcher d'accéder à la vie spirituelle, qui est le « *propre de l'homme* ». À ces enfants qu'il aime comme un père, il répète sans cesse : « *Devenir des hommes, tel doit être votre idéal. C'est si nécessaire et si difficile à la fois. Un homme, c'est celui qui sait ce qu'il veut et qui l'accomplit coûte que coûte. C'est celui qui, une fois pour toutes, s'est fixé un idéal et pour qui rien n'est trop ardu pourvu que cela l'en rapproche.* »

En empilant ses feuilles, afin de dégager un coin de bureau pour commencer à rédiger le sermon de la fête de la fondation, le père Brottier réfléchit à ce qu'il dira. La foi..., le rôle de la foi dans l'éducation. Voilà un thème qui ira aussi bien aux amis d'Auteuil qu'à ses jeunes pensionnaires. Il couche sur sa feuille quelques notes... « *Il faut fortifier la foi des enfants car elle seule peut leur permettre de donner un sens profond à leur vie, [...] donner des habitudes chrétiennes aux enfants qu'ils puissent conserver plus tard dans les différents milieux où ils se trouveront placés, [...] il faut éveiller les enfants aux œuvres de Dieu et au sens profond de leur existence tout en ayant garde de ne pas les en dégoûter...* » Pour chaque idée, des scènes lui reviennent en mémoire. Aurait-il pensé de la même manière il y a un peu plus de dix ans ? Il n'en sait rien. Il n'a pas le temps de se poser la question bien longtemps. La vitre de la porte du bureau vient d'exploser et le ballon roule à ses pieds.

Le père Brottier s'éteindra le 28 février 1936 terrassé par une grippe infectieuse et une double congestion pulmonaire. Pendant les treize années qu'il aura passées à la direction de la fondation, il se sera employé à mobiliser l'État, sa congrégation du Saint-Esprit et des dizaines de milliers de bienfaiteurs pour assurer la pérennité des Orphelins apprentis d'Auteuil. Avec

*La vitre vient d'exploser et le ballon roule à ses pieds.*

l'appui de la petite Thérèse, en restant fidèle à l'esprit de l'abbé Louis Roussel, il aura été à l'écoute de tous ses jeunes, leur aura offert un accompagnement et un enseignement personnalisé et les aura aidés à s'insérer dans la vie sociale et professionnelle.

Le 25 novembre 1984, Jean-Paul II a rendu hommage à sa mémoire et à son œuvre en le déclarant bienheureux.

SOURCES : R. Danin, *LE PÈRE DANIEL BROTTIER (1876-1936) : DE LA CONGRÉGATION DU SAINT-ESPRIT*, Paris, 1990. C. Garnier, *LE PÈRE BROTTIER, HIER, AUJOURD'HUI, DEMAIN*, Paris, 1981.

# LES PREMIERS ÉVÊQUES CHINOIS ET AFRICAINS

## *QUAND L'ÉGLISE CATHOLIQUE PREND DES COULEURS*

**• 10 NOV •** TANDIS QU'UN IMMENSE CHANT D'ACTION DE GRÂCES RETENTIT DANS LA BASILIQUE SAINT-PIERRE, le pape Pie XII regarde avec émotion les douze évêques qu'il vient de sacrer, en cette fête du Christ-Roi de l'an 1939. Assis sous le baldaquin, les nouveaux successeurs des apôtres se tiennent très droits sur leurs sièges, leur crosse toute neuve en main. Plusieurs d'entre eux ont les yeux fixés sur l'anneau d'or que le Saint-Père leur a passé au doigt. Il sera désormais le signe de leur dignité épiscopale, cette dignité qu'ils vont exercer aux quatre coins du monde.

Le Saint-Père songe aux colossales statues des saints qui jalonnent le déambulatoire de la basilique et qu'il ne voit pas de son siège. Tous ces hommes plus ou moins illustres, qui l'ont précédé dans la mission et l'évangélisation et reposent en ce sanctuaire, doivent se réjouir avec lui devant deux de ces nouveaux évêques, originaires respectivement d'Afrique noire et de Madagascar.

Ses prédécesseurs immédiats sur le trône de Pierre peuvent aussi être satisfaits, ils ont tant œuvré pour les missions en soutenant la création d'œuvres spécialisées, en veillant à l'indépendance des actions religieuses vis-à-vis des pouvoirs politiques et en favorisant l'émergence d'un clergé indigène plus apte à se faire entendre des peuples. De grands textes pontificaux ont marqué ce début de siècle : la lettre apostolique *Maximum illud* de Benoît XV, en 1919, et l'encyclique *Rerum Ecclesiae*, que Pie XI a publiée en 1926. Dans ces deux textes, les souverains pontifes ont clairement exprimé leur souhait de voir se constituer des clergés locaux et de réussir à mettre en place des hiérarchies ecclésiastiques nationales.

Lui-même s'est placé dans cette auguste lignée en déclarant, dans l'un de ses premiers discours, le 1er mai 1939, sa détermination « *à n'épargner aucune fatigue pour que la Croix, dans laquelle résident le salut et la vie, étende son ombre jusqu'aux plages les plus éloignées du monde* ». Il y a neuf jours, il a poursuivi en publiant sa première encyclique sur ce thème. Intitulée *Summi pontificatus*, elle affirme clairement : « *Ceux qui entrent dans l'Église, quelle que soit leur origine ou leur langue, doivent savoir qu'ils ont un droit égal de fils dans la maison du Seigneur, où règnent la loi et la paix du Christ. C'est en conformité à ces règles d'égalité, que l'Église consacre ses soins à former un clergé indigène à la hauteur de sa tâche et à augmenter graduellement les rangs des évêques indigènes. »* Pour bien montrer qu'il ne s'agit pas que de mots, il a annoncé dans cette même lettre : *« Pour donner à Nos intentions une expression extérieure, Nous avons choisi la fête prochaine du Christ-Roi, pour élever à la dignité épiscopale, sur le tombeau du prince des apôtres, douze représentants des peuples ou groupes de peuples les plus divers. »*

Aujourd'hui, il a tenu cet engagement. Son regard se pose sur les douze nouveaux ordonnés et s'attarde longuement sur les deux évêques dont la mitre blanc et or fait ressortir avec éclat le visage d'ébène. Vision insolite que celle de ces têtes noires émergeant des claires chasubles : c'est la première fois dans l'histoire de l'Église qu'un pape impose les mains à deux membres du clergé africain pour les accueillir dans la communauté de ses frères évêques. Pie XII est profondément heureux de cette ordination, point d'orgue d'une longue réflexion sur l'importance du clergé autochtone dans les terres les plus lointaines.

Une ombre passe sur le visage de Pie XII. Sa joie serait parfaite... s'il n'y avait la guerre. Le conflit qui a éclaté quelques semaines auparavant ternit l'allégresse de la cérémonie, pour laquelle on n'a pas déployé tout le faste auquel ont eu droit, treize ans aupara-

> Le pape impose les mains à deux membres du clergé africain.

vant, les six premiers évêques chinois ordonnés par son prédécesseur Pie XI. Ceux-ci, après avoir été sacrés, avaient fait une tournée quasi triomphale en Europe. Le Vieux Continent les avait salué en grande pompe. Aujourd'hui, leurs nouveaux confrères noirs ne se voient pas réserver le même accueil, et devront repartir prestement chez eux. Car le bruit sinistre des armes couvre déjà les chants d'action de grâces de cette ordination.

Le 28 octobre 1926, effectivement, l'atmosphère qui régnait dans la basilique était nettement plus sereine, et Pie XI n'était pas préoccupé comme lui aujourd'hui. Il se souvient qu'à l'époque, nonce à Berlin, il avait lu, ému et enthousiaste, le commentaire de la cérémonie, sous la plume d'un journaliste : « Tout en restant parfaitement immobile dans sa somptueuse chasuble lourdement rebrodée de fils d'or, et sans qu'un mouvement de la haute mitre, ornée de pierres précieuses, dont il est coiffé trahisse son émotion, le pape fait des yeux le tour de la basilique. Les quatre lourdes volutes de marbre du baldaquin, les anges géants qui s'élancent vers le ciel dans un grandiose mouvement baroque, les éblouissantes teintes rose et or du sanctuaire, toute cette grandeur inondée de soleil en ce jour radieux rehausse encore l'éclat des instants solennels que l'Église est en train de vivre. Aujourd'hui, à l'initiative de Pie XI, le catholicisme devient vraiment universel. Ces six nouveaux successeurs des apôtres vont faire vivre l'Église au bout du monde, relais vivants de Rome dans cet immense pays qu'est la Chine. C'est à eux, désormais, qu'incombera la mission de semer la Bonne Nouvelle de la plaine mandchoue aux contreforts de l'Himalaya, à eux que reviendra la tâche d'encourager les vocations parmi leurs frères de race, de veiller sur les séminaires, et d'imposer les mains à ceux qui auront choisi de consacrer leur vie à Dieu.

« À l'instant où il remet la crosse aux nouveaux évêques, le souverain pontife lit dans leurs yeux la joie grave que son propre regard doit refléter. Les ordinands savent que cette pesante crosse est le symbole de la lourde responsabilité qu'ils acceptent. Il s'agit désormais pour eux, ni plus ni moins, de veiller à ce que les chrétiens de leur pays puissent vivre des sacrements de l'Église universelle ; d'être la tête du clergé qui annonce l'Évangile dans toute la Chine, et même des missionnaires étrangers à qui ils étaient jusqu'ici subordonnés ; d'être les pasteurs attentifs d'un peuple d'hommes et de femmes qui ne sont pas pour eux des "indigènes" parlant une langue "barbare", mais des compatriotes dont l'histoire et la culture leur sont parfaitement familières. »

Pie XII relève la tête. À son accession au trône de saint Pierre, l'Église comptait déjà vingt-huit évêques autochtones sacrés par son prédécesseur. Aujourd'hui il a encore accru ce nombre. Mais il sait que l'évangélisation des peuples est loin d'être terminée. Pourtant, pour ce qui est de l'Afrique noire, il ne peut qu'être content. En moins d'un siècle, l'évangélisation a progressé à grands pas. Grâce aux nombreuses congrégations missionnaires spécialisées, comme les Pères blancs, les pères du Saint-Esprit, les pères du Sacré-Cœur de Saint-Quentin et bien d'autres congrégations masculines et féminines, l'Église catholique africaine compte en ces jours plus de quinze millions de fidèles, deux archidiocèses, dix-sept diocèses, soixante-dix-huit vicariats apostoliques et trente-trois prélatures.

Avec Mgr Faye, qu'il vient d'ordonner, et tous ceux qui le suivront bientôt, c'est un second souffle missionnaire qui s'offre à ce continent.

> *Ces six nouveaux successeurs des apôtres vont faire vivre l'Église au bout du monde.*

SOURCES : Charbonier, *HISTOIRE DES CHRÉTIENS EN CHINE*, Paris, 1992. P. D'Elic, *LES MISSIONS CATHOLIQUES EN CHINE*, Shanghaï, 1934. L. Wei Tsing Sing, *LE SAINT SIÈGE ET LA CHINE, DE PIE XI À NOS JOURS*, Rouen, 1968. Encyclique « Maximum illud », in *LA DOCUMENTATION CATHOLIQUE*, t. II, 1919. J. Comby, « Le siège apostolique et les missions », in *POUR LIRE L'HISTOIRE DE L'ÉGLISE*, Paris. G. Goyau, *PAPAUTÉ ET CHRÉTIENTÉ SOUS BENOÎT XV*, 1922. G. Ruggieri, *ÉGLISE ET HISTOIRE DE L'ÉGLISE EN AFRIQUE*, Paris, 1990.

# JULES ZIRNHELD

## *LE PLUS BEL ANNIVERSAIRE*
## *DU FONDATEUR DE LA CFTC*

• 11
NOV •

*« MES CHERS AMIS, NOUS FOR-MONS AUJOURD'HUI AU SEIN DE LA CLASSE OUVRIÈRE un mouvement plus représentatif qu'aucun autre... »*

Une salve d'applaudissements salue le discours introductif de Jules Zirnheld. De son arrière-grand-oncle napoléonien, Jules a hérité de réelles qualités d'orateur, et il en use volontiers pour enflammer les milliers d'adhérents qui, en cette année 1939, sont venus saluer les vingt ans de la Confédération française des travailleurs chrétiens.

*« On nous a écartés en 1936 des accords de Matignon, mais vous êtes malgré tout de plus en plus nombreux à nous rejoindre. Vous tous que l'autoritarisme de certains syndicats lasse, soyez les bienvenus au sein d'un mouvement qu'inspire l'ouverture chrétienne et sociale. »*

Son discours manifeste sa gratitude, mais aussi le sentiment du travail bien fait dans le difficile monde du syndicalisme de l'entre-deux-guerres. De son père, ce tribun a hérité un tempérament modeste et travailleur, qui le retient de se laisser aller à savourer une espèce de revanche sur ceux qui ont tout fait pour entraver son action, aussi bien les « bienpensants » que les autres dirigeants syndicaux. Par deux fois, le patronat de l'industrie textile du nord de la France l'a dénoncé à Rome pour déviation marxiste, en vain ; le Vatican l'a soutenu sans équivoque, et la réponse officielle du 5 juin 1929 approuve au contraire son action et l'encourage. Maltraité depuis des années par les membres de la CGT, parfois même de manière très virulente, à la limite des voies de fait, il est aujourd'hui le dirigeant de l'un des plus puissants syndicats de travailleurs en France. Simultanément, il reçoit une reconnaissance internationale en étant nommé président de la CISC, la Confédération internationale des syndicats chrétiens.

Mais son parcours lui permet de garder la tête froide. Né en 1875, et élevé par la famille alsacienne de son père tandis que ses parents gagnent tant bien que mal leur vie à Paris, Jules Zirnheld partage dès l'enfance la souffrance de cette Alsace arrachée à la France. Vers l'âge de sept ans, il rejoint ses parents à Paris. Les conditions de vie ne sont guère faciles. Son père travaille chez un marchand de bronzes, sa mère est employée de maison chez ce même patron et, en dehors des heures de ménage, elle est concierge dans l'immeuble où vit sa famille. Mais les Zirnheld désirent que leur fils, lui, fasse des études. Il fréquente les établissements des frères des Écoles chrétiennes, les classes primaires, d'abord, puis l'école commerciale Sainte-Clotilde, rue de Grenelle, où il apprend entre autres la sténographie. Il en sort à quinze ans avec un diplôme de comptable. Jules a appris les prières sur les genoux de sa mère, il est pieux, assiste à des retraites et fréquente les cercles Ozanam. Les frères des Écoles chrétiennes aussi l'ont sensibilisé à la question sociale. C'est à l'initiative de l'un d'eux, frère Hieron, qu'avait été créé le SECI, Syndicat des employés du commerce et de l'industrie, point de départ du syndicalisme chrétien. En 1891, l'encyclique *Rerum novarum* confirme le nécessaire engagement des chrétiens aux côtés des travailleurs. C'est donc presque naturellement que Jules Zirnheld, qui a toujours été bon élève, se jette avec autant d'ardeur dans l'activité sociale que dans ses études. Il est admis au conseil des œuvres de jeunesses de l'Association Benoît-Labre qui visite les pauvres et les malades ; il s'engage dans la vie professionnelle, devient comptable dans une maison de soieries et adhère au SECI. Il est élu à la tête du groupement en 1907, en compagnie de Charles Viennet et de Gaston Tessier. Ensemble, ils vont donner tout son essor à ce mouvement, et établir son originalité en prenant notamment leurs distances vis-à-vis de la droite catholique.

Malheureusement, la guerre éclate, Charles Viennet tombe au champ d'honneur... Mais Jules Zirnheld ne perd pas courage, et, coûte que coûte, le combat reprend après l'armistice. La révolution de 1917 en Russie a provoqué une réaction chez les catholiques sociaux. Il n'est plus question de coopérer avec la CGT, dont les options marxistes-léninistes s'opposent trop clairement aux valeurs mêmes du christianisme. La Confédération française des travailleurs chrétiens, dont il sera le président, est donc créée en 1919. La stratégie de Zirnheld consiste à rassembler tous les corps de métiers qui emploient des travailleurs chrétiens : cheminots, mineurs, métallurgistes, ouvriers du textile et du bâtiment, fonctionnaires et enseignants... La réponse est massive, et, le 2 novembre 1919, le congrès constitutif de la CFTC rassemble les délégués d'environ cent vingt-cinq mille adhérents.

Confessionnelle, la Confédération ne se déclare pas officiellement catholique. L'article premier de ses statuts précise qu'elle « *entends'inspirer dans son action de la doctrine sociale définie dans l'encyclique* Rerum novarum ». Un réseau d'œuvres catholiques conforte l'action des syndicalistes chrétiens, qui bénéficie tout particulièrement du soutien intellectuel apporté par les Semaines sociales et les jésuites de l'Action populaire. La CFTC s'engage de plus en plus nettement dans l'action en faveur des tra-

> *Les options marxistes-léninistes de la CGT s'opposent aux valeurs mêmes du christianisme.*

vailleurs, et conserve ses particularités, par exemple, la cohabitation de courants de pensée différents en son propre sein. Elle réclame un statut pour tous les professionnels et pour les fonctionnaires, et publie en 1936 son *Plan* qui propose d'importants changements sociaux, la mise en place d'instances représentatives à tous les niveaux de l'économie et la négociation de conventions collectives.

Le retentissement est considérable, mais Jules Zirnheld et ses amis sont tout de même exclus des accords de Matignon lors du Front populaire. Paradoxalement, de nombreux ouvriers, lassés de l'autoritarisme des syndicats marxistes que décrit Simone Weil dans *La Condition ouvrière*, préfèrent rejoindre les rangs de la centrale confessionnelle. Une directive confidentielle du 21 novembre 1937 fixe le comportement à adopter. L'élargissement du recrutement est accepté à condition de favoriser « *la masse syndicale chrétienne* », et d'éviter « *toute propagande dans des associations ou ligues à tendance nettement politique* ».

C'est à tout cela que peut songer Jules Zirnheld, tandis que la foule l'ovationne en ce jour anniversaire de 1939. Les organisateurs annoncent alors cinq cent mille adhérents, 2 834 syndicats, 90 unions

> *Jules Zirnheld et ses amis sont exclus des accords de Matignon lors du Front populaire.*

départementales, 29 fédérations de métiers, sans compter les sections qui sont présentes en Afrique du Nord, en Nouvelle-Calédonie ou à Madagascar. Jules et ses amis peuvent être fiers de leur œuvre, née dans un climat d'hostilité. Accusés de socialisme et de communisme par les conservateurs, catholiques ou non, de bigoterie catholique par les « rouges », ils ont réussi à tenir une juste voie parmi ces tourments et à garder la tête froide.

Jules Zirnheld meurt le 28 décembre 1940, il a prononcé son dernier discours un mois auparavant. Orateur convaincant mais toujours modeste, habitué aux arènes parfois sanglantes du syndicalisme ouvrier et aux subtilités souvent roublardes de la politique, il ne s'est jamais départi d'une foi solide, affinée au contact des frères de Jean-Baptiste de La Salle et des membres chrétiens de son organisation. Il a prôné un syndicalisme de mesure et de négociation, et, face au centralisme autoritaire de la CGT, il a inventé une voie nouvelle qui prendra le nom de « subsidiarité », et qui consiste à honorer la capacité des hommes et des femmes à prendre eux-mêmes les décisions qui les concernent directement. Liberté et respect auront été les maîtres-mots de son œuvre.

Sources : J. Zirnheld, *Cinquante ans de syndicalisme chrétien*. R. P. J. Piat, *Jules Zirnheld*, Paris 1948. G. Adam, *La CFTC. Histoire politique et idéologique*, Paris, 1964. R. Talmy, *Le Syndicalisme chrétien en France (1871-1930). Difficultés et controverses*, Paris, 1966.

# MAGDELEINE HUTIN

## *Naissance des Petites Sœurs*

## *de Jésus*

**• 12 NOV •**

LE 6 OCTOBRE 1936, LE PORT D'ALGER ÉCLATE DE LUMIÈRE. Accoudée au bastingage, Magdeleine Hutin offre au soleil brûlant d'Afrique du Nord ses pauvres mains déformées par l'arthrite. C'est la maladie qui la conduit là où elle a toujours rêvé d'aller, depuis qu'en 1921, elle a découvert la vie de Charles de Foucauld. Elle a tant désiré connaître cette terre d'Afrique, la pureté du désert, la solitude ardente, une terre qui fait l'homme petit et le désir plus grand.

Sa santé défaillante, le soin d'une mère qu'elle ne pouvait abandonner l'avaient conduite à accepter avec sagesse et abnégation la direction d'une école libre de Nantes. Ses élèves partageaient ses rêves. Les murs de son bureau se tapissaient d'images aux couleurs chaudes et aux paysages épurés du Sahara. Le portrait de Charles de Foucauld dominait les dunes de sables, les palmiers, les chameaux. La patience était son moteur. Un jour, elle partirait... Sa foi en Jésus ne la quittait pas, celui qu'elle nommait le Maître de l'impossible connaissait ce pour quoi elle était faite, et, ce qu'elle n'avait pu obtenir par la force de sa volonté, le ciel finirait par le lui accorder de bonne grâce. Elle rêvait d'Afrique et du désert, mais ne pouvait y aller de son plein gré.

C'est la maladie qui l'a contrainte à quitter les climats tempérés pour un pays chaud où l'absence d'humidité laisserait en paix ses articulations tourmentées. Le mal qui la ronge est la clef des portes du désert ! Son abandon total et sa foi confiante ont toujours guidé ses pas. « *Dieu me prenait par la main... et aveuglément je le suivais...* »

Le lourd navire accoste, sa mère et sa jeune amie Anne l'accompagnent. Maintenant que la Providence l'a menée aux portes de son rêve, elle ne va pas perdre son temps en repos et convalescence. Le père Voillaume devient son conseiller spirituel, et c'est à lui qu'elle s'ouvre de son projet. Anne et elle veulent ensemble établir une fraternité de sœurs entre les dunes et les oasis, vivre au Sahara l'Évangile dans la pauvreté, « *s'enfouir au milieu des populations abandonnées* ».

Mais pour l'heure, elles s'installent à Boghari et, pendant deux années, elles consacrent leurs journées à la tenue d'un dispensaire, à la soupe des pauvres et aux tournées à l'extérieur. Cette activité débordante ne leur laisse guère le temps de prier et leurs âmes ont soif de silence, de solitude, de dénuement. Sans chercher l'isolement total, elles aspirent toutes deux à une vie plus contemplative. Elles entreprennent alors un pèlerinage sur le tombeau de Charles de Foucauld situé à El-Goléa. Magdeleine est enthousiasmée. Les Petits Frères de Jésus, créés par le père Voillaume quelques années auparavant, l'intéressent au plus haut point, elle désire créer une fraternité similaire de sœurs qui vivraient dans le désert, parmi les nomades, au cœur de l'islam. Mgr Nouet, préfet apostolique du Sahara, l'encourage dans cette voie et l'envoie avec Anne passer un an au noviciat des Sœurs blanches, près d'Alger. Ce temps d'apprentissage et d'obéissance est très éprouvant pour elle ; elle se trouve indigne, ne comprend plus ce que Dieu attend d'elle. L'inaction et une certaine solitude spirituelle lui pèsent. Dans le même temps, elle éprouve des moments de « grâces » qui mettent fin à ses doutes et révèlent en elle le désir instinctif de protéger l'Enfant Jésus. Sa spiritualité s'enrichit de la présence tendre et intime du Dieu fait tout-petit. Sur la demande de Mgr Nouet, elle commence également à rédiger, dans un isolement parfois douloureux, les constitutions de la future Fraternité. Le 8 septembre 1939, alors que l'Europe s'enflamme, elle prend le nom de petite sœur Magdeleine de Jésus.

Cette naissance à la vie religieuse est

> *Créer une fraternité de sœurs qui vivraient parmi les nomades au cœur de l'Islam.*

le véritable acte fondateur de la fraternité des Petites Sœurs de Jésus. La suite est l'aboutissement logique de la démarche spirituelle de petite sœur Magdeleine. À plus de quarante ans, c'est l'accomplissement d'une lente maturation qui la mène au cœur du désert algérien, à Touggourt, dans un petit village appelé Sidi-Boudjan. Petite sœur Magdeleine et petite sœur Anne apprennent à vivre des grâces que Dieu leur accorde avec une efficacité toujours étonnante. L'attente, la prière et l'espoir leur sont toujours de riches soutiens. Quand petite sœur Magdeleine cherche une maison pour son noviciat, elle la demande dans la prière. Et la maison du Tubet, qu'elle trouve le lendemain, correspond exactement à ce qu'elle cherchait.

Elles bâtissent, distribuent, accompagnent, partagent, témoignent, « *crient l'Évangile par toute leur vie* ». Dans le dénuement et l'humilité, elles approchent le mystère d'un Dieu qui se fait enfant. Pour petite sœur Magdeleine, l'Enfant Jésus est le véritable fondateur des Petites Sœurs de Jésus. Il est le « *Tout-Petit de Bethléem* », image de douceur, de joie, de fragilité, de vulnérabilité. Chaque fraternité est appelée à devenir une « grotte », signe de la tendresse de Dieu pour les hommes, lieu d'amour où le Tout-Petit rayonne. Les « grâces » reçues au moment où elle faisait son noviciat ont fait d'elle une véritable « petite sœur » de Jésus, mais aussi une mère. Elle veut se pencher vers les délaissés comme une mère se penche vers son enfant, avec tendresse, en souriant, les bras tendus.

Très vite, la fraternité affirme ses ambitions : « *Comme Jésus, vivre pauvre parmi les pauvres et mêlée à la masse humaine comme le levain dans la pâte* », « *être chrétienne et humaine avant d'être religieuse* », « *mettre une étincelle d'amour dans chaque coin du monde* », « *être plus légères que des bulles* »... Mais aussi s'intégrer totalement à son environnement.

Cependant, en 1940, la nécessité d'avoir un noviciat en dehors du Sahara s'impose. C'est l'occasion pour petite sœur Magdeleine de retourner en France pour chercher un lieu et trouver des fonds. Petite sœur Magdeleine organise le premier noviciat de la fraternité. Empêchée de revenir en Algérie par la guerre, elle profite de ce séjour contraint pour fonder la future maison mère des Petites Sœurs de Jésus près d'Aix, sillonne la France occupée et fait connaître la fraternité autour d'elle. Un petit film montre des images de Sidi-Boudjan, perdu au milieu du désert. Un désert qui finit par crachoter tellement le film est passé, recollé et passé encore.

Après la guerre, la vocation universelle des fraternités s'impose à elle. Ainsi, dès 1948, la fraternité s'étend à l'Orient et adopte les rites des différentes Églises. L'unité réalisée dans Jésus Amour résume la mission des Petites Sœurs. L'islam continue à garder une place à part dans la fraternité, mais ce ne sont plus les musulmans seulement qu'il faut aimer. Les nomades du monde entier appellent, implorent, espèrent. Bientôt, on voit des petites sœurs de Jésus parmi les Gitans, les ouvriers, les bergers... Les pays marxistes, la Chine, l'URSS reçoivent la visite de petite sœur Magdeleine qui ne cesse de parcourir le monde à la recherche des plus petits, des plus pauvres, des oubliés. Moins de dix ans après la guerre, la fraternité est présente sur les cinq continents.

Aujourd'hui, elle rassemble plus de mille trois cents petites sœurs de soixante-six nationalités. En 1964, elle devient de droit pontifical et la fraternité générale déménage à Rome. Trois mois avant la mort de petite sœur Magdeleine, le 6 novembre 1989, la fraternité fête son jubilé. À cette occasion, Jean-Paul II renouvelle ses encouragements et appelle les petites sœurs à poursuivre l'œuvre de petite sœur Magdeleine.

« *Votre histoire ne fait que commencer...* »

> *Comme Jésus, vivre pauvre parmi les pauvres.*

SOURCES : Petite sœur Magdeleine de Jésus, DU SAHARA AU MONDE ENTIER. LES PETITES SŒURS DE JÉSUS SUR LES TRACES DE FRÈRE CHARLES DE JÉSUS, et D'UN BOUT DU MONDE À L'AUTRE. DANS LA LUMIÈRE DU TOUT PETIT JÉSUS DE BETHLÉEM, Paris, 1983. Les Petites Sœurs de Jésus, PETITE SŒUR MAGDELEINE DES PETITES SŒURS DE JÉSUS. Mesnil-saint-Loup, 1991. K. Spink, PETITE SŒUR MAGDELEINE DE JÉSUS, Paris, 1994.

# JEAN PLAQUEVENT

## *PARCE QUE TOUS LES ENFANTS*
## *ONT BESOIN D'UN PÈRE, D'UNE MÈRE,*
## *DE FRÈRES, DE SŒURS ET D'UN JARDIN*

• **13**
**NOV** •

LE TAXI FRANCHIT EN CAHO-TANT LES DERNIERS VIRAGES QUI LE SÉPARENT DE SAINT-IGNAN. Suivre les routes qui serpentent le long des contreforts pyrénéens met à rude épreuve une voiture qui n'est plus dans sa prime jeunesse ; mais, en cet automne 1939, où la guerre vient d'éclater, son chauffeur estime avoir autre chose à faire que de s'en procurer une neuve. Du reste, pour l'instant, il n'entend même pas le vrombissement de son moteur, car il est en grande conversation avec son passager. À la gare de Saint-Gaudens, quand il a vu que le client qu'il allait emmener portait une soutane, il s'est dit qu'il pouvait s'attendre à un voyage calme. L'abbé allait tirer un bréviaire de son sac et s'absorber dans ses prières. « Toujours comme ça, les curés ! » songeait le chauffeur, qui n'avait rien d'une grenouille de bénitier...

C'était compter sans la profonde curiosité du père Plaquevent. Celui que ses amis appellent en riant le « dernier des humanistes » est fasciné par la musique et la peinture, amoureux de la littérature classique et moderne, passionné par le cinéma. Mais il ne se cantonne pas dans les hautes sphères de la pensée, et ce qu'un chauffeur de taxi peut lui apprendre l'intéresse autant qu'une bibliothèque. Son interlocuteur, quant à lui, a vite senti s'évanouir sa méfiance devant les questions de l'abbé, car celui-ci n'a pas cet air compassé qui, aux yeux du chauffeur peu clérical, va si bien avec la soutane. De toute évidence, il ne cherche pas à lui extorquer une confession. Ses remarques sont pleines d'humour, et son regard bienveillant pétille derrière ses lunettes : voilà un curé qui n'a pas avalé son parapluie.

Parvenu à destination, le taxi s'arrête dans un dernier hoquet de son moteur essoufflé. Une nuée d'enfants accourt de toutes parts et entoure le véhicule en poussant des cris joyeux. Un moment, le chauffeur a l'impression que son passager va être porté en triomphe par ces gamins. Mais ceux-ci se contentent de se pendre à sa soutane et de se bousculer pour lui faire fête. Le père Plaquevent répond à ces démonstrations par un large sourire qui brille jusque dans ses yeux, caresse de la main nattes brunes et boucles blondes, et demande aux gamins comment se sont portées leurs familles en son absence. Le chauffeur l'écoute, interloqué. Il a vaguement entendu parler d'un orphelinat qui se serait installé récemment dans cette vaste demeure. Que viennent donc faire des « familles » dans la conversation ? Et puis, il n'y a pas une bonne sœur en vue : qui donc s'occupe des gamins ? Leur tenue n'est pas celle des orphelins ordinaires qu'on affuble d'un uniforme noir pour faire ressortir la pâleur maladive de leur teint d'enfants cloîtrés ; ils ne sont pas vêtus comme des croque-morts, et leur bonne mine montre qu'ils sont élevés en plein air. Décidément, le chauffeur voit voler en éclats tous les préjugés qu'il entretenait avec soin sur l'Église et ses « bonnes œuvres ». Avant de repartir, il ne résiste pas au besoin d'assouvir sa curiosité :

– Si je peux me permettre, monsieur l'abbé, qu'est ce que c'est que cette maison ?

– Elle s'appelle l'Essor et, comme son nom l'indique, a pour but de rendre des ailes aux oiseaux tombés du nid. C'est une maison où l'on voudrait donner aux enfants l'amour qui leur permettra de faire quelque chose de leur vie.

Drôle de baraque, se dit le chauffeur en redémarrant à grand fracas. Une fillette agite la main vers lui en guise d'adieu. Un gamin de deux ou trois ans, qu'elle tient dans ses bras, fait de même pour l'imiter. Ils se ressemblent comme deux gouttes d'eau, et doivent être frère et sœur. Mais depuis quand les orphelinats sont-ils mixtes, et depuis quand ne sépare-t-on plus les mioches par tranches d'âge ?

L'abbé regarde s'éloigner le taxi d'un air malicieux. Il a bien vu qu'il surprenait le bonhomme. Or, il aime étonner, car l'étonnement aide les gens à réfléchir. Il jette ensuite un long regard sur le paysage somptueux qu'il a devant lui. Les champs alentour sont baignés d'une douce lumière. Comme on respire ici, loin des villes préoccupées par la guerre, au milieu de ces montagnes qui ne parlent que des splendeurs de la Création. Non que le père Plaquevent soit indifférent aux malheurs du temps. Il essaie au contraire de soigner des blessures nées d'un manque d'amour, en la personne de ces gamins pour qui il vient d'inventer le « village d'enfants ».

> *Il n'y a pas une bonne sœur en vue : qui donc s'occupe des gamins ?*

Le fondateur de l'Essor a connu, lui, une jeunesse très heureuse. Né en 1901 à Beuzeville, en Normandie, il est l'aîné d'une famille de six enfants. Ses parents, issus d'une bourgeoisie déchristianisée, ont renoué de tout leur cœur avec une foi vivante, inébranlable. Ils ne sont pas pour autant confits en dévotion, et gardent une sainte horreur du cléricalisme dans ce qu'il a d'excessif, horreur qu'ils transmettent à Jean. Celui-ci n'avouera-t-il pas à son évêque, un jour, qu'il n'a pas la plume très ecclésiastique ? Mais cela n'empêche pas la famille Plaquevent d'aimer l'Église d'un amour filial, qui résiste à l'épreuve de la condamnation du Sillon en 1910 ; membres ardents du mouvement de Marc Sangnier, les parents de Jean s'inclinent, comme leur chef, devant les foudres de Rome. Leur fils éprouve le même attachement indéfectible. « *Si j'avais dix vies*, écrira-t-il un jour, *je crois bien que* je les mettrais toutes les dix au service de l'Église. »

L'enfant grandit au milieu d'une ribambelle de frères, de sœurs et de cousins plus jeunes que lui, à qui il s'efforce de communiquer ses passions, car il est très tôt avide d'apprendre et peu désireux de garder pour lui ce qu'il sait. La vocation ? À vrai dire, Jean enfant ne se voit pas prêtre, ne serait-ce qu'à cause de la soutane, qui donne aux abbés des airs d'épouvantails, « *par l'ampleur bizarre de leurs jupes et le nombre exagéré de leurs boutons.* » Mais, une fois adolescent, il ne se laisse plus arrêter par ce détail. Il veut mettre au service de Dieu les dons qu'il a reçus, l'énergie dont il déborde, la curiosité intellectuelle et spirituelle qui l'habite. Cependant, au moment où il va entrer au grand séminaire, il tombe malade, et les médecins ne lui donnent pas trois semaines pour être emporté par la tuberculose. On envoie tout de même Jean dans un sanatorium, où il passera dix ans de sa vie.

Dix ans... Cela peut paraître long. Mais, quand on a tous les Pères de l'Église à lire dans le texte et tant d'auteurs à découvrir, avec, par-dessus le marché, un jésuite tuberculeux à portée de main, qui ne demande pas mieux que de transmettre son savoir, on n'a guère le temps de s'ennuyer... Jean Plaquevent est si bien préparé aux examens du séminaire par ce jésuite attentionné qu'il finit par considérer ces années comme une bénédiction. « *Quelle*

> *Avec un jésuite tuberculeux, Jean n'a guère le temps de s'ennuyer.*

chance j'ai eu de passer dix ans sur une chaise longue, et de n'aller ni au grand séminaire, ni à l'université !* » Il est ordonné peu après sa sortie du sanatorium, en 1929. Comme sa santé est encore fragile, on l'envoie à Pau chez les sœurs du Bon Pasteur. C'est là qu'il découvre les orphelinats et leur triste ressemblance avec des entreprises de démolition. Les fillettes dont il s'occupe sont traitées sans amour, n'apprennent rien d'utile au cours des longues années, cloîtrées derrière les murs grisâtres du couvent, sortent de leur prison à vingt et un ans sans aucune expérience du monde, et ont toutes les chances de tomber dans le premier piège qu'on leur tendra. Et cette manie de séparer les enfants par classes d'âge, comme si l'on voulait leur ôter à tout prix le bonheur de vivre au milieu de plus petits et de plus grands, comme dans une famille !

Très vite, le jeune prêtre se livre à des recherches approfondies sur la façon de sauver ces enfants privés de l'amour si nécessaire aux premières années de la vie. Si l'on veut aider un enfant à construire sa vie, si l'on veut fonder quelque chose en lui, il faut inventer autre chose que ces institutions lugubres. Jean Plaquevent lit des traités d'éducation, mais, par-dessus tout, il médite sur l'amour. Les enfants sans famille ont un Père qui les aime, et cet amour capable de consoler tous les malheurs humains, qu'aucune misère ne rebute, il en sera le témoin auprès d'eux. Oui, ces enfants mal aimés, il les aimera au nom du Père. C'est ainsi qu'en 1939, les habitants de Saint-Ignan, dans le département de Haute-Garonne, voient s'installer près de chez eux cet orphelinat étonnant. Tout d'abord, il est mixte dans la mesure du possible, c'est-à-dire que les garçons y sont gardés jusqu'à l'âge de sept ans, après quoi la loi oblige à les envoyer dans des institutions masculines. Cela permet au moins de ne pas séparer tout de suite les frères et sœurs qui arrivent à l'Essor. Ensuite, les enfants sont répartis par groupes de dix environ, dans lesquels les âges sont mélangés ; chaque groupe suit les mêmes activités et prend ses repas en commun, ainsi qu'une vraie famille. Le père Plaquevent a trouvé des femmes de bonne volonté, qui se consacrent corps et âme à l'éducation de ces enfants, en s'occupant chacune de l'une de ces « familles ». Ainsi, même s'il n'est pas question de gommer le passé des orphelins, l'atmosphère qui règne dans un foyer heureux sert de modèle dans ce lieu où l'on voudrait qu'ils s'épanouissent.

Quand aux cours qu'on leur dispense, ils sont assez fantaisistes ; la « classe » a souvent lieu dehors, sur la pelouse, et les programmes ne répondent pas toujours aux directives dont le ministère de l'Instruction publique abreuve les instituteurs de France. C'est que les enfants qui arrivent à l'Essor ont en général un passé difficile dans lequel l'école fait figure de cauchemar. Il s'agit donc de ne pas les bloquer définitivement. Le plus important, pour le père Plaquevent, est de leur donner le sens de la beauté, « *seule psychothérapie de l'Essor* ». Pour lui, la beauté inspire le respect, et le respect est déjà presque toute l'éducation. Un carreau propre, une allée tracée avec art, un soulier bien ciré ont donc autant de valeur qu'une équation de mathématiques ou une règle de grammaire.

Le père Plaquevent est un précurseur, et ses théories révolutionnaires font parfois grincer des dents. Qui donc est cet abbé outrecuidant, qui prétend réformer à lui seul un système qui s'est parfaitement passé de lui jusqu'ici ? Comment ose-t-il attaquer ainsi une œuvre louable, à laquelle des générations de religieuses ont consacré leur vie ?

En 1942, malgré le climat étouffant qu'entretient l'Occupation, malgré les problèmes de ravitaillement, le père Plaquevent fonde une école de cadres destinée à former ceux qui veulent prendre part à l'éducation des orphelins. La grande maison de l'Essor se remplit. Il y fait un peu froid, faute de charbon en quantité suffisante, mais on y mange assez bien, car les rigueurs du rationnement sont compensées par la générosité des paysans du voisinage. Surtout, on y apprend le bonheur de vivre. On y chante, on y danse beaucoup, on s'y livre à des jeux en équipe. Le père Plaquevent, fidèle à ses convictions, fait tout pour inculquer aux enfants l'art de s'enthousiasmer, car ce sont les passions qu'il se découvre qui permettent à un gamin de devenir un homme.

> *Ces enfants mal aimés, il les aimera au nom du Père.*

Après la guerre, le fondateur de l'Essor crée d'autres foyers, écrit de nombreux ouvrages, publiés au Seuil, maison d'édition qu'il a contribué à créer, et sillonne la France pour donner des conférences, ce qui ne l'empêche pas de rester très présent à « ses » enfants. Cette activité intense fatigue progressivement un homme dont la constitution a été fragilisée par sa longue maladie. Il retourne finalement à Saint-Ignan et s'y éteint doucement en 1965. Sa curiosité et sa joie de vivre demeurent jusqu'au dernier moment, comme le montrent ces mots tracés la nuit même de sa mort : « *Ma pensée m'est un paradis... à cause de cette Lumière vivante qui l'éclaire jusque dans la nuit. Car cette Lumière est autre que moi-même. Elle donne forme et sens à tout, avec des nuances toujours nouvelles et surprenantes et qui ne changent rien à ce que je sais déjà, mais l'éclairent d'un jour si neuf que chaque fois j'ai la surprise, l'enchantement, l'éclat de rire de n'avoir encore rien compris.* »

SOURCES : J. Plaquevent, *MISÈRE SANS NOM* et *LE PREMIER DROIT DE L'ENFANT. CAHIERS JEAN PLAQUEVENT*, Paris.

# AKTION T4

## *LORSQUE LES ÉVÊQUES ALLEMANDS*
## *S'ÉLÈVENT CONTRE L'EXTERMINATION*
## *DES MALADES MENTAUX*

**• 14 NOV •**

UNE BELLE JOURNÉE DE JANVIER 1940. HOSPICE DE PERGINE POUR MALADES ET DÉFICIENTS MENTAUX. Pour une fois, Heinrich est content. Un large sourire éclaire son visage anguleux, déformé par un prognathisme sévère. Ses yeux bleus, généralement éteints et comme retirés du monde des vivants, luisent de plaisir. Il s'est fait beau et a soigneusement coiffé ses cheveux blonds. Les pensionnaires de l'institution ne sont pas souvent conviés à une randonnée surprise, qui, de surcroît, doit durer toute la journée. Où iront-ils donc ? Heinrich ne se pose pas la question. Les noms de lieu n'ont guère de signification pour lui. Il ignore même qu'il vit depuis des années dans un hospice, l'hospice de Pergine.

Non, Heinrich ne pense pas à cela. À vrai dire, il ne songe à rien. Depuis toujours, son existence est semblable à la surface d'un étang qu'aucune brise n'effleure. Les jours, les heures et même les minutes glissent sur lui sans qu'il s'en aperçoive. Heinrich vit une étrange absence au temps, une sorte d'apesanteur scandée par quelques rites : le lever du matin, quand les premiers rayons du soleil viennent lécher les couvertures et que l'infirmier blanc distribue les pilules – il lui avait expliqué un jour qu'elles servaient à ce qu'il ne s'agite pas, mais il n'avait pas compris le sens de ces paroles –, la grande salle commune où l'on mange joyeusement, le goûter, les douches et les corps nus – cette différence de poitrine et de bas-ventre entre les hommes et les femmes, dont il ignore la signification, le surprend toujours –, le coucher et son entrée dans le néant.

Heinrich se sent en sécurité à l'hospice. « Les gens comme lui » ont rarement pu avoir ce sentiment au cours de l'histoire. Il appartient à un peuple qui n'a jamais eu la conscience d'être un peuple, un peuple sans terre, sans racine, sans histoire, un peuple de silencieux, de damnés.

À présent, ses yeux vont du groupe de ses camarades assis, comme lui, sur les bancs du hall d'entrée, à son ami Johann, qui s'est levé et qui tourne en rond à grandes enjambées, tout en tirant de sa pipe d'impressionnantes bouffées de fumée bleutée. Heinrich se demande toujours comment un tel exploit est possible.

La porte claque. Deux infirmiers entrent. Ils semblent très affairés. Johann s'immobilise, c'est le signal du départ. Dehors, deux vieux bus attendent, moteurs allumés. Heinrich se lève précipitamment et, comme les autres, s'engouffre par la porte. Personne ne remarque la mine soucieuse du médecin chef, resté dans un coin du hall. Il est préoccupé. Pourquoi les responsables de l'institut voisin de Grafeneck lui ont-ils intimé l'ordre de rassembler une partie de ses pensionnaires pour les transférer dans un autre établissement ? C'est invraisemblable. Le Reich n'est-il pas en guerre ? Pourquoi perdre son temps dans des changements d'établissement ? De plus, un bruit court dans le milieu médical ; toutes les institutions seraient touchées par ces mesures. Il est manifeste que l'on se trouve devant une opération à grande échelle. Mais, ce qui l'inquiète le plus, c'est que les pensionnaires réquisitionnés pour la journée font tous partie de la même catégorie, celle des « inaptes au travail ». Il a d'ailleurs lui-même rempli les formulaires envoyés par l'administration centrale. Il pense avoir fait pour le mieux. L'insistance sur les qualités au travail était telle qu'il craignait que ses pensionnaires ne fussent affectés à l'économie de guerre. Aussi en avait-il inscrit le plus grand nombre sous la rubrique « incapables de travailler ».

Les joyeux pensionnaires ne se posent pas ces questions. Ils montent allégrement dans les bus, sans même s'inquiéter de ce que les fenêtres sont obturées par des rideaux, comme si on voulait les empêcher de jouir du paysage. Les éclats de rire se succèdent. Certains battent des mains. D'autres tapent des pieds dans un vacarme assourdissant. Les deux infirmiers, toujours affairés, passent dans les allées centrales plongées dans la pénombre, distribuant des pilules blanches aux plus agités. Les deux lourds autobus s'ébranlent, faisant vibrer toutes leurs tôles. Le voyage est long mais les pilules blanches font leur effet et, bientôt, tous les voyageurs somnolent. Chaque infirmier, assis à l'avant, surveille son convoi du coin de l'œil.

*Les pensionnaires font tous partie de la catégorie des inaptes au travail.*

Johann et Heinrich ignorent qu'ils vont bientôt être les victimes d'une nouvelle violation de l'intégrité de leur peuple. Ce peuple qui a connu toutes les humiliations dans les rues fangeuses de la Rome impériale ; nouveau-nés, ses membres ont été exposés par dizaine de milliers à la voracité des bêtes sauvages et des oiseaux de proie ; ils se sont trouvés livrés à la folie destructrice des invasions barbares, protégés vaille que vaille par quelques évêques compatissants ; ils ont traversé le Moyen Âge, foule anonyme dont le dénuement extrême est à l'origine des premiers hospices ; par milliers, ils ont été recueillis dans les rues de Paris par l'apôtre de la charité, Vincent de Paul ; par millions, ils ont été abandonnés et enfermés dans des mouroirs dans l'Europe classique et romantique, engendrés par des filles sans le sou, par des femmes surchargées de marmaille, par des aristocrates pressées de se débarrasser, sans bruit, d'enfants indésirables. À vrai dire, ils ne furent pas toujours des gueux, et les gueux furent souvent plus intelligents qu'eux. Mais ils partagent avec les fous et les miséreux un privilège que notre culture ne leur contesta jamais : celui d'être des exclus.

L'heure du goûter est depuis longtemps passée lorsque les bus arrivent enfin à destination. Les infirmiers réveillent les dormeurs. Tout le monde a envie de se dégourdir les jambes. Tous descendent rapidement des bus devant un château qu'ils n'ont jamais vu, pas même en photo, et qui – mais cela, ils l'ignorent tous – dépend de la Fondation des samaritains de Stuttgart qui l'ont reconverti en institution pour malades mentaux. Ce qu'ils ignorent aussi, c'est que ces bâtiments ont été repris par un service d'État en octobre 1939.

*Les bonbonnes de gaz sont arrivées avec retard.*

L'ensemble est avenant. Les terrains qui entourent le château sont déserts. On aperçoit au loin des fils de fer barbelés qui empêchent les curieux d'approcher des bâtiments. De temps à autre, on distingue une patrouille armée. Les malades attendent au soleil depuis une demi-heure. Les infirmiers expliquent que des bonbonnes de gaz sont arrivées avec retard et qu'il faut achever de les installer. Il faut donc patienter quelque peu. Mais les malades sont contents de profiter de l'air pur. Ils s'emmitouflent dans leurs manteaux et se promènent par petits groupes. Ce sera le seul événement saillant de leur journée.

Brusquement des coups de sifflet retentissent. D'autres infirmiers viennent en aide aux deux premiers. Sans ménagement, les pensionnaires de l'hospice de Pergine sont répartis en deux groupes identiques (même répartition par âge, sexe et handicap) et poussés vers un ancien hangar agricole coiffé d'une sinistre cheminée noire. Une peur atroce noue les entrailles des moins idiots. Tous sont conduits vers deux vestiaires et forcés de se déshabiller. Heinrich est rassuré, c'est l'heure de la douche. Certains s'amusent lorsqu'on vient les photographier de face d'abord, de profil ensuite. D'autres vont jusqu'à adresser un petit signe amical à l'appareil ou à celui qui le manipule. Ils passent maintenant à tour de rôle devant un médecin. La visite dure deux à trois minutes. Tout est soigneusement consigné par écrit. Lorsque le médecin a terminé, un infirmier appose au crayon de couleur un numéro sur le dos du malade. L'organisation de l'ensemble des opérations atteste, jusqu'à présent, un haut niveau de professionnalisme.

Toujours divisés en deux groupes, les malades et retardés mentaux sont conduits dans des salles d'attente. Heinrich est content : il est dans le même groupe que Johann. Il ne s'inquiète pas lorsque trois infirmiers entrent dans la pièce et leur demandent de tendre le bras. Heinrich présente le sien spontanément. Il note avec satisfaction que Johann n'oppose lui non plus aucune résistance. Quelques-uns essaient de se dérober, mais ils sont contraints par la force de recevoir la piqûre. Quand toutes les injections sont faites, on les fait sortir, le savon à la main, la serviette sur l'avant-bras. Heinrich a juste le temps de distinguer une femme de l'autre groupe – qui, elle, n'a pas reçu d'injection, mais Heinrich ne le sait pas – avant que la porte ne se referme sur elle. Heinrich et Johann entrent dans la salle de douche de leur groupe presque la main dans la main. La porte se referme.

Après quelques minutes, les effets de la piqûre se font sentir. Les yeux s'alourdissent, les paupières se ferment, certains ont des vertiges, d'autres des nausées. Soudain, des coups violents portés sur les murs voisins et des cris se fraient à grand-peine un chemin dans leurs cerveaux engourdis. Dans l'autre groupe, certains ont compris qu'on les assassine et se révoltent. Les médecins qui observent la scène, impassibles, se disent que l'extermination des animaux est plus paisible. Cependant, aucun incident notable ne vient perturber la quiétude des opérations. Tout retombe brutalement dans le silence. Heinrich se sent glisser dans le néant. Il s'étonne. Pourquoi n'est-il pas dans son lit, sous sa douillette couverture à carreaux écossais ? La porte s'ouvre. On les transporte dans l'autre salle, où on les jette sur les cadavres figés par la mort. Mais ils sont trop hébétés pour réagir. Les voici à nouveau enfermés. Quelques instants encore, et tout sera terminé.

À l'extérieur, les médecins notent avec satisfaction que les résultats récemment obtenus à Brandenburg-Havel sont confirmés. Le monoxyde de carbone est bel et bien plus efficace que les cocktails lytiques. Un rapport officiel partira le soir même

*Mgr von Galen
a porté plainte auprès
du procureur du Reich.*

pour le responsable général de l'opération, le docteur Brandt, qui préconise le recours exclusif au gaz.

Chaque famille reçoit une lettre officielle de condoléances. On les informe des causes de décès du cher disparu. Mais les meilleures administrations commettent des erreurs : des proches reçurent des urnes vides, des avis de décès portant des dates manifestement erronées. Certains malades seraient morts deux fois dans des circonstances chaque fois différentes.

Dès 1940, de nombreux évêques, alertés, s'élèvent contre cette barbarie ; en vain. Une lettre pastorale de juin 1941 rappelle cette protestation et condamne l'euthanasie : « *Jamais, dans aucune circonstance, l'homme n'a le droit – en dehors de la guerre et de la légitime défense – de tuer un innocent* ». Cette lettre pastorale sera décisive. C'est en s'appuyant sur elle que Mgr von Galen, évêque de Münster, va réussir à bloquer la politique d'euthanasie. Comme son oncle, Mgr von Ketteler, Mgr von Galen est de ceux qui refusent de subir et qui savent convaincre. Du 13 juillet au 3 août 1941 il dénonce, dans une série de sermons, la politique nationale-socialiste, fustigeant les mesures contre les congrégations, l'antichristianisme nazi et les méthodes abjectes de la Gestapo. Il rappelle qu'il a porté plainte par lettre recommandée auprès du procureur du Reich du tribunal régional de Münster et du préfet de police de la même ville contre le meurtre des malades mentaux. Le 3 août, il s'en prend à

« *ce principe abominable qui se donne le droit de tuer un homme improductif* », et il ajoute : « *Malheur aux hommes, malheur à notre peuple allemand si non seulement on transgresse mais on [...] viole impunément le principe divin.* » Ses sermons, interdits de publication, sont reproduits et distribués clandestinement dans toute l'Allemagne.

L'émotion est immense. Des lettres de protestation arrivent de plus en plus nombreuses au 4 Tiergartenstrasse, où se trouve le centre administratif de cette opération, mieux connue sous son nom de code *Aktion T4*. Les plus hautes sphères du pouvoir nazi sont obligées de revoir leur position face au problème des déficients mentaux. Successeur des Apôtres envoyés par le Christ, Mgr von Galen seul a parlé publiquement.

Hitler met fin au programme officiel d'euthanasie le 24 août 1941. Il y a eu déjà un peu plus de soixante-dix mille victimes. Les techniques de mise à mort qui allaient servir dans les camps d'extermination étaient au point.

SOURCES : *ACTES ET DOCUMENTS DU SAINT-SIÈGE. (ADSS)*, t. II, *LETTRES DE PIE XII AUX ÉVÊQUES ALLEMANDS 1939-1944*. J. Caspar, *LE PEUPLE DES SILENCIEUX*, Paris, 1994.

# HONORÉ D'ESTIENNE D'ORVES
## *QUAND LA CELLULE D'UN RÉSISTANT*
## *DEVIENT UN CLOÎTRE*

**• 15 NOV •**

28 AOÛT 1941. DANS LA PRISON DE FRESNES, UN JEUNE OFFICIER FRANÇAIS DE QUARANTE ANS ÉCRIT. Inlassablement. Comme il l'a fait depuis le début de sa captivité, huit mois plus tôt. Que faire d'autre dans la solitude ? Prier, lire les *Confessions* de saint Augustin, l'*Imitation de Jésus-Christ*, *Polyeucte*, et bien sûr la sainte Bible. Et le temps qui reste, avant de s'endormir, le consacrer à rédiger des lettres et des carnets à l'intention de sa femme et de ses cinq petits, Marguerite, Monique, Rose, Marc et Philippe, ce nouveau-né qu'il ne connaît pas. À la veille de son exécution, il veut leur dire ce qui l'a toujours fait vivre et au nom de quoi il va mourir.

L'homme s'appelle Honoré d'Estienne d'Orves. Il est né en 1901 dans une très ancienne famille provençale. Il est polytechnicien, marin et l'un des premiers soldats de la France libre. Le premier en tout cas à mourir pour elle sous les balles d'un peloton d'exécution. « *À cause d'espionnage* », lit-on sur les affiches des murs de Paris.

De sa cellule, Honoré écrit sur un cahier, lentement, comme on se souvient.

Quand il était à la prison du Cherche-Midi, il y a quelques mois, il a entrepris de raconter à ses enfants l'histoire de sa famille, pour qu'ils sachent qui ils sont et d'où ils viennent. Qu'ils n'en tirent nulle fierté, mais qu'ils connaissent les devoirs que leur condition leur impose : « Noblesse oblige. » Il faut faire vite, temps presse. Honoré leur a parlé de la foi chrétienne reçue de ses parents et de leur exemple. Il a raconté ses voyages, en Indochine, en Amérique du Sud, sur des navires baptisés *Jeanne-d'Arc*, *Suffren*, *Jules-Michelet*, des noms qui parlent de la France et de sa grandeur dans le monde. Il a la nostalgie de la mer, de l'horizon infini. Dans sa cellule, le voici réduit à quelques mètres carrés. Alors il s'efforce de revenir à l'essentiel. Il lit Valéry, Jules Vallès, Henry de Monfreid l'aventurier de la mer Rouge, et un essai sur Henri Bergson. Et puis Péguy, encore Péguy, où il découvre cette phrase, comme écrite à son intention : « *Mon Dieu, donnez-moi d'avoir envie de vous prier.* » Quand il n'a pas de lectures, pour s'occuper, il récite de tête ce qui lui revient de son enfance. « *J'ai cherché dans ma mémoire et je n'y ai trouvé que des prières.* »

Demain, les Allemands vont l'emmener, lui et ses camarades de résistance, au mont Valérien. Il le sait, il n'a pas peur. La peur est derrière lui. Il songe à la mort, celle de son frère chéri, François, emporté par une ostéomyélite en 1918, celle de son père alors qu'il était en mer, loin de la France. Ce qui l'a le plus chagriné, c'est de n'avoir pas pu être à son chevet. *« D'abord on n'a pas gardé le souvenir des derniers jours de l'être aimé. Et c'est pendant ces derniers jours où il est déjà tout près du ciel qu'il peut vous faire des recommandations qui portent. »* Qu'est-ce que la mort ? Un mur infranchissable quand on est seul, une espérance sans bornes quand on est avec Dieu.

Il se souvient encore de sa première communion à Nice dans la chapelle des oblats et de sa confirmation en présence de son parrain, le commandant Driant, auteurs de romans patriotiques sous le nom de Danrit, mort lui aussi héroïquement, à Verdun.

Il se souvient de 1914, de l'avancée des Allemands vers Paris, du départ de la famille d'Estienne d'Orves vers Dreux, puis Saint-Brieuc, sa cathédrale gothique et ses maisons du Moyen Âge. Puis de ses études au lycée Franklin à Paris : *« Il faut piocher littérature française, latin, mathématique et aussi prier Dieu pour la France »*, écrit-il aux enfants pour leur donner l'exemple. Dans sa famille, on est plutôt royaliste. On sait bien que l'Action française a été condamnée par le pape, que son chef, Charles Maurras, n'a pas la foi.

Mais l'on est fidèle à la mémoire ; à ces grands-pères nommés d'Autichamp et Suzannet, engagés aux côtés des princes quelque cent ans plus tôt. Alors on est pour le roi, sans excès, avec constance. Le jour de Pâques, il écrit à ses enfants : *« Demandez à Tante Félicie de vous donner le livre que ma grand-mère a écrit sur son grand-père : celui-ci par fidélité pour son roi est resté en prison pendant tout le Premier Empire. Au temps des croisades, les aïeux de votre maman ont tout abandonné pour aller libérer le tombeau de Notre Seigneur. »*

La seule chose qu'il ne leur dit pas c'est pourquoi lui, depuis presque un an, est séparé d'eux. Cela, ils l'apprendront de la bouche des compagnons de lutte et de souffrances de leur père, bien des années plus tard.

En juillet 1940, le lieutenant de vaisseau d'Estienne d'Orves est chef du 3e bureau de l'amiral commandant à Alexandrie. Quelques semaines plus tôt, un général réfugié à Londres a lancé un appel à continuer le combat. Le 10 juillet, avec quelques camarades, il décide de rejoindre de Gaulle. Après un périple par Port-Saïd et Aden, il rejoint l'Angleterre.

En octobre 1940, à défaut de pouvoir embarquer, il est nommé chef du 2e bureau de l'état-major, chargé des opérations sur le sol français, puis, en décembre, chef du service de renseignements de la France libre, aux côtés de Passy. Il devient agent secret sous plusieurs identités : Chateauvieux, du nom de l'une de ses aïeules, Keraudrun ou

> *Vos aïeux ont tout abandonné pour aller libérer le tombeau de Notre Seigneur.*

Jean-Pierre Girard. Très tôt, il décide de débarquer en France pour mettre sur pied une organisation de renseignements. En décembre, il accoste en Bretagne, à la pointe du Raz. « *Me voici de nouveau sur la terre de France* », s'écrie-t-il. Sait-il qu'elle sera prochainement son linceul ? Aidé d'hommes courageux et décidés, Maurice Barlier, Yan Doornik, André Clément, il crée le réseau Nemrod. Pendant un mois, en Bretagne et à Paris, où il prend contact avec la Résistance locale, le réseau récolte des informations sur la région et les transmet à Londres. Mais, le 19 janvier, son radio Alfred Gaessler, alias Georges Marty, livre à l'Abwehr le réseau du commandant d'Estienne d'Orves. Dans la nuit du 21 au 22 janvier 1941, celui-ci est arrêté dans la maison de ses amis Clément à Nantes, non sans avoir opposé une vive résistance. Sa mission d'officier des Forces françaises libres s'achève. Commence sa vie de témoin de la Vérité.

D'Estienne d'Orves est transféré à Berlin puis est interné à la prison du Cherche-midi, à Paris. Pendant le procès, à la cour martiale du Gross Paris, rue Saint-Dominique, il couvre ses hommes. « *Mettez tout sur mon compte autant que possible.* » Au président qui lui demande : « Connaissiez-vous les risques que vous couriez en acceptant cette mission ? », il répond : « *La mort est un aléa du métier d'officier.* » Par sa ténacité, il évite à des dizaines de personnes l'inculpation. Le 26 mai, il est condamné à mort avec neuf de ses cama-

rades, dont une femme. La sentence est confirmée le 28 mai par un tribunal militaire français.

Les condamnés sont renvoyés dans leur cellule pour attendre leur exécution. Honoré poursuit son chemin de croix : « *Depuis deux mois et demi je vis isolé, je n'ai rien d'autre à faire qu'à penser. Ma pensée va vers Dieu et c'est une prière.* » Au fil des jours, il retrouve les cantiques de son enfance. Un regret : on ne l'autorise pas toujours à aller à la messe. Une joie : l'aumônier allemand qui vient lui apporter la communion s'appelle l'abbé Franz Stock, un saint. Le prêtre est touché par la grandeur d'âme du prisonnier. Il lui fait découvrir les écrits de sainte Thérèse de l'Enfant-Jésus. Honoré d'Estienne d'Orves continue sa montée vers Dieu. Il écrit : « *Mes enfants, pour avoir le bon Dieu avec soi au jour du malheur, il faut lui avoir fait une place dans votre vie lorsque vous êtes heureux.* » En prison, il est « *celui qui croyait au ciel* », côtoyant parfois « *celui qui n'y croyait pas* », pour reprendre le vers d'Aragon. Ses compagnons d'infortune, il les exalte par son exemple et par sa joie. Il chante de vieux airs français, il fait chanter les autres.

L'échéance approche. Il se purifie. Le 4 juin, il écrit : « *Je n'éprouve aucune amertume vis-à-vis de ceux qui n'ont pas donné à leur action la même direction que moi, les circonstances n'ont pas été pour eux les mêmes que pour moi, et je suis sûr qu'ils n'ont eu comme moi qu'un but : la grandeur de la France.* » Et plus loin : « *Je pense à la vie éternelle que*

> « *Me voici de nouveau sur la terre de France.* »

*Dieu m'accordera, j'espère, je pense à mes parents que j'aurais un plaisir humain à retrouver.* » Dans le même temps il se confesse de n'être pas un saint, d'être encore attaché aux êtres de ce monde, à ses enfants, à ses compagnons de captivité.

La veille de son exécution, il écrit à sa sœur, lui donne des recommandations pour que des personnes arrêtées en même temps que lui et leurs familles soient secourues. Il assiste à sa dernière messe, célébrée par l'abbé Stock, qui témoignera plus tard de la ferveur surnaturelle du condamné. Le 29 août, un fourgon emmène d'Estienne d'Orves, Maurice Barlier et Yvan Doornik au mont Valérien. Ils sont assis sur leurs cercueils. Ils demandent à ne pas être attachés, à ne pas avoir les yeux bandés. L'abbé Stock leur donne sa bénédiction. Le capitaine de frégate Honoré d'Estienne d'Orves est exécuté le premier. Il meurt en criant : « *Vive la France !* ». La veille au soir, dans sa dernière lettre à sa sœur, il a eu ces paroles de louange : « *J'aurais pu être tué au moment de mon arrestation. Dans quel état moral serais-je mort ? Dieu m'a donné ces sept mois pour me rapprocher de lui. Qu'il en soit béni.* »

> *Il assiste à sa dernière messe célébrée par l'abbé Stock.*

SOURCES : *HONORÉ D'ESTIENNE D'ORVES : PIONNIER DE LA RÉSISTANCE*, Paris, 1999.

# OLIVIER MESSIAEN
## UN REGARD MUSICAL SUR LE CHRIST

**• 16 NOV •** 1940. DANS LA FORÊT DE NANCY, UN HOMME FUIT SUR UN VIEUX VÉLO AUX PNEUS À PEINE GONFLÉS. C'est la débâcle. Il n'y a plus rien à espérer : la France a perdu. Au détour du chemin où l'homme a engagé son deux-roues de fortune, des torches, des chiens et les casquettes de l'armée allemande lui font face. Il est pris. Arrestation, emprisonnement, Olivier Messiaen serre sur lui son sac de cuir. À l'intérieur, des partitions. Bach, Berg, la musique qu'il vénère. « Vous, donnez-nous votre sac ! – Jamais ! » Jamais ! non, il ne donnera pas son sac, le patrimoine qu'il tient sur son cœur ! L'Allemagne a donné à la culture beaucoup des pages qui sont dans son sac. Mais lui ne les rendra pas. Il n'y a plus de culture en Allemagne. C'est la propagande qui l'a remplacée.

Le voilà reparti. Camions, trains... Les fenêtres sont obstruées ; peu importe, Messiaen contemple la vie. Même sans liberté physique, il garde la liberté de l'âme qui vagabonde dans l'éternité.

« *Amen, que cela soit ! L'acte créateur.*
*Amen, je me soumets.*
*Que votre volonté soit faite.*

*Amen, le souhait, le désir, que cela soit que Vous Vous donniez à moi et moi à Vous !*
*Amen, cela est, tout est fixé pour toujours, consommé dans le paradis.* »

L'éternité. Ce thème le hante. Cette obsession n'a rien à voir avec son arrestation. C'est une contemplation métaphysique, une contemplation théologique qui s'impose à lui. Déjà, dans son deuxième cycle pour orgue, *Les Corps glorieux, sept visions brèves de la vie des ressuscités*, il avait étiré les frontières de l'espace et aboli l'unité des *tempi*. Il utilisait des valeurs ajoutées qui rompent la régularité des basses harmoniques et mélodiques sur lesquelles prennent place les longues mélodies grégoriennes qui s'élèvent jusqu'à l'éternité divine.

Il ferme les yeux... Les tuyaux des grandes orgues de l'église de la Trinité ont envahi de leur souffle sa pensée. *Dans la paix ensoleillée du Divin Amour...* Ses mains et ses pieds se sont mis en mouvement machinalement, parcourant un pédalier et des claviers imaginaires. Il n'a pas eu le temps de créer le cycle qu'il a composé. À peine l'avait-il achevé que la mobilisation l'avait enlevé à sa chère musique.

De car en train, Messiaen finit dans un stalag du centre de l'Allemagne. Là encore, il doit batailler pour garder sa sainte besace. La simplicité et la docilité dont il fait preuve lui valent rapidement un traitement de faveur. À sa demande, on lui fournit crayons et papier à musique pour qu'il puisse s'adonner à la composition. Quand il n'est pas pris par la musique, il aide ses camarades d'infortune à supporter cette détention difficile. Comme eux, il a froid et faim. Il lui arrive même d'être sujet à des hallucinations et à des synopsies : il voit des couleurs en entendant des sons. Mais la prière et la musique l'aident à ne pas sombrer dans la dépression. La force et la joie qu'il trouve dans son commerce musical avec Dieu l'aident à soutenir ceux qui l'entourent.

Loin de son épouse tendrement chérie, Olivier Messiaen songe aux strophes des *Poèmes pour mi,* dont elle a été la muse. Dans la douleur de la séparation, l'union des personnes, déjà élevée aux sphères de l'amour divin, se colore des parures d'un chant d'espérance.

« *Va où l'esprit te mène*

*Nul ne peut séparer ce que Dieu a uni*

*Va où l'esprit te mène*

*L'épouse est le prolongement de l'époux*

*Va ou l'esprit te mène*

*Comme l'Église est*

*le prolongement du Christ.* »

Dans l'épreuve de sa captivité, Messiaen éprouve pourtant une grande joie. Parmi les prisonniers, il rencontre trois instrumentistes. Un violoncelliste, un violoniste et un clarinettiste. Il sait déjà que la musique est la voie que Dieu lui a proposée pour le rencontrer. Elle va devenir le langage de la fraternité. Il compose pour eux un trio. Avec passion, il met son expérience et sa méditation au service de sa composition. Le trio est une réussite. Et la création de l'œuvre à lieu dans les... toilettes du stalag.

> *La musique va devenir le langage de la fraternité.*

Cette courte pièce qui aurait pu n'être qu'un passe-temps, destiné à distraire trois instrumentistes et un compositeur se morfondant dans leur prison, devient en fait la première pierre d'une œuvre beaucoup plus importante dans laquelle elle prend le titre d'*Intermède.* C'est la naissance du *Quatuor pour la fin des temps.* Avec ferveur et fébrilité, Messiaen compose cette ode à l'éternité divine. Contemplation mystique de l'univers divin transcrit pour lui et pour les hommes dans une musique où l'ange de l'apocalypse annonce, dans la deuxième pièce, la fin du temps. Comme pour ses œuvres précédentes, Messiaen n'hésite pas à rompre la régularité des temps. Il joue même sur des formes rythmiques non rétrogradables qui, comme les palindromes, peuvent se lire de droite à gauche ou de gauche à droite. *Louange à l'éternité de Jésus, louange à l'immortalité de Jésus.* Les mystères de l'incarnation et de l'éternité divines annoncent déjà ici les *Vingt Regards sur l'Enfant Jésus,* où, avec le compositeur, Dieu et sa création se plongeront dans une méditation contemplative en laquelle se mêleront joie et gravité.

Ses champs musicaux s'étoffent : jeux

de correspondances entre sons et couleurs, première intervention du chant des oiseaux qui résonneront, jusqu'à son *Saint François d'Assise*, dans son œuvre d'après-guerre. Pour Messiaen, la musique comme la littérature sont l'objet d'un travail stylistique au service du rendu le plus exact des intuitions ineffables de la méditation. Le compositeur ne supporte pas la médiocrité du langage musical utilisé par nombre de ses contemporains. Dans une critique qu'il a fait paraître dans la *Page musicale* du 17 mars 1939, il les fustigeait, écrivant d'une plume acerbe : « *Paresseux, les vils flatteurs de l'habitude et du laisser-aller, qui méprisent tout élan rythmique, toute variété, toute respiration, toute alternance dans l'art si difficile du nombre musical, pour nous servir, sur le plateau illusoire du mouvement perpétuel de vagues trois temps, des quatre temps encore plus vagues, indignes du plus vulgaire des bals publics, de la moins entraînante des marches militaires.* »

En 1942, Olivier Messiaen libéré rega-

> *Le compositeur ne supporte pas la médiocrité du langage musical de ses contemporains.*

gne la France, où il est nommé professeur d'harmonie au conservatoire de Paris. Le compositeur retrouvera également ses grandes orgues de la Trinité. Catholique fervent, il multipliera les pièces dont les titres évoquent sa grande quête spirituelle : *Visions de l'Amen, Trois Petites Liturgies de la présence divine, Et exspecto resurectionem mortuorum, Méditation sur le mystère de la Sainte Trinité...* Pourtant, assidu au travail, il restera d'une grande humilité dans sa tentative de transmettre une part de ses méditations et de sa foi, déclarant : « *J'ai essayé d'être un musicien chrétien et de chanter ma foi, sans y arriver jamais.* »

Cette modestie honore le musicien et le chrétien, mais ne reflète certainement pas l'ampleur et la beauté de son œuvre, tout empreinte du souffle divin.

Dès 1936, un chroniqueur des *Nouvelles littéraires*, André Georges, écrivait : « *Messiaen appartient à ce très petit nombre d'élus qui ont su voir et faire voir le Christ en musique.* »

SOURCES : P. Arnault, *MESSIAEN : LES SONS IMPALPABLES DU RÊVE*, Paris, 1999. C. Massip, *PORTRAITS D'OLIVIER MESSIAEN*, Paris, 1996. B. Massin, *OLIVIER MESSIAEN : UNE POÉTIQUE DU MERVEILLEUX*, Paris, 1999. H. Haldbreich, *OLIVIER MESSIAEN*, Paris, 1980.

# MAXIMILIEN KOLBE

### *IL N'Y A PAS DE PLUS GRAND AMOUR*
### *QUE DE DONNER SA VIE*

**• 17 NOV •**

ILS SONT ARRIVÉS À L'AUBE. DEUX VOITURES NOIRES ONT SURGI DE LA BRUME et se sont arrêtées devant l'entrée de pierres grises du couvent de Niepokalanov. Quatre hommes de la Gestapo en sortent et demandent à parler au père Maximilien Kolbe. Le gardien indique à voix basse la chambre du franciscain. Les policiers tambourinent à la porte du religieux, l'interrompant dans sa prière. Quand il leur ouvre, le père Kolbe reconnaît les hommes qui lui font face et qui l'arrêtent sans un mot. Il connaît leurs méthodes. Il ne proteste pas, prend sa bible et son chapelet, ramasse sa lourde cape, et s'éloigne entre ses bourreaux, dont les pas résonnent dans le silence glacé du couvent. Dans son regard, derrière ses lunettes rondes, ni haine ni étonnement.

Nous sommes le 17 février 1941. La neige est sale, et le ciel bas. La Pologne en cette saison n'est plus qu'un dégradé de gris. Un voile sombre s'est abattu sur l'Europe ; mais, si beaucoup d'hommes ont le cœur noir, celui du Père Kolbe n'est que lumière.

Jeté dans la prison de Pawiak, à Varsovie, avec quatre autres prêtres de Nie-pokalanov, le franciscain y est torturé avant d'être transféré au camp d'Oswie-cim (Auschwitz), en juillet 1941. Le prêtre connaît le sort de ceux que les nazis envoient vers le camp de la mort, entassés dans des wagons à bestiaux. Autour de lui, la souffrance, l'angoisse, le désespoir. Pour le père Kolbe, qui souffre depuis l'enfance de tuberculose, la mort est une compagne familière qu'il ne craint pas. Tout jeune, il a eu la révélation de son martyre et s'y est préparé. Il se confie à la Vierge Marie, à qui il porte une dévotion particulière. Au milieu de l'horreur, le père Kolbe envisage sa mort comme l'aboutissement d'une vie entièrement donnée à l'amour de Dieu...

Le père Maximilen-Marie Kolbe a quarante-sept ans lorsqu'il arrive devant l'entrée d'Auschwitz, où il lit comme ses compagnons d'infortune cette inscription tristement célèbre qui donne la mesure du cynisme des exterminateurs nazis : « *Le travail rend libre.* » Le travail, la liberté : deux mots qui ont marqué la vie de ce franciscain, docteur en philosophie, fondateur en Pologne de la Mission de l'Immaculée, communauté rythmée par la prière et un important travail d'édition. Le père Kolbe a même disposé de sa propre station de radio. Les nazis n'avaient évidemment pas la même conception du travail et de la liberté. Le couvent franciscain abrita près de deux mille juifs et autres réfugiés que le père Kolbe recueillait. Une *activité* qui ne pouvait que déplaire à l'occupant nazi.

Dès qu'ils passent le porche du camp, les hommes sont dépouillés de leur dignité d'êtres humains pour devenir de simples numéros. Le père Kolbe porte le matricule 16670. Il est affecté au camp de travail « Balice », dirigé par un SS sur qui « *la prêtraille agit comme un chiffon rouge* ». Il y effectue toutes sortes de travaux de force. Le plus pénible consiste à charger et décharger des cadavres jusqu'aux fours crématoires. Le père Kolbe s'abîme dans la prière jusque devant la fournaise. Un médecin protestant rapporte : « *Je dis à Kolbe que je ne pouvais plus croire en Dieu ; alors en y mettant tout son zèle, il chercha à me persuader que même ici, Dieu veillait réellement sur nous.* »

Le père Kolbe occupe une paillasse au rez-de-chaussée du bloc 18, l'un des vingt-huit blocs où sont réunis les prisonniers. Malgré la faim qui le tenaille et la maladie qui le ronge, le père Kolbe se dépense sans compter, toujours souriant, pour soulager les mourants et apaiser les âmes qui se sentent abandonnées. Il rend aux hommes leur honneur. « *Un prince parmi nous* », dira un témoin.

À la fin de juillet, Kolbe est déplacé au bloc 14, où l'on entasse les plus faibles.

Le 31, vers trois heures de l'après-midi, les sirènes se mettent à hurler. Un prisonnier s'est évadé. Les représailles sont vite annoncées : pour un prisonnier évadé, dix hommes sont condamnés à mourir de faim dans le *bunker* du bloc 11. Dix hommes à désigner parmi les six cents prisonniers du bloc 14. Six cents hommes, pétrifiés d'angoisse et d'horreur, attendent la sentence. Le commandant adjoint du camp, le SS Karl Fritsch, se charge de l'affaire, secondé par l'adjudant SS Palitch, qui devait un jour se vanter d'avoir tué plus de vingt mille personnes. Une référence, en quelque sorte.

Dix hommes sont *choisis*. L'un d'eux pleure en pensant à sa femme et à ses enfants qu'il laisse orphelins. Mais qui peut entendre la plainte de cet homme au milieu de tant de souffrances ? C'est alors qu'un prisonnier ose sortir du rang et s'avance vers l'officier SS, interloqué. Le père Maximilien Kolbe ôte son béret, et se met au garde à vous devant le commandant qui aboie : « *Qu'est ce qu'il veut ce cochon de Polonais ?* »

Le père Kolbe désigne alors de sa main le père de famille effondré, François Gajowniczek, et répond : « *Je suis prêtre catholique polonais ; je suis vieux, je veux prendre sa place, parce qu'il a femme et enfants...* » Le commandant, stupéfait, ne semble pas trouver alors la force de parler. Après un moment, d'un signe de la main et d'un seul mot : « *Sors !* », il ordonne à François Gajowniczek de retourner avec les autres détenus. Et le père Kolbe prend la place du condamné.

> Le père Kolbe s'abîme
> dans la prière jusque
> devant la fournaise.

Ce jour-là, deux choses extraordinaires se sont produites au camp de concentration d'Auschwitz. La première est qu'un homme a fait le douloureux sacrifice de sa vie en prenant la place d'un homme qu'il ne connaissait pas. La seconde est qu'un officier SS, reconnu pour son sadisme, a accepté ce marché.

On amène alors les dix condamnés au bloc 11, réservé aux interrogatoires et aux exécutions. On les déshabille, on les fait entrer nus dans une cellule de trois mètres sur trois, sans rien d'autre à l'intérieur qu'un seau hygiénique. Le geôlier en refermant la porte derrière eux lâche froidement ces quelques mots : « *Vous vous dessécherez comme des tulipes.* »

Les ravages de la faim et de la soif se font rapidement sentir chez ces hommes déjà très affaiblis par les mauvais traitements. Seul le père Maximilien semble résister, ne se plaignant jamais, réconfortant les uns et les autres, les entraînant dans la prière ou entonnant des cantiques qu'ils reprennent avec la ferveur du désespoir. Les SS eux-mêmes semblent impressionnés, mais laissent l'agonie poursuivre son cours irrémédiable.

Au quatorzième jour, veille de l'Assomption, il reste quatre survivants gisant sans connaissance dans la cellule, dont le

> *Au quatorzième jour, il reste quatre survivants.*

père Kolbe. Leur vie ne tient plus qu'à un souffle. On décide de les achever par une piqûre intraveineuse d'acide phénique. Le père Kolbe trouve encore la force de tendre son bras à son bourreau.

Le père Szweda, témoin de la mort du franciscain, rapporte : « *Quand j'ouvris la porte de fer, il avait cessé de vivre ; mais il me paraissait vivant. Le visage était radieux, d'une manière insolite, les yeux grands ouverts et fixés sur un point. Tout le visage était comme en extase. Ce spectacle, je ne l'oublierai jamais.* »

Exceptionnellement, on enferma le corps décharné de l'apôtre dans un sommaire cercueil en bois avant de le jeter dans la gueule du four crématoire. Ainsi finissait son pèlerinage terrestre.

Il fut canonisé par le pape Jean-Paul II le 10 octobre 1982, quarante-six ans après l'ouverture de son procès en béatification. Les théologiens se sont longtemps posé la question de savoir s'il fallait faire de Kolbe un saint confesseur ou un saint martyr. Le 17 octobre 1971, le pape Paul VI avait tranché en faveur de la béatification du père Kolbe comme saint confesseur ; le pape Jean-Paul II le canonisa comme martyr devant deux cent mille fidèles emplis de ferveurs, rassemblés sur la place Saint-Pierre le 10 octobre 1982, parmi lesquels François Gajowniczek.

SOURCES : Maximilien Kolbe, *CARNETS SPIRITUELS, NOTES DE RETRAITES ET MÉDITATIONS*, et *L'IMMACULÉE RÉVÈLE L'ESPRIT SAINT*. A. Frossard, « *N'OUBLIEZ PAS L'AMOUR* » : *LA PASSION DE MAXIMILIEN KOLBE*, Paris, 1987. A. Ricciardi, *MAXIMILIEN KOLBE, PRÊTRE ET MARTYR : SOURCES HISTORIQUES*, Paris, 1987. Jean-Paul II, *MAXIMILIEN KOLBE, PATRON DE NOTRE SIÈCLE*, Paris, 1982.

# ÉDITH STEIN

*DE LA PASSION DE LA PHILOSOPHIE
À L'AMOUR DU CHRIST, LE CHEMIN
DE CROIX D'UNE CARMÉLITE JUIVE*

**• 18
NOV •**

6 AOÛT 1941. DANS LE CEN-
TRE DE TRIAGE DE WESTER-
BORK, AUX PAYS-BAS, LA
CHALEUR EST ACCABLANTE.
Des mères effarées errent, un nourrisson
sur les bras, un fils, ou une fille, crampon-
nés à leurs jupes ; des femmes se tordent
les mains devant leurs petits assoiffés qui
gémissent. Assise devant une baraque, une
religieuse en grand habit de carmélite
berce à pleins bras un grand garçon qui
s'endort déjà, et que de longs sanglots soulèvent encore. Cette femme, aux gestes de
*pietà*, est le docteur en philosophie Édith
Stein, sœur Bénédicte de la Croix. Elle
est juive, comme tous ceux et celles que
la folie exterminatrice nazie rassemble là,
cette folie qui poursuit jusque derrière
les hauts murs des couvents les fils et les
filles d'Israël. Dans la Hollande occupée,
il a suffi que les évêques s'élèvent contre
le sort des Juifs pour que les occupants
décident l'arrestation de tous les religieux et toutes les religieuses d'origine
juive. C'est ainsi qu'Édith, qui a quitté
dès 1938 son couvent allemand de Cologne afin d'éviter à ses sœurs en religion
pressions et représailles, se retrouve
arrêtée comme Juive et catholique et

partage le sort de son peuple qu'elle n'a
jamais renié. Sa sœur, Rosa Stein, récemment convertie, qui l'a rejointe en
entrant dans l'ordre séculier du Carmel,
raflée elle aussi, est à ses côtés.

Allemande, Juive, philosophe, catholique, carmélite, Édith Stein est tout cela,
non point successivement, mais par accumulation, ou, plus exactement, par inter-
pénétration. Elle est née en 1891, septième
enfant de la famille, le jour de la fête du
Grand Pardon, Yom Kippour, cinquante
et une années plus tôt, à Breslau. Son père
est négociant en bois. Il meurt alors qu'elle
n'a pas deux ans. Sa mère, une femme
énergique, solidement ancrée dans la foi
juive, poursuit l'activité du commerce
familial en élevant ses sept enfants. Édith
se révèle très vite être une enfant très vive,
obstinée voire colérique. Dans le récit de
sa vie, elle note : « *Mais à l'intérieur, il y
avait un monde caché. Là, était retravaillé ce
que j'avais vu et entendu dans la journée* »,
mais cette vie intérieure, ajoute-t-elle, « *il
ne me venait même pas à l'esprit qu'on puisse
en parler.* » Une véritable personnalité est
déjà en gestation. Sept ans, l'âge de raison n'est pas un vain mot pour la jeune
Édith. Elle soumet son esprit aux exigen-

ces de la volonté et de la raison. On la dit « *intelligente* », on le répète même à l'envi. « *Il n'y avait presque plus d'explosion de colère, et j'acquérais déjà tôt, une si grande maîtrise de moi-même que je pouvais presque sans combat garder le même calme [...] ainsi, peu à peu, mon monde intérieur devenait plus clair, plus lumineux.* » Elle est toujours la meilleure élève de sa classe. Au cours de ses études supérieures, l'un de ses professeurs dit : « *Il y a d'abord Mademoiselle Stein, ensuite, un grand vide, après vient le reste.* » Cette supériorité, qu'elle supporte difficilement, la met à l'écart, « *Toute ma famille m'appelait "Édith l'intelligente", cela me causait beaucoup de peine.* »

À quinze ans, « *complètement lucide et par une libre décision, j'ai abandonné la prière* ». La surdouée est athée. Elle entre à l'université de Bres-lau à dix-neuf ans, s'intègre aisément à la vie étudiante et se bat pour les droits de la femme. Après quatre semestres, l'enseignement la déçoit, surtout les cours de psychologie où elle est la seule étudiante féminine, et dont le manque de rigueur la déroute. Attirée par le travail du philosophe Husserl, elle quitte Bres-lau pour l'université de Göttingen, où le maître enseigne. Elle est conquise. Edmond Husserl a créé la phénoméno-logie, une méthode philosophique qui se tourne « *vers les choses mêmes* », et qui s'efforce d'examiner les objets qu'elle étudie sans préjugés intellectuels ou conceptuels. Édith est passionnée, elle définit la méthode ainsi : « *Le regard se détourne du sujet et se tourne vers les choses :*

*la connaissance devient un recevoir qui retient ses lois des choses, et non pas une définition qui impose sa loi aux choses.* » Elle suit les cours de Husserl et se joint à un groupe de jeunes philosophes qui prolonge souvent les débats jusqu'au domicile du professeur. Elle fait la connaissance de Théodore Conrad et de son épouse, Hed-wige Martius, qui devient son amie et dira d'Édith : « *[Elle] était une phénomé-nologue-née. Son esprit sobre, clair, objectif, son regard sans dissimulation, son objectivité absolue la prédestinaient à cela.* » Notre phénoménologue va trouver un nouvel objet à observer. Elle rencontre le philosophe Max Scheler, qui la fascine par son génie, certes, mais aussi, parce qu'il est fervent catholique, « *C'était mon premier contact avec ce monde qui jusque-là, m'avait été complètement inconnu.* » La foi chrétienne devient « *un domaine de phéno-mènes pour lequel je ne pouvais plus rester aveugle* ». Elle ajoute : « *Et le monde de la foi se trouvait là devant mes yeux. Des êtres humains que je fréquentais chaque jour et que j'admirais y vivaient : au moins étaient-ils dignes d'une sérieuse réflexion.* » Édith est intriguée, mais point convaincue, sans doute n'est-ce ni par l'observation, ni par la raison qu'on devient croyant. Elle a du moins perdu quelques préjugés ratio-nalistes. En attendant mieux, ou plus, elle poursuit ses recherches sous la hou-lette de Husserl et prépare une thèse sur l'empathie quand la guerre de 1914 inter-rompt son travail. Elle s'épuise au ser-vice de la Croix-Rouge et finit en congé

> *Notre phénoménologue va trouver un nouvel objet à observer, la foi chrétienne.*

forcé. Depuis longtemps, elle sait qu'il ne suffit pas d'être intelligente et que la bonté est une qualité supérieure. Elle reprend sa thèse, conjointement à un travail d'enseignement, puis devient l'assistante de Husserl, et, le 6 août 1916, elle est reçue docteur en philosophie *summa cum laude*, elle a vingt-cinq ans.

Pendant les années qui suivent, elle voit plus de portes se fermer que s'ouvrir. Le poste d'assistante de Husserl est une impasse professionnelle ; un jeune homme pour lequel elle a eu quelque secrète tendresse se marie ; la montée d'un antisémitisme latent éloigne la perspective d'une chaire d'enseignement à l'université. 1920 est la pire année. *« Toute l'année, je restai à Breslau. Le sol me brûlait les pieds. Je subissais une crise intérieure dont les miens ne s'aperçurent pas [...] j'allais mal, bien sûr, à cause de ce combat intérieur que je traversais toute seule, sans aucune aide humaine. »* Et Dieu ? Il approche. Pendant l'été 1921, elle séjourne à Bregzabern chez Hedwige et Theodor Conrad-Martius. Un soir, Édith est seule dans la maison vide. *« Je pris au hasard dans la bibliothèque un livre volumineux, intitulé* Vie de sainte Thérèse *d'Avila, écrite par elle-même. Je commençai à le lire, fus aussitôt captivée et ne m'arrêtai plus avant la fin. Lorsque je fermai le livre, je me dis : Ceci est la vérité. »* Dieu a frappé à sa porte, elle ouvre pour toujours, c'est le Dieu chrétien, le Dieu de la croix. Édith n'a pourtant rien perdu de sa raison et court dès le matin acheter un missel et

un catéchisme. Comment cela s'est-il fait ? C'est le secret qu'elle partage désormais avec son bien-aimé, le Christ. Elle veut recevoir le baptême. On lui demande d'attendre et de s'instruire. Elle propose de passer un examen. La bonne élève est amoureuse : comment pourrait-elle échouer ? Elle est baptisée le 1er janvier 1922 et choisit les noms de Teresia et Hedwige. Reste à annoncer à sa mère ce que celle-ci va considérer comme une catastrophe. Mme Stein en effet prend la chose fort mal quand Édith s'agenouille devant elle et dit : *« Maman, je suis devenue catholique. »* La mère et la fille pleurent, Édith n'a pas le courage d'ajouter ce qu'elle sait déjà, elle veut devenir carmélite. Édith attendra onze années pour imposer à sa mère cette nouvelle épreuve, onze années pendant lesquelles elle sera enseignante à Spire dans un établissement tenu par des dominicaines. Après ses cours, elle poursuit son travail philosophique, traduit Newman et l'énorme *Questiones disputatae de veritate*, de saint Thomas d'Aquin. Paradoxalement, c'est l'arrivée de Hitler au pouvoir et les premières lois antisémites qui la conduisent au Carmel. Juive, elle est interdite d'enseignement. Elle n'hésite plus. Puisque sa vie publique s'achève, elle peut alléguer auprès de sa mère qu'elle ne sera pas plus loin dans un carmel que réfugiée dans un collège outre-Atlantique. Elle entre au carmel de Cologne le 14 octobre 1933. Elle s'y est si bien préparée pendant ses longues années de

> Édith s'agenouille devant elle et dit : « Maman, je suis devenue catholique. »

patience que son noviciat se déroule comme dans un rêve. Il semble même qu'elle rajeunisse. Elle rit beaucoup, ce qui n'était guère dans son tempérament. Car, enfermée dans les murs du carmel, Édith, qui devient sœur Bénédicte de la Croix, est libre, libre d'être enfin toute disponible à Celui qu'elle aime. Elle passe de longues heures devant le tabernacle et éprouve comme une infinie douceur à contempler Jésus et Marie. « *Le matin, lorsque j'arrive à la chapelle, que je regarde le tabernacle et la statue de Marie, et que je me dis à moi-même : Ils étaient de mon sang, vous n'avez pas idée de ce que cela me fait* », confie-t-elle. Car, si Édith est chrétienne, elle n'en reste pas moins Juive, et, si elle est religieuse, elle n'en est pas moins femme. Elle poursuit au carmel son travail philosophique. Dans *L'Ethos de la vocation de la femme*, elle parle tout à la fois de la femme comme mère : « *Chérir, protéger et garder, nourrir et faire grandir, voilà son désir naturel, authentiquement maternel.* » Elle décèle aussi dans la femme une disposition particulière au « *service sacré* » : « *Seul Dieu peut entièrement accueillir ce don de soi-même, et l'accueillir de telle sorte que l'homme n'y perd pas son âme mais la gagne. [...] Le don de*

> *Elle éprouve comme une infinie douceur à contempler Jésus et Marie.*

*soi sans réserve, qui sous-tend toute vie religieuse, est l'accomplissement suprême du travail féminin.* » Dans son dernier ouvrage, *Science de la croix*, elle s'interroge particulièrement sur le sort du peuple juif persécuté et médite : « *Qui pourra expier un jour ce qui a été fait au peuple juif au nom du peuple allemand ? Qui pourra changer ce péché horrible en bénédiction pour ces deux peuples ?* » Et sa réponse est une prière et une offrande. « *Ave crux, spes unica ! Salut, ô Croix, unique espérance !* »

En ce mois d'août, la croix se présente effectivement, elle est prête, elle ne se détourne pas. Le nazisme athée unit dans une même haine et confond dans un même destin, un unique sacrifice, la carmélite Bénédicte de la Croix et la philosophe juive Édith Stein. Le 7 août, le convoi part pour Auchwitz, la barbarie nazie, industrie exterminatrice anonyme, ne nous laisse rien d'elle, pas même un matricule, pas même une date de décès.

Sœur Bénédicte, lors de son arrestation avait pris la main de sa sœur en disant : « *Allons à notre peuple* ». Ensemble, elles allèrent aussi à Dieu.

Sœur Bénédicte de la Croix a été canonisée par Jean-Paul II, à Bonn, en 1998.

SOURCES : Édith Stein, *L'ÊTRE FINI ET L'ÊTRE ÉTERNEL, LE SECRET DE LA CROIX, CHEMINS VERS LE SILENCE, DE LA PERSONNE* et *PHÉNOMÉNOLOGIE ET PHILOSOPHIE CHRÉTIENNE*. P. d'Ornellas *et alii, ÉDITH STEIN, LA QUÊTE DE VÉRITÉ*, St-Maur, 1999. C. Feldmann, *ÉDITH STEIN : JUIVE, ATHÉE, MONIALE*, Paris, 1998. J.-M. Œsterreicher, *ÉDITH STEIN, UNE PHILOSOPHE JUIVE DEVANT LE CHRIST*, Paris, 1998.

# CHIARA LUBICH ET LES FOCOLARI

*POUR QUE TOUS SOIENT UN*

**• 19 NOV •**

ÇA Y EST. ÇA RECOMMENCE. LES SIRÈNES HURLENT ET IL FAUT DE NOUVEAU COURIR JUSQU'AUX ABRIS pour se protéger des bombes. En Italie, la ville de Trente tremble devant les avions ennemis et la population se cache.

Dans les abris, des jeunes filles se réunissent à chaque alerte autour de la Bible. C'est le seul bien qu'elles prennent avec elles, le seul qui vaille la peine d'être sauvé. Une jeune institutrice, Chiara Lubich, leur lit un extrait de l'Évangile. Et, alors que les bombes s'abattent, elles méditent sur le sens de l'Écriture. Chiara Lubich raconte : « *Nous nous sommes regardées en face et nous avons décidé : "Je suis prête à mourir pour toi. – Moi pour toi." Toutes pour chacune.* » Elles devinent bientôt le lien étroit qui unit la Parole à leur vie. Il ne faut plus seulement lire la Parole, il faut la vivre.

Le mouvement des Focolari, dit aussi « Œuvre de Marie », naît le 7 décembre 1943. Ce jour-là, dans le secret de son cœur, Chiara Lubich, la fondatrice, donne sa vie à Dieu. Les premières focolarines sont des laïques consacrées à Dieu. Mais, en 1948, une rencontre élargit le champ des Focolari. Le député et intellectuel socialiste Giordani se joint au mouvement et rappelle la vocation à la sainteté de toutes les personnes mariées, qu'il qualifie de « *véritable prolétariat spirituel* ». À partir de cette date, le mouvement prend une ampleur considérable car il appelle à lui toutes les vocations : célibat, sacerdoce, mariage... Les jeunes, les familles, les prêtres, tous sont invités à partager l'intuition de Chiara Lubich – aimer pour s'unir – fondé sur l'Évangile : « *Qu'ils soient un comme nous sommes un* » (Jn 17, 22). Pour parvenir à cette unité, le mouvement, entraîné par l'énergie de Chiara Lubich et sa foi capable de déplacer les montagnes, multiplie les initiatives : des centres de formation (*Mariapolis*) sont créés, des groupes nouveaux (Familles nouvelles, Générations nouvelles, Humanité nouvelle...) voient le jour. « *Mais vous êtes partout !* » s'exclame Jean-Paul II en rencontrant des Focolari pendant l'un de ses voyages au bout du monde...

Le mouvement des Focolari est un arbre vigoureux, aux multiples branches. Un arbre qui ne cesse de croître et de porter des fruits autour de lui. Il puise sa sève dans la lecture de l'Évangile et dans une piété toute filiale à la Vierge Marie. C'est en effet le grand manteau de Marie qui abrite les « *morceaux d'Église et d'humanité* » comme il abritait les villes, les châteaux, les églises et ses habitants dans l'iconographie chrétienne médiévale. Chaque membre des Focolari est appelé à imiter Marie, vierge et mère. N'est-elle pas celle qui, revêtue tout entière de la parole du Christ, propose au monde le modèle à suivre ? N'est-elle pas la mère de Jésus, la vierge bénie de Dieu, l'épouse fidèle, la Parole vécue ? Elle montre aux hommes comment « *engendrer le Christ autour de nous* ». Chiara Lubich dit encore : « *Toute femme qui veut réellement servir l'Église peut reconnaître en Marie son devoir-être.* » Chiara Lubich a toujours insisté sur le rôle de la femme dans l'Église et au cœur du monde. Elle ose même demander au pape Jean-Paul II s'il est possible d'inscrire dans les statuts du mouvement l'exigence d'avoir toujours une femme à sa tête. Il répond avec chaleur : « *Mais pourquoi pas ? Au contraire !* »

Si Marie est l'animatrice spirituelle du mouvement, c'est Jésus qui en fixe le programme : l'unité fraternelle et universelle. La carte de visite qui présente le mouvement au pape Jean-Paul II dit : « *Nous sommes une petite équipe qui aide l'Église à réaliser le programme que lui a indiqué Jésus : "Que tous soient un."* » C'est cela les Focolari : une équipe, au cœur de l'Église, respectueuse de sa hiérarchie, qui désire mettre Dieu à la première

> *C'est Jésus qui en fixe le programme : l'unité fraternelle et universelle.*

place. Le mouvement a pour but l'épanouissement d'une fraternité universelle autour de l'amour, synthèse de toutes les lois de l'Évangile. Mais il est question non pas tant d'agir par amour que d'être amour. « *Certains agissent par amour. D'autres en cherchant à être l'amour. Celui qui fait les choses par amour les fait de son mieux. Mais persuadé de rendre un grand service, à un malade par exemple, il l'importune parfois de ses bavardages, de ses conseils, de sa charité maladroite et accablante. Dommage. Il a peut-être du mérite mais l'autre en aura porté la charge. Et cela parce qu'il faut être l'amour.* »

Être témoin de l'amour, être l'amour qui unit... Mais comment être porteur d'unité dans la vie de tous les jours ? Chiara Lubich ne se contente pas de belles intentions. Elle agit et donne les moyens d'agir. Pour parvenir à l'unité, il faut passer par le dialogue, il faut s'ouvrir à l'autre. Chiara Lubich propose quatre lieux de dialogue : le monde catholique, dont l'Église est « une » ; le monde chrétien, qui doit s'unifier autour du Christ ; le monde des autres religions où il faut annoncer Jésus, le Fils de Dieu ; enfin le monde séculier où l'on doit promouvoir un idéal de fraternité.

L'amour de Dieu Père appelle chacun à être fils, à aimer le Père à son tour, à mettre en œuvre, jour après jour, sa première volonté, qui est que ses fils s'aiment. L'unité des chrétiens doit convertir le monde : « *Qu'ils soient un afin que le monde croie...* ». C'est cette espérance inconcevable et incompréhensible, alors même que l'Europe est déchirée par la guerre, qui a nourri Chiara Lubich pendant ces années sanglantes.

De l'unité, il n'y a qu'un pas vers l'œcuménisme. Chiara Lubich a très tôt ouvert son action aux autres chrétiens : les protestants, les anglicans, les orthodoxes, les évangélistes... Quand on a en commun le baptême, l'Évangile et l'Esprit Saint, la recherche de l'union est plus facile, et chaque chrétien peut témoigner de son appartenance à Dieu en pratiquant le commandement de Jésus : « *Aime ton prochain comme toi-même.* »

C'est également par l'amour que Chiara Lubich a apprivoisé les autres religions. Dans le mouvement des Focolari, l'annonce de l'Évangile passe par la vie. Il faut vivre l'amour, le faire rayonner autour de soi afin que chacun se demande quelle est la source de cet amour. Parce que la spiritualité des Focolari est centrée sur l'amour, valeur universelle, le dialogue est possible. Selon Chiara Lubich, la plupart des religions professent, sous des formes différentes, la « règle d'or » : « *Ainsi, tout ce que vous voulez que les hommes fassent pour vous, faites-le vous-mêmes pour eux.* » La voie de l'amour est ouverte à tous. Car chaque homme est appelé à aimer.

Chiara Lubich est écoutée, appelée, réclamée, au parlement européen, dans une mosquée de Harlem ou dans un temple bouddhiste. Les divers groupements qui sont rattachés aux Focolari comptent plusieurs millions d'adhérents et de sympathisants répartis sur la surface du globe. Celle qui recevra le prix de la Paix de l'Unesco prêche l'espérance partout où elle passe : « *"Soyez pleins d'espérance, j'ai vaincu le monde." Quand l'ennui, la lassitude ou la révolte nous intoxiquent et nous empêchent de réaliser la volonté de Dieu, il est grand temps de réagir. Avec Jésus, l'homme nouveau peut vivre constamment en nous. Alors se dissipe le brouillard qui étouffait notre âme. Quand les relents d'antipathie et de haine nous porteraient à juger ou à détester notre frère, nous devons laisser souffler l'esprit du Christ en nous.* »

Chiara Lubich a proposé à ses compagnons « *la Parole de Vie* ». Il s'agit de choisir une phrase de l'Évangile et de la vivre immédiatement et intensément pendant un mois. L'Évangile devient véritablement le code de toute une vie. Au jour le jour, il faut vivre cette phrase tirée de la liturgie du mois. « *Le monde a besoin d'une cure d'Évangile pour lui redonner la vie qui lui manque. Voilà pourquoi nous vivons la Parole de Vie. Nous l'incarnons en nous, au point de devenir des paroles vivantes.* » Pour nourrir la réflexion et la méditation des membres de sa fondation, Chiara Lubich publie articles et livres de spiritualité. *Parole de Vie* est diffusée à quatorze millions d'exemplaires, dans quatre-vingt-quatre langues, et même en bandes dessinées pour les plus jeunes !

« *Un charisme pour notre temps, un charisme simple et attirant. Car la charité est ce que notre religion compte de plus attrayant et*

> *La voie de l'amour est ouverte à tous. Car chaque homme est porté à aimer.*

*de plus simple : c'est l'essence même du christianisme...* », a reconnu Jean-Paul II au cours d'une visite au Centre international des Focolari. « *Nous avons besoin d'un programme d'amour... Et c'est votre foi, l'étincelle qui inspire tout ce qui se fait sous le nom de Focolari...* »

La grande originalité et la grande force de ce mouvement s'expriment dans sa spiritualité communautaire. Nul n'est seul, isolé, laissé à lui-même. L'unité est le mot d'ordre et chacun vit dans la communion d'esprit, de cœur et de biens. C'est l'ambition des Familles nouvelles qui veulent reproduire le modèle de la famille de Nazareth, et devenir des foyers vivants (d'où le nom Focolari, « Foyers ») dont la flamme ne doit jamais s'éteindre.

Le mouvement de Chiara Lubich, la jeune institutrice de Trente, est un témoignage extraordinaire de foi en Dieu et de foi en l'homme.

Ouvert à tous, il développe, dans une démarche d'humilité et de simplicité, un véritable réseau mondial d'amour et de fraternité. Implanté à Rome pour vivre dans l'unité de l'Église catholique, il n'en finit pas de rayonner, exaltant ce qu'il y a de plus beau en l'homme, sa capacité à aimer.

SOURCES : Chiara Lubich, *L'AVENTURE DE L'UNITÉ, ENTRETIEN AVEC FRANCA ZAMBONINI*, Paris, 1991, *LE CHRIST AU CŒUR DES SIÈCLES*, Paris, 1995, et *PAROLES POUR VIVRE*, t. I et II, Paris, 1980. M. Cerini, *DIEU AMOUR DANS L'EXPÉRIENCE ET LA PENSÉE DE CHIARA LUBICH*, Paris, 1992. *HISTORIQUE ET PRÉSENTATION DES FOCOLARI*, n°s 410-419, Paris, 1998-1999.

# LES FOUILLES
## ARCHÉOLOGIQUES
## À SAINT-PIERRE DE ROME
### *UNE BASILIQUE FONDÉE SUR LE ROC*

**• 20 NOV •**

« VENEZ VOIR, VITE ! » LE RUGISSEMENT, VOCIFÉRÉ À L'UNISSON PAR PLUSIEURS VOIX, TRAVERSE LA PÉNOMBRE SOUTERRAINE, se répercute le long des murs humides, et vient frapper les oreilles de Giovanni qui, à quatre pattes dans un boyau étroit, creuse minutieusement le sol. En entendant cet appel venu de l'autre bout du champ de fouilles, l'archéologue se redresse brusquement et, ce faisant manque de s'assommer. *Signore !* Il avait oublié que le plafond était si bas. Mais il ne perd pas de temps à se masser la tête, tant ce hurlement l'inquiète. Giovanni a toujours tendance à imaginer des scénarios catastrophe. Tandis qu'il accourt vers le lieu d'où est parti le cri, il ne peut s'empêcher de penser qu'un malheur est sûrement arrivé. Ses collègues ont besoin d'aide. Et dire qu'à quelques mètres au-dessus d'eux, des fidèles foulent tranquillement le sol de la basilique Saint-Pierre de Rome, des prêtres arpentent la nef en récitant leur bréviaire, ignorants du drame qui se noue si près d'eux ! Il est vrai qu'en cette sombre année 1942, ceux qui viennent se recueillir dans le calme de cet édifice somptueux, et savourer quelques instants le bonheur de se trouver dans un asile de paix, ont d'autres soucis en tête que le sort d'infortunés archéologues.

Giovanni traverse le plus vite possible la nécropole, en prenant garde à ne pas heurter du pied les tombes antiques qu'un travail patient est en train de mettre au jour. Enfin il atteint l'autre bout du chantier, et là, quelle n'est pas sa stupeur en découvrant ses collègues en train de s'embrasser et de se congratuler mutuellement, visiblement fous de joie ! Une flopée de mots peu aimables retentit alors sous les voûtes étroites ; Giovanni se met à traiter ces imbéciles de tous les noms d'oiseaux. « Lui avoir fait une frayeur pareille ! *Che vergogna !* »

Mais il s'interrompt soudain, car ses yeux se sont posés sur une humble colonnette brisée. Ce vestige vient d'être dégagé par ses camarades, et c'est cela qui provoque cette joie débordante. L'archéologue furieux comprend en un clin d'œil l'importance de la trouvaille, et il ne lui faut pas deux secondes pour passer de la colère à l'enthousiasme.

Cette colonne, insignifiante en apparence, appartient au « trophée de

Gaius ». Voilà trois ans que les archéologues cherchent sans répit cet édifice funéraire qui, selon des textes très anciens, a été élevé vers 150 après Jésus-Christ sur la tombe de l'Apôtre Pierre, cette tombe que le pape leur a demandé de retrouver, et qui est à l'origine du vaste chantier mis en place sous la basilique à la veille de la guerre.

> *« Le Saint-Père !*
> *Il faut le prévenir, vite ! »*

« Le Saint-Père ! Il faut le prévenir, vite ! » Les archéologues savent qu'il sera le premier à se réjouir. Pie XII est extrêmement impatient de connaître l'issue de ces travaux, dont le lancement a été l'un des premiers gestes de son pontificat. En février 1939, alors qu'il n'était encore que cardinal secrétaire d'État, Eugenio Pacelli avait donné l'ordre de creuser une sépulture provisoire pour le pape Pie XI dans les *Grotte Vecchie*, sous l'autel central de Saint-Pierre. Les ouvriers, stupéfaits, sont alors tombés sur une nécropole antique que personne ne s'était jamais soucié d'explorer.

Moins de trois semaines après cette étonnante découverte, le 2 mars 1939, Eugenio Pacelli est élu pape. Or, il y a longtemps qu'il désire que des fouilles scientifiques soient entreprises sous la basilique. La tradition rapporte, bien sûr, que le sanctuaire a été élevé à l'endroit même où est enterré l'Apôtre. Mais l'existence de sa tombe n'a jamais été démontrée avec certitude. Depuis un siècle, cependant, l'archéologie a connu un développement fulgurant. Elle a permis de mettre au jour des merveilles insoupçonnées, de découvrir des trésors que l'on croyait enfouis à jamais, et d'établir la vérité sur bon nombre de récits et traditions antiques.

Pie XII prend alors une décision audacieuse. Puisque l'on a maintenant les moyens de faire la lumière sur une question aussi importante, puisque l'on peut savoir si la basilique qui représente le cœur de la chrétienté est située ou non sur la tombe de la première pierre de l'Église, il n'entend pas reculer devant la peur d'une éventuelle déconvenue. Il sait que l'entreprise est risquée ; si les recherches restent vaines, si les archéologues doivent un jour conclure à l'absence d'une tombe qui pourrait être celle de Pierre, les attaques au sujet de la basilique iront bon train. Quoi ! Tant de faste, tant de splendeurs, tant de richesses pour un lieu qui, au départ, n'avait rien de sacré ! Les chrétiens ont toujours cru vénérer en ce sanctuaire la tombe de l'auguste martyr, et le verdict de la science pourrait dissiper dix-neuf siècles de ferveur en quelques mois !

Mais le pape ne craint pas d'accepter ce qui ressemble à un pari, car il est intimement convaincu que celui-ci ne peut nuire à la foi. De même qu'il va permettre à l'exégèse moderne de soumettre l'Écriture à un rigoureux examen, tant il est assuré qu'une interprétation critique de la Bible peut enrichir la lecture qu'en fait le croyant au lieu de la mettre en péril, de même, à ses yeux, les découvertes de la science dans le domaine de l'archéologie ne sauraient ébranler les fondations du christianisme. Pie XII est soucieux de voir appliquer ces ressources nouvelles à un problème qui concerne les racines mêmes de l'Église. « *N'ayez pas peur* » : cette exhortation du Christ, que les catholiques vivent de plus en plus à une époque où se déchaînent contre leur foi tant de passions contraires, Pie XII l'entend au moment où il lance les travaux sous la confession de Pierre. Il l'entend à nouveau quand, le 28 juin 1939, veille de la fête de saint Pierre et saint Paul, il se rend en personne sur le chantier pour encourager les archéologues. À cette date, quoique l'on fouillât sans relâche, rien n'a encore été découvert.

C'est pour cette raison que la joie est si grande en cette journée de 1942, dans ces souterrains obscurs, dont le visiteur qui fait le tour de la basilique ne pourrait soupçonner l'existence sous ses pieds.

Le pape est donc aussitôt mis au courant. Sans plus attendre, Pie XII annonce publiquement : « *Les pierres parlent.* » Reste à savoir ce qu'elles s'apprêtent à dire ; les archéologues vont les écouter huit ans encore. Les fouilles dégagent une rue entière de la nécropole, qui va d'est en ouest, du milieu de la nef jusqu'à l'autel principal. C'est à cet endroit que se trouvent les tombes les plus humbles du cimetière. Au-dessus d'elles passe un mur rouge, élevé vers l'an 160 pour étayer un chemin qui menait au sommet de la colline vaticane.

> *Pie XII annonce publiquement : « Les pierres parlent. »*

Or, ce mur enjambe soigneusement l'une de ces tombes de pauvres, comme si l'on avait tenu à la respecter. C'est elle qui est ornée de la colonnette brisée découverte en 1942, et à l'étude de laquelle les archéologues se consacrent dès lors avec une attention immense. À l'évidence, il s'agit bien du fameux « trophée de Gaius ». Le *Liber pontificalis* raconte l'édification d'une « *memoria* » sur l'emplacement de la tombe de Pierre. Vers l'an 200, le prêtre Gaius, pour affirmer la supériorité de la tradition romaine et clouer le bec à un hérétique, faisait allusion à ce monument en écrivant : « *Je peux te montrer les trophées des Apôtres. Si tu veux aller au Vatican et sur la route d'Ostie, tu trouveras les trophées de ceux qui ont fondé cette Église.* » Cette humble tombe se trouve bien à l'aplomb de la « confession de Pierre », à l'endroit même où, au IV^e siècle, Constantin avait voulu poser le centre de la basilique sur la foi des dévotions traditionnelles.

Ainsi parée, la tombe retrouvée porte toutes les traces d'une vénération très ancienne. Le sol qui l'environne est pavé de mosaïque, le nom de « Pierre » est gravé sur l'enduit rouge du mur qui lui sert de fond. On trouve autour de la sépulture un nombre impressionnant de *graffiti* ; à la fin du III^e siècle et au début du IV^e siècle, des fidèles ont inscrit là le nom de leurs familles et l'objet des prières qu'ils adressaient à Pierre et à Paul comme autant d'*ex-voto*. Chacune de ces découvertes conforte progressivement les archéologues dans l'idée qu'ils ne sont pas sur une fausse piste.

Enfin, en 1950, lors de son message de Noël, le pape confirme solennellement à la radio : « *La tombe du prince des apôtres a été retrouvée.* »

Le doute n'est certes pas dissipé quant aux reliques elles-mêmes. « *On a retrouvé au bord du sépulcre des restes d'ossements humains. Ont-ils appartenu à la dépouille mortelle de l'apôtre ? Il n'est malheureusement pas possible de le prouver avec certitude. Cela laisse cependant intacte la réalité historique de la tombe.* » Pie XII n'a pas à regretter d'avoir relevé le défi que la science lançait à la foi. La basilique Saint-Pierre est bel et bien construite sur la sépulture de celui à qui le Christ avait déclaré : « *Tu es Pierre, et sur cette pierre je bâtirai mon Église.* »

> *Au début du IV^e siècle, des fidèles ont inscrit là le nom de leur famille comme autant d'ex-voto.*

SOURCES : J. Maury et R. Percheron, *ITINÉRAIRES ROMAINS*, Paris, 1958. P.-Y. Fux, *LES PORTES SAINTES*, Paris, 1999. J.-E. Walsh, *LE TOMBEAU DE SAINT PIERRE*, Paris, 1984.

# LA ROSE BLANCHE DE MUNICH
## *QUAND DES PETITS POUCETS*
### *DÉFIENT L'OGRE NAZI*

**• 21 NOV •** À MUNICH, EN 1943. SOPHIE SCHOLL REGARDE LE SOLEIL QUI INONDE SA CELLULE ET PAVOISE HAUT DANS LE CIEL, insensible à la souffrance des hommes. Elle n'a pas vingt-trois ans et, dans quelques heures, elle va mourir, condamnée à mort pour haute trahison. Mais, pour l'heure, la jeune fille prend tranquillement son petit déjeuner. Quelque temps plus tôt, elle a écrit dans son journal : « *Tout homme ne doit-il pas, en quelque temps qu'il vive, se tenir prêt à comparaître devant Dieu ?* » Or, aujourd'hui, Sophie Scholl se sent prête. Elle marche vers ses bourreaux l'âme en paix. Avec elle se trouvent son frère Hans Scholl, vingt-cinq ans, et leur ami Christoph Probst. Les trois jeunes gens ont eu le seul tort de militer contre la folie nazie, qui jour après jour défigure leur Allemagne chérie. L'Allemagne de Goethe et de Schiller, des poètes et des grands philosophes, l'Allemagne des musiciens et des humanistes, l'Allemagne qui n'est plus qu'un monstre qui dévore les siens, l'Allemagne qui assassine ses propres enfants.

Dans sa cellule, Sophie attend la mort, elle est sereine. Les souvenirs affluent. Les plus insignifiants se mêlent à ceux des heures graves. Elle se souvient de cette douce nuit de mai, la veille de ses vingt et un ans. Elle revenait de six mois de « service auxiliaire », qui avaient succédé à six autres interminables mois de « service de travail ». La liberté... Ce soir-là, en ouvrant sa valise, et en caressant l'exemplaire des *Confessions* de saint Augustin, qu'elle avait réussi à cacher, bravant ainsi l'interdiction de posséder des livres, Sophie croyait que le monde lui ouvrait grand les bras. Bientôt, elle commencerait des études de philosophie. Elle irait rejoindre à Munich son grand frère Hans, qui étudiait la médecine. Sophie avait ouvert son livre, son cher trésor, et lu cette phrase du grand saint qu'elle aimait tant : « *Tu nous as créés pour que nous allions à toi, et notre cœur est inquiet, jusqu'à ce qu'il repose en toi.* » Pourtant, son cœur était inquiet, ce soir-là. Elle avait l'impression de ne plus rien comprendre à ce monde, ce monde déchiré par la guerre, ce monde dévasté par la folie des hommes, ces hommes qui portaient en eux la merveilleuse capacité de s'aimer les uns les autres, et ne savaient que faire le mal. Des écrivains parmi ses préférés s'étaient enfuis, des juifs de ses amis et certains de ses professeurs, qui n'adhéraient pas au national-socialisme, avaient été déportés. Son propre père, pour quelques mots imprudents contre le Führer, avait été quelque temps jeté en prison. Elle pensait à son frère Hans et à son autre frère mobilisé sur le front russe. Comme elle aurait voulu les avoir auprès d'elle, pour son premier soir de liberté ! « *Ils sont dans la main de Dieu* », s'était-elle dit, cette nuit-là. Demain, elle vivra cette phrase dans toute sa réalité.

Elle se souvient de son voyage jusqu'à Munich, le lendemain, pour retrouver Hans, et fêter son anniversaire avec lui. Elle avait emporté une bouteille de vin, et un gâteau. Il semblait lui pousser des ailes. Quand Hans était venu la chercher à la gare, elle lui avait sauté au cou. Quelle joie de le retrouver ! Pour lui faire une surprise, il avait organisé une petite fête avec quelques-uns de ses amis, dans sa chambre d'étudiant. Assis par terre, ils avaient joyeusement discuté, ils avaient fait honneur à son gâteau. Un des amis de Hans, Christoph, eut l'idée de lire des poèmes sans citer les auteurs pour que les autres les devinent. Hans s'était alors levé, enthousiaste. « *Et maintenant, attention ! ce que je vais vous proposer est extrêmement difficile.* » Il avait tiré de son portefeuille une page tapée à la machine et commencé la lecture :

« *De sa caverne sombre*
*Le larron part rôder ;*

*Il veut voler de l'or*
*Et trouve mieux encore*
*Une vaine querelle*
*Des théories de fou*
*Des drapeaux déchirés*
*Un peuple à la dérive...* »

Tous étaient restés silencieux et se regardaient, ne sachant que dire. Christoph s'était exclamé : « *C'est parfait !* » Alexander Schmorell, un autre ami de Hans, avait renchéri : « *Épatant, Hans, tu dois le dédier au Führer, et lui envoyer pour son anniversaire.* » Tous avaient cherché en vain le poète contemporain qui avait écrit ses vers, jusqu'à ce que Hans révèle : « *Ce poème a cent ans. L'auteur en est Gottfried Keller.* » Quelqu'un alors avait dit – mais Sophie, étrangement, ne se souvient plus de qui il s'agissait – : « *C'est encore mieux : on peut donc le faire imprimer sans avoir de droits à payer, et le répandre dans toute l'Allemagne.* »

Sophie se lève et se dirige vers la petite ouverture de sa cellule. Derrière les barreaux, un coin de ciel bleu se détache. Ce ciel que, bientôt, elle ne verra plus. Sophie sourit en repensant à ce soir de mai 1942. Ils avaient bien fini la soirée, dégustant le vin dans le jardin. Alexander avait apporté sa balalaïka et s'était mis à chanter. Hans jouait de la guitare et son ami Willi sifflait entre ses doigts. La nuit, subitement, leur appartenait. Jamais, songe Sophie, ils n'avaient été plus libres et joyeux que ce soir-là.

Sophie s'était ensuite installée à Munich pour commencer ses études de philosophie. Cela faisait six semaines

*Assis par terre, ils avaient fait honneur à son gâteau.*

qu'elle y habitait quand un événement extraordinaire se produisit à l'université. Des tracts circulaient. Les étudiants semblaient exaltés. Elle ramassa une feuille de papier ronéotypé et lut : « *Les tracts de la Rose blanche. Il n'est rien de plus indigne que de se laisser, sans résistance, régir par l'obscur plaisir d'une clique de despotes. [...] Où que vous soyez, organisez une résistance passive – la Résistance – et empêchez que cette grande machine de guerre athée continue de fonctionner.* »

Sophie se souvient d'être restée pétrifiée à la lecture du tract. Hans... Son frère avait osé ! Cela ne pouvait être que lui. Toutes ses idées, tout ce qu'il pensait de la dignité de l'homme et de la monstruosité du régime nazi, tout cela était repris mot pour mot dans ce tract. Quelques jours plus tard, en effet, Sophie en reçoit la confirmation. Alors, elle entre à son tour en résistance.

La folle aventure commune commence. Avec leurs amis – Christoph Probst, Willi Graf et Alexander Schmorell, rejoints plus tard par l'un des professeurs de Hans, Kurt Huber –, Hans et Sophie inondent Munich de tracts de la Rose blanche. Tous – excepté Christoph, en quête de vérité – sont viscéralement croyants. Tous partagent la même conviction qu'en l'être humain cohabitent deux forces opposées : une force morbide qui, si elle est flattée, sème la mort et la désolation, et une force rayonnante, qui, parfois, peut amener l'homme à dépasser ses limites, ses faiblesses.

> *Hitler flatte les bas instincts de l'homme, il le ravale au rang de bête.*

Hitler flatte les bas instincts de l'homme, il le ravale au rang de bête. Eux, au contraire, veulent appeler l'homme à se révolter, lui montrer qu'il n'est pas un monstre, mais un être de lumière, créé à « *l'image et à la ressemblance de Dieu* ».

Très vite leur action s'intensifie. Ils multiplient les tracts, les répandent dans toutes les villes d'Allemagne du sud. Tandis que, devant la débâcle qui s'annonce, les journaux allemands titrent « *La haine est notre prière* », la Rose blanche sème au vent sa bonne parole. « *On ne peut pas discuter du nazisme, ni s'opposer à lui par une démarche de l'esprit, car il n'a rien d'une doctrine spirituelle. [...] Depuis la mainmise sur la Pologne, trois cent mille juifs de ce pays ont été abattus comme des bêtes. C'est là le crime le plus abominable perpétré contre la dignité humaine, et aucun autre dans l'histoire ne saurait lui être comparé... Chacun rejette sur les autres cette faute commune, chacun s'en affranchit et continue de dormir, la conscience calme. Mais il ne faut pas se désolidariser des autres, chacun est coupable, coupable, coupable. [...] Serons-nous pour toujours le peuple le plus haï de tous, exclu du monde ? [...] La fin sera atroce mais, si terrible qu'elle doive être, elle est moins redoutable qu'une atrocité sans fin.* »

Ils sont relayés par les étudiants de Hambourg, de Fribourg, de partout. C'est le temps des semailles pour que jaillisse la liberté. La Gestapo, tel un ogre monstrueux, a ramassé quelques-unes de ces graines et recherche activement ces petits Poucets qu'elle se promet de dévorer. Prévenus, les jeunes gens redoublent d'ardeur. Ils savent leur temps compté. Stalingrad a donné sa première défaite amère à cette Allemagne nouvelle qui devait durer mille ans. Le doute s'insinue dans les esprits. Les exactions, la répression et la violence s'exercent de plus belle sur les Allemands, qui souffrent aussi des bombardements alliés. Il faut faire vite. Sur les murs de l'université de Munich, les membres de la Rose blanche ont écrit : « *À bas Hitler* » et lancé des tracts qui appellent à la révolte. Le vent tourne. Ils sentent la victoire s'annoncer comme un printemps précoce. Pressés d'accélérer le mouvement de l'histoire, ils commencent à prendre des risques, multiplient leurs interventions en tous lieux, parfois de jour, parfois même à visages découverts.

18 février 1943. Sophie se souvient de cette journée funeste. Pourtant elle ne regrette rien. Frère et sœur se dirigeaient vers l'université une valise bourrée de tracts à la main. Juste avant l'ouverture des amphithéâtres, ils déversent leur chargement du haut des escaliers, sous l'œil aiguisé du concierge qui s'empresse de fermer toutes les issues et d'alerter la Gestapo. Un homme simple, le concierge, un homme de devoir et d'ordre.

*Ils déversent leurs tracts du haut des escaliers.*

Hans et Sophie sont faits prisonniers sur-le-champ, ainsi que Christoph Probst quelques heures plus tard. En prison durant les interrogatoires, séparés, Hans et Sophie d'une même voix s'accusent de tout pour décharger leurs amis. Le premier interrogatoire dure toute la nuit. Sophie se souvient de l'homme qui l'interrogeait. Il a essayé de la raisonner, lui expliquant à quel point la Rose blanche a atteint les forces allemandes. Il lui a dit : « *Mademoiselle Scholl, si vous aviez su tout ce que je viens de vous expliquer, si vous aviez réfléchi, vous ne vous seriez pas laissée aller à de tels agissements.* » Sophie est encore heureuse de lui avoir répondu : « *Vous vous trompez, je recommencerais tout exactement, car ce n'est pas moi, mais vous, qui avez une mauvaise conception de la politique.* »

Les interrogatoires reprennent, incessants. Mais Sophie reste ferme dans ses convictions. Seule l'arrestation de Probst l'a ébranlée. Lui, un père de famille de trois enfants, lui qu'elle aime comme un frère.

L'acte d'accusation condamne sans ambiguïté Sophie et Hans à la mort. « *Quel beau jour*, dit la jeune fille en en prenant connaissance, *quel soleil magnifique, et moi qui vais mourir. Mais combien de jeunes gens, de garçons pleins d'espoir, sont tués sur des champs de bataille... Qu'importe ma mort, si grâce à nous des milliers d'hommes ont les yeux ouverts.* » Christoph Probst, s'étant converti intérieurement depuis longtemps à la foi catholique, demande le baptême et écrit à sa mère : « *Si je ne me trompe pas, c'était la seule façon d'aller à Dieu.* »

Ils sont prêts.

Les gardiens, qui avouent n'avoir

jamais rencontré de jeunes gens aussi courageux et dignes, réussissent à les réunir une dernière fois quelques minutes avant de mourir, en dépit du règlement. La dernière cigarette. La dernière étreinte. « *Dans quelques minutes nous nous reverrons dans l'éternité* », leur dit Christoph. La première à atteindre cette éternité est Sophie. Le deuxième est Hans qui, la tête sur le billot, crie « *Vive la liberté !* », suivi de Christoph. Quand tout est terminé, l'aumônier tourne son regard vers le ciel et dit en montrant le soleil couchant : « *Il y aura aussi une aurore.* »

Les jours suivants, Willi Graf, Kurt Huber et Alexander Schmorell sont arrêtés et condamnés à mort eux aussi. Mais leur voix ne s'est jamais éteinte. Et la Rose blanche ne s'est jamais fanée.

SOURCES : I. Scholl, *LA ROSE BLANCHE DE MUNICH*, traduction française, Paris, 1955. A. E. Dumbach et J. Newborn, *WIR SIND EUER GEWISSEN. DIE GESCHICHTE DER WEISEN ROSE*, Stuttgart, 1988. H. Steffahn, *DIE WEISE ROSE MIT SEBSTZEUGNISSEN UND BILDDOKUMENTEN*, Hambourg, 1992.

# ALFRED STANKE

## *UN FRANCISCAIN*

### *SOUS L'UNIFORME ALLEMAND*

**• 22 NOV •**

POURQUOI AVOIR ÉTÉ À CE POINT NAÏF ? À PRÉSENT, SON CORPS BRISÉ N'EST QUE PLAIES, ses membres n'éprouvent plus qu'une douleur lancinante, son esprit semble lui échapper, son cerveau est taraudé par des élancements qui se fraient un chemin jusqu'au plus intime de lui-même. Pourquoi est-il venu spontanément dans cet antre de la Gestapo ? Pourquoi s'est-il livré de son propre gré dans l'espoir fou de faire libérer son frère Yves, pris en flagrant délit d'espionnage sur un aérodrome militaire allemand ?

La nuit est tombée sur la prison de Bourges. Une nuit chaude d'été, qui s'étend comme un manteau de paix sur ce bouge de sadisme et de tortures. Une obscurité qui est déjà comme un linceul. Marc ne parvient toujours pas à fermer l'œil. Comment le pourrait-il d'ailleurs, enfermé dans cette cellule à ce point étroite qu'il peut à peine s'y tenir debout ? Un épuisement absolu envahit son être brisé par les coups... Yves n'a-t-il pas raconté n'importe quoi sur eux deux, de sorte que les Allemands croient détenir en Marc le chef suprême de la résistance de ce coin de France ? Un instant, Marc a croisé Yves dans les couloirs et ses yeux tuméfiés ont plongé dans ceux de son frère, y lisant un immense désespoir. Mais il ne lui en veut pas.

Pendant des heures, les Allemands se sont acharnés. Le déchaînement des fauves, l'abandon de toute humanité, le ravalement au rang de bêtes sauvages. Et ces cris incessants, leurs cris, leurs ordres, leurs injonctions hurlées à l'oreille : « Parle ! Avoue ! » Silence. Les coups pleuvent. Et dans un raffinement de torture psychologique : « Ton frère, lui, nous a tout dit. Tu entends, il t'a lâché. Lâché, trahi. » Silence. Nouvelle violence verbale. « Ton frère ! Ton propre frère ! » Se taire, résister, serrer les dents. Ne pas céder. « Tiens, voilà Paoli, tu le connais. » Nouveau silence. « Hé ! Paoli ! viens un peu par ici, un client pour toi ! » La terreur étreint Marc. Brutale, incoercible. Tout, sauf ce bellâtre de vingt-deux ans, un traître qui, pour plaire à ses maîtres, a mis au point les tortures les plus raffinées. Et de nouveau les coups... Enfin, on le ramène dans sa cellule.

Souffler, se laisser aller. Faire le vide dans son cerveau, malgré la douleur, parfois fulgurante, qui sourd de tout le corps. Songer, l'espace d'un instant, que les aveux n'ont pas été signés, que ces lignes qui vous condamnent au peloton d'exécution n'ont pas été paraphées, que l'on a tenu bon, on ne sait trop comment. Que l'on va vivre. Mesurer sa fragilité, sa vulnérabilité. Se méfier de tout ce qui peut arriver, de toute entrée dans la cellule, de toute parole. Marc n'a que trop envie de parler avec quelqu'un, de se confier, de briser cette insoutenable solitude de souffrance dans laquelle il est enfermé. C'est le piège suprême, il le sent, le dernier que les tortionnaires lui tendent. Le repos risque de le voir confier ce que les coups n'ont pu lui arracher. Rester vigilant, indéfiniment, toujours, même durant son sommeil.

La porte s'entrouvre doucement. Marc voit le rai de lumière s'agrandir lentement et un uniforme allemand apparaît.

– Ne bougez pas, ne dites rien, je suis un infirmier allemand, frère Alfred, de l'ordre de saint François, je suis là pour vous soigner, vous réconforter, vous soulager.

L'astuce suprême, la lâcheté absolue, la parodie de Dieu pour extorquer les aveux. Ah ! se taire, détourner le regard, supplier qu'on le tue tout de suite s'il le faut, là, d'une balle dans la tête, mais qu'on le laisse tranquille !

Alors, Alfred entreprend d'apprivoiser Marc. Il est habitué à cette réaction de la part des prisonniers. C'est lui qui implore la confiance, l'écoute, l'abandon. Il parle de son état de franciscain, montre son chapelet, récite ses prières. Mais, ce qui emporte l'adhésion, c'est son visage. Les mots peuvent mentir, les yeux non. Et ceux d'Alfred irradient la bonté. Tout, d'ailleurs, dans ce

> *Qu'on le tue d'une balle dans la tête, mais qu'on le laisse tranquille.*

corps arrondi comme un tonneau, qui se déplace avec la gaucherie des adolescents, respire la paix. Et Alfred convainc les plus endurcis.

Ainsi, dans cet enfer de la Gestapo, là où sévit l'un des pires bourreaux que la France de Vichy a produit, Dieu a mandaté un humble franciscain allemand pour y secourir les torturés, les désespérés, les sans-famille, les laissés-pour-compte, les condamnés à mort. Et il sait y faire, ce petit homme bedonnant.

Son organisation est parfaitement méthodique. Il n'a aucune peine à remplacer ses camarades gardiens allemands pendant la nuit. Ne leur laisse-t-il pas miroiter le plaisir de boire du champagne en compagnie de jolies Françaises dans les cabarets de Bourges ? Cette perspective n'est-elle pas préférable à celle d'une garde solitaire ? Alfred devient alors le maître de la nuit. Pendant quelques heures, la prison de Bourges est son domaine. Elle vit au rythme de la compassion. Alfred visite les torturés du jour, il les réconforte, les conduit à l'infirmerie sous l'œil complice des gardiens français, leur prodigue les premiers soins, prépare avec eux leur défense, prie avec eux, soutient ceux qui partiront dans la nuit pour être fusillés. La religion d'Alfred est simple : là où quelqu'un souffre, il accourt.

Quand l'aube pointe et que les équipes de jour prennent leurs quartiers, Alfred vaque à ses occupations extérieures. Il visite les familles des prisonniers, monte fréquemment à Paris en train, sur ses propres deniers, se charge de lettres, de messages, de colis de victuailles qu'il distribue nuitamment. Tout cela avec la plus parfaite sérénité d'âme, comme s'il ne se doutait pas des risques insensés qu'il prend. La moindre de ses initiatives pourrait lui valoir le conseil de guerre et la mort dans les pires souffrances. Aider un prisonnier, qui plus est, un résistant ou un terroriste, est un crime capital dans l'univers carcéral nazi. Alfred sait tout cela, mais il ne s'en soucie même pas. « *Demain se souciera de lui-même.* » Il laisse donc cette question à Dieu. Lui se préoccupe seulement d'être fidèle à sa vocation, ce qui ne l'empêche pas d'être rusé comme un renard.

Cette nuit-là, Alfred se lie d'amitié avec Marc Tolédano. La sauvagerie des tortures dont celui-ci a été victime l'a particulièrement ému. Après avoir gagné sa confiance, il le conduit à l'infirmerie. Marc souffre le martyre. Alfred lui fait quelques pansements, lui donne enfin à boire, le force à s'alimenter quelque peu. Trois heures plus tard, le prisonnier regagne sa cellule. Ce jour-là, il n'est pas interrogé. Mais la fièvre s'empare de lui. Il délire pendant des heures. C'est à peine s'il reconnaît le frère Alfred, venu lui administrer de nuit des médicaments, grâce à la bienveillance d'un gardien français. Naturellement, Alfred n'est pas long à comprendre le fond de la situation. Le désespoir d'Yves qui se ronge les sangs à l'idée de ce que ses dires ont coûté à son frère lui fait pitié. Alfred comprend que la tactique d'Yves, qui raconte tout et n'importe quoi, ne sert strictement à rien.

> *Aider un prisonnier est un crime capital dans l'univers carcéral nazi.*

Déjà, les Allemands le soupçonnent de débiter mensonge sur mensonge, ce qui ne fait qu'accroître leur rage aveugle. Il est urgent de l'amener à changer de tactique. Sur ce point cependant, Alfred se heurte à ses limites : sa connaissance du français est plus que rudimentaire et son allemand n'est qu'un patois à peu près inintelligible. Qu'à cela ne tienne. Il a en son temps secouru un prêtre d'origine suisse, l'abbé Barut, pendant son incarcération. Sitôt son service achevé, Alfred se précipite chez son ancien ami. Le soir même, l'abbé Barut est introduit clandestinement dans la prison de Bourges et conduit au chevet d'Yves. Il y reste toute la nuit, expliquant à Yves comment il doit se défendre. Yves ne prononcera plus un mot devant ses bourreaux.

Combien furent-ils à voir leur enfer éclairé par la compassion de Frère Alfred ? Il y eut Serge, seize ans, et Jean-Pierre, dix-sept ans, deux cousins. Orphelins, ils avaient été élevés par une tante à Paris. On les envoie passer leurs vacances chez leur oncle, à Limoges. Porte close. L'oncle a gagné le maquis. Les deux adolescents le rejoignent. Pendant quinze jours, ils s'amusent comme des fous. Ils tirent des balles réelles. Et puis, l'ennui les gagne. Ils décident de rentrer à Paris par leurs propres moyens. Pourquoi Serge emmène-t-il une grenade avec lui ?

Les voilà à la ligne de démarcation. Serge est fouillé. On trouve la grenade. Le gamin explique qu'il l'a trouvée en chemin. Les gardes sourient. On les autorise à traverser. Le douanier allemand les arrête et les invite à entrer dans le bâtiment qui leur sert de bureau. La grenade de Serge se retrouve sur la table. Ils sont arrêtés et conduits à Bourges. Dès le premier interrogatoire, Serge fanfaronne. Il se présente comme un grand résistant, qui a à son actif quantité de trains déraillés, de postes de gardes attaqués, de coups de mains audacieux. Plus mûr, Jean-Pierre est atterré. Mais Serge ne se laisse pas démonter. Les Anglais ne vont-ils pas débarquer et bousculer les Allemands ? La guerre sera bientôt finie, suffisamment rapidement en tout cas pour qu'il ne leur arrive rien. Ils sont conduits au tribunal militaire. Condamnés à mort tous les deux. Jean-Pierre s'effondre. Mourir bêtement, alors que la vie ne fait que s'ouvrir devant lui. Quant à Serge, il est imperturbable. Il le sait, le débarquement est imminent et la guerre se termine, c'est une question de jours. Ils sont transférés dans le secteur des condamnés à mort. Alfred, qui les accompagne depuis leur internement, a le cœur serré. Le temps passe, pas d'Anglais ! Alors la réalité se fait jour. Ils vont vraiment être fusillés. À quoi se raccrocher quand on est si jeune ? À rien. Il n'y a rien derrière soi, tout est devant. Et tout va

> *La réalité se fait jour.*
> *Ils vont vraiment*
> *être fusillés.*

disparaître dans le néant. Alfred veille. Il accueille souvent les pleurs des deux adolescents blottis contre son épaule. Comme tout cela est absurde ! Que leur dire ? Alfred est désemparé. Une nuit, Serge se raccroche à un sentiment très obscur qu'il porte en lui, depuis des années. Un sentiment diffus, Dieu peut-être. Alfred a trouvé son point d'appui. Très vite, la conversation roule sur la foi. Pour les condamnés à mort, le temps presse et chaque minute compte. Le premier, Serge, s'abandonne à Dieu. Il avoue à Alfred avoir découvert dans le bloc des condamnés que sa vocation était le sacerdoce. Jean-Pierre s'éveille à la foi, lui aussi. Quand arrive la nuit fatale, celles où quelques balles doivent éteindre toute vie en eux, ce sont deux adolescents parfaitement calmes et sereins qui font leurs adieux à leurs compagnons d'infortunes et gagnent paisiblement le polygone pour y être abattus.

Pour Marc, Yves, Serge, Jean-Pierre, et tant d'autres, au cœur des années noires de la guerre, dans un monde de torture et d'angoisse, la figure du frère Alfred, homme simple et charitable, qui, sous l'uniforme vert-de-gris, sut, armé de sa seule foi, « *pleurer avec ceux qui pleurent* », apparaît comme un lumineux signe d'espérance.

SOURCES : B. Comte, F. Delpech, M. Launay *et alii*, *ÉGLISES ET CHRÉTIENS DANS LA SECONDE GUERRE MONDIALE*, Lyon, 1978-1982. Y.-M. Hilaire, *SPIRITUALITÉ, THÉOLOGIE ET RÉSISTANCE*, Grenoble, 1987.

# DIVINO AFFLANTE SPIRITU

## *QUAND LA LIBÉRATION DE L'EXÉGÈSE*
## *APPORTE UN RAYON DE SOLEIL*
## *DANS UN STALAG DE SILÉSIE*

**• 23 NOV •**

« C'EST MAGNIFIQUE, POUR UN PEU, J'EMBRASSERAIS LE PAPE ! »

L'exclamation résonne comme un coup de tonnerre dans le baraquement. Il faut dire que ce mois d'octobre 1943 n'est pas des plus réjouissants pour les prisonniers français en Allemagne. La guerre ne prend pas véritablement bonne tournure, les nazis résistent encore sur la plupart des fronts. À l'enthousiasme du pasteur Hérubel répond la lassitude d'un de ses jeunes codétenus :

– Vous croyez vraiment que ce texte soit si important ?... Franchement, pour nous, ici, je me demande à quoi ces discours peuvent servir, venus du Vatican ou d'ailleurs ! On n'aura sans doute même jamais l'occasion de voir le début de leur application... !

– Ne dites pas cela ! D'abord tout n'est pas perdu, ensuite ce « texte », comme vous dites, va changer beaucoup de chose dans l'interprétation biblique.

Se tournant vers son ami Jean Guitton, le pasteur reprend :

– Une nouvelle ère, mon cher Jean, ce texte servira l'œcuménisme mieux qu'aucun de ceux qui ont été publiés jus-

qu'alors ; enfin, catholiques et protestants pourront mettre en commun leurs découvertes et leurs travaux en matière d'études bibliques.

– Je l'espère autant que vous, monsieur le pasteur. Quoi qu'il en soit, c'est une joie dans cet affreux paysage... Je suis heureux que Pie XII apporte un nouveau souffle aux exégètes. Son encyclique est une bénédiction, je me hâte de la montrer au père Congar ; je la lui passerai après sa petite conférence...

Prisonniers de guerre au fin fond de la Silésie, le pasteur Hérubel et Jean Guitton saluent avec émotion la dernière encyclique de Pie XII, *Divino afflante Spiritu*, publiée à Rome le 30 septembre 1943. Malgré les conditions pénibles de détention, ils préservent comme une nécessité vitale les nombreux débats qui animent leur quotidien. De plus, pour stimuler et armer le moral des autres détenus, le père Yves Congar tient aussi souvent qu'il le peut des « conférences publiques » dans le camp, où il bat en brèche l'idéologie nazie. Mais, pour l'heure, les trois hommes disposent d'un nouveau sujet de discussion qui devient vite le centre de leurs préoccupations. Cette nouvelle encyclique est une véritable aubaine, surtout qu'elle traite d'un point qui leur tient à cœur : les études bibliques et l'exégèse moderne.

Les gardes allemands s'approchent, le discours du père Congar est fini prématurément. Jean profite de l'intermède pour tendre au prêtre le texte qui est miraculeusement parvenu jusqu'à lui dans ce camp de prisonnier.

— Alors, qu'en pensez-vous, père ?

— Vous savez l'importance que revêt pour moi le rapprochement œcuménique... S'il est possible de faire un nouveau pas grâce à cela, je ne saurais être plus heureux, malgré les circonstances actuelles. Le travail de Lagrange enfin récompensé, des heures et des heures à dos de mulet sur les routes ensoleillées de Terre sainte, qui trouvent leur justification... Bien sûr que cela m'enchante. La Bible doit faire l'objet d'une étude scientifique. Tout ne peut pas être lu de la même manière, il y a l'histoire et l'historique, la fable et la métaphore, les circonstances et les tempéraments qui ont entouré l'écriture...

Puis il s'interrompt, songeur... Quel tempérament ! Ne saura-t-il jamais tempérer ses émotions, à défaut de réviser ses jugements ? Avant la guerre déjà, il s'est fait remarquer des théologiens de Rome en publiant en 1937 son *Chrétiens désunis*, fruit de ses réflexions sur le manque d'union entre les catholiques et les autres, jeunes anglicans, protestants et orthodoxes.

> *Pour Jean Guitton, cette encyclique offre une belle occasion de s'interroger sur le fonctionnement du Vatican.*

— Je sais que vous me comprenez, Guitton, vous vous intéressez aussi à l'interprétation. J'ai lu vos travaux, et je sais que vous pensez vous aussi que l'écriture biblique est indissociable de son contexte.

— Ne serait-ce que pour rendre au père Lagrange ce qui lui appartient... Les avancées de l'Église suivent parfois de bien curieux chemins...

Pour Jean Guitton qui croit en Dieu « *de manière laïque* », il est vrai que l'avènement de cette encyclique offre une belle occasion de s'interroger sur le fonctionnement du Vatican. Encouragé par Léon XIII, relégué aux oubliettes par Pie X, le père Albert Lagrange avait reçu encouragements et coups de semonce sans jamais faillir à son devoir d'obéissance... Fondateur de l'École biblique de Jérusalem, son intuition consistait à aborder le texte saint dans la langue et le pays d'origine, à chercher à découvrir les enseignements, les noms des auteurs, les lecteurs auxquels il était destiné... Étudier son milieu historique, ethnologique, sociologique, linguistique et culturel... En résumé, mettre en cause cette vérité, jusque-là admise, selon laquelle le texte latin est le seul officiel quel qu'en soit l'usage.

Il n'a pas été simple aux papes successifs d'arrêter une position face aux nouvelles méthodes d'approche ou d'analyse des textes saints. À l'interdiction très nette de Pie X succède un premier avis favorable de Pie XI, qui va même jusqu'à révoquer en 1929 le père jésuite Fonck, chargé de faire paraître une publication susceptible de supplanter la *Revue biblique* du père Lagrange. Mais l'autorité pontificale continuait à conditionner les orientations morales ou dogmatiques... Pie XI qualifiait d'ailleurs la question de redoutable, au point qu'il déclarait : « *Je préfère la laisser à mon successeur !* »

C'est donc ce problème que vient de prendre à bras le corps son successeur. Le résultat en est cette encyclique, qui permet enfin d'avancer que les textes saints, et plus particulièrement ceux de l'Ancien Testament, n'appartiennent pas tous au même genre littéraire. Les uns relèvent du genre historique ; les autres, du commentaire spirituel, certains sont de vrais « romans pieux ».

Cette journée d'octobre dans les camps de prisonniers de Silésie n'est qu'ordinaire pour la plupart des détenus. Pourtant, la lecture de *Divino afflante Spiritu* a apporté à nos trois hommes une rare occasion de se réjouir, d'autant que cette encyclique permet d'annoncer un rapprochement entre les Églises. Les méthodes catholiques et protestantes d'analyse et de critique peuvent se rejoindre ici et là, et avancer sur le chemin d'une compréhension commune.

Mais la patience des exégètes est une vertu qui n'a pas fini d'être mise à l'épreuve... En 1950 en effet, Pie XII met en garde l'accommodement de la théologie et de l'exégèse à certaines tendances intellectuelles modernes en faisant paraître un texte plus prudent, *Humani generis*. C'est finalement le concile Vatican II, auquel Jean XXIII avait invité Jean Guitton en qualité d'« observateur », qui ajoute un paragraphe sur l'interprétation de l'Écriture qui doit voir « *ce que Dieu lui-même a voulu nous communiquer* ».

Il aura donc fallu attendre quelque temps encore avant d'aboutir à un travail exégétique fidèle à l'esprit du père Lagrange, soucieux de mieux faire comprendre le sens de l'Écriture, grâce auquel les auteurs de la Bible sont de plus en plus familiers, et la solidité des enseignements transmis, encore renforcée.

> *La patience des exégètes n'a pas fini d'être mise à l'épreuve.*

Sources : Pie XII, encyclique *Divino Afflante Spiritu*. J.-M. Mayeur, « Magistère et théologiens sous Pie XII », in *Les Quatre Fleuves*, n° 12, 1980. R.-M. Grant, *L'Interprétation de la Bible, des origines chrétiennes à nos jours*, Paris, 1967. J.-M. Poffet, *Les Chrétiens et la Bible : les anciens et les modernes*, Paris, 1998. P. Gilbert, *Petite Histoire de l'exégèse biblique : de la lecture allégorique à l'exégèse critique*, Paris, 1992.

# Maïti Girtanner
## L'impossible pardon

• **24**
**NOV** •

Le 22 juin 1940, la France est divisée en deux zones : l'une est occupée, l'autre libre. La ligne de démarcation va de Genève à la frontière espagnole, en passant juste au milieu d'une calme rivière qui traverse le bocage poitevin, la Vienne. Cet affluent de la Loire longe le Vieux-Logis, la demeure familiale de Maïti Girtanner. L'endroit est sensible, stratégique. Les Allemands y établissent leur poste de guet, à grands renforts de blindés. Ce qui ne plaît guère à Maïti, une jeune fille pas comme les autres.

Née en 1922, Maïti reçoit très jeune la grâce d'éprouver la présence de Dieu. Il est en elle, il ne la quitte jamais. Chaque jour, elle le retrouve dans la prière. Élevée par un grand-père professeur de conservatoire, elle devient rapidement une pianiste virtuose. Elle donne son premier concert à l'âge de douze ans. Son rêve est de devenir une artiste célèbre. Mais le destin en décide autrement... et, en 1940, à dix-huit ans, elle « *tombe en Résistance* », pour reprendre sa propre expression. Car cette jeune fille au caractère passionné n'a pas supporté de voir son village et sa propriété familiale forcés par les blindés ennemis ! Aussi intelligente que vive, Maïti remarque qu'une partie de la rivière échappe à la surveillance des guetteurs allemands. Elle obtient de ceux-ci l'autorisation de réviser ses examens sur une barque. C'est alors qu'elle met au point une habile ruse. Dans le fond de la frêle embarcation, elle dissimule un candidat à l'évasion, le plus souvent un Anglais récupéré à Paris, puis caché dans un cellier du « Vieux-Logis ». Quelques minutes plus tard, le passager débarque en zone libre !

La filière d'évasion fonctionne parfaitement et commence à être connue. Mais Maïti n'a pas froid aux yeux. Elle prend la tête d'un petit groupe d'étudiants. Avec eux, elle met au point un stratagème efficace afin de se procurer les cartes de la côte française pour préparer un éventuel débarquement. Elle persuade les Allemands de la vétusté de leurs *Kommandantur* et leur propose son équipe d'étudiants pour rafraîchir rapidement les peintures et le papier peint. Cela, de Dunkerque à Bayonne ! Les jeunes résistants récupèrent ainsi soixante-quinze kilos de cartes qui sont immédiatement envoyées en Angleterre.

Animée d'une énergie et d'une imagination débordantes, Maïti n'a pas fini d'étonner. Elle est chargée par la Résistance de surveiller les mouvements sous-marins ennemis. Fine observatrice, elle note que les amiraux allemands font systématiquement nettoyer leurs uniformes avant le départ. Avec son groupe, elle crée donc la blanchisserie Mésange, service de nettoyage qui vient chercher le linge à domicile et le rapporte une fois prêt. Grâce à cette ruse, elle relève les caractéristiques des unités, le nom des submersibles et la date présumée de leur départ. L'Angleterre peut ainsi préparer une riposte.

Comment la jeune Maïti trouve-t-elle encore le temps de jouer du piano ? Certainement grâce à la passion qu'elle met dans tout ce qu'elle fait. Elle donne plusieurs concerts devant des hauts dignitaires de la Gestapo à l'hôtel Majestic à Paris... en échange de la libération de « camarades », en réalité des résistants. Pendant plus de trois ans, la jeune fille de bonne famille, originaire du Poitou, trompe ainsi les Allemands jusqu'à ce jour terrible de la fin de 1943 : Maïti est arrêtée lors d'une rafle. Elle est reconnue par l'un des responsables de la Gestapo qui, par recoupements, découvre qu'elle est membre du réseau. Furieux d'avoir été si grossièrement berné, celui-ci l'envoie dans un « camp de représailles », dans le Sud-Ouest, réservé aux résistants récalcitrants. Un enfer secret dont personne ne sort vivant... Maïti vient d'avoir vingt et un ans.

> *Son sadisme a un but : rendre folle la prisonnière.*

C'est dans ce camp qu'elle va connaître l'horreur de la torture. Son bourreau s'appelle Léo. C'est un jeune médecin nazi, formé aux Jeunesses hitlériennes. Son sadisme n'a pas de limites mais il a un but : rendre folle la prisonnière jusqu'à ce que mort s'ensuive. Plusieurs fois par jour, par de savantes atteintes à la moelle épinière, il la plonge dans une souffrance permanente, inhumaine. Maïti se voit ainsi enfermée « *dans une résille de douleur* ». Pour « *ne pas tomber dans le désespoir* », elle prie, entraînant avec elle ses dix-huit compagnons d'infortune. Cependant, elle survit.

Il lui faut huit années de soins intensifs pour tenir à nouveau debout. Mais son corps, brisé, ne se remettra jamais de la torture et des coups. En cette année 1952, alors que, dans les cabarets parisiens, la jeunesse oublie les horreurs de la guerre en écoutant chanter Juliette Gréco, Maïti découvre une autre réalité : ses doigts ne courront plus jamais sur le piano, et la douleur sera sa compagne jusqu'à sa mort. Elle a trente ans.

Maïti, que l'idée du suicide obsède pendant des années, se tourne alors vers Celui qui lui avait redonné espoir quand elle était prisonnière au camp. « *Humainement parlant*, explique-t-elle, *il m'était presque impossible d'assumer mon propre corps. Ce qui m'a sauvée, c'est la rencontre de Jésus-Christ comme une personne. J'ai compris que Dieu n'avait pas voulu le mal, cette horreur, ce chemin de souffrance. J'ai découvert qu'il me rejoignait presque physiquement* au cœur de ma douleur. » Elle décide d'enseigner la philosophie à domicile et d'étudier la théologie. L'ordre dominicain l'attire : elle devient l'un des pivots des fraternités laïques, en particulier de celle des malades.

Lorsqu'elle prie, Maïti pense souvent à cette parole du Christ en croix : « *Père, pardonne-leur...* » Et si, elle aussi, pouvait pardonner à son bourreau ? « *Très tôt, se souvient-elle, j'ai désiré pardonner à Léo. Je redoutais aussi que la haine n'envahisse mon cœur déjà habité par une souffrance indescriptible et poignante face à ces actes monstrueux. Pendant quarante ans, j'ai beaucoup prié pour lui, mais je n'étais pas sûre d'avoir reçu cette grâce de pardon. Comment savoir ?* » Le désir de pardonner grandit petit à petit en Maïti, au fil des années.

Un jour de 1984, quarante ans après sa libération, elle reçoit un coup de téléphone. Maïti reconnaît immédiatement la voix de Léo qui a réussi à retrouver sa trace. Gravement malade, celui-ci lui explique qu'il n'a plus que trois mois à vivre. Il lui confie : « *Je me souviens que vous parliez de la mort et de la souffrance avec vos codétenus. J'ai une peur horrible de la mort. Puis-je venir vous voir ?* » Elle

> *Très tôt, j'ai désiré pardonner à Léo.*

accepte. Quelque temps après, Léo lui rend visite. Elle est clouée au lit par la douleur. « *Voilà votre œuvre* », lui dit-elle. Ensemble, ils parlent de la mort, de l'après-mort et de Dieu. « *Que puis-je faire* », lui demande-t-il, impuissant. « *Ne soyez qu'amour pendant le temps qui vous reste à vivre. Cherchez au fond de vous-même le lieu où vous avez laissé Dieu en vous, car il habite en ses créatures les plus enténébrées* », lui répond Maïti. Au moment du départ de Léo, elle lui prend la tête et l'embrasse. Maïti « sait » que, ce jour-là, elle a reçu la grâce de pardonner. Elle décide de rester en contact avec Léo.

À son retour en Allemagne, celui-ci avoue son passé à sa famille qui ignorait tout. Avant de mourir, il distribue ses biens. Aujourd'hui, Maïti continue à téléphoner à la veuve de Léo. Ses amis la surnomment « *Madame par-dessus tout* », parce que son pardon dépasse sa propre force, et que, seule, la force de Dieu en elle a pu pardonner. Mais le pardon est une grâce qui n'est pas acquise une fois pour toutes. Maïti doit le redonner chaque jour, lui dire « oui » en permanence. « *Le pardon c'est comme le piano : il se joue à quatre mains avec le Seigneur.* »

---

SOURCES : « Maïti Girtanner : l'impossible pardon », in *FAMILLE CHRÉTIENNE*, mars 1999.

# MARIE NOËL

## *MON DIEU, JE NE VOUS AIME PAS*

**• 25 NOV •**

C'EST UNE TOUTE PETITE BONNE FEMME, TOUTE GRISE DANS SON TAILLEUR DE LAINE UN PEU RÂPÉ, toute menue. Le léger soleil de mai étale de larges flaques claires sur le ramage du tapis, lèche le dessus-de-lit de dentelle ancienne. Devant sa coiffeuse, Marie Rouget ajuste avec soin un coquet chapeau de feutre, un peu en arrière, juste posé sur le sévère chignon qui rassemble au bas de sa nuque sa chevelure blanche sagement partagée en deux par une raie bien droite. Elle saisit une longue épingle à tête de nacre et fixe le couvre-chef. Elle se penche un instant sur le miroir, le teint est clair, un peu fané, mais elle a gardé aux joues une ombre rose d'éternelle enfance.

Puis, avec une ferveur religieuse, elle ouvre la grande boîte en tapisserie posée devant elle et en sort de minuscules gants blancs, des bas de soie blanche, un missel à couverture d'ivoire, un chapelet de nacre, une croix d'or et une bague un peu brisée de petite fille, tous les objets soigneusement conservés de sa première communion. Elle est prête, émue comme une vieille épouse qui revêt pour celui qu'elle aime la robe dans laquelle ils se sont donnés l'un à l'autre. Elle saisit précautionneusement le grand drap brodé de mariage, qui n'a jamais servi, et qui attend ce jour « *comme dans son neuf* ». C'est le cadeau qu'elle offre au Seigneur, son cadeau d'anniversaire ; son drap va « *entrer en religion. Il servira Dieu sur l'autel* ». Déjà, les cloches de la cathédrale d'Auxerre sonnent à toute volée pour appeler les fidèles à la messe. C'est pour elle qu'elles résonnent particulièrement ce 3 mai 1944. C'est la messe d'action de grâces qu'elle fait dire pour le cinquantième anniversaire de sa communion. Ces préparatifs un peu mièvres pourraient laisser croire à quelque pieuse bigote toute pétrie de bons sentiments. Pourtant, la vieille dame excentrique sait que la vie spirituelle n'est pas un chemin couvert de pétales de roses. Ce jour-là, elle écrit : « *Et lui, le Seigneur, que me donnera-t-il pour nos noces d'or ? J'ai bien peur que ce ne soit un gros bouquet d'épines – ce sont ses cadeaux à lui – mais je le recevrai en lui baisant les mains. Toutes les épines qu'il m'a données, à la longue ont toujours fleuri.* »

Ce matin-là, l'étrange accoutrement de Mlle Rouget fait bien sourire quelques badauds : « *Les gens qui m'ont rencontrée étaient bien étonnés de ma grande tenue. Quelques-uns m'ont interrogée... ont plaisanté. Mais nul ne savait que j'étais endimanchée pour l'amour de Dieu, en l'honneur de moi.* » Quelques-uns de ses amis sourient aussi. « *Et j'ai entendu l'abbé Brémond rire malicieusement dans le Ciel quand il m'a vue passer sur la place dans mes atours...* »

Henri Brémond est l'auteur de la magistrale *Histoire littéraire du sentiment religieux en France*, dont elle a reçu un jour un petit mot griffonné où elle n'a même pas réussi à déchiffrer la signature. Qui était ce « Rémond » inconnu qui s'adressait à elle avec une fougue de jeune homme et avait le culot de défier son cher et révéré ami, l'abbé Mugnier ? « *L'abbé Mugnier et Descaves me l'avaient bien dit... Mais je les défie bien tous les deux de comprendre vos vers comme je les comprends et les aime.* » Elle commençait à répondre à ce jeune enthousiaste, quand l'intitulé de son adresse l'arrêta « *Quoi, rue Méchain ? Avais-je bien lu ? 7, rue Méchain ? Dans la maison de l'abbé Mugnier ! Mais alors, son voisin... mais alors ? L'abbé Brémond !* »

Sa vie a ces étrangetés ! La demoiselle d'Auxerre est née le 16 février 1883 dans une bourgeoisie provinciale aisée, propriétaire de maisons et de vignes. Dans l'une de ces familles où les femmes sont plutôt de bonnes catholiques et où les hommes ne mettent jamais les pieds à l'église. Louis Rouget, son père, est professeur de philosophie, il a cherché Dieu en vain. « *Mon père incroyant me disait : "Tu*

> *Une de ces familles où les hommes ne mettent jamais les pieds à l'église.*

*ne crois guère, les catholiques croient peu. Si je croyais à l'Eucharistie – Dieu sur terre, y penses-tu ? Dieu ! – rien d'autre ne me serait plus cher au monde."* [...] *Et moi, quand il me parlait ainsi, j'avais peur de profaner par toute ma vie et de gaspiller la grande Grâce.* » En 1904, un jeune homme passe. Rêve, imagination, incompréhension, la jeune fille en reste blessée à jamais.

« *Je l'attendais, pâle et grise lavande*
*Et tout mon cœur embaumait son chemin*
*Il a passé... j'ai parfumé sa main,*
*Mais il n'a pas vu*
    *mes yeux pleins d'offrande.* »

Dès cette époque elle écrit des poèmes, des contes. Son parrain, Raphaël Périé, fin lettré découvre le talent de sa filleule. À partir de 1910, elle est publiée, d'abord dans la *Revue des Deux Mondes*.

Elle prend un nom de plume, Marie Noël.

« *MARIE (mara) l'amertume mortelle*
    *de ma racine.*
*NOËL, mon miracle, ma fleur de joie.* »

C'est une poésie pleine de fraîcheur, de joie d'enfant, d'émerveillement, éditée sous le nom de *Chansons*.

« *Dites-moi...*
    *Mes chansons de toutes les couleurs*
    *Où mon esprit qui muse au vent*
        *les a-t-il prises ?*
*Le chant leur vient – d'où donc ? –*
    *comme le rose aux fleurs,*
*Comme le vert à l'herbe*
    *et le rouge aux cerises.* »

Mais le cœur de la poétesse ne chante pas toujours et, souvent même, il saigne. La mort de son petit frère Eugène, âgé de douze ans, le cri de sa mère, hantent sa mémoire. L'angoisse l'étreint, et, petit à petit, son esprit s'abîme dans une forme aiguë de mélancolie, au point qu'en 1920, elle doit séjourner plusieurs mois dans un établissement spécialisé. La tranquille demoiselle de province se mue en un nouveau Job qui tend le poing vers le ciel. Si Dieu existe, il faudra bien qu'il rende des comptes.

*« Mon Dieu, je ne vous aime pas, Vous, je ne le désire même pas, je m'ennuie avec Vous, peut-être même que je ne crois pas en Vous.*

*Mais, regardez-moi en passant. [...]*

*Si Vous avez envie que je croie en Vous, apportez-moi la foi.*

*Si Vous avez envie que je vous aime, apportez-moi l'Amour.*

*Moi, j'en ai pas, et je n'y peux rien. Je Vous donne ce que j'ai : ma faiblesse, ma douleur. »*

Ces lignes brûlantes, extraites de ses *Notes intimes*, elle les écrit sur le conseil de l'abbé Mugnier, qu'elle a rencontré à Paris, lors d'une visite à son éditeur, et qui est devenu son directeur spirituel. Elle en poursuivra la rédaction jusqu'au milieu des années cinquante. On y découvre le combat d'une âme, la douleur d'une solitude.

*« Je regarde derrière moi. Voici le crime de ma vie : j'ai trahi ma Solitude.*

*Ceux qui possèdent une Solitude – tous n'en ont pas – devraient se faire violents autour, comme l'ajonc, le houx sauvage pour la garder et défendre de toutes leurs épines. Je n'avais pas d'épines... J'en avais, mais je les ai tournées à l'intérieur, contre moi-même, de peur d'égratigner les "autres" qui voulaient cueillir des fleurs ou des fruits sur moi.*

*Les "autres" sont venus en foule, m'ont envahie. [...]*

*Mon chant, ma Grâce, mon Dieu, ils me voulaient toute. »*

Le parcours de Marie Noël est aussi celui d'une conscience tenaillée par la culpabilité, emplie de terreur sacrée, vers la joie du Salut, la capacité d'aimer et la confiance en la miséricorde divine. Dieu n'avait-il pas choisi les prêtres pour *« surveiller jusqu'au cœur les petites filles secrètes pour admonester, interdire, barrer des chemins défendus, annoncer des châtiments et connaître les péchés de tout le monde à confesse ? »*

Ses deux bons anges, l'abbé Mugnier et l'abbé Brémond, contribuent à sa gloire littéraire, et à sa libération spirituelle. L'abbé Brémond lui obtient certes plusieurs prix de poésie, mais, après leur première rencontre, *« ce miracle de novembre 1924 »*, elle écrit : *« Ah ! ma ville, ma paroisse, ma famille, toutes raidies encore d'arrière-jansénisme, comme je vous échappais ce matin-là ! »*

Mlle Rouget s'éteint à Auxerre le 23 décembre 1967, entre la cathédrale Saint-Étienne et l'église paroissiale Saint-Pierre. Cette âme réconciliée avec son Dieu a porté comme un titre de gloire le fait que, dans sa maison, *« il n'était jamais entré d'ecclésiastique »*.

SOURCES : Marie Noël, LES CHANSONS ET LES HEURES, LE ROSAIRE DES JOIES, CHANTS ET PSAUMES D'AUTOMNE et NOTES INTIMES. B. Lobet, MON DIEU, JE NE VOUS AIME PAS, Paris, 1994. A. Blanchet, MARIE-NOËL, Paris, 1962.

# KARL LEISNER
## *UNE ORDINATION À DACHAU*

• **26**
**NOV** •

LE CIEL EST BAS, EN CE 17 DÉCEMBRE 1944. SEULE LA FUMÉE ÂCRE VIENT CREVER LA TRISTE BLANCHEUR du ciel de Dachau et rappeler aux hommes l'inexorable œuvre de mort qui, de jour en jour, s'accomplit. Au *Block* 26, dans la chapelle de la baraque des prêtres, le matricule 22356 vient d'entrer. Visage émacié, toux rauque, c'est à peine s'il peut marcher. Karl Leisner est au stade ultime de la tuberculose. Cet homme, rongé par la maladie et les privations, est né il y a vingt-neuf années en Rhénanie et, pourtant, il n'a déjà plus d'âge. Depuis plusieurs jours, le moribond ne quitte plus le sinistre *Revier* du camp de Dachau, cette antichambre de la mort, où s'entassent malades et mourants, et c'est dans le plus grand secret que des prêtres allemands sont venus l'en extraire. Car aujourd'hui, après cinq ans d'un désir jamais éteint, Karl Leisner, ordonné diacre par Mgr von Galen, archevêque de Münster, en mars 1939, puis arrêté par la Gestapo quelques mois plus tard, va recevoir des mains de Mgr Piguet, évêque de Clermont-Ferrand, déporté comme lui, l'ordination sacerdotale.

Les prisonniers observent, les larmes aux yeux, la lente arrivée du diacre dans la chapelle du camp. Impossible d'oublier le sort que les nazis réservent à l'extrême faiblesse. Les prêtres du diocèse de Münster, les séminaristes et les nombreux prêtres de diverses nations, qui entourent Mgr Piguet pour la cérémonie, regardent avec appréhension la fragile silhouette du jeune diacre allemand. Là, dans l'émotion qui les étreint, l'évidence surgit, impérieuse : sous le vêtement du jeune diacre, ce terrible vêtement de déporté, grossièrement cousu d'un X, c'est un autre qui vient à leur rencontre, le Christ, le corps brisé par la Passion, celui même à qui tous ont donné leur vie. Sur le visage de Karl Leisner, comme éclairé de l'intérieur, c'est leur liberté qui éclate au grand jour, cette indéracinable liberté intime dont tant de déportés ont fait l'expérience dans les camps, et dont les habitants du *Block* 26 savent, parce qu'ils sont prêtres, qu'elle n'est jamais plus grande qu'unie au Christ en croix.

Pas un laïc pour cette cérémonie à l'étrange solennité. Cette chapelle de

Dachau, seuls les ecclésiastiques ont le droit d'en franchir le seuil pour la messe quotidienne, même si, discrètement, il arrive à Edmond Michelet et à quelques autres laïcs d'y pénétrer. La tolérance de cette chapelle est une surprenante exception à la logique inhumaine du camp. Pour autant, les difficultés matérielles ne sont pas minces. Pour célébrer l'eucharistie, on trouve toujours un peu de pain, mais, pour le vin, on en est réduit à faire macérer les raisins secs que contiennent parfois les rares colis de la Croix-Rouge qui parviennent au camp. En ce quatrième dimanche de l'Avent, le 17 décembre 1944, c'est à Mgr Piguet, seul évêque du camp, qu'il revient de célébrer l'Eucharistie. Non seulement parce qu'il s'agit de la grand-messe et que, depuis son arrivée à Dachau trois mois plus tôt, les prêtres allemands, majoritaires au *Block* 26, lui laissent naturellement l'honneur de la présider. Mais aussi parce que, par délégation de Mgr Faulhaber, cardinal archevêque de Munich, Mgr Piguet va donner, dans quelques instants, un nouveau prêtre à l'Église.

Bouleversé, l'évêque de Clermont-Ferrand contemple le jeune homme. Quand le révérend père De Conninck, un jésuite, est venu le trouver pour lui demander s'il accepterait d'ordonner Karl Leisner, Mgr Piguet a répondu : « *Un évêque ne saurait se dérober quand il s'agit de communiquer le sacerdoce et je n'hésiterai pas un instant à faire cette ordination. Il y a cependant des conditions à remplir que vous connaissez aussi bien que moi : l'autorisation de l'évêque de qui dépend le séminariste, l'autorisation de l'archevêque de Munich, dans le diocèse de qui se fera l'ordination.* » Quels efforts, quels trésors d'astuce pour permettre que, selon les mots mêmes de Mgr Piguet, ce « *signe de victoire du sacerdoce sur le nazisme* » prenne corps ! Quelques semaines plus tard, Mgr Piguet lisait la lettre écrite par une sœur de Karl Leisner, une missive ordinaire soudain interrompue par un changement d'écriture, qui protégeait, tel un écrin, ces mots précieux : « *J'autorise les cérémonies demandées à la double condition qu'elles puissent être faites validement et qu'il en reste une preuve matérielle certaine.* » Comme signature, un prénom seulement, Clemens August. Mgr von Galen, dont les homélies de 1941 ont déclenché la colère des nazis, a pris ses précautions.

Tout le monde a bravé le danger pour que cette victoire de la lumière sur les ténèbres soit la plus éclatante possible. Maintenant, l'évêque de Clermont-Ferrand détaille du regard tous les éléments de la liturgie ponctuellement apportés au rendez-vous : le pontifical, le Saint-Chrême et même les tunicelles et les gants. « *Rien ne fut omis des moindres rites prévus,* écrira-t-il plus tard, *il me semblait être dans ma cathédrale.* »

La cérémonie commence. Karl Leisner a fermé les yeux, tout son cœur est prière. « *Christ, je suis passionné de Toi* », écrivait-il dans son journal de lycéen. Il aurait dû être ordonné prêtre en 1939, l'horreur nazie l'en avait empê-

> Pour le vin, on est réduit à faire macérer les raisins secs.

ché. Aujourd'hui, après cinq années d'attente interminable, après l'arrestation, la déportation, la maladie, tout son être n'est plus, malgré la souffrance, malgré les privations, malgré les stigmates de la tuberculose, qu'une immense action de grâce pour le Christ qui va venir à lui, dans ce lieu désolé où l'on ne cesse de le bafouer.

« *A-t-il été jugé digne...* ? » Mgr Piguet pose solennellement la question que tout évêque doit formuler à chaque ordination. En toute autre circonstance cette question rituelle, par laquelle l'évêque s'assure que le futur prêtre est bien capable de remplir sa mission, est déjà saisissante de gravité. Mais dans la baraque gelée, dans ce camp de Dachau où semble s'être réunie toute la souffrance du monde, ces mots, soudain, prennent tout leur sens. Karl Leisner, chancelant parmi les autres déportés, qui vacillent aussi, mordus par le froid, les privations, l'humiliation, ne pourrait être plus digne en ce jour de devenir la figure du Sauveur qui, sous les crachats, a été la dignité même. Diminué, meurtri, communiant dans sa chair au drame de la Passion, Karl n'est-il pas, plus que jamais, digne de consacrer, en mémoire de Lui, le pain et le vin ?

Et voici que vient, maintenant, le temps de la promesse. Comme tous les évêques du monde, Mgr Piguet le sait : cette obéissance, que le futur prêtre promet à l'un des successeurs des apôtres, c'est au Christ lui-même qu'il la promet à travers lui. Les yeux de l'évêque se brouillent : le Christ ! Le juif par excellence, celui qui est venu quand les temps furent accomplis, pour accomplir lui-même la promesse faite à son peuple – ce peuple aujourd'hui piétiné, méprisé, martyrisé, honni par le terrifiant blasphème nazi... Ils sont l'un en face de l'autre, le jeune homme et celui qu'il accepte pour père, et leurs regards s'échangent avec intensité. « *Je le promets.* » Cette promesse d'homme libre dans les chaînes, quelle revanche de l'amour humilié, quelle victoire du sacerdoce !

« *Mon Dieu ! Me donner cela à moi...* » Karl Leisner est allongé maintenant de tout son long sur le sol de la baraque, face contre terre, tandis que retentit la litanie des saints. L'abaissement... Cet abaissement volontaire, le Christ l'a consenti le premier, et seul Dieu a le droit de le demander aux hommes qu'il aime. Dieu, qui relève celui qui s'abaisse. Karl Leisner est radieux, tandis qu'on l'aide à se remettre debout. Un à un, tous les prêtres présents viennent à la suite de l'évêque lui imposer les mains. Sur le visage du jeune prêtre, ce n'est plus la souffrance ni l'angoisse de la mort que son entourage lit désormais. Le visage de Karl Leisner est transfiguré, autour de lui le silence est fervent. Tous savent que le Christ, le Sauveur de l'humanité, est présent au cœur même de l'horreur, au cœur même de Dachau.

Ce 17 décembre 1944, tandis que la cérémonie d'ordination s'achève, le camp de Dachau vit encore l'agonie. Quand les

[ *A-t-il été jugé digne... ?* ]

prêtres sortent de la baraque dans le froid de l'hiver, c'est pour voir à quelques dizaines de mètres d'eux la cheminée du crématoire, qui crache nuit et jour sa fumée inexorable. Anéantissement de l'homme, négation diabolique de l'image de Dieu en chaque personne humaine... Sous l'outrage reçu une fois de plus en plein visage, Karl se redresse imperceptiblement. Il est prêtre, maintenant, devant Dieu et devant les hommes. Il représente le Christ. Et le Christ, Fils de Dieu, s'est voulu fils d'Israël. Le cœur serré mais saisi d'une intime fierté, le jeune homme sait qu'en se donnant au sacerdoce, c'est sur les traces du peuple d'Israël qu'il marche, ce peuple de l'Alliance, institué par Dieu, et pour l'éternité « *prêtre, prophète et roi* ».

Trop faible pour dire sa première messe dès le lendemain, c'est le 26 décembre, en la fête de saint Étienne, premier martyr de l'Église, que Karl Leisner célèbre pour la première fois l'Eucharistie. Le 4 mai 1945, cinq jours après la libération du camp par les Américains, il sera transporté en Bavière, où il mourra le 12 août. Les derniers mots de son journal sont des mots de lumière : « *Dieu Très Haut, accorde ton Amour, ton pardon, ta Bénédiction même à mes ennemis.* » Le 23 juin 1996, le pape Jean-Paul II le béatifiera à Berlin, dans la capitale de l'ancien Reich. Mgr Piguet a survécu au camp de la mort. En mai 1945, toute la ville de Clermont-Ferrand, en liesse, fêta le retour de son évêque. En 1997, le comité *Yad Va Shem* lui décerne la « médaille des Justes » pour avoir sauvé des dizaines de jeunes filles juives en les cachant au couvent Sainte-Marguerite de Clermont.

> *La cheminée du crématoire crache nuit et jour sa fumée inexorable.*

SOURCES : Mgr Piguet, « Prison et déportation », in *ARCHIVES DIOCÉSAINES DE CLERMONT-FERRAND*, 1947. *VIE CATHOLIQUE DE CLERMONT-FERRAND*, numéro spécial, juillet 1996. J. Kammerer, *LA BARAQUE DES PRÊTRES*, Paris, 1996.

# TAKASHI NAGAI

## *CELUI QUI FIT SONNER L'ANGÉLUS*
## *SUR LES RUINES FUMANTES DE NAGASAKI*

**• 27 NOV •**

LE PRINTEMPS EST TROMPEUR. MÊME LORSQUE LA GUERRE FAIT RAGE, ruinant des milliers de vies et un pays entier, la nature ignore les vicissitudes des combats meurtriers. Ainsi, dans la lumière presque bleue de Nagasaki, les rosiers et les arbres fruitiers donnent leurs fleurs et leurs parfums enchanteurs au cœur d'un paysage vallonné et boisé, parcouru de ruisseaux clairs et poissonneux, qui descendent en pente douce jusqu'à la mer. En ce 25 avril 1945, la cité nippone panse ses plaies. Cela fait huit ans que le Japon « invincible » a déclaré la guerre à la Chine et déclenché un conflit dans le Pacifique avec les États-Unis.

Dans la pièce aveugle de radiologie de l'hôpital de Nagasaki, un médecin, chercheur et enseignant de cette technologie nouvelle au Japon, se soumet à l'examen radiologique qu'il fait subir à des milliers de malades depuis dix ans. Il s'appelle Takashi Nagai. Ce scientifique, très respecté de la communauté médicale nippone, est catholique comme six millions de ses compatriotes. Dans un silence glacial, le verdict tombe. La radio révèle une anomalie de ses organes vitaux, foie, rate et estomac, qui ont doublé de volume. Les examens de sang viennent confirmer que ce jeune médecin de trente-cinq ans à peine, qui se dépense sans compter auprès de ses malades, toujours plus nombreux dans la tourmente de la guerre, a une leucémie.

Nagai a une femme, Midori, et deux enfants. Lorsqu'il était étudiant, il logeait dans une famille catholique. C'est là qu'il a commencé à connaître le Christ. C'est là aussi qu'il a rencontré la douce et forte Midori, la fille de la famille, dont il est tombé éperdument amoureux. Il l'a épousé et s'est converti à la religion qui désormais donne un sens nouveau à sa vie, l'éloignant d'un matérialisme scientifique sommaire, le cœur rempli de joie et de compassion pour son prochain.

Depuis qu'il enseigne et exerce la médecine, Nagai n'a connu que les aubes sombres qui obscurcissent le ciel de l'empire du Soleil-Levant, l'allié de Hitler et de Mussolini. L'empire cache ses défaites et néglige de compter ses morts. Lorsque, le 6 août 1945, la première bombe atomique américaine, *Little Boy*, tombe sur Hiroshima, détruisant totalement la ville et tuant sur le coup plus de 100 000 personnes, le gouvernement nippon censure la nouvelle. La radio n'en fait mention qu'à mots couverts. Ainsi le Japon ignore que l'apocalypse est à ses portes.

Nagai est pessimiste. Les Américains ont lancé des tracts sur Nagasaki pour alerter la population : « *En avril Nagasaki était tout en fleurs. En août, ce seront des torrents de feu.* » Il envoie ses enfants chez leur grand-mère à la campagne et retourne travailler, tandis que Midori reste près de lui.

Le 9 août 1945, Midori vaque dans sa cuisine. Deux amies, Tatsue et Urata, lui rendent visite, ainsi que sa cousine Kikue. Cette dernière propose joyeusement aux trois femmes de l'accompagner jusqu'au moulin de Topposui, à quelques kilomètres de la ville, pour moudre du froment. Seule Tatsue décide de se joindre à elle, Midori doit préparer le repas de son époux et l'apporter à l'hôpital. Quant à la vieille Urata, elle se sent trop fatiguée. Dans le livre qu'elle publia après la guerre, *Nous, habitants de Nagasaki*, Tatsue résume leurs adieux par cette phrase poignante : « *C'est ainsi que nous nous sommes séparées en deux groupes, celles qui allaient être en sécurité, et celles qui allaient être tuées.* »

Dans la matinée de ce 9 août, un présentateur de radio aperçoit un B-29 au-dessus de Shimabara. Il lance un avertissement à la radio. Le « *Tous aux abris* » ne concerne que ceux qui l'écoutent. Peu de monde en fait. Le pilote du B-29, le major Chuck Sweeney, s'apprête à larguer la seconde bombe atomique de l'histoire, nommée *Gros-Bonhomme*, un engin de quatre tonnes et demie, l'équivalent de 22 000 tonnes d'explosifs conventionnel, sur la ville de Kokura. Mais le ciel est bas, il n'a aucune visibilité, et le tuyau de l'alimentation auxiliaire de carburant est bloqué. Il doit faire vite. Il se dirige alors vers sa cible secondaire : « Nagasaki, zone urbaine ». Le ciel est bleu. Il est tout juste onze heures. Chuck ouvre le ventre du bombardier et libère la bombe.

Décrit-on l'horreur ? Tout a été dit, raconté. Une boule de feu de plusieurs millions de degrés centigrades au point d'impact fait exploser les bâtiments et les corps jusqu'à quatre kilomètres de l'épicentre, et déclenche un cyclone dont la puissance est soixante fois supérieure à la moyenne. Cette accélération soudaine cause un tel vide dans l'épicentre qu'un nouveau cyclone s'y précipite, balayant débris, poussières, boue, fumée, et forme un gigantesque champignon, blanc à l'extérieur, rouge en son cœur, noir à son pied. Dans une nuit comme un linceul, Nagasaki s'embrase. En moins d'une minute, 72 000 personnes partent en fumée sous le regard halluciné d'effroi des survivants.

Miraculeusement, l'hôpital où travaille Nagai, à seulement 700 mètres de l'épicentre, n'est pas totalement détruit, même si 80 % des malades et du personnel périssent sur le coup. Bien que blessé, le doyen Nagai a survécu. Il rassemble alors les femmes et les hommes encore debout pour tenter de venir en aide aux blessés, aux agonisants et à

> *Chuck ouvre le ventre du bombardier et libère la bombe.*

toute la foule hagarde qui se dirige vers eux. La tâche est rude. Même les nerfs des plus solides lâchent. Ils sont en enfer. *« À l'extérieur de l'hôpital, le chaos était insensé. Des corps pendaient aux murs et aux grilles, souvent il leur manquait la tête ou des membres. Une mère aux yeux fous courait serrant dans ses bras un enfant décapité, tandis que deux enfants traînaient leur père carbonisé vers la colline. »* Nagai garde son calme, il fait face, alors même que, sans nouvelle de Midori, il est dévoré par l'inquiétude et l'angoisse, et qu'il se sent impuissant devant l'ampleur du cataclysme. *« Je me sentis comme un moustique dont les pattes ont été arrachées. [...] Tout ce qui nous reste est ce que nous savons, notre amour et nos mains nues. »* Et Dieu. Sans Dieu, il aurait touché le fond. Avec Dieu, il trouve la force d'avancer et de fédérer les pauvres énergies présentes pour porter secours à tous les malheureux, tandis que le feu menace de les anéantir.

Quand, enfin, il peut rejoindre la zone de son ancienne maison, il ne trouve que des cendres, au milieu d'un *no man's land* gris où toute vie a disparu. Il ne reste de l'aimante et pieuse Midori que les traces carbonisées de son crâne, de ses hanches et de sa colonne vertébrale. Quand, dans la poudre des os de sa main droite, il trouve son chapelet, il s'agenouille et sanglote. *« Mon Dieu, je te remercie de lui avoir permis de mourir en priant. Marie, Mère des douleurs, merci de l'avoir accompagnée à l'heure de la mort. »*

Le 15 août, le Japon, par la voix de son empereur, Hirohito, capitule sans conditions.

Nagai reprend son bâton de pèlerin, reconstruit son toit et retrouve le chemin de l'hôpital. À présent, il observe les effets des radiations sur les patients, toujours plus nombreux, qui affluent à l'hôpital. Le drame atroce, qui a endeuillé la ville entière et l'a consumée dans les flammes, règne en maître dans tous les esprits. Nagai écrit : *« Nagasaki n'était-elle pas la victime choisie, l'agneau sans tache, holocauste offert sur l'autel du sacrifice, tuée pour les péchés de toutes les nations pendant la Deuxième Guerre mondiale ? Et*, ajoute-t-il, *ce sacrifice était nécessaire pour que des millions de vies fussent sauvées. »*

À l'approche de la fête de Noël 1945, le médecin décide d'écrire un roman populaire sur la bombe atomique, et de déterrer, avec son ami Yamada, qui a perdu femme, enfants et parents, l'une des cloches de l'ancienne cathédrale, plus précisément celle ensevelie sous les décombres de la coupole sud. Quand ils la découvrent enfin, les deux hommes sont émerveillés. Yamada construit rapidement un engin de levage, puis fixe la cloche sous un trépied de poteaux en cyprès. À six heures du soir, l'angélus résonne sur toute la ville – du moins sur ses décombres. C'est, pour tous les chrétiens, comme une résurrection. Même une bombe atomique ne peut étouffer les cloches de Dieu. Nagai vient de trouver un titre à son livre : *Les Cloches de Nagasaki.* Ce livre est un succès mondial. On

> *Dans la poudre des os de sa main droite, il trouve son chapelet.*

en tire même un film dont la chanson, devenue l'hymne de Nagasaki, court encore sur tous les livres.

Mais la leucémie fait son chemin dans le corps boursouflé et rongé de Nagai. En juillet 1946, il rechute gravement. Jusqu'à la fin de sa vie, il demeure alité, et s'emploie à écrire et prêcher l'espérance. Sa renommée dépasse les frontières de son pays. À peine vient-il d'achever son dernier ouvrage *Le Col de la Vierge* que son ultime martyre commence, la souffrance ne le laisse plus en repos. Le 30 avril 1951, il s'éteint en murmurant dans un effort désespéré : « *Jésus, Marie,*

> *À six heures du soir, l'angélus résonne sur toute la ville.*

*Joseph...* » Puis, « *Seigneur, entre tes mains je remets mon esprit.* »

Vingt mille personnes assistèrent à son enterrement dans la cathédrale reconstruite de Nagasaki. Cette ferveur, qui rassemble chrétiens et non chrétiens autour de ce chef spirituel qui croyait en la Rédemption et en l'espérance, est illustrée à merveille par le dicton populaire qui disait en parlant de la tragédie de la bombe atomique : « *Hiroshima crie et Nagasaki prie.* » Grâce à un homme, un chrétien, la foi qui avait survécu à trois siècles de persécution faisait renaître l'espérance à Nagasaki.

SOURCES : Takashi Nagai, LES CLOCHES DE NAGASAKI et LE COL DE LA VIERGE. P. Glynn, REQUIEM POUR NAGASAKI : BIOGRAPHIE DE TAKASHI NAGAI, LE GANDHI JAPONAIS, Paris, 1997.

# GERTRUD VON LE FORT

## *UNE GRANDE ROMANCIÈRE ALLEMANDE*
## *PLONGE SA PLUME DANS L'ENCRE*
## *DE LA RÉSISTANCE*

**28**
**NOV•**

« POURQUOI FAUT-IL TOUJOURS QUE CE GENRE D'ARTICLES TOMBE SUR MOI ? » pense la jeune journaliste qui fulmine devant sa feuille désespérément blanche. La jeune Anglaise tente vainement de rassembler ses esprits. Bon, dans le cadre d'un numéro spécial sur les romancières face à la barbarie nazie, on lui a demandé d'écrire un article sur Gertrud von Le Fort, la célèbre romancière allemande. Quelle poisse ! Elle n'a jamais lu une seule ligne de ladite Gertrud, un fort vilain nom au demeurant. Mais ce n'est pas chose évidente à avouer dans une salle de rédaction. Un rapide coup d'œil à l'horloge... Déjà seize heures. Le temps presse. Elle doit remettre son article à la première heure le lendemain. Si seulement elle n'avait pas attendu la dernière minute pour rédiger ce maudit papier ! La voilà obligée d'avaler en une nuit la quasi-intégralité de l'œuvre de Gertrud qui, pour corser l'affaire, n'a pas écrit que des opuscules. La journaliste se prend la tête entre les mains et regarde, désespérée, la pile de livres posés sur son bureau, tous commis par l'écrivain prolixe. Par où commencer ? *Le Silence*, bien sûr, il paraît que c'est

l'œuvre majeure de Gertrud von Le Fort sur l'Église face au nazisme. Mais il faut aussi, selon le libraire, qu'elle ingurgite *Le Voile de Véronique* (deux volumes, *Les Fontaines de Rome* et *La Couronne des anges*, tout un programme) et *L'Enfant étranger*, où la romancière fustige aussi, çà et là, l'idéologie nazie. Sans parler de *Hymnen an die Kirche* que ce fourbe de libraire a réussi à lui fourguer, profitant d'un moment d'égarement, sous prétexte que c'est « le » livre de Gertrud. Un recueil de poésie, publié en 1924. D'un geste, la journaliste le repousse. Hors de question qu'elle perde son temps.

La tête appuyée sur une main, elle feuillette distraitement le premier ouvrage. Pfff ! Elle n'y arrivera jamais. Si seulement quelqu'un pouvait l'aider, un passionné de littérature allemande... Tout à coup, la jeune Anglaise se redresse. Mais, bien sûr ! pourquoi n'y a-t-elle pas pensé plus tôt ? Son cousin James, lui, a la réputation d'être un brillant germaniste et ne cesse de parler des grands génies de la littérature allemande. Avec un peu de chance, il la connaît cette Gertrud ! Encore faut-il qu'il soit à Londres. Cela fait longtemps qu'elle n'a pas eu de ses nouvelles. « Tant pis, se dit la jeune femme, je prends le risque. » Attrapant ses bouquins, ses calepins et ses crayons, elle file retrouver celui qu'elle prend déjà pour le Messie.

– Dieu soit loué, il est là !

James accueille avec étonnement une cousine échevelée et cramoisie, qui tient des propos incohérents sur une certaine Gertrud que, visiblement, elle ne porte pas dans son cœur. Puis il comprend.

– Gertrud... Gertrud von Le Fort ! Mais c'est absolument splendide d'avoir à écrire un article sur cette romancière. Une des plus grandes voix du catholicisme allemand !

– Tu... Tu la connais ? Tu peux me parler de son œuvre ?

– Ben, oui, évidemment ! C'est un pur génie.

James hausse les épaules. Décidément, sa cousine le surprendra toujours. Il s'installe confortablement dans son canapé et prend sa pipe. Il observe avec amusement Mary en train de déballer calepins et crayons, tout en lâchant quelques volutes bleues.

→ Bon, par où commencer ? lâche James, dubitatif. Voyons. Note : Gertrud von Le Fort est la descendante d'une famille huguenote savoyarde qui émigra en Allemagne pour fuir les dragonnades. Fille d'un colonel prussien et élève de philosophes protestants...

– Attends, James, tu es bien gentil mais je n'écris pas un article de dictionnaire ! Je te rappelle que je travaille pour un journal féminin. Comment veux-tu que je passionne mes lectrices avec ce genre d'informations ?

– Évidemment, s'il faut faire pleurer Margot !

– Garde ton mépris pour toi, Margot paie mon loyer... Dis-moi plutôt comment elle s'opposa au nazisme dans ses œuvres.

– Bon, commençons par le début et sa conversion au catholicisme. Elle était protestante, comme je te le disais, et sa conversion a fait beaucoup de bruit dans l'Allemagne des années vingt. C'était en 1926. Déjà en 1924, avant même sa conversion, elle avait écrit un magnifique recueil de poèmes.

Mary n'est pas peu fière de montrer sa science toute neuve et lui tend le petit volume.

*Garde ton mépris pour toi, Margot paie mon loyer.*

– *Hymnen an die Kirche*. Tiens...

James attrape le recueil de poème et lit les premiers vers :

*« Je veux éteindre ma dernière consolation.*
*Je veux emporter le corps de mon Seigneur*
*Pour que mon âme devienne*
    *toute entière nuit.*
*Car la souffrance de la terre est devenue*
    *bienheureuse parce qu'elle a été aimée.*
*Voici le bois de la croix où a été suspendu*
*le salut du monde. »*

– Oui, bon, c'est très beau mais la condamnation du nazisme dans tout ça ?

– Eh bien, figure-toi, ma chère et néanmoins cousine, que les deux sont intimement liés ! Notamment dans son sublime roman, *Le Voile de Véronique*.

James se lève, arpente la pièce et commence à parler du roman, visiblement bien plus passionné que sa cousine qui, néanmoins, s'efforce de prendre des notes...

– L'œuvre montre la difficulté de tout croyant à vivre dans un monde sécularisé. L'action du premier volume – comme tu le sais, *Les Fontaines de Rome* – est marquée par un triple sceau : le paganisme antique (incarné par le poète Enzio), les forces de l'histoire (vécues au plus profond d'elle-même par tante Edelgart, une jeune femme tourmentée qui ne parvient pas à accéder à un degré d'humilité qui lui permette de se convertir) et l'humanisme chrétien (assumé par la grand-mère de Véronique). Catéchumène au début du roman, amoureuse d'Enzio, Véronique se convertit. C'est en fait, comme tu peux t'en douter, une sorte de double de l'auteur. Le second volume – *La Couronne des anges* – se situe à Heidelberg, où Enzio s'est rendu. Véronique l'y rejoint. Mais le poète se sent gagné par le nihilisme issu de Nietzsche et adhère au national-socialisme. *La Couronne des anges* devient dès lors une peinture extraordinairement fine de la cohabitation de la foi et de l'athéisme, du croyant et du révolté, de l'Église et du monde. Véronique va aussi loin que possible dans son amour pour Enzio, tout en s'abstenant de commettre ce que sa foi lui interdit. Attends, il faut absolument que je te retrouve ce passage vraiment merveilleux...

James plonge dans le roman avec avi-

> *Une peinture extraordinairement fine de la cohabitation de la foi et de l'athéisme.*

dité. Au bout de quelques minutes, Mary commence à s'impatienter. Tout à coup, James s'exclame :

– Voilà, écoute ! « *Vous m'avez montré comment un être qui est en contact avec Dieu se comporte envers ce qu'on appelle le monde, je veux dire à l'égard des valeurs courantes. Vous savez les embrasser avec une ardeur indescriptible et pourtant vous êtes disposée à tout sacrifier à Dieu, jusqu'à votre propre bonheur, alors que les autres sacrifient aisément les valeurs religieuses au profit de n'importe quoi.* »

– Sacrifier les valeurs religieuses... Elle veut parler de l'idéologie nazie ? demande Mary qui, décidément, aimerait en finir.

– Mais non, ce n'est pas elle qui parle ! C'est Enzio. Enfin, suis un peu ! L'autre grand thème de ce roman est aussi, tu vois, j'y viens, l'engagement intellectuel de l'auteur face à la montée de la barbarie nazie. Il y a là un débat qu'aucun intellectuel vivant en Allemagne entre les deux guerres n'a pu esquiver. Certains, comme les frères Heinrich et Thomas Mann, ont choisi l'exil ; d'autres, encouragés par les compromissions de Martin Heidegger et d'Ernst Jünger, ont collaboré ; d'autres enfin, à l'instar de ta Gertrud préférée, ont opté pour la résistance tout en demeurant sur le territoire allemand. Le poète Enzio, lui, se sent attiré par le national-socialisme. Ce ne fut pas le seul héros de Gertrud von Le Fort à l'être. C'est aussi le cas dans *L'Enfant étranger*, admirable nouvelle qui met en scène l'éveil du premier émoi amoureux entre une petite fille, Gläschen, et son cousin, Jestrow. Les deux jeunes gens prennent le domaine de Gross-Ellersdorf pour théâtre de leurs jeux. Mais, avec l'adolescence et l'entrée dans l'âge adulte, l'intérêt de Jestrow pour la chasse l'éloigne de Gläschen. L'attentat de Sarajevo, en août 1914, met le feu aux poudres. Le jeune homme se bat et est fait prisonnier. Après la défaite, il survit dans la République de Weimar, qui voit la montée du nazisme. Il s'affilie aux SS et milite passionnément en faveur du nouveau régime. La Seconde Guerre mondiale éclate. Il est mobilisé et passe en Pologne avec son régiment. Il ne reviendra à Gross-Ellersdorf qu'au

> *La plume de Gertrud condamne avec talent la monstruosité nazie.*

milieu du conflit, grièvement blessé à la jambe. Mais le Jestrow d'alors est profondément différent de celui qui était parti en 1939. Il est taciturne et replié sur lui-même. C'est à grand-peine qu'il confie avoir participé au massacre des juifs par les *Einsatzgruppen*, ces commandos qui ont fusillé des dizaines de milliers de personnes à l'arrière du front. C'est là où la plume de Gertrud condamne avec talent la monstruosité nazie. Jestrow évoque le visage apeuré d'une petite fille juive, de dix ans à peine, qui l'avait regardé sans mot dire avant de mourir. Son silence l'avait poursuivi pendant des années, il avait hanté ses nuits, ses rêves, il avait obscurci ses journées, éteignant en lui toute joie de vivre,

jusqu'à ce que Gläschen ne vienne l'en délivrer.

– Justement, *Le Silence*, James ?

– Ah ! oui, *Le Silence* ! C'est un très bref récit par lequel l'auteur entre dans la polémique autour du silence de Pie XII au sujet de la Shoah, que la pièce *Le Vicaire*, de l'écrivain autrichien Rolf Hochhuth, parue en 1963, avait déclenchée. Gertrud von Le Fort met en scène un épisode de l'histoire de Rome qui voit les « barons dégénérés » de la ville se mettre eux-mêmes au ban de l'Église et de la société civile pour mieux dévaster la campagne. Le peuple de Rome, atterré par cette guerre qui n'en finit pas, réclame à corps et à cris leur excommunication. En réalité, les barons n'attendent que cela pour mieux tourner le pouvoir du pape en dérision et se livrer impunément à toutes les atrocités. Prévenu en pleine nuit par une jeune femme voilée, épouse malgré elle de l'un de ces barons, le pape choisira la voix du silence, de l'incompréhension et de la solitude.

– Mais c'est affreux !

– Gertrud von Le Fort aussi le pensait, au début. Puis elle s'est dit que le silence avait peut-être été le seul moyen d'éviter que les nazis se déchaînent plus encore. Tiens, écoute ! « *Au moins qu'on puisse me dire s'il y a eu ne fût-ce qu'une seule voix pour faire comprendre au monde, que ce fut justement le silence de mon maître qui retint les nobles de commettre le pire...* »

– C'est trop facile ! s'exclame la jeune femme, ulcérée.

– Non, c'est lucide. Cela correspond bel et bien à la réalité. Les historiens contemporains estiment en effet que la politique de Pie XII lui a permis de sauver quelque 860 000 juifs. D'ailleurs, le grand rabbin de Rome pendant la guerre, Israël Zolli, s'est converti au catholicisme et a même pris le nom d'Eugène en hommage à Pie XII...

– Tu plaisantes ? Raconte !

– Volontiers, mais il est près de minuit et je te rappelle que tu as un article à rendre demain à la première heure. Fais ce que tu as à faire. Demain, je te raconterai la conversion d'Israël Zolli.

Enthousiaste, la jeune journaliste repart, bien décidée à revenir le lendemain pour entendre la fin de l'histoire.

SOURCES : G. von Le Fort, *HYMNEN AN DIE KIRCHE*, *L'ENFANT ÉTRANGER* et *LE SILENCE*.

# Pie XII et Israël Zolli

## *Quand le grand rabbin de Rome*

## *demande le baptême*

**• 29**
**NOV •**

SALOMON REMONTE LE COL DE SON MANTEAU ET PRESSE LE PAS. Un vent glacial s'engouffre dans les moindres ruelles de Rome. Ce mois de février 1945 n'est décidément pas clément. Mais Salomon relève le menton, respire à pleins poumons. Depuis le 5 juin 1944, Rome est libre, Rome lui ouvre ses bras. Pour rien au monde, désormais, il ne pesterait contre le froid, contre la pluie ou même contre la neige. Maintenant, il goûte avidement chaque minute, comme un cadeau, car il sait trop bien qu'il aurait pu ne jamais la vivre. Depuis la libération de Rome, il y a neuf mois, Salomon ne se lasse pas d'arpenter les rues de la Ville éternelle, le nez au vent, pour savourer ce sentiment d'éternité.

Des proches cousins, de nombreux amis de Salomon ont été arrêtés quand les Allemands occupaient la ville. Il apprenait chaque jour le nom de ceux qui étaient pris, découverts dans leur cachette et déportés. Il sait bien qu'ils ne reviendront pas. On dit que la mort est certaine pour ceux qui sont emmenés. Salomon a souvent du mal à dormir, il revoit leur visage.

Parfois, il s'en veut d'être encore là, libre, en vie.

Et pourtant, chaque jour, chaque nuit de ces longs mois d'occupation, Salomon remerciait l'Éternel de lui avoir permis de trouver refuge auprès du curé de Sainte-Marie-Majeure. De septembre 1943 à juin 1944, ce dernier l'avait caché, au péril de sa vie. Jamais il ne pourra l'oublier. Dans la ville, nombre de ces amis ont ainsi été protégés de la folie meurtrière des nazis.

Dès septembre 1943, alors que le drapeau à croix gammée faisait planer son ombre menaçante sur la ville, le pape Pie XII avait ordonné que l'on ouvrît aux juifs les portes de tous les monastères et couvents, si bien qu'environ 4 000 juifs trouvèrent refuge dans une centaine de paroisses et de maisons religieuses, jusque dans les basiliques de Saint-Jean-de-Latran et de Saint-Paul-hors-les-Murs, et même dans la résidence pontificale de Castelgandolfo. Salomon ignore bien sûr le nombre exact de ses frères ainsi sauvés. Il n'a que des bribes de l'histoire. Un de ses petits cousins a été accueilli comme élève à l'Institut pontifical du Latran. Dans cet établissement extra-territorial, il était protégé. Il avait pu obtenir la précieuse carte d'identité aux armes pontificales se détachant sur le blason blanc et jaune : ce document officiel l'avait sauvé de nombreuses situations périlleuses. Encore aujourd'hui, le jeune garçon ne peut sortir sans avoir, sous sa chemise, serrée contre son cœur, la précieuse carte, comme s'il ne pouvait croire que la terreur est achevée. Un des meilleurs amis de Salomon a été enrôlé dans l'un des corps armés du Vatican, la garde palatine. Il ne fut ainsi jamais inquiété. D'autres connaissances de Salomon obtinrent l'asile au Grand Séminaire de Rome. Ils ont raconté qu'ils y avaient retrouvé nombre d'amis : des Cohen, des Israël, des Sonnino, des Piperno, ou encore des Falco...

Salomon frissonne. Ses doigts sont gelés. Heureusement, au coin de la rue, il y a « son » café. L'un des rares cafés juifs de la ville à avoir rouvert ses portes après le départ des nazis. Salomon pousse la porte, une douce chaleur l'envahit. Il commande un café et le déguste lentement. Au fond de la salle, les discussions sont animées. Cela fait sourire Salomon qui tend l'oreille pour savoir ce qui suscite tant de passion. Tout à coup, il se fige. Il vient d'apprendre une nouvelle incroyable. Le grand rabbin... Le grand rabbin a demandé le baptême ! Salomon n'arrive pas y croire. Pourtant, il n'y a pas de doute, il a bien entendu. Israël Zolli, le grand rabbin de Rome, Israël Zolli, le professeur de langue et de littérature sémitiques s'est converti au catholicisme !

> *Le grand rabbin...*
> *Le grand rabbin*
> *a demandé le baptême !*

Comme tous les juifs de Rome, Salomon connaît bien Israël Zolli. L'homme est né à Brody, en Galicie autrichienne. En 1914, il a été nommé rabbin de Trieste, avant de devenir rabbin de Rome. Un homme extraordinaire, songe Salomon, un homme extrêmement cultivé qui fut professeur à l'université de Padoue, entre 1926 et 1938, avant d'enseigner à l'université de Rome. Un père pour tous les juifs de Rome. Quand la ville fut occupée, il refusa d'en partir et continua de diriger la vie de la communauté israélite dans la clandestinité. Sans lui, pense Salomon, la communauté aurait sombré dans le désespoir. Salomon se redresse fièrement. « Ils nous ont tout pris, mais, grâce à notre grand rabbin, ils n'ont pas volé notre âme », lance-t-il malgré lui à haute voix. Les regards se sont tournés vers lui. Salomon n'a pas envie d'entamer la conversation, surtout après la nouvelle qu'il vient d'apprendre. Il jette quelques lires sur le comptoir et quitte le café.

« Pourquoi ? » Cette question lancinante ne cesse de lui tarauder l'esprit. Pourquoi se faire baptiser maintenant alors que la menace s'éloigne ? Salomon réfléchit au passé d'Israël Zolli. Depuis longtemps, le grand rabbin éprouvait une vive attirance pour la figure de Jésus. Salomon se souvient d'ailleurs de l'un de ses ouvrages, *Le Nazaréen*, publié en 1938. La souffrance de ces dernières années l'a-t-il rapproché de celui que les chrétiens appellent Christ ? Salomon, même s'il se sent ce soir plus orphelin que jamais, renonce à comprendre. Il a toujours aimé le rabbin comme un fils aime son père, il continuera à supplier l'Éternel de lui accorder longue et heureuse vie.

Les jours suivants, Salomon apprend que le grand rabbin s'est effectivement fait baptiser. C'était le 13 février 1945. Il a choisi comme nom de baptême Eugenio, tandis que son épouse a pris celui d'Eugenia. Salomon comprend : le nom de Pie XII est Eugenio Pacelli. Sans doute est-ce en hommage au pape qui a tant fait pour son peuple. Salomon sourit : c'est bien la grandeur d'âme de l'ancien grand rabbin. Il en est heureux, Pie XII est un Juste.

En effet, Salomon le sait et l'a lui-même vécu ; la conduite de Pie XII à l'égard de la communauté juive de Rome, au temps de l'occupation de la ville par les Allemands, fut remarquable, malgré le danger évident que constituaient la présence militaire allemande et les projets — bien réels mais heureusement jamais mis à exécution — de violation de la neutralité vaticane et de déportation du pape sur le territoire du Reich. La communauté juive de Rome comptait alors huit à neuf mille membres, et il ne fallut pas longtemps pour que Kapler, l'auxiliaire de police à l'ambassade d'Allemagne, exigeât de cette communauté cinquante kilos d'or au titre de contribution de guerre, menaçant de prendre deux cents juifs en otage si cet or ne lui était pas remis dans les plus brefs délais. Les représentants de la communauté sollicitèrent alors du Vatican un prêt de quinze kilos d'or, et Pie XII ordonna que la quantité demandée fût immédiatement mise à leur disposition.

L'aide offerte aux juifs par le Saint-Siège se déploya sur tous les terrains. Aussi les raisons ne manquaient-elles pas pour que le bulletin d'information de la brigade juive intégrée au 8e corps d'armée britannique portât, à la date du 5 juin 1944 – le lendemain de la libération de Rome par les troupes alliées – la phrase suivante : « *Il restera pour toujours à l'honneur de la population de Rome et de l'Église catholique romaine que le sort des juifs ait été adouci grâce à l'Europe vraiment chrétienne.* »

Pie XII meurt en 1958. À sa mort, à la tribune de l'ONU, Golda Meir, qui deviendra Premier ministre d'Israël, lui rend hommage : « *Au cours des dix années qu'a duré la terreur nazie, quand notre peuple subissait un atroce martyre, la voix du pape s'est élevée pour condamner les bourreaux et exprimer sa compassion pour les victimes.* »

---

SOURCES : D. Masson, *LA CONVERSION DU GRAND RABBIN ZOLLI*, Paris, 1988. P. Blet, R. A. Graham, A. Martini et B. Schneider, *ACTES ET DOCUMENTS DU SAINT-SIÈGE RELATIFS À LA SECONDE GUERRE MONDIALE*, 11 vol., cité du Vatican, 1965-1981. Card. J. B. Montini, « Lettre sur Pie XII », in *THE TABLET*, 1963.

# MÈRE TERESA

## *PLUS LA MISÈRE EST GRANDE, PLUS LA PRIÈRE EST URGENTE*

**· 30 NOV ·** DANS LE TRAIN BONDÉ ET CAHOTANT QUI RELIE CALCUTTA À DARJEELING, le voile blanc d'une petite religieuse de Notre-Dame-de-Lorette tranche avec les saris colorés. En ce jour étouffant de 1946, on dirait que toute l'Inde se bouscule dans les compartiments surchauffés, séparée en ses milliers de castes, les *ksatriya*, les *vaisya*, et les *sudras*, et tous les parias, exclus de partout et même des temples. Elle les aime tous, la petite sœur de Lorette, avec une préférence toute spéciale pour les pauvres.

Toute jeune déjà, sœur Teresa a eu le désir de servir les plus démunis. Dans sa paroisse de Skopje, petite ville de Macédoine, où elle est née en 1910, Ganxhe Bojaxhiu – le nom qu'elle portait avant d'entrer en religion – voyait souvent passer des prêtres missionnaires en provenance d'Afrique ou d'Inde. Ils expliquaient en chaire combien le monde avait besoin de l'amour du Christ. Cela faisait longtemps qu'elle songeait à se consacrer à Dieu. Régulièrement, elle allait confier ce désir à la Vierge de Letniça, un sanctuaire non loin de Skopje. C'est là, en août 1928, que Ganxhe a décidé d'être elle aussi missionnaire, après six ans d'hésitation et malgré sa santé fragile. Son directeur de conscience d'alors, le père Jambrekovic, l'a rassurée : « *Si tu es heureuse en pensant que Dieu t'appelle pour le servir et servir ton prochain, c'est la preuve que ta vocation est réelle.* » Alors, un jour de septembre 1928, Ganxhe a pris le chemin de la gare de Skopje.

Sur le quai, une centaine de personnes l'attendent, des amis de la paroisse, du quartier, pleins de reconnaissance pour son rayonnement, son sourire et sa bonté. Ils sont venus dire adieu à la petite Ganxhe. La voilà en route pour le noviciat des sœurs de Notre-Dame-de-Lorette à Dublin. Dans le beau couvent de Rathfarnham, elle est devenue Marie Teresa de l'Enfant-Jésus, en référence à sainte Thérèse, la petite carmélite de Lisieux, canonisée trois ans plus tôt et nommée protectrice des missions.

Deux mois plus tard, sœur Teresa débarque en Inde. Un prêtre l'a avertie des difficultés qu'elle devra affronter : « *Ici le missionnaire a trois ennemis : le diable, le soleil et les castes. Pour le diable, on a l'aide de Dieu, pour le soleil, on achète un chapeau. Mais pour les castes...* » Pas étonnant donc que, dès son arrivée, en décembre 1928, elle ait maintes fois choqué, en nettoyant elle-même le sol de l'école où elle enseigne à des jeunes filles aisées, tâche réservée aux esclaves, ou en visitant, elle, une Européenne, les familles les plus pauvres dans les *paris*, les immeubles insalubres de Calcutta. Mais sœur Teresa ne peut se résoudre à croiser sans rien faire tous ces regards désespérés, tous ces corps délabrés qui la bouleversent. Bien sûr qu'elle aimerait les accueillir tous, la femme battue et l'homme poignardé, le bébé mourant, la fillette affamée, tous, pour les remettre à son Seigneur.

Pour l'amour de Dieu elle ferait tout, même l'impossible, ainsi qu'elle l'a promis. Le fait-elle ? Sœur Teresa n'est pas satisfaite de son apostolat. Confusément, elle sent que Dieu l'appelle à partager plus étroitement encore la vie des pauvres, mais comment concilier cet engagement radical avec la règle de Lorette ?

> Pour l'amour de Dieu, elle ferait tout, même l'impossible.

C'est pour répondre à cette question que sœur Teresa a demandé à quitter Calcutta pour rejoindre Darjeeling où elle fera sa retraite annuelle. C'est pour discerner sa vocation qu'elle a pris ce train. Et là, dans les cahots du convoi, au milieu du bruit, des cris des passagers, elle entend distinctement une voix, la même voix qui l'a appelée vingt ans plus tôt et qui l'appelle pour la seconde fois. Alors sœur Teresa entend cette phrase qu'elle pourra répéter au mot près, jusqu'à la fin de sa vie : « *Sors du couvent*

*de Lorette pour pouvoir servir librement les pauvres* ». Un appel dans l'appel.

Immédiatement lui vient à l'esprit une parole de la Bible, celle de la Vierge à l'ange Gabriel : « *Comment cela se fera-t-il ?* » Il y aura sa supérieure à convaincre et l'archevêque, si inquiet de l'évolution incertaine de l'Inde vers son indépendance. Et puis il existe déjà une administration qui, en théorie, s'occupe des pauvres. Sans parler des sœurs de Sainte-Anne, dont le ministère correspond à peu près à ce que Dieu demande à Teresa. Comment cela se fera-t-il ? Pour seule réponse, Teresa répète dans son cœur : « *Je suis la servante du Seigneur, qu'il advienne selon sa parole.* » Bientôt, le père Van Exem, un jésuite qui assure sa direction spirituelle, transmet à Rome sa demande de quitter l'ordre des sœurs de Lorette pour vivre parmi les pauvres. Il n'y a plus qu'une chose à faire, lui dit-il, « *prier et attendre* ». Elle attend et prie durant toute l'année 1947, retirée à Ansasol, dans l'État du Bihar, pour soigner une maladie qui l'a beaucoup affaiblie. Quand arrive enfin l'autorisation de quitter le couvent des sœurs de Lorette, sœur Teresa doit encore passer quelque temps à Patna chez des sœurs américaines, où elle suit une solide formation d'infirmière.

En 1948, sœur Teresa retrouve Calcutta. Rien n'a changé. Hormis un détail : la petite religieuse a revêtu, en guise d'habit, un simple sari blanc et bleu avec une petite croix sur l'épaule, signe visible de l'amour du Christ. Par où commencer ? Une visite, un sourire, une poignée de main, parfois un médicament à donner. Le soir, quand elle se retrouve au milieu de cette foule qui s'apprête à dormir à même la rue, Teresa, fatiguée d'avoir marché et œuvré toute la journée, pense que sa faiblesse n'est à rien à côté de celle des exclus qu'elle soigne.

*Elle recueille les enfants, les lave, les soigne, éduque leurs mères.*

Pourtant, dans la petite chambre qu'elle occupe chez des amis indiens, surgit parfois dans son esprit l'image du confortable couvent de Lorette, le réconfort des sœurs et la tentation de renoncer à cette folie pour retourner au bercail. Une seule solution, prier encore. « *Fais que je cherche à consoler plutôt qu'être consolée.* »

Son lieu de travail favori est le réservoir d'eau de Calcutta. Elle y recueille les enfants, les lave, les soigne, éduque leurs mères. Teresa s'épuise à ces travaux sans cesse recommencés, sans résultats apparents. Jusqu'à ce jour de mars 1949, où vient à elle une jeune fille qui lui propose ses services. Elle regarde Shabashini Dash, sa belle robe et ses anneaux aux oreilles, pense peut-être à celle qu'elle-même a été jadis et lui dit : « *On ne peut pas servir quand on est habillé comme tu es.* » Shabashini revient un peu plus tard, le jour de la Saint-Joseph, vêtue d'un sari blanc et bleu. Elle sera bientôt rejointe par trois jeunes filles, des anciennes élèves de sœur Teresa. Puis par cinq autres. Sœur Teresa songe alors à fonder un ordre. Celui des Missionnaires de la charité est officiellement créé le

7 octobre 1950. La règle tient en quelques phrases : « *La missionnaire de la charité doit être imprégnée de l'amour, témoigner de l'amour de Dieu pour tous les hommes, chrétiens et non chrétiens, croyants et non croyants... en particulier pour les pauvres parmi les plus pauvres.* »

Les plus pauvres, c'est cet homme que les sœurs ont retrouvé, mangé par les rats à la porte de l'hôpital Campbell, dans l'indifférence générale ; c'est cet enfant mourant dans les poubelles et dont Mère Teresa dit : « *Dans cet enfant il y a encore un souffle de vie. Personne au monde n'a le droit d'ôter la vie à qui que ce soit parce qu'elle est un don de Dieu* » ; c'est encore cette femme qu'elle recueille, lave, soigne et qui lui demande :

– *Pourquoi fais-tu cela ?*

– *Parce que je t'aime et parce que Dieu t'aime.*

La femme murmure dans un souffle :

– *Dis-le moi encore, car c'est la première fois de ma vie que j'entends ces mots.*

Dans la bouche de chacun de ceux qu'elle soigne, Mère Teresa entend la parole du Christ sur la croix : « *J'ai soif* », une urgence qui ne souffre aucun délai, aucune prudence. Lorsqu'elle s'installe en 1952 dans le quartier de Khalighat, avec l'autorisation de l'administration, elle sait bien qu'elle investit le cœur d'un centre religieux hindou, à quelques pas du temple de la déesse Khâli. Mais qu'importe ! Teresa est là pour accueillir les mourants de toutes origines, au grand scandale des fidèles et de certains dignitaires. Un jour, ils envoient un fonctionnaire d'État pour que cesse ce blasphème. L'homme entre dans le bâtiment, pénétré de son titre et de son pouvoir. Il voit les centaines de mourants allongés par terre, les sœurs qui les soignent, Mère Teresa en tête, agenouillée à leur chevet. Ému, l'homme de loi ressort, en disant aux prêtres qui l'attendent à l'extérieur : « *Dans le temple de Khâli, vous adorez une déesse en pierre noire tandis que dans cette salle vous avez une déesse vivante.* » Plus jamais, l'État indien et les prêtres de Khâli ne s'en prendront aux Missionnaires de la maison de *Nirmal Hriday*, la maison du « Cœur pur », dédiée à la Vierge Marie. Son action est désormais admise, respectée, admirée.

Le pape Jean-Paul II, qui visita ses Maisons en Inde en 1986, lui confia la maison d'accueil du Vatican, « le Don de Marie », ouverte aux sans-abris. Ne résisteront pas non plus à l'exceptionnel charisme de Mère Teresa le président du Comité soviétique pour la paix, à Moscou où elle installera deux maisons, ni les jurés du prix Nobel de la paix qui lui décerneront le prix en 1979, ni les dirigeants du monde entier à qui elle ne cessera de rappeler les exigences du respect de la vie, de la conception jusqu'à la mort.

> *Ils envoient un fonctionnaire d'État pour que cesse ce blasphème.*

Mère Teresa est morte d'épuisement le 6 septembre 1997. Ses obsèques ont été suivies en Inde par des millions de personnes de toutes castes. Événement sans précédent, son procès en béatification a été ouvert moins de dix-huit mois après sa mort.

SOURCES : Mère Teresa, *UN CHEMIN TOUT SIMPLE*. L. Gjergji, *MÈRE TERESA*, Paris, 1993. F. Lenoir, *MÈRE TERESA*, Paris, 1993.

DÉCEMBRE

JANVIER

FÉVRIER

MARS

AVRIL

MAI

JUIN

JUILLET

AOÛT

SEPTEMBRE

OCTOBRE

NOVEMBRE

**DÉCEMBRE**

# TÉMOINS ET VISIONNAIRES
## DE LA DÉCLARATION UNIVERSELLE
## DES DROITS DE L'HOMME
## AU CONCILE Vatican II

Fais-nous voir, Seigneur, ton amour,

et donne-nous ton salut.

J'écoute : que dira le Seigneur Dieu ?

Ce qu'il dit c'est la paix

pour son peuple et ses fidèles ;

qu'ils ne reviennent jamais à leur folie !

Son salut est proche de ceux qui le craignent,

et la gloire habitera notre terre.

Amour et vérité se rencontrent,

justice et paix s'embrassent ;

la vérité germera de la terre

et du ciel se penchera la justice.

Psaume 84

# HENRI MATISSE
# ET LA CHAPELLE DE VENCE
## *UNE PORTE OUVERTE SUR LE PARADIS*

• **2**
**DEC** •

LE « *CHEF-D'ŒUVRE DE TOUTE MA VIE* », DISAIT MATISSE EN PARLANT DE LA CHAPELLE DE VENCE, qui absorba l'essentiel de son énergie pendant quatre années entières, de décembre 1947 à juin 1951. « *Ceux qui ont eu l'honneur et la joie d'approcher Matisse durant ces quatre années où, de jour et de nuit, cette chapelle s'est édifiée, mais d'abord en lui, dans le secret de son âme, ceux-là savent comment, de mois en mois, de semaine en semaine, les projets successifs se sont succédé les uns aux autres dans un progrès constant de simplification* », a écrit le père Couturier dans son *Journal*. Et c'est lui encore qui rapporte cette réflexion de Matisse, revenu très impressionné d'une visite à Notre-Dame de Paris : « *Quand je suis sorti, je me suis dit : Eh bien ! En face de tout cela, qu'est-ce que la chapelle ? [...] Ce n'est qu'une fleur. Mais c'est une fleur.* »

La chapelle de Vence est née de la profonde amitié qui lie Matisse et une dominicaine, sœur Jacques-Marie. Matisse l'a connue à Nice où elle a été son infirmière avant d'entrer dans l'ordre de saint Dominique. Elle l'a soigné pendant sa grave et longue maladie de 1942 à 1943. Au fil des interminables nuits d'insomnie du peintre, un lien solide se noue entre eux. À la fin de 1946, sœur Jacques-Marie parle à son ami d'une chapelle que les dominicaines veulent aménager à la place du hangar qui leur en tient lieu. Elle commence par solliciter ses conseils et lui soumet un projet de vitrail. Matisse, qui a alors soixante-dix-sept ans, commence par lui donner quelques indications puis, progressivement, se pique au jeu jusqu'à envisager de faire lui-même les vitraux et de concevoir l'édifice qui les abritera. Il le raconte avec étonnement dans l'un de ses carnets, en parlant de lui-même à la troisième personne comme pour accentuer l'étrangeté de l'aventure : « *Or, voilà que le vieux Matisse, qui habite presque toute l'année à Vence, s'est mis en tête depuis six mois, d'abord par amitié pour la sœur qui lui donne des soins, puis à cause de l'intérêt de plus en plus profond qu'il a pris à la chose, s'est mis en tête de faire les vitraux, deux tableaux d'autel et le Chemin de Croix de la chapelle qu'il y a lieu d'élever pour le Foyer Lacordaire. Cela est tout à fait sensationnel, quand on sait qui est Matisse. Jamais on n'aurait pu croire que cet artiste, dont l'art semblait irré-*

médiablement fermé au surnaturel, se passionnerait pour une telle tâche. »

Et, en effet, Matisse se passionne. Il bute néanmoins sur une difficulté technique de taille : il n'est pas architecte, et a besoin d'aide. À la fin de l'automne 1947, les dominicaines lui envoient un étudiant, un jeune frère en convalescence dans la région, le frère Rayssiguier, auquel la supérieure suggère de se présenter à Matisse « *comme un architecte, leur conseiller, désireux de l'entretenir de la future chapelle* ». Le frère n'est pas architecte, mais il se préoccupe beaucoup d'art, comme de nombreux dominicains de l'époque à la suite du père Couturier.

Le père Marie-Alain Couturier a alors la cinquantaine. Il mène depuis des années un combat pour imposer l'art contemporain dans les édifices religieux, convaincu que « *la bonne peinture ne se fait pas avec de bons principes et de bonnes idées* », mais avec le génie des maîtres qui osent s'ouvrir à l'inconnu de leur monde intérieur. Pour obtenir un renouveau de l'art sacré, pense-t-il, il faut s'adresser, non aux « spécialistes » de cet art, mais aux plus grands artistes du temps, les seuls qui soient capables de véritable création, les seuls qui soient capables de « jeunesse », sans que l'âge ne fasse rien à l'affaire. « *C'est la grande leçon des vieux maîtres*, a-t-il écrit quelques années auparavant ; *les œuvres les plus jeunes de Rembrandt, de Titien, du Greco ; de Renoir, de Matisse et de Picasso, et de Cézanne, ce sont les œuvres de leur vieillesse, parce qu'elles sont*

*les plus libres. Les maîtres ne nous donnent pas de recettes, ils nous apprennent, au contraire, à les redouter et à les fuir ; ils nous enseignent le courage, l'audace, le risque, la volonté d'une aventure sans limites.* »

Le père Couturier déborde de projets enthousiasmants : celui de la Sainte-Baume avec Le Corbusier et Léger, celui de l'église d'Assy avec Léger, Bonnard, Lurçat, Bazaine, Rouault... Le frère Rayssiguier, qui vient de découvrir les œuvres de Matisse, est aussi convaincu que le peintre est « *capable d'art sacré* ». Il ébauche un plan de chapelle, qu'il soumet à Matisse. Le peintre s'y intéresse vivement : il y voit en effet un champ d'application possible pour les recherches qu'il mène alors à partir de ses gouaches découpées : tour à tour algues, coquillages, fleurs, étoiles, mouettes, chevelure, nuages, corps humains, elles veulent rendre le mouvement profond de la vie. La simplicité du plan le séduit, les murs de la chapelle lui offrent « *l'équivalence visuelle d'un grand livre ouvert* ». Commencent alors des mois de travail acharné. Sur des espaces recouverts de céramique blanche, il inscrit des signes noirs, la *Vierge à l'enfant*, le *Saint Dominique*, le *Chemin de Croix*, tandis que, sur d'autres murs, des vitraux élancés reprennent les formes des gouaches et font chanter leurs couleurs.

Le peintre et le religieux découvrent toutefois au fil des mois que leurs conceptions ne sont pas toujours les mêmes. Le jeune dominicain avait prévu

> *Matisse n'est pas architecte, et a besoin d'aide.*

un équilibre des masses entre les fresques dessinées et les ouvertures hautes et étroites des vitraux ; Matisse, qui acquiert sa propre vision de l'œuvre, fait basculer cet équilibre en faveur des vitraux en décidant de réduire la hauteur des dessins. Après plus d'un mois de réflexion tourmentée, le frère accepte finalement l'idée du peintre. Mais Matisse, soutenu par le père Couturier, accentue encore l'importance des vitraux. Découragé, Rayssiguier est sur le point de se retirer. Finalement les tensions sont surmontées par la décision commune de faire appel à un architecte professionnel. Le nom de Le Corbusier est récusé par Matisse, et c'est Auguste Perret qui, en juillet 1948, accepte de se charger du plan.

Tous les problèmes ne sont pas résolus pour autant. Matisse les découvre à mesure qu'il travaille à ses vitraux et se trouve amené à renoncer à des modifications qu'il avait demandées et à revenir à une conception plus proche de la maquette initialement établie par le frère Rayssiguier. En novembre, il abandonne sans hésitation le grand vitrail de la *Jérusalem céleste* auquel il a pourtant travaillé tout l'été, pour commencer une deuxième version des vitraux... qu'il décide une nouvelle fois d'abandonner quand le père Couturier, en février 1949, simule sur les maquettes l'emplacement des barres de soutien des panneaux, désastreux pour l'effet de lumière recherché. À travers ces approches successives, Matisse s'imprègne de la chapelle, qu'il a reconstituée dans son appartement-atelier de Cimiez et dans laquelle il a installé son lit. « *Je vais encore coucher dans l'église* », dit-il au frère Rayssiguier. Il cherche de plus en plus consciemment à faire d'elle « *un espace spirituel* ». « *Dans notre construction, il est important que l'état religieux des esprits vienne naturellement des lignes et des couleurs agissant dans la simplicité de leur éloquence.* » La chapelle « *pousse en lui comme une plante* » et sa troisième version des vitraux, sur le thème de l'« Arbre de vie », est celle qui sera retenue. Les couleurs choisies, le bleu intense du ciel, le vert végétal et le jaune solaire, vont faire de la chapelle un espace de lumière. Le 15 mars, il écrit au père Couturier : « *Vous pouvez venir, les vitraux sont terminés.* »

Matisse n'est pas au bout de ses peines. Si la maquette des vitraux est terminée, leur réalisation prendra beaucoup plus de temps. La maladie – grippes et bronchite asthmatique – l'interrompt à plusieurs reprises. Les recherches pour trouver le support adéquat des dessins – ces carreaux de faïence blanche sur lesquels vont jouer les reflets des vitraux, mais qui vont se casser à plusieurs reprises au cours des essais – prennent aussi beaucoup de temps, de même que les multiples versions des dessins de la *Vierge à l'enfant*, du *Saint Dominique* et du *Chemin de Croix*. Comme les vitraux, ils s'épurent pour devenir une sorte de calligraphie ténue qui ouvre l'espace sur l'invisible dont Matisse semble pressentir la transcen-

> *La chapelle « pousse en lui comme une plante ».*

dance. « *Maintenant, je ne peux comprendre tout ce que je fais, je ne sais pas pourquoi. [...] Dieu me tient la main.* » En même temps, il est conscient que cette transformation vient du plus profond de son être. Au père Couturier, qui lui dit en riant, après un nouveau dessin du panneau de la Vierge : « *Je suis sûr que ce sera encore tout autre chose* », il répond vivement : « *Pas du tout, ce ne sera pas autre chose. C'est comme une prière qu'on redit de mieux en mieux. Je n'ai jamais pu faire les choses que je ne sentais pas en moi.* »

En juin 1950, Matisse écrit au père Couturier : « *La chapelle en ce qui me concerne est terminée, c'est-à-dire que je peux mourir, j'ai fait ma partie originale et person-*

> « *Je peux mourir, j'ai fait ma partie originale et personnelle.* »

nelle. » Il la voit comme « *un élan joyeux et plein d'espoir vers la Vierge du Rosaire* ». L'année suivante, les travaux sont achevés et la chapelle Notre-Dame-du-Rosaire est inaugurée le 25 juin. Matisse, malade, ne peut y assister. Il se sent désormais « *comme le voyageur qui a fait sa valise et qui attend le train et qui sait que l'heure ne peut plus beaucoup tarder* ». L'heure vient pour lui le 3 novembre 1954.

Deux ans plus tôt, le père Couturier lui avait écrit : « *Je reçois chaque semaine maintenant des lettres de gens qui reviennent bouleversés de Vence. Non pas seulement par la beauté de la chapelle, mais religieusement. [...] Je suis sûr qu'il y a des gens qui entreront en paradis par la porte que vous leur aurez ouverte.* »

SOURCES : H. Matisse, M.-A. Couturier et L.-B. Rayssiguier, *LA CHAPELLE DE VENCE, JOURNAL D'UNE CRÉATION*, Paris, 1993. M.-A. Couturier, *LA VÉRITÉ BLESSÉE*, Paris, 1984. P. Schneider, *MATISSE*, Paris, 1984.

# LE CARDINAL WYSZYNSKI

## *TÉMOIN DE L'ÉGLISE*

### *DANS UNE POLOGNE EN RUINE*

• 3
DEC •

« LE CARDINAL VEUT ME VOIR, MOI ? » LE PÈRE STEFAN NE SAIT COMMENT prendre cette incroyable nouvelle. Pourquoi, en ce mois de mars 1946, alors que la Pologne dévastée et martyrisée par la guerre tente péniblement de revivre, le cardinal primat de Pologne August Hlond prendrait-il la peine de venir le voir ?

Le cardinal, qui avait dû quitter la Pologne pendant le conflit, est rentré au cours de l'été 1945. Le pape Pie XII lui a confié tout pouvoir sur tout le territoire polonais, et la tâche est immense et délicate. Les frontières ont été profondément modifiées, et le découpage des diocèses doit être remodelé en conséquence, et surtout, un nouveau gouvernement, majoritairement communiste et inféodé à Moscou, s'est installé au pouvoir, tandis que le gouvernement légitime, exilé à Londres, se voit refuser tout retour. Les communistes ont d'ailleurs rompu, dès l'automne 1945, leurs relations diplomatiques avec le Saint-Siège, qui soutient les Polonais de Londres.

Pourquoi donc le cardinal primat prendrait-il la peine de lui rendre visite, à lui, Stefan Wyszynski, simple prêtre ? Stefan s'interroge. Il est né au début du siècle dans une famille modeste, à une époque où l'on était polonais de cœur, mais pas de nationalité, puisque l'État polonais n'existait pas et que la terre de Pologne était partagée entre les deux géants qu'étaient la Russie tsariste et l'Allemagne impériale et prussienne. Il a été ordonné en 1924 ; la Pologne était alors une jeune nation démocratique aux frontières fragiles, toujours coincée entre les deux géants, dont l'un était devenu communiste, et l'autre allait devenir nazi.

Le père Stefan sourit intérieurement. À l'époque, on ne donnait pas cher de sa vie, ses poumons étaient si mal en point que le sacristain de la cathédrale s'était cru drôle en lui déclarant : « *Avec une telle santé, vous feriez mieux de vous préparer à prendre le chemin du cimetière plutôt que d'entrer dans les ordres.* » Pourtant, il avait survécu, même si au cours de l'ordination, alors qu'il était allongé sur le sol pendant la litanie des saints, il avait bien craint de ne jamais pouvoir se relever. Sa guérison, il la doit à Marie, il en est bien certain, c'est elle qui l'a soutenu et qui veille sur la Pologne, c'est d'ailleurs pourquoi il a célébré sa première messe à Czestochowa, le sanctuaire de la Vierge noire, mère de la Pologne et des Polonais. Bon, ce n'est pas à cause de sa guérison, même miraculeuse, que le cardinal s'annonce. À cause de la thèse qu'il a soutenue à l'université de Lublin, peut-être ? Il y traitait des « droits de la famille, de l'Église, de l'État concernant l'école ». Compte tenu des relations entre l'État actuel et l'Église, c'est improbable ou tout au moins prématuré.

*Le pape Pie XII vous nomme évêque de Lublin.*

Le cardinal viendrait-il alors le consulter à propos du monde ouvrier et de la situation sociale ? C'est plus vraisemblable. Tout au long des années trente, il a fait œuvre de journalisme et a publié de nombreux articles sur le chômage, il a même voyagé en France et en Belgique, s'est intéressé de très près à la JOC, au point qu'il a été qualifié de progressiste par de bonnes âmes qui n'en pensaient guère de bien. Stefan se redresse à l'évocation de ce souvenir. Les militants du mouvement *Odrodzenie* (Renaissance) qui regroupait des intellectuels et au sein duquel il a milité ont été l'un des fers de lance de la résistance polonaise, il n'est que de demander aux nazis et à leurs amis les collaborateurs ce qu'ils en pensent. Stefan respire mieux, oui, c'est sans doute cela qui amène le cardinal.

Le père Stefan Wyszynski a, tout à la fois, tort et raison. C'est tout à la fois cela et bien autre chose qui lui vaut la visite du cardinal.

– Le pape Pie XII vous nomme évêque de Lublin.

Quand il s'écrie incrédule : « *Comment cela peut-il se faire ?* », le cardinal Hlond pourrait, afin de justifier ce choix, reprendre point par point les éléments de sa biographie. Et l'Église ne se trompe pas en appelant ce jeune prélat de quarante-cinq ans qui choisit comme devise « *À Dieu seul.* »

Mgr Wyszynski ne reste pas longtemps à Lublin. À la mort du cardinal Hlond, il lui succède à la tête du diocèse de Varsovie. Comme à Lublin, tout est à reconstruire, les murs, mais aussi les esprits. Dans les ruines de la cathédrale, lors de son installation, il déclare : « *Le sang versé oblige tous les habitants de la capitale à être fidèles aux droits bénis de la nation, à défendre sa dignité nationale, son visage chrétien, son esprit de justice, de paix, de liberté.* » Pour Stefan Wyszynski, le long face-à-face avec l'État communiste commence : il va durer plus de trente ans. Le nouvel archevêque de Varsovie ne peut bien sûr pas le deviner, mais il sait que la partie sera longue.

À la grande surprise du Vatican, il signe dès 1950 un compromis avec le gouvernement, qui organise aussi bien que faire se peut les rapports de l'Église et de l'État. Les ordres religieux voient leur existence garantie. L'université catholique de Lublin, les facultés catholiques de Cracovie et de Varsovie demeurent ouvertes. L'Église catholique conserve ainsi des lieux de formation pour ses élites. Rome réprouve l'attitude de Wyszynski, qu'elle trouve trop conciliante, et, au printemps 1951, le pape ne prend pas le temps de recevoir lui-même l'archevêque. Il est cependant élevé à la pourpre cardinalice en 1952. Ce soutien du Vatican ne sera pas de trop dans le bras de fer qui l'oppose au pouvoir communiste en 1953. Le 9 février, un décret impose un contrôle strict de l'État sur toutes les nominations à des fonctions ecclésiastiques. Le 8 mai, les évêques polonais refusent le diktat : « *Nous ne pouvons pas céder.* » La tension est à son comble. L'évêque de Kielce est emprisonné à la suite d'un procès d'un style stalinien très pur que le cardinal primat dénonce en chaire dans un sermon enflammé. Cette fois, il est allé trop loin. Le 24 septembre, il est arrêté.

« *Le bourreau peut tuer mon corps. Rien au monde ne saurait tuer mon âme. On nous parle d'évêques criminels. Viendra un jour où l'Histoire les appellera saints.* » Le gouvernement n'osera pas aller jusque-là, mais Wyszynski restera incarcéré trois années. En même temps, les communistes suppriment la revue hebdomadaire catholique *Tygodnik Powszechny* et le mensuel *Znak*, qui lui était lié. Autour de ces journaux gravitait un groupe d'intellectuels dont le jeune prêtre Karol Wojtyla. En 1956, le souffle de ce qui fut nommé « le printemps d'octobre » ouvre les portes de la prison du cardinal. L'énorme rassemblement populaire du mois d'août à Czestochowa a bien montré la vitalité des catholiques polonais et leur attachement indéfectible au cardinal Wyszynski.

> *Le cardinal Wyszynski reçoit un renfort de choix en la personne de Karol Wojtyla*

Même momentanément décapitée, l'Église polonaise a survécu. Les Polonais sont catholiques de toute leur âme, et ni le « gavage » idéologique ni la répression n'y peuvent rien changer. L'accalmie est de courte durée, mais l'Église polonaise et son primat n'ont pas résisté en vain. Le pouvoir sait qu'il doit désormais composer avec une Église dont la force morale ne faiblit pas, au contraire. Les églises ne désemplissent pas, les vocations sont nombreuses. Le décret de février 1953 est abrogé, l'enseignement religieux est autorisé dans les écoles pour les parents qui le souhaitent, les journaux reparaissent. Le cardinal Wyszynski reçoit un renfort de choix en la personne de Karol Wojtyla, nommé archevêque de Cracovie en 1964 et élevé au cardinalat lui aussi en 1967. Les deux hommes savent qu'ils peuvent compter sur le pape Paul VI qui honore l'un et l'autre de son amitié. En 1951, alors qu'il n'était que le patriarche de Venise, Angelo Roncalli, le futur pape Jean XXIII, avait été l'un des seuls à manifester sa sympathie à Stefan Wyszynski lors de sa pénible visite à Rome. Paul VI s'en souvient et offre au primat de Pologne l'anneau pontifical de Jean XXIII.

En 1966, la célébration du millénaire de la Pologne fait éclater au grand jour « l'exception polonaise », et montre le visage d'une Église fidèle, ardente, unie autour de ses pasteurs et bénéficiant d'un immense et fervent soutien de toute la population.

Le jour même de son accession au pontificat, Jean-Paul II rend à son frère dans l'épiscopat, Stefan Wyszynski, ce vibrant hommage : « *Sans toi, sans ton activité, sans ta foi indéfectible, jamais un pape polonais ne serait aujourd'hui sur le trône de Pierre.* » Le primat de Pologne est encore le témoin d'heures graves pour son pays et suit avec passion l'aventure du syndicat Solidarité. Il soutient avec force, malgré son grand âge et sa santé déclinante, les revendications de liberté et de dignité des travailleurs polonais. Lech Walesa dit de lui : « *Ce fut un père pour nous.* » Le cardinal Wyszynski s'éteint à l'automne 1981. Sa vie, l'évêque la vouait « *à Dieu seul* », et aussi à la Pologne.

SOURCES : P. Lenert, *L'ÉGLISE CATHOLIQUE EN POLOGNE*, Paris, 1972 (inspiré par S. Wyszynski). K. Pomian, « Religion et politique en Pologne (1945-1984) », in *VINGTIÈME SIÈCLE*, Paris, avril-juin 1986. J. Kloczowski et L. Mullerowa, *LE CHRISTIANISME POLONAIS APRÈS 1945*, Paris, 1987. W. Zdaniewicz, *ÉGLISE CATHOLIQUE EN POLOGNE 1945-1972*, Poznan, Pallotinum, 1978. A. Micewski, *CARDINAL WYSZYNSKI. A BIOGRAPHY*, San Diego, New York, Londres, 1984.

# ROBERT SCHUMAN

## *Un chrétien pour l'Europe*

**• 4 DEC •**

CE 29 NOVEMBRE 1947, L'ATMOSPHÈRE EST ÉLECTRIQUE À L'ASSEMBLÉE NATIONALE : le nouveau gouvernement doit y défendre ses « mesures de défense républicaine » pour juguler la vague de grèves insurrectionnelles qui paralyse le pays depuis deux semaines. Près de cinq cents députés guettent l'arrivée du président du Conseil, Robert Schuman, investi quarante-huit heures plus tôt. D'un pas lent et mesuré, le nouveau chef du gouvernement pénètre dans l'hémicycle, accueilli par les applaudissements de la droite et du centre. Soudain, venue des travées de l'extrême gauche communiste, la voix rocailleuse et tonitruante de Jacques Duclos couvre le brouhaha : « *Tiens, voilà le Boche !* » Le petit homme au front dégarni, à la stature replète, insiste : « *C'est un Boche, ce président du Conseil !* » Le chahut est indescriptible, les communistes renchérissent, les insultes fusent : « *Collabo, officier allemand, valet de Vichy !* » Le reste de l'Assemblée proteste, les élus d'Alsace et de Lorraine sont indignés. Robert Schuman accuse le coup. Sa grande silhouette se voûte davantage, son visage ravagé de fatigue

se fige, sa voix un peu tremblante s'élève pour rejeter ces odieuses accusations. La séance se poursuit, houleuse, hachée par les obstructions et les invectives de toutes sortes. Néanmoins, Robert Schuman et son ministre de l'Intérieur, Jules Moch, parviennent à proposer leurs « mesures de défense républicaine », comportant le rappel de 80 000 réservistes, des sanctions contre les auteurs de sabotage et les instigateurs de piquets de grève. Après des débats acharnés qui dureront cinq jours, le texte sera voté, considérablement allégé, le 4 décembre à quatre heures du matin.

Si Robert Schuman n'est pas « boche », il est bel et bien né allemand, au Luxembourg en 1886. Son père est lorrain, donc allemand depuis l'annexion de l'Alsace et de la Lorraine par Bismarck, en 1871. Sa mère, luxembourgeoise de naissance, devient allemande en se mariant. Robert Schuman qui reçoit à la maison et au collège une parfaite éducation catholique, se révèle dès l'âge de dix ans un enfant très pieux. Élève brillant, il fait son droit en Allemagne. On le suit, jeune étudiant catholique engagé, de Bonn à Munich, de Berlin à Strasbourg, où il obtient ses premiers grades universitaires en 1912. À vingt-six ans, il décide de s'installer à Metz, capitale de la Lorraine, sa véritable patrie, tout en se proclamant lui-même cosmopolite. Sa foi profonde le conduit très vite à militer au sein du parti catholique Zentrum. Le jeune homme songe un instant à entrer dans les ordres. Ses amis, qui comprennent rapidement le destin exceptionnel auquel est appelé le jeune Lorrain, l'en dissuadent. Il décide, sur leurs conseils, de demeurer un militant laïc. C'est à ce moment-là qu'il s'engage corps et âme dans la politique et dans le catholicisme social qui sera sa véritable vocation jusqu'à sa mort.

Lorsque la Grande Guerre éclate, il est appelé comme « soldat auxiliaire » avant d'être réformé. Durant cette guerre atroce qui voit s'affronter ses deux patries, il reste très prudent, s'attachant seulement à ce qui est bon et juste. Dès 1919, il devient député de Moselle, et le restera sans interruption jusqu'en 1940. Il défend à Paris le particularisme des trois départements de l'Est, se bat en faveur du bilinguisme, défend avec acharnement les écoles religieuses lors des menaces du Cartel d'Herriot et du Front populaire de Blum en 1936. Il soutient également l'action des APEL, Associations des parents de l'enseignement libre, créées en 1930. Il participe aux combats du syndicalisme chrétien, notamment après la scission de Tours et la création de la CFTC en 1919 avec Gaston Tessier et Jules Zirnheld.

Les horreurs de la Seconde Guerre mondiale, la nouvelle annexion de l'Alsace et de la Lorraine au Grand Reich hitlérien lui font prendre conscience qu'à l'avenir, seule une réconciliation franco-allemande sera un gage de paix pour l'Europe. Arrêté par la Gestapo en 1941 – certainement en raison de ses propos contre l'Anschluss de 1938 –, il est placé en résidence surveillée dans le Palatinat voisin. Il s'en évade en août 1942 et regagne la France.

À la fin de la guerre, il adhère au Mouvement républicain populaire (MRP) fondé en 1944 d'inspiration proche de l'ancien Zentrum allemand. Ministre des Finances en 1946, le voici chef du gouvernement en 1947. C'est en tant que ministre des Affaires étrangères de 1948 à 1952 qu'il va pouvoir concrétiser son rêve : œuvrer pour la réconciliation de ses deux patries, la France et l'Allemagne, en les intégrant dans une plus grande patrie, l'Europe. Sa double appartenance culturelle et son engagement chrétien font de lui l'apôtre de la paix en Europe. Lorsque beaucoup, au nom de la justice, prônent réparation et punition, Robert Schuman prêche la réconciliation et l'union. Il ne sert à rien d'humilier l'Allemagne déjà à genoux, alors que le spectre d'une nouvelle dictature, à l'Est, menace l'Europe. Dans le marasme de l'après-guerre, ce chrétien militant rêve d'un monde nouveau : une Europe enfin pacifiée et pacifique dans laquelle l'ennemi d'hier, guidé et aidé, pourra trouver sa place. De nombreux hommes politiques partagent ses vues et l'ont même précédé, tels le Belge Paul-Henri Spaak, le chancelier ouest-allemand Konrad Adenauer ou encore le Pre-

> *Robert Schuman prêche la réconciliation et l'union.*

mier ministre italien Alcide De Gasperi, avec lesquels il partage la même vision chrétienne de la politique et de l'avenir de l'Europe.

C'est une déclaration de Robert Schuman qui est à l'origine de la fondation de cette nouvelle Europe. Rédigée par Jean Monnet – véritable cheville ouvrière du projet –, elle est publiée au Quai d'Orsay le 9 mai 1950. Robert Schuman préconise de commencer par une union douanière et, concrètement, par la libre circulation du charbon et de l'acier, d'où le nom de CECA (Communauté européenne du charbon et de l'acier). Bientôt, des trains lorrains de fer et des trains allemands de charbon circuleront entre les deux pays.

Ce traité, dit de la CECA, ratifié à Paris en avril 1951 par les six de la « Petite Europe » – l'Allemagne de l'Ouest, la Belgique, la France, l'Italie, les Pays-Bas et le Luxembourg –, constitue le fondement de la construction européenne ; complété par d'autres traités, l'ensemble sera rendu officiel par le traité de Rome, en 1957, véritable acte de naissance de la Communauté économique européenne (CEE), « ancêtre » de l'actuelle Union européenne.

Écarté des palais ministériels français en 1954 avec l'arrivée de Pierre Mendès France, Robert Schuman reprend son bâton de pèlerin et sillonne l'Europe pour diffuser sa grande idée européenne. En mars 1956, le pape Pie XII honore ce chrétien engagé en lui décernant la grande croix de l'ordre de Pie IX. En 1958, Robert Schuman est élu président du Parlement européen de Strasbourg et reçoit la même année, à Aix-la-Chapelle, le prix Charlemagne qui récompense une personnalité ayant contribué à l'entente et à la coopération internationale européenne. Une première attaque de thrombose le frappe en 1959 lors d'une visite officielle en Italie, ce qui ne l'empêche pas d'être reçu plusieurs heures par Jean XXIII. Un matin frileux de 1961, on le retrouve évanoui depuis la veille sur un chemin non loin de sa maison de Scy-Chazelles, près de Metz. Il survivra encore deux ans à cette terrible alerte et mourra le 4 septembre 1963.

*Il gagnait l'hémicycle comme un religieux gagne sa stalle dans le chœur.*

L'homme que l'on célèbre comme le père de l'Europe fut pourtant un homme pétri d'humilité, qui fit « *l'impossible pour ne pas se faire remarquer* », comme le soulignait Jacques de Bourbon Busset. Ce grand chrétien gagnait l'hémicycle du Palais-Bourbon « *comme un religieux gagne sa stalle dans le chœur* ». La cause de béatification de ce père d'une nouvelle Europe chrétienne a été introduite par Jean-Paul II.

SOURCES : R. Poidevin, *ROBERT SCHUMAN*, Paris, 1988. R. Lejeune, *ROBERT SCHUMAN*, Paris, 1988. R. Hostiou, *ROBERT SCHUMAN ET L'EUROPE*, Paris, 1969.

# THOMAS MERTON

## *LA NUIT PRIVÉE D'ÉTOILES*
## *DU MONACHISME AMÉRICAIN*

**• 5 DEC •** « UN GRAND JOURNAL COMME LE NÔTRE NE SAURAIT PASSER À CÔTÉ DE CE QUI POURRAIT ÊTRE *THE* best-seller de l'année. Mes enfants, nous allons faire un dossier pour notre supplément littéraire sur ce Thomas Merton. Edward est déjà plongé dans la lecture de ce livre, *La Nuit privée d'étoiles* ; mon petit John, je vous charge de réaliser une biographie de l'auteur, du croustillant s'il vous plaît. Allez, au boulot maintenant, et rendez-vous à seize heures. Vous avez du pain sur la planche... »

La première conférence de rédaction de ce 8 novembre 1948 prend fin. Dans les couloirs, les réflexions vont bon train.

– D'où nous sort-il cette idée ? Un bouquin sur les moines dans notre pays... Ils sont à peine une dizaine à se battre en duel...

– Mon petit John, vous avez du pain sur la planche..., dit un autre en imitant le rédacteur en chef, puis reprenant un ton normal, en plus, je ne vois vraiment pas où tu vas trouver de la « doc » sur ce type...

John ne dit pas un mot mais s'inquiète un peu aussi. À la rédaction littéraire de ce journal new-yorkais, il est coutumier des tâches ingrates, mais là... Thomas Merton, un nom qu'il n'a jamais entendu, évidemment, mais il ne voit pas qui pourra le renseigner sur cette étoile grimpante de la littérature, moine trappiste qui plus est. Une idée lui traverse l'esprit : la maison d'édition, peut-être. Une chance, il connaît assez bien l'attachée de presse.

– Allô Nancy, est-ce que tu pourrais me « rencarder » sur Thomas Merton ? Il faut que je fasse sa « bio » pour la prochaine édition du supplément.

– Franchement, je ne peux pas dire qu'il soit le plus *people* de nos auteurs... Je n'ai que quelques éléments à te fournir, et encore rien de très actuel. Il est né dans les Pyrénées françaises en 1915, sa mère est américaine et meurt lorsqu'il a six ans. Son père est un peintre néo-zélandais qui le trimbale au cours de ses pérégrinations entre la France, l'Angleterre et les États-Unis. Quand il meurt à son tour, Thomas n'a que seize ans.

– Tu crois que c'est cette enfance qui l'a mené à l'Église ?

– Non, je ne crois pas ! Attends, je continue... Après le décès de son père, c'est le grand-père maternel qui prend le relais. Riche et touché par le sort de l'enfant, il le gâte, un peu trop. Son petit-fils passe le plus clair de son temps en voyage, entre l'Europe et les États-Unis. Il traverse une dizaine de fois l'Atlantique avant même ses vingt ans. Il en profite pour découvrir Rome, Berlin..., les grandes capitales, et surtout Paris, où il se sent chez lui.

– Les études ?

– Toujours aussi désinvolte. Il profite de sa bourse à Cambridge pour séduire les petites Anglaises, ne met jamais les pieds en cours... Il faut attendre son entrée à l'université de Columbia pour qu'il commence à s'intéresser à quelque chose. Il écrit des poèmes, dirige un magazine littéraire, et suit vraiment les cours, cette fois. Il étudie la philosophie médiévale et subit, comme beaucoup à cette époque, l'influence de deux professeurs français catholiques, Jacques Maritain et Étienne Gilson.

– Ah ! C'est là qu'il se décide alors ?

– Franchement, je ne sais pas, mais on peut le penser. Il est probable que Maritain l'a influencé aussi sur le plan spirituel. Comme je l'ai lu quelque part, « _son intelligence claire, son sens de l'amitié et sa foi toujours neuve ont conduit plusieurs intellectuels au seuil de la conversion_ ».

– Et après ?

– Après, plus grand-chose. Il fréquente Harlem, où il s'occupe un peu d'action sociale, et entre à l'abbaye de Gethsémani en 1941. Je ne peux pas t'en dire plus. Tu sais, une fois qu'ils sont là-bas, difficile de savoir ce qui leur

_Il profite de sa bourse à Cambridge pour séduire les petites anglaises._

arrive. D'ailleurs, il ne doit pas leur arriver grand-chose.

La conversation terminée, John est pris du délicieux sentiment de sentir avancer son « enquête », mêlé à l'impression de rester sur sa faim. La vie d'un homme en passe de devenir une gloire littéraire ne peut pas s'arrêter avant même la parution du bouquin ! D'ailleurs, entrer au monastère n'empêche pas de continuer à vivre. Enfin, il l'espère... Il se décide donc à poursuivre plus avant ses investigations. Peut-être au monastère acceptera-t-on de le renseigner sur le mystérieux auteur ?

Il arrive assez facilement à obtenir le supérieur, Dom Frédéric Dunne. Il s'est bien sûr renseigné sur le milieu monastique, et sur l'abbaye de Gethsémani. Les bonnes grâces de son interlocuteur lui sont définitivement acquises lorsqu'il réussit à glisser, subtilement, qu'il sait que le supérieur est le premier abbé trappiste de nationalité américaine, élu en 1934. Un rendez-vous est vite pris. Le journaliste obtient même l'assurance qu'exceptionnellement, c'est le frère Thomas Merton qui le recevra, lui qui ne déroge que si rarement à la règle du silence.

À la réunion de seize heures, les informations dont dispose John calme l'appétit du rédacteur en chef. Mais on ne parle pas d'un auteur à succès en expliquant qu'il faisait l'école buissonnière en Angleterre. Les gens veulent du concret. Qui est-il ? Que mange-t-il ?...

– Pour ça, il faudrait que j'aille le rencontrer, dans le Kentucky, derrière les Appalaches, à plus de mille kilomètres.

– Merci, merci, je vois où se situe le Kentucky ! Eh bien, s'il faut le rencontrer, allez-y, mais en train ! Vous avez toute la nuit pour voyager.

Le confort des trains de nuit est propice au travail. Sur la route du Kentucky, John se plonge dans l'histoire du monachisme américain au travers des revues de la Catholic Theological Society in America, fondée en 1946. Sans comprendre toutes les nuances d'une Église jeune en pleine évolution, il saisit tout de même que les différents ordres n'ont pas connu la même destinée. D'un côté, les bénédictins allemands et suisses ont tissé depuis la moitié du XIXᵉ siècle un solide réseau d'établissements destinés à la formation des prêtres, à l'éducation des laïcs et à l'encadrement des paroisses. À l'heure actuelle, ils tiennent une dizaine de grands séminaires, et leurs collèges d'enseignement comptent parmi les meilleurs des États-Unis. D'un autre côté, les cisterciens français et irlandais peinèrent à se maintenir pendant près d'un siècle. En 1848, des cisterciens réformés de Melleray fondèrent Gethsémani. L'année suivante, les Irlandais s'installèrent à New Melleray, dans l'Iowa. En 1900 enfin, l'abbaye canadienne de Notre-Dame-de-Petit-Clairvaux, créée par des moines venus de Bellefontaine, de la Trappe et d'Aiguebelle, trois monastères français, fonda à son tour, dans l'État de Rhode Island, l'abbaye de Notre-Dame-de-la-Vallée. Longtemps, ces trois fondations ne recrutèrent que peu de novices, et furent encadrées par des moines venus d'Europe. Vers 1920, on pouvait douter de l'avenir des fils de Cîteaux aux États-Unis.

Au matin, l'arrêt du train surprend John endormi sur ses pages. Tant pis pour la suite, il improvisera du mieux possible avec le supérieur et l'ermite...

À son arrivée au monastère de Gethsémani, le portier fait patienter John. Depuis que le frère Thomas a quitté ses fonctions de maître des novices, qu'il occupait fort bien, pour se retirer, selon l'antique tradition des anachorètes, il lui faut un peu de temps pour arriver de là-haut. Pour un ordre mourant, l'activité du monastère semble extraordinaire à John. C'est Merton qui lui en explique la raison pendant qu'ils gagnent l'ermitage au-dessus du monastère.

Le renouveau a commencé dans l'abbaye la plus menacée, celle dont le chapitre général de 1913 avait envisagé la suppression, Notre-Dame-de-la-Vallée. Sous la conduite de leur prieur, Dom Jean O'Connor, la vingtaine de moines qui y vivaient simplifièrent leur mode de vie. « *Aussitôt que l'office divin eût repris la place qui lui revient dans leur vie, sans avoir à entrer en concurrence avec n'importe quel intérêt secondaire ; en un mot, aussitôt que l'élément contemplatif de la règle reçut toute l'attention qu'il mérite dans un monastère de contemplatifs – aussi pauvre*

> On pouvait douter de l'avenir des fils de Cîteaux aux États-Unis.

qu'il puisse être –, la communauté commença à attirer des vocations. [...] *Ils estimaient [auparavant] qu'un certain succès matériel était nécessaire avant de pouvoir espérer être des contemplatifs. Ils croyaient ne pouvoir accorder tout le temps requis à la prière que lorsqu'ils auraient constitué une communauté grande et puissante. En réalité, le contraire était vrai. Leur manque de novices provenait précisément de ce qu'ils ne se consacraient pas entièrement à cette vie de prière qui aurait dû être la leur.* » Notre-Dame-de-la-Vallée qui comptait 35 moines en 1928, en compte aujourd'hui 142, presque tous américains.

Merton a compris qu'il faut toujours plus de contemplation, et toujours plus d'engagement. La vie monastique n'est pas une fuite devant la réalité. Non seulement le contemplatif se charge des joies et des souffrances du monde, mais nul n'est mieux placé que lui pour les comprendre et proposer un remède quand les souffrances l'emportent sur la joie. Manifestement, ses lecteurs y sont sensibles. John est abasourdi par l'amoncellement de lettres qui jonchent le bureau et tous les recoins de l'ermitage.

– Je reçois chaque jour des dizaines de lettres, explique Thomas Merton. Les gens m'interrogent sur des problèmes spirituels, me soumettent des questions ou le fruit de leur réflexion, me font part de leurs expériences... Je voudrais répondre à chacun, mais parfois la tâche est démesurée, alors je fais une réponse « groupée », par le biais d'un article ou d'un livre.

Sa vaste correspondance fera l'objet d'une tentative de regroupement en 1985 au collège Bellarmin, à Louisville, dans le Kentucky. Plus de trois mille cinq cents lettres, une partie infime du total, seront réunies.

– Ce livre, par exemple, reprend Merton, *La Nuit privée d'étoiles*, est la réponse à toutes les lettres qui m'interrogent sur ma vie, sur les choix qui m'ont conduit ici, sur l'engagement des contemplatifs dans le monde, etc.

– Une biographie, en quelque sorte, se risque John.

– Exactement, une autobiographie spirituelle.

De retour au journal, John a déjà rédigé son article. Il est furieux d'avoir été contraint de passer deux nuits terribles dans un train. Mais, il doit être honnête : il est finalement assez content. Il a rencontré un homme exceptionnel, et son article vaut nettement la critique du livre réalisée par Edward...

Thomas Merton continue d'écrire des lettres et des livres. En même temps qu'il s'emploie à soulager les problèmes de ses contemporains du fond de son ermitage, il s'immerge toujours plus dans la contemplation libératrice, il poursuit le cheminement qui l'amène à trouver Dieu et la plénitude de Dieu en tous et en tout. Il s'intéresse aux autres formes de contemplation et veut instaurer un échange entre les grandes traditions

> *La vie monastique n'est pas une fuite devant la réalité.*

monastiques, chrétiennes et non chrétiennes. Les nouvelles constitutions adoptées par les abbayes cisterciennes après Vatican II facilitent les voyages. En 1968, Merton se rend en Inde. Il prie sur la tombe de son patron, l'Apôtre Thomas, et dans le grand sanctuaire bouddhiste de Polonaruwa.

Puis il part pour Bangkok, où il doit participer à la première Conférence monastique panasiatique. Le matin du 10 décembre 1968, jour anniversaire de son entrée à Gethsémani, il s'adresse à la Conférence, puis se retire pour se reposer. Quelques heures plus tard, on le retrouve mort, terrassé par une crise cardiaque.

*Les postulants se précipitent aux porteries des monastères cisterciens.*

Le succès retentissant de *La Nuit privée d'étoiles* conféra à l'abbaye de Gethsémani une renommée internationale. Au lendemain de la Seconde Guerre mondiale, des milliers d'Américains découvrirent la vie contemplative dans le portrait qu'en avait fait Thomas Merton et les postulants se précipitèrent aux porteries des monastères cisterciens. Être seul avec Dieu pour vivre au cœur du monde devenait un choix de vie partagé par de nombreux jeunes. Le témoignage d'un homme pour qui la prière était la plus belle façon d'aimer ses frères avait contribué au renouveau du monachisme américain. « *La vraie solitude purifie l'âme et l'ouvre grande aux quatre vents de la solidarité.* »

SOURCES : Thomas Merton, THE SEVEN STOREY MOUNTAIN (LA NUIT PRIVÉE D'ÉTOILES). THE HIDDEN GROUND OF LOVE : THE LETTERS OF THOMAS MERTON ON RELIGIOUS EXPERIENCE AND SOCIAL CONCERNS, New York, 1985. D.W. Givey, THE SOCIAL THOUGHT OF THOMAS MERTON. THE WAY OF NONVIOLENCE AND PEACE FOR THE FUTURE, Chicago, 1983. M. Mott, THE SEVEN MOUNTAINS OF THOMAS MERTON, Boston, 1984.

# LE MARTYRE
# DES ÉVÊQUES ROUMAINS

*OU COMMENT LE RÉGIME COMMUNISTE*

*CONDAMNA SIX ÉVÊQUES*

*À LA SAINTETÉ*

**6 DEC.** UNE ÂPRE BISE BALAIE LA COUR DU MONASTÈRE ORTHODOXE DE CALDARUSANI, et ne parvient pas même à soulever la neige, tant celle-ci est durcie par le gel. Le monastère est profondément silencieux, comme si le froid mordant de cet hiver roumain l'avait privé de vie. Ce calme absolu a quelque chose d'insolite en cette nuit de Noël 1949, alors que minuit approche. Mais, depuis que le rideau de fer du communisme s'est abattu sur l'Europe, et que la Roumanie vit sous la botte d'un régime « ami » de Moscou, il ne fait pas bon manifester ses croyances trop ouvertement. Les monastères orthodoxes ne sont pas persécutés, mais c'est au prix d'importantes concessions. Les moines s'abstiennent sagement de provoquer par des professions de foi le gouvernement qui les tient à l'œil. La cloche du monastère reste silencieuse, comme engourdie par le froid.

Il se passe pourtant quelque chose d'étrange dans l'église du couvent. Le sanctuaire est à peine éclairé par la lueur de quelques bougies qui soulignent la profondeur des ténèbres environnantes. Ces lumières vacillantes projettent sur les murs six ombres fantastiques ; celles-ci grossissent ou s'amenuisent au gré des courants d'air qui font trembler les flammes.

Les six hommes qui se tiennent dans la chapelle froide et obscure s'y sont rassemblés à l'insu des moines. L'on devine, à leurs chuchotements et aux précautions qu'ils prennent pour ne faire aucun geste brusque, que cette réunion est clandestine. À leurs pieds, un septième homme est allongé de tout son long, le visage contre terre, les bras en croix. Au moment où il se relève, ses six compagnons lui imposent les mains et lui donnent l'accolade. Ils échangent tous des sourires graves à la fin de cette cérémonie d'ordination à l'austère sobriété. Tite-Live Chinezu, jeune archiprêtre de Bucarest, incarcéré au monastère de Caldarusani, vient d'être sacré évêque, à la demande du pape Pie XII, par ses six compagnons de captivité qui sont tous évêques eux-mêmes. Cette célébration solennelle a lieu au nez et à la barbe des autorités qui les ont fait emprisonner, et des moines chargés de les surveiller.

C'est que l'Église catholique, même de rite grec, ne bénéficie pas de la même tolérance que l'Église orthodoxe, et représente aux yeux des communistes l'ennemi à abattre. N'est-elle pas à la solde de Rome ? Rome, ce fief de l'obscurantisme, ce bastion contre-révolutionnaire où l'on cultive l'« opium du peuple »... Rome, située au beau milieu du camp que les Soviétiques ont appelé « impérialiste »... Cette puissance morale et spirituelle haïssable qui prétend maintenir les masses laborieuses sous le joug des pires superstitions... Aussi les autorités roumaines ne supportent-elles pas l'existence sur leur sol d'une Église qui vit en communion avec le Vatican.

Comme ils prévoyaient que leur internement à Caldarusani n'était que la première étape du chemin de croix qu'on leur réservait, les six évêques prisonniers ont pris leurs précautions, en plein accord avec le Saint-Siège, pour assurer leur relève au cas où le pire se produirait. Ils ont choisi la nuit de Noël, celle où « *le peuple qui marchait dans les ténèbres a vu se lever une grande lumière* », pour cette cérémonie digne des catacombes de la Rome antique.

*Condamné à 25 ans de travaux forcés alors qu'il a déjà 73 ans, il remercie ses juges pour l'optimisme qu'ils manifestent quant à sa longévité.*

Six des sept hommes dont les ombres géantes dansent sur les murs, en cette grave nuit du 24 décembre 1949, vont être retranchés du nombre des vivants, pour n'avoir pas voulu rompre le lien filial qui les attachait au pape.

Valeriu Traian Frentiu, évêque d'Oradea, est le doyen des successeurs des apôtres ainsi réunis dans le secret. Il a soixante-treize ans et une magnifique barbe blanche. Son port altier et sa réserve polie, qui rappellent les évêques

de l'ancienne cour impériale de Vienne, cachent une âme de missionnaire prêt à donner sa vie pour ses ouailles. Il sera interné à Sighet, forteresse du XVIII$^e$ siècle, qui est la plus terrible prison du pays. Là-bas, il stupéfiera ses gardiens : un jour où ceux-ci le souffleteront, ils se verront bénir par une main tremblante et une voix n'ayant rien perdu de sa fermeté. Il s'éteindra le 11 juillet 1952.

À côté de lui se tient Alexandru Rusu. Son sourire espiègle et son regard pétillant contrastent avec l'air plus grave de ses confrères : il est très satisfait d'avoir joué ce soir un tour pendable aux ennemis de l'Église de Rome. Évêque de Maramures, il fait figure de boute-en-train de l'épiscopat roumain. Célèbre pour le brio avec lequel il manie la plume lorsqu'il défend l'Église, il est aussi connu pour sa bonne humeur imperturbable. Condamné à 25 ans de travaux forcés alors qu'il a déjà 73 ans, il remercie chaleureusement ses juges au sujet de l'optimisme qu'ils manifestent quant à sa longévité. Ayant survécu aux rigueurs de Sighet, il mourra à Gherla, autre prison de sinistre mémoire.

La troisième ombre qui danse sur le mur appartient à Ioan Suciu. Sa silhouette haute et frêle semble sortir d'une toile du Greco. Mgr Suciu est particulièrement aimé par les jeunes. Avant d'être immobilisé de force entre les murs d'un couvent orthodoxe, cet apôtre infatigable ne cessait de sillonner la Roumanie en tous sens pour donner des cours ou des conférences, organiser des randonnées en montagne, écouter confessions et confidences. Il écrivait beaucoup, et ne semblait vivre que pour éclairer les intelligences et les consciences. Il mourra en juin 1953, le dégel qui suivra la mort de Staline en mars n'aura pas atteint les prisons roumaines, et les murs moisis de Sighet auront été plus épais que jamais.

Mgr Vasile Aftenie, qui se tient à sa droite, est l'évêque-vicaire de Bucarest, homme énergique d'une cinquantaine d'années. Son allure débonnaire, son humour et son ouverture d'esprit feront croire aux officiers de la Securitate qu'ils ont enfin trouvé dans l'Église catholique l'homme du compromis. C'est mal le connaître. Profondément conciliant, il estime qu'il est une chose sur laquelle on ne transige pas : la foi reçue des apôtres. En mai 1950, après quelques jours d'interrogatoire, les officiers auront l'impression que cet individu odieux a réussi à renverser les rôles, tant il a l'art de leur assener leurs quatre vérités. L'esprit de répartie dont il a toujours fait preuve, et qui détendait l'atmosphère dans des circonstances moins sinistres, fera s'amonceler un orage au-dessus de la pièce où l'interrogatoire a lieu. Le 10 mai, exaspérés par une réplique de l'évêque qu'ils estiment particulièrement cinglante, les officiers sortiront de leurs gonds et tueront l'accusé sans autre forme de procès.

Mgr Anton Durcovici est d'origine

> *Les officiers sortiront de leurs gonds et tueront l'accusé sans autre forme de procès.*

autrichienne ; arrivé en Roumanie à l'âge de sept ans, il aime profondément sa patrie adoptive. C'est un jeune évêque aux yeux bleus, au teint clair, au maintien plein de grâce et de dignité, qui attirait tous les regards dans les grandes cérémonies, du temps que l'Église vivait à ciel ouvert. Il est très bel homme, mais c'est bien là le cadet de ses soucis, puisqu'il a donné sa vie à Dieu dès sa plus tendre enfance. Il puisait dans la prière contemplative la force de mener une vie très active, et en particulier d'assumer un ministère de direction spirituelle auquel il passait le plus clair de son temps. L'ascèse l'a préparé à la souffrance. Interné à Sighet, il étonnera par son endurance aussi bien ses tortionnaires que les prêtres qu'il continuera à former. Il mourra en décembre 1951, au cœur d'un hiver extrêmement rigoureux.

C'est un autre hiver qui aura raison de son jeune ami Tite-Live Chinezu, cet archiprêtre qui vient d'être ordonné secrètement, et dont ses confrères espèrent qu'il leur survivra. Ce professeur de théologie doux et spirituel est connu pour l'étendue de sa culture. Ses deux passions sont saint Thomas d'Aquin et les mystiques du Carmel. Il mourra à Sighet le 15 janvier 1955. Au cours des interrogatoires qu'il subira là-bas, il trouvera toujours le mot qui le rendra insupportable aux jeunes officiers pétris de marxisme dont il brise les élans lyriques. Un jour, l'un d'eux, après avoir déployé tous ses talents d'orateur à tenter de le convaincre de quitter l'Église catholique pour l'Église orthodoxe, restera sans voix devant la réponse de l'accusé : « *Je m'étonne, Monsieur, de constater que le régime communiste, qui se déclare athée, manifeste un tel intérêt pour notre conversion.* »

Le seul survivant de cette ordination clandestine est Mgr Juliu Hossu. Il n'était qu'un jeune curé gréco-catholique de trente-deux ans quand, le 3 mars 1917, le Saint-Siège l'avait nommé évêque de Gherla en Transylvanie. À la fin des années soixante, Paul VI le crée cardinal. Sachant que les autorités communistes lui interdiront le retour s'il part pour Rome, Mgr Hossu ne veut pas se rendre auprès du souverain pontife, et est donc cardinal *in pectore*,

> « *Je m'étonne, Monsieur, de constater que le régime communiste, qui se déclare athée, manifeste un tel intérêt pour notre conversion.* »

c'est-à-dire en secret ou dans le secret de son cœur. Après des années de captivité, sa silhouette frêle et voûtée se redresse, son visage marqué par la souffrance s'illumine, et sa voix reprend vie, quand il raconte les heures de gloire et de martyre de son Église et de son pays.

Pourtant, cette persécution sanglante ne parvint pas à étouffer la foi de l'Église catholique roumaine. Les évêques roumains ne furent pas les seules victimes de cette terrible répression. Des millions de chrétiens, hommes, femmes et enfants, furent sacrifiés dans l'ensemble des pays du bloc soviétique, parce qu'ils restaient fidèles à l'Église du Christ. La chute du régime communiste révéla que le sacrifice avait été fécond.

SOURCES : F. Fejto, *HISTOIRE DES DÉMOCRATIES POPULAIRES*, Paris, 1969. T. Schreiber, *LE CHRISTIANISME EN EUROPE ORIENTALE, NOTES ET ÉTUDES DOCUMENTAIRES*, 1971. M. Rinvolucri, *ANATOMIE D'UNE ÉGLISE : L'ÉGLISE GRECQUE AUJOURD'HUI*, Paris, 1969. P. Evdokimov, *L'ORTHODOXIE*, Paris, 1979.

# LE DOGME DE L'ASSOMPTION
## *QUAND LE PEUPLE CHRÉTIEN*
## *PLÉBISCITE MARIE*

**• 7**
**DEC •**

ALLONGÉE DANS UNE LUMIÈRE DOUCE, LES MAINS JOINTES, LA MÈRE DE DIEU SEMBLE DORMIR. Le Christ ressuscité, au centre de la scène, l'enveloppe d'un regard d'une infinie tendresse. Entouré de la mandorle bleu ciel qui marque sa divinité et que portent les anges, il tient dans ses bras une petite forme blanche. Ainsi le peintre a-t-il voulu figurer l'âme de Marie, que son Fils vient chercher maintenant, pour l'élever au Ciel. De part et d'autre du lit de la Vierge, apôtres et femmes de Jérusalem se recueillent en pleurant. Car le mystère n'éteint pas la souffrance. Mais la souffrance, à son tour, est comme happée par le mystère. Dans la symphonie d'or et de lumière qui fait de l'icône une prière en couleurs, la Mère de Dieu quitte la terre sans corruption, étroitement liée au Ressuscité qui l'attend.

L'icône de la *Dormition de la Mère de Dieu*, en la cathédrale de l'Annonciation du Kremlin à Moscou, date du XVe siècle. Mais, bien avant que ce thème n'inspirât la prière des artistes d'Orient, la croyance dans l'Assomption de la Vierge Marie, c'est-à-dire sa montée, corps et âme, au ciel après sa mort, était profondément ancrée dans le cœur des chrétiens. Si les Écritures ne contiennent ni attestation ni allusion directe en faveur de l'Assomption, la fête de la Dormition de la Vierge est très ancienne, et l'on peut y trouver les premières traces de ce qui deviendra plus tard la fête de l'Assomption.

En Occident, c'est saint Grégoire de Tours qui, à la fin du VIe siècle, est l'un des tous premiers à affirmer la foi en l'Assomption. « *Le Seigneur,* écrit-il, *prenant ce corps saint, l'a fait transporter sur un nuage dans le paradis où, uni de nouveau à son âme et glorifié avec les élus, il jouit des biens de l'éternité qui ne doivent pas connaître de fin.* » Au fil des siècles, la croyance s'affermit et devient commune, illustrée par les arguments des grands docteurs du XIIIe siècle : saint Albert le Grand, saint Thomas d'Aquin, saint Bonaventure.

Cette intuition spontanée de l'admiration et de l'amour des fidèles pour celle dont le *Fiat* a permis le Salut devait trouver, dans la proclamation du dogme de l'Immaculée Conception en 1854 par Pie IX, un élan nouveau. Reconnue « sans péché » dès le sein de sa mère, n'était-il pas naturel que la Vierge Marie vît aussi reconnaître solennellement le caractère exceptionnel des ultimes instants de sa vie terrestre ?

Les archevêques de Malines (Belgique) et d'Osma (Espagne) avaient été les premiers, dès 1849, à demander au pape une définition dogmatique de l'Assomption. Au lendemain de la proclamation du dogme de l'Immaculée Conception en 1854, le mouvement de pétitions s'accélère et s'amplifie. En 1870, lors du concile Vatican I, environ deux cents évêques signent un *postulatum* en ce sens. Entre 1849 et 1940, soit durant près d'un siècle, la foi populaire se passionne pour cette cause : à côté des 2 505 cardinaux, patriarches, archevêques et évêques, et des 83 000 prêtres, religieux et religieuses qui s'y attachent, huit millions de fidèles signent des demandes de définition dogmatique de l'Assomption.

Pie XII consulte alors par lettre, le 1er mai 1946, les évêques du monde entier, les abbés des grands monastères, les administrateurs et vicaires apostoliques, sur l'opportunité d'une telle définition. Les résultats de cette consultation confirment le grand mouvement du siècle écoulé : 94 % des évêques résidentiels répondent au pape. Or 1 169 réponses sont affirmatives ; 16 seulement, sans nier la croyance, émettent des doutes sur l'opportunité d'en faire un dogme ; 6, enfin, émettent un doute sur la possibilité de définir l'Assomption comme une vérité révélée. On retrouve les mêmes proportions dans les autres catégories consultées.

Pie XII, dès lors, n'hésite plus. Fort de cet assentiment quasi unanime de la hiérarchie de l'Église et du soutien de la ferveur populaire, il procède à la proclamation du dogme par la bulle dogmatique *Munificentissimus Deus*. Nous sommes le 1er novembre 1950.

Il faut imaginer, sur la place Saint-Pierre, l'enthousiasme de la foule immense massée autour de six cent vingt-deux évêques et clamant au Saint-Père sa joie de voir ainsi glorifier la Mère de Dieu. Le dernier dogme proclamé par l'Église à ce jour, et le seul à avoir été promulgué au XXe siècle, concerne celle que le Seigneur a donnée, sur la croix, comme protectrice à toute l'humanité. Le peuple chrétien y puise un courage renouvelé.

Le pape devait d'ailleurs rappeler l'enseignement des théologiens au cours des siècles et prendre appui sur les Saintes Écritures. « *Celles-ci nous proposent, comme sous nos yeux, l'auguste Mère de Dieu dans l'union la plus étroite avec son divin Fils et partageant toujours son sort. C'est pourquoi il est quasi impossible de considérer Celle qui a conçu le Christ, l'a mis au monde, nourri de son lait, porté dans ses bras et serré sur son sein, séparée de lui, après cette vie terrestre, sinon dans son âme, du moins dans son corps. Puisque notre Rédempteur est le Fils de Marie, il ne pouvait certainement pas, lui qui fut l'observateur le plus parfait de la loi divine, ne pas honorer, avec son Père éternel, sa Mère*

> *Huit millions de fidèles signent des demandes de définition dogmatique de l'Assomption.*

très aimée. *Or il pouvait la parer d'un si grand honneur qu'il la garderait exempte de la corruption du tombeau. Il faut donc croire que c'est ce qu'il a fait en réalité. »*

Et voici suggérés les besoins du XXᵉ siècle, et les profits spirituels que le pape attend, pour l'Église, de la proclamation du dogme : « *Nous avons une entière confiance que cette proclamation et définition solennelle de son Assomption apportera un profit non négligeable à la société humaine, car elle tournera à la gloire de la Très Sainte Trinité à laquelle la Vierge Mère de Dieu est unie par des liens tout particuliers. Il faut, en effet, espérer que tous les fidèles seront portés à une piété plus grande envers leur céleste Mère ; que les âmes de ceux qui se glorifient du nom de chrétiens seront poussées au désir de participer à l'unité du Corps mystique de Jésus-Christ et d'augmenter leur amour envers celle qui, à l'égard de tous les membres de cet auguste Corps, garde un cœur maternel. Et il faut également espérer que ceux qui méditent les glorieux exemples de Marie se persuaderont de plus en plus de quelle grande valeur est la vie humaine si elle*

> *« Marie, l'Immaculée Mère de Dieu toujours Vierge, a été élevée en âme et en corps à la gloire céleste. »*

*est entièrement vouée à l'accomplissement de la volonté du Père céleste et au bien à procurer au prochain ; que, alors que les inventions du "matérialisme" et la corruption des mœurs qui en découle menacent de submerger l'existence de la vertu, de perdre des vies humaines, sera manifesté le plus clairement possible, en pleine lumière, aux yeux de tous, à quel but sublime sont destinés notre âme et notre corps ; et enfin que la foi en l'Assomption céleste de Marie dans son corps rendra plus ferme notre foi en notre propre résurrection, et la rendra plus active. »*

La bulle dogmatique s'achève par la définition solennelle du dogme de l'Assomption, relié lui-même, en un arc de lumière, aux deux autres dogmes mariaux définis par l'Église précédemment – la Maternité divine, affirmée par le concile d'Éphèse en 431, et l'Immaculée Conception, définie par Pie IX en 1854. « *Nous proclamons, déclarons et définissons que Marie, l'Immaculée Mère de Dieu toujours Vierge, à la fin du cours de sa vie terrestre, a été élevée en âme et en corps à la gloire céleste. »*

SOURCES : Pie XII, bulle *MUNIFICENTISSIMUS DEUS*. J.-M. Mayeur, « Magistère et théologiens sous Pie XII », in *LES QUATRE FLEUVES*, n° 12, 1980. *LES DOCUMENTS PONTIFICAUX DE S.S. PIE XII*, 21 vol., Saint-Maurice, 1952-1963. « La vie de l'Église sous Pie XII », in *CAHIER DE RECHERCHES ET DÉBATS DU CENTRE CATHOLIQUE DES INTELLECTUELS FRANÇAIS*, n° 27, 1959. *LA DOCUMENTATION CATHOLIQUE*, n° spécial, 1950.

# Maria Goretti

## *Celle qui convertit son assassin*

26 JUIN 1950. LA BASILIQUE SAINT-PIERRE DE ROME EST NOIRE DE MONDE. La foule, venue de toute l'Italie, écoute religieusement le pape Pie XII. « *Par l'autorité de Notre Seigneur Jésus-Christ, des bienheureux Apôtres et la Nôtre,* [...] *nous décrétons et définissons Sainte* [...] *la Bienheureuse Maria Goretti, Vierge et Martyre... Au nom du Père et du Fils et du Saint Esprit.* » Dans les premiers rangs, un vieil homme de soixante-sept ans, le visage marqué par la souffrance, se signe, et tombe à genoux. L'homme pleure doucement, en silence. Il se souvient...

C'était il y a presque cinquante ans, le 5 juillet 1902. Ce jour-là, le soleil chauffe les pierres blanches de la petite ville de Ferrière di Conca, au sud de Rome. Alessandro, un jeune homme ombrageux de dix-neuf ans, volontiers enclin au *farniente*, cherche à fuir la chaleur accablante. Au coin de la maison de ses voisins, les Goretti, une ombre délicieuse de fraîcheur se dessine. Le jeune homme s'adosse avec satisfaction contre le mur frais. Autour de lui, chacun vaque à ses occupations. Au loin, les enfants Goretti jouent autour de leur mère, Assunta, qui travaille aux champs. L'une des filles, Maria, est restée à la ferme : les travaux ménagers ne peuvent attendre. Tout en reprisant un bas, elle veille sur sa petite sœur, Teresa. Par les persiennes mi-closes, Alessandro observe Maria. Son profil très pur se détache dans la pénombre, alors qu'elle incline doucement son visage. Cela fait quelque temps déjà qu'Alessandro a remarqué sa jeune et jolie voisine. Il a tenté à maintes reprises de l'aborder, de lui faire la cour, mais la jeune fille l'a toujours repoussé. C'est comme si elle voulait le rendre fou. Tapi dans l'ombre, le jeune homme regarde l'objet de son tourment. Maria qui sourit à l'enfant, Maria qui relève d'un geste gracieux une boucle folle, Maria penchée sur son ouvrage... Cela fait des heures qu'il l'épie ainsi. Alessandro se lève et se glisse dans la maison. Maria s'active, sans se douter un seul instant de cette présence invisible. « Maria ! » La jeune fille sursaute. Cette voix... C'est celle d'Alessandro ! Maria se retourne, effrayée. Alessandro, le souffle court, lâche d'une voix rauque : « Je veux que tu me suives. » La jeune fille recule, cherche désespérément le moyen d'échapper au désir violent du jeune homme qui finit par lui saisir le poignet. Maria résiste. Elle se débat de toutes ses forces. Tout se précipite.

– Ne fais pas cela, c'est un péché, arrive-t-elle à lui dire alors qu'il cherche à la bâillonner.

C'est alors qu'aveuglé par sa fureur, Alessandro la frappe. Et ce sont quatorze coups de couteau qui pleuvent sur le corps de la jeune fille. Maria s'écroule. Hagard, le jeune homme sort de la maison. Le soleil brûlant l'aveugle, le couteau tombe. Alessandro crie. On accourt, on interroge le jeune homme hébété, puis on découvre Maria qui se meurt.

Transportée aussitôt à l'hôpital, Maria est à l'agonie. Son beau visage est maintenant tout pâle. La jeune fille sent peu à peu la mort la saisir. Doucement, une immense paix l'envahit. Maria sait qu'elle va rejoindre le Christ. Elle souffre et elle a soif... Elle trouve cependant la force de réconforter sa mère, éplorée à son chevet... Et puis, Maria pardonne. Elle pardonne à Alessandro. Elle murmure : « *Pour l'amour de Jésus, je pardonne à Alessandro... et je veux qu'il vienne lui aussi avec moi en paradis.* » Enfin, Maria reçoit la communion. Le délire la prend, elle n'en sort que pour se confier à la Vierge puis s'endort dans la mort le 6 juillet 1902.

Dans sa prison, Alessandro ne sait rien

> *Et ce sont quatorze coups de couteau qui pleuvent sur le corps de la jeune fille.*

de ce qui est arrivé. Il joue les durs et ne manifeste aucun repentir. Jusqu'au jour où l'évêque vient lui rendre visite. Ce dernier lui raconte tout : l'agonie de la jeune fille, le pardon qu'elle a accordé sur son lit de mort à son meurtrier. Et voilà Alessandro qui se met à sangloter. Ainsi, Maria lui a pardonné, Maria, sa victime, n'est pas morte en le maudissant. Ainsi, il n'est pas un monstre, ainsi il est digne d'amour et de pardon. Ébloui par cette certitude, Alessandro se laisse saisir par la grâce. Il se convertit et demande publiquement pardon pour son crime. Enfin, sorti de prison, il rend visite à Assunta, la mère de Maria. Celle-ci le regarde douloureusement, sans dire un mot. Puis elle lui ouvre les bras.

Dans la basilique Saint-Pierre, les larmes coulent sur le visage du vieil Alessandro. Mais ce sont des larmes de joie et de reconnaissance. Maria et Assunta lui ont pardonné ce crime, il connaît maintenant la douceur de la miséricorde.

Autour de l'homme à genoux, en cette belle journée de juin 1950, les fidèles entonnent un vibrant *Te Deum* de louange et d'action de grâces. Mais le vieux paysan ne voit ni n'entend plus rien... Il sait depuis longtemps que Maria veille et intercède pour lui. Il sait que Maria tient sa promesse, lui, le pécheur pardonné, le criminel repenti, il sera avec elle dans le paradis.

SOURCES : P. Soulet, *SAINT DOMINIQUE SAVIO, SAINTE MARIA GORETTI, DEUX MODÈLES DE PURETÉ*, Paris, 1984. F. M.-L. Bastyns, *SAINTE MARIA GORETTI, VIERGE ET MARTYRE*, Montsûrs, 1977. G.B. Guerri, *POVERA SANTA, POVERO ASSASSINO, LA VERA STORIA DI MARIA GORETTI*, Milan, 1985.

# Jean Rodhain

## *La création du Secours catholique*

• **9**
**DEC** •

Sous le pont Mirabeau coule la Seine... et l'agitation des vagabonds couvre le bruit des flots. Intrigués par ce remue-ménage, deux gendarmes marquent une pause dans leur tournée matinale.

– Eh bien, c'est quoi ce raffut ? Vous avez bu ? Vous connaissez le tarif...

– Vous inquiétez pas, m'sieur l'agent. On a pas plus bu que mangé ce matin ! On chahute un peu Marcel. Il nous propose de déménager ce soir... dans une maison. On voudrait juste savoir s'il se moque vraiment de nous.

– Mais, intervient Marcel, j'dis pas n'importe quoi, c'est du côté des Invalides y paraît.

Marcel n'affabule pas.

Comme beaucoup d'autres, ces hommes errent depuis longtemps au cœur d'une France convalescente, après cinq années de conflit, victimes d'événements qui les dépassent. D'abord la guerre, et maintenant la paix ; ils ont tout perdu, travail, famille, maison. Leur histoire est ordinaire, comme celle de tous ceux dont l'usine a été détruite, dont la maison a été bombardée, qui ont perdu leur famille, ou que leur femme a quittés, fatiguée d'attendre le retour improbable d'un prisonnier dont elles ont oublié jusqu'au visage.

Pour certains, la France du lendemain de la guerre est un vaste chantier, une nation à reconstruire, une immense jachère à cultiver. Mais pour eux, la terre n'est pas généreuse, les champs sont des déserts stériles, les villes sont en ruine et les souvenirs sont à vifs. Après avoir constitué des armées de soldats, ils forment des légions de sans-abris. Affamés, sans ressources et sans famille, ils affluent en masse vers la capitale où on leur proposera peut-être un peu de travail. Mais, là comme ailleurs, la misère est au coin des rues, et le froid et la faim...

Pourtant, ce matin, la nouvelle se répand comme une traînée de poudre chez ces abonnés de la « belle » étoile : une maison d'accueil ouvre ses portes aujourd'hui. Devant l'enthousiasme de Marcel, les plus sceptiques ne sont pas longs à se laisser convaincre.

– Allons, venez et voyez si vous ne me croyez pas. Je les ai croisés tout à l'heure. Tout un tas de jeunes avec des cartons sur la tête. Y'avait écrit dessus : « *Ne bouffez pas vos briques, donnez-les au Secours catho-*

*lique, pour faire de taudis des logements... »*
Je leur ai demandé, quoi que c'était. Une
« Campagne du Logis », ils disent, pour
nous fournir des vraies maisons.

La campagne initiée par le Secours
catholique en 1952 n'est pas un coup
d'essai. Depuis 1946, le
mouvement met tout en
œuvre pour soulager la
détresse des oubliés de la
reconstruction. Avec une incroyable
énergie, son fondateur, le père Jean
Rodhain, ne cesse de multiplier les initiatives avec un seul mot d'ordre : « *Allumer le feu de la charité.* »

Sa santé n'est pourtant pas florissante.
À dix-huit ans, quelques mois avant la
fin de la Première Guerre, le jeune
homme, qui est né dans les Vosges et
dont la famille a dû fuir l'Alsace en 1870,
ne rêvait que de s'engager ; les médecins
militaires, qui ne faisaient pourtant pas
les difficiles en cette période de pertes
massives, le jugèrent en trop mauvaise
santé pour en faire un soldat. Il décida
donc d'anticiper son entrée au séminaire.
Il fut ordonné en 1924. Pendant les dix
premières années de sacerdoce, qu'il
passa d'abord à Épinal, puis dans une
paroisse rurale, son état de santé s'amé-
liora. Offices, prédication, visites aux
malades, aumônerie, cercles d'étude,
groupes de jeunes..., on le disait « *infatigable et débordant d'activité, d'imagination et
d'initiative* », au point que son évêque le
traitait de « *vicaire agité* ».

Alors qu'il était à Mandres-sur-Vair, il
a eu un premier contact avec la JOC
(Jeunesse ouvrière chrétienne) nais-

> *Allumer le feu
> de la charité.*

sante, et donc avec la vie ouvrière, les
inégalités et les injustices sociales... Au
cours de ses interventions au sein des
réunions nationales, les « Parisiens »
étaient fascinés par ce « curé de campagne » dont les propos, « *pour brefs qu'ils
soient, s'avèrent toujours char-
gés d'intelligence, d'ardeur et de
foi* ».

Nommé aumônier de la
fédération jociste féminine de Paris, il se
fit remarquer par les 45 000 adhérents
lors de la veillée du congrès de 1937, en
organisant d'abord un spectacle magnifique, puis en s'évanouissant d'épuisement pendant la soirée pour avoir trop
donné de lui-même. C'était la première
alerte que son corps lui adressait.

– Si Marcel le dit, pourquoi n'irions-
nous pas voir un peu ça, les gars.

Les locataires du pont Mirabeau
s'ébranlent en désordre en direction des
Invalides, empruntant les quais sous l'œil
goguenard des deux policiers, soulagés
de voir leur secteur retrouver son calme.

– Le Secours catholique, c'est le truc
du père Rodhain, j'crois. Un type bien.
Quand j'étais prisonnier, pendant la
guerre, c'est incroyable le nombre de
« valoches » qu'il a pu faire parvenir aux
curés des camps. Les « valises chapelles », ils appelaient ça, et puis il y avait
aussi les « colis liturgiques ». Il est même
venu un Noël, pour dire la messe, dans
mon camp de prisonniers au fin fond de
la Prusse orientale.

Marcel a raison, si la Première Guerre
mondiale s'est passée de Jean Rodhain,
il a été mobilisé pour la Seconde. Le

2e classe Rodhain participa aux combats en 1940, donnant « *à tous le plus magnifique exemple de courage et d'abnégation, se portant sans cesse au secours des blessés dans les endroits les plus exposés au feu de l'ennemi* », dit sa citation militaire. Prisonnier, puis évadé avec l'autorisation de ses chefs spirituels et militaires en 1940, il se lança à corps perdu dans l'aumônerie des prisonniers de guerre qu'il installa au siège de la fédération jociste féminine. Il mobilisa les adhérentes, dont Germaine Blanchet qui raconte : « *On a commencé à créer un fichier. On a envoyé des valises chapelles et des aides diverses aux prisonniers en Allemagne. Une dizaine de jeunes filles y travaillaient, pour ma part j'allais dans les ministères obtenir les autorisations nécessaires. On n'avait pas assez de calices, alors on a fait appel aux enfants de la France entière qui nous ont envoyé leurs timbales [...] après il est arrivé des petits mandats par sacs entiers...* » Cet engagement du père Rodhain en faveur des prisonniers de guerre, malgré les risques encourus, lui valut le surnom d'« *aumônier des barbelés* ». Il lui permit aussi de constituer un réseau de relations, bien utile lors de la création du Secours catholique. Cette institution vit d'ailleurs le jour à l'occasion du pèlerinage à Lourdes de cent mille prisonniers de guerre et déportés en 1946.

Cinq années ont passé, et les chantiers sont toujours aussi nombreux, les besoins toujours aussi pressants. Constatant que les préoccupations des gouvernants ne prennent pas toujours en compte l'urgence sociale, Jean Rodhain n'hésite pas à les stimuler. « *En pratiquant certaines formes de charité, on prépare les lois sociales de demain. [...] Quand les politiques sont muets, c'est la charité qui crie.* »

– Oh !

Surprise, la troupe interrompt sa marche joyeuse aux portes de ce qui semble être le refuge promis.

– Dis donc, Marcel. T'es sûr qu'il va t'accueillir, ton curé ? Tu vas jamais à la messe... D'ailleurs t'es même pas baptisé.

Une voix sentencieuse répond à l'impétrant : « *Nous ne sommes pas une société de bienfaisance légèrement colorée d'un peu de religion. [...] La Croix est au centre de notre insigne. Mais c'est à tous, quelles que soient leurs opinions politiques ou religieuses, à l'exclusion de tout particularisme national ou confessionnel, que le Secours catholique veut apporter son aide.* »

Les propos du père Rodhain surprennent les visiteurs. Ses mots sont si rares que sa parole est d'or... Ses discours sont aussi sobres que ses actes sont féconds. Et c'est avec un grand sourire qu'il accueille les nouveaux arrivants...

Il en sera toujours ainsi, à Lourdes, où il crée en 1955 la cité Saint-Pierre afin d'accueillir les pèlerins les plus démunis, ou dans les projets internationaux qu'il initie comme président de *Caritas Internationalis* de 1965 à 1972. Son intuition majeure consiste à stimuler les « *chômeurs de la charité* », à leur faire comprendre qu'il ne suffit pas de faire la charité, mais de la découvrir à travers les malheurs d'au-

> *Quand les politiques sont muets, c'est la charité qui parle.*

trui. « *Mettre un seul égoïste en contact avec la misère, faire découvrir que ce vieillard aux trois repas par semaine n'est pas un fait divers dans son journal, mais un fait réel à deux pas de son appartement.* »

Du pain, des soins, du réconfort, Jean Rodhain en a offert toute sa vie sans ménager ni sa peine ni sa santé. Cet homme de culture qui aimait, comme il l'avouait volontiers, la musique et le jardinage, a laissé derrière lui le fabuleux héritage d'une association caritative de plusieurs milliers de bénévoles, association sans frontière géographique, politique, sociale ou religieuse, dont la seule vocation est d'aider les plus démunis à retrouver leur dignité. Il a su donner à son œuvre les moyens nécessaires en développant une intense politique de communication. Le mensuel du Secours catholique, *Messages*, est aujourd'hui tiré à 1 400 000 exemplaires. Jean Rodhain disait lui-même : « *Si j'avais à choisir entre un chèque et un micro, je choisirais le micro, car la vérité est la première des charités.* »

> « *Mettre un seul égoïste en contact avec la misère.* »

Il s'est éteint à Lourdes en 1977, mais l'œuvre du Secours catholique se poursuit, partout où la misère et la détresse ont besoin d'être secourues. Famines, guerres, inondations, tremblements de terre, maladies, exclusion, le Secours catholique est sur tous les fronts. Les lieux d'accueil, les centres de formation, les antennes médicales accueillent partout dans le monde, jeunes, chômeurs, malades, handicapés, familles en détresse, sans aucune distinction de race ou de religion. Mais, pour le fondateur comme pour les continuateurs de son œuvre, la source de l'action est l'Évangile : « *Ce que vous aurez fait au plus petit d'entre les miens, c'est à moi que vous l'aurez fait.* »

SOURCES : *Le Père Guichardan interroge Mgr Rhodain*, Paris, 1975. C. Klein, *Ce Serviteur des pauvres, Jean Rodhain*, Paris, 1977.

# JOSEPH FOLLIET

## *RESTER LAÏC*
## *POUR MIEUX SERVIR L'ÉGLISE*

**• 10**
**DEC •**

DANS LE TRAIN QUI L'EMPORTE DE LYON À PARIS, EN CETTE BELLE JOURNÉE DE 1952, Joseph Folliet contemple le paysage qui défile derrière la fenêtre de son compartiment. Il y a à peine une heure, il a quitté sa ville natale et il a encore de longues heures à tuer avant d'arriver à la capitale. La campagne riante, qui se déploie sous ses yeux et qui l'a vu naître en 1903, n'est pourtant pas l'objet de son apparente rêverie. Non, ce qui occupe son esprit, depuis de nombreuses années déjà, ce sont les conditions de vie des ouvriers.

À chaque fois qu'il monte dans un wagon, Joseph Folliet ne peut s'empêcher de penser à ces familles que l'acier des chemins de fer nourrit. C'est pour elles qu'il s'est engagé dans l'action sociale, pour les aider à vivre dignement. À Lyon, le catholicisme social est une longue tradition qui date du XIX^e siècle, depuis que des hommes et des femmes, souvent issus des milieux privilégiés, ont décidé de défendre et d'évangéliser ce peuple d'ouvriers abandonné à son triste sort dans les vastes quartiers de la Croix-Rousse, de la Guillotière ou des Brot-

teaux : le père Chevrier évidemment, mais aussi Pauline Jaricot, Camille Rambaud… Tous des saints, pense-t-il.

La lutte contre le nazisme, la guerre et la Résistance ont uni la population lyonnaise qui, dès 1944, s'est mobilisée pour fonder une France nouvelle autour des idées de justice et d'égalité. Les élans pastoraux d'avant-guerre ont repris, l'action catholique certes, mais aussi les paroisses qui témoignent d'une volonté d'action et de changement. Joseph revoit le bon visage de son vieil ami lyonnais qui s'est éteint voilà maintenant trois ans, en 1949. L'abbé Rémillieux avait transformé sa paroisse Notre-Dame-Saint-Alban en *« une sorte de tourbillon spirituel où se rencontraient les courants de l'Église et du monde »*. Il a lutté sur tous les fronts, s'inquiétant autant de la beauté de la liturgie que de l'ouverture sur le monde. Il a su donner à ses paroissiens une spiritualité qui les nourrit et a fait lever un esprit de communion qui seul permet de faire rayonner l'Évangile auprès de tous. Seul Jésus-Christ comptait pour cet homme de Dieu. Avant d'écrire sur l'Église et l'action sociale, Joseph aime méditer cette phrase de son vieil ami :

« *C'est en apprenant à le connaître ensemble* [le cœur du Christ] *que nous formerons au milieu de la masse de nos frères et de nos sœurs une cellule communautaire, fraternelle.* »

L'abbé Rémillieux... Les souvenirs d'enfance surgissent de sa mémoire. Joseph se laisse aller à rêver : Lyon, la petite fabrique de soierie de son père, sa mère, ses vingt ans qui ont vu tout à la fois son succès à l'école de tissage, où il avait été reçu premier, et ses premiers pas dans le militantisme. Il a fait ses classes auprès de personnages illustres qui, aujourd'hui encore, président à sa carrière.

Marius Gonin est certainement celui qui l'a le plus influencé. Fondateur de la *Chronique sociale de France*, l'une des revues des sociaux-chrétiens, il a été, en 1904, l'un des initiateurs des *Semaines sociales de France* destinées à diffuser l'enseignement de *Rerum novarum* qu'a publiée Léon XIII sur la doctrine sociale de l'Église. Joseph se souvient de l'impression qu'a faite, sur le jeune homme qu'il était, Marius Gonin, par son engagement et sa volonté. Aujourd'hui, à cinquante ans, il a pris la succession de son ami mort en 1937. Il est devenu le directeur de la *Chronique sociale* et, après la guerre, il a été l'un de ceux qui ont relancé les *Semaines sociales* qui ont lieu chaque mois de juillet dans une grande ville de France. Les acteurs sociaux catholiques s'y retrouvent pour mettre en œuvre la politique sociale de l'Église. Le travail sérieux, clair et prag-

> *Le catholicisme montre qu'il est une voix qui compte dans les grands débats de société.*

matique qui s'y effectue a fait la renommée des *Semaines sociales*, où beaucoup d'hommes impliqués dans la politique ou l'économie tentent d'éclairer leur action à la lumière de l'Évangile. Ces rencontres sont vraiment devenues l'un des lieux où le catholicisme montre qu'il est une voix qui compte dans les grands débats de société.

C'est sans doute cette admiration pour l'engagement de Marius Gonin qui a poussé Joseph Folliet, alors qu'il passait sa licence d'histoire, à participer à la création de la Jeunesse ouvrière chrétienne, de la Jeunesse étudiante chrétienne et de la Jeunesse agricole chrétienne. Pour tous ces jeunes, il est même devenu chansonnier et a composé les *Chansons de grand vent*. Puis, en 1927, il a découvert saint François lors d'un voyage à Assise, et fondé les Compagnons de Saint-François qui allient à la spiritualité du *poverello* celle des pèlerinages. Un moment, il souhaitait même s'engager encore plus radicalement pour l'Évangile et entra au séminaire de Paris. Mais Mgr Verdier, l'archevêque de Paris, l'a convaincu de demeurer laïc afin de rendre à l'Église des services que l'état clérical ne lui permettrait pas. Il a accepté, même si souvent le désir d'être prêtre l'habite encore. Un jour peut-être, se dit-il.

Il s'est donc engagé dans le journalisme pour défendre sa conception de l'homme, l'Évangile et l'Église. D'abord rédacteur en chef de *Temps présent* et de la *Chronique*, il entra, pendant la guerre, dans le réseau de résistance Mitterand ainsi que dans la revue *Témoignage chrétien*. À la Libération, il fonda avec Georges Hourdin la *Vie catholique illustrée* tout en participant à la naissance du mouvement *Pax Christi* que Pie XII a érigé, en cette année 1952, en mouvement catholique international. Aujourd'hui, il collabore au *Bulletin catholique international*, à l'*Aube*, ainsi qu'à la revue des dominicains, *Sept,* dont il deviendra le secrétaire général. Homme de plume, il prolonge son activité journalistique dans l'écriture d'essais, d'ouvrages sociologiques ou moraux, et consacrera à ses amis des biographies : *Notre Ami Marius Gonin* et *Le Père Rémillieux*.

Joseph Folliet sourit. Pour tous, il est un catholique de gauche. On doit même le soupçonner d'être l'ami des communistes. Pourtant il se sent parfaitement libre. Ouvriers ou bourgeois, il ne se prive pas de leur rappeler leurs devoirs d'hommes et de chrétiens quand il le juge nécessaire. Quant à être communiste, même s'il en manie couramment les termes, il n'en partage pas les idées. Il suffit de l'écouter : « *Ouvrier, mon frère, n'oublie jamais que ta classe n'est pas majoritaire en France. Tu ne peux œuvrer à tes fins qu'avec le concours d'une partie au moins de la paysannerie, de la bourgeoisie et des classes moyennes. Le succès t'oblige à la collaboration des classes.* » Joseph a hérité de ses amis l'assurance que c'est en défendant l'homme que l'on

*Ouvriers ou bourgeois, il ne se prive pas de leur rappeler leurs devoirs d'hommes et de chrétiens.*

fait la volonté du Christ et que celle-ci ne peut se faire en dehors de l'Église. Il fait partie de ces catholiques qui, depuis plus de cinquante ans, essaient de faire progresser la société à la lumière des Béatitudes, mais qui s'inclinent fidèlement devant les remarques du magistère. Il sait que, dans l'ardeur du combat social, des erreurs peuvent être commises, des limites imprudemment franchies, par inadvertance ou par manque de recul. L'Église, qui veille à ce que la nouveauté ne soit pas cause de chute, joue pleinement son rôle en mettant en garde ceux qui s'aventurent trop loin. Joseph Folliet a été marqué par l'histoire du Sillon, que Marc Sangnier lui a racontée. Après la condamnation de sa revue et de son mouvement, Marc Sangnier s'était incliné et avait fondé *La Jeune République*. C'est en collaborant à cette revue de démocrates-chrétiens, qui voulait évangéliser la vie politique et responsabiliser les consciences, que lui, Joseph, a fait ses premiers pas en politique.

Pourtant, en ce début des années cinquante, Joseph sent que la tension monte. La peur du communisme rend agressifs et dénonciateurs certains courants catholiques assez conservateurs. La suspension d'Henri de Lubac en 1950, les vives critiques dont sont l'objet les mouvements de jeunes comme la JEC ou la JOC que l'on dit être trop proches des communistes lui laissaient déjà présager le pire. Et aujourd'hui, la crise des prêtres-ouvriers semble bien avoir ouvert un grave conflit entre Rome et ces hommes qui travaillent depuis 1949 en usine pour faire connaître le Christ aux ouvriers. Mais Rome pense que l'on ne peut être prêtre et ouvrier en même temps, et plusieurs évêques français commencent à se ranger à cet avis. Le sujet est important, le journaliste Gilbert Cesbron vient même de faire paraître un roman, *Les Saints vont en enfer*, sur la vie de l'un de ces prêtres, qui n'a pas été reçu par tous avec le même contentement.

*Il a soixante-cinq ans quand l'Église exauce enfin son souhait de devenir prêtre.*

« Et il y a tant de travail ! » se dit Joseph en sortant de sa sacoche plusieurs ouvrages qu'il a décidé de lire pendant ce long trajet. Les études sur l'état de la christianisation de la France ne sont pas des plus réjouissantes. Il a ouvert la revue *Réalités* et en parcourt les commentaires. Les contrastes sont saisissants et le cas des régions urbaines bien préoccupant. Non, vraiment, le temps n'est pas au combat idéologique mais à l'action. Il est grand temps de retrousser ses manches et d'avoir assez d'imagination pour porter l'Évangile là où il n'est plus reçu. C'est pour cela qu'il s'est engagé à vingt ans dans cette grande aventure et il ne compte pas s'arrêter à cinquante ! Plongé dans ses revues, Joseph Folliet a sorti un petit crayon avec lequel il souligne et prend des notes pour son intervention du soir auprès d'un cercle de patrons chrétiens.

L'action de Joseph Folliet est si importante que Jean XXIII le nomme expert au concile Vatican II. En 1968, il a soixante-cinq ans quand l'Église exauce enfin son souhait de devenir prêtre et l'engage dans la communauté du Prado, fondée par le père Chevrier. Il s'éteindra en 1972 dans la paix d'une âme qui a passé sa vie à chercher Dieu dans le bien des hommes.

*« C'est toi ma sœur très pure, qui me donnera cette paix que ma vie tout entière a cherchée sans la trouver jamais. Ô ma sœur, la mort corporelle, il est simple de t'attendre, est donc simple de t'accueillir, de se laisser porter par toi, en attendant le jour du Seigneur où nous retrouverons transfigurés nos corps de chair, où le temps et la mort, créatures de Dieu, prendront également fin et où dans l'immense vie de Dieu, tu ne seras plus qu'un souvenir. »*

SOURCES : J. Prévotat, *Être chrétien en France au XXᵉ siècle*, Paris, 1998. E. Poulat, *Une Église ébranlée*, Paris, 1980.

# LUBAC, BALTHASAR, CONGAR

## *DE LA THÉOLOGIE À LA POURPRE*

**• 11 DEC •**

ASSIS À SA TABLE DE TRAVAIL, LE PÈRE DE LUBAC ACHÈVE SA LETTRE. Une courte réponse à des amis lyonnais pour accompagner le livre qu'il a fait paraître l'année précédente, *Méditation sur l'Église*. Dans leur dernier courrier, ils se sont encore inquiétés de son moral. Voilà qui va les rassurer. Quatre ans après la décision de ses supérieurs de le suspendre de ses activités d'enseignant, il a décidé de sortir de son silence en écrivant ce livre, véritable ode à l'Église, « *sacrement de Jésus-Christ* ».

Le jésuite se souvient de cette journée de 1950 où la sanction est tombée sur l'université de Lyon-Fourvière. Avec quatre autres théologiens, il a été « mis en congé d'enseignement » à la suite de l'encyclique de Pie XII, *Humani generis*. Oh ! certes, il n'en veut pas au pape ! La situation de l'Église d'après-guerre était tendue. La peur du communisme et le goût prononcé de certains milieux intellectuels français, parfois chrétiens, pour cette idéologie et ses applications sociales lui permettaient de comprendre ce raidissement soudain d'un pape qui avait pourtant montré son ouverture d'esprit

en soutenant la recherche universitaire, notamment exégétique avec son encyclique *Divino afflante Spiritu*. Henri de Lubac a eu beau comprendre, il s'est tout de même senti injustement soupçonné.

Ses détracteurs n'ont pas compris ses positions et ont lu *Surnaturel*, le livre qu'il a rédigé pendant la guerre, comme une prise de distance avec la pensée thomiste. On l'a accusé de remettre en cause le caractère radicalement gratuit du don de Dieu, alors qu'il n'a fait que reprendre une thèse traditionnelle de l'Église : l'être humain est dès l'origine appelé à connaître Dieu et à l'aimer. Il a bien tenté de répondre aux attaques qui se sont élevées jusqu'à Rome, mais en vain. Ses supérieurs lui ont demandé de s'exiler à Paris. C'est là qu'il a rédigé en guise de réponse cette *Méditation*, témoignage de son attachement à la communauté fondée par le Seigneur et approfondissement de sa recherche sur le mystère et le sens de l'Église.

En écrivant l'adresse, il ne peut s'empêcher de repenser à Lyon, à la guerre, à la communauté des pères jésuites de Fourvière. Un véritable foyer intellectuel où il a créé, avec son confrère le père Jean Daniélou, la collection « Sources chrétiennes », pour faire découvrir au grand public les Pères de l'Église. Et puis, il y a leur jeune frère, venu de suisse, qui, comme eux, a découvert Origène, Grégoire de Nysse et tous ces maîtres chrétiens des premiers siècles qui nourrissent leur foi, leur spiritualité et leur théologie. Son élève... Hans Urs von Balthasar. Il est passionné par saint Irénée qui, selon lui, a inventé la manière catholique de faire de la philosophie : « *vision, montrance, démonstration* ». Jamais, dit-il, le théologien ne doit perdre de vue que « *les marques du chrétien [se laissent lire] à travers la sévérité impartiale de la théorie [où] doit brûler la passion de l'adoration* ».

*Henri de Lubac a été un peu peiné en apprenant que son jeune élève avait quitté la Compagnie de Jésus.*

Un homme, simple et calme, qui aime Dante, Goethe, Mozart, mais également Péguy, Bernanos et Claudel, dont il s'efforce de faire connaître les œuvres en Allemagne. Le père de Lubac se rappelle encore en quels termes Hans entendait sa vocation : « *Tu es appelé, tu ne serviras pas. Quelqu'un se servira de toi. Tu n'as pas fait de projet : tu n'es qu'une petite tesselle dans une mosaïque préparée de longue date...* » et cette phrase qui semble gouverner entièrement son attitude spirituelle et théologique : « *Je devais seulement me tenir en attente et guetter ce à quoi je serais employé.* » Pour Hans, « *tout est indice de Dieu* », tout est digne d'alimenter la réflexion théologique, « *puisque le drame divin est mis en scène au théâtre du monde par l'éternité* ».

Une pensée d'une prodigieuse richesse qui puise aux sources philosophiques et spirituelles les plus diverses. Cette passion

de connaître, Hans essaie, depuis, de la transmettre aux autres en éditant des ouvrages d'auteurs aussi divers que Sophocle ou Nietzsche, une culture extraordinaire qui le conduit à saisir l'homme dans son entier. Pour lui, la révélation divine appelle la réponse agissante de l'homme, et celle-ci ne peut se faire qu'en et par le Christ, et donc en et par l'Église. C'est pour cela que toute sa réflexion est tournée vers le Christ. Henri de Lubac a été un peu peiné en apprenant que son jeune élève avait quitté la Compagnie de Jésus pour fonder un institut séculier, la communauté Saint-Jean, avec une grande mystique allemande, Adrienne von Speyr. « Dommage qu'il nous ait quittés... »

Mais ce qui a retenu l'attention du père de Lubac, ce sont ses deux derniers ouvrages. *Démantèlement des bastions*, paru en 1952, semble vouloir ouvrir la voie à une façon moins théorique de penser Dieu. Mais c'est surtout l'ouvrage paru en 1950 sur l'œuvre de Karl Barth, un théologien protestant allemand de grande valeur, avec qui Hans avait conversé, qui emplit de joie le père de Lubac. Car le dialogue œcuménique est une préoccupation importante à ses yeux et il trouve qu'il n'est encore que trop rare. Pourtant, son ami dominicain Yves-Marie Congar l'appelle de ses vœux depuis plus de quinze ans. Quand ce dernier a créé, en 1937, la célèbre collection Unam Sanctam, il y a fait paraître son propre ouvrage *Chrétiens désunis, principes d'un œcuménisme catholique*, où il demande que s'ouvre un réel dialogue, soucieux des traditions et des convictions de tous, qui permette à la conscience de chacun de se déterminer. Cette année-là, le père de Lubac se souvient avoir publié dans la même collection, à la demande du père Congar, *Catholicisme, les aspects sociaux du dogme* où il présente l'Église comme la continuation du Christ et non comme une société hiérarchique parmi d'autres.

Décidément, pense-t-il, des appels au changement et à l'ouverture sont donnés de toutes parts depuis longtemps. Mais l'Église ne semble pas prête à faire ce double pas décisif : s'ouvrir au monde et s'ouvrir aux consciences. Car son ami dominicain n'a pas meilleure presse que lui. Au poids des lettres de dénonciations parvenues à Rome, ils doivent même être *ex aequo*. Les deux ouvrages récents du père Congar, *Vraie et Fausse Réforme dans l'Église* et *Jalons pour une théologie du laïcat*, ainsi que le soutien qu'il vient d'apporter aux prêtres-ouvriers, en cette année 1954, lui ont valu aussi une jolie invitation à l'exil de la part de ses supérieurs : Terre sainte, Rome, Cambridge...

Pourtant, il le sent, l'Église est en train de changer. Le goût pour la théologie, le renouveau de la pensée philosophique chrétienne, la redécouverte des Pères de l'Église, la volonté de dialogues œcuméniques, la multiplication des revues et des collections de réflexion chrétienne... vont aboutir à un *aggiornamento* de l'Église. La guerre a joué son rôle dans cette grande prise de conscience. Des figures admirables, juives ou protestantes, comme celles de Hans Jonas ou de Dietrich Bonhoeffer, dont les ouvrages ont répandu la pensée et la spiritualité, ont permis d'engager des dialogues qui nourrissent aujourd'hui la réflexion et la prière de beaucoup de théologiens catholiques. Les notions de conscience individuelle et d'engagement personnel, dans une société sécularisée et largement athée, sont devenues des passages obligés de toute pensée chrétienne sur l'homme et sur l'Église.

Henri de Lubac a raison. Moins de dix ans plus tard s'ouvrira le concile Vatican II, où le père Congar et lui-même seront nommés experts par le pape Jean XXIII. Leurs idées, ainsi que celles de Hans Urs von Balthasar, influenceront les décisions du concile. Jean-Paul II décidera d'honorer leur immense travail en les créant tous les trois cardinaux. Le père de Lubac recevra les honneurs en 1983 et le père Congar en 1994. Le père Urs von Balthasar, lui, mourra le 26 juin 1988, deux jours avant de recevoir la pourpre cardinalice.

> *Au poids des lettres de dénonciations parvenues à Rome, ils doivent même être ex aequo.*

SOURCES : Henri de Lubac, *ŒUVRES COMPLÈTES*. Hans Urs von Balthasar, *ŒUVRES COMPLÈTES*. Yves-Marie Congar, *ŒUVRES COMPLÈTES*. R. Aubert, *LA THÉOLOGIE CATHOLIQUE AU MILIEU DU XXᵉ SIÈCLE*, Paris, 1954. *HENRI DE LUBAC ET LE MYSTÈRE*, Paris, 1997. J. Famerée, *L'ECCLÉSIOLOGIE D'YVES CONGAR*, Paris, 1992. M.-D. Chenu, *UNE ÉCOLE DE THÉOLOGIE : LE SAULCHOIR*, Paris, 1985.

# MONSEIGNEUR GHIKA

## L'ANGE ROUMAIN

• **12**
**DEC** •

IL NE FAIT PAS BON CROUPIR DANS LES PRISONS ROUMAINES AU DÉBUT DES ANNÉES CINQUANTE. Surtout lorsque l'on a près de quatre-vingts ans et une santé chancelante... Mais, pour Mgr Vladimir Ghika, cette place en vaut une autre. En janvier 1948, son frère, qu'il aime tant, ancien ministre des Affaires étrangères, quittait le pays à la suite du roi Michel que le gouvernement communiste avait obligé à abdiquer. Entre suivre son frère ou partager le sort de ses fils spirituels dont certains étaient déjà emprisonnés, Mgr Vladimir Ghika choisit de rester. Il savait pourtant que tôt ou tard, en tant que prêtre catholique fidèle au pape, il subirait la persécution, mais il refusa de laisser son peuple, et tous ceux qu'il avait soutenus contre les fléaux du nazisme puis du communisme, ces deux idéologies extrêmes, sœurs ennemies réunies dans le même usage implacable de la terreur.

Mgr Vladimir Ghika est arrêté le 18 novembre 1952. Après une parodie de procès, sa peine est fixée à trois années d'emprisonnement. Il rejoint donc ces hommes qu'il a toujours soutenus, qu'il a toujours secourus. En prison, lorsque les jeunes perdent courage, nul ne sait mieux que lui leur redonner espoir. Il parle, il les entraîne au loin grâce à ses histoires. Celles qu'il a lues, celles qu'il invente ou bien celles qu'il a vécues.

– Reprenez votre récit, s'il vous plaît, Monseigneur.

Prisonniers politiques, opposants au pouvoir ou simples inculpés. Tous ne sont pas encore jugés, peut-être attendront-ils longtemps... Malgré leur jeune âge, ils ne sont plus des enfants, mais c'est toujours la même supplique : « S'il vous plaît, Monseigneur, une histoire. » Sa voix n'est plus qu'un souffle mais tous sont suspendus à ses lèvres, Mgr Ghika commence alors à raconter. Il leur ouvre les portes et fait tomber les murs. Il les emmène au-delà des barreaux, et ces évadés imaginaires avancent sur les routes d'un siècle qu'ils n'ont pas connu.

Pour eux qui ne connaissent que les murs étroits de cette prison qu'est devenue la Roumanie, Mgr Ghika vient d'un autre monde, celui des chevaliers, des rois, de l'Europe raffinée des grandes familles, de l'Europe des princes de sang. Sa famille a donné au pays roumain dix voïvodes. Il parle donc de la cour roumaine, de son faste et de ses intrigues. Il raconte aussi parfois des légendes anciennes, comme celle de Dracula, et il évoque ses héritiers sanguinaires au pouvoir maintenant...

Le pouvoir d'avant-guerre, il l'a fréquenté. Il était déjà présent sur tous les fronts. En 1918, il représente le Conseil national roumain, gouvernement provisoire de Transylvanie, auprès du Saint-Siège. À la même époque, il fonde la première œuvre catholique de charité du pays, la maison des filles de la Charité de Saint-Vincent-de-Paul.

Les prisonniers ne sont jamais lassés de ces promenades hors des murs gris de leur cellule. Il parle aussi de Paris. Le sang français de sa mère lui permet d'en connaître tôt la culture et l'esprit.

> *Lorsque la guerre éclate, il est à Bucarest qu'il ne quittera plus.*

Après la guerre, il entre rue de Sèvres, chez les lazaristes. Ordonné prêtre en 1923, il reste lié toute sa vie au clergé parisien. Dans la France qui renaît après la Première Guerre mondiale, il fréquente le monde et les meilleurs endroits. Dans les jardins de la villa de Jacques et Raïssa Maritain, à Meudon, il côtoie les plus grands intellectuels chrétiens de l'époque, ainsi que les personnalités du monde artistique d'alors. Cocteau, Claudel, Mounier et Congar y partagent les fruits de leurs pensées et discernent en Mgr Ghika un vrai « prêtre de Jésus-Christ ».

Jusqu'en 1939, son activité prodigieuse se déploie à Villejuif auprès des plus démunis. Puis, à Auberive, il fonde la communauté des frères et des sœurs de Saint-Jean, dont la règle de vie annonce, par son étonnante souplesse, les nouvelles communautés qui apparaîtront après le concile Vatican II.

Lorsque la guerre éclate, il est à Bucarest qu'il ne quittera plus. Il s'engage d'abord dans la lutte contre le nazisme. Il éclaire un grand nombre de jeunes, séduits par le Grand Reich, sur la véritable nature de ce régime antisémite. À la fin du conflit, il ne désarme pas. Dans sa lutte contre les extrémismes, il ne fait pas de préférence, et, malgré les risques, il reste à Bucarest. L'élite roumaine menacée par la dictature garde son pasteur. Dans toute la ville, la silhouette de Mgr Ghika ne passe pas inaperçue. Son abondante chevelure et sa barbe blanche contribuent, ainsi que son éternelle cape, à faire de lui un personnage illustre.

Beaucoup des détenus connaissent le personnage, quelques-uns l'homme, et tous sont impressionnés par cet esprit d'exception. Bien qu'auréolé de prestige mondain, il demeure d'une grande simplicité. Mgr Ghika est, pour tous, le serviteur de Dieu au service de ses frères.

Jusqu'au bout, il offre à ses frères ces histoires qui leur font tant de bien et les aident à tenir. Ceux qui l'ont connu dans cet univers carcéral disent tous avoir survécu grâce à ce vieillard âgé et malade, suspendus au souffle de sa petite voix qui leur fait entrevoir des cieux nouveaux et leur parle de Dieu.

Mais aujourd'hui, Mgr Vladimir Ghika sent qu'il n'achèvera jamais son récit. Le froid, les sévices et le manque de soins ont eu raison de son âge et de sa fragile constitution. Le 17 mai 1954 – il a quatre-vingt-deux ans –, Mgr Ghika rend son âme à Dieu.

Dans un vieux coffre en bois, confié à une amie quelques jours avant son arrestation, on découvrit, trente ans après sa mort, des manuscrits contenant plus de huit cents pensées – de véritables perles de spiritualité –, fruits de ses nuits d'insomnies. Continuant la tradition des La Rochefoucauld, des Chamfort et surtout de Pascal, les *Appels* de Mgr Ghika parlent des vérités ultimes au monde d'aujourd'hui, et entraînent ses lecteurs, à l'instar de son ancien auditoire, vers l'Amour de Dieu.

SOURCES : Mgr Vladimir Ghika, *APPELS, DERNIERS TÉMOIGNAGES, PENSÉES POUR LA SUITE DES JOURS, ENTRETIENS SPIRITUELS*. T. Schreiber, *LE CHRISTIANISME EN EUROPE ORIENTALE, NOTES ET ÉTUDES DOCUMENTAIRES*, 1971.

# LA SEMAINE DE PRIÈRE
# POUR L'UNITÉ DES CHRÉTIENS

## « *QUE TOUS SOIENT UN*
## *POUR QUE LE MONDE CROIE* »

**13 DEC**

TOUT EN GRIMPANT LA CÔTE QUI MÈNE AU SOMMET DE LA COLLINE DE FOURVIÈRE, Franck et Luc, deux jeunes étudiants lyonnais, devisent, le souffle court, de la nouvelle qu'ils viennent d'apprendre au presbytère de leur paroisse. Le Conseil œcuménique des Églises qui regroupe la presque totalité des Églises chrétiennes non catholiques a appelé, en cette année 1954, ses membres à participer à la Semaine de prière pour l'unité des chrétiens que l'abbé Paul Couturier a initiée il y a près de vingt ans.

— Dommage que l'abbé Paul ne soit plus là pour le voir. Il aurait été tellement heureux !

— En effet, il est mort un an trop tôt. Mais je parierais volontiers que, du Paradis, il a fait son possible pour susciter cette décision de la part de nos frères chrétiens.

— Tu as raison, et, le connaissant, je ne serais pas étonné qu'il soit en train de convertir saint Pierre à son point de vue pour qu'il influe sur son successeur.

Luc fronce les sourcils et médite un instant l'impertinence des propos de Franck. Saint Pierre a-t-il vraiment besoin d'être converti ? Aussi nuance-t-il :

— Pierre, je ne sais pas, mais Pie XII certainement. Si seulement l'Église catholique pouvait également faire un geste en faveur de l'œcuménisme...

Les deux jeunes gens se sont engouffrés dans les jardins de Notre-Dame de Fourvière où ils ont rendez-vous avec un petit groupe d'amis. Du haut de sa colline, la basilique veille sur l'antique citée lyonnaise. Sa Vierge et ses anges étendent leur bienveillance jalouse sur les terres qui virent naître l'Église qui est en France.

À cette époque, comme le leur rappelait l'abbé Paul Couturier, il n'y avait ni catholiques ni protestants, et les disciples du Christ s'efforçaient de vivre ce commandement de Jésus : « *Que tous soient un pour que le monde croie que tu m'as envoyé.* » Déjà saint Irénée, l'un des pères de la cité lyonnaise, avait dû défendre l'unité de l'Église, au IIe siècle. C'est Paul Couturier qui leur a donné le goût du dialogue œcuménique. Il y a cinq ans, alors qu'ils étaient encore au collège, il leur avait raconté l'histoire de l'Église anglicane et de l'Église catholique anglaise, et le rapprochement manqué de 1896. L'histoire les a marqués. Ils avaient ressenti la déception de Lord Halifax, l'anglican, et de l'abbé Portal, le lazariste français, devant la réponse de Rome. Les deux hommes, soucieux de voir leurs Églises reprendre le chemin de l'unité, avaient demandé à la Curie et au pape d'examiner la validité des ordinations anglicanes. Par la bulle *Apostolicae curae*, Léon XIII avait refusé de les reconnaître comme valides, provoquant la déception et l'incompréhension des milieux anglicans et mettant un frein aux discussions entre les deux Églises. C'était d'autant plus décevant que les Églises protestantes, elles, réussissaient à trouver un chemin de dialogue, et qu'en 1948 était enfin créé le Conseil œcuménique des Églises.

Ils avaient demandé au père Couturier si cette situation pouvait changer où si elle durerait toujours. Celui-ci leur avait répondu que, pour que cela change, il fallait que les enfants prient pour que tous les chrétiens soient unis et que les gens de bonne volonté se mobilisent. Il leur avait aussi raconté la nouvelle tentative des deux mêmes hommes en 1921. Après la Grande Guerre, le souverain pontife comme l'Église anglicane étaient désireux de renouer le dialogue entre les deux Églises. Lord Halifax et l'abbé Portal demandèrent donc au cardinal Mercier, archevêque de Malines-Bruxelles, de recevoir des anglicans afin d'envisager un rapprochement des deux Églises. Jusqu'en 1926, des rencontres entre théologiens catholiques et anglicans, les « *conversations de Malines* », eurent lieu autour du cardinal Mercier. Pie XI,

> L'unité des chrétiens ne peut être vécue que dans la prière.

devenu pape en 1922, confirma au cardinal son accord, tout en lui rappelant que ces conversations n'avaient aucun caractère officiel. La mort du cardinal Mercier coïncida avec un repli romain dans le domaine œcuménique.

C'était une nouvelle déception. Mais l'abbé Couturier était certain que c'était par des tentatives comme celle-la que l'œcuménisme progresserait. Lui-même avait découvert le dialogue œcuménique, en 1923, en soignant des réfugiés russes orthodoxes. Profondément marqué par le testament spirituel du cardinal Mercier : « *Pour s'unir, il faut s'aimer, pour s'aimer, il faut se connaître, pour se connaître, il faut aller à la rencontre l'un de l'autre* », il s'était engagé en 1935 dans son combat pour l'unité. Au début du siècle, soutenu par Pie X, un prêtre anglican converti au catholicisme avait créé une octave de prière pour ramener les schismatiques à la vraie foi. L'abbé Couturier reprit l'idée d'une semaine de prière pour l'unité mais dans un esprit plus ouvert. Persuadé que l'unité des chrétiens ne peut être vécue que dans la prière, car c'est Dieu lui-même qui fait, à son Église, le don de la paix et de l'unité, il essaye de convaincre tous les chrétiens de se joindre à lui. Soutenu par l'archevêque de Lyon, le cardinal Gerlier, il voit bientôt ses efforts récompensés. En 1936, l'Église réformée de France décide de s'associer à la Semaine de prière pour l'unité, puis, en 1940, c'est le tour de la Commission foi et constitution, un mouvement de l'Église réformée.

Émus par les propos de l'abbé Couturier, les jeunes élèves de troisième avaient alors décidé de créer un groupe d'aumônerie au sein duquel ils inviteraient des amis d'autres confessions chrétiennes pour réfléchir et prier. Un peu comme le Groupe des Dombes que l'abbé avait fondé en 1936 et dont les rencontres, où se retrouvaient des théologiens de toutes confessions, devaient permettre une découverte réciproque et approfondie de la foi en Jésus-Christ, unique Sauveur. Le père Couturier répétait, sans se lasser, que cette compréhension devait trouver sa source dans une prière commune. « C'est en priant que vous comprendrez, parce que c'est en priant que vous comprendrez le plan de Dieu. [...] La prière en est l'âme. Parce qu'ensemble nous essayons de travailler fructueusement dans le domaine théologique, sous peine de trahir nous ne pouvons nous approcher des mystères dogmatiques sans qu'ensemble aussi nous priions. Dieu n'éclairera notre travail en commun que si ensemble nous l'en supplions, ensemble, en commun. »

Cinq ans après, le groupe existe toujours même si ses membres ont beaucoup changé. Cette année, ils ont eu la grande joie de voir le Conseil œcuménique des Églises rallier l'œuvre de leur aumônier. Mais ils ont aussi appris que l'un des pères de l'œcuménisme, Yves-Marie Congar, a été inquiété à la suite de l'appui qu'il a apporté aux prêtres-ouvriers. Le dominicain a été à l'origine de nombreuses vocations œcuméniques à Lyon tant son livre *Chrétiens désunis, principes d'un œcuménisme catholique* a connu un vif succès.

Poursuivant leur conversation, les deux jeunes gens ont rejoint Sabine et Véronique sur l'esplanade de Notre-Dame de Fourvière alors que l'angélus retentit. Le temps de se demander des nouvelles des uns et des autres, et ils se dirigent vers l'une des petites chapelles de la basilique.

— Pas besoin de les attendre, ils sauront nous retrouver.

— J'ai apporté quelques textes du père Couturier. Nous pourrons les lire au cours de la prière.

— Vous savez s'il y aura des nouveaux, cette fois-ci ?

Le petit groupe s'engouffre dans la fraîcheur du déambulatoire de la basilique. C'est dans l'une de ses chapelles qu'ils ont l'habitude de prier, une fois par mois, pour l'unité des chrétiens. Sabine distribue les textes de l'abbé Couturier qu'elle a ronéotypés. Après avoir pris place dans la petite chapelle, elle se lève et lit le premier texte sous le regard étonné des touristes qui s'arrêtent pour l'écouter.

*« Qu'il vienne le jour que Tu veux, Christ ! Le jour que, depuis la sainte Cène, Tu ne cesses de demander... Celui où nous n'aurons qu'une même pensée... Ta pensée : l'Unité dans la Foi de Ton unique Église. Il viendra ce jour, quand notre douleur des séparations nous aura fait assez souffrir et que sera devenue assez brû-*

> *Ils se dirigent vers l'une des petites chapelles de la basilique.*

*lante la flamme de notre même amour pour Toi, et assez ardents le feu et la lumière du même Esprit, qu'en réponse à notre amour pour Toi, déjà à l'ouvrage, Tu nous enverras Ton Esprit, l'Esprit de Ton Père. En ce jour ce sera la grande réparation et cessera le grand scandale. »*

Le geste de l'Église catholique, tant attendu par l'abbé Paul Couturier et le groupe des jeunes gens réunis en ce jour pour prier à Notre-Dame de Fourvière, arrive avec l'accession sur le trône de saint Pierre de Jean XXIII. En 1960, après seulement une année et demie de règne, le souverain pontife crée le Secrétariat pour l'unité des chrétiens qu'il confie au cardinal Béa et à Mgr Willebrands. En 1961, les premiers observateurs catholiques siègent au Conseil œcuménique des Églises à New Delhi. Quant au concile Vatican II, le souffle de l'œcuménisme participe à l'*aggiornamento* voulu par le pape. Les nombreux consultants des Églises non catholiques présents ainsi que le grand

*Les premiers observateurs catholiques siègent au Conseil œcuménique des Églises à New Delhi.*

investissement du cardinal Béa dans les travaux préparatoires débouchent sur le décret *Unitatis redintegratio* et sur de nombreux passages de *Lumen gentium* propres à favoriser un dialogue œcuménique.

Le concile Vatican II reprendra les inspirations de l'abbé Paul Couturier en précisant : « *Il n'y a pas de véritable œcuménisme sans conversion intérieure. En effet, c'est du renouveau de l'âme, du renoncement à soi-même et d'une libre effusion de charité que partent et mûrissent les désirs de l'unité.*

*Il nous faut par conséquent demander à l'Esprit Saint la grâce d'une abnégation sincère, celle de l'humilité et de la douceur dans le service, d'une fraternelle générosité à l'égard des autres. [...] Que les fidèles se souviennent tous qu'ils favoriseront l'union des chrétiens, bien plus, qu'ils la réaliseront, dans la mesure où ils s'appliqueront à vivre plus purement selon l'Évangile. Plus étroite, en effet, sera leur communion avec le Père, le Verbe et l'Esprit Saint, plus ils pourront rendre intime et facile la fraternité mutuelle. »*

SOURCES : E. Fouilloux, *LES CATHOLIQUES ET L'UNITÉ CHRÉTIENNE DU XIX<sup>e</sup> AU XX<sup>e</sup> SIÈCLE*, Paris, 1982. « L'œcuménisme d'avant-hier à aujourd'hui », in *LES QUATRE FLEUVES*, n° 20, Paris, 1985. M. Bœgner, *L'EXIGENCE ŒCUMÉNIQUE. SOUVENIRS ET PERSPECTIVES*, Paris, 1968.

# L'HIVER 54

## OU L'INSURRECTION DE BONTÉ

• **14**
**DEC** •

DANS LE STUDIO DE RADIO-LUXEMBOURG, UN JOUR GLACIAL DE FÉVRIER 1954, rue Bayard à Paris, il est 12 h 59. Dans un instant, le journal va commencer. De quoi va-t-il être question ? De l'armée française, enfermée à Diên Biên Phu ; du président Coty, récemment élu ; des championnats de France de ski à Barèges ; et de la météo, - 20 degrés au-dessous de zéro.

Tout à coup, barbe de capucin, robe de bure, regard de feu, un prêtre surgit. À la place des reportages annoncés, une voix vibre dans le micro, haletante, pathétique : « *Mes amis, au secours ! Une femme vient de mourir gelée, cette nuit, à trois heures, sur le trottoir du boulevard de Sébastopol, serrant sur elle le papier par lequel on l'avait expulsée.* » Le message dure une minute à peine. Il bouleverse la France entière. Dix minutes plus tard, le standard de la station croule sous les appels. Les dons affluent. Henri Grouès, dit l'Abbé Pierre, a gagné son pari : toucher les cœurs, susciter « *une insurrection de bonté* ». En ces temps de reconstruction, de plein emploi, de confort des foyers, la tentation est grande d'oublier les exigen-

ces évangéliques : « *J'étais nu et vous m'avez vêtu.* »

L'auteur de ce « coup » n'est pas un inconnu. L'abbé Pierre est déjà une figure de l'Église catholique et du monde politique. Ce capucin de quarante-deux ans est de la trempe des fraticelles, ces franciscains remuants du XIVᵉ siècle, toujours révoltés contre la propriété et les richesses : des fous de l'Évangile. Né en 1912 dans une famille aisée de Lyon, Henri a découvert la charité grâce à son père : toutes les semaines, Antoine Grouès se rendait à la cité Rambaud, un bas-fond lyonnais, pour accueillir des sans-abris, les laver, les raser, les vêtir. Quand Henri eut onze ans, son père l'emmena avec lui... pour qu'il voie. Les pauvres avaient cessé d'être un sujet de conversation en cour de récréation, pour devenir une réalité. Son père, ce « monsieur », s'abaissait devant eux, comme il l'eut fait devant le Christ. « *Ce que vous faites au plus petit d'entre les miens, c'est à moi que vous le faites.* » Ce fut un choc pour cet enfant bouillonnant qui choisit très jeune de mettre son énergie, sa perpétuelle révolte au service de Dieu... D'abord Henri a envie d'être missionnaire. Sitôt son bachot en poche, il prend l'habit franciscain, celui de la pauvreté absolue. En 1938, il est ordonné prêtre par le cardinal Gerlier. Incardiné à Grenoble, il entre en Résistance, et exerce son ministère au maquis des Glières, avant de rejoindre Alger. Dans la clandestinité, il devient l'abbé Pierre, un nom de guerre pour un combat qui, pour lui, ne s'achève pas en 1945. À la Libération, il est élu député de Meurthe-et-Moselle. Le « curé député » prend la parole au nom des pauvres dans l'hémicycle du Palais-Bourbon. Il ne la rendra jamais. En chaire, en conférence, dans les beaux quartiers ou dans les taudis, il prêche la charité.

Dans l'hiver 54, l'abbé Pierre n'est plus parlementaire. Mais il est toujours sur la brèche. Depuis la Libération, le pays manque de logements. Les programmes de construction sont prêts, mais il manque toujours une volonté politique, un vote à l'Assemblée. Les discussions s'éternisent. En plein mois de janvier, un homme débarque chez l'abbé. Dans ses bras, son bébé mort de froid dans un vieux car désaffecté d'une cité de Neuilly-Plaisance. Sous le coup du chagrin et de la colère, l'abbé Pierre explose. Il s'empare d'une feuille et d'un stylo et écrit d'une traite au ministre du Logement, Maurice Lemaire, pour lui parler de l'enfant mort : « *C'est à 14 heures, le jeudi 7 janvier, qu'on va l'enterrer. Pensez à lui. Ce serait bien si vous veniez parmi nous à cette heure-là. On ne vous recevrait pas mal, croyez-moi.* » Le jour dit, le ministre est là, touché par le ton de cet abbé qui parle de la misère des hommes sans faire de mots, au nom du Christ. Le ministre suit le cercueil : comment rester insensible ? Bien sûr, nul ne veut la mort d'un enfant. Mais l'Administration est si lente... Ils sont si nombreux à coucher dehors. Que faire ? Le ministre promet 12 000 logements, mais dans deux mois, « délai de rigueur ».

La rigueur de l'hiver, elle, ne connaissant pas de répit, l'abbé ne désarme pas. Un mois plus tard, c'est l'appel sur les ondes de Radio-Luxembourg, un électrochoc pour la France entière : une exceptionnelle chaîne de générosité se met en place. À l'hôtel Rochester, où l'abbé Pierre a établi son QG, des enfants apportent leurs économies, un homme l'arrête dans la rue et lui tend sa chevalière, des éboueurs déposent le fruit de leurs étrennes, le général de Gaulle lui-même envoie un chèque. C'est une immense vague de charité qui déferle.

Il aura suffi de la foi d'un seul, celle dont l'Évangile dit qu'elle peut déplacer les montagnes.

> *Dans ses bras, un bébé mort de froid dans un vieux car désaffecté.*

SOURCES : M. Devort, *L'ABBÉ PIERRE, HIVER 54*, Paris, 1990. P. Dhombre, *L'ABBÉ PIERRE*, Paris, 1986. J.-P. Bourre, *L'ABBÉ PIERRE : LA VOIX DU CŒUR*, Paris, 1985.

# FRÈRE SOLANUS CASEY
## *L'HUMBLE PORTIER DU PARADIS*

• **15 DEC** •

FRÈRE FRANCIS LEVA LES YEUX VERS LA HAUTE SILHOUETTE EN HABIT BRUN qui se tenait sur le seuil et semblait hésiter à entrer. Il avait devant lui des traits empreints de force et de douceur qu'encadrait une barbe magnifique. De bons yeux bleus pénétrants lui retournaient son regard.

« Oh ! vous voilà, père Solanus ! Bienvenue à Saint-Bonaventure ! » Le portier se leva d'un bond et manqua de se heurter au coin de son bureau dans sa hâte de saisir la main de son nouvel assistant. « Quel bonheur de vous accueillir parmi nous ! » Le sourire joyeux de frère Francis éclaira le hall d'entrée. « Ça, c'est l'endroit où l'on reçoit les visiteurs », expliqua-t-il en désignant le bureau d'une main potelée. « Et ça, c'est mon échoppe de tailleur. » Il montrait une petite pièce qui se trouvait de l'autre côté de l'entrée. « Je confectionne des habits pour les frères de toute la province. En fait, je passe là le plus clair de mon temps. Les visiteurs ne sont guère nombreux... Maintenant que vous êtes là, je vais pouvoir me consacrer entièrement aux habits ! »

Frère Francis s'arrêta pour reprendre sa respiration et observer le père Solanus à la dérobée. Il avait entendu parler de ce jeune capucin qui venait d'une ferme du Wisconsin et avait neuf frères et quatre sœurs. On l'appelait le « prêtre *simplex* », parce que, s'il célébrait la messe chaque jour, il n'avait pas le droit de confesser ni de prêcher, ses supérieurs ne l'en estimant pas capable. Il faut dire qu'il n'avait pas fait ses études dans des conditions faciles. Au noviciat du monastère de Saint-Bonaventure à Detroit, les cours étaient en allemand et les manuels en latin. Or, frère Solanus n'avait jamais fait bon ménage avec l'allemand. Il avait réussi à avoir tous ses examens, mais ses supérieurs hésitaient quand même à l'ordonner.

Frère Solanus était un novice serviable et aimé de tous, ce qui avait emporté la décision en sa faveur. On l'avait ensuite placé comme portier dans le monastère de Yonkers puis de Harlem à New York, tâche généralement réservée à des frères lais. Il avait rempli ses devoirs avec enthousiasme, à la grande satisfaction des deux communautés comme des visiteurs qui avaient affaire à lui. Là-bas, il avait été seul à assumer les responsabilités de portier. Ici, il allait être l'assistant de frère Francis.

Celui-ci ne connaissait pas la vraie raison de l'arrivée du père Solanus à Detroit. Au cours des années où il était portier à New York, il avait eu un succès énorme auprès des visiteurs venus demander une direction spirituelle. De jour en jour, une foule plus grande se massait à la grille, et le bureau de réception ne désemplissait plus. Le père Solanus était en passe de devenir une vedette. Or, les monastères n'ont jamais beaucoup aimé voir un des leurs objet d'une gloire qu'ils estiment contraire à l'esprit d'humilité. Le père Benno Aichinger, provincial des capucins, avait donc préféré transférer le père Solanus à Saint-Bonaventure, qui était sous sa responsabilité directe.

Le père Solanus répondait au téléphone et aux coups de sonnette tandis que le frère Francis taillait ses habits de l'autre côté du hall en surveillant d'un œil discret son assistant. Pendant quelques semaines, tout se passa normalement. Puis, petit à petit, le « tailleur » remarqua un changement. La sonnette tintait sans cesse, mais les visiteurs le demandaient de moins en moins souvent. Ils faisaient la queue pour parler au père Solanus, qui accordait à chacun un moment d'attention pleine et entière. Certains venaient chercher un conseil, d'autres une simple bénédiction.

Les rôles s'inversèrent subrepticement, et frère Francis finit par se retrouver

> *Les rôles s'inversèrent, et frère Francis finit par se retrouver assistant du père Solanus.*

assistant du père Solanus. Il maintenait l'ordre et plaçait des rangées de chaises contre le mur pour ceux qui attendaient. De temps à autre, il se permettait de suggérer à ceux qui ne demandaient qu'une bénédiction de s'agenouiller collectivement plutôt qu'individuellement. C'est aussi lui qui regardait l'heure et prévenait le père Solanus qu'il fallait songer à se rendre aux repas. Il savait que ce prêtre à la voix fluette et au grand cœur ne partirait jamais de sa propre initiative s'il voyait quelqu'un l'attendre encore.

Devant la foule croissante des visiteurs, le provincial dut reconnaître qu'il était affligé de l'un de ces prodiges dont le Ciel fait parfois le don encombrant aux monastères. Mais il n'était plus inquiet, car il voyait bien que le succès ne montait pas à la tête de cet humble directeur spirituel. « *Le père Solanus n'avait pas l'air de se rendre compte de l'efficacité de son exemple et de sa présence, ni de son immense popularité*, écrivit le père Gerald Walker. *Jamais il ne montrait de satisfaction de se voir aussi recherché, ou de constater l'efficacité directe de ses prières et de ses bénédictions.* »

Les devoirs de portier n'occupaient qu'une partie de l'emploi du temps du père Solanus qui disait chaque jour la messe avec bonheur, et se joignait à ses frères pour chanter la liturgie des heures de sa voix ténue. Il passait aussi de longues heures à prier en silence au petit matin et à la nuit tombée, quand les portes du monastère étaient fermées. Il était l'homme le plus spontané qui soit, toujours prêt à saisir la batte de base-ball que lui tendaient les novices, ou à échanger des balles de tennis pendant la récréation quotidienne. Les grands jours, il allait chercher son violon et accompagnait hymnes et chansons.

Le père Solanus aimait courir dans le jardin les soirs d'été. En hiver, il marchait pieds nus dans la neige en disant des chapelets. « Cela me garde en pleine forme », expliquait-il. Quand il allait bien, il ne savait pas descendre les escaliers, il les dévalait. Les jours où son pas était posé, c'est que quelque chose ne tournait pas rond.

Ainsi occupées, les années filèrent. Un jour vint où le nombre de coups de sonnette qui retentissaient à la porte de Saint-Bonaventure dépassa le seuil de résistance physique du père Solanus. En plus de la queue impressionnante qui attendait pour le voir, la voix grêle du téléphone le harcelait sans répit. Ses frères n'étaient pas dupes de son attitude sereine : le père Solanus se surmenait. Pour lui permettre de prendre un peu de repos, le provincial le fit d'abord partir au monastère Saint-Michael pour un an, puis à Saint-Felix en Indiana, où l'on avait transféré le noviciat, et où il resta dix ans. Du reste, rien n'y fit : les foules semblaient marcher sur ses talons. Usé par la vieillesse et la maladie, il fut enfin rappelé à Saint-Bonaventure.

Au moment du jubilé d'or qui célébrait en 1954 l'ordination du père Solanus, un journal de Detroit le décrivait ainsi : « *À quatre-vingt-trois ans, [il] se tient étonnamment droit, même si sa haute stature vêtue d'un grossier habit brun est amaigrie par des dizaines d'années de jeûne et d'abnégation. Mais ce qu'il a de plus remarquable, ce sont ses yeux et sa voix. Ses yeux... sont ceux d'un homme qui aurait cinquante ans de moins. Ils sont astucieux et pénétrants, mais dès qu'il commence à parler de sa foi ils se mettent à briller comme ceux d'un enfant. Sa voix est douce et chaleureuse, et la moindre de ses remarques sonne comme une bénédiction.* »

« *Comment se fait-il, père, que tant de laïcs recherchent vos conseils ?* » lui demandait le journaliste. Et le père de répondre : « *Nul besoin d'être prêtre pour être un instrument entre les mains de Dieu. Quelqu'un qui désire le salut de son âme s'intéresse forcément à ses frères.* »

Ce sermon en deux phrases résume avec simplicité la spiritualité du père Solanus : « *Être un instrument entre les mains de Dieu.* » C'est ce désir qui explique son obéissance silencieuse à la croix qui lui fut imposée du début à la fin de sa vie consacrée, celle qui lui interdisait d'entendre des confessions et de prêcher.

> « *Nul besoin d'être prêtre pour être un instrument entre les mains de Dieu.* »

Il avait accepté cette décision de ses supérieurs sans un mot de protestation. Il voulait seulement faire la volonté de Dieu. Et il avait reçu en retour le don de répandre la grâce autour de lui, par lequel il touchait au moins autant de monde que s'il avait passé plusieurs heures par jour dans le confessionnal et prêché chaque semaine. Humblement, mais de façon éclatante, il dépassait les limites qu'on lui avait imposées.

Le père Gerald Walker, devenu provincial, dépeint ainsi les derniers moments du prêtre : « *Un moment, il se tordit sous l'effet de la douleur. Je me penchai vers lui et lui demandai : "Où avez-vous mal, père ?" J'aurais voulu que la terre entière voie la joie incomparable qui se refléta alors sur son visage. Il répondit : "J'ai mal partout. Je rends grâces à Dieu. Je rends grâces à Dieu. J'offre ma souffrance pour que tous puissent être un. Oh, si seulement je pouvais vivre pour voir le monde entier se convertir."* » Le père Solanus mourut le 31 juillet 1957. Vingt-six ans après, Edmund C. Szoka, archevêque de Detroit, demanda l'ouverture d'un procès en canonisation.

SOURCES : H. M. Crosby, *THANK GOD AHEAD OF TIME, THE LIFE AND SPIRITUALITY OF SOLANUS CASEY*, Chicago, 1985. J. P. Derum, *THE PORTER OF SAINT BONAVENTURE'S, THE LIFE OF FATHER SOLANUS CASEY, CAPUCHIN*, Detroit, 1992.

# Jacques de Bourbon Busset

## *Entrer en mariage*

## *comme on entre en religion*

**• 16 DEC •**

UNE NOUVELLE ÉTONNANTE CIRCULE DANS LES COULOIRS DU QUAI D'ORSAY en cette belle journée de 1956. On apprend avec stupéfaction que le directeur des Relations culturelles avec l'étranger, Jacques de Bourbon Busset, vient de remettre sa démission. À quarante-quatre ans, ce normalien, ancien chef de cabinet de Robert Schuman, dont la position au ministère a pourtant tout pour le combler, quitte la Carrière pour se consacrer à l'écriture.

Pareil choix semble presque invraisemblable aux fonctionnaires du Quai d'Orsay. On cite dans les bureaux les noms de Claudel, de Saint-John Perse, de Giraudoux. Le ministère a payé un beau tribut aux lettres françaises ; le métier de diplomate, apparemment, n'a rien d'incompatible avec celui d'écrivain. Comment M. de Bourbon Busset peut-il envisager de gaieté de cœur de renoncer à une vie passionnante pour aller s'« enterrer » à la campagne ? Il paraîtrait même que le démissionnaire aurait décliné une belle proposition d'ambassade ; mais, pour le coup, on a peine à ajouter foi à cette rumeur. « Si c'est bien le cas, chuchote-t-on à voix basse, il est fou... »

Les fonctionnaires du Quai d'Orsay ne croient pas si bien dire. En un sens, Jacques de Bourbon Busset est fou, oui... Fou amoureux de sa femme. Et il a décidé que l'amour était une si belle chose qu'il méritait qu'on s'en occupe de façon exclusive. Il quitte sans regrets les honneurs, le prestige, le tourbillon mondain de la vie parisienne, pour se consacrer à une œuvre unique dans la littérature française, entièrement tournée vers l'épouse. « *L'amour fou, le véritable amour, le grand amour existe, bien sûr, mais il existe dans le mariage. L'amour fou est dans le mariage comme l'arbre est dans la graine.* » Alors que son époque ne parle que d'union « libre », il entreprend la rédaction d'un long cantique d'amour à celle qu'il a épousée en septembre 1944.

Laurence Ballande était une étudiante idéaliste et fougueuse, et lui un jeune homme qui tenait farouchement à sa liberté. Pourtant, après avoir arpenté avec elle pendant de longs mois un Paris occupé et sinistre, entre le Quartier latin et les Tuileries, avec le Pont-Neuf pour « *colonne vertébrale* » de leur histoire, il a fini par la demander en mariage, bien décidé cette fois à s'embarquer dans un « *amour sans retour* ».

Dans ses livres, elle sera Laurence ou « le Lion ». Le Lion est né un jour de Noël où Jean, le dernier de leurs enfants, a tendu un livre à son père en disant : « *Je vous donne ce livre, parce que le lion qui est dessiné dedans ressemble beaucoup à maman.* » Tout le monde s'est précipité sur l'illustration pour vérifier les dires de ce gamin de quatre ans, et la famille entière est tombée d'accord avec le benjamin : la crinière de l'animal royal rappelait vraiment l'abondante chevelure de sa mère !

L'histoire de Jacques et Laurence de Bourbon Busset est celle d'un couple qui se rend compte, jour après jour, du « *pouvoir créateur du temps* ». Idée paradoxale, si l'on part du principe qu'il ne fait qu'user ce que l'homme tente follement de bâtir. Idée magnifique et étonnante à la fois dans la perspective d'un mariage chrétien, où l'on croit que l'amour peut grandir au fil des années, pourvu qu'on l'y aide, car « *l'amour secouru dure* ». Leur foyer s'élargit au fur et à mesure des naissances de leurs quatre enfants, Hélène, Charles, Robert et Jean. La situation de père et mère de famille ne leur fait pas oublier, loin de là, l'amour qu'ils se portent et qui croît d'année en année, à tel point que l'on demande parfois à Jacques et Laurence si leurs enfants ne sont pas jaloux de la passion exclusive qui les lie l'un à l'autre. À quoi ils répondent

> *La situation de père et mère de famille ne leur fait pas oublier l'amour qu'ils se portent.*

avec humour qu'elle a le mérite de les empêcher d'entourer leur progéniture d'attentions excessives.

Le temps qui passe est donc loin d'avoir sur leur amour le pouvoir d'érosion qu'on lui prête souvent. L'écrivain parle ainsi de sa vie conjugale : « *Les jours se sont entassés, comme s'entassent les pierres dont on fait un mur. Mais un mur ne vit pas, il n'est pas animé du frémissement qui parcourt les choses vivantes et, en particulier, cette chose vivante, un commun attachement. Ce frémissement, j'en connais l'origine, c'est ta puissance d'aimer.* »

Au cœur de leur amour, il y a un mystère douloureux et joyeux à la fois qui revient sans cesse sous la plume de Bourbon Busset, celui de la distance infranchissable qui demeure entre deux époux. L'être aimé reste irrémédiablement un étranger. Cette distance semble au début révoltante et incompréhensible. L'écrivain l'évoque ainsi : « *Cette période incertaine où nous nous intriguions mutuellement, sans être sûrs que cet étonnement pût abattre les barrières invisibles qui séparent impitoyablement les êtres.* » Petit à petit — et c'est là que l'œuvre du temps est précieuse — chacun accepte cette distance et en saisit la beauté.

Bourbon Busset souligne souvent la nécessité d'une très grande délicatesse, d'une profonde discrétion entre les deux personnes du couple. Chez l'autre comme chez soi, « *il importe de laisser croître la part cachée qui est sans doute la meilleure. Le moment viendra où elle brûlera du* désir de s'exprimer et de communiquer avec la meilleure part de l'autre. Cette meilleure part, il est impossible [...] de ne pas l'appeler l'âme. » La distance à respecter justifie l'image d'une « *fugue à deux voix* ». Au lieu de prétendre à une fusion chimérique, l'époux et l'épouse se suivent, se répondent, chacune des deux âmes enrichissant et embellissant le chant de l'autre de sa propre musique, dans un dialogue passionné et émerveillé qui évoque le Cantique des cantiques.

Bourbon Busset n'hésite pas à parler d'une « *mystique de l'alliance, de l'alliance à toute épreuve qui différencie sans séparer et unit sans confondre* », et considère le couple comme un signe humain de l'amour de Dieu. « *Cette mystique de l'alliance donne son sens à l'univers car Dieu, c'est le désir d'alliance. L'alliance éclaire tout comme fait la lumière.* » Il a d'ailleurs le sentiment très net d'une présence divine qui veille avec amour sur son épouse et sur lui-même. « *Dès les premiers jours, nous avons senti* [...] *que nous engagions, au-delà de nous-mêmes, un pouvoir qui nous dépassait et en même temps nous habitait. Ce compagnon extrêmement présent et discret, nous ne le nommions guère. Les mots ne lui convenaient pas. Ils s'évadaient de leur cage. Des anges gardiens de notre enfance il avait la fidélité et la modestie.* [...] *Ce dont nous étions sûrs, c'est qu'il se réjouissait de notre alliance, que tout ce qui la consolidait lui plaisait, que tout ce qui la blessait le peinait. Il se retrouvait en elle et nous la retrouvions en lui.* »

Après avoir quitté le Quai d'Orsay,

Jacques de Bourbon Busset s'installe dans sa propriété du Saussay, dans l'Essonne, puis à Salernes, en haute Provence. Cette retraite n'a rien d'austère, égayée par les cris et les rires des enfants, qui résonnent du matin au soir, et par les promenades sur les chemins d'Ile-de-France ou du Var. Le couple voyage beaucoup, sensible à l'« *union de la mobilité et de l'enracinement* » dont il fait l'expérience à l'étranger. « *Nous voyions défiler nuages, paysages, cités devant le groupe que nous formions, pour parler comme les sculpteurs. Nous étions un univers au creux de l'univers ; l'amour n'est-il pas le choc de deux galaxies ?* »

Bourbon Busset écrit sans cesse, et publie des livres qui sont un vibrant hommage à sa femme : *Le Livre de Laurence, Le Lion bat la campagne, Laurence de Saintonge*... Son épouse lui répond en peignant. Dans ses tableaux se retrouve le mystère de l'alliance, que chante la plume de son mari : « *Exécutant tes graphismes, tu étais aux prises avec l'énigme de la symétrie brisée, de la dissymétrie créatrice.* » L'écrivain a la sensation peu banale de vivre l'absolu au quotidien. En conséquence de quoi il ne se sent pas moins utile au monde que lorsqu'il était chef de cabinet ministériel. « *Une société sans absolu est une société morte. Les couples qui vivent l'absolu au quotidien sont la chance de la cité.* » Il chante son amour sur toutes les gammes, il en exalte tous les instants, ceux de l'éloignement comme ceux de l'union : « *Dans l'étreinte, les amants*

> *L'écrivain a la sensation peu banale de vivre l'absolu au quotidien.*

secouent ensemble la porte donnant sur l'infini. »

Au mot « bonheur », trop galvaudé, signifiant, selon lui, d'un état passif, il préfère le terme « joie » qui évoque un sentiment de plénitude sans cesse renouvelé : « *Laurence a fait éclater dans ma vie la joie impétueuse qu'aucune souffrance, qu'aucun malheur n'arrête.* » La mort de son épouse, au milieu des années quatre-vingts, n'efface pas cette joie, et n'interrompt pas le chant nuptial de Bourbon Busset. Il prolonge par la *Lettre à Laurence*, écrite en 1987, cette fugue à deux voix que fut leur attachement. Il y exprime avec simplicité la profondeur de son amour pour Laurence, et sa reconnaissance infinie envers celle qui l'a révélé à lui-même. Sa plume semble jubiler lorsqu'il rapporte à son « Lion silencieux » les mots de leur ami Emmanuel de Siéyès : « *Il m'a dit (et il ne cherchait pas à me faire plaisir) que ce qui resterait de moi serait un portrait de toi. J'ai tremblé de joie. Je n'ai écrit et n'écris que pour te faire aimer. Laurence-Lion, comme disent mes lecteurs, est mon unique personnage. Je suis autobiographe d'un autre que moi, de celle qui fut, qui reste encore la chance de ma vie.* » L'histoire de Jacques et Laurence de Bourbon Busset est une histoire particulière, mais elle est aussi le signe du développement d'une spiritualité conjugale dont, par exemple, les *Équipes Notre-Dame* créées par le père Caffarel sont un modèle d'une grande fécondité.

SOURCES : Jacques de Bourbon Busset, *ŒUVRES COMPLÈTES*. J. Paugam, *JE N'AI PEUR DE RIEN SI JE SUIS SÛR DE TOI : JACQUES PAUGAM QUESTIONNE BOURBON BUSSET*, Paris, 1978.

# Le père Joseph Wresinski

## Du quart-monde au Trocadero

**• 17 DEC •**

— Il paraît qu'un nouveau prêtre vient d'arriver dans le camp.

— Et alors, tu crois qu'il va pouvoir nous sortir de là ? À part l'abbé Pierre, grâce à qui nous sommes logés ici, les curés ne peuvent pas faire grand-chose pour nous en dehors des messes et de la prière... Je ne suis pas certain que celui-là va changer les choses.

C'est l'arrivée du père Joseph Wresinski au camp de sans-logis de Noisy-le-Grand, le 14 juillet 1956, qui provoque cette réflexion désabusée. Pour les 252 familles accueillies ici, les conditions d'hébergement n'ont guère évolué depuis la création du camp en 1954, et ce malgré la détermination de l'abbé Pierre et le mouvement de mobilisation qu'il a suscité lors du tristement fameux hiver 1954. En outre, nulle amélioration ne semble envisagée pour l'instant. Le gouvernement a bien engagé un effort de reconstruction, mais le manque de logements demeure immense, surtout pour les plus démunis.

Lors de son arrivée, devant tant de détresse, le père Joseph, comme on l'appellera par la suite, ne trouve que quelques mots : « *J'étais entré dans le mal-heur...* » Mais il aurait pu dire qu'il retrouvait le malheur.

Né en février 1917, il grandit dans un foyer très pauvre, et fréquente les enfants du voisinage. Ils étaient « *mis à part du quartier populaire, liés ensemble par l'aumône, non par l'amitié. Dès la petite enfance se liaient manque d'argent, honte et violence* ». Jusque dans la maison, il est témoin de la brutalité et de la misère : « *Papa criait tout le temps. Il frappait mon frère aîné, [...] il injuriait aussi maman, et nous vivions sans cesse dans la terreur.* » Joseph aurait pu se replier sur lui-même ou devenir imperméable à la souffrance. Au contraire, ces années difficiles ont exacerbé sa sensibilité et développé son intelligence, grâce auxquelles il pourra comprendre ceux qu'il va rencontrer toute sa vie durant.

Là-bas, au fond du camp, des enfants se battent. Les adultes qui sont autour ne réagissent pas, ils ont l'habitude. C'est le père Joseph, qui n'a même pas encore eu le temps de défaire ses bagages, qui les sépare. Il sait qu'aucun n'est vraiment responsable ; la faute vient de leurs conditions de vies propices à la violence. Il l'avait déjà compris lorsqu'il était enfant dans les quartiers défavorisés d'Angers, et c'est dans la cour de l'école que lui est venu son ardent désir de servir les plus faibles. Au milieu des années vingt, une bagarre éclate un jour au milieu de la cour. Un grand attaque un nouveau, nettement moins costaud. Sans vraiment comprendre ce qui le motive, Joseph se jette sur l'agresseur, le griffe et le frappe jusqu'à ce que le maître vienne rétablir l'ordre dans cette bagarre d'enfants. *« Ce qui demeure dans ma mémoire comme un tournant, c'est ce gosse qui se faisait battre par un autre tellement plus fort que lui. Ce fut, il me semble, l'histoire d'un combat où sans doute je serai perdant mais que, têtu, je continuerai tout au long de ma vie. »*

Après le certificat d'études, il devient apprenti pâtissier et s'éloigne de l'Église. Mais il rencontre la Jeunesse ouvrière chrétienne. C'est là, dit-il, qu'il recommence à prier, et songe à libérer ses frères. *« C'est alors que j'ai pensé devenir prêtre. [...] Prier dans l'Église, offrir l'Eucharistie, c'était vouloir apporter l'Évangile à mes frères, à tous ceux qui avaient vécu la même vie que ma mère. Et combattre pour eux, pour que plus jamais une famille ne fût semblable à la mienne, c'était devenir prêtre de Jésus-Christ mort et ressuscité. »* Il entre donc au séminaire, où tous parlent de *« s'enfouir dans la masse »*, de vivre avec *« le peuple des souffrants »*. *« Nous ne voulions pas seulement rejoindre le monde ouvrier, mais communier au monde de la misère. »*

De ce vœu aux cités de sans-logis de l'abbé Pierre, le chemin n'est pas aussi rapide qu'il l'aurait souhaité. Ordonné prêtre dans la cathédrale de Soissons le 29 juin 1949, il demeure d'abord quelque temps au séminaire de la Mission de France à Lisieux pour compléter sa formation. Après un repos forcé dû à un début de tuberculose et de méningite, repos qui lui semble d'ailleurs bien long, il demande à son évêque de lui donner la charge d'une paroisse ouvrière, *« où les signes de la misère soient visibles »*. Mais Mgr Drouillard a besoin de lui à Dhuizel, une paroisse qui sans lui n'aurait pas de prêtre. Ce n'est que sept années après son ordination qu'il est finalement exaucé. Il arrive auprès des 252 familles sans abris du camp de Noisy-le-Grand.

En faisant le tour des baraques de fortune de sa « nouvelle paroisse », il ressent un profond sentiment de répulsion devant une aussi grande misère. Certes, il souhaitait rencontrer ces hommes et ces femmes, mais la détresse est telle qu'un instant son courage chancelle. Vraiment, c'est intolérable. Il doit s'accrocher à l'espérance et puiser dans sa foi la force de se battre. C'est la société qui maintient ces familles dans cette situation. Son combat sera donc de leur redonner cette dignité qu'on ne leur accorde plus. *« J'ai été hanté par l'idée que jamais ces familles ne sortiraient de la misère aussi longtemps qu'elles ne seraient pas accueillies dans leur ensemble, en tant que peuple, là où débattaient les autres hommes. Je me suis promis que si je restais*

> *Il ressent un profond sentiment de répulsion devant une aussi grande misère.*

*je ferai en sorte que ces familles puissent gravir les marches du Vatican, de l'Élysée, de l'ONU... »*

Il n'a pas le temps de rester longtemps abattu. Il faut agir, et vite ! Avec les familles, il crée un jardin d'enfants et une bibliothèque, car *« ce n'est pas tellement de nourriture, de vêtements qu'avaient besoin tous ces gens, mais de dignité, de ne plus dépendre du bon vouloir des autres »*. Soutenus par Geneviève de Gaulle-Anthonioz, nièce du général, et résistante déportée à Ravensbrück pendant la guerre, ils peuvent entamer de nombreux chantiers. Bientôt voient le jour une chapelle, un atelier pour les jeunes et les adultes, une laverie, un salon d'esthétique pour les femmes... Avec toutes ces familles, qui commencent à se prendre en charge, le père Joseph crée rapidement l'association ATD (Aide à toute détresse). Sa certitude est sans faille : *« La misère est l'œuvre des hommes, seuls les hommes peuvent la détruire. »* Pour réussir, l'engagement de tous est nécessaire. Des volontaires affluent, des hommes, des femmes venant d'horizons variés et de nombreux pays, et qui ont à cœur d'aider les plus pauvres.

Mais le père Wresinski ne souhaite pas seulement que des bénévoles aident ceux qui en ont besoin. Il sait que c'est aussi aux personnes issues de milieux très défavorisés d'aller à la rencontre des plus démunis qu'elles, et d'œuvrer pour les libérer du mal et de la misère.

En 1968, le fondateur d'ATD donne

> *« La misère est l'œuvre des hommes, seuls les hommes peuvent la détruire. »*

un nom à ce peuple qui depuis longtemps n'en a plus : le quart-monde. Cette expression trouve son origine dans la Révolution française. Quelques députés sensibles aux problèmes sociaux avaient appelé quart état, ou quatrième ordre, le peuple des indigents, ces silencieux qui n'avaient pas de représentant à l'Assemblée constituante. L'association prend donc le nouveau nom d'ATD Quart-Monde.

Le souhait de Joseph Wresinski se réalise progressivement. Par son intermédiaire, les 252 familles, et toutes les autres derrière elles, montent les marches des grandes institutions. Dès 1979, Joseph Wresinski est nommé membre du Conseil économique et social de la République française. L'association dispose aussi d'une voix consultative auprès de la Commission et du Parlement européen, de l'Unesco, de l'Unicef, du Conseil économique et social de l'ONU... Les marches du Vatican sont également gravies en 1997. À l'occasion des Journées mondiales de la jeunesse à Paris, le pape Jean-Paul II se recueille sur la dalle des droits de l'homme au Trocadéro, en hommage au père Joseph Wresinski.

En effet, quelques mois avant sa mort, le 14 février 1988, le fondateur d'ATD Quart-Monde, en présence de cent mille personnes, a scellé cette dalle sur le parvis du Trocadéro. C'était le 17 octobre 1987. L'anniversaire de cette date est devenu la Journée mondiale du refus de la misère. Sur cette dalle, comme sur chacune de ses répliques dans le monde, sont gravés ces mots : « *Le 17 octobre 1987, des défenseurs des droits de l'homme et du citoyen de tous pays se sont rassemblés sur ce parvis. Ils ont rendu hommage aux victimes de la faim, de l'ignorance et de la violence. Ils ont affirmé leur conviction que la misère n'est pas fatale. Ils ont proclamé leur solidarité avec ceux qui luttent à travers le monde pour la détruire. Là où les hommes sont condamnés à vivre dans la misère, les droits de l'homme sont violés. S'unir pour les faire respecter est un devoir sacré.* »

SOURCES : P. Joseph Wresinski, *UNE LUMIÈRE CONTRE L'INTOLERABLE*. J.-C. Caillaux, *PÈRE JOSEPH WRESINSKI*, Paris, 1999. J. Lemit, *UN AUTRE SAVOIR : À L'ÉCOLE DES PLUS PAUVRES*, Paris, 1994. E. Notermans, *LE PÈRE JOSEPH WRESINSKI : TÉMOIN DES PLUS PAUVRES DE TOUS LES TEMPS*, Paris, 1993.

# JEAN XXIII

## *LE BON PAPE JEAN*

**18 DEC** • UNE FOULE COMPACTE EST MASSÉE SUR LA PLACE SAINT-PIERRE en ce 28 octobre 1958. Voilà des heures que les gens attendent, les yeux rivés sur une minuscule cheminée du palais pontifical, au risque de se tordre le cou à force de lever la tête. Voilà des heures que les cardinaux du monde entier sont enfermés dans la chapelle Sixtine pour élire un successeur au pape Pie XII. Et voilà dix fois déjà que la cheminée crache une fumée noire. Les bulletins de vote, jetés au feu, sont recouverts d'une poignée de paille humide qui dégage en brûlant une épaisse fumée couleur d'encre, chargée d'annoncer à toute la chrétienté que le trône de saint Pierre est encore vacant.

Dix scrutins non concluants... La foule est saisie d'une vague anxiété. Les électeurs ne savent-ils vraiment pas à qui confier l'Église ? Ce ne sont pourtant pas les cardinaux célèbres qui manquent ! Des noms circulent sur la place Saint-Pierre. Comment se fait-il qu'aucun d'entre eux n'ait encore été proclamé depuis une fenêtre du palais ?

Soudain, des doigts se tendent vers le fin cylindre qui est depuis plusieurs heures l'objet d'une attention douloureuse. Des murmures s'élèvent, s'enflent, et se transforment en un brouhaha confus. Les volutes de fumée, qui s'échappent de la cheminée, ont enfin la couleur d'une soutane pontificale. Rome a retrouvé un évêque, et le monde catholique, un pape !

*Habemus papam !*

Quand la foule apprend, quelques instants plus tard, qui est le cardinal choisi, elle est déconcertée. Angelo Roncalli... Ce nom ne figurait pas sur la liste des *papabili*. Personne ne le connaît, à part ceux des fidèles venus attendre les résultats de l'élection qui sont vénitiens, et qui acclament en la personne du nouveau pape leur patriarche bien-aimé.

Une silhouette ronde vêtue de blanc apparaît au balcon de la place Saint-Pierre. Les gens examinent avec un respect mêlé de curiosité cet homme à l'allure débonnaire qui prononce d'une voix émue sa première bénédiction *urbi et orbi*.

Les catholiques du monde entier, qui ont branché leur poste de radio pour entendre cette bénédiction, sont aussi étonnés que la foule agenouillée sous le balcon. Le patriarche de Venise n'a jamais fait parler de lui. Les informations que diffuse rapidement la presse sur la personnalité et le parcours du nouveau pape ne dissipent en rien un sentiment général qui ressemble fort à de la déception. On apprend qu'Angelo Roncalli est issu d'une très modeste famille paysanne des Alpes italiennes. La simplicité de ses manières, que soulignent abondamment les journaux, inquiète passablement les milieux intellectuels.

Ancien visiteur apostolique en Bulgarie, délégué du Saint-Siège en Turquie et en Grèce : on ne peut pas dire que ce soit là un passé étincelant. Bien des membres du conclave ont eu une « carrière » autrement fulgurante. Certes, Mgr Roncalli a été nonce apostolique à Paris au lendemain de la guerre, et jusqu'en 1952. C'était là un poste prestigieux. Mais, justement, cette nomination avait stupéfié tout le monde, l'intéressé le premier. On évoque en souriant ses questions étonnées au secrétaire d'État, et la réponse non moins interloquée de celui-ci : « *Ne vous en prenez pas à moi. C'est une idée du Saint-Père.* »

Et puis, il y a son âge. Celui dont la presse annonce le nouveau nom, Jean XXIII, a déjà soixante-dix-sept ans. L'on ne peut s'empêcher de penser qu'il est un pape de transition, et que les cardinaux, en le désignant au terme d'une élection laborieuse, n'ont pas pris de risques. Le pontificat de cet homme qui n'est ni une vedette ni un héros, qui semble si discret, et qui n'en a sans doute

> *Sa Sainteté errait dans les couloirs, aussi perdue qu'un visiteur.*

plus pour très longtemps à vivre, ne sera pas révolutionnaire !

Si l'on savait...

Jean XXIII surprend dès les premières semaines. Bien sûr, à chaque changement de pape, il faut s'habituer au style du nouveau pontife. Mais en général, celui-ci se conforme bien vite aux coutumes du Vatican. Jean XXIII, lui, a l'air de ne pas s'être aperçu de l'existence d'une étiquette. Les cuisines et les salles des gardes résonnent du matin au soir de commentaires amusés sur la façon dont le pape fait ses premières armes.

« J'ai raccompagné à la porte un visiteur égaré dans le palais, aujourd'hui, raconte un garde suisse. Il m'a dit qu'il avait rencontré le pape errant dans les couloirs. – Tu veux dire, « en » errant dans les couloirs ? » lui demande un camarade. Une lueur espiègle brille dans les yeux du narrateur. « Ce que j'ai dit, je l'ai dit, répond-il. Sa Sainteté errait dans les couloirs, aussi perdue que le visiteur. Toutes les pièces lui semblaient identiques, et elle n'arrivait plus à se repérer dans ce labyrinthe. Elle n'avait pas l'air désemparée, à ce qu'il paraît. Elle en profitait pour visiter. »

Les fonctionnaires chargés des jardins ne savent plus à quel saint se vouer. Au lieu de respecter la coutume selon laquelle le souverain pontife ne sort dans le parc qu'à des heures bien précises où la coupole de Saint-Pierre est fermée au public, Jean XXIII s'obstine à aller faire un tour quand bon lui semble. Ils sont horrifiés en songeant au nombre de touristes qui assistent aux promenades du Saint-Père du haut de la basilique. Ils envisagent de condamner tout bonnement l'accès à la coupole, et soumettent cette idée au pape. « *N'ayez pas peur,* s'entendent-ils répondre, *je ne ferai rien qui puisse choquer.* »

On dirait vraiment que ce singulier successeur de saint Pierre fait tout ce qu'il peut pour combler subrepticement le fossé protocolaire qui le sépare du monde. Il ne lui suffit pas d'aller rendre personnellement visite à des enfants hospitalisés, le jour de Noël qui suit son élection ; il faut encore qu'il ait, dès le lendemain, l'idée stupéfiante d'aller serrer la main des détenus de la prison Regina Cœli, en plaisantant avec ces malfaiteurs sur un larcin de pommes, dont il s'est rendu coupable dans son enfance. Et voilà que trois jours plus tard, sans avoir donné le temps à son entourage de se remettre de ces incartades, il s'avise de recevoir en audience le cirque Orfei. S'il ne s'agissait que du personnel, encore... Mais le Saint-Père a bien précisé qu'il voulait voir les animaux. Un lion dans les augustes couloirs du palais pontifical, de mémoire de garde suisse, on n'a jamais vu cela. De même qu'on n'a jamais vu un pape échanger des badineries avec les ouvriers ou les jardiniers qu'il croise. Ses secrétaires pensent y perdre leur latin, grave handicap pour des ecclésiastiques travaillant au Vatican...

*Des expressions comme « le lumineux Saint-Père » ou « des augustes lèvres du Souverain Pontife » ne sont plus de mise aujourd'hui.*

Jean XXIII met aussi à rude épreuve le sang-froid de Giuseppe Della Torre, directeur de *l'Osservatore Romano,* en faisant un jour irruption dans son bureau. Cette visite inattendue met en émoi un homme qui n'a pas vu le Saint-Père en personne depuis dix ans. Quand il en comprend l'objet, le directeur est littéralement abasourdi. Il s'entend déclarer sans ambages que des expressions comme « *le lumineux Saint-Père* » ou « *des augustes lèvres du Souverain Pontife* » ne sont plus de mise aujourd'hui. « *Parlons sans détours,* demande Jean XXIII, *dans un style plus conforme à notre époque, un style direct et simple. Par exemple : "Le Pape a dit ceci ou cela..." Il n'en faut pas plus.* » Le comte Della Torre est pétrifié devant ce crime de lèse-majesté que s'inflige à lui-même le successeur de Pierre. Jean XXIII, voyant que ses paroles font l'effet d'une bombe dans les bureaux de *l'Osservatore,* ajoute avec douceur : « *Je préférerais.* » Et rectifie aussitôt, devant l'air atterré de son interlocuteur : « *Nous préférerions.* »

On commence à se rendre compte que ce pape âgé n'est pas aussi insignifiant qu'il y paraissait. Ses manières affables, sa douceur, sa simplicité lui gagnent le cœur du peuple de fidèles dont il a la charge. Tous ont gardé en mémoire la déclaration faite aux journalistes, peu après son élection : « *On a parlé d'un pape politique, d'un pape docte, d'un pape diplomate, et que sais-je encore ! Le pape est le bon pasteur, et il poursuit sa mission qui consiste à répandre la bonté.* » Il faut peu de temps au monde pour s'apercevoir que « le bon pape Jean » ne trahit pas la mission dont il est chargé. Mais, dans son entourage proche, on ressent une certaine inquiétude. Jusqu'où ira ce souverain pontife, choisi pour son apparence « inoffensive », dans sa propension à bousculer les traditions ?

Le coup de tonnerre éclate enfin dans le ciel bleu du Vatican le 25 janvier 1959, jour où Jean XXIII annonce publiquement son intention de réunir un concile en vue d'un *aggiornamento* (mise à jour) de l'Église. Pourquoi ce soudain remue-ménage ? Au cours d'une réunion, en guise de réponse aux questions dont on l'assaille, le pape se dirige tranquillement vers une fenêtre de son bureau, qu'il ouvre à deux battants : « *Voilà à quoi servira ce concile : à faire entrer une bouffée d'air frais dans notre Église.* » Par la croisée s'engouffre un vent âpre qui vient fouetter les magnifiques boiseries anciennes des appartements pontificaux. Les papiers volent sur la table de travail, les cardinaux frissonnent. Le premier souffle de Vatican II vient de les envelopper.

Devant l'énorme travail de préparation qu'exige une telle entreprise, l'un des prélats désignés pour s'en occuper fait très vite part à Jean XXIII d'une certitude : il sera impossible d'ouvrir le concile en 1963. « *D'accord,* dit le pape. *Nous l'ouvrirons donc en 1962.* »

Pari tenu.

SOURCES : R. Rouquette, « Le mystère Roncalli », in *ÉTUDES*, t. 318, 1963. J. Neuvecelle, *JEAN XXIII. UNE VIE*, Paris, 1969. P. Hebblethwaite, *JEAN XXIII, LE PAPE DU CONCILE*, Paris, 1988. G. Alberigoto, *JEAN XXIII DEVANT L'HISTOIRE*, Paris, 1989. J. Chelini, *JEAN XXIII ET L'ORDRE DU MONDE*, actes du colloque de 1988, faculté de droit d'Aix-en-Provence, Paris, 1989. M. Prieto, *FIORETTI DE JEAN XXIII*, Paris, 1993.

# Satoko Kitahara

## *Une aristocrate japonaise*
## *parmi les chiffonniers*

**· 19 DEC ·** Les premières neiges sont tombées cette nuit sur les pentes du mont Fuji. De sa chaise longue, Satoko ne se lasse pas de contempler le cône parfait qui se dresse dans l'azur du ciel, étincelant sous la tiède lumière d'automne. Son regard ne s'en détache que pour se poser sur les érables flamboyants du parc où elle est installée, et dont la somptueuse parure écarlate fait paraître plus blanche encore la neige qui couvre le volcan tranquille.

Malgré cette splendeur, la jeune fille a grande hâte que s'achève la période de repos que lui inflige la tuberculose. Elle voudrait retourner à Tokyo, parmi les chiffonniers de la Cité des fourmis... Si l'infirmière qui la soigne se doutait que cette fille de grands bourgeois venue faire une cure en face du mont Fuji pense avec amour aux habitants d'un bidonville de la capitale, elle aurait des raisons de s'étonner. Satoko elle-même est encore stupéfaite quand elle songe au chemin qui l'a menée d'une riche demeure aux baraques des chiffonniers.

Tout a commencé un jour où la jeune fille a croisé dans la rue le frère Zénon.

Avec sa robe de bure, son chapelet, son chapeau mou cabossé, ses yeux pervenche et sa longue barbe blanche, il ne passait pas inaperçu. Satoko l'avait vu en photo dans les journaux. Que savait-elle de lui, sinon qu'on l'appelait « l'apôtre des bidonvilles » ?

« Bonjour, Père ! » La jeune fille s'incline très bas. Le franciscain la regarde en souriant. De toute évidence, cette jeune fille raffinée ne sort pas des nombreux bidonvilles dont il s'occupe en ces rudes années d'après-guerre.

Satoko interroge le frère Zénon sur son travail. Il lui parle de la Cité des fourmis, où il se rend pour la première fois. C'est un bidonville qui vient de s'installer sur des terrains municipaux. Il a été créé par un entrepreneur ruiné du nom d'Ozawa, qui paie au poids chiffons, papiers et bouts de ferraille que ramassent les chiffonniers. Ozawa est assisté d'un conseiller juridique rompu aux affaires, Matsui. « Sont-ils chrétiens ? » demande la jeune fille. « Non, répond le franciscain. Matsui est, je crois, un intellectuel amer qui a tâté du bouddhisme et du christianisme sans trouver de réponse à sa révolte. »

Quelques jours plus tard, le franciscain

fait faire à Satoko bouleversée le tour de cette misère qui baigne dans la boue de la rivière Sumida. À la demande de Matsui et d'Ozawa, elle commence à préparer Noël avec les enfants débraillés, qui l'adoptent d'emblée et l'appellent « Maîtresse ». Les sœurs de la Merci acceptent de l'aider jusqu'au jour où, sur la foi d'un article de presse mensonger, l'aumônier espagnol des sœurs discrédite la Cité des fourmis en affirmant qu'il s'agit d'un repaire de voleurs.

Matsui s'emporte... et déverse le trop-plein de sa colère sur Satoko et ses amis. « *Si vous étiez des disciples sincères du Christ, vous seriez pauvres et partageriez la vie pleine de souffrance des pauvres... Vous, dans votre maison raffinée à deux étages, vous ne comprenez rien à la misère des gens vivant dans le dénuement 365 jours par an !* » Sous l'algarade, Satoko reste sans voix. Matsui conclut : « *On a parlé d'implanter une église à la Cité des fourmis. Si vous et vos pareils voulez toujours voir se réaliser ce projet, il y a une condition. Vous la trouverez dans la deuxième lettre aux Corinthiens.* »

Satoko, fatiguée depuis plusieurs jours, rentre chez elle, abasourdie et brûlante de fièvre. Le médecin diagnostique un début de tuberculose et la contraint à prendre du repos. Elle en profite pour méditer longuement la fameuse lettre aux Corinthiens. « *Le Seigneur Jésus-Christ, de riche qu'il était, s'est fait pauvre, pour vous enrichir de sa pauvreté.* »

À la fin de sa convalescence, l'un des jeunes du bidonville passe prendre de ses nouvelles en tirant derrière lui sa charrette de poubelles. « *Laisse-moi essayer moi aussi !* » supplie-t-elle. Mais elle est faible, et les brancards lui échappent très vite. Qu'à cela ne tienne ! La jeune fille se contente de la deuxième place, et pousse par l'arrière en riant. C'est dans ce fier équipage qu'elle fait son entrée à la Cité des fourmis après une longue absence.

Quelques jours plus tard, accompagnée d'une bande d'enfants, elle entreprend la tournée des poubelles. Ses premières sorties font scandale. La fille du professeur Kitahara, assister les chiffonniers ! Matsui en reste bouche bée, et Ozawa en a les larmes aux yeux.

Le jour de la Pentecôte, au beau milieu de son petit déjeuner, deux enfants viennent la chercher. « *Maîtresse, monsieur Matsui veut vous montrer quelque chose. Venez vite !* » Satoko ne se le fait pas dire deux fois : laissant là riz et poisson cru, elle se précipite derrière les gamins. Une église se dresse à l'entrée de la Cité des fourmis. Les chiffonniers l'ont construite dans le secret, en deux jours, avec des matériaux apportés par frère Zénon. Matsui a donc tenu parole. Pour lui, à dire vrai, il s'agit d'un calcul. Le bidonville est menacé de démolition par la municipalité ; or, jamais celle-ci n'osera détruire un édifice religieux, ni donc raser la Cité des fourmis. Ozawa, lui, pense aux enfants des chiffonniers. Il voudrait que cette bâtisse devienne un foyer pour ces gamins livrés à eux-

> *Les chiffonniers ont construit une église dans le secret, en deux jours.*

mêmes. Le rez-de-chaussée sera donc un réfectoire où tous les chiffonniers pourront se réunir, et l'étage servira de salle de classe et de chapelle.

Satoko accepte avec joie le rôle qui lui est alors confié : elle accueille les enfants à la sortie de l'école, les aide à faire leurs devoirs, et part avec eux faire les poubelles jusqu'à la tombée du jour.

*Les chiffonniers lui construisent une chambre en contreplaqué dans un coin de l'entrepôt.*

Peu après, les gamins décident à l'unanimité de participer à une grande campagne d'entraide nationale. Ils vont solennellement porter à la préfecture l'argent gagné pendant des semaines à faire les poubelles. Le « *don des enfants de la Cité des fourmis* » s'élève à 12 000 yens. Satoko est retombée malade, et ne voit que les photos des journaux.

Cette fois, l'alerte est sérieuse, et on l'envoie prendre l'air au pied du mont Fuji. Elle y reste six mois. Quand enfin on l'autorise à regagner Tokyo, elle entend s'installer définitivement dans la Cité des fourmis.

Oui, mais... son retour n'a rien à voir avec les beaux rêves qu'elle formait devant les neiges du Fuji. Une jeune femme compétente a pris sa place auprès des enfants. Matsui souffre pour elle, mais n'aime pas montrer ses sentiments. Aussi lui parle-t-il durement : « *Jusqu'à maintenant vous aviez joué ici le premier rôle. Vous avez dû l'abandonner. Une autre jeune femme l'a repris. Une actrice doit suivre son texte. Votre ancien texte a changé. Les metteurs en scène l'ont réécrit pour la nouvelle actrice.* »

Aux larmes de Satoko succède la colère.

– *Si vous pensez que tout cela n'est que du théâtre, je ne vais pas gaspiller mes larmes, je vous laisse, vous et votre pièce.*

– *Ce n'est pas ma pièce et je n'y joue, moi aussi, qu'un rôle.*

– *Qui alors est le metteur en scène ?*

Matsui dissimule son émotion et lui répond :

– *Tenshu-sama*, le Seigneur du Ciel !

Satoko, vaincue, le remercie humblement pour cette leçon, s'incline respectueusement et rentre chez elle.

Son état de santé s'aggrave, et la certitude que Dieu la destinait à de grandes choses s'estompe. Elle a tout raté. Elle n'a gagné personne à l'Évangile. Les visites sont rares, car on craint la contagion ; Satoko, livrée à la solitude, entre dans une nuit de l'âme.

Pourtant, son exemple est justement en train de convertir Ozawa. Bouleversé de la voir donner sa vie jusqu'au bout pour ses frères, il convoque un jour Matsui pour lui annoncer qu'il pense devenir chrétien comme elle. Matsui est déjà ébranlé, et cette nouvelle achève de le faire tomber du haut du cynisme où il s'était réfugié. Il répond à son patron qu'il désire lui aussi le baptême. Ils courent aussitôt au chevet de Satoko, mais y trouvent ses parents et son médecin, profondément inquiets. Le médecin suggère un autre changement d'air. Pourquoi ne pas l'installer dans cette Cité des fourmis qu'elle aime tant ?

Les chiffonniers lui construisent une chambre en contreplaqué dans un coin de l'entrepôt. Satoko peut se lever, marcher un peu et aider Matsui dans ses tâches administratives. Sa dernière lutte sera d'obtenir de la municipalité un autre terrain pour la Cité des fourmis. Il y en a un dans la partie de Tokyo conquise sur la mer. Il leur faut 25 millions de yens. Satoko affiche dans sa chambre une grande banderole : « *25 millions* », et prie inlassablement.

Quand un employé de la municipalité vient en janvier annoncer que le prix a baissé, Matsui n'hésite pas à en attribuer le mérite à Satoko. « *Ça y est, nous avons réussi et c'est grâce à vos prières. Maintenant tout ce que vous avez à faire c'est demander votre guérison pour pouvoir venir avec nous organiser la nouvelle Cité des fourmis sur notre nouveau terrain.* » La réponse est simple : « *Non, cela ne sera pas nécessaire. Dieu nous a accordé tout ce que nous lui avions demandé. Cela est suffisant.* »

Satoko meurt quelques jours plus tard, le 23 janvier 1958, entourée de sa mère et de sa sœur. Elle a vingt-neuf ans. En 1975, l'archevêque de Tokyo, le cardinal Shirayanagi, lancera une enquête pour la reconnaissance de sa sainteté.

SOURCES : « Le sourire de Satoko-san », in *ESPACE ET DOCUMENTS*, Etouvans.

# JOHN BRADBURNE

## UN NOUVEAU SAINT FRANÇOIS

## EN AFRIQUE

**• 20 DEC •** LES ENFANTS EURENT TÔT FAIT D'ENTOURER LE VIEIL HOMME. Il avait sûrement une nouvelle histoire à leur raconter. Cela faisait maintenant plus d'une saison qu'il n'était pas venu au village et, ce jour-là, il était descendu du bus hebdomadaire qui venait de Harare, capitale du Zimbabwe. Mais, pour le moment, les devoirs sacrés de l'hospitalité leur demandaient de réfréner leur impatience et de courir prévenir leurs parents. Lorsque les adultes eurent terminé de se saluer, de s'offrir des présents et d'échanger des nouvelles, lorsque les poules furent enfermées, les chiens attachés, et les moutons et les chèvres regroupés pour la nuit, lorsque les femmes eurent terminé de servir le repas, lorsque les hommes étendirent leurs jambes et allumèrent leur pipe, lorsque les enfants furent assis autour de lui, le vieillard commença son récit.

« Il est arrivé dans un grand avion blanc. Il avait la peau blanche comme le lait, une robe brune comme les montagnes et il marchait pieds nus comme un Shona. C'était le 6 août 1962, Harare s'appelait Salisbury, et le Zimbabwe, Rhodésie. Il était missionnaire franciscain anglais, et s'appelait John Bradburne.

« La première fois que je l'ai rencontré, c'était à la minuscule léproserie Mutemwa ["on vous isole"]. L'Anglais était le gardien des lépreux. Il avait construit une maison pour son Dieu, un Dieu suspendu à une croix de bois, qui aime que l'on vienne lui rendre visite et qu'on lui chante des chansons. John avait appris aux lépreux à chanter des chansons pour son Dieu. Il disait que les lépreux sont des hommes et que Dieu les aime comme ses propres enfants. Et quand il disait cela, avec des mots qui chantent, on voyait bien qu'il aimait chacun d'entre eux. Alors c'était comme si son Dieu parlait par sa bouche et aimait par son regard. Mais je crois qu'il n'aurait pas aimé que je vous dise cela. Il aurait dit : "Mbassa, ne dis pas de sottises ! L'amour de Dieu est bien plus grand que ce que tu peux imaginer !" Il parlait comme ça, John Bradburne.

« Un jour, j'étais venu lui apporter un message des autorités, je l'ai vu qui sortait du poulailler : il parlait à ses poules et les appelait chacune par un petit nom... Victoria, Élisabeth, Margaret... C'est ce jour-là que John Bradburne est devenu mon ami, et que je suis devenu le sien. Je n'aimais pas beaucoup les lépreux, mais John avait commencé à me raconter sa vie. Alors je suis revenu souvent pour l'écouter.

« Son père était un pasteur anglican, une sorte de sorcier qui parle au Dieu accroché à la croix. John était né en 1921 dans l'Angleterre du Commonwealth. Officier pendant la Seconde Guerre mondiale en Malaisie et en Birmanie, il s'était converti au catholicisme. Ce sont aussi des sortes de sorciers qui parlent au Dieu accroché à la croix mais ils ne chantent pas les mêmes chansons. Enfin, je crois.

« De retour en Angleterre en 1947, John avait été reçu dans l'Église catholique par les bénédictins de l'abbaye de Buckfast. Malgré trois tentatives, il ne devint pas moine, mais membre du tiers-ordre franciscain. Cela m'importait peu. Pour moi, il n'était ni un frère, comme il disait, ni un sorcier comme ceux qui parlent à Mwari, mais un homme qui sait écouter avec les yeux et rire avec le cœur.

« Je me souviens de cette fois où je suis arrivé à la léproserie avec les premiers rayons du soleil. John Bradburne dormait d'un profond sommeil, des rubans dans les cheveux, étendu sur la paille au milieu de ses poules, un œuf fraîchement pondu dans la paume de sa main. Des œufs du matin, nous avons fait un bon déjeuner, et John m'a raconté son arrivée en Afrique.

« À quarante ans, il cherchait toujours un but à sa vie, c'est alors qu'il se sentit

*John Bradburne dormait d'un profond sommeil, des rubans dans les cheveux.*

appelé – c'est comme ça qu'il l'a dit –, il se sentit appelé à rejoindre son vieil ami jésuite, le père Dove. Il passa à ses côtés huit années comme missionnaire. Dans la pièce où il écrivait ses poèmes, il y avait toujours une ruche. Les abeilles volaient tout autour et semblaient le protéger des visiteurs indésirables. Et c'est en 1969 qu'il arriva à la léproserie. Il voulait servir les lépreux et vivre avec eux, si possible mourir pour son Dieu et être enterré dans sa robe brune.

« Nous avons fini de manger et il a ouvert le message que je lui avais apporté. L'Association rhodésienne contre la lèpre lui demandait de mettre un numéro autour du cou de chacun des malades. Il s'est mis très en colère. Ses yeux lançaient des éclairs. Il ne voulait pas. Alors les chefs blancs l'ont renvoyé. Mais John était têtu, et comme il était le seul à aimer les lépreux, il fallait qu'il continue. Alors il s'est installé tout seul dans les montagnes à côté de la léproserie.

« Et puis les Blancs sont devenus nos ennemis. Il fallait les chasser de notre pays. C'est ce que disait Robert Mugabe et beaucoup de Shona qui ont pris des fusils pour faire partir les Blancs. Un jour, le 4 septembre 1979, des amis de Mugabe sont arrivés dans les montagnes. Ils ont vu cet homme à genoux devant son Dieu. Ils ont vu qu'il était blanc. Ils ont tiré. Ils ne savaient peut-être pas que ce Blanc-là n'était pas comme les autres.

« Puis, ils ont voulu prendre son corps

pour le jeter en bas de la montagne. Mais une voix mystérieuse s'est mise à chanter. Lorsqu'ils ont essayé une deuxième fois, un grand oiseau blanc est passé dans le ciel. La troisième fois, trois grands rayons de lumière sont venus entourer le corps de John pour finir par ne faire qu'un en se posant dessus. Alors les bergers ont vu passer les amis de Mugabe. Ils couraient, ils couraient... Sans doute courent-ils encore. Le jour suivant, ceux qui l'aimaient sont venus chercher John Bradburne. Ils l'ont mis dans un cercueil et l'ont emmené dans la maison de son Dieu. Ils ont commencé à chanter, mais le cercueil s'est mis à pleurer et trois petites gouttes de sang sont tombées sur le sol. Ils ont ouvert le cercueil : il n'y avait pas de sang à l'intérieur, mais John était en chemise, il ne portait pas sa robe brune, couleur des montagnes. Alors ceux qui l'aimaient lui ont mis sa robe, et le cercueil a cessé de pleurer. »

SOURCES : A.J. Dachs, W.F. Rea, *THE CATHOLIC CHURCH IN ZIMBABWE, 1879-1979*, Gwelo, 1980. L.H. Gann, *A HISTORY OF NORTHERN RHODESIA*, Londres, 1964. S. Reil, R.L. Rotberg, *CHRISTIAN MISSIONARIES AND THE CREATION OF NORTH RHODESIA 1880-1924*, Princetown, 1965.

# JEANNE BERETTA MOLLA

## *MÈRE DE FAMILLE JUSQU'AU BOUT*

**• 21 DEC •**

JEANNE CONTEMPLE EN SOURIANT LE SOMMET ENNEIGÉ DU MONT BLANC qui se détache sur le bleu azur. Accoudée au balcon de son chalet de Courmayeur, elle embrasse du regard le val d'Aoste, si riant en ce mois d'août 1961. La jeune femme s'étire. Quel bonheur de savourer ces moments de calme, alors que ses trois enfants dorment du sommeil du juste ! La sieste est une véritable bénédiction pour les mères de famille en vacances ! Jeanne a des fourmis dans les jambes et, pour un peu, elle se précipiterait dans sa chambre, enfilerait un vieux pantalon, ses chaussures à crampons et partirait faire de l'escalade. Il suffirait de confier ses trois trésors à la jeune fille venue l'aider pour les vacances. Jeanne sourit, pas question de prendre ce genre de risque, puisqu'elle attend son quatrième enfant. Elle en est certaine maintenant et s'en réjouit. Peut-être un petit frère pour Pierre-Louis, six ans, Mariolina, cinq ans, et Laura, deux ans.

Une ombre passe sur le visage serein de Jeanne Beretta Molla. Encore cette douleur, parfois fulgurante, qui traverse son ventre tel un poignard. Jeanne s'appuie contre la rampe du balcon et respire profondément. La douleur est partie, mais l'inquiétude demeure. Et son mari qui n'est pas là et qu'elle ne veut pas alarmer, il a tant de travail... Si elle faisait une nouvelle fausse couche, ce serait la troisième depuis la naissance de Laura. Jeanne tente de se raisonner ; ses grossesses n'ont jamais été faciles, celle-ci ne fera pas exception à la règle, voilà tout !

Au fil des jours cependant, Jeanne doit bien se rendre à l'évidence : sa grossesse ne se déroule pas comme elle le devrait. Les douleurs sont bien trop violentes pour être anodines. La future mère est aussi pédiatre. Elle sait qu'elle doit consulter d'urgence un spécialiste. Elle se résout donc à quitter momentanément Courmayeur, laissant ses trois bambins en de bonnes mains, pour passer des examens à Ponte Nuovo, petite ville entre Novare et Milan, où elle habite et travaille. Tout au long du voyage, Jeanne prie. Elle prie pour ses enfants qu'elle a dû quitter précipitamment, elle prie pour ce tout-petit qu'elle attend et qui est, en ces moments terribles, l'objet de toute son attention.

Le diagnostic est formel : un fibrome se

développe sur la paroi de l'utérus et menace de provoquer une hémorragie interne. Jeanne risque de perdre l'enfant et de perdre la vie. Il faut opérer d'urgence. Le médecin, qui la connaît bien, expose à sa consœur les risques de l'opération. Il peut retirer le fibrome, recoudre la paroi de l'utérus et laisser la grossesse se poursuivre. Mais, au fur et à mesure que le fœtus se développera, la paroi utérine va se dilater et n'aura pas le temps de cicatriser. Les risques d'hémorragie interne sont donc très élevés. « Il y a aussi la possibilité d'interrompre cette grossesse, reprend doucement le médecin. Si nous le faisons dès maintenant, nous n'aurons pas à retirer l'utérus. Vous pourrez, dans quelque temps, envisager une nouvelle grossesse. » Jeanne regarde son confrère très calmement et répond : « Il n'en est pas question, sauvez l'enfant. »

Le 6 septembre, Jeanne est opérée. D'une main prudente, le chirurgien enlève le fibrome et suture la paroi de l'utérus. Le fœtus n'a pas été touché. La grossesse suivra son cours. Pour combien de temps ? se demande avec inquiétude le médecin alors que Jeanne est conduite en salle de réveil. Le quatrième et le cinquième mois de grossesse seront décisifs.

Jeanne se réveille soulagée, même si elle sait les risques qu'elle encourt. Pour l'heure, elle n'aspire qu'à une chose : rejoindre ses enfants à Courmayeur. Son état de santé le lui interdit. Seule la présence de Pierre, son mari, parvient à la réconforter. Contre toute attente, la gros-

*Il n'en est pas question, sauvez l'enfant.*

sesse se poursuit heureusement. Au mois d'octobre, Jeanne écrit à son frère, missionnaire au Brésil : « *Depuis deux semaines, je suis rentrée de la clinique et, grâce à Dieu, la grossesse continue. Je vais bien. Je reprends des forces chaque jour un peu plus. Les enfants sont rentrés de Courmayeur. Les deux plus grands vont à l'école maternelle.* » La vie de Jeanne reprend son cours normal. Elle continue à donner ses consultations dans le petit dispensaire de Mesero qu'elle a fondé peu de temps avant son mariage. Elle s'occupe de sa famille. Qui pourrait se douter, à la voir grimper et descendre les escaliers de la petite maison de Ponte Nuovo, que sa santé est si fragile ? Pendant sept mois, Jeanne est souriante, attentive à tout, aux genoux écorchés après une chute dans le jardin, aux dessins qu'il faut accrocher dans la cuisine, aux mauvais rêves qu'il faut dissiper la nuit. Savina, la jeune fille qui l'aide à la maison, racontera : « *Je ne me suis jamais rendu compte qu'elle était préoccupée par sa grossesse. Je l'ai vue toujours contente. [...] Elle ne se plaignait jamais.* »

Jeanne, en effet, ne se plaint pas, malgré la douleur qu'elle ressent souvent. Elle a remis sa vie entre les mains de Dieu, et elle est sereine. D'une foi sans faille, toute simple, elle répète : « *Le Seigneur fera ce qu'il y a de meilleur pour ma famille. Le Seigneur sait bien qu'avec ce dernier, nous aurons quatre enfants. Il y pensera bien.* » Sa prière est confiante, non qu'elle soit certaine d'être sauvée – Jeanne, en tant que médecin, sait parfaitement la gravité de son état de santé –, mais parce qu'elle s'est totalement abandonnée à la volonté de Dieu...

Alors que le jour de la naissance approche, Jeanne prépare la maison. Elle veut que tout soit prêt, en ordre. Même Pierre, son mari, n'ose pas comprendre que derrière ses heureux préparatifs se cache une douloureuse réalité. *« Ton ménage silencieux, jour après jour, dans chaque coin de la maison, dans chaque tiroir, pour chaque vêtement, me préoccupait, comme s'il s'agissait d'un très long voyage. Mais je n'ai pas osé m'en demander ni t'en demander le pourquoi. »*

Le moment tant attendu arrive, Jeanne est conduite à la maternité. Elle se sent de plus en plus faible et, pour ne pas alarmer son mari, confie son angoisse à l'amie venue garder les enfants : *« Prie beaucoup parce que j'ai peur ; prie pour que je sache accomplir la volonté de Dieu. »* En ces heures terribles, Jeanne croit perdre la sérénité des derniers mois. Elle a peur de souffrir, elle a peur de perdre l'enfant, elle a peur de mourir. Des doutes terribles l'assaillent. Que vont devenir ses trois petits, et Pierre, son mari, si elle ne survit pas ? À une religieuse qui tente de la consoler, elle dit : *« Vous, ma sœur, vous ne savez pas ce que c'est qu'être mère. »* Mais, peu à peu, elle retrouve son calme. La présence silencieuse de Pierre qui a toujours accepté sa décision, même si par-

fois il ne parvenait plus à comprendre, l'apaise. Jeanne prie et, de nouveau, s'abandonne.

La situation n'est pas brillante, on doit lui faire une césarienne. Le bébé, une belle petite fille en parfaite santé, vient au monde, la veille de Pâques. Ses parents la nomment Jeanne-Emmanuelle. Jeanne lutte alors de toutes ses forces pour rester en vie et accepte tous les traitements dans l'espoir d'être sauvée. C'est pourtant le début d'une lente agonie, une péritonite septique s'est déclarée. Jeanne, affaiblie par sa grossesse, ne réagit pas au traitement. Sa sœur Virginie, religieuse en Inde, a obtenu l'autorisation de sa supérieure de rentrer en Italie. *« Enfin, tu es là ! Si tu savais, Virginie, combien on souffre de devoir mourir en laissant des enfants tous bien petits ! »* Jeanne lui confie ses enfants et la supplie de rester en Italie. La fin est proche. Épuisée, elle se tourne vers son mari et murmure : *« Pierre, porte-moi à la maison, ne me laisse pas ici. »* Il n'y a plus rien à faire. Pierre la ramène dans la petite maison de Ponte Nuovo et la porte dans leur chambre. À huit heures du matin, ce 28 avril 1962, Jeanne s'éteint doucement.

Le 24 avril 1994, le pape Jean-Paul II béatifiait la mère de famille Jeanne Beretta Molla, en présence de toute sa famille, en particulier de sa fille Jeanne-Emmanuelle, devenue médecin.

> *Que vont devenir ses trois petits et son mari, si elle ne survit pas ?*

SOURCES : T. Lelièvre, *JEANNE BERETTA MOLLA*, Paris, 1992.

# Monseigneur Romero

## L'évêque martyr
### pour le peuple du Salvador

• **22**
**DEC** •

Le jardin de la petite maison de Juan, à San Salvador, a pris des airs de fête. Le soleil, extraordinairement haut dans le ciel, est accablant. Les palétuviers offrent cependant une ombre délicieuse de fraîcheur à la famille et aux quelques voisins du jeune homme venus assister à son mariage. Parmi les tissus colorés, une soutane noire contraste par son austérité. Juan sourit en regardant le père Romero en grande conversation avec sa jeune épouse. En cette belle journée de 1963, son vieil ami a présidé la cérémonie ; sa joie n'en est que plus grande. Jean connaît le père Romero depuis plus de dix ans. Il n'avait que quatorze ans quand il est devenu son « homme à tout faire ». Il s'est occupé de sa maison à San Miguel entre 1952 et 1955. Depuis, les deux hommes sont restés amis. Le père Romero est pourtant un homme très occupé. Secrétaire du diocèse de San Miguel et desservant de la petite église de Santo Domingo, il n'arrête pas. Il tient même à s'occuper personnellement de la branche diocésaine de *Caritas* qui distribue de la nourriture aux indigents. Pourtant, entre le catéchisme, la préparation à la première communion, le soin des malades et des démunis et la visite des prisonniers pour lesquels il célèbre la messe et projette des films, le père Romero trouve toujours le temps de passer voir son ami Juan.

Oscar Romero est toujours de bonne humeur, même si les critiques à son égard sont nombreuses et le blessent profondément. Ses sermons exaspèrent. Il faut dire que le père n'a pas la langue dans sa poche. Il a une si haute idée du sacerdoce et de sa mission que ses prêches, diffusés par cinq radios locales, font souvent l'effet de véritables bombes au sein d'une communauté très catholique, certes, mais habituée à plus de souplesse. Il s'est déjà fâché avec les protestants qui l'accusent d'idolâtrie en raison de sa très grande dévotion mariale. Récemment, il a interdit l'usage de la cathédrale pour une cérémonie en l'honneur du patriote Gararado Barrios, parce qu'il était franc-maçon ! « On n'est pas catholique à moitié, Juan », se contente-t-il de répondre à son jeune ami quand celui-ci lui conseille d'être plus modéré. Le père Romero n'est pas du genre à édulcorer le message de l'Évangile ou à l'adapter en fonction des intérêts des uns ou des autres et Juan ne peut s'empêcher d'être admiratif devant sa fermeté. Le Salvador a tant besoin de saints prêtres !

Juan a toujours été persuadé que son ami ne resterait pas simple prêtre. C'est avec joie qu'il voit d'ailleurs le père Romero devenir évêque auxiliaire de l'archevêque de San Salvador, Mgr Chàvez, le 21 juin 1970. Le nouvel évêque auxiliaire, fidèle à son habitude, ne fait pas l'unanimité. De nombreux prêtres lui reprochent de représenter « l'ancienne voie » et de ne pas être sensible aux orientations du concile Vatican II. En fait, Mgr Romero a suivi avec beaucoup d'intérêt l'*aggiornamento* de l'Église et le trouve nécessaire. Il comprend, même s'il le regrette, que certains prêtres ne portent plus la soutane. Mais de là à ne porter aucun signe de leur sacerdoce ! Il est aussi agacé par ceux qui veulent tout réformer, pressés de changer l'Église et le monde, parfois sans discernement et surtout sans prendre le temps de préparer les fidèles à ce changement. C'est à ce moment-là qu'il rencontre des prêtres de l'Opus Dei. Il visite régulièrement leur maison, toute proche du séminaire. Il apprécie leur spiritualité, « *mine de richesse pour notre Église* », et l'un d'entre eux devient son directeur spirituel. « *Personnellement, je dois une profonde gratitude aux prêtres de l'Œuvre à qui j'ai confié avec la plus grande satisfaction la direction spirituelle de ma vie et celle d'autres prêtres* », écrira-t-il à Paul VI le 12 juillet 1975, pour lui demander la béatification de Mgr Escrivá de Balaguer, le fondateur de l'Opus

> *Le nouvel évêque auxiliaire ne fait pas l'unanimité.*

Dei, récemment rappelé à Dieu. Toute sa vie, il restera marqué par cette spiritualité de sanctification par le travail. C'est notamment ce qui l'amènera à lutter pour que le travail des paysans du Salvador soit reconnu à sa juste valeur.

En mai 1971, Mgr Romero est nommé rédacteur en chef de l'*Orientación*, journal de l'archidiocèse. Les lecteurs voient bien vite le changement d'orientation éditoriale. Mgr Romero atténue les prises de position du journal sur les questions sociales. *Orientación* adopte, sous sa direction, une attitude plus nuancée, condamne l'usage et le commerce de la drogue et s'élève contre la violence. Il s'oppose aussi aux jésuites qui ont la haute main sur le système éducatif et qui sont plus pressés de transformer en militants les jeunes qui leur sont confiés que d'en faire des croyants. Mgr Romero est pourtant sensible lui aussi à la détresse de son peuple – il vient lui même d'une famille pauvre et a dû interrompre ses études pour travailler dans les mines d'or de Potosi avant d'entrer au séminaire – mais il condamne la « *démagogie et le marxisme* » et s'alarme des « *pamphlets et [de] la littérature d'origine rouge* » répandue dans les écoles. Il a pourtant toujours entretenu d'excellents rapports avec son vieil ami de séminaire, le père Rutilio Grande, qui lutte pour la défense des paysans salvadoriens exploités par les grands propriétaires. Mais ce n'est qu'en étant nommé évêque d'un diocèse essentiellement rural, celui de Santiago de Maria, en

1974, que Mgr Romero prend réellement conscience de la terrible réalité des conditions de vie des paysans.

En 1969, les incidents qui avaient éclaté entre le Salvador et son voisin, le Honduras, avaient provoqué le retour massif de petits paysans salvadoriens. La main-d'œuvre devint abondante dans les plantations de café et nombre de grands propriétaires, soutenus par la classe dirigeante, en profitèrent pour baisser encore les salaires. Mgr Romero a longtemps cru que le salaire minimal était respecté. Mais, un jour, un prêtre passionniste de son diocèse l'amène dans une plantation et lui montre un panneau : « *Ici nous payons 1,75 colons par jour.* » Le minimum, déjà ridicule, est de 2,50 colons. Mgr Romero est profondément choqué : non contents de bafouer les lois, les grands propriétaires affichent leur morgue et leur mépris en toute impunité.

La révolte gronde déjà au Salvador. Les petits paysans se réunissent pour tenir tête aux grands propriétaires terriens qui, soutenus par le gouvernement et sa garde nationale, les répriment de manière sanglante. Des paysans sont massacrés lors d'expéditions punitives et, lorsque les voix des prêtres et des religieuses s'élèvent pour dénoncer ces crimes, la garde nationale se retourne contre eux en les accusant de marxisme. Le 7 mai 1975, la garde nationale enlève Rafael Barahona, le curé de Tecoluca, et trois de ses amis dans le diocèse de San

> *Les voix des prêtres et des religieuses s'élèvent pour dénoncer ces crimes.*

Vicente. On introduit un prospectus dans la mallette du prêtre qui est ainsi accusé de subversion. Les quatre hommes sont transférés les yeux bandés à San Salvador, et sauvagement battus avant d'être relâchés. Cinq jours plus tard, des paysans sont frappés à mort dans le diocèse de Mgr Romero. L'évêque condamne dans son homélie cette atteinte aux droits de l'homme. Puis il rencontre le commandant de la garde locale pour lui faire part de sa révolte et écrit au président Molina.

L'attitude de Mgr Romero demeure toutefois très nuancée. Il fustige la dérive d'un capitalisme arrogant et immoral et la violence qui en découle. Il demande que justice soit faite. Mais, en même temps, il condamne l'idéologie marxiste et rappelle à ses fidèles que seul le Christ rend libre et qu'il ne faut pas « *confondre la libération du Christ avec d'autres libérations qui ne seraient que temporelles* ». Rome, qui suit avec inquiétude les récents événements, voit alors en Mgr Romero un homme de conciliation. C'est pourquoi, lorsqu'il faut nommer un successeur à l'archevêque de San Salvador, qui va avoir soixante-quinze ans, Rome choisit Mgr Romero. La situation politique du Salvador est alors catastrophique. Le mandat du président Molina touche à sa fin et de nouvelles élections doivent être organisées. C'est finalement le général Carlos Humberto Romero, ancien ministre de la Défense et de la Sécurité publique, sans lien de parenté avec Mgr Romero, qui est « élu ». La fraude électorale est érigée en système. Dans toute la ville, des émeutes éclatent, réprimées dans un bain de sang. Le père Rutilio Grande est assassiné. C'est alors que l'incroyable se produit...

Mgr Romero, qui avait été perçu jusque-là comme un catholique conservateur et avait toujours cherché la voie de la conciliation, s'élève avec fougue, au nom de l'Évangile, contre les brutalités policières et la corruption politique. Par le biais de la station de radio YSAX, Mgr Romero condamne l'installation de la dictature. La presse inféodée au pouvoir se déchaîne contre lui et... l'accuse de marxisme ! Mgr Romero répond à ces accusations avec calme : « *L'Église est vraiment persécutée parce qu'elle désire vraiment être l'Église du Christ. Quand l'Église prêche un salut éternel sans s'impliquer dans les problèmes réels du monde, l'Église est respectée et glorifiée, on lui donne même des privilèges. Mais, si elle est fidèle à sa mission de dénoncer le péché qui jette un grand nombre dans la misère et si elle proclame son espoir d'un monde plus humain et plus juste, alors elle est persécutée, outragée, traitée de subversive et de communiste.* » Mgr Romero dérange. Il reçoit de nombreuses menaces de mort. Le Vatican s'inquiète du tour que prennent les événements et lui demande d'adoucir ses prédications. Son entourage lui conseille d'être prudent lors de ses déplacements.

> *À peine l'homélie achevée, un coup de feu claque.*

Le 24 mars 1980, Mgr Romero doit célébrer la messe pour la mère décédée d'un ami, dans la chapelle de l'hôpital de Santa Tecla. Une annonce a été passée dans les journaux. La messe commence. « *L'heure est venue pour le Fils de l'homme d'être glorifié... Si le grain de blé ne tombe à terre et ne meurt, il reste seul ; s'il meurt, il porte beaucoup de fruit...* » L'archevêque commente la phrase de l'Évangile de Jean, choisie par la famille de la défunte. À peine l'homélie achevée, un coup de feu claque. Mgr Romero s'écroule. Quelques religieuses présentes se précipitent vers l'archevêque qui gît dans un bain de sang. La balle a traversé son poumon gauche. Transporté dans la salle d'urgences de l'hôpital, il meurt quelques minutes après le coup fatal.

Quinze jours auparavant, Mgr Romero avait déclaré au journaliste qui l'interrogeait : « *Le martyre est une grâce de Dieu que je ne crois pas mériter. Mais si Dieu accepte le sacrifice de ma vie, que mon sang soit une semence de liberté et le signe que l'espérance deviendra bientôt réalité. Puisse ma mort, si elle est acceptée par Dieu, être pour la libération de mon peuple et comme un témoignage d'espérance pour l'avenir. Vous pouvez dire, s'ils réussissent à me tuer, que je pardonne et bénis ceux qui le feront.* »

SOURCES : J.-R. Brockman, *MGR ROMERO, MARTYR DU SALVADOR*, Paris, 1984.

# VATICAN II

## *UN GRAND SOUFFLE SUR L'ÉGLISE*

**23 DEC**

« MES CHERS FRÈRES, CE MATIN, J'AI ASSISTÉ À LA MESSE D'OUVERTURE de la troisième session du concile. Le souverain pontife et vingt-quatre évêques ont concélébré l'Eucharistie. Devant les visages de ces saints hommes qui représentaient des Églises si différentes, l'on était saisi par l'émotion et cette émotion, l'assemblée tout entière la partageait. Ces milliers de participants, évêques, abbés, théologiens et conseillers, étaient, comme moi, émerveillés par la profonde piété qui avait envahi les ors de la basilique Saint-Pierre. Le concile poursuit son œuvre, mais les effets de l'*aggiornamento* souhaité par feu notre bien-aimé pape, Jean, sont déjà visibles. Quel beau signe de communion et d'unité ! Les idées que nous avions défendues dans la constitution sur la liturgie, *Sacrosanctum concilium*, et dans celle sur l'Église, *Lumen gentium*, prenaient corps ! »

Le frère dominicain relève la tête et relit la dernière phrase. Il sourit, biffe le « nous avions défendus » et écrit : « qui avaient été défendues ». Ce « nous » est un peu prétentieux et, pourtant, il ne peut s'empêcher de penser que, cette Église, c'est lui

aussi. Jamais il n'a eu autant le sentiment d'être pleinement membre de l'Église. Il reprend son stylo. Il veut faire partager à ses frères ce qu'il a éprouvé ce matin.

« Ces vingt-quatre évêques qui entouraient le pape semblaient effectivement former un collège épiscopal à l'image de celui que devaient constituer les Apôtres réunis autour de Pierre. Notre Seigneur Jésus-Christ était présent au milieu d'eux, avec eux dans leur communion et dans leur unité, grand prêtre associant son Église dans la célébration du repas de l'Eucharistie, en mémoire de son propre sacrifice. *"La concélébration manifestait heureusement l'unité du sacerdoce"* des ministres. Les fidèles n'étaient plus en situation d'assistants, mais de participants au titre de leur sacerdoce baptismal. La réforme de la liturgie, que le concile a engagée, voyait vraiment ce matin l'une de ses premières réalisations. Nous savons tous qu'il y aura quelques refus, mais je suis sûr qu'elle est riche de vitalité et manifeste une image renouvelée de l'Église. De surcroît, l'usage des langues courantes, qui est maintenant permis, encouragera les fidèles à s'associer plus étroitement à l'action du prêtre qui, tourné vers eux, présidera le repas du Seigneur. Ainsi est mise en valeur d'une façon nouvelle la belle phrase de la prière eucharistique : *"Nous t'offrons pour eux, ou ils t'offrent pour eux-mêmes et tous les leurs ce sacrifice de louange."* »

En ce 14 septembre 1964, le frère dominicain interrompt une nouvelle fois la rédaction de sa lettre pour les frères de son couvent. Quelle chance il a eue d'être choisi pour participer à cette formidable aventure qu'est le concile Vatican II ! Marie-Dominique se souvient encore de l'émotion que l'annonce de la convocation du concile par Jean XXIII a provoquée dans sa communauté et dans le monde. Personne ne s'attendait à ce que ce vieillard de soixante-dix-huit ans, élu pape depuis trois mois à peine, appelât les évêques de l'Église catholique à se réunir ainsi à Rome. Comme une onde de choc, la nouvelle a suscité des échos favorables, enthousiastes mêmes. Aussi, quand il lui fut proposé de participer à ce grand événement d'Église, Marie-Dominique a presque pleuré de joie.

De la fenêtre de sa chambre, il contemple un instant la Ville éternelle dont les clochers et les dômes reflètent les derniers rayons d'un soleil qui vient éclairer les murs de Rome. Comme ce matin, lorsqu'il parcourait des yeux les statues des saints qui ornent la basilique Saint-Pierre, il pense à l'Église et à la succession de toutes ces figures qui ont marqué de leur foi et de leurs actions les siècles écoulés et en lesquelles les chrétiens reconnaissent l'œuvre miséricordieuse du Père. Que de temps depuis l'arrivée de Pierre, de Paul et de l'Évangile dans la capitale de l'Empire ! La ville a bien changé et pourtant, au fil de ses promenades, il a pu, au détour d'une ruelle ou dans la douce fraîcheur d'une église, retrouver les vestiges de ces temps passés.

Il se détourne à regret du spectacle de la ville dont l'intense activité s'apaise doucement, et reprend sa longue lettre. Il a promis à ses frères, avant son départ, de les tenir au courant du déroulement des journées. Sa communauté doit être suspendue à la lecture de ses lettres, curieuse de connaître les événements et les potins qui font la petite histoire du concile, mais surtout avide de découvrir les grandes lignes pastorales qui se dessinent dans les orientations que prennent ici les pères.

Raviver la foi et réfléchir à la mission de l'Église, favoriser les aspirations des chrétiens à l'unité, encourager les initiatives de paix chez tous les hommes, voilà l'objectif que Jean XXIII a fixé à tous les pères conciliaires. Des bribes du discours que le pape a prononcé à l'ouverture du concile, le 11 octobre 1962, lui reviennent en mémoire. « *Les lumières de ce concile seront pour l'Église une source d'enrichissement spirituel. Après avoir puisé en lui de nouvelles énergies, elle regardera sans crainte vers l'avenir.* » C'était une nouvelle manière pour

> *Comme une onde de choc, la nouvelle a suscité des échos favorables, enthousiastes mêmes.*

Jean XXIII de définir l'*aggiornamento* qu'il souhaitait tant. Marie-Dominique s'est souvent imaginé la scène que tous ici rapportent à ce propos. Le bon pape Jean, pour expliquer sa formule et son désir, avait symboliquement ouvert une fenêtre pour montrer que l'Église doit s'ouvrir au souffle de l'Esprit et regarder le monde. Les papiers de son bureau s'étaient envolés. Les prophètes de malheur y avaient sûrement vu un signe. Mais pour le pape, peu importait si l'Église était un peu bousculée dans cette entreprise. Il était grand temps de s'ouvrir au monde afin de pouvoir lui proposer la vérité que Jésus avait confiée à ses Apôtres. Pour cela, l'Église devait s'adapter. En ces années d'après-guerre, où le monde change avec la décolonisation et la conquête de l'espace, on attend de l'Église moins la condamnation des erreurs que les « *remèdes de la miséricorde* ». Il ne faut plus se contenter de répéter la doctrine, mais la présenter dans un langage qui tienne compte des exigences de l'époque. Il est nécessaire de distinguer entre la substance des vérités de la foi et la forme sous laquelle elles sont exprimées. Pourquoi avoir peur ? Le concile est une rencontre avec le Ressuscité qui, à travers l'Église, illumine les nations.

Marie-Dominique se dit que Paul VI reste fidèle à l'esprit de son prédécesseur en reprécisant les quatre objectifs du concile : la conscience que l'Église a d'elle-même, son renouveau, le rétablissement de l'unité de tous les chrétiens, le dialogue avec les hommes d'aujourd'hui. Dans sa première encyclique, *Ecclesiam suam*, parue il y a moins d'un mois, il présente la « *charte du dialogue* » de l'Église avec toute l'humanité, rappelant que Dieu, par la Révélation, a lui-même engagé ce dialogue. Favorable aux suggestions des cardinaux Suenens et Léger, il centre l'attention des pères sur l'Église, qui est « *tout entière du Christ, dans le Christ et pour le Christ, tout entière des hommes, parmi les hommes et pour les hommes* ».

> *Il est nécessaire de distinguer entre la substance des vérités de la foi et la forme sous laquelle elles sont exprimées.*

Le frère dominicain continue de satisfaire la curiosité de ses frères en leur faisant part de ses remarques et de ses joies. « Il m'a été donné de lire l'un des textes sur lequel nos pères devront débattre à la fin du mois d'octobre. Il s'agit du schéma XIII [la future constitution pastorale de l'Église pour le monde de ce temps, *Gaudium et spes*] qui a regroupé le travail de six sous-commissions. Ces intitulés vous indiqueront l'importance du texte : l'admirable vocation de l'homme selon Dieu, la personne humaine dans la société, le mariage, la famille et la question démographique, la culture humaine, l'ordre économique et la justice sociale, la communauté des nations et la paix. Il s'agit d'un texte qu'avaient vivement souhaité Jean XXIII et le cardinal Suenens. Il répond au souhait de ce dernier qui, dans son célèbre discours du 4 décembre

1962, avait déclaré : *"Le monde attend que l'Église propose une solution aux grandes questions de ce temps. Il faut soulever tous les problèmes qui intéressent la dignité de la personne humaine et de sa vie même."* Il me semble que ce texte est emblématique de la richesse et de la nouveauté de Vatican II. Je crois qu'il n'est jamais arrivé dans l'histoire de l'Église qu'un concile manifeste un si grand souci pastoral à l'égard des événements temporels de l'humanité. Plus que d'un souci, il s'agit même d'une sympathie sans bornes pour *"rendre espoir à ceux qui n'osent plus croire à la grandeur de leur destin"* (*Gaudium et spes*, XXI, 7). Vraiment, mes frères, dans ce texte, il est clair que l'Église a troqué le visage de docteur de la Loi qu'il lui est arrivé d'avoir pour celui de bon Samaritain. »

Marie-Dominique a lâché sa plume. Il est tard. Il finira son travail épistolaire demain matin. En cherchant le sommeil, l'esprit pétri des longues discussions des pères conciliaires et des nombreux théologiens qui collaborent à leurs travaux, il s'adonne à une longue méditation sur l'Église. L'Église n'est pas repliée sur elle-même : elle a reçu du Christ et de son Esprit la mission de conduire tous les hommes au Royaume de Dieu. Le Christ, lui, est « *le médiateur et la plénitude de la révélation* », dont il est la source portée au long de l'histoire par la Tradition et l'Écriture, inséparablement liées. « *Maître de l'histoire* », le Christ conduit l'Église à travers les vicissitudes des sociétés humaines. Par la lumière de l'Esprit, l'Église discerne les « *signes des temps* » pour mieux répondre aux questions contemporaines et pour servir l'humanité dans son développement.

> *L'Église a reçu du Christ et de son Esprit la mission de conduire tous les hommes au Royaume de Dieu.*

Le concile prend acte de deux aspirations du monde contemporain : l'unité entre les hommes et le respect de la liberté. Outre le dialogue œcuménique avec tous les chrétiens, il engage l'Église au dialogue avec les autres religions, et il proclame le droit de toute personne humaine à la liberté religieuse en raison de sa dignité. Le concile ne se préoccupe pas seulement de la structure hiérarchique de l'Église : à tous les baptisés, quelle que soit leur condition ou leur fonction, il rappelle qu'ils sont appelés à la sainteté à la suite du Christ et que cet appel n'est pas réservé à ceux et celles qui professent les vœux religieux de pauvreté, de chasteté et d'obéissance. Il précise même que la Vierge Marie, Mère de Dieu, membre éminent de l'Église, a suivi elle aussi son Fils, dans la foi, jusqu'à la Croix et la Résurrection.

Comme en témoignent ses nombreux décrets, le concile s'est occupé avec détermination du renouveau de l'Église, de sa « *réforme* » selon le mot de Paul VI. Dans la pensée de Jean XXIII, telle était la condition préalable à la recomposition de l'unité de tous les chrétiens. Qu'il s'agisse des fidèles laïcs, dont sont reconnues la responsabilité et la mission proprès dans le monde et dans l'Église, des religieux et religieuses, appelés à retrouver l'aspiration de leur fondateur pour l'adapter au monde actuel, des prêtres et des évêques, dont le ministère pastoral est restauré dans toutes ses dimensions, personne n'est oublié dans cette volonté de rénovation ! Par l'ensemble de son œuvre, au terme de débats parfois difficiles, le concile a voulu à la fois revenir aux sources de la foi de l'Église et prendre en compte les requêtes du monde contemporain. Il a restauré dans la conscience de tous, croyants et incroyants, l'image de l'Église peuple de Dieu, marchant dans l'histoire des hommes vers le royaume de Dieu. Corps du Christ, appelée à se réformer sans cesse, elle est, comme son Seigneur, « *signe et instrument* » de l'union avec Dieu et de l'unité des hommes entre eux. « *Sacrement du salut* », l'Église a pour mission d'être présente dans le monde pour servir les hommes et leur annoncer l'Évangile. « *Tout le bien que le peuple de Dieu, au temps de son pèlerinage terrestre, peut procurer à la famille*

> *L'Église a pour mission d'être présente dans le monde pour servir les hommes et leur annoncer l'Évangile.*

*humaine découle de cette réalité que l'Église est* "le sacrement universel du salut manifestant et actualisant tout à la fois le mystère de l'amour de Dieu pour l'homme". »

Ces déclarations ont obtenu un grand retentissement : quel changement dans l'attitude de l'Église catholique qui veut défendre non plus seulement sa liberté et sa mission, mais les droits de tous les hommes, et, par préférence, ceux des plus pauvres ! Le 8 décembre 1965, les pères sortent en procession de la basilique Saint-Pierre pour regagner leur diocèse dans toutes les parties du monde. La veille, dans son discours de clôture, Paul VI a médité sur l'œuvre du concile : si l'Église s'est recueillie dans l'intimité de sa conscience spirituelle, ce n'est pas pour se complaire en elle-même, mais afin d'élever devant l'humanité « *une manière de concevoir l'homme et l'univers en référence à Dieu comme à leur centre et à leur fin* ». Le concile « *ne donnerait-il pas, en fin de compte, un enseignement simple, neuf et solennel, pour apprendre à aimer l'homme afin d'aimer Dieu* » ?

SOURCES : *VATICAN II, LES SEIZE DOCUMENTS CONCILIAIRES*, Paris, Montréal, 1967. « Gaudium et spes, bilan de trente années », in *LAÏCS AUJOURD'HUI*, n° 39, Vatican, 1995. *20 ANS APRÈS VATICAN II*, synode extraordinaire à Rome en 1986, Paris, 1986. E. Poullat, *UNE ÉGLISE ÉBRANLÉE, CHANGEMENT, CONFLIT ET CONTINUITÉ DE PIE XII À JEAN-PAUL II*, Paris, 1980.

# PACEM IN TERRIS
## *LA PAIX SOIT AVEC VOUS*

• **24 DEC** •

L'HEURE DES ADIEUX EST ARRIVÉE. JÉSUS, QUI VA DEVOIR QUITTER SES DISCIPLES, partage un dernier repas avec eux. Il prend le pain et la coupe, les bénit, rend grâce et les donne à ses amis. Puis, après avoir mangé, il se lève de table et leur lave les pieds. Le Seigneur et Maître se fait serviteur et demande à ses disciples de faire de même pour leurs frères. Le repas du Seigneur, partage du corps livré et du sang versé, restaure l'union de l'humanité avec Dieu et instaure l'unité entre tous les hommes pardonnés et réconciliés. Le serviteur achève le pèlerinage qui le mène à l'acte d'amour parfait. L'ombre de la Croix se profile dans les jardins de Gethsémani. Judas est déjà parti vers son destin. Au moment où tout va s'accomplir, Jésus donne à ses disciples un commandement nouveau : « *Aimez-vous les uns les autres* », un commandement simple qui récapitule l'ensemble de ce qu'il leur a appris, son testament.

Le 11 avril 1963, les catholiques du monde entier se préparent à faire mémoire de cet événement en célébrant le Jeudi saint. Au Vatican, Jean XXIII choisit cette date symbolique pour adresser au monde sa dernière encyclique, *Pacem in terris*. Affaibli par le cancer qui va bientôt l'emporter, il reprend dans ce message de paix l'essentiel de ses convictions, et en fait son véritable testament spirituel. Cet ultime message, il l'adresse à tous : « *Aux vénérables frères, patriarches, primats, archevêques* [...] *en paix et communion avec le Siège apostolique, au clergé et aux fidèles de l'univers* » mais également et pour la première fois dans l'histoire des encycliques « *à tous les hommes de bonne volonté* ». Fidèle à l'inspiration de toute sa vie et à sa charge pastorale, le Saint-Père n'exclut personne. Tous les hommes, qu'ils le sachent ou non, qu'ils y croient ou non, sont l'objet de la bienveillance et de la sollicitude divines. Jean XXIII est habité par cette certitude, c'est pour cela qu'il a voulu ouvrir l'Église catholique au monde en convoquant, à la surprise générale, le deuxième concile du Vatican, afin de proposer à tous les hommes de découvrir ce Dieu qui les aime comme un Père.

Au cours de sa longue carrière diplomatique en Bulgarie, en Grèce, en Turquie et en France, il s'est familiarisé avec les problèmes internationaux, les difficultés de la décolonisation, les questions posées par les rapports tendus avec les marxistes. Il a rencontré des hommes de confessions religieuses et de convictions politiques très diverses.

Devenu pape, il a voulu placer l'Évangile au-dessus de toutes les opinions et de tous les partis qui agitent et bouleversent la société. Sans se laisser inféoder à un camp, il a cherché à rencontrer tous ceux qui manifestent une volonté sincère de paix. Le 7 mars 1963, il n'hésita pas à recevoir M. Adjoubeï, directeur des *Izvestia*, et sa femme, fille de M. Krouchtchev, alors maître de l'URSS. Cette audience sensationnelle révéla les efforts incessants du pape en faveur de la paix. N'est-il pas déjà intervenu lors de la crise d'octobre 1962, entre les États-Unis et l'Union soviétique qui se préparait à installer des fusées à Cuba récemment rallié au bloc de l'Est ? Pour le président Kennedy, c'était un *casus belli* : la planète était au bord d'une troisième guerre mondiale. On pouvait craindre l'emploi des armes atomiques… Le 25 octobre, le pape adresse un message pressant à tous les chefs d'État, sans distinction. Or le concile vient de s'ouvrir à Rome, le 11 octobre ; aux quelque deux mille quatre cents évêques venus du monde entier, qui sont rassemblés dans la basilique Saint-Pierre, le pape assigne une tâche majeure, l'encouragement des aspirations des hommes à la paix. Cette attente et cet espoir universels sont, pour lui, un « signe des temps ».

> *La planète était au bord d'une troisième guerre mondiale.*

C'est dans cette atmosphère troublée et inquiète, alors que l'Église entière définit sa mission, qu'il donne au monde son encyclique. Écrite dans un langage accessible à tous, *Pacem in terris* reçoit un accueil universellement favorable. Son objet est clairement défini : « *La paix entre toutes les nations fondée sur la vérité, la justice, la charité, la liberté* ». Tels sont les quatre piliers sur lesquels s'édifie la paix, qu'il s'agisse des rapports entre les personnes, dont est rappelée l'éminente dignité, des rapports entre les hommes et les pouvoirs publics, qui sont au service du bien commun et de la promotion des personnes, des rapports entre les communautés politiques, qui sont égales en dignité humaine. Pour aborder toutes ces questions, Jean XXIII s'appuie, en les précisant, sur les célèbres messages radiodiffusés que Pie XII adressait au monde chaque année à Noël.

En 1963, après la crise de Cuba, le pape souligne l'interdépendance des communautés politiques et la nécessité d'une autorité publique de compétence universelle, qu'exige l'ordre moral lui-même : « *De nos jours, le bien commun universel pose des problèmes de dimensions mondiales. Ils ne peuvent être résolus que par une autorité publique dont le pouvoir, la constitution et les moyens d'action prennent eux aussi des dimensions mondiales et qui puisse exercer son action sur toute l'étendue de la terre.* » L'ONU est déjà l'ébauche d'une telle autorité mondiale, et le pape salue l'un de ses actes les plus importants : *La*

*Déclaration universelle des droits de l'homme*, approuvée le 10 décembre 1948 ; son préambule proclame comme objectif commun, à promouvoir par tous les peuples, la reconnaissance et le respect effectif des droits et des libertés énumérés dans la Déclaration. Le pape exprime son vif désir que « *l'ONU puisse de plus en plus adapter ses structures et ses moyens d'action à l'étendue et à la haute valeur de sa mission. Puisse-t-il arriver bientôt le moment où cette organisation garantira efficacement les droits de la personne humaine : ces droits qui dérivent directement de notre dignité naturelle et qui pour cette raison sont universels, inviolables et inaliénables.* »

Au nom de la justice, l'encyclique appelle au respect des minorités nationales et stigmatise comme une faute grave les manœuvres pour les faire disparaître. Au nom de la solidarité, elle réclame, pour le réfugié politique, la reconnaissance de la dignité de sa personne avec tous ses droits. Elle s'élève contre « *l'axiome qui veut que la paix résulte de l'équilibre des armements* », ce qui entraîne l'accroissement incessant des potentiels militaires ; il faut lui substituer « *le principe que la vraie paix ne peut s'édifier que dans la confiance mutuelle* ». Enfin, une affirmation capitale oblige à s'interroger sur les anciennes théories de la « guerre juste » : « *Il devient humainement impossible de penser que la guerre soit, en notre ère atomique, le moyen adéquat pour obtenir justice d'une violation de droits.* » On se rappelle l'avertissement de Pie XII : « *Avec la paix, rien n'est perdu ; mais tout peut l'être par la guerre.* »

Pour favoriser les rapports entre catholiques et non catholiques, l'encyclique introduit une distinction décisive : on ne saurait identifier les fausses théories philosophiques, dont la formulation est fixée (par exemple la doctrine de Marx) et les mouvements historiques qui s'en inspirent, mais qui évoluent avec le temps en fonction des circonstances (les divers mouvements communistes). Concrètement, certaines rencontres qui, dans le passé, ont paru inopportunes ou stériles peuvent maintenant présenter des avantages…

Ordonné évêque en 1925, Jean XXIII avait choisi comme devise : « *Obedientia et pax* », obéissance et paix. Comme l'affirme sa dernière encyclique, c'est l'obéissance à l'ordre voulu par Dieu dans sa création qui est le fondement de la paix entre les hommes ; l'ouverture aux valeurs spirituelles les fait progresser vers la paix. « *Nous estimons qu'il est de Notre devoir de vouer Nos préoccupations et Nos énergies à promouvoir ce bien commun universel. Mais la paix n'est qu'un mot vide de sens, si elle n'est pas fondée sur l'ordre dont Nous avons, avec une fervente espérance, esquissé dans cette encyclique les lignes essentielles ; ordre qui repose sur la vérité, se construit selon la justice, reçoit de la charité sa vie et sa plénitude, et enfin s'exprime efficacement dans la liberté.* »

*Pacem in terris* eut un retentissement

> *Au nom de la justice, l'encyclique appelle au respect des minorités nationales.*

considérable. Elle valut au pape le prix de la Fondation Balzan, et le patriarche de Moscou lui adressa des félicitations. On écouta, dans l'enceinte du palais de l'ONU, à New York, la symphonie que Darius Milhaud composa pour chanter le texte de l'encyclique. Le 4 octobre 1965, le pape Paul VI était acclamé par tous les représentants des nations, debout, avant de prononcer son discours où, à la suite de Jean XXIII, il approuvait solennellement les principes et la mission de l'ONU et lançait son vibrant appel à la paix : « *Plus jamais la guerre !* »

> *Plus jamais la guerre!*

« *La paix sur la terre, objet du profond désir de l'humanité de tous les temps, ne peut se fonder ni s'affermir que dans le respect absolu de l'ordre établi par Dieu.* » Tels sont les premiers mots de l'encyclique du « bon pape Jean ». Elle s'achève par l'évocation du « *Prince de la paix* », venu par sa Passion et sa mort triompher du péché, cause des divisions, et proclamer la paix à ceux qui sont loin comme à ceux qui sont proches ; ressuscité, ses premiers mots sont pour donner la paix à ses disciples. À la naissance de Jésus, Sauveur du monde, les anges n'ont-ils pas entonné l'hymne joyeux : « *Gloire à Dieu et paix sur terre aux hommes de bonne volonté* » ?

SOURCES : Jean XXIII, Encyclique *PACEM IN TERRIS. JEAN XXIII ET L'ORDRE DU MONDE*, Actes du colloque de 1988, Paris, 1989. R. Coste, *L'ÉGLISE ET LA PAIX*, Paris, 1979. D. Maugenest, *LE DISCOURS SOCIAL DE L'ÉGLISE CATHOLIQUE, DE LÉON XIII À JEAN-PAUL II*, Paris, 1990.

# À L'AUBE
# DU TROISIÈME MILLÉNAIRE
### « *JÉSUS-CHRIST EST LE MÊME...*
### *À JAMAIS* » *(HE 13, 8)*

• **25 DEC** •

L'ÉGLISE EXISTE DEPUIS DEUX MILLE ANS. *Comme le grain de sénevé* évangélique, elle croît et devient un grand arbre capable de couvrir de ses frondaisons toute l'humanité (cf. Mt 13, 31-32). Le concile Vatican II, dans la Constitution dogmatique sur l'Église, prenant en considération la question *de l'appartenance à l'Église et de l'ordination au peuple de Dieu*, s'exprime ainsi : « À cette unité catholique du peuple de Dieu […], tous les hommes sont appelés ; à cette unité appartiennent ou sont ordonnés, de diverses manières, aussi bien les fidèles catholiques que les autres qui croient au Christ, et enfin, en général, tous les hommes qui, par la grâce de Dieu, sont appelés au salut. » Pour sa part, Paul VI explique dans l'encyclique *Ecclesiam suam* que les hommes sont universellement impliqués dans le plan de Dieu, en soulignant qu'il y a différents *cercles du dialogue du salut.*

En fonction de cette conception, on peut comprendre mieux encore la parabole du levain (cf. Mt 13, 33) : le Christ, levain divin, pénètre toujours plus profondément le présent de la vie de l'humanité, en propageant l'œuvre du salut accomplie dans le Mystère pascal. Il englobe aussi dans son règne salvifique *tout le passé* du genre humain, en commençant par le premier Adam. L'*avenir* lui appartient : « Jésus Christ est le même hier et aujourd'hui, il le sera à jamais » (He 13, 8). De son côté, l'Église « ne vise qu'un seul but : continuer, sous la conduite de l'Esprit Paraclet, l'œuvre du Christ lui-même, venu dans le monde pour rendre témoignage à la vérité, pour sauver, non pour condamner, pour servir, non pour être servi ».

C'est pourquoi, depuis les temps apostoliques, la *mission de l'Église* se poursuit sans interruption à l'intérieur de la famille humaine universelle. La première évangélisation a concerné surtout la région de la mer Méditerranée. Au cours du premier millénaire, les missions parties de Rome et de Constantinople ont porté le christianisme *dans tout le continent européen*. Elles se dirigèrent en même temps vers le cœur de l'*Asie*, jusqu'en Inde et en Chine. La fin du XV^e siècle, avec la découverte de l'*Amérique*, marqua le commencement de l'évangélisation de ce grand continent, au sud et au nord.

En même temps, tandis que les rivages sub-sahariens de l'*Afrique* accueillaient la lumière du Christ, saint François Xavier, patron des missions, allait jusqu'au Japon. Au tournant du XVIII<sup>e</sup> et du XIX<sup>e</sup> siècles, un laïc, André Kim, apporta le christianisme en Corée : à cette époque, l'annonce de l'Évangile rejoignit la péninsule indochinoise, de même que l'Australie et les îles du Pacifique.

Le XIX<sup>e</sup> siècle a connu une grande activité missionnaire parmi les *peuples de l'Afrique*. Toutes ces actions ont porté des fruits qui se prolongent aujourd'hui. Le concile Vatican II en prend acte dans le décret *Ad gentes* sur l'activité missionnaire. Après le concile, la question missionnaire a été traitée dans l'encyclique *Redemptoris missio*, portant sur les problèmes des missions dans la dernière partie de notre siècle. L'Église continuera à être missionnaire à l'avenir encore : le caractère missionnaire, en effet, fait partie de sa nature. Avec la chute des grands systèmes anti-chrétiens dans le continent européen, du nazisme puis du communisme, s'impose la tâche urgente de présenter à nouveau aux hommes et aux femmes de l'Europe le message libérateur de l'Évangile. En outre, ainsi que l'affirme l'encyclique *Redemptoris missio*, on retrouve dans le monde la situation de *l'Aréopage d'Athènes* où parla saint Paul. Il y a aujourd'hui de nombreux « aréopages » très divers : ce sont les vastes domaines de la civilisation contemporaine et de la culture, de la politique et de l'économie. *Plus l'Occident se détache de ses racines chrétiennes, plus il devient terrain de mission*, sous la forme de différents « aréopages ».

L'avenir du monde et de l'Église appartient aux *jeunes générations* qui, nées au cours de ce siècle, arriveront à leur maturité au cours du prochain, le premier du nouveau millénaire. *Le Christ attend les jeunes*, comme il attendait le jeune homme qui lui posa la question : « Que dois-je faire de bon pour obtenir la vie éternelle ? » (Mt 19, 16). Dans la récente encyclique *Veritatis splendor*, de même que, antérieurement, dans le *Lettre à tous les jeunes du monde* de 1985, je me suis référé à la réponse impressionnante que Jésus lui donna. Les jeunes, dans toutes les situations et dans toutes les régions de la terre, ne cessent d'interroger le Christ : *ils le rencontrent et le cherchent pour continuer à l'interroger*. S'ils savent suivre le chemin qu'Il leur montre, ils auront la joie d'apporter leur contribution à sa présence dans le prochain siècle et dans les siècles suivants, jusqu'à la consommation des temps. « Jésus est le même hier, aujourd'hui et à jamais. »

> *L'avenir du monde et de l'Église appartient aux jeunes générations.*

En conclusion, il est opportun de reprendre ces paroles de la Constitution pastorale *Gaudium et spes* : « L'Église croit que le Christ, mort et ressuscité pour tous, offre à l'homme, par son Esprit, lumière et force pour lui permettre de répondre à sa très haute vocation. Elle croit qu'il n'est pas sous le ciel d'autre Nom donné aux hommes par lequel ils doivent être sauvés. Elle croit aussi que la clé, le centre et la fin de toute histoire humaine se trouvent en son Seigneur et Maître. Elle affirme en outre que, sous tous les changements, il y a bien des choses qui ne changent pas et qui ont leur fondement ultime dans le Christ, le même hier, aujourd'hui et à jamais. C'est pourquoi, à la lumière du Christ, Image du Dieu invisible, Premier-né de toute créature, le concile se propose de s'adresser à tous les hommes, afin d'éclairer le mystère de l'homme et d'apporter son concours à l'effort pour trouver une solution aux principales questions de notre temps. »

Tandis que j'invite les fidèles à faire monter vers le Seigneur d'instantes prières afin d'obtenir les lumières et le soutien nécessaires à la préparation et à la célébration du Jubilé désormais proche, j'exhorte mes vénérés Frères dans l'Épiscopat et les communautés ecclésiales qui leur sont confiées à ouvrir leurs cœurs aux suggestions de l'Esprit. L'Esprit ne manquera pas d'inspirer les âmes, afin que l'on se dispose à célébrer le grand événement jubilaire avec une foi renouvelée et une générosité active.

Je confie cette tâche de toute l'Église à l'intercession de Marie, Mère du Rédempteur. Mère du bel amour, elle sera pour les chrétiens en marche vers le troisième millénaire l'Étoile qui guidera fermement leurs pas à la rencontre du Seigneur. Que l'humble Vierge de Nazareth qui, il y a deux mille ans, a donné au monde entier le Verbe incarné oriente l'humanité du nouveau millénaire vers Celui qui est « la lumière véritable, qui éclaire tout homme » (Jn 1, 9) !

C'est dans ces sentiments que j'accorde à tous ma Bénédiction.

Du Vatican, le 10 novembre 1994, en la dix-septième année de mon pontificat.

*Joannes Paulus II*

SOURCES : *TERTIO MILLENNIO ADVENIENTE*, chap. V, 56 à 59.

# Index des principaux noms de personne

ABBÉ DE L'ÉPÉE : voir Charles Michel.

ABBÉ PIERRE, Henri Grouès dit : **1277**, 1287.

ABÉLARD, Pierre : 354, 373, 422, 451.

ACARIE, Barbe : 624, **632**, 661.

ADALBERT DE PRAGUE (st) : 307, **308**, 316.

ADÉLAÏDE (ste) : **324**.

AFFRE, Denis Auguste : 872, **874**.

ALARIC : 195, 206, 528.

ALBERT LE GRAND (st) : 437, 454.

ALCUIN : **272**, 275.

ALEXANDRE D'ALEXANDRIE (st) : 124.

ALEXANDRE DE RHODES : 711, 717.

ALEXANDRE VI BORGIA (pape) : 516, 651.

ALEXANDRE VII (pape) : 407, 842.

ALPHONSE DE LIGUORI (st) : **752**.

AMBROISE DE MILAN (st) : **156**, 159, 167, 202, 450.

ANASTASE : 202, 206, 211.

ANDRÉ (apôtre) : 59.

ANNE D'AUTRICHE : 667, 706, 712.

ANSELME (st) : 883.

ANTOINE (st) : **113**, 136.

ANTOINE DE PADOUE (st) : 516.

ARISTOTE : 436, 505.

ARIUS : 118, 124, 130, 141.

ATHANASE D'ALEXANDRIE (st) : 126, 132, **134**, 139, 186.

ATTILA : 178, 195, 199, 213.

AUGUSTIN D'HIPPONE (st) : 162, **166**, 174, 181, 450, 513, 569, 720, 1170, 1192.

AUGUSTIN DE CANTORBÉRY (st) : **225**.

BACH, Jean-Sébastien : **759**, 1174.

BASILE DE CÉSARÉE (st) : **141**.

BAUDELAIRE, Charles : **924**.

BÈDE LE VÉNÉRABLE (st) : **252**, 265, 272.

BELLOTTI, Antoine : 538.

BÉNÉDICTE DE LA CROIX : voir Édith Stein.

BENOÎT D'ANIANE (st) : 209.

BENOÎT DE NURSIE (st) : **207**, 303, 352, 381, 502, 528.

BENOÎT XIII (antipape) : 477, 481.

BENOÎT XV (pape) : 491, **1054**, 1151.

BENOÎT-JOSEPH LABRE (st) : **768**.

BÉRENGER DE TOURS : **338**.

BERETTA MOLLA, Jeanne : **1302**.

BERNADETTE SOUBIROUS (ste) : 882, **894**.

BERNANOS, Georges : 791, **1128**, 1268.

BERNARD DE CLAIRVAUX (st) : **352**, 381, 528, 884.

BERNIN, le : 529, 630.

BÉRULLE, Pierre de : 624, 632, **660**, 665, 692.

BESSIEUX, Jean-Rémi : **858**.

BLANDINE (ste) : **83**.

BLONDEL, Maurice : **1120**.

BLOY, Léon : **930**, 1073, 1114.

BOISARD, Louis : **987**.

BOLESLAS LE VAILLANT : 306, 310, 316.

BONAVENTURE (st) : 454, 513, 516.

BONCHAMPS, Charles de : **783**.

BONIFACE (st) : 246, **248**, 253.

BOSSUET, Jacques Bénigne : **708**, 960.

BOURBON BUSSET, Jacques et Laurence de : **1283**.

BRADBURNE, John : **1299**.

BRANLY, Édouard : **1032**.

BRENTANO, Clemens : **792**, 932.

BROTTIER, Daniel : **1147**.

BRUNO (st) : 338, **341**.

BUCHEZ, Philippe : **870**.

CAMILLE DE LELLIS (st) : **618**.

CARAVAGE, le : 630.

CARDIJN, Joseph : **1077**.

CARROLL, John : 809, **811**.

CASEY, Solanus : **1279**.

CATHERINE DE SIENNE (ste) : **464**, 470, 489, 641.

CATHERINE LABOURÉ (ste) : 884.

CÉSAIRE D'ARLES (st) : 171, 502.

CHAMPEAUX, Guillaume (de) : 353, 373.

CHAMPION DE CICÉ, Jérôme-Marie : 767, 780.

CHAPTAL, Léonie : **1014**.

CHARLEMAGNE : 261, 275, 280, 286, 320, 385, 528.

CHARLES BORROMÉE (st) : 539, **584**, 662.

CHARLES LE CHAUVE : 285, 289, 299.

CHARLES QUINT : 372, 530, 550, 560, 568, 572.

CHATEAUBRIAND, François René : **796**.

CHEMILLÉ, Pétronille de : **349**.

CHEVRIER, Antoine : **897**, 1263.

CICÉRON : 119, 156, 167, 172.

CLAIRE (ste) : 476.

CLAUDE DE LA COLOMBIÈRE : 733.

CLAUDEL, Paul : **963**, 1268, 1271, 1283.

CLÉMENT DE ROME (st) : **71**, 296.

CLÉMENT VII (antipape) : 466, 469, 475, 480.

CLÉMENT VIII (pape) : 174, 652.

CLÉMENT XI (pape) : 746, 842.

CLITHEROW, Margaret : **614**.

CLOVIS : 200, **204**, 210, 287.

COCTEAU, Jean : **1073**, 1271.

COLETTE BOYLET (ste) : **475**.

COLOMBAN LE JEUNE (st) : **228**, 422.

COLOMBAN LE VIEUX (st) : **216**.

CONGAR, Yves-Marie : 1201, **1267**, 1271, 1275.

CONSTANCE Iᵉʳ CHLORE : 109, 117, 120, 122.

CONSTANTIN : 111, **117**, 119, 122, 124, 128, 131, 135, 261, 529.

CONSTANTIN V : 260, 267.

CORNEILLE, Pierre : 688.

CORTÉS, Hernán : 530, 575.

COUPERIN, François : 1087.

COURÇON, Robert de : 417.

COUTURIER, Paul : 1234, **1273**.

COUTURIER, Pierre : 1063.

CURÉ D'ARS : voir Jean Marie Vianney.

CYPRIEN DE CARTHAGE (st) : 67, **101**.

CYRILLE (st) : **295**.

CYRILLE D'ALEXANDRIE (st) : 183, 191.

DAMASE Iᵉʳ (pape, st) : 136, **153**, 160, 173, 604.

DANTE ALIGHIERI : 236, **453**, 1098, 1268.

DAY, Dorothy : **1112**.

DECURTINS, Gaspard : 953.

DELBRÊL, Madeleine : **1106**.

DENIS (st) : 199.

DENIS, Maurice : 1061.

DESVALLIÈRE, Georges : 1061.

DIOCLÉTIEN : **107**, 110, 120, 135.

DOMINIQUE (st) : 377, **413**.

DOMINIQUE SAVIO (st) : **890**.

DOSTOÏEVSKI, Fiodor Mikhaïlovitch : 818, **949**.

DOUARRE, Guillaume : **850**.

DREXEL, Katherine : **956**.

DUFF, Frank : 1064.

DUHEM, Pierre : **1037**.

DUPANLOUP, Félix : **927**.

EDMOND CAMPION (st) : **606**.

ÉLISABETH Iʳᵉ : 606, 614.

EMMERICH, Anne Catherine : 792.

ÉRASME : 174, 548.

ESCRIVÁ DE BALAGUER, Josemaria : **1058**, 1306.

ESTIENNE D'ORVES, Honoré d' : **1170**.

ÉTIENNE (st) : 47, 50.

ÉTIENNE Iᵉʳ DE HONGRIE (st) : 310, **316**.

EUCHER DE LYON (st) : 171.

EUGÈNE III (pape) : 386.

EUGÈNE IV (pape) : 497.

EUSÈBE DE CÉSARÉE : 89, **130**.

FAULHABER, Michael von : 1141, 1211.

FAVRE, Pierre : 543, 557.

FÉLICITÉ (ste) : 93.

FERDINAND Ier : 283, 345.

FOLLIET, Joseph : 1263.

FOUCAULD, Charles de : 960, 1074, 1157.

FRA ANGELICO : 493.

FRANÇOIS D'ASSISE (st) : 408, 476, 528, 900, 919, 997, 1176, 1264.

FRANÇOIS DE PAULE (st) : 919.

FRANÇOIS DE SALES (st) : 587, 624, 632, 643, 662, 753, 1071.

FRANÇOIS XAVIER (st) : 543, 556, 609, 655, 921, 1319.

FRANÇOISE-XAVIER CABRINI (ste) : 958, 1010.

FRASSATI, Pier Giorgio : 1096.

FROSSARD, André : 1125.


GAHERY, Marie : 1028.

GAJOWNICZEK, François : 1178.

GALEN, Mgr von : 1168, 1210.

GENEVIÈVE (ste) : 178, 198.

GERBERT D'AURILLAC, voir Sylvestre II.

GERMAIN D'AUXERRE (st) : 187, 198.

GHIKA, Vladimir : 1009, 1270.

GIBBONS, James : 985.

GIMENEZ MALLA, Zéphyrin : 1137.

GIRTANNER, Maïti : 1204.

GODEFROY DE BOUILLON : 357, 370.

GOETHE, Johann Wolfgang von : 1192.

GOGOL, Nicolas : 949.

GÖRRES, Johann Joseph von : 794.

GOURSAT, Pierre : 1109.

GRATIEN : 157, 449, 502.

GRÉGOIRE II (pape, st) : 249.

GRÉGOIRE III (pape, st) : 250.

GRÉGOIRE VII (pape, st) : 318, 346.

GRÉGOIRE IX (pape) : 416, 419, 444, 451.

GRÉGOIRE X (pape) : 426, 445.

GRÉGOIRE XI (pape) : 466, 468.

GRÉGOIRE XII (pape) : 481, 583.

GRÉGOIRE XIII (pape) : 596, 611, 652.

GRÉGOIRE XV (pape) : 650, 652, 655.

GRÉGOIRE XVI (pape) : 773, 836, 849.

GRÉGOIRE DE NAZIANCE (st) : 141, 173.

GRÉGOIRE DE NYSSE (st) : 141, 1268.

GRÉGOIRE DE TOURS (st) : 235, 1254.

GRÉGOIRE L'ILLUMINATEUR (st) : 110.

GRÉGOIRE LE GRAND (pape, st) : 225, 234, 270, 292, 367, 422, 450.

GROOTE, Gérard : 472, 522.

GUIGNÉ, Anne de : 1052.

GUTENBERG, Johannes Gensfleisch dit : 174, 511.


HARMEL, Léon : 996.

HAWTHORNE, Nathaniel : 974, 993.

HAWTHORNE, Rose : 992.

HAYDN, Joseph : 759, 774.

HECKER, Isaac Thomas : 973.

HÉLÈNE (ste) : 122.

HENRI II PLANTAGENÊT : 392, 547.

HENRI IV : 626.

HENRI VIII : 547, 606, 615.

HENRIETTE DE LA PROVIDENCE (ste) : 791.

HÉRACLIUS : 239, 399.

HERVIEU, Félicie : 970.

HILAIRE DE POITIERS (st) : 146.

HILDEGARDE DE BINGEN (ste) : 265, 386.

HINCMAR DE REIMS : 285, 289.

HONORAT (st) : 170, 502.

HUGUES CAPET : 321, 329, 454.

HUGUES DE SAINT-VICTOR : 374, 422.

HUTIN, Magdeleine : 1157.


IGNACE D'ANTIOCHE (st) : 71, 75.

IGNACE DE LOYOLA (st) : 543, 557, 585, 588, 608, 636, 655.

INNOCENT III (pape) : 406, 415, 420, 451, 460.

INNOCENT XI (pape) : 319, 729.

IRÉNÉE DE LYON (st) : 68, 86, 883.

ISIDORE DE SÉVILLE (st) : 231, 254, 345, 451.

ISIDORE LE LABOUREUR (st) : 655.


JACQUES (apôtre) : 51, 59, 282, 385.

JANSÉNIUS : 698.

JARICOT, Pauline : 822, 1263.

JAVOUHEY, Anne-Marie : **825**.

JEAN (apôtre) : 51, 58, 59, 67, 78, 86, 183.

JEAN III SOBIESKI : 594, **729**.

JEAN VIII (pape) : **299**, 497.

JEAN XXII (pape) : 457, 516.

JEAN XXIII (pape) : 1203, 1240, 1244, 1269, 1276, **1291**.

JEAN BAPTISTE (st) : 208.

JEAN BOSCO (st) : **866**, 890.

JEAN CHRYSOSTOME (st) : **149**.

JEAN DAMASCÈNE (st) : 268.

JEAN DE BRÉBEUF (st) : **694**.

JEAN DE DIEU (st) : 621.

JEAN DE LA CROIX (st) : 583, **598**, 636.

JEAN DE MATHA (st) : **405**.

JEAN DE MEULAN : **459**.

JEAN EUDES (st) : **691**, 1071.

JEAN MARIE VIANNEY (st) : **815**, 899, 982, 1006.

JEAN-BAPTISTE DE LA SALLE (st) : **725**.

JEAN-PAUL II (pape) : 596, 773, 1084, 1150, 1159, 1185, 1229, 1240, 1269, 1289, 1304.

JEANNE D'ARC (ste) : **488**.

JEANNE DE CHANTAL (ste) : 624.

JÉRÔME (st) : 97, 155, **172**, 181, 385, 450, 513.

JUGAN, Jeanne : 833, **844**.

JUSTIN : 67, **80**, 86, 104, 105, 211.

JUSTINIEN : 234, 502.

KETTELER, Wilhelm Emmanuel von : **934**, 1168.

KI-ZERBO, Alfred Diban : **990**.

KITAHARA, Satoko : **1295**.

KOLPING, Adolphe : **878**.

LACORDAIRE, Henri : 831, 982.

LACTANCE : **119**.

LAENNEC, René : **818**.

LAGRANGE, Albert : 980, 1202.

LAMOUROUS, Marie-Thérèse de : **780**.

LAMY, Jean-Édouard : **1006**.

LAS CASAS, Bartolomé de : 533, 573.

LATASTE (père) : 886.

LAVAL, François de Montmorency- : **711**.

LAVAL, Jacques : **911**.

LAVIGERIE, Charles Martial : 839.

LAYNEZ, Diego : 543, 636.

LE FORT, Gertrud von : **1218**.

LE SAGE, Hervé-Julien : 777.

LÉANDRE DE SÉVILLE (st) : 219, 231.

LEISNER, Karl : **1210**.

LEMAÎTRE, Georges : **1100**.

LEMIRE (abbé) : 972.

LÉON Iᵉʳ LE GRAND (pape, st) : 190, **195**, 202, 213.

LÉON III (pape, st) : 268.

LÉON IX (pape, st) : 339.

LÉON XIII (pape) : 596, 770, 824, 839, 937, 954, 957, 975, 982, 1011, 1274.

LIBERMANN, François : 858.

LISZT, Franz : 775, 918.

LOAISA, Jérôme de : 560, 574, 636.

LOTHAIRE II : 286, **288**, 292.

LOUIS II : 290, 292.

LOUIS VI : 354, 373.

LOUIS IX (st) : 424, 426.

LOUIS XIII : 653, 660, 671.

LOUIS XIV : 706, 708, 711, 730, 749, 765.

LOUIS LE GERMANIQUE : 286, 299.

LOUIS-MARIE GRIGNION DE MONFORT (st) : **744**, 1065.

LOUISE DE MARILLAC (ste) : 624, 667, **673**, 808.

LOUP DE TROYES (st) : 171, 198.

LUBAC, Henri de : 1265, **1267**.

LUBICH, Chiara : **1184**.

LUC : **58**, 67.

LUTHER, Martin : 513, 529, 548, 568, 625.

MABILLON, Jean : **739**.

MACHAULT, Guillaume de : **456**.

MANZONI, Alessandro : **804**.

MARC (st) : 51, 58, 67.

MARCELLIN (pape, st) : 109.

MARGUERITE-MARIE ALACOQUE (ste) : **732**, 1071.

MARIA GORETTI (ste) : **1257**.

MARIE DE L'INCARNATION : voir Barbe Acarie.

MARIE NOËL, Marie Rouget dite : **1207**.

MARITAIN, Jacques : 933, 1009, 1042, **1073**, 1114, 1271.

MARTIN DE TOURS (st) : **145**, 161, 205, 207.

MARTIN Iᵉʳ (pape, st) : **241**.

MARX, Karl : 870, 880.

MATISSE, Henri : **1234**.

MATTHIEU (st) : 67.

MAURRAS, Charles : 1171.

MAXENCE : 117, 120.

MAXIME LE CONFESSEUR (st) : **241**.

MAXIMILIEN KOLBE (st) : **1177**.

MÉLANIE (ste) : **175**.

MENDEL, Gregor : **914**, 1101.

MERTON, Thomas : 1115, **1245**.

MESSIAEN, Olivier : **1174**.

MÉTHODE (st) : 271, **295**.

MICHEL, Charles : **765**.

MICHEL-ANGE : 529, 631, 1146.

MINAYA, Bernardino de : 550.

MONIQUE (ste) : 166.

MONTAIGNE, Michel Eyquem de : 765.

MONTEVERDI, Claudio : **657**.

MOTOLINIA, frère : 530.

MOZART, Wolfgang Amadeus : 759, 776.

MUN, Albert de : 1045.

NAGAI, Takashi : **1214**.

NAPOLÉON I<sup>er</sup> BONAPARTE : 773, 804, 838.

NEWMAN, John Henry : **862**.

NICOLAS (st) : **347**.

NICOLAS I<sup>er</sup> LE GRAND (pape, st) : 289, **292**.

NICOLAS V : 504, 528.

NORBERT DE XANTEN (st) : **376**.

O'CONNELL, Daniel : **854**.

ODILON DE CLUNY (st) : 318, **320**, 337, 381.

OLAF (st) : **332**, 333.

OLIER, Jean-Jacques : 587, **684**, 692.

ORIGÈNE : **97**, 130, 173, 1268.

OROSIUS, Paulus : **181**.

OTTON I<sup>er</sup> : 307, 325, 328.

OTTON II : 307, 326, 328.

OTTON III : 310, 316, 321, 325, 329.

OZANAM, Frédéric : **829**, 941.

PACÔME (st) : **113**.

PALESTRINA, Giovanni Pierluigi da : 590, 759.

PASCAL, Blaise : 678, **697**.

PASTEUR, Louis : 763, **977**, 1033.

PATRICK (st) : **187**, 228, 854.

PAUL (apôtre) : 48, **49**, 58, 67, 71, 168, 569, 605.

PAUL III (pape) : 529, 557, 572, 589.

PAUL V (pape) : 529, 655, 841.

PAUL VI (pape) : 209, 583, 607, 990, 1105, 1116, 1179, 1240, 1311, 1318.

PÉGUY, Charles : **1040**, 1114, 1170, 1268.

PÉPIN DE HERSTAL : 245, 249.

PÉPIN LE BREF : 260.

PERBOYRE, Jean-Gabriel : **840**.

PERPÉTUE (ste) : **93**.

PETITJEAN (père) : **921**.

PHILIPPE AUGUSTE : 402, 417.

PHILIPPE II d'Espagne : 586, 593, 598, 636.

PHILIPPE IV d'Espagne : 671, 757.

PHILIPPE NÉRI (st) : 539, **588**, 620, 655, 658, 662.

PIE IV (pape) : 568, 584.

PIE V (pape) : 585, 593, 596, 606, 651.

PIE VII (pape) : 773, 798, 838.

PIE IX (pape) : 604, 838, 864, 882, 899, 918, 974, 986, 1254.

PIE X (pape) : **1019**, 1055, 1086, 1274.

PIE XI (pape) : 1078, 1081, 1092, 1132, 1140, 1144, 1151, 1189, 1274.

PIE XII (pape) : 1103, 1132, 1141, 1151, 1189, 1201, 1221, **1223**, 1238, 1244, 1250, 1255, 1257, 1265, 1267, 1273, 1291, 1315.

PIERRE (abbé) : voir Abbé Pierre.

PIERRE (apôtre) : **43**, 51, 58, 75, 128, 528, 605, 631, 1198.

PIERRE CANISIUS (st) : 626.

PIERRE CLAVER (st) : **647**, 838.

PIERRE LE VÉNÉRABLE : **390**.

PINIEN : 175.

PLANCHAT, Marie-Matthieu Henri : **940**.

PLAQUEVENT, Jean : **1160**.

PLATON : 81, 454.

PLINE L'ANCIEN : 72, 254.

POLYCARPE DE SMYRNE (st) : 77, 83, 86.

POTHIN (st) : 83, 86.

QUIROGA, Vasco de : **553**, 574.

RABBAN ÇAUMA : **446**.

RADEWIJNS, Florent : **472**.

RAIFFEISEN, Friedrich Wilhelm : **908**.

RANCÉ, Armand Jean Le Bouthillier de : **704**.

RATISBONNE, Alphonse : **847**.

RATISBONNE, Théodore : **847**.

RECCARÈDE : **219**, 232.

REMBRANDT, Harmenszoon Van Rijn : **719**.

REMI (st) : 205, 287.

RENAN, Ernest : 979, 982.

RICCI, Matteo : **608**, 771, 841.

RICHARD CŒUR DE LION : **402**.

RICHELIEU, Jean Armand du Plessis, cardinal de : 660, 664, 671, 689.

ROBERT BELLARMIN (st) : **625**.

RODHAIN, Jean : **1259**.

ROLIN, Nicolas : **507**.

ROMERO, Oscar : **1305**.

ROSE DE LIMA (ste) : 639, **640**.

ROUAULT, Georges : 1074, 1235.

ROUBLEV, Andrei : **484**.

ROUGET, Marie : voir Marie Noël.

ROUSSEAU, Jean-Jacques : 766, 1125.

RUBROUCK, Guillaume de : **432**.

RUFIN D'AQUILÉE : 139, 172, 275.

RUYSBROECK, Jean : 472.

SALADIN I^er^ : 401, 402.

SANGNIER, Marc : 1161, 1265.

SATIE, Erik : 1009, 1074.

SCHLEGEL, Friedrich : 794.

SCHOELCHER, Victor : 838.

SCHOLL, Hans : **1192**.

SCHOLL, Sophie : **1192**.

SCHUMAN, Robert : **1242**.

SCOT, Jean (dit l'Érigène) : 286.

SETON, Élisabeth : 802, **808**.

SEY, Grégoire : **858**.

SIMÉON LE STYLITE : **178**, 200.

SIMON (apôtre) : 111.

SIXTE IV (pape) : 506, 516, 883.

SIXTE QUINT (pape) : 174, 620, 637.

SPALLANZANI, Lazzaro : **762**.

STANKE, Alfred : **1197**.

STEIN, Édith : 1141, **1180**.

SUGER (abbé) : 428.

SURIN, Jean-Joseph : **701**.

SYLVESTRE I^er^ (pape, st) : 261.

SYLVESTRE II (pape) : 307, 310, 316, 321, **328**.

TARCISIUS (st) : **105**, 604.

TERESA (mère) : 1116, **1226**.

TERTULLIEN : **90**, 103.

THÉODOSE I^er^ LE GRAND : 118, 158, **159**.

THÉODOSE II : 183, 190, 451.

THÉOPHANE VÉNARD (st) : **904**.

THÉRÈSE D'AVILA (ste) : **580**, 598, 632, 636, 655, 661, 732, 753, 790, 948, 1107, 1182.

THÉRÈSE DE LISIEUX (ste) : 559, 907, **1002**, 1072, 1115, 1148.

THOMAS A KEMPIS : 474, **521**.

THOMAS BECKET (st) : **392**.

THOMAS D'AQUIN (st) : 253, 430, **436**, 440, 445, 452, 454, 478, 493, 513, 948, 1252, 1254.

THOMAS MORE (st) : **547**, 554, 616.

TORIBIO DE BENAVENTE, voir Motolinia.

TOURNEMIRE, Charles : **1085**.

TOUSSAINT, Pierre : **800**, 810.

TURIBE (st) : **636**, 640.

UNDSET, Sigrid : **1088**.

URBAIN II (pape) : 345, 356.

URBAIN IV (pape) : 438, 443.

URBAIN VI (pape) : 466, 468, 480.

URS VON BALTHASAR, Hans : 1267.

VALENTINIEN III : 195, 213.

VÉRAN DE VENCE (st) : 171.

VERDIER (cardinal) : 1149, 1264.

VERLAINE, Paul : 770, **946**.

VEUILLOT, Louis : 833, 933.

VEUSTER, Damien de : 818, **943**.

VINCENT DE PAUL (st) : 587, 624, **664**, 675, 808, 1008, 1114, 1166.

VINCENT FERRIER (st) : 470, **477**.

VIRGILE : 119, 156, 172, 454.

VOLTAIRE, François-Marie Arouet dit : 759, 1125.

WILLIBRORD (st) : **245**, 249.

WISEMAN, Nicholas : 863.

WOJTYLA, Karol : voir Jean-Paul II.

WRESINSKI, Joseph : **1287**.

WYSZYNSKI, Stefan : **1238**.

YVES (st) : **440**.

YVES DE CHARTRES (st) : 451.

ZIRNHELD, Jules : **1154**.

ZOLA, Émile : 818, 933.

ZOLLI, Israël : 1222, **1223**.

# INDEX THÉMATIQUE

CONVERSION

Paul, 49
La bataille du pont Milvius, 117
La conversion du roi Ezanas, 138
Martin de Tours, 145
Augustin d'Hippone, 166
Le baptême de Clovis, 204
Le martyre de Sigismond, 210
L'abjuration de Reccarède, 219
Charles Borromée, 584
Camille de Lellis, 618
Vincent de Paul, 664
Blaise Pascal, 697
L'abbé de Rancé, 704
Clemens Brentano, 792
La conversion d'Alessandro Manzoni, 804
Théodore et Alphonse Ratisbonne, 847
John-Henry Newman, 862
Léon Bloy, 930
La conversion de Verlaine, 946
Charles de Foucauld, 960
Paul Claudel, 963
Charles Péguy, 1040
Cocteau et Maritain, 1073
Sigrid Undset, 1088
La conversion de Pierre Goursat, 1109
Dorothy Day, 1112
La conversion d'André Frossard, 1125
Édith Stein, 1180
Maïti Girtanner, 1204

Pie XII et Israël Zolli, 1223
Maria Goretti, 1257


DÉVELOPPEMENT DE LA CULTURE, DES ARTS
ET DE LA SCIENCE

La basilique Saint-Pierre de Rome, 128
Eusèbe de Césarée, 130
Augustin d'Hippone, 166
Le vivarium, 213
Bède le Vénérable, 252
Les moines médecins, 264
Alcuin, 272
La minuscule caroline, 279
Cyrille et Méthode, 295
Odilon de Cluny, 320
Adélaïde, 324
Sylvestre II, 328
La libération de Tolède, 344
Les granges de Cîteaux, 360
Le chant grégorien, 366
L'ordre de Saint-Jean-de-Jérusalem, 370
L'abbaye de Saint-Victor, 373
Les moines d'Occident, 379
Conques, 382
Hildegarde de Bingen, 386
Pierre le Vénérable, 390
La licentia docendi, 397
L'université de Paris, 417
Chartres, 428
Guillaume de Rubrouck, 432

Thomas d'Aquin, 436
Le décret de Gratien, 449
La Divine Comédie de Dante, 453
Guillaume de Machault, 456
La Trinité d'Andrei Roublev, 484
Fra Angelico, 493
De l'élection des abbés, 500
La bibliothèque vaticane, 504
Nicolas Rolin, 507
L'essor de l'imprimerie, 511
La basilique Saint-Pierre, 528
La découverte des catacombes, 603
Matteo Ricci, 608
Le calendrier grégorien, 611
Le baroque, 629
Claudio Monteverdi, 657
Les Mays de Notre-Dame, 668
Polyeucte, 688
Blaise Pascal, 697
Rembrandt, 719
Inès de la Cruz, 735
Dom Mabillon, 739
Le siècle d'or de l'orgue, 748
Jean-Sébastien Bach, 759
Lazzaro Spallanzani, 762
Joseph Haydn, 774
Clemens Brentano, 792
Le Génie du christianisme, 796
La conversion d'Alessandro Manzoni, 804
Laennec, 818
Gregor Mendel, 914
Franz Liszt, 918
Baudelaire, 924
Léon Bloy, 930
La conversion de Verlaine, 946
Dostoïevski, 949
Paul Claudel, 963
Louis Pasteur, 977
Édouard Branly, 1032
Pierre Duhem, 1037
Charles Péguy, 1040
Les Ateliers d'art sacré, 1061

Le Sacré-Cœur de Montmartre, 1069
Cocteau et Maritain, 1073
Charles Tournemire, 1085
Sigrid Undset, 1088
Le chanoine Georges Lemaître, 1100
Georges Bernanos, 1128
Académie pontificale des sciences, 1132
Olivier Messiaen, 1174
Les fouilles de Saint-Pierre de Rome, 1188
Marie Noël, 1207
Takashi Nagai, 1214
Gertrud von Le Fort, 1218
Henri Matisse et la chapelle de Vence, 1234

DROIT ET DIGNITÉ DE L'HOMME

Le premier concile de Nicée, 124
Basile de Césarée, 141
Jean VIII et le commerce des esclaves, 299
Pétronille de Chemillé, 349
Jean de Matha, 405
De l'élection des abbés, 500
Les monts-de-piété, 518
Thomas More, 547
Sublimis Deus, 550
Jérôme de Loaisa, 560
La controverse de Valladolid, 572
Pierre Claver, 647
Jean Eudes, 691
Jean-Joseph Surin, 701
Inès de la Cruz, 735
Dom Mabillon, 739
Les missions jésuites du Paraguay, 755
L'abbé de l'Épée, 765
Le pardon de Bonchamps, 783
Anne-Marie Javouhey, 825
Grégoire XVI, 836
L'ouverture de la mission africaine, 858
De Cadillac à Béthanie, 886
Raiffeisen, 908
Monseigneur Ketteler, 934

L'union de Fribourg, 953
Félicie Hervieu, 970
Rerum novarum, 984
Rose Hawthorne, 992
Léonie Chaptal, 1014
Les Arméniens, 1048
La Légion de Marie, 1064
Dorothy Day, 1112
Mit brennender Sorge, 1140
Divini Redemptoris, 1144
Jean Plaquevent, 1160
Aktion T4, 1165
Mère Teresa, 1226
L'hiver 54, 1277
Le père Joseph Wresinski, 1287
Satoko Kitahara, 1295
Monseigneur Romero, 1305
Pacem in terris, 1314

ÉDUCATION, ENSEIGNEMENT ET CATÉCHISME

Justin de Rome, 80
Tertullien, 90
Lactance, 119
Saint Patrick en Irlande, 187
Isidore de Séville, 231
Bède le Vénérable, 252
Alcuin, 272
Le concile de Francfort, 275
L'abbaye de Saint-Victor, 373
La licentia docendi, 397
L'université de Paris, 417
Thomas d'Aquin, 436
Le décret de Gratien, 449
Florent Radewijns, 472
La bibliothèque vaticane, 504
L'essor de l'imprimerie, 511
L'Imitation de Jésus-Christ, 521
Les douze apôtres du Mexique, 530
Ignace de Loyola, 543
Le concile de Trente, 568

Philippe Néri, 588
Robert Bellarmin, 625
Turibe de Mogrovejo, 636
François de Sales, 643
Pierre Claver, 647
Pierre de Bérulle, 660
Monsieur Olier, 684
François de Laval, 711
Jean-Baptiste de la Salle, 725
Alphonse de Liguori, 752
Les missions jésuites du Paraguay, 755
L'abbé de l'Épée, 765
Élisabeth Seton, 808
Anne-Marie Javouhey, 825
Monseigneur Douarre, 850
Don Bosco, 866
Adolphe Kolping, 878
Jacques Laval, 911
Monseigneur Dupanloup, 927
Katharine Drexel, 956
L'américanisme, 973
L'École biblique de Jérusalem, 980
Louis Boisard, 987
Alfred-Simon Diban Ki-Zerbo, 990
Mère Cabrini, 1010
Léonie Chaptal, 1014
Mademoiselle Gahery, 1028
Le père Escrivá de Balaguer, 1058
La jeunesse ouvrière chrétienne, 1077
Dorothy Day, 1112
Les Orphelins apprentis d'Auteuil, 1147
Jean Plaquevent, 1160

ÉGLISE, CONCILE, DOGME, ENCYCLIQUE
ET MAGISTÈRE

Mort, où est ta victoire ?, 40
Le testament de Simon-Pierre, 43
Paul, 49
Les quatre évangiles, 66
Clément de Rome, 71

Ignace d'Antioche, 75
Polycarpe, 77
Irénée de Lyon, 86
Cyprien de Carthage, 101
La persécution de Dioclétien, 107
La bataille du pont Milvius, 117
Le premier concile de Nicée, 124
Eusèbe de Césarée, 130
Damase, 153
Théodose, 159
Le concile d'Éphèse, 183
Le concile de Chalcédoine, 190
Auctoritas et Potestas, 201
Grégoire le Grand, 234
Le sacre de Pépin le Bref, 260
Le deuxième concile de Nicée, 267
Le concile de Francfort, 275
Nicolas Iᵉʳ, 292
Sylvestre II, 328
La Trêve de Dieu, 335
Les Maronites, 399
Le quatrième concile du Latran, 420
Le conclave de Viterbe, 444
Rabban Çauma, 446
Catherine de Sienne, 464
Le grand schisme d'Occident, 468
Le concile de Constance, 480
Le concile de Florence, 497
De l'élection des abbés, 500
Le concile de Trente, 568
La découverte des catacombes, 603
La Congregatio de Propaganda Fide, 650
François de Laval, 711
Un choix déchirant, 777
John Caroll, 811
John-Henry Newman, 862
Le dogme de l'Immaculée Conception, 882
Bernadette Soubirous, 894
L'union de Fribourg, 953
L'américanisme, 973
Rerum novarum, 984
Pie X et la communion fréquente, 1019

Les accords du Latran, 1092
Non abbiamo bisogno, 1104
L'Académie pontificale des sciences, 1132
Mit brennender Sorge, 1140
Divini Redemptoris, 1144
Les premiers évêques chinois et africains, 1151
Les fouilles de Saint-Pierre de Rome, 1188
Divino Afflente Spiritu, 1201
Le dogme de l'Assomption, 1254
La semaine pour l'unité des chrétiens, 1273
Jean XXIII, 1291
Vatican II, 1309
Pacem in terris, 1314
Le troisième millénaire, 1318

ÉVANGÉLISATION ET MISSION

L'inauguration du Royaume, 28
Mort, où est ta victoire ?, 40
Le testament de Simon-Pierre, 43
Étienne, 47
Paul, 49
L'enquête de Luc, 58
Les quatre évangiles, 66
Clément de Rome, 71
Polycarpe, 77
Grégoire l'Illuminateur, 110
La conversion du roi Ezanas, 138
Martin de Tours, 145
Paulus Orosius, 181
Saint Patrick en Irlande, 187
Le baptême de Clovis, 204
Le martyre de Sigismond, 210
Colomban le Vieux, 216
L'abjuration de Reccarède, 219
Augustin de Cantorbéry, 225
Colomban le Jeune, 228
Grégoire le Grand, 234
Willibrord, 245
Boniface, 248
L'évangélisation de la Pologne, 305

Adalbert de Prague, 308
Le baptême de la Russie, 312
Étienne de Hongrie, 316
Olaf de Norvège, 332
Dominique, 413
Guillaume de Rubrouck, 432
Rabban Çauma, 446
Vincent Ferrier, 477
De la découverte de l'Amérique, 524
Les douze apôtres du Mexique, 530
Ignace de Loyola, 543
Sublimis Deus, 550
Vasco de Quiroga, 553
François Xavier, 556
Edmond Campion, 606
Matteo Ricci, 608
François de Sales, 643
La Congregatio de Propaganda Fide, 650
Jean Eudes, 691
Jean de Brébeuf, 694
François de Laval, 711
Les martyrs du Vietnam, 715
Kateri Tekakwitha, 722
Les missions jésuites du Paraguay, 755
L'Église coréenne, 771
Pauline Jaricot, 822
Anne-Marie Javouhey, 825
Jean-Gabriel Perboyre, 840
Monseigneur Douarre, 850
L'ouverture de la mission africaine, 858
Théophane Vénard, 904
Jacques Laval, 911
Le père Petitjean à Nagasaki, 921
Katharine Drexel, 956
Alfred-Simon Diban Ki-Zerbo, 990
Thérèse de Lisieux, 1002
Mère Cabrini, 1010
Les premiers évêques chinois et africains, 1151
Vatican II, 1309
Le troisième millénaire, 1318

ÉVANGILE, BIBLE ET ÉCRITURE

Marie et Joseph, 24
L'inauguration du Royaume, 28
Le Fils de Dieu se révèle, 34
Le dernier mot de Dieu, 38
Mort, où est ta victoire ?, 40
Le testament de Simon-Pierre, 43
Étienne, 47
Paul, 49
L'enquête de Luc, 58
Les quatre évangiles, 66
Origène, 97
Eusèbe de Césarée, 130
Jérôme, 172
Bède le Vénérable, 252
Thomas d'Aquin, 436
L'essor de l'imprimerie, 511
L'École biblique de Jérusalem, 980
Divino Afflente Spiritu, 1201

FONDATION ET DÉVELOPPEMENT
DE LA VIE RELIGIEUSE

Antoine et Pacôme, 113
Basile de Césarée, 141
Augustin d'Hippone, 166
Honorat, 170
Benoît de Nursie, 207
Le vivarium, 213
Colomban le Vieux, 216
Augustin de Cantorbéry, 225
Colomban le Jeune, 228
Willibrord, 245
Boniface, 248
Les moines médecins, 264
La minuscule caroline, 279
La fondation de Cluny, 302
Odilon de Cluny, 320
Bruno de Cologne, 341
Pétronille de Chemillé, 349

Bernard de Clairvaux, 352
Les granges de Citeaux, 360
Le chant grégorien, 366
L'ordre de Saint-Jean-de-Jérusalem, 370
Norbert de Xanten, 376
Les moines d'Occident, 379
Jean de Matha, 405
François d'Assise, 408
Dominique, 413
Florent Radewijns, 472
Ignace de Loyola, 543
Thérèse d'Avila, 580
Philippe Néri, 588
Jean de la Croix, 598
Camille de Lellis, 618
Madame Acarie, 632
Pierre de Bérulle, 660
Vincent de Paul, 664
Louise de Marillac, 673
Monsieur Olier, 684
Jean Eudes, 691
L'abbé de Rancé, 704
Jean-Baptiste de la Salle, 725
Louis-Marie Grignion de Montfort, 744
Alphonse de Liguori, 752
Élisabeth Seton, 808
Anne-Marie Javouhey, 825
Jeanne Jugan, 844
Théodore et Alphonse Ratisbonne, 847
John-Henry Newman, 862
Don Bosco, 866
De Cadillac à Béthanie, 886
Antoine Chevrier et le Prado, 897
Katharine Drexel, 956
Charles de Foucauld, 960
L'américanisme, 973
Le père Lamy, 1006
Mère Cabrini, 1010
Le père Escrivá de Balaguer, 1058
La Légion de Marie, 1064
La conversion de Pierre Goursat, 1109
Magdeleine Hutin, 1157

Mère Teresa, 1226
Thomas Merton, 1245

MARTYRS

Le testament de Simon-Pierre, 43
Étienne, 47
Paul, 49
Clément de Rome, 71
Ignace d'Antioche, 75
Polycarpe, 77
Justin de Rome, 80
Blandine, 83
Perpétue et Félicité, 93
Origène, 97
Cyprien de Carthage, 101
Tarcisius, 105
La persécution de Dioclétien, 107
Antoine et Pacôme, 113
Jean Chrysostome, 149
Le martyre de Sigismond, 210
La fête de la Croix glorieuse, 238
Martin Ier, Maxime le Confesseur, 241
Boniface, 248
Adalbert de Prague, 308
Thomas Becket, 392
Le procès de Jeanne d'Arc, 488
Thomas More, 547
Edmond Campion, 606
Margaret Clitherow, 614
Polyeucte, 688
Jean de Brébeuf, 694
Les martyrs du Vietnam, 715
L'Église coréenne, 771
Les carmélites de Compiègne, 790
Jean-Gabriel Perboyre, 840
Théophane Vénard, 904
Le père Petitjean à Nagasaki, 921
Henri Planchat, 940
Les martyrs d'Ouganda, 966
Les Arméniens, 1048

Les cristeros, 1080
Zéphyrin Gimenez Malla, 1137
Maximilien Kolbe, 1177
Édith Stein, 1180
La Rose blanche de Munich, 1192
Le martyre des évêques roumains, 1250
Maria Goretti, 1257
Monseigneur Ghika, 1270
John Bradburne, 1299
Monseigneur Romero, 1305

ŒUVRES DE PAIX, DE JUSTICE OU DE CHARITÉ

L'inauguration du Royaume, 28
Clément de Rome, 71
Basile de Césarée, 141
Mélanie et Pinien, 175
Geneviève, 198
Masona de Merida, 222
Les moines médecins, 264
Étienne de Hongrie, 316
Odilon de Cluny, 320
Adélaïde, 324
La Trêve de Dieu, 335
L'ordre de Saint-Jean-de-Jérusalem, 370
François d'Assise, 408
Louis IX, 424
Yves de Tréguier, 440
Jean de Meulan, 459
Nicolas Rolin, 507
Les monts-de-piété, 518
Les Quarante Heures, 538
Thomas More, 547
Vasco de Quiroga, 553
Charles Borromée, 584
Philippe Néri, 588
Camille de Lellis, 618
Vincent de Paul, 664
Louise de Marillac, 673
Louis-Marie Grignion de Montfort, 744
Alphonse de Liguori, 752

Élisabeth Seton, 808
Frédéric Ozanam, 829
Jeanne Jugan, 844
Buchez et L'Atelier, 870
Antoine Chevrier et le Prado, 897
Raiffeisen, 908
Monseigneur Ketteler, 934
Damien de Veuster, 943
Félicie Hervieu, 970
Léon Harmel, 996
Le père Lamy, 1006
Léonie Chaptal, 1014
Benoît XV et la guerre, 1054
Pier Giorgio Frassati, 1096
Jules Zirnheld, 1154
Maximilien Kolbe, 1177
Chiara Lubich et les Focolari, 1184
Alfred Stanke, 1197
Takashi Nagai, 1214
Mère Teresa, 1226
Jean Rodhain, 1259
Joseph Folliet, 1263
La semaine pour l'unité des chrétiens, 1273
L'hiver 54, 1277
Le père Joseph Wresinski, 1287
Satoko Kitahara, 1295
Pacem in terris, 1314

PÈLERINAGES, APPARITIONS MARIALES
ET MIRACLES

Hélène en Terre sainte, 122
La basilique Saint-Pierre de Rome, 128
Le martyre de Sigismond, 210
Saint Jacques, 282
Saint Nicolas, 347
La libération de Jérusalem, 356
L'ordre de Saint-Jean-de-Jérusalem, 370
Conques, 382
Richard Cœur de Lion et Saladin, 402
Louis IX, 424

Chartres, 428
Notre-Dame-de-Guadalupe, 540
Isidore, 655
Notre-Dame-del-Pilar, 678
Jean-Joseph Surin, 701
Marguerite-Marie Alacoque, 732
Théodore et Alphonse Ratisbonne, 847
Le dogme de l'Immaculée Conception, 882
Bernadette Soubirous, 894
Les apparitions de Pontmain, 938
Charles Péguy, 1040
Le Sacré-Cœur de Montmartre, 1069
Les fouilles de Saint-Pierre de Rome, 1188

POUVOIR TEMPOREL ET POUVOIR SPIRITUEL

La persécution de Dioclétien, 107
La bataille du pont Milvius, 117
Lactance, 119
La basilique Saint-Pierre de Rome, 128
Eusèbe de Césarée, 130
Ambroise, 156
Théodose, 159
Le concile de Chalcédoine, 190
Léon le Grand, 195
Auctoritas et Potestas, 201
Le baptême de Clovis, 204
Le sacre de Pépin le Bref, 260
Alcuin, 272
Le concile de Francfort, 275
Hincmar, 285
Le divorce de Lothaire II, 288
Nicolas Iᵉʳ, 292
Jean VIII et le commerce des esclaves, 299
La fondation de Cluny, 302
Adélaïde, 324
La Trêve de Dieu, 335
La libération de Tolède, 344
Bernard de Clairvaux, 352
La libération de Jérusalem, 356
Thomas Becket, 392

Richard Cœur de Lion et Saladin, 402
Louis IX, 424
Le conclave de Viterbe, 444
Le concile de Constance, 480
Le procès de Jeanne d'Arc, 488
De la découverte de l'Amérique, 524
Les douze apôtres du Mexique, 530
Thomas More, 547
Sublimis Deus, 550
Vasco de Quiroga, 553
Jérôme de Loaisa, 560
La controverse de Valladolid, 572
La bataille de Lépante, 592
Margaret Clitherow, 614
Le siège de Paris, 622
Turibe de Mogrovejo, 636
Pierre de Bérulle, 660
Le vœu de Louis XIII, 671
Bossuet, 708
Jean Sobieski, 729
Les missions jésuites du Paraguay, 755
Un choix déchirant, 777
Mademoiselle de Lamourous, 780
Les carmélites de Compiègne, 790
John Caroll, 811
Grégoire XVI, 836
Daniel O'Connell, 854
Monseigneur Affre, 874
Henri Planchat, 940
La séparation de l'Église et de l'État, 1023
Les curés sac au dos, 1043
Les Arméniens, 1048
Benoît XV et la guerre, 1054
Les cristeros, 1080
Les accords du Latran, 1092
Non abbiamo bisogno, 1104
Zéphyrin Gimenez Malla, 1137
Mit brennender Sorge, 1140
Divini Redemptoris, 1144
Aktion T4, 1165
La Rose blanche de Munich, 1192
Le cardinal Wyszynski, 1238

Robert Schuman, 1242
Le martyre des évêques roumains, 1250
Monseigneur Ghika, 1270
L'hiver 54, 1277
Monseigneur Romero, 1305

SACREMENT ET LITURGIE

Le dernier mot de Dieu, 38
Mort, où est ta victoire ?, 40
Le testament de Simon-Pierre, 43
Tarcisius, 105
Damase, 153
Colomban le Jeune, 228
La fête de la Croix glorieuse, 238
Le deuxième concile de Nicée, 267
Hincmar, 285
Le divorce de Lothaire II, 288
Nicolas Ier, 292
Odilon de Cluny, 320
La condamnation de Béranger de Tours, 338
Le quatrième concile du Latran, 420
Thomas d'Aquin, 436
La Fête-Dieu, 442
Guillaume de Machault, 456
L'Angélus, 515
Pierre Claver, 647
Jean-Joseph Surin, 701
Le siècle d'or de l'orgue, 748
Joseph Haydn, 774
Les carmélites de Compiègne, 790
Le curé d'Ars, 815
Pie X et la communion fréquente, 1019
Anne de Guigné, 1052
Les Ateliers d'art sacré, 1061
Charles Tournemire, 1085
Les premiers évêques chinois et africains, 1151
Olivier Messiaen, 1174
Karl Leisner, 1210
Henri Matisse et la chapelle de Vence, 1234
Jacques de Bourbon Busset, 1283

Vatican II, 1309

SPIRITUALITÉ ET MYSTIQUE

Origène, 97
Antoine et Pacôme, 113
Siméon le stylite, 178
Benoît de Nursie, 207
La fête de la Croix glorieuse, 238
Étienne de Hongrie, 316
Bruno de Cologne, 341
Bernard de Clairvaux, 352
Le chant grégorien, 366
Hildegarde de Bingen, 386
François d'Assise, 408
Catherine de Sienne, 464
Florent Radewijns, 472
Colette Boylet, 475
La Trinité d'Andrei Roublev, 484
Le procès de Jeanne d'Arc, 488
Fra Angelico, 493
L'Angélus, 515
L'Imitation de Jésus-Christ, 521
Les Quarante Heures, 538
Thérèse d'Avila, 580
Philippe Néri, 588
Le rosaire, 595
Jean de la Croix, 598
Le baroque, 629
Madame Acarie, 632
Rose de Lima, 640
François de Sales, 643
Isidore, 655
Pierre de Bérulle, 660
Le vœu de Louis XIII, 671
Jean Eudes, 691
Blaise Pascal, 697
Jean-Joseph Surin, 701
Rembrandt, 719
Kateri Tekakwitha, 722
Marguerite-Marie Alacoque, 732

Inès de la Cruz, 735
Louis-Marie Grignion de Montfort, 744
Alphonse de Liguori, 752
Jean-Sébastien Bach, 759
Benoît-Joseph Labre, 768
Clemens Brentano, 792
Pierre Toussaint, 800
Le curé d'Ars, 815
Monsieur Dupont, 832
Le dogme de l'Immaculée Conception, 882
Dominique Savio, 890
Dostoïevski, 949
Charles de Foucauld, 960
Thérèse de Lisieux, 1002
Le père Lamy, 1006
Anne de Guigné, 1052
Le père Escrivá de Balaguer, 1058
Le Sacré-Cœur de Montmartre, 1069
La jeunesse ouvrière chrétienne, 1077
Madeleine Delbrêl, 1106
La conversion de Pierre Goursat, 1109
Georges Bernanos, 1128
Magdeleine Hutin, 1157
Honoré d'Estienne d'Orves, 1170
Olivier Messiaen, 1174
Édith Stein, 1180
Maïti Girtanner, 1204
Marie Noël, 1207
Karl Leisner, 1210
Gertrud von Le Fort, 1218
Mère Teresa, 1226
Thomas Merton, 1245
Frère Solanus Casey, 1279
Jacques de Bourbon Busset, 1283
John Bradburne, 1299
Jeanne Beretta Molla, 1302

THÉOLOGIENS, PHILOSOPHE ET PRÉDICATEURS

Clément de Rome, 71

Ignace d'Antioche, 75
Justin de Rome, 80
Irénée de Lyon, 86
Origène, 97
Cyprien de Carthage, 101
Lactance, 119
Le premier concile de Nicée, 124
Eusèbe de Césarée, 130
Athanase d'Alexandrie, 134
Basile de Césarée, 141
Jean Chrysostome, 149
Ambroise, 156
Augustin d'Hippone, 166
Jérôme, 172
Paulus Orosius, 181
Le vivarium, 213
Isidore de Séville, 231
Martin I$^{er}$, Maxime le Confesseur, 241
Bède le Vénérable, 252
L'abbaye de Saint-Victor, 373
Dominique, 413
L'université de Paris, 417
Thomas d'Aquin, 436
Catherine de Sienne, 464
Thérèse d'Avila, 580
Charles Borromée, 584
Jean de la Croix, 598
Pierre de Bérulle, 660
Monsieur Olier, 684
Blaise Pascal, 697
Jean-Joseph Surin, 701
Bossuet, 708
John-Henry Newman, 862
Thérèse de Lisieux, 1002
Pierre Duhem, 1037
Maurice Blondel, 1120
Édith Stein, 1180
Divino Afflente Spiritu, 1201
Lubac, Balthasar, Congar, 1267
Le troisième millénaire, 1318

# Index des principaux décrets, bulles et encycliques

*Acerba animi*, encyclique de Pie XI (1932), 1083

*Ad Beatissimi*, encyclique de Benoît XV (1914), **1054**

*Æterni Patris*, encyclique de Léon XIII (1879), 1123

*Apostolicæ curæ*, lettre de Léon XIII (1896), 1274

*Consueverunt Romani Pontifices*, bulle de Pie V (1536), 596

*Divini Redemptoris*, encyclique de Pie XI (1937), 1055, 1141, **1144**

*Divino Afflante Spiritu*, encyclique de Pie XII (1943), **1201**, 1267

*Ex hac apostolicæ*, lettre de Pie VI (1789), 812

*Ex illa die*, constitution de Clément XI (1715), 842

*Ex quo singulari*, bulle de Benoît XIV (1742), 842

*Gaudium et spes*, constitution de Vatican II (1965), 1135, 1311

*Humani generis*, encyclique de Pie XII (1950), 1134, 1203, 1267

*In plurimis*, encyclique de Léon XIII (1888), 836

*In supremo apostolatus fastigio*, constitution de Grégoire XVI (1839), 838

*In supremo*, bulle de Clément VII (1603), 633

*Ineffabilis Deus*, bulle de Pie IX (1854), 883

*Inscrutabili*, encyclique de Grégoire XV (1878), 652

*Inter gravissimas*, bulle de Grégoire XIII (1582), **611**

*Lætentur Cæli*, bulle d'Eugène IV (1439), **497**

*Lumen Gentium*, constitution du concile Vatican II (1964), 1276, **1309**

*Maximum Illud*, lettre de Benoît XV (1919), 1151

*Miræ caritatis*, allocution de Pie X (1902), 1020

*Mit brennender Sorge*, encyclique de Pie XI (1937), 1095, **1140**, 1144

*Munificentissimus Deus*, constitution de Pie XII, 1255

*Non abbiamo bisogno*, encyclique de Pie XI (1931), 1095, 1104

*Nostra Ætate*, déclaration de Vatican II (1965), 849

*Operante divini dispositionis*, bulle d'Innocent III (1198), 407

*Pacem in Terris*, encyclique de Jean XXIII (1963), 1116, **1314**

*Parens scientiarum*, bulle de Grégoire IX (1231), 419

*Pastorale officium*, lettre de Paul III (1537), 551

*Providentissimus Deus*, encyclique de Léon XIII (1883), 982

*Rerum Ecclesiæ*, encyclique de Pie XI (1926), 1151

*Rerum novarum*, encyclique de Léon XIII (1891), 937, 954, **984**, 997, 1155, 1264

*Sacro Sanctum concilium*, constitution de Vatican II (1963), 1309

*Sublimis Deus*, bulle de Paul III (1537), **550**, 572

*Summi pontificatus*, encyclique de Pie XI (1939), 1151

*Testem benevolentiæ*, lettre de Léon XIII (1899), 976

*Transiturus*, encyclique de Urbain IV (1264), 443

*Ubi periculum*, constitution de Grégoire X (1274), 445

*Unitatis Redintegratio*, décret du concile Vatican II (1964), 1276

*Unum est*, lettre de Jean VIII (873), **300**

*Vehementer nos*, encyclique de Pie IX (1906), 1026

*Veritas ipsa*, lettre de Paul III (1537), 551

# Table des Matières

Un Magnificat pour l'Église
  *Cardinal Roger Etchegaray* . . . . . 11
Célébrer les Merveilles de Dieu
  *Monseigneur Joseph Doré* . . . . . . 15

DÉCEMBRE
Marie et Joseph . . . . . . . . . . . 24
L'inauguration du Royaume
  des cieux sur terre . . . . . . . . 28
Le Fils de Dieu se révèle et meurt
  sur une croix . . . . . . . . . . . 34
Le dernier mot de Dieu . . . . . . . 38
Mort, où est ta victoire ? . . . . . . . 40
Le testament de Simon-Pierre . . . 43
Étienne . . . . . . . . . . . . . . . . 47
Paul . . . . . . . . . . . . . . . . . . 49

JANVIER
*Apôtres et martyrs* . . . . . . . . . . 57
L'enquête de Luc . . . . . . . . . . . 58
Les quatre évangiles . . . . . . . . . 66
Clément de Rome . . . . . . . . . . 71
Ignace d'Antioche . . . . . . . . . . 75
Polycarpe . . . . . . . . . . . . . . . 77
Justin de Rome . . . . . . . . . . . . 80
Blandine . . . . . . . . . . . . . . . . 83
Irénée de Lyon . . . . . . . . . . . . 86
Tertullien . . . . . . . . . . . . . . . 90
Perpétue et Félicité . . . . . . . . . . 93

Origène . . . . . . . . . . . . . . . . 97
Cyprien de Carthage . . . . . . . . . 101
Tarcisius . . . . . . . . . . . . . . . . 105
La persécution de Dioclétien . . . . 107
Grégoire l'Illuminateur . . . . . . . . 110
Antoine et Pacôme . . . . . . . . . . 113
La bataille du pont Milvius . . . . . 117
Lactance . . . . . . . . . . . . . . . . 119
Hélène en Terre sainte . . . . . . . . 122
Le premier concile de Nicée . . . . 124
La basilique Saint-Pierre de Rome . 128
Eusèbe de Césarée . . . . . . . . . . 130
Athanase d'Alexandrie . . . . . . . . 134
La conversion du roi Ezanas . . . . 138
Basile de Césarée . . . . . . . . . . . 141
Martin de Tours . . . . . . . . . . . 145
Jean Chrysostome . . . . . . . . . . 149
Damase . . . . . . . . . . . . . . . . 153
Ambroise . . . . . . . . . . . . . . . 156
Théodose . . . . . . . . . . . . . . . 159

FÉVRIER
*Barbares et évangélisateurs* . . . . . . 165
Augustin d'Hippone . . . . . . . . . 166
Honorat . . . . . . . . . . . . . . . . 170
Jérôme . . . . . . . . . . . . . . . . . 172
Mélanie et Pinien . . . . . . . . . . . 175
Siméon le stylite . . . . . . . . . . . 178
Paulus Orosius . . . . . . . . . . . . 181

Le concile d'Éphèse . . . . . . . . . . 183
Saint Patrick en Irlande . . . . . . . 187
Le concile de Chalcédoine . . . . . 190
Léon le Grand . . . . . . . . . . . . . 195
Geneviève . . . . . . . . . . . . . . . . 198
Auctoritas et Potestas . . . . . . . . . 201
Le baptême de Clovis . . . . . . . . 204
Benoît de Nursie . . . . . . . . . . . 207
Le martyre de Sigismond . . . . . . 210
Le vivarium . . . . . . . . . . . . . . 213
Colomban le Vieux . . . . . . . . . . 216
L'abjuration de Reccarède . . . . . . 219
Masona de Merida . . . . . . . . . . 222
Augustin de Cantorbéry . . . . . . 225
Colomban le Jeune . . . . . . . . . 228
Isidore de Séville . . . . . . . . . . . 231
Grégoire le Grand . . . . . . . . . . 234
La fête de la Croix glorieuse . . . . 238
Martin Ier, Maxime le Confesseur . 241
Willibrord . . . . . . . . . . . . . . . 245
Boniface . . . . . . . . . . . . . . . . 248
Bède le Vénérable . . . . . . . . . . 252

MARS

*Empereurs et moines* . . . . . . . . . . . 259
Le sacre de Pépin le Bref . . . . . . 260
Les moines médecins . . . . . . . . . 264
Le deuxième concile de Nicée . . . 267
Alcuin . . . . . . . . . . . . . . . . . . 272
Le concile de Francfort . . . . . . . 275
La minuscule caroline . . . . . . . . 279
Saint Jacques . . . . . . . . . . . . . 282
Hincmar . . . . . . . . . . . . . . . . 285
Le divorce de Lothaire II . . . . . . 288
Nicolas Ier . . . . . . . . . . . . . . . 292
Cyrille et Méthode . . . . . . . . . . 295
Jean VIII et le commerce
    des esclaves . . . . . . . . . . . . . 299
La fondation de Cluny . . . . . . . . 302

L'évangélisation de la Pologne . . . 305
Adalbert de Prague . . . . . . . . . . 308
Le baptême de la Russie . . . . . . . 312
Étienne de Hongrie . . . . . . . . . . 316
Odilon de Cluny . . . . . . . . . . . 320
Adélaïde . . . . . . . . . . . . . . . . 324
Sylvestre II . . . . . . . . . . . . . . . 328
Olaf de Norvège . . . . . . . . . . . 332
La Trêve de Dieu . . . . . . . . . . . 335
La condamnation de Béranger
    de Tours . . . . . . . . . . . . . . 338
Bruno de Cologne . . . . . . . . . . 341
La libération de Tolède . . . . . . . 344
Saint Nicolas . . . . . . . . . . . . . 347
Pétronille de Chemillé . . . . . . . . 349
Bernard de Clairvaux . . . . . . . . 352
La libération de Jérusalem . . . . 356
Les granges de Citeaux . . . . . . . 360

AVRIL

*Croisés et universitaires* . . . . . . . . 365
Le chant grégorien . . . . . . . . . . 366
L'ordre des Hospitaliers
    de Saint-Jean-de-Jérusalem . . . 370
L'abbaye de Saint-Victor . . . . . . 373
Norbert de Xanten . . . . . . . . . . 376
Les moines d'Occident . . . . . . . 379
Conques . . . . . . . . . . . . . . . . 382
Hildegarde de Bingen . . . . . . . . 386
Pierre le Vénérable . . . . . . . . . . 390
Thomas Becket . . . . . . . . . . . . 392
La licentia docendi . . . . . . . . . . 397
Les Maronites . . . . . . . . . . . . . 399
Richard Cœur de Lion et Saladin . 402
Jean de Matha . . . . . . . . . . . . 405
François d'Assise . . . . . . . . . . . 408
Dominique . . . . . . . . . . . . . . . 413
L'université de Paris . . . . . . . . . 417
Le quatrième concile du Latran . . 420

Louis IX . . . . . . . . . . . . . . . . 424
Chartres . . . . . . . . . . . . . . . . 428
Guillaume de Rubrouck . . . . . . . 432
Thomas d'Aquin . . . . . . . . . . . 436
Yves de Tréguier . . . . . . . . . . . 440
La Fête Dieu . . . . . . . . . . . . . 442
Le conclave de Viterbe . . . . . . . 444
Rabban Çauma . . . . . . . . . . . . 446
Le décret de Gratien . . . . . . . . 449
La Divine Comédie de Dante . . . 453
Guillaume de Machault . . . . . . . 456
Jean de Meulan . . . . . . . . . . . 459

MAI
Papes et humanistes . . . . . . . . . . 463
Catherine de Sienne . . . . . . . . . 464
Le grand schisme d'Occident . . . . 468
Florent Radewijns . . . . . . . . . . 472
Colette Boylet . . . . . . . . . . . . 475
Vincent Ferrier . . . . . . . . . . . . 477
Le concile de Constance . . . . . . 480
La Trinité d'Andrei Roublev . . . . 484
Le procès de Jeanne d'Arc . . . . . 488
Fra Angelico . . . . . . . . . . . . . 493
Le concile de Florence . . . . . . . 497
De l'élection des abbés, des papes
    et des évêques . . . . . . . . . . . 500
La bibliothèque vaticane . . . . . . 504
Nicolas Rolin . . . . . . . . . . . . . 507
L'essor de l'imprimerie . . . . . . . 511
L'Angélus . . . . . . . . . . . . . . . 515
Les monts-de-piété . . . . . . . . . 518
L'Imitation de Jésus-Christ . . . . . 521
De la découverte de l'Amérique . . 524
La basilique Saint-Pierre . . . . . . 528
Les douze apôtres du Mexique . . . 530
Les Quarante Heures . . . . . . . . 538
Notre-Dame-de-Guadalupe . . . . . 540
Ignace de Loyola . . . . . . . . . . . 543

Thomas More . . . . . . . . . . . . 547
Sublimis Deus . . . . . . . . . . . . 550
Vasco de Quiroga . . . . . . . . . . 553
François Xavier . . . . . . . . . . . . 556
Jérôme de Loaisa . . . . . . . . . . 560
Le concile de Trente . . . . . . . . . 568
La controverse de Valladolid . . . . 572

JUIN
Saints et rois . . . . . . . . . . . . . 579
Thérèse d'Avila . . . . . . . . . . . 580
Charles Borromée . . . . . . . . . . 584
Philippe Néri . . . . . . . . . . . . 588
La bataille de Lépante . . . . . . . 592
Le rosaire . . . . . . . . . . . . . . 595
Jean de la Croix . . . . . . . . . . . 598
La découverte des catacombes . . . 603
Edmond Campion . . . . . . . . . . 606
Matteo Ricci . . . . . . . . . . . . . 608
Le calendrier grégorien . . . . . . . 611
Margaret Clitherow . . . . . . . . . 614
Camille de Lellis . . . . . . . . . . . 618
Le siège de Paris . . . . . . . . . . 622
Robert Bellarmin . . . . . . . . . . 625
Le baroque . . . . . . . . . . . . . . 629
Madame Acarie . . . . . . . . . . . 632
Turibe de Mogrovejo . . . . . . . . 636
Rose de Lima . . . . . . . . . . . . 640
François de Sales . . . . . . . . . . . 643
Pierre Claver . . . . . . . . . . . . . 647
La Congregatio de Propaganda Fide . 650
Isidore . . . . . . . . . . . . . . . . 655
Claudio Monteverdi . . . . . . . . . 657
Pierre de Bérulle . . . . . . . . . . 660
Vincent de Paul . . . . . . . . . . . 664
Les Mays de Notre-Dame . . . . . 668
Le vœu de Louis XIII . . . . . . . 671
Louise de Marillac . . . . . . . . . . 673
Notre-Dame-del-Pilar . . . . . . . . 678

JUILLET

*Réformateurs et révolutionnaires* . . . . 683
Monsieur Olier . . . . . . . . . . . . . 684
Polyeucte . . . . . . . . . . . . . . . 688
Jean Eudes . . . . . . . . . . . . . . . 691
Jean de Brébeuf . . . . . . . . . . . 694
Blaise Pascal . . . . . . . . . . . . . 697
Jean-Joseph Surin . . . . . . . . . . 701
L'abbé de Rancé et la réforme
  de la Trappe . . . . . . . . . . . . 704
Bossuet . . . . . . . . . . . . . . . 708
François de Laval . . . . . . . . . . 711
Les martyrs du Vietnam . . . . . . . 715
Rembrandt . . . . . . . . . . . . . . 719
Kateri Tekakwitha . . . . . . . . . . 722
Jean-Baptiste de la Salle . . . . . . . 725
Jean Sobieski . . . . . . . . . . . . 729
Marguerite-Marie Alacoque . . . . . 732
Inès de la Cruz . . . . . . . . . . . 735
Dom Mabillon . . . . . . . . . . . . 739
Louis-Marie Grignion de Montfort . 744
Le siècle d'or de l'orgue . . . . . . . 748
Alphonse de Liguori . . . . . . . . . 752
Les missions jésuites du Paraguay . 755
Jean-Sébastien Bach . . . . . . . . . 759
Lazzaro Spallanzani . . . . . . . . . 762
L'abbé de l'Épée . . . . . . . . . . . 765
Benoît-Joseph Labre . . . . . . . . . 768
L'Église coréenne . . . . . . . . . . 771
Joseph Haydn . . . . . . . . . . . . 774
Un choix déchirant . . . . . . . . . 777
Mademoiselle de Lamourous . . . . 780
Le pardon de Bonchamps . . . . . . 783

AOÛT

*Missionnaires et romantiques* . . . . . 789
Les carmélites de Compiègne . . . . 790
Clemens Brentano . . . . . . . . . . 792
Le Génie du christianisme . . . . . . 796

Pierre Toussaint . . . . . . . . . . . . 800
La conversion d'Alessandro
  Manzoni . . . . . . . . . . . . . . 804
Élisabeth Seton . . . . . . . . . . . . 808
John Caroll . . . . . . . . . . . . . 811
Le curé d'Ars . . . . . . . . . . . . . 815
Laennec . . . . . . . . . . . . . . . 818
Pauline Jaricot . . . . . . . . . . . . 822
Anne-Marie Javouhey . . . . . . . . 825
Frédéric Ozanam . . . . . . . . . . . 829
Monsieur Dupont . . . . . . . . . . 832
Grégoire XVI . . . . . . . . . . . . . 836
Jean-Gabriel Perboyre . . . . . . . . 840
Jeanne Jugan . . . . . . . . . . . . . 844
Théodore et Alphonse Ratisbonne . 847
Monseigneur Douarre . . . . . . . . 850
Daniel O'Connell . . . . . . . . . . . 854
L'ouverture de la mission africaine . 858
John-Henry Newman . . . . . . . . . 862
Don Bosco . . . . . . . . . . . . . . 866
Buchez et L'Atelier . . . . . . . . . . 870
Monseigneur Affre . . . . . . . . . . 874
Adolphe Kolping . . . . . . . . . . . 878
Le dogme de l'Immaculée
  Conception . . . . . . . . . . . . . 882
De la prison de Cadillac
  au couvent de Béthanie . . . . . . 886
Dominique Savio . . . . . . . . . . . 890
Bernadette Soubirous . . . . . . . . 894
Antoine Chevrier et le Prado . . . . 897

SEPTEMBRE

*Catholiques et socialistes* . . . . . . . . 903
Théophane Vénard . . . . . . . . . . 904
Raiffeisen . . . . . . . . . . . . . . 908
Jacques Laval . . . . . . . . . . . . . 911
Gregor Mendel . . . . . . . . . . . . 914
Franz Liszt . . . . . . . . . . . . . . 918
Le père Petitjean à Nagasaki . . . . 921

Baudelaire . . . . . . . . . . . . . . . 924
Monseigneur Dupanloup . . . . . . . 927
Léon Bloy . . . . . . . . . . . . . . . 930
Monseigneur Ketteler . . . . . . . . . 934
Les apparitions de Pontmain . . . . 938
Henri Planchat . . . . . . . . . . . . 940
Damien de Veuster . . . . . . . . . . 943
La conversion de Verlaine . . . . . . 946
Dostoïevski . . . . . . . . . . . . . . 949
L'union de Fribourg . . . . . . . . . 953
Katharine Drexel . . . . . . . . . . . 956
Charles de Foucauld . . . . . . . . . 960
Paul Claudel . . . . . . . . . . . . . 963
Les martyrs d'Ouganda . . . . . . . 966
Félicie Hervieu . . . . . . . . . . . . 970
L'américanisme . . . . . . . . . . . . 973
Louis Pasteur . . . . . . . . . . . . . 977
L'École biblique de Jérusalem . . . 980
Rerum novarum . . . . . . . . . . . 984
Louis Boisard . . . . . . . . . . . . . 987
Alfred-Simon Diban Ki-Zerbo . . . 990
Rose Hawthorne . . . . . . . . . . . 992
Léon Harmel . . . . . . . . . . . . . 996

OCTOBRE
*Athées et miséricordieux* . . . . . . . 1001
Thérèse de Lisieux . . . . . . . . . . 1002
Le père Lamy . . . . . . . . . . . . . 1006
Mère Cabrini . . . . . . . . . . . . . 1010
Léonie Chaptal . . . . . . . . . . . . 1014
Pie X et la communion fréquente . 1019
La séparation de l'Église
    et de l'État . . . . . . . . . . . . . 1023
Mademoiselle Gahery . . . . . . . . 1028
Édouard Branly . . . . . . . . . . . . 1032
Pierre Duhem . . . . . . . . . . . . . 1037
Charles Péguy . . . . . . . . . . . . . 1040
Les curés sac au dos . . . . . . . . . 1043
Les Arméniens . . . . . . . . . . . . 1048

Anne de Guigné . . . . . . . . . . . 1052
Benoît XV et la guerre . . . . . . . 1054
Le père Escrivá de Balaguer . . . 1058
Les Ateliers d'art sacré . . . . . . . 1061
La Légion de Marie . . . . . . . . . 1064
Le Sacré-Cœur de Montmartre . . 1069
Cocteau et Maritain . . . . . . . . . 1073
La jeunesse ouvrière chrétienne . 1077
Les cristeros . . . . . . . . . . . . . 1080
Charles Tournemire . . . . . . . . . 1085
Sigrid Undset . . . . . . . . . . . . 1088
Les accords du Latran . . . . . . . 1092
Pier Giorgio Frassati . . . . . . . . 1096
Le chanoine Georges Lemaître . . 1100
Non abbiamo bisogno . . . . . . . 1104
Madeleine Delbrêl . . . . . . . . . . 1106
La conversion de Pierre Goursat . 1109
Dorothy Day . . . . . . . . . . . . . 1112

NOVEMBRE
*Justes et bourreaux* . . . . . . . . . . 1119
Maurice Blondel . . . . . . . . . . . 1120
La conversion d'André Frossard . 1125
Georges Bernanos . . . . . . . . . 1128
Académie pontificale des sciences . 1132
Zéphyrin Gimenez Malla . . . . . . 1137
Mit brennender Sorge . . . . . . . . 1140
Divini Redemptoris . . . . . . . . . 1144
Les Orphelins apprentis d'Auteil . 1147
Les premiers évêques chinois
    et africains . . . . . . . . . . . . . 1151
Jules Zirnheld . . . . . . . . . . . . 1154
Magdeleine Hutin . . . . . . . . . . 1157
Jean Plaquevent . . . . . . . . . . . 1160
Aktion T4 . . . . . . . . . . . . . . 1165
Honoré d'Estienne d'Orves . . . . 1170
Olivier Messiaen . . . . . . . . . . . 1174
Maximilien Kolbe . . . . . . . . . . 1177
Édith Stein . . . . . . . . . . . . . . 1180

Chiara Lubich et les Focolari . . . 1184
Les fouilles archéologiques de
    Saint-Pierre de Rome . . . . . . 1188
La Rose blanche de Munich . . . . 1192
Alfred Stanke . . . . . . . . . . . . 1197
Divino Afflente Spiritu . . . . . . . 1201
Maïti Girtanner . . . . . . . . . . . 1204
Marie Noël . . . . . . . . . . . . . 1207
Karl Leisner . . . . . . . . . . . . . 1210
Takashi Nagai . . . . . . . . . . . . 1214
Gertrud von Le Fort . . . . . . . . 1218
Pie XII et Israël Zolli . . . . . . . 1223
Mère Teresa . . . . . . . . . . . . . 1226

DÉCEMBRE
*Témoins et visionnaires* . . . . . . . . 1233
Henri Matisse et la chapelle
    de Vence . . . . . . . . . . . . . . 1234
Le cardinal Wyszynski . . . . . . . 1238
Robert Schuman . . . . . . . . . . 1242
Thomas Merton . . . . . . . . . . . 1245
Le martyre des évêques roumains . 1250
Le dogme de l'Assomption . . . . . 1254
Maria Goretti . . . . . . . . . . . . 1257
Jean Rodhain . . . . . . . . . . . . 1259

Joseph Folliet . . . . . . . . . . . . 1263
Lubac, Balthasar, Congar . . . . . 1267
Monseigneur Ghika . . . . . . . . . 1270
La semaine de prière pour l'unité
    des chrétiens . . . . . . . . . . . 1273
L'hiver 54 . . . . . . . . . . . . . . 1277
Frère Solanus Casey . . . . . . . . 1279
Jacques de Bourbon Busset . . . . 1283
Le père Joseph Wresinski . . . . . 1287
Jean XXIII . . . . . . . . . . . . . 1291
Satoko Kitahara . . . . . . . . . . . 1295
John Bradburne . . . . . . . . . . . 1299
Jeanne Beretta Molla . . . . . . . . 1302
Monseigneur Romero . . . . . . . . 1305
Vatican II . . . . . . . . . . . . . . 1309
Pacem in terris . . . . . . . . . . . 1314
Le troisième millénaire . . . . . . . 1318

INDEX
Index des principaux noms
    de personne . . . . . . . . . . . . 1321
Index thématique . . . . . . . . . . 1327
Index des principaux décrets,
    bulles et encycliques . . . . . . . 1337

Édition

FLEURUS *a cappella*


Fabrication

*Marie-Dominique Boyer*
*Claire Gourié*


Couverture et maquette intérieure

*Direction artistique : Fernand Percival*
*Mise au point : Ariel Termine*


Mise en page

*IGS-Charente Photogravure*
*à l'Isle d'Espagnac*


Impression

*Gibert Clarey S.A. à Tours*
*n° 99100097*

Iconographie de couverture :
*La Vierge des Rois Catholiques* (1490), détail, Musée du Prado, © G. Dagli Orti
Lazaro Bastiani, *Christ bénissant*, détail, Musée Bonnat, © G. Dagli Orti

Imprimé en novembre 1999 – dépôt légal : décembre 1999
N° d'édition : 99144